NORSTEDTS

# Norstedts lilla engelska ordbok

## ENGELSK-SVENSK    SVENSK-ENGELSK

VINCENT PETTI   KERSTIN PETTI

*Redaktion*
*engelsk-svenska delen* Mona Wiman
*svensk-engelska delen* Lillemor Swedenborg

*Dataprogram* Compulexis, Oxford (Henning
Madsen)
*Formgivning* Ingmar Rudman
*Omslag* Lars E Pettersson
*Sättning* DATA-SATS Informatik AB

Andra upplagan
**
ISBN 91-1-925242-0
© 1993, Vincent Petti, Kerstin Petti och
Norstedts Förlag

*Tryck* Almqvist & Wiksell Tryckeri, Uppsala 1994

# *Foreword*
## to the Second Edition

This compact two-way English-Swedish dictionary is intended for those needing a handy, reliable, up-to-date guide to English. It is suitable for schoolchildren, students and anyone who is interested in English and comes into contact with the language at work, touring abroad or, for example, watching English satellite television.

It has been specifically designed for a particular group, dictionary-users in Sweden. For instance in the Swedish-English section help is given in choosing the right translation by the clear division of the different senses using Swedish sense indicators. If one wants to know how the noun **resa** is to be translated into English, the following information is given:

**1 resa I** *s* speciellt till lands journey; till sjöss voyage, överresa crossing; vard., om alla slags resor trip; med bil ride, trip; med flyg flight

In the English-Swedish section this method is evidently unsuitable, since the user is here primarily trying to understand English texts or speech and not primarily translating. Instead illustrative examples are given which immediately relate to the English context.

The dictionary covers the general range of vocabulary, both British and American. In this second edition considerable additions and improvements have been made. The English-Swedish section contains 19 648 entries and 11 006 translated phrases and idioms, apart from 5 741 illustrative examples. The Swedish-English section contains 24 110 entries and 9 900 examples and idioms. The reader is also given a great deal of grammatical information on inflected forms, plural forms etc.

All main entries are given in full on separate lines, for ease of reference. In spite of this and the relatively large range of vocabulary, the dictionary is compact enough to have with one as a constant companion.

Other features include a map of Europe, a list of irregular verbs, and weights and measures. The commonest pronunciations are supplied against each entry in the English-Swedish section, using the international phonetic alphabet and including American variants if they differ unpredictably from the British English pronunciation.

No dictionary is without its shortcomings: constructive suggestions for improvement are always welcome within the more concise range this dictionary offers. We can only hope that the reader will enjoy using it as much as we have enjoyed compiling it.

*Vincent and Kerstin Petti*
April 1993

# Förord
till andra upplagan

**Norstedts lilla engelska ordbok** är avsedd för den som behöver en behändig, pålitlig engelsk-svensk/svensk-engelsk ordbok med modernt ordförråd. Den är lämplig för studerande på olika nivåer och för alla som är intresserade av engelska och kommer i kontakt med språket på arbetet, på utlandsresor eller t. ex. via satellit-TV.

**Norstedts lilla engelska ordbok** är gjord speciellt för ordboksanvändare i Sverige. Detta innebär bl. a. att man i den svensk-engelska delen får hjälp att välja rätt översättning genom en överskådlig indelning med betydelsemarkeringar på svenska. Om man t. ex. vill veta vad substantivet *resa* heter på engelska hittar man följande:

**1 resa I** *S* speciellt till lands journey; till sjöss voyage, överresa crossing; vard., om alla slags resor trip; med bil ride, trip; med flyg flight

I den engelsk-svenska delen är denna metod inte så lämplig, eftersom man slår i den först och främst för att förstå engelska i tal eller skrift. Här ges i stället som vägledning väl valda exempel som direkt anknyter till det engelska sammanhanget.

**Norstedts lilla engelska ordbok** täcker ett allmänt ordförråd, både brittisk och amerikansk engelska. I denna andra upplaga har åtskilliga tillägg och förbättringar gjorts. Den engelsk-svenska delen omfattar 19 648 uppslagsord, 11 006 översatta fraser och idiomatiska uttryck samt 5 741 belysande språkexempel. I den svensk-engelska delen ingår 24 110 uppslagsord och 9 900 exempel och idiomatiska uttryck. Läsaren får också riklig grammatisk information såsom böjningsformer, pluralformer etc. För att det ska vara lätt att hitta i ordboken är alla uppslagsord helt utskrivna och står på egen rad. Trots detta och trots det relativt stora ordförrådet är formatet sådant att den är lätt att ha med överallt som ett ständigt stöd.

Ordboken innehåller också en Europakarta och en förteckning över oregelbundna verb samt över aktuellt mått- och viktsystem. Den engelsk-svenska delen anger det vanligaste uttalet för varje uppslagsord.

Amerikanska varianter anges om de skiljer sig från brittiskt engelskt uttal på ett oförutsebart sätt. Det internationella fonetiska alfabetet har använts.

Ingen ordbok är helt utan brister. Vi tar gärna emot konstruktiva förslag på förbättringar.

Vi har haft roligt när vi har arbetat fram *Norstedts lilla engelska ordbok* och hoppas nu att läsarna kommer att trivas med att använda den.

Stockholm april 1993
*Vincent Petti      Kerstin Petti*

*Ordboken innehåller ett antal ord som har sitt ursprung i varumärken. Detta får inte feltolkas så, att ordens förekomst här och sättet att förklara dem skulle ändra varumärkenas karaktär av skyddade känne- tecken eller kunna anföras som giltigt skäl att beröva innehavarna deras skyddade ensamrätt till de ifrågavarande beteckningarna.*

# Ordbokstecken

~     betecknar hela uppslagsordet

[ ]     används kring ord och uttryck som kan uteslutas samt kring uttalsbeteckning

( )     används kring ord eller ordgrupper som kan ersätta närmast föregående ord (synonym eller alternativ)

      används också kring uppgift om böjning eller annan grammatisk upplysning

[ ]     används kring konstruktionsmönster eller belysande exempel

      används i engelsk-svenska delen också kring del av engelsk fras som inte översätts. Motsvaras i översättningen av tre punkter
Exempel: **fright:** [*her new hat*] *is a* ~ ... är förskräcklig

□     används för att markera avdelning med ledord (i fet stil) i alfabetisk ordning

VIII

# Exempel ur engelsk-svenska delen

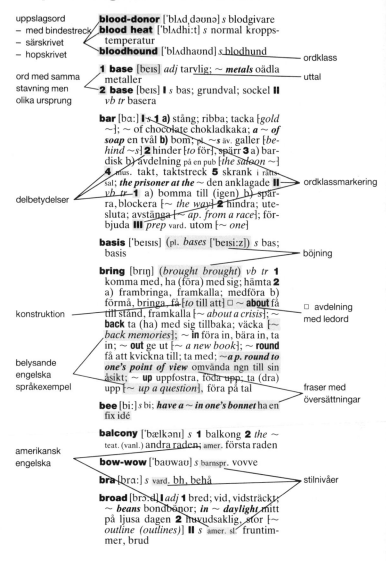

uppslagsord
– med bindestreck
– särskrivet
– hopskrivet

**blood-donor** ['blʌd͵dəʊnə] s blodgivare
**blood heat** ['blʌdhiːt] s normal kropps-
temperatur
**bloodhound** ['blʌdhaʊnd] s blodhund

ordklass

ord med samma
stavning men
olika ursprung

**1 base** [beɪs] adj tarvlig; ~ metals oädla
metaller
**2 base** [beɪs] I s bas; grundval; sockel II
vb tr basera

uttal

delbetydelser

**bar** [bɑː] I s 1 a) stång; ribba; tacka [gold
~]; ~ of chocolate chokladkaka; a ~ of
soap en tvål b) bom; pl ~s äv. galler [be-
hind ~s] 2 hinder [to för], spärr 3 a) bar-
disk b) avdelning på en pub [the saloon ~]
4 mus. takt, taktstreck 5 skrank i rätte-
sal; the prisoner at the ~ den anklagade II
vb tr 1 a) bomma till (igen) b) spär-
ra, blockera [~ the way] 2 hindra; ute-
sluta; avstänga [~ ap. from a race]; för-
bjuda III prep vard. utom [~ one]

ordklassmarkering

**basis** ['beɪsɪs] (pl. bases ['beɪsiːz]) s bas;
basis

böjning

konstruktion

belysande
engelska
språkexempel

**bring** [brɪŋ] (brought brought) vb tr 1
komma med, ha (föra) med sig; hämta 2
a) frambringa, framkalla; medföra b)
förmå, bringa, få [to till att] □ ~ about få
till stånd, framkalla [~ about a crisis]; ~
back ta (ha) med sig tillbaka; väcka [~
back memories]; ~ in föra in, bära in, ta
in; ~ out ge ut [~ a new book]; ~ round
få att kvickna till; ta med; ~ a p. round to
one's point of view omvända ngn till sin
åsikt; ~ up uppfostra, föda upp; ta (dra)
upp [~ up a question], föra på tal

□ avdelning
med ledord

fraser med
översättningar

**bee** [biː] s bi; have a ~ in one's bonnet ha en
fix idé

amerikansk
engelska

**balcony** ['bælkənɪ] s 1 balkong 2 the ~
teat. (vanl.) andra raden; amer. första raden

**bow-wow** ['baʊwaʊ] s barnspr. vovve

**bra** [brɑː] s vard. bh, behå

stilnivåer

**broad** [brɔːd] I adj 1 bred; vid, vidsträckt;
~ beans bondbönor; in ~ daylight mitt
på ljusa dagen 2 huvudsaklig, stor [~
outline (outlines)] II s amer. sl. fruntim-
mer, brud

---

## Svensk-engelska delen följer samma mönster

# Till användaren

Vi har försökt att göra ordboken så lättläst som möjligt. Det skall gå att använda den och hitta vad man söker utan en mängd svårtillgängliga regler och symboler. Om du bara tar det lugnt, läser noga och använder din språkliga fantasi så kommer du långt. Ändå lönar det sig för dig att läsa igenom följande lilla bruksanvisning, om du vill ha ut det mesta möjliga av din ordbok.

## Hur hittar man i ordboken?

### Uppslagsordens form

Ordboken består av två delar: en engelsk-svensk och en svensk-engelsk. Mellan de båda delarna finns en sektion med en förteckning över engelska oregelbundna verb, engelska och amerikanska mått, vikter m. m.

I den svensk-engelska delen går vi ju från det för oss kända (svenskan) till det okända (engelskan). Om du t. ex. skall översätta *stränderna* eller *har burit* så räknar vi med att din egen språkkänsla leder dig till grundformerna **strand,** dvs. obestämd form singular för substantiv, och **bära** dvs. infinitiv för verb. Ibland har vi dock använt en annan form än grundformen, t. ex. **adoptivföräldrar** *s pl.*

Har du däremot en engelsk text som skall översättas till svenska kan det vara svårt att veta vilken form av t. ex. verbet du träffar på. Därför har vi i engelsk-svenska delen tagit upp oregelbundna former av verb (t. ex. imperfekt *forgave,* perfekt particip *forgiven*) och av substantiv (pl. *geese*) som uppslagsord med uttal och hänvisning till grundformen, infinitiv och substantiv i singularform.

### Alfabetisk ordning

Uppslagsorden står i strikt alfabetisk ordning, antingen de är enkla eller sammansatta. Bindestreck, punkt m. m. räknas ej.

| Exempel ur engelsk-svenska delen | svensk-engelska |
|---|---|
| **blood-donor** | **aşka** |
| **blood heat** | **A-skatt** |
| **bloodhound** | **askfat** |

V och W räknas i svenskan som en och samma bokstav, i engelskan som två olika.

## Stavning

Stavningen av de engelska orden är normalt den brittiska engelskans. Den amerikanska formen anges då den är oförutsebar. Specifikt amerikanska ord ges i regel med enbart amerikansk stavning.

## Ord som stavas lika

Ord som ser likadana ut men har helt olika betydelser (och ursprung) – t. ex. **resa** = färdas och **resa** = sätta upp – har blivit två olika uppslagsord i ordboken, med en siffra framför.

## Varianter

Likbetydande ord har sammanförts, förutsatt att den alfabetiska ordningen inte bryts. Exempel: **anta** o. **antaga**

# Hur hittar man i artiklarna?

## Ordningen inom artiklarna

Med *artikel* menar vi här uppslagsordet och den text som hör dit, dvs. översättning, språkexempel etc.

De olika typer av information som ges i en artikel följer i regel samma ordning. Ett enkelt fall med de flesta typerna representerade:

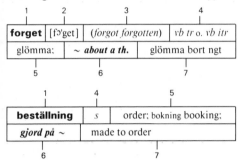

1. Uppslagsord
2. Uttal } i engelsk-
3. Böjning } svenska delen
4. Ordklass
5. Översättning av uppslagsordet
6. Språkexempel
7. Översättning av språk- exemplet

Tecknet ~ ersätter uppslagsordet inne i artikeln, i språkexempel m. m.

## Uttal

Uppgifter om de engelska ordens uttal hittar du i den engelsk-svenska delen, där varje uppslagsord har fonetisk transkription. De fonetiska tecknen finner du på sidan XX.

## Böjning

För svenska ord ges i allmänhet inte böjningsuppgifter. För engelska ord ges uppgift om böjning när den är eller kan vara oregelbunden. En förteckning över engelska oregelbundna verb ges i mittsektionen.

## Ordklasser

Varje uppslagsord har ordklassmarkering, t. ex. *s* för substantiv, *vb tr* för transitivt verb, *vb itr* för intransitivt verb osv. Ofta kan ett ord tillhöra mer än en ordklass:
**djup** är både adjektiv och substantiv,
**resa** och **travel** kan vara verb eller substantiv.

För att det ska gå lättare att hitta i artikeln, har den delats in efter ordklasserna, och varje sådan avdelning inleds då med en romersk siffra (**I    II** etc.). Du vinner alltså tid på att från början göra klart för dig vilken ordklass ordet har, som du ska översätta. En särskild förteckning över ordklasser finns på sidan XV. Observera att verben kan indelas i olika ordklasser: transitivt verb, intransitivt verb, reflexivt verb.

## Betydelser

Ett visst ord kan ha flera mer eller mindre närliggande betydelser eller motsvaras av flera olika ord i engelskan — t. ex. **stor** great, big, large, tall etc. För att du ska ledas till rätt översättning bland flera har vi satt in förklaringar med liten stil. Så det gäller att inte ha för bråttom och fastna för den första översättning som ges.

Skaffa dig i stället först en överblick över samtliga betydelser och titta sedan närmare på den som passar bäst i sammanhanget.

Närliggande betydelser skiljs ofta åt bara av ett komma eller semikolon, medan mer klart åtskilda skiljs åt av siffror eller **a) b)** etc.

De förkortningar som används i lilla stilen finns förklarade på sidan XVI.

## Exempel

Läs exemplen noga, de ger mer hjälp än man kan tro. De oöversatta kursiva exemplen i 'piggparentes' [ ] i den engelsk-svenska delen exemplifierar den föregående översättningen, och ger dig direkt ordet i dess sammanhang, t. ex.

**bring:** väcka [~ *back memories*].

De översatta exemplen (i halvfet kursiv) är ofta mer fasta uttryck som ges en träffande översättning, ofta utöver grundöversättningen, t. ex.

**leg:** *pull a p.'s* ~ vard. driva med någon
**storm:** *en* ~ *i ett vattenglas* a storm in a teacup,
    amer. a tempest in a teapot

Ibland kan det vara svårt att veta under vilket uppslagsord man ska söka en fras. Den kan ligga på det första ordet i uttrycket, eller under något ord som uppfattas som huvudord. Ge alltså inte upp om du inte hittar frasen vid första försöket, utan slå istället på nästa tänkbara ord.

## Ordningen mellan fraser

Om en artikel innehåller många fraser står dessa ofta i någon logisk eller alfabetisk ordning. Särskilt gäller detta fraser efter tecknet □. Här har fraserna placerats alfabetiskt efter ett ledord i halvfet stil. Ofta gäller det verb med betonad partikel, t. ex. i artikeln **gå:**

□ ~ **an**   ~ **av**   ~ **bort**   ~ **efter**   ~ **emot** etc.

i artikeln **bring:**
□ ~ **about**   ~ **back**   ~ **in**   ~ **out**   ~ **round**   ~ **up**

## Uppgifter om konstruktion m. m.

I vissa fall ger ordboken information utöver själva översättningen. Särskilt när bruket i svenskan och engelskan skiljer sig, ger vi uppgift om hur orden skall konstrueras, dvs. om exempelvis efterföljande verb skall stå i singular eller plural:

**polis** *s* **1** myndighet o. koll. police pl.

Med koll. (= kollektivt) menas polis som grupp, ej enstaka polisman. Pl. innebär att verbet skall stå i plural: *polisen har* ... heter således 'the police have ...' Likaså:

**alla** *pron* everybody, everyone (båda sg.)
Ex. *alla är* = everybody (everyone) is ...
**pengar** money sg.
Ex. *pengarna är* = the money is ...

De olika verbbeteckningarna kan även ses som ett slags konstruktions-uppgift: *vb tr* innebär att verbet kan följas av objekt (t. ex. *läsa en bok*) medan *vb itr* betyder att det inte kan följas av objekt (t. ex *blunda*). Ofta kan verbet vara både transitivt och intransitivt, och får då beteckningen *vb tr* o. *vb itr* (t. ex. *borra*). Ibland förändras betydelsen och då är en uppdelning nödvändig:
**bulta I** *vb tr* bearbeta beat (osv.) **II** *vb itr* knacka knock

*vb rfl* innebär att verbet (uppslagsordet) är reflexivt. Översättningen behöver inte nödvändigtvis vara reflexiv:
**lära: II** *vb rfl,* ~ *sig* learn
Ex. *vi lär oss* heter således 'we learn'

Uppgifter om preposition m. m. ges ibland inom tecknet [ ] efter översättningen:

**medlemskap** *s* membership [*i* of]
**bring** *vb tr:* få [*to* till att]

Ibland förekommer punkter i översättningen. De visar ordföljden när den avviker, t. ex. vid adjektiv:

**fabriksny** *adj* ... fresh from the factory
Punkterna visar huvudordets plats.

**förena** *vb tr:* bring ... together
Här visar punkterna objektets plats.

Se även under *Ordbokstecken* på sidan VII.

## Översättning

När vi ger en översättning utan förklaring är det ordets normala betydelse som avses. Om ordet har någon specialbetydelse utöver grundbetydelsen anger vi detta med en förklaring i liten stil före översättningen. Exempel:

**hagel** *s* **1** hail **2** blyhagel shot, small shot
**beställning** *s* order; bokning booking

Vissa ord saknar motsvarighet i det andra språket. Det kan vara maträtter, eller ord som hör ihop med olika seder och bruk, s. k. kulturspecifika ord. I sådana fall ger vi antingen en ungefärlig översättning eller en förklaring (definition). Exempel:

**kasperteater** *s* ung. Punch and Judy show
Här har vi försökt ge en översättning som ger motsvarande associationer i det andra språket.

En annan lösning är att ge en förklaring, som inte kan användas som översättning men ändå bidrar till språkförståelsen. Exempel:

**fastlagsris** *s* twigs pl. with coloured feathers [used as a decoration during Lent]
**dagbarn** *s* child in the care of a childminder; *ha* ~ be a childminder

Ytterligare ett sätt är att ge ett förslag till översättning med efterföljande förklaring, t. ex.

**secondary:** ~ *school* sekundärskola mellan- och högstadieskola samt gymnasieskola för åldrarna 11 – 18

# Förkortningar

## I konstruktionsmönster:

| | |
|---|---|
| a p. | a person |
| a p.'s | a person's |
| a th. | a thing |
| a th.'s | a thing's |

| | |
|---|---|
| ngn | någon (objektet är en person) |
| ngns | någons |
| ngt | något (objektet är en sak) |
| ngts | någots |

## Ordklasser:

| | | | |
|---|---|---|---|
| *adj* | adjektiv | *pers pron* | personligt pronomen |
| *adv* | adverb | *poss pron* | possessivt pronomen |
| *best art* | bestämd artikel | | |
| *demonstr* | | *perf p* | perfekt particip |
| *pron* | demonstrativt pronomen | *prep* | preposition |
| | | *pres p* | presens particip |
| *dep* | deponens (verb som slutar på -s utan att ha passiv betydelse) | *pron* | pronomen |
| | | *rel pron* | relativt pronomen |
| | | *rfl pron* | reflexivt pronomen |
| *determ* | | *räkn* | räkneord |
| *pron* | determinativt pronomen | *s* | substantiv |
| | | *s pl* | substantiv i pluralform |
| *hjälpvb* | hjälpverb | | |
| *huvudvb* | huvudverb | *subst adj* | substantiverat adjektiv |
| *indef pron* | indefinit pronomen | | |
| *interj* | interjektion | *vb* | verb |
| *interr pron* | frågande pronomen | *vb itr* | intransitivt verb (kan ej ha objekt) |
| *komp* | komparativ | | |
| *konj* | konjunktion | *vb rfl* | reflexivt verb |
| *obest art* | obestämd artikel | *vb tr* | transitivt verb (kan ha objekt) |

## Övrigt:

| | |
|---|---|
| adj. | adjektiv; adjektivisk |
| adv. | adverb; adverbial; adverbiell |
| allm. | allmänt, i allmän (ej speciell) betydelse |
| amer. | amerikansk; amerikansk engelska; i Amerika (USA) |
| anat. | anatomi |
| anv. | används; användning |
| arkit. | arkitektur |
| astrol. | astrologi |
| astron. | astronomi |
| bank. | bankväsen, bankterm |
| barnspr. | barnspråk |
| bibl. | biblisk; i Bibeln |
| bil. | biltrafik; bilteknik |
| bildl. | bildlig; bildligt |
| bilj. | biljard |
| biol. | biologi |
| bokf. | bokföring |
| boktr. | boktryckeri |
| bot. | botanik |
| boxn. | boxning |
| britt. | brittisk |
| brottn. | brottning |
| byggn. | byggnadskonst; byggnadsverksamhet |
| data. | dataterm |
| dial. | dialektal |
| dipl. | diplomati |
| eg. | egentlig (ej bildlig) betydelse |
| ekon. | ekonomi |
| el. | eller |
| elektr. | elektronik; elteknik |
| end. | endast |
| eng. | engelsk; engelska |
| etc. | etcetera |
| farmakol. | farmakologi |
| film. | filmterm |
| flyg. | flygväsen, flygteknik |
| fonet. | fonetik |
| fotb. | fotboll |
| foto. | fotografering |
| fys. | fysik |
| fysiol. | fysiologi |
| följ. | följande; följande ord |
| förb. | förbindelse |
| förk. | förkortning |
| försäkr. | försäkringsväsen |
| geogr. | geografi, geografisk |
| geol. | geologi |
| geom. | geometri |
| golf. | golf |
| gram. | grammatik |
| gymn. | gymnastik |
| hand. | handel |
| hist. | historisk, ej längre existerande företeelse; historia |
| högtidl. | högtidlig stil |
| inf. | infinitiv |
| irl. | irländsk; i Irland |
| iron. | ironisk |
| itr. | intransitivt verb (kan ej ha objekt) |
| jakt. | jaktterm |
| jfr | jämför |
| jur. | juridik |
| järnv. | järnvägsterm |
| kapplöpn. | kapplöpning |
| katol. | katolsk |
| kem. | kemi |
| kir. | kirurgi |
| kok. | kokkonst |
| koll. | kollektiv |
| konst. | konst; konstvetenskap |
| konstr. | konstruktion; konstrueras |
| kortsp. | kortspel |
| kyrkl. | kyrklig |
| lantbr. | lantbruk |
| lat. | latin; latinsk |
| litt. | litterär stil, litteratur |
| mat. | matematik |
| med. | medicin |
| meteor. | meteorologi |
| metrik. | metrik, verslära |
| mil. | militärväsen |
| miner. | mineralogi |
| m.m. | med mera |
| m.fl. | med flera |
| motor. | motorteknik |
| motsv. | motsvarande |
| mus. | musik |
| myt. | mytologi |
| mål. | måleri (konst el. hantverk) |
| naturv. | naturvetenskap |
| neds. | nedsättande |
| ngn | någon |
| ngns | någons |
| ngt | något |
| o. | och |
| opers. | opersonlig (konstrueras med 'det') |
| ordspr. | ordspråk |
| osv. | och så vidare |
| parl. | parlamentarisk term |
| pers. | person; personlig |
| pl. | plural (till form och/eller konstruktion) |
| poet. | poetisk stil |
| polit. | politik; politisk |

| | |
|---|---|
| post. | postterm |
| prep. | preposition; prepositions- |
| psykol. | psykologi |
| pyrotekn. | pyroteknik |
| ® | inregistrerat varumärke |
| radar. | radarteknik |
| radio. | radio; radioteknik |
| relig. | religion; religiös |
| resp. | respektive |
| ridn. | ridning; ridterm |
| rom. | romersk |
| schack. | schackterm |
| sg. | singular (till form och/eller konstruktion) |
| simn. | simning |
| sjö. | sjöfart |
| skol. | skolväsen |
| skotsk. | skotsk; i Skottland |
| skämts. | skämtsam; skämtsamt |
| sl. | slang |
| slakt. | slakteriterm |
| spel. | i sällskapsspel |
| sport. | sport, idrott |
| språkv. | språkvetenskap |
| Storbr. | Storbritannien |
| subst. | substantiv; substantivisk |
| sv. | svensk; svenska |
| sömnad. | sömnad |
| teat. | teater |
| tekn. | teknik |
| tele. | telekommunikation |
| t.ex. | till exempel |
| textil. | textilterm |
| tidn. | tidningsväsen, tidnings- språk |
| tr. | transitivt verb (kan ha objekt) |
| trafik. | trafikväsen |
| trädg. | trädgårdsterm |
| tull. | tullväsen |
| TV. | television |
| univ. | universitetsväsen |
| ung. | ungefär |
| uttr. | uttryckande |
| vanl. | vanligen |
| vard. | vardaglig; vardagligt |
| vetensk. | vetenskaplig |
| vulg. | vulgär stil |
| vävn. | vävnadsteknik, vävnads- konst |
| zool. | zoologi |
| åld. | äldre språkbruk |
| äv. | även |

# Norstedts lilla engelska ordbok
## Engelsk-svensk

# Uttal

## Vokaler

| Långa | | Korta | |
|---|---|---|---|
| [i:] | steel | [ɪ] | ring |
| | | [e] | pen |
| | | [æ] | back |
| [ɑ:] | father | [ʌ] | run |
| [ɔ:] | call | [ɒ] | top |
| [u:] | too | [ʊ] | put |
| [ɜ:] | girl | [ə] | about |

## Konsonanter

| Tonande | | Tonlösa | |
|---|---|---|---|
| [b] | back | [p] | people |
| [d] | drink | [t] | too |
| [g] | go | [k] | call |
| [v] | very | [f] | fish |
| [ð] | there | [θ] | think |
| [z] | freeze | [s] | strike |
| [ʒ] | usual | [ʃ] | shop |
| [dʒ] | job | [tʃ] | check |
| [j] | you | | |
| | | [h] | here |

## Diftonger

| [eɪ] | name | [m] | my |
|---|---|---|---|
| [aɪ] | line | [n] | next |
| [ɔɪ] | boy | [ŋ] | ring |
| [əʊ] | phone | [l] | long |
| [aʊ] | now | [r] | red |
| [ɪə] | here | [w] | win |
| [eə] | there | | |
| [ʊə] | tour | | |

*Huvudtryck* markeras med lodrätt accenttecken *i överkant,* som placeras *före* den stavelse som uppbär huvudtrycket: **about** [ə'baʊt]

*Bitryck* markeras med lodrätt accenttecken *i nederkant,* som placeras *före* den stavelse som uppbär bitrycket: **academic** [ˌækə'demɪk]

*Ljud som kan utelämnas* i uttalet omges av rund parentes: **cushion** ['kʊʃ(ə)n]

# A

**A, a** [eɪ] *s* A, a; *A flat* mus. ass; *A sharp* mus. aïss

**a** el. framför vokal **an** [ə, respektive ən] *obest art* **1** en, ett **2** *twice a day* två gånger om dagen

**aback** [ə'bæk] *adv*, *be taken ~* häpna

**abandon** [ə'bændən] **I** *vb tr* **1** ge upp [*~ an attempt*] **2** överge **II** *s*, *with ~* uppsluppet

**abase** [ə'beɪs] *vb tr* förnedra

**abash** [ə'bæʃ] *vb tr* göra generad

**abate** [ə'beɪt] *vb tr* avta, mojna

**abbess** ['æbes] *s* abbedissa

**abbey** ['æbɪ] *s* kloster, klosterkyrka

**abbot** ['æbət] *s* abbot

**abbreviate** [ə'bri:vɪeɪt] *vb tr* förkorta

**abbreviation** [ə,bri:vɪ'eɪʃ(ə)n] *s* förkortning

**abdicate** ['æbdɪkeɪt] *vb itr* o. *vb tr* abdikera; avsäga sig [*~ the throne*]

**abdication** [,æbdɪ'keɪʃ(ə)n] *s* abdikation, avsägelse

**abdomen** ['æbdəmen] *s* buk, mage, underliv

**abduct** [æb'dʌkt] *vb tr* röva bort, enlevera

**aberration** [,æbə'reɪʃ(ə)n] *s* villfarelse; avvikelse; *in a moment of ~* i ett anfall av sinnesförvirring

**abet** [ə'bet] *vb tr* medverka till brott

**abeyance** [ə'beɪəns] *s*, *fall into ~* komma ur bruk

**abhor** [əb'hɔ:] *vb tr* avsky

**abhorrence** [əb'hɒr(ə)ns] *s* avsky, fasa

**abide** [ə'baɪd] *vb itr* o. *vb tr* **1** *~ by* stå fast vid, foga sig efter **2** stå ut med

**abiding** [ə'baɪdɪŋ] *adj* bestående, varaktig

**ability** [ə'bɪlətɪ] *s* skicklighet, duglighet; *to the best of my ~* efter bästa förmåga; *a man of ~* en begåvad man

**abject** ['æbdʒekt] *adj* ynklig; usel

**ablaze** [ə'bleɪz] *adv* o. *adj* i brand, i lågor

**able** ['eɪbl] *adj* skicklig, duglig; *be ~ to do a th.* kunna göra ngt

**abnormal** [æb'nɔ:m(ə)l] *adj* abnorm, onormal

**aboard** [ə'bɔ:d] *adv* o. *prep* ombord, ombord på

**abolish** [ə'bɒlɪʃ] *vb tr* avskaffa

**abolition** [,æbə'lɪʃ(ə)n] *s* avskaffande

**abominable** [ə'bɒmɪnəbl] *adj* avskyvärd

**abominate** [ə'bɒmɪneɪt] *vb tr* avsky

**aboriginal** [,æbə'rɪdʒənl] **I** *adj* ursprunglig **II** *s* urinvånare

**aborigine** [,æbə'rɪdʒɪnɪ] (pl. *aborigines* [,æbə'rɪdʒɪni:z]) *s* urinvånare

**abortion** [ə'bɔ:ʃ(ə)n] *s* abort; missfall

**abortive** [ə'bɔ:tɪv] *adj* misslyckad

**abound** [ə'baʊnd] *vb itr* finnas i överflöd; *~ in (with)* vimla av

**about** [ə'baʊt] **I** *prep* **1** omkring i (på) **2** på sig [*I have no money ~ me*]; hos [*there's something ~ him I don't like*] **3** om [*tell me ~ it*]; *be ~* handla om; *what (how) ~...?* hur är det med...?, hur skulle det smaka med...?; *ska vi...?* **4** sysselsatt med; *while you are ~ it* medan du ändå håller på **5** omkring, ungefär, cirka **II** *adv* **1** omkring, runt **2** ute, i rörelse, i farten; *be ~* finnas; *be out and ~* el. *be ~* vara uppe (igång, i farten) **3** ungefär, nästan; *be ~ to* + infinitiv stå i begrepp att

**about-turn** [ə,baʊt'tɜ:n] *s* helomvändning

**above** [ə'bʌv] **I** *prep* över, ovanför; *~ all* framför allt; *over and ~* förutom **II** *adv* ovan, ovanför; upptill

**above-board** [ə,bʌv'bɔ:d] *adj* öppen, ärlig

**above-mentioned** [ə,bʌv'menʃ(ə)nd] *adj* ovannämnd

**abracadabra** [,æbrəkə'dæbrə] *s* abrakadabra

**abreast** [ə'brest] *adv* i bredd, bredvid varandra; *~ of (with)* i jämnhöjd med; *~ of the times* med sin tid

**abridge** [ə'brɪdʒ] *vb tr* förkorta, korta av

**abroad** [ə'brɔ:d] *adv* **1** utomlands, i (till) utlandet **2** *there is a rumour ~* det går ett rykte

**abrupt** [ə'brʌpt] *adj* tvär, abrupt; brysk

**ABS** [,eɪbi:'es] (förk. för *antilock brake system* el. *braking system*), *~ brakes* ABS-bromsar

**abscess** ['æbses] *s* böld, bulnad

**abscond** [əb'skɒnd] *vb itr* avvika, rymma

**absence** ['æbs(ə)ns] *s* frånvaro

**absent** ['æbs(ə)nt] *adj* frånvarande

**absentee** [,æbs(ə)n'ti:] *s* frånvarande

**absent-minded** [,æbs(ə)nt'maɪndɪd] *adj* tankspridd, förströdd

**absolute** ['æbsəlu:t] *adj* absolut; total; ren, komplett [*an ~ fool*]

**absolutely** ['æbsəlu:tlɪ] *adv* absolut; helt

**absolve** [əb'zɒlv] *vb tr* frikänna; frita

**absorb** [əb'sɔ:b] *vb tr* **1** absorbera; införliva **2** helt uppta; *be absorbed in* vara försjunken i

**absorbent** [əb'sɔ:bənt] *adj* absorberande

**absorbing** [əb'sɔ:bɪŋ] *adj* absorberande; bildl. fängslande

**absorption** [əb'sɔ:pʃ(ə)n] *s* **1** absorbering **2** försjunkenhet

**abstain** [əb'steɪn] *vb itr* avstå; avhålla sig

**abstainer** [əb'steɪnə] *s* **1** absolutist **2** valskolkare, soffliggare

**abstemious** [æb'sti:mjəs] *adj* återhållsam

**abstention** [əb'stenʃ(ə)n] *s* **1** ~ *from voting* el. ~ röstnedläggelse **2** återhållsamhet

**abstinence** ['æbstɪnəns] *s* avhållsamhet, återhållsamhet

**abstinent** ['æbstɪnənt] *adj* avhållsam, återhållsam

**abstract** ['æbstrækt] *adj* abstrakt

**abstruse** [æb'stru:s] *adj* svårfattlig, dunkel

**absurd** [əb'sɜ:d] *adj* orimlig, absurd

**absurdity** [əb'sɜ:dətɪ] *s* orimlighet, absurditet

**abundance** [ə'bʌndəns] *s* överflöd, stor mängd; rikedom

**abundant** [ə'bʌndənt] *adj* överflödande, riklig; rik [*in* på]

**abuse** [substantiv ə'bju:s, verb ə'bju:z] **I** *s* **1** missbruk [*drug (alcohol)* ~] **2** ovett **II** *vb tr* **1** missbruka **2** skymfa

**abusive** [ə'bju:sɪv] *adj* ovettig, smädlig

**abyss** [ə'bɪs] *s* avgrund

**AC** [ˌeɪ'si:] (förk. för *alternating current*) växelström

**academic** [ˌækə'demɪk] **I** *adj* akademisk **II** *s* akademiker

**academy** [ə'kædəmɪ] *s* akademi

**accede** [æk'si:d] *vb itr*, ~ *to* a) tillträda ämbete b) gå med på

**accelerate** [ək'seləreɪt] *vb tr* o. *vb itr* accelerera

**acceleration** [əkˌselə'reɪʃ(ə)n] *s* acceleration; accelerationsförmåga

**accelerator** [ək'seləreɪtə] *s* gaspedal; fys. el. kem. accelerator

**accent** [substantiv 'æks(ə)nt, verb æk'sent] **I** *s* **1** betoning, tonvikt **2** accent, brytning **3** accenttecken **II** *vb tr* betona

**accentuate** [æk'sentjʊeɪt] *vb tr* betona, accentuera

**accept** [ək'sept] *vb tr* anta, acceptera; godta

**acceptable** [ək'septəbl] *adj* antagbar, acceptabel; godtagbar

**acceptance** [ək'sept(ə)ns] *s* antagande, accepterande; godtagande

**access** ['ækses] *s* tillträde; tillgång

**accessible** [ək'sesəbl] *adj* tillgänglig

**accessory** [ək'sesərɪ] *s* pl. *accessories* tillbehör, accessoarer **2** medbrottsling

**accidence** ['æksɪd(ə)ns] *s* språkv. formlära

**accident** ['æksɪd(ə)nt] *s* **1** tillfällighet; *by* ~ av en händelse (slump) **2** olycksfall, olycka

**accidental** [ˌæksɪ'dentl] *adj* tillfällig, oavsiktlig

**acclaim** [ə'kleɪm] *vb tr* hylla

**acclimatize** [ə'klaɪmətaɪz] *vb tr* acklimatisera

**accommodate** [ə'kɒmədeɪt] *vb tr* inhysa, logera, inkvartera

**accommodating** [ə'kɒmədeɪtɪŋ] *adj* tillmötesgående

**accommodation** [əˌkɒmə'deɪʃ(ə)n] *s* bostad, husrum, logi

**accompaniment** [ə'kʌmpənɪmənt] *s* tillbehör; mus. ackompanjemang

**accompanist** [ə'kʌmpənɪst] *s* ackompanjatör

**accompany** [ə'kʌmpənɪ] *vb tr* åtfölja, följa med; beledsaga; mus. ackompanjera

**accomplice** [ə'kʌmplɪs] *s* medbrottsling

**accomplish** [ə'kʌmplɪʃ] *vb tr* utföra, uträtta

**accomplished** [ə'kʌmplɪʃt] *adj* fulländad; fint bildad

**accomplishment** [ə'kʌmplɪʃmənt] *s* **1** utförande, uträttande **2** prestation; ~*s* talanger

**accord** [ə'kɔ:d] **I** *vb tr* bevilja **II** *s* **1** samstämmighet; *with one* ~ enhälligt **2** överenskommelse **3** *of one's own* ~ självmant

**accordance** [ə'kɔ:d(ə)ns] *s*, *in* ~ *with* i överensstämmelse med

**according** [ə'kɔ:dɪŋ], ~ *to* preposition enligt, efter [~ *to circumstances*]

**accordingly** [ə'kɔ:dɪŋlɪ] *adv* **1** i enlighet därmed, därefter **2** följaktligen

**accordion** [ə'kɔ:djən] *s* dragspel

**accost** [ə'kɒst] *vb tr* gå fram till och tilltala; antasta

**account** [ə'kaʊnt] **I** *vb tr* o. *vb itr*, ~ *for* redovisa, redovisa för; *that* ~*s for it* det förklarar saken **II** *s* **1** räkning, konto; pl. ~*s* räkenskaper; *settle* ~*s with a p.* bildl. göra upp räkningen med ngn; *on one's own* ~ för egen räkning; *on that* ~ för den sakens skull; *on no* ~ el. *not on any* ~ på inga villkor; *on* ~ *of* på grund av **2** redovisning; *call* (*bring*) *a p. to* ~ ställa ngn till svars **3** uppskattning; *leave out of* ~ lämna ur räkningen; *take into* ~

ta med i beräkningen; *of no* ~ utan betydelse **4** berättelse, redogörelse; *by all* ~*s* efter allt vad man har hört
**accountable** [əˈkaʊntəbl] *adj* ansvarig
**accountant** [əˈkaʊntənt] *s* räkenskapsförare; *chartered* (amer. *certified public*) ~ auktoriserad revisor
**accredit** [əˈkredɪt] *vb tr* ackreditera [*to* hos]
**accrue** [əˈkru:] *vb itr* **1** tillfalla [*to a p.* ngn] **2** växa till; *accrued interest* upplupen ränta
**accumulate** [əˈkju:mjʊleɪt] *vb tr* o. *vb itr* samla, ackumulera; hopa sig, ackumuleras
**accumulation** [əˌkju:mjʊˈleɪʃ(ə)n] *s* anhopning, ackumulation; samlande
**accumulator** [əˈkju:mjʊleɪtə] *s* ackumulator
**accuracy** [ˈækjʊrəsɪ] *s* exakthet, precision
**accurate** [ˈækjʊrət] *adj* exakt, precis
**accusation** [ˌækju:ˈzeɪʃ(ə)n] *s* anklagelse
**accusative** [əˈkju:zətɪv] *s* ackusativ
**accuse** [əˈkju:z] *vb tr* anklaga [*of* för]
**accustom** [əˈkʌstəm] *vb tr* vänja [*to* vid]
**accustomed** [əˈkʌstəmd] *adj* van [*to* vid]
**ace** [eɪs] **I** *s* ess, äss **II** *adj* vard. toppen [*it was absolutely* ~]
**acetate** [ˈæsɪteɪt] *s* kem. acetat
**acetone** [ˈæsɪtəʊn] *s* aceton
**acetylsalicylic** [ˌæsɪtaɪlsæləˈsɪlɪk] *adj,* ~ *acid* acetylsalicylsyra
**ache** [eɪk] **I** *vb itr* värka **II** *s* värk
**achieve** [əˈtʃi:v] *vb tr* **1** uträtta; åstadkomma **2** uppnå
**achievement** [əˈtʃi:vmənt] *s* prestation, insats
**Achilles** [əˈkɪli:z] Akilles; *Achilles' heel* akilleshäl
**acid** [ˈæsɪd] **I** *adj* sur **II** *s* syra
**acidification** [əˌsɪdɪfɪˈkeɪʃ(ə)n] *s* försurning
**acknowledge** [əkˈnɒlɪdʒ] *vb tr* **1** erkänna **2** kännas vid
**acknowledgement** [əkˈnɒlɪdʒmənt] *s* erkännande
**acme** [ˈækmɪ] *s* höjdpunkt
**acne** [ˈæknɪ] *s* med. akne
**acorn** [ˈeɪkɔ:n] *s* ekollon
**acoustic** [əˈku:stɪk] *adj* o. **acoustical** [əˈku:stɪk(ə)l] *adj* akustisk
**acoustics** [əˈku:stɪks] *s* akustik
**acquaint** [əˈkweɪnt] *vb tr, be acquainted with* vara bekant med; vara insatt i
**acquaintance** [əˈkweɪnt(ə)ns] *s*

**1** bekantskap [*with* med]; kännedom [*with* om] **2** bekant
**acquiesce** [ˌækwɪˈes] *vb itr* samtycka [*in* till]
**acquire** [əˈkwaɪə] *vb tr* förvärva, skaffa sig
**acquirement** [əˈkwaɪəmənt] *s* **1** förvärvande **2** pl. ~*s* färdigheter, talanger
**acquisition** [ˌækwɪˈzɪʃ(ə)n] *s* förvärvande; förvärv
**acquisitiveness** [əˈkwɪzɪtɪvnəs] *s* habegär
**acquit** [əˈkwɪt] *vb tr* frikänna [*of* från]
**acquittal** [əˈkwɪtl] *s* frikännande
**acre** [ˈeɪkə] *s* ytmått 'acre' (4 047 m²); ungefär tunnland
**acrid** [ˈækrɪd] *adj* bitter, skarp, kärv, frän
**acrimonious** [ˌækrɪˈməʊnjəs] *adj* bitter, frän [~ *dispute*]
**acrobat** [ˈækrəbæt] *s* akrobat
**acrobatic** [ˌækrəˈbætɪk] *adj* akrobatisk
**acrobatics** [ˌækrəˈbætɪks] *s* akrobatik
**across** [əˈkrɒs] **I** *adv* över; på tvären **II** *prep* över, tvärsöver, genom
**across-the-board** [əˌkrɒsðəˈbɔ:d] *adj* allmän, generell; över hela linjen [*an* ~ *wage increase*]
**acrylic** [əˈkrɪlɪk] *s* akryl
**act** [ækt] **I** *s* **1** handling; *caught in the* ~ tagen på bar gärning **2** beslut [*Act of Parliament*]; lag **3** teat. akt; nummer [*a circus* ~] **II** *vb itr* **1** handla; agera **2** fungera [*as* som] **3** teat. spela
**acting** [ˈæktɪŋ] **I** *adj* tillförordnad [~ *headmaster*] **II** *s* teat. spel, spelsätt
**action** [ˈækʃ(ə)n] *s* **1** handling, aktion; agerande; *take* ~ ingripa **2** inverkan; verkan [*the* ~ *of the drug*] **3** funktion; *put out of* ~ sätta ur funktion
**activate** [ˈæktɪveɪt] *vb tr* aktivera
**active** [ˈæktɪv] **I** *adj* aktiv; verksam; livlig **II** *s* gram., *the* ~ aktiv
**activity** [ækˈtɪvətɪ] *s* **1** aktivitet, verksamhet **2** pl. *activities* verksamhet, sysselsättningar
**actor** [ˈæktə] *s* skådespelare, aktör
**actress** [ˈæktrəs] *s* skådespelerska, aktris
**actual** [ˈæktʃʊəl] *adj* faktisk, verklig; *in* ~ *fact* i själva verket
**actually** [ˈæktʃʊəlɪ] *adv* egentligen, i själva verket, faktiskt
**acumen** [ˈækjʊmen] *s* skarpsinne
**acupuncture** [ˈækjʊpʌŋktʃə] *s* akupunktur
**acupuncturist** [ˌækjʊˈpʌŋktʃərɪst] *s* akupunktör

**acute** [ə'kju:t] *adj* **1** akut **2** skarp, häftig; fin

**AD** [,eɪ'di:, ,ænəʊ'dɒmɪnaɪ] (förk. för *Anno Domini*) e. Kr.

**ad** [æd] *s* vard. kortform för *advertisement*

**adapt** [ə'dæpt] *vb tr* lämpa, anpassa; bearbeta

**adaptable** [ə'dæptəbl] *adj* anpassningsbar

**adaptation** [,ædæp'teɪʃ(ə)n] *s* anpassning; bearbetning

**add** [æd] *vb tr* o. *vb itr* tillägga; tillsätta; addera, summera [*up* ihop]; ~ *to* öka, förhöja

**added** ['ædɪd] *adj* ökad, extra

**adder** ['ædə] *s* huggorm

**addict** [verb ə'dɪkt, substantiv 'ædɪkt] **I** *vb tr*, *be addicted to* vara begiven på **II** *s*, *drug (dope)* ~ narkoman

**addiction** [ə'dɪkʃ(ə)n] *s* begivenhet [*to* på]

**addition** [ə'dɪʃ(ə)n] *s* **1** tillägg, tilläggande; *in* ~ dessutom; *in* ~ *to* förutom **2** mat. addition

**additional** [ə'dɪʃənl] *adj* ytterligare; extra

**additive** ['ædətɪv] *s* tillsatsämne; *food* ~ livsmedelstillsats

**address** [ə'dres] **I** *vb tr* **1** hålla tal till; vända sig till, tilltala **2** adressera **II** *vb rfl*, ~ *oneself to* vända sig till **III** *s* **1** adress **2** offentligt tal

**addressee** [,ædre'si:] *s* adressat

**adduce** [ə'dju:s] *vb tr* anföra, andraga

**adenoids** ['ædənɔɪdz] *s pl* polyper

**adept** ['ædept] *adj* skicklig [*at* i], erfaren

**adequate** ['ædɪkwət] *adj* tillräcklig; fullgod, adekvat

**adhere** [əd'hɪə] *vb itr*, ~ *to* a) sitta fast vid b) stå fast vid

**adherent** [əd'hɪər(ə)nt] *s* anhängare [*of*]

**adhesive** [əd'hi:sɪv] *adj* självhäftande, häft- [~ *plaster*]; ~ *tape* tejp

**adjacent** [ə'dʒeɪs(ə)nt] *adj* angränsande

**adjective** ['ædʒɪktɪv] *s* adjektiv

**adjoin** [ə'dʒɔɪn] *vb tr* o. *vb itr* gränsa till, gränsa till varandra

**adjoining** [ə'dʒɔɪnɪŋ] *adj* angränsande

**adjourn** [ə'dʒɜ:n] *vb tr* o. *vb itr* ajournera, ajournera sig

**adjust** [ə'dʒʌst] *vb tr* rätta, rätta till; justera

**adjustable** [ə'dʒʌstəbl] *adj* inställbar, justerbar

**adjustment** [ə'dʒʌstmənt] *s* inställning, justering

**ad-lib** [,æd'lɪb] *vb tr* o. *vb itr* vard. improvisera

**administer** [əd'mɪnɪstə] *vb tr* administrera, förvalta

**administration** [əd,mɪnɪ'streɪʃ(ə)n] *s* administrering, förvaltning; administration

**administrative** [əd'mɪnɪstrətɪv] *adj* administrativ, förvaltande

**administrator** [əd'mɪnɪstreɪtə] *s* förvaltare; administratör

**admirable** ['ædmərəbl] *adj* beundransvärd

**admiral** ['ædmər(ə)l] *s* amiral

**admiration** [,ædmə'reɪʃ(ə)n] *s* beundran

**admire** [əd'maɪə] *vb tr* beundra

**admirer** [əd'maɪərə] *s* beundrare

**admission** [əd'mɪʃ(ə)n] *s* **1** tillträde; inträde; intagning **2** medgivande

**admit** [əd'mɪt] *vb tr* o. *vb itr* **1** släppa in; anta **2** ha plats för **3** medge **4** ~ *of* tillåta; ~ *to* erkänna

**admittance** [əd'mɪt(ə)ns] *s* inträde; *no* ~ tillträde förbjudet

**admonish** [əd'mɒnɪʃ] *vb tr* tillrättavisa

**admonition** [,ædmə'nɪʃ(ə)n] *s* tillrättavisning

**ado** [ə'du:] *s* ståhej, väsen; *without further* ~ utan vidare spisning

**adolescence** [,ædə'lesns] *s* uppväxttid, ungdomstid ungefär mellan 13 och 19 år

**adolescent** [,ædə'lesnt] *s* ung människa ungefär mellan 13 och 19 år; ungdom

**adopt** [ə'dɒpt] *vb tr* **1** införa; anta, godkänna **2** adoptera

**adoption** [ə'dɒpʃ(ə)n] *s* **1** införande; antagande, godkännande **2** adoptering

**adoptive** [ə'dɒptɪv] *adj*, ~ *parents* adoptivföräldrar

**adorable** [ə'dɔ:rəbl] *adj* vard. förtjusande

**adoration** [,ædə'reɪʃ(ə)n] *s* dyrkan

**adore** [ə'dɔ:] *vb tr* dyrka; vard. avguda

**adorn** [ə'dɔ:n] *vb tr* pryda, smycka

**adornment** [ə'dɔ:nmənt] *s* prydande; prydnad

**ADP** [,eɪdi:'pi:] (förk. för *automatic data processing*) ADB (förk. för automatisk databehandling)

**adrenaline** [ə'drenəlɪn] *s* adrenalin

**Adriatic** [,eɪdrɪ'ætɪk] *adj* o. *s*, *the* ~ *Sea* el. *the* ~ Adriatiska havet

**adrift** [ə'drɪft] *adv* o. *adj* på drift

**adroit** [ə'drɔɪt] *adj* skicklig; händig

**adult** ['ædʌlt, ə'dʌlt] *adj* o. *s* vuxen

**adultery** [ə'dʌltərɪ] *s* äktenskapsbrott

**advance** [əd'vɑ:ns] **I** *vb tr* o. *vb itr* **1** flytta fram (framåt); gå framåt, avancera; göra framsteg **2** avancera, bli befordrad

**3** förskottera lån **II** s **1** framryckande; framsteg; närmande **2** förskott **3** stegring i pris **4** in ~ på förhand, i förväg, i förskott

**advanced** [əd'vɑ:nst] adj **1** långt framskriden; ~ in years ålderstigen **2** avancerad [~ ideas]

**advancement** [əd'vɑ:nsmənt] s befordran; främjande

**advantage** [əd'vɑ:ntɪdʒ] s fördel äv. i tennis; förmån; have the ~ of ha övertaget över; take ~ of utnyttja

**advantageous** [ˌædvən'teɪdʒəs] adj fördelaktig, förmånlig

**Advent** ['ædvent] s, ~ calendar adventskalender

**adventure** [əd'ventʃə] s äventyr

**adventurer** [əd'ventʃərə] s äventyrare

**adventurous** [əd'ventʃərəs] adj äventyrslysten

**adverb** ['ædvɜ:b] s adverb

**adverbial** [əd'vɜ:bjəl] adj, ~ modifier adverbial

**adversary** ['ædvəs(ə)rɪ] s motståndare

**adverse** ['ædvɜ:s] adj **1** ogynnsam **2** kritisk [~ comments]

**adversity** [əd'vɜ:sətɪ] s motgång, motighet

**advert** ['ædvɜ:t] s vard. (kortform för advertisement) annons

**advertise** ['ædvətaɪz] vb tr o. vb itr annonsera, göra reklam för; göra reklam

**advertisement** [əd'vɜ:tɪsmənt] s **1** annons **2** reklam; annonsering

**advertiser** ['ædvətaɪzə] s annonsör

**advertising** ['ædvətaɪzɪŋ] s annonsering, reklam; ~ agency annonsbyrå

**advice** [əd'vaɪs] s råd; a piece (bit, word) of ~ ett råd

**advisable** [əd'vaɪzəbl] adj tillrådlig

**advise** [əd'vaɪz] vb tr råda [on angående, i]; ~ against avråda från

**adviser** [əd'vaɪzə] s rådgivare

**advisory** [əd'vaɪzərɪ] adj rådgivande

**advocate** [substantiv 'ædvəkət, verb 'ædvəkeɪt] **I** s förespråkare [of för] **II** vb tr förespråka

**advt** se advert

**aerial** ['eərɪəl] **I** adj luft-, flyg- [~ photograph] **II** s radio. o.d. antenn

**aerobics** [eə'rəʊbɪks] s aerobics, gymping

**aerodrome** ['eərədrəʊm] s flygfält, flygplats

**aerodynamic** [ˌeərəʊdaɪ'næmɪk] adj aerodynamisk

**aerogram** ['eərəʊgræm] s aerogram

**aeroplane** ['eərəpleɪn] s flygplan

**aerosol** ['eərə(ʊ)sɒl] s, ~ container aerosolförpackning

**aerospace** ['eərəʊspeɪs] s rymd inom rymdtekniken

**aesthetic** [i:s'θetɪk] adj estetisk

**afar** [ə'fɑ:] adv, from ~ ur fjärran

**affable** ['æfəbl] adj förbindlig, vänlig

**affair** [ə'feə] s **1** angelägenhet, sak, affär **2** have an ~ with a p. ha ett förhållande (en kärleksaffär)

**1 affect** [ə'fekt] vb tr **1** beröra, påverka; drabba, angripa **2** göra intryck på, röra

**2 affect** [ə'fekt] vb tr låtsas ha (känna)

**affectation** [ˌæfek'teɪʃ(ə)n] s tillgjordhet

**1 affected** [ə'fektɪd] adj **1** angripen **2** rörd, gripen [by av] **3** påverkad

**2 affected** [ə'fektɪd] adj tillgjord, affekterad

**affection** [ə'fekʃ(ə)n] s tillgivenhet, ömhet

**affectionate** [ə'fekʃənət] adj tillgiven, öm

**affectionately** [ə'fekʃənətlɪ] adv tillgivet; Yours ~ i brev Din (Er) tillgivne

**affinity** [ə'fɪnətɪ] s släktskap; frändskap

**affirm** [ə'fɜ:m] vb tr o. vb itr försäkra, bestämt påstå; intyga

**affirmative** [ə'fɜ:mətɪv] adj o. s bekräftande; answer in the ~ svara jakande

**affix** [ə'fɪks] vb tr fästa [~ a stamp to an envelope]

**afflict** [ə'flɪkt] vb tr plåga, hemsöka, drabba

**affliction** [ə'flɪkʃ(ə)n] s **1** bedrövelse; lidande, sjukdom **2** hemsökelse; olycka

**affluence** ['æfluəns] s rikedom, välstånd

**affluent** ['æfluənt] adj rik, förmögen; the ~ society överflödssamhället

**afford** [ə'fɔ:d] vb tr **1** I can ~ it jag har råd med det **2** ge, bereda [~ great pleasure]

**affront** [ə'frʌnt] **I** vb tr skymfa **II** s skymf

**Afghan** ['æfgæn] **I** s **1** afghan invånare **2** afghanhund **II** adj afghansk

**Afghanistan** [æf'gænɪstɑ:n]

**afloat** [ə'fləʊt] adv o. adj flytande; i gång; i omlopp

**afoot** [ə'fʊt] adv o. adj i (på) gång [plans are ~]

**afraid** [ə'freɪd] adj rädd [of för]; I'm ~ not tyvärr inte

**afresh** [ə'freʃ] adv ånyo, på nytt

**Africa** ['æfrɪkə] Afrika

**African** ['æfrɪkən] **I** s afrikan **II** adj afrikansk

**Afro** ['æfrəʊ] (pl. ~s) s afrofrisyr

**Afro-Asian** [ˌæfrəʊ'eɪʃ(ə)n] adj afroasiatisk

**aft** [ɑ:ft] *adv* sjö. akter ut (över)
**after** ['ɑ:ftə] **I** *adv* o. *prep* efter; bakom; ~ *all* när allt kommer omkring, ändå **II** *konj* sedan
**aftereffect** ['ɑ:ftərɪˌfekt] *s* efterverkning
**afterlife** ['ɑ:ftəlaɪf] *s* liv efter detta; *in* ~ senare i livet
**aftermath** ['ɑ:ftəmæθ] *s* efterdyningar
**afternoon** [ˌɑ:ftə'nu:n] *s* eftermiddag
**afters** ['ɑ:ftəz] *s pl* vard. efterrätt
**aftershave** ['ɑ:ftəʃeɪv] *s*, ~ *lotion* el. ~ rakvatten, aftershave
**afterwards** ['ɑ:ftəwədz] *adv* efteråt
**again** [ə'gen, ə'geɪn] *adv* **1** igen, åter; ~ *and* ~ el. *time and* ~ gång på gång; *never* ~ aldrig mer; *over* ~ omigen **2** däremot, å andra sidan
**against** [ə'genst, ə'geɪnst] *prep* mot, emot; intill
**agaric** ['ægərɪk, ə'gærɪk] *s* skivling, skivsvamp; *fly* ~ flugsvamp
**age** [eɪdʒ] **I** *s* **1** ålder; *old* ~ ålderdom, ålderdomen; *come of* ~ bli myndig; *ten years of* ~ tio år gammal; *under* ~ minderårig **2** tid [*the Ice Age*]; *the atomic* ~ atomåldern; *the Middle Ages* medeltiden **3** *for* ~*s* i (på) evigheter **II** *vb itr* o. *vb tr* åldras; göra gammal
**aged** [betydelse *1* eɪdʒd, betydelse *2* 'eɪdʒɪd] *adj* **1** i en ålder av; *a man* ~ *forty* en fyrtioårig man **2** åldrig, ålderstigen; *the* ~ de gamla
**ageing** ['eɪdʒɪŋ] *adj* åldrande
**ageism** ['eɪdʒɪzm] *s* åldersdiskriminering
**agency** ['eɪdʒənsɪ] *s* **1** agentur; byrå **2** förmedling **3** inverkan
**agenda** [ə'dʒendə] *s* dagordning
**agent** ['eɪdʒ(ə)nt] *s* **1** agent, ombud **2** medel [*chemical* ~]
**aggrandize** [ə'grændaɪz] *vb tr* förstora, upphöja
**aggravate** ['ægrəveɪt] *vb tr* **1** förvärra **2** vard. reta, förarga
**aggravating** ['ægrəveɪtɪŋ] *adj* **1** försvårande **2** vard. retsam, förarglig
**aggregate** ['ægrɪgət] *s* summa; *in the* ~ totalt
**aggression** [ə'greʃ(ə)n] *s* aggression
**aggressive** [ə'gresɪv] *adj* aggressiv
**aggressor** [ə'gresə] *s* angripare
**aggrieved** [ə'gri:vd] *adj* sårad, kränkt
**aghast** [ə'gɑ:st] *adj* förskräckt, bestört
**agile** ['ædʒaɪl, amer. 'ædʒəl] *adj* vig, rörlig
**agility** [ə'dʒɪlətɪ] *s* vighet, rörlighet

**agitate** ['ædʒɪteɪt] *vb tr* o. *vb itr* uppröra; agitera [*for* för]
**agitation** [ˌædʒɪ'teɪʃ(ə)n] *s* oro; agitation
**agitator** ['ædʒɪteɪtə] *s* agitator, uppviglare
**ago** [ə'gəʊ] *adv* för...sedan; *it was years* ~ det var för flera år sedan; *as long* ~ *as 1960* redan 1960
**agonize** ['ægənaɪz] *vb tr* pina
**agonizing** ['ægənaɪzɪŋ] *adj* kvalfull, upprivande
**agony** ['ægənɪ] *s* vånda; svåra plågor
**agree** [ə'gri:] *vb itr* o. *vb tr* **1** samtycka **2** komma (vara) överens **3** passa, stämma
**agreeable** [ə'grɪəbl] *adj* **1** angenäm **2** vard. villig
**agreement** [ə'gri:mənt] *s* **1** överenskommelse, avtal; *make* (*come to*) *an* ~ *with a p.* komma överens med ngn **2** överensstämmelse; enighet
**agricultural** [ˌægrɪ'kʌltʃər(ə)l] *adj* jordbruks-
**agriculture** ['ægrɪkʌltʃə] *s* jordbruk
**aground** [ə'graʊnd] *adv* o. *adj* på grund
**ahead** [ə'hed] *adv* o. *adj* före; framåt; *straight* ~ rakt fram; ~ *of* framför; före; *go* ~*!* sätt i gång!, fortsätt!
**aid** [eɪd] **I** *vb tr* hjälpa, bistå **II** *s* hjälp, bistånd; hjälpmedel [*visual* ~]
**aide-de-camp** [ˌeɪddə'kɒŋ] *s* mil. adjutant
**Aids** o. **AIDS** [eɪdz] *s* med. (förk. för *acquired immune deficiency syndrome* förvärvat immunbristsyndrom) AIDS
**ail** [eɪl] *vb itr*, *be ailing* vara krasslig
**ailment** ['eɪlmənt] *s* krämpa, sjukdom
**aim** [eɪm] **I** *vb tr* o. *vb itr* sikta med [*aim a gun at*, (på)]; ~ *at* sikta på, sträva efter **II** *s* **1** *take* ~ ta sikte [*at* på] **2** mål, målsättning; avsikt
**ain't** [eɪnt] ovårdat el. dial. för *am (are, is) not, have not, has not*
**1 air** [eə] **I** *s* **1** luft; *by* ~ per (med) flyg; *go by* ~ flyga; *on the* ~ i radio (TV) **2** flyg-, luft-; *the Royal Air Force* (förk. *RAF*) brittiska flygvapnet **II** *vb tr* vädra, lufta
**2 air** [eə] *s* **1** utseende; *an* ~ *of luxury* en luxuös prägel **2** min; *give oneself* (*put on*) ~*s* spela förnäm
**3 air** [eə] *s* melodi
**airbag** ['eəbæg] *s* krockkudde, airbag
**air base** ['eəbeɪs] *s* flygbas
**air-conditioning** ['eəkənˌdɪʃənɪŋ] *s* luftkonditionering
**aircraft** ['eəkrɑ:ft] (pl. lika) *s* flygplan; ~ *carrier* hangarfartyg

**airdrop** ['ɛədrɒp] **I** s luftlandsättning **II** vb tr luftlandsätta

**airfield** ['ɛəfiːld] s flygfält

**airflow** ['ɛəfləʊ] s luftström, luftströmning

**air force** ['ɛəfɔːs] s flygvapen

**airgun** ['ɛəɡʌn] s luftgevär, luftbössa

**air hostess** ['ɛəˌhəʊstɪs] s flygvärdinna

**air letter** ['ɛəˌletə] s aerogram

**airlift** ['ɛəlɪft] s luftbro

**airline** ['ɛəlaɪn] s **1** flyglinje **2** flygbolag

**airliner** ['ɛəˌlaɪnə] s trafikflygplan

**airmail** ['ɛəmeɪl] s flygpost

**airman** ['ɛəmən] s flygare

**airplane** ['ɛəpleɪn] s amer. flygplan

**air pocket** ['ɛəˌpɒkɪt] s luftgrop

**airport** ['ɛəpɔːt] s flygplats

**airproof** ['ɛəpruːf] adj lufttät

**air raid** ['ɛəreɪd] s flygräd, flyganfall

**air route** ['ɛəruːt] s flygväg, luftled

**airsick** ['ɛəsɪk] adj flygsjuk

**airstrip** ['ɛəstrɪp] s start- och landningsbana

**airtight** ['ɛətaɪt] adj lufttät; **an ~ alibi** ett vattentätt alibi

**airway** ['ɛəweɪ] s **1** flyg. luftled **2** flygbolag

**airy** ['ɛərɪ] adj **1** luftig **2** lättsinnig, nonchalant

**airy-fairy** [ˌɛərɪ'feərɪ] adj verklighetsfrämmande, flummig [~ ideals]

**aisle** [aɪl] s sidoskepp i kyrka; mittgång, gång mellan bänkrader

**ajar** [ə'dʒɑː] adv på glänt

**akin** [ə'kɪn] adj släkt, besläktad [to med]

**alarm** [ə'lɑːm] **I** s **1** larmsignal, larm; **give the ~** slå larm **2** oro **3** väckarklocka **II** vb tr **1** larma **2** oroa

**alarm clock** [ə'lɑːmklɒk] s väckarklocka

**alarming** [ə'lɑːmɪŋ] adj oroväckande

**alas** [ə'læs] interj ack, tyvärr

**Albania** [æl'beɪnjə] Albanien

**Albanian** [æl'beɪnjən] **I** s **1** alban **2** albanska språket **II** adj albansk

**albino** [æl'biːnəʊ] (pl. ~s) s albino

**album** ['ælbəm] s album, skivalbum

**albumen** ['ælbjʊmɪn] s äggvita; äggviteämne

**alcohol** ['ælkəhɒl] s alkohol, sprit

**alcoholic** [ˌælkə'hɒlɪk] **I** adj alkoholhaltig **II** s alkoholist

**alcoholism** ['ælkəhɒlɪz(ə)m] s alkoholism

**alcove** ['ælkəʊv] s alkov, nisch

**alert** [ə'lɜːt] **I** adj vaken, på alerten **II** s **1** flyglarm **2** on the ~ på utkik **III** vb tr larma

**algal** ['ælɡəl] s, ~ **bloom** algblomning

**algebra** ['ældʒɪbrə] s algebra

**Algeria** [æl'dʒɪərɪə] Algeriet

**Algerian** [æl'dʒɪərɪən] **I** s algerier **II** adj algerisk

**Algiers** [æl'dʒɪəz] Alger

**alias** ['eɪlɪəs] adv o. s alias

**alibi** ['ælɪbaɪ] s alibi

**alien** ['eɪljən] **I** adj utländsk; främmande [to för] **II** s främling; utlänning

**alienate** ['eɪljəneɪt] vb tr fjärma; stöta bort

**1 alight** [ə'laɪt] vb itr stiga av; landa

**2 alight** [ə'laɪt] adj upptänd, tänd; **catch ~** ta eld

**align** [ə'laɪn] vb tr ställa upp i rät linje, rikta, rikta in

**alike** [ə'laɪk] **I** adj lik, lika **II** adv på samma sätt

**alimony** ['ælɪmənɪ] s underhåll, understöd

**alive** [ə'laɪv] adj **1** i livet, vid liv; levande [be buried ~] **2** be ~ to vara medveten om

**alkali** ['ælkəlaɪ] s alkali

**alkaline** ['ælkəlaɪn] adj alkalisk

**all** [ɔːl] **I** adj o. pron **1** all, allt, alla; ~ **at once** alla (allt) på en gång; ~ **but** a) alla (allt) utom b) nästan; **three ~** tre lika; **not at ~** inte alls; **not at ~!** ingen orsak!; **once and for ~** en gång för alla; **in ~** inalles; **best of ~** allra bäst **2** hela [~ the, ~ my etc.] **3** hel- [~ wool] **II** adv alldeles, helt och hållet; ~ **along** a) preposition utefter hela b) adverb hela tiden [I knew it ~ along]; ~ **at once** plötsligen; **go ~ out** ta ut sig helt; ~ **over** a) preposition över hela b) adverb över hela kroppen; **that is Tom ~ over** det är typiskt Tom, sådan är Tom; **it's ~ over (up) with him** det är ute med honom; **it's (it's quite ) ~ right** a) det går bra b) för all del, det gör ingenting; **it will be ~ right** det ordnar sig nog; ~ **the more** så mycket (desto) mera; ~ **the same** ändå, i alla fall; **it's ~ the same to me** det gör mig detsamma

**allay** [ə'leɪ] vb tr stilla; mildra

**allegation** [ˌælɪ'ɡeɪʃ(ə)n] s anklagelse; beskyllning

**allege** [ə'ledʒ] vb tr anföra, uppge; påstå

**allegiance** [ə'liːdʒ(ə)ns] s tro och lydnad; lojalitet

**allergenic** [ˌælə'dʒenɪk] adj allergiframkallande

**allergic** [ə'lɜːdʒɪk] adj allergisk [to mot]

**allergy** ['ælədʒɪ] s allergi

**alleviate** [ə'liːvɪeɪt] vb tr lindra, mildra

**alleviation** [əˌliːvɪ'eɪʃ(ə)n] s lindring

**alley** ['ælɪ] s **1** gränd; **blind ~**

återvändsgränd **2** allé, gång speciellt i park
**3** kägelbana, bowlingbana
**alliance** [ə'laɪəns] s förbund; allians
**allied** [ə'laɪd, attributivt 'ælaɪd] adj släkt [*to*,
*with* med]; allierad
**alligator** ['ælɪɡeɪtə] s alligator
**all-in** [ˌɔ:l'ɪn] adj **1** ~ *price* allt-i-ett-pris,
allomfattande; ~ *wrestling* fribrottning
**2** vard. slutkörd
**all-mains** [ˌɔ:l'meɪnz] adj, ~ *receiver*
allströmsmottagare
**allocate** ['æləkeɪt] vb tr tilldela, fördela;
anslå
**allocation** [ˌælə'keɪʃ(ə)n] s tilldelning
**allot** [ə'lɒt] vb tr fördela; tilldela
**allow** [ə'laʊ] vb tr o. vb itr **1** tillåta, låta;
bevilja, ge **2** ~ *for* ta i betraktande, räkna
med **3** ~ *of* medge, tillåta
**allowance** [ə'laʊəns] s **1** underhåll; anslag,
bidrag **2** ranson, tilldelning **3** avdrag,
rabatt **4** *make* ~ *for* el. *make* ~*s for* ta
hänsyn till
**alloy** ['ælɔɪ] s legering
**all-round** [ˌɔ:l'raʊnd] adj mångsidig
**allude** [ə'lu:d] vb itr, ~ *to* hänsyfta på
**allure** [ə'ljʊə] vb tr locka; tjusa
**allurement** [ə'ljʊəmənt] s lockelse
**alluring** [ə'ljʊərɪŋ] adj lockande, förförisk
**allusion** [ə'lu:ʒ(ə)n] s anspelning
**ally** [verb ə'laɪ, substantiv 'ælaɪ] **I** vb tr förena,
alliera **II** s bundsförvant, allierad
**almanac** ['ɔ:lmənæk] s almanack,
kalender
**almighty** [ɔ:l'maɪtɪ] adj allsmäktig; vard.
väldig; *God Almighty!* vard. herregud!
**almond** ['ɑ:mənd] s mandel
**almost** ['ɔ:lməʊst] adv nästan, nära
**alms** [ɑ:mz] s allmosa, allmosor
**aloft** [ə'lɒft] adv o. adj i höjden; upp,
uppåt, högt upp, till väders
**alone** [ə'ləʊn] **I** adj ensam **II** adv endast
**along** [ə'lɒŋ] **I** prep längs; ~ *the street*
längs gatan, gatan fram **II** adv **1** framåt,
åstad **2** *come* ~*!* kom nu!, raska på! **3** ~
*with* tillsammans med, jämte **4** *all* ~ hela
tiden
**alongside** [ə'lɒŋsaɪd] **I** adv vid sidan!; ~ *of*
långsides med **II** prep vid sidan av
**aloof** [ə'lu:f] adv o. adj reserverad; *stand* ~
hålla sig undan
**aloud** [ə'laʊd] adv högt, med hög röst
**alpaca** [æl'pækə] s alpacka
**alphabet** ['ælfəbet] s alfabet
**alphabetical** [ˌælfə'betɪk(ə)l] adj alfabetisk
**alpine** ['ælpaɪn] adj alpin, alpinsk

**already** [ɔ:l'redɪ] adv redan
**Alsatian** [æl'seɪʃən] s schäfer hund
**also** ['ɔ:lsəʊ] adv också, även
**altar** ['ɔ:ltə] s altare
**alter** ['ɔ:ltə] vb tr o. vb itr förändra, ändra;
förändras
**alteration** [ˌɔ:ltə'reɪʃ(ə)n] s förändring,
ändring
**alternate** [adjektiv ɔ:l'tɜ:nət, verb 'ɔ:ltəneɪt]
**I** adj omväxlande, alternerande **II** vb tr
låta växla, växla
**alternately** [ɔ:l'tɜ:nətlɪ] adv omväxlande,
växelvis
**alternation** [ˌɔ:ltə'neɪʃ(ə)n] s växling
**alternative** [ɔ:l'tɜ:nətɪv] adj o. s alternativ
**alternator** ['ɔ:ltəneɪtə] s elektr.
växelströmsgenerator; omformare
**although** [ɔ:l'ðəʊ] konj fastän, även om
**altitude** ['æltɪtju:d] s höjd
**alto** ['æltəʊ] (pl. ~s) s mus. alt; altstämma
**altogether** [ˌɔ:ltə'ɡeðə] **I** adv helt och
hållet, alldeles; sammanlagt **II** s vard., *in
the* ~ spritt naken
**alum** ['æləm] s alun
**aluminium** [ˌæljʊ'mɪnjəm] s aluminium
**aluminum** [ə'lu:mənəm] s amer. aluminium
**always** ['ɔ:lweɪz, 'ɔ:lwəz] adv alltid, jämt
**am** [æm, obetonat əm], *I am* jag är; se vidare
*be*
**a.m.** [ˌeɪ'em] förk. f.m., på förmiddagen
(morgonen)
**amalgam** [ə'mælɡəm] s kem. amalgam
**amalgamate** [ə'mælɡəmeɪt] vb tr o. vb itr
amalgamera; slå (slås) samman
**amaryllis** [ˌæmə'rɪlɪs] s bot. amaryllis
**amass** [ə'mæs] vb tr hopa, lägga på hög
**amateur** ['æmətə, ˌæmə'tɜ:] s amatör
**amateurish** [ˌæmə'tɜ:rɪʃ] adj amatörmässig
**amaze** [ə'meɪz] vb tr förbluffa, göra häpen
**amazement** [ə'meɪzmənt] s häpnad
**amazing** [ə'meɪzɪŋ] adj häpnadsväckande
**ambassador** [æm'bæsədə] s ambassadör
**amber** ['æmbə] s bärnsten
**ambiguous** [æm'bɪɡjʊəs] adj tvetydig
**ambition** [æm'bɪʃ(ə)n] s ärelystnad;
ambition
**ambitious** [æm'bɪʃəs] adj ärelysten;
ambitiös
**amble** ['æmbl] vb itr gå i passgång; lunka
**ambulance** ['æmbjʊləns] s ambulans
**ambush** ['æmbʊʃ] **I** s bakhåll **II** vb tr
överfalla från bakhåll
**ameliorate** [ə'mi:ljəreɪt] vb tr förbättra
**amen** [ˌɑ:'men, ˌeɪ'men] interj amen!

**amenable** [ə'mi:nəbl] *adj* foglig, medgörlig

**amend** [ə'mend] *vb tr* rätta

**amendment** [ə'mendmənt] *s* rättelse; ändringsförslag

**amends** [ə'mendz] *s*, *make ~ for* gottgöra

**amenity** [ə'mi:nəti] *s* **1** behag, behaglighet **2** bekvämlighet; *every ~* alla moderna bekvämligheter **3** tjänst [*amenities offered by our bank*]

**America** [ə'merikə] Amerika

**American** [ə'merikən] **I** *adj* amerikansk **II** *s* amerikan

**amethyst** ['æmɪθɪst] *s* ametist

**amiable** ['eɪmjəbl] *adj* vänlig, älskvärd

**amicable** ['æmɪkəbl] *adj* vänskaplig, vänlig

**amid** [ə'mɪd] *prep* mitt i, ibland

**amidst** [ə'mɪdst] *prep* mitt i, ibland

**amino-acid** [ə‚mi:nəʊ'æsɪd] *s* aminosyra

**amiss** [ə'mɪs] *adv* o. *adj* på tok, fel; *not ~* inte illa; *take it ~* ta illa upp

**amity** ['æməti] *s* vänskap; vänskaplighet

**ammonia** [ə'məʊnjə] *s* ammoniak

**ammonium** [ə'məʊnjəm] *s* ammonium

**ammunition** [‚æmjʊ'nɪʃ(ə)n] *s* ammunition

**amnesty** ['æmnəstɪ] *s* amnesti, benådning

**amok** [ə'mɒk] *adv*, *run ~* löpa amok

**among** [ə'mʌŋ] *prep* bland, ibland

**amongst** [ə'mʌŋst] *prep* bland, ibland

**amorous** ['æmərəs] *adj* amorös; kärleksfull

**amount** [ə'maʊnt] **I** *vb itr*, *~ to* a) belöpa sig till b) vara detsamma som **II** *s* **1** belopp **2** mängd; *any ~ of* massvis med

**ampere** ['æmpeə] *s* ampere

**amphetamine** [‚æm'fetəmaɪn] *s* amfetamin

**amphibious** [æm'fɪbɪəs] *adj* amfibisk

**ample** ['æmpl] *adj* rymlig; fyllig; riklig; fullt tillräcklig

**amplify** ['æmplɪfaɪ] *vb tr* utvidga; förstärka

**amply** ['æmplɪ] *adv* rikligt, mer än nog

**ampoule** ['æmpuːl] *s* ampull

**amputate** ['æmpjʊteɪt] *vb tr* amputera

**amputation** [‚æmpjʊ'teɪʃ(ə)n] *s* amputering

**amuck** [ə'mʌk] *adv*, *run ~* löpa amok

**amulet** ['æmjʊlət] *s* amulett

**amuse** [ə'mjuːz] *vb tr* roa, underhålla

**amusement** [ə'mjuːzmənt] *s* nöje; *~ park* (*ground*) nöjesfält, tivoli

**amusing** [ə'mjuːzɪŋ] *adj* lustig, rolig

**an** [ən, n, betonat æn] *obest art* se *a*

**anabolic** [‚ænə'bɒlɪk] *adj*, *~ steroids* anabola steroider

**anachronism** [ə'nækrənɪz(ə)m] *s* anakronism

**anaemia** [ə'ni:mjə] *s* blodbrist, anemi

**anaemic** [ə'ni:mɪk] *adj* blodfattig, anemisk

**anaesthesia** [‚ænəs'θi:zjə] *s* bedövning

**anaesthetic** [‚ænəs'θetɪk] *s* bedövningsmedel; narkos

**anal** ['eɪn(ə)l] *adj* anal

**analgesic** [‚ænæl'dʒi:zɪk] *adj* smärtstillande

**analogy** [ə'nælədʒɪ] *s* analogi

**analyse** [‚ænə'laɪz] *vb tr* analysera

**analysis** [ə'næləsɪs] (pl. *analyses* [ə'næləsi:z]) *s* analys

**analyst** ['ænəlɪst] *s* analytiker

**analytic** [‚ænə'lɪtɪk] *adj* o. **analytical** [‚ænə'lɪtɪk(ə)l] *adj* analytisk

**anarchist** ['ænəkɪst] *s* anarkist

**anarchy** ['ænəkɪ] *s* anarki

**anatomical** [‚ænə'tɒmɪk(ə)l] *adj* anatomisk

**anatomy** [ə'nætəmɪ] *s* anatomi

**ancestor** ['ænsəstə] *s* stamfader; pl. *~s* förfäder

**ancestry** ['ænsəstrɪ] *s* börd, anor; förfäder

**anchor** ['æŋkə] **I** *s* ankare; *weigh ~* lätta ankar **II** *vb tr* o. *vb itr* förankra, ankra

**anchorage** ['æŋkərɪdʒ] *s* ankarplats

**anchovy** ['æntʃəvɪ, æn'tʃəʊvɪ] *s* sardell

**ancient** ['eɪnʃ(ə)nt] *adj* forntida, gammal, forn

**and** [ənd, ən, betonat ænd] *konj* och; *~ so on* el. *~ so forth* och så vidare (osv.)

**Andorra** [æn'dɔ:rə]

**anecdote** ['ænɪkdəʊt] *s* anekdot

**anemone** [ə'nemənɪ] *s* anemon

**anew** [ə'nju:] *adv* ånyo, på nytt

**angel** ['eɪndʒ(ə)l] *s* ängel

**angelic** [æn'dʒelɪk] *adj* änglalik

**anger** ['æŋgə] **I** *s* vrede, ilska **II** *vb tr* reta upp

**angina** [æn'dʒaɪnə] *s* med. angina

**1 angle** ['æŋgl] *s* vinkel; hörn; synvinkel

**2 angle** ['æŋgl] *vb itr* meta, fiska med krok

**angler** ['æŋglə] *s* metare, sportfiskare

**angling** ['æŋglɪŋ] *s* metning, mete

**Anglo-American** [‚æŋgləʊə'merikən] **I** *s* angloamerikan **II** *adj* engelsk-amerikansk

**Anglo-Saxon** [‚æŋgləʊ'sæksən] *adj* anglosaxisk; forngelskak

**Anglo-Swedish** [‚æŋgləʊ'swi:dɪʃ] *adj* engelsk-svensk

**Angola** [æŋ'gəʊlə]

**Angolan** [æŋ'gəʊlən] **I** *s* angolan **II** *adj* angolansk

**angry** ['æŋgrɪ] *adj* ond, arg, ilsken

**anguish** ['æŋgwɪʃ] *s* pina, vånda, ångest
**angular** ['æŋgjʊlə] *adj* kantig; vinklig
**aniline** ['ænɪliːn] *s* anilin; ~ *dye* anilinfärg
**animal** ['ænəm(ə)l] **I** *s* djur **II** *adj* djur-, animalisk
**animate** ['ænɪmeɪt] *vb tr* **1** ge liv åt **2** liva upp; *animated discussion* livlig (animerad) diskussion **3** *animated cartoon* tecknad film
**animation** [ˌænɪ'meɪʃ(ə)n] *s* livlighet, liv
**animosity** [ˌænɪ'mɒsətɪ] *s* förbittring, animositet
**ankle** ['æŋkl] *s* vrist, fotled, ankel
**annex** [ə'neks] **I** *vb tr* annektera, införliva **II** *s* speciellt amer., se *annexe*
**annexation** [ˌænek'seɪʃ(ə)n] *s* annektering
**annexe** ['æneks] *s* annex; tillbyggnad
**annihilate** [ə'naɪəleɪt] *vb tr* tillintetgöra
**annihilation** [əˌnaɪə'leɪʃ(ə)n] *s* tillintetgörelse
**anniversary** [ˌænɪ'vɜːsərɪ] *s* årsdag
**annotate** ['ænəteɪt] *vb tr* kommentera
**annotation** [ˌænə'teɪʃ(ə)n] *s* anteckning
**announce** [ə'naʊns] *vb tr* tillkännage, kungöra, meddela
**announcement** [ə'naʊnsmənt] *s* tillkännagivande, kungörelse; dödsannons etc. annons
**announcer** [ə'naʊnsə] *s* radio. el. TV. hallåman (hallåa)
**annoy** [ə'nɔɪ] *vb tr* förarga, reta
**annoyance** [ə'nɔɪəns] *s* förargelse, förtret
**annoying** [ə'nɔɪɪŋ] *adj* förarglig, retsam
**annual** ['ænjʊəl] *adj* årlig; ettårig
**annually** ['ænjʊəlɪ] *adv* årligen; årsvis
**annuity** [ə'njuːətɪ] *s* livränta; tidsränta
**annul** [ə'nʌl] *vb tr* annullera, upphäva
**Annunciation** [əˌnʌnsɪ'eɪʃ(ə)n] *s*, ~ *Day* Marie Bebådelsedag 25 mars
**anonymity** [ˌænə'nɪmətɪ] *s* anonymitet
**anonymous** [ə'nɒnɪməs] *adj* anonym
**anorak** ['ænəræk] *s* anorak
**anorexia** [ˌænə'reksɪə] *s* med., ~ *nervosa* ([nɜː'vəʊsə]) anorexi
**another** [ə'nʌðə] *indef pron* **1** en annan **2** en till **3** *one* ~ varandra
**answer** ['ɑːnsə] **I** *s* svar [*to* på] **II** *vb tr* o. *vb itr* svara [*to* på]; besvara, svara på; ~ *for* stå till svars för; ~ *the bell* (*door*) gå och öppna
**answerable** ['ɑːnsərəbl] *adj* ansvarig [*to* inför]
**ant** [ænt] *s* myra
**antagonism** [æn'tægənɪz(ə)m] *s* fiendskap; antagonism

**antagonist** [æn'tægənɪst] *s* motståndare, antagonist
**antagonize** [æn'tægənaɪz] *vb tr* egga (reta) upp
**antarctic** [æn'tɑːktɪk] **I** *adj* antarktisk; *the Antarctic Ocean* Södra ishavet **II** *s, the Antarctic* Antarktis
**antecedent** [ˌæntɪ'siːd(ə)nt] *s* föregångare [*of* till]
**antelope** ['æntɪləʊp] *s* antilop
**antenna** [æn'tenə] *s* radio. speciellt amer. antenn
**anterior** [æn'tɪərɪə] *adj* föregående
**anthem** ['ænθəm] *s*, *national* ~ nationalsång
**ant-hill** ['ænthɪl] *s* myrstack
**anthology** [æn'θɒlədʒɪ] *s* antologi
**anthropologist** [ˌænθrə'pɒlədʒɪst] *s* antropolog
**anthropology** [ˌænθrə'pɒlədʒɪ] *s* antropologi
**anti-abortionist** [ˌæntɪə'bɔːʃənɪst] *s* abortmotståndare
**anti-aircraft** [ˌæntɪ'eəkrɑːft] *adj* luftvärns-
**antibiotic** [ˌæntɪbaɪ'ɒtɪk] **I** *s* antibiotikum **II** *adj* antibiotisk
**antic** ['æntɪk] *s*, pl. ~*s* upptåg
**anticipate** [æn'tɪsɪpeɪt] *vb tr* förutse, vänta sig; förekomma, föregripa
**anticipation** [ænˌtɪsɪ'peɪʃ(ə)n] *s* förväntan; föregripande; *in* ~ i förväg
**anticlimax** [ˌæntɪ'klaɪmæks] *s* antiklimax
**anti-clockwise** [ˌæntɪ'klɒkwaɪz] *adv* moturs
**antidote** ['æntɪdəʊt] *s* motgift, antidot
**antifreeze** [ˌæntɪ'friːz] *s* kylarvätska
**antipathy** [æn'tɪpəθɪ] *s* motvilja, antipati
**anti-pollution** [ˌæntɪpə'luːʃ(ə)n] *adj*, ~ *campaign* miljövårdskampanj
**antiquated** ['æntɪkweɪtɪd] *adj* föråldrad
**antique** [æn'tiːk] **I** *adj* antik; forntida; föråldrad **II** *s* antikvitet
**antiquity** [æn'tɪkwətɪ] *s* **1** uråldrighet **2** antiken
**antiracism** [ˌæntɪ'reɪsɪzm] *s* antirasism
**antirust** [ˌæntɪ'rʌst] *adj* rostskyddande, rostskydds-; ~ *agent* rostskyddsmedel
**anti-Semite** [ˌæntɪ'siːmaɪt] *s* antisemit
**anti-Semitism** [ˌæntɪ'semɪtɪzm] *s* antisemitism
**antiseptic** [ˌæntɪ'septɪk] **I** *adj* antiseptisk **II** *s* antiseptiskt medel
**antisocial** [ˌæntɪ'səʊʃ(ə)l] *adj* asocial
**antler** ['æntlə] *s* horn på hjortdjur
**anus** ['eɪnəs] *s* anus, analöppning

**anvil** ['ænvɪl] s städ
**anxiety** [æŋ'zaɪətɪ] s ängslan, bekymmer
**anxious** ['æŋʃəs] adj ängslig, orolig;
angelägen
**any** ['enɪ] indef pron 1 någon, något, några
2 vilken (vilket, vilka) som helst, varje [~
child knows that]
**anybody** ['enɪˌbɒdɪ] indef pron 1 någon
[has ~ been here?] 2 vem som helst
**anyhow** ['enɪhaʊ] adv 1 på något sätt 2 i
alla (varje) fall 3 lite hur som helst
**anyone** ['enɪwʌn] indef pron = anybody
**anything** ['enɪθɪŋ] indef pron 1 något,
någonting 2 vad som helst; ~ but
pleasant allt annat än trevlig; not for ~
inte för allt i världen; easy as ~ hur lätt
som helst
**anyway** ['enɪweɪ] adv = anyhow
**anywhere** ['enɪweə] adv 1 någonstans; ~
else någon annanstans; not ~ near so
good inte på långt när så bra 2 var som
helst
**apart** [ə'pɑ:t] adv 1 åt sidan, avsides;
joking ~ skämt åsido 2 fristående, för sig
själv; ~ from frånsett; I can't tell them ~
jag kan inte skilja på dem 3 isär, ifrån
varandra
**apartheid** [ə'pɑ:theɪt, ə'pɑ:thaɪt] s
apartheid [~ policy (politik)]
**apartment** [ə'pɑ:tmənt] s 1 pl. ~s
möblerad våning, möblerade rum
2 speciellt amer. våning, lägenhet; ~ house
hyreshus
**apathetic** [ˌæpə'θetɪk] adj apatisk; likgiltig
**apathy** ['æpəθɪ] s apati; likgiltighet
**ape** [eɪp] I s svanslös apa II vb tr apa efter,
härma
**Apennines** ['æpenaɪnz] s pl, the ~
Apenninerna
**aperitif** [ə'perɪtɪf] s aperitif
**aperture** ['æpətjʊə] s öppning
**apex** ['eɪpeks] s spets, topp
**apiece** [ə'pi:s] adv per styck; per man
**apologetic** [əˌpɒlə'dʒetɪk] adj ursäktande
**apologize** [ə'pɒlədʒaɪz] vb itr be om
ursäkt
**apology** [ə'pɒlədʒɪ] s ursäkt
**apoplectic** [ˌæpə'plektɪk] adj apoplektisk;
~ fit (stroke) slaganfall
**apoplexy** ['æpəpleksɪ] s apoplexi, slag; fit
of ~ slaganfall
**apostle** [ə'pɒsl] s apostel
**apostrophe** [ə'pɒstrəfɪ] s apostrof
**appal** [ə'pɔ:l] vb tr förfära, förskräcka;
appalling skrämmande, förfärlig

**apparatus** [ˌæpə'reɪtəs] s apparat;
apparatur; redskap
**apparel** [ə'pær(ə)l] s poet. el. amer. dräkt,
kläder
**apparent** [ə'pær(ə)nt] adj synbar,
uppenbar
**apparently** [ə'pær(ə)ntlɪ] adv synbarligen,
uppenbarligen
**apparition** [ˌæpə'rɪʃ(ə)n] s andesyn; spöke
**appeal** [ə'pi:l] I vb itr 1 vädja 2 ~ against
överklaga 3 ~ to tilltala, falla i smaken II s
1 vädjan; appell 2 jur. överklagande;
court of ~ appellationsdomstol
3 lockelse, attraktion
**appealing** [ə'pi:lɪŋ] adj 1 lockande,
tilltalande, attraktiv 2 vädjande
**appear** [ə'pɪə] vb itr 1 visa sig; framträda,
uppträda; komma ut, publiceras 2 synas,
tyckas, verka
**appearance** [ə'pɪər(ə)ns] s
1 framträdande, uppträdande; put in an
~ visa sig, infinna sig 2 utgivning,
publicering 3 utseende; keep up ~s
bevara skenet
**appease** [ə'pi:z] vb tr stilla [~ one's
hunger], blidka genom eftergifter
**appendicitis** [əˌpendɪ'saɪtɪs] s
blindtarmsinflammation
**appendix** [ə'pendɪks] s 1 bihang, bilaga
2 blindtarmen
**appetite** ['æpətaɪt] s aptit, matlust
**appetizing** ['æpətaɪzɪŋ] adj aptitretande
**applaud** [ə'plɔ:d] vb tr o. vb itr applådera
**applause** [ə'plɔ:z] s applåder; loud ~ en
stark applåd
**apple** ['æpl] s äpple
**appliance** [ə'plaɪəns] s anordning, apparat
**applicable** ['æplɪkəbl] adj tillämplig
**applicant** ['æplɪkənt] s sökande [for till]
**application** [ˌæplɪ'keɪʃ(ə)n] s
1 anbringande, applicering; tillämpning
2 ansökan [for om]; on ~ på begäran
**apply** [ə'plaɪ] vb tr o. vb itr 1 anbringa,
applicera; använda, tillämpa; vara
tillämplig [to på] 2 ansöka [to a p. hos
ngn; for a th. om ngt]
**appoint** [ə'pɔɪnt] vb tr 1 bestämma,
fastställa 2 utnämna, förordna
**appointment** [ə'pɔɪntmənt] s 1 avtalat
möte, träff 2 utnämning 3 anställning,
befattning
**appreciable** [ə'pri:ʃəbl] adj märkbar
**appreciate** [ə'pri:ʃɪeɪt] vb tr o. vb itr
1 uppskatta, värdera 2 inse 3 stiga i värde
**appreciation** [əˌpri:ʃɪ'eɪʃ(ə)n] s

**1** uppskattning **2** uppfattning; förståelse [*of* för] **3** värdestegring
**appreciative** [ə'pri:ʃjətɪv] *adj* uppskattande
**apprehend** [ˌæprɪ'hend] *vb tr* **1** anhålla **2** uppfatta
**apprehension** [ˌæprɪ'henʃ(ə)n] *s* **1** anhållande **2** farhåga; oro
**apprehensive** [ˌæprɪ'hensɪv] *adj* ängslig
**apprentice** [ə'prentɪs] **I** *s* lärling **II** *vb tr* sätta i lära
**approach** [ə'prəʊtʃ] **I** *vb itr* o. *vb tr* närma sig; söka kontakt med **II** *s* **1** närmande **2** infart, infartsväg **3** inställning
**approachable** [ə'prəʊtʃəbl] *adj* åtkomlig
**approbation** [ˌæprə'beɪʃ(ə)n] *s* gillande
**appropriate** [adjektiv ə'prəʊprɪət, verb ə'prəʊprɪeɪt] **I** *adj* lämplig, passande **II** *vb tr* anslå; tillägna sig
**approval** [ə'pru:v(ə)l] *s* gillande; godkännande; *on* ~ till påseende
**approve** [ə'pru:v] *vb itr* o. *vb tr* **1** ~ *of* gilla, samtycka till **2** godkänna [~ *a decision*]
**approximate** [ə'prɒksɪmət] *adj* **1** approximativ, ungefärlig **2** ~ *to* närmande sig, liknande
**approximately** [ə'prɒksɪmətlɪ] *adv* ungefär, cirka
**apricot** ['eɪprɪkɒt] *s* aprikos
**April** ['eɪpr(ə)l] *s* april; ~ *fool!* april, april!; ~ *Fools' Day* 1 april då man narras april
**apron** ['eɪpr(ə)n] *s* förkläde
**apron strings** ['eɪprənstrɪŋz] *s pl, be tied to a p.'s* ~ gå i ngns ledband
**apt** [æpt] *adj* lämplig; träffande; benägen [*to* att]
**aptitude** ['æptɪtjuːd] *s* anlag
**aquarium** [ə'kweərɪəm] *s* akvarium
**Aquarius** [ə'kweərɪəs] astrol. Vattumannen
**aquatic** [ə'kwætɪk] *adj* som växer (lever) i vatten
**aquavit** ['ækwəvɪt] *s* akvavit
**Arab** ['ærəb] **I** *s* arab **II** *adj* arabisk
**Arabian** [ə'reɪbjən] **I** *s* arab **II** *adj* arabisk
**Arabic** ['ærəbɪk] **I** *adj* arabisk **II** *s* arabiska språket
**arable** ['ærəbl] *adj* odlingsbar
**arbitrary** ['ɑ:bɪtrərɪ] *adj* **1** godtycklig **2** egenmäktig
**arbitration** [ˌɑ:bɪ'treɪʃ(ə)n] *s* skiljedom; medling
**arbitrator** ['ɑ:bɪtreɪtə] *s* skiljedomare; medlare
**arbour** ['ɑ:bə] *s* berså, lövsal, lövvalv
**arc** [ɑ:k] *s* båge

**arcade** [ɑ:'keɪd] *s* valvgång; arkad
**1 arch** [ɑ:tʃ] *s* **1** valvbåge, valv **2** hålfot; ~ *support* hålfotsinlägg
**2 arch** [ɑ:tʃ] *adj* skälmaktig
**archaeologist** [ˌɑ:kɪ'ɒlədʒɪst] *s* arkeolog
**archaeology** [ˌɑ:kɪ'ɒlədʒɪ] *s* arkeologi
**archaic** [ɑ:'keɪɪk] *adj* ålderdomlig
**archbishop** [ˌɑ:tʃ'bɪʃəp] *s* ärkebiskop
**arched** [ɑ:tʃt] *adj* välvd; bågformig
**arch-enemy** [ˌɑ:tʃ'enəmɪ] *s* ärkefiende
**archer** ['ɑ:tʃə] *s* bågskytt
**archery** ['ɑ:tʃərɪ] *s* bågskytte
**archipelago** [ˌɑ:kɪ'peləgəʊ] (pl. ~s) *s* skärgård, arkipelag; ögrupp
**architect** ['ɑ:kɪtekt] *s* arkitekt
**architectural** [ˌɑ:kɪ'tektʃər(ə)l] *adj* arkitektonisk
**architecture** ['ɑ:kɪtektʃə] *s* arkitektur
**archives** ['ɑ:kaɪvz] *s pl* arkiv
**arctic** ['ɑ:ktɪk] **I** *adj* arktisk; *the Arctic Circle* norra polcirkeln; *the Arctic Ocean* Norra ishavet **II** *s, the Arctic* Arktis
**ardent** ['ɑ:d(ə)nt] *adj* ivrig, varm [*an* ~ *admirer*], brinnande [~ *desire*]
**ardour** ['ɑ:də] *s* glöd, iver
**arduous** ['ɑ:djʊəs] *adj* svår, mödosam
**are** [ɑ:, obetonat ə], *they/we/you* ~ de/vi/du/ni är; se vidare *be*
**area** ['eərɪə] *s* **1** yta, areal **2** område, trakt; kvarter [*shopping* ~]
**arena** [ə'riːnə] *s* arena, stridsplats
**aren't** [ɑ:nt] = *are not*
**Argentina** [ˌɑ:dʒən'tiːnə]
**Argentine** ['ɑ:dʒəntaɪn] **I** *adj* argentinsk **II** *s* **1** argentinare **2** *the* ~ Argentina
**Argentinian** [ˌɑ:dʒən'tɪnjən] **I** *adj* argentinsk **II** *s* argentinare
**argue** ['ɑ:gjuː] *vb itr* o. *vb tr* argumentera, resonera; tvista, gräla; hävda
**argument** ['ɑ:gjʊmənt] *s* argument; resonemang; dispyt
**argumentative** [ˌɑ:gjʊ'mentətɪv] *adj* diskussionslysten
**aria** ['ɑ:rɪə] *s* aria
**arid** ['ærɪd] *adj* torr; ofruktbar, kal
**Aries** ['eəriːz] astrol. Väduren
**arise** [ə'raɪz] (*arose arisen*) *vb itr* uppstå, framträda; härröra
**arisen** [ə'rɪzn] se *arise*
**aristocracy** [ˌærɪ'stɒkrəsɪ] *s* aristokrati
**aristocrat** ['ærɪstəkræt] *s* aristokrat
**aristocratic** [ˌærɪstə'krætɪk] *adj* aristokratisk
**arithmetic** [ə'rɪθmətɪk] *s* räkning

**1 arm** [ɑ:m] *s* **1** arm; *at arm's length* på
avstånd **2** ärm **3** armstöd
**2 arm** [ɑ:m] **I** *s*, pl. **~s** vapen; **~s** *race*
kapprustning; *be up in ~s against* vara
på krigsstigen mot **II** *vb tr* o. *vb itr* väpna
[*armed forces*], rusta, armera; väpna sig
**armada** [ɑ:ˈmɑ:də] *s* stor flotta, armada
**armadillo** [ˌɑ:məˈdɪləʊ] (pl. **~s**) *s* zool.
bältdjur, bälta
**armament** [ˈɑ:məmənt] *s* **1** krigs rustning;
**~** *race* el. **~s** *race* kapprustning **2** pl. **~s**
krigsmakt
**armband** [ˈɑ:mbænd] *s* armbindel;
ärmhållare
**armchair** [ˈɑ:mtʃeə] *s* fåtölj
**Armenia** [ɑ:ˈmi:njə] Armenien
**Armenian** [ɑ:ˈmi:njən] **I** *adj* armenisk **II** *s*
**1** armenier **2** armeniska språket
**armistice** [ˈɑ:mɪstɪs] *s* vapenvila
**armlet** [ˈɑ:mlət] *s* armbindel
**armour** [ˈɑ:mə] **I** *s* rustning; pansar **II** *vb tr*
pansra; *armoured car* pansarbil;
*armoured forces* pansartrupper
**armour-plate** [ˈɑ:məpleɪt] *s* pansarplåt
**armpit** [ˈɑ:mpɪt] *s* armhåla
**armrest** [ˈɑ:mrest] *s* armstöd
**army** [ˈɑ:mɪ] *s* armé
**aroma** [əˈrəʊmə] *s* arom
**aromatic** [ˌærəˈmætɪk] *adj* aromatisk
**arose** [əˈrəʊz] se *arise*
**around** [əˈraʊnd] **I** *adv*, *all* **~** runt
omkring, omkring **II** *prep* runtom, runt
omkring; **~** *the clock* dygnet runt
**arousal** [əˈraʊz(ə)l] *s* uppväckande
**arouse** [əˈraʊz] *vb tr* väcka
**arrack** [ˈærək] *s* arrak
**arrange** [əˈreɪndʒ] *vb tr* o. *vb itr* ordna,
ställa i ordning; arrangera; göra upp [**~**
*with a p.*]
**arrangement** [əˈreɪndʒmənt] *s*
**1** ordnande **2** ordning; anordning;
uppställning; arrangemang
**array** [əˈreɪ] **I** *vb tr* pryda, styra ut **II** *s*
**1** stridsordning **2** imponerande samling
**arrear** [əˈrɪə] *s*, pl. **~s** resterande skulder;
*be in ~s* vara efter
**arrest** [əˈrest] **I** *vb tr* hejda; anhålla,
arrestera **II** *s* anhållande, arrestering;
*place* (*put*) *under* **~** sätta i arrest
**arresting** [əˈrestɪŋ] *adj* bildl. fängslande
**arrival** [əˈraɪv(ə)l] *s* ankomst; *on* **~** vid
framkomsten
**arrive** [əˈraɪv] *vb itr* anlända, ankomma
**arrogance** [ˈærəgəns] *s* arrogans, övermod

**arrogant** [ˈærəgənt] *adj* arrogant,
övermodig
**arrow** [ˈærəʊ] *s* pil projektil el. symbol
**arse** [ɑ:s] *s* vulg. arsle
**arsehole** [ˈɑ:shəʊl] *s* vulg. som skällsord arsle
**arsenal** [ˈɑ:sənl] *s* arsenal äv. bildl.
**arsenic** [ˈɑ:snɪk] *s* arsenik
**arson** [ˈɑ:sn] *s* mordbrand
**art** [ɑ:t] *s* **1** konst; **~** *gallery* konstgalleri
**2** *the Faculty of Arts* humanistiska
fakulteten
**arteriosclerosis** [ɑ:ˌtɪərɪəʊskliəˈrəʊsɪs] *s*
arterioskleros, åderförkalkning
**artery** [ˈɑ:tərɪ] *s* pulsåder
**artful** [ˈɑ:tf(ʊ)l] *adj* slug, listig
**arthritis** [ɑ:ˈθraɪtɪs] *s* ledinflammation;
*rheumatoid* **~** ledgångsreumatism
**artichoke** [ˈɑ:tɪtʃəʊk] *s*, *globe* **~** el. **~**
kronärtskocka; *Jerusalem* **~**
jordärtskocka
**article** [ˈɑ:tɪkl] *s* **1** hand. artikel, vara
**2** artikel [*newspaper* **~**] **3** gram. artikel
**articulate** [adjektiv ɑ:ˈtɪkjʊlət, verb
ɑ:ˈtɪkjʊleɪt] **I** *adj* tydlig, klar **II** *vb tr* o. *vb
itr* artikulera, tala tydligt
**articulation** [ɑ:ˌtɪkjʊ'leɪʃ(ə)n] *s* artikulation
**artifice** [ˈɑ:tɪfɪs] *s* konstgrepp, knep
**artificial** [ˌɑ:tɪˈfɪʃ(ə)l] *adj* konstgjord,
konst- [**~** *silk*]; onaturlig
**artificiality** [ˌɑ:tɪfɪʃɪˈælətɪ] *s* konstgjordhet;
förkonstling
**artillery** [ɑ:ˈtɪlərɪ] *s* artilleri
**artisan** [ˌɑ:tɪˈzæn] *s* hantverkare
**artist** [ˈɑ:tɪst] *s* konstnär, artist
**artiste** [ɑ:ˈti:st] *s* artist scenisk konstnär
**artistic** [ɑ:ˈtɪstɪk] *adj* konstnärlig, artistisk
**artistry** [ˈɑ:tɪstrɪ] *s* konstnärskap, artisteri
**artless** [ˈɑ:tləs] *adj* naiv; enkel; naturlig
**as** [æz, obetonat əz] **I** *adv* o. konj **1** så [*twice*
**~** *heavy*], lika [*I'm* **~** *tall as you*]
**2** jämförande som **3** såsom, till exempel
**4** medgivande hur…än [*absurd* **~** *it seems, it
is true*]; *try* **~** *he might* hur han än
försökte **5** tid just när (som) **6** orsak då,
eftersom **II** *rel pron* som [*the same* **~**];
såsom **III** särskilda uttryck: **~** *for* vad
beträffar; **~** *good* **~** så gott som; **~** *if* som
om; **~** *it is* redan nu; **~** *it were* så att
säga; **~** *regards* el. **~** *to* vad beträffar; **~**
*yet* ännu så länge
**asbestos** [æsˈbestɒs] *s* asbest
**ascend** [əˈsend] *vb tr* bestiga, stiga uppför;
stiga uppåt
**Ascension** [əˈsenʃ(ə)n] *s*, **~** *Day* Kristi
Himmelsfärdsdag

**ascent** [ə'sent] *s* bestigning; uppstigning
**ascertain** [ˌæsə'teɪn] *vb tr* förvissa sig om
**ascetic** [ə'setɪk] **I** *adj* asketisk **II** *s* asket
**ascribe** [ə'skraɪb] *vb tr* tillskriva
**1 ash** [æʃ] *s* ask träd; *mountain* ~ rönn
**2 ash** [æʃ] *s* **1** vanl. pl. *ashes* aska **2** pl. *ashes* stoft
**ashamed** [ə'ʃeɪmd] *adj* skamsen; *be (feel)* ~ äv. skämmas [*of* för, över]
**ash-blond** [ˌæʃ'blɒnd] *adj* ljusblond, askblond
**ashcan** ['æʃkæn] *s* amer. soptunna
**ashen** ['æʃn] *adj* askliknande, askgrå
**ashore** [ə'ʃɔ:] *adv* i land; på land
**ashtray** ['æʃtreɪ] *s* askkopp, askfat
**Asia** ['eɪʃə] Asien; ~ *Minor* Mindre Asien
**Asian** ['eɪʃ(ə)n] **I** *adj* asiatisk **II** *s* asiat
**Asiatic** [ˌeɪʃɪ'ætɪk] **I** *adj* asiatisk **II** *s* asiat
**aside** [ə'saɪd] **I** *adv* **1** avsides, åt sidan; *joking* ~ skämt åsido **2** i enrum **II** *s* teat. avsidesreplik
**asinine** ['æsɪnaɪn] *adj* åsnelik; dum
**ask** [ɑ:sk] *vb tr* o. *vb itr* **1** fråga [*about* om]; ~ *for* fråga efter; *if you* ~ *me* om jag får säga min mening; *be asked* bli tillfrågad **2** begära; *be* [*for* om]; ~ *a p.'s advice* fråga ngn till råds **3** bjuda, inbjuda; ~ *a p. to dance* bjuda upp ngn
**askance** [ə'skæns] *adv, look* ~ *at a p.* snegla misstänksamt på ngn
**askew** [ə'skju:] **I** *adj* sned, skev **II** *adv* snett, skevt
**asleep** [ə'sli:p] *adv* o. *adj* sovande; *be* ~ sova; *fall* ~ somna
**asocial** [eɪ'səʊʃ(ə)l, ə'səʊʃ(ə)l] *adj* asocial
**asparagus** [ə'spærəgəs] *s* sparris
**aspect** ['æspekt] *s* aspekt; sida
**aspen** ['æspən] *s* asp
**asphalt** ['æsfælt] **I** *s* asfalt **II** *vb tr* asfaltera
**aspiration** [ˌæspə'reɪʃ(ə)n] *s* längtan, strävan, strävande
**aspire** [ə'spaɪə] *vb itr* sträva [*to* efter]
**aspirin** ['æsprɪn] *s* aspirin
**1 ass** [æs] *s* åsna
**2 ass** [æs] *s* amer. vulg. arsle
**assail** [ə'seɪl] *vb tr* angripa, överfalla
**assailant** [ə'seɪlənt] *s* angripare
**assassin** [ə'sæsɪn] *s* mördare, lönnmördare
**assassinate** [ə'sæsɪneɪt] *vb tr* mörda, lönnmörda
**assassination** [əˌsæsɪ'neɪʃ(ə)n] *s* mord, lönnmord
**assault** [ə'sɔ:lt] **I** *s* **1** anfall, angrepp **2** stormning **3** överfall; ~ *and battery* jur.

övervåld och misshandel **II** *vb tr* anfalla; storma; överfalla
**assemble** [ə'sembl] *vb tr* o. *vb itr* församla; samla, samlas
**assembly** [ə'semblɪ] *s* **1** församling, samling; sällskap; ~ *hall* samlingssal, aula **2** hopsättning; ~ *line* monteringsband, löpande band
**assembly room** [ə'semblɪru:m] *s* festsal; pl. ~*s* festvåning
**assent** [ə'sent] **I** *vb itr* samtycka, instämma **II** *s* samtycke, bifall
**assert** [ə'sɜ:t] *vb tr* hävda, förfäkta
**assertion** [ə'sɜ:ʃ(ə)n] *s* bestämt påstående
**assess** [ə'ses] *vb tr* **1** uppskatta, bedöma **2** beskatta, taxera
**assessment** [ə'sesmənt] *s* **1** uppskattning, bedömning **2** beskattning, taxering
**asset** ['æset] *s* tillgång; ~*s and liabilities* tillgångar och skulder
**asshole** ['æʃəʊl] *s* amer. vulg. som skällsord arsle
**assiduity** [ˌæsɪ'dju:ətɪ] *s* trägenhet, flit
**assiduous** [ə'sɪdjʊəs] *adj* trägen, flitig
**assign** [ə'saɪn] *vb tr* tilldela, anvisa
**assignment** [ə'saɪnmənt] *s* **1** tilldelning, anvisning **2** uppgift, uppdrag; skol. beting
**assimilate** [ə'sɪmɪleɪt] *vb tr* o. *vb itr* assimilera, uppta; assimileras, upptas
**assist** [ə'sɪst] **I** *vb tr* o. *vb itr* hjälpa, hjälpa till, assistera, bistå **II** *s* sport. assist; målgivande passning
**assistance** [ə'sɪstəns] *s* hjälp, bistånd
**assistant** [ə'sɪstənt] **I** *adj* assisterande, biträdande **II** *s* medhjälpare; biträde [äv. *shop* ~]
**associate** [substantiv ə'səʊʃɪət, verb ə'səʊʃɪeɪt] **I** *s* kompanjon; kollega **II** *vb tr* o. *vb itr* **1** förena, förbinda **2** associera **3** umgås
**association** [əˌsəʊsɪ'eɪʃ(ə)n] *s* **1** förening, sammanslutning **2** förbund; *Association football* vanlig fotboll i motsats till rugby **3** förbindelse
**assortment** [ə'sɔ:tmənt] *s* **1** sortering **2** sort, klass **3** sortiment; blandning t.ex. av karameller
**assume** [ə'sju:m] *vb tr* **1** anta, förutsätta, förmoda **2** anta, anlägga; *assumed name* antaget namn **3** tillträda [~ *an office*], överta; ta på sig [~ *a responsibility*]
**assumption** [ə'sʌmʃ(ə)n] *s* **1** antagande; *on the* ~ *that* under förutsättning att **2** tillträdande; övertagande

**assurance** [əˈʃʊər(ə)ns] *s* **1** försäkran
**2** självsäkerhet **3** livförsäkring
**assure** [əˈʃʊə] *vb tr* **1** försäkra, förvissa [*of*
om] **2** säkerställa, trygga **3** livförsäkra
**assured** [əˈʃʊəd] *adj* **1** säker, viss;
säkerställd **2** förvissad [*of* om] **3** trygg;
självsäker
**aster** [ˈæstə] *s* bot. aster
**asterisk** [ˈæstərɪsk] *s* asterisk, stjärna (*)
**astern** [əˈstɜːn] *adv* akter ut (över)
**asthma** [ˈæsmə] *s* astma
**asthmatic** [æsˈmætɪk] **I** *adj* astmatisk **II** *s*
astmatiker
**astigmatic** [ˌæstɪgˈmætɪk] *adj* astigmatisk
**astir** [əˈstɜː] *adv* o. *adj* i rörelse
**astonish** [əˈstɒnɪʃ] *vb tr* förvåna
**astonishing** [əˈstɒnɪʃɪŋ] *adj* förvånande
**astonishment** [əˈstɒnɪʃmənt] *s* förvåning
**astound** [əˈstaʊnd] *vb tr* förbluffa
**astounding** [əˈstaʊndɪŋ] *adj* förbluffande
**astray** [əˈstreɪ] *adv* vilse [*go* ~]
**astride** [əˈstraɪd] *prep* o. *adv* grensle,
grensle över
**astrologer** [əˈstrɒlədʒə] *s* astrolog
**astrological** [ˌæstrəˈlɒdʒɪk(ə)l] *adj*
astrologisk
**astrology** [əˈstrɒlədʒɪ] *s* astrologi
**astronaut** [ˈæstrənɔːt] *s* astronaut
**astronomer** [əˈstrɒnəmə] *s* astronom
**astronomic** [ˌæstrəˈnɒmɪk] *adj* o.
**astronomical** [ˌæstrəˈnɒmɪk(ə)l] *adj*
astronomisk
**astronomy** [əˈstrɒnəmɪ] *s* astronomi
**astute** [əˈstjuːt] *adj* skarpsinnig; knipslug
**asunder** [əˈsʌndə] *adv* isär, sönder
**asylum** [əˈsaɪləm] *s* asyl, fristad
**asymmetric** [ˌæsɪˈmetrɪk] *adj* asymmetrisk
**at** [æt, obetonat ət] *prep* **1** på [~ *the hotel*];
vid [~ *my side*; ~ *midnight*], i [~ *Oxford*; ~
*the last moment*]; ~ *my aunt's* hos min
faster; ~ *home* hemma; ~ *my place*
(*house*) hemma hos mig **2** med [~ *a*
*speed of*]; för, till ett pris av; ~ *a loss* med
förlust; ~ *that* till på köpet **3** *be* ~ *a p.*
vara på ngn; *he has been* ~ *it all day*
han har hållit på hela dagen
**ate** [et, speciellt amer. eɪt] *se eat*
**atheism** [ˈeɪθɪɪz(ə)m] *s* ateism
**atheist** [ˈeɪθɪɪst] *s* ateist
**Athens** [ˈæθɪnz] Aten
**athlete** [ˈæθliːt] *s* friidrottsman
**athletic** [æθˈletɪk] *adj* idrotts-; spänstig;
atletisk
**athletics** [æθˈletɪks] *s* **1** (konstrueras med pl.)

friidrott **2** (konstrueras med sg.) idrott,
idrottande
**at-home** [ətˈhəʊm] *s* mottagning hemma
**Atlantic** [ətˈlæntɪk] **I** *adj* atlant-; *the* ~
*Ocean* Atlanten, Atlantiska oceanen **II** *s*,
*the* ~ Atlanten
**atlas** [ˈætləs] *s* atlas, kartbok
**ATM** [ˌeɪtiːˈem] (förk. för *automated* el.
*automatic teller machine*) Bankomat ®
**atmosphere** [ˈætməˌsfɪə] *s* atmosfär
**atom** [ˈætəm] *s* atom [~ *bomb*]
**atomic** [əˈtɒmɪk] *adj* atom- [~ *bomb*
(*energy*)]; ~ *pile* atomreaktor; ~
*radiation* radioaktiv strålning
**atomizer** [ˈætəmaɪzə] *s* sprej
**atone** [əˈtəʊn] *vb itr*, ~ *for* sona; gottgöra
**atrocious** [əˈtrəʊʃəs] *adj* ohygglig,
avskyvärd; vard. gräslig
**atrocity** [əˈtrɒsətɪ] *s* ohygglighet, grymhet;
illdåd
**attach** [əˈtætʃ] *vb tr* o. *vb itr* **1** fästa, sätta
fast (på) [*to* på, vid] **2** bildl., *be attached*
*to* a) vara fäst vid b) vara knuten till **3** ~
*to* vara förknippad med
**attaché** [əˈtæʃeɪ] *s* attaché; *attaché case*
[əˈtæʃɪkeɪs] attachéväska
**attachment** [əˈtætʃmənt] *s* **1** fastsättning
**2** tillgivenhet
**attack** [əˈtæk] **I** *s* anfall; angrepp [*on* mot];
attack **II** *vb tr* angripa, anfalla, attackera
**attain** [əˈteɪn] *vb tr* uppnå, nå
**attainment** [əˈteɪnmənt] *s* **1** uppnående
**2** vanl. pl. ~s kunskaper, färdigheter
**attempt** [əˈtemt] **I** *vb tr* försöka **II** *s*
**1** försök **2** *an* ~ *on a p.'s life* ett attentat
mot ngn
**attend** [əˈtend] *vb tr* o. *vb itr* **1** bevista,
besöka **2** uppvakta **3** åtfölja; *attended*
*with difficulties* förenad med svårigheter
**4** vårda, sköta; betjäna t.ex. kunder **5** vara
uppmärksam; ~ *on* passa upp på; ~ *to*
uppmärksamma; expediera [~ *to a*
*customer*], sköta om **6** närvara, delta
**attendance** [əˈtendəns] *s* **1** närvaro [*at, on*
vid, på], deltagande [*at, on* i] **2** antal
närvarande, publik **3** betjäning,
uppassning; uppvaktning; tillsyn
**attendant** [əˈtendənt] **I** *s* **1** vakt [*park* ~];
serviceman; skötare **2** följeslagare, tjänare
[*on* hos, åt] **II** *adj* **1** åtföljande
**2** uppvaktande [*on* hos]
**attention** [əˈtenʃ(ə)n] **I** *s* uppmärksamhet;
kännedom [*bring a th. to a p.'s* ~]; vård,
tillsyn, passning; *attract* ~ tilldra sig
uppmärksamhet; *pay* ~ *to* ägna

uppmärksamhet åt; *stand at (to)* ~ stå i givakt **II** *interj* **1** mil. givakt! **2** ~ *please!* i t.ex. högtalare hallå, hallå!

**attentive** [ə'tentɪv] *adj* uppmärksam

**attest** [ə'test] *vb tr* vittna om; bevittna [~ *a signature*]; vidimera

**attic** ['ætɪk] *s* vind, vindsrum

**attire** [ə'taɪə] **I** *vb tr* kläda **II** *s* klädsel

**attitude** ['ætɪtjuːd] *s* inställning, attityd

**attorney** [ə'tɜːnɪ] *s* **1** *power of* ~ fullmakt **2** amer. advokat; *district* ~ allmän åklagare

**Attorney-General** [ə,tɜːnɪ'dʒen(ə)rl] *s* **1** i Storbritannien kronjurist, ungefär justitiekansler **2** amer. justitieminister

**attract** [ə'trækt] *vb tr* dra till sig, attrahera; locka; tilldra sig, väcka [~ *attention*]

**attraction** [ə'trækʃ(ə)n] *s* **1** attraktion; dragningskraft; lockelse **2** attraktionsnummer; pl. ~*s* nöjen

**attractive** [ə'træktɪv] *adj* attraktiv, tilldragande; tilltalande

**attribute** [substantiv 'ætrɪbjuːt, verb ə'trɪbjuːt] **I** *s* attribut; utmärkande drag **II** *vb tr* tillskriva [*a th. to a p.* ngn ngt]

**aubergine** ['əʊbəʒiːn] *s* aubergine, äggplanta

**auburn** ['ɔːbən] *adj* kastanjebrun, rödbrun

**auction** ['ɔːkʃ(ə)n] **I** *s* auktion **II** *vb tr*, ~ el. ~ *off* auktionera bort

**auctioneer** [,ɔːkʃə'nɪə] *s* auktionsförrättare

**audacious** [ɔː'deɪʃəs] *adj* djärv; fräck

**audacity** [ɔː'dæsətɪ] *s* djärvhet; fräckhet

**audibility** [,ɔːdə'bɪlətɪ] *s* hörbarhet

**audible** ['ɔːdəbl] *adj* hörbar

**audience** ['ɔːdjəns] *s* **1** publik; åhörare **2** *obtain an* ~ *with* få audiens hos

**audio-visual** [,ɔːdɪəʊ'vɪzjʊəl] *adj*, ~ *aids* audivisuella hjälpmedel

**audit** ['ɔːdɪt] *vb tr* revidera, granska

**audition** [ɔː'dɪʃ(ə)n] *s* provsjungning, provspelning för t.ex. engagemang

**auditor** ['ɔːdɪtə] *s* revisor

**auditorium** [,ɔːdɪ'tɔːrɪəm] *s* hörsal; teatersalong

**aught** [ɔːt] *s, for* ~ *I know* inte annat än jag vet

**augment** [ɔːg'ment] *vb tr* o. *vb itr* öka; ökas

**August** ['ɔːgəst] *s* augusti

**august** [ɔː'gʌst] *adj* majestätisk

**aunt** [ɑːnt] *s* tant; faster, moster

**auntie** o. **aunty** ['ɑːntɪ] *s* smeksamt för *aunt*

**au pair** [,əʊ'peə] *adj* o. *s*, ~ *girl* el. *au pair* au pair, au pair flicka

**auspicious** [ɔː'spɪʃəs] *adj* gynnsam

**austere** [ɒs'tɪə] *adj* sträng, allvarlig; spartansk; stram

**austerity** [ɒ'sterətɪ] *s* stränghet; spartanskhet; stramhet

**Australia** [ɒ'streɪljə] Australien

**Australian** [ɒ'streɪljən] **I** *adj* australisk **II** *s* australiensare

**Austria** ['ɒstrɪə] Österrike

**Austrian** ['ɒstrɪən] **I** *adj* österrikisk **II** *s* österrikare

**authentic** [ɔː'θentɪk] *adj* autentisk, äkta

**authenticity** [,ɔːθen'tɪsətɪ] *s* äkthet, autenticitet

**author** ['ɔːθə] *s* författare, författarinna

**authoress** ['ɔːθərəs] *s* författarinna

**authoritarian** [,ɔːθɒrɪ'teərɪən] *adj* auktoritär

**authoritative** [ɔː'θɒrɪtətɪv] *adj* auktoritativ; myndig

**authority** [ɔː'θɒrətɪ] *s* **1** myndighet, makt, maktbefogenhet; *those in* ~ de makthavande; *on one's own* ~ på eget bevåg **2** bemyndigande; fullmakt **3** auktoritet, expert **4** stöd, belägg

**authorization** [,ɔːθəraɪ'zeɪʃ(ə)n] *s* bemyndigande

**authorize** ['ɔːθəraɪz] *vb tr* auktorisera, bemyndiga; godkänna

**authorship** ['ɔːθəʃɪp] *s* författarskap

**autobiographic** ['ɔːtə,baɪə'græfɪk] *adj* o.

**autobiographical** ['ɔːtə,baɪə'græfɪk(ə)l] *adj* självbiografisk

**autobiography** [,ɔːtəbaɪ'ɒgrəfɪ] *s* självbiografi

**autocrat** ['ɔːtəkræt] *s* envåldshärskare, autokrat

**autograph** ['ɔːtəgrɑːf] *s* autograf

**automate** ['ɔːtəmeɪt] *vb tr* automatisera

**automatic** [,ɔːtə'mætɪk] **I** *adj* automatisk; självgående, självverkande **II** *s* automatvapen

**automation** [,ɔːtə'meɪʃ(ə)n] *s* automation

**automatize** [ɔː'tɒmətaɪz] *vb tr* automatisera

**automobile** ['ɔːtəməbiːl] *s* speciellt amer. bil

**autopilot** ['ɔːtəʊ,paɪlət] *s* autopilot

**autopsy** ['ɔːtɒpsɪ] *s* obduktion

**autumn** ['ɔːtəm] *s* höst; för ex. jfr *summer*

**auxiliary** [ɔːg'zɪljərɪ] **I** *adj* hjälp- [~ *verb* (*troops*)] **II** *s* **1** pl. *auxiliaries* hjälptrupper **2** hjälpverb

**AV** [,eɪ'viː] förk. för *audiovisual*

**avail** [ə'veɪl] I *vb tr* o. *vb itr*, ~ **oneself of**
begagna sig av II *s*, *of no* ~ till ingen nytta
**available** [ə'veɪləbl] *adj* tillgänglig,
disponibel; anträffbar
**avalanche** ['ævəlɑ:nʃ] *s* lavin
**avarice** ['ævərɪs] *s* girighet
**avaricious** [ˌævə'rɪʃəs] *adj* girig; sniken
**avenge** [ə'vendʒ] *vb tr* hämnas
**avenue** ['ævənju:] *s* allé; trädkantad
uppfartsväg; aveny, boulevard
**average** ['ævrɪdʒ] I *s* genomsnitt; *on an
(the)* ~ el. *on* ~ i genomsnitt, i medeltal
II *adj* genomsnittlig; ordinär
**averse** [ə'vɜ:s] *adj*, *be* ~ *to* ogilla
**aversion** [ə'vɜ:ʃ(ə)n] *s* motvilja, aversion;
*my pet* ~ min fasa
**avert** [ə'vɜ:t] *vb tr* **1** vända bort; avleda [~
*suspicion*] **2** avvärja
**aviation** [ˌeɪvɪ'eɪʃ(ə)n] *s* flygning, flygkonst
**aviator** ['eɪvɪeɪtə] *s* flygare; pilot
**avid** ['ævɪd] *adj* ivrig; glupsk
**avocado** [ˌævə'kɑ:dəʊ] (pl. ~*s*) *s* avocado
**avoid** [ə'vɔɪd] *vb tr* undvika; undgå
**avoidable** [ə'vɔɪdəbl] *adj*, *it was* ~ det
hade kunnat undvikas
**avoidance** [ə'vɔɪdəns] *s* undvikande; *tax* ~
skatteplanering
**await** [ə'weɪt] *vb tr* invänta, avvakta
**awake** [ə'weɪk] (*awoke awoken*) *vb itr* o. *vb
tr* vakna; väcka; *be* ~ *to* vara medveten
om
**awaken** [ə'weɪk(ə)n] *vb tr* o. *vb itr* väcka;
vakna
**awakening** [ə'weɪknɪŋ] *s* uppvaknande
**award** [ə'wɔ:d] I *vb tr* tilldela, tilldöma;
belöna med II *s* pris, belöning
**aware** [ə'weə] *adj* medveten {*of* om};
uppmärksam {*of* på}
**away** [ə'weɪ] I *adv* **1** bort, i väg; undan,
ifrån sig, åt sidan [*put a th.* ~] **2** borta
**3** vidare, 'på [*eat* ~] **4** *straight* (*right*) ~
med detsamma, genast II *adj* sport. borta-
[~ *match*]
**awe** [ɔ:] I *s* vördnad II *vb tr* inge vördnad
**awe-inspiring** ['ɔ:ɪnˌspaɪərɪŋ] *adj*
respektinjagande
**awe-struck** ['ɔ:strʌk] *adj* skräckslagen;
fylld av vördnad
**awful** ['ɔ:fl] *adj* ohygglig, fruktansvärd;
vard. förfärlig, hemsk
**awkward** ['ɔ:kwəd] *adj* **1** tafatt, klumpig
**2** förlägen, osäker **3** besvärlig
**awl** [ɔ:l] *s* syl, pryl
**awning** ['ɔ:nɪŋ] *s* markis
**awoke** [ə'wəʊk] se *awake*

**awoken** [ə'wəʊk(ə)n] se *awake*
**awry** [ə'raɪ] *adj* sned, på sned
**ax** [æks] *s* amer., se *axe*
**axe** [æks] I *s* yxa, bila II *vb tr* vard. skära
ned
**axes** ['æksi:z] *s* se *axis*
**axiomatic** [ˌæksɪə'mætɪk] *adj* axiomatisk
**axis** ['æksɪs] (pl. *axes* ['æksi:z]) *s* mat. axel
**axle** ['æksl] *s* hjulaxel
**ay** [aɪ] I *interj* dial. ja II *s* jaröst
**azalea** [ə'zeɪljə] *s* azalea
**azure** ['æʒə, 'eɪʒə] *adj* azurblå, himmelsblå

# B

**B, b** [biː] *s* B, b; *B* mus. h; *B flat* mus. b; *B sharp* mus. hiss

**BA** [ˌbiːˈeɪ] (förk. för *Bachelor of Arts*) ungefär fil. kand.

**babble** [ˈbæbl] **I** *vb itr* babbla; pladdra **II** *s* babbel; pladder

**babe** [beɪb] *s* litt. spädbarn, barnunge

**baboon** [bəˈbuːn] *s* babian

**baby** [ˈbeɪbɪ] *s* **1** spädbarn, baby **2** vard. sötnos

**baby boy** [ˌbeɪbɪˈbɔɪ] *s* gossebarn

**baby buggy** [ˈbeɪbɪˌbʌgɪ] *s* paraplyvagn; amer. barnvagn

**baby girl** [ˌbeɪbɪˈgɜːl] *s* flickebarn

**babyish** [ˈbeɪbɪʃ] *adj* barnslig

**baby-minder** [ˈbeɪbɪˌmaɪndə] *s* dagmamma

**baby-sat** [ˈbeɪbɪsæt] se *baby-sit*

**baby-sit** [ˈbeɪbɪsɪt] (*baby-sat baby-sat*) *vb itr* sitta barnvakt

**baby-sitter** [ˈbeɪbɪˌsɪtə] *s* barnvakt

**baccy** [ˈbækɪ] *s* vard. tobak

**bachelor** [ˈbætʃ(ə)lə] *s* **1** ungkarl **2** *Bachelor of Arts* (*Science*) ungefär filosofie kandidat

**bacillus** [bəˈsɪləs] (pl. *bacilli* [bəˈsɪlaɪ]) *s* bacill

**back** [bæk] **I** *s* **1** rygg; *break a p.'s ~* bildl. ta knäcken på ngn; *put* (*get*) *a p.'s ~ up* reta upp ngn; *be glad to see the ~ of a p.* (*a th.*) vara glad att bli kvitt ngn (ngt) **2** baksida; bakre del; *at the ~ of* bakom **3** sport. back **II** *adj* på baksidan, bak-; *~ page* sista sida av tidning; *take a ~ seat* bildl. hålla sig i bakgrunden **III** *adv* bakåt; tillbaka, åter, igen **IV** *vb tr* o. *vb itr* **1** backa [*~ a car*]; röra sig bakåt, gå (träda) tillbaka; rygga **2** *~ up* backa upp; *~ down* retirera, backa ur; *~ out* gå baklänges ut [*of* ur]; backa ut, hoppa av **3** hålla (satsa) på [*~ a horse*]

**backache** [ˈbækeɪk] *s* ont i ryggen, ryggont

**back-bencher** [ˌbækˈbentʃə] *s* parl. icke-minister

**backbit** [ˈbækbɪt] se *backbite*

**backbite** [ˈbækbaɪt] (*backbit backbitten*) *vb itr* tala illa om folk

**backbiter** [ˈbækˌbaɪtə] *s* baktalare

**backbiting** [ˈbækˌbaɪtɪŋ] *s* förtal

**backbitten** [ˈbækbɪtn] se *backbite*

**backbone** [ˈbækbəʊn] *s* ryggrad; *to the ~* helt igenom

**backbreaking** [ˈbækˌbreɪkɪŋ] *adj* slitsam, hård

**backchat** [ˈbæktʃæt] *s* vard. skämtsam replikväxling; uppkäftighet

**backcloth** [ˈbækklɒθ] *s* teat. fondkuliss

**backer** [ˈbækə] *s* stödjare, hjälpare

**backfire** [ˌbækˈfaɪə] *vb itr* bil. baktända; bildl. slå slint

**background** [ˈbækgraʊnd] *s* bakgrund, fond; miljö

**backhand** [ˈbækhænd] *s* sport. backhand äv. slag

**backing** [ˈbækɪŋ] *s* **1** backning **2** stöd, uppbackning

**backlash** [ˈbæklæʃ] *s* motreaktion

**back number** [ˌbækˈnʌmbə] *s* gammalt nummer av tidning el. tidskrift

**back pay** [ˈbækpeɪ] *s* retroaktiv lön

**backside** [ˌbækˈsaɪd] *s* **1** baksida **2** vard. ända, rumpa

**backslid** [ˌbækˈslɪd] se *backslide*

**backslide** [ˈbækˈslaɪd] (*backslid backslid*) *vb itr* återfalla i t.ex. brott, synd; avfalla

**backstage** [ˌbækˈsteɪdʒ] *adv* o. *adj* bakom kulisserna (scenen)

**backstroke** [ˈbækstrəʊk] *s* ryggsim

**back tax** [ˈbæktæks] *s* kvarskatt

**backward** [ˈbækwəd] **I** *adj* **1** bakåtriktad, bakåtvänd **2** begåvningshämmad, efterbliven **II** *adv* se *backwards*

**backwards** [ˈbækwədz] *adv* bakåt, bakut, baklänges, tillbaka; *~ and forwards* fram och tillbaka; *know a th. ~* kunna ngt utan och innan

**backwash** [ˈbækwɒʃ] *s* **1** svallvågor **2** bildl. efterverkningar, efterdyningar

**backwater** [ˈbækˌwɔːtə] *s* **1** bakvatten **2** bildl. dödvatten, ankdamm; avkrok

**backwoods** [ˈbækwʊdz] *s pl* **1** speciellt amer. avlägsna skogstrakter, obygder **2** se *backwater 2*

**backyard** [ˌbækˈjɑːd] *s* bakgård; amer. trädgård på baksidan av huset

**bacon** [ˈbeɪk(ə)n] *s* bacon; saltat o. rökt sidfläsk

**bacteria** [bækˈtɪərɪə] *s* se *bacterium*

**bacteriological** [bækˌtɪərɪəˈlɒdʒɪk(ə)l] *adj* bakteriologisk [*~ warfare*]

**bacterium** [bækˈtɪərɪəm] (pl. *bacteria* [bækˈtɪərɪə]) *s* bakterie

**bad** [bæd] (*worse worst*) *adj* **1** dålig; svår [*a ~ blunder (cold)*]; sorglig [*~ news*]; *~ luck* otur; *go ~* ruttna, bli skämd; *that's too*

**~!** vard. vad tråkigt!, vad synd! **2** oriktig, falsk **3** ond; fördärvad; **~ language** svordomar

**bade** [bæd, beɪd] se *bid I*

**badge** [bædʒ] *s* märke, emblem

**badger** ['bædʒə] **I** *s* grävling **II** *vb tr* trakassera; tjata på

**badly** ['bædlɪ] (*worse worst*) *adv* dåligt, illa; svårt

**badminton** ['bædmɪntən] *s* badminton

**bad-tempered** [,bæd'tempəd] *adj* på dåligt humör, sur

**baffle** ['bæfl] *vb tr* förvirra, förbrylla, gäcka

**bag** [bæg] **I** *s* **1** påse; säck; bag; väska **2** jaktbyte, fångst **II** *vb tr* **1** fånga **2** vard. knycka, lägga beslag på

**bagatelle** [,bægə'tel] *s* **1** bagatell **2** fortunaspel

**baggage** ['bægɪdʒ] *s* bagage, resgods

**baggy** ['bægɪ] *adj* påsig, säckig

**bagpiper** ['bæg,paɪpə] *s* säckpipblåsare

**bagpipes** ['bægpaɪps] *s pl* säckpipa

**1 bail** [beɪl] *vb tr* o. *vb itr*, **~ out** el. **~** ösa, ösa ut [*~ water*]

**2 bail** [beɪl] **I** *s* borgen för anhållens inställelse inför rätta **II** *vb tr*, **~ out** el. **~** utverka frihet åt anhållen genom att ställa borgen för honom

**bailiff** ['beɪlɪf] *s* utmätningsman

**bait** [beɪt] **I** *vb tr* **1** hetsa, plåga **2** reta **3** agna krok; sätta bete på **II** *s* agn, bete vid fiske

**baize** [beɪz] *s* boj slags grönt filttyg; filt

**bake** [beɪk] *vb tr* o. *vb itr* baka, ugnssteka; ugnsbaka; stekas, bakas

**baker** ['beɪkə] *s* bagare

**bakery** ['beɪkərɪ] *s* bageri

**baking-tin** ['beɪkɪŋtɪn] *s* bakform

**balance** ['bæləns] **I** *s* **1** våg, balansvåg; vågskål **2** balans äv. bildl. [*lose one's ~*]; jämvikt **3** hand. balans; återstod, rest; **~ brought (carried) forward** ingående (utgående) saldo; *strike a ~* finna en medelväg **4** vard., *the ~* resten **II** *vb tr* **1** avväga, väga **2** balansera **3** motväga, uppväga

**balcony** ['bælkənɪ] *s* **1** balkong **2** *the ~* teat. (vanl.) andra raden; amer. första raden

**bald** [bɔːld] *adj* flintskallig

**1 bale** [beɪl] *s* bal, packe

**2 bale** [beɪl] *vb itr* o. *vb tr* **1** **~ out** hoppa med fallskärm **2** el. **~** ösa, ösa ut

**balk** [bɔːk, bɔːlk] *vb tr* o. *vb itr* **1** hindra ngns planer **2** om häst tvärstanna; bildl. dra sig [*at* för]

**Balkans** ['bɔːlkəns] *s pl, the ~* Balkan

**1 ball** [bɔːl] *s* bal, dans

**2 ball** [bɔːl] *s* **1** boll; klot; kula **2** nystan [*~ of wool*] **3** vulg., **~s** a) ballar testiklar b) skitprat

**ballad** ['bæləd] *s* folkvisa

**ballast** ['bæləst] *s* barlast

**ball bearing** [,bɔːl'beərɪŋ] *s* kullager

**ballet** ['bæleɪ] *s* balett

**balloon** [bə'luːn] *s* ballong; **~** el. **~ glass** aromglas

**ballot** ['bælət] *s* **1** röstsedel, valsedel **2** sluten omröstning

**ballot box** ['bælətbɒks] *s* valurna

**ballot paper** ['bælət,peɪpə] *s* röstsedel

**ballpen** ['bɔːlpen] *s* kulpenna

**ballpoint** ['bɔːlpɔɪnt] *s*, **~ pen** el. **~** kulpenna

**ballroom** ['bɔːlruːm] *s* balsal; danssalong

**ballyhoo** [,bælɪ'huː] *s* vard. ståhej

**balm** [bɑːm] *s* balsam; lindring

**balmy** ['bɑːmɪ] *adj* **1** doftande **2** lindrande

**balsam** ['bɔːlsəm] *s* balsam

**Baltic** ['bɔːltɪk] **I** *adj* baltisk; *the ~ Sea* Östersjön; *the ~ States* Baltikum **II** *s, the ~* Östersjön

**bamboo** [,bæm'buː] *s* bambu; bamburör

**ban** [bæn] **I** *s* officiellt förbud; *put a ~ on* förbjuda **II** *vb tr* förbjuda; bannlysa

**banal** [bə'nɑːl] *adj* banal

**banana** [bə'nɑːnə] *s* banan

**band** [bænd] **I** *s* **1** band; snodd **2** trupp, skara **3** mindre orkester, musikkår **II** *vb itr*, **~ together** förena sig

**bandage** ['bændɪdʒ] **I** *s* bandage, förband, binda **II** *vb tr* förbinda

**bandit** ['bændɪt] *s* bandit, bov

**bandmaster** ['bænd,mɑːstə] *s* kapellmästare

**bandstand** ['bæn(d)stænd] *s* musikestrad

**bandy** ['bændɪ] **I** *vb tr*, **~** el. **~ about** kasta fram och tillbaka, bolla med **II** *adj* om ben hjulbent

**bane** [beɪn] *s* fördärv; förbannelse

**bang** [bæŋ] **I** *vb tr* o. *vb itr* banka, smälla, slå **II** *s* slag, smäll, knall **III** *interj* o. *adv* bom, pang; *go ~* smälla till

**bangle** ['bæŋgl] *s* armring

**banish** ['bænɪʃ] *vb tr* **1** landsförvisa **2** bannlysa; slå bort [*~ cares*]

**banishment** ['bænɪʃmənt] *s* landsförvisning

**banisters** ['bænɪstəz] *s pl* trappräcke

**banjo** ['bændʒəʊ] (pl. *~s*) *s* banjo

**1 bank** [bæŋk] *s* **1** sluttning **2** bank, vall

# bank

**2 bank** [bæŋk] **I** s **1** bank; ~ *account* bankkonto; ~ *holiday* allmän helgdag, bankfridag; ~ *manager* bankkamrer, bankdirektör **2** spelbank **II** *vb itr* **1** ~ *with* ha bankkonto hos **2** ~ *on* vard. lita på
**banker** ['bæŋkə] s bankir; spel. bankör
**banknote** ['bæŋknəʊt] s bank- sedel
**bankrupt** ['bæŋkrʌpt] **I** s person som har gjort konkurs; bankruttör **II** *adj* bankrutt; *go* ~ göra konkurs (bankrutt)
**bankruptcy** ['bæŋkrəptsɪ] s konkurs; bankrutt
**banner** ['bænə] s baner, fana
**banns** [bænz] s *pl,* *publish* (*read*) *the* ~ avkunna lysning
**banquet** ['bæŋkwɪt] s bankett, festmåltid
**banter** ['bæntə] **I** s skämt, skämtande **II** *vb itr* skämta, raljera
**baptism** ['bæptɪz(ə)m] s dop
**baptize** [bæp'taɪz] *vb tr* döpa
**bar** [bɑ:] **I** s **1 a)** stång; ribba; tacka [*gold* ~]; ~ *of chocolate* chokladkaka; *a* ~ *of soap* en tvål **b)** bom; pl. ~*s* äv. galler [*behind* ~*s*] **2** hinder [*to* för], spärr **3** a) bardisk b) avdelning på en pub [*the saloon* ~] **4** mus. takt, taktstreck **5** skrank i rättssal; *the prisoner at the* ~ den anklagade **II** *vb tr* **1** a) bomma till (igen) b) spärra, blockera [~ *the way*] **2** hindra; utesluta; avstänga [~ *a p. from a race*]; förbjuda **III** *prep* vard. utom [~ *one*]
**barbarian** [bɑ:'beərɪən] s barbar
**barbaric** [bɑ:'bærɪk] *adj* barbarisk
**barbarism** ['bɑ:bərɪz(ə)m] s barbari
**barbarous** ['bɑ:bərəs] *adj* barbarisk
**barbecue** ['bɑ:bɪkju:] s utomhusgrill; grillfest
**barbed** [bɑ:bd] *adj,* ~ *wire* taggtråd
**barber** ['bɑ:bə] s barberare; *barber's shop* frisersalong
**bar-code** ['bɑ:kəʊd] s streckkod
**bare** [beə] *adj* **1** bar [~ *hands*], naken; kal **2** blott, blotta [*the* ~ *idea*]; knapp [*a* ~ *majority*]
**barefaced** ['beəfeɪst] *adj* oblyg, skamlös, fräck [*a* ~ *lie*]
**barefoot** ['beəfʊt] *adj* o. *adv* barfota
**bareheaded** [,beə'hedɪd] *adj* barhuvad
**barely** ['beəlɪ] *adv* **1** nätt och jämnt, knappt **2** sparsamt, torftigt
**bargain** ['bɑ:gɪn] **I** s **1** förmånlig, god affär; uppgörelse; *that's a* ~*!* avgjort!; *strike a* ~ *with a p.* träffa avtal med ngn; *into the* ~ till på köpet **2** gott köp; kap, fynd, klipp **3** attributivt, ~ *price* fyndpris **II** *vb itr*

**1** köpslå, pruta **2** förhandla, göra upp [*for* om] **3** vard., ~ *for* räkna med, vänta sig
**barge** [bɑ:dʒ] **I** s pråm **II** *vb itr* vard. **1** törna, rusa [*into* in i, på] **2** ~ *in* tränga sig på
**baritone** ['bærɪtəʊn] s baryton
**1 bark** [bɑ:k] s bark
**2 bark** [bɑ:k] **I** *vb itr* skälla [*at* på] **II** s skall, skällande
**barley** ['bɑ:lɪ] s korn sädesslag
**barmaid** ['bɑ:meɪd] s kvinnlig bartender
**barman** ['bɑ:mən] s bartender
**barn** [bɑ:n] s lada, loge; amer. ladugård
**barometer** [bə'rɒmɪtə] s barometer
**baron** ['bær(ə)n] s baron
**baroness** ['bærənəs] s baronessa
**barrack** ['bærək] s, pl. ~*s* kasern, barack
**barrage** ['bærɑ:ʒ] s mil. spärreld
**barrel** ['bær(ə)l] s **1** fat, tunna **2** gevärspipa
**barrel organ** ['bærəl,ɔ:gən] s positiv
**barren** ['bær(ə)n] *adj* ofruktbar; steril
**barricade** [,bærɪ'keɪd] **I** s barrikad **II** *vb tr* barrikadera
**barrier** ['bærɪə] s barriär; spärr
**barring** ['bɑ:rɪŋ] *prep* utom; bortsett från
**barrister** ['bærɪstə] s advokat med rätt att föra parters talan vid överrätt
**barrow** ['bærəʊ] s skottkärra
**bartender** ['bɑ:,tendə] s bartender
**barter** ['bɑ:tə] **I** *vb itr* o. *vb tr* idka byteshandel, byta ut [*for* mot], schackra **II** s byteshandel
**1 base** [beɪs] *adj* tarvlig; ~ *metals* oädla metaller
**2 base** [beɪs] **I** s bas; grundval; sockel **II** *vb tr* basera
**baseball** ['beɪsbɔ:l] s baseboll
**basement** ['beɪsmənt] s källarvåning
**bases** ['beɪsi:z] s se *basis*
**bash** [bæʃ] *vb tr* vard. slå; klå upp
**bashful** ['bæʃf(ʊ)l] *adj* blyg, skygg
**basic** ['beɪsɪk] *adj* grundläggande, fundamental
**basically** ['beɪsɪklɪ] *adv* i grund och botten
**basil** ['bæzl] s basilika krydda
**basin** ['beɪsn] s fat, handfat; skål
**basis** ['beɪsɪs] (pl. *bases* ['beɪsi:z]) s bas; basis
**bask** [bɑ:sk] *vb itr,* ~ *in the sun* sola sig
**basket** ['bɑ:skɪt] s korg
**basketball** ['bɑ:skɪtbɔ:l] s basketboll
**1 bass** [bæs] s zool. havsabborre
**2 bass** [beɪs] mus. **I** s bas **II** *adj* bas-; låg
**bassoon** [bə'su:n] s fagott

**bastard** ['bɑ:stəd] s **1** utomäktenskapligt barn; bastard **2** sl. knöl, jävel
**1 bat** [bæt] s fladdermus
**2 bat** [bæt] s slagträ i kricket m.m.; racket i bordtennis
**batch** [bætʃ] s **1** bak av samma deg; sats **2** hop, hög [a ~ of letters]; bunt
**bate** [beɪt] vb tr minska; with bated breath med återhållen andedräkt
**bath** [bɑ:θ, pl. bɑ:ðz] s **1** bad **2** badkar, badbalja **3** ~s a) badhus, badinrättning b) kuranstalt, kurort; swimming ~s simhall **II** vb tr o. vb itr bada
**bath chair** ['bɑ:θtʃeə] s rullstol för sjuka
**bathe** [beɪð] **I** vb tr o. vb itr **1** bada **2** badda [~ one's eyes] **II** s bad i det fria
**bathing** ['beɪðɪŋ] s badning, bad
**bathing beach** ['beɪðɪŋbi:tʃ] s badstrand
**bathing cap** ['beɪðɪŋkæp] s badmössa
**bathing costume** ['beɪðɪŋˌkɒstju:m] s baddräkt
**bathing hut** ['beɪðɪŋhʌt] s badhytt
**bathing pool** ['beɪðɪŋpu:l] s badbassäng, pool
**bathing suit** ['beɪðɪŋsu:t] s baddräkt
**bathing trunks** ['beɪðɪŋtrʌŋks] s pl badbyxor
**bathrobe** ['bɑ:θrəʊb] s badkappa, badrock
**bathroom** ['bɑ:θru:m] s badrum; amer. äv. toalett
**bath towel** ['bɑ:θˌtaʊəl] s badhandduk
**bathtub** ['bɑ:θtʌb] s badkar; badbalja
**batik** [bə'ti:k] s batik
**Batman** ['bætmæn] seriefigur Läderlappen, Batman
**baton** ['bæt(ə)n] s **1** batong **2** taktpinne
**batsman** ['bætsmən] s slagman i t.ex kricket
**battalion** [bə'tæljən] s bataljon
**1 batter** ['bætə] vb tr o. vb itr **1** slå, slå in (ned) **2** illa tilltyga **3** hamra, bulta
**2 batter** ['bætə] s kok. smet; ~ pudding ung. ugnspannkaka
**battered** ['bætəd] adj sönderslagen, illa medfaren
**battery** ['bætərɪ] s batteri
**battle** ['bætl] **I** s strid, batalj, fältslag **II** vb itr kämpa
**battle-axe** ['bætl-æks] s stridsyxa
**battle cry** ['bætlkraɪ] s stridsrop
**battlefield** ['bætlfi:ld] s slagfält
**battleship** ['bætlʃɪp] s slagskepp
**Bavaria** [bə'veərɪə] Bayern
**Bavarian** [bə'veərɪən] **I** adj bayersk **II** s bayrare
**bawl** [bɔ:l] vb itr o. vb tr vråla

**1 bay** [beɪ] s lagerträd
**2 bay** [beɪ] s vik, bukt
**3 bay** [beɪ] s **1** utrymme, avdelning, bås **2** burspråk
**bay leaf** ['beɪli:f] (pl. bay leaves ['beɪli:vz]) s lagerblad
**bayonet** ['beɪənət] s bajonett
**bay tree** ['beɪtri:] s lagerträd
**bazaar** [bə'zɑ:] s basar
**BBC** [ˌbi:bi:'si:] (förk. för British Broadcasting Corporation) BBC, brittiska radion och televisionen
**BC** [ˌbi:'si:] (förk. för before Christ) f. Kr.
**be** [bi:, bɪ] (was been; presens indikativ I am, you are, he/she/it is, pl. they/we are; imperfekt I was, you were, he/she/it was, pl. they/we were) vb itr **I** huvudvb **1 a)** vara; bli [the answer was…] **b)** there is el. there are det är, det finns **2** gå [we were at school together]; ligga [it is on the table]; sitta [he is in prison]; stå [the verb is in the singular]; [he is dead], isn't he? …eller hur?; he is wrong han har fel; how are you? hur mår du? □ ~ about handla om; he was about to han skulle just; ~ for förorda, vara för; now you are for it! det kommer du att få för!; ~ off ge sig iväg (av) **II** hjälpvb **1** be + perfekt particip **a)** passivbildande bli b) vara; he was saved han räddades, han blev räddad; when were you born? när är du född? **2** be + ing-form: they are building a house de håller på och bygger ett hus; the house is being built huset håller på att byggas; he is leaving tomorrow han reser i morgon **3** be + to infinitiv **a)** am (are, is) to skall [when am I to come back?] **b)** was (were) to skulle [he was never to come back again; if I were to tell you…]
**beach** [bi:tʃ] s sandstrand; badstrand; ~ ball badboll
**beacon** ['bi:k(ə)n] s fyr; båk; flygfyr
**bead** [bi:d] s pärla av glas, trä etc.
**beaker** ['bi:kə] s glasbägare för laboratorieändamål; mugg
**beam** [bi:m] **I** s **1** bjälke **2** ljusstråle **II** vb itr stråla [~ with happiness]
**bean** [bi:n] s böna
**1 bear** [beə] s björn
**2 bear** [beə] (bore borne, äv. born, se detta ord) vb tr o. vb itr **1** högtidl. bära, föra **2** bildl. bära [~ a name]; äga, ha [~ some resemblance to]; inneha; ~ in mind komma ihåg **3** uthärda, tåla, stå ut med **4** bära [~ fruit]; frambringa; föda [~ a

*child*] **5** bära, hålla [*the ice doesn't ~*]
**6** tynga, trycka, vila [*on, against* mot, på]
**7** *bring to ~* utöva [*bring pressure to ~*]
**8** föra, ta av [*~ to the right*] □ *~* **down on**
**(upon)** a) styra ned mot b) störta (kasta)
sig över; *~* **out** stödja, bekräfta; *~* **up** hålla
uppe, hålla modet uppe
**bearable** ['beərəbl] *adj* uthärdlig, dräglig
**beard** [bɪəd] *s* skägg
**bearded** ['bɪədɪd] *adj* skäggig, med skägg
**bearer** ['beərə] *s* bärare
**bearing** ['beərɪŋ] *s* **1** hållning,
uppträdande **2** betydelse [*on* för]; *it has*
*no ~ on the subject* det har inte med
saken att göra **3** läge; sjö. pejling, bäring;
*find one's ~s* orientera sig **4** tekn. lager
**Béarnaise** [ˌbeɪə'neɪz] *s, ~ sauce*
bearnaisesås
**beast** [bi:st] *s* **1** fyrfota djur; best **2** bildl.
odjur, fä
**beastly** ['bi:stlɪ] *adj* vard. avskyvärd, gräslig
**beat** [bi:t] **I** (*beat beaten*) *vb tr* o. *vb itr*
**1** slå; piska; bulta, hamra; klappa [*his*
*heart is beating*]; *~ time* slå takten **2** vispa
[*~ eggs*] **3** slå [*~ a record*], besegra; *it ~s*
*me how* vard. jag fattar inte hur **II** *s* **1** slag;
taktslag; bultande **2** rond; pass **III** *adj, ~*
el. *dead ~* vard. helt utmattad
**beaten** ['bi:tn] *adj* o. *perf p* (av *beat*) slagen;
besegrad
**beating** ['bi:tɪŋ] *s* **1** slående **2** stryk, smörj
**beautiful** ['bju:təf(ʊ)l] *adj* skön, vacker
**beautify** ['bju:tɪfaɪ] *vb tr* försköna, pryda
**beauty** ['bju:tɪ] *s* skönhet; *~ parlour*
skönhetssalong
**beaver** ['bi:və] *s* bäver; bäverskinn
**became** [bɪ'keɪm] se *become*
**because** [bɪ'kɒz] **I** *konj* emedan, därför att
**II** *adv, ~ of* på grund av
**beckon** ['bek(ə)n] *vb itr* o. *vb tr* göra
tecken; göra tecken åt; vinka, vinka till
sig
**become** [bɪ'kʌm] (*became become*) *vb itr* o.
*vb tr* **1** bli, bliva **2** *what has ~ of it?* vart
har det tagit vägen? **3** passa, anstå, klä
**becoming** [bɪ'kʌmɪŋ] *adj* passande;
klädsam
**bed** [bed] *s* bädd; säng; *~ and breakfast*
rum inklusive frukost; *twin ~s* två
enkelsängar; *make the ~* (*the ~s*) bädda;
*put to ~* lägga
**bedclothes** ['bedkləʊðz] *s pl* sängkläder
**bedding** ['bedɪŋ] *s* sängkläder
**bedridden** ['bedˌrɪdn] *adj* sängliggande

**bedroom** ['bedru:m] *s* sängkammare,
sovrum
**bedside** ['bedsaɪd] *s, at the ~* vid
sängkanten; *at (by) a sick p.'s ~* vid
ngns sjukbädd; *~ table* nattduksbord
**bed-sitter** [ˌbed'sɪtə] *s* möblerad
enrummare
**bedsore** ['bedsɔː] *s* liggsår
**bedspread** ['bedspred] *s* sängöverkast
**bedstead** ['bedsted] *s* sängstomme; säng
**bedtime** ['bedtaɪm] *s* läggdags
**bee** [bi:] *s* bi; *have a ~ in one's bonnet*
ha en fix idé
**beech** [bi:tʃ] *s* bot. bok
**beef** [bi:f] *s* oxkött, nötkött
**beefsteak** ['bi:fsteɪk] *s* biff, biffstek
**beefy** ['bi:fɪ] *adj* om person kraftig,
muskulös
**beehive** ['bi:haɪv] *s* bikupa
**bee-keeper** ['bi:ˌki:pə] *s* biodlare
**been** [bi:n, bɪn] se *be*
**beep** [bi:p] **I** *s* tut, pip **II** *vb itr* tuta, pipa
**beer** [bɪə] *s* öl
**beet** [bi:t] *s* bot. beta
**beetle** ['bi:tl] *s* skalbagge
**beetroot** ['bi:tru:t] *s* rödbeta
**befall** [bɪ'fɔːl] (*befell befallen*) *vb tr* o. *vb itr*
litt. hända, ske
**befallen** [bɪ'fɔːl(ə)n] se *befall*
**befell** [bɪ'fel] se *befall*
**before** [bɪ'fɔː] **I** *prep* framför, inför, för;
före; *~ long* inom kort **II** *konj* innan,
förrän
**beforehand** [bɪ'fɔːhænd] *adv* på förhand; i
förväg; före
**beg** [beg] *vb tr* o. *vb itr* **1** tigga **2** be (tigga)
om; *I ~ to inform you* jag får härmed
meddela
**began** [bɪ'gæn] se *begin*
**beggar** ['begə] *s* **1** tiggare, fattig stackare
**2** vard. rackare; *you lucky ~!* din lyckans
ost!
**begging** ['begɪŋ] *s* tiggande, tiggeri
**begin** [bɪ'gɪn] (*began begun*) *vb itr* o. *vb tr*
börja, börja med; *to ~ with* a) för det
första b) till att börja med
**beginner** [bɪ'gɪnə] *s* nybörjare
**beginning** [bɪ'gɪnɪŋ] *s* början, begynnelse;
*at the ~* i början
**begonia** [bɪ'gəʊnjə] *s* begonia
**begrudge** [bɪ'grʌdʒ] *vb tr* **1** inte unna,
missunna **2** inte gilla [*~ spending money*]
**begun** [bɪ'gʌn] se *begin*
**behalf** [bɪ'hɑːf] *s, on* (amer. *in*) *a p.'s ~* i
ngns ställe, för ngns räkning

**behave** [bɪ'heɪv] *vb itr* o. *vb rfl* uppföra sig väl; bete sig
**behaviour** [bɪ'heɪvjə] *s* beteende; uppförande, uppträdande
**behead** [bɪ'hed] *vb tr* halshugga
**beheld** [bɪ'held] se *behold*
**behind** [bɪ'haɪnd] I *prep* bakom, efter
 II *adv* bakom; baktill; efter; kvar [*stay* ~]
 III *s* vard. bak, stuss
**behindhand** [bɪ'haɪndhænd] *adv* o. *adj* efter, på efterkälken
**behold** [bɪ'həʊld] (*beheld beheld*) *vb tr* litt. skåda; ~*!* si!
**beholder** [bɪ'həʊldə] *s* åskådare
**beige** [beɪʒ] *s* o. *adj* beige
**being** ['bi:ɪŋ] I *adj*, *for the time* ~ för närvarande; tillsvidare II *s* **1** tillvaro; *come into* ~ bli till **2** väsen natur **3** väsen; varelse [*human* ~]
**belch** [beltʃ] I *vb itr* o. *vb tr* rapa; spy ut t.ex. eld II *s* rapning
**Belgian** ['beldʒ(ə)n] I *adj* belgisk II *s* belgare
**Belgium** ['beldʒəm] Belgien
**Belgrade** [bel'greɪd] Belgrad
**belie** [bɪ'laɪ] *vb tr* motsäga, strida mot
**belief** [bɪ'li:f] *s* tro [*in* på]; *to the best of my* ~ så vitt jag vet
**believe** [bɪ'li:v] *vb itr* o. *vb tr* tro, tro på; ~ *in* tro på; *make* ~ låtsas
**believer** [bɪ'li:və] *s* troende; *a* ~ en troende; *he is a* ~ *in* han tror på
**belittle** [bɪ'lɪtl] *vb tr* minska; förringa
**bell** [bel] *s* ringklocka; bjällra, skälla
**belle** [bel] *s* skönhet, vacker kvinna
**belligerent** [bɪ'lɪdʒər(ə)nt] I *adj* **1** krigförande **2** stridslysten II *s* krigförande makt
**bellow** ['beləʊ] *vb itr* böla, råma; ryta
**bellows** ['beləʊz] (pl. lika) *s* bälg, blåsbälg
**belly** ['belɪ] *s* buk; mage
**belly-ache** ['belɪeɪk] *s* ont i magen
**belong** [bɪ'lɒŋ] *vb itr*, ~ *to* tillhöra
**belonging** [bɪ'lɒŋɪŋ] *s*, pl. ~*s* tillhörigheter
**Belorussia** [ˌbeləʊ'rʌʃə] Vitryssland
**Belorussian** [ˌbeləʊ'rʌʃ(ə)n] I *adj* vitrysk II *s* vitryss
**beloved** [bɪ'lʌvd, attributivt o. som substantiv vanl. bɪ'lʌvɪd] I *adj* älskad II *s* älskling
**below** [bɪ'ləʊ] *prep* o. *adv* nedan, nedanför, under
**belt** [belt] *s* bälte; skärp, livrem, svångrem; gehäng; tekn. drivrem; ~ *bag* midjeväska
**beltway** ['beltweɪ] *s* amer. kringfartsled

**bench** [bentʃ] *s* bänk; säte; arbetsbänk
**bend** [bend] I (*bent bent*) *vb tr* o. *vb itr* böja, kröka; vika; böja (kröka) sig, böjas II *s* böjning; krök; kurva
**beneath** [bɪ'ni:θ] *adv* o. *prep* nedan, nedanför, under; ~ *contempt* under all kritik
**benediction** [ˌbenɪ'dɪkʃ(ə)n] *s* välsignelse
**benefactor** ['benɪfæktə] *s* välgörare
**beneficial** [ˌbenɪ'fɪʃ(ə)l] *adj* välgörande
**benefit** ['benɪfɪt] I *s* förmån, fördel, nytta; *give a p. the* ~ *of the doubt* hellre fria än fälla ngn II *vb tr* o. *vb itr* göra ngn gott (nytta), gagna; ~ *by* (*from*) ha (dra) nytta av
**benevolence** [bə'nevələns] *s* välvilja
**benevolent** [bə'nevələnt] *adj* **1** välvillig **2** välgörenhets- [~ *society*]
**Bengal** [beŋ'gɔ:l] Bengalen
**benign** [bɪ'naɪn] *adj* välvillig; med. godartad
**bent** [bent] I *s* böjelse II imperfekt av *bend* III *perf p* o. *adj* **1** böjd, krokig, krökt **2** *be* ~ *on* ha föresatt sig, vara inriktad på
**benzine** [ben'zi:n] *s* bensin för rengöring
**bequeath** [bɪ'kwi:ð, bɪ'kwi:θ] *vb tr* testamentera, lämna i arv
**bequest** [bɪ'kwest] *s* testamentarisk gåva
**bereave** [bɪ'ri:v] (*bereft bereft* el. *bereaved bereaved*) *vb tr* beröva, frånta; perfekt particip *bereaved* efterlämnad, sörjande
**bereavement** [bɪ'ri:vmənt] *s* smärtsam förlust genom dödsfall; sorg; dödsfall
**bereft** [bɪ'reft] se *bereave*
**beret** ['bereɪ] *s* basker, baskermössa
**Berlin** [bɜ:'lɪn]
**Bermuda** [bə'mju:də] Bermuda; *the* ~*s* Bermudaöarna
**berry** ['berɪ] *s* **1** bär **2** *brown as a* ~ brun som en pepparkaka
**berth** [bɜ:θ] *s* koj, kojplats, sovplats; hytt
**beseech** [bɪ'si:tʃ] (*besought besought*) *vb tr* litt. bönfalla, be enträget
**besetting** [bɪ'setɪŋ] *adj*, ~ *sin* skötesynd
**beside** [bɪ'saɪd] *prep* **1** bredvid, intill **2** ~ *oneself* utom sig [*with* av]
**besides** [bɪ'saɪdz] I *adv* dessutom; för övrigt II *prep* förutom, jämte
**besiege** [bɪ'si:dʒ] *vb tr* belägra
**besought** [bɪ'sɔ:t] se *beseech*
**best** [best] I *adj* o. *adv* (superlativ av *good* o. 2 *well*) bäst; *the* ~ *part of an hour* nära nog en timme; *as* ~ *he could* så gott han kunde II *s* det, den, de bästa; *all the* ~ *of luck!* el. *all the* ~*!* lycka till!; *look one's* ~

vara mest till sin fördel; *get the ~ of it* få övertaget; *make the ~ of* göra det bästa möjliga av; *to the ~ of one's knowledge* såvitt man vet; *dressed in one's Sunday ~* söndagsklädd

**bestial** ['bestjəl] *adj* djurisk; bestialisk

**bestow** [bɪ'stəʊ] *vb tr* skänka

**bet** [bet] **I** *s* vad; *make* (*lay*) *a ~* slå vad **II** (*bet bet*; ibland *betted betted*) *vb tr* o. *vb itr* slå vad, slå vad om; *~ on* [*a horse*] hålla (satsa) på...; *you ~!* vard. det kan du skriva upp!

**betray** [bɪ'treɪ] *vb tr* **1** förråda **2** svika [*~ a p.'s confidence*] **3** röja [*~ a secret*]

**betrayal** [bɪ'treɪəl] *s* **1** förrådande; förräderi, svek **2** avslöjande

**better** ['betə] **I** *adj* o. *adv* o. *s* (komparativ av *good, 2 well*) bättre; hellre; *his ~ half* hans äkta hälft; *be ~ off* ha det bättre ställt; *no ~ than* inte annat än...; *so much the ~* el. *all the ~* så mycket (desto) bättre; *the sooner the ~* ju förr dess bättre; *for ~ or for worse* vad som än händer; *get the ~ of* få övertaget över; *think ~ of it* komma på bättre tankar; *you had ~ try* det är bäst att du försöker **II** *s, one's ~s* folk som är förmer än man själv **III** *vb tr* förbättra; bättra på

**betterment** ['betəmənt] *s* förbättring

**betting** ['betɪŋ] *s* vadhållning

**between** [bɪ'twi:n] *prep* o. *adv* emellan, mellan

**beverage** ['bevərɪdʒ] *s* dryck speciellt tillagad

**beware** [bɪ'weə] *vb itr, ~ of* akta sig för; *~ of pickpockets!* varning för ficktjuvar!

**bewilder** [bɪ'wɪldə] *vb tr* förvirra, förbrylla

**bewitch** [bɪ'wɪtʃ] *vb tr* förhäxa; förtrolla

**beyond** [bɪ'jɒnd] **I** *prep* **1** bortom [*~ the bridge*] **2** senare än, efter [*~ the usual hour*] **3** utom, utöver; över [*live ~ one's means*]; *it is ~ me* a) det går över mitt förstånd b) det är mer än jag förmår **II** *adv* **1** bortom, på andra sidan **2** därutöver

**bias** ['baɪəs] **I** *s* förutfattad mening; fördomar **II** (*biased biased* el. *biassed biassed*) *vb tr* göra partisk (fördomsfull)

**biased** o. **biassed** ['baɪəst] *adj* partisk; fördomsfull

**bib** [bɪb] *s* haklapp

**bible** ['baɪbl] *s* bibel; *the Bible* Bibeln

**biblical** ['bɪblɪk(ə)l] *adj* biblisk; bibel-

**bibliography** [ˌbɪblɪ'ɒɡrəfɪ] *s* bibliografi, litteraturförteckning

**bicarbonate** [baɪ'kɑ:bənət] *s* kem. bikarbonat

**biceps** ['baɪseps] (pl. lika) *s* biceps

**bicker** ['bɪkə] *vb itr* gnabbas, käbbla

**bicycle** ['baɪsɪkl] **I** *s* cykel **II** *vb itr* cykla

**bicyclist** ['baɪsɪklɪst] *s* cyklist

**bid** [bɪd] **I** (*bid bid*; i betydelse 2: imperfekt *bade*; perfekt particip *bidden*) *vb tr* o. *vb itr* **1** bjuda på auktion el. i kortspel **2** i högre stil befalla, bjuda; *~ a p. welcome* hälsa ngn välkommen **II** *s* bud på auktion el. i kortspel; *make a ~ for* vara ute efter

**bidden** ['bɪdn] se *bid I*

**bier** [bɪə] *s* likbår, likvagn

**big** [bɪɡ] **I** *adj* stor, kraftig; *great ~* vard. stor stark [*a great ~ man*]; *~ brother* storebror; *~ business* storfinansen; *~ dipper* berg-och-dalbana; *the Big Dipper* amer. vard. (astron.) Karlavagnen; *do things in a ~ way* slå på stort; *look ~* se viktig ut **II** *adv* vard. malligt, stöddigt [*act ~*]; *talk ~* vara stor i orden

**bigamist** ['bɪɡəmɪst] *s* bigamist

**bigamy** ['bɪɡəmɪ] *s* bigami, tvegifte

**bighead** ['bɪɡhed] *s* vard. viktigpetter, stropp

**bigheaded** [ˌbɪɡ'hedɪd] *adj* vard. uppblåst

**bigot** ['bɪɡət] *s* bigott person

**bigoted** ['bɪɡətɪd] *adj* bigott; trångsynt

**bigwig** ['bɪɡwɪɡ] *s* sl. högdjur, höjdare

**bike** [baɪk] vard. **I** *s* cykel **II** *vb itr* cykla

**bikini** [bɪ'ki:nɪ] *s* bikini

**bilateral** [baɪ'lætər(ə)l] *adj* bilateral, ömsesidig

**bilberry** ['bɪlbərɪ] *s* blåbär

**bile** [baɪl] *s* galla

**bilingual** [baɪ'lɪŋɡw(ə)l] *adj* tvåspråkig

**1 bill** [bɪl] *s* näbb

**2 bill** [bɪl] *s* **1** lagförslag; proposition; motion **2** räkning, nota **3** affisch; *~ of fare* matsedel **4** växel [äv. *~ of exchange*] **5** amer. sedel [*dollar ~*]

**billiards** ['bɪljədz] *s* biljard; biljardspel

**billion** ['bɪljən] *s* miljard

**billionaire** [ˌbɪljə'neə] *s* miljardär

**billow** ['bɪləʊ] **I** *s* litt. stor våg, bölja **II** *vb itr* bölja, svalla; *~ out* välla ut

**billy** ['bɪlɪ] *s* amer. klubba; polisbatong

**bin** [bɪn] *s* lår, binge; låda; skrin, burk för bröd

**bind** [baɪnd] (*bound bound*; se äv. *1 bound*) *vb tr* **1** binda, binda fast, fästa [*to* vid] **2** binda om; *~* el. *~ up* förbinda **3** förbinda, förplikta

**binding** ['baɪndɪŋ] **I** s **1** bindning
**2** bokband **II** adj bindande [on för]
**bingo** ['bɪŋgəʊ] s bingo
**binocular** [bɪ'nɒkjʊlə] s, pl. ~s kikare; a
pair of ~s en kikare
**biocide** ['baɪəsaɪd] s biocid
**biographic** [baɪə'græfɪk] adj o.
**biographical** [baɪə'græfɪk(ə)l] adj
biografisk
**biography** [baɪ'ɒgrəfɪ] s biografi,
levnadsteckning
**biological** [ˌbaɪə'lɒdʒɪk(ə)l] adj biologisk
**biologist** [baɪ'ɒlədʒɪst] s biolog
**biology** [baɪ'ɒlədʒɪ] s biologi
**birch** [bɜ:tʃ] s björk
**bird** [bɜ:d] s **1** fågel; ~s of a feather flock
together ordspr. lika barn leka bäst; ~ of
prey rovfågel; kill two ~s with one stone
ordspr. slå två flugor i en smäll; a ~ in the
hand is worth two in the bush bättre en
fågel i handen än tio i skogen **2** sl. brud,
tjej
**birdcage** ['bɜ:dkeɪdʒ] s fågelbur
**bird cherry** ['bɜ:dˌtʃerɪ] s bot. hägg
**bird nest** ['bɜ:dnest] s fågelbo
**bird's-eye view** [ˌbɜ:dzaɪ'vju:] s
fågelperspektiv
**bird's nest** ['bɜ:dznest] s fågelbo
**bird-watcher** ['bɜ:dˌwɒtʃə] s fågelskådare
**Biro** ['baɪrəʊ] (pl. ~s) s ® kulspetspenna
**birth** [bɜ:θ] s födelse; ~ certificate
födelseattest; give ~ to föda; bildl. ge
upphov till; by ~ till börden; född
[Swedish by ~]
**birth control** ['bɜ:θkənˌtrəʊl] s
födelsekontroll
**birthday** ['bɜ:θdeɪ] s födelsedag; happy ~
to you! el. happy ~! har den äran på
födelsedagen!
**birthmark** ['bɜ:θmɑ:k] s födelsemärke
**birthplace** ['bɜ:θpleɪs] s födelseort
**birthrate** ['bɜ:θreɪt] s nativitet, födelsetal
**biscuit** ['bɪskɪt] s käx
**bishop** ['bɪʃəp] s **1** biskop **2** schack. löpare
**bison** ['baɪsn] s bisonoxe; visent
**1 bit** [bɪt] s **1** borr, borrjärn **2** bett på betsel
**2 bit** [bɪt] s **1** bit, stycke; a ~ vard. lite,
något; not a ~ vard. inte ett dugg; quite a
~ en hel del; go to ~s gå i småbitar; ~s
and pieces småsaker **2** two ~s amer. sl. 25
cent
**3 bit** [bɪt] se bite I
**bitch** [bɪtʃ] s hynda; sl. satkärring
**bite** [baɪt] **I** (bit bitten) vb tr o. vb itr **1** bita
[at efter], bita i (på), bitas **2** nappa,

hugga [at på] **3** ~ off more than one can
chew ta sig vatten över huvudet **II** s
**1** bett; stick **2** napp, hugg **3** munsbit;
matbit
**biting** ['baɪtɪŋ] adj bitande, stickande
**bitten** ['bɪtn] se bite I
**bitter** ['bɪtə] adj **1** bitter, besk; to the ~
end till det bittra slutet, in i det sista
**2** förbittrad, hätsk
**biz** [bɪz] s vard., se show business
**bizarre** [bɪ'zɑ:] adj bisarr
**blab** [blæb] vb itr o. vb tr sladdra; sladdra
om
**black** [blæk] **I** adj svart; mörk; ~ box flyg.
vard. färdskrivare; ~ coffee kaffe utan
grädde; ~ eye blått öga efter slag; the
Black Forest Schwarzwald; Black Maria
vard. Svarta Maja polisens piketbil; the ~
market svarta börsen; the Black Sea
Svarta havet; beat ~ and blue slå gul och
blå; he is not as ~ as he is painted han
är bättre än sitt rykte **II** s **1** svart; svärta
**2** svart person **III** vb tr o. vb itr **1** svärta;
blanka **2** ~ a p.'s eye ge ngn ett blått öga
**blackberry** ['blækbərɪ] s björnbär
**blackbird** ['blækbɜ:d] s koltrast
**blackboard** ['blækbɔ:d] s svart tavla
**blackcurrant** [ˌblæk'kʌr(ə)nt] s svart
vinbär
**blacken** ['blæk(ə)n] vb tr o. vb itr **1** svärta;
svärta ned [a p.'s character ngn] **2** svartna
**blackguard** ['blægɑ:d] s skurk, slyngel
**blackhead** ['blækhed] s pormask
**blacking** ['blækɪŋ] s skosvärta
**blackleg** ['blækleg] s svartfot,
strejkbrytare
**blackmail** ['blækmeɪl] **I** s utpressning **II** vb
tr öva utpressning mot
**blackmailer** ['blækˌmeɪlə] s utpressare
**black-marketeer** ['blækˌmɑ:kɪ'tɪə] s
svartabörshaj
**blackout** ['blækaʊt] s mörkläggning; med.
blackout [have a ~]
**blacksmith** ['blæksmɪθ] s smed, grovsmed
**bladder** ['blædə] s blåsa; anat. urinblåsa
**blade** [bleɪd] s blad på kniv, åra, till rakhyvel
m.m.; klinga
**blame** [bleɪm] **I** vb tr klandra; förebrå [~
oneself]; I have myself to ~ jag får skylla
mig själv **II** s skuld; lay (put, throw) the
~ on a p. lägga skulden på ngn
**blameless** ['bleɪmləs] adj oklanderlig
**blameworthy** ['bleɪmˌwɜ:ðɪ] adj
klandervärd

**blanch** [blɑ:ntʃ] *vb tr* göra blek; bleka;
*blanched celery* blekselleri
**blancmange** [bləˈmɒnʒ] *s* blancmangé
**bland** [blænd] *adj* förbindlig; blid; mild [~
*air*]
**blank** [blæŋk] I *adj* **1** ren, tom, blank,
oskriven; ~ *cartridge* lös patron **2** tom,
uttryckslös; *look* ~ se oförstående ut; *my
mind went* ~ jag blev alldeles tom i
huvudet II *s* **1** tomrum, lucka **2** *draw a* ~
dra en nit **3** lös patron
**blanket** [ˈblæŋkɪt] *s* sängfilt
**blare** [bleə] I *vb itr* smattra II *s* smatter
**blasé** [ˈblɑːzeɪ] *adj* blasé
**blaspheme** [blæsˈfiːm] *vb itr* o. *vb tr* häda,
smäda
**blasphemy** [ˈblæsfəmɪ] *s* hädelse, blasfemi
**blast** [blɑːst] I *s* **1** vindstöt **2** tryckvåg vid
explosion; explosion; ~ *effect* sprängkraft
**3** *in* (*at*) *full* ~ vard. i full fart, för fullt
**4** trumpetstöt, signal; tjut II *vb tr*
**1** spränga **2** förinta **3** vard., ~ *it!* jäklar
också!
**blasted** [ˈblɑːstɪd] *adj* vard. sabla, jäkla
**blatant** [ˈbleɪt(ə)nt] *adj* påfallande,
flagrant
**blaze** [bleɪz] I *s* **1** låga; flammande eld; *in
a* ~ i ljusan låga; *a* ~ *of colour* ett hav av
glödande färger **2** eldsvåda **3** vard., *go to
~s!* dra åt skogen!; [*he ran*] *like ~s*
…som bara den II *vb itr* **1** flamma, brinna
**2** skina klart (starkt)
**blazer** [ˈbleɪzə] *s* klubbjacka
**bleach** [bliːtʃ] I *vb tr* o. *vb itr* bleka; blekas
II *s* blekmedel
**bleak** [bliːk] *adj* **1** kal [*a* ~ *landscape*]
**2** kulen; råkall **3** dyster [~ *prospects*]
**bleat** [bliːt] I *vb itr* bräka II *s* bräkande
**bled** [bled] se *bleed I*
**bleed** [bliːd] I (*bled bled*) *vb itr* blöda; ~ *to
death* förblöda II *s* blödning
**bleeding** [ˈbliːdɪŋ] I *adj* blödande; ~ *heart*
bot. löjtnantshjärta II *s* blödning
**bleeper** [ˈbliːpə] *s* personsökare
mottagaranordning
**blemish** [ˈblemɪʃ] I *vb tr* vanställa, fläcka
II *s* fläck, skönhetsfel
**blend** [blend] I *vb tr* o. *vb itr* blanda [~
*tea*]; förena; blanda sig, blandas II *s*
blandning [~ *of tea* (*tobacco*)]
**bless** [bles] *vb tr* **1** välsigna; *God* ~ *you!*
a) Gud bevare dig! b) prosit!
**2** lyckliggöra; *blessed with talent*
begåvad med talang **3** *I'm blessed if I
know* det vete katten!

**blessed** [adjektiv ˈblesɪd, perfekt particip blest]
I *adj* **1** välsignad **2** lycklig; salig [~ *are the
poor*] **3** helig [*the Blessed Virgin*] **4** vard.
förbaskad II *perf p* se *bless*
**blessing** [ˈblesɪŋ] *s* **1** välsignelse **2** nåd,
gudagåva; glädjeämne; *a* ~ *in disguise*
tur i oturen
**blew** [bluː] se *I blow*
**blight** [blaɪt] I *s* bot. mjöldagg, rost II *vb tr*
fördärva
**blighter** [ˈblaɪtə] *s* sl. rackare; *lucky* ~*!*
lyckans ost!
**blimey** [ˈblaɪmɪ] *interj* sl. jösses!
**blimp** [blɪmp] *s* vard. stockkonservativ typ
**blind** [blaɪnd] I *adj* **1** blind [~ *in* (*of*) (på)
*one eye*]; ~ *alley* återvändsgränd; ~ *date*
ˈblindträff ˈmed obekant person; *turn a* ~ *eye
to a th.* blunda för ngt **2** *he did not take
a* ~ *bit of notice of it* han brydde sig inte
ett dugg om det II *adv*, ~ *drunk* vard.
dödfull III *s* **1** rullgardin; markis;
*Venetian* ~ persienn **2** täckmantel IV *vb
tr* göra blind; blända; bildl. förblinda
**blindfold** [ˈblaɪndfəʊld] I *vb tr* binda för
ögonen på II *adj* o. *adv* med förbundna
ögon
**blindman's-buff** [ˌblaɪndmænzˈbʌf] *s*
blindbock
**blink** [blɪŋk] *vb itr* o. *vb tr* **1** blinka; plira
[*at* mot]; blinka med **2** bildl. blunda för [~
*the fact*]
**blinking** [ˈblɪŋkɪŋ] *adj* vard. förbaskad
**bliss** [blɪs] *s* lycksalighet, lycka
**blissful** [ˈblɪsf(ʊ)l] *adj* lycksalig
**blister** [ˈblɪstə] *s* blåsa; blemma
**blithe** [blaɪð] *adj* bekymmerslös, tanklös
[~ *disregard*]
**blizzard** [ˈblɪzəd] *s* häftig snöstorm
**bloated** [ˈbləʊtɪd] *adj* uppsvälld, plufsig
**bloater** [ˈbləʊtə] *s* lätt saltad rökt sill
**blob** [blɒb] *s* droppe; klick [*a* ~ *of paint*]
**block** [blɒk] I *s* **1** kloss, kubb, stock, block
av sten, trä **2** ~ *letter* tryckbokstav
**3** byggnadskomplex; ~ *of flats* hyreshus;
*walk round the* ~ gå runt kvarteret II *vb
tr* blockera, spärra, spärra av, täppa till,
stänga av [äv. ~ *up*]
**blockade** [blɒˈkeɪd] I *s* blockad II *vb tr*
blockera
**blockhead** [ˈblɒkhed] *s* vard. dumskalle
**bloke** [bləʊk] *s* vard. kille
**blond** [blɒnd] I *adj* blond II *s* blond person
**blonde** [blɒnd] I *adj* blond [*a* ~ *girl*] II *s*
blondin
**blood** [blʌd] *s* blod; *stir up bad* ~ väcka

ont blod; *his ~ is up* hans blod är i svallning; *in cold ~* kallblodigt, med berått mod; *it runs in the ~* det ligger i blodet (släkten)

**blood count** ['blʌdkaʊnt] *s* blodvärde

**blood-curdling** ['blʌd,kɜːdlɪŋ] *adj* bloddrypande; hårresande

**blood-donor** ['blʌd,dəʊnə] *s* blodgivare

**blood heat** ['blʌdhiːt] *s* normal kroppstemperatur

**bloodhound** ['blʌdhaʊnd] *s* blodhund

**bloodless** ['blʌdləs] *adj* blodlös; oblodig

**blood-poisoning** ['blʌd,pɔɪznɪŋ] *s* blodförgiftning

**bloodshed** ['blʌdʃed] *s* blodsutgjutelse

**bloodshot** ['blʌdʃɒt] *adj* blodsprängd

**bloodstained** ['blʌdsteɪnd] *adj* blodfläckad, blodstänkt

**blood test** ['blʌdtest] *s* blodprov

**bloodthirsty** ['blʌd,θɜːstɪ] *adj* blodtörstig

**blood vessel** ['blʌd,vesl] *s* blodkärl åder

**bloody** ['blʌdɪ] **I** *adj* blodig; sl. förbannad, djävla **II** *adv* sl. förbannat; *not ~ likely!* i helvete heller!

**bloom** [bluːm] **I** *s* blomma; *be in ~* stå i blom **II** *vb itr* blomma, stå i full blom

**bloomer** ['bluːmə] *s* vard. tabbe, blunder

**blossom** ['blɒsəm] **I** *s* blomma; blomning; *be in ~* stå i blom **II** *vb itr* **1** slå ut i blom, blomma **2** bildl., *~ forth (out)* blomma upp

**blot** [blɒt] **I** *s* plump, bläckfläck **II** *vb tr* **1** bläcka (plumpa) ner **2** torka med läskpapper **3** *~ out* skymma; utplåna, utrota

**blotch** [blɒtʃ] *s* större fläck

**blotting-paper** ['blɒtɪŋ,peɪpə] *s* läskpapper

**blouse** [blaʊz] *s* blus

**1 blow** [bləʊ] (*blew blown*; i betydelse *3 blowed*) *vb itr* o. *vb tr* **1** blåsa, blåsa i; *~ one's nose* snyta sig; *~ one's own trumpet* bildl. slå på trumman för sig själv **2** *~ sky-high* spränga i luften **3** sl., *~ it!* jäklar också!; *blowed if I know!* det vete katten! □ *~ out* a) slockna b) släcka, blåsa ut [*~ out a candle*] c) *the storm has blown itself out* stormen har bedarrat d) *~ out one's brains* skjuta sig för pannan; *~ over* a) blåsa omkull b) om t.ex. oväder dra förbi, gå över; *~ up* a) blåsa, (pumpa) upp [*~ up a tyre*] b) spränga (flyga) i luften

**2 blow** [bləʊ] *s* slag, stöt; bildl. hårt slag [*to* för]; *come to ~s* råka i slagsmål (handgemäng)

**blow-dry** ['bləʊdraɪ] *vb tr* föna håret

**blowlamp** ['bləʊlæmp] *s* blåslampa

**blown** [bləʊn] se *1 blow*

**blowtorch** ['bləʊtɔːtʃ] *s* amer. blåslampa

**blow-up** ['bləʊʌp] *s* foto. (vard.) förstoring

**blow-wave** ['bləʊweɪv] *vb tr* föna håret

**blub** [blʌb] *vb itr* vard. lipa

**blue** [bluː] **I** *adj* **1** blå; *~ cheese* ädelost; *once in a ~ moon* sällan eller aldrig **2** vard. deppig **3** vard. porr- [*a ~ film*] **II** *s* **1** blått **2** *the ~* poet. a) skyn, himlen b) havet **3** konservativ [*a true ~*] **4** pl., *have the ~s* vard. deppa, vara nere

**bluebell** ['bluːbel] *s* i Nordengland liten blåklocka; i Sydengland engelsk klockhyacint

**blueberry** ['bluːbərɪ] *s* blåbär

**bluebottle** ['bluː,bɒtl] *s* spyfluga

**blue-collar** ['bluː,kɒlə] *adj*, *~ worker* blåställsarbetare

**blue tit** ['bluːtɪt] *s* blåmes

**bluff** [blʌf] **I** *vb tr* o. *vb itr* bluffa **II** *s* bluff; *call a p.'s ~* testa om ngn bluffar

**blunder** ['blʌndə] **I** *vb itr* dumma sig **II** *s* blunder, tabbe

**blunt** [blʌnt] **I** *adj* **1** slö, trubbig **2** trög, slö **3** rättfram **II** *vb tr* göra slö, trubba av

**bluntly** ['blʌntlɪ] *adv* rakt på sak

**blur** [blɜː] **I** *s* sudd, suddighet; surr [*a ~ of voices*] **II** *vb tr* o. *vb itr* göra suddig (otydlig); bli suddig

**blurred** [blɜːd] *adj* suddig, otydlig

**blurt** [blɜːt] *vb tr*, *~ out* vräka ur sig

**blush** [blʌʃ] **I** *vb itr* rodna; blygas **II** *s* rodnad, rodnande

**bluster** ['blʌstə] **I** *vb itr* domdera; skrävla **II** *s* gormande; skrävel

**BO** [,biː'əʊ] (vard. förk. för *body odour*) kroppslukt

**boa** ['bəʊə] *s* boaorm

**boar** [bɔː] *s* galt; *wild ~* vildsvin

**board** [bɔːd] **I** *s* **1** bräde, bräda **2** anslagstavla, svart tavla **3** kost [*free ~*]; *~ and lodging* kost och logi, inackordering; *full ~* helpension **4** råd, styrelse; nämnd; *~ of directors* styrelse, direktion för t.ex. bolag **5** *on ~* ombord, ombord på (i) fartyg, flygplan, amer. äv. tåg **II** *vb tr* **1** brädfodra; *~ up* sätta bräder för **2** *~ a p.* ha ngn inackorderad **3** gå ombord på

**boarder** ['bɔːdə] *s* **1** inackorderingsgäst, pensionatsgäst, matgäst **2** internatselev

**boarding house** ['bɔːdɪŋhaʊs] *s* pensionat

**boarding school** ['bɔ:dɪŋsku:l] *s*
internatskola
**boast** [bəʊst] **I** *s* skryt; stolthet **II** *vb itr* o.
*vb tr* skryta; kunna skryta med
**boaster** ['bəʊstə] *s* skrytmåns
**boastful** ['bəʊstf(ʊ)l] *adj* skrytsam
**boat** [bəʊt] **I** *s* båt **II** *vb itr* åka båt, segla
**boatman** ['bəʊtmən] (pl. *boatmen*
['bəʊtmən]) *s* båtkarl
**boat race** ['bəʊtreɪs] *s* kapprodd
**boatswain** ['bəʊsn] *s* båtsman
**bob** [bɒb] **I** *s* **1** knyck, ryck **2** bobbat hår
**II** *vb itr* guppa, hoppa
**bobbin** ['bɒbɪn] *s* spole, trådrulle
**bobby** ['bɒbɪ] *s* vard. 'bobby', polisman
**bodily** ['bɒdəlɪ] **I** *adj* kroppslig, fysisk
**II** *adv* **1** kroppsligen **2** helt och hållet
**body** ['bɒdɪ] *s* **1** kropp; lekamen **2** lik; död
kropp **3** huvuddel, viktigaste del;
stomme, skrov **4** samfund, församling [*a
legislative* ~]; *governing* ~ styrande organ
**5** skara, grupp **6** body plagg
**body-building** ['bɒdɪˌbɪldɪŋ] *s*
body-building, kroppsbyggande
**bodyguard** ['bɒdɪgɑːd] *s* livvakt
**body odour** ['bɒdɪˌəʊdə] *s* kroppslukt
**bodysuit** ['bɒdɪsuːt] *s* body
**bog** [bɒg] **I** *s* mosse, myr **II** *vb tr*, *be* (*get*)
*bogged down* vard. ha kört fast
**bogus** ['bəʊgəs] *adj* fingerad, sken-
**Bohemian** [bə'hiːmjən] **I** *s* bohem **II** *adj*
bohemisk
**1 boil** [bɔɪl] *s* böld, varböld, spikböld
**2 boil** [bɔɪl] **I** *vb tr* o. *vb itr* koka, sjuda □ ~
*away* koka bort; koka för fullt; ~ *down* koka
ihop (av); *it all ~s down to...* det hela
går i korthet ut på... **II** *s*, *be at* (*on*) *the* ~
vara i kokning; *bring a th. to the* ~ koka
upp ngt
**boiler** ['bɔɪlə] *s* **1** kokkärl, kokare
**2** ångpanna; ~ *room* pannrum; ~ *suit*
overall
**boiling-point** ['bɔɪlɪŋpɔɪnt] *s* kokpunkt
**boisterous** ['bɔɪstərəs] *adj* bullrande
**bold** [bəʊld] *adj* **1** djärv, dristig
**2** framfusig
**Bolivia** [bə'lɪvɪə] *s*
**Bolivian** [bə'lɪvɪən] **I** *s* bolivian **II** *adj*
boliviansk
**Bolshevik** ['bɒlʃəvɪk] *s* bolsjevik
**bolster** ['bəʊlstə] **I** *s* lång underkudde **II** *vb
tr*, vanl. ~ *up* stödja [~ *up a theory*]
**bolt** [bəʊlt] **I** *s* **1** bult **2** låskolv, regel;
slutstycke i skjutvapen **3** *make a* ~ *for* rusa
mot **II** *vb itr* o. *vb tr* **1** rusa i väg vard.

kasta i sig mat **3** fästa med bult (bultar);
regla
**bomb** [bɒm] **I** *s* bomb **II** *vb tr* o. *vb itr*
bomba
**bombard** [bɒm'bɑːd] *vb tr* bombardera
**bombardment** [bɒm'bɑːdmənt] *s*
bombardemang
**bombastic** [bɒm'bæstɪk] *adj* bombastisk
**bomber** ['bɒmə] *s* bombare, bombplan
**bombproof** ['bɒmpruːf] *adj* bombsäker
**bond** [bɒnd] *s* **1** förbindelse; borgen,
säkerhet **2** obligation; revers [*for* på]
**3** band [~ (~s) *of friendship*]
**bone** [bəʊn] **I** *s* **1** ben; benknota; *be
chilled* (*frozen*) *to the* ~ frysa ända in i
märgen; *work a p. to the* ~ låta ngn
arbeta som en slav; *work one's fingers
to the* ~ arbeta som en slav **2 a)** ~ *of
contention* tvistefrö **b)** *have a* ~ *to pick
with a p.* vard. ha en gås oplockad med
ngn **c)** *he made no* ~*s about the fact
that...* vard. han stack inte under stol med
att... **II** *vb tr* bena fisk; bena ur
**bone-dry** [ˌbəʊn'draɪ] *adj* snustorr
**bonfire** ['bɒnˌfaɪə] *s* bål, brasa
**bonnet** ['bɒnɪt] *s* **1** hätta för barn; huva;
bahytt **2** motorhuv på bil
**bonny** ['bɒnɪ] *adj* söt, fager [*a* ~ *lass*]
**bonus** ['bəʊnəs] *s* premie; gratifikation;
bonus
**bony** ['bəʊnɪ] *adj* benig, full av ben
**boo** [buː] **I** *interj* bu!, fy! **II** *s* burop, fyrop
**III** *vb itr* o. *vb tr* bua; bua åt
**boob** [buːb] *s* vard. **1** dumskalle **2** tabbe,
blunder
**boobs** [buːbz] *s pl* sl. tuttar bröst
**booby** ['buːbɪ] *s* klantskalle; drummel
**booby prize** ['buːbɪpraɪz] *s* jumbopris
**booby trap** ['buːbɪtræp] *s* **1** elakt skämt,
fälla **2** mil. minförsåt, minfälla
**boohoo** [ˌbʊ'huː] *vb itr* vard. tjuta, storgråta
**book** [bʊk] **I** *s* **1** bok; häfte; *be in a p.'s
good* (*bad, black*) ~*s* ligga bra (dåligt)
till hos ngn **2** telefonkatalog [*he is* (står)
*in the* ~] **II** *vb tr* **1** notera, bokföra, boka;
skriva upp [*be booked for an offence*]; sport.
ge en varning **2** boka, beställa,
förhandsbeställa, reservera biljett, plats, rum
**bookcase** ['bʊkkeɪs] *s* bokhylla skåp
**book club** ['bʊkklʌb] *s* bokklubb,
bokcirkel; läsecirkel
**booking** ['bʊkɪŋ] *s* **1** beställning,
förhandsbeställning **2** sport. varning
**booking-office** ['bʊkɪŋˌɒfɪs] *s* biljettkontor,
biljettlucka

**bound**

**bookkeeper** ['bʊkˌkiːpə] s bokhållare
**bookkeeping** ['bʊkˌkiːpɪŋ] s bokföring
**booklet** ['bʊklət] s liten bok, häfte
**bookmaker** ['bʊkˌmeɪkə] s bookmaker
**bookmark** ['bʊkmɑːk] s bokmärke
**book matches** ['bʊkˌmætʃɪz] s pl
avrivningständstickor i tändsticksplån
**bookmobile** ['bʊkməˌbiːl] s amer. bokbuss
**bookseller** ['bʊkˌselə] s bokhandlare
**bookshelf** ['bʊkʃelf] s bokhylla enstaka hylla
**bookshop** ['bʊkʃɒp] s bokhandel
**bookstall** ['bʊkstɔːl] s bokstånd;
tidningskiosk
**bookstore** ['bʊkstɔː] s bokhandel
**book token** ['bʊkˌtəʊk(ə)n] s presentkort
på böcker
**1 boom** [buːm] I vb itr dåna, dundra II s
dån, dunder
**2 boom** [buːm] s hausse; högkonjunktur
**boomerang** ['buːməræŋ] s bumerang äv.
bildl.
**boon** [buːn] s välsignelse, förmån
**boor** [bʊə] s tölp, bondlurk
**boorish** ['bʊərɪʃ] adj tölpaktig
**boost** [buːst] I vb tr **1** höja, öka; ~ morale
stärka moralen **2** puffa för II s höjning,
ökning, lyft
**booster** ['buːstə] s, ~ rocket startraket
**boot** [buːt] I s **1** känga; pjäxa; stövel; get
the ~ sl. få sparken **2** bagagelucka,
bagageutrymme II vb tr sparka; ~ out vard.
ge sparken
**booth** [buːð, buːθ] s **1** stånd, bod **2** bås
avskärmad plats **3** telefonkiosk
**bootleg** ['buːtleg] vb tr o. vb itr langa sprit
**bootlegger** ['buːtˌlegə] s langare
**bootlicker** ['buːtˌlɪkə] s tallriksslickare
**booty** ['buːtɪ] s byte, rov
**booze** [buːz] vard. I vb itr supa II s sprit;
fylleskiva
**boozer** ['buːzə] s vard. fyllbult, suput
**boracic** [bəˈræsɪk] adj, ~ acid borsyra
**border** ['bɔːdə] I s **1** kant; rand **2** gräns
**3** bård; list II vb tr o. vb itr kanta,
begränsa; ~ on gränsa till
**borderline** ['bɔːdəlaɪn] s gränslinje; ~ case
gränsfall
**1 bore** [bɔː] se 2 bear
**2 bore** [bɔː] I s borrhål; gevärslopp II vb tr
o. vb itr borra [~ for (efter) oil]
**3 bore** [bɔː] I s **1** he (the film) is a ~ han
(filmen) är långtråkig; what a ~! vad
tråkigt! **2** tråkmåns II vb tr tråka ut
**bored** [bɔːd] adj uttråkad, ointresserad
**boredom** ['bɔːdəm] s långtråkighet; leda

**boring** ['bɔːrɪŋ] adj tråkig, långtråkig
**born** [bɔːn] adj o. perf p (av 2 bear) född;
he is a ~... han är som skapt till...; an
Englishman ~ and bred en äkta
engelsman
**borne** [bɔːn] perf p (av 2 bear) **1** buren etc.,
burit etc.; jfr 2 bear **2** född [~ by Eve]
**borough** ['bʌrə] s stad (stadsdel) som
administrativt begrepp; ~ council
kommunfullmäktige, stadsfullmäktige
**borrow** ['bɒrəʊ] vb tr o. vb itr låna [from
av]
**bosh** [bɒʃ] s vard. struntprat
**Bosnia** ['bɒznɪə] Bosnien
**Bosnian** ['bɒznɪən] I s bosnier II adj
bosnisk
**bosom** ['bʊzəm] s barm, bröst; famn; ~
friend hjärtevän
**boss** [bɒs] vard. I s boss, bas II vb tr, ~ a p.
about köra med ngn
**bossy** ['bɒsɪ] adj vard. dominerande
**botanic** [bəˈtænɪk] adj o. **botanical**
[bəˈtænɪk(ə)l] adj botanisk
**botany** ['bɒtənɪ] s botanik
**botch** [bɒtʃ] vb tr förfuska
**both** [bəʊθ] I pron båda, bägge II adv, ~
you and me både du och jag
**bother** ['bɒðə] I vb tr o. vb itr **1** plåga,
besvära, störa; göra sig besvär [about
med]; I can't be bothered jag orkar
(gitter) inte; not ~ about strunta i **2** ~ it!
el. ~! tusan också! II s besvär; bråk
**Bothnia** ['bɒθnɪə] s, the Gulf of ~
Bottenviken, Bottniska viken
**bottle** ['bɒtl] I s **1** butelj, flaska **2** vard.
mod, kurage II vb tr **1** tappa på flaska;
bottled beer flasköl **2** lägga in på glas;
konservera
**bottle bank** ['bɒtlbæŋk] s glasigloo
**bottleneck** ['bɒtlnek] s flaskhals
**bottle-opener** ['bɒtlˌəʊpənə] s
kapsylöppnare
**bottom** ['bɒtəm] s botten, undre del; vard.
ända, stjärt; at the ~ of nederst på; at ~ i
grund och botten; be at the ~ of ligga
bakom; get to the ~ of gå till botten med
**bough** [baʊ] s speciellt större trädgren
**bought** [bɔːt] se buy I
**boulder** ['bəʊldə] s större sten, stenblock
**boulevard** ['buːləvɑːd] s boulevard
**bounce** [baʊns] I vb tr o. vb itr studsa II s
studs, studsning, hopp
**1 bound** [baʊnd] I imperfekt av bind II perf p
o. adj inbunden, bunden; be ~ over jur. få
villkorlig dom; be ~ to vara skyldig

(tvungen) att; *he is ~ to win* han vinner säkert
**2 bound** [baʊnd] *adj* destinerad [*for* till]
**3 bound** [baʊnd] **I** *vb itr* studsa; skutta **II** *s* skutt, hopp, språng
**4 bound** [baʊnd] **I** *s*, pl. *~s* gräns, gränser; *out of ~s* speciellt skol. el. mil. förbjudet område, på förbjudet område; *keep within ~s* hålla måttan **II** *vb tr* begränsa
**boundary** ['baʊndərɪ] *s* gräns
**bounder** ['baʊndə] *s* vard. bracka; knöl
**bountiful** ['baʊntɪf(ʊ)l] *adj* givmild
**bounty** ['baʊntɪ] *s* **1** välgörenhet, frikostighet **2** ekon. premie [*export ~*]
**bouquet** [bʊ'keɪ] *s* bukett
**bourgeois** ['bʊəʒwɑ:] **I** *s* småborgare **II** *adj* småborgerlig
**bourgeoisie** [ˌbʊəʒwɑ:'zi:] *s* bourgeoisie, borgarklass, medelklass
**bout** [baʊt] *s* **1** dust, kamp [*wrestling ~*] **2** anfall [*~ of activity*], släng [*~ of influenza*]
**1 bow** [baʊ] **I** *vb tr* o. *vb itr* böja [*~ one's head*], kröka; buga, buga sig [*to* för]; *be bowed down with* vara nertyngd av **II** *s* bugning; *take a ~* ta emot applåderna
**2 bow** [baʊ] *s* sjö., pl. *~s* bog; för, stäv
**3 bow** [bəʊ] *s* **1** båge; *~ window* burspråksfönster **2** pilbåge **3** stråke **4** knut, rosett
**bowels** ['baʊəls] *s pl* inälvor; mage
**bower** ['baʊə] *s* berså
**1 bowl** [bəʊl] *s* skål, bunke
**2 bowl** [bəʊl] *vb tr* o. *vb itr* i kricket kasta; *~ el. ~ out* slå ut slagmannen
**bow-legged** ['bəʊlegd] *adj* hjulbent
**bowler** ['bəʊlə] *s* kubb, plommonstop
**bowling** ['bəʊlɪŋ] *s* **1** bowling **2** bowls spel **3** i kricket kastande
**bow tie** [ˌbəʊ'taɪ] *s* rosett, fluga
**bow-wow** ['baʊwaʊ] *s* barnspr. vovve
**1 box** [bɒks] *s* **1** låda; ask, dosa, box; *the ~* vard. teve, TV **2** avbalkning, bås; *~ number* [*222*] post. box…, fack… **3** loge på teater
**2 box** [bɒks] **I** *s*, *~ on the ears* örfil **II** *vb tr* o. *vb itr* boxa; boxas; *~ a p.'s ears* ge ngn en örfil
**3 box** [bɒks] *s* buxbom träslag och träd
**boxer** ['bɒksə] *s* boxare
**boxing** ['bɒksɪŋ] *s* boxning
**Boxing Day** ['bɒksɪŋdeɪ] *s* annandag jul; om första dagen efter juldagen är en söndag tredjedag jul

**box office** ['bɒksˌɒfɪs] *s* biljettkontor för t.ex. teater
**boxwood** ['bɒkswʊd] *s* buxbom träslag
**boy** [bɔɪ] *s* pojke, gosse, grabb
**boycott** ['bɔɪkɒt] **I** *vb tr* bojkotta **II** *s* bojkott
**boyfriend** ['bɔɪfrend] *s* pojkvän
**boyhood** ['bɔɪhʊd] *s* pojkår, barndom
**boyish** ['bɔɪɪʃ] *adj* pojkaktig; pojk-
**bra** [brɑ:] *s* vard. bh, behå
**brace** [breɪs] **I** *s*, pl. *~s* hängslen [*a pair of ~s*] **II** *vb tr*, *~ oneself* ta sig samman
**bracelet** ['breɪslət] *s* armband
**bracing** ['breɪsɪŋ] *adj* uppiggande [*~ air*]
**bracken** ['bræk(ə)n] *s* bräken; ormbunke
**bracket** ['brækɪt] **I** *s* **1** konsol, vinkeljärn **2** parentes; *in ~s* inom parentes **II** *vb tr* **1** sätta inom parentes **2** *~ together* el. *~* jämställa
**brag** [bræg] *vb itr* skryta, skrävla
**braggart** ['brægət] *s* skrävlare
**braid** [breɪd] *s* fläta av hår
**braille** [breɪl] *s* blindskrift
**brain** [breɪn] **I** *s* hjärna; *cudgel (rack) one's ~s* bry sin hjärna; *he has got ~s* han är intelligent; *have (have got) a th. on the ~* ha fått ngt på hjärnan **II** *vb tr* slå in skallen på
**brainwash** ['breɪnwɒʃ] *vb tr* hjärntvätta
**brainwashing** ['breɪnˌwɒʃɪŋ] *s* hjärntvätt
**brainwave** ['breɪnweɪv] *s* snilleblixt, ljus idé
**brainy** ['breɪnɪ] *adj* vard. begåvad, klyftig
**braise** [breɪz] *vb tr* kok. bräsera
**brake** [breɪk] **I** *s* broms **II** *vb tr* o. *vb itr* bromsa
**brake disc** ['breɪkdɪsk] *s* bromsskiva
**brake fluid** ['breɪkflʊɪd] *s* bromsvätska
**brake light** ['breɪklaɪt] *s* bromsljus
**brake lining** ['breɪkˌlaɪnɪŋ] *s* bromsband
**braking** ['breɪkɪŋ] *adj*, *~ distance* bromssträcka
**bran** [bræn] *s* kli, sådor
**branch** [brɑ:ntʃ] *s* **1** gren, kvist **2** förgrening, utgrening **3** filial
**brand** [brænd] **I** *s* **1** brännjärn **2** brännmärke **3** hand. sort [*~ of coffee*], märke [*~ of cigarettes*] **II** *vb tr* märka med brännjärn; brännmärka
**brandish** ['brændɪʃ] *vb tr* svänga t.ex. vapen
**brand-new** [ˌbrænd'nju:] *adj* splitterny
**brandy** ['brændɪ] *s* konjak
**brass** [brɑ:s] *s* **1** mässing; *~ hat* mil. vard. höjdare; *get down to ~ tacks* komma till saken **2** *~ band* mässingsorkester

**brassiere** ['bræsɪə, amer. brə'zɪə] s bysthållare, bh, behå

**brat** [bræt] s satunge; rackarunge

**Bratislava** [ˌbrætɪ'slɑːvə]

**bravado** [brə'vɑːdəʊ] s skryt, övermod

**brave** [breɪv] **I** adj modig, tapper **II** vb tr trotsa, tappert möta

**bravery** ['breɪvərɪ] s mod, tapperhet

**bravo** [ˌbrɑː'vəʊ] interj bravo!

**brawl** [brɔːl] vb itr bråka, gorma

**brawn** [brɔːn] s **1** muskelstyrka **2** kok. sylta

**brawny** ['brɔːnɪ] adj muskulös, stark

**bray** [breɪ] vb itr om åsna skria

**brazen** ['breɪzn] adj fräck [a ~ lie]

**brazier** ['breɪzjə] s fat med glödande kol

**Brazil** [brə'zɪl] Brasilien

**Brazilian** [brə'zɪljən] **I** adj brasiliansk **II** s brasilian

**brazil nut** [brə'zɪlnʌt] s paranöt

**breach** [briːtʃ] **I** s **1** brytning; brytande; ~ of discipline disciplinbrott; ~ of duty tjänstefel; ~ of promise brutet äktenskapslöfte **2** bräsch; hål; step into (fill) the ~ bildl. rycka in **II** vb tr slå en bräsch i

**bread** [bred] s bröd; matbröd; a slice (piece) of ~ and butter en smörgås utan pålägg

**breadbin** ['bredbɪn] s brödburk, brödskrin

**breadboard** ['bredbɔːd] s skärbräda

**breadcrumb** ['bredkrʌm] s brödsmula; ~s äv. rivebröd

**breadth** [bredθ] s bredd, vidd

**breadwinner** ['bredˌwɪnə] s familjeförsörjare

**break** [breɪk] **I** (broke broken) vb tr o. vb itr **1** bryta, bryta av (sönder); knäcka; ha sönder; gå sönder, spricka, brytas, brytas sönder; brista; gå av [the rope broke], knäckas; ~ open bryta upp **2** krossa [~ a p.'s heart] **3** bryta mot [~ the law] **4** ~ the ice bildl. bryta isen; ~ the news to a p. meddela ngn nyheten **5** dawn is breaking det gryr **6** bryta fram, ljuda [a cry broke from her lips] **7** ~ into a) bryta ut i, brista ut i [~ into laughter] b) ~ into a house bryta sig in i ett hus □ ~ away slita sig loss; göra sig fri; ~ down a) bryta ner; slå in en dörr b) dela (lösa) upp c) bryta samman; få ett sammanbrott d) gå sönder, strejka; ~ in a) bryta sig in b) rida in, köra in [~ in a horse] c) röka in [~ in a pipe]; ~ off avbryta; ~ out a) bryta ut b) ~ out laughing brista ut i skratt c) ~ out into a sweat råka i svettning; ~ up

a) bryta (slå) sönder b) upplösa, skingra [the police broke up the crowd] c) sluta [school ~s up today]

**II** s **1** brytande, brytning; brott **2** spricka, avbrott; paus, rast **3** at ~ of day vid dagens inbrott **4** vard., a bad ~ otur; a lucky ~ tur **5** vard. chans [give him a ~]

**breakdown** ['breɪkdaʊn] s **1** sammanbrott, misslyckande **2** ~ lorry (van) bärgningsbil **3** analys

**breaker** ['breɪkə] s bränning, brottsjö

**breakfast** ['brekfəst] **I** s frukost, morgonmål; ~ food flingor m.m. **II** vb itr äta frukost

**breaking-point** ['breɪkɪŋpɔɪnt] s bristningsgräns

**breakthrough** ['breɪkθruː] s genombrott

**breakup** ['breɪkʌp] s upplösning [the ~ of a marriage]; brytning

**breakwater** ['breɪkˌwɔːtə] s vågbrytare

**bream** [briːm] s braxen

**breast** [brest] s bröst; make a clean ~ of it lätta sitt samvete

**breast-fed** ['brestfed] se breast-feed

**breast-feed** ['brestfiːd] (breast-fed breast-fed) vb tr amma

**breaststroke** ['breststrəʊk] s, the ~ bröstsim

**breath** [breθ] s **1** andedräkt; anda; andning; take a p.'s ~ away få ngn att tappa andan; waste one's ~ on spilla ord på; out of ~ andfådd **2** andetag, andedrag; pust, fläkt; a ~ of fresh air en nypa frisk luft

**breathalyser** ['breθəlaɪzə] s alkotestapparat

**breathe** [briːð] vb itr o. vb tr andas; ~ one's last dra sin sista suck

**breather** ['briːðə] s, take a ~ pusta ut

**breathing-space** ['briːðɪŋspeɪs] s andrum

**breathless** ['breθləs] adj andfådd; andlös

**breathtaking** ['breθˌteɪkɪŋ] adj nervkittlande; hisnande

**bred** [bred] se breed I

**breeches** ['brɪtʃɪz] s pl knäbyxor

**breed** [briːd] **I** (bred bred) vb tr **1** föda upp djur; odla **2** skapa, väcka, föda [war ~s misery], avla **II** s **1** ras, avel; ~ of cattle kreatursstam **2** sort, slag [of the same ~]

**breeding** ['briːdɪŋ] s **1** uppfödande **2** fostran **3** fortplantning **4** god uppfostran, hyfs

**breeze** [briːz] **I** s bris, fläkt **II** vb itr vard., ~ in komma insusande

**brethren** ['breðrən] *s pl* se *brother* 2
**Breton** ['bret(ə)n] *adj* bretonsk
**brevity** ['brevətɪ] *s* korthet; koncishet
**brew** [bru:] I *vb tr* o. *vb itr* **1** brygga,
bryggas; ~ *up tea* el. ~ *tea* koka te **2** vara
i görningen [*there is something brewing*] II *s*
brygd
**brewer** ['bru:ə] *s* bryggare
**brewery** ['bru:ərɪ] *s* bryggeri
**briar** ['braɪə] *s* törnbuske, nyponbuske
**bribe** [braɪb] I *s* mutor, muta II *vb tr* muta
**bribery** ['braɪbərɪ] *s* tagande av mutor
**brick** [brɪk] *s* **1** tegel, tegelsten; *hard as
(as hard as) a* ~ stenhård; *drop a* ~ vard.
trampa i klaveret **2** byggkloss **3** vard.
hedersprick, bussig människa
**bricklayer** ['brɪk,leɪə] *s* murare
**bridal** ['braɪdl] *adj* brud- [~ *gown*],
bröllops-
**bride** [braɪd] *s* brud
**bridegroom** ['braɪdgru:m] *s* brudgum
**bridesmaid** ['braɪdzmeɪd] *s* brudtärna
**1 bridge** [brɪdʒ] *s* kortsp. bridge
**2 bridge** [brɪdʒ] I *s* bro; brygga;
kommandobrygga II *vb tr* slå en bro över,
överbrygga
**bridgehead** ['brɪdʒhed] *s* mil. brohuvud
**bridle** ['braɪdl] I *s* betsel II *vb tr* tygla
**brief** [bri:f] I *s*, pl. ~s trosor II *adj* kort,
kortfattad; *be* ~ fatta sig kort; *in* ~ i
korthet
**brief case** ['bri:fkeɪs] *s* portfölj
**brier** ['braɪə] *s* törnbuske, nyponbuske
**brigade** [brɪ'geɪd] *s* brigad
**bright** [braɪt] *adj* **1** klar, ljus **2** skärpt,
begåvad
**brighten** ['braɪtn] *vb tr* o. *vb itr* göra (bli)
ljus (klar), göra (bli) ljusare (klarare);
lysa upp [*his face brightened up*]
**brilliance** ['brɪljəns] *s* glans, briljans;
begåvning
**brilliant** ['brɪljənt] *adj* glänsande, lysande,
briljant; strålande [*a* ~ *idea*]; mycket
begåvad
**brim** [brɪm] *s* **1** brädd, kant **2** brätte
**brine** [braɪn] *s* saltvatten, saltlake
**bring** [brɪŋ] (*brought brought*) *vb tr*
**1** komma med, ha (föra) med sig; hämta
**2** a) frambringa, framkalla; medföra
b) förmå, bringa, få [*to* till att] □ ~ *about*
få till stånd, framkalla [~ *about a crisis*]; ~
*back* ta (ha) med sig tillbaka; väcka [~
*back memories*]; ~ *in* föra in, bära in, ta in;
~ *out* ge ut [~ *out a new book*]; ~ *round* få
att kvickna till; ta med; ~ *a p. round to*

*one's point of view* omvända ngn till sin
åsikt; ~ *up* uppfostra, föda upp; ta (dra)
upp [~ *up a question*], föra på tal
**brink** [brɪŋk] *s* rand, brant [*on the* ~ *of
ruin*]
**brisk** [brɪsk] *adj* livlig, rask [*at a* ~ *pace*]
**bristle** ['brɪsl] I *s* borsthår; skäggstrå; vanl.
pl. ~s kollektivt borst II *vb itr*, ~ *with* bildl.
vimla av [~ *with difficulties*]
**Brit** [brɪt] *s* vard. britt, engelsman
**Britain** ['brɪtn] **1** *Great* ~ el. ~
Storbritannien; ibland England **2** hist.
Britannien
**British** ['brɪtɪʃ] I *adj* brittisk; engelsk II *s*,
*the* ~ britterna, engelsmännen
**Briton** ['brɪtn] *s* britt äv. hist.
**Brittany** ['brɪtənɪ] Bretagne
**brittle** ['brɪtl] *adj* spröd, skör
**broach** [brəʊtʃ] *vb tr* bringa på tal [~ *a
subject*]
**broad** [brɔ:d] I *adj* **1** bred; vid, vidsträckt;
~ *beans* bondbönor; *in* ~ *daylight* mitt
på ljusa dagen **2** huvudsaklig, stor [~
*outline (outlines)*] II *s* amer. sl. fruntimmer,
brud
**broadcast** ['brɔ:dkɑ:st] I (*broadcast
broadcast*; ibland *broadcasted broadcasted*)
*vb tr* o. *vb itr* **1** sända, sända i radio (TV)
**2** uppträda i radio (TV) II *s*
radioutsändning, TV-sändning
**broadcasting** ['brɔ:d,kɑ:stɪŋ] *s* radio; *the
British Broadcasting Corporation*
brittiska radion och televisionen, BBC
**broaden** ['brɔ:dn] *vb tr* o. *vb itr* göra bred
(bredare); bli bred (bredare)
**broad-minded** [,brɔ:d'maɪndɪd] *adj* vidsynt
**broad-shouldered** [,brɔ:d'ʃəʊldəd] *adj*
bredaxlad
**broccoli** ['brɒkəlɪ] *s* broccoli, sparriskål
**brochure** ['brəʊʃjʊə] *s* broschyr; prospekt
**broil** [brɔɪl] *vb tr* o. *vb itr* halstra, grilla;
halstras, grillas
**broiling** ['brɔɪlɪŋ] *adj* brännhet, stekhet
**broke** [brəʊk] I imperfekt av *break* I II *adj*
vard. pank
**broken** ['brəʊk(ə)n] *perf p* o. *adj* **1** bruten,
knäckt, sönderslagen **2** tämjd, dresserad
[*ofta* ~ *in*]
**broken-hearted** [,brəʊk(ə)n'hɑ:tɪd] *adj*
nedbruten av sorg
**broker** ['brəʊkə] *s* mäklare
**bronchitis** [brɒŋ'kaɪtɪs] *s* bronkit,
luftrörskatarr
**bronze** [brɒnz] I *s* brons II *vb tr* bronsera;
göra brun (solbränd)

**brooch** [brəʊtʃ] *s* brosch
**brood** [bru:d] **I** *s* kull **II** *vb itr* ligga på ägg,
ruva; grubbla
**brook** [brʊk] *s* bäck
**broom** [bru:m] *s* **1** kvast; sopborste **2** bot.
ginst
**broth** [brɒθ] *s* buljong; köttsoppa
**brothel** [ˈbrɒθl] *s* bordell
**brother** [ˈbrʌðə] *s* **1** bror, broder **2** (pl. ofta
*brethren*) relig. trosbroder
**brotherhood** [ˈbrʌðəhʊd] *s* broderskap
**brother-in-law** [ˈbrʌð(ə)rɪnlɔ:] (pl.
*brothers-in-law* [ˈbrʌðəzɪnlɔ:]) *s* svåger
**brotherly** [ˈbrʌðəlɪ] *adj* broderlig
**brought** [brɔ:t] se *bring*
**brow** [braʊ] *s* panna; *knit one's ~s* rynka
pannan (ögonbrynen)
**brown** [braʊn] **I** *adj* brun; ~ *paper*
omslagspapper; *in a ~ study* försjunken i
grubbel; ~ *sugar* farinsocker **II** *s* brunt
**browse** [braʊz] *vb itr*, ~ *among* [*a p.'s
books*] botanisera bland...
**bruise** [bru:z] **I** *s* blåmärke **II** *vb tr* ge
blåmärken
**brunette** [bru:ˈnet] *s* brunett
**brush** [brʌʃ] **I** *s* **1** borste; kvast; pensel
**2** borstning, avborstning **II** *vb tr* borsta,
borsta av; skrubba; ~ *up* borsta upp;
friska upp [~ *up one's English*]
**brusque** [brʊsk] *adj* burdus, brysk
**Brussels** [ˈbrʌslz] Bryssel
**Brussels sprouts** [ˌbrʌslˈspraʊts] *s pl*
brysselkål
**brutal** [ˈbru:tl] *adj* brutal, rå
**brutality** [bru:ˈtælətɪ] *s* brutalitet, råhet
**brute** [bru:t] *s* **1** oskäligt djur **2** brutal
människa; vard. odjur
**B.Sc.** [ˌbi:es'si:] (förk. för *Bachelor of
Science*) ungefär fil. kand.
**bubble** [ˈbʌbl] *s* o. *vb tr* bubbla
**bubble bath** [ˈbʌblbɑ:θ] *s* skumbad,
bubbelbad
**buccaneer** [ˌbʌkəˈnɪə] *s* sjörövare
**buck** [bʌk] *s* **1** bock, hanne av dovhjort,
stenbock, kanin m.fl. **2** amer. vard. dollar
**bucket** [ˈbʌkɪt] *s* pyts, hink; *kick the ~* sl.
kola av
**bucketful** [ˈbʌkɪtfʊl] *s* spann, hink [*of
med*]
**buckle** [ˈbʌkl] **I** *s* spänne, buckla **II** *vb tr* o.
*vb itr* spänna [*on* på]; ~ *up* el. ~ böja
(kröka) sig
**bud** [bʌd] **I** *s* knopp; *nip a th. in the ~*
kväva ngt i sin linda **II** *vb itr* knoppas
**Buddhism** [ˈbʊdɪzm] *s* buddism

**Buddhist** [ˈbʊdɪst] *s* buddist
**budding** [ˈbʌdɪŋ] *adj* knoppande; bildl.
blivande [~ *talent*]
**buddy** [ˈbʌdɪ] *s* amer. vard. kompis, polare; i
tilltal du [*listen ~*]
**budge** [bʌdʒ] *vb itr* o. *vb tr* röra (röra sig)
ur fläcken, flytta sig
**budgerigar** [ˈbʌdʒərɪgɑ:] *s* undulat
**budget** [ˈbʌdʒɪt] **I** *s* budget **II** *vb itr* göra
upp en budget
**budgie** [ˈbʌdʒɪ] *s* vard. undulat
**buff** [bʌf] *s* **1** sämskskinn **2** mattgul färg
**buffalo** [ˈbʌfələʊ] (pl. ~*s*) *s* buffel; bisonoxe
**buffer** [ˈbʌfə] *s* buffert
**1 buffet** [ˈbʌfɪt] *vb tr* slå till, knuffa
**2 buffet** [ˈbʊfeɪ] *s* **1** möbel buffé, skänk
**2** buffé restaurang el. mål
**buffoon** [bəˈfu:n] *s* pajas
**bug** [bʌg] *s* **1** vägglus; amer. insekt **2** vard.
bacill
**bugger** [ˈbʌgə] *s* vulg. sate, jävel; ~*!* djävlar!
**buggy** [ˈbʌgɪ] *s* paraplyvagn; amer.
barnvagn [äv. *baby ~*]
**bugle** [ˈbju:gl] *s* jakthorn; mil. signalhorn
**build** [bɪld] **I** (*built built*) *vb tr* o. *vb itr*
bygga **II** *s* kroppsbyggnad
**builder** [ˈbɪldə] *s* byggare; byggmästare
**building** [ˈbɪldɪŋ] *s* byggnad; hus
**built** [bɪlt] se *build I*
**built-up** [ˈbɪltʌp] *adj* tätbebyggd [~ *area*]
**bulb** [bʌlb] *s* **1** blomlök **2** glödlampa
**Bulgaria** [bʌlˈgeərɪə, bʊlˈgeərɪə] Bulgarien
**Bulgarian** [bʌlˈgeərɪən, bʊlˈgeərɪən] **I** *s*
**1** bulgar **2** bulgariska språket **II** *adj*
bulgarisk
**bulge** [bʌldʒ] **I** *s* bula, buckla; utbuktning
**II** *vb itr* bukta (svälla) ut, puta ut
**bulimia** [bjʊˈlɪmɪə] *s* med. bulimi,
hetsätning
**bulk** [bʌlk] *s* volym; omfång; *the ~*
huvuddelen; *in ~* i stora partier
**bulky** [ˈbʌlkɪ] *adj* skrymmande, klumpig
**bull** [bʊl] *s* tjur; *like a ~ at a gate* buffligt,
på ett buffligt sätt
**bulldog** [ˈbʊldɒg] *s* bulldogg
**bulldozer** [ˈbʊlˌdəʊzə] *s* bulldozer,
bandschaktare
**bullet** [ˈbʊlɪt] *s* kula till t.ex. gevär
**bulletin** [ˈbʊlɪtɪn] *s* bulletin; rapport; ~
*board* amer. anslagstavla
**bulletproof** [ˈbʊltpru:f] *adj* skottsäker
**bullfight** [ˈbʊlfaɪt] *s* tjurfäktning
**bullfighter** [ˈbʊlˌfaɪtə] *s* tjurfäktare
**bullfinch** [ˈbʊlfɪntʃ] *s* domherre
**bullock** [ˈbʊlək] *s* stut, oxe

**bull's-eye** ['bʊlzaɪ] *s* skottavlas prick;
fullträff
**bullshit** ['bʊlʃɪt] *s* vard. skitsnack
**bully** ['bʊlɪ] **I** *s* översittare **II** *vb itr*
spela översittare mot; spela översittare
**bullying** ['bʊlɪɪŋ] *s* pennalism, översitteri
**bulrush** ['bʊlrʌʃ] *s* **1** säv **2** kaveldun
**bulwark** ['bʊlwək] *s* bålverk
**bum** [bʌm] *s* **1** vulg. rumpa, ända; ~ *bag*
midjeväska; vard. magsäck **2** amer. vard.
luffare; odåga
**bumble-bee** ['bʌmblbi:] *s* humla
**bump** [bʌmp] **I** *s* **1** stöt, duns **2** bula; knöl;
ojämnhet på väg; gupp **II** *vb tr* o. *vb itr*
stöta, dunka
**bumper** ['bʌmpə] *s* **1** stötfångare,
kofångare på bil; ~ *car* radiobil på nöjesfält
**2** attributivt rekord- [~ *crop*]
**bumpy** ['bʌmpɪ] *adj* om väg ojämn, guppig
**bun** [bʌn] *s* **1** bulle; *hot cross* ~ korsmärkt
bulle som äts på långfredagen **2** hårknut
**bunch** [bʌntʃ] *s* **1** klase [~ *of grapes*];
bukett [~ *of flowers*], knippa [~ *of keys*],
bunt **2** vard. samling, hop
**bundle** ['bʌndl] *s* bunt, knyte, bylte
**bungalow** ['bʌŋgələʊ] *s* bungalow;
enplansvilla
**bungle** ['bʌŋgl] *vb tr* förfuska, fördärva
**bungler** ['bʌŋglə] *s* fuskare, klåpare
**bunion** ['bʌnjən] *s* öm knöl på stortån
**bunk** [bʌŋk] *s* brits; sovhytt
**bunker** ['bʌŋkə] *s* bunker
**bunny** ['bʌnɪ] *s* barnspr. kanin
**buoy** [bɔɪ] *s* sjö. boj
**buoyant** ['bɔɪənt] *adj* **1** som lätt flyter
**2** elastisk, spänstig [*with a* ~ *step*]; om
person gladlynt
**burbot** ['bɜ:bət] *s* zool. lake
**burden** ['bɜ:dn] **I** *s* börda [*to, on* för], last;
*beast of* ~ lastdjur **II** *vb tr* belasta,
betunga
**bureau** ['bjʊərəʊ] *s* **1** sekretär; skrivbord
**2** ämbetsverk; byrå [*information* ~] **3** amer.
byrå möbel
**bureaucracy** [bjʊə'rɒkrəsɪ] *s* byråkrati
**bureaucratic** [,bjʊərə'krætɪk] *adj*
byråkratisk
**burglar** ['bɜ:glə] *s* inbrottstjuv
**burglary** ['bɜ:glərɪ] *s* inbrott, inbrottsstöld
**burgle** ['bɜ:gl] *vb itr* o. *vb tr* göra inbrott;
göra inbrott i
**Burgundy** ['bɜ:gəndɪ] Bourgogne
**burgundy** ['bɜ:gəndɪ] *s* bourgognevin
**burial** ['berɪəl] *s* begravning; ~ *ground*
begravningsplats

**burly** ['bɜ:lɪ] *adj* kraftig, kraftigt byggd
**Burma** ['bɜ:mə] hist.; se *Myanmar*
**Burmese** [,bɜ:'mi:z] **I** *adj* burmansk,
burmesisk **II** (pl. lika) *s* burman, burmes
**burn** [bɜ:n] **I** (*burnt burnt*) *vb tr* o. *vb itr*
**1** bränna, förbränna; bränna (elda) upp;
brännas vid; brännas **2** brinna, brinna
upp; lysa, glöda **II** *s* brännskada, brännsår
**burner** ['bɜ:nə] *s* brännare; låga på gasspis
**burnish** ['bɜ:nɪʃ] **I** *vb tr* o. *vb itr* blankskura,
polera; bli blank **II** *s* glans
**burnt** [bɜ:nt] **I** se *burn* **II** *adj* bränd
**burp** [bɜ:p] vard. **I** *s* rapning, rap **II** *vb itr*
rapa
**burrow** ['bʌrəʊ] **I** *s* kanins m.fl. djurs håla, lya
**II** *vb itr* gräva ner sig
**burst** [bɜ:st] **I** (*burst burst*) *vb itr* o. *vb tr*
**1** brista, spricka; krevera; spränga [~ *a*
*balloon*], spräcka **2** komma störtande [*he*
~ *into the room*]; ~ *in* a) störta in
b) avbryta; ~ *into flames* flamma upp, ta
eld; ~ *into laughter* brista i skratt; ~ *out*
*laughing* brista i skratt **II** *s* **1** ~ *of gunfire*
skottsalva **2** anfall [*a* ~ *of energy*]; storm
[*a* ~ *of applause*]; ~ *of laughter*
skrattsalva
**bury** ['berɪ] *vb tr* begrava
**bus** [bʌs] *s* buss
**bush** [bʊʃ] *s* buske; *beat about the* ~ gå
som katten kring het gröt
**bushy** ['bʊʃɪ] *adj* buskig; yvig [*a* ~ *tail*]
**business** ['bɪznəs] *s* **1** (utan pl.) affär,
affärer, affärsliv; *go into* ~ bli affärsman;
*on* ~ i affärer **2** (med pl. *businesses*) affär,
företag, firma **3** (med pl. *businesses*)
bransch [*the oil* ~; *show* ~] **4** (utan pl.)
uppgift, sak; syssla; arbete [~ *before*
*pleasure*]; *I made it my* ~ *to* jag åtog mig
att; *he means* ~ vard. han menar allvar
**5** (utan pl.) angelägenhet, sak; *a bad* ~ en
sorglig historia; *it's none of your* ~ det
angår dig inte; *mind your own* ~! vard.
sköt du ditt!; *sick of the whole* ~ led på
alltsammans
**business-like** ['bɪznɪslaɪk] *adj* affärsmässig
**businessman** ['bɪznɪsmæn] *s* affärsman
**bus stop** ['bʌsstɒp] *s* busshållplats
**bust** [bʌst] *s* **1** byst **2** bröst, barm
**bustle** ['bʌsl] **I** *vb itr* jäkta, flänga [~
*about*]; **II** *s* fläng, jäkt
**busy** ['bɪzɪ] **I** *adj* **1** sysselsatt, upptagen; *be*
~ *packing* hålla på att packa **2** flitig
**3** bråd [~ *season*]; ~ *street* livligt
trafikerad gata **II** *vb tr*, ~ *oneself*
sysselsätta sig

**busybody** ['bɪzɪˌbɒdɪ] *s, he is a ~* han lägger sig i allting

**but** [bʌt, obetonat bət] **I** *konj* o. *prep* **1** men; *not only...~ also* el. *not only...~* inte bara...utan också **2 a)** utom [*all ~ he*]; om inte [*whom should he meet ~ me?*] **b)** *~ for* bortsett från...; *~ for you* om inte du hade varit **c)** *first ~ one* tvåa, som tvåa; *the last ~ one* den näst sista **3** än [*who else ~ he could have done it?*] **II** *adv* bara [*he is ~ a child*] **III** *s* men; aber

**butcher** ['bʊtʃə] **I** *s* slaktare **II** *vb tr* slakta brutalt

**butler** ['bʌtlə] *s* hovmästare, förste betjänt

**1 butt** [bʌt] *s* **1** tjockända; kolv **2** cigarrstump; fimp

**2 butt** [bʌt] *s* skottavla

**3 butt** [bʌt] *vb tr* o. *vb itr* **1** stöta, stöta till med huvud el. horn; stånga, stångas **2** *~ in* vard. blanda (lägga) sig i

**butter** ['bʌtə] **I** *s* smör **II** *vb tr* **1** bre smör på **2** *~ up* vard. fjäska för

**butter bean** ['bʌtəbiːn] *s* vaxböna

**buttercup** ['bʌtəkʌp] *s* smörblomma

**butterfingers** ['bʌtəˌfɪŋgəz] *s* klumpig (fumlig) person som lätt tappar saker

**butterfly** ['bʌtəflaɪ] *s* fjäril

**buttermilk** ['bʌtəmɪlk] *s* kärnmjölk

**buttock** ['bʌtək] *s*, pl. *~s* bak, ända, stuss

**button** ['bʌtn] **I** *s* knapp **II** *vb tr*, *~ up* el. *~* knäppa ihop

**buttonhole** ['bʌtnhəʊl] *s* knapphål

**buttress** ['bʌtrəs] *s* strävpelare, stöd

**buxom** ['bʌksəm] *adj* om kvinna frodig

**buy** [baɪ] **I** (*bought bought*) *vb tr* o. *vb itr* köpa; *~ off* friköpa, lösa ut **II** *s* vard. köp

**buyer** ['baɪə] *s* köpare, spekulant

**buzz** [bʌz] **I** *s* surr, surrande **II** *vb itr* surra

**buzzard** ['bʌzəd] *s* ormvråk

**buzzer** ['bʌzə] *s* summer

**by** [baɪ] **I** *prep* **1** vid, bredvid, hos [*~ me*]; i adress per; *~ land and sea* till lands och sjöss; *~ oneself* ensam, för sig själv; på egen hand **2** förbi [*he went ~ me*]; genom [*~ a side door*]; över, via [*~ Paris*]; *~ the way* el. *~ the by* apropå; förresten **3** uttryckande medel genom; vid, i [*lead ~ the hand*]; *~ itself* av sig själv; *~ oneself* på egen hand; *multiply ~ six* multiplicera med sex **4** i tidsuttryck till, senast [*be home ~ six*]; *~ this time tomorrow* i morgon så här dags; *~ night* om natten; per [*paid ~ the hour*]; *day ~ day* dag för dag **5** av [*a portrait ~ Watts*] **6** i måttsuttryck, *the price rose ~ 10%* priset steg 10%; *three*

*metres long ~ four metres broad* tre meter lång och fyra meter bred; *bit ~ bit* bit för bit; *one ~ one* en och en **7** uttryckande förhållande till [*a lawyer ~ profession*]; *Brown ~ name* vid namn Brown; *go ~ the name of* gå under namnet **II** *adv* i närheten, bredvid, intill [*close (near) ~*]; förbi [*pass ~*]; undan, av [*put money ~*]; *~ and ~* så småningom; *~ and large* i stort sett

**bye-bye** [ˌbaɪ'baɪ] *interj* vard. ajö, ajö!

**by-election** ['baɪɪˌlekʃ(ə)n] *s* fyllnadsval

**Byelorussia** [bɪˌeləʊ'rʌʃə] Vitryssland

**Byelorussian** [bɪˌeləʊ'rʌʃ(ə)n] **I** *adj* vitrysk **II** *s* vitryss

**bygone** ['baɪgɒn] **I** *adj* gången, svunnen [*~ days*] **II** *s, let ~s be ~s* låta det skedda vara glömt

**bypass** ['baɪpɑːs] **I** *s* **1** förbifartsled **2** kir. bypass **II** *vb tr* leda förbi; kringgå

**bystander** ['baɪˌstændə] *s* åskådare

# C

**C, c** [si:] *s* C, c; *C flat* mus. cess; *C sharp* mus. ciss

**C** (förk. för *Celsius, Centigrade*) C

**c.** förk. för *cent, cents, cubic*

**cab** [kæb] *s* taxi

**cabaret** ['kæbəreɪ] *s*, ~ el. ~ *show* kabaré

**cabbage** ['kæbɪdʒ] *s* kål; speciellt vitkål

**cab-driver** ['kæb͵draɪvə] *s* taxichaufför

**cabin** ['kæbɪn] *s* **1** stuga, koja **2** sjö. hytt **3** flyg. kabin

**cabin boy** ['kæbɪnbɔɪ] *s* sjö. hyttuppassare

**cabinet** ['kæbɪnət] *s* **1** skåp med lådor el. hyllor; badrumsskåp, vitrinskåp; låda, hölje på TV el. radio **2** polit. kabinett, ministär

**cable** ['keɪbl] **I** *s* **1** kabel; vajer **2** telegram [~ *address*] **II** *vb tr* telegrafera till

**cablegram** ['keɪblgræm] *s* kabeltelegram

**cackle** ['kækl] **I** *vb itr* kackla **II** *s* kackel

**cactus** ['kæktəs] *s* kaktus

**cad** [kæd] *s* vard. bracka; knöl

**caddie** ['kædɪ] *s* golf. caddie; ~ *car* (*cart*) golfvagn

**caddy** ['kædɪ] *s* **1** teburk, tedosa **2** = *caddie*

**cadet** [kə'det] *s* kadett

**cadge** [kædʒ] *vb itr* o. *vb tr* snylta, snylta till sig

**cadmium** ['kædmɪəm] *s* kadmium

**café** ['kæfeɪ] *s* kafé; konditori med servering

**cafeteria** [͵kæfə'tɪərɪə] *s* cafeteria

**caffeine** ['kæfi:n] *s* koffein

**cage** [keɪdʒ] **I** *s* bur; hisskorg **II** *vb tr* sätta i bur

**cake** [keɪk] *s* **1** tårta, kaka; bakelse; ~ *mix* kakmix **2** platt bulle, krokett [*fish* ~] **3** *a* ~ *of soap* en tvålbit

**calamity** [kə'læmətɪ] *s* olycka, katastrof

**calcium** ['kælsɪəm] *s* kalcium

**calculate** ['kælkjʊleɪt] *vb tr* o. *vb itr* beräkna, kalkylera; räkna; ~ *on* räkna med

**calculating** ['kælkjʊleɪtɪŋ] *adj* beräknande

**calculation** [͵kælkjʊ'leɪʃ(ə)n] *s* beräkning

**calculator** ['kælkjʊleɪtə] *s* **1** räknare **2** räknemaskin, kalkylator

**calendar** ['kæləndə] *s* almanacka; kalender

**1 calf** [kɑ:f] (pl. *calves* [kɑ:vz]) *s* vad kroppsdel

**2 calf** [kɑ:f] (pl. *calves* [kɑ:vz]) *s* **1** kalv **2** kalvskinn

**calibre** ['kælɪbə] *s* kaliber

**calico** ['kælɪkəʊ] *s* kalikå; kattun

**California** [͵kælɪ'fɔ:njə] Kalifornien

**Californian** [͵kælɪ'fɔ:njən] *adj* kalifornisk

**call** [kɔ:l] **I** *vb tr* o. *vb itr* **1** kalla, benämna; uppkalla [*after*]; *be called* heta **2** kalla på, tillkalla, larma [~ *the police*]; ringa till; telefonera, ringa [*for* efter]; ~ *attention to* fästa uppmärksamheten på **3** väcka **4** ropa [*to* åt]; ~ *for* a) ropa på (efter) b) mana till; påkalla, kräva; ~ *on* påkalla, uppmana, anmoda **5** hälsa 'på; ~ *at* besöka; ~ *for* komma och hämta; ~ *on* hälsa 'på, besöka □ ~ **in** a) kalla (ropa) in b) inkalla, tillkalla c) titta in till ngn; ~ **off** inställa, avlysa [~ *off a meeting*], avblåsa [~ *off a strike*]; ~ **out** a) kalla ut b) kommendera ut c) ropa ut, ropa upp [~ *out the winners*] d) ta ut i strejk; ~ **over** ropa upp; ~ **up** a) kalla fram (upp) b) tele. ringa upp c) mil. inkalla **II** *s* **1** rop **2** anrop; påringning; telefonsamtal **3** kallelse; maning **4** skäl, anledning [*there is no* ~ *for you to worry*] **5** hand. efterfrågan [*for* på] **6** besök, visit; *port of* ~ anlöpningshamn

**callbox** ['kɔ:lbɒks] *s* telefonkiosk

**caller** ['kɔ:lə] *s* besökande, besökare

**call-in** ['kɔ:lɪn] *s* speciellt amer., se *phone-in*

**calling** ['kɔ:lɪŋ] *s* kall, yrke

**callous** ['kæləs] *adj* känslolös; känslokall

**call-over** ['kɔ:l͵əʊvə] *s* namnupprop

**call-up** ['kɔ:lʌp] *s* mil. inkallelse

**callus** ['kæləs] *s* valk, förhårdnad

**calm** [kɑ:m] **I** *adj* o. *s* lugn **II** *vb tr* o. *vb itr* lugna; ~ *a p. down* lugna ner ngn; ~ *down* lugna sig

**calorie** ['kælərɪ] *s* kalori

**calumny** ['kæləmnɪ] *s* förtal, smädelse

**calves** [kɑ:vz] *s* se *1 calf, 2 calf*

**Cambodia** [kæm'bəʊdjə] Kambodja

**Cambodian** [kæm'bəʊdjən] **I** *adj* kambodjansk **II** *s* kambodjan

**camcorder** ['kæm͵kɔ:də] *s* videokamera

**came** [keɪm] se *come*

**camel** ['kæm(ə)l] *s* kamel

**camellia** [kə'mi:ljə] *s* bot. kamelia

**cameo** ['kæmɪəʊ] (pl. ~s) *s* kamé

**camera** ['kæmərə] *s* kamera

**cameraman** ['kæm(ə)rəmæn] *s* kameraman, fotograf

**camomile** ['kæməmaɪl] *s* kamomill

**camouflage** ['kæmʊflɑ:ʒ] **I** *s* camouflage **II** *vb tr* camouflera

**capitulate**

**camp** [kæmp] **I** s läger; koloni [summer ~]
**II** vb itr slå läger; ligga i läger; tälta,
campa; **go camping** åka ut och campa
**campaign** [kæm'peɪn] **I** s kampanj; fälttåg
**II** vb itr delta i (organisera) en kampanj
**camp bed** [ˌkæmp'bed] s fältsäng, tältsäng
**camper** ['kæmpə] s campare, tältare
**camping** ['kæmpɪŋ] s camping, lägerliv
**camping-ground** ['kæmpɪŋgraʊnd] s o.
**camping-site** ['kæmpɪŋsaɪt] s
campingplats
**1 can** [kæn, obetonat kən] (nekande cannot,
can't; imperfekt could) hjälpvb presens kan,
kan få, får
**2 can** [kæn] **I** s kanna; burk; dunk **II** vb tr
konservera
**Canada** ['kænədə]
**Canadian** [kə'neɪdjən] **I** adj kanadensisk
**II** s kanadensare
**canal** [kə'næl] s grävd, konstgjord kanal
**canalize** ['kænəlaɪz] vb tr kanalisera
**canapé** ['kænəpeɪ] s kanapé, sandwich
**Canary** [kə'neərɪ] s, **the ~ Islands** el. **the
Canaries** Kanarieöarna
**canary** [kə'neərɪ] s kanariefågel
**cancel** ['kæns(ə)l] vb tr **1** stryka, korsa
över; stämpla över [~ stamps]
**2** annullera; upphäva; inställa; avbeställa
[~ an order]
**cancellation** [ˌkænsə'leɪʃ(ə)n] s
överstrykning; annullering; upphävande;
inställande; avbeställning
**cancer** ['kænsə] s **1** med. cancer **2** astrol.,
**Cancer** Kräftan
**candelabra** [ˌkændə'læbrə] s kandelaber
**candid** ['kændɪd] adj öppen, uppriktig; ~
**camera** dolda kameran
**candidate** ['kændɪdət] s kandidat,
sökande
**candied** ['kændɪd] adj kanderad [~ fruit]
**candle** ['kændl] s ljus av t. ex. stearin;
levande ljus
**candle grease** ['kændlgriːs] s stearin
**candlestick** ['kændlstɪk] s ljusstake
**candour** ['kændə] s uppriktighet,
öppenhet
**candy** ['kændɪ] s kandisocker; amer. äv.
konfekt, godis
**cane** [keɪn] **I** s **1** rör; sockerrör **2** käpp,
spanskrör **3** rotting, spö **II** vb tr prygla,
piska
**canine** ['keɪnaɪn] adj hund- **2 ~ teeth**
hörntänder
**caning** ['keɪnɪŋ] s prygel; **get a ~** få stryk
**canister** ['kænɪstə] s kanister; bleckdosa

**cannabis** ['kænəbɪs] s cannabis
**canned** [kænd] adj konserverad [~ beef],
på burk [~ peas]; **~ goods** konserver
**cannibal** ['kænɪb(ə)l] s kannibal
**cannibalism** ['kænɪbəlɪz(ə)m] s
kannibalism
**cannon** ['kænən] s kanon
**cannot** ['kænɒt] kan (får) inte
**canoe** [kə'nuː] **I** s kanot **II** vb itr paddla
**canonize** ['kænənaɪz] vb tr kanonisera,
helgonförklara
**can-opener** ['kænˌəʊpənə] s
konservöppnare, burköppnare
**cant** [kænt] s **1** förbrytarspråk **2** floskler
**can't** [kɑːnt] = cannot
**canteen** [kæn'tiːn] s marketenteri; kantin
**canter** ['kæntə] **I** s kort galopp; **at a ~** i
galopp; **win at a ~** vinna lätt och ledigt
**II** vb itr rida i kort galopp
**canvas** ['kænvəs] s **1** a) segelduk, tältduk
b) kanfas; brandsegel **2** kollektivt segel
**3** tält **4** tavla, målarduk **5** boxn. ringgolv
**canvass** ['kænvəs] vb tr o. vb itr **1** gå runt
och bearbeta [~ a district], värva röster i
**2** grundligt dryfta **3** agitera; **~** el. **~ for
votes** värva röster **4 ~ for** vara ackvisitör
för
**canvasser** ['kænvəsə] s **1** röstvärvare,
valarbetare **2** ackvisitör
**cap** [kæp] s **1** mössa; keps **2** kapsyl, hätta,
huv **3** percussion **~** tändhatt
**capability** [ˌkeɪpə'bɪlətɪ] s förmåga,
skicklighet
**capable** ['keɪpəbl] adj **1** skicklig; duktig
**2 ~ of** i stånd (kapabel) till
**capacious** [kə'peɪʃəs] adj rymlig
**capacity** [kə'pæsətɪ] s **1** plats, utrymme;
**seating ~** antalet sittplatser **2** kapacitet
**3** egenskap, ställning; **in the ~ of** i
egenskap av **4** attributivt, **~ house**
(**audience**) fullsatt hus
**1 cape** [keɪp] s udde, kap
**2 cape** [keɪp] s cape, krage
**1 caper** ['keɪpə] s, pl. **~s** kapris krydda
**2 caper** ['keɪpə] s tilltag; **cut ~s** göra
glädjesprång
**capital** ['kæpɪtl] **I** adj **1** utmärkt **2 ~ letter**
stor bokstav **3 ~ punishment** dödsstraff
**II** s **1** huvudstad **2** stor bokstav **3** kapital;
förmögenhet; **make ~ of** (**out of**) bildl. slå
mynt av
**capitalism** ['kæpɪtəlɪz(ə)m] s kapitalism
**capitalist** ['kæpɪtəlɪst] s kapitalist
**capitulate** [kə'pɪtjʊleɪt] vb itr kapitulera

**capitulation** [kə‚pɪtjʊ'leɪʃ(ə)n] *s*
kapitulation
**caprice** [kə'pri:s] *s* kapris; nyck, infall
**capricious** [kə'prɪʃəs] *adj* nyckfull, lynnig
**Capricorn** ['kæprɪkɔ:n] *s* astrol. Stenbocken
**capsize** [kæp'saɪz] *vb itr* kapsejsa, kantra
**capstan** ['kæpstən] *s* sjö. ankarspel,
gångspel
**capsule** ['kæpsju:l] *s* kapsel; kapsyl
**captain** ['kæptɪn] *s* **1** kapten; sport.
lagkapten **2** amer. a) ungefär
poliskommissarie b) brandkapten
**caption** ['kæpʃ(ə)n] *s* överskrift; bildtext
**captivate** ['kæptɪveɪt] *vb tr* fängsla, tjusa
**captive** ['kæptɪv] **I** *adj* fången; *be taken ~*
bli tagen till fånga **II** *s* fånge
**captivity** [kæp'tɪvətɪ] *s* fångenskap
**capture** ['kæptʃə] **I** *s* **1** tillfångatagande;
gripande; erövring **2** fångst, byte **II** *vb tr*
ta till fånga; gripa; erövra, inta; bildl.
fånga
**car** [ka:] *s* bil; *~ bombing*
bilbombsattentat; *a ~ park* en
bilparkering
**carafe** [kə'ræf] *s* karaff
**caramel** ['kærəmel] *s* **1** bränt socker,
karamell **2** kola
**carat** ['kærət] *s* karat
**caravan** ['kærəvæn] *s* **1** karavan
**2** husvagn; *~ site* campingplats för
husvagnar
**caraway** ['kærəweɪ] *s* kummin
**carbohydrate** [‚ka:bə'haɪdreɪt] *s* kolhydrat
**carbon** ['ka:bən] *s* kem. kol; *~ dioxide*
koldioxid, kolsyra; *~ monoxide* koloxid
**carbonic** [ka:'bɒnɪk] *adj*, *~ acid* kolsyra
**carbon paper** ['ka:bən‚peɪpə] *s*
karbonpapper, kopiepapper
**carburettor** [‚ka:bju'retə] *s* förgasare
**carcass** ['ka:kəs] *s* **1** kadaver **2** djurkropp,
slaktkropp
**carcinogenic** [‚ka:sɪnə'dʒenɪk] *adj* med.
cancerframkallande
**card** [ka:d] *s* kort, spelkort, visitkort; *~s*
kortspel; *~ index* kortregister, kartotek;
*play ~s* spela kort
**cardamom** ['ka:dəməm] *s* kardemumma
**cardboard** ['ka:dbɔ:d] *s* papp, kartong
**cardigan** ['ka:dɪgən] *s* cardigan, kofta
**cardinal** ['ka:dɪnl] **I** *adj* väsentlig [*of ~
importance*]; *~ number* grundtal; *the ~
points* de fyra väderstrecken **II** *s* kardinal
**care** [keə] **I** *s* **1** bekymmer
**2** omtänksamhet; noggrannhet; *take ~ to*
vara noga med att; *take ~ not to* akta sig

för att **3** vård [*under the ~ of*]; *take ~ of*
ta hand om, vara rädd om; *take ~ of
yourself!* el. *take ~!* sköt om dig!; *~ of*
(förk. *c/o*) på brev adress, c/o **II** *vb itr* **1** bry
sig om [*I don't ~ what he says*]; *~ about*
bry (bekymra) sig om; *~ for* a) bry sig
om, ha lust med [*I shouldn't ~ for that*]
b) tycka om, hålla av; *would you ~ for?*
vill du ha?; *I don't ~* det gör mig
detsamma; *I couldn't ~ less* vard. det
struntar jag i **2** *~ to* ha lust att, gärna
vilja
**career** [kə'rɪə] **I** *s* **1** bana, yrke [*choose a
~*]; karriär **2** *in full ~* i full fart **II** *vb itr*
rusa [*about; along*]
**careerist** [kə'rɪərɪst] *s* karriärist, streber
**carefree** ['keəfri:] *adj* bekymmerslös,
sorgfri
**careful** ['keəf(ʊ)l] *adj* **1** försiktig; aktsam
[*of* om, med] **2** omsorgsfull, noggrann
**careless** ['keələs] *adj* slarvig, vårdslös
**carelessness** ['keələsnəs] *s* slarv,
vårdslöshet
**caress** [kə'res] **I** *vb tr* smeka **II** *s* smekning
**caretaker** ['keə‚teɪkə] *s* **1** vaktmästare;
fastighetsskötare, portvakt **2** *~
government* expeditionsministär
**cargo** ['ka:gəʊ] *s* (pl. *cargoes*) *s* skeppslast
**Caribbean** [‚kærɪ'bi:ən] **I** *adj* karibisk [*the ~
Sea*] **II** *s*, *the ~* Karibiska havet
**caricature** ['kærɪkə‚tjʊə] **I** *s* karikatyr **II** *vb
tr* karikera
**carnation** [ka:'neɪʃ(ə)n] *s* nejlika
**carnival** ['ka:nɪv(ə)l] *s* karneval
**carol** ['kær(ə)l] *s*, *~* el. *Christmas ~*
julsång
**1 carp** [ka:p] (pl. lika) *s* zool. karp
**2 carp** [ka:p] *vb itr* gnata; *~ at* hacka på
**Carpathians** [ka:'peɪθjənz] *s pl*, *the ~*
Karpaterna
**carpenter** ['ka:pəntə] *s* snickare
**carpet** ['ka:pɪt] *s* större mjuk matta
**carphone** ['ka:fəʊn] *s* biltelefon
**carport** ['ka:pɔ:t] *s* carport vägglöst garage
**carriage** ['kærɪdʒ] *s* **1** vagn, ekipage **2** järnv.
personvagn **3** transport, frakt
**carrier** ['kærɪə] *s* **1** a) bärare; stadsbud
b) transportföretag **2** *aircraft ~*
hangarfartyg **3** pakethållare
**carrier bag** ['kærɪəbæg] *s* bärkasse
**carrier pigeon** ['kærɪə‚pɪdʒɪn] *s* brevduva
**carrion** ['kærɪən] *s* kadaver, as
**carrion crow** [‚kærɪən'krəʊ] *s* svartkråka
**carrot** ['kærət] *s* morot
**carry** ['kærɪ] *vb tr* o. *vb itr* **1** bära; bära på;

ha med (på) sig, medföra **2** frakta, transportera **3** föra, driva; leda t.ex. ljud **4** ha plats för, rymma **5** *be carried* om t.ex. motion gå igenom, bli antagen **6** hålla, föra kropp, huvud □ **~ away a)** bära (föra) bort **b)** bildl. hänföra; *be carried away by* ryckas med av; **~ back** föra tillbaka; **~ forward** bokf. transportera; *amount carried forward* el. *carried forward* transport till ngt; **~ off a)** bära (föra) bort **b)** hemföra, vinna [**~** *off a prize*] **c) ~** *it off* sköta (klara) sig bra; **~ on a)** föra [**~** *on a conversation*]; bedriva, utöva **b)** fortsätta, gå vidare **c)** vard. bära sig åt, bråka; **~ out** utföra; genomföra, fullfölja; **~ over a)** bära (föra, ta) över **b)** hand. överföra; bokf. transportera; *amount carried over* el. *carried over* transport; **~ through** genomföra; driva igenom

**carryall** ['kærɪɔ:l] *s* amer. rymlig bag (väska)

**carrycot** ['kærɪkɒt] *s* babylift bärkasse för spädbarn

**cart** [kɑ:t] **I** *s* tvåhjulig kärra; skrinda; *put the ~ before the horse* börja i galen ända **II** *vb tr* **1** köra, forsla **2** kånka på

**cartel** [kɑ:'tel] *s* kartell

**carter** ['kɑ:tə] *s* åkare, körare

**cartilage** ['kɑ:təlɪdʒ] *s* anat. brosk

**carton** ['kɑ:t(ə)n] *s* kartong, pappask; paket; *a ~ of cigarettes* en limpa cigaretter

**cartoon** [kɑ:'tu:n] *s* **1** skämtteckning; politisk karikatyr **2** tecknad serie **3 ~** el. *animated ~* tecknad film

**cartoonist** [kɑ:'tu:nɪst] *s* skämttecknare

**cartridge** ['kɑ:trɪdʒ] *s* **1** patron **2** kassett, cartridge

**carve** [kɑ:v] *vb tr* o. *vb itr* **1** skära, snida **2** skära för (upp), tranchera kött

**carver** ['kɑ:və] *s* förskärare

**carving** ['kɑ:vɪŋ] *s* träsnideri

**carving-knife** ['kɑ:vɪŋnaɪf] *s* förskärarkniv, trancherkniv

**cascade** [kæ'skeɪd] *s* kaskad

**1 case** [keɪs] *s* **1** fall; förhållande; *as the ~ may be* alltefter omständigheterna; *in ~ (just in ~)* i fall; *in ~ of* i händelse av; *in any ~* i varje fall; *in that ~* i så fall **2 a)** jur. rättsfall; mål; sak **b)** jur. el. friare bevis; argument, skäl; *state one's ~* framlägga fakta, framlägga sin sak **3** sjukdomsfall **4** gram. kasus

**2 case** [keɪs] *s* **1** låda; ask; skrin; fodral,

etui; packlår **2** väska, portfölj; boett **3** glas- monter

**casement** ['keɪsmənt] *s* sidohängt fönster

**cash** [kæʃ] **I** *s* kontanter, reda pengar [äv. *ready ~*]; *pay (pay in) ~* el. **~** *down* betala kontant **II** *vb tr* o. *vb itr* lösa in [**~** *a cheque*]; **~** *in on* slå mynt av

**cash-and-carry** [,kæʃən(d)'kærɪ] *s* hämtköp

**cashbook** ['kæʃbʊk] *s* kassabok

**cashbox** ['kæʃbɒks] *s* kassaskrin

**cashdesk** ['kæʃdesk] *s* kassa där man betalar

**cash discount** [,kæʃ'dɪskaʊnt] *s* kassarabatt

**cash dispenser** ['kæʃdɪ,spensə] *s* Bankomat ®

**cashier** [kæ'ʃɪə] *s* kassör, kassörska

**cash machine** ['kæʃmə,ʃi:n] *s* Bankomat ®

**cashpoint** ['kæʃpɔɪnt] *s* **1** kassa i snabbköp, varuhus **2** Bankomat ®

**cash price** [,kæʃ'praɪs] *s* kontantpris

**cash register** ['kæʃ,redʒɪstə] *s* kassaapparat

**casino** [kə'si:nəʊ] (pl. ~s) *s* kasino äv. kortspel

**cask** [kɑ:sk] *s* fat, tunna

**casket** ['kɑ:skɪt] *s* **1** skrin **2** amer. likkista

**Caspian** ['kæspɪən] *adj, the ~ Sea* Kaspiska havet

**casserole** ['kæsərəʊl] *s* gryta eldfast form o. maträtt

**cassette** [kə'set] *s* kassett för bandspelare, TV, film; **~** *deck* kassettdäck; **~** *recorder* kassettbandspelare

**cast** [kɑ:st] **I** (*cast cast*) *vb tr* **1** kasta specillt bildl. [**~** *a shadow*]; **~** *one's vote* avge sin röst **2** gjuta, stöpa, forma □ **~** *aside* kasta bort, kassera; **~** *away* kasta bort; *be ~ away* sjö. lida skeppsbrott; **~ off** kasta bort, kassera; lägga av kläder; **~ out** fördriva, driva ut

**II** *s* **1 a)** avgjutning **b)** gjutform; *plaster ~* med. gipsförband **2** teat. **a)** rollbesättning **b)** *the ~* de medverkande; *an all-star ~* en stjärnensemble

**castanets** [,kæstə'nets] *s pl* kastanjetter

**castaway** ['kɑ:stəweɪ] *s* skeppsbruten

**casting vote** [,kɑ:stɪŋ'vəʊt] *s* utslagsröst

**cast iron** [,kɑ:st'aɪən] *s* gjutjärn

**castle** ['kɑ:sl] *s* slott, borg

**castor oil** [,kɑ:stər'ɔɪl] *s* ricinolja

**castrate** [kæ'streɪt] *vb tr* kastrera

**casual** ['kæʒjʊəl] *adj* **1** tillfällig; flyktig; **~** *labourer* tillfällighetsarbetare; **~** *sex* tillfälliga sexuella förbindelser **2** planlös, lättvindig **3** nonchalant; ledig; ~ *jacket* fritidsjacka

**casualty** ['kæʒjʊəltı] *s* **1** olycksfall; ~ *ward (department)* olycksfallsavdelning på sjukhus **2** offer i t.ex. krig, olyckshändelse

**cat** [kæt] *s* katt; *it's raining ~s and dogs* regnet står som spön i backen; *let the ~ out of the bag* prata bredvid mun; *see which way the ~ jumps* känna efter varifrån vinden blåser; *he is like a ~ on hot bricks* vard. han sitter som på nålar

**catalogue** ['kætəlɒg] **I** *s* katalog, förteckning; uppräkning **II** *vb tr* katalogisera

**catalyser** ['kætəlaɪzə] *s* o. **catalyst** ['kætəlɪst] *s* kem. katalysator

**catalytic** [,kætə'lɪtɪk] *adj* kem. katalytisk; ~ *converter* katalytisk avgasrenare

**catapult** ['kætəpʌlt] *s* **1** katapult **2** slangbåge

**cataract** ['kætərækt] *s* **1** med. grå starr **2** vattenfall

**catarrh** [kə'tɑː] *s* katarr

**catastrophe** [kə'tæstrəfɪ] *s* katastrof

**catastrophic** [,kætə'strɒfɪk] *adj* katastrofal

**catcall** ['kætkɔːl] *s* busvissling som protest

**cat car** ['kætkɑː] *s* vard. katbil, bil med katalysator

**catch** [kætʃ] **I** *(caught caught) vb tr* o. *vb itr* **1** fånga; fånga upp, få tag i; ta (få) fast, gripa; om eld antända **2** hinna i tid till [~ *the train*] **3** komma på [~ *a p. stealing*]; ~ *a p. out* avslöja (ertappa) ngn **4** ådra sig; smittas av; ~ *a cold* o. ~ *cold* bli förkyld **5** fatta, begripa; ~ *sight of* få syn på **6** lura **7** ~ *up* hinna ifatt, hinna upp; ta igen vad man försummat; ~ *up with* hinna ifatt **II** *s* **1** i bollspel lyra; *that was a good ~* det var bra taget **2** fångst **3** *there's a ~ in it* det är något lurt med det **4** spärr, hake; knäppe, lås

**catching** ['kætʃɪŋ] *adj* smittande, smittsam

**catchphrase** ['kætʃfreɪz] *s* slagord

**catchword** ['kætʃwɜːd] *s* slagord

**catchy** ['kætʃɪ] *adj* klatschig, slående

**categorical** [,kætə'gɒrɪk(ə)l] *adj* kategorisk

**category** ['kætəg(ə)rɪ] *s* kategori

**cater** ['keɪtə] *vb itr* **1** leverera mat (måltider) **2** ~ *for* servera mat till; tillgodose

**catering** ['keɪtərɪŋ] *s* servering av måltider (mat); *the ~ trade* restaurangbranschen

**caterpillar** ['kætəpɪlə] *s* **1** fjärilslarv **2** ~ el. ~ *tractor* bandtraktor

**cathedral** [kə'θiːdr(ə)l] *s* katedral, domkyrka

**Catholic** ['kæθəlɪk] **I** *adj* katolsk **II** *s* katolik [äv. *a Roman ~*]

**Catholicism** [kə'θɒlɪsɪz(ə)m] *s* katolicism

**cattle** ['kætl] *s pl* nötkreatur, boskap

**catty** ['kætı] *adj* småelak, spydig

**Caucasian** [,kɔː'keɪzjən] **I** *adj* kaukasisk **II** *s* kaukasier, vit

**Caucasus** ['kɔːkəsəs] *s, the ~* Kaukasus

**caught** [kɔːt] se *catch I*

**cauldron** ['kɔːldr(ə)n] *s* kittel

**cauliflower** ['kɒlɪflaʊə] *s* blomkål

**cause** [kɔːz] **I** *s* **1** orsak, grund [*of* till], anledning [*of* till] **2** sak [*work for a good ~*] **II** *vb tr* orsaka, vålla; förmå; ~ *a th. to be done* låta göra ngt

**caution** ['kɔːʃ(ə)n] **I** *s* **1** varsamhet **2** varning; tillrättavisning **II** *vb tr* varna [*against* för; *not to* för att + infinitiv]

**cautious** ['kɔːʃəs] *adj* försiktig, varsam

**cavalcade** [,kævəl'keɪd] *s* kavalkad

**cavalry** ['kævəlrɪ] *s* kavalleri

**cavalryman** ['kævəlrɪmən] *s* kavallerist

**cave** [keɪv] **I** *s* håla, grotta **II** *vb itr*, ~ *in* störta in, rasa

**cavern** ['kævən] *s* håla, jordkula; grotta

**caviar** o. **caviare** ['kævɪɑː] *s* kaviar

**cavity** ['kævətɪ] *s* hålighet, håla

**caw** [kɔː] **I** *vb itr* kraxa **II** *s* kraxande, krax

**c.c.** [,siː'siː] förk. för *cubic centimetre (centimetres)*

**CD** [,siː'diː] *s* (förk. för *compact disc*) CD-skiva

**cease** [siːs] *vb itr* o. *vb tr* upphöra, sluta upp [*from* med]; sluta, upphöra med; ~ *fire!* mil. eld upphör!

**cease-fire** [,siːs'faɪə] *s* eldupphör

**ceaseless** ['siːsləs] *adj* oupphörlig, ändlös

**cedar** ['siːdə] *s* ceder; cederträ

**ceiling** ['siːlɪŋ] *s* innertak, tak äv. bildl.

**celebrate** ['seləbreɪt] *vb tr* o. *vb itr* fira; fira en högtid; vard. festa

**celebrated** ['seləbreɪtɪd] *adj* berömd

**celebration** [,selə'breɪʃ(ə)n] *s* firande; fest

**celebrity** [sə'lebrətɪ] *s* celebritet, kändis

**celeriac** [sə'lerɪæk] *s* rotselleri

**celery** ['selərɪ] *s* selleri; *blanched ~* blekselleri

**celibacy** ['selɪbəsɪ] *s* celibat, ogift stånd

**celibate** ['selɪbət] **I** *adj* ogift **II** *s, he is a ~* han lever i celibat

**cell** [sel] *s* cell

**cellar** ['selə] *s* källare; vinkällare

**cellist** ['tʃelɪst] *s* cellist

**cello** ['tʃeləʊ] (pl. ~s) s cello
**Cellophane** ['seləʊfeɪn] s ® cellofan
**cellulose** ['seljʊləʊs] s cellulosa
**Celsius** ['selsjəs] s, ~ *thermometer* celsiustermometer
**Celt** [kelt] s kelt
**Celtic** ['keltɪk, fotbollslag 'seltɪk] I adj keltisk II s **1** keltiska språket **2** namn på skotskt fotbollslag
**cement** [sɪ'ment] I s cement; kitt II vb tr cementera; kitta
**cemetery** ['semətrɪ] s kyrkogård ej vid kyrka
**censor** ['sensə] I s censor II vb tr censurera
**censorship** ['sensəʃɪp] s censur
**censure** ['senʃə] I s klander, tadel; *vote of* ~ misstroendevotum [*on* mot]; *pass* ~ *on* rikta kritik mot II vb tr kritisera, fördöma
**census** ['sensəs] s folkräkning
**cent** [sent] s **1** *per* ~ procent **2** mynt cent
**centenary** [sen'ti:nərɪ] s hundraårsjubileum
**center** ['sentə] s amer. se *centre*
**centigrade** ['sentɪɡreɪd] adj, *20 degrees* ~ 20 grader Celsius
**centigram** o. **centigramme** ['sentɪɡræm] s centigram
**centilitre** ['sentɪˌliːtə] s centiliter
**centimetre** ['sentɪˌmiːtə] s centimeter
**centipede** ['sentɪpiːd] s tusenfoting insekt
**central** ['sentr(ə)l] adj central; mellerst; ~ *heating* centralvärme
**centralize** ['sentrəlaɪz] vb tr centralisera
**centre** ['sentə] I s centrum, center, mitt, medelpunkt; central för verksamhet; sport. inlägg; ~ *forward* center; ~ *of gravity* tyngdpunkt II vb tr centrera; fotb. lägga in mot mitten
**century** ['sentʃərɪ] s århundrade, sekel; *in the 20th* ~ på 1900-talet
**cep** [sep] s bot. stensopp, karljohanssvamp
**cereal** ['sɪərɪəl] s sädesslag; pl. ~s äv. flingor m.m. som morgonmål [*breakfast* ~s]
**cerebral** ['serəbrəl] adj, ~ *haemorrhage* hjärnblödning
**ceremonial** [ˌserɪ'məʊnjəl] I adj ceremoniell, högtids- [~ *dress*] II s ceremoniel
**ceremonious** [ˌserɪ'məʊnjəs] adj ceremoniös; omständlig
**ceremony** ['serəmənɪ] s ceremoni; ceremonier, formaliteter; *stand on* ~ hålla på etiketten (formerna)
**cerise** [sə'riːz] s cerise
**certain** ['sɜːtn] adj **1** säker [*of, about* på];

**make** ~ *of* förvissa sig om; *for* ~ alldeles säkert **2** viss [*a* ~ *improvement*]
**certainly** ['sɜːtnlɪ] adv säkert; säkerligen; visserligen; som svar ja visst; ~ *not!* visst inte!
**certainty** ['sɜːtntɪ] s säkerhet, visshet; *a* ~ en given sak; *that's a* ~ det är säkert
**certificate** [sə'tɪfɪkət] s skriftligt intyg, bevis, attest [*of* om, på]; certifikat; *health* ~ friskintyg
**certify** ['sɜːtɪfaɪ] vb tr **1** attestera handling, intyga, betyga; *this is to* ~ *that* härmed intygas att **2** ~ el. ~ *as insane* sinnessjukförklara
**cf.** [kəm'peə, ˌsiː'ef] jfr, jämför
**CFC** [ˌsiːef'siː] (förk. för *chlorofluorocarbon*) Freon ®
**chafe** [tʃeɪf] vb tr o. vb itr **1** gnida varm **2** skava **3** gnida sig, skrapa **4** bildl. reta upp sig [*at* över]
**1 chaff** [tʃɑːf] s agnar
**2 chaff** [tʃɑːf] vard. I s drift; skoj II vb itr o. vb tr skoja, retas; skoja (retas) med
**chaffinch** ['tʃæfɪntʃ] s bofink
**chagrin** ['ʃæɡrɪn] I s förtret II vb tr förtreta
**chain** [tʃeɪn] I s **1** kedja, kätting **2** pl. ~s bojor **3** bildl. kedja; följd, rad [~ *of events*] II vb tr kedja fast [*to* vid]; lägga bojor (kedjor) på
**chain-smoker** ['tʃeɪnˌsməʊkə] s kedjerökare
**chain store** ['tʃeɪnstɔː] s filial, kedjebutik
**chair** [tʃeə] I s **1** stol **2** lärostol, professur **3** *be in the* ~ sitta som ordförande; *take the* ~ inta ordförandeplatsen II vb tr **1** vara (sitta som) ordförande vid [~ *a meeting*] **2** bära i gullstol
**chairman** ['tʃeəmən] (pl. *chairmen* ['tʃeəmən]) s ordförande; styrelseordförande
**chairperson** ['tʃeəˌpɜːsn] s ordförande
**chalk** [tʃɔːk] I s krita II vb tr skriva (rita) med krita
**challenge** ['tʃælɪndʒ] I s utmaning; stimulerande uppgift II vb tr utmana [~ *a p. to a duel*]
**challenger** ['tʃælɪndʒə] s utmanare
**challenging** ['tʃælɪndʒɪŋ] adj utmanande; stimulerande
**chamber** ['tʃeɪmbə] s kammare; ~ *music* kammarmusik; ~ *of horrors* skräckkammare
**chambermaid** ['tʃeɪmbəmeɪd] s städerska på hotell
**chamber pot** ['tʃeɪmbəpɒt] s nattkärl

**chamois leather** [ˈʃæmɪleðə] *s* sämskskinn
**champagne** [ʃæmˈpeɪn] *s* champagne
**champers** [ˈʃæmpəz] *s* vard. champis,
skumpa champagne
**champion** [ˈtʃæmpjən] **I** *s* **1** mästare [*world*
~] **2** förkämpe [*of* för] **II** *vb tr* kämpa för,
förfäkta
**championship** [ˈtʃæmpjənʃɪp] *s*
**1** mästerskap, mästerskapstävling
**2** försvar, kämpande [*of* för]
**chance** [tʃɑːns] **I** *s* **1** *by* ~ händelsevis;
*game of* ~ hasardspel **2** chans; gynnsamt
tillfälle; möjlighet, utsikt, utsikter [*of* till];
*the* ~*s are that* det mesta talar för att
**II** *adj* tillfällig [~ *likeness*] **III** *vb itr* hända
(slumpa) sig; råka [*I chanced to be out*]; ~
*on* råka på
**chancellor** [ˈtʃɑːnsələ] *s* kansler;
*Chancellor of the Exchequer* i
Storbritannien finansminister
**chancy** [ˈtʃɑːnsɪ] *adj* vard. chansartad
**chandelier** [ˌʃændəˈlɪə] *s* ljuskrona,
takkrona
**change** [tʃeɪndʒ] **I** *vb tr* o. *vb itr* **1** ändra,
förändra [*into* till]; ändra på, förvandla;
ändras, förändras, förvandlas, ändra sig;
~ *one's mind* ändra sig **2** byta; byta ut
[*for* mot]; skifta [~ *colour*], byta om; ~
*places* byta plats **3** växla pengar **II** *s*
**1** ändring; svängning [*a sudden* ~];
växling; skifte **2** ombyte, byte; omväxling;
*it makes a* ~ det blir en smula
omväxling; ~ *of air* luftombyte; *for a* ~
för omväxlings (en gångs) skull **3** ombyte
[*a* ~ *of clothes*] **4** växel, småpengar [äv.
*small* ~]; *exact* ~ jämna pengar; *keep the*
~! det är jämna pengar!
**changeable** [ˈtʃeɪndʒəbl] *adj* föränderlig,
ostadig; ombytlig
**change-over** [ˈtʃeɪndʒˌəʊvə] *s* övergång;
omläggning; omslag
**changing-room** [ˈtʃeɪndʒɪŋruːm] *s*
omklädningsrum
**channel** [ˈtʃænl] *s* **1** kanal, sund; *the*
*English Channel* el. *the Channel*
Engelska kanalen **2** ränna, kanal för vätskor
**3** radio. el. TV. kanal **4** bildl. medium,
kanal; *through the official* ~*s*
tjänstevägen
**chant** [tʃɑːnt] **I** *vb tr* o. *vb itr* skandera,
ropa taktfast **II** *s* taktfast ropande
**chanterelle** [ˌʃɑːntəˈrel] *s* kantarell
**chaos** [ˈkeɪɒs] *s* kaos
**chaotic** [keɪˈɒtɪk] *adj* kaotisk

**1 chap** [tʃæp] **I** *vb tr* o. *vb itr* om hud
spräcka; få sprickor **II** *s* spricka i huden
**2 chap** [tʃæp] *s* vard. karl; kille; *old* ~*!*
gamle gosse!
**chapel** [ˈtʃæp(ə)l] *s* kapell; kyrka
**chaperon** [ˈʃæpərəʊn] **I** *s* bildl. förkläde
**II** *vb tr* vara förkläde åt
**chaplain** [ˈtʃæplɪn] *s* präst, pastor ofta t.ex.
regements-, sjömans-
**chapstick** [ˈtʃæpstɪk] *s* amer. cerat
**chapter** [ˈtʃæptə] *s* kapitel
**character** [ˈkærəktə] *s* **1** karaktär; natur;
egenart; beskaffenhet **2** personlighet
[*public* ~]; vard. individ, original **3** gestalt,
figur; roll; typ **4** skriv- tecken, bokstav
**characteristic** [ˌkærəktəˈrɪstɪk] **I** *adj*
karakteristisk, kännetecknande [*of* för] **II** *s*
kännemärke, kännetecken
**characterization** [ˌkærəktəraɪˈzeɪʃ(ə)n] *s*
karakterisering, karakteristik
**characterize** [ˈkærəktəraɪz] *vb tr*
karakterisera, beteckna [*as* såsom];
känneteckna
**charcoal** [ˈtʃɑːkəʊl] *s* träkol; ~ *tablet*
koltablett
**charge** [tʃɑːdʒ] **I** *vb tr* o. *vb itr* **1** anklaga
**2** ta [*how much do you charge?*]; ta betalt
[~ *extra for a seat*] **3** hand. debitera,
belasta ett konto **4** ladda **5** storma fram
mot; rusa på; storma (rusa) fram [*at*
mot]; fotb. tackla **II** *s* **1** anklagelse,
beskyllning **2** pris, avgift, taxa; *free of* ~
gratis **3** fast utgift **4** tekn. el. elektr. laddning
**5** *man in* ~ vakthavande; *be in* ~ *of* ha
hand om, ha vården om; *take* ~ *of a th.*
ta hand om ngt **6** mil. m.m. anfall, chock;
fotb. tackling
**charisma** [kəˈrɪzmə] *s* karisma, utstrålning
**charitable** [ˈtʃærɪtəbl] *adj* **1** medmänsklig;
välgörenhets- [~ *institution*] **2** välvillig
**charity** [ˈtʃærətɪ] *s* **1** människokärlek;
överseende **2** välgörenhet; allmosor;
välgörenhetsinrättning
**charlady** [ˈtʃɑːˌleɪdɪ] *s* städerska
**charlatan** [ˈʃɑːlət(ə)n] *s* charlatan, bluff
**charm** [tʃɑːm] **I** *s* **1** charm, tjuskraft;
tjusning; pl. ~*s* behag, skönhet
**2** trollformel; trolldom **3** amulett; berlock
**II** *vb tr* charmera, tjusa; förtrolla
**charmer** [ˈtʃɑːmə] *s* charmör, tjusare
**charming** [ˈtʃɑːmɪŋ] *adj* charmfull,
charmig, förtjusande
**charred** [tʃɑːd] *adj* kolad, förkolnad
**chart** [tʃɑːt] **I** *s* **1** tabell; diagram; karta

[*weather* ~] **2** väggplansch [äv. *wall* ~]
**3** sjökort **II** *vb tr* kartlägga
**charter** ['tʃɑ:tə] **I** *s* **1** privilegiebrev
**2** charter; *a ~ flight* en chartrad flygresa;
*~ flights* charterflyg **II** *vb tr* **1** bevilja
privilegier **2** chartra, befrakta
**chartered** ['tʃɑ:təd] *adj* **1** auktoriserad [~
*accountant*] **2** chartrad [~ *aircraft*]
**charwoman** ['tʃɑ:ˌwʊmən] (pl. *charwomen*
['tʃɑ:ˌwɪmɪn]) *s* städerska
**chary** ['tʃeərɪ] *adj, be ~ of* akta sig för;
vara mån om [~ *of one's reputation*]
**chase** [tʃeɪs] **I** *vb tr* jaga; förfölja **II** *s* jakt
**chasm** ['kæz(ə)m] *s* klyfta, avgrund
**chassis** ['ʃæsɪ] *s* chassi; underrede
**chaste** [tʃeɪst] *adj* kysk
**chastise** [tʃæ'staɪz] *vb tr* straffa, aga
**chastity** ['tʃæstətɪ] *s* kyskhet
**chat** [tʃæt] **I** *vb itr* prata **II** *s* prat, pratstund
**chatter** ['tʃætə] **I** *vb itr* pladdra **II** *s* pladder
**chatterbox** ['tʃætəbɒks] *s* vard. pratkvarn,
pratmakare
**chatty** ['tʃætɪ] *adj* **1** pratsam **2** kåserande
**chauffeur** ['ʃəʊfə] *s* privatchaufför
**chauvinism** ['ʃəʊvɪnɪz(ə)m] *s* chauvinism;
*male ~* manschauvinism
**chauvinist** ['ʃəʊvɪnɪst] *s* chauvinist; *male
~* manschauvinist; *male ~ pig* vard.
mullig mansgris
**cheap** [tʃi:p] *adj* billig
**cheapen** ['tʃi:p(ə)n] *vb tr* göra billig
(billigare)
**cheapskate** ['tʃi:pskeɪt] *s* vard. snåljåp
**cheat** [tʃi:t] **I** *vb tr* o. *vb itr* lura; fuska;
fiffla; *~ on a p.* bedra ngn [~ *on one's
wife*] **II** *s* svindlare, skojare, fuskare
**check** [tʃek] **I** *s* **1** hinder; broms; bakslag
**2** *keep* (*hold*) *in ~* hålla i schack; *keep*
(*put*) *a ~ on* hålla i schack **3** kontroll
[*make a ~*], prov; *keep a ~ on* kontrollera
**4** amer. check **5** restaurangnota **6** rutigt
mönster [äv. *~ pattern*] **II** *vb tr* o. *vb itr*
**1** hejda, hämma, bromsa, hindra,
blockera **2** tygla, hålla i styr, hejda
**3** kontrollera [äv. *~ up*]; *~ up on a th.*
kontrollera ngt **4** amer., *~ el. ~ up* stämma
[*with*] **5** *~ in* a) boka in sig [~ *in at a
hotel*] b) stämpla in på arbetsplats; *~ into a
hotel* ta in på ett hotell
**checkbook** ['tʃekbʊk] *s* amer. checkhäfte
**checked** [tʃekt] *adj* rutig [~ *material*]
**checkmate** ['tʃekmeɪt] *s* schackmatt; *~!*
schack och matt!
**check-up** ['tʃekʌp] *s* kontroll,
undersökning

**cheek** [tʃi:k] **I** *s* **1** kind **2** bildl., vard. 'mage';
fräckhet; *what ~!* vad fräckt!; *I like your
~* iron. du är inte lite fräck du! **II** *vb tr* vard.
vara fräck mot
**cheekbone** ['tʃi:kbəʊn] *s* kindben
**cheeky** ['tʃi:kɪ] *adj* vard. fräck, uppkäftig
**cheep** [tʃi:p] **I** *vb itr* o. *vb tr* om småfåglar
pipa **II** *s* om småfågels pip
**cheer** [tʃɪə] **I** *s* **1** hurrarop; *three ~s for* ett
trefaldigt (svensk motsvarighet fyrfaldigt) leve
för **2** vard., *~s!* skål! **3** glädje, munterhet
**II** *vb tr* o. *vb itr* **1** *~ up* pigga (liva) upp;
bli gladare **2** heja på [äv. *~ on*], hurra,
heja; hurra för
**cheerful** ['tʃɪəf(ʊ)l] *adj* **1** glad, gladlynt
**2** glädjande, trevlig
**cheerfulness** ['tʃɪəf(ʊ)lnəs] *s* gladlynthet
**cheerio** [ˌtʃɪərɪ'əʊ] *interj* vard. **1** hej då!, ajö!
**2** skål!
**cheerleader** ['tʃɪəˌli:də] *s* sport. ledare av
hejarklack
**cheerless** ['tʃɪələs] *adj* glädjelös, dyster
**cheery** ['tʃɪərɪ] *adj* glad, munter
**cheese** [tʃi:z] *s* ost
**cheetah** ['tʃi:tə] *s* gepard
**chef** [ʃef] *s* köksmästare, kock
**chemical** ['kemɪk(ə)l] **I** *adj* kemisk **II** *s*
kemikalie
**chemist** ['kemɪst] *s* **1** kemist **2** apotekare;
*chemist's shop* ungefär apotek, färghandel
**chemistry** ['keməstrɪ] *s* kemi
**cheque** [tʃek] *s* check
**cheque book** ['tʃekbʊk] *s* checkhäfte
**cherish** ['tʃerɪʃ] *vb tr* hysa [~ *a hope*], nära
[~ *feelings*]
**cheroot** [ʃə'ru:t] *s* cigarill
**cherry** ['tʃerɪ] *s* körsbär; *whiteheart ~*
bigarrå
**cherub** ['tʃerəb] (pl. *cherubim* ['tʃerəbɪm]) *s*
kerub
**cherubic** [tʃe'ru:bɪk] *adj* kerubisk; änglalik
**cherubim** ['tʃerəbɪm] se *cherub*
**chervil** ['tʃɜ:vɪl] *s* körvel
**chess** [tʃes] *s* schack, schackspel
**chessboard** ['tʃesbɔ:d] *s* schackbräde
**chest** [tʃest] *s* **1** kista, låda; *~ of drawers*
byrå **2** bröst, bröstkorg
**chestnut** ['tʃesnʌt] *s* kastanj
**chew** [tʃu:] **I** *vb tr* tugga **II** *s* tuggning;
buss; tugga
**chewing-gum** ['tʃu:ɪŋgʌm] *s* tuggummi
**chic** [ʃi:k] **I** *s* stil, elegans **II** *adj* chic,
elegant
**Chicago** [ʃɪ'kɑ:gəʊ]

**chick** [tʃɪk] s **1** nykläckt kyckling
**2** fågelunge **3** sl. tjej, brud
**chicken** ['tʃɪkɪn] **I** s kyckling; speciellt amer.
äv. höna; höns; *count one's ~s before
they are hatched* ungefär sälja skinnet
innan björnen är skjuten **II** *adj* vard. feg,
skraj
**chickenpox** ['tʃɪkɪnpɒks] s vattkoppor
**chickenrun** ['tʃɪkɪnrʌn] s hönsgård
**chicory** ['tʃɪkərɪ] s **1** endiv; amer. chicorée,
frisée, frisésallat **2** cikoria; cikoriarot
**chief** [tʃiːf] **I** s chef, ledare; *~ of staff*
stabschef **II** *adj* **1** i titlar chef-, chefs-,
huvud- [*~ editor*] **2** huvud-, förnämst,
störst; ledande
**chiefly** ['tʃiːflɪ] *adv* framför allt, först och
främst; huvudsakligen
**chieftain** ['tʃiːftən] s ledare; hövding
**chilblain** ['tʃɪlbleɪn] s frostknöl, kylskada
**child** [tʃaɪld] (pl. *children* ['tʃɪldr(ə)n]) s
barn; *~ abuse* barnmisshandel; *~
allowance* a) barnavdrag vid skatt
b) barnbidrag; *~ benefit* barnbidrag;
*with ~* gravid, havande
**childbearing** ['tʃaɪld‚beərɪŋ] s
barnafödande
**childbirth** ['tʃaɪldbɜ:θ] s förlossning;
barnsäng [*die in ~*]
**childhood** ['tʃaɪldhʊd] s barndom; *be in
one's second ~* vara barn på nytt
**childish** ['tʃaɪldɪʃ] *adj* barnslig, enfaldig
**childlike** ['tʃaɪldlaɪk] *adj* barnslig, lik ett
barn
**childminder** ['tʃaɪld‚maɪndə] s
dagmamma, dagbarnvårdare
**childproof** ['tʃaɪldpru:f] *adj* barnsäker [*~
locks*]
**children** ['tʃɪldr(ə)n] se *child*
**child-welfare** ['tʃaɪld‚welfeə] *adj* o. s, *~
centre* barnavårdscentral
**Chile** ['tʃɪlɪ]
**Chilean** ['tʃɪlɪən] **I** s chilen, chilenare **II** *adj*
chilensk
**chill** [tʃɪl] **I** s kyla, köld; *catch a ~* förkyla
sig; *take the ~ off* ljumma upp **II** *vb tr*
kyla, kyla av
**chilli** ['tʃɪlɪ] s chili spansk peppar
**chilly** ['tʃɪlɪ] *adj* kylig, kall; frusen
**chime** [tʃaɪm] **I** s klockspel **II** *vb itr* o. *vb tr*
**1** ringa, klinga **2** *~ in* inflika; instämma
**3** *the clock chimed twelve* klockan slog
tolv
**chimney** ['tʃɪmnɪ] s skorsten; rökgång
**chimney pot** ['tʃɪmnɪpɒt] s skorsten,
skorstenspipa ovanpå taket

**chimney-sweep** ['tʃɪmnɪswiːp] s o.
**chimney-sweeper** ['tʃɪmnɪ‚swiːpə] s
skorstensfejare, sotare
**chimpanzee** [‚tʃɪmpən'ziː] s schimpans
**chin** [tʃɪn] s haka
**China** ['tʃaɪnə] Kina
**china** ['tʃaɪnə] s porslin
**Chinaman** ['tʃaɪnəmən] (pl. *Chinamen*
['tʃaɪnəmən]) s neds. kinaman, kines
**Chinatown** ['tʃaɪnətaʊn] s kineskvarter
**Chinese** [‚tʃaɪ'niːz] **I** *adj* kinesisk; *~
lantern* kulört lykta **II** s **1** (pl. lika) kines
**2** kinesiska språket
**1 chink** [tʃɪŋk] s **1** spricka; *a ~ in one's
armour* bildl. en sårbar punkt **2** springa
**2 chink** [tʃɪŋk] *vb itr* om t.ex. mynt klirra,
klinga
**chip** [tʃɪp] **I** s **1** flisa, spån; skärva **2** pl. *~s*
a) pommes frites b) amer. potatischips
**3** hack i t.ex. porslinsyta **4** sl. spelmark **5** data.
chip, halvledarbricka **II** *vb tr* **1** flisa;
*chipped potatoes* pommes frites **2** slå en
flisa ur; *chipped* kantstött
**chip basket** ['tʃɪp‚bɑːskɪt] s spånkorg
**chipboard** ['tʃɪpbɔːd] s fibermaterial; *a
sheet of ~* en spånskiva
**chiropodist** [kɪ'rɒpədɪst] s
fotvårdsspecialist
**chiropractor** [‚kaɪərə'præktə] s kiropraktor
**chirp** [tʃɜːp] **I** *vb itr* o. *vb tr* kvittra **II** s
kvitter
**chisel** ['tʃɪzl] **I** s mejsel; stämjärn **II** *vb tr*
mejsla
**chivalrous** ['ʃɪvəlrəs] *adj* chevaleresk;
ridderlig
**chivalry** ['ʃɪvəlrɪ] s **1** ridderlighet
**2** ridderskap
**chives** [tʃaɪvz] s pl kok. gräslök
**chlamydia** [klə'mɪdɪə] s med. klamydia
**chlorinate** ['klɔːrɪneɪt] *vb tr* klorera
**chlorine** ['klɔːriːn] s klor, klorgas
**chlorofluorocarbon** ['klɔːrəʊ‚flɔːrə'kɑːbn] s
Freon ®
**chloroform** ['klɒrəfɔːm] s kloroform
**chlorophyll** ['klɒrəfɪl] s klorofyll
**chock-full** [tʃɒk'fʊl] *adj* fullpackad,
proppfull
**chocolate** ['tʃɒklət] s choklad; *a ~* en fylld
chokladbit, en chokladpralin; *a bar of ~*
en chokladkaka
**choice** [tʃɔɪs] **I** s **1** val; *I have no ~ in the
matter* el. *I have no ~* jag har inget annat
val **2** urval, sortiment **II** *adj* utsökt, utvald
**choir** ['kwaɪə] s **1** kör **2** kor i kyrka
**choirboy** ['kwaɪəbɔɪ] s korgosse

**choke** [tʃəʊk] **I** vb tr o. vb itr **1** kväva;
strypa; kvävas; storkna **2** ~ *off* vard.
avskräcka **II** s bil. choke
**cholera** ['kɒlərə] s kolera
**cholesterol** [kə'lestərɒl] s kolesterol
**choose** [tʃuːz] (*chose chosen*) vb tr o. vb itr
**1** välja, välja ut, utkora **2** föredra **3** ha
lust, vilja; gitta [*I don't* ~ *to work*]
**choosy** ['tʃuːzɪ] adj kinkig, kräsen
**chop** [tʃɒp] **I** vb tr hugga, hacka, hacka
sönder; ~ *a ball* sport. skära en boll **II** s
**1** hugg **2** kotlett med ben
**chopper** ['tʃɒpə] s **1** huggare [*wood* ~]
**2** köttyxa, hackkniv
**choppy** ['tʃɒpɪ] adj sjö. krabb [*a* ~ *sea*]
**choral** ['kɔːr(ə)l] adj sjungen i kör, kör-
**choreographer** [ˌkɒrɪ'ɒgrəfə] s koreograf
**chorus** ['kɔːrəs] s korus, kör; refräng;
balett i revy
**chorus girl** ['kɔːrəsɡɜːl] s balettflicka
**chose** [tʃəʊz] se *choose*
**chosen** ['tʃəʊzn] se *choose*
**Christ** [kraɪst] Kristus; ~! Herre Gud!
**christen** ['krɪsn] vb tr döpa, döpa till
**Christendom** ['krɪsndəm] s kristenheten
**christening** ['krɪsnɪŋ] s dop
**Christian** ['krɪstʃ(ə)n] **I** adj kristen, kristlig;
~ *name* förnamn **II** s kristen
**Christianity** [ˌkrɪstɪ'ænətɪ] s kristendom,
kristendomen
**Christmas** ['krɪsməs] s julen; juldagen; ~
*box* julpengar, julklapp till brevbärare m.fl.;
~ *Eve* julafton; ~ *carol* julsång; ~
*present* julklapp; ~ *pudding*
plumpudding; ~ *tree* julgran
**chrome** [krəʊm] s krom
**chromium** ['krəʊmjəm] s krom metall
**chromium-plated** [ˌkrəʊmjəm'pleɪtɪd] adj
förkromad
**chromosome** ['krəʊməsəʊm] s kromosom
**chronic** ['krɒnɪk] adj kronisk; inrotad
**chronicle** ['krɒnɪkl] **I** s krönika **II** vb tr
uppteckna, skildra
**chronological** [ˌkrɒnə'lɒdʒɪk(ə)l] adj
kronologisk [*in* ~ *order*]
**chrysanthemum** [krɪ'sænθəməm] s
krysantemum
**chubby** ['tʃʌbɪ] adj knubbig; trind
**chuck** [tʃʌk] vb tr vard. slänga, kasta
**chucker-out** [ˌtʃʌkər'aʊt] (pl. *chuckers-out*
[ˌtʃʌkəz'aʊt]) s vard. utkastare
**chuckle** ['tʃʌkl] **I** vb itr skrocka **II** s
skrockande
**chum** [tʃʌm] s kamrat, kompis
**chunk** [tʃʌŋk] s tjockt stycke, stor bit

**church** [tʃɜːtʃ] s kyrka
**churchgoer** ['tʃɜːtʃˌɡəʊə] s kyrkobesökare
**churchgoing** ['tʃɜːtʃˌɡəʊɪŋ] s kyrkobesök
**churchyard** ['tʃɜːtʃjɑːd] s kyrkogård kring
kyrka
**churn** [tʃɜːn] **I** s **1** smörkärna
**2** mjölkkanna för transport av mjölk **II** vb tr
**1** kärna **2** ~ *out* spotta fram (ur sig)
**chutney** ['tʃʌtnɪ] s chutney slags pickles
**CIA** [ˌsiːaɪ'eɪ] (förk. för *Central Intelligence
Agency*) CIA den federala underrättelsetjänsten i
USA
**cider** ['saɪdə] s cider, äppelvin
**cig** [sɪɡ] s o. **ciggy** ['sɪɡɪ] s vard. cig, cigg
cigarett
**cigar** [sɪ'ɡɑː] s cigarr
**cigarette** [ˌsɪɡə'ret] s cigarett
**cigarette-case** [ˌsɪɡə'retkeɪs] s cigarettetui
**cigarette end** [ˌsɪɡə'retend] s
cigarettstump, fimp
**cigarette holder** [ˌsɪɡə'retˌhəʊldə] s
cigarettmunstycke
**cigarette lighter** [ˌsɪɡə'retˌlaɪtə] s
cigarettändare
**ciggy** ['sɪɡɪ] s vard. cig cigarett
**cinder** ['sɪndə] s **1** slagg; sinder **2** pl. ~*s*
aska
**Cinderella** [ˌsɪndə'relə] Askungen
**cine-camera** ['sɪnɪˌkæmərə] s filmkamera
**cinema** ['sɪnəmə] s bio, biograflokal; *go to
the* ~ gå på bio
**cinemagoer** ['sɪnəməˌɡəʊə] s biobesökare
**cinnamon** ['sɪnəmən] s kanel
**cipher** ['saɪfə] s **1** siffra **2** chiffer,
chifferskrift
**circle** ['sɜːkl] **I** s **1** cirkel i olika betydelser;
ring; krets **2** teat., *the dress* ~ första
raden; *the upper* ~ andra raden **II** vb tr
kretsa runt (över)
**circuit** ['sɜːkɪt] s **1** kretsgång, omlopp; tur,
runda **2** område; krets **3** elektr. krets;
*short* ~ kortslutning **4** turnéväg,
turnérutt **5** sport. racerbana; mästerskap,
turnering [*golf (tennis)* ~]
**circular** ['sɜːkjʊlə] **I** adj cirkelrund;
cirkelformig, cirkulär; ~ *letter* cirkulär; ~
*road* kringfartsled, ringväg; ~ *tour*
rundresa **II** s cirkulär, rundskrivelse
**circularize** ['sɜːkjʊləraɪz] vb tr skicka
cirkulär till
**circulate** ['sɜːkjʊleɪt] vb tr o. vb itr låta
cirkulera, sätta (vara) i omlopp; skicka
omkring; cirkulera
**circulation** [ˌsɜːkjʊ'leɪʃ(ə)n] s **1** cirkulation;
omlopp **2** upplaga av tidning

**circumcise** ['sɜːkəmsaɪz] *vb tr* omskära
**circumference** [sə'kʌmfər(ə)ns] *s* omkrets
**circumstance** ['sɜːkəmstəns] *s* omständighet; förhållande; *in (under) the ~s* under sådana omständigheter
**circus** ['sɜːkəs] *s* **1** cirkus **2** runt torg, rund plan
**CIS** [ˌsiːaɪ'es] (förk. för *Commonwealth of Independent States*) OSS (förk. för Oberoende staters samvälde)
**cistern** ['sɪstən] *s* cistern; behållare, tank
**citadel** ['sɪtədl] *s* citadell
**cite** [saɪt] *vb tr* åberopa; anföra, citera
**citizen** ['sɪtɪzn] *s* medborgare; invånare
**citizenship** ['sɪtɪznʃɪp] *s* medborgarskap
**city** ['sɪtɪ] *s* stor stad; *the City* City Londons affärskvarter; *~ centre* centrum
**civics** ['sɪvɪks] *s* samhällslära
**civil** ['sɪvl] *adj* **1** medborgerlig; *~ war* inbördeskrig **2** hövlig **3** civil; *~ aviation* civilflyg; *Civil Defence* civilförsvar; *~ servant* statstjänsteman, tjänsteman inom civilförvaltningen; *the Civil Service* civilförvaltningen statsförvaltningen utom den militära o. kyrkliga
**civilian** [sɪ'vɪljən] **I** *s* civil, civilperson **II** *adj* civil [*~ life*]; *in ~ life* i det civila
**civilization** [ˌsɪvəlaɪ'zeɪʃ(ə)n] *s* civilisation
**civilize** ['sɪvəlaɪz] *vb tr* civilisera
**clad** [klæd] **I** poet., se *clothe* **II** *adj* klädd
**claim** [kleɪm] **I** *vb tr* **1** fordra, kräva **2** göra anspråk på **3** göra gällande; hävda **II** *s* **1** fordran, krav; yrkande; anspråk; påstående; *lay ~ to* göra anspråk på **2** rätt [*to a th.* till ngt]
**clamber** ['klæmbə] *vb itr* klättra, kravla
**clammy** ['klæmɪ] *adj* fuktig och klibbig
**clamour** ['klæmə] **I** *s* rop, skrik; larm **II** *vb itr* skrika, larma; protestera
**clamp** [klæmp] **I** *s* **1** krampa; klämma **2** skruvtving **II** *vb itr* vard., *~ down on* klämma åt [*~ down on football hooligans*]
**clan** [klæn] *s* klan äv. bildl.; stam
**clandestine** [klæn'destɪn] *adj* hemlig
**clang** [klæŋ] **I** *s* skarp metallisk klang **II** *vb itr* o. *vb tr* klinga, klämta; klämta med
**clank** [klæŋk] *vb itr* o. *vb tr* rassla, skramla; rassla (skramla) med
**clap** [klæp] **I** *vb tr* o. *vb itr* klappa [*~ one's hands*]; klappa händerna, applådera **II** *s* **1** knall [*~ of thunder*] **2** handklappning, applåd
**claptrap** ['klæptræp] *s* vard. klyschor, tomma fraser
**claret** ['klærət] *s* rödvin av bordeauxtyp

**clarification** [ˌklærɪfɪ'keɪʃ(ə)n] *s* klargörande, förtydligande
**clarify** ['klærɪfaɪ] *vb tr* o. *vb itr* klargöra, klarlägga; klarna
**clarinet** [ˌklærɪ'net] *s* klarinett
**clarinettist** [ˌklærɪ'netɪst] *s* klarinettist
**clarity** ['klærətɪ] *s* klarhet
**clash** [klæʃ] **I** *vb itr* råka i konflikt, inte stämma [*with* med]; skära sig; drabba samman; *the two programmes ~* de två programmen kolliderar **II** *s* **1** skräll, smäll **2** sammanstötning
**clasp** [klɑːsp] **I** *s* **1** knäppe, spänne; lås på t.ex. väska **2** omfamning; handslag **II** *vb tr* omfamna, krama; *~ hands* skaka hand
**clasp knife** ['klɑːspnaɪf] *s* fällkniv
**class** [klɑːs] **I** *s* **1** klass i samhället el. skol. **2** *evening classes* kvällskurser **II** *vb tr* o. *vb itr* klassa; klassificera; räknas [*as* som]; *~ among* räkna bland
**class-conscious** [ˌklɑːs'kɒnʃəs] *adj* klassmedveten
**class distinction** [ˌklɑːsdɪ'stɪŋkʃ(ə)n] *s* klasskillnad
**classic** ['klæsɪk] **I** *adj* klassisk **II** *s* klassiker
**classical** ['klæsɪk(ə)l] *adj* klassisk
**classified** ['klæsɪfaɪd] *adj* **1** klassificerad **2** hemligstämplad [*~ information*]
**classify** ['klæsɪfaɪ] *vb tr* **1** klassificera; rubricera **2** hemligstämpla
**classmate** ['klɑːsmeɪt] *s* klasskamrat
**clatter** ['klætə] **I** *vb itr* o. *vb tr* slamra, klappra; slamra (klappra) med **II** *s* slammer [*~ of cutlery*], klapper [*~ of hoofs*]
**clause** [klɔːz] *s* **1** gram. sats; *main ~* huvudsats **2** klausul, moment i paragraf
**claustrophobia** [ˌklɔːstrə'fəʊbjə] *s* klaustrofobi, cellskräck
**claw** [klɔː] **I** *s* klo **II** *vb tr* klösa
**clay** [kleɪ] *s* **1** lera, lerjord **2** tennis. grus; *~ court* grusbana
**clean** [kliːn] **I** *adj* **1** ren; renlig **2** fullständig [*a ~ break with the past*]; *make a ~ sweep* göra rent hus **II** *adv* alldeles [*I ~ forgot*], rent, rakt, tvärt **III** *vb tr* o. *vb itr* **1** rengöra, göra ren; snygga upp; putsa; borsta [*~ shoes*]; tvätta, kemtvätta; städa, städa i; rensa; rensa upp **2** tömma, länsa [*~ one's plate*] □ *~ out* rensa, tömma; städa; *~ up* a) rensa upp i, städa undan i; göra rent i b) städa, göra rent efter sig; snygga till sig **IV** *s* vard. rengöring, städning, putsning, borstning, kemtvätt

**clean-cut** [ˌkliːnˈkʌt] *adj* skarpt skuren; klar, väl avgränsad

**cleaner** ['kliːnə] *s* **1** städerska, städare; tvättare; *send one's clothes to the ~s (the dry ~s)* skicka kläderna på kemtvätt **2** rensare [*pipe-cleaner*], renare

**cleanly** [adverb 'kliːnlɪ, adjektiv 'klenlɪ] **I** *adv* rent **II** *adj* ren, renlig

**cleanse** [klenz] *vb tr* rengöra; rensa

**clean-shaven** [ˌkliːnˈʃeɪvn] *adj* slätrakad

**clean-up** ['kliːnʌp] *s* **1** grundlig rengöring, uppröjning; sanering **2** utrensning

**clear** [klɪə] **I** *adj* **1** klar; ren; tydlig **2** fri [*of* från; *~ of snow*]; klar, öppen [*~ for traffic*]; *all ~!* faran över! **3** hel, full [*six ~ days*] **II** *vb itr* **1** klara; klarna, ljusna; *~ the air* rensa luften; *~ one's throat* klara strupen **2** befria [*of* från]; göra (ta) loss; reda ut; rensa; skingra sig [*the clouds cleared*]; *~ the table* duka av; *~ the way* bana väg **3** klarera varor i tullen **4** betala; klara, täcka [*~ expenses*]; förtjäna netto **5** godkänna [*the article was cleared for publication*]; *~ a p.* säkerhetskontrollera ngn □ *~ away* röja undan, ta (rensa) bort; duka av; dra bort, skingra sig; *~ off (out)* rensa ut (bort); vard. sticka, dunsta; *~ off (out)!* stick!; *~ up* a) ordna, städa, göra rent i b) klargöra, reda upp c) klarna

**clearance** ['klɪər(ə)ns] *s* **1** undanröjande; sanering, rensning; *slum ~* slumsanering **2** tullbehandling, tullklarering **3** *~ sale* el. *~ utförsäljning* **4** *security ~* el. *~ intyg* om verkställd säkerhetskontroll **5** spelrum; trafik. fri höjd

**clear-cut** [ˌklɪəˈkʌt] *adj* skarpt skuren, ren [*~ features*]; klar, entydig

**clear-sighted** [ˌklɪəˈsaɪtɪd] *adj* klarsynt

**cleavage** ['kliːvɪdʒ] *s* **1** klyvning; spaltning; splittring **2** djup urringning

**cleave** [kliːv] (imperfekt *cleft* el. *cleaved*; perfekt particip *cleft*) *vb tr* klyva sönder; bildl. splittra sönder

**cleft** [kleft] se *2 cleave*

**clemency** ['klemənsɪ] *s* mildhet; förbarmande, nåd

**clementine** ['kleməntaɪn] *s* klementin frukt

**clench** [klentʃ] *vb tr* bita ihop [*~ one's teeth*], pressa hårt samman; *~ one's fist* knyta näven

**clergy** ['klɜːdʒɪ] *s* prästerskap, präster

**clergyman** ['klɜːdʒɪmən] (pl. *clergymen* ['klɜːdʒɪmən]) *s* präst speciellt inom engelska statskyrkan

**clerical** ['klerɪkəl] *adj* **1** prästerlig; *~ collar* prästs rundkrage **2** *~ staff* kontorspersonal

**clerk** [klɑːk, amer. klɜːk] *s* **1** kontorist; tjänsteman; bokhållare **2** amer. butiksbiträde

**clever** ['klevə] *adj* **1** begåvad, intelligent **2** skicklig, duktig

**cliché** ['kliːʃeɪ] *s* klyscha, kliché

**click** [klɪk] **I** *vb itr* o. *vb tr* **1** knäppa till; knäppa med; *~ one's heels* slå ihop klackarna **2** vard. lyckas; klaffa **II** *s* knäppning

**client** ['klaɪənt] *s* klient; kund

**clientele** [ˌkliːɒnˈtel] *s* klientel; kundkrets

**cliff** [klɪf] *s* klippa; bergvägg

**climacteric** [ˌklaɪmækˈterɪk] *s* klimakterium, övergångsålder

**climate** ['klaɪmət] *s* klimat

**climax** ['klaɪmæks] *s* klimax, kulmen

**climb** [klaɪm] **I** *vb itr* o. *vb tr* klättra, klänga; kliva, stiga; klättra (klänga, kliva) uppför (upp på), bestiga **II** *s* klättring; stigning

**climber** ['klaɪmə] *s* **1** klättrare, bestigare [*mountain ~*] **2** streber

**clinch** [klɪntʃ] **I** *s* boxn. clinch **II** *vb itr* o. *vb tr* **1** boxn. gå i clinch **2** avgöra [*~ an argument*]; göra upp [*~ a sale*]

**cling** [klɪŋ] (*clung clung*) *vb itr* klänga sig fast, klamra sig fast [*to (on to)* vid]; hålla sig [*to* intill]; fastna, sitta fast [*to* i, vid]; *~ to* hålla fast vid; *~ together* hålla ihop

**clingfilm** ['klɪŋfɪlm] *s* o. **clingwrap** ['klɪŋræp] *s* plastfolie

**clinic** ['klɪnɪk] *s* klinik

**clinical** ['klɪnɪk(ə)l] *adj* klinisk; *~ thermometer* febertermometer

**1 clink** [klɪŋk] **I** *vb itr* o. *vb tr* klirra med **II** *s* klirr

**2 clink** [klɪŋk] *s* vard. finka fängelse

**1 clip** [klɪp] **I** *vb tr*, *~ together* fästa (klämma) ihop med gem (klämma) **II** *s* gem, klämma

**2 clip** [klɪp] *vb tr* klippa [*~ tickets*]

**clique** [kliːk] *s* klick, kotteri

**clit** [klɪt] *s* vard. kittlare, klitoris

**clitoris** ['klɪtərɪs] *s* klitoris, kittlare

**cloak** [kləʊk] *s* **1** slängkappa, mantel **2** bildl. täckmantel

**cloakroom** ['kləʊkruːm] *s* **1** a) kapprum, garderob b) effektförvaring; *~ attendant* rockvaktmästare **2** toalett

**clock** [klɒk] *s* **1** klocka, väggur, tornur; *round the ~* dygnet runt **2** sl. fejs ansikte **II** *vb itr, ~ in (on)* stämpla in på stämpelur

**clocking-in** [ˌklɒkɪŋ'ɪn] *adj*, ~ *card* stämpelkort

**clockwise** ['klɒkwaɪz] *adv* medurs

**clockwork** ['klɒkwɜ:k] *s* urverk; ~ *train* mekaniskt tåg

**clod** [klɒd] *s* **1** klump av t.ex. jord, lera **2** tölp

**clog** [klɒg] **I** *s* träsko **II** *vb tr* o. *vb itr* täppa (täppas) till

**cloister** ['klɔɪstə] *s* **1** kloster **2** klostergång

**1 close** [kləʊz] **I** *vb tr* o. *vb itr* **1** stänga; slå igen; sluta till (ihop); stänga av; lägga ner [~ *a factory*]; stängas, slutas till; sluta sig; gå att stänga; ~ *one's eyes to* bildl. blunda för; ~ *down* stänga, lägga ner **2** sluta, avsluta; avslutas □ ~ *down* om t.ex. affär stänga, stängas, slå igen, läggas ner; ~ **in** komma närmare, falla på; ~ *in on* omringa **II** *s* slut [*the* ~ *of day*]

**2 close** [kləʊs] **I** *adj* **1** nära [*a* ~ *relative*]; intim; omedelbar; *at* ~ *quarters (range)* på nära håll; *it was a* ~ *shave (thing)* vard. det var nära ögat **2** tät **3** ingående, grundlig [~ *investigation*]; noggrann [~ *analysis*]; nära [*a* ~ *resemblance*] **4** kvav, kvalmig **5** mycket jämn [*a* ~ *contest (finish)*]; *the* ~ *season* olaga tid för jakt o. fiske **II** *adv* tätt, nära, strax [*by, to* intill; *on, upon* efter]; tätt ihop, nära tillsammans [ofta ~ *together*]; ~ *at hand* strax intill; nära förestående; ~ *on a p.'s heels* tätt i hälarna på ngn; ~ *on* preposition inemot, uppemot [~ *on 100*]

**closed-circuit** ['kləʊzdˌsɜ:kɪt] *adj*, ~ *television* intern-TV

**close-fitting** [ˌkləʊs'fɪtɪŋ] *adj* tätt åtsittande

**closely** ['kləʊslɪ] *adv* **1** nära [~ *related*], intimt **2** tätt [~ *packed*] **3** ingående, grundligt

**close-shaven** [ˌkləʊs'ʃeɪvn] *adj* slätrakad

**closet** ['klɒzɪt] *s* **1** klosett, toalett **2** speciellt amer. skåp; garderob

**close-up** ['kləʊsʌp] *s* film. el. bildl. närbild

**closing** ['kləʊzɪŋ] *adj* stängnings- [~ *time*]

**clot** [klɒt] **I** *s* **1** klimp, klump **2** ~ *of blood* el. ~ blodpropp **II** *vb itr* bilda klimpar, levra sig; om sås m.m. stelna

**cloth** [klɒθ] *s* **1** tyg **2** trasa för t.ex. putsning **3** duk

**clothe** [kləʊð] (*clothed clothed*, poet. *clad clad*) *vb tr* klä, bekläda; täcka, hölja

**clothes** [kləʊðz] *s pl* kläder

**clothes hanger** ['kləʊðzˌhæŋə] *s* klädgalge

**clothes line** ['kləʊðzlaɪn] *s* klädstreck

**clothespin** ['kləʊðzpɪn] *s* amer. klädnypa

**clothing** ['kləʊðɪŋ] *s* beklädnad; kläder

**cloud** [klaʊd] **I** *s* moln; *be (have one's head) in the* ~*s* vara i det blå **II** *vb itr* höljas i moln [ofta ~ *over*], mulna

**cloudberry** ['klaʊdbərɪ] *s* hjortron

**cloudburst** ['klaʊdbɜ:st] *s* skyfall

**cloudy** ['klaʊdɪ] *adj* molnig; mulen

**clove** [kləʊv] *s* kryddnejlika

**clover** ['kləʊvə] *s* klöver; *be in* ~ vara på grön kvist

**clown** [klaʊn] **I** *s* clown, pajas **II** *vb itr*, ~ *about* el. ~ spela pajas, spexa

**club** [klʌb] **I** *s* **1** klubba; grov påk **2** kortsp. klöverkort; pl. ~*s* klöver **3** klubb **II** *vb tr* o. *vb itr* klubba till (ned); ~ *together* dela kostnaderna lika

**cluck** [klʌk] **I** *vb itr* skrocka **II** *s* skrockande

**clue** [klu:] *s* ledtråd, spår; ~*s across (down)* i korsord vågräta (lodräta) ord; *I haven't a* ~ det har jag ingen aning om; *he hasn't a* ~ han är korkad

**clumsy** ['klʌmzɪ] *adj* klumpig; tafatt

**clung** [klʌŋ] se *cling*

**cluster** ['klʌstə] **I** *s* klunga, klase **II** *vb itr* klunga ihop sig

**clutch** [klʌtʃ] **I** *vb tr* o. *vb itr* gripa tag i (om), gripa om; gripa [*at* efter] **II** *s* **1** grepp, tag **2** tekn. koppling; bil. kopplingspedal; ~ *plate* kopplingslamell **3** pl. *clutches* bildl. klor [*get into a p.'s clutches*]

**clutter** ['klʌtə] *vb tr*, ~ *up* el. ~ belamra, skräpa ned i (på)

**cm.** (förk. för *centimetre, centimetres*) cm

**Co.** [kəʊ, 'kʌmpənɪ] (förk. för *Company*) Co. företag [*Smith & Co.*]

**c/o** (förk. för *care of*) på brev c/o, adress [*c/o Smith*]

**coach** [kəʊtʃ] **I** *s* **1** a) galavagn, kaross b) turistbuss, långfärdsbuss c) järnv. personvagn **2** a) privatlärare, handledare b) sport. tränare **II** *vb tr* ge privatlektioner, preparera [*for* till examen; *in* i ämne]; träna

**coagulate** [kəʊ'ægjʊleɪt] *vb itr* koagulera

**coal** [kəʊl] *s* kol; speciellt stenkol; *carry* ~*s to Newcastle* ge bagarbarn bröd

**coalbin** ['kəʊlbɪn] *s* kolbox

**coalfield** ['kəʊlfi:ld] *s* kolfält

**coalfish** ['kəʊlfɪʃ] *s* gråsej

**coalition** [ˌkəʊə'lɪʃ(ə)n] *s* **1** sammansmältning, förening **2** koalition; ~ *government* samlingsregering

**coalmine** ['kəʊlmaɪn] s kolgruva
**coalmining** ['kəʊl,maɪnɪŋ] s kolbrytning
**coalpit** ['kəʊlpɪt] s kolgruva
**coal tit** ['kəʊltɪt] s svartmes
**coarse** [kɔ:s] adj 1 grov [~ sand] 2 rå, ohyfsad
**coast** [kəʊst] I s kust II vb itr 1 segla längs kusten 2 på cykel åka nedför utan att trampa; i bil rulla (åka) nedför med kopplingen ur
**coaster** ['kəʊstə] s kustfartyg
**coastguard** ['kəʊstɡɑ:d] s medlem av sjöräddningen (kustbevakningen)
**coat** [kəʊt] I s 1 a) rock; kappa b) kavaj; ~ of arms vapensköld, vapen 2 på djur päls 3 lager, skikt; apply a ~ of paint to stryka färg på II vb tr täcka, belägga, bestryka
**coated** ['kəʊtɪd] adj belagd [~ tongue]
**coat hanger** ['kəʊt,hæŋə] s rockhängare, galge
**coax** [kəʊks] vb tr lirka med; övertala
**cobbler** ['kɒblə] s skomakare
**cobblestone** ['kɒblstəʊn] s kullersten
**cobra** ['kɒbrə] s kobra; Indian ~ glasögonorm
**cobweb** ['kɒbweb] s spindelnät, spindelväv
**Coca-Cola** [,kəʊkə'kəʊlə] s ® Coca-Cola
**cocaine** [kə'keɪn] s kokain
**cock** [kɒk] I s 1 tupp 2 speciellt i sammansättningar hanne av fåglar 3 kran, pip, tapp 4 hane på gevär; at half ~ på halvspänn 5 vulg. kuk II vb tr 1 sticka rätt upp; ~ one's ears spetsa öronen 2 spänna hanen på, osäkra
**cock-a-doodle-doo** ['kɒkə,du:dl'du:] interj kuckeliku
**cocker spaniel** [,kɒkə'spænjəl] s cockerspaniel
**cock-eyed** ['kɒkaɪd] adj skelögd, vindögd
**cockle** ['kɒkl] s hjärtmussla
**cockney** ['kɒknɪ] s 1 cockney londonbo som talar londondialekten 2 cockney londondialekten
**cockpit** ['kɒkpɪt] s cockpit, förarkabin
**cockroach** ['kɒkrəʊtʃ] s kackerlacka
**cock sparrow** [,kɒk'spærəʊ] s sparvhane
**cocksure** [,kɒk'ʃʊə] adj tvärsäker; självsäker, stödd
**cocktail** ['kɒkteɪl] s cocktail; ~ cabinet barskåp; ~ lounge cocktailbar
**cocky** ['kɒkɪ] adj vard. stödig, mallig
**cocoa** ['kəʊkəʊ] s kakao; choklad som dryck
**coconut** ['kəʊkənʌt] s kokosnöt; ~ matting kokosmatta

**COD** [,si:əʊ'di:] (förk. för cash (amer. collect) on delivery) mot efterkrav (postförskott)
**cod** [kɒd] s torsk; dried ~ kabeljo
**code** [kəʊd] I s 1 kod; chifferspråk 2 dialling (amer. area) ~ tele. riktnummer II vb tr koda, chiffrera
**codeine** ['kəʊdi:n] s kodein
**codfish** ['kɒdfɪʃ] s torsk
**codify** ['kəʊdɪfaɪ] vb tr kodifiera
**cod-liver**, ~ oil [,kɒdlɪvər'ɔɪl] fiskleverolja
**coerce** [kəʊ'ɜ:s] vb tr betvinga
**coexistence** [,kəʊɪg'zɪst(ə)ns] s samtidig förekomst; samlevnad [peaceful ~]
**coffee** ['kɒfɪ] s kaffe
**coffee bar** ['kɒfɪbɑ:] s kaffebar, cafeteria
**coffee break** ['kɒfɪbreɪk] s kaffepaus
**coffee-grinder** ['kɒfɪ,ɡraɪndə] s kaffekvarn
**coffee pot** ['kɒfɪpɒt] s kaffekanna; kaffepanna
**coffin** ['kɒfɪn] s likkista
**cog** [kɒg] s kugge
**cogitate** ['kɒdʒɪteɪt] vb itr o. vb tr tänka, fundera; tänka (fundera) ut
**cognac** ['kɒnjæk] s cognac; konjak
**coherence** [kə'hɪər(ə)ns] s sammanhang
**coherent** [kə'hɪər(ə)nt] adj sammanhängande; följdriktig
**cohesion** [kə'hɪ:ʒ(ə)n] s sammanhållande kraft; sammanhang
**coiffure** [kwɑ:'fjʊə] s frisyr
**coil** [kɔɪl] I vb tr rulla (ringla) ihop [ofta ~ up] II s rulle, rörspiral
**coin** [kɔɪn] I s slant, mynt, peng II vb tr 1 mynta, prägla 2 mynta, bilda, skapa [~ a word]
**coinage** ['kɔɪnɪdʒ] s myntsystem, myntsort
**coincide** [,kəʊɪn'saɪd] vb itr sammanfalla; stämma överens
**coincidence** [kəʊ'ɪnsɪd(ə)ns] s sammanträffande, tillfällighet
**coitus** ['kəʊɪtəs] s speciellt med. samlag
**Coke** [kəʊk] s ® vard. Coca-Cola
**coke** [kəʊk] s koks
**colander** ['kʌləndə] s durkslag grov sil
**cold** [kəʊld] I adj kall, frusen; I feel (am) ~ jag fryser II s 1 köld, kyla 2 förkylning; catch (get) a ~ förkyla sig, bli förkyld
**cold-blooded** [,kəʊld'blʌdɪd] adj kallblodig
**cold storage** [,kəʊld'stɔ:rɪdʒ] s kylrum
**colic** ['kɒlɪk] s kolik
**collaborate** [kə'læbəreɪt] vb itr samarbeta
**collaboration** [kə,læbə'reɪʃ(ə)n] s samarbete
**collaborator** [kə'læbəreɪtə] s medarbetare

**collapse** [kə'læps] I s 1 kollaps; sammanbrott 2 sammanstörtande, ras II *vb itr* 1 kollapsa, klappa ihop 2 störta samman, rasa

**collapsible** [kə'læpsəbl] *adj* hopfällbar

**collar** ['kɒlə] s 1 krage 2 halsband t.ex. på hund

**collar bone** ['kɒləbəʊn] s nyckelben

**collate** [kə'leɪt] *vb tr* kollationera

**colleague** ['kɒli:g] s kollega, arbetskamrat

**collect** [kə'lekt] *vb tr* o. *vb itr* 1 samla, samla in (ihop); samlas, samla sig; hopas 2 avhämta; *a ~ call* tele. ett ba-samtal

**collected** [kə'lektɪd] *adj* samlad

**collection** [kə'lekʃ(ə)n] s 1 samlande, hopsamling; insamling 2 brevlådstömning; post. äv. tur [*2nd ~*] 3 samling [*~ of books*]

**collective** [kə'lektɪv] *adj* samlad, sammanlagd, kollektiv

**collector** [kə'lektə] s samlare

**college** ['kɒlɪdʒ] s 1 college; internatskola 2 fack- högskola; ~ *of education* lärarhögskola 3 skola, institut

**collide** [kə'laɪd] *vb itr* kollidera, krocka

**collie** ['kɒlɪ] s collie hundras

**collier** ['kɒlɪə] s kolgruvearbetare

**colliery** ['kɒljərɪ] s kolgruva

**collision** [kə'lɪʒ(ə)n] s kollision; sammanstötning, krock

**colloquial** [kə'ləʊkwɪəl] *adj* som tillhör talspråket, talspråksaktig

**Cologne** [kə'ləʊn] I Köln II s, *cologne* eau-de-cologne

**Colombia** [kə'lɒmbɪə]

**Colombian** [kə'lɒmbɪən] I s colombian II *adj* colombiansk

**colon** ['kəʊlən] s 1 skiljetecken kolon 2 med. grovtarm

**colonel** ['kɜ:nl] s överste

**colonial** [kə'ləʊnjəl] *adj* kolonial

**colonize** ['kɒlənaɪz] *vb tr* kolonisera

**colonizer** ['kɒlənaɪzə] s kolonisatör

**colony** ['kɒlənɪ] s 1 koloni; nybygge

**color** amer., se *colour*

**coloratura** [ˌkɒlərə'tʊərə] s mus. koloratur

**colossal** [kə'lɒsl] *adj* kolossal; väldig

**colossus** [kə'lɒsəs] s koloss

**colour** ['kʌlə] I s 1 färg, kulör 2 pl. *~s* a) ett lags färger; klubbdräkt b) flagga, fana; *join the ~s* ta värvning; *come off with flying ~s* klara sig med glans c) *show one's true ~s* visa sitt rätta ansikte; *see a th. in its true ~s* se ngt i dess rätta ljus II *vb tr* o. *vb itr* färga, måla, kolorera; få färg; rodna [äv. *~ up*]

**colour bar** ['kʌləbɑ:] s rasdiskriminering på grund av hudfärg

**colourful** ['kʌləf(ʊ)l] *adj* färgrik, färgstark

**colt** [kəʊlt] s föl, fåle

**coltsfoot** ['kəʊltsfʊt] (pl. *~s*) s bot. tussilago, hästhov

**columbine** ['kɒləmbaɪn] s bot. akleja

**column** ['kɒləm] s 1 kolonn; pelare 2 kolumn, spalt

**columnist** ['kɒləmnɪst] s kåsör, kolumnist

**coma** ['kəʊmə] s koma medvetslöshet

**comb** [kəʊm] I s kam II *vb tr* kamma; ~ *out* el. ~ bildl. finkamma

**combat** ['kɒmbæt] I s kamp, strid II *vb tr* bekämpa

**combatant** ['kɒmbət(ə)nt] s stridande

**combination** [ˌkɒmbɪ'neɪʃ(ə)n] s 1 kombination; sammanställning 2 sammanslutning; förening

**combine** [verb kəm'baɪn, substantiv 'kɒmbaɪn] I *vb tr* o. *vb itr* ställa samman; förena; kombinera; förena sig; samverka II s sammanslutning

**combustion** [kəm'bʌstʃ(ə)n] s förbränning

**come** [kʌm] (*came come*) *vb itr* o. *vb tr* 1 komma 2 *come, come!* el. *come now!* a) se så!, så ja! b) försök inte!; ~ *easy to a p.* gå lätt för ngn.; ~ *expensive* ställa sig dyr; ~ *loose* lossna; ~ *undone* (*untied*) gå upp, lossna; ~ *what may* hända vad som hända vill; *how* ~ *?* hur kommer det sig?; *in days to* ~ under kommande dagar 3 ~ *to* + infinitiv a) komma för att [*he has* ~ *here to work*] b) komma att [*I've* ~ *to hate this*]; ~ *to think of it* när man tänker efter 4 vard. spela, agera; ~ *the great lady* spela fin dam; ~ *it over* spela herre över, topprida; *don't* ~ *it with me!* försök inte med mig!

□ ~ *about* ske, hända, gå till; ~ *across* komma över; råka på; ~ *along* a) komma (gå) med; ~ *along!* kom nu! b) ta sig, arta sig; ~ *by* a) komma förbi b) få tag i, komma över; ~ *down* a) komma (gå) ner b) ~ *down to* kunna reduceras till [*it* ~*s down to this*] c) ~ *down in favour of* ta ställning för; ~ *forward* träda fram, stiga fram; erbjuda sig; ~ *forward with a proposal* lägga fram ett förslag; ~ *from* a) komma (vara) från; *coming from you* [*that's a compliment*] för att komma från dig... b) komma sig av [*that* ~*s from being so impatient*]; ~ *in* a) komma in;

komma i mål **b)** ~ *in handy* (*useful*)
komma väl till pass **c)** ~ *in for* få del av,
få, få sig; ~ **into a)** få ärva [~ *into a*
*fortune*] **b)** ~ *into blossom* gå i blom; ~
*into fashion* komma på modet; ~ *into*
*play* träda i verksamhet; spela in; ~ *into*
*power* komma till makten; ~ *into the*
*world* komma till världen; ~ **of a)** komma
sig av [*this ~s of carelessness*]; *no good*
*will* ~ *of it* det kommer inte att leda till
något gott; *that's what ~s of your lying!*
där har du för att du ljuger!
**b)** härstamma från; *he ~s of a good*
*family* han är av god familj; ~ **off a)** gå ur,
lossna från **b)** ramla av (ner) **c)** ~ *off it!*
försök inte! **d)** äga rum, bli av **e)** lyckas;
avlöpa, gå [*did everything ~ off all right?*]
**f)** klara sig [*he came off best*]; ~ **on**
**a)** komma, närma sig **b)** träda fram
**c)** bryta in, falla på [*night came on*] **b)** ta
sig, utveckla sig **e)** ~ *on!* kom nu!, skynda
på!; ~ **out a)** komma ut **b)** ~ *out on strike*
el. ~ *out* gå i strejk **c)** gå ur [*these stains*
*won't ~ out*] **d)** komma i dagen, komma
fram **e)** visa sig, visa sig vara [~ *out all*
*right*] **f)** rycka ut [~ *out in defence of a p.*]
**g)** ~ *out at* bli, uppgå till; ~ **over**
**a)** komma över **b)** känna sig, bli [*she came*
*over queer*] **c)** *what had ~ over her?* vad
gick (kom) det åt henne?; ~ **round**
**a)** komma över, titta in; ~ *round and see*
*a p.* komma och hälsa på ngn **b)** kvickna
till; ~ **to a)** komma till, nå **b)** kvickna till;
*whatever are we coming to?* vad ska det
bli av oss?, var ska det sluta?; *he had it*
*coming to him* vard. han hade sig själv att
skylla; *no harm will ~ to you* det ska
inte hända dig något ont **c)** belöpa sig till,
komma (gå) på; *how much does it ~ to?*
hur mycket blir det? **d)** leda till; ~ *to*
*nothing* gå om intet; *it ~s to the same*
*thing* det kommer på ett ut; *when it ~s*
*to it* när det kommer till kritan; ~ **up**
**a)** komma upp; komma fram; dyka upp
**b)** komma på tal **c)** ~ *up against*
kollidera med; råka ut för **d)** ~ *up to* nå
(räcka) upp till; uppgå till; motsvara,
uppfylla **e)** ~ *up with* komma med [~ *up*
*with a new suggestion*]
**comeback** ['kʌmbæk] *s* comeback
**comedian** [kə'miːdjən] *s* komiker
**comedienne** [kə,miːdi'en] *s* komedienn
**come-down** ['kʌmdaʊn] *s* steg nedåt
speciellt socialt
**comedy** ['kɒmədɪ] *s* komedi, lustspel

**comer** ['kʌmə] *s, all ~s* alla som ställer
upp
**comet** ['kɒmɪt] *s* komet
**comfort** ['kʌmfət] **I** *s* **1** tröst; lättnad **2 a)** ~
el. pl. *~s* komfort, bekvämligheter
**b)** komfort, välbefinnande **3** ~ *station*
amer. bekvämlighetsinrättning **II** *vb tr*
trösta; *be comforted* låta trösta sig
**comfortable** ['kʌmfətəbl] *adj* **1** bekväm,
komfortabel **2** som har det bra; *be in ~*
*circumstances* ha det bra ställt
**3** tillräcklig, trygg
**comforter** ['kʌmfətə] *s* **1** tröstare
**2** yllehalsduk **3** tröstnapp
**comic** ['kɒmɪk] **I** *adj* komisk; komedi-; ~
*opera* operett; ~ *paper* skämttidning,
serietidning; ~ *strip* skämtserie **II** *s*
**1** skämttidning, serietidning; skämtserie
**2** komiker på varieté
**comical** ['kɒmɪk(ə)l] *adj* komisk, festlig
**coming** ['kʌmɪŋ] **I** *adj* **1** kommande,
förestående; annalkande **2** lovande; ~
*man* framtidsman **II** *s* **1** ankomst;
annalkande **2** pl. *~s and goings* spring ut
och in, folk som kommer och går
**comma** ['kɒmə] *s* kommatecken; *inverted*
*~s* anföringstecken
**command** [kə'mɑːnd] **I** *vb tr* o. *vb itr*
**1** befalla **2** kommendera **3** förfoga över
**4** erbjuda utsikt över **5** betinga ett pris **II** *s*
**1** befallning, mil. order, kommando [*at his*
*~*] **2** herravälde; befäl [*under the ~ of*],
kommendering; *take ~ of* ta befälet över;
*in ~* kommenderande, befälhavande; *be*
*in ~* föra befälet [*of* över]; *have a good ~*
*of a language* behärska ett språk bra
**commandant** [,kɒmən'dænt] *s*
kommendant; befälhavare
**commander** [kə'mɑːndə] *s* befälhavare
**commander-in-chief** [kə,mɑːndərɪn'tʃiːf]
(pl. *commanders-in-chief*
[kə,mɑːndəzɪn'tʃiːf]) *s* överbefälhavare
**commanding** [kə'mɑːndɪŋ] *adj*
**1** befälhavande, kommenderande; ~
*officer* mil. chef, kommendör **2** imponerande [~ *appearance*]
**commandment** [kə'mɑːndmənt] *s* bud,
budord; *the ten ~s* tio Guds bud
**commando** [kə'mɑːndəʊ] (pl. *~s*) *s*
kommandotrupp; kommandosoldat
**commemorate** [kə'meməreɪt] *vb tr* fira
(bevara) minnet av
**commemoration** [kə,memə'reɪʃ(ə)n] *s*
åminnelse, firande [*in* (till) ~ *of*]

**commence** [kə'mens] *vb itr* o. *vb tr* börja, inleda

**commencement** [kə'mensmənt] *s* början, begynnelse, inledning

**commend** [kə'mend] *vb tr* lovorda, prisa

**commendable** [kə'mendəbl] *adj* lovvärd

**comment** ['kɒment] **I** *s* kommentar, anmärkning; *no ~!* inga kommentarer! **II** *vb itr*, *~ on* (*about*) kommentera; kritisera

**commentary** ['kɒməntrɪ] *s* **1** kommentar [*on* till] **2** referat, reportage

**commentator** ['kɒmenteɪtə] *s* kommentator

**commerce** ['kɒməs] *s* handeln

**commercial** [kə'mɜ:ʃ(ə)l] **I** *adj* kommersiell; *~ television* reklam-TV; *~ traffic* yrkestrafik **II** *s* i radio el. TV reklaminslag, annons

**commercialize** [kə'mɜ:ʃəlaɪz] *vb tr* kommersialisera

**commission** [kə'mɪʃ(ə)n] **I** *s* **1** uppdrag, order **2** speciellt mil. officersfullmakt **3** hand. provision **II** *vb tr* **1** bemyndiga; ge officersfullmakt; *commissioned officer* officer **2** a) uppdra åt [*~ an artist*] b) beställa [*~ a portrait*]

**commissionaire** [kə,mɪʃə'neə] *s* vaktmästare, dörrvakt på t.ex. biograf, varuhus

**commit** [kə'mɪt] *vb tr* **1** föröva [*~ a crime*], begå [*~ an error*] **2** anförtro [*to* åt]; *~ to memory* lägga på minnet, lära sig utantill; *~ to paper* skriva ned **3** *~ oneself* ta ställning; binda sig, engagera sig; förbinda sig, åta sig [*~ oneself to*]

**commitment** [kə'mɪtmənt] *s* **1** åtagande, förpliktelse **2** t.ex. polit. engagemang [*to* i]

**committee** [kə'mɪtɪ] *s* **1** kommitté, utredning; *standing ~* ständigt utskott **2** styrelse i t.ex. förening

**commodity** [kə'mɒdətɪ] *s* handelsvara

**common** ['kɒmən] **I** *adj* **1** gemensam; *the Common Market* gemensamma marknaden, EG **2** vanlig, allmän, gängse; *the ~ man* den enkle medborgaren; *the ~ people* gemene man; *~ or garden* vard. helt vanlig **3** vulgär, tarvlig **II** *s* allmänning; *in ~* gemensamt; *interests in ~* gemensamma intressen

**commonly** ['kɒmənlɪ] *adv* **1** vanligen, allmänt **2** vanligt

**commonplace** ['kɒmənpleɪs] **I** *s* banalitet **II** *adj* vardaglig, banal

**common room** ['kɒmənru:m] *s* kollegierum, lärarrum

**commons** ['kɒmənz] *s*, *the House of Commons* el. *the Commons* underhuset

**common sense** [,kɒmən'sens] *s* sunt förnuft

**common-sense** ['kɒmənsens] *adj* förnuftig

**commonwealth** ['kɒmənwelθ] *s*, *the British Commonwealth* el. *the Commonwealth* Brittiska samväldet

**commotion** [kə'məʊʃ(ə)n] *s* tumult, uppståndelse

**communicate** [kə'mju:nɪkeɪt] *vb tr* o. *vb itr* meddela; *~ with* sätta sig i förbindelse med, kommunicera med

**communication** [kə,mju:nɪ'keɪʃ(ə)n] *s* **1** meddelande **2** kommunikation, kommunikationer, förbindelse, förbindelser; *means of ~* kommunikationsmedel, samfärdsmedel

**communicative** [kə'mju:nɪkətɪv] *adj* meddelsam, öppenhjärtig

**communiqué** [kə'mju:nɪkeɪ] *s* kommuniké

**Communism** ['kɒmjʊnɪz(ə)m] *s* kommunism

**Communist** ['kɒmjʊnɪst] **I** *s* kommunist **II** *adj* kommunistisk [*the ~ Party*]

**community** [kə'mju:nətɪ] *s* **1** *the ~* det allmänna, samhället **2** samhälle; samfund [*a religious ~*] **3** *~ singing* allsång

**commute** [kə'mju:t] *vb itr* trafik. pendla

**commuter** [kə'mju:tə] *s* trafik. pendlare; *~ train* pendeltåg

**1 compact** [substantiv 'kɒmpækt, adjektiv kəm'pækt] **I** *s* liten puderdosa **II** *adj* kompakt, tätt packad; *~ disc* CD-skiva

**2 compact** ['kɒmpækt] *s* pakt, fördrag

**companion** [kəm'pænjən] *s* **1** följeslagare; kamrat **2** motstycke, make; *~ volume* kompletterande band **3** handbok [*The Gardener's Companion*]

**companionship** [kəm'pænjənʃɪp] *s* kamratskap; sällskap

**company** ['kʌmpənɪ] *s* **1** sällskap; *part ~* skiljas [*with* från] **2** främmande, besök [*expect ~*] **3** hand. bolag; företag, kompani **4** mil. kompani

**comparable** ['kɒmpərəbl] *adj* jämförlig, jämförbar

**comparative** [kəm'pærətɪv] **I** *adj* **1** komparativ äv. gram.; *the ~ degree* komparativen **2** relativ [*in ~ comfort*] **II** *s* gram. komparativ

**comparatively** [kəmˈpærətɪvlɪ] *adv* jämförelsevis, relativt
**compare** [kəmˈpeə] *I vb tr* o. *vb itr* **1** jämföra; kunna jämföras (jämställas); ~ *to* jämföra med, likna vid **2** gram. komparera **II** *s, beyond* ~ utan jämförelse; makalöst
**comparison** [kəmˈpærɪsn] *s* jämförelse; *there is no* ~ *between them* de går inte att jämföra
**compartment** [kəmˈpɑːtmənt] *s* **1** avdelning, fack, rum **2** järnv. kupé; *driver's* ~ förarhytt
**compass** [ˈkʌmpəs] *s* **1** kompass; *point of the* ~ kompasstreck, väderstreck; *take a* ~ *bearing* ta bäring **2** pl. *compasses* passare; *a pair of compasses* en passare
**compassion** [kəmˈpæʃ(ə)n] *s* medlidande
**compassionate** [kəmˈpæʃənət] *adj* medlidsam
**compatible** [kəmˈpætəbl] *adj* förenlig, överensstämmande
**compatriot** [kəmˈpætrɪət] *s* landsman
**compel** [kəmˈpel] *vb tr* tvinga; framtvinga
**compendium** [kəmˈpendjəm] *s* kompendium
**compensate** [ˈkɒmpenseɪt] *vb tr* o. *vb itr* **1** ~ *a p. for* kompensera (ersätta) ngn för **2** kompensera; uppväga **3** ~ *for* kompensera, uppväga
**compensation** [ˌkɒmpenˈseɪʃ(ə)n] *s* kompensation; skadestånd
**compete** [kəmˈpiːt] *vb itr* **1** tävla, konkurrera **2** delta [~ *in a race*]
**competent** [ˈkɒmpət(ə)nt] *adj* kompetent; duglig
**competition** [ˌkɒmpəˈtɪʃ(ə)n] *s* **1** konkurrens, tävlan **2** tävling
**competitive** [kəmˈpetətɪv] *adj* **1** konkurrenskraftig [~ *prices*] **2** tävlings-, konkurrensbetonad
**competitor** [kəmˈpetɪtə] *s* tävlande; medtävlare; konkurrent
**complacent** [kəmˈpleɪsnt] *adj* självbelåten
**complain** [kəmˈpleɪn] *vb itr* klaga, beklaga sig [*of, about* över]
**complaint** [kəmˈpleɪnt] *s* **1** klagomål **2** åkomma, sjukdom
**complement** [substantiv ˈkɒmplɪmənt, verb ˈkɒmplɪment] *I s* **1** komplement **2** fullt antal **3** gram. predikatsfyllnad **II** *vb tr* komplettera
**complete** [kəmˈpliːt] *I adj* komplett, fullständig, fullkomlig [*a* ~ *stranger*]; avslutad **II** *vb tr* **1** avsluta, slutföra,

fullborda **2** komplettera, fullständiga **3** fylla i [~ *a form*]
**complex** [ˈkɒmpleks] *I adj* sammansatt; komplicerad, invecklad **II** *s* komplex
**complexion** [kəmˈplekʃ(ə)n] *s* **1** hy, ansiktsfärg **2** bildl. utseende; prägel
**complexity** [kəmˈpleksətɪ] *s* invecklad (komplicerad) beskaffenhet
**complicate** [ˈkɒmplɪkeɪt] *vb tr* komplicera
**complicated** [ˈkɒmplɪkeɪtɪd] *adj* komplicerad, invecklad
**complication** [ˌkɒmplɪˈkeɪʃ(ə)n] *s* komplikation; krånglighet
**compliment** [substantiv ˈkɒmplɪmənt, verb ˈkɒmplɪment] *I s* **1** komplimang **2** pl. ~*s* hälsningar, hälsning; *my* ~*s to your wife* hälsa din fru; *with the* ~*s of the season* med önskan om en god jul och ett gott nytt år **II** *vb tr* komplimentera [*on* för]; gratulera
**complimentary** [ˌkɒmplɪˈmentrɪ] *adj* **1** berömmande, smickrande **2** fri-, gratis- [~ *ticket*]
**comply** [kəmˈplaɪ] *vb itr* ge efter, foga sig; ~ *with* lyda, rätta sig efter
**component** [kəmˈpəʊnənt] *I adj,* ~ *part* beståndsdel **II** *s* komponent, beståndsdel
**compose** [kəmˈpəʊz] *vb tr* o. *vb itr* **1** bilda, utgöra; *be composed of* bestå av **2** mus. komponera, tonsätta **3** utarbeta, sätta ihop [~ *a speech*], författa, dikta, skriva
**composed** [kəmˈpəʊzd] *adj* lugn, samlad
**composer** [kəmˈpəʊzə] *s* kompositör, tonsättare
**composite** [ˈkɒmpəzɪt] *adj* sammansatt
**composition** [ˌkɒmpəˈzɪʃ(ə)n] *s* **1** sammansättning **2** mus. komposition **3** skol. uppsats
**compost** [ˈkɒmpɒst] *s* kompost
**composure** [kəmˈpəʊʒə] *s* fattning, lugn
**compound** [verb kəmˈpaʊnd, adjektiv o. substantiv ˈkɒmpaʊnd] *I vb tr* blanda; sätta (ihop) **II** *adj* sammansatt; ~ *interest* ränta på ränta **III** *s* **1** sammansättning; sammansatt ämne; kem. förening **2** gram. sammansatt ord, sammansättning
**comprehend** [ˌkɒmprɪˈhend] *vb tr* **1** begripa, förstå **2** inbegripa, innefatta
**comprehensible** [ˌkɒmprɪˈhensəbl] *adj* begriplig, förståelig
**comprehension** [ˌkɒmprɪˈhenʃ(ə)n] *s* fattningsförmåga
**comprehensive** [ˌkɒmprɪˈhensɪv] *adj* **1** omfattande; allsidig; ~ *insurance* allriskförsäkring; ~ *car insurance*

helförsäkring för motorfordon **2** ~ *school*
el. ~ ungefär grund- och gymnasieskola för
elever över 11 år
**compress** [verb kəm'pres, substantiv
'kɒmpres] **I** *vb tr* pressa (trycka) ihop
(samman); komprimera **II** *s* kompress; vått
omslag
**comprise** [kəm'praɪz] *vb tr* omfatta,
innefatta; inbegripa
**compromise** ['kɒmprəmaɪz] **I** *s*
kompromiss **II** *vb itr* o. *vb tr*
kompromissa; kompromettera
**compromising** ['kɒmprəmaɪzɪŋ] *adj*
kompromissvillig; komprometterande
**compulsion** [kəm'pʌlʃ(ə)n] *s* tvång
**compulsive** [kəm'pʌlsɪv] *adj*
tvångsmässig; *be a ~ eater* hetsäta,
tröstäta
**compulsory** [kəm'pʌlsərɪ] *adj* obligatorisk
**compute** [kəm'pju:t] *vb tr* beräkna,
kalkylera
**computer** [kəm'pju:tə] *s*, ~ el. *electronic ~*
dator
**computerization** [kəm͵pju:təraɪ'zeɪʃ(ə)n] *s*
datorisering; databehandling
**computerize** [kəm'pju:təraɪz] *vb tr*
datorisera; databehandla
**comrade** ['kɒmreɪd] *s* kamrat
**concave** [͵kɒn'keɪv] *adj* konkav [~ *lens*]
**conceal** [kən'si:l] *vb tr* dölja [*from* för];
*concealed lighting* indirekt belysning
**concealment** [kən'si:lmənt] *s* döljande
**concede** [kən'si:d] *vb tr* medge, bevilja
**conceit** [kən'si:t] *s* inbilskhet, egenkärlek
**conceited** [kən'si:tɪd] *adj* inbilsk, egenkär
**conceivable** [kən'si:vəbl] *adj* fattbar;
tänkbar, möjlig
**conceive** [kən'si:v] *vb tr* o. *vb itr* **1** tänka
ut, hitta på **2** föreställa sig; fatta **3** ~ *of*
föreställa sig
**concentrate** ['kɒnsəntreɪt] *vb tr* o. *vb itr*
koncentrera; inrikta [~ *one's attention on*];
koncentreras; koncentrera sig
**concentration** [͵kɒnsən'treɪʃ(ə)n] *s*
koncentration; ~ *camp*
koncentrationsläger
**concept** ['kɒnsept] *s* begrepp
**conception** [kən'sepʃ(ə)n] *s* föreställning,
uppfattning; begrepp
**concern** [kən'sɜ:n] **I** *vb tr* **1** angå, röra
**2** bekymra, oroa **II** *s* **1** angelägenhet,
affär, sak; *it is no ~ of mine* det angår
mig inte **2** hand. företag, firma
**3** bekymmer, oro
**concerned** [kən'sɜ:nd] *perf p* o. *adj*

**1** bekymrad, orolig [*about* över]
**2** inblandad; *be ~ with* ha att göra med;
*as far as I am ~* vad mig beträffar, för
min del; *the parties ~* de berörda
parterna
**concerning** [kən'sɜ:nɪŋ] *prep* angående,
beträffande
**concert** ['kɒnsət] *s* **1** konsert; ~ *hall*
konsertsal **2** samförstånd [*in* ~]
**concertgoer** ['kɒnsət͵gəʊə] *s*
konsertbesökare
**concert grand** [͵kɒnsət'grænd] *s*
konsertflygel
**concerto** [kən'tʃeətəʊ] (pl. vanl. ~*s*) *s*
konsert musikstycke för soloinstrument och
orkester
**concession** [kən'seʃ(ə)n] *s* medgivande,
eftergift; beviljande
**conciliate** [kən'sɪlɪeɪt] *vb tr* blidka,
försona
**conciliatory** [kən'sɪlɪətrɪ] *adj* försonlig
**concise** [kən'saɪs] *adj* koncis, kortfattad
**conclude** [kən'klu:d] *vb tr* o. *vb itr*
**1** avsluta, slutföra; sluta; avslutas; *to* ~
till sist **2** dra slutsatsen [*that* att]
**conclusion** [kən'klu:ʒ(ə)n] *s* **1** slut,
avslutning; *in* ~ slutligen; *bring to a ~*
slutföra **2** resultat, slutresultat; *come to
the ~ that...* komma till den slutsatsen
att...
**concoct** [kən'kɒkt] *vb tr* laga till, koka
ihop
**concoction** [kən'kɒkʃ(ə)n] *s* tillagning;
hopkok
**concord** ['kɒŋkɔ:d] *s* endräkt; harmoni
**concrete** ['kɒnkri:t] **I** *adj* **1** konkret **2** av
betong, betong- **II** *s* betong
**concussion** [kən'kʌʃ(ə)n] *s* häftig stöt;
med. hjärnskakning
**condemn** [kən'dem] *vb tr* **1** döma
[*condemned to death*]; fördöma **2** kassera,
utdöma
**condemnation** [͵kɒndem'neɪʃ(ə)n] *s*
**1** fördömelse **2** kasserande, utdömning
**condense** [kən'dens] *vb tr* o. *vb itr*
kondensera; kondenseras
**condescend** [͵kɒndɪ'send] *vb itr* nedlåta
sig
**condescending** [͵kɒndɪ'sendɪŋ] *adj*
nedlåtande
**condition** [kən'dɪʃ(ə)n] *s* **1** villkor,
förutsättning; pl. ~*s* förhållanden; *on no*
~ på inga villkor **2** tillstånd, skick [*in good*
~]; speciellt sport. kondition
**conditional** [kən'dɪʃ(ə)nl] **I** *adj* villkorlig;

beroende [*on* av, på]; gram. konditional
II *s* gram. konditionalis

**conditioned** [kən'dɪʃ(ə)nd] *adj* betingad

**condolence** [kən'dəʊləns] *s* beklagande,
deltagande, kondoleans

**condom** ['kɒndɒm] *s* kondom

**condone** [kən'dəʊn] *vb tr* överse med

**conduct** [substantiv 'kɒndʌkt, verb
kən'dʌkt] **I** *s* **1** uppförande, uppträdande
**2** skötsel **II** *vb tr* o. *vb itr* **1** föra, leda;
sköta; *conducted tour* sällskapsresa;
guidad tour **2** anföra, leda; mus. dirigera

**conductor** [kən'dʌktə] *s* **1** konduktör på
buss, spårvagn, amer. äv. på tåg **2** mus. dirigent

**cone** [kəʊn] *s* kon; kotte; strut [*ice cream*
~]

**confectioner** [kən'fekʃnə] *s*,
*confectioner's shop* el. *confectioner's*
godsaksaffär

**confectionery** [kən'fekʃnərɪ] *s* **1** sötsaker,
konfekt **2** godsaksaffär

**confederate** [kən'fedərət] **I** *s*
**1** förbundsmedlem **2** medbrottsling **II** *adj*
förbunden, förenad

**confederation** [kən‚fedə'reɪʃ(ə)n] *s*
förbund, konfederation

**confer** [kən'fɜ:] *vb tr* o. *vb itr* **1** förläna,
tilldela [*a th. on a p.* ngn ngt], skänka [~
*power on a p.*] **2** konferera, rådslå

**conference** ['kɒnfər(ə)ns] *s* konferens,
överläggning; *be in* ~ sitta i sammanträde

**confess** [kən'fes] *vb tr* o. *vb itr* **1** bekänna,
erkänna [~ *to a crime*] **2** bikta; bikta sig

**confession** [kən'feʃ(ə)n] *s* **1** bekännelse,
erkännande **2** bikt

**confetti** [kən'fetɪ] *s* konfetti

**confide** [kən'faɪd] *vb itr*, ~ *in* lita på; ~ *in
a p.* anförtro sig åt ngn

**confidence** ['kɒnfɪd(ə)ns] *s* **1** förtroende;
tillit; *take a p. into one's* ~ göra ngn till
sin förtrogne; *vote of* ~ förtroendevotum;
*vote of no* ~ misstroendevotum; ~ *trick*
bondfångarknep **2** självförtroende

**confident** ['kɒnfɪd(ə)nt] *adj* tillitsfull;
säker; självsäker

**confidential** [‚kɒnfɪ'denʃ(ə)l] *adj* förtrolig;
konfidentiell

**confine** [substantiv 'kɒnfaɪn, verb kən'faɪn]
**I** *s*, pl. ~*s* gräns, gränser **II** *vb tr* **1** spärra
in; sätta in; *be confined to barracks* mil.
ha kasernförbud; *be confined to bed* vara
sängliggande **2** inskränka

**confirm** [kən'fɜ:m] *vb tr* **1** bekräfta;
godkänna **2** befästa, styrka **3** kyrkl.
konfirmera

**confirmation** [‚kɒnfə'meɪʃ(ə)n] *s*
**1** bekräftelse; godkännande **2** befästande,
styrkande **3** kyrkl. konfirmation

**confirmed** [kən'fɜ:md] *adj* inbiten [~
*bachelor*]

**confiscate** ['kɒnfɪskeɪt] *vb tr* konfiskera,
beslagta

**confiscation** [‚kɒnfɪs'keɪʃ(ə)n] *s*
konfiskering, beslag

**conflict** [substantiv 'kɒnflɪkt, verb kən'flɪkt]
**I** *s* konflikt **II** *vb itr* drabba samman

**conflicting** [kən'flɪktɪŋ] *adj* motstridande,
motsägande

**conform** [kən'fɔ:m] *vb tr* o. *vb itr*
**1** anpassa [*to* till, efter], rätta sig [*to* efter]
**2** överensstämma [*to, with* med]

**conformity** [kən'fɔ:mətɪ] *s*
**1** överensstämmelse, likformighet
**2** anpassning [*to* till, efter]

**confound** [kən'faʊnd] *vb tr* **1** förvirra;
förväxla **2** vard., ~ *it!* jäklar!

**confront** [kən'frʌnt] *vb tr* konfrontera; *be
confronted by* (*with*) ställas (bli ställd)
inför

**confrontation** [‚kɒnfrʌn'teɪʃ(ə)n] *s*
konfrontation

**confuse** [kən'fju:z] *vb tr* förvirra, göra
konfys; förväxla, blanda ihop

**confused** [kən'fju:zd] *adj* förvirrad,
förbryllad [*at* över]; konfys; virrig

**confusion** [kən'fju:ʒ(ə)n] *s* förvirring,
oreda; förväxling

**congenial** [kən'dʒi:njəl] *adj* sympatisk,
tilltalande; behaglig; passande

**conger** ['kɒŋgə] *s* o. **conger eel**
[‚kɒŋgər'i:l] *s* havsål

**Congo** ['kɒŋgəʊ] floden, *the* ~ Kongo

**Congolese** [‚kɒŋgə'li:z] **I** (pl. lika) *s*
kongoles **II** *adj* kongolesisk

**congratulate** [kən'grætjʊleɪt] *vb tr*
gratulera, lyckönska

**congratulation** [kən‚grætjʊ'leɪʃ(ə)n] *s*
gratulation, lyckönskan;
*Congratulations!* gratulerar!

**congregate** ['kɒŋgrɪgeɪt] *vb tr* o. *vb itr*
samla ihop; församla; samlas

**congregation** [‚kɒŋgrɪ'geɪʃ(ə)n] *s*
**1** samling **2** församling äv. kyrkl.

**congress** ['kɒŋgres] *s* **1** kongress **2** *the
Congress* el. *Congress* kongressen
lagstiftande församlingen i USA

**Congressman** ['kɒŋgresmən] (pl.
*Congressmen* ['kɒŋgresmən]) *s* amer.
kongressledamot

**coniferous** [kə'nɪfərəs] *adj*, ~ *tree* barrträd

**conjecture** [kən'dʒektʃə] **I** *s* gissning, förmodan **II** *vb tr* gissa sig till, förmoda
**conjugate** ['kɒndʒʊgeɪt] *vb tr* gram. konjugera, böja
**conjugation** [ˌkɒndʒʊ'geɪʃ(ə)n] *s* gram. konjugation, böjning
**conjunction** [kən'dʒʌŋkʃ(ə)n] *s* **1** förbindelse; *in ~ with* i samverkan med **2** gram. konjunktion
**conjurer** ['kʌndʒərə] *s* trollkarl
**conjuring** ['kʌndʒərɪŋ] *s, ~ tricks* trollkonster
**connect** [kə'nekt] *vb tr* förbinda, förena, anknyta; koppla samman; förknippa [*with* med]; tekn. koppla ihop (in, om, till); *be connected with* ha förbindelse (stå i samband) med
**connected** [kə'nektɪd] *adj* o. *perf p* **1** sammanhängande **2** besläktad; förbunden
**connection** [kə'nekʃ(ə)n] *s* förbindelse, förening; sammanhang, anknytning, samband
**connoisseur** [ˌkɒnə'sɜ:] *s* kännare, förståsigpåare, konnässör
**conquer** ['kɒŋkə] *vb tr* o. *vb itr* erövra; besegra; segra
**conqueror** ['kɒŋkərə] *s* erövrare; segrare
**conquest** ['kɒŋkwest] *s* erövring; seger
**conscience** ['kɒnʃ(ə)ns] *s* samvete
**conscientious** [ˌkɒnʃɪ'enʃəs] *adj* samvetsgrann
**conscious** ['kɒnʃəs] *adj* **1** medveten [*of* om] **2** vid medvetande
**consecutive** [kən'sekjʊtɪv] *adj* i rad, i följd [*~ days*]
**consent** [kən'sent] **I** *s* samtycke, bifall **II** *vb itr* samtycka, ge sitt samtycke; *~ to* gå med på...
**consequence** ['kɒnsɪkwəns] *s* **1** följd, konsekvens; slutsats; *in ~* följaktligen **2** vikt, betydelse [*a th. of ~*]; *it is of no ~* det betyder ingenting
**consequently** ['kɒnsɪkwəntlɪ] *adv* följaktligen
**conservation** [ˌkɒnsə'veɪʃ(ə)n] *s* bevarande; konservering; naturvård; miljövård
**conservatism** [kən'sɜ:vətɪz(ə)m] *s* konservatism
**conservative** [kən'sɜ:vətɪv] **I** *adj* konservativ; *at a ~ estimate* vid en försiktig beräkning **II** *s* konservativ person; *Conservative* konservativ, högerman

**conservatory** [kən'sɜ:vətrɪ] *s* drivhus
**conserve** [kən'sɜ:v] **I** *vb tr* **1** bevara; vidmakthålla **2** koka in frukt **II** *s*, vanl. pl. *~s* inlagd frukt
**consider** [kən'sɪdə] *vb tr* **1** tänka (fundera) på, överväga **2** beakta; anse
**considerable** [kən'sɪdərəbl] *adj* betydande; *~ trouble* åtskilligt besvär
**considerably** [kən'sɪdərəblɪ] *adv* betydligt
**considerate** [kən'sɪdərət] *adj* hänsynsfull
**consideration** [kənˌsɪdə'reɪʃ(ə)n] *s* **1** övervägande, betraktande; beaktande; *give a th. ~* ta ngt under övervägande; *on further ~* el. *on ~* vid närmare eftertanke **2** hänsyn, omtanke; *take a th. into ~* ta hänsyn till ngt
**considering** [kən'sɪdərɪŋ] **I** *prep* o. *konj* med tanke på, med hänsyn till **II** *adv* efter omständigheterna
**consignment** [kən'saɪnmənt] *s* varusändning
**consist** [kən'sɪst] *vb itr* bestå [*of* av]
**consistent** [kən'sɪst(ə)nt] *adj* **1** konsekvent; följdriktig **2** jämn [*the team has been ~*]
**consolation** [ˌkɒnsə'leɪʃ(ə)n] *s* tröst
**console** [kən'səʊl] *vb tr* trösta
**consolidate** [kən'sɒlɪdeɪt] *vb tr* o. *vb itr* konsolidera, befästa; bli fast, konsolideras
**consommé** [kən'sɒmeɪ] *s* köttbuljong, consommé
**consonant** ['kɒnsənənt] *s* konsonant
**conspicuous** [kən'spɪkjʊəs] *adj* iögonfallande, tydlig
**conspiracy** [kən'spɪrəsɪ] *s* sammansvärjning, komplott
**conspirator** [kən'spɪrətə] *s* konspiratör, sammansvuren
**conspire** [kən'spaɪə] *vb itr* konspirera, sammansvärja sig
**constable** ['kʌnstəbl, 'kɒnstəbl] *s* polis, polisman; *Chief Constable* polismästare
**Constance** ['kɒnst(ə)ns], *Lake ~* Bodensjön
**constant** ['kɒnst(ə)nt] *adj* ständig; beständig, konstant
**constantly** ['kɒnst(ə)ntlɪ] *adv* ständigt, stadigt, konstant
**constellation** [ˌkɒnstə'leɪʃ(ə)n] *s* konstellation äv. bildl.; stjärnbild
**consternation** [ˌkɒnstə'neɪʃ(ə)n] *s* bestörtning
**constipate** ['kɒnstɪpeɪt] *vb tr, be constipated* ha förstoppning, vara hård i magen

**constipation** [ˌkɒnstɪ'peɪʃ(ə)n] *s*
förstoppning
**constituency** [kən'stɪtjʊənsɪ] *s* valkrets
**constitute** ['kɒnstɪtjuːt] *vb tr* utgöra, bilda
**constitution** [ˌkɒnstɪ'tjuːʃ(ə)n] *s*
**1** författning, konstitution
**2** kroppskonstitution **3** sammansättning,
beskaffenhet
**constitutional** [ˌkɒnstɪ'tjuːʃənl] *adj*
konstitutionell
**construct** [kən'strʌkt] *vb tr* konstruera;
uppföra
**construction** [kən'strʌkʃ(ə)n] *s*
konstruktion; uppförande; byggnad
**constructive** [kən'strʌktɪv] *adj*
konstruktiv
**constructor** [kən'strʌktə] *s* konstruktör
**consul** ['kɒns(ə)l] *s* konsul
**consulate** ['kɒnsjʊlət] *s* konsulat
**consult** [kən'sʌlt] *vb tr* rådfråga,
konsultera; slå upp i [~ *a dictionary*]
**consultation** [ˌkɒnsəl'teɪʃ(ə)n] *s*
överläggning; konsultation
**consume** [kən'sjuːm] *vb tr* förtära,
förbruka, konsumera
**consumer** [kən'sjuːmə] *s* konsument; ~
*goods* konsumtionsvaror
**consumption** [kən'sʌmpʃ(ə)n] *s* **1** förtäring;
*unfit for human* ~ otjänlig som
människoföda **2** konsumtion,
förbrukning **3** åld. lungsot
**contact** ['kɒntækt] **I** *s* kontakt, beröring,
förbindelse [*come in (into)* ~ *with*]; ~
*lenses* kontaktlinser **II** *vb tr* komma i
kontakt med, kontakta
**contagious** [kən'teɪdʒəs] *adj* smittsam
**contain** [kən'teɪn] *vb tr* innehålla, rymma
**container** [kən'teɪnə] *s* behållare, kärl;
container
**contaminate** [kən'tæmɪneɪt] *vb tr*
förorena; smitta ner
**contamination** [kənˌtæmɪ'neɪʃ(ə)n] *s*
förorening; nedsmittning
**contemplate** ['kɒntəmpleɪt] *vb tr*
**1** betrakta **2** fundera på; ha planer på
**contemplation** [ˌkɒntəm'pleɪʃ(ə)n] *s*
betraktande; begrundande
**contemporary** [kən'temprərɪ] **I** *adj*
samtidig; samtida; nutida **II** *s* samtida
**contempt** [kən'temt] *s* förakt; *hold in* ~
hysa förakt för
**contemptible** [kən'temtəbl] *adj* föraktlig
**contemptuous** [kən'temtjʊəs] *adj*
föraktfull

**contend** [kən'tend] *vb itr* o. *vb tr* **1** strida,
kämpa, sträva; tävla **2** hävda
**contender** [kən'tendə] *s* speciellt sport.
tävlande, utmanare
**1 content** ['kɒntent] *s* innehåll
**2 content** [kən'tent] **I** *s* belåtenhet; *to
one's heart's* ~ av hjärtans lust **II** *adj*
nöjd, belåten **III** *vb tr*, ~ *oneself* nöja sig
[*with* med]
**contented** [kən'tentɪd] *adj* nöjd, belåten
**contention** [kən'tenʃ(ə)n] *s* **1** strid
**2** påstående; åsikt
**contentment** [kən'tentmənt] *s* belåtenhet
**contents** ['kɒntents] *s pl* innehåll [*the* ~ *of
a book*]; *table of* ~ innehållsförteckning
**contest** [substantiv 'kɒntest, verb kən'test]
**I** *s* strid, kamp; tävling [*a song* ~], match
**II** *vb itr* o. *vb tr* strida, tävla [*for* om]; tävla
om
**contestant** [kən'testənt] *s* stridande part;
tävlande
**context** ['kɒntekst] *s* sammanhang;
kontext
**continent** ['kɒntɪnənt] *s* **1** världsdel,
kontinent **2** fastland; *the Continent*
kontinenten Europas fastland
**continental** [ˌkɒntɪ'nentl] **I** *adj*
kontinental **II** *s* fastlandseuropé
**contingency** [kən'tɪndʒ(ə)nsɪ] *s*
eventualitet
**continual** [kən'tɪnjʊəl] *adj* ständig,
oavbruten
**continuation** [kənˌtɪnjʊ'eɪʃ(ə)n] *s*
fortsättning
**continue** [kən'tɪnjʊ] *vb tr* o. *vb itr* fortsätta
**continuity** [ˌkɒntɪ'njuːətɪ] *s* kontinuitet
**continuous** [kən'tɪnjʊəs] *adj* kontinuerlig;
ständig; ~ *performance*
nonstopföreställning; ~ *tense* gram.
progressiv form
**contort** [kən'tɔːt] *vb tr* förvrida; förvränga
**contour** ['kɒnˌtʊə] *s* kontur; gränslinje; ~
*map* höjdkarta
**contraception** [ˌkɒntrə'sepʃ(ə)n] *s*
födelsekontroll, användning av
preventivmedel
**contraceptive** [ˌkɒntrə'septɪv] *s*
preventivmedel
**contract** [substantiv 'kɒntrækt, verb
kən'trækt] **I** *s* kontrakt **II** *vb tr* **1** dra
samman (ihop) **2** få, ådra sig [~ *a disease*]
**contraction** [kən'trækʃ(ə)n] *s*
sammandragning, hopdragning
**contractor** [kən'træktə] *s* leverantör;
entreprenör

**contradict** [ˌkɒntrə'dɪkt] *vb tr* o. *vb itr* säga emot
**contradiction** [ˌkɒntrə'dɪkʃ(ə)n] *s* motsägelse; ~ *in terms* självmotsägelse
**contradictory** [ˌkɒntrə'dɪktərɪ] *adj* motsägande, motstridig
**contralto** [kən'træltəʊ] *s* mus. **1** alt **2** kontraalt
**contraption** [kən'træpʃ(ə)n] *s* vard. apparat, anordning, manick
**contrary** ['kɒntrərɪ] **I** *adj* o. *adv* motsatt; stridande [*to* mot]; ~ *to* tvärtemot, i strid mot [~ *to the rules*] **II** *s*, *on the* ~ tvärtom
**contrast** [substantiv 'kɒntrɑ:st, verb kən'trɑ:st] **I** *s* kontrast, motsättning, motsats; *in* ~ *to* (*with*) i motsats till (mot) **II** *vb tr* ställa upp som motsats **III** *vb itr* kontrastera, bilda en kontrast
**contribute** [kən'trɪbju:t] *vb tr* o. *vb itr* bidra med, ge; ge (lämna) bidrag; bidra, medverka
**contribution** [ˌkɒntrɪ'bju:ʃ(ə)n] *s* bidrag; insats
**contributor** [kən'trɪbjʊtə] *s* bidragsgivare; medarbetare i t.ex. tidskrift [*to* i]
**contrivance** [kən'traɪv(ə)ns] *s* anordning; inrättning
**contrive** [kən'traɪv] *vb tr* **1** tänka ut, hitta på **2** finna utvägar (medel) till
**control** [kən'trəʊl] **I** *s* **1** kontroll; herravälde [*he lost* ~ *of* (över) *his car*]; reglering [*import* ~]; behärskning; *passport* ~ passkontroll; *circumstances beyond one's* ~ omständigheter som man inte råder över; *be in* ~ ha ledning, bestämma; *be in* ~ *of* ha makten (tillsynen) över; *the situation was getting out of* ~ man började tappa kontrollen över situationen **2** pl. ~*s* kontrollinstrument, reglage; *at the* ~*s* flyg. vid spakarna
**II** *vb tr* kontrollera, behärska; dirigera; reglera; bemästra; hålla ordning på [~ *a class*]; styra, tygla [~ *one's temper*]; ~ *oneself* behärska sig
**controller** [kən'trəʊlə] *s* kontrollant
**controversial** [ˌkɒntrə'vɜ:ʃ(ə)l] *adj* kontroversiell
**controversy** [kən'trɒvəsɪ, 'kɒntrəvɜ:sɪ] *s* kontrovers
**convalesce** [ˌkɒnvə'les] *vb itr* tillfriskna
**convalescence** [ˌkɒnvə'lesns] *s* tillfrisknande, konvalescens
**convalescent** [ˌkɒnvə'lesnt] **I** *adj*, ~ *home* konvalescenthem **II** *s* konvalescent

**convene** [kən'vi:n] *vb itr* o. *vb tr* sammanträda; sammankalla; inkalla
**convener** [kən'vi:nə] *s* sammankallande ledamot, sammankallande
**convenience** [kən'vi:njəns] *s* **1** lämplighet; bekvämlighet; ~ *food* snabbmat; *do it at your* ~ gör det när det passar dig **2** *a flat with modern* ~*s* (förk. *mod cons*) en modern lägenhet; *public* ~ bekvämlighetsinrättning, offentlig toalett
**convenient** [kən'vi:njənt] *adj* lämplig, läglig; bekväm; behändig; välbelägen, central; *if it is* ~ om det passar
**convent** ['kɒnv(ə)nt] *s* nunnekloster
**convention** [kən'venʃ(ə)n] *s* **1** konvent [*national* ~] **2** konvention, konventionen, vedertaget bruk
**conventional** [kən'venʃ(ə)nl] *adj* konventionell; sedvanlig; vedertagen; traditionell
**converge** [kən'vɜ:dʒ] *vb itr* löpa (stråla) samman
**conversant** [kən'vɜ:s(ə)nt] *adj*, ~ *with* insatt i, förtrogen med
**conversation** [ˌkɒnvə'seɪʃ(ə)n] *s* konversation, samtal
**conversational** [ˌkɒnvə'seɪʃ(ə)nl] *adj* samtals-
**converse** [kən'vɜ:s] *vb itr* konversera, samtala
**conversion** [kən'vɜ:ʃ(ə)n] *s* **1** omvandling, förvandling **2** relig. omvändelse **3** ekon. konvertering; omräkning
**convert** [substantiv 'kɒnvɜ:t, verb kən'vɜ:t] **I** *s* omvänd; konvertit; *be a* ~ *to* [*Catholicism*] ha gått över till... **II** *vb tr* **1** omvandla, förvandla, göra om [*into* till] **2** relig. omvända **3** ekon. konvertera, omsätta [~ *into cash*]
**convertible** [kən'vɜ:təbl] **I** *adj* **1** som kan omvandlas (omvändas); omsättlig **2** om bil med suflett **II** *s* cabriolet
**convey** [kən'veɪ] *vb tr* **1** föra, befordra, forsla; framföra t.ex. hälsning **2** leda t.ex. vatten **3** meddela; uttrycka
**conveyance** [kən'veɪəns] *s* **1** befordran, transport **2** fortskaffningsmedel
**conveyer** o. **conveyor** [kən'veɪə] *s* transportör, transportband [äv. ~ *band* (*belt*)]
**convict** [verb kən'vɪkt, substantiv 'kɒnvɪkt] **I** *vb tr* fälla [*of* för], förklara skyldig [*of* till] **II** *s* straffånge
**conviction** [kən'vɪkʃ(ə)n] *s* **1** brottslings

fällande; fällande dom [*of* mot]; *he had three previous ~s* han var straffad tre gånger tidigare **2** övertygelse; *carry ~* verka övertygande
**convince** [kən'vɪns] *vb tr* övertyga [*of* om]
**convivial** [kən'vɪvɪəl] *adj* **1** festlig, glad **2** sällskaplig
**convoy** ['kɒnvɔɪ] **I** *vb tr* konvojera; eskortera **II** *s* konvoj
**convulsion** [kən'vʌlʃ(ə)n] *s*, mest pl. *~s* konvulsion, konvulsioner, krampanfall
**coo** [ku:] *vb itr* o. *vb tr* kuttra
**cook** [kʊk] **I** *s* kock; kokerska; *she is a good ~* hon lagar god mat **II** *vb tr* o. *vb itr* **1** laga till, laga mat; koka, steka; laga mat; kokas, stekas; tillagas **2** vard., *~ up* koka ihop, hitta på [*~ up a story*]
**cookbook** ['kʊkbʊk] *s* speciellt amer. kokbok
**cooker** ['kʊkə] *s* **1** spis **2** matäpple
**cookery** ['kʊkərɪ] *s* kokkonst, matlagning
**cookery book** ['kʊkərɪbʊk] *s* kokbok
**cookie** ['kʊkɪ] *s* amer. småkaka; kex
**cooking** ['kʊkɪŋ] *s* tillagning, matlagning; kokning, stekning; *do the ~* laga maten; *~ apple* matäpple; *~ chocolate* blockchoklad; *~ oil* matolja
**cool** [ku:l] **I** *adj* **1** sval, kylig **2** kylig; kallsinnig **3** lugn; *keep ~!* ta det lugnt!; *a ~ customer* en fräck en **II** *s* **1** svalka **2** vard., *lose one's ~* tappa huvudet; *keep one's ~* hålla huvudet kallt **III** *vb tr* o. *vb itr* göra sval (svalare); svala av, kyla; svalka; svalna, kylas av
**coop** [ku:p] *s* bur för ligghöns
**co-op** ['kəʊɒp] *s* vard. (kortform för *co-operative society* el. *shop* el. *store*) konsum
**co-operate** [kəʊ'ɒpəreɪt] *vb itr* samarbeta
**co-operation** [kəʊˌɒpə'reɪʃ(ə)n] *s* **1** samarbete; samverkan **2** kooperation
**co-operative** [kəʊ'ɒpərətɪv] *adj* **1** samarbetsvillig **2** kooperativ [*~ society*]; *~ shop* (*store*) äv. konsumbutik; *the Co-operative Wholesale Society* ungefär Kooperativa förbundet
**co-opt** [kəʊ'ɒpt] *vb tr* välja in [*on to* i]
**co-ordinate** [kəʊ'ɔ:dɪneɪt] *vb tr* koordinera, samordna
**co-ordination** [kəʊˌɔ:dɪ'neɪʃ(ə)n] *s* samordning, koordination
**cop** [kɒp] sl. **I** *s* **1** snut polis; *the ~s* snuten **2** kap; byte **II** *vb tr*, *~ it* få på pälsen
**cope** [kəʊp] *vb itr* klara det; vard. stå pall
**Copenhagen** [ˌkəʊpn'heɪg(ə)n] Köpenhamn

**co-pilot** [ˌkəʊ'paɪlət] *s* flyg. andrepilot
**copious** ['kəʊpjəs] *adj* riklig, kopiös
**1 copper** ['kɒpə] *s* sl. snut polis
**2 copper** ['kɒpə] *s* **1** koppar **2** kopparmynt
**copy** ['kɒpɪ] **I** *s* **1** kopia; avskrift; *fair (clean) ~* renskrift; *rough ~* koncept, kladd; *top ~* original maskinskrivet huvudexemplar **2** exemplar, nummer av t.ex. bok, tidning **II** *vb tr* **1** kopiera; *~ down* el. *~* skriva av; *~ out* skriva ut **2** imitera; härma
**copyright** ['kɒpɪraɪt] **I** *s* copyright, upphovsrätt; *~ reserved* eftertryck förbjudes **II** *vb tr* få copyright på
**coquette** [kɒ'ket] *s* kokett
**coquettish** [kɒ'ketɪʃ] *adj* kokett
**coral** ['kɒr(ə)l] *s* korall
**cord** [kɔ:d] *s* **1** rep, snöre, snodd; amer. elektr. sladd **2** anat., *spinal ~* ryggmärg; *vocal ~s* stämband
**cordial** ['kɔ:djəl] **I** *adj* hjärtlig [*a ~ smile*] **II** *s* **1** hjärtstärkande medel **2** fruktsaft
**cordiality** [ˌkɔ:dɪ'ælətɪ] *s* hjärtlighet
**cordon** ['kɔ:dn] **I** *s* kordong; *police ~* poliskedja, polisspärr **II** *vb tr*, *~ off* el. *~* spärra av med poliskedja
**corduroy** ['kɔ:dərɔɪ] *s* manchestersammet; pl. *~s* manchesterbyxor
**core** [kɔ:] *s* **1** kärnhus **2** bildl. kärna; kärnpunkt; *to the ~* alltigenom, genom-
**cork** [kɔ:k] **I** *s* kork **II** *vb tr* korka
**corkscrew** ['kɔ:kskru:] *s* korkskruv
**1 corn** [kɔ:n] *s* **1** säd, spannmål **2** a) i större delen av Storbritannien speciellt vete b) skotsk. el. irl. havre c) amer., *Indian ~* el. *~* majs; *~ on the cob* kokta majskolvar maträtt **3** sädeskorn
**2 corn** [kɔ:n] *s* liktorn
**corncob** ['kɔ:nkɒb] *s* majskolv
**cornea** ['kɔ:nɪə] *s* anat. hornhinna
**corner** ['kɔ:nə] **I** *s* **1** hörn, hörna; *turn the ~* vika om hörnet; bildl. klara det värsta; *be in a tight ~* vara i knipa **2** sport. hörna **II** *vb tr* o. *vb itr* **1** tränga in i ett hörn; bildl. sätta i knipa **2** ta kurvor (kurvorna)
**corner kick** ['kɔ:nəkɪk] *s* fotb. hörna
**cornet** ['kɔ:nɪt] *s* **1** mus. kornett **2** glasstrut
**cornflakes** ['kɔ:nfleɪks] *s pl* cornflakes, majsflingor
**cornflour** ['kɔ:nflaʊə] *s* **1** majsmjöl **2** finsikتat mjöl
**cornflower** ['kɔ:nflaʊə] *s* blåklint
**corny** ['kɔ:nɪ] *adj* vard. banal och sentimental; larvig, töntig
**coronary** ['kɒrən(ə)rɪ] *s* hjärtinfarkt

**coronation** [ˌkɒrə'neɪʃ(ə)n] *s* kröning
**coroner** ['kɒrənə] *s* coroner
undersökningsdomare som utreder orsaken till
dödsfall vid misstanke om mord; *coroner's
inquest* förhör om dödsorsaken
**1 corporal** ['kɔ:pər(ə)l] *s* mil. korpral, högre
furir
**2 corporal** ['kɔ:pər(ə)l] *adj* kroppslig; ~
*punishment* kroppsaga, aga
**corporation** [ˌkɔ:pə'reɪʃ(ə)n] *s*
**1** korporation **2** statligt bolag [*British
Broadcasting Corporation*]; amer. aktiebolag
**3** styrelse **4** vard. kalaskula
**corps** [kɔ:] (pl. *corps* [kɔ:z]) *s* kår
**corpse** [kɔ:ps] *s* lik
**corpulent** ['kɔ:pjʊlənt] *adj* korpulent, fet
**correct** [kə'rekt] **I** *vb tr* rätta; rätta till,
korrigera, justera **II** *adj* korrekt, rätt
**correction** [kə'rekʃ(ə)n] *s* rättelse;
korrigering, justering
**correspond** [ˌkɒrɪ'spɒnd] *vb itr* **1** motsvara
varandra; ~ *to* (*with*) motsvara
**2** brevväxla
**correspondence** [ˌkɒrɪ'spɒndəns] *s*
**1** motsvarighet [*to*]; överensstämmelse
[*with*] **2** brevväxling; ~ *school*
korrespondensinstitut, brevskola
**correspondent** [ˌkɒrɪ'spɒndənt] *s*
**1** brevskrivare **2** tidnings- korrespondent;
*our special* ~ vår utsände medarbetare
**corresponding** [ˌkɒrɪ'spɒndɪŋ] *adj*
motsvarande
**corridor** ['kɒrɪdɔ:] *s* korridor; ~ *train*
genomgångståg
**corroborate** [kə'rɒbəreɪt] *vb tr* bestyrka,
bekräfta
**corroboration** [kəˌrɒbə'reɪʃ(ə)n] *s*
bestyrkande, bekräftelse, bekräftande
**corrode** [kə'rəʊd] *vb tr* o. *vb itr* fräta; fräta
(frätas) sönder
**corrosion** [kə'rəʊʒ(ə)n] *s* korrosion;
frätning
**corrosive** [kə'rəʊsɪv] **I** *adj* frätande **II** *s*
frätande ämne
**corrugate** ['kɒrʊgeɪt] *vb tr* räffla;
korrugera [*corrugated iron* (järnplåt)];
*corrugated cardboard* (tunn *paper*)
wellpapp
**corrupt** [kə'rʌpt] **I** *adj* fördärvad,
depraverad; korrumperad **II** *vb tr*
fördärva, göra depraverad; korrumpera
**corruption** [kə'rʌpʃ(ə)n] *s* korruption
**corset** ['kɔ:sɪt] *s* korsett, snörliv
**Corsica** ['kɔ:sɪkə] Korsika

**Corsican** ['kɔ:sɪkən] **I** *adj* korsikansk **II** *s*
korsikan, korsikanare
**cortisone** ['kɔ:tɪzəʊn] *s* cortison
**cosmetic** [kɒz'metɪk] **I** *adj* kosmetisk **II** *s*
skönhetsmedel; pl. ~*s* kosmetika
**cosmic** ['kɒzmɪk] *adj* kosmisk [~ *rays*]
**cosmonaut** ['kɒzmənɔ:t] *s* kosmonaut
**cosmopolitan** [ˌkɒzmə'pɒlɪt(ə)n] *adj*
kosmopolitisk
**cosmos** ['kɒzmɒs] *s, the* ~ kosmos
**Cossack** ['kɒsæk] *s* kosack
**cost** [kɒst] **I** (*cost cost*) *vb itr* o. *vb tr* kosta;
~ *a p. dear* (*dearly*) stå ngn dyrt **II** *s*
**1** kostnad; *the* ~ *of living*
levnadskostnaderna; ~ *price* inköpspris,
självkostnadspris; *at the* ~ *of* bildl. på
bekostnad av; till priset av; *at all* ~*s* till
varje pris; *as I know to my* ~ som jag vet
av bitter erfarenhet **2** jur., pl. ~*s*
rättegångskostnader
**costermonger** ['kɒstəˌmʌŋgə] *s* frukt- och
grönsaksmånglare på gatan
**costly** ['kɒstlɪ] *adj* dyrbar, kostbar; dyr
**costume** ['kɒstju:m] *s* **1** klädedräkt; dräkt;
promenaddräkt; ~ *ball* maskeradbal
**2** teat. kostym
**cosy** ['kəʊzɪ] *adj* hemtrevlig, trivsam,
mysig
**cot** [kɒt] *s* babysäng, spjälsäng
**coterie** ['kəʊtərɪ] *s* kotteri
**cottage** ['kɒtɪdʒ] *s* **1** litet hus; stuga;
*country* ~ litet landställe **2** attributivt, ~
*cheese* keso®; ~ *loaf* runt matbröd med
liten topp på
**cotton** ['kɒtn] *s* bomull; bomullstråd
**cotton wool** [ˌkɒtn'wʊl] *s* råbomull;
bomull
**couch** [kaʊtʃ] *s* dyscha, schäslong, soffa;
bänk för t.ex. massage
**couchette** [ku:'ʃet] *s* järnv. liggvagnsplats;
~ *car* el. ~ liggvagn
**cough** [kɒf] **I** *vb itr* o. *vb tr* hosta **II** *s* hosta
**cough drop** ['kɒfdrɒp] *s* halstablett,
hosttablett
**cough mixture** ['kɒfˌmɪkstʃə] *s*
hostmedicin
**could** [kʊd, obetonat kəd] *hjälpvb* (imperfekt
av *can*) kunde; skulle kunna
**couldn't** ['kʊdnt] = *could not*
**council** ['kaʊnsl] *s* råd; rådsförsamling;
*town* (*city*) ~ kommunfullmäktige,
stadsfullmäktige
**councillor** ['kaʊnsələ] *s* rådsmedlem; *town*
~ el. ~ kommunfullmäktig,
stadsfullmäktig

**counsel** ['kaʊns(ə)l] I *s* **1** rådplägning, överläggning **2** råd; *keep one's own ~* behålla sina tankar för sig själv **3** (pl. lika) advokat som biträder part vid rättegång; *~ for the defence* försvarsadvokat, försvarsadvokaten II *vb tr* råda ngn
**counsellor** ['kaʊnsələ] *s* rådgivare
**1 count** [kaʊnt] *s* icke-brittisk greve
**2 count** [kaʊnt] I *vb tr* o. *vb itr* **1** räkna [*~ up to* (ända till) *ten*]; räkna till [*~ three*], räkna in (ihop, upp) **2** *six, counting the driver* sex, föraren medräknad **3** anse som, hålla ngn för; *~ oneself lucky* skatta sig lycklig **4** gälla för [*the ace ~s ten*] **5** räknas, betyda något; räknas med □ *~ in* räkna med; *~ on* räkna på (med); *~ out* a) räkna upp t.ex. pengar b) boxn. räkna ut c) inte räkna med [*~ me out*]; *~ up* räkna ihop II *s* **1** sammanräkning; *keep ~ of* hålla räkning på; *lose ~* tappa räkningen **2** boxn. räkning; *take the ~* gå ner för räkning **3** jur. anklagelsepunkt
**countable** ['kaʊntəbl] I *adj* räknebar; gram. äv. pluralbildande II *s* gram. räknebart (pluralbildande) substantiv
**countdown** ['kaʊntdaʊn] *s* nedräkning vid t.ex. start
**countenance** ['kaʊntənəns] I *s* ansikte II *vb tr* tillåta
**1 counter** ['kaʊntə] *s* **1** i t.ex. butik disk [*sell under the ~*]; bardisk; kassa **2** spelmark; bricka
**2 counter** ['kaʊntə] I *adj, be ~ to* strida mot II *adv, ~ to* tvärt emot III *vb tr* motarbeta; bemöta
**counteract** [,kaʊntər'ækt] *vb tr* motverka
**counter-attack** ['kaʊntərə,tæk] I *s* motanfall II *vb tr* o. *vb itr* göra motanfall mot; göra motanfall
**countermeasure** ['kaʊntə,meʒə] *s* motåtgärd
**counter-offensive** ['kaʊntərə,fensɪv] *s* motoffensiv
**counterpart** ['kaʊntəpɑ:t] *s* **1** motstycke **2** motsvarighet, motpart
**counter-revolution** ['kaʊntərevə,lu:ʃ(ə)n] *s* kontrarevolution
**countess** ['kaʊntəs, 'kaʊntes] *s* **1** icke-brittisk grevinna **2** countess earls maka el. änka
**countless** ['kaʊntləs] *adj* otalig, oräknelig
**country** ['kʌntrɪ] *s* **1** land, rike; *appeal (go) to the ~* utlysa val (nyval) **2** landsbygd; landsort; *in the ~* a) på landet b) i landsorten **3** område; trakt

**country house** [,kʌntrɪ'haʊs] *s* **1** herrgård, gods **2** landställe, hus på landet
**countryman** ['kʌntrɪmən] *s* **1** landsman **2** lantbo
**countryside** ['kʌntrɪsaɪd] *s* landsbygd; trakt, landskap; natur
**county** ['kaʊntɪ] *s* **1** grevskap; *the Home Counties* grevskapen närmast London; *~ council* grevskapsråd; motsvarande landsting **2** amer. storkommun i vissa delstater
**coup** [ku:] *s* kupp
**coup d'état** [,ku:deɪ'tɑ:] *s* statskupp
**coupe** [ku:p] *s* glasscoupe
**couple** ['kʌpl] I *s* par II *vb tr* koppla; koppla ihop; para
**coupon** ['ku:pɒn] *s* kupong; *pools ~* tipskupong
**courage** ['kʌrɪdʒ] *s* mod; tapperhet
**courageous** [kə'reɪdʒəs] *adj* modig, tapper
**courier** ['kʊrɪə] *s* **1** kurir **2** reseledare
**course** [kɔ:s] *s* **1** bana **2** riktning; sjö. el. flyg. kurs **3** förlopp, gång [*the ~ of events*]; *in the ~ of* inom loppet av; *in ~ of time* med tiden; *in due ~* i vederbörlig ordning **4** *of ~* naturligtvis; *it is a matter of ~* det är en självklar sak **5** *~ of action* handlingssätt; *your best ~ is to...* det bästa är att... **6** serie; *~ of lectures* föreläsningsserie; *~ of study* studieplan **7** kurs, studiegång **8** rätt vid en måltid; *first ~* förrätt **9** med. kur **10** hand. kurs [*~ of exchange*] **11** kapplöpningsbana, golfbana
**court** [kɔ:t] I *s* **1** kringbyggd gård, gårdsplan **2** sport. plan, bana [*tennis ~*] **3** hov **4** jur. domstol, rätt; rättssal; *~ of appeal* appellationsdomstol; *in ~* inför rätten; *go to ~* dra saken inför rätta II *vb tr* **1** göra ngn sin kur, fria till **2** utsätta sig för; *~ disaster* utmana ödet
**courteous** ['kɜ:tjəs] *adj* artig; hövisk
**courtesy** ['kɜ:təsɪ] *s* **1** artighet; höviskhet; *by the ~ of* el. *by ~ of* med benäget tillstånd av; *~ title* hövlighetstitel
**court-martial** [,kɔ:t'mɑ:ʃ(ə)l] (pl. äv. *courts-martial*) *s* krigsrätt
**courtroom** ['kɔ:tru:m] *s* rättssal
**courtship** ['kɔ:tʃɪp] *s* uppvaktning, kurtis
**court shoes** ['kɔ:tʃu:z] *s pl* pumps
**courtyard** ['kɔ:tjɑ:d] *s* gård, gårdsplan
**cousin** ['kʌzn] *s* kusin; *second ~* syssling
**cover** ['kʌvə] I *vb tr* **1** täcka, täcka över; översålla; klä; belägga **2** dölja, skyla **3** sträcka sig över, omfatta **4** tidn., radio. m.m. bevaka, täcka **5** tillryggalägga,

avverka **6** ~ *up* hölja (täcka) över; dölja,
skyla över **II** *s* **1** täcke, överdrag; hölje,
omslag **2** lock **3** pärm, pärmar, omslag
**4** kuvert; *under plain* ~ med diskret
avsändare **5** skydd; *under the* ~ *of* el.
*under* ~ *of* a) i skydd av b) under
täckmantel av **6** hand. täckning
**7** bordskuvert
**cover charge** ['kʌvətʃɑːdʒ] *s* kuvertavgift
**cover girl** ['kʌvəgɜːl] *s* omslagsflicka
**coverlet** ['kʌvələt] *s* överkast på säng
**covet** ['kʌvət] *vb tr* åtrå
**covetous** ['kʌvətəs] *adj* lysten, girig
**cow** [kaʊ] *s* **1** ko **2** neds., om kvinna apa;
kossa
**coward** ['kaʊəd] *s* feg stackare, ynkrygg
**cowardice** ['kaʊədɪs] *s* feghet, rädsla
**cowardly** ['kaʊədlɪ] *adj* feg
**cowboy** ['kaʊbɔɪ] *s* cowboy
**cower** ['kaʊə] *vb itr* krypa ihop; kuscha
[*before* för]
**cowhouse** ['kaʊhaʊs] *s* ladugård
**cowl** [kaʊl] *s* **1** munkkåpa **2** huva
**3** rökhuv
**co-worker** [ˌkəʊˈwɜːkə] *s* medarbetare
**cowshed** ['kaʊʃed] *s* ladugård
**cowslip** ['kaʊslɪp] *s* gullviva
**coy** [kɔɪ] *adj* blyg, pryd, sipp; skälmsk
**crab** [kræb] *s* krabba; kräftdjur
**crack** [kræk] **I** *vb itr* o. *vb tr* **1** knaka;
braka; knalla, smälla **2** spricka, brista;
spräcka; knäcka [~ *nuts*] **3** kollapsa,
knäckas [~ *under the strain*] **4** om röst
brytas **5** ~ *jokes* vitsa, skämta □ ~ **down on**
vard. slå ner på, klämma åt; ~ **up** vard.
klappa ihop **II** *s* **1** brak, knall, smäll
**2** spricka **3** ~ *of dawn* vard. gryning
**4** *have a* ~ *at a th.* vard. försöka sig på
ngt **III** *adj* vard. mäster- [*a* ~ *shot*]; elit- [*a*
~ *team*]
**cracker** ['krækə] *s* **1** pyrotekn. smällare,
svärmare **2** *Christmas* ~ el. ~
smällkaramell **3** tunt smörgåskex; amer.
kex i allm.
**crackers** ['krækəz] *adj* vard. knasig, knäpp
**crackle** ['krækl] **I** *vb itr* knastra **II** *s* knaster
**cradle** ['kreɪdl] *s* vagga
**craft** [krɑːft] *s* **1** hantverk, yrke, konst;
*arts and* ~*s* pl. konsthantverk **2** (pl. lika)
fartyg, båt, farkost, flygplan
**craftsman** ['krɑːftsmən] *s* hantverkare;
skicklig yrkesman; konstnär
**craftsmanship** ['krɑːftsmənʃɪp] *s*
hantverk; hantverksskicklighet
**crafty** ['krɑːftɪ] *adj* listig, slug

**crag** [kræg] *s* brant klippa
**cram** [kræm] *vb tr* o. *vb itr* **1** proppa full,
stuva (stoppa) in **2** proppa mat i, göda;
proppa i sig mat **3** plugga [*for* på, till en
examen]
**cramp** [kræmp] **I** *s* kramp **II** *vb tr* hämma
**cramped** [kræmpt] *perf p* o. *adj* **1** alltför
trång **2** hopträngd stil
**cranberry** ['krænbərɪ] *s* tranbär
**crane** [kreɪn] **I** *s* **1** fågel trana **2** lyftkran
**II** *vb tr* sträcka på [~ *one's neck*]
**crane fly** ['kreɪnflaɪ] *s* harkrank
**crank** [kræŋk] *s* **1** vev **2** vard. excentrisk
individ, original
**crap** [kræp] *s* vard. skit; skitsnack
**crash** [kræʃ] **I** *vb itr* o. *tr* **1** a) braka,
skrälla b) krossas, gå i kras **2** braka iväg,
rusa med ett brak; ~ *into* smälla ihop
med **3** flyg. störta **4** bildl. krascha, göra
bankrutt **5** kasta med ett brak; kvadda,
krascha **II** *s* **1** brak, krasch **2** olycka [*killed
in* (vid) *a car* ~]; smäll, krock
**crashbag** ['kræʃbæg] *s* bil. krockkudde
**crash helmet** ['kræʃˌhelmɪt] *s* störthjälm
**crash-land** ['kræʃlænd] *vb itr* o. *vb tr*
kraschlanda; kraschlanda med
**crash-landing** ['kræʃˌlændɪŋ] *s*
kraschlandning
**crate** [kreɪt] *s* spjällåda; öl- back
**crater** ['kreɪtə] *s* krater
**cravat** [krəˈvæt] *s* kravatt
**crave** [kreɪv] *vb tr* o. *vb itr* **1** be om **2** ~ *for*
el. ~ längta efter
**craving** ['kreɪvɪŋ] *s* begär, åtrå [*for* efter]
**crawl** [krɔːl] **I** *vb itr* **1** krypa; kravla, kräla;
bildl. fjäska [*to* för] **2** myllra, krylla [*with*
av] **3** simn. crawla **II** *s* **1** krypande etc., jfr
*crawl I* **2** simn. crawl
**crawlers** ['krɔːləz] *s pl* krypbyxor
**crayfish** ['kreɪfɪʃ] *s* zool. kräfta
**crayon** ['kreɪən] *s* färgkrita
**craze** [kreɪz] *s* mani, dille [*for* på];
modefluga; *the latest* ~ sista skriket
**crazy** ['kreɪzɪ] *adj* tokig, galen
**creak** [kriːk] **I** *vb itr* knarra, knaka **II** *s*
knarr, knakande
**creaky** ['kriːkɪ] *adj* knarrande
**cream** [kriːm] **I** *s* **1** grädde; *double
*(*single*) ~ tjock (tunn) grädde **2** kok.
kräm; pralin med krämfyllning **3** kräm för
hud, skor m.m. **4** bildl. grädda [*the* ~ *of
society*] **II** *adj* krämfärgad **III** *vb tr* skumma
grädden av
**cream cheese** [ˌkriːmˈtʃiːz] *s* mjuk
gräddost; *fresh* ~ el. ~ keso®; kvark

**crease** [kri:s] **I** s veck: a) rynka, skrynkla b) pressveck **II** vb tr o. vb itr pressa; skrynkla; skrynkla (rynka) sig
**creaseproof** ['kri:spru:f] adj skrynkelfri
**create** [krɪ'eɪt] vb tr skapa; frambringa; upprätta [~ new jobs]; väcka [~ a sensation]
**creation** [krɪ'eɪʃ(ə)n] s **1** skapande; skapelse **2** modeskapelse
**creative** [krɪ'eɪtɪv] adj skapande [a ~ artist]
**creator** [krɪ'eɪtə] s skapare; upphovsman
**creature** ['kri:tʃə] s **1** varelse; människa [a lovely ~]; typ [that horrid ~] **2** djur
**credence** ['kri:d(ə)ns] s tilltro
**credible** ['kredəbl] adj trovärdig; trolig
**credit** ['kredɪt] **I** s **1** tilltro; give ~ to sätta tro till **2** ära, förtjänst; heder, beröm; be a ~ to vara en heder för; get ~ for få beröm för; take the ~ ta åt sig äran **3** hand. a) kre'dit; on ~ på kredit (räkning); ~ account kundkonto i varuhus; ~ card köpkort, kreditkort; ~ squeeze kreditåtstramning b) tillgodohavande; ~ note tillgodokvitto **II** vb tr **1** tro; ~ a p. with a th. a) tro ngn om ngt b) tillskriva ngn ngt **2** hand. kreditera
**creditable** ['kredɪtəbl] adj hedrande, aktningsvärd
**creditor** ['kredɪtə] s kreditor, fordringsägare
**credulous** ['kredjʊləs] adj lättrogen
**creed** [kri:d] s trosbekännelse; troslära
**creek** [kri:k] s **1** liten vik (bukt) **2** amer. å, bäck; biflod
**creep** [kri:p] (crept crept) vb itr krypa; kräla; smyga, smyga sig
**creeper** ['kri:pə] s krypväxt, klätterväxt
**creepers** ['kri:pəz] s pl amer. krypbyxor
**cremate** [krɪ'meɪt] vb tr kremera, bränna
**cremation** [krɪ'meɪʃ(ə)n] s kremering
**crematorium** [ˌkremə'tɔ:rɪəm] s krematorium
**crepe** [kreɪp] s **1** tyg kräpp **2** ~ paper kräpppapper; ~ rubber rågummi till skor
**crept** [krept] se creep
**crescent** ['kresnt] s **1** månskära; halvmåne **2** svängd husrad (gata)
**cress** [kres] s krasse
**crest** [krest] s **1** kam på tupp **2** ätts vapen [family ~] **3** krön, topp
**crestfallen** ['krest,fɔ:l(ə)n] adj nedslagen
**cretonne** ['kretɒn] s kretong
**crevice** ['krevɪs] s skreva, springa
**1 crew** [kru:] se 1 crow

**2 crew** [kru:] s **1** sjö. el. flyg. besättning; ground ~ markpersonal **2** neds. gäng
**crew cut** ['kru:kʌt] s, have a ~ vara snaggad
**crib** [krɪb] **I** s **1** krubba; babykorg; amer. babysäng, spjälsäng **2** vard. plagiat; fusklapp **II** vb tr o. vb itr vard. knycka; planka; fuska
**1 cricket** ['krɪkɪt] s zool. syrsa
**2 cricket** ['krɪkɪt] s kricket spel
**cricketer** ['krɪkɪtə] s kricketspelare
**crime** [kraɪm] s brott; brottslighet
**Crimea** [kraɪ'mɪə], the ~ Krim
**crime passionel** [ˌkri:mpæsjə'nel] s svartsjukedrama brott
**criminal** ['krɪmɪnl] **I** adj **1** brottslig, kriminell **2** kriminal-; ~ case brottmål; he has a ~ record han finns i straffregistret **II** s brottsling, förbrytare
**crimson** ['krɪmzn] **I** s karmosinrött **II** adj karmosinröd, högröd
**crinkle** ['krɪŋkl] **I** vb itr o. vb tr rynka (skrynkla) sig; rynka, krusa **II** s veck, skrynkla
**crinoline** ['krɪnəlɪn] s krinolin
**cripple** ['krɪpl] **I** s krympling **II** vb tr **1** göra till krympling **2** lamslå
**crippled** ['krɪpld] adj lam, lytt; lamslagen
**crippling** ['krɪplɪŋ] adj förlamande
**crisis** ['kraɪsɪs] (pl. crises ['kraɪsi:z]) s kris
**crisp** [krɪsp] **I** adj **1** krusig, krullig **2** knaprig, frasig, mör, spröd **II** s, potato ~s potatischips
**crispbread** ['krɪspbred] s knäckebröd
**crispy** ['krɪspɪ] adj **1** krusig **2** frasig
**criterion** [kraɪ'tɪərɪən] (pl. criteria [kraɪ'tɪərɪə]) s kriterium
**critic** ['krɪtɪk] s kritiker
**critical** ['krɪtɪk(ə)l] adj kritisk [of mot]
**criticism** ['krɪtɪsɪz(ə)m] s kritik [of av, över]
**criticize** ['krɪtɪsaɪz] vb tr o. vb itr kritisera
**croak** [krəʊk] **I** vb itr kraxa; om groda kväka **II** s kraxande; kväkande
**Croat** ['krəʊæt] s kroat
**Croatia** [krəʊ'eɪʃə] Kroatien
**Croatian** [krəʊ'eɪʃ(ə)n] adj kroatisk
**crochet** ['krəʊʃeɪ] **I** s virkning; ~ hook (needle) virknål **II** vb tr o. vb itr virka
**crockery** ['krɒkərɪ] s porslin; lergods
**crocodile** ['krɒkədaɪl] s krokodil
**crocus** ['krəʊkəs] s krokus
**croissant** ['krwɑ:sɑ:nt] s kok. giffel
**crony** ['krəʊnɪ] s mest neds. stallbroder

**crook** [krʊk] **I** s **1** krök, krok **2** vard.
skojare, svindlare **II** vb tr kröka, böja
**crooked** ['krʊkɪd] adj **1** krokig, krökt
**2** sned [a ~ smile] **3** oärlig, skum
**croon** [kru:n] vb tr o. vb itr nynna, gnola
**crop** [krɒp] **I** s **1** skörd; gröda **2** kräva **II** vb
tr o. vb itr skära (hugga) av; ~ **up** dyka
upp
**croquet** ['krəʊkɪ, 'krəʊkeɪ] s krocketspel
**croquette** [krɒ'ket, krəʊ'ket] s kok. krokett
**cross** [krɒs] **I** s **1** kors; kryss; **make the
sign of the** ~ göra korstecken **2** korsning;
mellanting **II** adj vard. ond, arg [with på]
**III** vb tr **1** lägga i kors, korsa [~ one's legs];
**keep one's fingers crossed** bildl. hålla
tummarna **2** stryka [off the list från
listan]; ~ **out** korsa, (stryka) över **3** fara
(gå) över **4** biol. korsa
**crossbar** ['krɒsbɑː] s stång på herrcykel;
sport. målribba
**crossbreed** ['krɒsbriːd] s blandras
**cross-examination** ['krɒsɪgˌzæmɪ'neɪʃ(ə)n]
s korsförhör
**cross-examine** [ˌkrɒsɪg'zæmɪn] vb tr
korsförhöra
**cross-eyed** ['krɒsaɪd] adj vindögd, skelögd
**crossfire** ['krɒsˌfaɪə] s korseld
**crossing** ['krɒsɪŋ] s **1** överresa **2** korsning;
gatukorsning, vägkorsning; **pedestrian**
(med ränder **zebra**) ~ övergångsställe
**cross-question** [ˌkrɒs'kwestʃ(ə)n] vb tr
korsförhöra
**crossroad** ['krɒsrəʊd] s, ~s vägkorsning [a
~s]
**cross-section** [ˌkrɒs'sekʃ(ə)n] s
genomskärning, tvärsnitt äv. bildl.
**crosstalk** ['krɒstɔːk] s **1** tele. el. radio.
överhörning **2** vard. snabb replikväxling
**crosswalk** ['krɒswɔːk] s amer.
övergångsställe
**crosswind** ['krɒswɪnd] s sidvind
**crossword** ['krɒswɜːd] s, ~ **puzzle** el. ~
korsord [do a ~]
**crotch** [krɒtʃ] s anat. skrev, gren
**crouch** [kraʊtʃ] vb itr, ~ **down** el. ~ huka
sig
**croup** [kru:p] s med. krupp
**1 crow** [krəʊ] (imperfekt crowed el. crew) vb
itr gala [the cock crew]
**2 crow** [krəʊ] s kråka; **as the ~ flies**
fågelvägen
**crowbar** ['krəʊbɑː] s kofot
**crowd** [kraʊd] **I** s folkmassa, folksamling;
vard. gäng [a nice ~] **II** vb itr o. vb tr
**1** trängas; tränga ihop; strömma i skaror;

trängas i (på) [~ a hall] **2** packa full [~ a
bus]
**crowded** ['kraʊdɪd] perf p o. adj
**1** fullpackad; full, fullsatt [a ~ bus]
**2** späckad [a ~ programme]
**crown** [kraʊn] **I** s **1** krona **2** valuta krona [a
Swedish ~] **II** vb tr kröna; **to** ~ **it all** till
råga på allt
**crucial** ['kru:ʃ(ə)l] adj avgörande; kritisk
**crucifix** ['kru:sɪfɪks] s krucifix
**crucify** ['kru:sɪfaɪ] vb tr korsfästa
**crude** [kru:d] adj **1** rå; obearbetad **2** grov,
plump [~ jokes]
**cruel** [krʊəl] adj grym
**cruelty** ['krʊəltɪ] s grymhet
**cruet** ['kru:ɪt] s **1** flaska till bordsställ
**2** bordsställ
**cruise** [kru:z] **I** vb itr **1** kryssa omkring
**2** köra i lagom fart; ~ **at** ha en marschfart
av (på) **II** s kryssning; ~ **control** bil.
automatisk farthållare
**cruiser** ['kru:zə] s kryssare
**crumb** [krʌm] s smula av bröd m.m.
**crumble** ['krʌmbl] vb itr smula sig; förfalla
**crumpet** ['krʌmpɪt] s tekaka som rostas och
ätes varm
**crumple** ['krʌmpl] vb tr o. vb itr, ~ **up** el. ~
skrynkla, knyckla till (ihop); skrynkla sig
**crunch** [krʌntʃ] **I** vb tr o. vb itr **1** knapra
på; knapra **2** knastra **II** s knaprande;
knastrande
**crusade** [kru:'seɪd] **I** s korståg; bildl. äv.
kampanj **II** vb itr delta i ett korståg (bildl.
äv. en kampanj)
**crush** [krʌʃ] **I** vb tr krossa; klämma illa **II** s
**1** vard., **have a** ~ **on** svärma för
**2** fruktdryck
**crust** [krʌst] s skorpa, kant på t.ex. bröd
**crutch** [krʌtʃ] s **1** krycka **2** anat. skrev, gren
**crux** [krʌks] s krux, stötesten
**cry** [kraɪ] **I** vb itr o. vb tr **1** ropa, skrika
**2** gråta; ~ **oneself to sleep** gråta sig till
sömns □ ~ **down** fördöma, göra ner; ~ **for**
ropa på (efter); gråta efter; ~ **out** ropa
högt, skrika till; ropa; ~ **out for** ropa på,
fordra; ~ **up** prisa, höja till skyarna **II** s
**1** rop, skrik; **in full** ~ i full fart
**2** gråtstund; **have a good** ~ vard. gråta ut
**cry-baby** ['kraɪˌbeɪbɪ] s vard. lipsill;
gnällmåns
**crying** ['kraɪɪŋ] adj skriande, trängande [~
need]; **a ~ shame** en evig skam
**cryptic** ['krɪptɪk] adj kryptisk
**crystal** ['krɪstl] s **1** kristall [salt ~s]
**2** kristallglas

**crystal-clear** [ˌkrɪstl'klɪə] adj kristallklar äv. bildl.
**crystallize** ['krɪstəlaɪz] vb tr o. vb itr kristallisera
**cub** [kʌb] s **1** unge av varg, björn, lejon m.m. **2** vard. pojkvalp
**Cuba** ['kju:bə] Kuba
**Cuban** ['kju:bən] I s kuban II adj kubansk
**cube** [kju:b] s **1** kub; tärning **2** mat. kub; ~ **root** kubikrot
**cubic** ['kju:bɪk] adj kubisk; ~ **metre** kubikmeter
**cubicle** ['kju:bɪkl] s hytt, bås
**cuckoo** ['kʊku:] s gök; ~ **clock** gökur
**cucumber** ['kju:kʌmbə] s gurka; **cool as a** ~ vard. lugn som en filbunke
**cud** [kʌd] s, **chew the** ~ idissla
**cuddle** ['kʌdl] I vb tr o. vb itr krama, kela med, kelas; ~ **up** el. ~ **krypa tätt tillsammans** II s kramning
**cuddly** ['kʌdlɪ] adj kelig, smeksam
**cudgel** ['kʌdʒ(ə)l] I s knölpåk II vb tr klå
**1 cue** [kju:] s **1** teat. stickreplik **2** signal; vink, antydning
**2 cue** [kju:] s biljardkö
**1 cuff** [kʌf] I vb tr örfila upp II s örfil
**2 cuff** [kʌf] s **1** ärmuppslag; amer. äv. byxuppslag **2** manschett
**cuff link** ['kʌflɪŋk] s manschettknapp
**cul-de-sac** [ˌkʊldə'sæk] (pl. **culs-de-sac** [uttalas som sg.]) s återvändsgränd, återvändsgata
**culinary** ['kʌlɪnərɪ] adj kulinarisk
**culminate** ['kʌlmɪneɪt] vb itr kulminera
**culmination** [ˌkʌlmɪ'neɪʃ(ə)n] s kulmen
**culottes** [kjʊ'lɒts] s pl byxkjol
**culprit** ['kʌlprɪt] s, **the** ~ den skyldige
**cult** [kʌlt] s kult; dyrkan
**cultivable** ['kʌltɪvəbl] adj odlingsbar
**cultivate** ['kʌltɪveɪt] vb tr bruka, bearbeta jord; odla
**cultivated** ['kʌltɪveɪtɪd] adj **1** kultiverad, bildad **2** uppodlad
**cultivation** [ˌkʌltɪ'veɪʃ(ə)n] s brukning, bearbetning av jord; kultur; odling
**cultural** ['kʌltʃər(ə)l] adj kulturell, bildnings-
**culture** ['kʌltʃə] I s **1** kultur [Greek ~]; bildning; ~ **shock** kulturchock **2** biol. odling; kultur [~ **of bacteria**]; ~ **pearls** odlade pärlor II vb tr odla, bilda; **cultured pearls** odlade pärlor; **cultured people** kultiverade människor
**cunning** ['kʌnɪŋ] I adj slug II s slughet
**cunt** [kʌnt] s vulg. fitta

**cup** [kʌp] I s **1** kopp **2** pokal, cup; **challenge** ~ vandringspokal II vb tr kupa [~ **one's hand**]
**cupboard** ['kʌbəd] s skåp; skänk
**cupful** ['kʌpfʊl] s, **a** ~ **of...** en kopp...
**cup tie** ['kʌptaɪ] s fotb. cupmatch
**cur** [kɜ:] s hundracka, byracka
**curate** ['kjʊərət] s kyrkoadjunkt
**curb** [kɜ:b] I s **1** kontroll bromsande effekt [a ~ **on** (över) prices]; **put a** ~ **on** lägga band på **2** amer. trottoarkant II vb tr tygla
**curbstone** ['kɜ:bstəʊn] s amer., se **kerbstone**
**curd** [kɜ:d] s, vanl. pl. ~**s** ostmassa; ~ **cheese** el. ~ **kvark**
**curdle** ['kɜ:dl] vb tr o. vb itr ysta; löpna, ysta sig
**cure** [kjʊə] I s **1** botemedel [for mot] **2** kur [of mot, för]; bot [of för, mot] II vb tr **1** bota [of från] **2** konservera, salta, röka
**curettage** [kjʊə'retɪdʒ] s med. skrapning
**curfew** ['kɜ:fju:] s utegångsförbud
**curiosity** [ˌkjʊərɪ'ɒsətɪ] s **1** vetgirighet; nyfikenhet **2** kuriositet
**curious** ['kjʊərɪəs] adj **1** vetgirig; nyfiken [about på] **2** egendomlig
**curl** [kɜ:l] I vb tr o. vb itr krulla, ringla, locka; locka sig; ~ **up** rulla ihop sig; kura ihop sig II s hårlock
**curler** ['kɜ:lə] s papiljott; hårspole
**curlew** ['kɜ:lju:] s zool. storspov
**curly** ['kɜ:lɪ] adj lockig, krullig
**currant** ['kʌr(ə)nt] s **1** korint **2** vinbär
**currency** ['kʌrənsɪ] s **1** a) utbredning, spridning [give ~ **to** (åt) a report] b) gångbarhet; omlopp, cirkulation **2** valuta
**current** ['kʌr(ə)nt] I adj **1** gångbar; gängse, allmänt utbredd; aktuell [~ **fashions**], rådande [the ~ **crisis**] **2** innevarande [the ~ **year**] II s **1** ström **2** elektrisk ström
**curriculum** [kə'rɪkjʊləm] s lärokurs; läroplan
**1 curry** ['kʌrɪ] s curry; curryrätt
**2 curry** ['kʌrɪ] vb tr, ~ **favour** ställa sig in [with hos]
**curse** [kɜ:s] I s **1** förbannelse; svordom **2** gissel, plåga II vb tr o. vb itr förbanna; svära [at över]
**cursed** ['kɜ:sɪd] adj förbannad, fördömd
**curt** [kɜ:t] adj brysk, snäv, tvär
**curtail** [kɜ:'teɪl] vb tr förkorta, beskära; inskränka
**curtain** ['kɜ:tn] s **1** gardin; draperi, förhänge; **draw the** ~**s** dra för gardinerna **2** ridå; **safety** ~ teat. järnridå

**curtain call** ['kɜ:tnkɔ:l] *s* teat. inropning
**curtain rod** ['kɜ:tnrɒd] *s* gardinstång
**curtsey** o. **curtsy** ['kɜ:tsɪ] **I** *s* nigning **II** *vb itr* niga
**curvaceous** [kɜ:'veɪʃəs] *adj* vard., om kvinna kurvig
**curve** [kɜ:v] **I** *s* kurva, båge, krök **II** *vb tr* o. *vb itr* böja, kröka; böja (kröka) sig
**curved** [kɜ:vd] *adj* böjd, krökt
**cushion** ['kʊʃ(ə)n] **I** *s* kudde, dyna **II** *vb tr* **1** madrassera, stoppa [*cushioned seats*] **2** dämpa, mildra
**cushy** ['kʊʃɪ] *adj* vard. latmans- [*a ~ job*]
**cuspidor** ['kʌspɪdɔ:] *s* amer. spottlåda, spottkopp
**cuss** [kʌs] *s* vard., *I don't give a ~* det skiter jag i; *not worth a ~* inte värd ett dugg
**cussed** ['kʌsɪd] *adj* vard. envis, tvär
**custard** ['kʌstəd] *s* vaniljkräm; vaniljsås
**custody** ['kʌstədɪ] *s* **1** förmynderskap; vård **2** förvar; *take into ~* anhålla; *in ~* i häkte; *in safe ~* i säkert förvar
**custom** ['kʌstəm] *s* **1** sed, bruk; kutym **2** pl. **~s** tull, tullar, tullavgift, tullavgifter; *the Customs* tullverket, tullen; *~s examination* tullbehandling, tullvisitation
**customary** ['kʌstəmərɪ] *adj* vanlig, bruklig
**customer** ['kʌstəmə] *s* **1** kund **2** vard. individ; *queer (odd) ~* konstig prick; *ugly ~* otrevlig typ
**custom-made** ['kʌstəmmeɪd] *adj* speciellt amer. måttbeställd, skräddarsydd
**cut** [kʌt] **I** (*cut cut*) *vb tr* o. *vb itr* **1** skära i (av, för); klippa av; skära, hugga, klippa; bryta; *have one's hair ~* klippa (låta klippa) håret **2** *~ one's teeth* få tänder **3** skära ner, minska; förkorta **4** bryta, klippa av t.ex. filmning, del av program; stryka [*~ a scene*]; stänga av [ofta ~ *off*]; sluta med [*~ (~ out) that noise!*]; *~ a p. short* avbryta ngn tvärt; *~ a th. short* stoppa ngt **5** skära (hugga) till (ut); gravera; slipa; göra [*~ a key*] **6** kortsp. kupera [*~ the cards*] **7** vard., *~ a p. dead* el. *~ a p. behandla ngn som luft* □ *~ down* a) hugga ner, fälla b) knappa in på, skära ner, minska; *~ in* blanda sig i samtalet, avbryta; *~ off* a) hugga (skära, kapa) av (bort) b) skära av, isolera, avstänga c) göra slut på, dra in [*~ off an allowance*] d) stänga av, avbryta; *~ out* a) skära (hugga) ut, klippa ut; klippa (skära) till; *be ~ out for* vara som klippt och skuren

för **b)** vard. skära bort, stryka, hoppa över; sluta upp med, låta bli; *~ it out!* lägg av!; *~ up* a) skära sönder (upp), stycka; hugga sönder b) klippa (skära) till c) vard. bedröva, uppröra [*she was ~ up after his death*]
**II** *adj*, *~ flowers* lösa blommor, snittblommor; *~ glass* slipat glas, kristall; *at ~ price* till underpris; *~ and dried* (*dry*) fix och färdig
**III** *s* **1** skärning; klippning; hugg, stick; skåra, snitt, rispa **2** nedsättning, reduktion [*~ in prices*], nedskärning **3** stycke; skiva, bit [*a ~ off the joint*] **4** strykning, klipp **5** snitt; *short ~* genväg **6** kupering av kort
**cute** [kju:t] *adj* vard. **1** klipsk; fiffig **2** speciellt amer. söt, rar
**cuticle** ['kju:tɪkl] *s* nagelband
**cutlery** ['kʌtlərɪ] *s* matbestick
**cutlet** ['kʌtlət] *s* **1** kotlett; köttskiva **2** pannbiff
**cut-price** ['kʌtpraɪs] *adj*, *~ shop* ungefär lågprisaffär
**cut-throat** ['kʌtθrəʊt] **I** *s* mördare, bandit **II** *adj* bildl. mördande [*~ competition*]
**cutting** ['kʌtɪŋ] *adj* skärande, vass; bitande
**cuttlefish** ['kʌtlfɪʃ] *s* bläckfisk
**cyanide** ['saɪənaɪd] *s*, *potassium ~* cyankalium
**cyclamen** ['sɪkləmən] *s* cyklamen
**cycle** ['saɪkl] **I** *s* **1** cykel **2** kretslopp **3** cykel; period **II** *vb itr* **1** cykla **2** kretsa
**cyclist** ['saɪklɪst] *s* cyklist
**cyclone** ['saɪkləʊn] *s* cyklon
**cylinder** ['sɪlɪndə] *s* **1** cylinder, vals **2** lopp, rör i eldvapen
**cynic** ['sɪnɪk] *s* cyniker
**cynical** ['sɪnɪk(ə)l] *adj* cynisk
**cynicism** ['sɪnɪsɪz(ə)m] *s* cynism
**cypress** ['saɪprəs] *s* cypress
**Cypriot** ['sɪprɪət] **I** *adj* cypriotisk **II** *s* cypriot
**Cyprus** ['saɪprəs] Cypern
**cyst** [sɪst] *s* med. cysta
**czar** [zɑ:] *s* tsar
**Czech** [tʃek] **I** *s* tjeck **II** *adj* tjeckisk; *the ~ Republic* Tjeckiska republiken, Tjeckien
**Czechoslovakia** [,tʃekəslə'vækɪə] Tjeckoslovakien
**Czechoslovakian** [,tʃekəslə'vækɪən] **I** *adj* tjeckoslovakisk **II** *s* tjeckoslovak

# D

**D, d** [di:] *s* D, d; *D flat* mus. dess; *D sharp*
mus. diss
**'d** [d] = *had; would, should* [*he'd* = *he had,
he would*]
**dab** [dæb] *vb tr* o. *vb itr* klappa lätt, badda
**dabbler** ['dæblə] *s* dilettant, klåpare
**dachshund** ['dæksənd] *s* tax
**Dacron** ['dækrɒn, 'deɪkrɒn] *s* ® dacron
**dad** [dæd] *s* vard. pappa, farsa
**daddy** ['dædɪ] *s* vard. pappa
**daddy-longlegs** [,dædɪ'lɒŋlegz] (pl. lika) *s*
pappa långben harkrank
**daffodil** ['dæfədɪl] *s* påsklilja, gul narciss
**daft** [dɑ:ft] *adj* vard. tokig, fånig
**dagger** ['dægə] *s* dolk
**dahlia** ['deɪljə, amer. vanl. 'dæljə] *s* dahlia
**daily** ['deɪlɪ] **I** *adj* daglig, om dagen **II** *adv*
dagligen, om dagen **III** *s* **1** dagstidning
**2** daghjälp [äv. ~ *help*]
**dainty** ['deɪntɪ] **I** *s* läckerbit, godbit **II** *adj*
**1** läcker **2** nätt, späd; skör
**dairy** ['deərɪ] *s* **1** mejeri **2** mjölkaffär
**dairy cattle** ['deərɪ,kætl] *s pl* mjölkboskap
**dairy farm** ['deərɪfɑ:m] *s* gård med
mjölkdjur
**dairymaid** ['deərɪmeɪd] *s* mejerska
**daisy** ['deɪzɪ] *s* tusensköna, bellis
**dale** [deɪl] *s* poet. liten dal
**dam** [dæm] **I** *s* damm, fördämning **II** *vb tr*,
~ *up* el. ~ dämma av (upp)
**damage** ['dæmɪdʒ] **I** *s* **1** (utan pl.) skada,
skadegörelse [*to* på] **2** pl. ~*s* jur.
skadestånd **II** *vb tr* o. *vb itr* skada; skadas
**dame** [deɪm] *s* **1** poet., *Dame Fortune* fru
Fortuna **2** sl. fruntimmer, brud
**damn** [dæm] **I** *vb tr* **1** vard. förbanna; ~ *it!*
jäklar också!; *well I'll be damned!* det
var som tusan! **2** bringa i fördärvet **II** *s*
vard., *I don't care (give) a ~ if...* jag ger
sjutton i om... **III** *adj* vard. förbaskad [~
*fool!*] **IV** *interj* vard. jäklar, också!
**damnable** ['dæmnəbl] *adj* fördömlig; vard.
förbaskad
**damnation** [dæm'neɪʃ(ə)n] *s* fördömelse
**damned** [dæmd] *adj* **1** fördömd **2** vard.
förbaskad
**damp** [dæmp] **I** *s* fukt **II** *adj* fuktig
**dampen** ['dæmp(ə)n] *vb tr* o. *vb itr*
**1** fukta; bli fuktig **2** bildl. dämpa; dämpas
**damson** ['dæmz(ə)n] *s* krikon plommonsort

**dance** [dɑ:ns] **I** *vb itr* o. *vb tr* dansa **II** *s*
dans; danstillställning
**dance band** ['dɑ:nsbænd] *s* dansorkester
**dance hall** ['dɑ:nshɔ:l] *s* danslokal
**dancer** ['dɑ:nsə] *s* dansande [*the* ~*s*];
dansare, dansör, dansös
**D and C** [,di:ən(d)'si:] (förk. för *dilatation
and curettage*) med. skrapning
**dandelion** ['dændɪlaɪən] *s* maskros
**dandruff** ['dændrʌf] *s* mjäll
**dandy** ['dændɪ] *s* dandy
**Dane** [deɪn] *s* **1** dansk **2** *Great* ~ grand
danois hund
**danger** ['deɪndʒə] *s* fara, risk [*of* för]
**dangerous** ['deɪndʒərəs] *adj* farlig [*for, to*
för]; ~ *driving* vårdslös körning; *play a* ~
*game* spela ett högt spel
**dangle** ['dæŋgl] *vb itr* o. *vb tr* dingla;
dingla med
**Danish** ['deɪnɪʃ] **I** *adj* dansk; ~ *pastry*
wienerbröd **II** *s* **1** danska språket **2** se
*Danish pastry*
**Danube** ['dænju:b] *s, the* ~ Donau
**dare** [deə] *vb itr* o. *vb tr* o. hjälpvb **1** våga,
tordas [*he* ~ *not (he does not* ~ *to)* come];
våga sig på; *I* ~ *you to do it!* gör det om
du törs! **2** *I* ~ *say you know* du vet nog;
*I* ~ *say* kanske det
**daredevil** ['deə,devl] *s* våghals
**daren't** [deənt] = *dare not*
**daresay** [,deə'seɪ] se *dare say* under *dare* 2
**daring** ['deərɪŋ] **I** *adj* djärv; vågad **II** *s*
djärvhet
**dark** [dɑ:k] **I** *adj* **1** mörk **2** hemlig [*keep a
th.* ~] **3** ~ *horse* om person dark horse,
oskrivet blad **4** *the Dark Ages*
medeltidens mörkaste århundraden **II** *s*
mörker; *be in the* ~ *about* sväva i
okunnighet om
**darken** ['dɑ:k(ə)n] *vb itr* o. *vb tr* bli mörk,
mörkna; förmörka
**darkness** ['dɑ:knəs] *s* mörker; dunkel
**darling** ['dɑ:lɪŋ] *s* älskling, raring
**1 darn** [dɑ:n] *vb tr* sl., ~ *it!* förbaskat
också!
**2 darn** [dɑ:n] *vb tr* stoppa [~ *socks*]
**darned** [dɑ:nd] *adj* sl. förbaskad
**darning-needle** ['dɑ:nɪŋ,ni:dl] *s* stoppnål
**darning-wool** ['dɑ:nɪŋwʊl] *s* stoppgarn
**dart** [dɑ:t] *s* **1** pil **2** ~*s* dart; *play* ~*s* kasta
pil, spela dart
**dash** [dæʃ] **I** *vb tr* o. *vb tr* **1** slå, kasta
[*down*]; stöta, köra ngt mot ngt; slå, törna
[*against*] **2** sl., ~ *it!* förbaskat också!
**3** störta, rusa [*at*] **II** *s* **1** rusning [*for* för

# dashboard 68

att nå] **2** sport. sprinterlopp **3** stänk; skvätt **4** tankstreck **5** käckhet, kläm
**dashboard** ['dæʃbɔ:d] s instrumentbräda, instrumentpanel på bil, flygplan
**dashing** ['dæʃɪŋ] adj käck, hurtig; stilig
**DAT** (förk. för digital audio tape) digitalt inspelat band, DAT
**data** ['deɪtə] s data, information
**1 date** [deɪt] s **1** dadel **2** dadelpalm
**2 date** [deɪt] I s **1** datum; out of ~ omodern; to ~ hittills; till (tills) dato; up to ~ à jour; med sin tid; bring up to ~ göra aktuell; modernisera; **2** vard. träff; avtalat möte II vb tr o. vb itr **1** datera; ~ from (back to) datera sig från (till) **2** vard. stämma träff med **3** vara gammalmodig [his books ~]
**dated** ['deɪtɪd] adj gammalmodig, föråldrad
**dative** ['deɪtɪv] s dativ
**daub** [dɔ:b] I vb tr o. vb itr bestryka; smeta; mål. kludda II s mål. kludd
**daughter** ['dɔ:tə] s dotter
**daughter-in-law** ['dɔ:tərɪnlɔ:] (pl. daughters-in-law ['dɔ:təzɪnlɔ:]) s svärdotter, sonhustru
**dawdle** ['dɔ:dl] vb itr söla
**dawn** [dɔ:n] I vb itr gry, dagas; ~ on gry (dagas) över; bildl. gå upp för II s gryning, början; at ~ i gryningen
**day** [deɪ] s **1** dag; the ~ after tomorrow i övermorgon; the ~ before yesterday i förrgår; the other ~ häromdagen; some ~ en dag; en vacker dag; let's call it a ~ vard. nu räcker det för i dag; ~ off ledig dag; ~ by ~ dag för dag; by ~ om (på) dagen; for ~s on end flera dagar i rad **2** dygn [äv. ~ and night] **3** ofta pl. ~s tid; tidsålder; it has had its ~ den har spelat ut sin roll; those were the ~s! det var tider det!; at the present ~ i närvarande stund; in the old ~s förr i världen
**daybreak** ['deɪbreɪk] s gryning, dagning
**daycare** ['deɪkeə] adj, ~ centre daghem
**daydream** ['deɪdri:m] I s dagdröm II vb itr dagdrömma
**daydreamer** ['deɪˌdri:mə] s dagdrömmare
**daylight** ['deɪlaɪt] s dagsljus; gryning; in broad ~ mitt på ljusa dagen
**day nursery** ['deɪˌnɜ:sərɪ] s daghem
**day-return** ['deɪrɪ'tɜ:n] adj, ~ ticket endagsbiljett för återresa samma dag
**daytime** ['deɪtaɪm] s dag; in (during) the ~ om (på) dagen

**daze** [deɪz] I vb tr förvirra; blända II s, in a ~ omtumlad
**dazzle** ['dæzl] I vb tr blända; förblinda II s bländande skimmer
**DC** [ˌdi:'si:] förk. för direct current (likström); District of Columbia [Washington ~]
**DDT** [ˌdi:di:'ti:] s DDT bekämpningsmedel
**deacon** ['di:k(ə)n] s diakon
**dead** [ded] I adj **1** död; ~ end återvändsgränd; slutpunkt **2** ~ heat dött (oavgjort) lopp; ~ weight livlös massa **3** on a ~ level precis på samma plan, jämsides **4** vard. tvär, plötslig; absolut, fullständig [~ certainty], ren [~ loss]; he was in ~ earnest han menade fullt allvar; ~ silence dödstystnad **5** exakt; hit the ~ centre of the target träffa mitt i prick
II s **1** the ~ de döda **2** in the (at) ~ of night mitt i natten; in the ~ of winter mitt i kallaste vintern
III adv **1** vard. död- [~ certain; ~ drunk], döds- [~ tired]; ~ slow mycket sakta **2** ~ against rakt emot
**deaden** ['dedn] vb tr bedöva; döva; dämpa
**deadlock** ['dedlɒk] s dödläge
**deadly** ['dedlɪ] adj **1** dödlig, dödsbringande; ~ nightshade bot. belladonna **2** döds- [~ enemies]
**deaf** [def] adj döv; ~ and dumb dövstum; turn a ~ ear to slå dövörat till för
**deaf-aid** ['defeɪd] s hörapparat
**deafen** ['defn] vb tr göra döv; deafening öronbedövande
**1 deal** [di:l] s **1** granplanka, furuplanka **2** virke gran, furu
**2 deal** [di:l] I s **1** a great (good) ~ en hel del **2** vard. affär, affärstransaktion; uppgörelse; that's a ~! då säger vi det! **3** vard., give a p. a fair (square) ~ behandla ngn rättvist **4** kortsp. giv; whose ~ is it? vem skall ge?
II (dealt dealt) vb tr o. vb itr **1** utdela [äv. ~ out]; kortsp. ge **2** handla, göra affärer **3** ~ with ha att göra med; behandla; ta itu med [~ with a problem]; handlägga ärende; handla om
**dealer** ['di:lə] s handlande [in med]; i sammansättningar -handlare
**dealing** ['di:lɪŋ] s, vanl. pl. ~s affärer; förbindelse, förbindelser; umgänge; samröre
**dealt** [delt] se 2 deal II
**dean** [di:n] s domprost
**dear** [dɪə] I adj **1** kär [to för]; rar;

hälsningsfras i brev äv. bäste [*Dear Mr. Brown*]; *Dear Sir (Madam)* i formella brev: utan motsvarighet i sv. **2** dyr, kostsam **II** *s* **1** speciellt i tilltal, *dearest* kära du; *my ~* kära du; [*carry this for me,*] *there's a ~* vard. ...så är du snäll **2** raring [*she is a ~*] **III** *interj*, *~ me!* uttryckande t.ex. förvåning kors!, nej men!; *oh ~!* oj då!, aj,aj!

**dearly** ['dɪəlɪ] *adv* innerligt, högt [*love ~*]

**dearth** [dɜ:θ] *s* brist, knapphet

**death** [deθ] *s* död; frånfälle; dödsfall; *it will be the ~ of me* det blir min död; *be at death's door* ligga för döden; *frightened (scared) to ~* dörädd; *sick (bored, tired) to ~ of a th.* (*a p.*) utled på ngt (ngn); *put to ~* avliva, avrätta

**deathbed** ['deθbed] *s* dödsbädd

**deathblow** ['deθbləʊ] *s* bildl. dödsstöt, dråpslag

**death duties** ['deθ,dju:tɪz] *s pl* olika slags arvsskatt

**deathly** ['deθlɪ] *adj* dödlig; dödslik

**death rate** ['deθreɪt] *s* dödstal, dödlighet

**death warrant** ['deθ,wɒr(ə)nt] *s* dödsdom

**debacle** [deɪ'bɑ:kl] *s* katastrof, sammanbrott, debacle; stort nederlag

**debar** [dɪ'bɑ:] *vb tr* **1** utesluta **2** förhindra

**debase** [dɪ'beɪs] *vb tr* **1** försämra **2** förnedra

**debatable** [dɪ'beɪtəbl] *adj* diskutabel

**debate** [dɪ'beɪt] **I** *vb itr* o. *vb tr* diskutera, debattera **II** *s* diskussion, debatt

**debater** [dɪ'beɪtə] *s* debattör

**debauchery** [dɪ'bɔ:tʃərɪ] *s* utsvävningar

**debility** [dɪ'bɪlətɪ] *s* svaghet, kraftlöshet

**debit** ['debɪt] **I** *s* debet **II** *vb tr* debitera

**debonair** [,debə'neə] *adj* charmig; gladlynt

**debris** ['deɪbri:, 'debri:] *s* spillror; skräp

**debt** [det] *s* skuld; *I owe you a ~ of gratitude* jag står i tacksamhetsskuld till dig; *be in a p.'s ~* stå i skuld hos ngn; *be in ~* vara skuldsatt; *run into ~* sätta sig i skuld; *out of ~* skuldfri

**debtor** ['detə] *s* gäldenär

**debunk** [di:'bʌŋk] *vb tr* vard. avslöja, säga sanningen om

**debut** ['deɪbu:] *s* debut

**decade** ['dekeɪd] *s* decennium, årtionde

**decadent** ['dekəd(ə)nt] *adj* dekadent, förfallen

**decanter** [dɪ'kæntə] *s* karaff med propp

**decathlete** [dɪ'kæθli:t] *s* sport. tiokampare

**decathlon** [dɪ'kæθlɒn] *s* sport. tiokamp

**decay** [dɪ'keɪ] **I** *vb itr* o. *vb tr* **1** förfalla; tära på **2** multna; vissna **3** vara angripen

av karies; orsaka karies i **II** *s* **1** förfall **2** förmultning, förruttnelse **3** kariesangrepp

**decayed** [dɪ'keɪd] *adj* **1** förfallen **2** skämd, murken; kariesangripen

**decease** [dɪ'si:s] *s* frånfälle, död

**deceased** [dɪ'si:st] **I** *adj* avliden **II** *s*, *the ~* den avlidne, de avlidna

**deceit** [dɪ'si:t] *s* **1** bedrägeri **2** bedräglighet

**deceitful** [dɪ'si:tf(ʊ)l] *adj* bedräglig, svekfull

**deceive** [dɪ'si:v] *vb tr* o. *vb itr* bedra, vilseleda; lura

**deceiver** [dɪ'si:və] *s* bedragare

**December** [dɪ'sembə] *s* december

**decency** ['di:snsɪ] *s* **1** anständighet **2** hygglighet

**decent** ['di:snt] *adj* **1** anständig **2** hygglig

**decentralize** [di:'sentrəlaɪz] *vb tr* decentralisera

**deception** [dɪ'sepʃ(ə)n] *s* bedrägeri

**deceptive** [dɪ'septɪv] *adj* bedräglig

**decibel** ['desɪbel] *s* fys. decibel

**decide** [dɪ'saɪd] *vb tr* o. *vb itr* avgöra, döma; bestämma sig för

**decided** [dɪ'saɪdɪd] *adj* bestämd, avgjord

**deciding** [dɪ'saɪdɪŋ] *adj* avgörande

**deciduous** [dɪ'sɪdjʊəs] *adj* lövfällande; *~ forest* lövskog

**decimal** ['desɪm(ə)l] **I** *adj* decimal- [*~ system*]; *~ fraction* decimalbråk; *~ point* decimalkomma i sv. [*0.26* läses vanl. *point two six*] **II** *s* decimal; decimalbråk

**decipher** [dɪ'saɪfə] *vb tr* dechiffrera; tyda

**decision** [dɪ'sɪʒ(ə)n] *s* avgörande; beslut; *come to (arrive at) a ~* fatta ett beslut

**decisive** [dɪ'saɪsɪv] *adj* avgörande; bestämd

**deck** [dek] *s* **1** sjö. däck **2** våning, plan i t.ex. buss **3** amer. kortlek

**deckchair** ['dektʃeə] *s* däcksstol; fällstol

**declaration** [,deklə'reɪʃ(ə)n] *s* **1** förklaring [*~ of war*], tillkännagivande **2** deklaration; *customs ~* tulldeklaration

**declare** [dɪ'kleə] *vb tr* o. *vb tr* **1** förklara, tillkännage, deklarera; förklara (uttala) sig; *~ war on (against)* förklara krig mot; *well, I ~!* det må jag då säga! **2** deklarera; [*have you anything*] *to ~?* ...att förtulla?

**declension** [dɪ'klenʃ(ə)n] *s* gram. deklination; böjning

**decline** [dɪ'klaɪn] **I** *vb itr* o. *vb tr* **1** slutta nedåt; böja ned, luta **2** bildl. gå utför, avta; förfalla **3** avböja, tacka nej **4** gram.

böja **II** *s* **1** avtagande, nedgång; *on the ~* i
avtagande **2** nedgång, minskning
**declutch** [ˌdiːˈklʌtʃ] *vb itr* bil. koppla
(trampa) ur
**decode** [ˌdiːˈkəʊd] *vb tr* dechiffrera; data.
avkoda; radio. el. TV. dekoda
**decoder** [ˌdiːˈkəʊdə] *s* data. avkodare; radio.
el. TV. dekoder
**décolletage** [ˌdeɪkɒlˈtɑːʒ] *s* dekolletage,
urringning
**decompose** [ˌdiːkəmˈpəʊz] *vb itr* vittra;
ruttna
**décor** [ˈdeɪkɔː] *s* teat. dekor, dekorationer
**decorate** [ˈdekəreɪt] *vb tr* **1** dekorera;
pryda **2** måla och tapetsera; inreda
**decoration** [ˌdekəˈreɪʃ(ə)n] *s* **1** dekorering,
prydande; *interior ~* heminredning
**2** dekoration
**decorative** [ˈdekərətɪv] *adj* dekorativ
**decorator** [ˈdekəreɪtə] *s* **1** dekoratör
**2** *painter and ~* el. *~* målare hantverkare;
*interior ~* inredningsarkitekt
**decorous** [ˈdekərəs] *adj* anständig, korrekt
**decoy** [ˈdiːkɔɪ] *s* lockfågel; lockbete
**decrease** [verb vanl. dɪˈkriːs, substantiv
ˈdiːkriːs] **I** *vb itr* o. *vb tr* minskas, avta;
minska **II** *s* minskning; *on the ~* i
avtagande
**decree** [dɪˈkriː] **I** *s* dekret, påbud **II** *vb tr*
påbjuda, bestämma
**decrepit** [dɪˈkrepɪt] *adj* skröplig; fallfärdig
**dedicate** [ˈdedɪkeɪt] *vb tr* **1** ägna; *~*
*oneself to* ägna sig åt **2** tillägna [*a th. to*
*a p.* ngn ngt]
**dedicated** [ˈdedɪkeɪtɪd] *adj* o. *perf p*
hängiven, starkt engagerad
**dedication** [ˌdedɪˈkeɪʃ(ə)n] *s* **1** hängivenhet
[*to* för]; engagemang **2** tillägnan,
dedikation
**deduce** [dɪˈdjuːs] *vb tr* sluta sig till,
härleda
**deduct** [dɪˈdʌkt] *vb tr* dra av (ifrån); *be*
*deducted from* avgå från summa
**deduction** [dɪˈdʌkʃ(ə)n] *s* **1** avdrag,
avräkning **2** härledning; slutledning
**deed** [diːd] *s* **1** handling; gärning **2** bragd,
bedrift **3** dokument, handling
**deejay** [ˈdiːdʒeɪ] *s* vard. diskjockey,
skivpratare
**deep** [diːp] **I** *adj* djup; djupsinnig; *go off*
*the ~ end* vard. bli rasande **II** *adv* djupt; *~*
*down in his heart* el. *~ down* innerst
inne **III** *s*, *the ~* havet, djupet
**deepen** [ˈdiːp(ə)n] *vb tr* o. *vb itr* fördjupa,
fördjupas; göra (bli) djupare

**deep-freeze** [ˌdiːpˈfriːz] **I** (*deep-froze*
*deep-frozen*) *vb tr* djupfrysa **II** *s* frys
**deep-froze** [ˌdiːpˈfrəʊz] se *deep-freeze I*
**deep-frozen** [ˌdiːpˈfrəʊzn] se *deep-freeze I*
**deep-fry** [ˌdiːpˈfraɪ] *vb tr* fritera
**deer** [dɪə] (pl. lika) *s* hjort; rådjur
**deface** [dɪˈfeɪs] *vb tr* vanställa, vanpryda
**defamation** [ˌdefəˈmeɪʃ(ə)n] *s*
ärekränkning
**defamatory** [dɪˈfæmət(ə)rɪ] *adj*
ärekränkande
**defeat** [dɪˈfiːt] **I** *s* nederlag; sport. äv. förlust
**II** *vb tr* besegra, slå; *be defeated* äv.
förlora
**defeatist** [dɪˈfiːtɪst] *s* defaitist
**defect** [substantiv ˈdiːfekt, verb dɪˈfekt] **I** *s*
brist; defekt; lyte; *speech ~* talfel **II** *vb itr*
polit. hoppa av
**defection** [dɪˈfekʃ(ə)n] *s* polit. avhopp
**defective** [dɪˈfektɪv] *adj* bristfällig; defekt;
*mentally ~* efterbliven
**defector** [dɪˈfektə] *s* polit. avhoppare
**defence** [dɪˈfens] *s* **1** försvar; skydd **2** jur.
försvarstalan; *the ~* svarandesidan
**defend** [dɪˈfend] *vb tr* försvara; skydda
**defendant** [dɪˈfendənt] *s* o. *adj* jur.
svarande
**defender** [dɪˈfendə] *s* försvarare; sport.
försvarsspelare
**defense** [dɪˈfens] *s* amer. = *defence*
**defensive** [dɪˈfensɪv] *adj* defensiv,
försvars-
**1 defer** [dɪˈfɜː] *vb tr* o. *vb itr* skjuta upp,
dröja
**2 defer** [dɪˈfɜː] *vb itr*, *~ to* böja sig för
**deference** [ˈdefər(ə)ns] *s* hänsyn; aktning
**defiance** [dɪˈfaɪəns] *s* utmaning; trots
**defiant** [dɪˈfaɪənt] *adj* utmanande; trotsig
**deficiency** [dɪˈfɪʃ(ə)nsɪ] *s* bristfällighet;
brist
**deficient** [dɪˈfɪʃ(ə)nt] *adj* bristfällig;
*mentally ~* efterbliven; *be ~ in* sakna
**deficit** [ˈdefɪsɪt] *s* underskott, brist
**1 defile** [dɪˈfaɪl] **I** *s* pass, trång passage
**II** *vb itr* defilera
**2 defile** [dɪˈfaɪl] *vb tr* förorena; besudla
**definable** [dɪˈfaɪnəbl] *adj* definierbar
**define** [dɪˈfaɪn] *vb tr* bestämma, precisera,
fastställa; definiera
**definite** [ˈdefɪnət] *adj* bestämd äv. gram.
[*the ~ article*]; avgränsad; fastställd;
avgjord; exakt, definitiv
**definitely** [ˈdefɪnətlɪ] *adv* absolut, avgjort
**definition** [ˌdefɪˈnɪʃ(ə)n] *s* **1** definition
**2** skärpa på TV-bild el. foto

**deflate** [dɪ'fleɪt] *vb tr* **1** släppa luften ur **2** åstadkomma en deflation av

**deflation** [dɪ'fleɪʃ(ə)n] *s* deflation

**deflect** [dɪ'flekt] *vb tr* o. *vb itr* få att böja (vika) av; böja (vika) av

**deflection** [dɪ'flekʃ(ə)n] *s* böjning åt sidan, krökning; avvikelse

**deform** [dɪ'fɔ:m] *vb tr* deformera, vanställa

**deformed** [dɪ'fɔ:md] *adj* vanställd; vanskapad, missbildad

**deformity** [dɪ'fɔ:mətɪ] *s* deformitet, missbildning, lyte

**defraud** [dɪ'frɔ:d] *vb tr* bedraga [*of* på]

**defray** [dɪ'freɪ] *vb tr* bestrida, bära [~ *the costs*]

**defrost** [ˌdi:'frɒst] *vb tr* tina upp t.ex. fruset kött; frosta av t.ex. kylskåp, vindruta

**defroster** [ˌdi:'frɒstə] *s* bil. defroster

**deft** [deft] *adj* flink, händig, skicklig

**defy** [dɪ'faɪ] *vb tr* **1** trotsa [~ *the law*]; gäcka **2** utmana

**degenerate** [adjektiv dɪ'dʒenərət, verb dɪ'dʒenəreɪt] **I** *adj* degenererad **II** *vb itr* degenerera, degenereras

**degradation** [ˌdegrə'deɪʃ(ə)n] *s* degradering; förnedring

**degrade** [dɪ'greɪd] *vb tr* degradera; förnedra

**degree** [dɪ'gri:] *s* **1** grad; *by* ~*s* gradvis; *to a certain* (*to some*) ~ i viss (någon) mån **2** rang **3** mat., univ. m.fl. grad; univ. äv. examen

**dehydrate** [di:'haɪdreɪt] *vb tr* torka; *dehydrated eggs* äggpulver

**deign** [deɪn] *vb itr,* ~ *to* nedlåta sig att

**deity** ['di:ətɪ] *s* gudom; gudomlighet

**deject** [dɪ'dʒekt] *vb tr* göra nedslagen

**delay** [dɪ'leɪ] **I** *vb tr* o. *vb itr* **1** dröja med; dröja **2** fördröja; *delaying tactics* förhalningstaktik **II** *s* fördröjning; dröjsmål; försening

**delegate** [substantiv 'delɪgət, verb 'delɪgeɪt] **I** *s* delegat, fullmäktig **II** *vb tr* delegera, bemyndiga

**delegation** [ˌdelɪ'geɪʃ(ə)n] *s* **1** delegering; befullmäktigande **2** delegation

**delete** [dɪ'li:t] *vb tr* stryka, stryka ut

**deliberate** [adjektiv dɪ'lɪbərət, verb dɪ'lɪbəreɪt] **I** *adj* avsiktlig **II** *vb itr* **1** överväga **2** överlägga [*on* om]

**deliberation** [dɪˌlɪbə'reɪʃ(ə)n] *s* **1** moget övervägande **2** överläggning

**delicacy** ['delɪkəsɪ] *s* **1** finhet, klenhet, ömtålighet; känslighet **2** delikatess, läckerhet

**delicate** ['delɪkət] *adj* **1** fin, utsökt; klen; skör; delikat, ömtålig [*a* ~ *situation*] **2** läcker [~ *food*]

**delicatessen** [ˌdelɪkə'tesn] *s* **1** delikatessaffär **2** färdiglagad mat; delikatesser

**delicious** [dɪ'lɪʃəs] *adj* läcker, utsökt; härlig

**delight** [dɪ'laɪt] **I** *s* nöje, glädje; förtjusning; *take* (*take a*) ~ *in* finna nöje i; njuta av **II** *vb tr* o. *vb itr* glädja; ~ *in* finna nöje i, njuta av [*he* ~*s in teasing me*]

**delighted** [dɪ'laɪtɪd] *adj* glad, förtjust [*at* (*with*) *a th.* över ngt]

**delightful** [dɪ'laɪtf(ʊ)l] *adj* förtjusande, härlig

**delimit** [dɪ'lɪmɪt] *vb tr* avgränsa, begränsa

**delinquent** [dɪ'lɪŋkwənt] *s, juvenile* ~ ungdomsbrottsling

**delirious** [dɪ'lɪrɪəs] *adj* yrande; vild; yr

**deliver** [dɪ'lɪvə] *vb tr* **1** överlämna; hand. leverera; dela ut **2** befria [*from*]; frälsa [~ *us from evil*] **3** framföra, hålla [~ *a speech*]

**delivery** [dɪ'lɪvərɪ] *s* **1** överlämnande, leverans; utdelning, utbärning [~ *of letters*]; posttur; ~ *note* följesedel; *cash* (amer. *collect*) *on* ~ mot efterkrav, mot postförskott **2** framförande [~ *of a speech*] **3** förlossning

**delphinium** [del'fɪnɪəm] *s* riddarsporre

**delude** [dɪ'lu:d] *vb tr* lura, förleda [*into* till]

**deluge** ['delju:dʒ] **I** *s* översvämning, syndaflod; bildl. störtflod **II** *vb tr* översvämma, dränka

**delusion** [dɪ'lu:ʒ(ə)n] *s* illusion, inbillning

**de luxe** [də'lu:ks] *adj* luxuös, lyx-

**demagogic** [ˌdemə'gɒgɪk] *adj* demagogisk

**demagogue** ['deməgɒg] *s* demagog

**demand** [dɪ'mɑ:nd] **I** *vb tr* begära, fordra, kräva **II** *s* **1** begäran [*for* om], fordran, krav [*for* på]; *on* ~ vid anfordran **2** efterfrågan [*for* på]; ~ *and supply* tillgång och efterfrågan; *in* ~ efterfrågad

**demanding** [dɪ'mɑ:ndɪŋ] *adj* fordrande, krävande

**demeanour** [dɪ'mi:nə] *s* uppträdande, hållning

**demented** [dɪ'mentɪd] *adj* sinnessjuk

**demilitarize** [ˌdi:'mɪlɪtəraɪz] *vb tr* demilitarisera

**demob** [dɪ'mɒb] *vb tr* mil. vard. kortform för *demobilize*; *be* (*get*) *demobbed* mucka

**demobilization** [ˌdi:ˌməʊbɪlaɪ'zeɪʃ(ə)n] *s* demobilisering; hemförlovning

**demobilize** [di:'məʊbɪlaɪz] *vb tr*
demobilisera; hemförlova
**democracy** [dɪ'mɒkrəsɪ] *s* demokrati
**democrat** ['deməkræt] *s* demokrat
**democratic** [ˌdemə'krætɪk] *adj*
demokratisk
**demolish** [dɪ'mɒlɪʃ] *vb tr* demolera,
förstöra
**demolition** [ˌdemə'lɪʃ(ə)n] *s* demolering
**demon** ['di:mən] *s* **1** demon; djävul **2** vard.
överdängare
**demonstrate** ['demənstreɪt] *vb tr* o. *vb itr*
**1** bevisa; uppvisa **2** demonstrera
**demonstration** [ˌdemns'treɪʃ(ə)n] *s*
**1** bevisning; uppvisande **2** demonstration
**demonstrative** [dɪ'mɒnstrətɪv] *adj*
**1** demonstrativ, öppenhjärtig **2** gram.
demonstrativ
**demonstrator** ['demənstreɪtə] *s*
demonstrant
**demoralize** [dɪ'mɒrəlaɪz] *vb tr*
demoralisera
**demure** [dɪ'mjʊə] *adj* blyg, sedesam vanl.
om kvinna
**den** [den] *s* **1** djurs håla, lya, kula **2** tillhåll,
håla [*an opium* ~]; vard. lya, krypin
**denial** [dɪ'naɪ(ə)l] *s* **1** förnekande
**2** dementi
**denim** ['denɪm] *s* **1** denim jeanstyg **2** pl. ~*s*
denimjeans
**Denmark** ['denmɑ:k] Danmark
**denomination** [dɪˌnɒmɪ'neɪʃ(ə)n] *s* **1** valör;
myntenhet **2** kyrkosamfund
**denote** [dɪ'nəʊt] *vb tr* beteckna; ange;
tyda på
**dénouement** [deɪ'nu:mɑ:ŋ] *s* upplösning i
drama
**denounce** [dɪ'naʊns] *vb tr* **1** stämpla;
brännmärka **2** ange brottsling
**dense** [dens] *adj* **1** tät; kompakt **2** dum
**density** ['densətɪ] *s* täthet
**dent** [dent] **I** *s* buckla **II** *vb tr* buckla till
**dental** ['dentl] *adj* tand-; tandläkar-; ~
*floss* tandtråd; ~ *surgeon* tandläkare
**dentist** ['dentɪst] *s* tandläkare
**denture** ['dentʃə] *s* tandprotes,
tandgarnityr
**denunciation** [dɪˌnʌnsɪ'eɪʃ(ə)n] *s*
fördömande, brännmärkning
**deny** [dɪ'naɪ] *vb tr* **1** neka till, bestrida;
dementera **2** neka, vägra [*a p. a th.*] **3** ~
*oneself* neka sig, försaka
**deodorant** [di:'əʊdərənt] *s* deodorant
**depart** [dɪ'pɑ:t] *vb itr* **1** avresa; om t.ex. tåg
avgå **2** ~ *from* frångå [~ *from routine*]

**departed** [dɪ'pɑ:tɪd] **I** *adj* gången, svunnen
**II** *s, the* ~ den avlidne, de avlidna
**department** [dɪ'pɑ:tmənt] *s* **1** avdelning;
fack, gren; ~ *store* varuhus
**2** departement, regeringsdepartement;
*the Department of State* el. *the State
Department* amer. utrikesdepartementet
**departure** [dɪ'pɑ:tʃə] *s* avresa, avfärd,
avgång
**depend** [dɪ'pend] *vb itr* **1** bero [*on* på];
*that* (*it all*) ~*s* vard. det beror 'på **2** lita
[*on* på]
**dependable** [dɪ'pendəbl] *adj* pålitlig
**dependence** [dɪ'pendəns] *s* beroende,
avhängighet [*on* av]
**dependent** [dɪ'pendənt] *adj* beroende [*on*
av]; underordnad
**depict** [dɪ'pɪkt] *vb tr* avbilda; skildra
**deplorable** [dɪ'plɔ:rəbl] *adj* beklagansvärd
**deplore** [dɪ'plɔ:] *vb tr* djupt beklaga
**depopulate** [di:'pɒpjʊleɪt] *vb tr* avfolka
**depopulation** [di:ˌpɒpjʊ'leɪʃ(ə)n] *s*
avfolkning
**deport** [dɪ'pɔ:t] *vb tr* deportera, förvisa
**deportation** [ˌdi:pɔ:'teɪʃ(ə)n] *s* deportering
**depose** [dɪ'pəʊz] *vb tr* **1** avsätta t.ex. kung
**2** jur. vittna om
**deposit** [dɪ'pɒzɪt] **I** *vb tr* **1** lägga ned
**2** deponera; sätta in [~ *money in a bank*]
**II** *s* **1** deposition; insättning
[*savings-bank's* ~*s*] **2** pant; handpenning
**depository** [dɪ'pɒzɪt(ə)rɪ] *s* förvaringsställe;
*night* ~ amer. servicebox, nattfack
**depot** ['depəʊ] *s* **1** depå, förråd; nederlag
**2** bussgarage
**depraved** [dɪ'preɪvd] *adj* depraverad
**depreciate** [dɪ'pri:ʃɪeɪt] *vb* o. *vb itr*
minska (falla) i värde; falla
**depreciation** [dɪˌpri:ʃɪ'eɪʃ(ə)n] *s*
värdeminskning
**depress** [dɪ'pres] *vb tr* **1** trycka ned
**2** deprimera
**depressed** [dɪ'prest] *adj* nedstämd, nere,
deprimerad, deppig
**depressing** [dɪ'presɪŋ] *adj* deprimerande
**depression** [dɪ'preʃ(ə)n] *s* depression;
nedstämdhet, deppighet
**deprive** [dɪ'praɪv] *vb tr* beröva [*a p. of a th.*
ngn ngt]
**depth** [depθ] *s* djup; djuphet; djupsinne;
*in the* ~ *of winter* mitt i vintern; *be out
of one's* ~ vara på djupet; bildl. vara ute
på hal is
**deputation** [ˌdepjʊ'teɪʃ(ə)n] *s* deputation
**deputy** ['depjʊtɪ] *s* **1** deputerad; ombud

73                                    **detail**

2 ställföreträdare, vikarie; attributivt
ställföreträdande
**derange** [dɪ'reɪndʒ] *vb tr* **1** rubba; störa
**2** *mentally deranged* mentalsjuk
**Derby** ['dɑ:bɪ, amer. 'dɜ:bɪ] *s* **1** sport. derby
**2** *derby* amer. plommonstop, kubb
**deregulate** [di:'regjʊleɪt] *vb tr* avreglera
**derelict** ['derɪlɪkt] *adj* övergiven, herrelös
**deride** [dɪ'raɪd] *vb tr* håna, förlöjliga
**derision** [dɪ'rɪʒ(ə)n] *s* hån, förlöjligande
**derive** [dɪ'raɪv] *vb tr* o. *vb itr* dra, få,
erhålla; härleda, härstamma
**derogatory** [dɪ'rɒgətrɪ] *adj* förklenande,
förringande [~ *remarks*]
**descend** [dɪ'send] *vb itr* o. *vb tr* **1** gå
(komma, stiga) ned, sänka sig [*on* över];
stiga (gå) nedför **2** slutta **3** gå i arv
**descendant** [dɪ'sendənt] *s* avkomling [*of*
till]
**descent** [dɪ'sent] *s* **1** nedstigning; nedgång
**2** sluttning, nedförsbacke
**describe** [dɪ'skraɪb] *vb tr* beskriva
**description** [dɪ'skrɪpʃ(ə)n] *s* **1** beskrivning
**2** slag, sort
**desecrate** ['desɪkreɪt] *vb tr* vanhelga
**1 desert** [dɪ'zɜ:t] *s*, *get one's deserts* få
vad man förtjänar
**2 desert** [adjektiv o. substantiv 'dezət, verb
dɪ'zɜ:t] **I** *adj* öde, obebodd; öken- **II** *s*
öken **III** *vb tr* o. *vb itr* överge; desertera
från; desertera, rymma; perfekt particip
*deserted* äv. öde
**deserter** [dɪ'zɜ:tə] *s* desertör
**desertion** [dɪ'zɜ:ʃ(ə)n] *s* **1** övergivande
**2** desertering, rymning
**deserve** [dɪ'zɜ:v] *vb tr* förtjäna, vara värd
**deserving** [dɪ'zɜ:vɪŋ] *adj* förtjänstfull,
värdig, värd; *a ~ case* om person ett
ömmande fall
**desiccated** ['desɪkeɪtɪd] *adj*, ~ *coconut*
kokosflingor
**design** [dɪ'zaɪn] **I** *vb tr* o. *vb itr* **1** formge;
teckna; göra utkast till, rita [~ *a building*];
skapa **2** planlägga **3** avse [*a room designed
for children*] **II** *s* **1** formgivning, design;
planläggning; ritning; utförande; modell
**2** mönster **3** plan; avsikt, syfte
**designate** ['dezɪgneɪt] *vb tr* beteckna
**designation** [ˌdezɪg'neɪʃ(ə)n] *s* beteckning,
benämning
**designer** [dɪ'zaɪnə] *s* formgivare, designer
**desirable** [dɪ'zaɪərəbl] *adj* önskvärd
**desire** [dɪ'zaɪə] **I** *vb tr* **1** önska; *leave
much (a great deal) to be desired*
lämna mycket övrigt att önska **2** begära,

be **II** *s* **1** önskan; längtan, begär [*for, of*
efter, till] **2** önskemål
**desirous** [dɪ'zaɪərəs] *adj* ivrig, lysten [*of*
efter]
**desist** [dɪ'zɪst] *vb itr* avstå; upphöra
**desk** [desk] *s* **1** skrivbord; skolbänk;
*teacher's ~* kateder **2** kassa i butik
**desktop** ['desktɒp] *s*, ~ *computer*
bordsdator
**desolate** ['desələt] *adj* **1** ödslig; enslig
**2** ensam och övergiven
**desolation** [ˌdesə'leɪʃ(ə)n] *s* **1** ödeläggelse
**2** övergivenhet
**despair** [dɪ'speə] **I** *s* förtvivlan; *be in ~*
vara förtvivlad **II** *vb itr* förtvivla
**desperado** [ˌdespə'rɑ:dəʊ] (pl. ~*s*) *s*
desperado
**desperate** ['despərət] *adj* desperat,
förtvivlad
**desperation** [ˌdespə'reɪʃ(ə)n] *s* förtvivlan;
desperation
**despicable** [dɪ'spɪkəbl] *adj* föraktlig
**despise** [dɪ'spaɪz] *vb tr* förakta
**despite** [dɪ'spaɪt] *prep* trots, oaktat
**despondent** [dɪ'spɒndənt] *adj* förtvivlad,
modfälld
**despot** ['despɒt] *s* despot, tyrann
**despotic** [de'spɒtɪk] *adj* despotisk
**dessert** [dɪ'zɜ:t] *s* dessert
**dessertspoon** [dɪ'zɜ:tspu:n] *s* dessertsked
**destination** [ˌdestɪ'neɪʃ(ə)n] *s* destination;
bestämmelseort
**destine** ['destɪn] *vb tr* bestämma, ämna
[*for* för, till]
**destiny** ['destɪnɪ] *s* öde, livsöde
**destitute** ['destɪtju:t] *adj* utblottad [*of* på];
utfattig
**destroy** [dɪ'strɔɪ] *vb tr* förstöra;
tillintetgöra
**destroyer** [dɪ'strɔɪə] *s* förstörare; sjö. jagare
**destruction** [dɪ'strʌkʃ(ə)n] *s* förstörande,
förintelse; ödeläggelse
**destructive** [dɪ'strʌktɪv] *adj* destruktiv
**detach** [dɪ'tætʃ] *vb tr* **1** lösgöra, skilja **2** mil.
detachera, avdela
**detachable** [dɪ'tætʃəbl] *adj* löstagbar
**detached** [dɪ'tætʃt] *adj* **1** avskild, enstaka
**2** opartisk; likgiltig
**detachment** [dɪ'tætʃmənt] *s* **1** lösgörande,
avskiljande **2** opartiskhet; likgiltighet
**3** mil. detachering
**detail** ['di:teɪl, speciellt amer. dɪ'teɪl] **I** *vb tr*
**1** utförligt relatera; specificera **2** mil.
avdela, detachera [*for* till] **II** *s* detalj,
detaljer

**detailed** ['di:teɪld] *adj* detaljerad
**detain** [dɪ'teɪn] *vb tr* **1** uppehålla, försena
**2** hålla i häkte
**detect** [dɪ'tekt] *vb tr* upptäcka; spåra
**detection** [dɪ'tekʃ(ə)n] *s* upptäckt
**detective** [dɪ'tektɪv] **I** *adj* detektiv-; ~
*inspector* kriminalinspektör **II** *s* detektiv
**detector** [dɪ'tektə] *s* tekn. el. radio. detektor;
*sound* ~ lyssnarapparat
**détente** [deɪ'tɒnt] *s* polit. avspänning
**detention** [dɪ'tenʃ(ə)n] *s* **1** uppehållande
**2** kvarhållande i häkte; ~ *camp* mil.
interneringsläger
**deter** [dɪ'tɜ:] *vb tr* avskräcka, avhålla
[*from*]
**detergent** [dɪ'tɜ:dʒ(ə)nt] *s* tvättmedel,
diskmedel, rengöringsmedel
**deteriorate** [dɪ'tɪərɪəreɪt] *vb tr* o. *vb itr*
försämra; försämras
**deterioration** [dɪ,tɪərɪə'reɪʃ(ə)n] *s*
försämring
**determination** [dɪ,tɜ:mɪ'neɪʃ(ə)n] *s*
**1** beslutsamhet; fast föresats
**2** fastställande
**determine** [dɪ'tɜ:mɪn] *vb tr* o. *vb itr*
**1** bestämma; fastställa **2** besluta; besluta
sig
**deterrent** [dɪ'ter(ə)nt] **I** *adj* avskräckande
**II** *s* avskräckningsmedel
**detest** [dɪ'test] *vb tr* avsky
**detestable** [dɪ'testəbl] *adj* avskyvärd
**dethrone** [dɪ'θrəʊn] *vb tr* störta från
tronen; detronisera
**detonate** ['detəneɪt] *vb tr* o. *vb itr* få att
detonera; detonera
**detonation** [,detə'neɪʃ(ə)n] *s* detonation
**detour** ['di:tʊə] *s* omväg; avstickare
**detract** [dɪ'trækt] *vb itr*, ~ *from* förringa
**detrimental** [,detrɪ'mentl] *adj* skadlig [*to*
för]
**1 deuce** [dju:s] *s* spel. tvåa; i tennis fyrtio
lika, deuce
**2 deuce** [dju:s] *s* vard., *what the* ~*?* vad
tusan?; *the* ~ *of a row* ett fasligt
uppträde (gräl)
**devaluation** [,di:væljʊ'eɪʃ(ə)n] *s*
devalvering, nedskrivning av valuta
**devalue** [,di:'vælju:] *vb tr* devalvera
**devastate** ['devəsteɪt] *vb tr* ödelägga
**devastation** [,devə'steɪʃ(ə)n] *s* ödeläggelse
**develop** [dɪ'veləp] *vb tr* o. *vb itr*
**1** utveckla; utnyttja, exploatera; utveckla
sig, utvecklas [*into* till]; *developing
country* utvecklingsland, u-land **2** foto.
framkalla

**development** [dɪ'veləpmənt] *s*
**1** utveckling; utnyttjande, exploatering
**2** foto. framkallning
**deviate** ['di:vɪeɪt] *vb itr* avvika
**deviation** [,di:vɪ'eɪʃ(ə)n] *s* avvikelse
**device** [dɪ'vaɪs] *s* **1** plan; påhitt
**2** anordning, apparat **3** emblem, märke
på sköld, vapen **4** *leave a p. to his own ~s*
låta ngn klara sig själv
**devil** ['devl] *s* djävul, fan, sate; *what the
~...?* vad tusan (i helsike)...?; *run like
the* ~ springa som tusan; *go to the* ~ dra
åt helsike; *play the* ~ *with* ta kål på; *talk
of the* ~ *and he will appear* el. *talk of
the* ~ ordspr. när man talar om trollen, så
står de i farstun el. när man talar om
trollen; *between the* ~ *and the deep* (*the
deep blue*) *sea* ordspr. i valet och kvalet
**devilish** ['devlɪʃ] *adj* djävulsk; vard. jäkla
**devious** ['di:vjəs] *adj* **1** slingrande
**2** bedräglig
**devise** [dɪ'vaɪz] *vb tr* hitta på, tänka ut
**devoid** [dɪ'vɔɪd] *adj*, ~ *of* blottad på, utan
**devote** [dɪ'vəʊt] *vb tr* uppoffra; ~ *oneself
to* ägna sig åt
**devoted** [dɪ'vəʊtɪd] *adj* o. *perf p*
**1** hängiven; tillgiven **2** bestämd [*to* åt]
**devotion** [dɪ'vəʊʃ(ə)n] *s* **1** tillgivenhet [*to
för*]; hängivenhet [*to* för]; ~ *to duty*
plikttrohet **2** uppoffrande
**devour** [dɪ'vaʊə] *vb tr* sluka
**devout** [dɪ'vaʊt] *adj* from; andäktig
**dew** [dju:] *s* dagg
**dexterity** [dek'sterətɪ] *s* fingerfärdighet
**dexterous** ['dekstərəs] *adj* fingerfärdig
**dextrose** ['dekstrəʊz] *s* druvsocker
**diabetes** [,daɪə'bi:ti:z] *s* diabetes,
sockersjuka
**diabetic** [,daɪə'betɪk] *s* diabetiker,
sockersjuk patient
**diabolical** [,daɪə'bɒlɪk(ə)l] *adj* diabolisk,
djävulsk
**diagnose** ['daɪəgnəʊz] *vb tr* diagnostisera
**diagnosis** [,daɪəg'nəʊsɪs] (pl. *diagnoses*
[,daɪəg'nəʊsi:z]) *s* diagnos
**diagonal** [daɪ'ægənl] *adj* o. *s* diagonal
**diagram** ['daɪəgræm] *s* diagram
**dial** ['daɪ(ə)l] **I** *s* **1** urtavla **2** visartavla
**3** radio. stationsskala **4** tele. fingerskiva
**5** solur **II** *vb tr* o. *vb itr* ringa upp; slå
telefonnummer; slå på fingerskivan
**dialect** ['daɪəlekt] *s* dialekt
**dialectal** [,daɪə'lektl] *adj* dialektal
**dialogue** ['daɪəlɒg] *s* dialog, samtal
**diameter** [daɪ'æmɪtə] *s* diameter

**diamond** ['daɪəmənd] s **1** diamant **2** kortsp. ruterkort; pl. **~s** ruter

**diaper** ['daɪəpə] s amer. blöja

**diaphragm** ['daɪəfræm] s **1** anat. diafragma **2** foto. bländare

**diarrhoea** [ˌdaɪə'rɪə] s diarré

**diary** ['daɪərɪ] s dagbok; almanacka

**dice** [daɪs] s pl tärningar; tärningsspel

**dictate** [substantiv 'dɪkteɪt, verb dɪk'teɪt] **I** s diktat, påbud, föreskrift **II** vb tr o. vb itr diktera; föreskriva

**dictation** [dɪk'teɪʃ(ə)n] s diktamen

**dictator** [dɪk'teɪtə] s diktator

**dictatorial** [ˌdɪktə'tɔ:rɪəl] adj diktatorisk

**dictatorship** [dɪk'teɪtəʃɪp] s diktatur

**dictionary** ['dɪkʃənrɪ] s ordbok, lexikon

**did** [dɪd] se 1 do

**didn't** ['dɪdnt] = did not

**1 die** [daɪ] s **1** (pl. dice [daɪs]) tärning **2** pl. **~s** präglingsstämpel, myntstämpel

**2 die** [daɪ] vb itr **1** dö, omkomma, avlida **2** dö ut, slockna **3** I'm dying to do it jag längtar efter att få göra det! **4 ~ down** (away) dö bort

**diesel** ['di:z(ə)l] s, **~ engine** motor, dieselmotor

**diet** ['daɪət] **I** s diet; kost; be on a **~** hålla diet; banta **II** vb itr hålla diet; banta

**differ** ['dɪfə] vb itr **1** vara olik (olika); avvika [from från] **2** vara av olika mening

**difference** ['dɪfr(ə)ns] s **1** olikhet; skillnad; it makes no **~** to me det gör mig detsamma; it doesn't make much **~** det spelar inte så stor roll **2** meningsskiljaktighet

**different** ['dɪfr(ə)nt] adj olik, olika, skild, annorlunda; helt annan

**differentiate** [ˌdɪfə'renʃɪeɪt] vb tr o. vb itr differentiera; **~ between** göra åtskillnad mellan

**difficult** ['dɪfɪk(ə)lt] adj svår; besvärlig

**difficulty** ['dɪfɪkəltɪ] s svårighet, svårigheter

**diffuse** [adjektiv dɪ'fju:s, verb dɪ'fju:z] **I** adj **1** spridd; diffus **2** omständlig **II** vb tr o. vb itr sprida (spridas) omkring

**dig** [dɪg] **I** (dug dug) vb tr o. vb itr **1** gräva [for efter]; gräva i; **~ out** gräva fram **2** stöta, sticka **II** s vard. stöt, stick; bildl. pik, känga

**digest** [daɪ'dʒest] vb tr **1** smälta t.ex. mat, kunskaper **2** tänka över

**digestion** [daɪ'dʒestʃ(ə)n] s matsmältning; digestion

**digit** ['dɪdʒɪt] s ensiffrigt tal, siffra

**digital** ['dɪdʒɪtl] adj digital [**~ recording** (inspelning)]

**dignified** ['dɪgnɪfaɪd] adj värdig; förnäm

**dignify** ['dɪgnɪfaɪ] vb tr göra värdig

**dignitary** ['dɪgnɪtərɪ] s dignitär

**dignity** ['dɪgnətɪ] s värdighet; stand on one's **~** hålla på sin värdighet

**digs** [dɪgz] s pl vard. hyresrum, lya

**dilapidated** [dɪ'læpɪdeɪtɪd] adj förfallen

**dilatation** [ˌdaɪleɪ'teɪʃ(ə)n] s utvidgning

**dilate** [daɪ'leɪt] vb tr o. vb itr vidga; vidga sig

**dilemma** [dɪ'lemə] s dilemma

**dilettante** [ˌdɪlɪ'tæntɪ] s dilettant

**diligent** ['dɪlɪdʒ(ə)nt] adj flitig, arbetsam

**dilute** [daɪ'lju:t] vb tr späd ut, blanda ut

**dim** [dɪm] **I** adj dunkel [**~ memories**]; oklar, vag **II** vb tr bil., **~ one's (the) headlights** amer. blända av vid möte

**dime** [daɪm] s amer. tiocentare; **~ store** billighetsaffär

**dimension** [dɪ'menʃ(ə)n] s dimension

**diminish** [dɪ'mɪnɪʃ] vb tr o. vb itr förminska; förminskas

**diminutive** [dɪ'mɪnjʊtɪv] adj diminutiv äv. gram.; mycket liten

**dimmer** ['dɪmə] s bil. amer. ljusomkopplare, avbländare

**dimple** ['dɪmpl] s smilgrop

**din** [dɪn] s dån, buller, larm

**dine** [daɪn] vb itr äta middag

**diner** ['daɪnə] s **1** middagsgäst **2** järnv. restaurangvagn **3** amer. matställe

**dinghy** ['dɪŋgɪ] s jolle

**dingy** ['dɪndʒɪ] adj smutsig; sjaskig

**dining-car** ['daɪnɪŋkɑ:] s järnv. restaurangvagn

**dining-hall** ['daɪnɪŋhɔ:l] s större matsal

**dining-room** ['daɪnɪŋru:m] s matsal, matrum

**dinner** ['dɪnə] s middag; sit down to **~** sätta sig till bords

**dinner jacket** ['dɪnəˌdʒækɪt] s smoking

**dinner party** ['dɪnəˌpɑ:tɪ] s middagsbjudning

**dinner plate** ['dɪnəpleɪt] s flat tallrik

**dinosaur** ['daɪnəsɔ:] s dinosaurie, skräcködla

**diocese** ['daɪəsɪs] s kyrkl. stift, biskopsdöme

**dip** [dɪp] **I** vb tr o. vb itr **1** doppa, sänka ned [in, into]; dyka, doppa sig **2 ~ into** bläddra i [**~ into a book**] **3** bil., **~ the (one's) headlights** blända av vid möte **II** s doppning, sänkning; vard. dopp, bad

**diphtheria** [dɪf'θɪərɪə] s difteri
**diphthong** ['dɪfθɒŋ] s diftong
**diploma** [dɪ'pləʊmə] s diplom
**diplomacy** [dɪ'pləʊməsɪ] s diplomati
**diplomat** ['dɪpləmæt] s diplomat
**diplomatic** [ˌdɪplə'mætɪk] adj diplomatisk
**dipstick** ['dɪpstɪk] s bil. oljemätsticka
**dipswitch** ['dɪpswɪtʃ] s bil. avbländare, ljusomkopplare
**direct** [dɪ'rekt] I vb tr o. vb itr **1** rikta [at, to, towards mot] **2** leda, dirigera; regissera [~ a film] **3** visa vägen [can you ~ me to the station?] **4** adressera [~ a letter to a p.] **5** befalla, beordra, föreskriva; bestämma
**II** adj **1** direkt; rak [the ~ opposite], rät; omedelbar; ~ current likström; ~ hit fullträff **2** rättfram
**III** adv direkt; rakt, rätt
**direction** [dɪ'rekʃ(ə)n] s **1** riktning; in every ~ åt alla håll; in the ~ of mot, åt...till; sense of ~ lokalsinne **2** ofta pl. ~s anvisning, anvisningar; föreskrifter, föreskrift
**directly** [dɪ'rektlɪ] I adv **1** direkt; rakt **2** genast **II** konj så snart som
**director** [dɪ'rektə] s **1** direktör; chef; ~ of studies studierektor; board of ~s bolagsstyrelse **2** film. el. teat. regissör
**directory** [dɪ'rektərɪ] s, telephone ~ telefonkatalog
**dirt-cheap** [ˌdɜ:t'tʃi:p] adj o. adv jättebillig; jättebilligt
**dirty** ['dɜ:tɪ] I adj **1** smutsig, oren **2** snuskig [a ~ story]; give a p. a ~ look ge ngn en mördande blick; a ~ mind en snuskig fantasi; ~ play sport. ojust spel; a ~ trick ett fult spratt; do the ~ work göra slavgörat **3** om väder ruskig **II** vb tr smutsa ner
**disability** [ˌdɪsə'bɪlətɪ] s **1** oduglighet **2** invaliditet
**disable** [dɪs'eɪbl] vb tr **1** göra oduglig **2** göra till invalid
**disabled** [dɪs'eɪbld] adj handikappad
**disadvantage** [ˌdɪsəd'vɑ:ntɪdʒ] s nackdel; at a ~ i ett ofördelaktigt läge
**disadvantageous** [ˌdɪsædvə:n'teɪdʒəs] adj ofördelaktig
**disagree** [ˌdɪsə'gri:] vb itr **1** inte samtycka, inte instämma; I ~ det håller jag inte med om **2** inte komma (stämma) överens **3** om t.ex. mat, this food ~s with me jag tål inte den här maten
**disagreeable** [ˌdɪsə'grɪəbl] adj obehaglig, otrevlig

**disagreement** [ˌdɪsə'gri:mənt] s meningsskiljaktighet; oenighet
**disallow** [ˌdɪsə'laʊ] vb tr underkänna, förklara ogiltig
**disappear** [ˌdɪsə'pɪə] vb itr försvinna
**disappearance** [ˌdɪsə'pɪər(ə)ns] s försvinnande
**disappoint** [ˌdɪsə'pɔɪnt] vb tr göra besviken [with på]
**disappointing** [ˌdɪsə'pɔɪntɪŋ] adj, it was ~ det var en besvikelse
**disappointment** [ˌdɪsə'pɔɪntmənt] s besvikelse, missräkning
**disapproval** [ˌdɪsə'pru:v(ə)l] s ogillande
**disapprove** ['dɪsə'pru:v] vb tr o. vb itr, ~ of el. ~ ogilla
**disarm** [dɪs'ɑ:m] vb tr o. vb itr nedrusta
**disarmament** [dɪs'ɑ:məmənt] s nedrustning
**disarrange** [ˌdɪsə'reɪndʒ] vb tr ställa till oreda i
**disarray** [ˌdɪsə'reɪ] s oreda, oordning
**disaster** [dɪ'zɑ:stə] s olycka; katastrof
**disastrous** [dɪ'zɑ:strəs] adj katastrofal
**disbelief** [ˌdɪsbɪ'li:f] s misstro [in till]
**disbelieve** [ˌdɪsbɪ'li:v] vb tr o. vb itr, ~ in el. ~ inte tro på, tvivla på
**disc** [dɪsk] s **1** rund skiva, platta; bricka **2** grammofonskiva
**discard** [dɪs'kɑ:d] vb tr kasta; förkasta; kassera
**discern** [dɪ'sɜ:n] vb tr urskilja, skönja
**discerning** [dɪ'sɜ:nɪŋ] adj omdömesgill
**discharge** [dɪs'tʃɑ:dʒ] I vb tr **1** lasta av; lossa **2** avlossa, skjuta **3** elektr. ladda ur **4** med. avsöndra, utsöndra **5** frige [~ a prisoner]; skriva ut [~ a patient]; avskeda **6** betala [~ a debt]; fullgöra [~ one's duties]
**II** s **1** avlastning **2** elektr. urladdning **3** med. flytning; avsöndring, utsöndring **4** frigivning [~ of a prisoner]; utskrivning [~ of a patient]; avsked, avskedande; speciellt mil. hemförlovning **5** betalning [~ of a debt]; fullgörande [~ of one's duties]
**disciple** [dɪ'saɪpl] s lärjunge; anhängare
**disciplinary** [ˌdɪsɪplɪnərɪ] adj disciplinär
**discipline** ['dɪsɪplɪn] I s disciplin **II** vb tr disciplinera
**disc jockey** ['dɪskˌdʒɒkɪ] s vard. diskjockey, skivpratare
**disclose** [dɪs'kləʊz] vb tr bringa i dagen; avslöja [~ a secret to (för) a p.]
**disco** ['dɪskəʊ] (pl. ~s) s vard. disco

**discolour** [dɪs'kʌlə] *vb tr* avfärga; missfärga

**discomfort** [dɪs'kʌmfət] **I** *s* obehag **II** *vb tr* orsaka obehag

**disconcert** [ˌdɪskən'sɜ:t] *vb tr* bringa ur fattningen; perfekt particip *disconcerted* förlägen

**disconnect** [ˌdɪskə'nekt] *vb tr* avbryta förbindelsen mellan; skilja; koppla av (ifrån), stänga av [~ *the telephone*]

**disconsolate** [dɪs'kɒnsələt] *adj* otröstlig

**discontent** [ˌdɪskən'tent] *s* missnöje

**discontented** [ˌdɪskən'tentɪd] *adj* missnöjd

**discontinue** [ˌdɪskən'tɪnjʊ] *vb tr* avbryta; sluta med; lägga ned [~ *the work*]; dra in [~ *a bus line*]

**discord** ['dɪskɔ:d] *s* **1** oenighet, missämja **2** mus. dissonans; mus. el. bildl. disharmoni

**discotheque** ['dɪskətek] *s* diskotek

**discount** ['dɪskaʊnt] **I** *s* rabatt; ~ *store* lågprisvaruhus **II** *vb tr* dra av; bortse ifrån

**discourage** [dɪs'kʌrɪdʒ] *vb tr* **1** göra modfälld **2** inte uppmuntra till; avskräcka [~ *a p. from doing a th.*]

**discouragement** [dɪs'kʌrɪdʒmənt] *s* **1** modfälldhet **2** avskräckande; motgång

**discouraging** [dɪs'kʌrɪdʒɪŋ] *adj* nedslående [*a* ~ *result*]; avskräckande

**discourteous** [dɪs'kɜ:tjəs] *adj* ohövlig

**discover** [dɪ'skʌvə] *vb tr* upptäcka; finna

**discovery** [dɪ'skʌvərɪ] *s* upptäckt

**discredit** [dɪs'kredɪt] **I** *s, be a* ~ *to* vara en skam för; *bring* (*throw*) ~ *on* bringa i vanrykte, misskreditera **II** *vb tr* misskreditera

**discreditable** [dɪs'kredɪtəbl] *adj* vanhedrande

**discreet** [dɪ'skri:t] *adj* diskret, taktfull

**discrepancy** [dɪs'krepənsɪ] *s* avvikelse; diskrepans

**discretion** [dɪ'skreʃ(ə)n] *s* **1** urskillningsförmåga, omdöme; diskretion, takt **2** *at one's own* ~ el. *at* ~ efter behag; *use your* ~ gör som du själv finner för gott

**discriminate** [dɪ'skrɪmɪneɪt] *vb tr* o. *vb itr* **1** skilja [*between* på, mellan]; urskilja **2** göra skillnad [*between* på, mellan]; ~ *against* diskriminera

**discriminating** [dɪ'skrɪmɪneɪtɪŋ] *adj* omdömesgill, skarpsinnig [~ *judgement*]

**discrimination** [dɪˌskrɪmɪ'neɪʃ(ə)n] *s* **1** skiljande; diskriminering [*race* ~];

åtskillnad [*without* ~] **2** urskillning; skarpsinne

**discus** ['dɪskəs] *s* diskus

**discuss** [dɪs'kʌs] *vb tr* diskutera

**discussion** [dɪs'kʌʃ(ə)n] *s* diskussion

**disdain** [dɪs'deɪn] **I** *s* förakt **II** *vb tr* förakta

**disdainful** [dɪs'deɪnf(ʊ)l] *adj* föraktfull

**disease** [dɪ'zi:z] *s* sjukdom, sjukdomar

**diseased** [dɪ'zi:zd] *adj* sjuklig

**disembark** [ˌdɪsɪm'bɑ:k] *vb itr* landstiga, debarkera

**disengage** [ˌdɪsɪn'geɪdʒ] *vb tr* frigöra, lossa [*from*]; koppla loss

**disfigure** [dɪs'fɪgə] *vb tr* vanställa, vanpryda

**disgrace** [dɪs'greɪs] **I** *s* **1** vanära; skamfläck; *this is a* ~*!* detta är rena skandalen! **2** onåd **II** *vb tr* **1** vanhedra; skämma ut **2** bringa i onåd

**disgraceful** [dɪs'greɪsf(ʊ)l] *adj* skamlig; skandalös

**disgruntled** [dɪs'grʌntld] *adj* missnöjd; sur

**disguise** [dɪs'gaɪz] **I** *vb tr* **1** förkläda, klä ut, maskera **2** förställa [~ *one's voice*] **3** maskera **II** *s* **1** förklädnad; mask; *in* ~ förklädd **2** förställning; maskering

**disgust** [dɪs'gʌst] **I** *s* avsky, avsmak [*at, with* för] **II** *vb tr* äckla

**disgusting** [dɪs'gʌstɪŋ] *adj* äcklig; vidrig

**dish** [dɪʃ] **I** *s* **1** fat; karott; flat skål; assiett [*butter* ~]; *dirty dishes* el. *dishes* odiskad disk; *wash* (*wash up*) *the dishes* diska **2** maträtt **3** [*satellite*] ~ parabolantenn **II** *vb tr* **1** ~ *up* lägga upp [~ *up the food*]; sätta fram, servera; ~ *out* dela ut **2** vard. lura; knäcka besegra

**dishabille** [ˌdɪsæ'bi:l] *s, in* ~ i negligé

**disharmonious** [ˌdɪshɑ:'məʊnjəs] *adj* disharmonisk

**dishcloth** ['dɪʃklɒθ] *s* disktrasa; kökshandduk

**dishearten** [dɪs'hɑ:tn] *vb tr* göra modfälld; *disheartening* nedslående

**dishevelled** [dɪ'ʃev(ə)ld] *adj* ovårdad, rufsig [~ *hair*]

**dishonest** [dɪs'ɒnɪst] *adj* oärlig, oherderlig

**dishonesty** [dɪs'ɒnɪstɪ] *s* oärlighet

**dishonour** [dɪs'ɒnə] *s* o. *vb tr* vanära

**dishonourable** [dɪs'ɒnərəbl] *adj* **1** vanhedrande **2** oherderlig

**dishwasher** ['dɪʃˌwɒʃə] *s* **1** diskmaskin **2** diskare

**dishwater** ['dɪʃˌwɔ:tə] *s* diskvatten; vard. teblask

**disillusioned** [ˌdɪsɪˈluːʒənd] *adj* desillusionerad

**disinfect** [ˌdɪsɪnˈfekt] *vb tr* desinficera

**disinfectant** [ˌdɪsɪnˈfektənt] *s* desinfektionsmedel

**disinherit** [ˌdɪsɪnˈherɪt] *vb tr* göra arvlös

**disintegrate** [dɪsˈɪntɪɡreɪt] *vb tr* o. *vb itr* sönderdela, sönderdelas

**disinterested** [dɪsˈɪntrəstɪd] *adj* oegennyttig; opartisk

**disk** [dɪsk] *s* **1** speciellt amer., se *disc* **2** data. skiv- [~ *storage* (skivminne)]

**diskette** [dɪˈsket] *s* data. diskett

**dislike** [dɪsˈlaɪk] **I** *vb tr* tycka illa om, ogilla **II** *s* motvilja, aversion [*of* mot]

**dislocate** [ˈdɪsləkeɪt] *vb tr* med. vrida ur led, vricka

**dislodge** [dɪsˈlɒdʒ] *vb tr* rycka loss, rubba

**disloyal** [dɪsˈlɔɪəl] *adj* illojal; otrogen

**disloyalty** [dɪsˈlɔɪəltɪ] *s* illojalitet; otrohet

**dismal** [ˈdɪzm(ə)l] *adj* dyster, trist

**dismantle** [dɪsˈmæntl] *vb tr* demontera

**dismay** [dɪsˈmeɪ] **I** *s* bestörtning **II** *vb tr* göra bestört

**dismiss** [dɪsˈmɪs] *vb tr* **1** avskeda **2** upplösa församling etc. **3** slå ur tankarna; avfärda; avslå **4** jur. ogilla; ~ *the case* avskriva målet

**dismissal** [dɪsˈmɪs(ə)l] *s* **1** avskedande **2** upplösning av församling etc. **3** avvisande; avslag

**dismount** [ˌdɪsˈmaʊnt] *vb itr* stiga av (ned, ur)

**disobedience** [ˌdɪsəˈbiːdjəns] *s* olydnad

**disobedient** [ˌdɪsəˈbiːdjənt] *adj* olydig

**disobey** [ˌdɪsəˈbeɪ] *vb tr* o. *vb itr* inte lyda

**disorder** [dɪsˈɔːdə] *s* **1** oordning; *throw into* ~ ställa till oreda i **2** orolighet [*political* ~s] **3** med. rubbning

**disorderly** [dɪsˈɔːdəlɪ] *adj* **1** oordnad **2** bråkig, störande [~ *conduct*]

**disorganize** [dɪsˈɔːɡənaɪz] *vb tr* desorganisera; ställa till oreda i

**disown** [dɪsˈəʊn] *vb tr* inte kännas vid

**disparage** [dɪsˈpærɪdʒ] *vb tr* nedvärdera; tala nedsättande om

**dispassionate** [dɪsˈpæʃənət] *adj* lidelsefri; opartisk

**dispatch** [dɪsˈpætʃ] **I** *vb tr* avsända, expediera **II** *s* **1** avsändning, expediering **2** rapport, depesch

**dispatch box** [dɪsˈpætʃbɒks] *s* dokumentskrin

**dispatch rider** [dɪsˈpætʃˌraɪdə] *s* mil. ordonnans

**dispel** [dɪsˈpel] *vb tr* fördriva, skingra

**dispensary** [dɪsˈpensərɪ] *s* apotek på sjukhus

**dispense** [dɪsˈpens] *vb tr* o. *vb itr* **1** dela ut, fördela, ge; *dispensing chemist* apotekare **2** skipa [~ *justice*] **3** ~ *with* avvara, undvara

**disperse** [dɪsˈpɜːs] *vb tr* o. *vb itr* sprida; skingra; sprida (skingra) sig

**displace** [dɪsˈpleɪs] *vb tr* **1** flytta på, rubba **2** tränga undan (ut); *displaced person* tvångsförflyttad, flykting

**display** [dɪsˈpleɪ] **I** *vb tr* **1** visa fram; skylta med [~ *goods in the window*] **2** visa prov på [~ *courage*]; visa upp **II** *s* **1** förevisning, uppvisning [*a fashion* ~]; utställning; *window* ~ fönsterskyltning; ~ *of colours* färgprakt **2** uttryck [*of* för], prov [*a* ~ *of* (på) *courage*]; *make a* ~ *of* ståta med **3** data. bildskärm

**displease** [dɪsˈpliːz] *vb tr* väcka missnöje hos; *be displeased* vara missnöjd

**displeasing** [dɪsˈpliːzɪŋ] *adj* misshaglig

**displeasure** [dɪsˈpleʒə] *s* missnöje

**disposable** [dɪsˈpəʊzəbl] *adj* **1** disponibel, till förfogande **2** engångs- [~ *paper plates*]

**disposal** [dɪsˈpəʊz(ə)l] *s* **1** bortskaffande, undanröjning **2** avyttrande, försäljning **3** anordning, disposition **4** *be at a p.'s* ~ stå till ngns förfogande

**dispose** [dɪsˈpəʊz] *vb itr*, ~ *of* bli (göra sig) av med; klara av; förfoga över, disponera

**disposed** [dɪsˈpəʊzd] *adj* benägen, upplagd, disponerad [*to, for* för]

**disposition** [ˌdɪspəˈzɪʃ(ə)n] *s* **1** anordning; uppställning; disposition **2** sinnelag, lynne **3** benägenhet

**disproportionate** [ˌdɪsprəˈpɔːʃənət] *adj* oproportionerlig

**disprove** [ˌdɪsˈpruːv] *vb tr* motbevisa

**dispute** [dɪsˈpjuːt] *vb tr* o. *vb tr* disputera, tvista [*about, on* om]; bestrida [~ *a claim*]

**disqualification** [dɪsˌkwɒlɪfɪˈkeɪʃ(ə)n] *s* diskvalifikation

**disqualify** [dɪsˈkwɒlɪfaɪ] *vb tr* diskvalificera

**disregard** [ˌdɪsrɪˈɡɑːd] **I** *vb tr* ignorera, nonchalera [~ *a warning*], åsidosätta [~ *a p.'s wishes*] **II** *s* ignorerande, nonchalerande

**disrepair** [ˌdɪsrɪˈpeə] *s* dåligt skick, förfall

**disreputable** [dɪsˈrepjʊtəbl] *adj* illa beryktad

**disrepute** [ˌdɪsrɪˈpjuːt] *s* vanrykte

**disrespect** [ˌdɪsrɪˈspekt] *s* brist på respekt

**disrupt** [dɪs'rʌpt] *vb tr* splittra, söndra; störa

**dissatisfaction** ['dɪˌsætɪs'fækʃ(ə)n] *s* missnöje, missbelåtenhet

**dissatisfied** [ˌdɪ'sætɪsfaɪd] *adj* missnöjd, missbelåten

**dissect** [dɪ'sekt] *vb tr* dissekera

**disseminate** [dɪ'semɪneɪt] *vb tr* sprida

**dissension** [dɪ'senʃ(ə)n] *s* meningsskiljaktighet; oenighet, missämja

**dissent** [dɪ'sent] **I** *vb itr* skilja sig i åsikter, avvika [*from* från]; reservera sig [*from* mot] **II** *s* meningsskiljaktighet

**dissenter** [dɪ'sentə] *s* **1** oliktänkande person **2** dissenter, frikyrklig

**dissertation** [ˌdɪsə'teɪʃ(ə)n] *s* doktorsavhandling [*on* om, över]

**disservice** [ˌdɪ'sɜːvɪs] *s* otjänst, björntjänst [*do a p. a ~*]

**dissident** ['dɪsɪd(ə)nt] *s* oliktänkande

**dissimilar** [ˌdɪ'sɪmɪlə] *adj* olik, olika; *~ to a th.* olik ngt

**dissimilarity** [ˌdɪsɪmɪ'lærətɪ] *s* olikhet

**dissipated** ['dɪsɪpeɪtɪd] *adj* utsvävande [*~ life*]

**dissipation** [ˌdɪsɪ'peɪʃ(ə)n] *s* utsvävningar, festande

**dissolute** ['dɪsəluːt] *adj* **1** utsvävande **2** härjad [*look ~*]

**dissolve** [dɪ'zɒlv] *vb tr* o. *vb itr* upplösa [*~ a partnership*]; lösa; upplösa sig, upplösas; lösa sig

**dissuade** [dɪ'sweɪd] *vb tr* avråda

**distance** ['dɪst(ə)ns] **I** *s* avstånd; distans; sträcka; *keep one's ~* el. *keep at a ~* hålla sig på avstånd; *in the ~* i fjärran **II** *vb tr* distansera

**distant** ['dɪst(ə)nt] *adj* **1** avlägsen; långt bort **2** reserverad

**distaste** [ˌdɪs'teɪst] *s* avsmak; motvilja [*for* mot, för], olust

**distend** [dɪ'stend] *vb tr* o. *vb itr* utvidga, utvidgas, svälla

**distil** [dɪ'stɪl] *vb tr* o. *vb itr* destillera, bränna; destilleras

**distillation** [ˌdɪstɪ'leɪʃ(ə)n] *s* destillering, destillation

**distillery** [dɪ'stɪlərɪ] *s* bränneri; spritfabrik

**distinct** [dɪ'stɪŋkt] *adj* **1** tydlig, klar, distinkt **2** olik, olika; skild [*two ~ groups*]

**distinction** [dɪ'stɪŋkʃən] *s* **1** skillnad; distinktion; *draw a ~* göra skillnad [*between* på, mellan]; *without ~* utan åtskillnad **2** betydelse, värde [*a novel of ~*]

**distinctive** [dɪ'stɪŋktɪv] *adj* särskiljande, utmärkande

**distinguish** [dɪ'stɪŋgwɪʃ] *vb tr* **1** tydligt skilja, särskilja; urskilja **2** känneteckna, utmärka

**distinguished** [dɪ'stɪŋgwɪʃt] *adj* **1** framstående; förnämlig, lysande [*a ~ career*] **2** distingerad

**distort** [dɪ'stɔːt] *vb tr* **1** förvrida; *distorting mirror* skrattspegel **2** förvränga, förvanska [*~ facts*]

**distortion** [dɪ'stɔːʃ(ə)n] *s* **1** förvridning; förvrängning, förvanskning **2** vrångbild

**distract** [dɪ'strækt] *vb tr* distrahera; förvirra

**distracted** [dɪ'stræktɪd] *adj* **1** förvirrad, ifrån sig **2** vansinnig

**distraction** [dɪ'strækʃ(ə)n] *s* **1** förvirring, oreda **2** sinnesförvirring; *to ~* till vanvett

**distress** [dɪ'stres] **I** *s* **1** trångmål; nödläge; nöd; sjönöd [*a ship in ~*]; *~ signal* nödrop; nödsignal **2** smärta, sorg, bedrövelse **II** *vb tr* plåga, pina

**distressed** [dɪ'strest] *adj* **1** nödställd, svårt betryckt **2** olycklig; bedrövad

**distressing** [dɪ'stresɪŋ] *adj* plågsam, smärtsam; beklämmande

**distribute** [dɪ'strɪbjuːt] *vb tr* dela ut; fördela; distribuera

**distribution** [ˌdɪstrɪ'bjuːʃ(ə)n] *s* utdelning [*prize ~*]; fördelning; distribution

**distributor** [dɪ'strɪbjʊtə] *s* utdelare, distributör; fördelare i bil

**district** ['dɪstrɪkt] *s* område, distrikt

**distrust** [dɪs'trʌst] *s* o. *vb tr* misstro

**distrustful** [dɪs'trʌstf(ʊ)l] *adj* misstrogen

**disturb** [dɪ'stɜːb] *vb tr* störa; oroa, ofreda

**disturbance** [dɪ'stɜːb(ə)ns] *s* **1** oro; störning **2** oordning; bråk [*a political ~*]

**disuse** [ˌdɪs'juːs] *s, fall into ~* komma ur bruk

**disused** [ˌdɪs'juːzd] *adj* avlagd; nedlagd

**ditch** [dɪtʃ] *s* dike; grav

**ditchwater** ['dɪtʃˌwɔːtə] *s, as dull as ~* vard. dödtråkig

**dither** ['dɪðə] *vb itr* vackla, tveka

**ditto** ['dɪtəʊ] *adv* o. *s* hand. el. vard. dito

**ditty** ['dɪtɪ] *s* liten visa (sång)

**diva** ['diːvə] *s*

**divan** [dɪ'væn] *s* divan soffa

**dive** [daɪv] **I** *vb itr* dyka [*for* efter]; *~ in* hoppa i **II** *s* dykning; sport. simhopp

**diver** ['daɪvə] *s* dykare

**diverge** [daɪ'vɜːdʒ] *vb itr* gå isär; avvika [*from*]

# divergence

**divergence** [daɪ'vɜ:dʒ(ə)ns] *s* avvikelse

**diverse** [daɪ'vɜ:s] *adj* olika; mångfaldig

**diversion** [daɪ'vɜ:ʃ(ə)n] *s* **1** avledande; skenmanöver; omläggning [*traffic* ~] **2** tidsfördriv

**diversity** [daɪ'vɜ:sətɪ] *s* mångfald

**divert** [daɪ'vɜ:t] *vb tr* **1** avleda; dirigera (lägga) om [~ *the traffic*] **2** roa, underhålla

**divest** [daɪ'vest] *vb tr* beröva, frånta [*a p. of a th.* ngn ngt]

**divide** [dɪ'vaɪd] *vb tr o. vb itr* **1** dela upp; fördela [äv. ~ *up*]; dela upp sig [*into* i] **2** mat. dividera, dela **3** dela, splittra, göra oense

**dividend** ['dɪvɪdend] *s* utdelning på t.ex. aktier; återbäring

**divine** [dɪ'vaɪn] **I** *adj* **1** gudomlig **2** vard. förtjusande, bedårande [*a* ~ *hat*] **II** *s* vard. teolog **III** *vb tr o. vb itr* **1** sia om, sia, spå **2** ana sig till

**diving-board** ['daɪvɪŋbɔ:d] *s* trampolin

**divinity** [dɪ'vɪnətɪ] *s* **1** gudomlighet **2** skol. religionskunskap

**division** [dɪ'vɪʒ(ə)n] *s* **1** delning; indelning [*into* i] **2** mat. el. mil. el. sport. division **3** avdelning **4** skiljelinje; gräns

**divorce** [dɪ'vɔ:s] **I** *s* jur. skilsmässa; äktenskapsskillnad **II** *vb tr o. vb itr* skilja sig från [~ *one's wife*]; skilja makar; skilja sig, skiljas

**divorcée** [dɪ,vɔ:'si:] *s* frånskild kvinna

**divulge** [daɪ'vʌldʒ, dɪ'vʌldʒ] *vb tr* avslöja, röja

**DIY** [,di:aɪ'waɪ] (förk. för *do-it-yourself*) gör-det-själv [~ *shop (store)*]

**dizzy** ['dɪzɪ] *adj* **1** yr **2** svindlande [~ *heights*]

**DJ** förk. för *disc jockey*

**1 do** [du:] (*did done*; *he/she/it does*) *vb* (se äv. *done*, *don't*) **I** *vb tr o. vb itr* **1** göra; utföra; ~ *one's homework* läsa (göra) sina läxor; ~ *sums* (*arithmetic*) räkna; ~ *the rumba* dansa rumba; *what can I ~ for you?* vad kan jag stå till tjänst med?; *please ~!* varsågod!, ja gärna! **2** syssla med [~ *painting*]; arbeta på (med) **3** klara (sköta) sig [*how is he doing?*]; må [*she is doing better now*]; *how do you ~?* hälsningsfras god dag! **4** vard. lura, snuva [*out of* på] **5** vard. vara lagom för, räcka för; passa [*this room will* ~ *me*]; gå an [*it doesn't* ~ *to offend him*]; räcka, vara lagom; *that'll do* det är bra, det räcker □ ~ *away with* avskaffa; ~ *in* sl. a) fixa mörda

b) ta kål på; ~ *out* a) städa upp i; måla och tapetsera b) ~ *a p. out of a th.* lura ifrån ngn ngt; ~ *up* a) reparera, renovera, snygga upp b) slå (packa) in [~ *up a parcel*] c) knäppa [~ *up one's coat*]; knyta d) *be done up* vara slut (tröttkörd); ~ *with* a) *it has* (*is*) *nothing to* ~ *with you* det har ingenting med dig att göra b) *I can* ~ *with two* jag behöver två; *I could* ~ *with a drink* det skulle smaka bra med en drink c) *be done with* vara över (slut); *let's have done with it* låt oss få slut på det; [*buy it*] *and have done with it* ...så är det gjort; *when you have done with the knife* när du är färdig med kniven; ~ *without* klara sig utan

**II** *hjälpvb* **1** ersättningsverb göra; [*do you know him?*] *yes, I* ~ ...ja, det gör jag; *you saw it, didn't you?* du såg det, eller hur? **2** betonat: *I* ~ *wish I could help you* jag önskar verkligen att jag kunde hjälpa dig; ~ *come!* kom för all del! **3** omskrivande: ~ *you like it?* tycker du om det?; *doesn't he know it?* vet han det inte?; *I don't dance* jag dansar inte

**2 do** [du:] *s* **1** fest, kalas **2** *do's and dont's* regler och förbud

**doc** [dɒk] *s* vard. doktor

**docile** ['dəʊsaɪl] *adj* läraktig; foglig

**1 dock** [dɒk] *s* förhörsbås i rättssal; *be in the* ~ sitta på de anklagades bänk

**2 dock** [dɒk] *s* **1** skeppsdocka; hamnbassäng **2** ofta pl. ~*s* hamn; varv; kaj

**docker** ['dɒkə] *s* hamnarbetare

**dockyard** ['dɒkjɑ:d] *s* skeppsvarv; *naval* ~ örlogsvarv

**doctor** ['dɒktə] *s* **1** univ. doktor; *Doctor of Philosophy* filosofie doktor **2** läkare, doktor; *family* ~ husläkare; *doctor's certificate* läkarintyg

**doctrine** ['dɒktrɪn] *s* doktrin, lära

**document** ['dɒkjʊmənt] *s* dokument, handling

**documentary** [,dɒkjʊ'mentrɪ] *s* reportage i TV o. radio; dokumentärfilm

**dodge** [dɒdʒ] **I** *vb itr o. vb tr* vika undan, hoppa åt sidan, smita; slingra sig; slingra sig ifrån; smita från **II** *s* knep

**dodgem** ['dɒdʒ(ə)m] *s* radiobil på nöjesfält

**dodger** ['dɒdʒə] *s* filur, skojare; *tax* ~ skattesmitare

**doe** [dəʊ] *s* **1** hind **2** harhona, kaninhona

**does** [dʌz, obetonat dəz] *he/she/it does* se vidare *1 do*

**doesn't** ['dʌznt] = *does not*

**dog** [dɒg] I s **1** hund; *the ~s* vard. hundkapplöpningen; *he is going to the ~s* vard. det går utför med honom **2** vard., *dirty ~* fähund; *lazy ~* lathund; *lucky ~* lyckans ost II *vb tr* förfölja

**dog-eared** ['dɒgˌɪəd] *adj* om bok med hundöron, skamfilad

**dogged** ['dɒgɪd] *adj* envis, ihärdig, seg

**doggy** ['dɒgɪ] s vard. vovve; *~ bag* påse för (med) överbliven mat som en restauranggäst får med sig hem

**dog kennel** ['dɒgˌkenl] s hundkoja

**dogma** ['dɒgmə] s dogm; trossats

**dogmatic** [dɒg'mætɪk] *adj* dogmatisk

**dog-tired** [ˌdɒg'taɪəd] *adj* dödstrött

**doing** ['duːɪŋ] s, *it will take some ~* det är inte gjort utan vidare; pl. *~s* förehavanden

**doldrums** ['dɒldrəmz] *s pl* stiltje; stiltjeområden; *in the ~* bildl. nedstämd; utan liv, flau

**dole** [dəʊl] I s **1** allmosa **2** vard. arbetslöshetsunderstöd; *be* (*go*) *on the ~* gå och stämpla II *vb tr*, *~ out* dela ut

**doleful** ['dəʊlf(ʊ)l] *adj* sorglig; sorgsen

**doll** [dɒl] I s docka leksak II *vb tr* o. *vb itr*, *~ up* vard. klä (snofsa) upp, klä (snofsa) upp sig

**dollar** ['dɒlə] s dollar [*five ~s*]

**dolphin** ['dɒlfɪn] s delfin

**domain** [dəʊ'meɪn] s domän; område

**dome** [dəʊm] s kupol

**domestic** [də'mestɪk] I *adj* **1** hus-, hushålls-; *~ duties* hushållsgöromål; *~ help* hemhjälp; *~ life* hemliv; *~ science* hushållslära; skol. hemkunskap **2** huslig, hemkär **3** inrikes [*~ policy*] **4** *~ animal* husdjur II s hembiträde

**domesticate** [də'mestɪkeɪt] *vb tr* **1** *she* (*he*) *is not domesticated* hon (han) är inte huslig **2** tämja [*domesticated animals*]

**dominance** ['dɒmɪnəns] s herravälde; dominans

**dominant** ['dɒmɪnənt] *adj* härskande; förhärskande; dominerande

**dominate** ['dɒmɪneɪt] *vb tr* o. *vb itr* behärska, dominera; härska över; härska

**domination** [ˌdɒmɪ'neɪʃ(ə)n] s herravälde

**domineer** [ˌdɒmɪ'nɪə] *vb itr* dominera, härska

**domino** ['dɒmɪnəʊ] s, *dominoes* dominospel

**Donald Duck** [ˌdɒnld'dʌk] seriefigur Kalle Anka

**donate** [dəʊ'neɪt] *vb tr* skänka; donera

**donation** [dəʊ'neɪʃ(ə)n] s bidragsgivande; gåva; donation

**done** [dʌn] *perf p* o. *adj* **1** gjort, gjord etc., jfr *1 do*; *it can't be ~* det går inte; *well ~!* bravo!, det gjorde du bra!; *have you ~ talking?* har du pratat färdigt? **2** vard. lurad **3** kok. färdigkokt, färdigstekt **4** *it isn't ~* det är inte passande

**donkey** ['dɒŋkɪ] s åsna äv. om person; *for donkey's years* vard. på (i) många herrans år

**donor** ['dəʊnə] s donator; givare [*blood ~*]

**don't** [dəʊnt] I *vb* = *do not*; *~!* låt bli! II s skämts. förbud

**doom** [duːm] I s **1** ont öde; undergång **2** *the day of ~* domens dag II *vb tr* döma, förutbestämma

**doomed** [duːmd] *adj* dömd [*~ to die*]; dödsdömd

**doomsday** ['duːmzdeɪ] s domedag

**door** [dɔː] s dörr; port; ingång; lucka; *the car is at the ~* bilen är framkörd; *be at death's ~* ligga för döden; *out of ~s* utomhus; *within ~s* inomhus

**doorknob** ['dɔːnɒb] s runt dörrhandtag

**doorknocker** ['dɔːˌnɒkə] s portklapp

**doorstep** ['dɔːstep] s **1** dörrtröskel **2** ofta pl. *~s* yttertrappa, farstutrappa

**door-to-door** [ˌdɔːtə'dɔː] *adj*, *~ salesman* dörrknackare

**doorway** ['dɔːweɪ] s dörröppning; port

**dope** [dəʊp] s **1** vard. knark, narkotika; *~ fiend* (*addict*) knarkare, narkoman; *~ merchant* (*pedlar, pusher*) knarklangare, narkotikalangare **2** sl. dummer, fåntratt

**dormice** ['dɔːmaɪs] se *dormouse*

**dormitory** ['dɔːmətrɪ] s sovsal; *~ suburb* sovstad

**dormouse** ['dɔːmaʊs] (pl. *dormice* ['dɔːmaɪs]) s sjusovare; hasselmus

**dorsal** ['dɔːs(ə)l] *adj*, *~ fin* ryggfena på fisk

**dosage** ['dəʊsɪdʒ] s dosering; dos

**dose** [dəʊs] I s dos, dosis II *vb tr* **1** ge medicin **2** dosera

**dossier** ['dɒsɪeɪ] s dossier

**dot** [dɒt] I s punkt, prick [*the ~ over an i*]; *on the ~* vard. punktligt, prick II *vb tr* **1** pricka, punktera [*~ a line*]; sätta prick över [*~ one's i's*] **2** ligga spridd över

**dote** [dəʊt] *vb itr*, *~ on* avguda

**dotted** ['dɒtɪd] *adj* o. *perf p* **1** prickad [*~ line*]; prickig; *sign on the ~ line* skriva under **2** översållad [*with* med, av]

**double** ['dʌbl] I *adj* dubbel; tvåfaldig; *~*

*figures* tvåsiffriga tal; *play a ~ game* bildl. spela dubbelspel
**II** *s* **1** exakt kopia; avbild; dubbelgångare **2** mil., *at (on) the ~* i språngmarsch **3** i tennis m.m., *~s* dubbel, dubbelmatch
**III** *vb tr* o. *vb itr* **1** fördubbla, dubblera; fördubblas, bli dubbel **2** vika; *~ up* böja (vika) ihop; vika sig dubbel, vrida sig [*~ up with laughter*]; *~ oneself up* krypa ihop **3** sjö. runda, dubblera [*~ a cape*] **4** mil. utföra språngmarsch
**double-barrelled** [ˌdʌblˈbær(ə)ld] *adj*, *~ name* dubbelnamn
**double bass** [ˌdʌblˈbeɪs] *s* mus. kontrabas
**double-breasted** [ˌdʌblˈbrestɪd] *adj* om plagg dubbelknäppt, tvåradig
**double cream** [ˌdʌblˈkriːm] *s* tjock grädde, vispgrädde
**double-cross** [ˌdʌblˈkrɒs] vard. *vb tr* spela dubbelspel med, lura
**double-decker** [ˌdʌblˈdekə] *s* dubbeldäckare [om buss äv. *~ bus*]
**double-faced** [ˈdʌblfeɪst] *adj* falsk
**double-glazed** [ˌdʌblˈɡleɪzd] *adj*, *~ window* dubbelfönster
**double standard** [ˌdʌblˈstændəd] *s* dubbelmoral
**doubt** [daʊt] **I** *s* tvivel; ovisshet; tvekan; *give a p. the benefit of the ~* hellre fria än fälla ngn; *beyond (past) ~* utom allt tvivel; *be in ~* tveka; *when in ~* i tveksamma fall **II** *vb itr* o. *vb tr* tvivla [*of* på], tveka; betvivla, tvivla på [*~ the truth of a th.*]; misstro
**doubtful** [ˈdaʊtf(ʊ)l] *adj* tvivelaktig [*a ~ case*]; oviss [*a ~ fight*]; om person tveksam
**dough** [dəʊ] *s* **1** deg **2** sl. kosing pengar
**doughnut** [ˈdəʊnʌt] *s* kok., slags munk
**doughy** [ˈdəʊɪ] *adj* degig
**dour** [dʊə] *adj* sträng; envis; kärv, seg
**dove** [dʌv] *s* duva
**dowager** [ˈdaʊədʒə] *s*, *queen ~* änkedrottning
**1 down** [daʊn] *s* höglänt kuperat hedland
**2 down** [daʊn] *s* dun, ludd; fjun
**3 down** [daʊn] **I** *adv* o. *adj* **1** ned, ner; nedåt; nere; i korsord lodrätt; **2** kontant [*pay £10 ~*]; *cash ~* kontant **3** minus; *be one ~* sport. ligga under med ett mål **4** *note (write)* ~ anteckna, skriva upp □ ~ **in** *the mouth* vard. nedslagen, moloken; *be ~ on a p.* hacka på ngn; *~ to:* *~ to* [*our time*] ända (fram) till...; *~ to the last detail* in i minsta detalj; *be ~ with* [*the flu*] ligga sjuk i...
**II** *adj* **1** nedåtgående, avgående, från stan [*the ~ traffic*]; *~ platform* plattform för avgående tåg **2** kontant [*~ payment*]; *~ payment* äv. handpenning
**III** *prep* nedför, utför; i [*throw a th. ~ the sink*], nedåt; borta i [*~ the hall*], nere i; längs med; *walk ~ the street* gå gatan fram; [*there's a pub*] *~ the street* ...längre ner på gatan
**downcast** [ˈdaʊnkɑːst] *adj* nedslagen [*~ eyes*]
**downfall** [ˈdaʊnfɔːl] *s* **1** skyfall **2** fall, undergång
**downgrade** [ˈdaʊnɡreɪd] *s*, *on the ~* på tillbakagång
**downhearted** [ˌdaʊnˈhɑːtɪd] *adj* nedstämd
**downhill** [ˌdaʊnˈhɪl] *adv* nedför, utför; *go ~* bildl. förfalla
**downpour** [ˈdaʊnpɔː] *s* störtregn
**downright** [ˈdaʊnraɪt] **I** *adj* ren, fullkomlig **II** *adv* riktigt; fullkomligt
**downstairs** [ˌdaʊnˈsteəz] *adv* nedför trappan (trapporna), ner [*go ~*]; nere
**down-to-earth** [ˌdaʊntʊˈɜːθ] *adj* realistisk
**downtown** [ˌdaʊnˈtaʊn, adjektiv ˈdaʊntaʊn] *adv* o. *adj* speciellt amer. in till (ner mot) stan (centrum); i centrum (city)
**downward** [ˈdaʊnwəd] **I** *adj* nedåtgående, sjunkande [*a ~ tendency*]; *~ slope* nedförsbacke **II** *adv* nedåt
**downwards** [ˈdaʊnwədz] *adv* nedåt
**dowry** [ˈdaʊərɪ] *s* hemgift
**doyen** [ˈdɔɪən] *s* **1** dipl. doyen **2** nestor
**doze** [dəʊz] **I** *vb itr* dåsa; *~ off* slumra till **II** *s* lätt slummer; tupplur
**dozen** [ˈdʌzn] *s* dussin [*two ~ knives*; *some ~s of knives*], dussintal; *by the ~* dussinvis; *do one's daily ~* vard. göra sin morgongymnastik
**dozenth** [ˈdʌznθ] *adj* tolfte
**Dr** o. **Dr.** (förk. för *Doctor*) dr, d:r
**drab** [dræb] *adj* **1** trist **2** gråbrun, smutsgul
**draft** [drɑːft] äv. amer. stavning för *draught*, se detta ord **I** *s* **1** speciellt mil. uttagning, detachering; amer. äv. inkallelse till militärtjänst **2** plan, utkast, koncept **II** *vb tr* **1** mil. detachera; amer. äv. kalla in **2** göra utkast till, skissera
**drafty** [ˈdrɑːftɪ] *adj* amer. dragig [*a ~ room*]
**drag** [dræɡ] **I** *vb tr* o. *vb itr* **1** släpa, dra; röra sig långsamt [*the time seemed to ~*]; sacka efter **2** *~ out (on)* el. *~* dra ut på, förhala; *~ on* dra ut på tiden **II** *s*

**1** hämsko, broms äv. bildl.; hinder **2** sl.
**a)** tråkmåns **b)** *it's a ~* det är dötrist **3** sl.
'drag race' accelerationstävling för bilar
**dragnet** ['drægnet] *s* dragnät, släpnot
**dragon** ['dræg(ə)n] *s* drake
**drain** [dreɪn] **I** *vb tr* o. *vb itr* **1** ~ *off*
(*away*) el. ~ låta rinna av; rinna av
(bort); tappa ut **2** dränera **3** tömma;
dricka ur **II** *s* **1** dräneringsrör, avlopp; *it
has gone down the ~* vard. det har gått åt
pipan; *throw* (*pour*) *money down the ~*
vard. kasta pengarna i sjön **2** *it is a great
~ on his strength* det tar (tär) på hans
krafter
**drainage** ['dreɪnɪdʒ] *s* **1** dränering,
avvattning, avtappning **2** en trakts
vattenavlopp; avloppsledningar
**drainpipe** ['dreɪnpaɪp] *s* avloppsrör
**drake** [dreɪk] *s* ankbonde, andrake
**dram** [dræm] *s* hutt, sup
**drama** ['drɑ:mə] *s* drama, skådespel
**dramatic** [drə'mætɪk] *adj* dramatisk; ~
*critic* teaterkritiker
**dramatist** ['dræmətɪst] *s* dramatiker
**dramatization** [ˌdræmətaɪ'zeɪʃ(ə)n] *s*
dramatisering
**dramatize** ['dræmətaɪz] *vb tr* dramatisera
**drank** [dræŋk] se *drink I*
**drape** [dreɪp] *vb tr* drapera
**draper** ['dreɪpə] *s* klädeshandlare,
manufakturhandlare
**drapery** ['dreɪpərɪ] *s* **1** klädesvaror,
manufakturvaror **2** klädeshandel
**3** draperi
**drastic** ['dræstɪk] *adj* drastisk
**draught** [drɑ:ft] *s* **1** klunk; dos **2** drag;
*there is a ~* det drar **3** teckning, utkast
**4** ~*s* dam, damspel
**draught beer** [ˌdrɑ:ft'bɪə] *s* fatöl
**draughty** ['drɑ:ftɪ] *adj* dragig [*a ~ room*]
**draw** [drɔ:] **I** (*drew drawn*) *vb tr* o. *vb itr*
**1** dra **2** dra åt (till); ~ *a curtain* dra för
(undan) en gardin **3** rita, teckna **4** dra till
sig, attrahera [~ *crowds*]; *he drew my
attention to* han fäste min
uppmärksamhet på **5** pumpa (dra) upp
**6** sport. spela oavgjort **7** locka fram [~
*applause*], framkalla **8** tjäna, uppbära [~
£*1000 a month*]; lyfta [~ *one's salary*]
**9** hand. dra, trassera **10** ~ *near* närma sig,
nalkas **11** dra lott [*for* om] □ ~ *aside*: ~ *a
p. aside* ta någon avsides; ~ *away* dra sig
tillbaka (undan); ~ *back* dra sig tillbaka
(undan); ~ *on* nalkas, närma sig [*winter is
drawing on*]; ~ *on a p.* dra blankt mot

ngn; ~ *out* dra (ta) ut; dra ut på [~ *out a
meeting*]; ~ *to* dra för [~ *the curtain to*]; ~
*to a close* (*an end*) närma sig slutet; ~ *up*
dra upp (närmare); avfatta, utarbeta,
sätta upp [~ *up a document*]; stanna
**II** *s* **1** drag, dragning; *be quick on the ~*
dra snabbt t.ex. en revolver **2** vard.
attraktion, dragplåster **3** lottdragning,
dragning **4** oavgjord match; *end in a ~*
sluta oavgjort
**drawback** ['drɔ:bæk] *s* nackdel, avigsida
**drawbridge** ['drɔ:brɪdʒ] *s* klaffbro;
vindbrygga
**drawer** ['drɔ:ə] *s* byrålåda, bordslåda;
*chest of ~s* byrå
**drawers** [drɔ:z] *s pl* underbyxor, kalsonger
**drawing** ['drɔ:ɪŋ] *s* ritning, teckning;
ritkonst
**drawing-pin** ['drɔ:ɪŋpɪn] *s* häftstift
**drawing-room** ['drɔ:ɪŋru:m] *s* salong,
sällskapsrum
**drawl** [drɔ:l] **I** *vb itr* o. *vb tr* släpa på orden,
tala släpigt; säga i en släpande ton **II** *s*
släpigt tal
**drawn** [drɔ:n] se *draw I*
**dread** [dred] **I** *vb tr* frukta **II** *s* fruktan [*of*
för]; fasa
**dreadful** ['dredf(ʊ)l] *adj* förskräcklig,
hemsk
**dream** [dri:m] **I** *s* dröm **II** (*dreamt dreamt*
[dremt] el. *dreamed dreamed* [dremt el.
dri:md]) *vb tr* o. *vb itr* drömma; ~ *up*
fantisera ihop
**dreamer** ['dri:mə] *s* drömmare; svärmare
**dreamt** [dremt] se *dream II*
**dreamy** ['dri:mɪ] *adj* drömmande,
svärmisk
**dreary** ['drɪərɪ] *adj* tråkig, trist
**dredge** [dredʒ] **I** *s* släpnät, mudderverk
**II** *vb tr* o. *vb itr* **1** fiska upp **2** muddra t.ex.
sjöbotten
**dregs** [dregz] *s pl* drägg, bottensats; bildl.
äv. avskum
**drench** [drentʃ] *vb tr* genomdränka
**dress** [dres] **I** *vb tr* o. *vb itr* **1** klä; klä sig [~
*well*]; klä sig fin; *get dressed* klä sig; ~ *up*
klä ut; klä sig fin; klä ut sig **2** bearbeta,
bereda [~ *furs*] **3** anrätta, tillaga [~ *a
salad*] **4** förbinda, lägga om [~ *a wound*]
**5** vard., ~ *down* skälla ut **II** *s* dräkt,
klädsel, klänning; toalett; ~ *rehearsal*
generalrepetition
**dresser** ['dresə] *s* köksskåp med öppna
överhyllor; hyllskänk; amer. toalettbord
**dressing** ['dresɪŋ] *s* **1** påklädning

2 tillredning 3 salladssås, dressing [*salad*
~] 4 gödsel; *top* ~ övergödslingsmedel
5 omslag, förband
**dressing-gown** ['dresɪŋgaʊn] *s*
morgonrock
**dressing-room** ['dresɪŋruːm] *s*
omklädningsrum
**dressing-table** ['dresɪŋˌteɪbl] *s* toalettbord
**dressmaker** ['dresˌmeɪkə] *s* sömmerska
**dress shirt** [ˌdres'ʃɜːt] *s* frackskjorta
**drew** [druː] se *draw I*
**dribble** ['drɪbl] I *vb itr* o. *vb tr* 1 droppa,
drypa 2 dregla 3 sport. dribbla II *s*
1 droppe 2 sport. dribbling
**drier** ['draɪə] *s* torkare; hårtork
**drift** [drɪft] I *s* 1 drivande, drift 2 driva [*a*
~ *of snow*] 3 tendens [*the general* ~];
tankegång II *vb itr* driva med strömmen;
glida; ~ *apart* glida ifrån varandra
**drill** [drɪl] I *vb tr* o. *vb itr* 1 drilla, borra;
borra sig [*into* in i] 2 exercera, drilla II *s*
1 drillborr; borrmaskin 2 exercis, drill
**drink** [drɪŋk] I (*drank drunk*) *vb tr* o. *vb itr*
dricka; supa; ~ *up* dricka ur; ~ *to a p.*
dricka ngn till; dricka ngns skål; ~ *to a
p.'s health* dricka ngns skål II *s* 1 dryck
[*food and* ~] 2 drickande, dryckenskap
3 klunk; glas, sup, drink
**drink-driver** [ˌdrɪŋk'draɪvə] *s* rattfyllerist
**drink-driving** [ˌdrɪŋk'draɪvɪŋ] *s* rattfylleri
**drip** [drɪp] *vb itr* o. *vb tr* drypa; droppa
**drip-dry** [ˌdrɪp'draɪ] *vb itr* o. *vb tr*
dropptorkas; dropptorka
**dripping** ['drɪpɪŋ] *s* 1 droppande
2 stekflott, flottyr
**drive** [draɪv] I (*drove driven*) *vb tr* o. *vb itr*
1 driva; driva på (fram), drivas, drivas
fram 2 köra [~ *a car*] 3 tvinga [*into, to*
till]; ~ *a p. mad* (*crazy*) göra ngn galen
4 slå (driva, köra) in 5 ~ *at* syfta på;
*what are you driving at?* vart vill du
komma?
    II *s* 1 åktur, färd; körning; *go for a* ~ ta
en åktur 2 körväg; privat uppfartsväg
3 energi [*plenty of* ~]; kläm 4 kampanj,
satsning, 'drive'; attack, offensiv
**drivel** ['drɪvl] *s* dravel, smörja, dösnack
**driven** ['drɪvn] se *drive I*
**driver** ['draɪvə] *s* förare, chaufför; *driver's
licence* körkort
**driving** ['draɪvɪŋ] *s* körning; ~ *licence*
körkort; ~ *mirror* backspegel; ~ *school*
trafikskola, bilskola; ~ *test* körkortsprov;
*take one's* ~ *test* äv. köra upp
**drizzle** ['drɪzl] I *vb itr* dugga II *s* duggregn

**dromedary** ['drɒməd(ə)rɪ] *s* dromedar
**drone** [drəʊn] I *s* 1 drönare, hanbi 2 surr;
entonigt tal II *vb itr* surra; tala entonigt
**drool** [druːl] *vb itr* dregla
**droop** [druːp] *vb itr* o. *vb tr* sloka, hänga;
sloka (hänga) med
**drop** [drɒp] I *s* 1 droppe 2 vard. tår, slurk
[*a* ~ *of beer*] 3 fall, nedgång
    II *vb itr* o. *vb tr* 1 droppa (falla, sjunka)
ned, tappa, släppa; spilla; släppa ner; ~ *a
p. a hint* ge ngn en vink; ~ *me a
postcard!* skriv ett kort! 2 drypa, droppa
3 låta falla bort, utelämna 4 överge,
upphöra med [~ *a bad habit*]; sluta
umgås med 5 sätta (lämna) av [*I'll* ~ *you
at the station*] □ ~ **behind** (komma)
efter; ~ **off** falla av; avta, minska; ~ **out**
falla ur; dra sig ur, hoppa av; ~ **over** titta
över, hälsa på
**dropout** ['drɒpaʊt] *s* avhoppare från t.ex.
studier; en socialt utslagen
**dropsy** ['drɒpsɪ] *s* 1 med. vattusot 2 sl.
mutor
**drought** [draʊt] *s* torka, regnbrist
**drove** [drəʊv] se *drive I*
**drown** [draʊn] *vb itr* o. *vb tr* drunkna,
dränka; *be drowned* drunkna
**drowsy** ['draʊzɪ] *adj* sömnig; dåsig
**drudgery** ['drʌdʒərɪ] *s* slavgöra, slit
**drug** [drʌg] I *s* drog, apoteksvara;
läkemedel; pl. ~*s* äv. narkotika II *vb tr*
1 blanda sömnmedel (narkotika) i
2 droga; bedöva, söva
**drug abuse** ['drʌgəˌbjuːs] *s*
narkotikamissbruk
**drug addict** ['drʌgˌædɪkt] *s* narkoman
**drug dealer** ['drʌgˌdiːlə] *s* o. **drug pusher**
['drʌgˌpʊʃə] *s* narkotikalangare
**drugstore** ['drʌgstɔː] *s* amer. drugstore,
apotek och kemikalieaffär med bar m. m.
**drum** [drʌm] I *s* 1 trumma 2 tekn. trumma;
vals, cylinder; ~ *brake* trumbroms 3 i örat
trumhinna II *vb itr* o. *vb tr* trumma; ~ *a
th. into a p.* slå i ngn ngt
**drummer** ['drʌmə] *s* trumslagare
**drunk** [drʌŋk] I se *drink I* II *adj* drucken,
berusad III *s* fyllo, fyllerist
**drunkard** ['drʌŋkəd] *s* fyllbult, drinkare
**drunken** ['drʌŋk(ə)n] *adj* full, berusad; ~
*driver* rattfyllerist; ~ *driving* rattfylleri
**dry** [draɪ] I *adj* torr II *vb itr* o. *vb tr* torka;
torka ut; förtorka, förtorkas; ~ *up*
a) torka ut b) vard. tystna [*he dried up
suddenly*]
**dry-clean** [ˌdraɪ'kliːn] *vb tr* kemtvätta

**dysentery**

**dry-cleaner** [,draɪ'kli:nə] *s*, *dry-cleaner's* kemtvätt
**dual** ['dju:əl] *adj* tvåfaldig, dubbel
**dubious** ['dju:bjəs] *adj* tvivelaktig, tveksam
**duchess** ['dʌtʃəs] *s* hertiginna
**duck** [dʌk] **I** *s* anka; and [*wild ~*] **II** *vb itr* **1** dyka ned o. snabbt komma upp igen; doppa sig **2** böja sig hastigt; ducka
**duckling** ['dʌklɪŋ] *s* ankunge
**dud** [dʌd] vard. **I** *s* **1** blindgångare **2** falskt mynt, falsk sedel **II** *adj* oduglig, skräp-; falsk
**dude** [dju:d, du:d] *s* **1** speciellt amer. vard. snobb, dandy **2** stadsbo, turist **3** snubbe, person; i tilltal äv. du [*hey ~*]
**due** [dju:] **I** *adj* **1** som skall betalas; *be (fall) ~* förfalla till betalning **2** tillbörlig [*with ~ respect*]; *in ~ course of time* el. *in ~ course* i vederbörlig ordning **3** *~ to* beroende på; på grund av; *be ~ to* bero på, ha sin grund i **4** väntad; *the train is ~ at 6* tåget beräknas ankomma kl. 6 **II** *adv* rakt, precis; *~ north* rätt (rakt) norrut **III** *s* **1** *a p.'s ~* ngns rätt (del, andel) **2** pl. *~s* tull; avgift
**duel** ['dju:əl] *s* duell
**duet** [dju'et] *s* duett
**1 dug** [dʌg] *s* juver; spene
**2 dug** [dʌg] se *dig I*
**dug-out** ['dʌgaʊt] *s* underjordiskt skyddsrum
**duke** [dju:k] *s* hertig
**dull** [dʌl] *adj* **1** matt, mulen **2** tråkig, trist **3** långsam, trög **4** dov [*~ ache*] **5** slö [*a ~ razor*]
**duly** ['dju:lɪ] *adv* vederbörligen, tillbörligt
**dumb** [dʌm] *adj* **1** stum, mållös; *~ animals* oskäliga djur **2** vard. dum [*a ~ blonde*]
**dumbbell** ['dʌmbel] *s* hantel
**dumbfound** [dʌm'faʊnd] *vb tr* göra mållös
**dummy** ['dʌmɪ] **I** *s* **1** attrapp; skyltdocka; buktalares docka **2** barns napp, tröst **II** *adj* falsk, sken-, blind-
**dump** [dʌmp] **I** *vb tr* stjälpa av, tippa [*~ the coal*], dumpa; slänga **II** *s* **1** avfallshög; avstjälpningsplats, soptipp **2** vard. håla, kyffe
**dumpling** ['dʌmplɪŋ] *s* kok. klimp som kokas i t.ex. soppa; *apple ~* äppelknyte
**dunce** [dʌns] *s* dumhuvud, dummerjöns
**dung** [dʌŋ] *s* dynga, gödsel
**dungeon** ['dʌndʒ(ə)n] *s* fängelsehåla
**dunghill** ['dʌŋhɪl] *s* gödselhög; sophög
**dupe** [dju:p] *vb tr* lura, dupera

**duplicate** [substantiv 'dju:plɪkət, verb 'dju:plɪkeɪt] **I** *s* **1** dubblett, kopia; *in ~* i två exemplar **2** pantkvitto **II** *vb tr* **1** fördubbla **2** duplicera
**durable** ['djʊərəbl] *adj* varaktig; hållbar
**during** ['djʊərɪŋ] *prep* under [*~ the day*]
**dusk** [dʌsk] *s* skymning; dunkel
**dusky** ['dʌskɪ] *adj* dunkel; svartaktig
**dust** [dʌst] **I** *s* **1** damm, stoft; *throw ~ in a p.'s eyes* slå blå dunster i ögonen på ngn **2** sopor **II** *vb tr* damma ner; damma av [äv. *~ off*]
**dustbin** ['dʌstbɪn] *s* soptunna, soplår
**dustcart** ['dʌstkɑ:t] *s* sopkärra, sopvagn
**dustcover** ['dʌst,kʌvə] *s* skyddsomslag på bok
**duster** ['dʌstə] *s* dammtrasa; tavelsudd
**dust jacket** ['dʌst,dʒækɪt] *s* skyddsomslag på bok
**dustman** ['dʌstmən] (pl. *dustmen* ['dʌstmən]) *s* sophämtare
**dusty** ['dʌstɪ] *adj* dammig
**Dutch** [dʌtʃ] **I** *adj* holländsk, nederländsk **II** *s* **1** nederländska språket; *double ~* rotvälska **2** *the Dutch* holländarna
**Dutchman** ['dʌtʃmən] (pl. *Dutchmen* ['dʌtʃmən]) *s* holländare
**dutiable** ['dju:tjəbl] *adj* tullpliktig
**dutiful** ['dju:tɪf(ʊ)l] *adj* plikttrogen
**duty** ['dju:tɪ] *s* **1** plikt, skyldighet **2** uppdrag; *off ~* tjänstledig; *on ~* a) i tjänst, tjänstgörande b) vakthavande, jourhavande c) på post; *the officer on ~* dagofficeren **3** hand. pålaga, avgift [*customs ~*], skatt, tull
**duty-free** [,dju:tɪ'fri:] *adj* tullfri
**dwarf** [dwɔ:f] **I** *s* dvärg **II** *vb tr* hämma i växten, förkrympa; få att verka mindre
**dwell** [dwel] (*dwelt dwelt*) *vb itr* **1** litt. vistas, bo **2** *~ on* dröja vid [*~ on a subject*]
**dwelling** ['dwelɪŋ] *s* boning; bostad
**dwelt** [dwelt] se *dwell*
**dwindle** ['dwɪndl] *vb itr* smälta (krympa) ihop; förminskas
**dye** [daɪ] **I** *s* färg; färgämne; färgmedel **II** *vb tr* färga
**dying** ['daɪɪŋ] **I** *s* döende; *to my ~ day* så länge jag lever **II** *adj* döende
**dynamic** [daɪ'næmɪk] *adj* dynamisk
**dynamite** ['daɪnəmaɪt] **I** *s* dynamit **II** *vb tr* spränga med dynamit
**dynamo** ['daɪnəməʊ] (pl. *~s*) *s* generator
**dynasty** ['dɪnəstɪ, 'daɪnəstɪ] *s* dynasti
**dysentery** ['dɪsntrɪ] *s* dysenteri

# E

**E, e** [i:] *s* E, e; *E flat* mus. ess; *E sharp* mus. eiss

**E** (förk. för *east*) O, Ö

**each** [i:tʃ] *pron* **1 a)** var för sig, varje särskild; självständigt var och en för sig **b)** vardera; [*they cost*] *one pound ~* ...ett pund styck **2** *~ other* varandra

**eager** ['i:gə] *adj* ivrig, angelägen

**eagle** ['i:gl] *s* örn

**1 ear** [ɪə] *s* sädesax

**2 ear** [ɪə] *s* öra; *be all ~s* vara idel öra; *give (lend an) ~ to* lyssna till; *play by ~* spela efter gehör

**earache** ['ɪəreɪk] *s* örsprång, öronvärk

**eardrum** ['ɪədrʌm] *s* trumhinna

**earl** [ɜ:l] *s* brittisk greve

**early** ['ɜ:lɪ] **I** *adv* tidigt; för tidigt; *~ tomorrow morning* i morgon bitti **II** *adj* tidig; för tidig; snar; *the ~ bird catches the worm* ordspr. morgonstund har guld i mund; *in the ~ forties* i början av (på) fyrtiotalet

**earmark** ['ɪəmɑ:k] *vb tr* anslå, reservera

**earn** [ɜ:n] *vb tr* förtjäna, tjäna

**earnest** ['ɜ:nɪst] **I** *adj* allvarlig [*an ~ attempt*]; enträgen **II** *s, in real ~* på fullt allvar; *are you in ~?* menar du allvar?

**earnings** ['ɜ:nɪŋz] *s pl* förtjänst, intäkt, intäkter, inkomst, inkomster

**earphone** ['ɪəfəʊn] *s* hörlur; öronmussla

**earring** ['ɪərɪŋ] *s* örhänge

**earshot** ['ɪəʃɒt] *s, within ~* inom hörhåll

**ear-splitting** ['ɪəˌsplɪtɪŋ] *adj* öronbedövande

**earth** [ɜ:θ] **I** *s* **1** jord; mull, mylla; mark [*fall to the ~*]; *it costs the ~* vard. det kostar en förmögenhet; *how (what, why) on ~...?* hur (vad, varför) i all världen...?; *this place looks like nothing on ~* vad här ser ut! **2** jakt. lya, kula; *run (go) to ~* om t.ex. räv gå under, gå i gryt **3** elektr. jord, jordledning **II** *vb tr* elektr. jorda

**earthen** ['ɜ:θ(ə)n] *adj* jord-, ler- [*an ~ jar*]

**earthenware** ['ɜ:θ(ə)nweə] *s* lergods

**earthly** ['ɜ:θlɪ] *adj* **1** jordisk, världslig **2** vard., *not an ~ chance* el. *not an ~* inte skuggan av en chans

**earthquake** ['ɜ:θkweɪk] *s* jordskalv, jordbävning

**earthworm** ['ɜ:θwɜ:m] *s* daggmask

**earthy** ['ɜ:θɪ] *adj* jordaktig, jordnära

**earwig** ['ɪəwɪg] *s* tvestjärt

**ease** [i:z] **I** *s* **1** välbefinnande; lugn, ro; *at ~* el. *at one's ~* a) i lugn och ro b) väl till mods; *stand at ~!* el. *at ~!* mil. manöver!; *ill at ~* illa till mods; *put (set) a p. at ~* få ngn att känna sig väl till mods **2** lätthet **II** *vb tr* o. *vb itr* **1** lindra [*~ the pain*] **2** lätta [*~ the pressure*] **3** lossa litet på [*~ the lid*], lätta på; *~ off* el. *~* lätta, minska; *~ up* ta det lugnare

**easel** ['i:zl] *s* staffli

**easily** ['i:zɪlɪ] *adv* **1** lätt, med lätthet; mycket väl [*it may ~ happen*] **2** lugnt

**east** [i:st] **I** *s* **1** öster, öst, ost; *to the ~ of* öster om **2** *the East* Östern; *the Far East* Fjärran Östern; *the Middle East* Mellanöstern **II** *adj* östlig, östra, öst- [*on the ~ coast*]; *East Germany* hist. Östtyskland; *the East Indies* Ostindien **III** *adv* mot (åt) öster, österut; *~ of* öster om

**eastbound** ['i:stbaʊnd] *adj* östgående

**Easter** ['i:stə] *s* påsk, påsken; *~ Day (Sunday)* påskdag, påskdagen; *~ Monday* annandag påsk

**easterly** ['i:stəlɪ] *adj* östlig, ostlig

**eastern** ['i:stən] *adj* **1** östlig, ostlig, östra, öst- **2** *Eastern* österländsk

**eastward** ['i:stwəd] **I** *adj* ostlig **II** *adv* mot öster

**eastwards** ['i:stwədz] *adv* mot öster

**easy** ['i:zɪ] **I** *adj* **1** lätt, enkel **2** bekymmerslös [*lead an ~ life*], lugn; *at an ~ pace* sakta och makligt **II** *adv* vard. lätt [*easier said than done*]; *go ~!* el. *~!* sakta!, försiktigt!; *take it ~!* ta det lugnt!

**easy-chair** [ˌi:zɪ'tʃeə, 'i:zɪtʃeə] *s* fåtölj, länstol

**easy-going** ['i:zɪˌgəʊɪŋ] *adj* bekväm, slapp

**eat** [i:t] (*ate* [et, speciellt amer. eit] *eaten* ['i:tn]) *vb tr* o. *vb itr* äta; *~ away* fräta bort; *~ into* fräta sig in i

**eatable** ['i:təbl] *adj* ätbar njutbar

**eaten** ['i:tn] se *eat*

**eau-de-Cologne** [ˌəʊdəkə'ləʊn] *s* eau-de-cologne

**eaves** [i:vz] *s pl* takfot, takskägg

**eavesdrop** ['i:vzdrɒp] *vb itr* tjuvlyssna

**eavesdropper** ['i:vzˌdrɒpə] *s* tjuvlyssnare

**ebb** [eb] **I** *s* ebb; *~ and flow* ebb och flod; *be at a low ~* stå lågt

**ebony** ['ebənɪ] *s* ebenholts

**EC** [ˌi:'si:] (förk. för *the European*

*Communities) EG (förk. för Europeiska gemenskaperna)
**eccentric** [ɪkˈsentrɪk] I *adj* excentrisk II *s* original, underlig figur
**eccentricity** [ˌeksenˈtrɪsətɪ] *s* excentricitet; originalitet
**ECG** [ˌiːsiːˈdʒiː] (förk. för *electrocardiogram*) EKG
**echo** [ˈekəʊ] I (pl. *echoes*) *s* eko, genklang II *vb itr* eka, genljuda
**eclipse** [ɪˈklɪps] I *s* förmörkelse, eklips II *vb tr* 1 förmörka 2 bildl. ställa i skuggan
**ecofreak** [ˈekəʊfriːk] *s* vard. miljöaktivist
**ecofriendly** [ˈekəʊˌfrendlɪ] *adj* miljövänlig
**ecological** [ˌiːkəˈlɒdʒɪkəl] *adj* ekologisk
**ecology** [iːˈkɒlədʒɪ] *s* ekologi
**economic** [ˌiːkəˈnɒmɪk] *adj* ekonomisk, nationalekonomisk
**economical** [ˌiːkəˈnɒmɪk(ə)l] *adj* ekonomisk, sparsam
**economics** [ˌiːkəˈnɒmɪks] *s* nationalekonomi; ekonomi
**economist** [ɪˈkɒnəmɪst] *s* ekonom; nationalekonom
**economize** [ɪˈkɒnəmaɪz] *vb itr* spara [*on* på], vara sparsam (ekonomisk) [*on* med]
**economy** [ɪˈkɒnəmɪ] *s* 1 sparsamhet, ekonomi; ~ *size* ekonomiförpackning 2 ekonomi
**ecstasy** [ˈekstəsɪ] *s* 1 extas, hänryckning; *go into ecstasies over* råka i extas över 2 vard. ecstasy narkotika
**ecstatic** [ekˈstætɪk] *adj* extatisk
**ecu** [ˈekjuː] (förk. för *European currency unit*) *s* ecu myntenhet
**Ecuador** [ˈekwədɔː]
**Ecuadorian** [ˌekwəˈdɔːrɪən] I *s* ecuadorian II *adj* ecuadoriansk
**eczema** [ˈeksəmə] *s* eksem
**eddy** [ˈedɪ] I *s* strömvirvel II *vb itr* virvla
**edge** [edʒ] I *s* 1 egg, kant; *on* ~ på helspänn, nervös; *it set my nerves on* ~ det gick mig på nerverna 2 kant [*the* ~ *of a table*], rand II *vb tr* o. *vb itr* 1 kanta 2 ~ *one's way* tränga sig fram; ~ *out* utmanövrera 3 maka (lirka) sig
**edible** [ˈedəbl] *adj* ätlig, ätbar
**edict** [ˈiːdɪkt] *s* edikt, påbud
**edifice** [ˈedɪfɪs] *s* större el. ståtlig byggnad
**Edinburgh** [ˈedɪnbərə]
**edit** [ˈedɪt] *vb tr* redigera; vara redaktör för, ge ut
**edition** [ɪˈdɪʃ(ə)n] *s* upplaga, utgåva
**editor** [ˈedɪtə] *s* redaktör; utgivare

**editorial** [ˌedɪˈtɔːrɪəl] I *adj* redigerings-, redaktionell [~ *work*] II *s* ledare i tidning
**educate** [ˈedjʊkeɪt] *vb tr* utbilda, uppfostra
**education** [ˌedjʊˈkeɪʃ(ə)n] *s* bildning [*classical* ~]; uppfostran; undervisning, utbildning
**educational** [ˌedjʊˈkeɪʃənl] *adj* undervisnings-, utbildnings-
**EEA** [ˌiːiːˈeɪ] (förk. för *European Economic Area*) EES (förk. för Europeiska ekonomiska samarbetsområdet)
**eel** [iːl] *s* ål
**efface** [ɪˈfeɪs] *vb tr* utplåna, stryka
**effect** [ɪˈfekt] I *s* effekt, verkan [*cause and* ~], verkning [*the* ~*s of the war*], inverkan, påverkan, inflytande; *in* ~ i själva verket; *come into* (*take*) ~ träda i kraft; *words to that* ~ ord i den stilen II *vb tr* åstadkomma [~ *changes*], verkställa
**effective** [ɪˈfektɪv] *adj* effektiv, verksam
**effeminate** [ɪˈfemɪnət] *adj* feminin
**efficacious** [ˌefɪˈkeɪʃəs] *adj* effektiv
**efficiency** [ɪˈfɪʃənsɪ] *s* effektivitet
**efficient** [ɪˈfɪʃ(ə)nt] *adj* effektiv, kompetent
**effort** [ˈefət] *s* ansträngning; prestation; *make an* ~ *to* anstränga sig för att; *with* ~ med möda
**effusive** [ɪˈfjuːsɪv] *adj* översvallande
**e.g.** [ˌiːˈdʒiː, ˌfərɪɡˈzɑːmpl] = *for example* t.ex.
**1 egg** [eg] *vb tr*, ~ *a p. on* egga (driva på) ngn
**2 egg** [eg] *s* ägg; *put* (*have*) *all one's* ~*s in one basket* sätta allt på ett kort
**egghead** [ˈeghed] *s* vard. intelligenssnobb, ägghuvud
**ego** [ˈiːɡəʊ, ˈeɡəʊ] *s* jag, ego
**egocentric** [ˌiːɡəˈsentrɪk, ˌeɡəʊˈsentrɪk] I *adj* egocentrisk II *s* egocentriker
**egoism** [ˈiːɡəʊɪz(ə)m, ˈeɡəʊɪz(ə)m] *s* egoism, egennytta
**egoist** [ˈiːɡəʊɪst, ˈeɡəʊɪst] *s* egoist
**egotism** [ˈiːɡətɪz(ə)m, ˈeɡəʊtɪz(ə)m] *s* självförhävelse, egotism; egenkärlek
**egotist** [ˈiːɡətɪst, ˈeɡətɪst] *s* egocentriker; egoist
**Egypt** [ˈiːdʒɪpt] Egypten
**Egyptian** [ɪˈdʒɪpʃ(ə)n] I *s* egyptier II *adj* egyptisk
**eh** [eɪ] *interj*, ~*!* va för nåt?; eller hur?, va? [*nice,* ~*?*]
**eider** [ˈaɪdə] *s* zool. ejder
**eiderdown** [ˈaɪdədaʊn] *s* 1 ejderdun 2 duntäcke

**eight** [eɪt] *räkn* o. *s* åtta
**eighteen** [ˌeɪ'ti:n] *räkn* o. *s* arton
**eighteenth** [ˌeɪ'ti:nθ] *räkn* o. *s* artonde; artondel
**eighth** [eɪtθ] *räkn* o. *s* åttonde; åttondel
**eightieth** ['eɪtɪɪθ] *räkn* o. *s* åttionde; åttondel
**eighty** ['eɪtɪ] **I** *räkn* åttio **II** *s* åttio; åttiotal; *in the eighties* på åttiotalet
**Eire** ['eərə]
**either** ['aɪðə, speciellt amer. 'i:ðə] **I** *indef pron* **1** a) endera, ettdera, vilken (vilket) som helst b) någon, någondera, något, någotdera **2** vardera, vartdera; båda, bägge **II** *adv* heller [*he won't come ~*] **III** *konj*, *~...or* a) antingen...eller [*he is ~ mad or drunk*] b) både...och [*he is taller than ~ you or me*] c) vare sig...eller
**ejaculate** [ɪ'dʒækjʊleɪt] *vb tr* **1** utropa, utstöta **2** fysiol. ejakulera
**ejaculation** [ɪˌdʒækjʊ'leɪʃ(ə)n] *s* **1** utrop **2** sädesuttömning; fysiol. ejakulation
**eject** [ɪ'dʒekt] *vb tr* kasta (driva, stöta) ut
**ejection** [ɪ'dʒekʃ(ə)n] *s* utkastande; *~ seat* katapultstol
**elaborate** [adjektiv ɪ'læbərət, verb ɪ'læbəreɪt] **I** *adj* i detalj utarbetad; omständlig; komplicerad **II** *vb tr* o. *vb itr* i detalj utarbeta; uttala sig närmare [*on* om]
**elapse** [ɪ'læps] *vb itr* förflyta, förgå
**elastic** [ɪ'læstɪk] **I** *adj* **1** elastisk; tänjbar **2** resår-, gummi- **II** *s* resår, gummiband
**elasticity** [ˌelæ'stɪsətɪ] *s* elasticitet; spänst
**elated** [ɪ'leɪtɪd] *adj* upprymd, glad, hänförd
**elation** [ɪ'leɪʃ(ə)n] *s* upprymdhet, glädje
**elbow** ['elbəʊ] **I** *s* armbåge **II** *vb tr*, *~ oneself forward* armbåga sig fram
**elbow room** ['elbəʊru:m] *s* svängrum
**elder** ['eldə] *adj* (komparativ av *old*) äldre speciellt om släktingar
**elderberry** ['eldəˌberɪ] *s* fläderbär
**elderly** ['eldəlɪ] *adj* äldre [*an ~ gentleman*], rätt gammal
**eldest** ['eldɪst] *adj* (superlativ av *old*) äldst speciellt om släktingar
**elect** [ɪ'lekt] *vb tr* välja genom röstning
**election** [ɪ'lekʃ(ə)n] *s* val speciellt genom röstning; *a general ~* allmänna val
**elective** [ɪ'lektɪv] *adj*, *~ subject* skol. tillvalsämne
**elector** [ɪ'lektə] *s* väljare, valman
**electorate** [ɪ'lektərət] *s* väljarkår; *the ~* äv. väljarna

**electric** [ɪ'lektrɪk] *adj* elektrisk; *~ bulb* glödlampa; *~ cooker* elspis, elektrisk spis
**electrician** [ɪlek'trɪʃ(ə)n] *s* elektriker, elmontör
**electricity** [ɪlek'trɪsətɪ] *s* elektricitet, el
**electrocardiogram** [ɪˌlektrəʊ'ka:djəʊgræm] *s* elektrokardiogram
**electron** [ɪ'lektrɒn] *s* elektron
**electronic** [ɪlek'trɒnɪk] *adj* elektronisk; *~ computer* dator
**electronics** [ɪlek'trɒnɪks] *s* elektronik
**electrostatic** [ɪˌlektrə'stætɪk] *adj* elektrostatisk
**elegance** ['elɪgəns] *s* elegans
**elegant** ['elɪgənt] *adj* elegant
**element** ['elɪmənt] *s* **1** kem. grundämne **2** element; *be in one's ~* vara i sitt rätta element (i sitt esse) **3** beståndsdel
**elementary** [ˌelɪ'mentrɪ] *adj* elementär, enkel
**elephant** ['elɪfənt] *s* elefant
**elevate** ['elɪveɪt] *vb tr* lyfta upp, höja
**elevation** [ˌelɪ'veɪʃ(ə)n] *s* **1** upphöjande, lyftande **2** upphöjning [*an ~ in the ground*] **3** upphöjelse [*~ to the throne*] **4** höjd över havsytan (marken)
**elevator** ['elɪveɪtə] *s* elevator; speciellt amer. hiss
**eleven** [ɪ'levn] *räkn* o. *s* elva
**eleventh** [ɪ'levnθ] *räkn*. o. *s* elfte; elftedel; *at the ~ hour* i elfte timmen
**eligibility** [ˌelɪdʒə'bɪlətɪ] *s* valbarhet, berättigande
**eligible** ['elɪdʒəbl] *adj* valbar [*for* till]; berättigad [*~ for a pension*], kvalificerad [*~ for membership*]
**eliminate** [ɪ'lɪmɪneɪt] *vb tr* eliminera; utesluta [*~ a possibility*]; *eliminated* sport. utslagen
**elimination** [ɪˌlɪmɪ'neɪʃ(ə)n] *s* **1** eliminering **2** sport. utslagning; *~ competition* utslagningstävling
**élite** [ɪ'li:t, eɪ'li:t] *s* elit
**elixir** [ɪ'lɪksə] *s* elixir; universalmedel
**elk** [elk] *s* älg
**elliptical** [ɪ'lɪptɪk(ə)l] *adj* **1** språkv. elliptisk, ellips- **2** geom. elliptisk
**elm** [elm] *s* alm
**elocution** [ˌelə'kju:ʃ(ə)n] *s* talarkonst, talteknik
**elongate** ['i:lɒŋgeɪt] *vb tr* förlänga, dra ut
**elope** [ɪ'ləʊp] *vb itr* rymma för att gifta sig
**eloquence** ['eləkw(ə)ns] *s* vältalighet
**eloquent** ['eləkw(ə)nt] *adj* vältalig

**empress**

**else** [els] *adv* **1** annars; *or* ~ eller också **2** annan, mer, fler [t.ex. *anybody ~ (else's)*], annat, mer [t.ex. *anything ~*], andra [*everybody* (alla) ~; *who* (vilka) ~?], annars [*who* (vem) ~?]; *everywhere* ~ på alla andra ställen; *little* ~ föga annat; *nowhere* ~ ingen annanstans

**elsewhere** [ˌels'weə] *adv* någon annanstans, på annat håll

**elucidate** [ɪ'luːsɪdeɪt] *vb tr* klargöra, belysa

**elude** [ɪ'luːd] *vb tr* undkomma, undgå; gäcka, trotsa

**elusive** [ɪ'luːsɪv] *adj* svårfångad, gäckande [~ *shadow*]

**emaciate** [ɪ'meɪʃɪeɪt] *vb tr* utmärgla

**emancipate** [ɪ'mænsɪpeɪt] *vb tr* frige [~ *the slaves*], frigöra, emancipera

**embalm** [ɪm'bɑːm] *vb tr* balsamera

**embankment** [ɪm'bæŋkmənt] *s* **1** invallning **2** fördämning; vägbank

**embargo** [em'bɑːɡəʊ] (pl. *embargoes*) *s* embargo; handelsförbud

**embark** [ɪm'bɑːk] *vb tr o. vb itr* embarkera, ta (gå) ombord; ~ *on* inlåta sig i; ge sig in på

**embarrass** [ɪm'bærəs] *vb tr* göra förlägen (generad)

**embarrassed** [ɪm'bærəst] *perf p o. adj* förlägen, generad [*at* över]

**embarrassing** [ɪm'bærəsɪŋ] *adj* pinsam, genant

**embassy** ['embəsɪ] *s* ambassad

**embellish** [ɪm'belɪʃ] *vb tr* försköna, utsmycka

**ember** ['embə] *s* glödande kol

**embezzle** [ɪm'bezl] *vb tr* försnilla, förskingra

**embezzlement** [ɪm'bezlmənt] *s* förskingring

**embezzler** [ɪm'bezlə] *s* förskingrare

**embitter** [ɪm'bɪtə] *vb tr* förbittra

**emblem** ['embləm] *s* emblem, sinnebild

**embodiment** [ɪm'bɒdɪmənt] *s* förkroppsligande; inkarnation, personifikation

**embody** [ɪm'bɒdɪ] *vb tr* **1** förkroppsliga; *be embodied in* få uttryck i **2** inbegripa, innehålla

**embrace** [ɪm'breɪs] **I** *vb tr o. vb itr* **1** omfamna, krama; omfamna varandra, kramas **2** omfatta, innefatta **II** *s* omfamning, kram

**embroider** [ɪm'brɔɪdə] *vb tr* brodera

**embroidery** [ɪm'brɔɪdərɪ] *s* broderi

**embryo** ['embrɪəʊ] (pl. ~s) *s* embryo

**emend** [ɪ'mend] *vb tr* emendera, korrigera text

**emerald** ['emər(ə)ld] *s* smaragd

**emerge** [ɪ'mɜːdʒ] *vb itr* dyka upp, uppstå

**emergency** [ɪ'mɜːdʒənsɪ] *s* **1** nödläge, kris, kritiskt läge; *in an* ~ el. *in case of* ~ i ett nödläge; *state of* ~ undantagstillstånd **2** attributivt reserv-; nöd- [~ *landing*], kris- [~ *meeting*]; ~ *brake* nödbroms; ~ *exit* (*door*) reservutgång; ~ *ward* akutmottagning på sjukhus

**emery paper** ['emərɪˌpeɪpə] *s* smärgelpapper

**emigrant** ['emɪɡr(ə)nt] *s* utvandrare, emigrant

**emigrate** ['emɪɡreɪt] *vb itr* utvandra, emigrera

**emigration** [ˌemɪ'ɡreɪʃ(ə)n] *s* utvandring, emigration

**émigré** ['emɪɡreɪ] *s* politisk emigrant

**eminence** ['emɪnəns] *s* **1** högt anseende **2** *His* (*Your*) *Eminence* Hans (Ers) Eminens

**eminent** ['emɪnənt] *adj* framstående

**emissary** ['emɪsrɪ] *s* emissarie, sändebud

**emission** [ɪ'mɪʃ(ə)n] *s* utsändande; utstrålning [~ *of light*]

**emit** [ɪ'mɪt] *vb tr* sända ut, stråla ut, avge [~ *heat*], ge ifrån sig [~ *an odour*]

**emolument** [ɪ'mɒljʊmənt] *s* extra löneförmån, naturaförmån

**emotion** [ɪ'məʊʃ(ə)n] *s* sinnesrörelse; stark känsla

**emotional** [ɪ'məʊʃənl] *adj* känslo- [~ *life*], känslomässig, emotionell; känslosam

**emperor** ['empərə] *s* kejsare

**emphasis** ['emfəsɪs] (pl. *emphases* ['emfəsiːz]) *s* eftertryck; tonvikt, betoning

**emphasize** ['emfəsaɪz] *vb tr* betona, framhäva, poängtera

**emphatic** [ɪm'fætɪk] *adj* eftertrycklig, kraftig, emfatisk

**empire** ['empaɪə] *s* kejsardöme, rike [*the Roman* ~]; imperium, välde

**employ** [ɪm'plɔɪ] **I** *vb tr* **1** sysselsätta, ge arbete åt; anställa **2** använda **II** *s, in a p.'s* ~ anställd hos ngn

**employee** [ˌemplɔɪ'iː] *s* arbetstagare, anställd

**employer** [ɪm'plɔɪə] *s* arbetsgivare

**employment** [ɪm'plɔɪmənt] *s* **1** sysselsättning, arbete, anställning; ~ *agency* (*bureau*) arbetsförmedlingsbyrå **2** användning

**empress** ['emprɪs] *s* kejsarinna

**empty** ['emtɪ] I adj tom II vb tr o. vb itr
tömma, tömma ut; tömmas
**empty-handed** [ˌemtɪ'hændɪd] adj
tomhänt
**enable** [ɪ'neɪbl] vb tr, ~ a p. to sätta ngn i
stånd att
**enamel** [ɪ'næm(ə)l] I s emalj; lackfärg II vb
tr emaljera; lackera
**enamoured** [ɪ'næməd] adj betagen [of i]
**encampment** [ɪn'kæmpmənt] s lägerplats;
läger
**encase** [ɪn'keɪs] vb tr innesluta; omge
**enchant** [ɪn'tʃɑ:nt] vb tr tjusa, hänföra
**enchanting** [ɪn'tʃɑ:ntɪŋ] adj förtjusande
**enchantment** [ɪn'tʃɑ:ntmənt] s tjuskraft;
förtjusning
**enchantress** [ɪn'tʃɑ:ntrəs] s tjuserska
**encircle** [ɪn'sɜ:kl] vb tr omge; omringa
**enclose** [ɪn'kləʊz] vb tr 1 inhägna; omge,
omsluta 2 i t.ex. brev bifoga, bilägga;
*enclosed please find* härmed bifogas
**encompass** [ɪn'kʌmpəs] vb tr omge;
omfatta
**encore** [ɒŋ'kɔ:] I interj dakapo! II s
1 extranummer, dakapo 2 dakaporop
**encounter** [ɪn'kaʊntə] I vb tr möta, råka,
träffa på II s möte
**encourage** [ɪn'kʌrɪdʒ] vb tr uppmuntra;
stödja, befrämja
**encouragement** [ɪn'kʌrɪdʒmənt] s
uppmuntran; främjande, understöd
**encroach** [ɪn'krəʊtʃ] vb itr inkräkta [on
på]
**encumber** [ɪn'kʌmbə] vb tr 1 betunga,
belasta 2 belamra [a room encumbered
with furniture]
**encyclopaedia** o. **encyclopedia**
[enˌsaɪklə'pi:djə] s encyklopedi,
uppslagsbok
**end** [end] I s 1 slut; avslutning; ände,
ända; change ~s byta sida i bollspel; *make*
(*make both*) ~s meet få det att gå ihop;
*put an ~ to* sätta stopp för; *I liked the
book no* ~ vard. jag tyckte väldigt mycket
om boken; *there is (are) no ~ of...* vard.
det finns massor med... □ *be at an* ~ vara
slut (förbi); *at the* ~ vid (i, på) slutet; till
sist, till slut; *in the* ~ till slut, till sist; *on* ~
a) på ända b) i sträck, i ett kör; *to the very*
~ ända till slutet; *bring to an* ~ avsluta,
sluta; *come to an* ~ ta slut 2 mål [with
this ~ in view], ändamål, syfte
II vb tr o. vb itr sluta, avsluta; göra slut
på; upphöra, ta slut; *all's well that ~s*

*well* ordspr. slutet gott, allting gott; ~ *up
in* sluta (hamna) i
**endanger** [ɪn'deɪndʒə] vb tr äventyra,
riskera
**endear** [ɪn'dɪə] vb tr göra avhållen
(omtyckt)
**endearing** [ɪn'dɪərɪŋ] adj älskvärd
**endearment** [ɪn'dɪəmənt] s
ömhetsbetygelse; *term of* ~ smeksamt
uttryck
**endeavour** [ɪn'devə] I vb itr sträva [to efter
att], försöka II s strävan, försök [to do]
**ending** ['endɪŋ] s 1 slut, avslutning; *happy*
~ lyckligt slut 2 gram. ändelse
**endive** ['endɪv] s chicorée frisée,
frisésallat; amer. endiv
**endorse** [ɪn'dɔ:s] vb tr 1 skriva sitt namn
på baksidan av, endossera [~ a cheque]
2 stödja [~ a plan], bekräfta, godkänna
**endow** [ɪn'daʊ] vb tr 1 donera pengar till
2 begåva, utrusta [be endowed with great
talent]
**endowment** [ɪn'daʊmənt] s 1 donation
2 pl. ~s anlag; natur- gåvor
**endurance** [ɪn'djʊər(ə)ns] s uthållighet;
*beyond* (*past*) ~ outhärdligt
**endure** [ɪn'djʊə] vb tr o. vb itr 1 uthärda [~
pain], utstå; stå ut med, tåla 2 räcka,
vara; bestå [his work will ~] 3 hålla ut
**enduring** [ɪn'djʊərɪŋ] adj varaktig,
bestående [~ value]
**enema** ['enɪmə] s lavemang
**enemy** ['enəmɪ] s fiende
**energetic** [ˌenə'dʒetɪk] adj energisk,
kraftfull
**energy** ['enədʒɪ] s energi
**energy-saving** ['enədʒɪˌseɪvɪŋ] adj
energisnål
**enervate** ['enɜ:veɪt] vb tr försvaga,
förslappa
**enforce** [ɪn'fɔ:s] vb tr upprätthålla
respekten för [~ law and order]; driva
igenom [~ one's principles]
**enforcement** [ɪn'fɔ:smənt] s
upprätthållande [~ of law and order],
genomdrivande
**engage** [ɪn'geɪdʒ] vb tr o. vb itr 1 anställa,
engagera, anlita 2 i passiv, *be engaged*
förlova sig 3 uppta [work ~s much of his
time] 4 ~ *in* engagera sig i, ägna sig åt [~
in business]
**engaged** [ɪn'geɪdʒd] adj 1 upptagen [he is
~ at the moment]; engagerad; sysselsatt
[in, on med]; anställd; ~ på t.ex. toalettdörr

upptaget; ~ **tone** tele. upptagetton; *be ~ in* delta i **2** förlovad
**engagement** [ɪn'geɪdʒmənt] *s* **1** åtagande, engagemang; avtalat möte **2** förlovning [*to med*] **3** anställning [*~ as secretary*]
**engaging** [ɪn'geɪdʒɪŋ] *adj* vinnande, intagande [*an ~ smile*]
**engine** ['endʒɪn] *s* **1** motor; maskin **2** lok
**engine-driver** ['endʒɪn‚draɪvə] *s* lokförare
**engineer** [‚endʒɪ'nɪə] *s* **1** ingenjör; tekniker **2** sjö. maskinist
**engineering** [‚endʒɪ'nɪərɪŋ] *s* ingenjörsvetenskap, ingenjörskonst; teknik
**engine room** ['endʒɪnru:m] *s* maskinrum
**England** ['ɪŋglənd]
**English** ['ɪŋglɪʃ] **I** *adj* engelsk **II** *s* **1** engelska språket; *the King's* (*Queen's*) ~ ungefär riktig (korrekt) engelska **2** *the ~* engelsmännen
**Englishman** ['ɪŋglɪʃmən] (pl. *Englishmen* ['ɪŋglɪʃmən]) *s* engelsman
**Englishwoman** ['ɪŋglɪʃ‚wʊmən] (pl. *Englishwomen* ['ɪŋglɪʃ‚wɪmɪn]) *s* engelska
**engrave** [ɪn'greɪv] *vb tr* rista in, ingravera
**engraving** [ɪn'greɪvɪŋ] *s* **1** ingravering **2** gravyr
**engross** [ɪn'grəʊs] *vb tr* uppta [*the work engrossed him*]; *be engrossed in* vara helt upptagen av; *engrossing* adjektiv fängslande
**enhance** [ɪn'hɑ:ns] *vb tr* höja, öka [*~ the value of a th.*]
**enigma** [ɪ'nɪgmə] *s* gåta; mysterium
**enigmatic** [‚enɪg'mætɪk] *adj* gåtfull, dunkel
**enjoy** [ɪn'dʒɔɪ] *vb tr* **1** njuta av; finna nöje i; ha roligt på [*did you ~ the party?*]; *I am enjoying it here* jag trivs här **2** ~ *oneself* ha trevligt, roa sig
**enjoyable** [ɪn'dʒɔɪəbl] *adj* njutbar, trevlig
**enjoyment** [ɪn'dʒɔɪmənt] *s* njutning; nöje, glädje
**enlarge** [ɪn'lɑ:dʒ] *vb tr* o. *vb itr* förstora, förstora upp [*~ a photo*], vidga [*~ a hole*]; förstoras, vidgas; ~ *on* breda ut sig över
**enlargement** [ɪn'lɑ:dʒmənt] *s* förstorande, förstoring [*an ~ from a negative*]
**enlighten** [ɪn'laɪtn] *vb tr* upplysa, ge upplysningar [*~ a p. on a subject*]
**enlist** [ɪn'lɪst] *vb tr* o. *vb itr* **1** mil. värva [*~ recruits*]; ta värvning **2** söka få [*~ a p.'s help*]
**enlistment** [ɪn'lɪstmənt] *s* mil. värvning

**enliven** [ɪn'laɪvn] *vb tr* liva upp, ge liv åt
**enmity** ['enmətɪ] *s* fiendskap
**ennoble** [ɪ'nəʊbl] *vb tr* adla; bildl. förädla
**enormous** [ɪ'nɔ:məs] *adj* enorm, väldig
**enough** [ɪ'nʌf] *adj* o. *adv* nog, tillräckligt; *it's ~ to drive one mad* det är så man kan bli galen; *will you be kind ~ to...* vill du vara vänlig och…
**enquire** [ɪn'kwaɪə] se *inquire*
**enquiry** [ɪn'kwaɪərɪ] *s* se *inquiry*
**enrage** [ɪn'reɪdʒ] *vb tr* göra rasande (ursinnig)
**enraged** [ɪn'reɪdʒd] *adj* rasande, ursinnig
**enrich** [ɪn'rɪtʃ] *vb tr* **1** göra rik; berika **2** anrika
**enrichment** [ɪn'rɪtʃmənt] *s* **1** berikande **2** anrikning
**enrol** o. **enroll** [ɪn'rəʊl] *vb tr* o. *vb itr* speciellt mil. enrollera; sjö. mönstra på; värva; skriva in; ta upp [*~ a p. in (a p. as a member of) a society*]; enrollera sig; skriva in sig
**enrolment** [ɪn'rəʊlmənt] *s* enrollering; påmönstring; inskrivning; inregistrering
**ensemble** [ɑ:n'sɑ:mbl] *s* ensemble
**ensign** ['ensaɪn] *s* nationalflagga; fana; baner, standar
**enslave** [ɪn'sleɪv] *vb tr* förslava
**ensue** [ɪn'sju:] *vb itr* **1** följa; *ensuing* följande **2** bli följden; uppstå
**ensure** [ɪn'ʃʊə] *vb tr* **1** tillförsäkra, garantera; säkerställa; ~ *that...* se till att… **2** garantera **3** skydda [*~ oneself against loss*]
**entail** [ɪn'teɪl] *vb tr* medföra
**entangle** [ɪn'tæŋgl] *vb tr* trassla (snärja) in
**enter** ['entə] *vb itr* o. *vb tr* **1** gå (komma) in, stiga in (på); gå (komma, stiga) in i; stiga upp i (på), stiga på [*~ a bus (train)*]; gå in vid [*~ the army*]; *it never entered my head* (*mind*) det föll mig aldrig in **2** anmäla sig, ställa upp; inge, avge [*~ a protest*]; ~ *oneself* (*one's name*) *for* anmäla sig till **3** anteckna, notera □ ~ *into* a) gå (tränga) in i b) ge sig in i (på), inlåta sig i (på), öppna, inleda c) gå in på (i) [*~ into details*]; ~ *on* (*upon*) a) slå in på; ~ *on* (*upon*) *one's duties* tillträda tjänsten b) inlåta sig i (på); påbörja, börja
**enterprise** ['entəpraɪz] *s* **1** företag, vågstycke **2** affärsföretag **3** företagsamhet [*private*]
**enterprising** ['entəpraɪzɪŋ] *adj* företagsam
**entertain** [‚entə'teɪn] *vb tr* o. *vb itr* **1** bjuda; ha bjudningar; ~ *some friends*

*to dinner* ha några vänner på middag
**2** underhålla, roa **3** hysa [*~ hopes*]
**entertainer** [ˌentəˈteɪnə] *s* entertainer, underhållare
**entertaining** [ˌentəˈteɪnɪŋ] *adj* underhållande, roande
**entertainment** [ˌentəˈteɪnmənt] *s* underhållning, nöje; tillställning
**enthral** o. **enthrall** [ɪnˈθrɔːl] *vb tr* hålla trollbunden [*~ one's audience*], fängsla
**enthralling** [ɪnˈθrɔːlɪŋ] *adj* fängslande
**enthuse** [ɪnˈθjuːz] *vb itr* o. *vb tr* **1** bli entusiastisk **2** entusiasmera
**enthusiasm** [ɪnˈθjuːzɪæz(ə)m] *s* entusiasm
**enthusiastic** [ɪnˌθjuːzɪˈæstɪk] *adj* entusiastisk
**entice** [ɪnˈtaɪs] *vb tr* locka, förleda, lura
**enticement** [ɪnˈtaɪsmənt] *s* lockelse, frestelse; lockmedel
**entire** [ɪnˈtaɪə] *adj* **1** hel, fullständig, absolut; *in sin* helhet **2** hel, intakt
**entirely** [ɪnˈtaɪəlɪ] *adv* helt, fullständigt
**entirety** [ɪnˈtaɪərətɪ] *s* helhet [*in its ~*]
**entitle** [ɪnˈtaɪtl] *vb tr* **1** betitla, benämna; *a book entitled…* en bok med titeln…
**2** berättiga; *be entitled to* vara berättigad till (att)
**entity** [ˈentətɪ] *s* **1** enhet **2** väsen
**entrails** [ˈentreɪlz] *s pl* inälvor
**1 entrance** [ˈentr(ə)ns] *s* **1** ingång, entré [*the main ~*]; uppgång; infart, infartsväg
**2** inträde, inträdande; entré, inträde på scenen; intåg **3** inträde, tillträde [*~ into a club*]
**2 entrance** [ɪnˈtrɑːns] *vb tr* hänföra, hänrycka
**entrance fee** [ˈentr(ə)nsfiː] *s*
**1** inträdesavgift, entréavgift
**2** anmälningsavgift
**entrance hall** [ˈentr(ə)nshɔːl] *s* hall, entré
**entreat** [ɪnˈtriːt] *vb tr* bönfalla
**entreaty** [ɪnˈtriːtɪ] *s* enträgen bön
**entrecôte** [ˈɑːntrəkəʊt] *s* kok. entrecote
**entrepreneur** [ˌɑːntrəprəˈnɜː] *s* företagare; entreprenör
**entrust** [ɪnˈtrʌst] *vb tr*, *~ a th. to a p.* el. *~ a p. with a th.* anförtro ngn ngt (ngt åt ngn)
**entry** [ˈentrɪ] *s* **1** inträde, inträdande; *~ permit* inresetillstånd; *make one's ~* träda in, göra sin entré **2** anteckning; post **3** uppslagsord; artikel i uppslagsverk
**enumerate** [ɪˈnjuːməreɪt] *vb tr* räkna upp, nämna; räkna
**envelop** [ɪnˈveləp] *vb tr* svepa in; hölja

**envelope** [ˈenvələʊp] *s* kuvert
**enviable** [ˈenvɪəbl] *adj* avundsvärd
**envious** [ˈenvɪəs] *adj* avundsjuk
**environment** [ɪnˈvaɪər(ə)nmənt] *s* **1** miljö; förhållanden [*social ~*] **2** omgivning
**environs** [ɪnˈvaɪərˈ(ə)nz] *s pl* omgivningar, omnejd
**envisage** [ɪnˈvɪzɪdʒ] *vb tr* föreställa sig; förutse
**envoy** [ˈenvɔɪ] *s* sändebud
**envy** [ˈenvɪ] **I** *s* avundsjuka **II** *vb tr* avundas
**epaulette** [epəˈlet] *s* epålett
**epic** [ˈepɪk] **I** *adj* episk **II** *s* episk dikt
**epidemic** [ˌepɪˈdemɪk] *s* epidemi äv. bildl.
**epigram** [ˈepɪgræm] *s* epigram
**epilepsy** [ˈepɪlepsɪ] *s* med. epilepsi
**epileptic** [ˌepɪˈleptɪk] **I** *adj* epileptisk **II** *s* epileptiker
**epilogue** [ˈepɪlɒg] *s* epilog
**Epiphany** [ɪˈpɪfənɪ] *s* trettondagen, trettondag jul
**episode** [ˈepɪsəʊd] *s* episod; avsnitt
**epistle** [ɪˈpɪsl] *s* epistel; brev
**epitaph** [ˈepɪtɑːf] *s* gravskrift, inskrift
**epithet** [ˈepɪθet] *s* epitet
**epitomize** [ɪˈpɪtəmaɪz] *vb tr* vara typisk för
**EPNS** [ˌiːˈpiːˌenˈes] (förk. för *electroplated nickel-silver*) nysilver
**epoch** [ˈiːpɒk] *s* epok
**equal** [ˈiːkw(ə)l] **I** *adj* **1** lika, lika stor [*to som*]; samma [*of ~ size*]; jämställd; *be on an ~ footing with* stå på jämlik fot med **2** *be ~ to* bildl. klara av; vara lika bra som; *be ~ to the occasion* vara situationen vuxen **II** *s* like, make; jämlike **III** *vb tr* vara lik, vara jämlik med; mat. vara lika med [*two times two ~s four*]
**equality** [ɪˈkwɒlətɪ] *s* likhet; jämlikhet, likställdhet
**equalize** [ˈiːkwəlaɪz] *vb tr* o. *vb itr* utjämna; sport. kvittera
**equally** [ˈiːkwəlɪ] *adv* lika [*~ well*]; jämnt [*spread ~*]
**equal sign** [ˈiːkwəlsaɪn] *s* o. **equals sign** [ˈiːkwəlzsaɪn] *s* likhetstecken
**equanimity** [ˌekwəˈnɪmətɪ] *s* jämnmod, sinneslugn
**equate** [ɪˈkweɪt] *vb tr* jämställa, likställa
**equation** [ɪˈkweɪʒ(ə)n] *s* ekvation
**equator** [ɪˈkweɪtə] *s* ekvator
**equatorial** [ˌekwəˈtɔːrɪəl] *adj* ekvatorial
**equestrian** [ɪˈkwestrɪən] *adj* rid- [*~ skill*]; *~ sports* hästsport
**equilateral** [ˌiːkwɪˈlætər(ə)l] *adj* liksidig
**equilibrium** [ˌiːkwɪˈlɪbrɪəm] *s* jämvikt

**equinox** ['i:kwɪnɒks] s, *autumnal* ~ höstdagjämning; *vernal* (*spring*) ~ vårdagjämning
**equip** [ɪ'kwɪp] *vb tr* utrusta, ekipera
**equipment** [ɪ'kwɪpmənt] s utrustning; ekipering; mil. mundering; materiel; artiklar [*sports* ~]
**equivalent** [ɪ'kwɪvələnt] **I** *adj* likvärdig [*to* med]; motsvarande [*to this* detta] **II** s motsvarande värde; motsvarighet [*of, to* till]
**equivocal** [ɪ'kwɪvək(ə)l] *adj* dubbeltydig
**era** ['ɪərə] s era; tidevarv
**eradicate** [ɪ'rædɪkeɪt] *vb tr* utrota
**eradication** [ɪˌrædɪ'keɪʃ(ə)n] s utrotning
**erase** [ɪ'reɪz] *vb tr* radera; radera (sudda) ut
**eraser** [ɪ'reɪzə] s radergummi, kautschuk
**erasing head** [ɪ'reɪzɪŋhed] s raderhuvud på bandspelare
**ere** [eə] *prep* poet. före i tiden; ~ *long* inom kort
**erect** [ɪ'rekt] **I** *adj* upprätt, rak **II** *vb tr* resa [~ *a statue*], uppföra [~ *a building*]
**erection** [ɪ'rekʃ(ə)n] s **1** uppförande, byggande; uppställande; uppresande **2** fysiol. erektion
**ermine** ['ɜ:mɪn] s hermelin
**erode** [ɪ'rəʊd] *vb tr* o. *vb itr* fräta bort; frätas bort
**erosion** [ɪ'rəʊʒ(ə)n] s frätning; bortfrätande
**erotic** [ɪ'rɒtɪk] *adj* erotisk
**err** [ɜ:] *vb itr* missta sig, ta fel; fela
**errand** ['er(ə)nd] s ärende, uppdrag
**errand-boy** ['er(ə)ndbɔɪ] s springpojke
**erratic** [ɪ'rætɪk] *adj* oregelbunden; oberäknelig
**erroneous** [ɪ'rəʊnjəs] *adj* felaktig, oriktig
**error** ['erə] s fel, felaktighet
**erupt** [ɪ'rʌpt] *vb itr* ha utbrott [*the volcano erupted*]
**eruption** [ɪ'rʌpʃ(ə)n] s utbrott
**escalation** [ˌeskə'leɪʃ(ə)n] s upptrappning
**escalator** ['eskəleɪtə] s rulltrappa
**escapade** [ˌeskə'peɪd] s eskapad; upptåg
**escape** [ɪ'skeɪp] **I** *vb itr* o. *vb tr* **1** fly, rymma; undkomma; undgå, slippa [~ *punishment*] **2** strömma (läcka) ut **II** s rymning, flykt; *that was a narrow* ~! det var nära ögat!
**escapism** [ɪ'skeɪpɪz(ə)m] s eskapism, verklighetsflykt
**escort** [substantiv 'eskɔ:t, verb ɪ'skɔ:t] **I** s

eskort; följe, skydd **II** *vb tr* eskortera, ledsaga
**Eskimo** ['eskɪməʊ] (pl. ~s) s eskimå
**espalier** [ɪ'spæljə] s **1** spaljé **2** spaljéträd
**especial** [ɪ'speʃ(ə)l] *adj* särskild, speciell
**especially** [ɪ'speʃəlɪ] *adv* särskilt, speciellt
**espionage** [ˌespɪə'nɑ:ʒ] s spionage
**espresso** [e'spresəʊ] (pl. ~s) s **1** espressokaffe, espresso **2** ~ *bar* espressobar
**Esq.** [ɪ'skwaɪə] (förk. för *Esquire*) herr [i brevadress *John Miller,* ~]
**esquire** [ɪ'skwaɪə] s herr; se *Esq.*
**essay** ['eseɪ] s essä, uppsats [*on* om, över]
**essence** ['esns] s **1** innersta väsen (natur) **2** essens [*fruit* ~]
**essential** [ɪ'senʃ(ə)l] **I** *adj* väsentlig, nödvändig [*to* för] **II** s väsentlighet [*concentrate on* ~s]; grunddrag [*of* i]; *in all* ~s i allt väsentligt
**essentially** [ɪ'senʃəlɪ] *adv* väsentligen; i huvudsak; väsentligt
**establish** [ɪ'stæblɪʃ] *vb tr* **1** upprätta, grunda, grundlägga **2** etablera; införa [~ *a rule*]; stadfästa [~ *a law*] **3** fastställa, fastslå [~ *a p.'s identity*], konstatera, påvisa
**establishment** [ɪ'stæblɪʃmənt] s **1** upprättande, grundande; grundläggande; tillkomst; etablerande; införande; upprättande; fastställande **2** mil. el. sjö. styrka, besättning **3** offentlig institution, inrättning, anstalt [*an educational* ~] **4** företag, etablissemang **5** *the Establishment* det etablerade samhället, etablissemanget
**estate** [ɪ'steɪt] s **1** gods, lantegendom; ~ *agent* a) fastighetsmäklare b) godsförvaltare; ~ *car* herrgårdsvagn, kombivagn **2** *housing* ~ bostadsområde **3** dödsbo, kvarlåtenskap; förmögenhet; *wind up an* ~ göra en boutredning; ~ *duty* (*tax*) arvskatt
**esteem** [ɪ'sti:m] **I** *vb tr* uppskatta, högakta **II** s högaktning
**estimable** ['estɪməbl] *adj* aktningsvärd
**estimate** [verb 'estɪmeɪt, substantiv 'estɪmət] **I** *vb tr* uppskatta, värdera, beräkna [*at* till] **II** s **1** uppskattning, värdering, beräkning; kalkyl **2** uppfattning
**estimation** [ˌestɪ'meɪʃ(ə)n] s **1** uppskattning, värdering, beräkning **2** uppfattning
**Estonia** [e'stəʊnjə] Estland

**Estonian** [e'stəʊnjən] **I** adj estnisk **II** s
**1** est, estländare **2** estniska språket
**estrange** [ɪ'streɪndʒ] vb tr göra
främmande, fjärma; stöta bort [~ one's
friends]
**estuary** ['estjʊərɪ] s bred flodmynning
**ET** [ˌiː'tiː] förk. för extraterrestrial
**etc.** [et'setrə] ibland skrivet &'c (förk. för et
cetera) etc., osv.
**et cetera** [et'setrə] adv etcetera, och så
vidare
**etch** [etʃ] vb tr o. vb itr etsa
**etching** ['etʃɪŋ] s etsning
**eternal** [ɪ'tɜːnl] adj evig; ständig [these ~
strikes]
**eternity** [ɪ'tɜːnətɪ] s evighet; ~ ring
alliansring
**ether** ['iːθə] s eter
**ethereal** [ɪ'θɪərɪəl] adj eterisk, översinnlig
**ethical** ['eθɪk(ə)l] adj etisk, moralisk,
sedlig
**ethics** ['eθɪks] s etik
**Ethiopia** [ˌiːθɪ'əʊpjə] Etiopien
**Ethiopian** [ˌiːθɪ'əʊpjən] **I** s etiopier, etiop
**II** adj etiopisk
**ethnic** ['eθnɪk] adj etnisk; ras-, folk- [~
minorities]
**etiquette** ['etɪket] s etikett, god ton
**etymology** [ˌetɪ'mɒlədʒɪ] s etymologi
**eucalyptus** [ˌjuːkə'lɪptəs] s eukalyptus
**euphemism** ['juːfəmɪz(ə)m] s eufemism,
förskönande omskrivning
**Europe** ['jʊərəp] Europa
**European** [jʊərə'piːən] **I** adj europeisk **II** s
europé
**Eurovision** ['jʊərəʊˌvɪʒ(ə)n] s TV.
Eurovision; the ~ Song Contest
schlager-EM, melodifestivalen
**euthanasia** [ˌjuːθə'neɪzjə] s dödshjälp
**evacuate** [ɪ'vækjʊeɪt] vb tr **1** evakuera;
utrymma **2** tömma
**evacuation** [ɪˌvækjʊ'eɪʃ(ə)n] s
**1** evakuering; utrymning **2** uttömning
**evacuee** [ɪˌvækjʊ'iː] s evakuerad person
**evade** [ɪ'veɪd] vb tr undvika; slingra sig
undan; smita från [~ taxes]
**evaluate** [ɪ'væljʊeɪt] vb tr bedöma,
utvärdera
**evaluation** [ɪˌvæljʊ'eɪʃ(ə)n] s bedömning,
utvärdering
**evangelical** [ˌiːvæn'dʒelɪk(ə)l] adj
evangelisk
**evaporate** [ɪ'væpəreɪt] vb itr o. vb tr
dunsta bort; komma att dunsta bort

**evaporation** [ɪˌvæpə'reɪʃ(ə)n] s
avdunstning
**evasion** [ɪ'veɪʒ(ə)n] s undvikande;
undanflykt, undanflykter
**evasive** [ɪ'veɪsɪv] adj undvikande; be ~
slingra sig
**eve** [iːv] s **1** afton, kväll; Christmas Eve
julafton **2** on the ~ of kvällen (dagen)
före, tiden omedelbart före
**even** ['iːv(ə)n] **I** adj **1** jämn; slät, plan;
make ~ jämna; ~ with i jämnhöjd med;
keep ~ with hålla jämna steg med **2** get
~ with a p. bli kvitt med ngn; get ~ with
a p. for a th. ge ngn igen för ngt
**II** adv **1** även, också, till och med; not
~ inte ens; ~ as a child redan som barn;
~ if även om, om också; ~ so ändå,
likväl; ~ then redan då; ändå, likafullt
**2** vid komparativ ännu, ändå [~ better]
**III** vb tr, ~ out jämna ut (till)
**evening** ['iːvnɪŋ] s **1** kväll, afton; this ~ i
kväll (afton); in the ~ på kvällen
**2** attributivt kvälls-, afton- [the ~ star]; ~
classes (school) aftonskola; ~ dress
aftonklänning; frack
**evenly** ['iːv(ə)nlɪ] adv jämnt; lika [divide
~]
**event** [ɪ'vent] s **1** händelse, tilldragelse;
evenemang; the course of ~s
händelseförloppet; at all ~s i alla
händelser, i varje fall **2** sport. tävling,
nummer på tävlingsprogram; tävlingsgren
**eventful** [ɪ'ventfʊl] adj händelserik
**eventual** [ɪ'ventʃʊəl] adj **1** slutlig **2** möjlig,
eventuell
**eventuality** [ɪˌventʃʊ'ælətɪ] s möjlighet,
eventualitet
**eventually** [ɪ'ventʃʊəlɪ] adv slutligen, till
slut; så småningom
**ever** ['evə] adv **1** någonsin [better than ~];
hardly (scarcely) ~ nästan aldrig;
nothing ~ happens det händer aldrig
någonting **2** as ~ som alltid, som vanligt;
for ~ för alltid; jämt och ständigt [for ~
grumbling]; Scotland for ~! leve
Skottland!; [they lived happily] ~ after
…i alla sina dagar; ~ since alltsedan,
ända sedan; Yours ~ i brevslut Din (Er)
tillgivne **3** vard., who (how, where) ~
vem (hur, var) i all världen; ~ so hemskt,
jätte- [I like it ~ so much]; the greatest
film ~ alla tiders största film **4 a)** framför
komparativ allt; an ~ greater amount en
allt större mängd **b)** se sammansättningar med
ever-

**evergreen** ['evəgri:n] I *adj* vintergrön II *s*
**1** vintergrön (ständigt grön) växt
**2** evergreen, långlivad schlager
**everlasting** [ˌevə'lɑːstɪŋ] I *adj* evig;
ständig; varaktig; idelig [~ *complaints*] II *s*
**1** evighet **2** bot. eternell
**evermore** [ˌevə'mɔː] *adv* evigt
**every** ['evrɪ] *indef pron* varje, var, varenda;
~ *reason to...* allt (alla) skäl att...; ~
*other* (*second*) *day* el. ~ *two days*
varannan dag; *one child out of* (*in*) ~
*five* vart femte barn; ~ *one of them* (*us*)
varenda en; ~ *now and then* (*again*) då
och då
**everybody** ['evrɪˌbɒdɪ] *indef pron* var och
en; varje människa [~ *has a right to...*],
alla [*has* ~ *seen it?*]; ~ *else* alla andra
**everyday** ['evrɪdeɪ] *adj* daglig; vardags- [~
*clothes*]; vardaglig
**everyone** ['evrɪwʌn] *indef pron* se *everybody*
**everything** ['evrɪθɪŋ] *indef pron* allt,
allting; varenda sak; alltsammans
**everywhere** ['evrɪweə] *adv* överallt
**evict** [ɪ'vɪkt] *vb tr* vräka; fördriva
**evidence** ['evɪd(ə)ns] *s* **1** bevis, belägg,
tecken [*of* på], vittnesmål; spår, märke [*of*
av, efter] **2** *be in* ~ synas; förekomma
**evident** ['evɪd(ə)nt] *adj* tydlig, uppenbar
**evidently** ['evɪd(ə)ntlɪ] *adv* tydligen,
uppenbarligen
**evil** ['i:vl] I *adj* ond [~ *deeds*], ondskefull;
fördärvlig II *s* ont [*a necessary* ~], det
onda
**evoke** [ɪ'vəʊk] *vb tr* framkalla; frammana
**evolution** [ˌi:və'lu:ʃ(ə)n] *s* utveckling;
evolution
**evolve** [ɪ'vɒlv] *vb tr* o. *vb itr* utveckla,
frambringa, framställa; utvecklas
**ewe** [ju:] *s* tacka fårhona; ~ *lamb* tacklamm
**ewer** ['ju:ə] *s* vattenkanna, handkanna
**ex** [eks] *s*, *my* ~ min före detta
**ex-** [eks] *prefix* f.d., ex- [*ex-husband*;
*ex-president*]
**exact** [ɪg'zækt] I *adj* exakt; noggrann II *vb
tr* kräva, fordra
**exacting** [ɪg'zæktɪŋ] *adj* fordrande,
krävande
**exactly** [ɪg'zæktlɪ] *adv* **1** exakt, precis;
egentligen [*what is your plan* ~?]; ~! ja,
just det! **2** noggrant
**exaggerate** [ɪg'zædʒəreɪt] *vb tr* överdriva
**exaggeration** [ɪgˌzædʒə'reɪʃ(ə)n] *s*
överdrift
**exalt** [ɪg'zɔːlt] *vb tr* upphöja; lyfta, stärka

**exaltation** [ˌegzɔː'l'teɪʃ(ə)n] *s* **1** upphöjelse
**2** hänförelse
**exalted** [ɪg'zɔːltɪd] *adj* o. *perf p* **1** upphöjd,
hög **2** hänförd, exalterad
**exam** [ɪg'zæm] *s* vard. (kortform för
*examination*) examen, tenta
**examination** [ɪgˌzæmɪ'neɪʃ(ə)n] *s*
**1** undersökning [*of*, *into* av]; granskning;
*customs'* ~ tullvisitering **2** examen;
tentamen, prov; *fail in an* ~ bli
underkänd i ett prov (en tentamen); *pass
an* (*one's*) ~ klara ett prov (en
tentamen); *sit for* (*take*) *an* ~ gå upp i
ett prov (en examen)
**examine** [ɪg'zæmɪn] *vb tr* **1** undersöka;
pröva, granska **2** examinera
**example** [ɪg'zɑːmpl] *s* exempel [*of* på]; *set
a good* ~ föregå med gott exempel; *for* ~
till exempel
**exasperate** [ɪg'zæspəreɪt] *vb tr* göra
förtvivlad, förarga
**exasperation** [ɪgˌzæspə'reɪʃ(ə)n] *s*
förbittring; ursinne
**excavate** ['ekskəveɪt] *vb tr* gräva ut (upp)
**excavation** [ˌekskə'veɪʃ(ə)n] *s* grävning;
utgrävning
**excavator** ['ekskəveɪtə] *s* **1** grävare,
schaktare; utgrävare **2** grävmaskin
**exceed** [ɪk'si:d] *vb tr* överskrida [~ *the
speed limit*]; överstiga, överskjuta;
överträffa
**excel** [ɪk'sel] *vb itr* o. *vb tr* vara främst;
överträffa
**excellence** ['eksələns] *s* förträfflighet
**excellency** ['eksələnsɪ] *s* titel excellens
**excellent** ['eksələnt] *adj* utmärkt
**except** [ɪk'sept] I *vb tr* undanta II *prep*
utom; ~ *for* bortsett från, utan
**excepting** [ɪk'septɪŋ] *prep* utom
**exception** [ɪk'sepʃ(ə)n] *s* undantag; *take* ~
*to* ta illa upp
**exceptional** [ɪk'sepʃənl] *adj* exceptionell
**excerpt** ['eksɜːpt] *s* utdrag, excerpt
**excess** [ɪk'ses, attributivt 'ekses] *s*
**1** omåttlighet; överdrift **2** attributivt, ~
*luggage* överviktsbagage; ~ *postage*
tilläggsporto **3** *in* ~ *of* överstigande
**excessive** [ɪk'sesɪv] *adj* överdriven;
omåttlig
**exchange** [ɪks'tʃeɪndʒ] I *s* **1** byte; ~ *of
letters* brevväxling; ~ *of views*
meningsutbyte; *in* ~ *for* i utbyte mot
**2** hand. a) växling av pengar; *rate of* ~
växelkurs b) växel [äv. *bill of* ~] c) börs
[*the Stock Exchange*] **3** telefonstation,

telefonväxel **II** *vb tr* byta, byta ut; växla [~ *words*], skifta

**exchequer** [ɪksˈtʃekə] *s*, *Chancellor of the Exchequer* i Storbritannien finansminister

**excitable** [ɪkˈsaɪtəbl] *adj* lättretlig, hetsig

**excite** [ɪkˈsaɪt] *vb tr* **1** hetsa upp **2** uppväcka; framkalla

**excited** [ɪkˈsaɪtɪd] *adj* o. *perf p* upphetsad, upprörd; spänd

**excitement** [ɪkˈsaɪtmənt] *s* sinnesrörelse, spänning; uppståndelse; upprördhet, upphetsning

**exciting** [ɪkˈsaɪtɪŋ] *adj* spännande; upphetsande

**exclaim** [ɪksˈkleɪm] *vb tr* utropa, skrika [*'what!' he exclaimed*]

**exclamation** [ˌekskləˈmeɪʃ(ə)n] *s* utrop; ~ *mark* (*sign*) utropstecken

**exclude** [ɪkˈskluːd] *vb tr* utesluta, utestänga

**exclusion** [ɪkˈskluːʒ(ə)n] *s* uteslutning, utestängande

**exclusive** [ɪkˈskluːsɪv] *adj* **1** exklusiv **2** särskild, speciell [~ *privileges*]

**exclusively** [ɪkˈskluːsɪvlɪ] *adv* uteslutande

**excrement** [ˈekskrəmənt] *s* exkrement

**excursion** [ɪksˈkɜːʃ(ə)n] *s* utflykt, utfärd

**excuse** [verb ɪksˈkjuːz, substantiv ɪksˈkjuːs] **I** *vb tr* **1** förlåta, ursäkta; ~ *me* förlåt, ursäkta **2** befria, frita **II** *s* ursäkt; bortförklaring; *make an* ~ ursäkta sig; *make* ~*s* komma med bortförklaringar

**execute** [ˈeksɪkjuːt] *vb tr* **1** utföra [~ *orders*], verkställa; uträtta, fullgöra **2** avrätta

**execution** [ˌeksɪˈkjuːʃ(ə)n] *s* **1** utförande, verkställande; fullgörande **2** avrättning

**executioner** [ˌeksɪˈkjuːʃənə] *s* bödel

**executive** [ɪgˈzekjʊtɪv] **I** *adj* utövande, verkställande **II** *s* **1** *the* ~ den verkställande myndigheten **2** företagsledare; chef

**exemplary** [ɪgˈzemplərɪ] *adj* exemplarisk

**exemplify** [ɪgˈzemplɪfaɪ] *vb tr* exemplifiera

**exempt** [ɪgˈzemt] **I** *adj* fritagen, befriad [~ *from tax*] **II** *vb tr* frita, befria, ge dispens

**exemption** [ɪgˈzemʃ(ə)n] *s* frikallande, befrielse [~ *from military service*]; dispens

**exercise** [ˈeksəsaɪz] **I** *s* **1** utövande [*the* ~ *of authority*], utövning **2** övning, träning; motion **3** övningsuppgift, övning **II** *vb tr* **1** öva, utöva [~ *power*] **2** öva, träna

**exercise book** [ˈeksəsaɪzbʊk] *s* skrivbok, övningsbok

**exert** [ɪgˈzɜːt] *vb tr* **1** utöva [~ *influence*]; använda **2** ~ *oneself* anstränga sig

**exertion** [ɪgˈzɜːʃ(ə)n] *s* **1** utövande [*the* ~ *of authority*] **2** ansträngning

**exhaust** [ɪgˈzɔːst] **I** *vb tr* **1** uttömma [~ *one's patience*] **2** utmatta **II** *s* avgas; ~ *fumes* bilavgaser

**exhausted** [ɪgˈzɔːstɪd] *adj* o. *perf p* **1** uttömd **2** utmattad

**exhaustion** [ɪgˈzɔːstʃ(ə)n] *s* **1** uttömmande **2** utmattning

**exhaustive** [ɪgˈzɔːstɪv] *adj* uttömmande; ingående

**exhibit** [ɪgˈzɪbɪt] *vb tr* o. *vb itr* förevisa [~ *a film*]; ställa ut; ha utställning

**exhibition** [ˌeksɪˈbɪʃ(ə)n] *s* utställning; förevisande

**exhibitionist** [ˌeksɪˈbɪʃənɪst] *s* exhibitionist

**exhilarate** [ɪgˈzɪləreɪt] *vb tr* liva upp; göra upprymd

**exhort** [ɪgˈzɔːt] *vb tr* uppmana, mana

**exile** [ˈeksaɪl, ˈegzaɪl] **I** *s* **1** landsflykt, exil **2** landsförvisad **II** *vb tr* landsförvisa

**exist** [ɪgˈzɪst] *vb itr* finnas; existera; förekomma

**existence** [ɪgˈzɪst(ə)ns] *s* tillvaro, existens; förekomst; *in* ~ existerande

**existing** [ɪgˈzɪstɪŋ] *adj* **1** existerande **2** nu (då) gällande

**exit** [ˈeksɪt, ˈegzɪt] **I** *vb itr* gå ut **II** *s* **1** sorti [*make one's* ~] **2** utträde; ~ *permit* utresetillstånd **3** utgång, väg ut

**exonerate** [ɪgˈzɒnəreɪt] *vb tr* frita, frikänna

**exorbitant** [ɪgˈzɔːbɪt(ə)nt] *adj* omåttlig

**exotic** [ɪgˈzɒtɪk] *adj* exotisk, främmande

**expand** [ɪkˈspænd] *vb tr* o. *vb itr* vidga, utvidga; utvidga sig, utvidgas, expandera

**expanse** [ɪkˈspæns] *s* vidd, vid yta

**expansion** [ɪkˈspænʃ(ə)n] *s* utbredande; expansion; utvidgning

**expatriate** [eksˈpætrɪət] *s* utvandrare

**expect** [ɪkˈspekt] *vb tr* o. *vb itr* **1** vänta, vänta sig, förvänta **2** vard. förmoda [*I* ~ *so* (det)] **3** vard., *be expecting* vänta barn

**expectant** [ɪkˈspekt(ə)nt] *adj*, ~ *mothers* blivande mödrar

**expectation** [ˌekspekˈteɪʃ(ə)n] *s* **1** väntan, förväntan; *arouse* (*raise*) ~*s* väcka förväntningar; *in* ~ *of* i avvaktan på **2** sannolikhet för ngt

**expectorant** [ekˈspektərənt] *s* slemlösande medel

**expedient** [ɪk'spiːdjənt] **I** *adj*
ändamålsenlig; fördelaktig, opportun **II** *s*
utväg, lösning
**expedition** [ˌekspɪ'dɪʃ(ə)n] *s* expedition,
forskningsfärd
**expel** [ɪk'spel] *vb tr* **1** driva ut, fördriva
**2** utvisa; relegera
**expend** [ɪk'spend] *vb tr* lägga ut, lägga
ner, använda; förbruka
**expenditure** [ɪk'spendɪtʃə] *s* **1** förbrukning
**2** utgifter
**expense** [ɪk'spens] *s* utgift; bekostnad;
*travelling ~s* resekostnader
**expensive** [ɪk'spensɪv] *adj* dyr, kostsam
**experience** [ɪk'spɪərɪəns] **I** *s* **1** erfarenhet;
rön **2** upplevelse, händelse **II** *vb tr*
uppleva
**experienced** [ɪk'spɪərɪənst] *adj* erfaren,
rutinerad
**experiment** [substantiv ɪk'sperɪmənt, verb
ɪk'sperɪment] **I** *s* försök, experiment **II** *vb
itr* experimentera
**experimental** [eksˌperɪ'mentl] *adj*
**1** försöks-, experiment-
**2** experimenterande
**expert** ['ekspɜːt] **I** *adj* **1** sakkunnig, expert-
[*~ work*] **2** kunnig, skicklig, förfaren **II** *s*
expert, specialist, sakkunnig
**expire** [ɪk'spaɪə] *vb tr* o. *vb itr* **1** andas ut
**2** löpa ut [*the period has expired*]; upphöra
**3** dö
**explain** [ɪk'spleɪn] *vb tr* förklara, klargöra
**explanation** [ˌeksplə'neɪʃ(ə)n] *s* förklaring
**explanatory** [ɪk'splænətərɪ] *adj*
förklarande
**explicable** [ek'splɪkəbl] *adj* förklarlig
**explicit** [ɪk'splɪsɪt] *adj* tydlig; uttrycklig; *be
~* uttrycka sig tydligt
**explode** [ɪk'spləʊd] *vb tr* o. *vb itr* få att
explodera; explodera, spränga (springa) i
luften
**1 exploit** ['eksplɔɪt] *s* bragd
**2 exploit** [ɪk'splɔɪt] *vb tr* exploatera;
egennyttigt utnyttja
**exploitation** [ˌeksplɔɪ'teɪʃ(ə)n] *s*
exploatering, utnyttjande
**exploration** [ˌeksplɔː'reɪʃ(ə)n] *s*
utforskning
**explore** [ɪk'splɔː] *vb tr* utforska
**explorer** [ɪk'splɔːrə] *s* forskningsresande,
upptäcktsresande
**explosion** [ɪk'spləʊʒ(ə)n] *s* explosion
**explosive** [ɪk'spləʊsɪv] **I** *adj* explosiv **II** *s*
sprängämne
**expo** ['ekspəʊ] (pl. *~s*) *s* vard. expo

**export** [substantiv 'ekspɔːt, verb ek'spɔːt] **I** *vb
tr* exportera **II** *s* exportvara; pl. *~s* export,
exporten
**expose** [ɪk'spəʊz] *vb tr* **1** utsätta [*~ to*
(för) *danger*] **2** exponera, ställa ut
**3** avslöja [*~ a swindler*] **4** foto. exponera
**exposition** [ˌekspə'zɪʃ(ə)n] *s*
**1** framställning **2** utläggning, förklaring
**3** utställning
**exposure** [ɪk'spəʊʒə] *s* **1** utsättande [*~ to*
(för) *ridicule*]; att vara utsatt [*~ to* (för)
*rain*] **2** exponering äv. foto. **3** utställande,
exponerande **4** avslöjande
**expound** [ɪk'spaʊnd] *vb tr* **1** förklara
**2** utveckla, framställa [*~ a theory*]
**express** [ɪk'spres] **I** *adj* **1** uttrycklig, tydlig
[*~ command*], särskild, speciell
**2** express-, snäll-; *~ letter* expressbrev; *~
train* expresståg; snälltåg **II** *adv* med
ilbud, express [*send a th. ~*] **III** *s* **1** *send a
th. by* (*per*) *~* skicka ngt express
**2** expresståg; snälltåg **IV** *vb tr* uttrycka [*~
one's surprise*]
**expression** [ɪk'spreʃ(ə)n] *s* **1** yttrande,
uttryckande; *~ of sympathy*
sympatiyttring **2** uttryck; uttryckssätt
**3** ansiktsuttryck; känsla [*play with ~*]
**expressive** [ɪk'spresɪv] *adj* **1** *~ of* som
uttrycker **2** uttrycksfull
**expressway** [ɪk'spreswei] *s* amer. motorväg
**expropriate** [ek'sprəʊprɪeɪt] *vb tr*
expropriera
**expulsion** [ɪk'spʌlʃ(ə)n] *s* utdrivande;
uteslutning, utstötande; utvisning
**exquisite** [ek'skwɪzɪt] *adj* utsökt, fin
**extend** [ɪk'stend] *vb tr* o. *vb itr* **1** sträcka
ut, räcka ut; sträcka sig [*a road that ~s for
miles and miles*]; breda ut sig; räcka, vara
**2** förlänga [*~ one's visit*]; utvidga;
utsträckas; utvidgas; hand. prolongera [*~
a loan*] **3** ge, erbjuda [*~ aid*]
**extension** [ɪk'stenʃ(ə)n] *s* **1** utsträckande,
utvidgande; sträckning; förlängning [*an ~
of my holiday*] **2** tillbyggnad; utbyggnad;
förlängning; *~ flex* (amer. *cord*)
förlängningssladd **3** tele. anknytning,
anknytningsapparat
**extensive** [ɪk'stensɪv] *adj* vidsträckt;
omfattande; utförlig
**extent** [ɪk'stent] *s* **1** utsträckning,
omfattning, omfång; *to some* (*a certain*)
*~* i viss mån **2** sträcka, yta
**extenuating** [ek'stenjʊeɪtɪŋ] *adj*, *~
circumstances* förmildrande
omständigheter

**exterior** [ek'stɪərɪə] I adj yttre, ytter-, utvändig II s yttre; utsida, exteriör [the ~ of a building]
**exterminate** [ɪk'stɜ:mɪneɪt] vb tr utrota
**extermination** [ɪks,tɜ:mɪ'neɪʃ(ə)n] s utrotande, förintande
**external** [ek'stɜ:nl] adj yttre [~ factors]; utvändig [an ~ surface]; for ~ use only endast för utvärtes bruk
**extinct** [ɪk'stɪŋkt] adj 1 slocknad [an ~ volcano] 2 utdöd [an ~ species]; become ~ dö ut
**extinction** [ɪk'stɪŋkʃ(ə)n] s 1 släckande 2 utdöende [the ~ of a species]
**extinguish** [ɪk'stɪŋgwɪʃ] vb tr 1 släcka 2 utrota
**extol** [ɪk'stəʊl] vb tr lovprisa, berömma
**extort** [ɪk'stɔ:t] vb tr tvinga fram
**extortionate** [ɪk'stɔ:ʃənət] adj orimlig, ocker- [~ prices; ~ interest]
**extra** ['ekstrə] I adj extra, ytterligare; ~ time sport. förlängning III s 1 extra sak; extraavgift 2 film. m.m. statist
**extract** [verb ɪk'strækt, substantiv 'ekstrækt] I vb tr 1 dra (ta) ut [~ teeth] 2 extrahera, pressa, pressa ut [~ juice] 3 tvinga fram [~ money from a p.] II s 1 extrakt [meat ~] 2 utdrag [~ from (ur) a book]
**extraction** [ɪk'strækʃ(ə)n] s 1 utdragning, uttagning 2 börd, härkomst
**extradition** [,ekstrə'dɪʃ(ə)n] s utlämning till annan stat
**extraordinary** [ɪk'strɔ:dənərɪ] adj särskild; extraordinär; märklig
**extraterrestrial** [,ekstrətə'restrɪəl] adj, ~ being (förk. ET) rymdvarelse
**extravagance** [ɪk'strævəgəns] s extravagans, överdåd, onödig lyx
**extravagant** [ɪk'strævəgənt] adj extravagant, överdådig; omåttlig
**extreme** [ɪk'stri:m] I adj 1 ytterst [the ~ Left] 2 extrem; drastisk II s, go to ~s gå till ytterligheter (överdrift); in the ~ i högsta grad, ytterst
**extremely** [ɪk'stri:mlɪ] adv ytterst, oerhört
**extremism** [ɪk'stri:mɪzm] s extremism
**extremist** [ɪk'stri:mɪst] s extremist
**extremity** [ɪk'stremətɪ] s 1 yttersta del (punkt) 2 anat., pl. **extremities** extremiteter 3 nödläge, tvångsläge
**extricate** ['ekstrɪkeɪt] vb tr lösgöra, frigöra
**exuberant** [ɪg'zju:bərənt] adj 1 sprudlande, översvallande [~ praise], levnadsglad 2 överflödande; ymnig
**exult** [ɪg'zʌlt] vb itr jubla, triumfera

**exultation** [,egzʌl'teɪʃ(ə)n] s jubel, triumf
**eye** [aɪ] I s 1 öga; synförmåga; blick; the naked ~ blotta ögat; close (shut) one's ~s to blunda för; have an ~ for ha blick (sinne, öga) för; have one's ~ on a th. vard. ha ett gott öga till något; keep one's ~s open vard. ha ögonen med sig; keep an ~ on hålla ett öga på; keep an ~ out for hålla utkik efter; make ~s at flörta med; before (under) the very ~s of a p. mitt för näsan (ögonen) på ngn; in the ~ (the ~s) of the law enligt lagen; be in the public ~ vara föremål för offentlig uppmärksamhet; see ~ to ~ with a p. se på saken på samma sätt som ngn; be up to the (one's) ~s in work ha arbete upp över öronen; with an ~ to i avsikt att 2 nålsöga II vb tr betrakta, mönstra
**eyeball** ['aɪbɔ:l] s ögonglob, ögonsten
**eyebrow** ['aɪbraʊ] s ögonbryn
**eye-catching** ['aɪ,kætʃɪŋ] adj som fångar ögat
**eyeful** ['aɪfʊl] s vard. 1 get an ~ of this! kolla in det här! 2 she is an ~ hon är något att vila ögonen på
**eyeglass** ['aɪglɑ:s] s, pl. **eyeglasses** glasögon
**eyelash** ['aɪlæʃ] s ögonfrans, ögonhår
**eyelid** ['aɪlɪd] s ögonlock
**eye-opener** ['aɪ,əʊpnə] s tankeställare
**eyeshadow** ['aɪ,ʃædəʊ] s kosmetisk ögonskugga
**eyesight** ['aɪsaɪt] s syn [have a good ~]
**eyesore** ['aɪsɔ:] s skönhetsfläck
**eyewash** ['aɪwɒʃ] s 1 ögonvatten, ögonbad 2 vard. humbug; bluff
**eyewitness** ['aɪ,wɪtnəs] I s ögonvittne II vb tr vara ögonvittne till

# F

**F, f** [ef] *s* F, f; *F flat* mus. fess; *F sharp* mus. fiss

**fable** ['feɪbl] *s* fabel; saga, myt

**fabric** ['fæbrɪk] *s* **1** tyg [*silk ~s*], väv **2** uppbyggnad; stomme **3** struktur, textur

**fabricate** ['fæbrɪkeɪt] *vb tr* **1** dikta ihop, fabricera [*~ a story*] **2** montera ihop

**fabulous** ['fæbjʊləs] *adj* **1** fabel- [*~ animal*] **2** fabulös, sagolik; vard. fantastisk

**face** [feɪs] **I** *s* **1** ansikte; uppsyn, min; *have the ~ to* ha mage att; *keep a straight ~* hålla masken; *make* (*pull*) *~s* göra grimaser; *pull a long ~* bli lång i ansiktet; *on the ~ of it* (*things*) vid första påseendet; *to a p.'s ~* mitt i ansiktet på ngn **2** urtavla **3** *~ value* nominellt värde; *take a th. at* (*at its*) *~ value* bildl. ta ngt för vad det är

**II** *vb tr* o. *vb itr* **1** möta [*~ dangers*]; se i ögonen [*~ death*]; räkna med [*we will have to ~ that*]; inte blunda för [*~ reality*]; *~ up to* modigt möta; ta itu med **2** stå inför [*~ ruin*] **3** vända ansiktet mot; ligga (vetta) mot (åt); vara (stå) vänd, vända sig [*towards* mot]; vetta, ligga [*to, towards* mot]; *the picture ~s page 10* bilden står mot sidan 10 **4** mil., *about ~!* helt om!; *right* (*left*) *~!* höger (vänster) om!

**face cloth** ['feɪsklɒθ] *s* tvättlapp

**face-lift** ['feɪslɪft] *s* ansiktslyftning äv. bildl.

**face lotion** ['feɪsˌləʊʃ(ə)n] *s* ansiktsvatten

**face-off** ['feɪsɒf] *s* sport. tekning, nedsläpp

**facet** ['fæsɪt] *s* **1** fasett **2** sida, aspekt

**facetious** [fə'si:ʃəs] *adj* skämtsam, lustig

**face tissue** ['feɪs ˌtɪʃu:] *s* ansiktsservett

**face towel** ['feɪsˌtaʊ(ə)l] *s* toaletthandduk

**facial** ['feɪʃ(ə)l] **I** *adj* ansikts- [*~ expression* (*treatment*)] **II** *s* ansiktsbehandling

**facile** ['fæsaɪl, amer. 'fæsl] *adj* lättsam, ledig

**facilitate** [fə'sɪlɪteɪt] *vb tr* underlätta, förenkla

**facility** [fə'sɪlətɪ] *s* **1** lätthet, ledighet **2** pl. *facilities* möjligheter, resurser; anordningar, faciliteter; *bathing facilities* badmöjligheter; *modern facilities* moderna bekvämligheter

**facsimile** [fæk'sɪmɪlɪ] *s* faksimile

**fact** [fækt] *s* faktum; *a matter of ~* ett faktum; *as a matter of ~* el. *in* (*in actual*) *~* el. *in point of ~* i själva verket

**faction** ['fækʃ(ə)n] *s* polit. fraktion, klick, falang

**factor** ['fæktə] *s* faktor

**factory** ['fæktərɪ] *s* fabrik; verk; *~ hand* (*worker*) fabriksarbetare

**factual** ['fæktʃʊəl] *adj* saklig; verklig

**faculty** ['fækəltɪ] *s* **1** förmåga; *~ for* förmåga till, fallenhet för, sinne för; *be in possession of all one's faculties* vara vid sina sinnens fulla bruk **2** univ. fakultet

**fad** [fæd] *s* modefluga; fluga, dille

**fade** [feɪd] *vb itr* o. *vb tr* **1** vissna **2** blekna; bli urblekt; mattas; bleka; *~ away* (*out*) så småningom försvinna, dö bort; tona bort; tyna (vissna) bort **3** film. m.m., *~ out* tona bort; *~ in* tona in

**Faeroe** ['feərəʊ] *s*, *the ~s* el. *the ~ Islands* Färöarna

**fag** [fæg] **I** *vb itr* o. *vb tr* slita, knoga; trötta ut, tröttköra **II** *s* **1** slit, knog; *it's too much* (*much of a*) *~* det är för jobbigt **2** vard. cig, tagg cigarrett

**fag-end** ['fægend] *s* vard. cigarettfimp

**faggot** ['fægət] *s* risknippe, knippe bränsle

**Fahrenheit** ['færənhaɪt] *s* Fahrenheit, Fahrenheits skala med fryspunkten vid 32°och kokpunkten vid 212°

**fail** [feɪl] *vb itr* o. *vb tr* **1** misslyckas; kuggas, bli kuggad; kugga; bli kuggad i [*~ an exam*] **2** strejka [*the engine failed*]; stanna [*his heart failed*] **3** tryta; inte räcka till [*if his strength ~s*]; avta, försämras [*his health is failing*] **4** svika, lämna i sticket; *words ~ me* jag saknar ord **5** *~ to* a) försumma att b) vägra att, inte vilja [*the engine failed to start*] c) undgå att [*he failed to see it*] d) misslyckas med att; *~ to come* utebli, inte komma

**failing** ['feɪlɪŋ] **I** *s* fel, brist, svaghet [*we all have our ~s*] **II** *adj* avtagande [*~ eyesight*], vacklande [*~ health*] **III** *prep* i brist på; om det inte finns; *~ this* (*that*) i annat fall

**fail-safe** ['feɪlseɪf] *adj* idiotsäker

**failure** ['feɪljə] *s* **1** a) misslyckande, fiasko b) misslyckad person **2** underlåtenhet, försummelse; brist, avsaknad [*of* på] **3** fel; *heart ~* hjärtförlamning

**faint** [feɪnt] **I** *adj* **1** svag, matt [*a ~ voice*] **2** otydlig [*~ traces*]; *I haven't the faintest idea* el. *I haven't the faintest* jag har inte den ringaste aning **II** *s* svimning **III** *vb itr* svimma; *fainting fit* svimningsanfall

**1 fair** [feə] *s* **1** marknad **2** hand. mässa

**2 fair** [feə] **I** *adj* **1** rättvis, just [*to, on* mot]; skälig, rimlig; *~ and square* öppen och

ärlig; ~ *play* fair play, rent spel; *give
a th. a ~ trial* pröva ngt ordentligt; *give
a p. a ~ warning* varna ngn i tid
**2** a) ganska stor (bra); ansenlig b) rimlig
[~ *prices*] **3** ~ *weather* el. ~
uppehållsväder **4** gynnsam; *have a ~
chance* ha goda utsikter **5** ljuslagd,
blond, ljus [*a ~ complexion*] **6** poet. fager;
*the ~ sex* det täcka könet
  **II** *adv* **1** rättvist, just, hederligt **2** ~ *and
square* rätt, rakt; öppet, ärligt
**fairground** ['feəgraʊnd] *s* nöjesplats,
marknadsplats
**fairly** ['feəlɪ] *adv* **1** rättvist; ärligt, hederligt
**2** tämligen, rätt, ganska [~ *good*]
**fair-minded** [ˌfeə'maɪndɪd] *adj* rättsinnig
**fairness** ['feənəs] *s* **1** rättvisa; ärlighet; *in
all ~* el. *in ~* i rättvisans namn **2** blondhet
**fair-sized** ['feəsaɪzd] *adj* ganska stor,
medelstor
**fairway** ['feəweɪ] *s* **1** farled **2** golf. fairway
klippt del av spelfält
**fairy** ['feərɪ] **I** *s* fe **II** *adj* fe-, älv- [~ *queen*];
sago- [~ *prince*]; ~ *godmother* god fe
**fairyland** ['feərɪlænd] *s* sagoland
**fairy story** ['feərɪˌstɔːrɪ] *s* o. **fairy tale**
['feərɪteɪl] *s* saga; historia
**faith** [feɪθ] *s* **1** tro [*in* på]; förtroende [*in*
för] **2** troslära
**faithful** ['feɪθf(ʊ)l] *adj* **1** trogen **2** exakt,
noggrann
**faithfully** ['feɪθfəlɪ] *adv* **1** troget; *promise
~* vard. lova säkert; *Yours ~* i brevslut
Högaktningsfullt 2 exakt
**faithless** ['feɪθləs] *adj* trolös; vantrogen
**fake** [feɪk] **I** *vb tr* o. *vb itr* **1** fuska med;
förfalska; dikta ihop **2** simulera [~ *illness*];
bluffa **II** *s* **1** förfalskning; uppdiktad
historia; bluff **2** bluffmakare
**falcon** ['fɔːlkən] *s* jaktfalk
**fall** [fɔːl] **I** (*fell fallen*) *vb itr* **1** falla; falla
omkull, ramla; sjunka [*the price fell*];
störtas [*the government fell*]; infalla,
inträffa [*Easter Day ~s on a Sunday*]; *his
face fell* han blev lång i ansiktet **2** ~ *ill* bli
sjuk; ~ *asleep* somna □ ~ *away* a) falla
ifrån, svika b) falla bort; vika undan; ~
*back:* ~ *back on* bildl. falla tillbaka på, ta
till; ~ *behind* bli efter; *have fallen behind
with* vara på efterkälken med; ~ *below*
understiga, inte gå upp till beräkning m.m.;
~ *down* falla (ramla) ned; ~ *for* a) falla för
[~ *for a p.'s charm*] b) gå 'på, låta lura sig
av; ~ *in* a) falla (ramla) in, falla ihop
b) mil. falla in i ledet; ~ *in!* uppställning!

c) ~ *in with* gå (vara) med på, foga sig
efter; ~ **into** a) falla ned i; bildl. falla i [~
*into a deep sleep*]; råka i b) komma in i,
förfalla till [~ *into bad habits*]; ~ **off** a) falla
(ramla) av b) avta, minska, sjunka,
mattas; ~ **on** a) falla på, åligga b) anfalla,
överfalla; kasta sig över; ~ **out** a) falla
(ramla) ut b) utfalla, avlöpa c) mil. gå ur
ledet d) bli osams, råka i gräl; ~ **through**
misslyckas; falla igenom; ~ **under** falla
(komma, höra) under
  **II** *s* **1** fall; fallande, sjunkande; nedgång
**2** amer. höst; för ex. jfr *summer* **3** speciellt pl.
*~s* vattenfall [*the Niagara Falls*]
**fallacy** ['fæləsɪ] *s* vanföreställning
**fallen** ['fɔːl(ə)n] se *fall I*
**fallible** ['fæləbl] *adj* felbar
**falling-off** [ˌfɔːlɪŋ'ɒf] *s* avtagande, nedgång
**Fallopian** [fə'ləʊpɪən] *adj*, ~ *tube* anat.
äggledare
**false** [fɔːls] *adj* falsk; felaktig; otrogen; lös-
[~ *teeth (beard)*]
**falsehood** ['fɔːlshʊd] *s* lögn, osanning
**falsetto** [fɔːl'setəʊ] (pl. *~s*) *s* mus. falsett
**falsify** ['fɔːlsɪfaɪ] *vb tr* förfalska
**falsity** ['fɔːlsətɪ] *s* oriktighet; falskhet
**falter** ['fɔːltə] *vb itr* **1** stappla, vackla
**2** vara osäker
**fame** [feɪm] *s* ryktbarhet, berömmelse
**famed** [feɪmd] *adj* ryktbar, berömd
**familiar** [fə'mɪljə] *adj* **1** förtrolig [*on a ~
footing*]; bekant [*the name is ~*] **2** familjär,
närgången
**familiarity** [fəˌmɪlɪ'ærətɪ] *s* **1** förtrogenhet
[*with* med]; förtrolighet **2** närgångenhet
**familiarize** [fə'mɪljəraɪz] *vb tr* göra bekant
(förtrogen)
**family** ['fæmlɪ] *s* **1** familj; *a wife and ~*
hustru och barn; *be in the ~ way* vard.
vara med barn; ~ *allowance* barnbidrag,
familjebidrag **2** släkt; *it runs in the ~* det
ligger i släkten
**famine** ['fæmɪn] *s* hungersnöd
**famished** ['fæmɪʃt] *adj* utsvulten; *I'm ~*
vard. jag är döhungrig
**famous** ['feɪməs] *adj* berömd, ryktbar
**1 fan** [fæn] *s* **1** solfjäder; tekn. fläkt **II** *vb tr*
fläkta på; fläkta
**2 fan** [fæn] *s* vard. entusiast, fantast,
supporter, fan
**fanatic** [fə'nætɪk] *s* fanatiker
**fanatical** [fə'nætɪk(ə)l] *adj* fanatisk
**fanaticism** [fə'nætɪsɪz(ə)m] *s* fanatism
**fan belt** ['fænbelt] *s* fläktrem

**fanciful** ['fænsɪf(ʊ)l] adj nyckfull, fantasifull; fantastisk

**fancy** ['fænsɪ] I s 1 fantasi 2 inbillning; infall; nyck 3 tycke; *it caught (took) my ~* det föll mig i smaken; *take a ~ to* bli förtjust i, fatta tycke för II adj 1 fantasi-, lyx-; *~ dress* maskeraddräkt 2 fantastisk, godtycklig; *~ price* fantasipris 3 av högsta kvalitet [*~ crabs*] III vb tr 1 föreställa sig, tänka sig; tycka sig finna; inbilla sig 2 tycka om, gilla; vara pigg på [*I don't ~ doing it*]; fatta tycke för; önska sig, vilja ha; *~ oneself* tro att man är något

**fancy-dress** [ˌfænsɪ'dres, attributivt 'fænsɪdres] s maskeraddräkt, fantasikostym; *~ ball* maskeradbal

**fanfare** ['fænfeə] s fanfar

**fang** [fæŋ] s huggtand; orms gifttand

**fanny pack** ['fænɪpæk] s amer. midjeväska; vard. magsäck

**fantasize** ['fæntəsaɪz] vb itr fantisera [*about* om]

**fantastic** [fæn'tæstɪk] adj fantastisk

**fantasy** ['fæntəsɪ] s fantasi; illusion

**far** [fɑː] (*farther farthest* el. *further furthest*) I adj 1 fjärran, avlägsen; *the Far East* Fjärran östern 2 bortre [*the ~ end* (del)]; *at the ~ end of* vid bortersta ändan av II adv 1 långt [*how ~ is it?*]; långt bort (borta); *~ and wide* vitt och brett; *be ~ from* vara långtifrån; *~ from it* långt därifrån; *~ be it from me to...* jag vill ingalunda...; *as ~ as* a) preposition ända till b) konjunktion så vitt [*as ~ as I know*]; *so ~* hittills; *in so ~ as* i den mån 2 vida, långt, mycket [*~ better*]; *~ too much* alldeles för mycket; *by ~* i hög grad, avgjort

**far-away** ['fɑːrəweɪ] adj avlägsen, fjärran

**farce** [fɑːs] s fars

**fare** [feə] I s 1 passageraravgift, biljettpris [*pay one's ~*], taxa 2 en el. flera passagerare, resande [*he drove his ~ home*]; körning [*the taxi-driver got a ~*] 3 kost; *bill of ~* matsedel II vb itr klara sig [*~ well (badly)*]

**farewell** [ˌfeə'wel] s farväl

**far-fetched** [ˌfɑː'fetʃt] adj långsökt

**farm** [fɑːm] I s lantgård, bondgård; för djuruppfödning farm II vb tr o. vb itr bruka [*~ land* (jorden)]; odla; driva jordbruk

**farmer** ['fɑːmə] s 1 lantbrukare, bonde 2 djuruppfödare farmare [*fox-farmer*]

**farm hand** ['fɑːmhænd] s lantarbetare, jordbruksarbetare

**farmhouse** ['fɑːmhaʊs] s bondgård

**farming** ['fɑːmɪŋ] s 1 jordbruk, lantbruk 2 uppfödning [*pig-farming*], odling [*fish-farming*]

**farmstead** ['fɑːmsted] s bondgård

**farmyard** ['fɑːmjɑːd] s gård vid bondgård

**far-off** [ˌfɑːr'ɒf] adj avlägsen, fjärran

**far-reaching** [ˌfɑː'riːtʃɪŋ] adj vittgående

**far-sighted** [ˌfɑː'saɪtɪd] adj 1 framsynt 2 långsynt

**fart** [fɑːt] vulg. I s prutt II vb itr prutta

**farther** ['fɑːðə] (komparativ av *far*, för ex. se äv. *further*) I adj bortre [*the ~ bank of the river*], avlägsnare II adv längre [*we can't go ~*], längre bort

**farthermost** ['fɑːðəməʊst] adj borterst

**farthest** ['fɑːðɪst] (superlativ av *far*) I adj borterst, avlägsnast II adv längst; längst bort

**fascia** ['feɪʃə] (pl. ~s) bil. instrumentbräda

**fascinate** ['fæsɪneɪt] vb tr fascinera, fängsla

**fascinating** ['fæsɪneɪtɪŋ] adj fascinerande

**fascination** [ˌfæsɪ'neɪʃ(ə)n] s tjusning

**Fascism** ['fæʃɪz(ə)m] s fascism

**Fascist** ['fæʃɪst] I s fascist II adj fascistisk

**fashion** ['fæʃ(ə)n] I s 1 sätt, vis [*in* (på) *this ~*]; *after a ~* på sätt och vis 2 mod, mode; *it is all the ~* det är senaste modet (sista skriket); *~ designer* modetecknare; *~ parade* modevisning 3 fason, mönster II vb tr forma, fasonera; formge

**fashionable** ['fæʃənəbl] adj 1 modern, på modet 2 förnäm, societets-; elegant

**1 fast** [fɑːst] I s fasta II vb itr fasta

**2 fast** [fɑːst] I adj 1 snabb, hastig; snabbgående; *~ food* snabbmat; *~ lane* trafik. omkörningsfil; *~ train* snälltåg; *my watch is ~* min klocka går före 2 fastsittande; hållbar, tvättäkta [*~ colours*]; *make ~* göra (binda) fast 3 utsvävande, lättsinnig II adv 1 fort [*run ~*]; snabbt 2 fast [*stand ~*]; stadigt, hårt, tätt; *hold ~ to* hålla stadigt (fast) i; bildl. hålla fast vid; *be ~ asleep* sova djupt

**fasten** ['fɑːsn] vb tr o. vb itr 1 fästa [*to* vid, i, på]; göra fast, binda [*to* vid, på]; regla; säkra; knyta, knyta till; *~ up* fästa ihop; *~ up one's coat* knäppa igen sin rock 2 fastna; gå att stänga; fästas 3 *~ on* ta fasta på, fästa sig vid

**fastener** ['fɑːsnə] s knäppanordning; hållare; hake; spänne, lås

**fastidious** [fa'stɪdɪəs] adj kräsen, petnoga

**fat** [fæt] I adj tjock, fet II s fett; *cooking ~*

matfett; *the ~ is in the fire* vard. det osar
hett
**fatal** ['feɪtl] *adj* **1** dödlig, dödande;
livsfarlig; *~ accident* dödsolycka
**2** ödesdiger
**fate** [feɪt] *s* öde
**fateful** ['feɪtf(ʊ)l] *adj* ödesdiger
**father** ['fɑːðə] *s* fader, far, pappa; *~
Christmas* jultomten
**father-in-law** ['fɑːðərɪnlɔː] (pl.
*fathers-in-law* ['fɑːðəzɪnlɔː]) *s* svärfar
**fatherland** ['fɑːðəlænd] *s* fädernesland
**fatherly** ['fɑːðəlɪ] *adj* faderlig
**fathom** ['fæðəm] **I** *s* famn mått (1,83 m) **II** *vb
tr* fatta, komma underfund med
**fatigue** [fəˈtiːg] **I** *s* trötthet, utmattning
**II** *vb tr* trötta ut, utmatta
**fatness** ['fætnəs] *s* fetma
**fatten** ['fætn] *vb tr* o. *vb itr* göda; bli fet
**fattening** ['fætnɪŋ] *adj* fettbildande
**fatty** ['fætɪ] **I** *adj* fetthaltig, fet **II** *s* vard.
tjockis
**fatuous** ['fætjʊəs] *adj* dum, enfaldig
**faucet** ['fɔːsɪt] *s* speciellt amer. kran på
ledningsrör
**fault** [fɔːlt] *s* **1** fel; brist, skavank; *find ~
with* klandra, kritisera **2** skuld, fel [*it is
his ~*]; *through no ~ of his* (*his own*)
utan egen förskyllan; *be at ~* vara skyldig
**3** sport. felserve
**faultless** ['fɔːltləs] *adj* felfri; oklanderlig
**faulty** ['fɔːltɪ] *adj* felaktig; bristfällig
**favour** ['feɪvə] **I** *s* gunst, ynnest; tjänst [*do
me a ~!*]; *be out of ~* a) vara i onåd [*with
a p.* hos ngn] b) inte vara populär längre;
*in ~ of* till förmån för; *in our ~* till vår
förmån (favör) **II** *vb tr* **1** gilla;
understödja; vara gynnsam för; perfekt
particip *favoured* gynnad **2** favorisera,
gynna
**favourable** ['feɪvərəbl] *adj* **1** välvillig [*to
mot*] **2** gynnsam, fördelaktig [*to för*]
**favourite** ['feɪvərɪt] *s* favorit
**1 fawn** [fɔːn] *s* **1** hjortkalv, dovhjortskalv
**2** ljust gulbrun färg
**2 fawn** [fɔːn] *vb itr* bildl. svansa, krypa,
fjäska [*on för*]
**fax** [fæks] **I** *s* telefax, fax **II** *vb tr* faxa
**fear** [fɪə] **I** *s* **1** fruktan, rädsla [*of* för]; *be
in ~ of* vara rädd för **2** farhåga; *be in ~ of
one's life* frukta för sitt liv; *no ~!* aldrig i
livet! **II** *vb tr* o. *vb itr* frukta; vara rädd för;
vara rädd
**fearful** ['fɪəf(ʊ)l] *adj* **1** rädd [*of* för];
räddhågad **2** förskräcklig

**feasible** ['fiːzəbl] *adj* genomförbar, görlig
**feast** [fiːst] **I** *s* **1** fest, högtid **2** festmåltid;
kalas; njutning, fest, fröjd **II** *vb tr* traktera;
festa, kalasa [*on* på]; *~ one's eyes on* låta
ögat njuta av **III** *vb itr* festa, kalasa [*on* på]
**feat** [fiːt] *s* bragd, bedrift; prestation
**feather** ['feðə] **I** *s* fjäder; *they are birds of
a ~* de är av samma skrot och korn;
*birds of a ~ flock together* ordspr. lika
barn leka bäst **II** *vb tr* fjädra; *~ one's
(one's own) nest* sko sig, skaffa sig
fördelar
**feature** ['fiːtʃə] **I** *s* **1** pl. *~s* anletsdrag
**2** särdrag; kännetecken; inslag [*~s in the
programme*]; huvudnummer **II** *vb tr*
**1** känneteckna **2** visa, presentera som
huvudsak, särskild attraktion
**February** ['februərɪ] *s* februari
**fed** [fed] se *feed I*
**federal** ['fedər(ə)l] *adj* förbunds- [*~
republic*]
**federation** [ˌfedəˈreɪʃ(ə)n] *s*
sammanslutning, förbund, federation
**fee** [fiː] *s* **1** honorar, arvode **2** avgift
**feeble** ['fiːbl] *adj* svag, klen; matt
**feed** [fiːd] **I** (*fed fed*) *vb tr* o. *vb itr* **1** fodra,
ge mat; bespisa; föda; mata **2** vard., *be fed
up with* vara trött (utled) på **3** om djur
äta, beta; om person äta, käka **4** *~ on*
livnära sig på, äta **II** *s* **1** utfodring;
matande **2** foder; foderranson **3** vard. mål,
kalas
**feel** [fiːl] (*felt felt*) *vb tr* o. *vb itr* **1** känna [*~
pain*], märka; ha en känsla av; känna på
**2** sondera; *~ one's way* treva sig fram
**3** tycka, anse; inse **4** känna; känna sig,
må [*how do you ~?*]; *how do you ~ about
that?* vad tycker du om det?; *~ for* känna
för; *~ sorry for* tycka synd om; *~ cold*
frysa; *~ like* ha lust med [*do you ~ like a
walk?*] **5** kännas [*your hands ~ cold*]
**feeler** ['fiːlə] *s* **1** zool. känselspröt, antenn
**2** bildl. trevare
**feeling** ['fiːlɪŋ] *s* **1** känsel **2** känsla;
medkänsla [*for* med]; *bad ~* missämja;
*hurt a p.'s ~s* såra ngn (ngns känslor); *~
(~s) ran high* känslorna råkade i
svallning
**feet** [fiːt] *s* se *foot I*
**feign** [feɪn] *vb tr* **1** hitta på, dikta upp
**2** låtsa, låtsas; simulera
**feint** [feɪnt] *s* skenmanöver; fint; list
**1 fell** [fel] se *fall I*
**2 fell** [fel] *vb tr* fälla, hugga ner [*~ a tree*]
**fellow** ['feləʊ] *s* **1** vard. karl, kille, grabb; *a*

*queer* ~ en konstig prick **2** medlem, ledamot av ett lärt sällskap **3** attributivt (ofta) med- [~ *passenger*]; ~ *actor* medspelare, skådespelarkollega; ~ *being* (*creature*) medmänniska; ~ *citizen* (*countryman*) landsman; ~ *student* studiekamrat; ~ *traveller* a) reskamrat b) medlöpare; ~ *worker* arbetskamrat

**fellowman** [ˌfeləʊˈmæn] (pl. *fellowmen* [ˌfeləʊˈmen]) *s* medmänniska

**fellowship** [ˈfeləʃɪp] *s* kamratskap

**1 felt** [felt] *feel*

**2 felt** [felt] *s* filt tyg; ~ *pen* tuschpenna

**female** [ˈfiːmeɪl] **I** *adj* kvinno-, kvinnlig; av honkön; ~ *elephant* elefanthona; ~ *sex* kvinnokön **II** *s* fruntimmer

**feminine** [ˈfemɪnɪn] *adj* kvinnlig, kvinno-; feminin äv. gram. [*the* ~ *gender*]

**femininity** [ˌfemɪˈnɪnəti] *s* kvinnlighet

**feminism** [ˈfemɪnɪzɪm] *s* **1** kvinnosaken; feminism **2** kvinnorörelsen

**feminist** [ˈfemɪnɪst] *s* feminist

**fen** [fen] *s* kärr, träsk, myr, sankmark

**fence** [fens] **I** *s* **1** stängsel, staket; *sit* (*be*) *on the* ~ vard. inta en avvaktande hållning **2** sl. hälare **II** *vb tr* o. *vb itr* **1** inhägna, omgärda [äv. ~ *in* (*up*)] **2** fäkta

**fencer** [ˈfensə] *s* fäktare

**fencing** [ˈfensɪŋ] *s* **1** fäktning, fäktkonst **2** stängsel **3** sl. häleri

**fend** [fend] *vb tr* o. *vb itr* **1** ~ *off* el. ~ avvärja, parera **2** vard., ~ *for oneself* sörja för sig själv

**fender** [ˈfendə] *s* **1** eldgaller framför eldstad **2** amer. flygel, stänkskärm

**fennel** [ˈfenl] *s* bot. fänkål

**ferment** [substantiv ˈfɜːment, verb fəˈment] **I** *s* jäsningsämne; jäsning **II** *vb itr* jäsa

**fermentation** [ˌfɜːmənˈteɪʃ(ə)n] *s* jäsning

**fern** [fɜːn] *s* ormbunke

**ferocious** [fəˈrəʊʃəs] *adj* vildsint, vild, grym

**ferocity** [fəˈrɒsəti] *s* vildhet, grymhet

**ferret** [ˈferət] *s* zool. jaktiller, frett

**ferry** [ˈferɪ] **I** *s* färja; ~ *service* färjtrafik, färjförbindelse **II** *vb tr* färja, transportera

**ferryboat** [ˈferɪbəʊt] *s* färja

**fertile** [ˈfɜːtaɪl, amer. ˈfɜːtl] *adj* **1** bördig, fruktbar; fruktsam **2** bildl. produktiv [*a* ~ *author*]; *a* ~ *imagination* en rik fantasi

**fertility** [fəˈtɪləti] *s* bördighet, fruktbarhet

**fertilization** [ˌfɜːtɪlaɪˈzeɪʃ(ə)n] *s* **1** gödsling **2** befruktning

**fertilize** [ˈfɜːtɪlaɪz] *vb tr* **1** gödsla, göda **2** befrukta

**fertilizer** [ˈfɜːtɪlaɪzə] *s* gödningsmedel

**fervent** [ˈfɜːv(ə)nt] *adj* glödande [~ *zeal*], brinnande [~ *prayers*], ivrig

**fervour** [ˈfɜːvə] *s* glöd, brinnande iver

**fester** [ˈfestə] *vb itr* om sår m.m. vara sig, vara

**festival** [ˈfestəv(ə)l] *s* **1** relig. högtid, fest **2** festival, festspel

**festive** [ˈfestɪv] *adj* festlig, fest-

**festivity** [feˈstɪvəti] *s* **1** feststämning [äv. *air of* ~] **2** ofta pl. *festivities* festligheter, högtidligheter

**festoon** [feˈstuːn] *s* girland

**fetch** [fetʃ] *vb tr* **1** hämta, skaffa **2** inbringa [*it fetched £600*]; betinga [~ *a high price*]

**fetching** [ˈfetʃɪŋ] *adj* tilltalande

**fête** [feɪt] *s* stor fest; välgörenhetsfest, basar

**fetish** [ˈfiːtɪʃ, ˈfetɪʃ] *s* fetisch

**fetter** [ˈfetə] **I** *s* boja **II** *vb tr* **1** fjättra **2** bildl. klavbinda, binda, hämma

**fettle** [ˈfetl] *s*, *in fine* ~ i fin form; på gott humör

**fetus** [ˈfiːtəs] *s* anat. speciellt amer. foster

**feud** [fjuːd] *s* fejd, strid, tvist

**feudal** [ˈfjuːdl] *adj* läns-; feodal- [~ *system*]

**feudalism** [ˈfjuːdəlɪz(ə)m] *s* feodalism

**fever** [ˈfiːvə] *s* feber; febersjukdom; *at* ~ *heat* (*pitch*) bildl. vid kokpunkten

**feverish** [ˈfiːvərɪʃ] *adj* **1** *he is* ~ han har feber **2** bildl. het, brinnande [~ *desire*], febril

**few** [fjuː] *adj* o. *s* få, lite, litet; *a* ~ några få, några, några stycken, lite, litet; *not a* ~ el. *quite a* ~ el. *a good* ~ inte så få (så litet); *the* ~ fåtalet, minoriteten; *the first* (*last*) ~ *days* de allra första (senaste ) dagarna

**fewer** [ˈfjuːə] *adj* o. *s* (komparativ av *few*) färre; mindre

**fewest** [ˈfjuːɪst] *adj* o. *s* (superlativ av *few*) fåtaligast, minst

**fiancé** [fɪˈɑːnseɪ] *s* fästman

**fiancée** [fɪˈɑːnseɪ] *s* fästmö

**fiasco** [fɪˈæskəʊ] (pl. ~s) *s* fiasko, misslyckande

**fib** [fɪb] vard. **I** *s* smålögn; *tell* ~s småljuga **II** *vb itr* småljuga

**fibre** [ˈfaɪbə] *s* **1** fiber äv. i kost **2** bildl. virke [*of solid* (gott) ~]

**fibreboard** [ˈfaɪbəbɔːd] *s* träfiberplatta

**fibreglass** [ˈfaɪbəglɑːs] *s* glasfiber

**fickle** [ˈfɪkl] *adj* ombytlig, nyckfull

**fiction** ['fɪkʃ(ə)n] s **1** ren dikt, påhitt **2** skönlitteratur men vanligen endast på prosa

**fictitious** [fɪk'tɪʃəs] adj uppdiktad; fingerad

**fiddle** ['fɪdl] **I** s **1** fiol; *fit (as fit) as a ~* frisk som en nötkärna; *have a face as long as a ~* vara lång i ansiktet **2** vard. fiffel **II** *vb itr* vard. **1** spela fiol **2** a) *~ about with* el. *~ with* fingra (pilla) på; mixtra med b) fjanta [*~ about doing nothing*] **3** fiffla

**fiddler** ['fɪdlə] s **1** fiolspelare, spelman **2** vard. fifflare

**fidelity** [fɪ'delətɪ] s trohet; naturtrogen återgivning av ljud m.m.

**fidget** ['fɪdʒɪt] *vb itr* inte kunna sitta (vara) stilla

**fidgety** ['fɪdʒətɪ] adj nervös, orolig

**field** [fiːld] s **1** fält; åker **2** bildl. område, fält, fack **3** fys. fält; *magnetic ~* magnetfält **4** mil. slagfält **5** sport. a) plan [*football ~*]; *sports ~* idrottsplats; *~ events* tävlingar i hopp och kast b) kollektivt fält deltagare i t.ex. tävling, jakt

**field glasses** ['fiːldˌglɑːsɪz] s pl fältkikare

**field marshal** ['fiːldˌmɑːʃ(ə)l] s fältmarskalk

**fieldmouse** ['fiːldmaʊs] (pl. *fieldmice* ['fiːldmaɪs]) s sork

**fiend** [fiːnd] s **1** djävul; ond ande **2** vard. slav under last; entusiast; *dope ~* narkoman; *fresh-air ~* friluftsfantast

**fiendish** ['fiːndɪʃ] adj djävulsk, ondskefull

**fierce** [fɪəs] adj **1** vild **2** våldsam, häftig

**fiery** ['faɪərɪ] adj **1** brännande [*~ heat*], flammande **2** eldig, hetsig [*a ~ temper*]

**fifteen** [ˌfɪf'tiːn] räkn o. s femton

**fifteenth** [ˌfɪf'tiːnθ] räkn o. s femtonde; femtondel

**fifth** [fɪfθ] räkn o. s femte; femtedel

**fiftieth** ['fɪftɪɪθ] räkn o. s femtionde; femtiondel

**fifty** ['fɪftɪ] **I** räkn femtio **II** s femtio; femtiotal; *in the fifties* på femtiotalet av ett århundrade

**fifty-fifty** [ˌfɪftɪ'fɪftɪ] adj o. adv fifty-fifty, jämn, jämnt; *on a ~ basis* på lika basis; *a ~ chance* femtioprocents chans; *go ~ with a p.* dela lika med ngn

**fig** [fɪg] s fikon

**fight** [faɪt] **I** (*fought fought*) *vb itr* o. *vb tr* slåss, kämpa, boxas; bekämpa, kämpa mot, slåss med **II** s slagsmål, kamp, strid; boxningsmatch; *put up a good ~* kämpa tappert

**fighter** ['faɪtə] s slagskämpe; boxare

**fighting** ['faɪtɪŋ] s strid, strider [*street ~*], kamp; slagsmål

**figment** ['fɪgmənt] s påfund, påhitt; *~ of the imagination* fantasifoster

**figurative** ['fɪgjʊrətɪv] adj bildlig

**figure** ['fɪgə] **I** s **1** a) siffra; pl. *~s* äv. uppgifter, statistik; *he is good at ~s* han räknar bra b) vard. belopp, pris **2** figur [*she has a good (*snygg*) ~*]; gestalt, person [*a public (*offentlig*) ~*]; *cut a poor (sorry) ~* göra en slät figur **3** figur, illustration, bild **II** *vb tr* o. *vb itr* **1** beräkna; *~ out* räkna ut; komma underfund med **2** amer. anta, förmoda **3** *~ on* amer. räkna med; lita på; räkna (spekulera) på **4** framträda, figurera, förekomma

**figure head** ['fɪgəhed] s galjonsfigur

**figure-skating** ['fɪgəˌskeɪtɪŋ] s konståkning på skridsko

**filament** ['fɪləmənt] s tråd i glödlampa

**1 file** [faɪl] **I** s fil verktyg **II** *vb tr* fila

**2 file** [faɪl] **I** s **1** samlingspärm, pärm; dokumentskåp **2** dokumentsamling, kortsystem; *on our ~s* i vårt register **II** *vb tr* sätta in, arkivera; registrera

**3 file** [faɪl] **I** s rad av personer el. saker efter varandra; led **II** *vb itr* gå i en lång rad

**filial** ['fɪljəl] adj sonlig, dotterlig

**filings** ['faɪlɪŋz] s pl filspån

**fill** [fɪl] **I** *vb tr* **1** fylla **2** tillfredsställa; mätta **3** besätta, tillsätta en tjänst; *~ a p.'s place* inta ngns plats **4** *~ up* fylla upp, fylla i [*~ up a form (*blankett*)*]; fylla igen **II** s **1** lystmäte; *eat one's ~* äta sig mätt **2** fyllning; *a ~ of tobacco* en stopp

**fillet** ['fɪlɪt] **I** s kok. filé; *~ of sole* sjötungsfilé **II** *vb tr* filea; *filleted sole* sjötungsfilé

**filling** ['fɪlɪŋ] **I** adj mättande; fyllande; fyllnads- **II** s **1** fyllande; ifyllning **2** fyllnad, fyllning, plomb [*a gold ~*]

**filling station** ['fɪlɪŋˌsteɪʃ(ə)n] s bensinstation

**filly** ['fɪlɪ] s stoföl; ungsto

**film** [fɪlm] **I** s **1** hinna, tunt skikt, film [*a ~ of oil*] **2** film; filmrulle; *~ director* filmregissör; *~ producer* filmproducent; *~ star* filmstjärna **II** *vb tr* filma

**filmgoer** ['fɪlmˌgəʊə] s biobesökare

**filmstrip** ['fɪlmstrɪp] s bildband

**filter** ['fɪltə] **I** s filter **II** *vb tr* o. *vb itr* filtrera, sila; filtreras, silas

**filth** [fɪlθ] s smuts, lort; vard. smörja; snusk

**filthy** ['fɪlθɪ] adj smutsig, lortig; snuskig

**fin** [fɪn] s fena

**firm**

**final** ['faɪnl] **I** adj slutlig, sista, avgörande, slutgiltig [the ~ result] **II** s sport., ~ el. pl. ~s final, sluttävlan

**finale** [fɪ'nɑːlɪ] s final

**finalist** ['faɪnəlɪst] s finalist

**finally** ['faɪnəlɪ] adv slutligen, till sist

**finance** ['faɪnæns] **I** s **1** finans **2** pl. ~s a) stats finanser b) enskilds ekonomi **II** vb tr finansiera

**financial** [faɪ'næn∫(ə)l] adj finansiell, ekonomisk [~ aid]

**financier** [faɪ'nænsɪə] s finansman

**finch** [fɪnt∫] s fink

**find** [faɪnd] **I** (found found) vb tr **1** finna; hitta, påträffa, se; upptäcka; be found finnas, påträffas **2** skaffa [~ a p. work]; ~ one's (the) way leta sig fram, hitta vägen **3** anse, tycka ngn (ngt) vara; inse, märka [I found that I was mistaken] **4** jur., ~ guilty förklara skyldig; ~ not guilty frikänna **5** ~ out ta (leta) reda på; söka upp; upptäcka; tänka ut, hitta (komma) på **II** s fynd

**1 fine** [faɪn] **I** s böter [sentence a p. to a ~] **II** vb tr bötfälla; he was fined han fick böta

**2 fine** [faɪn] **I** adj **1** fin **2** utsökt [a ~ taste], förfinad; the ~ arts de sköna konsterna **3** om väder vacker **4** om t.ex. metaller ren [~ gold] **5** I feel ~ jag mår riktigt bra; one of these ~ days en vacker dag, endera dagen; you're a ~ one! iron. du är just en fin (snygg) en! **II** adv fint; that will suit me ~ vard. det passar mig utmärkt

**finery** ['faɪnərɪ] s finkläder, stass; prakt

**finesse** [fɪ'nes] s takt, finess

**finger** ['fɪŋgə] **I** s finger; first ~ pekfinger; little ~ lillfinger; middle ~ långfinger; he has it at his ~ (fingers') ends han har (kan) det på sina fem fingrar; have a ~ in the pie ha ett finger med i spelet; lay (put) a ~ on röra, röra vid; let a chance slip through one's ~s låta en chans gå sig ur händerna **II** vb tr fingra på

**fingermark** ['fɪŋgəmɑːk] s märke efter ett smutsigt finger

**fingernail** ['fɪŋgəneɪl] s fingernagel

**fingerprint** ['fɪŋgəprɪnt] s fingeravtryck

**fingertip** ['fɪŋgətɪp] s fingerspets; have a th. at one's ~ kunna (ha) ngt på sina fem fingrar

**finicky** ['fɪnɪkɪ] adj petig

**finish** ['fɪnɪ∫] **I** vb tr o. vb itr **1** sluta, avsluta, slutföra; bli färdig med; göra slut på; upphöra, bli färdig [äv. ~ off; ~ up]; ~ eating äta färdigt; ~ off el. ~ vard. ta kål

på; we finished up at a pub till slut hamnade vi på en pub **2** sport. sluta [he finished third (som trea)] **II** s **1** slut, avslutning; finish, upplopp; bring to a ~ avsluta; a fight to the ~ en kamp på liv och död **2** finish, polering

**finished** ['fɪnɪ∫t] adj **1** färdig; fulländad **2** vard. slut [I'm ~, I can't go on]

**finishing** ['fɪnɪʃɪŋ] adj, ~ tape sport. målsnöre; give a th. the ~ touch el. give (put) the ~ touch to a th. lägga sista handen vid ngt

**Finland** ['fɪnlənd]

**Finn** [fɪn] s finne, finländare

**Finnish** ['fɪnɪʃ] **I** adj finsk, finländsk **II** s finska språket

**fir** [fɜː] s gran; speciellt ädelgran; Scotch ~ tall

**fire** ['faɪə] **I** s **1** eld, elden i allm.; catch ~ fatta eld; set ~ to el. set on ~ sätta eld på, sätta i brand; on ~ i brand; be on ~ brinna, stå i lågor **2** eld i eldstad; brasa; låga; electric ~ elkamin **3** eldsvåda, brand; ~! elden är lös! **4** mil. eld, skottlossning; be under ~ vara under beskjutning; bildl. vara i skottgluggen (elden) **II** vb tr o. vb itr **1** avskjuta, fyra av, avlossa, bränna av; ge eld, ge fyr [at, on mot, på]; ~ questions at a p. bombardera ngn med frågor; ~ away bildl. sätta igång **2** antända **3** vard. sparka avskeda **4** bildl. elda upp, eggar, stimulera [~ a p.'s imagination]

**fire alarm** ['faɪərə,lɑːm] s brandalarm

**firearms** ['faɪərɑːmz] s pl skjutvapen, eldvapen

**fire brigade** ['faɪəbrɪ,geɪd] s brandkår

**fire engine** ['faɪər,endʒɪn] s brandbil

**fire escape** ['faɪərɪ,skeɪp] s **1** brandstege **2** reservutgång

**fire extinguisher** ['faɪərɪk,stɪŋgwɪʃə] s brandsläckare

**fireman** ['faɪəmən] (pl. firemen ['faɪəmən]) s brandman, brandsoldat

**fireplace** ['faɪəpleɪs] s eldstad, öppen spis

**fireproof** ['faɪəpruːf] adj brandsäker; eldfast

**fireside** ['faɪəsaɪd] s, by the ~ vid brasan

**fire station** ['faɪə,steɪ∫(ə)n] s brandstation

**firewood** ['faɪəwʊd] s ved

**fireworks** ['faɪəwɜːks] s pl fyrverkeripjäser; fyrverkeri

**firing-squad** ['faɪərɪŋskwɒd] s exekutionspluton

**1 firm** [fɜːm] s firma

**2 firm** [fɜ:m] **I** *adj* fast; stadig **II** *adv* fast
[*stand ~*]

**first** [fɜ:st] **I** *adj* o. *räkn* första, förste;
förnämsta; ~ *aid* första hjälpen; ~ *name*
förnamn; ~ *night* premiär; *in the ~ place*
i första rummet; för det första; *at ~ sight*
vid första anblicken (ögonkastet [*love at*
~ *sight*]); *you don't know the ~ thing
about it* du vet inte ett dyft om det **II** *adv*
**1** först; ~ *of all* allra först; först och
främst **2** i första klass [*travel ~*] **3** *come*
(*finish*) ~ komma (sluta) som etta **III** *s*
**1** *at ~* först, i början **2** första, förste
**3** sport. förstaplats; etta **4** motor. ettans
växel

**first-aid** [ˌfɜ:stˈeɪd] *adj,* ~ *kit* förbandslåda

**first-class** [ˌfɜ:stˈklɑ:s, attributivt ˈfɜ:stklɑ:s]
*adj* förstaklass-; förstklassig [*a ~ hotel*]; *a*
~ *row* vard. ett ordentligt gräl

**first-hand** [ˌfɜ:stˈhænd] **I** *adj* förstahands-, i
första hand [~ *information*] **II** *adv* i första
hand [*learn* (få veta) *a th. ~*]

**firstly** [ˈfɜ:stlɪ] *adv* för det första

**first-rate** [ˌfɜ:stˈreɪt] *adj* första klassens,
förstklassig, utmärkt

**firth** [fɜ:θ] *s* fjord, fjärd, havsarm

**fish** [fɪʃ] **I** (pl. *fishes* el. kollektivt ~) *s* **1** fisk; ~
*and chips* friterad fisk och pommes
frites; *he is like a ~ out of water* han är
inte i sitt rätta element; *drink like a ~*
dricka som en svamp **2** vard., *odd* (*queer*)
~ lustig kurre **II** *vb tr* o. *vb itr* fiska, fånga,
dra upp [~ *trout*]; ~ *for* fiska [~ *for trout*];
~ *for compliments* vard. gå med håven; ~
*out* fiska upp

**fishcake** [ˈfɪʃkeɪk] *s* kok., slags fiskkrokett

**fisherman** [ˈfɪʃəmən] (pl. *fishermen*
[ˈfɪʃəmən]) *s* yrkesfiskare

**fishery** [ˈfɪʃərɪ] *s* fiskeri; fiske

**fishfingers** [ˈfɪʃˌfɪŋɡəz] *s pl* kok. fiskpinnar

**fishing** [ˈfɪʃɪŋ] *s* fiskande; ~ *village*
fiskeläge

**fishing-line** [ˈfɪʃɪŋlaɪn] *s* metrev

**fishing-rod** [ˈfɪʃɪŋrɒd] *s* metspö

**fishknife** [ˈfɪʃnaɪf] *s* fiskkniv

**fishmonger** [ˈfɪʃˌmʌŋɡə] *s* fiskhandlare

**fish sticks** [ˈfɪʃstɪks] *s pl* kok. speciellt amer.
fiskpinnar

**fishy** [ˈfɪʃɪ] *adj* **1** fisklik, fisk- [*a ~ smell*]
**2** vard. skum, misstänkt

**fission** [ˈfɪʃ(ə)n] *s,* *nuclear* ~ fys. fission,
kärnklyvning

**fist** [fɪst] *s* knytnäve, näve; *shake one's ~*
hytta med näven

**1 fit** [fɪt] *s* anfall, attack av t.ex. sjukdom;

krampanfall; ~ *of apoplexy* slaganfall; ~
*of laughter* skrattanfall; *fainting* ~
svimningsanfall; *it gave me a ~* el. *I
nearly had a ~* jag höll på att få slag; *by
~s and starts* ryckvis

**2 fit** [fɪt] **I** *adj* **1** lämplig, duglig; passande,
värdig [*you are not ~ to…*]; *think* (*see*) ~
*to* anse lämpligt att **2** spänstig; kry; *keep*
~ hålla sig i form **II** *vb tr* **1** passa i (till);
passa; om kläder äv. sitta; ~ *in with* passa
ihop med **2** göra lämplig, avpassa [*to*
efter] **3** passa in, sätta på [~ *a tyre on to a
wheel*]; prova in **4** utrusta, förse **III** *s*
passform; [*these shoes*] *are your ~
…passar dig; *be a tight ~* sitta åt

**fitful** [ˈfɪtf(ʊ)l] *adj* ryckig, ryckvis

**fitness** [ˈfɪtnəs] *s* **1** kondition [*physical ~*]
**2** lämplighet

**fitter** [ˈfɪtə] *s* **1** montör **2** provare,
tillskärare

**fitting** [ˈfɪtɪŋ] **I** *adj* **1** passande, lämplig **2** i
sammansättningar -sittande [*badly-fitting*] **II** *s*
**1** a) avpassning; utrustning b) provning
[*go to the tailor's for a ~*] c) om kläder
storlek, passform; om skor läst [*a broader
~*] **2** pl. ~*s* tillbehör; beslag på t.ex. dörrar,
fönster; armatur [*electric* (*electric light*) ~*s*]

**five** [faɪv] **I** *räkn* fem **II** *s* femma

**fiver** [ˈfaɪvə] *s* vard. fempundssedel; amer.
femdollarssedel

**five-year-old** [ˈfaɪvjərəʊld] **I** *adj* femårig,
fem års **II** *s* femåring

**fix** [fɪks] **I** *vb tr* o. *vb itr* **1** fästa, anbringa,
montera, sätta fast [*to* vid, i, på]; sätta
upp [~ *a shelf to* (på) *the wall*] **2** fästa,
rikta [*he fixed his eyes* (blicken) *on me*]
**3** fastställa, bestämma, fastslå; ~ *on*
bestämma sig (fastna) för **4** arrangera,
placera, ställa [äv. ~ *up*]; ~ *a p. up with
a th.* ordna (fixa) ngt åt ngn **5** vard.
a) fixa, greja, göra klar; sätta ihop, laga
[~ *a broken lock*], laga till [~ *lunch*]
b) fixa, göra upp [*the match was fixed*] **II** *s*
knipa [*in an awful ~*]

**fixation** [fɪkˈseɪʃ(ə)n] *s* psykol. fixering

**fixed** [fɪkst] *adj* **1** fix; fästad, fast
**2** fastställd, bestämd [~ *price*]

**fixer** [ˈfɪksə] *s* vard. fixare

**fixture** [ˈfɪkstʃə] *s* **1** fast tillbehör
(inventarium) **2** sport. tävling, match; ~
*list* lagens säsongprogram

**fizz** [fɪz] **I** *vb itr* om kolsyrad dryck brusa **II** *s*
**1** brus **2** vard. skumpa speciellt champagne;
brus kolsyrad dryck

**fizzle** [ˈfɪzl] *vb itr,* ~ *out* spraka till och

slockna; vard. rinna ut i sanden, gå i stöpet

**flabby** ['flæbɪ] *adj* slapp [~ *muscles*], sladdrig; plussig

**1 flag** [flæg] *s* flagga; fana

**2 flag** [flæg] *vb itr* mattas, sacka efter, börja gå trögt [*the conversation flagged*]

**flagon** ['flægən] *s* vinkanna, vinkrus

**flagpole** ['flægpəʊl] *s* flaggstång

**flagrant** ['fleɪgr(ə)nt] *adj* flagrant; skriande

**flagstaff** ['flægstɑːf] *s* flaggstång

**flair** [fleə] *s* väderkorn; näsa, känsla; stil

**flake** [fleɪk] **I** *s* flaga; flinga [*~s of snow*]; flak [*~s of ice*]; skiva **II** *vb tr* o. *vb itr* flisa, flaga, flaga (skiva) sig

**flamboyant** [flæm'bɔɪənt] *adj* översvallande [~ *manner*]

**flame** [fleɪm] **I** *s* flamma, låga; *be in ~s* stå i lågor **II** *vb itr* flamma, låga

**flamingo** [flə'mɪŋgəʊ] (pl. *~s*) *s* flamingo

**Flanders** ['flɑːndəz] Flandern

**flank** [flæŋk] **I** *s* flank; flygel **II** *vb tr* flankera

**flannel** ['flænl] *s* **1** flanell **2** flanelltrasa; tvättlapp **3** pl. *~s* flanellbyxor

**flap** [flæp] **I** *vb tr* o. *vb itr* flaxa med; vifta med; flaxa **II** *s* **1** vingslag, flaxande **2** flik [*the ~ of an envelope*]; lock [*the ~ of a pocket*]

**flare** [fleə] **I** *vb itr* om låga fladdra; blossa; *~ up* flamma upp; bildl. brusa upp **II** *s* fladdrande låga; signalljus, lysraket

**flash** [flæʃ] **I** *vb itr* o. *vb tr* **1** lysa fram, blänka till; blixtra; låta lysa (blixtra) [*~ a light*]; lysa med [*~ a torch*]; blinka med [*~ headlights*]; *~ by* susa förbi **2** bildl. radiera, telegrafera **II** *s* plötsligt sken, stråle [*~ of light*]; blixt; blink från t.ex. fyr, signallampa; *~ of lightning* blixt; *in a ~* på ett ögonblick; som en blixt

**flashback** ['flæʃbæk] *s* tillbakablick, återblick i berättelse

**flashbulb** ['flæʃbʌlb] *s* foto. blixtljuslampa, fotoblixt

**flashcube** ['flæʃkjuːb] *s* foto. blixtkub

**flashlamp** ['flæʃlæmp] *s* **1** ficklampa **2** foto. blixtljuslampa

**flashlight** ['flæʃlaɪt] *s* **1** blinkfyr **2** foto. blixtljus **3** ficklampa

**flashy** ['flæʃɪ] *adj* skrikig; vräkig

**flask** [flɑːsk] *s* flaska; fickflaska, plunta

**1 flat** [flæt] *s* lägenhet, våning; *block of ~s* hyreshus

**2 flat** [flæt] **I** *adj* **1** plan, platt [*~ roof*]; *~ plates* flata tallrikar; *~ race* slätlopp; *~*

*tyre* (amer. *tire*) punktering; *~ rate* enhetstaxa **2** fadd, duven, avslagen [*~ beer*] **3** mus. a) sänkt en halv ton; med ♭-förtecken b) falsk; *A ~* etc., se respektive bokstav **II** *adv* **1** exakt, blankt [*in* (på) *ten seconds ~*]; rent ut [*he told me ~ that...*]; *~ out* för fullt, i full fart **2** plant, platt; *sing ~* sjunga falskt **III** *s* **1** flata av hand, svärd m.m. **2** mus. ♭-förtecken, ♭ **3** punktering [*I had a ~*]

**flatfooted** [ˌflæt'fʊtɪd] *adj* plattfotad

**flat-iron** ['flætˌaɪən] *s* strykjärn

**flatly** ['flætlɪ] *adv*, *~ refuse* vägra blankt

**flatten** ['flætn] *vb tr* o. *vb itr* platta till; *~ out* el. *~* bli plan (platt)

**flatter** ['flætə] *vb tr* smickra

**flatterer** ['flætərə] *s* smickrare

**flattery** ['flætərɪ] *s* smicker

**flaunt** [flɔːnt] *vb tr* **1** briljera med, skylta med [*~ one's knowledge*] **2** nonchalera

**flavour** ['fleɪvə] **I** *s* smak; arom, doft **II** *vb tr* smaksätta, krydda

**flaw** [flɔː] *s* **1** spricka **2** fel, skavank

**flawless** ['flɔːləs] *adj* felfri; fläckfri [*a ~ reputation*]; fulländad

**flax** [flæks] *s* lin

**flaxen** ['flæks(ə)n] *adj* linartad; lingul

**flay** [fleɪ] *vb tr* flå; hudflänga

**flea** [fliː] *s* loppa

**fleck** [flek] *s* fläck, stänk; korn [*~s of dust*]

**fled** [fled] se *flee*

**flee** [fliː] (*fled fled*) *vb itr* o. *vb tr* fly, ta till flykten; fly från (ur)

**fleece** [fliːs] **I** *s* fårs ull, päls **II** *vb tr* **1** klippa får **2** vard. skinna, klå [*of* på]

**fleet** [fliːt] *s* flotta; eskader, flottilj

**Flemish** ['flemɪʃ] *adj* flamländsk

**flesh** [fleʃ] *s* kött äv. bildl. [*my own ~ and blood*]; *go the way of all ~* gå all världens väg dö; *put on ~* lägga på hullet; *in the ~* livs levande, i egen person

**flesh-coloured** ['fleʃˌkʌləd] *adj* hudfärgad

**flew** [fluː] se *1 fly I*

**flex** [fleks] **I** *s* elektr. sladd **II** *vb tr* böja [*~ one's arms*]; spänna muskel

**flexible** ['fleksəbl] *adj* **1** böjlig, smidig, mjuk, elastisk **2** bildl. flexibel [*a ~ system*], smidig; *~ working hours* flextid

**flexitime** ['fleksɪtaɪm] *s* o. **flextime** ['flekstaɪm] *s* flextid

**flick** [flɪk] **I** *vb tr* snärta till, smälla, smälla till; *~ away* (*off*) slå (knäppa) bort **II** *s* lätt slag; knäpp, snärt; snabb vridning [*a ~ of the wrist*]

**flicker** ['flɪkə] **I** *vb itr* fladdra [*the candle*

*flickered*], flimra **ll** *s* fladdrande; glimt [*a ~ of hope*]

**1 flight** [flaɪt] *s* **1 a)** flykt [*the ~ of a bird*] **b)** flygning [*a solo ~*], flygtur; *~ recorder* färdskrivare **c)** bana väg [*the ~ of an arrow*] **2** skur, regn [*a ~ of arrows*] **3** trappa [äv. *~ of stairs*]; *two ~s up* två trappor upp

**2 flight** [flaɪt] *s* flykt, flyende; *put to ~* jaga på flykten

**flighty** ['flaɪtɪ] *adj* flyktig; lättsinnig

**flimsy** ['flɪmzɪ] *adj* tunn [*a ~ wall*]; svag, bräcklig [*a ~ cardboard box*], klen

**flinch** [flɪntʃ] *vb itr* **1** rygga tillbaka **2** rycka till av smärta; *without flinching* utan att blinka

**fling** [flɪŋ] **l** (*flung flung*) *vb tr* kasta, slunga, slänga [*~ a stone*]; *~ open* slå (slänga) upp **ll** *s* **1** kast **2** *have a ~ at* a) ge sig i kast med b) ge ngn en gliring **3** *have a ~* slå runt, festa om

**flint** [flɪnt] *s* flinta; stift i tändare

**flip** [flɪp] *vb tr* **1** knäppa iväg [*~ a ball of paper*] **2** *~ through* bläddra igenom

**flippant** ['flɪpənt] *adj* nonchalant, lättvindig

**flipper** ['flɪpə] *s* simfot; fenlik vinge hos pingvin

**flirt** [flɜ:t] **l** *vb itr* flörta **ll** *s* flört person

**flirtation** [flɜ:'teɪʃ(ə)n] *s* flört, kurtis

**flirtatious** [flɜ:'teɪʃəs] *adj* flörtig

**flit** [flɪt] *vb itr* **1** fladdra, flyga **2** flacka [*~ from place to place*]

**flitter** ['flɪtə] *vb itr* fladdra omkring, flaxa

**float** [fləʊt] **l** *vb itr* o. *vb tr* **1** flyta [*cork ~s; let the pound ~*]; hålla flytande **2** sväva [*dust floating in the air*] **3** flotta [*~ logs*] **4** starta, grunda [*~ a company*] **ll** *s* **1** flöte **2** flöte; simdyna

**floating** ['fləʊtɪŋ] *adj* flytande; svävande; *~ dock* flytdocka; *~ kidney* vandrande njure

**flock** [flɒk] **l** *s* **1** flock, skock [*~ of geese*]; hjord [*~ of sheep*] **2** om personer skara **ll** *vb itr* flockas, skocka sig

**flog** [flɒg] *vb tr* prygla, piska, aga [*~ with a cane*]

**flogging** ['flɒgɪŋ] *s* prygel, aga, smörj

**flood** [flʌd] **l** *s* högvatten, flod, ström; översvämning **ll** *vb tr* översvämma; få att svämma över; *flooded with light* dränkt av ljus

**floodlight** ['flʌdlaɪt] *s* strålkastare; pl. *~s* strålkastarbelysning, strålkastarljus

**floor** [flɔ:] **l** *s* **1** golv; *take the ~* börja

dansen **2** våning våningsplan; *the first ~* en trappa upp; amer. bottenvåningen **ll** *vb tr* **1** lägga golv i **2** slå omkull, golva boxare; *be floored by a problem* gå bet på ett problem

**floorshow** ['flɔ:ʃəʊ] *s* kabaré, krogshow

**flop** [flɒp] **l** *vb itr* **1** flaxa, smälla, slå; *~ about* a) om sko kippa, glappa b) om person gå och hänga **2** *~ down* dimpa (dunsa) ner **3** vard. göra fiasko, spricka **ll** *s* **1** flaxande; smäll, duns; plums **2** vard. fiasko, flopp

**floppy** ['flɒpɪ] *adj* **1** flaxande, slak; svajig **2** *~ disk* data. diskett, flexskiva

**florid** ['flɒrɪd] *adj* rödblommig [*~ complexion*]

**florist** ['flɒrɪst] *s*, *florist's shop* el. *florist's* blomsteraffär

**floss** [flɒs] *s*, *dental ~* tandtråd

**1 flounce** [flaʊns] *s* volang, garnering

**2 flounce** [flaʊns] *vb itr* rusa, störta [*she flounced out of the room*]

**1 flounder** ['flaʊndə] *s* zool. flundra, skrubbskädda

**2 flounder** ['flaʊndə] *vb itr* **1** sprattla, tumla; *~ about* irra omkring **2** stå och hacka

**flour** ['flaʊə] *s* mjöl

**flourish** ['flʌrɪʃ] **l** *vb itr* o. *vb tr* **1** blomstra; florera **2** svänga, svinga [*~ a sword*] **3** lysa med [*~ one's wealth*] **ll** *s* **1** snirkel, släng **2** elegant sväng [*he took off his hat with a ~*]

**flourishing** ['flʌrɪʃɪŋ] *adj* blomstrande

**flout** [flaʊt] *vb tr* trotsa [*~ the law*]; nonchalera

**flow** [fləʊ] **l** *vb itr* flyta, rinna, strömma; om t.ex. hår bölja, svalla **ll** *s* **1** flöde, flod, ström **2** tidvattnets flod [*ebb and ~*]

**flower** ['flaʊə] **l** *s* **1** blomma **2** *be in ~* stå i blom, blomma **ll** *vb itr* blomma, stå i blom

**flowerbed** ['flaʊəbed] *s* rabatt

**flowerpot** ['flaʊəpɒt] *s* blomkruka

**flower show** ['flaʊəʃəʊ] *s* blomsterutställning

**flowery** ['flaʊərɪ] *adj* blomrik; blomsterprydd; blommig [*~ carpet*]

**flown** [fləʊn] se *1 fly I*

**flu** [flu:] *s* vard. influensa, flunsa

**fluctuate** ['flʌktjʊeɪt] *vb itr* variera, växla, skifta

**fluctuation** [ˌflʌktjʊ'eɪʃ(ə)n] *s* variation, växling, skiftning

**flue** [flu:] *s* rökgång, rökkanal

**fluent** ['flu:ənt] *adj* flytande [*speak ~ French*]

**fluently** ['flu:əntlɪ] *adv* flytande [*speak French ~*]

**fluff** [flʌf] *s* ludd, ulldamm; dun

**fluffy** ['flʌfɪ] *adj* luddig; luftig, fluffig

**fluid** ['flu:ɪd] **I** *adj* flytande **II** *s* vätska

**fluke** [flu:k] *s* vard. lyckträff, tur, flax

**flung** [flʌŋ] se *fling I*

**flunk** [flʌŋk] *vb tr* speciellt amer. vard. kugga i examen

**fluorescent** [flɔ:'resnt] *adj*, *~ lamp* lysrörslampa

**fluorine** ['fluəri:n] *s* fluor

**flurry** ['flʌrɪ] **I** *s* nervös oro; jäkt **II** *vb tr* uppröra, förvirra

**1 flush** [flʌʃ] *vb tr* skrämma upp; jaga bort

**2 flush** [flʌʃ] **I** *vb itr* o. *vb tr* **1** blossa upp, rodna; göra röd, få att rodna **2** spola ren [*~ the pan (the lavatory pan)*] **II** *s* **1** renspolning **2** svall; rus, yra [*the first ~ of victory*] **3** häftig rodnad; glöd; feberhetta

**3 flush** [flʌʃ] *adj* **1** vid kassa; rik **2** jämn, slät, grad, plan; *~ with* i jämnhöjd med **3** om slag rak, direkt

**fluster** ['flʌstə] **I** *vb tr* förvirra, göra nervös **II** *s*, *in a ~* nervös och orolig

**flute** [flu:t] *s* flöjt

**flutter** ['flʌtə] **I** *vb itr* fladdra; vaja, sväva **II** *s* **1** fladdrande **2** uppståndelse; *be in a ~* vara uppjagad

**flux** [flʌks] *s*, *in a state of ~* stadd i omvandling

**1 fly** [flaɪ] **I** (*flew flown*) *vb itr* o. *vb tr* **1** flyga, köra [*~ an aeroplane*]; flyga över [*~ the Atlantic*]; *the bird has flown* bildl. fågeln är utflugen; *~ high* bildl. sikta högt **2** ila, flyga; *~ into a rage* bli rasande; *send a p. flying* slå omkull ngn **3** fladdra, vaja [*the flags were flying*] **II** *s*, *~* el. pl. *flies* gylf

**2 fly** [flaɪ] *s* fluga; *he wouldn't hurt a ~* han gör inte en fluga förnär; *a ~ in the ointment* bildl. smolk i bägaren

**flying** ['flaɪɪŋ] **I** *s* flygning **II** *adj* o. attributivt *s* **1** flygande; *~ fish* flygfisk; *~ range* flygplans aktionsradie; *~ saucer* flygande tefat **2** *~ visit* blixtvisit; *~ squad* polispiket som sätts in vid t.ex. bankrån

**flyleaf** ['flaɪli:f] *s* boktr. försättsblad

**fly-swatter** ['flaɪ,swɒtə] *s* flugsmälla

**flyweight** ['flaɪweɪt] *s* sport. flugvikt

**flywheel** ['flaɪwi:l] *s* mek. svänghjul

**foal** [fəʊl] *s* föl

**foam** [fəʊm] **I** *s* skum, fradga, lödder; *~*

**extinguisher** skumsläckare; *~ rubber* skumgummi **II** *vb itr* skumma, fradga

**focus** ['fəʊkəs] **I** *s* fokus, brännpunkt; *the picture is out of ~* bilden är oskarp; *the ~ of attention* bildl. centrum för uppmärksamheten **II** *vb tr* o. *vb itr* **1** fokusera, samla; fokuseras, samlas; *~ on* bildl. fästa huvudvikten vid; *~ one's attention on* koncentrera sin uppmärksamhet på **2** ställa in; ställa in skärpan

**fodder** ['fɒdə] *s* torrfoder

**foe** [fəʊ] *s* poet. fiende, motståndare

**foetus** ['fi:təs] *s* foster i livmodern

**fog** [fɒg] *s* dimma; *~ light* (*lamp*) dimljus

**fogey** ['fəʊgɪ] *s*, *old ~* vard. gammal stofil

**foggy** ['fɒgɪ] *adj* dimmig; *I haven't the foggiest* (*the foggiest idea*) jag har inte den blekaste aning

**foible** ['fɔɪbl] *s* svaghet

**1 foil** [fɔɪl] *s* folie; foliepapper

**2 foil** [fɔɪl] *vb tr* omintetgöra, gäcka

**3 foil** [fɔɪl] *s* i fäktning florett

**1 fold** [fəʊld] *s* fålla, inhägnad

**2 fold** [fəʊld] **I** *vb tr* o. *vb itr* **1** vika, vika ihop; vecka; vikas, vika (vika ihop) sig; *~ up* lägga (vika) ihop **2** fälla ihop [äv. *~ up*; *~ up a chair*] **II** *s* **1** veck **2** vindling, slinga

**folder** ['fəʊldə] *s* **1** folder; broschyr **2** samlingspärm; mapp

**folding** ['fəʊldɪŋ] *adj* hopvikbar, hopfällbar; *~ bed* fällsäng, tältsäng; *~ doors* vikdörrar; skjutdörrar

**foliage** ['fəʊlɪɪdʒ] *s* löv, lövverk

**folk** [fəʊk] *s* **1** folk, människor; *my ~* (*folks*) mina anhöriga, min familj **2** attributivt folk-; *~ dance* folkdans; *~ song* folkvisa

**follow** ['fɒləʊ] *vb tr* o. *vb itr* **1** följa, följa bakom (på, efter) i rum el. tid; komma efter; efterträda; *as ~s* på följande sätt; *to ~* efter, ovanpå; *~ on* (adverb) följa (fortsätta) efter **2** följa, lyda [*~ advice*] **3** ägna sig åt yrke **4** följa med, hänga med; *do you ~?* fattar du? **5** vara en följd [*from* av]

**follower** ['fɒləʊə] *s* följeslagare; anhängare

**following** ['fɒləʊɪŋ] **I** *adj* följande; *the ~ day* följande dag **II** *s* följe, anhängare

**follow-up** ['fɒləʊʌp] *s* uppföljning

**folly** ['fɒlɪ] *s* dårskap

**foment** [fə'ment] *vb tr* underblåsa [*~ rebellion*]

**fond** [fɒnd] *adj* tillgiven, kärleksfull, öm; *be ~ of* tycka om, vara förtjust i

**fondle** ['fɒndl] *vb tr* kela med, smeka
**fondue** ['fɒ:ndju:] *s* kok. fondue
**food** [fu:d] *s* mat [~ *and drink*]; föda,
näring; livsmedel; födoämne; ~
*poisoning* matförgiftning; ~ *processor*
matberedare
**foodstuff** ['fu:dstʌf] *s* födoämne
**fool** [fu:l] **I** *s* **1** dåre, dumbom; *live in a
fool's paradise* leva i lycklig okunnighet
**2** narr; *All Fools' Day* ([ɔ:l'fu:lzdeɪ])
första april då man narras april; *make a ~ of
a p.* göra ngn löjlig; *play (act) the ~*
spela pajas **II** *vb tr* o. *vb itr* skoja (driva)
med; lura; larva sig; *~ about (around)
with* el. *~ with* leka (plocka) med, fingra
på
**foolery** ['fu:lərɪ] *s* dårskap, narraktighet
**foolhardy** ['fu:l,hɑ:dɪ] *adj* dumdristig
**foolish** ['fu:lɪʃ] *adj* dåraktig, dum
**foolproof** ['fu:lpru:f] *adj* idiotsäker
**foot** [fʊt] **I** *s* (pl. *feet* [fi:t]) *s* **1** fot; *my ~!*
vard. nonsens!; *be on one's feet* a) stå;
resa sig b) vara på benen; *go on ~* gå till
fots; *put one's ~ down* säga bestämt
ifrån; *put one's ~ in it* vard. trampa i
klaveret; *rise to one's feet* resa sig; *rush
a p. off his feet* bringa ngn ur fattningen;
*by ~* till fots; *on ~* till fots; i rörelse; i
gång, i verket **2** fot [*at the ~ of the
mountain*]; fotända [~ *of a bed*] **3** fot mått
(= 12 *inches* ungefär = 30,5 cm); *five ~ (feet)
six* 5 fot 6, 5 fot 6 tum **II** *vb tr, ~ the bill*
vard. betala räkningen (kalaset)
**foot-and-mouth disease**
[,fʊtən'maʊθdɪ,zi:z] *s* mul- och klövsjuka
**football** ['fʊtbɔ:l] *s* fotboll
**footballer** ['fʊtbɔ:lə] *s* fotbollsspelare
**footfall** ['fʊtfɔ:l] *s* steg, ljud av steg
**foothold** ['fʊthəʊld] *s* fotfäste
**footing** ['fʊtɪŋ] *s* **1** fotfäste; *put a
business on a sound ~* konsolidera ett
företag **2** *be on an equal (friendly) ~* stå
på jämlik (vänskaplig) fot med
**footlights** ['fʊtlaɪts] *s pl* teat. **1** ramp;
rampljus **2** *the ~* scenen
**footman** ['fʊtmən] *s* (pl. *footmen* ['fʊtmən])
*s* betjänt, lakej
**footpath** ['fʊtpɑ:θ] *s* gångstig
**footprint** ['fʊtprɪnt] *s* fotspår; fotavtryck
**footstep** ['fʊtstep] *s* **1** steg, fotsteg
**2** fotspår
**footstool** ['fʊtstu:l] *s* pall
**footwear** ['fʊtweə] *s* fotbeklädnad, skodon
**fop** [fɒp] *s* snobb, sprätt
**foppish** ['fɒpɪʃ] *adj* sprättig

**for** [fɔ:, obetonat fə] **I** *prep* **1** för; mot [*new
lamps ~ old*]; till [*here's a letter ~ you*; *the
train ~ London*]; åt [*I can hold it ~ you*];
efter [*ask ~ a p.*], om [*ask ~ help*]; på; till
ett belopp av [*a bill ~ £100*]; av [*cry ~
joy*; *~ this reason*] **2** trots; *he is kind ~ all
that* han är snäll trots allt **3** vad beträffar,
i fråga om [*the worst year ever ~ accidents*];
*~ all I care* vad mig beträffar, gärna för
mig; [*he is dead*] *~ all I know* ...vad jag
vet; *so much ~ that!* det var det!, nog
om den saken!; *as ~* vad beträffar; *as ~
me* för min del **4** såsom, för; som; *~
instance (example)* till exempel; *I ~ one*
jag för min del; *~ one thing* för det
första; *I know it ~ certain (~ a fact)* det
vet jag säkert (bestämt) **5** för, för att vara
[*not bad ~ a beginner*] **6** *oh ~* [*a cup of
tea*]*!* den som hade...!; *what's this ~ ?*
vard. a) vad är det här till? b) vad är det
här bra för? **7** i tidsuttryck: på [*I haven't
seen him ~ a long time*]; [*be away*] *~ a
month* ...en (...i en) månad; *~ several
months (months past)* sedan flera
månader tillbaka **8** i rumsuttryck: *~
kilometres* på (under) flera kilometer; *it
is not ~ me to judge* det är inte min sak
att döma **II** *konj* för, ty [*I asked her to stay,
~ I had something to tell her*]
**forage** ['fɒrɪdʒ] **I** *s* foder åt hästar o. boskap
**II** *vb itr* **1** söka efter föda **2** leta, rota [äv.
*~ about (round)*; *for* efter]
**forbade** [fə'bæd, fə'beɪd] se *forbid*
**1 forbear** ['fɔ:beə] *s*, pl. *~s* förfäder
**2 forbear** [fɔ:'beə] (*forbore forborne*) *vb tr* o.
*vb itr*, *~ from* avhålla sig från, låta bli
**forbearance** [fɔ:'beər(ə)ns] *s*
fördragsamhet, tålamod
**forbid** [fə'bɪd] (*forbade forbidden*) *vb tr*
**1** förbjuda **2** uteslyta, hindra
**forbidden** [fə'bɪdn] se *forbid*
**forbidding** [fə'bɪdɪŋ] *adj* frånstötande [*a ~
appearance* (yttre)]
**forbore** [fɔ:'bɔ:] se *2 forbear*
**forborne** [fɔ:'bɔ:n] se *2 forbear*
**force** [fɔ:s] **I** *s* **1** styrka, kraft; makt; *~ of
habit* vanans makt; *by ~ of* i kraft av; *in
great ~* el. *in ~* mil. i stort antal **2** styrka,
trupp; *the Force* polisen; pl. *~s*
stridskrafter [*naval ~s*]; *air ~* flygvapen;
*armed ~s* väpnade styrkor; *join ~s with*
förena (alliera) sig med **3** våld [*use ~*];
*brute ~* fysiskt våld; *by ~* med våld
**4** laga kraft; *come into ~* träda i kraft
**II** *vb tr* **1** tvinga, nödga, forcera; *~ the*

*pace* driva upp farten (tempot) **2** bryta upp, spränga [~ *a lock*] **3** tvinga fram, tvinga till sig [*from, out of* av], pressa fram [*from, out of* ur, från]

**forced** [fɔ:st] *adj* o. *perf p* **1** tvingad, nödgad; tvungen; påtvingad, tvångs- [~ *feeding*; ~ *labour*]; ~ **landing** nödlandning **2** konstlad, ansträngd [*a* ~ *manner*]

**forceful** ['fɔ:sf(ʊ)l] *adj* kraftfull, stark

**forceps** ['fɔ:seps] (pl. lika) *s* kirurgisk tång, pincett

**forcible** ['fɔ:səbl] *adj* kraftig, eftertrycklig

**ford** [fɔ:d] **I** *s* vadställe **II** *vb tr* vada över

**fore** [fɔ:] *s*, *come to the* ~ framträda; bli aktuell

**1 forearm** ['fɔ:rɑ:m] *s* underarm

**2 forearm** [ˌfɔ:r'ɑ:m] *vb tr* beväpna på förhand; se *forewarn*

**foreboding** [fɔ:'bəʊdɪŋ] *s* ond aning, föraning

**forecast** ['fɔ:kɑ:st] **I** (*forecast forecast* el. *forecasted forecasted*) *vb tr* förutse; förutsäga **II** *s* prognos; *weather* ~ väderrapport

**forefather** ['fɔ:ˌfɑ:ðə] *s* förfader

**forefinger** ['fɔ:ˌfɪŋgə] *s* pekfinger

**forefront** ['fɔ:frʌnt] *s*, *be in the* ~ bildl. vara högaktuell, stå i förgrunden

**foregone** ['fɔ:gɒn] *adj*, *a* ~ *conclusion* en given sak

**foreground** ['fɔ:graʊnd] *s* förgrund

**forehead** ['fɒrɪd, 'fɔ:hed] *s* panna

**foreign** ['fɒrən] *adj* **1** utländsk; utrikes- [~ *trade*]; *the Foreign and Commonwealth Secretary* i Storbritannien utrikesministern **2** främmande [*to* för]

**foreigner** ['fɒrənə] *s* utlänning

**foreleg** ['fɔ:leg] *s* framben

**foreman** ['fɔ:mən] (pl. *foremen* ['fɔ:mən]) *s* förman, verkmästare

**foremost** ['fɔ:məʊst] *adj* o. *adv* främst [*the* ~ *representative*; *first and* ~]

**forenoon** ['fɔ:nu:n] *s* förmiddag

**forensic** [fə'rensɪk] *adj* juridisk, rättslig; ~ *medicine* rättsmedicin

**foreplay** ['fɔ:pleɪ] *s* förspel vid samlag

**forerunner** ['fɔ:ˌrʌnə] *s* förelöpare

**foresaw** [fɔ:'sɔ:] se *foresee*

**foresee** [fɔ:'si:] (*foresaw foreseen*) *vb tr* förutse

**foreseeable** [fɔ:'si:əbl] *adj* förutsebar

**foreseen** [fɔ:'si:n] se *foresee*

**foreshadow** [fɔ:'ʃædəʊ] *vb tr* förebåda

**foresight** ['fɔ:saɪt] *s* förutseende

**forest** ['fɒrɪst] *s* stor skog

**forestall** [fɔ:'stɔ:l] *vb tr* förekomma

**foretaste** ['fɔ:teɪst] *s* försmak [*of* av]

**foretell** [fɔ:'tel] (*foretold foretold*) *vb tr* förutsäga

**forethought** ['fɔ:θɔ:t] *s* förtänksamhet

**foretold** [fɔ:'təʊld] se *foretell*

**forever** [fə'revə] *adv* för alltid; jämt

**forewarn** [fɔ:'wɔ:n] *vb tr* varsko, förvarna; *forewarned is forearmed* varnad är väpnad

**foreword** ['fɔ:wɜ:d] *s* förord, företal

**forfeit** ['fɔ:fɪt] **I** *s* **1** bötessumma **2** förverkande, förlust **II** *vb tr* förverka, gå miste om

**forgave** [fə'geɪv] se *forgive*

**1 forge** [fɔ:dʒ] *vb itr*, ~ *ahead* kämpa (pressa) sig fram (förbi)

**2 forge** [fɔ:dʒ] **I** *s* **1** smedja **2** smidesugn **II** *vb tr* **1** smida **2** förfalska

**forger** ['fɔ:dʒə] *s* förfalskare

**forgery** ['fɔ:dʒərɪ] *s* förfalskning, efterapning

**forget** [fə'get] (*forgot forgotten*) *vb tr* o. *vb itr* glömma; ~ *about a th.* glömma bort ngt

**forgetful** [fə'getf(ʊ)l] *adj* glömsk

**forgetfulness** [fə'getf(ʊ)lnəs] *s* glömska

**forget-me-not** [fə'getmɪnɒt] *s* förgätmigej

**forgive** [fə'gɪv] (*forgave forgiven*) *vb tr* o. *vb itr* förlåta

**forgiven** [fə'gɪvn] se *forgive*

**forgiveness** [fə'gɪvnəs] *s* förlåtelse

**forgiving** [fə'gɪvɪŋ] *adj* förlåtande, överseende

**forgo** [fɔ:'gəʊ] (*forwent forgone*) *vb tr* avstå från, försaka [~ *pleasures*]

**forgone** [fɔ:'gɒn] se *forgo*

**forgot** [fə'gɒt] se *forget*

**forgotten** [fə'gɒtn] se *forget*

**fork** [fɔ:k] **I** *s* **1** gaffel **2** grep **3** förgrening; vägskäl; korsväg **II** *vb tr* o. *vb itr* **1** vard., ~ *out* punga ut med, punga ut med stålarna **2** ~ *left* ta av till vänster

**forlorn** [fə'lɔ:n] *adj* **1** ensam och övergiven **2** hopplös [*a* ~ *cause*; *a* ~ *hope* (företag)]

**form** [fɔ:m] **I** *s* **1** form; *be in great* ~ vara i högform **2** etikett, form; *it is bad* ~ det passar sig inte; *it is good* ~ det hör till god ton **3** formulär, blankett [*fill up a* ~] **4** bänk utan rygg **5** skol. klass; årskurs **6** gjutform **II** *vb tr* o. *vb itr* **1** bilda [~ *a Government*]; forma; gestalta; formas, ta form; bildas **2** utforma, göra upp [~ *a plan*]; bilda (göra) sig [~ *an opinion*] **3** utgöra [~ *part* (en del) *of*]

**formal** ['fɔːm(ə)l] *adj* formell; formlig, uttrycklig; stel; formalistisk

**formality** [fɔː'mælətɪ] *s* formalism; formalitet [*customs formalities*]; formsak

**format** ['fɔːmæt] *s* boks format

**formation** [fɔː'meɪʃ(ə)n] *s* **1** formande, utformning; gestaltning **2** formering; gruppering

**former** ['fɔːmə] *adj* **1** föregående, tidigare **2** förra, förre, f.d. [*the ~ headmaster*] **3** *the ~* den förre (förra), det (de) förra [*the ~... the latter...*]

**formerly** ['fɔːməlɪ] *adv* förut; förr; *~ ambassador in* f.d. ambassadör i

**formidable** ['fɔːmɪdəbl] *adj* fruktansvärd; formidabel, överväldigande

**formula** ['fɔːmjʊlə] *s* formel

**formulate** ['fɔːmjʊleɪt] *vb tr* formulera

**forsake** [fə'seɪk] (*forsook forsaken*) *vb tr* överge, svika

**forsaken** [fə'seɪk(ə)n] se *forsake*

**forsook** [fə'sʊk] se *forsake*

**forswear** [fɔː'sweə] (*forswore forsworn*) *vb tr* avsvärja sig; förneka

**forswore** [fɔː'swɔː] se *forswear*

**forsworn** [fɔː'swɔːn] se *forswear*

**fort** [fɔːt] *s* fort, fäste

**forte** ['fɔːteɪ] *s* stark sida [*singing is not my ~*]

**forth** [fɔːθ] *adv* **1** framåt; vidare; *and so ~* osv. **2** fram, ut [*bring (come) ~*]

**forthcoming** [fɔːθ'kʌmɪŋ] *adj* **1** förestående; stundande; *~ events* kommande program t.ex. på bio **2** vard. tillmötesgående

**forthright** ['fɔːθraɪt] *adj* rättfram, öppen

**forthwith** [ˌfɔːθ'wɪθ] *adv* genast

**fortieth** ['fɔːtɪθ] *räkn* o. *s* fyrtionde; fyrtiondel

**fortification** [ˌfɔːtɪfɪ'keɪʃ(ə)n] *s* **1** mil. befästande **2** befästning; speciellt pl. *~s* befästningsverk

**fortify** ['fɔːtɪfaɪ] *vb tr* **1** mil. befästa **2** förstärka; *fortified wine* starkvin

**fortitude** ['fɔːtɪtjuːd] *s* mod, själsstyrka

**fortnight** ['fɔːtnaɪt] *s* fjorton dagar (dar); *every ~* el. *once a ~* var fjortonde dag

**fortress** ['fɔːtrəs] *s* fästning

**fortunate** ['fɔːtʃənət] *adj* lycklig, lyckad; *be ~* ha tur

**fortunately** ['fɔːtʃənətlɪ] *adv* lyckligtvis

**fortune** ['fɔːtʃuːn] *s* **1** lycka, öde, tur; *tell a p. his ~* spå ngn; *try one's ~* pröva lyckan **2** förmögenhet

**fortune-hunter** ['fɔːtʃuːnˌhʌntə] *s* lycksökare

**fortune-teller** ['fɔːtʃuːnˌtelə] *s* spåman; spåkvinna

**forty** ['fɔːtɪ] *räkn* fyrtio; *~ winks* vard. en liten tupplur

**forum** ['fɔːrəm] *s* forum; domstol

**forward** ['fɔːwəd] **I** *adj* **1** främre; framåtriktad; framåt **2** framfusig **II** *s* sport. forward, anfallsspelare **III** *adv* framåt, fram **IV** *vb tr* **1** främja **2** vidarebefordra, eftersända; *please ~* på brev eftersändes **3** sända; befordra, expediera

**forwards** ['fɔːwədz] *adv* framåt; *backwards and ~* fram och tillbaka

**forwent** [fɔː'went] se *forgo*

**fossil** ['fɒsl] *s* fossil

**foster** ['fɒstə] *vb tr* utveckla [*~ ability*]; befordra, gynna

**fought** [fɔːt] se *fight I*

**foul** [faʊl] **I** *adj* **1** illaluktande; vidrig [*~ smell*]; äcklig [*a ~ taste*]; smutsig; *~ air* förpestad luft; *~ weather* ruskväder **2** *fall* (*run*) *~ of* a) kollidera med b) komma i konflikt med [*fall ~ of the law*] **3** gemen, skamlig [*a ~ deed*]; oanständig [*~ language*]; vard. otäck, ruskig **4** ojust, regelvidrig; *~ play* a) ojust spel b) oredlighet; brott **II** *s* ojust spel, ruff; boxn. foul; *commit a ~* ruffa **III** *vb itr* o. *vb tr* **1** sport. spela ojust; spela (vara) ojust mot, ruffa **2** smutsa ned, förorena

**1 found** [faʊnd] se *find I*

**2 found** [faʊnd] *vb tr* **1** grunda, lägga grunden till, grundlägga **2** grunda, basera [*on på*]

**foundation** [faʊn'deɪʃ(ə)n] *s* **1** grundande **2** stiftelse **3** grund; underlag

**founder** ['faʊndə] *s* grundare, grundläggare

**foundry** ['faʊndrɪ] *s* gjuteri; järnbruk

**fountain** ['faʊntən] *s* **1** fontän **2** bildl. källa

**fountain pen** ['faʊntənpen] *s* reservoarpenna

**four** [fɔː] **I** *räkn* fyra **II** *s* fyra; fyrtal; *on all ~s* på alla fyra

**four-cylinder** ['fɔːˌsɪlɪndə] *adj* fyrcylindrig

**four-dimensional** [ˌfɔːdɪ'menʃənl] *adj* fyrdimensionell

**fourfold** ['fɔːfəʊld] **I** *adj* fyrdubbel, fyrfaldig **II** *adv* fyrdubbelt, fyrfaldigt

**four-footed** [ˌfɔː'fʊtɪd] *adj* fyrfota-, fyrfotad

**four-legged** [ˌfɔː'legd, ˌfɔː'legɪd] *adj* fyrbent

**four-letter** [ˌfɔː'letə] *adj*, *~ words* [ˌfɔːletə'wɜːdz] runda ord sexord

**fourteen** [ˌfɔː'tiːn] *räkn* o. *s* fjorton
**fourteenth** [ˌfɔː'tiːnθ] *räkn* o. *s* fjortonde; fjortondel
**fourth** [fɔːθ] *räkn* o. *s* fjärde; fjärdedel
**fowl** [faʊl] *s* hönsfågel; fjäderfä
**fox** [fɒks] **I** *s* räv **II** *vb tr* vard. lura; förbrylla
**foxhunting** ['fɒksˌhʌntɪŋ] *s* rävjakt till häst med hundar
**foyer** ['fɔɪeɪ] *s* foajé
**fraction** ['frækʃ(ə)n] *s* **1** bråkdel **2** mat. bråk
**fracture** ['fræktʃə] **I** *s* benbrott, fraktur **II** *vb tr* o. *vb itr* bryta; brytas
**fragile** ['frædʒaɪl, amer. 'fræd3(ə)l] *adj* bräcklig, ömtålig, skör, spröd
**fragment** ['frægmənt] *s* stycke, bit, fragment
**fragrance** ['freɪgr(ə)ns] *s* vällukt, doft
**fragrant** ['freɪgr(ə)nt] *adj* välluktande, doftande
**frail** [freɪl] *adj* bräcklig, klen
**frailty** ['freɪltɪ] *s* bräcklighet, klenhet
**frame** [freɪm] **I** *vb tr* **1** utforma; utarbeta **2** rama in **II** *s* **1** stomme; ram t.ex. på cykel **2** ram [~ *of a picture*], karm **3** kropp, kroppsbyggnad [*his powerful* ~] **4** ~ *of mind* sinnesstämning **5** bildruta på t.ex. filmremsa
**framework** ['freɪmwɜːk] *s* stomme; skelett; ram, struktur [*the* ~ *of society*]
**franc** [fræŋk] *s* franc myntenhet
**France** [frɑːns] Frankrike
**frank** [fræŋk] *adj* öppenhjärtig, rättfram, uppriktig [*with mot*]
**frankfurter** ['fræŋkfɜːtə] *s* frankfurterkorv, wienerkorv
**frantic** ['fræntɪk] *adj* ursinnig; rasande
**fraternal** [frə'tɜːnl] *adj* broderlig, broders-
**fraternity** [frə'tɜːnətɪ] *s* **1** broderskap, broderlighet **2** broderskap; samfund
**fraternize** ['frætənaɪz] *vb itr* fraternisera; förbrödra sig
**fraud** [frɔːd] *s* **1** bedrägeri; svindel; bluff **2** bedragare, bluff
**fraudulent** ['frɔːdjʊlənt] *adj* bedräglig
**fray** [freɪ] *vb tr* göra trådsliten; *frayed cuffs* trasiga manschetter
**freak** [friːk] *s* **1** nyck, infall **2** missfoster; vidunder
**freckle** ['frekl] **I** *s* fräkne **II** *vb tr* o. *vb itr* göra (bli) fräknig
**freckled** ['frekld] *adj* o. **freckly** ['freklɪ] *adj* fräknig
**free** [friː] **I** *adj* **1** fri; frivillig; *he is* ~ *to* det står honom fritt att; *leave a p.* ~ *to* ge

ngn fria händer att; *set* ~ frige; frigöra; ~ *kick* fotb. frispark **2** fri, ledig [*have a day* ~] **3** befriad, fritagen; ~ *from* utan **4** kostnadsfri, gratis [äv. ~ *of charge*] **5** ~ *and easy* otvungen, naturlig **6** frikostig, generös **II** *vb tr* befria, frige, frigöra
**freedom** ['friːdəm] *s* frihet, oberoende; frigjordhet
**freely** ['friːlɪ] *adv* **1** fritt **2** frivilligt; villigt, gärna [~ *grant a th.*] **3** rikligt
**freemason** ['friːˌmeɪsn] *s* frimurare
**freesia** ['friːzjə] *s* bot. fresia
**freestyle** ['friːstaɪl] *s* fristil; frisim, fribrottning
**freeway** ['friːweɪ] *s* amer. motorväg
**freeze** [friːz] **I** (*froze frozen*) *vb itr* o. *vb tr* frysa; frysa till (fast) [*to* vid]; komma att frysa; frysa ned (in), djupfrysa [~ *meat*] **II** *s* köldknäpp; *wage* ~ el. ~ lönestopp
**freeze-dry** [ˌfriːz'draɪ] *vb tr* frystorka
**freezer** ['friːzə] *s* frys
**freezing** ['friːzɪŋ] *adj* bitande kall, iskall
**freezing-compartment** ['friːzɪŋkəmˌpɑːtmənt] *s* frysfack
**freezing-point** ['friːzɪŋpɔɪnt] *s* fryspunkt
**freight** [freɪt] *s* fraktgods; frakt
**French** [frentʃ] **I** *adj* fransk; ~ *bean* skärböna; haricot vert; ~ *fried* el. ~ *fried potatoes* el. ~ *fries* pommes frites; ~ *horn* mus. valthorn; *take* ~ *leave* vard. smita, avdunsta; ~ *letter* vard. kondom; ~ *loaf* pain riche **II** *s* **1** franska språket **2** *the* ~ fransmännen
**Frenchman** ['frentʃmən] (pl. *Frenchmen* ['frentʃmən]) *s* fransman
**frenzy** ['frenzɪ] *s* ursinne, raseri; vanvett
**Freon** ['friːɒn] *s* ® Freon
**frequency** ['friːkwənsɪ] *s* frekvens
**frequent** [adjektiv 'friːkwənt, verb frɪ'kwent] **I** *adj* ofta förekommande, vanlig [*a* ~ *sight*]; tät [~ *visits*]; frekvent **II** *vb tr* ofta besöka, frekventera [~ *a café*]
**frequently** ['friːkwəntlɪ] *adv* ofta
**fresh** [freʃ] *adj* **1** ny [*a* ~ *paragraph*]; färsk [~ *bread*]; frisk, fräsch **2** vard. påflugen; *don't get* ~! var inte så fräck!
**freshen** ['freʃn] *vb tr*, ~ *up* el. ~ friska (fräscha) upp
**freshwater** ['freʃˌwɔːtə] *adj* sötvattens- [~ *fish*]
**fret** [fret] **I** *vb itr* o. *vb tr* **1** gräma sig; gräma **2** fräta, tära; fräta bort **II** *s*, *be in a* ~ vara på dåligt humör
**fretful** ['fretf(ʊ)l] *adj* sur, grinig; retlig
**fretsaw** ['fretsɔː] *s* lövsåg

**friar** ['fraɪə] s relig. munk; broder

**friction** ['frɪkʃ(ə)n] s friktion; bildl. äv. motsättningar

**Friday** ['fraɪdeɪ, 'fraɪdɪ] s fredag; *last* ~ i fredags; *Good* ~ långfredagen

**fridge** [frɪdʒ] s vard. kylskåp

**friend** [frend] s vän, väninna; kamrat; *be* ~*s with* vara god vän med; *be bad* ~*s* vara ovänner

**friendly** ['frendlɪ] I adj vänlig, vänskaplig [*to, with* mot] II s sport. vänskapsmatch

**friendship** ['frendʃɪp] s vänskap

**frigate** ['frɪgət] s fregatt

**fright** [fraɪt] s **1** skräck, förskräckelse; *get* (*have*) *a* ~ bli skrämd; *give a p. a* ~ skrämma ngn **2** vard. fasa; [*her new hat*] *is a* ~ ...är förskräcklig

**frighten** ['fraɪtn] vb tr skrämma, förskräcka; ~ *a p. to death* skrämma livet ur ngn

**frightful** ['fraɪtf(ʊ)l] adj förskräcklig, förfärlig

**frigid** ['frɪdʒɪd] adj **1** kall; bildl. kylig **2** med. frigid

**frigidity** [frɪ'dʒɪdətɪ] s **1** bildl. kylighet, kyla **2** med. frigiditet

**frill** [frɪl] s **1** krås **2** pl. ~*s* vard. grannlåter, krusiduller

**frilly** ['frɪlɪ] adj krusad, plisserad; snirklad

**fringe** [frɪndʒ] I s **1** frans; bård **2** marginal; ytterkant; ~ *group* polit. grupp på ytterkanten **3** lugg II vb tr fransa

**frisk** [frɪsk] vb itr, ~ *about* hoppa, skutta

**1 fritter** ['frɪtə] s kok., *apple* ~*s* friterade äppelringar

**2 fritter** ['frɪtə] vb tr, ~ *away* plottra (slösa) bort [~ *away one's time*]

**frivolity** [frɪ'vɒlətɪ] s flärd, lättsinne

**frivolous** ['frɪvələs] adj lättsinnig; tramsig

**1 frizzle** ['frɪzl] vb tr o. vb itr steka, fräsa

**2 frizzle** ['frɪzl] vb tr krusa, krulla [~ *hair*]

**frizzly** ['frɪzlɪ] adj o. **frizzy** ['frɪzɪ] adj krusig, krullig [~ *hair*]

**fro** [frəʊ] adv, *to and* ~ fram och tillbaka, av och an

**frock** [frɒk] s klänning

**frock coat** [,frɒk'kəʊt] s bonjour

**frog** [frɒg] s groda; *have a* ~ *in the* (*one's*) *throat* vara rostig i halsen, vara hes

**frogman** ['frɒgmən] (pl. *frogmen* [frɒgmən]) s grodman

**frolic** ['frɒlɪk] I s skoj, upptåg II vb itr leka, skutta

**from** [frɒm] prep **1** från; ur; ~ *a child*

ända från barndomen **2** av [*steel is made* ~ *iron*] □ ~ *above* ovanifrån; ~ *among* ur, fram ur, från; ~ *behind* bakifrån; ~ *below* nedifrån; ~ *without* utifrån

**front** [frʌnt] I s **1** framsida, främre del; *in* ~ framtill, före [*walk in* ~]; *in* ~ *of* framför, inför; träda i förgrunden **2** mil. el. meteor. front [*cold* ~] **3** 'fasad'; täckmantel; ~ *organization* täckorganisation; II adj fram-, främre, front-; ~ *door* ytterdörr, port; ~ *page* förstasida av tidning; ~ *room* rum åt gatan; ~ *row* teat. m.m. första bänk; ~ *seat* framsäte; plats framtill III vb tr **1** ligga emot **2** bekläda framsidan av [~ *a house with stone*]

**frontier** ['frʌntɪə] s politisk statsgräns, gräns

**frontispiece** ['frʌntɪspi:s] s titelplansch

**frost** [frɒst] I s **1** frost; *ten degrees of* ~ Celsius tio grader kallt **2** rimfrost II vb tr o. vb itr **1** göra frostbiten, frostskada **2** betäcka med rimfrost; ~ *over* (*up*) täckas av rimfrost **3** mattslipa, mattera [*frosted glass*]

**frostbite** ['frɒstbaɪt] s köldskada

**frostbitten** ['frɒst,bɪtn] adj frostbiten

**frosty** ['frɒstɪ] adj frost- [~ *nights*], frostig

**froth** [frɒθ] s fradga, skum [~ *on the beer*]

**frothy** ['frɒθɪ] adj fradgande, skummande

**frown** [fraʊn] I vb itr **1** rynka pannan **2** ~ *at* (*on*) se ogillande på II s rynkad panna; bister uppsyn

**froze** [frəʊz] se *freeze I*

**frozen** ['frəʊzn] I se *freeze I* II adj djupfryst [~ *food*]; ofta om tillgångar fastfrusen, bunden [~ *credits*]; maximerad [~ *prices*]

**frugal** ['fru:g(ə)l] adj sparsam; måttlig; enkel [*a* ~ *meal*]

**fruit** [fru:t] s frukt

**fruit drop** ['fru:tdrɒp] s syrlig karamell med fruktsmak

**fruiterer** ['fru:tərə] s frukthandlare

**fruitful** ['fru:tf(ʊ)l] adj fruktbar; givande

**fruitless** ['fru:tləs] adj fruktlös, gagnlös

**fruit machine** ['fru:tməˌʃi:n] s enarmad bandit

**frustrate** [frʌ'streɪt] vb tr omintetgöra, motverka; frustrera

**frustration** [frʌ'streɪʃ(ə)n] s omintetgörande; frustrering

**fry** [fraɪ] vb tr steka i panna; bryna, fräsa

**frying-pan** ['fraɪɪŋpæn] s stekpanna; *out of the* ~ *into the fire* ordspr. ur askan i elden

**ft.** [fʊt, resp. fi:t] förk. för *foot* resp. *feet*

**fuchsia** ['fju:ʃə] s bot. fuchsia

**fuck** [fʌk] vulg. **I** vb tr o. vb itr **1** knulla, ha samlag med **2** ~ it! fan också!; ~ you! el. ~ off! dra åt helvete! **II** s knull samlag

**fucking** ['fʌkɪŋ] adj vulg. jävla

**fudge** [fʌdʒ] s fudge slags mjuk kola

**fuel** [fjʊəl] **I** s bränsle, drivmedel **II** vb tr o. vb itr förse med bränsle, tanka; bunkra

**fug** [fʌg] s vard. instängdhet, kvalmighet

**fugitive** ['fju:dʒɪtɪv] s flykting; rymling

**fulfil** [fʊl'fɪl] vb tr **1** uppfylla, infria; fullgöra, utföra [~ one's duties] **2** fullborda [~ a task]

**full** [fʊl] **I** adj **1** full, fylld [of av, med], fullsatt; I'm ~ up el. I'm ~ vard. jag är mätt; ~ house teat. utsålt hus **2** ~ moon fullmåne; ~ stop punkt i skrift; in ~ view of klart synlig för **3** mäktig, fyllig **II** s, in ~ fullständigt, till fullo; to the ~ fullständigt, till fullo

**full-blooded** [ˌfʊl'blʌdɪd] adj kraftfull, passionerad

**full-bodied** [ˌfʊl'bɒdɪd] adj fyllig, mustig

**full-fledged** [ˌfʊl'fledʒd] adj fullfjädrad

**full-grown** [ˌfʊl'grəʊn] adj fullväxt; fullvuxen

**full-length** [ˌfʊl'leŋθ] adj hellång [a ~ skirt]; hel; a ~ film en långfilm; a ~ portrait en helbild

**full-scale** ['fʊlskeɪl] adj **1** i naturlig skala [a ~ drawing] **2** omfattande, total

**full-time** ['fʊltaɪm] adj heltids- [~ work]

**fully** ['fʊlɪ] adv **1** fullt, fullständigt, till fullo **2** drygt, 'hela' [~ two days]

**fully-fashioned** [ˌfʊlɪ'fæʃ(ə)nd] adj formstickad, fasonstickad

**fumble** ['fʌmbl] vb itr o. vb tr fumla; famla [for efter]; treva; fumla med; missa [~ a chance]

**fume** [fju:m] **I** s, oftast pl. ~s rök [~s of a cigar]; utdunstningar; ångor **II** vb itr vara rasande [at över]

**fumigate** ['fju:mɪgeɪt] vb tr desinficera genom rökning

**fun** [fʌn] s **1** nöje; skämt, upptåg, skoj; for ~ för skojs skull; in ~ på skämt; it was such ~ det var så roligt; make ~ of el. poke ~ at driva med; ~ and games vard. skoj **2** attributivt, vard. rolig, kul

**function** ['fʌŋkʃ(ə)n] **I** s **1** funktion **2** ceremoni; tillställning, högtidlighet **II** vb itr fungera; verka

**functionary** ['fʌŋkʃənərɪ] s funktionär

**fund** [fʌnd] s **1** fond, stor tillgång, förråd **2** vard., pl. ~s tillgångar; penning- medel

**fundamental** [ˌfʌndə'mentl] **I** adj fundamental; grundläggande [to för] **II** s, vanl. pl. ~s grundprinciper

**funeral** ['fju:nər(ə)l] s begravning; ~ procession el. ~ begravningståg

**fun fair** ['fʌnfeə] s vard. nöjesfält, tivoli

**fungus** ['fʌŋgəs] (pl. fungi ['fʌŋgaɪ]) s svamp, svampbildning

**funk** [fʌŋk] s vard., be in a ~ vara skraj (byxis)

**funnel** ['fʌnl] s **1** tratt **2** skorsten på båt el. lok; rökfång

**funny** ['fʌnɪ] adj **1** rolig, lustig; komisk **2** konstig, egendomlig

**fur** [fɜ:] s **1** päls på vissa djur **2** a) skinn av vissa djur b) ~ el. pl. ~s päls, pälsverk

**furious** ['fjʊərɪəs] adj rasande, ursinnig

**furl** [fɜ:l] vb tr rulla ihop; fälla ihop [~ an umbrella]

**furnace** ['fɜ:nɪs] s masugn, smältugn

**furnish** ['fɜ:nɪʃ] vb tr **1** förse, utrusta **2** inreda, möblera

**furniture** ['fɜ:nɪtʃə] (utan pl.) s möbler; möblemang; a piece of ~ en möbel; ~ remover flyttkarl; ~ van flyttbil

**furrier** ['fʌrɪə] s körsnär

**furrow** ['fʌrəʊ] **I** s **1** plogfåra **2** t.ex. i ansiktet fåra; ränna; räffla **II** vb tr plöja; fåra

**further** ['fɜ:ðə] **I** adj (komparativ av far) **1** bortre, avlägsnare, längre bort **2** ytterligare; without ~ consideration utan närmare övervägande; ~ education vidareutbildning, fortbildning; until ~ notice (orders) tills vidare **II** adv (komparativ av far) **1** längre, längre bort; ~ on längre fram; I'll see you ~ first vard. aldrig i livet!; wish a p. ~ vard. önska ngn dit pepparn växer **2** vidare, ytterligare **III** vb tr främja, gynna

**furthermore** [ˌfɜ:ðə'mɔ:] adv vidare, dessutom

**furthermost** ['fɜ:ðəməʊst] adj avlägsnast, borterst

**furthest** ['fɜ:ðɪst] (superlativ av far) **I** adj borterst, avlägsnast **II** adv längst bort, ytterst

**furtive** ['fɜ:tɪv] adj förstulen, hemlig

**fury** ['fjʊərɪ] s raseri, ursinne [in a ~]

**1 fuse** [fju:z] **I** vb tr o. vb itr **1** smälta; smälta samman **2** the bulb (lamp) had fused proppen hade gått **II** s säkring, propp

**2 fuse** [fju:z] s brandrör, tändrör; stubintråd

**fuselage** ['fju:zɪlɑ:ʒ] s flygkropp

**fusion** ['fju:ʒ(ə)n] *s* sammansmältning; fusion

**fuss** [fʌs] **I** *s* bråk, uppståndelse, ståhej; *make a ~* göra (föra) väsen, bråka; *without any ~* utan att göra stor affär av det **II** *vb itr* bråka, tjafsa; *~ over the children* pyssla om (pjoska med) barnen

**fussy** ['fʌsɪ] *adj* fjäskig; petig, tjafsig

**fusty** ['fʌstɪ] *adj* unken, mögelluktande

**futile** ['fju:taɪl, amer. 'fju:tl] *adj* fåfäng, meningslös

**futility** [fjʊ'tɪlətɪ] *s* fåfänglighet, gagnlöshet

**future** ['fju:tʃə] **I** *adj* framtida, kommande; senare [*a ~ chapter*]; *the ~ tense* gram. futurum **II** *s* **1** framtid; *the immediate ~* den närmaste framtiden; *in ~* i fortsättningen, framöver; *in the ~* i framtiden **2** gram., *the ~* futurum

**fuzzy** ['fʌzɪ] *adj* **1** fjunig, luddig **2** krusig [*~ hair*]

# G

**G, g** [dʒi:] *s* G, g; *G flat* mus. gess; *G sharp* mus. giss

**g.** (förk. för *gramme, grammes, gram, grams*) gram, g

**gab** [gæb] *s* vard., *have the gift of the ~* ha gott munläder

**gabble** ['gæbl] **I** *vb itr* babbla **II** *s* babbel

**gaberdine** [,gæbə'di:n] *s* gabardin

**gable** ['geɪbl] *s* gavel

**gad** [gæd] *vb itr*, *~ about* stryka omkring

**gadget** ['gædʒɪt] *s* grej, tillbehör, finess

**gag** [gæg] **I** *vb tr* o. *vb itr* **1** lägga munkavle på **2** teat. el. film. improvisera; komma med gags **II** *s* **1** munkavle **2** gag, skämt

**gaiety** ['geɪətɪ] *s* glädje, munterhet

**gaily** ['geɪlɪ] *adv* glatt, muntert

**gain** [geɪn] **I** *s* **1** a) vinst i allm.; förvärv; fördel b) vinning **2** pl. *~s* affärsvinst, inkomst **3** ökning [*a ~ in weight*] **II** *vb tr* o. *vb itr* **1** vinna, skaffa sig [*~ permission*], erhålla; öka, gå upp [*~ in weight*]; *~ 2 kilos* öka (gå upp) 2 kilo **2** tjäna [*~ one's living*] **3** nå [*~ one's ends* (mål)] **4** om klocka forta sig **5** *~ on* a) vinna (ta in) på [*~ on the others in a race*] b) dra ifrån [*~ on one's pursuers*]

**gait** [geɪt] *s* gång, sätt att gå [*limping ~*]

**gaiter** ['geɪtə] *s* damask

**gala** ['gɑ:lə, 'geɪlə] *s* stor fest; gala

**galaxy** ['gæləksɪ] *s* **1** astron. galax **2** lysande samling [*a ~ of famous people*]

**gale** [geɪl] *s* hård vind, storm; sjö. kuling

**1 gall** [gɔ:l] *s* galla

**2 gall** [gɔ:l] *vb tr* **1** skava sönder **2** plåga, reta

**gallant** ['gælənt] *adj* tapper, modig

**gallantry** ['gæləntrɪ] *s* **1** mod, hjältemod **2** artighet, galanteri

**gall bladder** ['gɔ:l,blædə] *s* gallblåsa

**galleria** [,gælə'ri:ə] *s* galleria täckt gågata med butiker m.m.

**gallery** ['gælərɪ] *s* **1** galleri; *art ~* konstgalleri, konstsalong **2** läktare inomhus; teat. översta (tredje) rad **3** läktarpublik, galleripublik **4** täckt bana [*shooting-gallery*]

**galley** ['gælɪ] *s* sjö. hist. galär

**gallivant** ['gælɪvænt, ,gælɪ'vænt] *vb itr* gå och driva

**gallon** ['gælən] *s* gallon rymdmått speciellt för

våta varor **a)** britt., *imperial* ~ el. ~ = 4,5 liter
**b)** amer. = 3,8 liter

**gallop** ['gæləp] **I** *vb itr* galoppera **II** *s*
galopp; *ride at a (at full)* ~ rida i galopp

**gallows** ['gæləʊz] *s* galge

**gallstone** ['gɔ:lstəʊn] *s* gallsten

**galore** [gə'lɔ:] *adv*, *whisky* ~ massor av
whisky

**galosh** [gə'lɒʃ] *s* galosch

**galvanize** ['gælvənaɪz] *vb tr* **1** galvanisera
**2** bildl. egga, entusiasmera

**gamble** ['gæmbl] **I** *vb itr* spela; ~ *on* vard.
slå vad om, tippa **II** *s* spel

**gambler** ['gæmblə] *s* spelare

**gambling** ['gæmblɪŋ] *s* hasardspel

**gambling-den** ['gæmblɪŋden] *s* spelhåla

**gambling-house** ['gæmblɪŋhaʊs] *s*
spelkasino

**gambol** ['gæmb(ə)l] **I** *s* hopp, skutt **II** *vb itr*
göra glädjesprång

**1 game** [geɪm] **I** *s* **1** spel; lek [*children's*
~*s*]; pl. ~*s* äv. sport, idrott; *the* ~ *is up*
spelet är förlorat; *give the* ~ *away* vard.
avslöja alltihop; *play the* ~ spela (uppföra
sig) just; *beat a p. at his own* ~ slå ngn
med hans egna vapen **2 a)** match [*let's*
*play another* ~] **b)** parti; *a* ~ *of chess* ett
parti schack **3** game i tennis; set i bordtennis
el. badminton **4** knep, tricks; lek, skämt;
*none of your* ~*s!* kom inte med några
dumheter!; *what* ~ *is he up to?* vad har
han för sig? **5 a)** vilt, villebråd **b)** byte;
mål; *big* ~ storvilt; *be easy* ~ *for a p.*
vara ett lätt byte för ngn **II** *adj* **1** jakt-,
vilt- **2** hågad [*for a th.*]; *be* ~ *for*
*anything* gå med på allting

**2 game** [geɪm] *adj* ofärdig, lam [*a* ~ *leg*]

**gamekeeper** ['geɪm,ki:pə] *s* skogvaktare

**gaming-table** ['geɪmɪŋ,teɪbl] *s* spelbord

**gammon** ['gæmən] *s* saltad o. rökt skinka

**gamut** ['gæmət] *s* skala, register

**gander** ['gændə] *s* gåskarl

**gang** [gæŋ] **I** *s* **1** arbetslag **2** liga; gäng
**II** *vb itr*, ~ *up* gadda ihop sig [*on, against*
mot]; ~ *up on* äv. mobba

**gangplank** ['gæŋplæŋk] *s* landgång

**gangrene** ['gæŋgri:n] *s* kallbrand

**gangster** ['gæŋstə] *s* gangster

**gangway** ['gæŋweɪ] *s* **1** gång, passage
speciellt mellan bänkrader **2** sjö. landgång;
gångbord

**gaol** [dʒeɪl] **I** *s* fängelse **II** *vb tr* sätta i
fängelse

**gaolbird** ['dʒeɪlbɜ:d] *s* fängelsekund

**gaoler** ['dʒeɪlə] *s* fångvaktare

**gap** [gæp] *s* **1** öppning, hål, gap **2** lucka;
mellanrum, tomrum; klyfta [*generation* ~]

**gape** [geɪp] *vb itr* gapa

**gaping** ['geɪpɪŋ] *adj* gapande [*a* ~ *hole*]

**garage** ['gærɑ:ʒ, 'gærɑ:dʒ, speciellt amer.
gə'rɑ:ʒ] *s* garage; bilverkstad,
servicestation; ~ *mechanic* bilmekaniker

**garb** [gɑ:b] *s* dräkt, skrud, kostym

**garbage** ['gɑ:bɪdʒ] *s* **1** avfall; amer. äv.
sopor; ~ *can* amer. soptunna **2** smörja,
skräp

**garble** ['gɑ:bl] *vb tr* förvanska, vanställa

**garden** ['gɑ:dn] *s* trädgård; tomt;
*everything in the* ~ *is lovely* vard. allt är
frid och fröjd; *lead a p. up the* ~ (*up the*
~ *path*) vard. lura ngn

**garden centre** ['gɑ:dn,sentə] *s*
handelsträdgård

**garden city** [,gɑ:dn'sɪtɪ] *s* trädgårdsstad,
villastad

**gardener** ['gɑ:dnə] *s* trädgårdsmästare

**gardenia** [gɑ:'di:njə] *s* gardenia

**gardening** ['gɑ:dnɪŋ] *s* trädgårdsskötsel;
trädgårdsarbete

**gargle** ['gɑ:gl] **I** *vb tr* o. *vb itr* gurgla sig i;
gurgla, gurgla sig **II** *s* gurgelvatten

**garish** ['geərɪʃ] *adj* prålig [~ *dress*], vräkig

**garland** ['gɑ:lənd] *s* krans, girland

**garlic** ['gɑ:lɪk] *s* vitlök

**garment** ['gɑ:mənt] *s* klädesplagg; pl. ~*s*
kläder

**garnet** ['gɑ:nɪt] *s* miner. granat

**garnish** ['gɑ:nɪʃ] kok. **I** *vb tr* garnera **II** *s*
garnering

**garret** ['gærət] *s* vindskupa

**garrison** ['gærɪsn] *s* garnison

**garrulous** ['gærʊləs] *adj* pratsam, pratsjuk

**garter** ['gɑ:tə] *s* strumpeband

**gas** [gæs] **I** *s* **1** gas **2** amer. vard. (kortform för
*gasoline*) bensin; *step on the* ~ trampa på
gasen, gasa på, skynda på **II** *vb itr* o. *vb tr*
**1** vard. snacka, babbla **2** gasa; gasförgifta

**gasbag** ['gæsbæg] *s* vard. pratkvarn

**gas cooker** ['gæs,kʊkə] *s* gasspis

**gas fire** ['gæs,faɪə] *s* gaskamin

**gash** [gæʃ] *s* lång djup skåra, gapande
skärsår

**gasket** ['gæskɪt] *s* bil. packning,
topplockspackning

**gasoline** ['gæsəli:n] *s* amer. bensin

**gasometer** [gæ'sɒmɪtə] *s* gasklocka

**gasp** [gɑ:sp] **I** *vb itr* dra efter andan,
flämta **II** *s* flämtning; *at one's last* ~ nära
att ge upp andan, utpumpad

**gas station** ['gæs,steɪʃ(ə)n] *s* bensinmack

**gas stove** ['gæsstəʊv] *s* gasspis, gaskök
**gastric** ['gæstrɪk] *adj*, ~ *flu* maginfluensa;
~ *ulcer* magsår
**gastritis** [gæ'straɪtɪs] *s* magkatarr, gastrit
**gasworks** ['gæswɜːks] *s* gasverk
**gate** [geɪt] *s* **1** port [*a city* ~]; grind **2** sport.
publiktillströmning [*a big* ~]
**gateau** ['gætəʊ] (pl. *gateaux* ['gætəʊz]) *s*
tårta
**gatecrash** ['geɪtkræʃ] *vb itr* o. *vb tr* vard., ~
*into* el. ~ objuden dimpa ner på [~ (~
*into*) *a party*]; smita in på; ~ *on a p.*
våldgästa ngn
**gatecrasher** ['geɪtˌkræʃə] *s* vard. snyltgäst
**gateway** ['geɪtweɪ] *s* **1** port **2** bildl.
inkörsport
**gather** ['gæðə] *vb tr* o. *vb itr* **1** samla [~ *a
crowd*] **2** samla ihop (in); plocka [~
*flowers*]; samlas; samla sig; ~ *together*
samla (plocka) ihop **3** skaffa sig, inhämta
[~ *information*]; ~ *speed* få fart **4** dra den
slutsatsen, förstå
**gaudy** ['gɔːdɪ] *adj* prålig, brokig, skrikig
**gauge** [geɪdʒ] **I** *vb tr* **1** mäta; justera mått o.
vikter; gradera **2** sondera, pejla [~ *people's
reactions*] **II** *s* **1** standard- mått; kaliber;
*take the* ~ *of* ta mått på **2** spårvidd
**3** mätare
**gaunt** [gɔːnt] *adj* mager, avtärd
**gauze** [gɔːz] *s* gas, flor; ~ *bandage*
gasbinda
**gave** [geɪv] se *give I*
**gawky** ['gɔːkɪ] *adj* tafatt, klumpig
**gay** [geɪ] **I** *adj* **1** homosexuell **2** glad,
munter **II** *s* homofil bög
**gaze** [geɪz] **I** *vb itr* stirra [*at* på]; *he gazed
into her eyes* han såg henne djupt i
ögonen **II** *s* blick [*a steady* ~]
**gazelle** [gə'zel] *s* gasell
**gazette** [gə'zet] *s* officiell tidning
**GB** [ˌdʒiː'biː] förk. för *Great Britain*
**gear** [gɪə] *s* **1** redskap, utrustning **2** bil.
växel; *change* ~ (~*s*) växla; *in top* ~ på
högsta växeln; *drive in second* ~ köra på
tvåans växel; *throw out of* ~ bildl. bringa i
olag **3** tillhörigheter, saker
**gearbox** ['gɪəbɒks] *s* växellåda
**gearlever** ['gɪəˌliːvə] *s* växelspak
**gearshift** ['gɪəʃɪft] *s* växelspak
**gee** [dʒiː] *interj* jösses!, oh då!
**geese** [giːs] se *goose*
**gel** [dʒel] *s* hårgelé
**gelatine** [ˌdʒelə'tiːn] *s* gelatin
**gem** [dʒem] *s* **1** ädelsten, juvel **2** bildl.
klenod, pärla

**Gemini** ['dʒemɪnaɪ, 'dʒemɪniː] *s* astrol.
Tvillingarna
**gender** ['dʒendə] *s* gram. genus
**genealogical** [ˌdʒiːnjə'lɒdʒɪk(ə)l] *adj*, ~
*table* stamtavla
**general** ['dʒenər(ə)l] **I** *adj* **1** allmän;
generell; *in* ~ el. *as a* ~ *rule* i allmänhet,
på det hela taget; *a* ~ *election* allmänna
val; ~ *knowledge* allmänbildning; ~
*practitioner* allmänpraktiserande läkare
**2** general- [~ *agent*] **3** i titlar efterställt
huvudordet general- [*consul-general*] **II** *s* mil.
general
**generalization** [ˌdʒenərəlaɪ'zeɪʃ(ə)n] *s*
generalisering; allmän slutsats
**generalize** ['dʒenərəlaɪz] *vb itr*
generalisera
**generally** ['dʒenərəlɪ] *adv* **1** i allmänhet, i
regel **2** allmänt [*the plan was* ~ *welcomed*]
**generate** ['dʒenəreɪt] *vb tr* alstra,
frambringa, utveckla, generera [~
*electricity*], framkalla [~ *hatred*]
**generation** [ˌdʒenə'reɪʃ(ə)n] *s* **1** alstring,
frambringande **2** generation
**generosity** [ˌdʒenə'rɒsətɪ] *s* generositet,
givmildhet; storsinthet
**generous** ['dʒenərəs] *adj* **1** storsint,
generös, givmild **2** riklig, stor [*a* ~ *helping*
(portion)]
**genetics** [dʒə'netɪks] (konstrueras med sg.) *s*
genetik
**Geneva** [dʒə'niːvə] Genève
**genial** ['dʒiːnjəl] *adj* **1** mild, gynnsam [*a* ~
*climate*] **2** gemytlig
**genitals** ['dʒenɪtlz] *s pl* könsorgan,
könsdelar
**genitive** ['dʒenətɪv] *s* genitiv
**genius** ['dʒiːnjəs] *s* geni, snille
**genocide** ['dʒenəsaɪd] *s* folkmord
**gent** [dʒent] *s* vard. (kortform för *gentleman*)
**1** herre **2** ~*s* herrtoalett
**genteel** [dʒen'tiːl] *adj* förnäm av sig,
struntförnäm
**gentile** ['dʒentaɪl] *s* icke-jude
**gentle** ['dʒentl] *adj* mild, blid, vänlig; lätt,
varsam; måttlig, lagom [~ *heat*]
**gentlefolk** ['dʒentlfəʊk] *s* herrskapsfolk,
fint folk
**gentleman** ['dʒentlmən] (pl. *gentlemen*
['dʒentlmən]) *s* **1** herre; *gentlemen's
lavatory* herrtoalett **2** gentleman [*a fine
old* ~]
**gentlemanly** ['dʒentlmənlɪ] *adj*
gentlemannalik

**gently** ['dʒentlɪ] adv sakta, varsamt; milt, vänligt, mjukt

**genuine** ['dʒenjʊɪn] adj äkta; genuin; verklig

**geographical** [dʒɪə'græfɪk(ə)l] adj geografisk

**geography** [dʒɪ'ɒgrəfɪ] s geografi

**geologist** [dʒɪ'ɒlədʒɪst] s geolog

**geology** [dʒɪ'ɒlədʒɪ] s geologi

**geometry** [dʒɪ'ɒmətrɪ] s geometri

**geranium** [dʒə'reɪnjəm] s pelargonia

**geriatric** [dʒerɪ'ætrɪk] I adj, ~ care åldringsvård II s åldring; vard. gamling

**geriatrics** [dʒerɪ'ætrɪks] (konstrueras med sg.) s med. geriatri, geriatrik

**germ** [dʒɜ:m] s bakterie; mikrob

**German** ['dʒɜ:mən] I adj tysk; ~ measles med. röda hund; ~ sausage medvurst II s **1** tysk; tyska **2** tyska språket

**Germany** ['dʒɜ:mənɪ] Tyskland

**germicide** ['dʒɜ:mɪsaɪd] s bakteriedödande medel (ämne)

**germinate** ['dʒɜ:mɪneɪt] vb itr gro, spira

**gesticulate** [dʒe'stɪkjʊleɪt] vb itr gestikulera

**gesture** ['dʒestʃə] s gest

**get** [get] (got got; perfekt particip amer. ofta äv. gotten) vb tr **1** få; lyckas få, skaffa sig [~ a job] **2** fånga, få in; få tag i; vard. få fast [they got the murderer] **3** vard. fatta, haja [do you ~ what I mean?] **4** have got ha; have got to vara (bli) tvungen att **5** ~ a th. done se till att ngt blir gjort; få ngt gjort; ~ one's hair cut låta klippa sig, låta klippa håret **6** ~ a p. (a th.) to få (förmå) ngn (ngt) att **7** komma [~ home] **8** ~ to småningom komma att, lära sig att [I got to like him]; ~ to know få reda på, få veta, lära känna; ~ talking börja prata; ~ going komma i gång **9** bli [~ better]; ~ married gifta sig

□ ~ about a) resa omkring, komma ut b) komma ut, sprida sig om rykte; ~ along a) klara (reda) sig b) I must be getting along jag måste ge mig i väg; ~ at a) komma åt, nå b) syfta på, mena; what are you getting at? vart är det du vill komma?; ~ away a) komma i väg b) komma undan, rymma; ~ away with komma undan med; ~ away with it klara sig, slippa undan; ~ back a) få igen (tillbaka) b) återvända c) ~ one's own back ta revansch; ~ by a) komma förbi b) klara sig; ~ down a) få ned, få i sig b) don't let it ~ you down ta inte vid dig

så hårt för det c) gå (komma) ned (av) d) ~ down to ta itu med; ~ in ta sig in, komma in; ~ into a) stiga (komma) in i (upp på) b) råka (komma) i [~ into danger], komma in i, få [~ into bad habits]; ~ off a) få (ta) av (upp, loss) b) slippa (klara sig) undan [he got off lightly (lindrigt)] c) ge sig av, komma i väg; ~ off to bed gå och lägga sig; ~ off to sleep somna in d) gå (stiga) av e) ~ off work bli ledig från arbetet; ~ on a) få (sätta) på, ta (få) på sig b) gå (stiga) på; sätta sig på; ~ on one's feet stiga (komma) upp; resa sig för att tala; bildl. komma på fötter; she ~s on my nerves hon går mig på nerverna c) lyckas, ha framgång; trivas; how is he getting on? hur har han det?; how is the work getting on? hur går det med arbetet?; ~ on with it! el. ~ on! skynda (raska) på! d) komma bra överens, trivas [with a p. med ngn]; he is easy to ~ on with han är lätt att umgås med e) he is getting on (getting on in years el. life) han börjar bli gammal; time is getting on tiden går; be getting on for närma sig, gå mot [he is getting on for 70] f) ~ on to komma upp på [~ on to a bus]; ~ out a) få fram [~ out a few words], ta (hämta) fram [he got out a bottle of wine]; få ut (ur), ta ut (ur) b) gå (komma, stiga, ta sig) ut [of ur], komma upp [of ur]; ~ out of komma ifrån [~ out of a habit]; ~ over a) få undangjord b) komma över [~ over one's shyness], hämta sig från [~ over an illness], glömma; ~ round a) kringgå [~ round a law]; komma ifrån b) lyckas övertala; she knows how to ~ round him hon vet hur hon ska ta honom c) ~ round to få tillfälle till; ~ through a) gå (komma, klara sig) igenom; bli färdig med b) komma fram äv. i telefon c) göra slut på; ~ to a) komma fram till, nå; ~ to bed komma i säng b) sätta i gång med c) where has it got to? vard. vart har det tagit vägen?; ~ together få ihop, samla, samla ihop; ~ up a) få upp b) gå (stiga) upp [~ up early in the morning]; resa sig; ~ up to komma till c) ställa till [~ up to mischief]

**getaway** ['getəweɪ] s vard. flykt; make a ~ rymma, smita

**get-together** ['getəgeðə] s vard. träff, sammankomst

**get-up** ['getʌp] s vard. utstyrsel, klädsel

**geyser** ['gɪːzə] s **1** gejser
**2** varmvattenberedare
**ghastly** ['gɑːstlɪ] adj hemsk; vard. gräslig
**gherkin** ['gɜːkɪn] s inläggningsgurka
**ghetto** ['getəʊ] s getto
**ghost** [gəʊst] s **1** spöke; döds ande, vålnad
**2** the Holy Ghost den Helige Ande
**3** skymt [the ~ of a smile]
**ghostly** ['gəʊstlɪ] adj spöklik
**giant** ['dʒaɪənt] s jätte; gigant
**gibber** ['dʒɪbə] vb pladdra; sluddra
**gibberish** ['dʒɪbərɪʃ] s rotvälska
**gibe** [dʒaɪb] **I** vb itr, ~ at håna, pika **II** s
gliring
**giddiness** ['gɪdɪnəs] s yrsel, svindel
**giddy** ['gɪdɪ] adj yr i huvudet
**gift** [gɪft] **I** s gåva, skänk; talang,
begåvning; ~ token (voucher) ungefär
presentkort **II** vb tr begåva, förläna,
utrusta
**gifted** ['gɪftɪd] adj begåvad, talangfull
**gigantic** [dʒaɪˈgæntɪk] adj gigantisk,
enorm
**giggle** ['gɪgl] **I** vb itr fnittra **II** s fnitter
**gigolo** ['dʒɪgələʊ] (pl. ~s) s gigolo
**gild** [gɪld] vb tr förgylla
**gill** [gɪl] s gäl
**gilt** [gɪlt] **I** adj förgylld **II** s förgyllning
**gimlet** ['gɪmlət] s handborr, vrickborr
**gimmick** ['gɪmɪk] s vard. gimmick, jippo
**gin** [dʒɪn] s gin
**ginger** ['dʒɪndʒə] **I** s ingefära **II** adj vard.
rödgul, rödblond [~ hair]
**ginger ale** [ˌdʒɪndʒərˈeɪl] s o. **ginger beer**
[ˌdʒɪndʒəˈbɪə] s kolsyrat ingefärsdricka
**gingerbread** ['dʒɪndʒəbred] s pepparkaka
**gingerly** ['dʒɪndʒəlɪ] adv försiktigt
**ginseng** ['dʒɪnseŋ] s ginseng
**gipsy** ['dʒɪpsɪ] **I** s zigenare, zigenerska
**II** adj zigenar-
**giraffe** [dʒɪˈræf] s giraff
**girder** ['gɜːdə] s bärbjälke, balk
**girdle** ['gɜːdl] **I** s gördel; bälte; höfthållare
**II** vb tr omgjorda, omge
**girl** [gɜːl] s **1** flicka äv. flickvän
**2** tjänsteflicka **3** ~ guide (amer. scout)
flickscout
**girlfriend** ['gɜːlfrend] s flickvän fästmö;
flickbekant, väninna
**girlhood** ['gɜːlhʊd] s flicktid
**girlish** ['gɜːlɪʃ] adj flick-; flickaktig
**giro** ['dʒaɪrəʊ] s postgiro; ~ account
postgirokonto
**gist** [dʒɪst] s kärnpunkt, huvudpunkt
**give** [gɪv] **I** (gave given; jfr given) vb tr o. vb

itr **1** ge, skänka; ~ me...any day (every
time)! el. ~ me...! tacka vet jag...!; ~ my
compliments (love) to hälsa så mycket
till **2** ~ way ge vika, brista [the ice (rope)
gave way], svikta, vika undan [to för],
lämna företräde [to åt; ~ way to traffic
from the right]; hemfalla, hänge sig [to åt];
ge efter [to för] **3** offra t.ex. tid, kraft [to
på]; ~ one's mind to ägna (hänge) sig åt
**4** frambringa, ge som produkt, resultat [a
lamp ~s light]; framkalla, väcka [~ offence
(anstöt)], vålla, orsaka [~ a p. pain]
**5** framföra, hålla [~ a talk (ett föredrag)];
teat. ge [they are giving Hamlet]; utbringa
[~ a toast (skål) for; ~ three cheers for] **6** ~
a cry (scream) skrika till, ge till ett
skrik; ~ a start rycka till □ ~ away a) ge
bort, skänka bort b) vard., oavsiktligt
förråda, avslöja [~ away a secret]; ~ in
a) lämna in b) ~ in one's name anmäla
sig c) ge sig, ge vika, ge med sig, ge upp
[I ~ in]; ~ out a) dela ut [~ out tickets]
b) tillkännage c) avge [~ out heat]
d) tryta, ta slut; svika [his strength gave
out]; ~ up a) lämna ifrån sig, avlämna,
överlämna, utlämna; ~ oneself up
överlämna sig, anmäla sig för polisen
b) ge upp [~ up the attempt] c) upphöra;
he gave up smoking han slutade röka
**II** s, ~ and take ömsesidiga eftergifter
**giveaway** ['gɪvəweɪ] s **1** avslöjande **2** ~
price vrakpris
**given** ['gɪvn] adj o. perf p (av give) **1** given,
skänkt; ~ name speciellt amer. förnamn **2** ~
to begiven på; fallen för, lagd för;
hemfallen åt **3** bestämd, given [a ~ time]
**4** förutsatt
**glacier** ['glæsjə] s glaciär, jökel
**glad** [glæd] adj glad [about, at över, åt],
belåten [about, at med]; I'm ~ to hear
that... det var roligt att höra att...; I
shall be ~ to come jag kommer gärna
**gladden** ['glædn] vb tr glädja, fröjda
**glade** [gleɪd] s glänta, glad
**gladiator** ['glædɪeɪtə] s gladiator
**gladiolus** [ˌglædɪˈəʊləs] (pl. gladioli
[ˌglædɪˈəʊlaɪ] el. gladioluses
[ˌglædɪˈəʊləsɪz]) s gladiolus
**gladly** ['glædlɪ] adv med glädje, gärna
**gladness** ['glædnəs] s glädje
**glamorous** ['glæmərəs] adj glamorös
**glamour** ['glæmə] s glamour, tjuskraft; ~
boy charmgosse; ~ girl 'glamour girl',
tjusig flicka
**glance** [glɑːns] **I** vb itr **1** titta hastigt

121 **go**

(flyktigt), ögna [*at* i; *over, through* igenom] **2** blänka till, glänsa till **II** *s* hastig (flyktig) blick, titt [*at* på]; ögonkast [*at* (vid) *the first ~*]

**gland** [glænd] *s* körtel

**glare** [gleə] **I** *vb itr* **1** blänka, glänsa **2** glo, stirra [*at* på] **II** *s* **1** bländande ljus **2** stirrande blick, ilsken blick

**glaring** ['gleərɪŋ] *adj* **1** bländande, skarp **2** stirrande [*~ eyes*] **3** bjärt, gräll [*~ colours*], iögonenfallande [*~ faults*]

**Glasgow** ['glɑːzgəʊ, 'glɑːsgəʊ]

**glass** [glɑːs] *s* **1** glas [*made of ~*] **2 a)** dricksglas [*a ~ of wine*] **b)** spegel **c)** barometer [*the ~ is rising*] **d)** pl. *glasses* glasögon **3** kollektivt glassaker, glas

**glassful** ['glɑːsfʊl] *s* glas mått

**glasshouse** ['glɑːshaʊs] *s* växthus, drivhus

**glassware** ['glɑːsweə] *s* glasvaror, glas

**glassy** ['glɑːsɪ] *adj* **1** glas-, glasaktig **2** bildl. glasartad [*a ~ look* (blick)]

**glaucoma** [glɔːˈkəʊmə] *s* med. glaukom, grön starr

**glaze** [gleɪz] **I** *vb tr* o. *vb itr* **1** sätta glas i [*~ a window*] **2** glasera [*~ cakes*]; *glazed earthenware* fajans; *glazed tiles* kakel **3** om blick bli glasartad, stelna **II** *s* **1** glasyr **2** glans

**glazier** ['gleɪzjə] *s* glasmästare

**gleam** [gliːm] **I** *s* glimt, stråle **II** *vb itr* glimma

**glean** [gliːn] *vb tr* **1** plocka [*~ ears* (ax)] **2** samla

**glee** [gliː] *s* uppsluppen glädje

**gleeful** ['gliːf(ʊ)l] *adj* glad, munter

**glen** [glen] *s* trång dal, dalgång, däld

**glib** [glɪb] *adj* talför, munvig; lättvindig

**glide** [glaɪd] **I** *vb itr* glida **II** *s* glidning

**glider** ['glaɪdə] *s* glidflygplan, segelflygplan

**gliding** ['glaɪdɪŋ] *s* glidning; segelflygning

**glimmer** ['glɪmə] **I** *vb itr* glimma, skimra **II** *s* **1** skimmer, glimrande **2** glimt, skymt [*a ~ of hope*]

**glimpse** [glɪmps] **I** *s* skymt [*of* av]; *catch* (*get*) *a ~ of* se en skymt av **II** *vb itr* se en skymt av

**glint** [glɪnt] **I** *vb itr* glittra, blänka **II** *s* glimt [*a ~ in his eye*]

**glisten** ['glɪsn] *vb itr* glittra, glimma, glänsa

**glitter** ['glɪtə] **I** *vb itr* glittra, blänka **II** *s* glitter, glimmer; prakt

**gloat** [gləʊt] *vb itr*, *~ over* vara skadeglad över [*~ over a p.'s misfortunes*]

**global** ['gləʊb(ə)l] *adj* global, världsomspännande

**globe** [gləʊb] *s* **1** klot, kula **2** *the ~* jordklotet

**gloom** [gluːm] *s* **1** dunkel **2** dysterhet, förstämning

**gloomy** ['gluːmɪ] *adj* **1** dunkel **2** dyster

**glorify** ['glɔːrɪfaɪ] *vb tr* lovprisa; glorifiera

**glorious** ['glɔːrɪəs] *adj* strålande, underbar, härlig; lysande [*a ~ victory*]

**glory** ['glɔːrɪ] **I** *s* **1** ära [*win ~*] **2** prydnad, stolthet **3** härlighet; *in all one's ~* el. *in one's ~* i sitt esse **II** *vb itr*, *~ in* vara stolt över; glädja sig åt

**1 gloss** [glɒs] **I** *s* glans, glänsande yta **II** *vb tr* göra glansig; *~ over* släta över

**2 gloss** [glɒs] **I** *s* glossa, not; kommentar **II** *vb tr* glossera; kommentera

**glossary** ['glɒsərɪ] *s* ordlista

**glossy** ['glɒsɪ] *adj* glansig, glänsande

**glove** [glʌv] *s* handske, fingervante; *~ locker* (*compartment*) handskfack i bil

**glow** [gləʊ] **I** *vb itr* glöda [*~ with* (av) *enthusiasm*], brinna [*with* av] **II** *s* glöd [*the ~ of sunset*]; frisk rodnad

**glowing** ['gləʊɪŋ] *pres p* o. *adj* glödande [*~ enthusiasm*], entusiastisk [*a ~ account* (skildring)]

**glow-worm** ['gləʊwɜːm] *s* lysmask

**glucose** ['gluːkəʊs] *s* glykos, glukos

**glue** [gluː] **I** *s* lim [*fish ~*] **II** *vb tr* limma, limma fast, limma ihop

**glum** [glʌm] *adj* trumpen, surmulen

**glut** [glʌt] **I** *vb tr* **1** översvämma [*~ the market with fruit*] **2** proppa full, mätta **II** *s* överflöd

**glutton** ['glʌtn] *s* matvrak, frossare

**glycerin** o. **glycerine** ['glɪsərɪn, ˌglɪsəˈriːn] *s* glycerin

**GMT** ['dʒiː'em'tiː] (förk. för *Greenwich Mean Time*) GMT

**gnarled** [nɑːld] *adj* knotig, knölig

**gnash** [næʃ] *vb tr*, *~ one's teeth* gnissla med tänderna, skära tänder

**gnat** [næt] *s* mygga; knott

**gnaw** [nɔː] (*gnawed gnawed*) *vb tr* o. *vb itr* gnaga på, gnaga [*gnawing hunger; at* på]; plåga [*gnawed with* (av) *anxiety*]

**gnome** [nəʊm] *s* gnom, bergtroll

**GNP** [ˌdʒiːenˈpiː] (förk. för *gross national product*) internationell BNP (förk. för bruttonationalprodukt) svensk bruttonationalprodukt motsvaras av *Gross Domestic Product (GDP)*

**go** [gəʊ] **I** (*went gone; he/she/it goes;* se äv.

*going, gone) vb itr* **1** fara, resa, åka, köra; ge sig av; *look where you are going!* se dig för!; ~ *fishing* gå och fiska **2** om tid gå; *to* ~ kvar [*only five minutes to go*] **3** utfalla, gå [*how did the voting ~?*] **4** bli [~ *bad (blind)*] **5** ha sin plats, bruka vara (stå, hänga, ligga) [*where do the cups ~?*]; få plats [*they will* ~ *in the bag*] **6** ljuda, lyda; *how does the tune ~?* hur låter (går) melodin?; *the story goes that...* det berättas (sägs) att... **7** räcka, förslå [*this sum won't ~ far*] **8** ~ *to* tjäna till att; *it goes to prove (show) that...* det bevisar att...; *the qualities that* ~ *to make a teacher* de egenskaper som är nödvändiga för en lärare

□ ~ **about** a) gå (fara etc.) omkring b) ta itu med [~ *about one's work*]; ~ **against** strida (vara) emot, bjuda ngn emot; ~ **ahead** a) sätta i gång, börja; fortsätta b) gå framåt c) ta ledningen speciellt sport.; ~ **along** a) gå (fara) vidare, fortsätta b) ~ *along with* följa med; hålla med [*I can't* ~ *along with you on* (i) *that*]; ~ **at** rusa på, gå lös på; ~ **back** a) gå (fara) tillbaka, återvända b) bryta [~ *back on one's word*], svika; ~ **beyond** gå utöver, överskrida; ~ **by** a) gå (fara) förbi; ~ *by air* flyga; ~ *by car* åka bil b) gå (rätta sig) efter [*nothing to* ~ *by*] c) ~ *by the name of...* gå under namnet...; ~ **down** a) gå ner; falla, sjunka b) minska [~ *down in weight*], försämras c) sträcka sig fram till en tidpunkt; ~ *down to* (*in*) *history* gå till historien d) slå an, gå in (hem) [*with hos*]; ~ **for** a) ~ *for a walk* ta en promenad; ~ *for a swim* gå och bada b) gå efter, hämta c) gå lös på, ge sig på d) gälla [*that goes for you too!*] e) vard. gilla [*I ~ for that!*]; ~ **in** a) gå in; gå i b) ~ *in for* gå in för, satsa på, ägna sig åt [~ *in for farming*], slå sig på [~ *in for golf*]; gå upp i [~ *in for an examination*]; ~ **into** a) gå in i (på); gå med i, delta i b) gå in på [~ *into details*], ge sig in på, undersöka; ~ **off** a) ge sig i väg b) om skott o. eldvapen gå av, brinna av, smälla c) bli skämd; bli sämre d) ~ *off to sleep* falla i sömn; ~ **on** a) gå (fara) vidare, fortsätta; ~ *on about* tjata om b) ~ *on to* gå över till c) pågå, hålla på d) försiggå, stå på [*what's going on here?*]; vara på (i) gång e) tändas, komma på [*the lights went on*] f) gå efter [*the only thing we have to ~ on*] g) göra, ge sig ut på [~ *on a journey*]; ~ **out** a) gå (fara) ut b) slockna [*my pipe has*

*gone out*] c) ~ *all out* göra sitt yttersta, ta ut sig helt d) ~ *out of* gå ur, komma ur [~ *out of use*] e) ~ *out with* vard. sällskapa med; ~ **over** a) gå över b) stjälpa, välta c) vard. slå an, göra succé d) gå igenom, granska, se över; ~ **round** a) gå runt (omkring), fara runt (omkring) b) ~ *round to* gå över till, hälsa på; ~ **through** a) gå igenom b) göra av med, göra slut på [~ *through all one's money*] c) ~ *through with* genomföra, fullfölja; ~ **to** a) gå i [~ *to school* (*to church*)]; gå på [~ *to the theatre*]; gå till [~ *to bed*] b) ta på sig [~ *to a great deal of trouble*]; ~ **under** a) gå under b) ~ *under the name of...* gå (vara känd) under namnet...; ~ **up** a) gå upp, stiga; resa [~ *up to town*] b) tändas, komma på [*the lights went up*] c) gå (fara) uppför; ~ **with** a) gå (fara) med, följa med b) höra till; höra ihop med c) passa (gå) till; ~ **without** a) bli (vara) utan b) *it goes without saying* det säger sig självt

**II** *s* vard. **1** *be on the* ~ vara i farten (i gång) **2** fart, ruter [*there's no* ~ *in him*] **3** (pl. *goes*); *have a* ~ *at it* el. *have a* ~ göra ett försök; *it's your* ~ det är din tur; *at one* ~ på en gång

**goad** [gəʊd] **I** *s* pikstav **II** *vb tr* **1** driva på med en pikstav **2** bildl., ~ *a p. into doing a th.* sporra ngn att göra ngt

**go-ahead** ['gəʊəhed] **I** *adj* företagsam, energisk **II** *s* klarsignal, klartecken

**goal** [gəʊl] *s* mål [*the* ~ *of his ambition*]; *keep* ~ stå i mål; *score a* ~ göra mål

**goalkeeper** ['gəʊlˌkiːpə] *s* målvakt

**goalkick** ['gəʊlkɪk] *s* inspark

**goalless** ['gəʊlləs] *adj* sport. mållös, utan mål

**goalpost** ['gəʊlpəʊst] *s* målstolpe

**goat** [gəʊt] *s* get

**gobble** ['gɒbl] *vb tr,* ~ *up* (*down*) el. ~ glufsa i sig, slafsa i sig

**go-between** ['gəʊbɪˌtwiːn] *s* mellanhand

**goblet** ['gɒblət] *s* glas på fot, remmare

**goblin** ['gɒblɪn] *s* elakt troll, nisse

**god** [gɒd] *s* gud

**godchild** ['gɒdtʃaɪld] (pl. *godchildren* ['gɒdtʃɪldrən]) *s* gudbarn, fadderbarn

**goddam** o. **goddamn** ['gɒdæm] amer. vard. **I** *interj* fan också! **II** *adj* djävla, förbannad

**goddess** ['gɒdɪs] *s* gudinna

**godfather** ['gɒdˌfɑːðə] *s* gudfar; manlig fadder

**God-fearing** ['gɒdˌfɪərɪŋ] *adj* gudfruktig

**godforsaken** [ˌgɒdfəˈseɪkn] *adj* gudsförgäten, eländig

**godmother** [ˈgɒdˌmʌðə] *s* gudmor; kvinnlig fadder

**godsend** [ˈgɒdsend] *s* gudagåva; evig lycka

**go-getter** [ˈgəʊˌgetə, ˌgəʊˈgetə] *s* vard. handlingsmänniska; neds. gåpåare

**goggles** [ˈgɒglz] *s pl* **1** skyddsglasögon, bilglasögon **2** sl. brillor

**going** [ˈgəʊɪŋ] **I** *s* **1** gående, gång **2** före [*heavy* ~]; *it's heavy* ~ bildl. det går trögt; *go while the* ~ *is good* gå medan det ännu finns en chans **II** *adj* o. *pres p* **1 a)** väl inarbetad [*a* ~ *concern*] **b)** *get* ~ komma i gång; sätta i gång [*get* ~!] **c)** *get a th.* ~ få ngt i gång **2** som finns att få [*the best coffee* ~]; *he ate anything* ~ han åt allt som fanns att få; *are there any* ~? finns det några att få? **3** ~, ~, *gone!* vid auktion första, andra, tredje! **4** *be* ~ *on for* närma sig [*she is* ~ *on for forty*] **5** *be* ~ *to* + infinitiv skola, tänka [*what are you* ~ *to do?*], ämna

**goitre** [ˈgɔɪtə] *s* med. struma

**gold** [gəʊld] *s* guld; *as good as* ~ förfärligt snäll

**golden** [ˈgəʊld(ə)n] *adj* guld- [~ *earrings*], av guld; gyllene; *a* ~ *opportunity* ett utmärkt tillfälle

**goldfinch** [ˈgəʊldfɪntʃ] *s* fågel steglits

**goldfish** [ˈgəʊldfɪʃ] *s* guldfisk

**gold leaf** [ˌgəʊldˈliːf] *s* bladguld, bokguld

**gold mine** [ˈgəʊldmaɪn] *s* guldgruva äv. bildl. [*this shop is a* ~]

**gold plate** [ˌgəʊldˈpleɪt] *s* gulddoublé

**gold-plated** [ˈgəʊldˌpleɪtɪd] *adj* förgylld

**goldsmith** [ˈgəʊldsmɪθ] *s* guldsmed

**golf** [gɒlf] **I** *s* golf **II** *vb itr* spela golf

**golf club** [ˈgɒlfklʌb] *s* **1** golfklubba **2** golfklubb

**golf course** [ˈgɒlfkɔːs] *s* golfbana

**golfer** [ˈgɒlfə] *s* golfspelare

**golf links** [ˈgɒlflɪŋks] *s* golfbana

**Goliath** [gəˈlaɪəθ] Goliat

**golliwog** [ˈgɒlɪwɒg] *s* svart trasdocka

**golly** [ˈgɒlɪ] *interj*, ~! vard. kors!

**gondola** [ˈgɒndələ] *s* gondol

**gondolier** [ˌgɒndəˈlɪə] *s* gondoljär

**gone** [gɒn] *adj* o. *perf p* (av *go*) **1** borta, försvunnen [*the book is* ~]; slut [*my money is* ~] **2** *be far* ~ **a)** vara starkt utmattad (svårt sjuk) **b)** vara långt framskriden **3** förgången, gången; förbi; *it is past and* ~ det tillhör det förflutna; *it's just* ~ *four* klockan är litet över fyra

**gong** [gɒŋ] *s* gonggong

**gonorrhoea** [ˌgɒnəˈrɪə] *s* gonorré

**goo** [guː] *s* vard. gegga

**good** [gʊd] **I** (*better best*) *adj* **1** god, bra [*a* ~ *knife*]; *she has a* ~ *figure* hon har en snygg figur **2 a)** nyttig, hälsosam; *it is* ~ *for colds* det är bra mot förkylningar **b)** färsk inte skämd **3** duktig, bra [*at i*] **4** vänlig, snäll **5** ordentlig, riktig **6** i hälsnings- och avskedsfraser: ~ *afternoon* god middag; god dag; adjö; ~ *day* god dag; adjö; ~ *evening* god afton; god dag; adjö; ~ *morning* god morgon; god dag; adjö; ~ *night* god natt; god afton; adjö **7** med substantiv: *Good Friday* långfredagen; ~ *gracious!* el. ~ *Heavens!* du milde!; ~ *nature* godmodighet; *all in* ~ *time* i lugn och ro; *all in* ~ *time!* ta det lugnt! **8** *make* ~ **a)** gottgöra [*make* ~ *a loss*], ersätta, återställa **b)** hålla [*make* ~ *a promise*]; vard. göra sin lycka **II** *adv*, *as* ~ *as* så gott som **III** *s* **1** gott [~ *and evil* (ont)]; det goda; nytta, gagn; *it is for* (*all for*) *your own* ~ det är till (för) ditt eget bästa; *it is no* ~ det tjänar ingenting till; *what's the* ~ *of that?* vad ska det vara bra för?; *he is up to no* ~ han har något rackartyg i sikte **2** *for* ~ för gott, för alltid

**goodbye** [gʊdˈbaɪ] *s* o. *interj* adjö, farväl

**good-for-nothing** [ˈgʊdfəˌnʌθɪŋ] *s* odåga

**good-humoured** [ˌgʊdˈhjuːməd] *adj* godlynt, gladlynt

**good-looking** [ˌgʊdˈlʊkɪŋ] *adj* snygg, vacker

**goodly** [ˈgʊdlɪ] *adj* betydande, ansenlig

**good-natured** [ˌgʊdˈneɪtʃəd] *adj* godmodig

**goodness** [ˈgʊdnəs] *s* godhet; ~ *knows* **a)** det vete gudarna **b)** Gud ska veta [~ *knows I've tried hard*]; *thank* ~! gudskelov!; ~ *gracious!* el. *my* ~! el. ~! du milde!; *for goodness' sake!* för Guds skull!; *I wish to* ~ *that...* jag önskar verkligen att...

**goods** [gʊdz] *s pl* **1** lösören, tillhörigheter; *worldly* ~ jordiska ägodelar **2** varor, artiklar, gods; frakt på järnväg, fraktgods

**good-tempered** [ˌgʊdˈtempəd] *adj* godlynt

**goodwill** [ˌgʊdˈwɪl] *s* goodwill; samförstånd

**gooey** [ˈguːɪ] *adj* vard. geggig

**goof** [guːf] sl. **I** *s* **1** klantskalle **2** tabbe, tavla, groda **II** *vb itr* göra en tabbe

**goose** [guːs] (pl. *geese* [giːs]) *s* gås

**gooseberry** ['gʊzbərɪ, 'gu:zbərɪ] s krusbär
**gooseflesh** ['gu:sfleʃ] s gåshud
**1 gore** [gɔ:] s mest litt. levrat blod
**2 gore** [gɔ:] vb tr stånga ihjäl; genomborra
**gorge** [gɔ:dʒ] **I** s trång klyfta, trångt pass
**II** vb itr o. vb tr frossa; ~ *oneself with*
proppa i sig, frossa på
**gorgeous** ['gɔ:dʒəs] adj praktfull [a ~
sunset]; vard. härlig
**gorilla** [gə'rɪlə] s gorilla
**gorse** [gɔ:s] s ärttörne
**gory** ['gɔ:rɪ] adj blodig, blodbesudlad
**gosh** [gɒʃ] interj, ~! kors!, jösses!
**go-slow** [ˌgəʊ'sləʊ] s maskning vid
arbetskonflikt
**gospel** ['gɒsp(ə)l] s evangelium
**gossip** ['gɒsɪp] **I** s **1** skvaller, sladder
**2** skvallerbytta **II** vb itr skvallra, sladdra
**got** [gɒt] se *get*
**gotten** ['gɒtn] se *get*
**goulash** ['gu:læʃ] s kok. gulasch
**gourd** [gʊəd] s kurbits; kalebass
**gourmand** ['gʊəmənd] s gourmand
**gourmet** ['gʊəmeɪ] s gourmet, finsmakare
**gout** [gaʊt] s gikt
**govern** ['gʌv(ə)n] vb tr o. vb itr styra,
regera; leda, bestämma
**governess** ['gʌvənəs] s guvernant
**governing** ['gʌvənɪŋ] adj regerande;
styrande; ledande
**government** ['gʌvnmənt] s **1** regering
**2** attributivt regerings- [*in Government
circles*]; stats- [*Government control*]
**3** *Government official* ämbetsman
**governor** ['gʌvənə] s **1** ståthållare;
guvernör **2** a) direktör [~ *of a prison*];
chef **b)** styrelsemedlem; *board of*~s el. ~s
styrelse
**governor-general** [ˌgʌvənə'dʒenər(ə)l] s
generalguvernör
**gown** [gaʊn] s **1** finare klänning [*dinner* ~]
**2** kappa ämbetsdräkt för akademiker, domare
m.fl.
**GP** [ˌdʒi:'pi:] förk. för *general practitioner*
**grab** [græb] **I** vb tr o. vb itr hugga, gripa [*at*
efter]; roffa åt sig **II** s hastigt grepp, hugg
[*for (at)* efter]; *make a* ~ *at* försöka gripa
tag i
**grace** [greɪs] **I** s **1** behag, grace, elegans
**2** *with* (*with a*) *good* ~ godvilligt; *with*
(*with a*) *bad* ~ motvilligt **3** *be in a p.'s
good* ~s vara väl anskriven hos ngn; *fall
from* ~ råka i onåd; *by the* ~ *of God* med
Guds nåde **4** bordsbön [*say* ~] **5** *His*

(*Her, Your*) *Grace* Hans (Hennes, Ers)
nåd **II** vb tr pryda, smycka
**graceful** ['greɪsf(ʊ)l] adj behagfull, graciös
**graceless** ['greɪsləs] adj charmlös,
klumpig
**gracious** ['greɪʃəs] adj **1** älskvärd **2** *good*
~! el. *goodness* ~! el. ~ *me!* du milde!,
herre Gud!
**gradation** [grə'deɪʃ(ə)n] s gradering; skala
**grade** [greɪd] **I** s **1** grad; steg, stadium;
rang; nivå **2** amer. klass, årskurs **3** speciellt
amer. betyg, poäng **4** kvalitet; sort; *make
the* ~ bildl. vard. lyckas **II** vb tr gradera;
sortera; dela in (upp) i kategorier;
klassificera
**gradient** ['greɪdjənt] s t.ex. vägs stigning
**gradual** ['grædʒʊəl] adj gradvis; successiv
**gradually** ['grædʒʊəlɪ] adv gradvis,
successivt; så småningom
**graduate** [substantiv 'grædʒʊət, verb
'grædjʊeɪt] **I** s akademiker, person med
akademisk examen **II** vb itr o. vb tr **1** ta
akademisk examen; kvalificera sig [*as* till]
**2** gradera [*graduated in inches*]
**graduation** [ˌgrædjʊ'eɪʃ(ə)n] s **1** akademisk
examen; amer. skol. avgångsexamen
**2** gradering [~ *of a thermometer*]
**graffiti** [græ'fi:ti:] s pl väggklotter, klotter
**1 graft** [grɑ:ft] vb tr ympa; ympa in [*in,
into, on* i, på]
**2 graft** [grɑ:ft] s vard. korruption, mutor
**grain** [greɪn] s **1** sädeskorn, gryn [a ~ *of
rice*], frö **2** säd, spannmål **3** korn [~s *of
sand* (*salt*)], gryn; bildl. grand, gnutta [*not
a* ~ *of truth*]; *take a* ~ *with a* ~ *of salt*
ta ngt med en nypa salt **4** gran minsta eng.
vikt = 0,0648 g **5** ytas kornighet; ådring;
textur; *against the* ~ a) mot luggen
b) mot fibrernas längdriktning; *it goes
against the* ~ *for me to* bildl. det strider
mot min natur att
**gram** [græm] s speciellt amer. gram
**grammar** ['græmə] s grammatik
**grammarian** [grə'meərɪən] s grammatiker
**grammatical** [grə'mætɪk(ə)l] adj
grammatisk
**gramme** [græm] s gram
**gramophone** ['græməfəʊn] s grammofon
**granary** ['grænərɪ] s spannmålsmagasin
**grand** [grænd] **I** adj **1** stor, pampig;
storslagen [a ~ *view*]; förnäm, fin; ~ *old
man* grand old man, nestor; ~ *opera*
opera seriös o. utan talpartier; ~ *piano* flygel
**2** stor, störst, förnämst **3** vard. utmärkt **II** s
mus. flygel

**grandchild** ['græntʃaɪld] (pl. *grandchildren* ['græntʃɪldr(ə)n]) s barnbarn
**granddad** ['grændæd] s vard. farfar; morfar
**granddaughter** ['græn‚dɔ:tə] s sondotter; dotterdotter
**grandeur** ['grændʒə] s storslagenhet, prakt
**grandfather** ['grænd‚fɑ:ðə] s farfar; morfar; ~ (*grandfather's*) *clock* golvur
**grandiose** ['grændɪəʊs] adj storslagen
**grandma** ['grænmɑ:] s o. **grandmamma** ['grænmə‚mɑ:] s vard. farmor; mormor
**grandmother** ['grænd‚mʌðə] s farmor; mormor
**grandpa** ['grænpɑ:] s o. **grandpapa** ['grænpə‚pɑ:] s vard. farfar; morfar
**grandparents** ['grænd‚peər(ə)nts] s farföräldrar; morföräldrar
**grandson** ['grændsʌn] s sonson; dotterson
**grandstand** ['grændstænd] s huvudläktare, åskådarläktare vid tävlingar
**grange** [greɪndʒ] s lantgård; utgård
**granite** ['grænɪt] s granit
**granny** ['grænɪ] s vard. farmor; mormor
**grant** [grɑ:nt] I vb tr **1** bevilja; tillerkänna **2** anslå pengar [*towards* till]; skänka **3** medge; *take a th. for granted* ta ngt för givet II s **1** anslag, bidrag; stipendium; *government* ~ statsanslag, statsbidrag **2** beviljande, anslående
**granulate** ['grænjʊleɪt] vb tr göra kornig, granulera; *granulated sugar* strösocker
**grape** [greɪp] s vindruva; ~ *hyacinth* pärlhyacint
**grapefruit** ['greɪpfru:t] s grapefrukt
**graphite** ['græfaɪt] s grafit, blyerts
**grapple** ['græpl] vb itr, ~ *with* strida (slåss) med [~ *with the enemy*]; brottas med
**grasp** [grɑ:sp] I vb tr **1** fatta tag i, gripa; gripa om, hålla fast **2** fatta, begripa [~ *the point*] II s **1** grepp, tag; *beyond* (*within*) *his* ~ utom (inom) räckhåll för honom **2** uppfattning, förståelse; *have a good* ~ *of the subject* ha ett bra grepp om ämnet
**grass** [grɑ:s] s **1** gräs **2** sl. marijuana
**grasshopper** ['grɑ:s‚hɒpə] s gräshoppa
**grass roots** [‚grɑ:s'ru:ts] s pl, *the* ~ bildl. gräsrötterna, det enkla folket
**grass widow** [‚grɑ:s'wɪdəʊ] s gräsänka
**grass widower** [‚grɑ:s'wɪdəʊə] s gräsänkling
**1 grate** [greɪt] vb tr o. vb itr **1** riva [~ *cheese*]; smula sönder **2** gnissla, knarra; skorra illa; ~ *one's teeth* skära tänder
**2 grate** [greɪt] s rist, spisgaller; öppen spis

**grateful** ['greɪtf(ʊ)l] adj tacksam [*to* mot]
**grater** ['greɪtə] s rivjärn; skrapare, rasp
**gratification** [‚grætɪfɪ'keɪʃ(ə)n] s tillfredsställelse; nöje, njutning
**gratify** ['grætɪfaɪ] vb tr tillfredsställa; göra belåten
**gratifying** ['grætɪfaɪɪŋ] adj glädjande, angenäm
**1 grating** ['greɪtɪŋ] adj gnisslande; skärande, skorrande [~ *voice*]
**2 grating** ['greɪtɪŋ] s galler, gallerverk
**gratitude** ['grætɪtju:d] s tacksamhet [*to* mot]
**gratuity** [grə'tju:ətɪ] s drickspengar
**1 grave** [greɪv] adj allvarlig, grav
**2 grave** [greɪv] s grav; gravvård
**grave-digger** ['greɪv‚dɪgə] s dödgrävare
**gravel** ['græv(ə)l] s grus, grov sand
**graveyard** ['greɪvjɑ:d] s kyrkogård, begravningsplats
**gravitation** [‚grævɪ'teɪʃ(ə)n] s gravitation, tyngdkraft
**gravity** ['grævətɪ] s **1** allvar **2** tyngd, vikt; *centre of* ~ tyngdpunkt; *specific* ~ densitet **3** tyngdkraft; *the law of* ~ tyngdlagen, gravitationslagen
**gravy** ['greɪvɪ] s köttsaft; sky
**gray** [greɪ] adj amer. grå
**1 graze** [greɪz] I vb tr o. vb itr **1** snudda vid, tuscha **2** skrapa, skrubba [~ *one's knee*]; ~ *against* snudda vid, skrapa mot II s skrubbsår
**2 graze** [greɪz] vb itr o. vb tr beta; låta beta; valla [~ *sheep*]
**grease** [gri:s] I s fett, talg, flott; smörja II vb tr smörja, rundsmörja
**greasepaint** ['gri:speɪnt] s teat. smink
**greaseproof** ['gri:spru:f] adj, ~ *paper* smörgåspapper, smörpapper
**greasy** ['gri:sɪ, 'gri:zɪ] adj fet [~ *food*]; oljig; hal [*a* ~ *road*]; flottig
**great** [greɪt] adj **1** stor; *Great Britain* Storbritannien; *Great Dane* grand danois; *a* ~ *big man* vard. en stor stark karl; ~ *friends* mycket goda vänner **2** stor, framstående **3** om tid lång [*a* ~ *interval*]; hög [*a* ~ *age*]; *a* ~ *while* en lång stund **4** vard. härlig, underbar [*a* ~ *sight*]; storartad; *that's* ~! el. ~ fint!, utmärkt!; *we had a* ~ *time* vi hade jättetrevligt
**greatcoat** ['greɪtkəʊt] s överrock
**great-grandchild** [‚greɪt'græntʃaɪld] (pl. *great-grandchildren* [‚greɪt'græn‚tʃɪldr(ə)n]) s barnbarnsbarn

**great-granddaughter** [ˌgreɪt'grænˌdɔːtə] s
sons (dotters) sondotter (dotterdotter)
**great-grandfather** [ˌgreɪt'grændˌfɑːðə] s
farfars (farmors) far; morfars (mormors)
far
**great-grandmother** [ˌgreɪt'grændˌmʌðə] s
farfars (farmors) mor; morfars
(mormors) mor
**great-grandson** [ˌgreɪt'grændsʌn] s sons
(dotters) sonson (dotterson)
**greatly** ['greɪtlɪ] adv mycket, i hög grad
**greatness** ['greɪtnəs] s **1** storlek i omfång,
grad **2** storhet
**grebe** [griːb] s zool. dopping
**Grecian** ['griːʃ(ə)n] adj grekisk i stil [~
nose]
**Greece** [griːs] Grekland
**greed** [griːd] s glupskhet; girighet
**greedy** ['griːdɪ] adj glupsk; girig
**greedy-guts** ['griːdɪgʌts] s sl. matvrak
**Greek** [griːk] **I** s **1** grek; grekinna
**2** grekiska språket **II** adj grekisk
**green** [griːn] **I** adj **1** grön; keep a p.'s
memory ~ hålla ngns minne levande
**2** oerfaren, 'grön'; naiv **II** s **1** grönt
**2** allmän gräsplan; plan, bana [speciellt i
sammansättningar bowling-green]; the village
~ byallmänningen **3** grönska **4** pl. ~s vard.
grönsaker
**greenery** ['griːnərɪ] s grönska
**greenfly** ['griːnflaɪ] s bladlus
**greengage** ['griːngeɪdʒ] s renklo, reine
claude slags plommon
**greengrocer** ['griːnˌgrəʊsə] s frukt- och
grönsakshandlare
**greengrocery** ['griːnˌgrəʊsərɪ] s **1** frukt-
och grönsaksaffär **2** frukt och grönsaker
handelsvaror
**greenhorn** ['griːnhɔːn] s bildl. gröngöling
**greenhouse** ['griːnhaʊs] s växthus; ~
effect växthuseffekt
**Greenland** ['griːnlənd] Grönland
**Greenwich** ['grɪnɪdʒ] geogr.; ~ Mean Time
Greenwichtid standardtid
**greet** [griːt] vb tr **1** hälsa [he greeted me
with a nod] **2** välkomna, ta emot t.ex. gäst
**3** om syn, ljud möta [a surprising sight
greeted us]
**greeting** ['griːtɪŋ] s hälsning; ~s telegram
lyckönskningstelegram, lyxtelegram
**grenade** [grɪ'neɪd] s mil. granat
**grenadier** [ˌgrənə'dɪə] s grenadjär
**grew** [gruː] se grow
**grey** [greɪ] **I** adj grå **II** s grått **III** vb itr gråna

**greyhound** ['greɪhaʊnd] s vinthund; ~
racing hundkapplöpning
**grid** [grɪd] s **1** galler; rist
**2** kraftledningsnät
**gridiron** ['grɪdˌaɪən] s halster; grill; rost
**grief** [griːf] s sorg, bedrövelse [for över; at
vid, över]; come to ~ råka illa ut; gå
omkull, stranda
**grievance** ['griːv(ə)ns] s
missnöjesanledning; have a ~ ha något
att klaga över
**grieve** [griːv] vb itr sörja [at, for över]
**grievous** ['griːvəs] adj sorglig, smärtsam,
pinsam, svår; allvarlig [a ~ error]
**grill** [grɪl] **I** vb tr **1** halstra, grilla, steka på
halster **2** bildl. halstra, grilla i korsförhör **II** s
**1** grillrätt **2** halster, grill
**grille** [grɪl] s **1** skyddsgaller **2** grill på bil
**grillroom** ['grɪlruːm] s grill restaurang
**grim** [grɪm] adj **1** hård, sträng [~
determination] **2** bister [a ~ expression]
**grimace** [grɪ'meɪs] **I** s grimas **II** vb itr
grimasera
**grime** [graɪm] **I** s ingrodd smuts, sot **II** vb tr
smutsa (sota) ned
**grimy** ['graɪmɪ] adj smutsig, sotig
**grin** [grɪn] **I** vb itr flina, grina; ~ and bear
it hålla god min i elakt spel **II** s flin; grin
**grind** [graɪnd] **I** (ground ground) vb tr o. vb
itr **1** mala **2** slipa; polera; ground glass
matt (mattslipat) glas **3** skrapa, skrapa
med, skava [on, against på, mot]; ~ one's
teeth skära tänder; ~ to a halt stanna
med ett gnissel; bildl. köra fast **4** vard., ~
(~ away) at one's studies plugga **II** s
vard. knog, slit, slitgöra
**grinder** ['graɪndə] s kvarn [coffee-grinder];
slipmaskin
**grindstone** ['graɪndstəʊn] s slipsten
**grip** [grɪp] **I** s **1** grepp, tag, fattning [of
om] **2** handtag, grepp på väska m.m.
**3** hårklämma **4** get (come) to ~s with
bildl. komma inpå livet, ge sig i kast med
**II** vb tr **1** gripa om, fatta tag i [~ the
railing] **2** bildl. gripa, fängsla
**gripping** ['grɪpɪŋ] adj gripande, fängslande
**grisly** ['grɪzlɪ] adj hemsk, kuslig, gräslig
**gristle** ['grɪsl] s i kött brosk
**grit** [grɪt] **I** s **1** sandkorn; sand, grus **2** bildl.
vard. gott gry, fasthet, kurage **II** vb tr
gnissla med; ~ one's teeth skära tänder
**gritty** ['grɪtɪ] adj grusig, sandig, grynig
**grizzle** ['grɪzl] vb itr om barn grina, gnälla
**grizzled** ['grɪzld] adj gråsprängd

**grizzly** ['grɪzlɪ] **I** adj gråaktig; gråhårig; ~
**bear** nordamerikansk gråbjörn **II** s gråbjörn
**groan** [grəʊn] **I** vb itr stöna [~ with av];
digna [under, beneath under börda]; om t.ex.
trä knaka **II** s stönande, jämmer
**grocer** ['grəʊsə] s specerihandlare;
**grocer's shop** (speciellt amer.
store) speceriaffär
**grocery** ['grəʊsərɪ] s **1** mest pl. **groceries**
specerier **2** speceriaffär [amer. äv. ~ store]
**grog** [grɒg] s sjö. toddy på rom, whisky el.
konjak
**groggy** ['grɒgɪ] adj vard. ostadig;
vacklande; speciellt sport. groggy
**groin** [grɔɪn] s ljumske; vard. skrev
**groom** [gruːm] **I** s **1** brudgum **2** stalldräng
**II** vb tr **1** sköta, ansa hästar **2** göra snygg;
**badly groomed** ovårdad **3** träna, trimma
[~ a political candidate]
**groove** [gruːv] s **1** fåra, räffla, skåra; spår i
t.ex. grammofonskiva; fals; gänga på skruv
**2** bildl. hjulspår, slentrian
**groovy** ['gruːvɪ] adj sl. toppenskön, mysig
**grope** [grəʊp] vb itr o. vb tr treva, famla
[for efter]; ~ **one's way** treva sig fram
**gross** [grəʊs] **I** adj **1** grov, rå, krass [~
materialism]; skriande, flagrant [~
injustice]; ~ **negligence** jur. grov
oaktsamhet **2** fet, uppsvälld **3** total-,
brutto-; ~ **national product** (förk. GNP)
se GNP **II** s gross 12 dussin [two ~ pens]
**grossly** ['grəʊslɪ] adv grovt, starkt [~
exaggerated]
**grotesque** [grəʊ'tesk] adj grotesk; barock
[that is quite ~]
**grotto** ['grɒtəʊ] (pl. ~s) s grotta
**1 ground** [graʊnd] se grind I
**2 ground** [graʊnd] **I** s **1** mark; jord; grund;
~ **crew** (staff) flyg. markpersonal; it
would suit me down to the ~ vard. det
skulle passa mig alldeles precis **2** terräng;
plats [parade ~], plan [football ~];
anläggning, stadion; **gain** ~ vinna
terräng; **hold** (**stand**) **one's** ~ hävda sin
ställning, stå på sig; **lose** ~ förlora terräng
**3** pl. ~s inhägnat område, stor tomt **4** pl. ~s
bottensats, sump [coffee-grounds] **5** speciellt
amer. elektr. jordkontakt, jordledning
**6** grund; underlag, botten [on a white ~]
**7** anledning, grund, orsak; **there is no** ~
(are no ~s) **for anxiety** det finns ingen
anledning till oro; **on the** ~ **of** el. **on the**
~s **of** med anledning (på grund) av **II** vb
tr **1** grunda, bygga, basera [on på] **2** flyg.
tvinga att landa; förbjuda (hindra) att

flyga; **all aircraft are grounded** inga
plan kan starta **3** elektr. jorda
**ground floor** [ˌgraʊnd'flɔː] s bottenvåning,
första våning, bottenplan
**groundless** ['graʊndləs] adj grundlös,
ogrundad
**group** [gruːp] **I** s grupp **II** vb tr o. vb itr
gruppera; gruppera sig
**1 grouse** [graʊs] s zool. ripa
**2 grouse** [graʊs] vard. **I** s knot, knorrande
**II** vb itr knota, knorra [about över]
**grove** [grəʊv] s skogsdunge; lund
**grovel** ['grɒvl] vb itr kräla i stoftet, krypa
**grovelling** ['grɒvlɪŋ] adj krypande,
inställsam
**grow** [grəʊ] (grew grown) vb itr o. vb tr
**1** växa, växa upp; utvecklas; utvidgas;
stiga, öka, ökas; låta växa; ~ **up** växa
upp, bli fullvuxen; **be grown up** vara
vuxen (stor); ~ **a beard** lägga sig till med
skägg **2** småningom bli [~ better]; **be**
**growing** börja bli [be growing old] **3** ~ **to**
+ infinitiv mer och mer börja, komma att
[I grew to like it] **4** odla [~ potatoes]
**grower** ['grəʊə] s odlare, producent
**growl** [graʊl] **I** vb itr morra, brumma [at
åt] **II** s morrande
**grown** [grəʊn] **I** se grow **II** adj fullvuxen
**grown-up** ['grəʊnʌp] **I** adj vuxen [a ~ son]
**II** s vuxen
**growth** [grəʊθ] s **1** växt; tillväxt [the ~ of
the city]; utveckling [the ~ of trade];
utvidgning **2** odling **3** växt, växtlighet,
vegetation
**grub** [grʌb] **I** vb itr gräva, rota, böka **II** s
**1** zool. larv, mask **2** vard. käk
**grubby** ['grʌbɪ] adj smutsig; sjaskig
**grudge** [grʌdʒ] **I** vb tr **1** knorra över
**2** missunna, avundas **II** s avund; **have a** ~
**against a p.** hysa agg till ngn
**grudging** ['grʌdʒɪŋ] adj motvillig;
missunnsam
**gruel** [grʊəl] s välling
**gruelling** ['grʊəlɪŋ] adj vard. mycket
ansträngande; sträng [a ~
cross-examination]
**gruesome** ['gruːsəm] adj hemsk, kuslig
**gruff** [grʌf] adj grov; sträv, barsk
**grumble** ['grʌmbl] **I** vb itr knota, knorra
[about, at över] **II** s morrande; knot
**grumpy** ['grʌmpɪ] adj knarrig, butter
**grunt** [grʌnt] **I** vb itr grymta **II** s grymtning
**guarantee** [ˌgærən'tiː] **I** s **1** garanti;
säkerhet **2** garant **II** vb tr garantera [~
peace]; gå i borgen för, gå i god för; **this**

*clock is guaranteed for one year* det är ett års garanti på den här klockan

**guarantor** [ˌgærənˈtɔː] *s* garant; borgensman

**guard** [gɑːd] **I** *vb tr* o. *vb itr* **1** bevaka, vakta; vara på sin vakt [*against* mot] **2** skydda, bevara; gardera **II** *s* **1** vakthållning, bevakning; ~ *of honour* hedersvakt; *keep* ~ hålla (stå på) vakt; *be off one's* ~ inte vara på sin vakt; *catch a p. off his* ~ överrumpla ngn **2** vakt, väktare **3** pl. *~s* garde [*Horse Guards*] **4** konduktör på tåg

**guarded** [ˈgɑːdɪd] *adj* **1** bevakad, vaktad **2** förbehållsam [*a* ~ *reply*]

**guardian** [ˈgɑːdjən] *s* **1** väktare; bevakare; attributivt skydds- [~ *angel*] **2** jur. förmyndare

**guardroom** [ˈgɑːdruːm] *s* mil. vaktrum, vaktlokal; arrestrum

**guardsman** [ˈgɑːdsmən] *s* gardesofficer; gardist

**Guatemala** [ˌgwɑːtəˈmɑːlə]

**Guernsey** [ˈgɜːnzɪ]

**guerrilla** [gəˈrɪlə] *s* **1** ~ *warfare* gerillakrigföring **2** gerillasoldat; pl. *~s* äv. gerillatrupper, gerilla

**guess** [ges] **I** *vb tr* o. *vb itr* **1** gissa **2** speciellt amer. vard. tro, förmoda; *I* ~ *so* jag tror det **II** *s* gissning, förmodan; *at a* ~ gissningsvis

**guesswork** [ˈgeswɜːk] *s* gissning, gissningar

**guest** [gest] *s* gäst; främmande; ~ *of honour* hedersgäst

**guest-house** [ˈgesthaʊs] *s* pensionat, gästhem

**guffaw** [gʌˈfɔː] **I** *s* gapskratt, flabb **II** *vb itr* gapskratta, flabba

**guidance** [ˈgaɪd(ə)ns] *s* ledning; vägledning; rådgivning [*marriage* ~]

**guide** [gaɪd] **I** *vb tr* leda, vägleda, ledsaga **II** *s* **1** vägvisare; guide, reseledare; ledning [*serve as a* ~] **2** handbok, resehandbok, guide, katalog; *railway* ~ tågtidtabell **3** flickscout

**guidebook** [ˈgaɪdbʊk] *s* resehandbok, guide

**guideline** [ˈgaɪdlaɪn] *s* riktlinje

**guild** [gɪld] *s* gille, skrå; sällskap

**guildhall** [ˌgɪldˈhɔːl] *s* gilleshus, rådhus

**guile** [gaɪl] *s* svek, förräderi; list

**guillotine** [ˌgɪləˈtiːn] **I** *s* giljotin **II** *vb tr* giljotinera

**guilt** [gɪlt] *s* skuld [*proof of his* ~]

**guilty** [ˈgɪltɪ] *adj* **1** skyldig [~ *of* (till) *murder*]; *find a p.* ~ förklara ngn skyldig; *plead* ~ erkänna sig skyldig **2** skuldmedveten [*a* ~ *look*]; *a* ~ *conscience* dåligt samvete

**guinea pig** [ˈgɪnɪpɪg] *s* **1** marsvin **2** försökskanin

**guise** [gaɪz] *s*, *in the* ~ *of* förklädd till; *under the* ~ *of* under sken av

**guitar** [gɪˈtɑː] *s* gitarr

**guitarist** [gɪˈtɑːrɪst] *s* gitarrist

**gulf** [gʌlf] *s* **1** golf, bukt; vik; *the Gulf Stream* Golfströmmen; *the Gulf of Mexico* Mexikanska golfen **2** bildl. klyfta

**gull** [gʌl] *s* mås, trut

**gullet** [ˈgʌlɪt] *s* matstrupe; strupe

**gullible** [ˈgʌləbl] *adj* lättlurad, lättrogen

**gulp** [gʌlp] **I** *vb tr*, ~ *down* el. ~ svälja, stjälpa i sig **II** *s* sväljning; klunk

**1 gum** [gʌm] *s*, mest pl. *~s* tandkött

**2 gum** [gʌm] **I** *s* **1** gummi; kåda **2** slags gelékaramell **3** ~ *boots* gummistövlar **II** *vb tr* gummera; ~ *together* klistra ihop

**gun** [gʌn] **I** *s* **1** kanon; bössa, gevär **2** vard. revolver; pistol **3** *grease* ~ smörjspruta **4** *big* ~ sl. stor kanon; pamp; *stick to one's ~s* bildl. stå på sig **II** *vb tr* vard., ~ *down* skjuta ner

**gunboat** [ˈgʌnbəʊt] *s* kanonbåt

**gunfire** [ˈgʌnˌfaɪə] *s* artillerield

**gunge** [gʌndʒ] *s* o. **gunk** [gʌŋk] *s* vard. gegga, smörja, kladd

**gunman** [ˈgʌnmən] (pl. *gunmen* [ˈgʌnmən]) *s* gangster, revolverman, bandit

**gunner** [ˈgʌnə] *s* kanonjär; artillerist

**gunpowder** [ˈgʌnˌpaʊdə] *s* krut

**gunrunner** [ˈgʌnˌrʌnə] *s* vapensmugglare

**gunwale** [ˈgʌnl] *s* reling

**gurgle** [ˈgɜːgl] **I** *vb itr* **1** klunka, klucka **2** gurgla **II** *s* porlande; gurglande ljud

**gush** [gʌʃ] **I** *vb itr* **1** välla fram, forsa, strömma **2** vard. vara översvallande **II** *s* **1** ström, stråle **2** vard. sentimentalt svammel, flum

**gusset** [ˈgʌsɪt] *s* kil i klädesplagg

**gust** [gʌst] *s* häftig vindstöt, kastvind

**gusto** [ˈgʌstəʊ] *s*, *with great* ~ med stort välbehag

**gusty** [ˈgʌstɪ] *adj* byig, stormig

**gut** [gʌt] **I** *s* **1** tarm; tarmkanal **2** tarmsträng, kattgut **3** tafs till metrev; gut **II** *vb tr* **1** rensa fisk **2** tömma, rensa; *gutted by fire* utbränd av eld

**guts** [gʌts] *s pl* sl. **1** inälvor, tarmar

129

**2** mage, buk **3** kurage; *he has got no ~*
han är feg
**gutter** ['gʌtə] s **1** rännsten; *~ press*
skandalpress **2** avloppsränna, avloppsrör
**3** takränna
**guttersnipe** ['gʌtəsnaɪp] s
**1** rännstensunge **2** vard. knöl, tölp
**guy** [gaɪ] s vard. karl, kille
**guzzle** ['gʌzl] vb itr o. vb tr supa, pimpla;
vräka i sig
**guzzler** ['gʌzlə] s fylltratt; matvrak
**gym** [dʒɪm] s vard. kortform för *gymnasium,
gymnastics*
**gymnasium** [dʒɪm'neɪzjəm] s
gymnastiksal, idrottslokal
**gymnast** ['dʒɪmnæst] s gymnast
**gymnastic** [dʒɪm'næstɪk] **I** adj gymnastisk
**II** s, *~s* gymnastik
**gynaecological** [ˌgaɪnɪkə'lɒdʒɪk(ə)l] adj
gynekologisk
**gynaecologist** [ˌgaɪnɪ'kɒlədʒɪst] s
gynekolog
**gypsy** ['dʒɪpsɪ] s o. adj se *gipsy*
**gyrate** [ˌdʒaɪ'reɪt] vb itr rotera, virvla runt
**gyrocompass** ['dʒaɪrəˌkʌmpəs] s
gyrokompass
**gyroscope** ['dʒaɪərəskəʊp] s gyroskop

# H

**H, h** [eɪtʃ] s H, h
**ha** [hɑː] interj ha!, åh!; *~ ~!* ha, ha!
**habit** ['hæbɪt] s **1** vana; *a bad ~* en ovana,
en dålig (ful) vana; *be in the ~ of* ha för
vana att, bruka **2** litt. dräkt
**habitable** ['hæbɪtəbl] adj beboelig
**habitation** [ˌhæbɪ'teɪʃ(ə)n] s **1** beboende
**2** litt. boning, bostad
**habit-forming** ['hæbɪtˌfɔːmɪŋ] adj
vanebildande
**habitual** [hə'bɪtjʊəl] adj **1** invand, inrotad;
vanemässig **2** inbiten, vane- [*a ~
drunkard*] **3** vanlig [*a ~ sight*]
**habitually** [hə'bɪtjʊəlɪ] adv jämt
**hack** [hæk] **I** vb tr hacka; hacka sönder
**II** vb itr data. hacka (bryta) sig in i
datasystem
**hacker** ['hækə] s data. hacker
**hackneyed** ['hæknɪd] adj banal, utnött
**hacksaw** ['hæksɔː] s bågfil metallsåg
**had** [hæd, obetonat həd] se *have*
**haddock** ['hædək] s kolja
**hadn't** ['hædnt] = *had not*
**haemorrhage** ['hemərɪdʒ] s blödning;
*cerebral ~* hjärnblödning
**haemorrhoids** ['hemərɔɪdz] s pl
hemorrojder
**haft** [hɑːft] s handtag, skaft på dolk, kniv
**hag** [hæg] s häxa; hagga
**haggard** ['hægəd] adj utmärglad, tärd
**haggle** ['hægl] vb itr pruta; köpslå
**Hague** [heɪg] s, *The ~* Haag
**1 hail** [heɪl] **I** s hagel; bildl. skur [*a ~ of
blows*] **II** vb itr hagla
**2 hail** [heɪl] **I** vb tr o. vb itr **1** hälsa, hylla
[*~ a p. (~ a p. as) leader*] **2** kalla på; ropa
till sig **3** *~ from* vara från, höra hemma i
[*he ~s from Boston*] **II** interj hell!
**hailstone** ['heɪlstəʊn] s hagel
**hailstorm** ['heɪlstɔːm] s hagelby, hagelskur
**hair** [heə] s hår; hårstrå; *do one's ~*
kamma sig; *have one's ~ cut* klippa sig,
klippa håret; *split ~s* ägna sig åt
hårklyverier
**hairbrush** ['heəbrʌʃ] s hårborste
**hair clip** ['heəklɪp] s hårklämma
**hair curler** ['heəˌkɜːlə] s hårspole, papiljott
**haircut** ['heəkʌt] s hår- klippning; *have
(get) a ~* klippa sig
**hairdo** ['heəduː] (pl. *~s*) s vard. frisyr

**hairdresser** ['heə,dresə] *s* frisör; hårfrisörska; *hairdresser's* frisersalong

**hair drier** ['heə,draɪə] *s* hårtork

**hairgrip** ['heəgrɪp] *s* hårklämma

**hair lotion** ['heə,ləʊʃ(ə)n] *s* hårvatten

**hairpiece** ['heəpiːs] *s* postisch

**hairpin** ['heəpɪn] *s* hårnål

**hair-raising** ['heə,reɪzɪŋ] *adj* hårresande

**hairslide** ['heəslaɪd] *s* hårspänne

**hairsplitting** ['heə,splɪtɪŋ] *s* hårklyveri, hårklyverier, spetsfundigheter

**hair style** ['heəstaɪl] *s* frisyr

**hairy** ['heərɪ] *adj* hårig; luden

**hake** [heɪk] *s* zool. kummel

**hale** [heɪl] *adj*, ~ *and hearty* frisk och kry

**half** [hɑːf] **I** (pl. *halves* [hɑːvz]) *s* **1** halva, hälft; *too clever by* ~ väl (lite för) slipad; *cut in* ~ skära itu **2** sport. halvlek **II** *adj* halv [~ *my time*]; ~ *an hour* en halvtimme **III** *adv* halvt, till hälften, halv- [~ *cooked*]; *at* ~ *past five* (vard. *at* ~ *five*) klockan halv sex

**half-caste** ['hɑːfkɑːst] *s* halvblod

**half-hearted** [,hɑːf'hɑːtɪd] *adj* halvhjärtad

**half-mast** [,hɑːf'mɑːst] *s*, *at* ~ på halv stång

**halfpence** ['heɪp(ə)ns] *s* värdet av en halvpenny

**halfpenny** ['heɪpnɪ] *s* halvpenny mynt

**halfway** [,hɑːf'weɪ, attributivt 'hɑːfweɪ] **I** *adj* som ligger halvvägs **II** *adv* halvvägs

**halibut** ['hælɪbət] *s* hälleflundra

**hall** [hɔːl] *s* **1** sal; hall; aula; *lecture* ~ föreläsningssal **2** *concert* ~ konserthus; *town* (*city*) ~ stadshus, rådhus **3** entré, hall, farstu

**hallelujah** [,hælɪ'luːjə] *s* o. *interj* halleluja

**hallmark** ['hɔːlmɑːk] *s* **1** guldsmedsstämpel, kontrollstämpel **2** kännemärke

**hallo** [hə'ləʊ] *interj* hallå!, hej!

**hallow** ['hæləʊ] *vb tr* helga; *hallowed* ['hæləʊɪd] *be thy name* bibl. helgat varde ditt namn

**Hallowe'en** [,hæləʊ'iːn] *s* speciellt skotsk. el. amer. allhelgonaafton 31 oktober

**hallucination** [hə,luːsɪ'neɪʃ(ə)n] *s* hallucination, synvilla

**halo** ['heɪləʊ] (pl. ~*s* el. *haloes*) *s* gloria

**halt** [hɔːlt] **I** *s* halt, rast, paus, uppehåll **II** *vb itr* stanna, göra halt

**halve** [hɑːv] *vb tr* **1** halvera **2** minska till hälften

**halves** [hɑːvz] *s* se *half I*

**ham** [hæm] *s* **1** skinka [*a slice of* ~] **2** pl. ~*s* anat. skinkor, bakdel

**hamburger** ['hæmbɜːgə] *s* kok. hamburgare

**hamlet** ['hæmlət] *s* liten by speciellt utan kyrka

**hammer** ['hæmə] **I** *s* **1** hammare; slägga äv. sport. **2** auktionsklubba **II** *vb tr* o. *vb itr* hamra på; spika fast (upp); hamra, slå, dunka

**hammock** ['hæmək] *s* hängmatta; *garden* ~ hammock

**1 hamper** ['hæmpə] *s* korg [*luncheon* ~]

**2 hamper** ['hæmpə] *vb tr* hindra, hämma

**hamster** ['hæmstə] *s* hamster

**hand** [hænd] **I** *s* **1** hand; *win* ~*s down* vinna med lätthet; ~*s off!* bort med tassarna!; ~*s up!* a) upp med händerna! b) räck upp en hand!; *wait on a p.* ~ *and foot* passa upp på ngn; *get* (*gain*) *the upper* ~ få (ta) övertaget; *change* ~*s* övergå i andra händer; *give* (*lend*) *a p. a* ~ ge ngn en hjälpande hand; *have a* ~ *in a th.* vara inblandad i ngt □ *close (near) at* ~ till hands; nära förestående; *by* ~ för hand [*done by* ~]; *in* = a) i hand (handen); till sitt förfogande [*money in* ~] b) i sin hand, under kontroll c) *one game in* ~ en match mindre spelad; *take in* ~ ta hand om; *play* **into** *a p.'s* ~*s* spela i händerna på ngn; *off* ~ på rak arm; *get a th. off one's* ~*s* slippa ifrån ngt; *on* ~ till hands; i sin ägo; *out of* ~ ur kontroll, oregerlig

**2** visare på ur [*second-hand*] **3** *on one* (*on the one*) ~...*on the other* ~ å ena sidan...å andra sidan; *learn a th. at first* ~ få veta ngt i första hand **4** person a) arbetare, man [*how many* ~*s are employed?*] b) *a bad* (*good*) ~ *at* dålig (duktig) i **5** handstil **6** vard. applåder; *give a p. a big* ~ ge ngn en stor applåd

**II** *vb tr* räcka, lämna, ge [*a th. to a p.*]; ~ *down* lämna i arv, låta gå i arv; ~ *in* lämna in, inge; ~ *on* skicka (låta gå) vidare; ~ *out* dela ut, lämna ifrån sig; ~ *over to* överlåta (överlämna) åt (till)

**handbag** ['hændbæg] *s* handväska

**handbrake** ['hændbreɪk] *s* handbroms

**handclap** ['hændklæp] *s* handklappning

**handcuff** ['hændkʌf] **I** *s* handklove, handboja **II** *vb tr* sätta handklovar (handbojor) på

**handful** ['hændfʊl] *s* handfull

**handicap** ['hændɪkæp] **I** *s* **1** sport. handicap

**2 handikapp** II *vb tr* **1** sport. ge handicap
**2 handikappa**
**handicraft** ['hændıkrɑːft] *s* hantverk, slöjd
**handiwork** ['hændıwɜːk] *s* skapelse; verk
**handkerchief** ['hæŋkətʃıf] *s* näsduk
**handle** ['hændl] I *vb tr* **1** ta i, beröra
**2** hantera [~ *tools*]; handha, handskas
(umgås) med **3** sköta; ta, behandla,
handskas med; klara [~ *a situation*] II *s*
handtag, skaft; vev
**handlebar** ['hændlbɑː] *s*, pl. ~**s** styrstång,
styre på cykel
**handling** ['hændlıŋ] *s* hantering,
behandling; *his* ~ *of...* hans sätt att
handskas med...
**handmade** ['hænd'meıd] *adj* handgjord,
tillverkad för hand
**handout** ['hændaʊt] *s* vard. **1** stencil som
delas ut **2** reklamlapp **3** allmosa, gåva
**handpick** [ˌhænd'pık] *vb tr* handplocka äv.
bildl.
**handrail** ['hændreıl] *s* ledstång, räcke
**handshake** ['hændʃeık] *s* handslag
**handsome** ['hænsəm] *adj* **1** vacker, ståtlig,
stilig **2** fin, storslagen, ansenlig
**hand-to-hand** [ˌhændtə'hænd] *adj*, ~
*fighting* strider man mot man,
handgemäng
**handwriting** ['hændˌraıtıŋ] *s* handstil,
skrift
**handy** ['hændı] *adj* **1** händig, skicklig,
praktisk **2** till hands [*have a th.* ~]
**hang** [hæŋ] I (*hung hung*; i betydelsen avliva
genom hängning *hanged hanged*) *vb tr* o. *vb
itr* hänga; ~ *it!* vard. jäklar också!; *well I'll
be hanged!* det var som tusan! □ ~ *about*
(**around**) gå och driva; hänga i (på); ~
**behind** hålla sig bakom (efter); ~ **on**
a) hänga (bero) på b) hänga (hålla) fast,
hänga (hålla) sig fast [*to* vid, i] c) ~ *on a
moment* (*minute*)! vänta (dröj) ett
ögonblick!; ~ **up** a) fördröja [*the work was
hung up by the strike*] b) ringa av, lägga på
luren II *s* **1** fall [*the* ~ *of a gown*] **2** vard.,
*get the* ~ *of* komma underfund med, få
grepp på **3** vard., *I don't give* (*care*) *a* ~
det bryr jag mig inte ett dugg om
**hangar** ['hæŋə, 'hæŋgɑː] *s* hangar
**hanger** ['hæŋə] *s* hängare, galge
**hanging** ['hæŋıŋ] *s* **1** upphängning
**2** hängning straff **3** oftast pl. ~**s** förhängen,
draperier
**hangout** ['hæŋaʊt] *s* vard. tillhåll
**hangover** ['hæŋˌəʊvə] *s* vard. baksmälla
**hangup** ['hæŋʌp] *s* vard. komplex, fix idé

**hanker** ['hæŋkə] *vb itr*, ~ *after* längta efter
**hanky** ['hæŋkı] *s* vard. näsduk
**hanky-panky** [ˌhæŋkı'pæŋkı] *s* vard.
**1** smussel, fuffens **2** vänsterprassel
**haphazard** [ˌhæp'hæzəd] *adj* tillfällig,
slumpmässig
**happen** ['hæp(ə)n] *vb itr* **1** hända [*to a p.*
ngn], ske, inträffa; *how did it* ~*?* hur
gick det till?; *as it* ~**s** (*happened*)
händelsevis; *as it* ~**s**, *I have...* jag råkar
ha...; *you don't* ~ *to have matches on
you?* du har väl händelsevis inte
tändstickor på dig? **2** amer., ~ *in* titta in
**happening** ['hæpənıŋ] *s* händelse
**happily** ['hæpəlı] *adv* lyckligt; lyckligtvis
**happiness** ['hæpınəs] *s* lycka, glädje
**happy** ['hæpı] *adj* lycklig, glad; lyckad; *A
Happy New Year!* gott nytt år!
**happy-go-lucky** [ˌhæpıgəʊ'lʌkı] *adj*
sorglös, lättsinnig
**harangue** [hə'ræŋ] *s* harang
**harass** ['hærəs, speciellt amer. hə'ræs] *vb tr*
plåga; trakassera
**harbour** ['hɑːbə] I *s* hamn II *vb tr*
härbärgera, ge skydd åt, hysa
**hard** [hɑːd] I *adj* **1** hård, fast; ~ *cash*
(*money*) reda pengar, kontanter **2** hård,
häftig [*a* ~ *fight*]; ~ *labour* jur.
straffarbete **3** svår [*a* ~ *question*]; *be* ~ *of
hearing* höra dåligt **4** hård, känslolös;
sträng; tung [*a* ~ *life*], tryckande; om
klimat sträng, hård, svår; ~ *lines* (*luck*)
vard. otur; *be* ~ *on a p.* vara hård (sträng)
mot ngn II *adv* **1** hårt, häftigt, kraftigt;
strängt; flitigt **2** *be* ~ *up* vard. ha ont om
pengar
**hard-and-fast** [ˌhɑːdən'fɑːst] *adj* orubblig,
benhård [~ *rules*]
**hardback** ['hɑːdbæk] I *adj* inbunden om
bok II *s* inbunden bok
**hard-boiled** [ˌhɑːd'bɔıld] *adj* **1** hårdkokt [~
*eggs*] **2** hårdkokt, kallhamrad
**harden** ['hɑːdn] *vb tr* o. *vb itr* göra hård
(hårdare); härda; förhärda; hårdna;
härdas; förhärdas; *hardened* förhärdad
[*a hardened criminal*], luttrad
**hard-hearted** [ˌhɑːd'hɑːtıd] *adj* hård
**hard-hit** [ˌhɑː'hıt] *adj* hårt drabbad
**hardly** ['hɑːdlı] *adv* knappt, knappast [*that
is* ~ *right*], inte gärna; ~ *ever* nästan
aldrig
**hardship** ['hɑːdʃıp] *s* vedermöda, prövning
**hardware** ['hɑːdweə] *s* **1** järnvaror; ~
*store* amer. järnhandel **2** data. hårdvara,
maskinvara

**hard-working** ['hɑːd,wɜːkɪŋ] *adj* arbetsam
**hardy** ['hɑːdɪ] *adj* härdad, tålig, härdig
**hare** [heə] *s* **1** hare **2** sport., hundkapplöpning
hare
**harebell** ['heəbel] *s* bot., liten blåklocka
**harelipped** ['heəlɪpt] *adj* harmynt
**harem** ['hɑːriːm, hɑːˈriːm, amer. hæˈrəm] *s*
harem
**haricot** ['hærɪkəʊ] *s*, ~ *bean* el. ~
trädgårdsböna; speciellt skärböna,
brytböna
**hark** [hɑːk] *vb itr* lyssna
**harm** [hɑːm] **I** *s* skada, ont; *there is no ~
in trying* det skadar inte att försöka; *do
~* vålla skada; *I meant no ~* jag menade
inget illa; *out of harm's way* i säkerhet;
*keep out of harm's way* hålla sig undan,
akta sig **II** *vb tr* skada, göra ngn ont (illa)
**harmful** ['hɑːmf(ʊ)l] *adj* skadlig, fördärvlig
**harmless** ['hɑːmləs] *adj* oskadlig, ofarlig
**harmonica** [hɑːˈmɒnɪkə] *s* munspel
**harmonious** [hɑːˈməʊnjəs] *adj* harmonisk
**harmonize** ['hɑːmənaɪz] *vb itr* o. *vb tr*
harmoniera, stämma överens;
harmonisera
**harmony** ['hɑːmənɪ] *s* harmoni
**harness** ['hɑːnɪs] **I** *s* sele, seldon **II** *vb tr*
**1** sela; spänna för **2** utnyttja, exploatera
**harp** [hɑːp] **I** *s* mus. harpa **II** *vb itr*, ~ *on*
tjata om
**harpoon** [hɑːˈpuːn] **I** *s* harpun **II** *vb tr*
harpunera
**harpsichord** ['hɑːpsɪkɔːd] *s* mus. cembalo
**harrow** ['hærəʊ] **I** *s* harv **II** *vb tr* **1** harva
**2** plåga, pina
**harry** ['hærɪ] *vb tr* härja, plundra
**harsh** [hɑːʃ] *adj* hård, sträv, skorrande,
sträng [~ *treatment*]
**hart** [hɑːt] *s* hjort hanne
**harvest** ['hɑːvɪst] **I** *s* skörd [*ripe for ~*];
*reap the ~* skörda frukten **II** *vb tr* skörda
**harvester** ['hɑːvɪstə] *s* **1** skördeman,
skördearbetare **2** skördemaskin
**has** [hæz, obetonat həz], *he/she/it ~* han/
hon/den/det har; se vidare *have*
**has-been** ['hæzbɪn] *s* vard. fördetting
**hash** [hæʃ] **I** *vb tr* hacka sönder t.ex. kött **II** *s*
kok., slags ragu; hachis; *make a ~ of* bildl.
göra pannkaka av, röra till
**hashish** ['hæʃiːʃ] *s* haschisch
**hasn't** ['hæznt] = *has not*
**hasp** [hɑːsp] *s* hasp; klinka; spänne
**hassle** ['hæsl] vard. **I** *s* käbbel; krångel;
trakasseri **II** *vb itr* o. *vb tr* käbbla; krångla;
trakassera

**hassock** ['hæsək] *s* knäkudde, knäpall
**haste** [heɪst] *s* hast; brådska, jäkt; *make ~*
raska på, skynda sig
**hasten** ['heɪsn] *vb tr* o. *vb itr* påskynda,
driva på; skynda, skynda sig
**hasty** ['heɪstɪ] *adj* **1** brådskande,
skyndsam, snabb, hastig [*a ~ glance*]
**2** förhastad
**hat** [hæt] *s* hatt; *top* (*high*) ~ hög hatt;
*my ~!* vard. du store!, kors!; *talk through
one's ~* vard. prata i nattmössan; *keep
a th. under one's ~* hålla tyst om ngt
**1 hatch** [hætʃ] *s* **1** lucka, öppning; **2** sjö.
skeppslucka **3** *down the ~!* vard. skål!
**2 hatch** [hætʃ] *vb tr* o. *vb itr* kläcka, kläcka
ut; kläckas, kläckas ut
**hatchback** ['hætʃbæk] *s* bil. halvkombi
**hatchet** ['hætʃɪt] *s* yxa; *bury the ~*
begrava stridsyxan
**hate** [heɪt] **I** *s* hat, avsky **II** *vb tr* hata
**hateful** ['heɪtf(ʊ)l] *adj* förhatlig [*to* för]
**hat rack** ['hætræk] *s* hatthylla
**hatred** ['heɪtrɪd] *s* hat, ovilja, avsky
**hatter** ['hætə] *s* hattmakare; *as mad as a
~* spritt språngande galen
**hat trick** ['hættrɪk] *s* hat trick i fotboll: tre
mål av samma spelare i en match
**haughty** ['hɔːtɪ] *adj* högdragen, högmodig
**haul** [hɔːl] **I** *vb tr* speciellt sjö. hala, dra,
släpa **II** *s* **1** halning, drag **2** kap, byte
**haulage** ['hɔːlɪdʒ] *s*, ~ *contractors* åkeri
**haunch** [hɔːntʃ] *s* höft, länd; *sit on one's
haunches* sitta på huk
**haunt** [hɔːnt] **I** *vb tr* **1** ofta besöka, hålla
till i **2** spöka i; *haunted castle* spökslott
**3** om t.ex. tankar förfölja **II** *s* tillhåll
**haunting** ['hɔːntɪŋ] *adj* oförglömlig [*its ~
beauty*]; efterhängsen [*a ~ melody*]
**have** [hæv, obetonat həv] (*had had; he/she/it
has*) **I** *hjälpvb* ha [*I ~ (had) done it*] **II** *vb tr*
o. *vb itr* **1** ha, äga; ~ *a cold* vara förkyld
**2** göra, få sig, ta [~ *a walk (a bath)*] **3** få
[*I had a letter from him*]; äta [~ *dinner*],
dricka **4** ~ *it* i speciella betydelser: *rumour
has it that* ryktet går att; *he's had it* sl.
det är slut med honom; ~ *it your own
way!* gör som du vill!; ~ *it in for* vard. ha
ett horn i sidan till; ~ *it out with a p.*
göra upp (tala ut) med ngn **5** ~ *to* +
infinitiv vara (bli) tvungen att; *I ~ to go* jag
måste gå; *that will ~ to do* det får duga
**6** ~ *a th. done* se till att ngt blir gjort; få
ngt gjort; ~ *one's hair cut* klippa sig **7** ~
*a p. do a th.* låta ngn göra ngt [~ *your
doctor examine her*]; *I won't ~ you*

*playing in my room!* jag vill inte att ni leker i mitt rum! **8** itr., *you had better ask him* det är bäst att du frågar honom □ ~ **on** ha kläder på sig [*he had nothing on*]; *I ~ nothing on this evening* vard. jag har inget för mig i kväll; ~ *a tooth* **out** låta dra ut en tand

**haven** ['heɪvn] *s* hamn

**haven't** ['hævnt] = *have not*

**haversack** ['hævəsæk] *s* tornister, ryggsäck

**havoc** ['hævək] *s* ödeläggelse; *make ~* anställa förödelse; *make (play) ~ with* gå illa åt

**Hawaii** [hə'waɪɪ:]

**hawk** [hɔ:k] *s* hök; falk

**hawthorn** ['hɔ:θɔ:n] *s* hagtorn

**hay** [heɪ] *s* hö; *hit the ~* vard. knyta sig, krypa till kojs; *make ~* bärga hö; *make ~ of* bildl. vända upp och ned på; göra kål (slut) på; *make ~ while the sun shines* smida medan järnet är varmt; ta tillfället i akt

**hay fever** ['heɪˌfiːvə] *s* höfeber

**haystack** ['heɪstæk] *s* höstack

**hazard** ['hæzəd] **I** *s* **1** slump, hasard **2** risk, fara **II** *vb tr* riskera; våga [~ *a guess*]

**hazardous** ['hæzədəs] *adj* riskfylld

**haze** [heɪz] *s* dis, töcken

**hazel** ['heɪzl] **I** *s* hasselnöt **II** *adj* ljusbrun, nötbrun [~ *eyes*]

**hazelnut** ['heɪzlnʌt] *s* hasselnöt

**hazy** ['heɪzɪ] *adj* **1** disig, dimmig **2** bildl. dunkel, suddig [*a ~ recollection*]

**he** [hi:, obetonat hɪ] **I** (objektsform *him*) *pron* **1** han **2** den om person i allmän betydelse [~ *who lives will see*] **II** (pl. *~s*) *s* hanne, han [*our dog is a ~*] **III** *adj* i sammansättningar vid djurnamn han- [*he-dog*]; -hanne

**head** [hed] **I** *s* **1** huvud a) med annat substantiv: ~ *over ears (heels) in debt (in love)* upp över öronen skuldsatt (förälskad); *from ~ to foot* från topp till tå, fullständigt; *turn ~ over heels* slå (göra) en kullerbytta (volt) b) som objekt: *keep one's ~* hålla huvudet kallt, bibehålla fattningen; *laugh one's ~ off* vard. skratta ihjäl sig; *if they lay (put) their ~s together* om de slår sina kloka huvuden ihop; *lose one's ~* tappa huvudet, förlora fattningen c) med preposition el. adverb: *he is taller than Tom by a ~* han är huvudet längre än Tom; *win by a ~* vinna med en huvudlängd; ~ *first (foremost)* huvudstupa; *whatever*

*put that into your ~?* hur kunde du komma på den tanken (idén)?; *go to a p.'s ~* stiga ngn åt huvudet **2** chef, ledare, rektor; ~ *of state* statschef **3** a) *a (per) ~* per man (skaft) b) *twenty ~ of cattle* tjugo stycken nötkreatur **4** a) topp, spets; *the ~ of the table* övre ändan av bordet, hedersplatsen b) huvud [*the ~ of a nail*]; *a ~ of cabbage* ett kålhuvud c) *~s or tails?* krona eller klave?; *I cannot make ~ or tail of it* vard. jag blir inte klok på det d) *bring matters to a ~* driva saken till sin spets; *come to a ~* komma till en kris

**II** *adj* huvud- [~ *office*], över-; främsta, första

**III** *vb tr* o. *vb itr* **1** anföra, leda [~ *a procession*]; stå i spetsen för; ~ *the list* stå överst på listan **2** förse med huvud (rubrik) **3** vända, rikta, styra [~ *one's ship for* (mot) *the harbour*], sträva, sätta kurs; *headed for* på väg mot, destinerad till **4** fotb. nicka, skalla **5** bildl., *be heading for a th.* gå ngt till mötes

**headache** ['hedeɪk] *s* huvudvärk

**headcheese** ['hedtʃiːz] *s* amer. pressylta

**headdress** ['heddres] *s* huvudbonad

**header** ['hedə] *s* fotb. nick, skalle

**headgear** ['hedgɪə] *s* huvudbonad

**heading** ['hedɪŋ] *s* **1** rubrik, överskrift, titel **2** avdelning, stycke **3** fotb. nickning, skallning

**headlamp** ['hedlæmp] *s* bil. strålkastare

**headland** ['hedlənd] *s* hög udde

**headlight** ['hedlaɪt] *s* bil. strålkastare; *drive with ~s on* köra på helljus

**headline** ['hedlaɪn] *s* rubrik; *hit (make) the ~s* bli (vara) rubrikstoff

**headlong** ['hedlɒŋ] *adv* huvudstupa [*fall ~*]; besinningslöst [*rush ~ into danger*]

**headmaster** [ˌhed'mɑːstə] *s* rektor

**headmistress** [ˌhed'mɪstrəs] *s* kvinnlig rektor

**head-on** [ˌhed'ɒn] *adj* o. *adv* med huvudet före; ~ *collision* frontalkrock

**headphone** ['hedfəʊn] *s*, vanl. pl. *~s* hörlurar; hörtelefon

**headquarters** [ˌhed'kwɔːtəz] (pl. lika) *s* högkvarter, högkvarteret

**headrest** ['hedrest] *s* huvudstöd, nackstöd

**headroom** ['hedruːm] *s* trafik. fri höjd

**headstrong** ['hedstrɒŋ] *adj* egensinnig

**head teacher** [ˌhed'tiːtʃə] *s* rektor

**head waiter** [ˌhed'weɪtə] *s* hovmästare

**headway** ['hedweɪ] *s,* ***make*** ~ komma framåt, göra framsteg

**headword** ['hedwɜːd] *s* uppslagsord

**heal** [hiːl] *vb tr* o. *vb itr* bota, läka, läkas

**health** [helθ] *s* **1** hälsa, hälsotillstånd; ~ *certificate* friskintyg; ~ *food store* hälsokostbod; ~ *insurance* sjukförsäkring; ~ *service* hälsovård **2** *drink to a p.'s* ~ el. *drink a p.'s* ~ dricka ngns skål; *your* ~*!* el. *good* ~*!* skål!

**health resort** ['helθrɪˌzɔːt] *s* kurort

**healthy** ['helθɪ] *adj* frisk; vid god hälsa [*be* ~]; sund, hälsosam

**heap** [hiːp] **I** *s* hög, hop **II** *vb tr,* ~ *up* (*together*) el. ~ hopa, lägga i en hög, stapla; råga [*a heaped spoonful*]

**hear** [hɪə] (*heard heard*) *vb tr* o. *vb itr* **1** höra; lyssna på (till); få höra, få veta; ~*! ~!* utrop av bifall ja!, ja!, instämmer!; ~ *of* höra talas om; *I won't* ~ *of such a thing* jag vill inte veta 'av något sådant **2** jur. förhöra [~ *a witness*]

**heard** [hɜːd] se *hear*

**hearer** ['hɪərə] *s* åhörare

**hearing** ['hɪərɪŋ] *s* **1** hörsel; *be hard of* ~ vara lomhörd, höra dåligt **2** *in a p.'s* ~ i ngns närvaro, så att ngn hör; *within* (*out of*) ~ inom (utom) hörhåll **3** åhörande; förhör; *gain a* ~ vinna gehör; *give a p. a fair* ~ ge ngn en chans att försvara sig

**hearing aid** ['hɪərɪŋeɪd] *s* hörapparat

**hearsay** ['hɪəseɪ] *s* hörsägen, rykte, rykten

**hearse** [hɜːs] *s* likvagn

**heart** [hɑːt] *s* **1** hjärta; sinne [*a man after my* (*after my own*) ~]; ~ *failure* hjärtslag; *change of* ~ sinnesförändring; ~ *and soul* adverb med liv och lust, med hela sin själ; *bless my* ~ *and soul!* el. *bless my* ~*!* vard. kors i all min dar!; *put one's* ~ *and soul into...* el. *put one's* ~ *into...* lägga ner hela sin själ i...; *break a p.'s* ~ krossa ngns hjärta; *it breaks my* ~ *to see...* det skär mig i hjärtat att se...; *he had his* ~ *in his mouth* han hade hjärtat i halsgropen; *lose* ~ tappa modet; *set one's* ~ *on a th.* fästa sig vid ngt; *at* ~ i själ och hjärta, i grund och botten; *we have it very much at* ~ det ligger oss mycket varmt om hjärtat; *at the bottom of one's* ~ innerst inne; *by* ~ utantill, ur minnet; *to one's heart's content* av hjärtans lust; så mycket man vill **2** kortsp. hjärterkort; pl. ~*s* hjärter

**heartache** ['hɑːteɪk] *s* hjärtesorg

**heartbreaking** ['hɑːtˌbreɪkɪŋ] *adj* hjärtskärande

**heartbroken** ['hɑːtˌbrəʊk(ə)n] *adj* med krossat hjärta, tröstlös

**hearten** ['hɑːtn] *vb tr* uppmuntra

**heartfelt** ['hɑːtfelt] *adj* djupt känd, hjärtlig

**hearth** [hɑːθ] *s* härd; eldstad, spis

**heartily** ['hɑːtəlɪ] *adv* hjärtligt; friskt; innerligt, fullständigt

**heart-to-heart** [ˌhɑːttə'hɑːt] *adj* förtrolig [*a* ~ *talk*]

**hearty** ['hɑːtɪ] *adj* **1** hjärtlig [*a* ~ *welcome*]; uppriktig **2** kraftig [*a* ~ *blow*]; **3** riklig [*a* ~ *meal*]

**heat** [hiːt] **I** *s* **1** hetta; värme; *in the* ~ *of the moment* i ett ögonblick av upphetsning **2** sport. heat, lopp; *dead* ~ dött lopp **3** brunst; *in* (*on, at*) ~ brunstig **II** *vb tr,* ~ *up* upphetta, värma upp

**heated** ['hiːtɪd] *perf p* o. *adj* upphettad; het, animerad, livlig [*a* ~ *discussion*]

**heater** ['hiːtə] *s* värmeapparat; värmare [*car* ~]

**heath** [hiːθ] *s* hed

**heathen** ['hiːð(ə)n] **I** *s* hedning, hedningarna **II** *adj* hednisk

**heather** ['heðə] *s* ljung

**heating** ['hiːtɪŋ] *s* upphettning, uppvärmning, eldning; *central* ~ centralvärme

**heat stroke** ['hiːtstrəʊk] *s* värmeslag

**heat wave** ['hiːtweɪv] *s* värmebölja

**heave** [hiːv] **I** *vb tr* lyfta, häva [ofta ~ *up*]; kasta **II** *s* hävning, lyftning; tag [*a mighty* ~]

**heaven** ['hevn] *s* himmel; himmelriket; *thank Heaven!* Gud vare tack och lov!

**heavenly** ['hevnlɪ] *adj* **1** himmelsk; ~ *bodies* himlakroppar **2** vard. gudomlig, underbar

**heavily** ['hevəlɪ] *adv* tungt [~ *loaded*], hårt [~ *taxed* (beskattad)], strängt [~ *punished*]; kraftigt [*it rained* ~]; mödosamt

**heavy** ['hevɪ] *adj* **1** tung; kraftig; ~ *traffic* tung trafik; livlig trafik **2** stor [~ *expenses*], svår [*a* ~ *loss* (*defeat*)]; stark, livlig; våldsam, häftig; *a* ~ *fine* höga böter; *a* ~ *smoker* en storrökare **3** ansträngande, hård [~ *work*]

**heavy-handed** [ˌhevɪ'hændɪd] *adj* hårdhänt

**heavy-hearted** [ˌhevɪ'hɑːtɪd] *adj* tungsint

**heavyweight** ['hevɪweɪt] *s* sport. tungvikt; tungviktare

**Hebrew** ['hi:bru:] I s 1 hebré 2 hebreiska språket II adj hebreisk
**heckle** ['hekl] vb tr häckla, avbryta
**hectic** ['hektık] adj hektisk, jäktig
**he'd** [hi:d] = he had, he would
**hedge** [hedʒ] I s häck II vb tr inhägna; omgärda, kringgärda
**hedgehog** ['hedʒhɒg] s igelkott
**hedgerow** ['hedʒrəʊ] s buskhäck, trädhäck
**heed** [hi:d] I vb tr bry sig om [~ a warning] II s, give (pay) ~ to ta hänsyn till; take ~ ta sig i akt
**heedless** ['hi:dləs] adj, ~ of obekymrad om
**heel** [hi:l] I s 1 häl; bakfot; klack; bakkappa på sko; kick (cool) one's ~s vänta, slå dank; turn on one's ~ (~s) svänga om på klacken; take to one's ~s lägga benen på ryggen 2 speciellt amer. sl. knöl, kräk II vb tr klacka [~ shoes]
**hefty** ['heftı] adj vard. bastant; kraftig [a ~ push]
**he-goat** ['hi:gəʊt] s bock
**heifer** ['hefə] s kviga
**height** [haıt] s 1 höjd; längd, storlek; what is your ~? hur lång är du? 2 kulle; topp [mountain ~s]; höjdpunkt, toppunkt; the ~ of fashion högsta modet; at its ~ på sin höjdpunkt
**heighten** ['haıtn] vb tr 1 göra högre, höja 2 bildl. förhöja [~ an effect], öka
**heinous** ['heınəs] adj skändlig, avskyvärd
**heir** [eə] s laglig arvinge, arvtagare
**heiress** ['eərıs] s arvtagerska
**heirloom** ['eəlu:m] s släktklenod, arvegods
**held** [held] se 1 hold I
**helicopter** ['helıkɒptə] s helikopter
**helium** ['hi:ljəm] s helium
**hell** [hel] s helvete, helvetet; oh, ~! jäklar också!; a ~ of a noise ett jäkla oväsen; what the ~ [do you want]? vad i helvete…?, vad fan…?; go to ~! dra åt helvete!
**he'll** [hi:l] = he will (shall)
**hellish** ['helıʃ] adj helvetisk, infernalisk
**hello** [hə'ləʊ] interj hallå!; hej!
**helm** [helm] s roder
**helmet** ['helmıt] s hjälm; kask
**helmsman** ['helmzmən] s rorgängare, rorsman
**help** [help] I vb tr o. vb itr 1 hjälpa; bistå; hjälpa till; ~ to hjälpa till att, bidra till att [this ~ s to explain] 2 ~ a p. to a th. servera ngn ngt; ~ oneself ta för sig [to (av) a th.]; ~ yourself! var så god! 3 låta

bli, hjälpa; I can't ~ laughing jag kan inte låta bli att skratta; [I won't do it] if I can ~ it …om jag slipper; it can't be helped det kan inte hjälpas, det är ingenting att göra åt det II s hjälp; be of ~ to a p. vara ngn till hjälp; it wasn't much (of much) ~ det var inte till stor hjälp
**helpful** ['helpf(ʊ)l] adj hjälpsam, tjänstvillig
**helping** ['helpıŋ] s portion [a ~ of pie]
**helpmate** ['helpmeıt] s medhjälpare
**Helsinki** [hel'sıŋkı, 'helsıŋkı] Helsingfors
**hem** [hem] I s fåll; kant II vb tr 1 fålla; kanta 2 ~ in stänga inne
**he-man** ['hi:mæn] (pl. he-men ['hi:men]) s vard. he-man, karlakarl
**hemisphere** ['hemısfıə] s halvklot
**hemp** [hemp] s hampa
**hen** [hen] s höna; ~ party vard. tjejfest; möhippa
**hence** [hens] adv 1 härav [~ it follows that…] 2 följaktligen 3 härefter; five years ~ äv. om fem år
**henceforth** [ˌhens'fɔ:θ] adv o.
**henceforward** [ˌhens'fɔ:wəd] adv hädanefter
**henchman** ['hentʃmən] (pl. henchmen ['hentʃmən]) s hejduk, hantlangare
**henpecked** ['henpekt] adj hunsad; a ~ husband en toffelhjälte
**her** [hɜ:] I pers pron (objektsform av she) 1 henne; om bil, land m.m. den, det 2 vard. hon [it's ~] 3 sig [she took it with ~] II poss pron hennes [it is ~ hat]; sin [she sold ~ house], dess
**herald** ['her(ə)ld] vb tr förebåda, inleda [~ a new era]
**herb** [hɜ:b] s ört; växt [collect ~s], kryddväxt
**herbal** ['hɜ:b(ə)l] adj ört- [~ medicine]
**herd** [hɜ:d] I s hjord [a ~ of cattle], flock II vb itr gå i hjord (i flock); ~ together flockas, samlas
**here** [hıə] adv här; hit; that's neither ~ nor there bildl. det hör inte till saken; ~ you are! här har du!, var så god!; se här!
**hereafter** [hıər'ɑ:ftə] adv härefter, hädanefter
**hereby** [ˌhıə'baı] adv härmed
**hereditary** [hı'redıtrı] adj ärftlig, arvs-
**heredity** [hı'redətı] s ärftlighet; arv
**heresy** ['herəsı] s kätteri; irrlära
**heretic** ['herətık] s kättare
**heretical** [hı'retık(ə)l] adj kättersk

**herewith** ['hɪə'wɪð] *adv* härmed

**hermit** ['hɜ:mɪt] *s* eremit; enstöring

**hernia** ['hɜ:njə] *s* bråck

**hero** ['hɪərəʊ] (pl. *heroes*) *s* hjälte

**heroic** [hɪ'rəʊɪk] *adj* heroisk; hjälte-; hjältemodig

**heroin** ['herə(ʊ)ɪn] *s* heroin

**heroine** ['herə(ʊ)ɪn] *s* hjältinna

**heroism** ['herə(ʊ)ɪz(ə)m] *s* hjältemod

**heron** ['herən] *s* häger

**herring** ['herɪŋ] *s* sill

**hers** [hɜ:z] *poss pron* hennes [*is that book ~?*]; sin [*she must take ~*]; jfr *1 mine*

**herself** [hə'self] *rfl pron* o. *pers pron* sig [*she brushed ~*], sig själv [*she helped ~*], själv [*she can do it ~*]

**Herzegovina** [ˌhɜ:tsəgə'vi:nə] Hercegovina

**he's** [hi:z, obetonat hɪz] = *he is, he has*

**hesitant** ['hezɪt(ə)nt] *adj* tvekande, tveksam

**hesitate** ['hezɪteɪt] *vb itr* tveka; vackla

**hesitation** [ˌhezɪ'teɪʃ(ə)n] *s* tvekan, tveksamhet

**heterogeneous** [ˌhetərəʊ'dʒi:nəs] *adj* heterogen, olikartad

**hew** [hju:] (*hewed hewed* el. *hewn*) *vb tr* hugga, hugga i något

**hewn** [hju:n] se *hew*

**hey** [heɪ] *interj* hej! för att påkalla uppmärksamhet; hallå!

**heyday** ['heɪdeɪ] *s* glansperiod, glansdagar

**hibernate** ['haɪbəneɪt] *vb itr* övervintra; gå i ide

**hibernation** [ˌhaɪbə'neɪʃ(ə)n] *s* övervintring; djurs vinterdvala; *go into ~* gå i ide

**hibiscus** [hɪ'bɪskəs] *s* bot. hibiskus

**hiccough** o. **hiccup** ['hɪkʌp] **I** *s* hickning, hicka; *have the ~s* ha hicka **II** *vb itr* hicka

**hid** [hɪd] se *2 hide*

**hidden** ['hɪdn] **I** se *2 hide* **II** *adj* gömd; dold, hemlig [*~ motives*]

**1 hide** [haɪd] *s* djurhud; skinn

**2 hide** [haɪd] (*hid hidden* el. *hid*) *vb tr* o. *vb itr* gömma, dölja [*from* för; *for* åt]; gömma sig

**hide-and-seek** [ˌhaɪdən'si:k] *s* kurragömma

**hideous** ['hɪdɪəs] *adj* otäck, ohygglig, gräslig

**hide-out** ['haɪdaʊt] *s* vard. gömställe, tillhåll

**1 hiding** ['haɪdɪŋ] *s*, *a good ~* ett ordentligt kok stryk

**2 hiding** ['haɪdɪŋ] *s*, *be in ~* hålla sig gömd; *go into ~* gömma sig

**hiding-place** ['haɪdɪŋpleɪs] *s* gömställe

**hierarchy** ['haɪərɑ:kɪ] *s* hierarki

**hi-fi** [ˌhaɪ'faɪ] (vard. för *high-fidelity*) *s* **1** hifi naturtrogen ljudåtergivning **2** hifi-anläggning

**high** [haɪ] **I** *adj* **1** hög; högt belägen; högre [*a ~ official*]; *~ life* den förnäma världen; *~ mass* katolsk högmässa; *~ priest* överstepräst; *~ street* huvudgata, storgata [ofta i namn *the High Street*]; *the ~ season* högsäsongen; *be ~ and mighty* vard. vara dryg (överlägsen); *it is ~ time you went* det är på tiden (hög tid) att du går **2** stark; intensiv; *~ pressure* högtryck; *~ tension* elektr. högspänning **3** vard. full, på snusen; sl. hög, tänd narkotikaberusad **4** *~ school* a) i Storbritannien: ungefär gymnasieskola [*~ school for girls*] b) i USA: *junior ~ school* ungefär grundskolans högstadium; *senior ~ school* ungefär gymnasieskola **II** *adv* högt **III** *s* **1** vard. topp, rekord, rekordsiffra **2** *on ~* i höjden (himmelen)

**high-and-mighty** [ˌhaɪənd'maɪtɪ] *adj* vard. högdragen, dryg

**highboard** ['haɪbɔ:d] *s* simn. trampolin

**highbrow** ['haɪbraʊ] vard. **I** *adj* intellektuell; neds. kultursnobbig **II** *s* kultursnobb

**high-class** [ˌhaɪ'klɑ:s] *adj* högklassig; förstklassig [*a ~ hotel*], kvalitets- [*a ~ article*]

**high-fidelity** [ˌhaɪfɪ'delətɪ] *adj* high fidelity-med naturtrogen ljudåtergivning [*a ~ set* (anläggning)]

**highflown** ['haɪfləʊn] *adj* högtravande

**high-handed** [ˌhaɪ'hændɪd] *adj* egenmäktig

**high-heeled** ['haɪhi:ld] *adj* högklackad

**high jump** ['haɪdʒʌmp] *s* sport. höjdhopp

**highland** ['haɪlənd] *s* högland; *the Highlands* Skotska högländerna

**Highlander** ['haɪləndə] *s* skotskhögländare

**highlight** ['haɪlaɪt] **I** *s* höjdpunkt; huvudattraktion **II** *vb tr* framhäva, accentuera

**highly** ['haɪlɪ] *adv* **1** högt [*~ esteemed*]; starkt [*~ seasoned*] **2** högst, ytterst [*~ interesting*]; *~ recommend* varmt rekommendera **3** *think ~ of a p.* ha höga tankar om ngn

**highly-strung** [ˌhaɪlɪ'strʌŋ] *adj* nervös; överspänd

**high-minded** [ˌhaɪ'maɪndɪd] *adj* högsint

**highness** ['haɪnəs] *s* **1** höjd, storlek **2** *His*

(*Her, Your*) **Highness** Hans (Hennes, Ers) Höghet

**high-octane** [ˌhaɪˈɒkteɪn] *adj* högoktanig

**high-pitched** [ˌhaɪˈpɪtʃt] *adj* hög, gäll

**high-powered** [ˌhaɪˈpaʊəd] *adj* **1** energisk, effektiv **2** stark, kraftig [*a ~ engine*]

**high-ranking** [ˈhaɪˌræŋkɪŋ] *adj* högt uppsatt, med hög rang

**high-rise** [ˈhaɪraɪz] *adj*, ~ *building* höghus

**highroad** [ˈhaɪrəʊd] *s* allmän landsväg; *the ~ to success* bildl. vägen till framgång

**high-spirited** [ˌhaɪˈspɪrɪtɪd] *adj* livlig

**highway** [ˈhaɪweɪ] *s* allmän landsväg

**highwayman** [ˈhaɪweɪmən] *s* stråtrövare

**hijack** [ˈhaɪdʒæk] vard. **I** *vb tr* kapa t.ex. flygplan; preja och råna (plundra) **II** *s* kapning

**hijacker** [ˈhaɪˌdʒækə] *s* vard. flygplanskapare; rånare

**hike** [haɪk] vard. **I** *s* fotvandring **II** *vb itr* fotvandra; promenera

**hiker** [ˈhaɪkə] *s* fotvandrare

**hilarious** [hɪˈleərɪəs] *adj* **1** uppsluppen; munter **2** festlig, dråplig

**hilarity** [hɪˈlærətɪ] *s* munterhet

**hill** [hɪl] *s* **1** kulle, berg; backe; *as old as the ~s* gammal som gatan, urgammal **2** hög, kupa av t.ex. jord, sand; stack [*ant-hill*]

**hillock** [ˈhɪlək] *s* mindre kulle; hög

**hillside** [ˈhɪlsaɪd] *s* bergssluttning, backsluttning, backe

**hilly** [ˈhɪlɪ] *adj* bergig, kullig, backig

**hilt** [hɪlt] *s* fäste, handtag på t.ex. svärd, dolk; *to* (*up to*) *the ~* helt och hållet

**him** [hɪm] *pers pron* (objektsform av *he*) **1** honom **2** vard. han [*it's ~*] **3** sig [*he took it with ~*]

**himself** [hɪmˈself] *rfl pron* o. *pers pron* sig [*he brushed ~*], sig själv [*he helped ~*]; själv [*he can do it ~*]

**1 hind** [haɪnd] *s* zool. hind

**2 hind** [haɪnd] *adj* bakre, bak- [*~ wheel*]; *get up on one's ~ legs* resa sig

**hinder** [ˈhɪndə] *vb tr* hindra [*from going* från att gå]; förhindra; avhålla

**hindquarter** [ˌhaɪndˈkwɔːtə] *s*, pl. ~*s* på djur länder, bakdel

**hindrance** [ˈhɪndr(ə)ns] *s* hinder [*to* för]

**Hindu** [ˌhɪnˈduː, attributivt ˈhɪnduː] **I** *s* hindu **II** *adj* hinduisk

**hinge** [hɪndʒ] **I** *s* gångjärn **II** *vb itr*, ~ *on* bildl. hänga (bero) på

**hint** [hɪnt] **I** *s* vink, antydan; tips **II** *vb* o. *vb itr* antyda; ~ *at* antyda, anspela på

**hip** [hɪp] *s* höft; länd

**hippo** [ˈhɪpəʊ] (pl. ~*s*) *s* vard. o.

**hippopotamus** [ˌhɪpəˈpɒtəməs] *s* flodhäst

**hire** [ˈhaɪə] **I** *s* hyra; hyrande; *for ~* att hyra; på taxibil ledig; *car ~ company* biluthyrningsfirma; *car ~ service* biluthyrning **II** *vb tr* **1** hyra; ~*d coach* abonnerad buss **2** speciellt amer. anställa **3** leja [*~ a murderer*]

**hire-purchase** [ˌhaɪəˈpɜːtʃəs] *s*, *buy* (*pay for*) *on ~* köpa på avbetalning

**his** [hɪz] *poss pron* hans [*it's ~ car*; *the car is ~*]; sin [*he sold ~ car*]

**hiss** [hɪs] **I** *vb itr* o. *vb tr* väsa, fräsa, vissla [*at* åt]; vissla åt **II** *s* väsning, fräsande

**historian** [hɪˈstɔːrɪən] *s* historiker

**historic** [hɪˈstɒrɪk] *adj* historisk, minnesvärd

**historical** [hɪˈstɒrɪk(ə)l] *adj* historisk

**history** [ˈhɪstərɪ] *s* **1** historia; historien [*the first time in ~*]; *ancient* (*mediaeval, modern*) ~ forntidens (medeltidens, nyare tidens) historia **2** berättelse

**hit** [hɪt] **I** (*hit hit*) *vb* o. *vb itr* **1** slå till; träffa [*he did not ~ me*]; slå [*at* mot]; ~ *back* slå tillbaka; ~ *out* slå omkring sig **2** köra, stöta mot, köra på [*the car ~ a tree*]; träffa; stöta, slå [*against* mot]; ~ *and run* smita om bilförare; ~ *on* (*upon*) komma (hitta) på **3** drabba [*feel* (*feel oneself*) ~]; *be hard* ~ drabbas hårt **II** *s* **1** slag, stöt; *direct* ~ fullträff **2** succé; schlager

**hitch** [hɪtʃ] **I** *vb tr* **1** rycka, dra **2** göra (binda) fast [*~ a horse to* (vid) *a tree*] **II** *s* **1** ryck, knyck **2** hinder, hake, aber [*a ~ in our plans*]; *technical* ~ tekniskt missöde

**hitchhike** [ˈhɪtʃhaɪk] **I** *vb itr* lifta **II** *s* lift

**hitchhiker** [ˈhɪtʃˌhaɪkə] *s* liftare

**hither** [ˈhɪðə] *adv* litt. hit; ~ *and thither* hit och dit

**hitherto** [ˌhɪðəˈtuː] *adv* hittills

**HIV** [ˌeɪtʃaɪˈviː] (förk. för *human immunodeficiency virus* humant immunbristvirus) HIV

**hive** [haɪv] *s* bikupa

**HMS** [ˌeɪtʃemˈes] förk. för *His* (*Her*) *Majesty's Ship*

**hoard** [hɔːd] **I** *s* samlat förråd, lager **II** *vb tr* o. *vb itr* samla (skrapa) ihop, samla på hög, hamstra, lagra [*~ food*]

**hoarder** [ˈhɔːdə] *s* hamstrare

**hoarding** [ˈhɔːdɪŋ] *s* affischplank

**hoarfrost** [ˌhɔːˈfrɒst] *s* rimfrost

**hoarse** [hɔːs] *adj* hes

**hoary** ['hɔ:rɪ] *adj* grå, grånad, vit av ålder
**hoax** [həʊks] **I** *vb tr* spela ngn ett spratt **II** *s* skämt, upptåg, skoj; bluff
**hobble** ['hɒbl] *vb itr* halta, linka, stappla
**hobby** ['hɒbɪ] *s* hobby
**hobby-horse** ['hɒbɪhɔ:s] *s* käpphäst
**hobnob** ['hɒbnɒb] *vb itr* umgås intimt [*with* med]
**hockey** ['hɒkɪ] *s* landhockey; **~ rink** ishockeybana; **~ stick** hockeyklubba
**hoe** [həʊ] *s* verktyg hacka
**hog** [hɒg] **I** *s* svin **II** *vb tr* vard. hugga för sig
**hoist** [hɔɪst] *vb tr* hissa [**~** *a flag*]; hissa (lyfta) upp [*on to* på]
**1 hold** [həʊld] **I** (*held held*) *vb tr* o. *vb itr* **1** hålla; hålla fast; bära (hålla) upp; hålla i sig, stå sig [*will the fine weather* **~?**]; **~ the line, please** tele. var god och vänta (dröj); **~ one's own (ground)** stå på sig, hålla stånd **2** hålla [*the rope held*]; tåla; **he can ~ his liquor** han tål en hel del sprit; **~ water** bildl. hålla, vara hållbar [*the theory doesn't* **~** *water*] **3** innehålla; rymma, ha plats för **4** inneha; inta [**~** *a high position*] **5** behålla, hålla kvar; hålla fången, fängsla [**~** *a p.'s attention*] **6** anordna, ställa till med; föra; hålla [**~** *a meeting*] **7** anse; ha, hysa [**~** *an opinion*]; **~ a th. against a p.** lägga ngn ngt till last □ **~ back** hålla tillbaka, hejda; hålla inne med [**~** *back information*]; **~ on** hålla fast, hålla sig fast, hålla på plats, hålla i sig [*to* i, vid; **~** *on to the rope*]; **~ on !** vänta ett tag!; **~ out a)** hålla (räcka) ut (fram) **b)** hålla ut, hålla stånd; räcka [*will the food* **~** *out?*]; **~ together** hålla ihop (samman); binda; **~ up a)** hålla (räcka, sträcka) upp; **~ up to** utsätta för; **~ up to ridicule** göra till ett åtlöje **b)** hålla uppe, stödja **c)** uppehålla, försena [*be held up by fog*], hejda, stanna [**~** *up the traffic*]
**II** *s* **1** tag, grepp, fäste; **catch (take, lay, seize) ~ of** ta (fatta, gripa) tag i, gripa; **have a ~ on** ha en hållhake på **2** brottn. grepp; boxn. fasthållning; **no ~s barred** alla grepp är tillåtna
**2 hold** [həʊld] *s* sjö. el. flyg. lastrum
**holdall** ['həʊldɔ:l] *s* rymlig bag (väska)
**holder** ['həʊldə] *s* **1** innehavare [**~** *of a championship*], upprätthållare [**~** *of a post*]; i sammansättningar -hållare [*record-holder*] **2** behållare; munstycke [*cigarette-holder*]

**hold-up** ['həʊldʌp] *s* **1** rånöverfall **2** avbrott, uppehåll; trafikstopp
**hole** [həʊl] *s* hål; vard. håla [*a wretched little* **~**]; djurs kula, lya
**holiday** ['hɒlədeɪ, 'hɒlədɪ] **I** *s* **1** helgdag; fridag; **bank ~** allmän helgdag, bankfridag **2** ledighet, semester [*a week's* **~**]; pl. **~s** ferier **II** *vb itr* semestra
**holiday-maker** ['hɒlədɪˌmeɪkə] *s* semesterfirare
**Holland** ['hɒlənd]
**hollow** ['hɒləʊ] **I** *adj* **1** ihålig **2** insjunken, infallen [**~** *cheeks*] **3** tom; falsk; värdelös [**~** *victory*] **II** *adv* vard. grundligt [*beat a p.* **~**] **III** *s* **1** ihålighet **2** håla; grop; bäcken, dal **IV** *vb tr* göra ihålig; **~ out** holka ur
**holly** ['hɒlɪ] *s* bot. järnek, kristtorn
**hollyhock** ['hɒlɪhɒk] *s* stockros
**holocaust** ['hɒləkɔ:st] *s* **1** brännoffer **2** stor förödelse **3** förintelse
**holster** ['həʊlstə] *s* pistolhölster
**holy** ['həʊlɪ] *adj* helig
**homage** ['hɒmɪdʒ] *s*, **pay (do) ~ to** hylla, bringa sin hyllning
**home** [həʊm] **I** *s* hem äv. anstalt; bostad; hemort; **there is no place like ~** el. **east or west, ~ is best** borta bra men hemma bäst; **make one's ~** bosätta sig □ **at ~ a)** hemma [*stay at* **~**], i hemmet; i hemlandet **b)** *feel at* **~** känna sig som hemma; **make yourself at ~** känn dig som hemma **c)** sport. hemma, på hemmaplan
**II** *adj* **1** hem- [**~** *life*]; hemma-; **Home Guard a)** hemvärn [*the Home Guard*] **b)** hemvärnsman **2** sport. hemma- [**~** *match (team)*]; **~ ground** hemmaplan **3** inhemsk [**~** *products*], inländsk; **~ affairs** inre angelägenheter; *the Home Secretary* i Storbritannien inrikesministern; *the ~ market* hemmamarknaden; *the Home Office* i Storbritannien inrikesdepartementet **4** **~ truths** beska sanningar
**III** *adv* **1** hem [*come* **~**], hemåt; *it's nothing to write* **~** *about* vard. det är ingenting att hurra för **2** hemma, hemkommen; framme; i (vid) mål **3** i (in) ordentligt [*drive a nail* **~**]; **bring a th. ~ to a p.** fullt klargöra ngt för ngn; **go ~** gå hem (in) [*the remark went* **~**]; ta skruv
**home-coming** ['həʊmˌkʌmɪŋ] *s* hemkomst
**home-grown** [ˌhəʊm'grəʊn] *adj* inhemsk [**~** *tomatoes*]

**horse**

**home help** [ˌhəʊm'help] *s* hemhjälp; hemsamarit

**homely** ['həʊmlɪ] *adj* **1** enkel, anspråkslös; vardaglig **2** hemtrevlig [*a ~ atmosphere*] **3** amer. alldaglig, tämligen ful [*a ~ face*]

**homesick** ['həʊmsɪk] *adj, be (feel) ~* längta hem, ha hemlängtan

**homeward** ['həʊmwəd] *adv* hemåt

**homewards** ['həʊmwədz] *adv* hemåt

**homework** ['həʊmwɜ:k] *s* hemarbete; hemläxor; *some (a piece of)* ~ en läxa

**homicide** ['hɒmɪsaɪd] *s* dråp, mord; mordkommissionen [äv. *the ~ squad*]

**homo** ['həʊməʊ] vard. **I** (pl. *~s*) *s* homofil **II** *adj* homofil

**homosexual** [ˌhəʊmə'seksjʊəl] *adj* o. *s* homosexuell

**homosexuality** [ˌhəʊməseksjʊ'ælətɪ] *s* homosexualitet

**honest** ['ɒnɪst] *adj* ärlig, hederlig, uppriktig [*~ opinion*]

**honestly** ['ɒnɪstlɪ] *adv* ärligt, hederligt

**honesty** ['ɒnɪstɪ] *s* ärlighet; hederlighet; *~ is the best policy* ärlighet varar längst

**honey** ['hʌnɪ] *s* **1** honung **2** vard. raring, sötnos

**honeycomb** ['hʌnɪkəʊm] *s* vaxkaka, honungskaka

**honeymoon** ['hʌnɪmu:n] **I** *s* smekmånad **II** *vb itr* fira smekmånad

**honeysuckle** ['hʌnɪˌsʌkl] *s* kaprifol

**honor** o. **honorable** amer., se *honour*, *honourable*

**honorary** ['ɒnərərɪ] *adj* heders- [*~ member*], honorär-, titulär- [*~ consul*]

**honour** ['ɒnə] **I** *s* ära; heder; *in a p.'s* ~ till ngns ära; *in ~ of* för att hedra (fira); *guard of* ~ hedersvakt; *on my* ~ på hedersord, på min ära **II** *vb tr* hedra, ära

**honourable** ['ɒnərəbl] *adj* hedervärd; ärofull [*~ peace*], hederlig, ärlig [*~ conduct*]

**hood** [hʊd] *s* **1** kapuschong; huva, hätta; luva **2** bil. sufflett; amer. motorhuv **3** vard. ligist, bov

**hoodlum** ['hu:dləm] *s* vard. ligist, bov

**hoodwink** ['hʊdwɪŋk] *vb tr* föra bakom ljuset

**hoof** [hu:f, hʊf] *s* hov

**hook** [hʊk] **I** *s* hake, krok; metkrok; telefonklyka; *by ~ or by crook* på ett eller annat sätt; *be off the ~* vard. ha kommit ur knipan **II** *vb tr* **1** få på kroken [*~ a rich husband*] **2** ~ *on* haka (kroka) fast (på) [*to* vid, i]

**hooked** [hʊkt] *adj* böjd, krökt, krokig

**hooker** ['hʊkə] *s* amer. sl. fnask

**hooky** ['hʊkɪ] *s* amer. vard., *play ~* skolka från skolan

**hooligan** ['hu:lɪgən] *s* huligan

**hooliganism** ['hu:lɪgənɪz(ə)m] *s* huliganism, ligistfasoner

**hoop** [hu:p] *s* tunnband

**hooray** [hʊ'reɪ] *interj* hurra!

**hoot** [hu:t] **I** *vb itr* skrika, hoa om uggla; tjuta om t.ex. ångvissla; tuta om t.ex. signalhorn **II** *s* **1** ugglas skrik, hoande; ångvisslas tjut; signalhorns tut **2** vard., *I don't care (give) a* ~ *(two ~s)!* det bryr jag mig inte ett dugg om

**hooter** ['hu:tə] *s* ångvissla; tuta, signalhorn

**Hoover** ['hu:və] **I** egennamn **II** *s* ®, *hoover* dammsugare **III** *vb tr* ®, *hoover* dammsuga

**1 hop** [hɒp] **I** *vb itr* o. *vb tr* **1** hoppa, skutta; hoppa över [*~ a ditch*] **2** sl., *~ it* sticka, försvinna **II** *s* hopp; skutt

**2 hop** [hɒp] *s* humleplanta; pl. *~s* humle

**hope** [həʊp] **I** *s* hopp, förhoppning; förtröstan [*in* på, till]; *you've got a ~ (some ~s)!* och det trodde du! **II** *vb itr* o. *vb tr* hoppas [*for* på]; hoppas på

**hopeful** ['həʊpf(ʊ)l] *adj* hoppfull, förhoppningsfull

**hopefully** ['həʊpfʊlɪ] *adv* **1** hoppfullt **2** förhoppningsvis

**hopeless** ['həʊpləs] *adj* hopplös; ohjälplig, omöjlig

**hopscotch** ['hɒpskɒtʃ] *s* hoppa hage lek; *play ~* hoppa hage

**horde** [hɔ:d] *s* hord; svärm

**horizon** [hə'raɪzn] *s* horisont

**horizontal** [ˌhɒrɪ'zɒntl] *adj* horisontal, horisontell

**hormone** ['hɔ:məʊn] *s* hormon

**horn** [hɔ:n] *s* **1** horn; *French ~* mus. valthorn **2** signalhorn **3** kok. strut [*cream ~*]

**hornet** ['hɔ:nɪt] *s* bålgeting

**horrible** ['hɒrəbl] *adj* fasansfull, ohygglig; hemsk

**horrid** ['hɒrɪd] *adj* avskyvärd, hemsk

**horrify** ['hɒrɪfaɪ] *vb tr* slå med fasa, förfära

**horror** ['hɒrə] *s* fasa, skräck

**horror-stricken** ['hɒrəˌstrɪk(ə)n] *adj* o. **horror-struck** ['hɒrəstrʌk] *adj* skräckslagen

**hors-d'œuvre** [ɔ:'dɜ:vr] *s* hors d'œuvre; pl. *~s* smårätter, assietter

**horse** [hɔ:s] *s* **1** häst; *eat like a ~* äta som

en häst; *work like a* ~ slita som ett djur
**2** torkställning för kläder [äv. *clothes-horse*];
bock
**horseback** ['hɔ:sbæk] *s, on* ~ till häst
**horse chestnut** [‚hɔ:s'tʃesnʌt] *s*
hästkastanj
**horseplay** ['hɔ:spleɪ] *s* skoj; spex
**horsepower** ['hɔ:s‚paʊə] (pl. lika) *s* hästkraft
**horse-race** ['hɔ:sreɪs] *s* hästkapplöpning
**horseradish** ['hɔ:s‚rædɪʃ] *s* pepparrot
**horse-trade** ['hɔ:streɪd] bildl. **I** *s* kohandel
**II** *vb itr* kohandla
**horse-trading** ['hɔ:s‚treɪdɪŋ] *s* bildl.
kohandel
**horticulture** ['hɔ:tɪkʌltʃə] *s*
trädgårdsodling, trädgårdsskötsel,
trädgårdskonst
**hose** [həʊz] **I** *s* **1** slang för t.ex. bevattning,
dammsugare **2** varuparti långstrumpor **II** *vb tr*
vattna, spruta
**hose pipe** ['həʊzpaɪp] *s* slang för bevattning
**hosiery** ['həʊzɪərɪ] *s* strumpor, trikåvaror
**hospitable** ['hɒspɪtəbl] *adj* gästfri,
gästvänlig
**hospital** ['hɒspɪtl] *s* sjukhus, lasarett
**hospitality** [‚hɒspɪ'tælətɪ] *s* gästfrihet
**1 host** [həʊst] *s* massa, mängd [*a ~ of
details*]
**2 host** [həʊst] *s* **1** värd **2** värdshusvärd
**hostage** ['hɒstɪdʒ] *s* gisslan
**hostel** ['hɒst(ə)l] *s* hospits, gästhem;
*youth* ~ vandrarhem
**hostess** ['həʊstɪs] *s* värdinna
**hostile** ['hɒstaɪl, amer. 'hɒstl] *adj* fiende-;
fientlig
**hostility** [hɒ'stɪlətɪ] *s* fientlighet
**hot** [hɒt] *adj* **1** het, varm; *go* (*sell*) *like ~
cakes* gå åt som smör (smör i solsken);
*get into ~ water* vard. få det hett om
öronen; *make it ~ for a p.* vard. göra livet
surt för ngn **2** om krydda stark; om smak
skarp **3** hetsig, häftig [*a ~ temper*] **4** vard.
rykande färsk, het [*~ news*]
**hot-blooded** [‚hɒt'blʌdɪd] *adj* hetlevrad,
hetsig; varmblodig
**hot dog** [‚hɒt'dɒg] *s* varm korv med bröd
**hotel** [həʊ'tel] *s* hotell
**hothead** ['hɒthed] *s* brushuvud
**hotheaded** [‚hɒt'hedɪd] *adj* hetsig, häftig
**hothouse** ['hɒthaʊs] *s* drivhus, växthus
**hotplate** ['hɒtpleɪt] *s* kokplatta,
värmeplatta
**hot-tempered** [‚hɒt'tempəd] *adj* hetlevrad
**hot-water** [‚hɒt'wɔ:tə] *adj*, *~ bottle*
varmvattenflaska; *~ tap* varmvattenskran

**hot-wire** ['hɒtwaɪə] *vb tr* bil. vard.
tjuvkoppla [*~ the engine*]
**hound** [haʊnd] **I** *s* **1** jakthund **2** fähund
**II** *vb tr* bildl. jaga, förfölja
**hour** ['aʊə] *s* **1** timme; tidpunkt; pl. *~s* äv.
arbetstid [*school ~s*]; *a quarter of an* ~ en
kvart; *keep early ~s* ha tidiga vanor;
*keep late ~s* ha sena vanor; *after ~s* efter
arbetstid; *at an early* ~ tidigt; *at a late* ~
sent; *for ~s and ~s* i timmar, timtals; *[he came] on the* ~
...på slaget; [*buses run*] *on the* ~ ...varje
hel timme **2** stund [*the ~ has come*]
**hourglass** ['aʊəglɑ:s] *s* timglas
**hour hand** ['aʊəhænd] *s* timvisare
**hourly** ['aʊəlɪ] **I** *adj* varje timme, i timmen
**II** *adv* varje timme [*two doses ~*]
**house** [substantiv haʊs, pl. 'haʊzɪz; verb
haʊz] **I** *s* **1** hus; vard. kåk; villa; bostad;
hem; *it's on the* ~ vard. det är huset som
bjuder; *invite a p. to one's* ~ bjuda hem
ngn; ~ *telephone* porttelefon; *set* (*put*)
*one's* ~ *in order* beställa om sitt hus; *as
safe as ~s* så säkert som aldrig det; *like a
~ on fire* vard. med rasande fart **2** *the
Houses of Parliament* parlamentshuset i
London; *the House of Commons*
underhuset; *the House of Lords*
överhuset; *the House of Representatives*
representanthuset i kongressen i USA **3** teat.
salong; *there was a full* ~ det var utsålt
hus; *bring down the* ~ (*the ~ down*) ta
publiken med storm **4** firma; *publishing*
~ förlag
**II** *vb tr* **1** härbärgera, hysa, ta emot; *the
club is housed there* klubben har sina
lokaler där **2** rymma, innehålla
**house agent** ['haʊs‚eɪdʒənt] *s*
fastighetsmäklare
**housebreaking** ['haʊs‚breɪkɪŋ] *s* inbrott i
hus etc.
**housebroken** ['haʊs‚brəʊk(ə)n] *adj* speciellt
amer. rumsren om t.ex. hund
**household** ['haʊshəʊld] **I** *s* hushåll, hus
**II** *adj* hushålls-, hem-; ~ *name* känt
namn, kändis
**householder** ['haʊs‚həʊldə] *s*
husinnehavare, lägenhetsinnehavare
**house-hunting** ['haʊs‚hʌntɪŋ] *pres p, go* ~
gå på jakt efter hus
**housekeeper** ['haʊs‚ki:pə] *s* hushållerska,
husföreståndarinna
**housekeeping** ['haʊs‚ki:pɪŋ] *s* hushållning;
~ *money* hushållspengar

**housemaid** ['haʊsmeɪd] *s* husa, husjungfru
**house-owner** ['haʊs‚əʊnə] *s* villaägare, fastighetsägare
**house trailer** ['haʊs‚treɪlə] *s* amer. husvagn
**housetrained** ['haʊstreɪnd] *adj* rumsren om t.ex. hund
**house-warming** ['haʊs‚wɔ:mɪŋ] *s* o. *adj*, ~ el. ~ *party* inflyttningsfest i nytt hem
**housewife** ['haʊswaɪf] (pl. *housewives* ['haʊswaɪvz]) *s* hemmafru
**housework** ['haʊswɜ:k] *s* hushållsarbete
**housing** ['haʊzɪŋ] *s* **1** inhysande, härbärgering **2** bostäder [*modern* ~]; ~ *accommodation* bostad, bostäder; ~ *estate* bostadsområde; ~ *shortage* bostadsbrist
**hovel** ['hɒv(ə)l] *s* skjul; ruckel
**hover** ['hɒvə] *vb itr* om t.ex. fåglar, flygplan sväva, kretsa [*over* över]
**hovercraft** ['hɒvəkrɑ:ft] (pl. lika) *s* svävare, svävfarkost
**how** [haʊ] *adv* **1** hur; ~ *do you do?* god dag! vid presentation; ~ *are you?* hur står det till ?, hur mår du?; ~ *ever* hur i all världen **2** så, vad, hur i utrop; ~ *kind you are!* vad du är snäll!
**however** [haʊ'evə] **I** *adv* hur…än [~ *rich he may be*] **II** *konj* emellertid
**howl** [haʊl] **I** *vb itr* tjuta, vina; yla; vråla; ~ *with laughter* tjuta av skratt **II** *s* tjut, vinande; ylande; vrål
**howler** ['haʊlə] *s* vard. groda; grovt fel
**hr.** (förk. för *hour*) tim.
**hrs.** (förk. för *hours*) tim.
**hub** [hʌb] *s* **1** nav, hjulnav **2** centrum [*a* ~ *of commerce*]
**hubbub** ['hʌbʌb] *s* larm, stoj; ståhej
**hubby** ['hʌbɪ] *s* vard., äkta man; *my* ~ min gubbe
**hubcap** ['hʌbkæp] *s* navkapsel
**huddle** ['hʌdl] *vb tr* o. *vb itr* **1** *be huddled together* ligga tätt tryckta intill varandra; *huddled up* hopkrupen **2** ~ el. ~ *together* skocka ihop sig; trycka sig intill varandra, krypa ihop
**hue** [hju:] *s* färg [*the* ~*s of the rainbow*]; färgskiftning, nyans; bildl. schattering
**huff** [hʌf] **I** *vb itr*, ~ *and puff* blåsa och flåsa **II** *s, be in* (*get into*) *a* ~ vara (bli) förnärmad
**huffy** ['hʌfɪ] *adj* butter, tjurig [*in a* ~ *mood*]
**hug** [hʌg] **I** *vb tr* omfamna, krama **II** *s* omfamning, kram
**huge** [hju:dʒ] *adj* väldig, jättestor, enorm

**hulk** [hʌlk] *s* holk, hulk gammalt fartygsskrov
**hull** [hʌl] *s* fartygsskrov
**hullabaloo** [‚hʌləbə'lu:] *s* ståhej, rabalder
**hullo** [‚hʌ'ləʊ] *interj* hallå!, hej!
**hum** [hʌm] **I** *vb itr* o. *vb tr* **1** surra; brumma; om trafik brusa **2** gnola, nynna; gnola (nynna) på [~ *a song*] **II** *s* surrande; brum; sorl [*a* ~ *of voices*]
**human** ['hju:mən] **I** *adj* mänsklig, människo- [*the* ~ *body*]; ~ *being* mänsklig varelse, människa; *the* ~ *race* människosläktet **II** *s* människa vanl. i motsats till djur
**humane** [hju'meɪn] *adj* human, människovänlig
**humanism** ['hju:mənɪz(ə)m] *s* **1** mänsklighet, humanitet **2** humanism
**humanitarian** [hju‚mænɪ'teərɪən] **I** *s* människovän **II** *adj* humanitär; människovänlig
**humanity** [hju'mænətɪ] *s* **1** mänskligheten, människosläktet **2** människokärlek
**humble** ['hʌmbl] **I** *adj* **1** ödmjuk, underdånig; undergiven; *your* ~ *servant* Er ödmjuke tjänare; i skrivelser vördsammast **2** låg [*a* ~ *post*], blygsam, enkel [*a man of* ~ *origin*] **II** *vb tr* förödmjuka; ~ *oneself* ödmjuka sig
**humbug** ['hʌmbʌg] *s* **1** humbug, skoj, bluff **2** humbug, skojare, bluffmakare **II** *interj*, ~*!* prat!, snack! **III** *vb tr* lura, dra vid näsan
**humdrum** ['hʌmdrʌm] *adj* enformig [*a* ~ *life*], tråkig [*a* ~ *job*]
**humid** ['hju:mɪd] *adj* fuktig [~ *air*]
**humidity** [hju'mɪdətɪ] *s* fukt, fuktighet
**humiliate** [hju'mɪlɪeɪt] *vb tr* förödmjuka
**humiliation** [hju‚mɪlɪ'eɪʃ(ə)n] *s* förödmjukelse, förödmjukande
**humility** [hju'mɪlətɪ] *s* ödmjukhet
**humorist** ['hju:mərɪst] *s* humorist; skämtare
**humorous** ['hju:mərəs] *adj* humoristisk; skämtsam
**humour** ['hju:mə] **I** *s* **1** humor, skämtlynne; *sense of* ~ sinne för humor **2** a) humör b) sinnelag; *in a bad* (*good*) ~ på dåligt (gott) humör **II** *vb tr* blidka
**hump** [hʌmp] *s* **1** puckel, knöl **2** vard., *he's got the* ~ han deppar
**hunch** [hʌntʃ] *vb tr*, ~ *up* el. ~ kröka, dra upp [*sit with one's shoulders hunched up*] **II** *s* **1** puckel **2** vard., *I have a* ~ *that* jag har på känn att
**hunchback** ['hʌntʃbæk] *s* puckelrygg

**hunchbacked** ['hʌntʃbækt] *adj* puckelryggig

**hundred** ['hʌndrəd] *räkn* o. *s* hundra; hundratal; *a ~ per cent* hundraprocentig, fullständig; *~s of people* hundratals människor

**hundredfold** ['hʌndrədfəʊld] I *adv, a ~* hundrafalt, hundrafaldigt II *s, a ~* hundrafalt

**hundredth** ['hʌndrədθ] I *räkn* hundrade II *s* hundradel

**hundredweight** ['hʌndrədweɪt] *s* ungefär centner a) britt. = 50,8 kg b) amer. = 45,36 kg

**hung** [hʌŋ] se *hang I*

**Hungarian** [hʌŋ'geərɪən] I *adj* ungersk II *s* **1** ungrare **2** ungerska språket

**Hungary** ['hʌŋgərɪ] Ungern

**hunger** ['hʌŋgə] I *s* hunger; *~ strike* hungerstrejk II *vb itr* svälta, hungra

**hungry** ['hʌŋgrɪ] *adj* hungrig

**hunt** [hʌnt] I *vb itr* o. *vb tr* **1** jaga; *be out (go) hunting* vara på (gå på) jakt **2** jaga (leta) efter; leta; *be hunting for* vara på jakt efter II *s* jakt; *be on the ~ for* vara på jakt efter

**hunter** ['hʌntə] *s* jägare

**hunting** ['hʌntɪŋ] *s* jakt

**hunting-ground** ['hʌntɪŋgraʊnd] *s* jaktmark

**huntsman** ['hʌntsmən] *s* jägare

**hurdle** ['hɜ:dl] *s* **1** i häcklöpning häck; i hästsport hinder; *~s* häcklöpning, häck [*110 metres ~s*] **2** bildl. hinder, barriär

**hurdler** ['hɜ:dlə] *s* sport. häcklöpare

**hurdle race** ['hɜ:dlreɪs] *s* sport. **1** häcklöpning **2** hinderlöpning för hästar

**hurdy-gurdy** [,hɜ:dɪ'gɜ:dɪ] *s* mus. positiv

**hurl** [hɜ:l] *vb tr* slunga, vräka

**hurrah** [hʊ'rɑ:] o. **hurray** [hʊ'reɪ] I *interj* hurra! II *s* hurra III *vb itr* hurra

**hurricane** ['hʌrɪkən] *s* orkan

**hurry** ['hʌrɪ] I *vb tr* o. *vb itr* skynda på, jäkta [*it's no use hurrying her*]; påskynda [ofta *~ on, ~ up*]; skynda sig; skynda, rusa [*~ away (off)*]; brådska; *~ on* skynda vidare; *~ up* skynda på II *s* brådska, jäkt; *be in a ~* ha bråttom [*to* att]

**hurt** [hɜ:t] (*hurt hurt*) *vb tr* o. *vb itr* **1** skada, skada sig i, göra sig illa i; göra ont [*it ~s terribly*]; *~ oneself* göra sig illa; *my foot ~s me* jag har ont i foten **2** bildl. såra; *feel ~* känna sig sårad

**hurtle** ['hɜ:tl] *vb itr* rasa, störta, braka

**husband** ['hʌzbənd] I *s* man, make; *~ and wife* man och hustru, äkta makar II *vb tr* hushålla med [*~ one's resources*]

**husbandry** ['hʌzbəndrɪ] *s* jordbruk

**hush** [hʌʃ, interjektion vanl. ʃ:] I *vb tr* **1** hyssja åt; tysta ner; *hushed silence* djup tystnad; *in a hushed voice* med dämpad röst **2** *~ up* el. *~* tysta ner [*~ up a scandal*] II *s* tystnad III *interj, ~!* hyssj!, tyst!

**hush-hush** [,hʌʃ'hʌʃ] vard. I *adj* topphemlig [*a ~ investigation*] II *s* hysch-hysch

**husk** [hʌsk] I *s* skal, hylsa, skida II *vb tr* skala

**husky** ['hʌskɪ] *adj* **1** hes; beslöjad [*a ~ voice*] **2** vard. kraftig

**hussar** [hʊ'zɑ:] *s* husar

**hussy** ['hʌzɪ] *s* **1** jäntunge **2** slinka

**hustle** ['hʌsl] I *vb tr* o. *vb itr* **1** knuffa, stöta, knuffa (stöta) till; knuffas, trängas **2** vard. lura II *s* **1** knuffande **2** jäkt; *~ and bustle* fart och fläng

**hut** [hʌt] *s* hydda, koja; hytt; barack

**hutch** [hʌtʃ] *s* bur [*rabbit hutch*]

**hyacinth** ['haɪəsɪnθ] *s* hyacint

**hyaena** [haɪ'i:nə] *s* hyena

**hybrid** ['haɪbrɪd] *s* hybrid, korsning

**hydrangea** [haɪ'dreɪn(d)ʒə] *s* bot. hortensia

**hydrant** ['haɪdr(ə)nt] *s* vattenpost

**hydraulic** [haɪ'drɔ:lɪk] *adj* hydraulisk

**hydrochloric** [,haɪdrə'klɒrɪk] *adj, ~ acid* saltsyra

**hydroelectric** [,haɪdrə(ʊ)'lektrɪk] *adj* hydroelektrisk; *~ power* vattenkraft

**hydrogen** ['haɪdrədʒ(ə)n] *s* väte [*~ bomb*]; *~ peroxide* vätesuperoxid

**hydroxide** [haɪ'drɒksaɪd] *s* hydroxid

**hyena** [haɪ'i:nə] *s* hyena

**hygiene** ['haɪdʒi:n] *s* hygien; hälsovård

**hygienic** [haɪ'dʒi:nɪk] *adj* hygienisk

**hymen** ['haɪmən] *s* mödomshinna

**hymn** [hɪm] *s* **1** hymn, lovsång **2** psalm i psalmbok

**hypermarket** ['haɪpə,mɑ:kɪt] *s* stormarknad

**hypersensitive** [,haɪpə'sensɪtɪv] *adj* överkänslig om person

**hyphen** ['haɪf(ə)n] *s* bindestreck

**hyphenate** ['haɪfəneɪt] *vb tr* skriva med bindestreck, sätta bindestreck mellan

**hypnosis** [hɪp'nəʊsɪs] *s* hypnos

**hypnotic** [,hɪp'nɒtɪk] *adj* hypnotisk

**hypnotism** ['hɪpnətɪz(ə)m] *s* **1** hypnotism **2** hypnos

**hypnotist** ['hɪpnətɪst] *s* hypnotisör

**hypnotize** ['hɪpnətaɪz] *vb tr* hypnotisera

**hypochondriac** [,haɪpə'kɒndrɪæk] I *s*

143

hypokonder, inbillningssjuk människa
**II** *adj* hypokondrisk, inbillningssjuk
**hypocrisy** [hɪ'pɒkrəsɪ] *s* hyckleri
**hypocrite** ['hɪpəkrɪt] *s* hycklare
**hypocritical** [ˌhɪpə'krɪtɪk(ə)l] *adj*
hycklande
**hypothesis** [haɪ'pɒθəsɪs] (pl. *hypotheses*
[haɪ'pɒθəsiːz]) *s* hypotes; *working ~*
arbetshypotes
**hypothetical** [ˌhaɪpə'θetɪk(ə)l] *adj*
hypotetisk
**hysteria** [hɪ'stɪərɪə] *s* hysteri
**hysterical** [hɪ'sterɪk(ə)l] *adj* hysterisk
**hysterics** [hɪ'sterɪks] *s* hysteri; *go into ~*
få ett hysteriskt anfall

# I

**I, i** [aɪ] *s* I, i
**I** [aɪ] (objektsform *me*) *pers pron* jag
**Iberian** [aɪ'bɪərɪən] *adj, the ~ Peninsula*
Pyreneiska (Iberiska) halvön
**ibex** ['aɪbeks] *s* zool. stenbock
**ice** [aɪs] **I** *s* **1** is; *cut no ~* vard. inte göra
något intryck [*with* på] **2** glass; *an ~* en
glass **II** *vb tr* o. *vb itr* **1** lägga på is, iskyla,
isa drycker **2** ~ *over* el. ~ täcka (belägga)
med is, isbelägga; frysa till [*the pond iced
over*]; ~ *up* bli nedisad; *iced up* överisad
**3** glasera [*~ cakes*]
**iceberg** ['aɪsbɜːg] *s* isberg; ~ *lettuce*
isbergssallat
**icebound** ['aɪsbaʊnd] *adj* isblockerad,
tillfrusen; fastfrusen
**icebox** ['aɪsbɒks] *s* **1** isskåp **2** frysfack
**3** amer. kylskåp
**icebreaker** ['aɪsˌbreɪkə] *s* isbrytare
**ice cream** [ˌaɪs'kriːm] *s* glass
**ice cube** ['aɪskjuːb] *s* iskub, istärning
**ice hockey** ['aɪsˌhɒkɪ] *s* ishockey
**Iceland** ['aɪslənd] Island
**Icelander** ['aɪsləndə] *s* islänning
**Icelandic** [aɪs'lændɪk] **I** *adj* isländsk **II** *s*
isländska språket
**ice lolly** ['aɪsˌlɒlɪ] *s* isglass, isglasspinne
**ice pack** ['aɪspæk] *s* **1** packisfält **2** isblåsa
**ice rink** ['aɪsrɪŋk] *s* skridskobana, isbana
**ice skate** ['aɪsskeɪt] *vb itr* åka skridskor
**icicle** ['aɪsɪkl] *s* istapp, ispigg
**icily** ['aɪsɪlɪ] *adv* isande, iskallt
**iciness** ['aɪsɪnəs] *s* iskyla, isande köld
**icing** ['aɪsɪŋ] *s* **1** nedisning speciellt flyg.
**2** glasyr på bakverk **3** i ishockey icing
**icy** ['aɪsɪ] *adj* **1** iskall, isig **2** bildl. iskall [*an
~ tone*]
**ID** [ˌaɪ'diː] (förk. för *identity*); ~ el. ~ *card*
ID-kort
**I'd** [aɪd] = *I had, I would, I should*
**idea** [aɪ'dɪə] *s* idé; begrepp; aning [*I have
no ~ what happened*]; *the very ~ makes
me sick* bara tanken äcklar mig; *that's
the ~!* just det, ja!; *what's the big ~?* vad
är meningen med det här?; *it wouldn't
be a bad ~* det skulle inte vara så dumt;
*have an ~ that...* ana att...; *I have no ~*
det har jag ingen aning om
**ideal** [aɪ'dɪəl] **I** *adj* idealisk **II** *s* ideal
**idealism** [aɪ'dɪəlɪzm] *s* idealism

**idealist** [aɪ'dɪəlɪst] *s* idealist
**idealistic** [aɪˌdɪə'lɪstɪk] *adj* idealistisk
**idealize** [aɪ'dɪəlaɪz] *vb tr* idealisera
**identical** [aɪ'dentɪk(ə)l] *adj* identisk;
likalydande [*two ~ copies*]; **~ twins**
enäggstvillingar
**identification** [aɪˌdentɪfɪ'keɪʃ(ə)n] *s*
identifiering, identifikation; **~ papers**
legitimationspapper; **~ parade**
konfrontation för att identifiera en misstänkt
**identify** [aɪ'dentɪfaɪ] *vb tr* identifiera; **~
oneself** legitimera sig
**identity** [aɪ'dentətɪ] *s* identitet; **~ card**
identitetskort
**ideology** [ˌaɪdɪ'ɒlədʒɪ] *s* ideologi
**idiom** ['ɪdɪəm] *s* idiomatiskt uttryck
**idiomatic** [ˌɪdɪə'mætɪk] *adj* idiomatisk
**idiosyncrasy** [ˌɪdɪə'sɪŋkrəsɪ] *s* egenhet,
karakteristiskt drag
**idiot** ['ɪdɪət] *s* idiot; dumbom
**idiotic** [ˌɪdɪ'ɒtɪk] *adj* idiotisk, dåraktig
**idle** ['aɪdl] **I** *adj* **1** sysslolös; oanvänd
**2** stillastående; *be* (*lie*) ~ stå stilla, vara
ur drift **3** lat, lättjefull **4** gagnlös, fruktlös
[*~ speculations*]; **~ gossip** löst skvaller; *an
~ threat* ett tomt hot **II** *vb itr* o. *vb tr*
**1** lata sig, slöa **2** tekn. gå på tomgång **3** ~
*away* slösa bort [*~ away one's time*]
**idol** ['aɪdl] *s* avgud, idol
**idolatry** [aɪ'dɒlətrɪ] *s* avgudadyrkan
**idolize** ['aɪdəlaɪz] *vb tr* avguda; dyrka
**idyll** ['ɪdɪl] *s* idyll
**idyllic** [ɪ'dɪlɪk, aɪ'dɪlɪk] *adj* idyllisk
**i.e.** [ˌaɪ'iː, ˌðæt'ɪz] = *that is* dvs.
**if** [ɪf] **I** *konj* **1** om, ifall, såvida; **~ not** a) om
inte b) annars [*stop it, ~ not I'll…*]; **~
anything** snarare [*it had ~ anything got
worse*]; **~ only** om bara; **~ only to** om inte
annat så för att; **~ so** i så fall; *well, ~ it
isn't John!* ser man på, är det inte John?;
**~ it had not been for him** om inte han
hade varit; **~ that** om ens det **2** om, ifall;
*I doubt ~ he will come* jag tvivlar på att
han kommer **II** *s*, **~s and buts** om och
men
**igloo** ['ɪgluː] (pl. **~s**) *s* igloo
**ignite** [ɪg'naɪt] *vb tr* o. *vb itr* tända, sätta
eld på; tändas, fatta eld
**ignition** [ɪg'nɪʃ(ə)n] *s* tändning,
antändning; **~ key** tändningsnyckel,
startnyckel
**ignoble** [ɪg'nəʊbl] *adj* gemen, tarvlig
**ignominious** [ˌɪgnə'mɪnɪəs] *adj* skymflig
[*an ~ defeat*], nedrig
**ignominy** ['ɪgnəmɪnɪ] *s* vanära, skam

**ignoramus** [ˌɪgnə'reɪməs] *s* dumhuvud
**ignorance** ['ɪgn(ə)r(ə)ns] *s* okunnighet [*~
of* (om) *the facts*], ovetskap [*of* om]
**ignorant** ['ɪgnərənt] *adj* okunnig,
ovetande
**ignore** [ɪg'nɔː] *vb tr* ignorera; inte bry sig
om
**ileus** ['ɪlɪəs] *s* med. tarmvred
**ill** [ɪl] **I** (*worse worst*) *adj* **1** sjuk, dålig; *fall
(be taken)* ~ bli sjuk **2** ~ *fame* (*repute*)
dåligt rykte, vanrykte **3** om sak olycklig,
ofördelaktig; dålig [*an ~ omen*]; *have ~
luck* ha otur **II** *s* **1** ont **2** skada; *do* ~ göra
illa (orätt) **3** vanl. pl. **~s** motgångar [*the ~s
of life*], missförhållanden [*social ~s*]
**III** (*worse worst*) *adv* illa; *speak ~ of* tala
illa om
**I'll** [aɪl] = *I will, I shall*
**ill-advised** [ˌɪləd'vaɪzd] *adj* oklok,
oförnuftig
**ill-behaved** [ˌɪlbɪ'heɪvd] *adj* ohyfsad
**ill-bred** [ˌɪl'bred] *adj* ouppfostrad, obelevad
**ill-concealed** [ˌɪlkən'siːld] *adj* illa dold
**illegal** [ɪ'liːg(ə)l] *adj* illegal, olaglig,
lagstridig
**illegible** [ɪ'ledʒəbl] *adj* oläslig, oläsbar
**illegitimate** [ˌɪlɪ'dʒɪtɪmət] *adj* **1** illegitim,
olaglig [*an ~ action*] **2** utomäktenskaplig
[*an ~ child*]
**ill-feeling** [ˌɪl'fiːlɪŋ] *s* agg, groll
**ill-humoured** [ˌɪl'hjuːməd] *adj* på dåligt
humör, vresig
**illicit** [ɪ'lɪsɪt] *adj* olovlig, olaglig; lönn-
**illiteracy** [ɪ'lɪtərəsɪ] *s* analfabetism
**illiterate** [ɪ'lɪtərət] **I** *adj* inte läs- och
skrivkunnig; obildad; **~ person** analfabet
**II** *s* analfabet
**ill-luck** [ˌɪl'lʌk] *s* olycka, otur
**ill-mannered** [ˌɪl'mænəd] *adj* ohyfsad
**ill-natured** [ˌɪl'neɪtʃəd] *adj* elak, ondskefull
**illness** ['ɪlnəs] *s* sjukdom
**illogical** [ɪ'lɒdʒɪk(ə)l] *adj* ologisk
**ill-tempered** [ˌɪl'tempəd] *adj* elak; butter
**ill-treat** [ˌɪl'triːt] *vb tr* misshandla
**illuminate** [ɪ'luːmɪneɪt] *vb tr* upplysa,
belysa
**illumination** [ɪˌluːmɪ'neɪʃ(ə)n] *s* belysning
**illusion** [ɪ'luːʒ(ə)n] *s* illusion, inbillning;
*optical ~* synvilla
**illusionist** [ɪ'luːʒənɪst] *s* illusionist,
trollkonstnär
**illustrate** ['ɪləstreɪt] *vb tr* illustrera, belysa
**illustration** [ˌɪlə'streɪʃ(ə)n] *s* illustration,
belysning genom exempel; bild
**illustrator** ['ɪləstreɪtə] *s* illustratör

**illustrious** [ɪ'lʌstrɪəs] *adj* berömd, frejdad
**ill-will** [‚ɪl'wɪl] *s* illvilja, agg
**I'm** [aɪm] = *I am*
**image** ['ɪmɪdʒ] *s* **1** bild; avbild; *he is the very (spitting) ~ of his father* han är sin far upp i dagen **2** språklig bild, metafor **3** image, profil
**imagery** ['ɪmɪdʒərɪ] *s* bildspråk
**imaginable** [ɪ'mædʒɪnəbl] *adj* tänkbar
**imaginary** [ɪ'mædʒɪnərɪ] *adj* inbillad
**imagination** [ɪ‚mædʒɪ'neɪʃ(ə)n] *s* fantasi; inbillning
**imaginative** [ɪ'mædʒɪnətɪv] *adj* fantasifull
**imagine** [ɪ'mædʒɪn] *vb tr* föreställa sig, tro; *just ~!* el. *~!* kan man tänka sig!
**imbecile** ['ɪmbəsi:l] *s* imbecill; idiot
**imitate** ['ɪmɪteɪt] *vb tr* efterlikna; härma, imitera
**imitation** [‚ɪmɪ'teɪʃ(ə)n] *s* **1** imitation, härmning **2** attributivt imiterad, oäkta [*~ pearls*], konst- [*~ leather*]
**imitator** ['ɪmɪteɪtə] *s* imitatör, härmare
**immaculate** [ɪ'mækjʊlət] *adj* obefläckad, fläckfri, felfri, ren; oklanderlig
**immaterial** [‚ɪmə'tɪərɪəl] *adj* oväsentlig
**immature** [‚ɪmə'tjʊə] *adj* omogen
**immaturity** [‚ɪmə'tjʊərətɪ] *s* omogenhet
**immediate** [ɪ'mi:djət] *adj* omedelbar, omgående; överhängande; *in the ~ future* inom den närmaste framtiden
**immediately** [ɪ'mi:djətlɪ] **I** *adv* **1** omedelbart, omgående **2** närmast, omedelbart [*the time ~ before the war*]; direkt [*be ~ affected*] **II** *konj* så snart
**immense** [ɪ'mens] *adj* ofantlig, enorm
**immensity** [ɪ'mensətɪ] *s* väldig omfattning; ofantlighet
**immerse** [ɪ'mɜ:s] *vb tr* sänka ner; doppa ner
**immigrant** ['ɪmɪgr(ə)nt] *s* immigrant, invandrare
**immigrate** ['ɪmɪgreɪt] *vb itr* immigrera, invandra [*into* till]
**immigration** [‚ɪmɪ'greɪʃ(ə)n] *s* immigration, invandring
**imminent** ['ɪmɪnənt] *adj* hotande, överhängande [*an ~ danger*], nära förestående
**immoderate** [ɪ'mɒdərət] *adj* omåttlig
**immoral** [ɪ'mɒr(ə)l] *adj* omoralisk; osedlig
**immorality** [‚ɪmə'rælətɪ] *s* omoral; osedlighet
**immortal** [ɪ'mɔ:tl] *adj* odödlig, oförgänglig
**immortality** [‚ɪmɔ:'tælətɪ] *s* odödlighet
**immune** [ɪ'mju:n] *adj* immun

**immunity** [ɪ'mju:nətɪ] *s* immunitet
**immunodeficiency** [‚ɪmjʊnəʊdɪ'fɪʃ(ə)nsɪ] *s* med. immunbrist; *human ~ virus* (förk. *HIV*) humant immunbristvirus
**imp** [ɪmp] *s* **1** smådjävul **2** busfrö
**impact** ['ɪmpækt] *s* **1** sammanstötning **2** inverkan, verkan
**impair** [ɪm'peə] *vb tr* försämra; försvaga
**impart** [ɪm'pɑ:t] *vb tr* ge, skänka, förläna
**impartial** [ɪm'pɑ:ʃ(ə)l] *adj* opartisk
**impartiality** ['ɪm‚pɑ:ʃɪ'ælətɪ] *s* opartiskhet
**impassable** [ɪm'pɑ:səbl] *adj* ofarbar, oframkomlig
**impatience** [ɪm'peɪʃ(ə)ns] *s* otålighet
**impatient** [ɪm'peɪʃ(ə)nt] *adj* otålig
**impeach** [ɪm'pi:tʃ] *vb tr* **1** jur. anklaga, åtala **2** amer. ställa inför riksrätt [*~ the President*]
**impeccable** [ɪm'pekəbl] *adj* oklanderlig
**impede** [ɪm'pi:d] *vb tr* hindra, hämma, hejda
**impediment** [ɪm'pedɪmənt] *s* hinder; förhinder; *speech ~* talfel
**impel** [ɪm'pel] *vb tr* driva, driva fram
**impending** [ɪm'pendɪŋ] *adj* överhängande; annalkande
**impenetrable** [ɪm'penɪtrəbl] *adj* ogenomtränglig, outgrundlig; otillgänglig
**imperative** [ɪm'perətɪv] *adj* **1** absolut nödvändig [*it is ~ that he should come*] **2** gram. imperativ
**imperceptible** [‚ɪmpə'septəbl] *adj* oförnimbar; omärklig
**imperfect** [ɪm'pɜ:fɪkt] *adj* ofullkomlig, bristfällig
**imperial** [ɪm'pɪərɪəl] *adj* kejserlig
**imperialism** [ɪm'pɪərɪəlɪz(ə)m] *s* imperialism
**impersonal** [ɪm'pɜ:sənl] *adj* opersonlig
**impersonate** [ɪm'pɜ:səneɪt] *vb tr* imitera
**impersonation** [ɪm‚pɜ:sə'neɪʃ(ə)n] *s* imitation [*~s of famous people*]
**impersonator** [ɪm'pɜ:səneɪtə] *s* imitatör
**impertinent** [ɪm'pɜ:tɪnənt] *adj* oförskämd
**imperturbable** [‚ɪmpə'tɜ:bəbl] *adj* orubblig
**impetuous** [ɪm'petjʊəs] *adj* häftig, våldsam
**impetus** ['ɪmpɪtəs] *s* rörelseenergi, fart
**implacable** [ɪm'plækəbl] *adj* oförsonlig
**implant** [ɪm'plɑ:nt] *vb tr* inplanta, inprägla, inskärpa [*in a p.* hos ngn]
**implausible** [ɪm'plɔ:zəbl] *adj* osannolik
**implement** [substantiv 'ɪmplɪmənt, verb 'ɪmplɪment] **I** *s* verktyg, redskap **II** *vb tr*

realisera, genomföra, förverkliga, uppfylla
[~ *a promise*]

**implicate** ['ɪmplɪkeɪt] *vb tr* blanda in [~
*a p. in a crime*]; **be implicated in** äv. vara
(bli) invecklad i

**implication** [ˌɪmplɪ'keɪʃ(ə)n] *s*
**1** inblandning **2** innebörd, konsekvens

**implicit** [ɪm'plɪsɪt] *adj* **1** underförstådd
**2** obetingad, blind [~ *faith*]

**implore** [ɪm'plɔ:] *vb tr* o. *vb itr* bönfalla,
tigga och be

**imply** [ɪm'plaɪ] *vb tr* **1** innebära, föra med
sig; förutsätta **2** antyda

**impolite** [ˌɪmpə'laɪt] *adj* oartig, ohövlig

**import** [substantiv 'ɪmpɔ:t, verb ɪm'pɔ:t] **I** *s*
**1** import; ~s importvaror **2** vikt,
betydelse **II** *vb tr* importera

**importance** [ɪm'pɔ:t(ə)ns] *s* vikt,
betydelse; *attach ~ to* lägga vikt vid

**important** [ɪm'pɔ:t(ə)nt] *adj* viktig,
betydande

**importer** [ɪm'pɔ:tə] *s* importör

**impose** [ɪm'pəʊz] *vb tr* o. *vb itr* **1** lägga på
[~ *taxes*]; införa [~ *a speed limit*]; ~ *a fine
on a p.* döma ngn till böter **2** ~ *on* lura,
narra

**imposing** [ɪm'pəʊzɪŋ] *adj* imponerande

**impossibility** [ɪmˌpɒsə'bɪlətɪ] *s* omöjlighet

**impossible** [ɪm'pɒsəbl] *adj* omöjlig

**impossibly** [ɪm'pɒsəblɪ] *adv* hopplöst [~
*lazy*]

**impostor** [ɪm'pɒstə] *s* bedragare, skojare

**impotence** ['ɪmpət(ə)ns] *s* **1** vanmakt
**2** fysiol. impotens

**impotent** ['ɪmpət(ə)nt] *adj* **1** maktlös
**2** impotent

**impoverish** [ɪm'pɒvərɪʃ] *vb tr* utarma, göra
utfattig

**impracticable** [ɪm'præktɪkəbl] *adj*
**1** ogenomförbar; oanvändbar **2** ofarbar

**impractical** [ɪm'præktɪk(ə)l] *adj* opraktisk

**imprecise** [ˌɪmprɪ'saɪs] *adj* inexakt

**impregnable** [ɪm'pregnəbl] *adj* ointaglig

**impregnate** ['ɪmpregneɪt] *vb tr*
impregnera

**impresario** [ˌɪmpre'sɑ:rɪəʊ] (pl. ~s) *s*
impressario

**impress** [substantiv 'ɪmpres, verb ɪm'pres] **I** *s*
märke, stämpel; *bear the ~ of* bära
prägel av **II** *vb tr* **1** göra intryck på,
imponera på; *impressed by* imponerad
av **2** stämpla, prägla **3** inprägla, inskärpa
t.ex. en idé [*on* hos]

**impression** [ɪm'preʃ(ə)n] *s* **1** verkan;

intryck, känsla **2** märke, stämpel, prägel
**3** tryckning, omtryckning

**impressionable** [ɪm'preʃ(ə)nəbl] *adj*
mottaglig för intryck, lättpåverkad

**impressive** [ɪm'presɪv] *adj* imponerande,
verkningsfull

**imprison** [ɪm'prɪzn] *vb tr* sätta i fängelse

**imprisonment** [ɪm'prɪznmənt] *s*
fängslande; fångenskap; ~ *for life* livstids
fängelse

**improbable** [ɪm'prɒbəbl] *adj* osannolik

**impromptu** [ɪm'prɒmptju:] **I** *adv*
oförberett [*speak ~*], improviserat **II** *adj*
oförberedd, improviserad

**improper** [ɪm'prɒpə] *adj* opassande [~
*conduct*], oanständig

**improve** [ɪm'pru:v] *vb tr* o. *vb itr* förbättra,
förbättras; ~ *on a th.* förbättra (bättra på)
ngt

**improvement** [ɪm'pru:vmənt] *s*
förbättring

**improvisation** [ˌɪmprəvaɪ'zeɪʃ(ə)n] *s*
improvisation

**improvise** ['ɪmprəvaɪz] *vb tr* o. *vb itr*
improvisera

**imprudent** [ɪm'pru:d(ə)nt] *adj* oklok

**impudence** ['ɪmpjʊd(ə)ns] *s*
oförskämdhet, fräckhet

**impudent** ['ɪmpjʊd(ə)nt] *adj* oförskämd,
fräck

**impulse** ['ɪmpʌls] *s* **1** stöt; *give an ~ to*
sätta fart på **2** impuls, ingivelse

**impulsive** [ɪm'pʌlsɪv] *adj* impulsiv

**impunity** [ɪm'pju:nətɪ] *s*, *with ~* ostraffat

**impure** [ɪm'pjʊə] *adj* oren

**impurity** [ɪm'pjʊərətɪ] *s* orenhet,
förorening

**in** [ɪn] **I** *prep* i [~ *a box*; ~ *April*; *dressed ~
black*], på [~ *the street*; ~ *the morning*; ~
*the 18th century* (1700-talet)]; *I did it ~
five minutes*; ~ *this way*], om [*she will be
back ~ a month*], med [*written ~ pencil*; ~
*a loud voice*], hos [~ *Shakespeare*], vid [~
*good health*]; *she slipped ~ crossing the
street* hon halkade då hon gick över
gatan; ~ *memory of* till minne av; ~
*reply to* [*your letter*] som (till) svar
på...; ~ *my opinion* enligt min mening

**II** *adv* in [*come ~*]; inne, hemma [*he
wasn't ~*] □ *be ~* **for** få räkna med [*we're ~
for bad weather*]; *be ~ for it* vara illa ute;
*have it ~ for a p.* vard. ha ett horn i sidan
till ngn

**III** *adj* vard. inne modern; *it's the ~ thing
to...* det är inne att...

# incongruous

**in.** förk. för *inch, inches*

**inability** [ˌɪnə'bɪlətɪ] *s* oförmåga

**inaccessible** [ˌɪnæk'sesəbl] *adj* otillgänglig

**inaccurate** [ɪn'ækjʊrət] *adj* inte noggrann; felaktig, oriktig

**inactive** [ɪn'æktɪv] *adj* inaktiv, overksam

**inadequate** [ɪn'ædɪkwət] *adj* inadekvat; otillräcklig; bristfällig

**inadvisable** [ˌɪnəd'vaɪzəbl] *adj* inte tillrådlig

**inane** [ɪ'neɪn] *adj* idiotisk, fånig

**inanimate** [ɪn'ænɪmət] *adj* livlös; utan liv

**inapplicable** [ɪn'æplɪkəbl] *adj* inte tillämpbar

**inappropriate** [ˌɪnə'prəʊprɪət] *adj* olämplig

**inasmuch** [ɪnəz'mʌtʃ] *adv*, ~ *as* konjunktion eftersom, emedan

**inattentive** [ˌɪnə'tentɪv] *adj* ouppmärksam

**inaudible** [ɪn'ɔ:dəbl] *adj* ohörbar

**inaugural** [ɪ'nɔ:gjʊr(ə)l] *adj* invignings- [~ *speech*]; installations- [~ *lecture*]

**inaugurate** [ɪ'nɔ:gjʊreɪt] *vb tr* **1** inviga **2** installera [~ *a president*] **3** inleda [~ *a new era*]

**inauguration** [ɪˌnɔ:gjʊ'reɪʃ(ə)n] *s* invigning

**inbred** [ˌɪn'bred] *adj* medfödd

**Inc.** (förk. för *Incorporated* speciellt amer.) AB

**incalculable** [ɪn'kælkjʊləbl] *adj* **1** oöverskådlig [~ *consequences*] **2** oberäknelig

**incapable** [ɪn'keɪpəbl] *adj* **1** oduglig; inkompetent **2** ~ *of* oförmögen till

**incapacity** [ˌɪnkə'pæsətɪ] *s* oförmåga

**incarnate** [ɪn'kɑ:nət] *adj* förkroppsligad; vard. inbiten, inpiskad; *he is evil* ~ han är den personifierade ondskan

**incarnation** [ˌɪnkɑ:'neɪʃ(ə)n] *s* inkarnation, förkroppsligande

**incautious** [ɪn'kɔ:ʃəs] *adj* oförsiktig

**incendiary** [ɪn'sendjərɪ] *adj* mordbrands-; ~ *bomb* brandbomb

**1 incense** ['ɪnsens] *s* rökelse

**2 incense** [ɪn'sens] *vb tr* göra rasande; *incensed* förbittrad

**incentive** [ɪn'sentɪv] *s* drivfjäder, incitament

**incessant** [ɪn'sesnt] *adj* oavbruten, ständig

**incest** ['ɪnsest] *s* incest, blodskam

**inch** [ɪntʃ] *s* tum 2,54 cm; *every* ~ *a gentleman* en gentleman ut i fingerspetsarna; *give him an* ~ *and he'll take a mile* ordspr. om man ger honom ett finger så tar han hela handen; *I don't trust him an* ~ jag litar inte ett dugg på

honom; *within an* ~ *of death* mycket nära döden

**incident** ['ɪnsɪd(ə)nt] *s* händelse, incident; *frontier* ~*s* gränsintermezzon

**incidental** [ˌɪnsɪ'dentl] *adj* tillfällig; oväsentlig

**incidentally** [ˌɪnsɪ'dent(ə)lɪ] *adv* tillfälligtvis, i förbigående; förresten

**incinerator** [ɪn'sɪnəreɪtə] *s* förbränningsugn t.ex. för sopor

**incite** [ɪn'saɪt] *vb tr* egga, egga upp, sporra

**inclination** [ˌɪnklɪ'neɪʃ(ə)n] *s* **1** lutning; böjning **2** benägenhet, böjelse

**incline** [ɪn'klaɪn] *vb tr* o. *vb itr* **1** luta ned; böja; luta **2** göra benägen (böjd) [*to* för]; vara benägen (böjd) för

**inclined** [ɪn'klaɪnd] *adj* **1** lutande, sluttande **2** benägen, böjd [*to* för]

**include** [ɪn'klu:d] *vb tr* omfatta, inbegripa

**included** [ɪn'klu:dɪd] *perf p* o. *adj* inberäknad, inklusive [*all expenses* ~]; *be* ~ *in* (*on*) *the list* komma med på listan

**including** [ɪn'klu:dɪŋ] *pres p* omfattande; inklusive [~ *all expenses*]

**inclusive** [ɪn'klu:sɪv] *adj* **1** inberäknad, till och med; ~ *of* inklusive **2** allomfattande

**incoherence** [ˌɪnkə'hɪər(ə)ns] *s* brist på sammanhang

**incoherent** [ˌɪnkə'hɪər(ə)nt] *adj* osammanhängande

**income** ['ɪnkʌm] *s* inkomst; *a large* ~ stora inkomster; förmögenhet [*a private* ~]; *live over* (*beyond*) *one's* ~ leva över sina tillgångar

**income tax** ['ɪnkəmtæks] *s* inkomstskatt; ~ *return* självdeklaration

**incoming** ['ɪnˌkʌmɪŋ] *adj* inkommande, ankommande [~ *trains*]

**incomparable** [ɪn'kɒmpərəbl] *adj* makalös

**incompatible** [ˌɪnkəm'pætəbl] *adj* oförenlig

**incompetence** [ɪn'kɒmpət(ə)ns] *s* inkompetens, oförmåga

**incompetent** [ɪn'kɒmpət(ə)nt] *adj* inkompetent, oduglig

**incomplete** [ˌɪnkəm'pli:t] *adj* ofullständig

**incomprehensible** [ɪnˌkɒmprɪ'hensəbl] *adj* obegriplig

**inconceivable** [ˌɪnkən'si:vəbl] *adj* obegriplig, ofattbar [*to* för]

**inconclusive** [ˌɪnkən'klu:sɪv] *adj* inte avgörande; ofullständig

**incongruous** [ɪn'kɒŋgrʊəs] *adj* **1** oförenlig; omaka, som inte går ihop **2** orimlig, absurd

**inconsiderable** [ˌɪnkən'sɪdərəbl] *adj* obetydlig, oansenlig

**inconsiderate** [ˌɪnkən'sɪdərət] *adj* taktlös, tanklös

**inconsistency** [ˌɪnkən'sɪstənsɪ] *s* **1** inkonsekvens **2** oförenlighet [*with* med]

**inconsistent** [ˌɪnkən'sɪst(ə)nt] *adj* **1** inkonsekvent **2** oförenlig; *be ~ with* äv. strida mot, inte stämma med

**inconsolable** [ˌɪnkən'səʊləbl] *adj* otröstlig

**inconspicuous** [ˌɪnkən'spɪkjʊəs] *adj* föga iögonenfallande; oansenlig

**inconstant** [ɪn'kɒnst(ə)nt] *adj* ombytlig

**inconvenience** [ˌɪnkən'vi:njəns] **I** *s* olägenhet [*to* för]; *put a p. to ~* vålla ngn besvär **II** *vb tr* besvära

**inconvenient** [ˌɪnkən'vi:njənt] *adj* oläglig; olämplig; obekväm

**incorporate** [ɪn'kɔ:pəreɪt] *vb tr* o. *vb itr* införliva; införlivas; *incorporated company* speciellt amer. aktiebolag

**incorrect** [ˌɪnkə'rekt] *adj* oriktig, inkorrekt

**incorrigible** [ɪn'kɒrɪdʒəbl] *adj* oförbätterlig

**incorruptible** [ˌɪnkə'rʌptəbl] *adj* omutlig

**increase** [verb ɪn'kri:s, substantiv 'ɪnkri:s] **I** *vb itr* o. *vb tr* öka, ökas, stiga, tillta, öka på; höja **II** *s* ökning, utökning; höjning; *on the ~* i tilltagande

**increasing** [ɪn'kri:sɪŋ] *pres p* o. *adj* ökande; *to an ever ~ extent* i allt större utsträckning

**increasingly** [ɪn'kri:sɪŋlɪ] *adv* alltmer

**incredible** [ɪn'kredəbl] *adj* otrolig; ofattbar

**incredulous** [ɪn'kredjʊləs] *adj* klentrogen

**incubator** ['ɪnkjʊbeɪtə] *s* **1** äggkläckningsmaskin **2** kuvös

**incur** [ɪn'kɜ:] *vb tr* ådra sig, åsamka sig

**incurable** [ɪn'kjʊərəbl] *adj* obotlig

**indebted** [ɪn'detɪd] *adj* **1** skuldsatt; *be ~ to a p.* vara skyldig ngn pengar **2** tack skyldig [*to a p.* ngn]

**indecency** [ɪn'di:snsɪ] *s* oanständighet

**indecent** [ɪn'di:snt] *adj* oanständig

**indecision** [ˌɪndɪ'sɪʒ(ə)n] *s* obeslutsamhet

**indecisive** [ˌɪndɪ'saɪsɪv] *adj* obeslutsam

**indeclinable** [ˌɪndɪ'klaɪnəbl] *adj* gram. oböjlig

**indeed** [ɪn'di:d] **I** *adv* verkligen, minsann; visserligen; *yes, ~!* ja visst! **II** *interj* verkligen!

**indefatigable** [ˌɪndɪ'fætɪgəbl] *adj* outtröttlig

**indefensible** [ˌɪndɪ'fensəbl] *adj* oförsvarlig

**indefinable** [ˌɪndɪ'faɪnəbl] *adj* odefinierbar

**indefinite** [ɪn'defɪnət] *adj* obestämd, vag

**indefinitely** [ɪn'defɪnətlɪ] *adv* obestämt; på obestämd tid

**indelible** [ɪn'deləbl] *adj* outplånlig; *~ pencil* ungefär anilinpenna

**indelicate** [ɪn'delɪkət] *adj* taktlös; plump

**indent** [ɪn'dent] *vb tr* göra indrag på, börja en bit in på [*~ each paragraph*]

**independence** [ˌɪndɪ'pendəns] *s* oberoende, självständighet; *war of ~* frihetskrig

**independent** [ˌɪndɪ'pendənt] **I** *adj* oberoende [*of* av], oavhängig, självständig **II** *s* independent

**indescribable** [ˌɪndɪ'skraɪbəbl] *adj* obeskrivlig, obeskrivbar

**indestructible** [ˌɪndɪ'strʌktəbl] *adj* oförstörbar; outslitlig; outplånlig

**index** ['ɪndeks] *s* register; index; *card ~* kortregister; *~ card* kartotekskort

**index-finger** ['ɪndeksˌfɪŋgə] *s* pekfinger

**India** ['ɪndjə] Indien

**Indian** ['ɪndjən] **I** *adj* indisk [*the ~ Ocean*]; indiansk; *~ ink* kinesisk tusch; *~ summer* brittsommar, indiansommar **II** *s* **1** indier **2** indian [äv. *Red (American) ~*]

**india rubber** [ˌɪndjə'rʌbə] *s* kautschuk; suddgummi

**indicate** ['ɪndɪkeɪt] *vb tr* ange, antyda, visa

**indication** [ˌɪndɪ'keɪʃ(ə)n] *s* angivande; tecken, kännetecken

**indicative** [ɪn'dɪkətɪv] *adj* **1** *be ~ of* tyda på **2** gram. indikativ

**indicator** ['ɪndɪkeɪtə] *s* visare; körriktningsvisare, blinker

**indict** [ɪn'daɪt] *vb tr* åtala, väcka åtal mot

**indictable** [ɪn'daɪtəbl] *adj* åtalbar

**indictment** [ɪn'daɪtmənt] *s* åtal

**indifference** [ɪn'dɪfr(ə)ns] *s* likgiltighet [*to* för]

**indifferent** [ɪn'dɪfr(ə)nt] *adj* **1** likgiltig [*~ to* (för) *danger*] **2** medelmåttig

**indigestible** [ˌɪndɪ'dʒestəbl] *adj* svårsmält

**indigestion** [ˌɪndɪ'dʒestʃ(ə)n] *s* magbesvär; ont i magen

**indignant** [ɪn'dɪgnənt] *adj* indignerad, förnärmad

**indignation** [ˌɪndɪg'neɪʃ(ə)n] *s* indignation

**indignity** [ɪn'dɪgnətɪ] *s* kränkning, skymf

**indigo** ['ɪndɪgəʊ] *s* indigoblått

**indirect** [ˌɪndɪ'rekt] *adj* indirekt

**indiscipline** [ɪn'dɪsɪplɪn] *s* brist på disciplin

**indiscreet** [ˌɪndɪ'skri:t] *adj* indiskret, taktlös

**ndiscretion** [ˌɪndɪ'skreʃ(ə)n] s indiskretion, taktlöshet

**ndiscriminate** [ˌɪndɪ'skrɪmɪnət] adj godtycklig, slumpartad; urskillningslös, omdömeslös

**ndispensable** [ˌɪndɪ'spensəbl] adj oundgänglig, oumbärlig

**ndisposed** [ˌɪndɪ'spəʊzd] adj indisponerad

**ndisputable** [ˌɪndɪ'spju:təbl] adj obestridlig

**ndistinct** [ˌɪndɪ'stɪŋkt] adj otydlig, oklar

**ndistinguishable** [ˌɪndɪ'stɪŋgwɪʃəbl] adj omöjlig att särskilja

**ndividual** [ˌɪndɪ'vɪdjʊəl] I adj individuell; egenartad, särskild, personlig [~ style] II s individ

**ndividuality** ['ɪndɪˌvɪdjʊ'æləti] s individualitet, egenart, särprägel

**ndivisible** [ˌɪndɪ'vɪzəbl] adj odelbar

**Indo-China** [ˌɪndəʊ'tʃaɪnə] Indokina

**ndoctrinate** [ɪn'dɒktrɪneɪt] vb tr indoktrinera

**ndoctrination** [ɪnˌdɒktrɪ'neɪʃ(ə)n] s indoktrinering

**ndolent** ['ɪndələnt] adj indolent, slö, loj

**ndomitable** [ɪn'dɒmɪtəbl] adj okuvlig

**Indonesia** [ˌɪndə'ni:zjə] Indonesien

**Indonesian** [ˌɪndə'ni:zjən] I adj indonesisk II s indones

**ndoor** ['ɪndɔ:] adj inomhus- [~ games]

**ndoors** [ˌɪn'dɔ:z] adv inomhus, inne

**ndubitable** [ɪn'dju:bɪtəbl] adj otvivelaktig

**nduce** [ɪn'dju:s] vb tr 1 förmå, föranleda 2 orsaka

**nducement** [ɪn'dju:smənt] s motivation; lockbete, sporre

**ndulge** [ɪn'dʌldʒ] vb itr, ~ in hänge sig åt

**ndulgent** [ɪn'dʌldʒ(ə)nt] adj 1 överseende 2 släpphänt, klemig

**ndustrial** [ɪn'dʌstrɪəl] adj industriell, industri-; ~ disease yrkessjukdom; ~ dispute arbetskonflikt

**ndustrialism** [ɪn'dʌstrɪəlɪz(ə)m] s industrialism

**ndustrialist** [ɪn'dʌstrɪəlɪst] s industriman

**ndustrialize** [ɪn'dʌstrɪəlaɪz] vb tr industrialisera

**ndustrious** [ɪn'dʌstrɪəs] adj flitig, arbetsam

**ndustry** ['ɪndəstrɪ] s 1 flit 2 industri; näringsliv

**nebriate** [ɪ'ni:brɪeɪt] vb tr rusa, berusa

**nedible** [ɪn'edəbl] adj oätlig, oätbar

**neffective** [ˌɪnɪ'fektɪv] adj ineffektiv; verkningslös

**ineffectual** [ˌɪnɪ'fektʃʊəl] adj verkningslös, resultatlös

**inefficient** [ˌɪnɪ'fɪʃ(ə)nt] adj ineffektiv

**inequality** [ˌɪnɪ'kwɒlətɪ] s olikhet; social ~ brist på social jämlikhet

**inert** [ɪ'nɜ:t] adj trög, slö; overksam

**inertia** [ɪ'nɜ:ʃjə] s tröghet; slöhet

**inertia-reel** [ɪ'nɜ:ʃjəri:l] s, ~ seat-belt bil. rullbälte

**inestimable** [ɪn'estɪməbl] adj ovärderlig

**inevitable** [ɪn'evɪtəbl] adj oundviklig, ofrånkomlig

**inexact** [ˌɪnɪg'zækt] adj inexakt; felaktig

**inexcusable** [ˌɪnɪk'skju:zəbl] adj oförlåtlig

**inexhaustible** [ˌɪnɪg'zɔ:stəbl] adj outtömlig

**inexorable** [ɪn'eksərəbl] adj obönhörlig

**inexpensive** [ˌɪnɪk'spensɪv] adj billig

**inexperienced** [ˌɪnɪk'spɪərɪənst] adj oerfaren

**inexplicable** [ˌɪnek'splɪkəbl] adj oförklarlig

**infallible** [ɪn'fæləbl] adj ofelbar; osviklig

**infamous** ['ɪnfəməs] adj illa beryktad, ökänd; skamlig, infam

**infamy** ['ɪnfəmɪ] s vanära; skändlighet

**infancy** ['ɪnfənsɪ] s spädbarnsålder; tidiga barnaår; tidig barndom äv. bildl.

**infant** ['ɪnfənt] s spädbarn; småbarn

**infantry** ['ɪnfəntrɪ] s infanteri, fotfolk

**infantryman** ['ɪnfəntrɪmən] s infanterist

**infant school** ['ɪnf(ə)ntsku:l] s lägsta stadiet av 'primary school' för barn mellan 5 och 7 år

**infatuated** [ɪn'fætjʊeɪtɪd] perf p o. adj besatt; blint förälskad

**infatuation** [ɪnˌfætjʊ'eɪʃ(ə)n] s blind förälskelse, passion

**infect** [ɪn'fekt] vb tr infektera, smitta

**infection** [ɪn'fekʃ(ə)n] s infektion, smitta

**infectious** [ɪn'fekʃəs] adj smittosam

**infer** [ɪn'fɜ:] vb tr sluta sig till; he inferred that han drog den slutsatsen att

**inferior** [ɪn'fɪərɪə] I adj lägre i t.ex. rang [to än]; underordnad [to a p. ngn; to a th. ngt]; sämre [to än] II s underordnad

**inferiority** [ɪnˌfɪərɪ'ɒrətɪ] s underlägsenhet; ~ complex mindervärdeskomplex

**infernal** [ɪn'fɜ:nl] adj infernalisk; vard. förbannad [an ~ nuisance]

**inferno** [ɪn'fɜ:nəʊ] (pl. ~s) s inferno, helvete

**infertile** [ɪn'fɜ:taɪl, amer. ɪn'fɜ:tl] adj ofruktbar, ofruktsam, steril

**infest** [ɪn'fest] vb tr hemsöka, översvämma

**infidelity** [ˌɪnfɪ'delətɪ] s otro; otrohet

**infiltrate** ['ɪnfɪltreɪt] vb tr o. vb itr

infiltrera; nästla sig (tränga) in i; nästla
sig (tränga) in
**infiltration** [ˌɪnfɪl'treɪʃ(ə)n] s infiltration
**infiltrator** ['ɪnfɪltreɪtə] s infiltratör
**infinite** ['ɪnfɪnət, mat. el. gram. 'ɪnˌfaɪnaɪt]
*adj* oändlig, ändlös, omätlig [~ *number*]
**infinitive** [ɪn'fɪnɪtɪv] gram. **I** *adj* infinitiv-
**II** *s, the ~* infinitiv
**infinity** [ɪn'fɪnətɪ] s oändlighet,
oändligheten
**infirm** [ɪn'fɜ:m] *adj* klen, skröplig
**infirmity** [ɪn'fɜ:mətɪ] s skröplighet
**inflame** [ɪn'fleɪm] *vb tr* **1** hetsa, hetsa upp
**2** inflammera [*an inflamed boil*]
**3** underblåsa, förvärra
**inflammable** [ɪn'flæməbl] *adj* lättantändlig
**inflammation** [ˌɪnflə'meɪʃ(ə)n] s
**1** upphetsning, glöd **2** inflammation
**inflatable** [ɪn'fleɪtəbl] *adj* uppblåsbar
**inflate** [ɪn'fleɪt] *vb tr* **1** blåsa upp, pumpa
upp **2** göra uppblåst **3** driva upp [~
*prices*]
**inflated** [ɪn'fleɪtɪd] *perf p* o. *adj* **1** uppblåst;
pumpad **2** svulstig **3** ekon. inflations- [~
*prices*]
**inflation** [ɪn'fleɪʃ(ə)n] s ekon. inflation
**inflationary** [ɪn'fleɪʃnərɪ] *adj*
inflationsdrivande; inflationistisk
**inflect** [ɪn'flekt] *vb tr* gram. böja, deklinera
**inflection** [ɪn'flekʃ(ə)n] s gram. böjning;
böjd form
**inflexible** [ɪn'fleksəbl] *adj* oböjlig;
orubblig
**inflict** [ɪn'flɪkt] *vb tr* vålla, tillfoga [~
*suffering*], tilldela [~ *a blow*]
**influence** ['ɪnflʊəns] **I** s inflytande [*on*,
*over* på, över; *with* hos]; inverkan,
påverkan **II** *vb tr* ha inflytande på;
influera, inverka på
**influential** [ˌɪnflʊ'enʃ(ə)l] *adj* inflytelserik
**influenza** [ˌɪnflʊ'enzə] s influensa
**influx** ['ɪnflʌks] s inflöde; tilströmmning,
tillflöde
**inform** [ɪn'fɔ:m] *vb tr* o. *vb itr* meddela,
underrätta, informera; ~ *against* (*on*)
uppträda som angivare mot
**informal** [ɪn'fɔ:ml] *adj* informell
**information** [ˌɪnfə'meɪʃ(ə)n] (utan pl.) s
meddelande, meddelanden;
underrättelse, underrättelser,
information, informationer; *an
interesting piece of* ~ en intressant
upplysning (nyhet)
**informed** [ɪn'fɔ:md] *adj* välunderrättad;

insatt; *keep a p.* ~ *as to* hålla ngn à jour
med
**informer** [ɪn'fɔ:mə] s angivare
**infra-red** [ˌɪnfrə'red, adjektiv äv. 'ɪnfrəred] s
o. *adj* infraröd
**infrequent** [ɪn'fri:kwənt] *adj* ovanlig
**infrequently** [ɪn'fri:kwəntlɪ] *adv* sällan
**infringe** [ɪn'frɪndʒ] *vb tr* överträda, kränka
**infringement** [ɪn'frɪndʒmənt] s brott [*of*
*mot*], överträdelse, kränkning [*of* av]
**infuriate** [ɪn'fjʊərɪeɪt] *vb tr* göra rasande
**infuriating** [ɪn'fjʊərɪeɪtɪŋ] *adj* fruktansvärt
irriterande
**infuse** [ɪn'fju:z] *vb tr* ingjuta [*into* i], inge
**ingenious** [ɪn'dʒi:njəs] *adj* fyndig; genial
**ingenuous** [ɪn'dʒenjʊəs] *adj* öppen,
frimodig
**ingot** ['ɪngət] s tacka, metallstycke av guld,
silver
**ingratiate** [ɪn'greɪʃɪeɪt] *vb rfl*, ~ *oneself
with a p.* ställa sig in hos ngn
**ingratiating** [ɪn'greɪʃɪeɪtɪŋ] *adj* inställsam
**ingratitude** [ɪn'grætɪtju:d] s otacksamhet
**ingredient** [ɪn'gri:djənt] s ingrediens
**inhabit** [ɪn'hæbɪt] *vb tr* bebo, befolka
**inhabitant** [ɪn'hæbɪt(ə)nt] s invånare
**inhale** [ɪn'heɪl] *vb tr* o. *vb itr* andas in,
inhalera; dra halsbloss
**inherent** [ɪn'hɪər(ə)nt] *adj* inneboende [*in*
i]; naturlig, medfödd
**inherit** [ɪn'herɪt] *vb tr* o. *vb itr* ärva
**inheritance** [ɪn'herɪt(ə)ns] s arv
**inheritor** [ɪn'herɪtə] s arvinge, arvtagare
**inhibit** [ɪn'hɪbɪt] *vb tr* hämma; hindra
**inhibition** [ˌɪnhɪ'bɪʃ(ə)n] s psykol. hämning
**inhospitable** [ɪn'hɒspɪtəbl] *adj* ogästvänlig
**inhuman** [ɪn'hju:mən] *adj* omänsklig
**inimitable** [ɪ'nɪmɪtəbl] *adj* oefterhärmlig
**initial** [ɪ'nɪʃ(ə)l] **I** *adj* begynnelse- [~ *stage*],
inledande **II** s begynnelsebokstav; initial
**III** *vb tr* märka (underteckna) med
initialer
**initially** [ɪ'nɪʃ(ə)lɪ] *adv* i början
**initiate** [ɪ'nɪʃɪeɪt] **I** *vb tr* **1** inleda, initiera,
starta **2** inviga [~ *a p. into* (i) *a secret*] **II** s
invigd person; nybörjare
**initiative** [ɪ'nɪʃɪətɪv] s initiativ,
företagsamhet
**inject** [ɪn'dʒekt] *vb tr* spruta in, injicera
[*into* i]
**injection** [ɪn'dʒekʃ(ə)n] s injektion; spruta
**injure** ['ɪndʒə] *vb tr* skada, såra
**injurious** [ɪn'dʒʊərɪəs] *adj* skadlig [*to* för]
**injury** ['ɪndʒərɪ] s skada; men
**injustice** [ɪn'dʒʌstɪs] s orättvisa

**ink** [ɪŋk] s **1** bläck **2** trycksvärta, tryckfärg

**inkling** ['ɪŋklɪŋ] s aning, nys, hum [of om]

**inland** [adjektiv 'ɪnlənd, adverb ɪn'lænd] I adj belägen inne i landet II adv inne i landet

**in-laws** [,ɪn'lɔːz] s pl släktingar genom giftermål t.ex. svärföräldrar; ingifta

**inlet** ['ɪnlet] s sund, havsarm; liten vik

**inmate** ['ɪnmeɪt] s intern, intagen på institution; pensionär; patient

**inmost** ['ɪnməʊst] adj innerst; in the ~ depths of the forest djupast (längst) inne i skogen

**inn** [ɪn] s värdshus

**innate** [,ɪ'neɪt] adj medfödd, naturlig

**inner** ['ɪnə] adj inre; invändig; inner-

**innermost** ['ɪnəməʊst] adj innerst

**innkeeper** ['ɪn,kiːpə] s värdshusvärd

**innocence** ['ɪnəsns] s oskuld

**innocent** ['ɪnəsnt] I adj oskyldig [of till] II s oskyldig person

**innovation** [,ɪnə'veɪʃ(ə)n] s **1** förnyelse, nyskapande **2** innovation, nyhet

**innumerable** [ɪ'njuːmərəbl] adj otalig

**inoculate** [ɪ'nɒkjʊleɪt] vb tr med. ympa in smittämne; inokulera; get inoculated bli vaccinerad

**inoffensive** [,ɪnə'fensɪv] adj oförarglig

**in-patient** ['ɪn,peɪʃ(ə)nt] s sjukhuspatient

**input** ['ɪnpʊt] s **1** intag **2** elektr. el. radio. ineffekt **3** data. indata

**inquest** ['ɪnkwest] s rättslig undersökning

**inquire** [ɪn'kwaɪə] vb itr o. vb tr fråga, höra sig för, höra efter; fråga om

**inquiry** [ɪn'kwaɪərɪ, amer. äv. 'ɪŋkwərɪ] s förfrågan, förfrågning; undersökning, utredning; förhör; judicial ~ rättslig undersökning

**inquisitive** [ɪn'kwɪzɪtɪv] adj frågvis, nyfiken

**insane** [ɪn'seɪn] adj sinnessjuk; vansinnig

**insanitary** [ɪn'sænɪtrɪ] adj hälsovådlig

**insanity** [ɪn'sænətɪ] s sinnessjukdom; vansinne, vanvett

**insatiable** [ɪn'seɪʃjəbl] adj omättlig

**inscribe** [ɪn'skraɪb] vb tr skriva, rista; skriva (rista) in

**inscription** [ɪn'skrɪpʃ(ə)n] s inskrift

**inscrutable** [ɪn'skruːtəbl] adj outgrundlig

**insect** ['ɪnsekt] s insekt; neds., om person kryp

**insecticide** [ɪn'sektɪsaɪd] s insektsmedel, bekämpningsmedel mot insekter

**insecure** [,ɪnsɪ'kjʊə] adj osäker, otrygg

**insecurity** [,ɪnsɪ'kjʊərətɪ] s osäkerhet, otrygghet

**insensible** [ɪn'sensəbl] adj **1** medvetslös **2** okänslig **3** omärklig

**insensitive** [ɪn'sensətɪv] adj okänslig [to för]

**inseparable** [ɪn'sepərəbl] adj oskiljaktig

**insert** [ɪn'sɜːt] vb tr sätta (föra) in

**insertion** [ɪn'sɜːʃ(ə)n] s insättande, införande

**inside** [,ɪn'saɪd] I s insida; ~ out ut och in; med avigsidan ut; know a th. ~ out känna ngt utan och innan; turn a th. ~ out vända ut och in på ngt II adj inre, invändig, inner- [~ pocket]; intern III adv inuti, invändigt; inåt; inne IV prep inne i, inom; in i; innanför

**insidious** [ɪn'sɪdɪəs] adj lömsk, smygande

**insight** ['ɪnsaɪt] s insikt, inblick, insyn

**insignificant** [,ɪnsɪg'nɪfɪkənt] adj obetydlig

**insincere** [,ɪnsɪn'sɪə] adj inte uppriktig, falsk

**insincerity** [,ɪnsɪn'serətɪ] s brist på uppriktighet, falskhet

**insinuate** [ɪn'sɪnjʊeɪt] vb tr insinuera, antyda

**insinuation** [ɪn,sɪnjʊ'eɪʃ(ə)n] s insinuation, antydan

**insipid** [ɪn'sɪpɪd] adj smaklös, fadd; urvattnad

**insist** [ɪn'sɪst] vb itr o. vb tr insistera; ~ on insistera på, yrka på

**insistence** [ɪn'sɪst(ə)ns] s hävdande [on av], fasthållande [on vid]

**insistent** [ɪn'sɪst(ə)nt] adj envis, enträgen

**insole** ['ɪnsəʊl] s innersula

**insolence** ['ɪnsələns] s oförskämdhet

**insolent** ['ɪnsələnt] adj oförskämd

**insoluble** [ɪn'sɒljʊbl] adj olöslig

**insomnia** [ɪn'sɒmnɪə] s med. sömnlöshet

**inspect** [ɪn'spekt] vb tr syna, granska; inspektera, besiktiga

**inspection** [ɪn'spekʃ(ə)n] s granskning, synande [of av]; inspektion, besiktning

**inspector** [ɪn'spektə] s **1** inspektör, inspektor; granskare; kontrollant; uppsyningsman **2** police ~ polisinspektör

**inspiration** [,ɪnspə'reɪʃ(ə)n] s inspiration

**inspire** [ɪn'spaɪə] vb tr inspirera

**install** [ɪn'stɔːl] vb tr installera; sätta upp; montera

**installation** [,ɪnstə'leɪʃ(ə)n] s installation, installering; uppsättning; montering

**instalment** [ɪn'stɔːlmənt] s **1** avbetalning; amortering; by ~s på avbetalning **2** portion, del; avsnitt

**instance** ['ınstəns] *s* exempel [*of* på]; *for*
~ till exempel; *in this* ~ i detta fall
**instant** ['ınstənt] **I** *adj* ögonblicklig,
omedelbar [~ *relief*]; ~ *coffee* snabbkaffe
**II** *s* ögonblick; *this* ~ nu genast
**instantaneous** [,ınstən'teınjəs] *adj*
ögonblicklig; momentan
**instantly** ['ınstəntlı] *adv* ögonblickligen
**instead** [ın'sted] *adv* i stället
**instep** ['ınstep] *s* vrist
**instigate** ['ınstıgeıt] *vb tr* uppvigla;
anstifta
**instigator** ['ınstıgeıtə] *s* tillskyndare;
anstiftare; upphovsman
**instil** [ın'stıl] *vb tr* bildl. inge [*a th. into a p.
(a p.'s mind)* ngn ngt]
**instinct** ['ınstıŋkt] *s* instinkt, drift
**instinctive** [ın'stıŋktıv] *adj* instinktiv
**institute** ['ınstıtju:t] **I** *vb tr* upprätta;
inleda, anställa, vidta [~ *legal proceedings*]
**II** *s* institut; ~ *of education* ungefär
lärarhögskola
**institution** [,ınstı'tju:ʃ(ə)n] *s* **1** inrättande
**2** institution, stiftelse; institut; anstalt
**institutionalized** [,ınstı'tju:ʃ(ə)nəlaızd] *adj*
hospitaliserad
**instruct** [ın'strʌkt] *vb tr* undervisa;
instruera; informera, underrätta
**instruction** [ın'strʌkʃ(ə)n] *s* undervisning;
pl. ~*s* instruktioner, föreskrifter; ~*s for
use* bruksanvisningar
**instructive** [ın'strʌktıv] *adj* instruktiv,
upplysande, lärorik
**instructor** [ın'strʌktə] *s* lärare, handledare
**instrument** ['ınstrumənt] *s* instrument,
verktyg, redskap, hjälpmedel
**insubordinate** [,ınsə'bɔ:dənət] *adj* olydig
**insufferable** [ın'sʌfərəbl] *adj* odräglig,
outhärdlig
**insufficient** [,ınsə'fıʃ(ə)nt] *adj* otillräcklig
**insular** ['ınsjʊlə] *adj* öbo- [~ *mentality*];
trångsynt
**insulate** ['ınsjʊleıt] *vb tr* isolera
**insult** [substantiv 'ınsʌlt, verb ın'sʌlt] **I** *s*
förolämpning **II** *vb tr* förolämpa
**insurance** [ın'ʃʊərəns] *s* försäkring; ~
*policy* försäkringsbrev
**insure** [ın'ʃʊə] *vb tr* försäkra
**insurmountable** [,ınsə'maʊntəbl] *adj*
oöverstiglig, oövervinnelig [~ *difficulties*]
**insurrection** [,ınsə'rekʃ(ə)n] *s* uppror
**intact** [ın'tækt] *adj* orörd, intakt; oskadad
**integrate** ['ıntıgreıt] *vb tr* integrera
**integration** [,ıntı'greıʃ(ə)n] *s* samordning;
integration

**integrity** [ın'tegrətı] *s* integritet;
hederlighet
**intellect** ['ıntəlekt] *s* intellekt, förstånd
**intellectual** [,ıntə'lektjʊəl] *adj* o. *s*
intellektuell
**intelligence** [ın'telıdʒ(ə)ns] *s* **1** intelligens
**2** (utan pl.) upplysning, upplysningar; ~
*service* el. ~ underrättelsetjänst
**intelligent** [ın'telıdʒ(ə)nt] *adj* intelligent
**intelligible** [ın'telıdʒəbl] *adj* begriplig [*to*
för]
**intend** [ın'tend] *vb tr* avse, ämna
**intense** [ın'tens] *adj* intensiv, häftig,
sträng [~ *cold*]; livlig [~ *interest*]
**intensify** [ın'tensıfaı] *vb tr* o. *vb itr*
intensifiera, skärpa, öka; intensifieras,
skärpas
**intensity** [ın'tensətı] *s* intensitet, styrka
**intensive** [ın'tensıv] *adj* intensiv,
koncentrerad; ~ *care* med. intensivvård
**intent** [ın'tent] **I** *adj* spänd [~ *look*]; ~ *on*
helt inriktad på; ivrigt upptagen av **II** *s*
syfte, avsikt
**intention** [ın'tenʃən] *s* avsikt, syfte;
mening; *with the* ~ *of* i avsikt att
**intentional** [ın'tenʃ(ə)nl] *adj* avsiktlig
**intercept** [,ıntə'sept] *vb tr* snappa upp på
vägen [~ *a letter*]; fånga upp
**intercom** ['ıntəkɒm] *s* vard. snabbtelefon
**intercourse** ['ıntəkɔ:s] *s* umgänge [*with*
med]; *sexual* ~ sexuellt umgänge, samlag
**interest** ['ıntrəst] **I** *s* **1** intresse [*in* för]
**2** egen fördel; *it is to his* ~ *to* det ligger i
hans intresse att **3** andel; intresse
[*American* ~*s in Asia*] **4** ränta, räntor;
*compound* ~ ränta på ränta; *simple* ~
enkel ränta; *five per cent* ~ fem procents
ränta **II** *vb tr* intressera [*in* för]; göra
intresserad [*in* av, för]
**interesting** ['ıntrəstıŋ] *adj* intressant [*to*
för]
**interfere** [,ıntə'fıə] *vb itr* **1** om person
ingripa [*in* i; *with* mot]; ~ *with* lägga sig
i; mixtra med **2** om saker komma i vägen
(emellan)
**interference** [,ıntə'fıər(ə)ns] *s*
**1** ingripande [*without* ~ *from the police*];
inblandning [*in* i] **2** störning, störningar
**interior** [ın'tıərıə] **I** *adj* **1** inre; invändig;
inomhus-; ~ *decoration* heminredning; ~
*decorator* inredningsarkitekt **2** inlands-;
inrikes **II** *s* **1** inre; insida; interiör **2** *the
Department of the Interior* i USA o. vissa
andra länder inrikesdepartementet;

*Minister* (amer. *Secretary*) *of the Interior* inrikesminister

**interjection** [ˌɪntəˈdʒekʃ(ə)n] *s* gram. interjektion, utropsord

**interlude** [ˈɪntəluːd] *s* **1** mellanspel; uppehåll, paus; intervall **2** mus. mellanspel

**intermarriage** [ˌɪntəˈmærɪdʒ] *s* blandäktenskap

**intermarry** [ˌɪntəˈmærɪ] *vb itr* förenas genom giftermål [*with* med t.ex. andra familjer], gifta sig med varandra

**intermediary** [ˌɪntəˈmiːdjərɪ] *s* mellanhand; mäklare; förmedlare

**intermediate** [ˌɪntəˈmiːdjət] *adj* mellanliggande; mellan-; ~ *stage* mellanstadium

**interment** [ɪnˈtɜːmənt] *s* begravning, gravsättning

**intermezzo** [ˌɪntəˈmetsəʊ] (pl. vanl. ~s) *s* intermezzo, mellanspel äv. bildl.

**interminable** [ɪnˈtɜːmɪnəbl] *adj* oändlig, ändlös

**intermittent** [ˌɪntəˈmɪt(ə)nt] *adj* intermittent, ojämn, oregelbunden

**intern** [ɪnˈtɜːn] *vb tr* internera, spärra in

**internal** [ɪnˈtɜːnl] *adj* inre; invärtes, invändig; inner-; för invärtes bruk; inrikes-; intern; ~ *combustion engine* förbränningsmotor

**international** [ˌɪntəˈnæʃ(ə)nl] **I** *adj* internationellt; världsomfattande; sport. lands- [~ *team*] **II** *s* sport. **1** landskamp **2** landslagsspelare

**internee** [ˌɪntɜːˈniː] *s* internerad person

**internment** [ɪnˈtɜːnmənt] *s* internering

**inter-office** [ˌɪntərˈɒfɪs] *adj* mellan avdelningarna på kontor; intern [*an ~ memorandum*]; ~ *telephone* lokaltelefon

**interplay** [ˈɪntəpleɪ] *s* samspel; växelverkan

**interpose** [ˌɪntəˈpəʊz] *vb tr* sätta emellan; inflicka [~ *a question*]

**interpret** [ɪnˈtɜːprɪt] *vb tr* tolka, tyda

**interpretation** [ɪnˌtɜːprɪˈteɪʃ(ə)n] *s* tolkning; tydning

**interpreter** [ɪnˈtɜːprɪtə] *s* tolk; tolkare

**interrail** [ˈɪntəreɪl] *vb itr* tågluffa

**interrogate** [ɪnˈterəgeɪt] *vb tr* förhöra [~ *a witness*]

**interrogation** [ɪnˌterəˈgeɪʃ(ə)n] *s* **1** utfrågning, förhör **2** *mark* (*note*) *of* ~ frågetecken

**interrogative** [ˌɪntəˈrɒgətɪv] *s* gram. frågeord

**interrogator** [ɪnˈterəgeɪtə] *s* förhörsledare, utfrågare

**interrupt** [ˌɪntəˈrʌpt] *vb tr* o. *vb itr* avbryta

**interruption** [ˌɪntəˈrʌpʃ(ə)n] *s* avbrott

**intersect** [ˌɪntəˈsekt] *vb tr* o. *vb itr* skära, korsa; skära varandra, korsas

**interval** [ˈɪntəv(ə)l] *s* mellanrum, intervall; mellanakt; paus; *bright ~s* tidvis uppklarnande; *at ~s* a) med intervaller b) med mellanrum

**intervene** [ˌɪntəˈviːn] *vb itr* **1** komma emellan, tillstöta **2** intervenera, ingripa [~ *in the debate*]

**intervention** [ˌɪntəˈvenʃ(ə)n] *s* intervention, ingripande

**interview** [ˈɪntəvjuː] **I** *s* intervju **II** *vb tr* intervjua

**interviewer** [ˈɪntəvjuːə] *s* intervjuare

**intestines** [ɪnˈtestɪnz] *s pl* tarmar; inälvor

**intimacy** [ˈɪntɪməsɪ] *s* intimt förhållande

**intimate** [adjektiv o. substantiv ˈɪntɪmət, verb ˈɪntɪmeɪt] **I** *adj* förtrolig, intim; ingående [*an ~ knowledge of*] **II** *s* förtrogen vän **III** *vb tr* antyda, låta förstå

**intimidate** [ɪnˈtɪmɪdeɪt] *vb tr* skrämma [*into doing a. th.* att göra ngt]

**intimidation** [ɪnˌtɪmɪˈdeɪʃ(ə)n] *s* skrämsel

**into** [ˈɪntʊ, obetonat ˈɪntə] *prep* **1** in i [*come ~ the house*]; ut i [*come ~ the garden*]; i [*jump ~ the water; divide a th. ~ two parts; 2 ~ 10 is 5* (går 5 gånger)], till [*change ~*]; *translate ~ English* översätta till engelska **2** vard., *be ~ a th.* vara intresserad av ngt, syssla med ngt

**intolerable** [ɪnˈtɒlərəbl] *adj* outhärdlig

**intolerance** [ɪnˈtɒlər(ə)ns] *s* intolerans

**intolerant** [ɪnˈtɒlər(ə)nt] *adj* intolerant [*to* mot]

**intonation** [ˌɪntəˈneɪʃ(ə)n] *s* intonation

**intoxicate** [ɪnˈtɒksɪkeɪt] *vb tr* berusa

**intoxicating** [ɪnˈtɒksɪkeɪtɪŋ] *adj* berusande

**intoxication** [ɪnˌtɒksɪˈkeɪʃ(ə)n] *s* berusning

**intransitive** [ɪnˈtrænsətɪv] *adj* gram. intransitiv

**intrepid** [ɪnˈtrepɪd] *adj* oförskräckt, orädd

**intricate** [ˈɪntrɪkət] *adj* invecklad; tilltrasslad

**intrigue** [ɪnˈtriːg] **I** *s* intrig, intrigerande **II** *vb itr* o. *vb tr* **1** intrigera **2** väcka intresse (nyfikenhet) hos [*the news intrigued us*]

**intriguer** [ɪnˈtriːgə] *s* intrigmakare

**intriguing** [ɪnˈtriːgɪŋ] *adj* fängslande, spännande; förbryllande

**intrinsic** [ɪn'trɪnsɪk] *adj* inre, inneboende [*the ~ quality*]; egentlig, verklig

**introduce** [ˌɪntrə'dju:s] *vb tr* **1** införa, introducera [*into* i] **2** presentera, föreställa [*to* för]; introducera; *~ oneself* presentera sig; *allow me to ~...* får jag presentera (föreställa)...

**introduction** [ˌɪntrə'dʌkʃ(ə)n] *s* **1** introduktion, införande [*the ~ of a new fashion*] **2** inledning [*to* till], handledning [*to* i] **3** presentation [*to* för]; *letter of ~* rekommendationsbrev

**introductory** [ˌɪntrə'dʌktrɪ] *adj* inledande

**introvert** ['ɪntrəvɜ:t] *s* inåtvänd person

**intrude** [ɪn'tru:d] *vb itr* tränga sig på, inkräkta; *I hope I'm not intruding* jag hoppas jag inte stör

**intruder** [ɪn'tru:də] *s* inkräktare

**intrusion** [ɪn'tru:ʒ(ə)n] *s* inkräktning, intrång [*upon, on* på, i]

**intrusive** [ɪn'tru:sɪv] *adj* inkräktande

**intuition** [ˌɪntjʊ'ɪʃ(ə)n] *s* intuition; ingivelse

**inundate** ['ɪnʌndeɪt] *vb tr* översvämma

**invade** [ɪn'veɪd] *vb tr* o. *vb itr* invadera, ockupera; göra invasion

**invader** [ɪn'veɪdə] *s* inkräktare, angripare

**1 invalid** [substantiv 'ɪnvəlɪd, 'ɪnvəli:d, verb 'ɪnvəli:d] **I** *s* sjukling; invalid **II** *vb tr* o. *vb itr* invalidiseras

**2 invalid** [ɪn'vælɪd] *adj* ogiltig [*an ~ cheque*], utan laga kraft [*an ~ claim*]

**invaluable** [ɪn'væljʊəbl] *adj* ovärderlig

**invariable** [ɪn'veərɪəbl] *adj* oföränderlig

**invariably** [ɪn'veərɪəblɪ] *adv* oföränderligt, konstant; ständigt

**invasion** [ɪn'veɪʒ(ə)n] *s* invasion

**invent** [ɪn'vent] *vb tr* uppfinna; hitta på

**invention** [ɪn'venʃ(ə)n] *s* uppfinning; uppfinnande

**inventive** [ɪn'ventɪv] *adj* uppfinningsrik

**inventor** [ɪn'ventə] *s* uppfinnare

**inventory** ['ɪnvəntrɪ] *s* inventarium

**invert** [ɪn'vɜ:t] *vb tr* vända upp och ned, kasta om

**inverted** [ɪn'vɜ:tɪd] *adj* upp och nedvänd; omvänd; *~ commas* anföringstecken, citationstecken

**invest** [ɪn'vest] *vb tr* **1** investera **2** *~ with* förse med [*~ a p. with power*]

**investigate** [ɪn'vestɪgeɪt] *vb tr* utforska, undersöka; utreda [*~ a crime*]

**investigation** [ɪnˌvestɪ'geɪʃ(ə)n] *s* utredning; undersökning; utforskning

**investigative** [ɪn'vestɪgeɪtɪv] *adj*, *~*

*journalism (reporting)* undersökande journalistik

**investigator** [ɪn'vestɪgeɪtə] *s* utredare; undersökare; forskare

**investment** [ɪn'vestmənt] *s* investering, placering [*~ of* (av) *money in stocks*]

**investor** [ɪn'vestə] *s* investerare; aktieägare

**inveterate** [ɪn'vetərət] *adj* inrotad, ingrodd; inbiten [*an ~ smoker*]

**invigilate** [ɪn'vɪdʒɪleɪt] *vb itr* vakta, hålla vakt vid examensskrivning

**invigilator** [ɪn'vɪdʒɪleɪtə] *s* skrivvakt

**invigorate** [ɪn'vɪgəreɪt] *vb tr* styrka, liva upp; *an invigorating climate* ett stärkande klimat

**invincible** [ɪn'vɪnsəbl] *adj* oövervinnlig

**invisible** [ɪn'vɪzəbl] *adj* osynlig [*to* för]

**invitation** [ˌɪnvɪ'teɪʃ(ə)n] *s* **1** inbjudan; *~ card* inbjudningskort **2** lockelse, invit

**invite** [ɪn'vaɪt] *vb tr* **1** inbjuda [*~ a p. to* (till, på) *dinner*] **2** be, anmoda; *~ criticism* inbjuda till kritik

**inviting** [ɪn'vaɪtɪŋ] *adj* lockande, frestande

**invoice** ['ɪnvɔɪs] **I** *s* faktura **II** *vb tr* fakturera

**involuntary** [ɪn'vɒləntərɪ] *adj* ofrivillig, oavsiktlig

**involve** [ɪn'vɒlv] *vb tr* **1** inveckla, dra in; *those involved* de inblandade **2** medföra, involvera, innefatta **3** *an involved sentence* en invecklad mening

**involvement** [ɪn'vɒlvmənt] *s* inblandning

**invulnerable** [ɪn'vʌlnərəbl] *adj* osårbar [*to* för]; oangriplig, oantastlig

**inward** ['ɪnwəd] **I** *adj* inre; invändig, invärtes: inåtgående **II** *adv* inåt

**inwardly** ['ɪnwədlɪ] *adv* invärtes; i sitt inre

**inwards** ['ɪnwədz] *adv* inåt

**iodine** ['aɪədi:n, 'aɪədənd] *s* jod

**ion** ['aɪən, 'aɪɒn] *s* fys. el. kem. jon

**I O U** [ˌaɪəʊ'ju:] *s* = *I owe you* skuldsedel

**IRA** [ˌaɪɑ:r'eɪ] förk. för *Irish Republican Army*

**Iran** [ɪ'rɑ:n]

**Iranian** [ɪ'reɪnjən] **I** *adj* iransk **II** *s* **1** iranier **2** iranska språket

**Iraq** [ɪ'rɑ:k] Irak

**Iraqi** [ɪ'rɑ:kɪ] **I** *adj* irakisk **II** *s* iraker, irakier

**Ireland** ['aɪələnd] Irland

**iris** ['aɪərɪs] *s* anat. el. bot. iris

**Irish** ['aɪərɪʃ] **I** *adj* irländsk **II** *s* **1** irländska språket **2** *the ~* irländarna

**Irishman** ['aɪrɪʃmən] (pl. *Irishmen* ['aɪrɪʃmən]) *s* irländare

**irksome** ['ɜ:ksəm] *adj* tröttsam, irriterande

**iron** ['aɪən] **I** *s* **1** järn; *strike while the ~ is*

*hot* smida medan järnet är varmt
**2** strykjärn, pressjärn **II** *adj* järn-; ~
*constitution* järnhälsa, järnfysik; ~
*curtain* järnridå **III** *vb tr* **1** stryka [~ *a
shirt*], pressa **2** ~ *out* a) utjämna [~ *out
difficulties*] b) släta ut [~ *out wrinkles*]

**ironic** [aɪ'rɒnɪk] *adj* o. **ironical** [aɪ'rɒnɪkəl]
*adj* ironisk

**ironing** ['aɪənɪŋ] *s* **1** strykning med strykjärn;
pressning **2** stryktvätt

**ironing-board** ['aɪənɪŋbɔːd] *s* strykbräde

**ironmonger** ['aɪən,mʌŋgə] *s* järnhandlare;
*ironmonger's shop* el. *ironmonger's*
järnaffär, järnhandel

**ironware** ['aɪənweə] *s* järnvaror

**irony** ['aɪərənɪ] *s* ironi

**irrational** [ɪ'ræʃənl] *adj* irrationell

**irreconcilable** [ɪ,rekən'saɪləbl] *adj*
oförsonlig

**irregular** [ɪ'regjʊlə] *adj* **1** oregelbunden;
ojämn [*an* ~ *surface*] **2** inkorrekt,
oegentlig [~ *conduct (proceedings)*]; ogiltig
**3** irreguljär [~ *troops*]

**irregularity** [ɪ,regjʊ'lærətɪ] *s*
oregelbundenhet; oriktighet; ojämnhet

**irrelevant** [ɪ'reləvənt] *adj* irrelevant,
ovidkommande

**irreplaceable** [,ɪrɪ'pleɪsəbl] *adj* oersättlig

**irrepressible** [,ɪrɪ'presəbl] *adj* okuvlig

**irresistible** [,ɪrɪ'zɪstəbl] *adj* oemotståndlig

**irrespective** [,ɪrɪ'spektɪv] *adj*, ~ *of* utan
hänsyn till, oavsett [~ *of the consequences*]

**irresponsible** [,ɪrɪ'spɒnsəbl] *adj* oansvarig;
ansvarslös [~ *behaviour*]

**irreverent** [ɪ'revər(ə)nt] *adj* vanvördig

**irrevocable** [ɪ'revəkəbl] *adj* oåterkallelig

**irrigate** ['ɪrɪgeɪt] *vb tr* konstbevattna

**irritable** ['ɪrɪtəbl] *adj* retlig, på dåligt
humör

**irritate** ['ɪrɪteɪt] *vb tr* irritera, reta; reta upp

**irritating** ['ɪrɪ,teɪtɪŋ] *adj* irriterande,
retande

**irritation** [,ɪrɪ'teɪʃ(ə)n] *s* irritation, retning

**is** [betonat IZ, obetonat Z, S], *helshelit* ~ han/
hon/den/det är; se vidare *be*

**Islam** ['ɪzlɑːm] *s* islam

**Islamic** [ɪz'læmɪk] *adj* islamisk

**island** ['aɪlənd] *s* **1** ö [*the Orkney Islands*]
**2** refug [äv. *traffic* ~]

**isle** [aɪl] *s* poet. el. i vissa egennamn ö [*the Isle
of Wight; the British Isles*]

**isn't** ['ɪznt] = *is not*

**isolate** ['aɪsəleɪt] *vb tr* isolera

**isolation** [,aɪsə'leɪʃ(ə)n] *s* isolering; ~
*hospital* epidemisjukhus

**Israel** ['ɪzreɪl, 'ɪzrɪəl]

**Israeli** [ɪz'reɪlɪ] **I** *adj* israelisk **II** *s* israel

**issue** ['ɪʃuː] **I** *vb itr* o. *vb tr* **1** strömma ut
**2** stamma, härröra **3** lämna (dela) ut [~
*rations*]; utfärda [~ *an order*]; sälja [~
*cheap tickets*]; släppa ut, ge ut [~ *new
stamps*]; publicera
    **II** *s* **1** utströmmande **2** fråga, spörsmål,
stridsfråga [*political* ~*s*]; *the point at* ~
tvistefrågan, sakfrågan **3** utgivning [*the* ~
*of new stamps*]; utdelning [*the* ~ *of
rations*]; utfärdande [*the* ~ *of orders*]
**4** upplaga [*the* ~ *of a newspaper*], utgåva,
nummer [*an* ~ *of a magazine*] **5** jur.
avkomma, efterlevande [*die without male
~*] **6** mil. ranson, tilldelning; utrustning
**7** följd, resultat

**isthmus** ['ɪsməs] *s* näs [*the Isthmus of
Panama*]

**it** [ɪt] *pers pron* **1** den, det; sig; *that's just
it* det är just det det är frågan om, just
precis **2** utan motsvarighet i svenskan: *walk* ~
gå till fots; *confound ~!* vard. jäklar!,
tusan också!; *I take* ~ *that...* jag antar
att...; *run for* ~ vard. sticka, kila; skynda
sig; *have a good time of* ~ ha väldigt
roligt

**Italian** [ɪ'tæljən] **I** *adj* italiensk **II** *s*
**1** italienare; italienska **2** italienska språket

**italic** [ɪ'tælɪk] *s*, pl. ~*s* kursiv stil; *in* ~*s*
med (i) kursiv

**italicize** [ɪ'tælɪsaɪz] *vb tr* kursivera

**Italy** ['ɪtəlɪ] Italien

**itch** [ɪtʃ] **I** *s* **1** klåda **2** starkt begär **II** *vb itr*
**1** klia **2** bildl. känna längtan (lust); *my
fingers* ~ (*I am itching*) *to...* det kliar i
fingrarna på mig att få...

**itching** ['ɪtʃɪŋ] *s* klåda

**item** ['aɪtəm] *s* **1** punkt [*the first* ~ *on the
agenda*]; moment; sak, artikel **2** *news* ~
notis, nyhet i tidning

**itinerary** [aɪ'tɪnərərɪ] *s* resväg, resplan

**its** [ɪts] *poss pron* dess; sin [*the dog obeys* ~
*master*]

**it's** [ɪts] = *it is*

**itself** [ɪt'self] *rfl pron* o. *pers pron* sig [*the
dog scratched* ~], sig själv [*the child dressed
~*]; själv [*the thing* ~ *is not valuable*]; *he is
honesty* ~ han är hederligheten själv

**ITV** [,aɪtiː'viː] (förk. för *Independent
Television*) kommersiellt TV-bolag i
Storbritannien

**I've** [aɪv] = *I have*

**ivory** ['aɪvərɪ] *s* elfenben; ~ *tower*
elfenbenstorn

ivy ['aɪvɪ] s murgröna

# J

**J, j** [dʒeɪ] s J, j
**jab** [dʒæb] **I** vb tr o. vb itr sticka [~ a needle
into (i) one's arm], stöta; slå; stöta (slå)
till; boxn. jabba [at mot] **II** s **1** stöt; slag;
boxn. jabb **2** vard. stick injektion
**jabber** ['dʒæbə] **I** vb itr pladdra **II** s pladder
**jack** [dʒæk] **I** s **1** every man ~ of them el.
every man ~ vard. varenda kotte **2** kortsp.
knekt **3** tele. jack **4** domkraft; vinsch **II** vb
tr, ~ up el. ~ hissa med domkraft; ~ up vard.
höja [~ up prices]
**jackal** ['dʒækɔːl, 'dʒæk(ə)l] s sjakal
**jackass** ['dʒækæs, 'dʒækɑːs] s vard.
fårskalle
**jackdaw** ['dʒækdɔː] s kaja
**jacket** ['dʒækɪt] s **1** jacka; kavaj, blazer,
rock kavaj **2** omslag; skyddsomslag till bok
**3** skal; baked ~ potatoes el. ~ potatoes
ugnsbakad potatis
**jack-in-the-box** ['dʒækɪnðəbɒks] s gubben
i lådan
**jackknife** ['dʒæknaɪf] s stor fällkniv
**jackpot** ['dʒækpɒt] s spel. jackpott;
storvinst; hit the ~ vard. vinna potten
**Jacuzzi** [dʒə'kuːzɪ] s ® Jacuzzi, bubbelpool
**1 jade** [dʒeɪd] **I** s **1** utsläpad hästkrake
**2** slyna **II** vb tr trötta ut
**2 jade** [dʒeɪd] s miner. jade [jade-green]
**jaded** ['dʒeɪdɪd] adj tröttkörd; blasé;
avtrubbad [~ taste]
**jagged** ['dʒægɪd] adj ojämn [a ~ edge],
tandad [a ~ knife], spetsig [~ rocks]
**jaguar** ['dʒægjʊə] s zool. jaguar
**jail** [dʒeɪl] **I** s fängelse **II** vb tr sätta i
fängelse
**jailbird** ['dʒeɪlbɜːd] s fängelsekund; fånge
**1 jam** [dʒæm] s sylt, marmelad
**2 jam** [dʒæm] **I** s **1** kläm, press **2** trängsel;
stockning [traffic ~] **3** sl., be in (get into)
a ~ vara i (råka i) knipa **II** vb tr o. vb itr
**1** klämma, stoppa, pressa [together ihop;
into in (ner) i]; ~ on the brakes bromsa
hårt **2** jammed packad [jammed with
people] **3** sätta ur funktion; radio. störa
**4** fastna; blockeras **5** låsa sig [the brakes
jammed]
**Jamaica** [dʒə'meɪkə]
**Jamaican** [dʒə'meɪkən] **I** s jamaican **II** adj
jamaicansk

**jam jar** ['dʒæmdʒɑ:] s o. **jam pot**
['dʒæmpɒt] s syltburk
**jangle** ['dʒæŋgl] I vb itr o. vb tr rassla,
skramla [jangling keys]; låta illa, skära;
rassla med [~ one's keys] II s rassel,
skrammel
**janitor** ['dʒænɪtə] s dörrvakt; amer. äv.
portvakt, fastighetsskötare
**January** ['dʒænjʊərɪ] s januari
**Jap** [dʒæp] s vard. japp, japanes
**Japan** [dʒə'pæn] Japan
**Japanese** [ˌdʒæpə'ni:z] I adj japansk II s
**1** (pl. lika) japan; japanska **2** japanska
språket
**japonica** [dʒə'pɒnɪkə] s bot. rosenkvitten
**1 jar** [dʒɑ:] s kruka; burk
**2 jar** [dʒɑ:] I vb itr **1** skorra, skära [on (i)
the ears] **2** skaka, darra **3** bildl., ~ on stöta,
irritera II s **1** knarr; skakning, stöt
**2** chock [a nasty ~]
**jargon** ['dʒɑ:gən] s jargong [medical ~]
**jasmine** ['dʒæzmɪn] s jasmin
**jaundice** ['dʒɔ:ndɪs] s gulsot
**jaunt** [dʒɔ:nt] s utflykt, utfärd
**jaunty** ['dʒɔ:ntɪ] adj hurtig, pigg; käck
**javelin** ['dʒævlɪn] s spjut
**jaw** [dʒɔ:] I s **1** käke; haka; lower ~
underkäke; upper ~ överkäke **2** pl. ~s
mun, gap; käft **3** vard. snack II vb itr vard.
snacka
**jay** [dʒeɪ] s zool. nötskrika
**jazz** [dʒæz] I s jazz II vb tr, ~ up piffa upp
**jealous** ['dʒeləs] adj svartsjuk; avundsjuk;
~ of mån (rädd) om
**jealousy** ['dʒeləsɪ] s svartsjuka; avundsjuka
**jeans** [dʒi:nz] s pl jeans
**jeep** [dʒi:p] s jeep
**jeer** [dʒɪə] vb itr driva, gyckla, skoja [at
med]
**Jekyll** ['dʒekɪl] egennamn; ~ and Hyde
([haɪd]) doktor Jekyll och mister Hyde
dubbelnatur
**jelly** ['dʒelɪ] s gelé
**jellyfish** ['dʒelɪfɪʃ] s manet
**jemmy** ['dʒemɪ] s kort kofot; inbrottsverktyg
dyrk
**jeopardize** ['dʒepədaɪz] vb tr äventyra,
sätta på spel, riskera, våga [~ one's life]
**jeopardy** ['dʒepədɪ] s fara [be in ~]
**jerk** [dʒɜ:k] I s **1** ryck, knyck; stöt; give a
~ rycka till **2** physical ~s vard. bensprattel
gymnastik **3** speciellt amer. sl. tölp; kräk, skit
II vb tr o. vb itr rycka; stöta till, rycka till
**Jersey** ['dʒɜ:zɪ] I egennamn II s, jersey tröja;
textil. jersey

**Jerusalem** [dʒə'ru:sələm] geogr.; ~
artichoke jordärtskocka
**jest** [dʒest] I s skämt; in ~ på skämt (skoj)
II vb itr skämta, skoja
**jester** ['dʒestə] s **1** skämtare **2** hist.
gycklare vid t.ex. hov; hovnarr
**jesting** ['dʒestɪŋ] s skämt, skoj; gyckel
**Jesus** ['dʒi:zəs] egennamn; ~! vard. Herre
Gud!
**1 jet** [dʒet] s **1** stråle [a ~ of water]; ström
**2** jetplan; jetflyg [go by ~], jet- [~plane]
**2 jet** [dʒet] I s miner. jet II adj jet-; jetsvart,
kolsvart
**jet-black** [ˌdʒet'blæk] adj jetsvart, kolsvart
**jet lag** ['dʒetlæg] s 'jet-lag', rubbad
dygnsrytm efter längre flygning
**jetliner** ['dʒetˌlaɪnə] s linjejetplan
**jettison** ['dʒetɪsn] I vb tr **1** kasta överbord
[~ goods to lighten a ship]; göra sig av med
[the plane jettisoned its bombs] **2** kullkasta
[~ a plan] II s kastande överbord av last
**jetty** ['dʒetɪ] s **1** pir, vågbrytare
**2** utskjutande brygga, kaj
**Jew** [dʒu:] s jude
**jewel** ['dʒu:əl] I s juvel, ädelsten; smycke;
bildl. klenod, skatt, pärla; pl. ~s ofta
smycken II vb tr besätta (pryda) med
juveler
**jewel case** ['dʒu:əlkeɪs] s juvelskrin
**jeweler** ['dʒu:ələ] s amer., se jeweller
**jeweller** ['dʒu:ələ] s juvelerare, guldsmed
**jewellery** ['dʒu:əlrɪ] s smycken, juveler; a
piece of ~ ett smycke; costume ~
bijouterier
**jewelry** ['dʒu:əlrɪ] s amer., se jewellery
**Jewess** ['dʒu:es, dʒu:'es] s judinna
**Jewish** ['dʒu:ɪʃ] adj judisk
**jew's-harp** [ˌdʒu:z'hɑ:p] s mungiga
**jiffy** ['dʒɪfɪ] s vard., in a ~ i ett nafs
**jig** [dʒɪg] I s jigg slags dans II vb itr dansa
jigg
**jigsaw** ['dʒɪgsɔ:] s, ~ puzzle el. ~ pussel
**jilt** [dʒɪlt] vb tr överge, ge på båten
**jimmy** ['dʒɪmɪ] s amer., kort kofot
inbrottsverktyg
**jingle** ['dʒɪŋgl] I vb itr o. vb tr klinga;
skramla, rassla; rassla med II s klingande;
skramlande, rassel
**jitters** ['dʒɪtəz] s pl vard., it gives me the
~s det ger mig stora skälvan
**jittery** ['dʒɪtərɪ] adj vard. skakis,
uppskärrad
**Jnr.** o. **jnr.** ['dʒu:njə] (förk. för junior) jr, j:r
**job** [dʒɒb] s **1** arbete; vard. jobb;
arbetsuppgift; a fine ~ of work ett fint

arbete; *make a good ~ of a th.* göra ngt
bra; *be out of a ~* vara arbetslös **2** vard.
jobb, fasligt besvär, slit [*what a ~!*]; *give
a p. up as a bad ~* anse ngn som ett
hopplöst fall; *and a good ~, too!* och
gudskelov för det!

**jobcentre** ['dʒɒb,sentə] *s* arbetsförmedling
**jockey** ['dʒɒkɪ] **I** *s* jockej **II** *vb tr* o. *vb itr*
manövrera; lura [*a p. into doing a th.* ngn
att göra ngt]; *~ for position* bildl. försöka
att manövrera sig in i en fördelaktig
position

**jockstrap** ['dʒɒkstræp] *s* suspensoar
**jocular** ['dʒɒkjʊlə] *adj* skämtsam; lustig
**jog** [dʒɒg] **I** *vb tr* o. *vb itr* **1** stöta (knuffa)
till **2** ~ *a p.'s memory* friska upp ngns
minne **3** skaka, ruska **4** lunka [*along* på,
fram], sport. jogga **II** *s* **1** knuff, stöt **2** lunk
**jogger** ['dʒɒgə] *s* sport. joggare
**john** [dʒɒn] *s* sl. **1** *the ~* toan, muggen
**2** torsk kund hos prostituerad
**join** [dʒɔɪn] **I** *vb tr* o. *vb itr* **1** förena;
förbinda; knyta (föra, foga) samman,
sätta ihop [*~ the pieces*]; *~ together* (*up*)
foga samman, sätta ihop; förena **2** förena
sig med; följa med; gå in i (vid) [*~ a
society*], ansluta sig till [*~ a party*]; *~ the
army* gå in i armén; *won't you ~ us?* vill
du inte göra oss sällskap? **3** gränsa till
**4** förenas; förena sig [*in i; with* med]; *~
in* preposition delta i, blanda sig i [*~ in the
conversation*], stämma in i [*~ in a song*]; *~
up* vard. bli soldat, ta värvning **II** *s* skarv,
fog, hopfogning
**joiner** ['dʒɔɪnə] *s* snickare
**joint** [dʒɔɪnt] **I** *s* **1** sammanfogning; tekn.
fog, skarv **2** led [*finger ~s*]; *out of ~* ur
led, ur gängorna; i olag **3** kok. stek; *~ of
lamb* lammstek **4** sl. sylta, sämre kafé;
krog; kyffe **5** sl. knarkpinne **II** *adj* förenad,
förbunden; *~ account* gemensamt konto,
gemensam räkning **III** *vb tr* foga ihop
(samman), förbinda
**jointly** ['dʒɔɪntlɪ] *adv* gemensamt, samfällt
**joke** [dʒəʊk] **I** *s* **1** skämt; kvickhet, vits;
*practical ~* practical joke, spratt; *it's no
~* det är minsann ingenting att skämta
med (inte så roligt); *crack ~s* dra vitsar;
*play a ~ on a p.* spela ngn ett spratt; *he
can't take a ~* han tål inte skämt; *it's
getting beyond a ~* det börjar gå för
långt **2** föremål för skämt [*a standing ~*],
driftkucku **II** *vb itr* skämta, skoja [*about*
om; *at, with* med; *on* över, med], driva
[*at, with* med]

**joker** ['dʒəʊkə] *s* **1** skämtare **2** kortsp. joker
**joking** ['dʒəʊkɪŋ] *s* skämt, skoj; *this is no
~ matter* det här är inget att skämta om;
*~ apart* skämt åsido
**jollity** ['dʒɒlətɪ] *s* munterhet; skoj
**jolly** ['dʒɒlɪ] **I** *adj* glad, trevlig, rolig,
munter **II** *adv* vard., *that's ~ good* det var
riktigt bra; *take ~ good care not to* akta
sig väldigt noga för att; *a ~ good fellow*
en hedersprick, en fin kille; *he knows ~
well* han vet nog
**jolt** [dʒəʊlt] **I** *vb itr* o. *vb tr* **1** om t.ex. åkdon
skaka till **2** skaka om, ruska; ge en chock
**II** *s* skakning, ryck; bildl. chock
**Jordan** ['dʒɔːdn] *s* Jordanien
**Jordanian** [dʒɔːˈdeɪnjən] **I** *adj* jordansk **II** *s*
jordanier
**jostle** ['dʒɒsl] *vb tr* o. *vb itr* knuffa, skuffa;
knuffas, skuffas
**jot** [dʒɒt] **I** *s* dugg, dyft **II** *vb tr*, *~ down*
krafsa ned, anteckna
**journal** ['dʒɜːnl] *s* **1** tidskrift speciellt teknisk
el. vetenskaplig; tidning **2** journal, dagbok;
liggare; sjö. loggbok
**journalese** [,dʒɜːnəˈliːz] *s* tidningsjargong
**journalism** ['dʒɜːnəlɪz(ə)m] *s* journalistik
**journalist** ['dʒɜːnəlɪst] *s* journalist
**journey** ['dʒɜːnɪ] *s* o. *vb itr* resa
**Jove** [dʒəʊv] myt. Jupiter; *by ~!* för tusan!
**jovial** ['dʒəʊvjəl] *adj* jovialisk; gemytlig
**joy** [dʒɔɪ] *s* glädje, fröjd [*at* över]
**joyful** ['dʒɔɪf(ʊ)l] *adj* glad; glädjande
**joyous** ['dʒɔɪəs] *adj* glad, glädjande [*~
news*]
**joyride** ['dʒɔɪraɪd] *s* nöjestur
**joystick** ['dʒɔɪstɪk] *s* flyg. vard. styrspak
**Jr.** o. **jr** [dʒuːnjə] (förk. för *junior*) jr, j:r
**jubilant** ['dʒuːbɪlənt] *adj* jublande,
triumferande
**jubilee** ['dʒuːbɪliː] *s* jubileum; jubelfest
**Judaism** ['dʒuːdeɪɪzm] *s* judendom,
judendomen
**Judas** ['dʒuːdəs] egennamn; bildl. judas;
förrädare
**judge** [dʒʌdʒ] **I** *s* domare; bedömare,
kännare [*a good ~ of horses*]; *be a good ~
of* förstå sig bra på **II** *vb tr* o. *vb itr*
**1** döma; bedöma; *it's for you to ~* det
får ni själv bedöma; *to ~ from* el. *judging
by* (*from*) att döma av **2** anse [*I judged
him to be about 50*]
**judgement** ['dʒʌdʒmənt] *s* **1** dom; *give
(pass) ~* avkunna dom [*against, for* över]
**2** *the Last Judgement* yttersta domen;
*the Day of Judgement* el. *Judgement*

*Day* domedagen **3** bedömning, omdöme, omdömesförmåga

**judicial** [dʒʊ'dɪʃ(ə)l] *adj* rättslig, juridisk; ~ *proceedings* lagliga åtgärder, åtal; ~ *separation* hemskillnad

**judicious** [dʒʊ'dɪʃəs] *adj* omdömesgill

**judo** ['dʒu:dəʊ] *s* judo

**Judy** ['dʒu:dɪ] egennamn; Punchs hustru i kasperteatern [*Punch and ~*]

**jug** [dʒʌg] *s* kanna, krus, tillbringare

**juggle** ['dʒʌgl] *vb itr* göra trollkonster, trolla

**juggler** ['dʒʌglə] *s* jonglör, trollkarl

**Jugoslav** [ˌju:gə'slɑ:v] se *Yugoslav*

**Jugoslavia** [ˌju:gə'slɑ:vjə] se *Yugoslavia*

**Jugoslavian** [ˌju:gə'slɑ:vjən] se *Yugoslavian*

**juice** [dʒu:s] *s* **1** saft; juice **2** vard. soppa bensin **3** vard. kräm elström

**juicy** ['dʒu:sɪ] *adj* saftig

**ju-jitsu** [dʒu:'dʒɪtsu:] *s* jiujitsu

**jukebox** ['dʒu:kbɒks] *s* jukebox

**July** [dʒʊ'laɪ] *s* juli

**jumble** ['dʒʌmbl] **I** *vb tr*, ~ *up* el. ~ *blanda* (röra) ihop **II** *s* virrvarr, röra, mischmasch

**jumbo** ['dʒʌmbəʊ] *s* **1** vard. jumbo elefant **2** ~ *jet* el. ~ jumbojet

**jump** [dʒʌmp] **I** *vb itr* o. *vb tr* **1** hoppa; skutta; springa i höjden om t.ex. pris; ~ *at a chance* gripa en chans; ~ *to conclusions* dra förhastade slutsatser; ~ *to one's feet* springa (rusa) upp; *it made him* ~ det kom (fick) honom att hoppa högt **2** hoppa över äv. bildl. [~ *a fence (chapter)*]; ~ *the gun* vard. tjuvstarta; ~ *the lights (traffic lights)* vard. köra mot rött ljus; ~ *the queue* vard. tränga sig före; ~ *rope* amer. hoppa rep

**II** *s* **1** hopp; skutt, språng; *high* ~ höjdhopp; *long* ~ längdhopp; *pole* ~ stavhopp **2** stegring [*a* ~ *in prices*]

**jumper** ['dʒʌmpə] *s* **1** hoppare; *high* ~ höjdhoppare **2** jumper sweater

**jump rope** ['dʒʌmprəʊp] *s* amer. hopprep

**jumpy** ['dʒʌmpɪ] *adj* hoppig; vard. darrig

**junction** ['dʒʌŋkʃ(ə)n] *s* **1** förenande; förbindelse; föreningspunkt **2** järnvägsknut; vägkorsning

**juncture** ['dʒʌŋktʃə] *s* kritiskt ögonblick; avgörande tidpunkt

**June** [dʒu:n] *s* juni

**jungle** ['dʒʌŋgl] *s* djungel; ~ *gym* klätterställning för barn

**junior** ['dʒu:njə] **I** *adj* yngre äv. i tjänsten [*to* än]; den yngre, junior [*John Smith*,

*Junior*]; junior- [*a* ~ *team*]; lägre i rang; underordnad **II** *s* **1** yngre äv. i tjänsten; yngre medlem; *he is six years my* ~ han är sex år yngre än jag **2** sport. junior **3** amer. vard. grabben [*take it easy*, ~*!*]

**juniper** ['dʒu:nɪpə] *s* bot. en; ~ *berry* enbär

**junk** [dʒʌŋk] *s* skräp [*an attic full of* ~], skrot, lump, smörja; ~ *art* skrotkonst; ~ *food* skräpmat, snabbmat t.ex. popcorn, chips; ~ *shop* lumpbod

**junkie** ['dʒʌŋkɪ] *s* sl. knarkare narkoman

**junta** ['dʒʌntə] *s* polit. junta

**Jupiter** ['dʒu:pɪtə] astron. el. myt. Jupiter

**jurisdiction** [ˌdʒʊərɪs'dɪkʃ(ə)n] *s* jurisdiktion, rättskipning

**jury** ['dʒʊərɪ] *s* **1** jury; *grand* ~ amer. åtalsjury; *serve on a* ~ sitta i en jury **2** tävlingsjury, domarkommitté

**just** [dʒʌst] **I** *adj* rättvis; välförtjänt [~ *reward*]; skälig, rimlig [*the payment is* ~]

**II** *adv* **1** just [*it is* ~ *what I want*]; alldeles, exakt, precis [*it's* ~ *two o'clock*]; *it's* ~ *as well* det är lika bra (gott); ~ *by* strax bredvid; *that's* ~ *it* just det ja; *he is* ~ *the man* [*for the post*] han är rätte mannen... **2** just [*they have* ~ *left*], nyss; strax; *it's* ~ *on six* klockan är strax sex **3** nätt och jämnt; *that's* ~ *possible* det är ju möjligt **4** bara, endast [*she is* ~ *a child*]; ~ *fancy!* tänk bara! **5** vard. fullkomligt, alldeles [*he's* ~ *crazy*]; *not* ~ *yet* inte riktigt ännu

**justice** ['dʒʌstɪs] *s* **1** rättvisa, rätt; *administer* (*dispense*) ~ skipa rättvisa; *do* ~ *to a p.* göra ngn rättvisa; *he did* (*did ample*) ~ [*to the dinner*] han gjorde all heder åt...; *court of* ~ domstol, rätt **2** rätt; berättigande; *the* ~ *of* det berättigade i **3** domare; *Justice of the Peace* fredsdomare

**justifiable** [ˌdʒʌstɪ'faɪəbl] *adj* försvarlig, rättmätig

**justification** [ˌdʒʌstɪfɪ'keɪʃ(ə)n] *s* rättfärdigande; berättigande; urskuldande

**justify** ['dʒʌstɪfaɪ] *vb tr* rättfärdiga; urskulda; berättiga, försvara; *the end justifies the means* ändamålet helgar medlen

**jut** [dʒʌt] *vb itr*, ~ *out* skjuta ut

**jute** [dʒu:t] *s* bot. el. textil. jute

**juvenile** ['dʒu:vənaɪl, amer. 'dʒu:vən(ə)l] **I** *s* ung människa; pl. ~*s* minderåriga **II** *adj* **1** ungdoms- [~ *books*], barn-; ~ *court* ungdomsdomstol; ~ *delinquent* (*offender*) ungdomsbrottsling **2** barnslig, omogen

# K

**K, k** [keɪ] *s* K, k
**kale** [keɪl] *s* grönkål, kruskål
**kangaroo** [ˌkæŋgəˈruː] (pl. *~s*) *s* känguru
**karate** [kəˈrɑːtɪ] *s* karate
**Kattegat** [ˈkætɪgæt] *s*, *the* ~ Kattegatt
**Kazakhstan** [ˌkæzækˈstɑːn] Kazachstan
**kebab** [kəˈbæb] *s* kebab, grillspett
**keel** [kiːl] **I** *s* köl; *on an even* ~ på rätt köl
**II** *vb itr*, ~ *over* el. ~ kantra
**keen** [kiːn] *adj* **1** skarp, vass **2** intensiv;
häftig [*a* ~ *pain*]; stark [*a* ~ *sense of duty*];
levande [*a* ~ *interest*]; frisk [*a* ~ *appetite*];
hård [~ *competition*]; fin [*a* ~ *nose for*];
ivrig; entusiastisk; ~ *on* pigg på, förtjust i
**keen-eyed** [ˌkiːnˈaɪd] *adj* skarpsynt
**keep** [kiːp] **I** (*kept kept*) *vb tr* o. *vb itr*
**1** hålla, behålla, hålla kvar; ~ *alive* hålla
vid liv; ~ *a p. company* hålla ngn
sällskap; ~ *one's head* behålla fattningen;
*I won't* ~ *you long* jag ska inte uppehålla
dig länge; ~ *a p. waiting* låta ngn vänta
**2** förvara; bevara [~ *a secret*]; ~ *goal* stå i
mål **3** äga, hålla sig med [~ *a car*];
underhålla, försörja **4** föra [~ *a diary*],
sköta [~ *accounts*] **5** hålla sig [~ *awake*; ~
*silent*]; *how are you keeping?* hur står
det till? **6** stå sig, hålla sig [*will the meat*
*~?*] **7** fortsätta [~ *straight on* (rakt fram)];
~ *left!* håll (kör, gå) till vänster! **8** ~
*doing* (~ *on doing*) *a th.* fortsätta att
göra ngt; ~ *moving!* rör på er!; *she ~s*
(*~s on*) *talking* hon bara pratar och
pratar □ ~ *at it* ligga i, inte ge upp; ~ *from*
avhålla från; dölja för; ~ *a p. from doing*
*a th.* hindra ngn från att göra ngt; ~ *off*
hålla på avstånd; ~ *off the grass!* beträd
ej gräsmattan!; ~ *on* fortsätta med; inte ta
av sig [~ *one's hat on*]; hålla i sig [*if the*
*rain ~s on*]; ~ *on at* vard. tjata på; ~ *out*
hålla ute, stänga ute [*of* från]; ~ *out of*
*a p.'s way* undvika ngn; ~ *to* hålla sig till;
hålla fast vid [~ *to one's plans*]; stå fast
vid [~ *to one's promise*]; ~ *a th. to oneself*
hålla ngt för sig själv, tiga med ngt; ~
*oneself to oneself* el. ~ *to oneself* hålla
sig för sig själv; ~ *to the right!* håll till
höger!; ~ *under* hålla nere, kuva; ~ *up* hålla
uppe, uppehålla; fortsätta med; hålla vid
liv [~ *up a conversation*]; ~ *it up* fortsätta,
hänga i, inte ge tappt; ~ *up with* hålla

jämna steg med
**ll** s **1** underhåll; uppehälle [*earn one's* ~] **2** *for* ~*s* vard.
**keeper** ['ki:pə] s **1** vakt, vaktare; djurskötare **2** a) i sammansättningar -innehavare [*shopkeeper*], -vakt [*goalkeeper*], -vaktare b) sport. målvakt
**keep-fit** [ˌki:p'fɪt] *adj*, ~ *exercises* motionsgymnastik
**keeping** ['ki:pɪŋ] s **1** förvar, vård; *in safe* ~ i säkert förvar **2** *be in* ~ *with* gå i stil med
**keepsake** ['ki:pseɪk] s minne, minnesgåva, souvenir
**keg** [keg] s kagge, kutting
**Kelvin** ['kelvɪn] **I** egennamn **ll** s fys., *kelvin* kelvin enhet för temperatur
**kennel** ['kenl] s hundkoja
**kept** [kept] se *keep I*
**kerb** [kɜ:b] s trottoarkant
**kerbstone** ['kɜ:bstəʊn] s kantsten i trottoarkant
**kerchief** ['kɜ:tʃɪf] s sjalett, halsduk
**kernel** ['kɜ:nl] s kärna i nöt, fruktsten
**kerosene** ['kerəsi:n] s speciellt amer. fotogen
**ketchup** ['ketʃəp] s ketchup [*tomato* ~]
**kettle** ['ketl] s panna
**kettle-drum** ['ketldrʌm] s puka
**key** [ki:] s **1** nyckel; lösning, förklaring; *master* ~ huvudnyckel **2** facit **3** tangent på piano, skrivmaskin m.m.; nyckel på telegraf **4** mus. tonart
**keyboard** ['ki:bɔ:d] s klaviatur; på skrivmaskin tangentbord; ~ *instrument* klaverinstrument
**keyboarder** ['ki:bɔ:də] s data. inskrivare
**keynote** ['ki:nəʊt] s grundton; grundtanke
**keypad** ['ki:pæd] s knappsats på telefon, fjärrkontroll m.m.; litet tangentbord
**keyphone** ['ki:fəʊn] s knapptelefon
**key-ring** ['ki:rɪŋ] s nyckelring
**keystone** ['ki:stəʊn] s bildl. grundval, kärna
**kg.** (förk. för *kilogram, kilograms, kilogramme, kilogrammes*) kg
**khaki** ['kɑ:kɪ] **I** s kaki **ll** *adj* kakifärgad
**kHz** (förk. för *kilohertz*) kHz
**kick** [kɪk] **I** *vb tr* o. *vb itr* **1** sparka, sparka till; sparkas; om häst slå bakut; ~ *the bucket* sl. kola dö **2** bildl. protestera [~ *against (at)* mot] **3** om skjutvapen rekylera □ ~ *against the pricks* spjärna mot udden; ~ *off* sparka i gång [~ *off a campaign*]; göra avspark i fotboll; ~ *out* sparka ut; kasta ut; *be kicked out* vard. få sparken; ~

*over* sparka omkull; ~ *over the traces* bildl. hoppa över skaklarna; ~ *up* sparka upp t.ex. damm; vard. ställa till; ~ *up a row* (*fuss*) ställa till bråk
**ll** s **1** spark; *free* ~ frispark; *penalty* ~ straffspark **2** vard., *get a big* ~ *out of* tycka det är helskönt (kul) att; *for* ~*s* för nöjes skull **3** vard. styrka, krut i dryck **4** rekyl av skjutvapen
**kick-off** ['kɪkɒf] s avspark i fotboll
**1 kid** [kɪd] s **1** killing, kid **2** getskinn; ~ *gloves* glacéhandskar; *treat a p. with* ~ *gloves* bildl. behandla ngn med silkesvantar **3** vard. barn, unge; ~ *brother* lillebror; ~ *sister* lillasyster
**2 kid** [kɪd] *vb tr* o. *vb itr* lura, narra; skoja (retas) med; skoja; retas; *I'm not kidding!* jag skämtar (skojar) inte!; ~ *around* skoja
**kidding** ['kɪdɪŋ] s skoj; *no* ~*!* bergis!
**kiddy** ['kɪdɪ] s vard. litet barn, unge
**kidnap** ['kɪdnæp] **I** *vb tr* kidnappa **ll** s kidnappning
**kidney** ['kɪdnɪ] s njure
**kidney bean** ['kɪdnɪbi:n] s skärböna, brytböna; rosenböna
**kidney stone** ['kɪdnɪstəʊn] s njursten
**Kiev** ['ki:ef, 'ki:ev]
**kill** [kɪl] **I** *vb tr* o. *vb itr* döda, mörda, slå ihjäl; slakta; *be killed* dö, omkomma; *be killed in action* stupa i strid; ~ *the time* el. ~ *time* få tiden att gå; ~ *two birds with one stone* ordspr. slå två flugor i en smäll **ll** s jakt., villebrådets dödande; byte
**killer** ['kɪlə] s mördare, dråpare
**killjoy** ['kɪldʒɔɪ] s glädjedödare
**kiln** [kɪln] s brännugn för t.ex. kalk, tegel
**kilo** ['ki:ləʊ] s (förk. för *kilogram, kilogramme*) kilo
**kilo-** ['kɪləʊ] *prefix* kilo- ett tusen
**kilocycle** ['kɪləˌsaɪkl] s kilocykel
**kilogram** o. **kilogramme** ['kɪləgræm] s kilogram
**kilohertz** ['kɪləhɜ:ts] s kilohertz
**kilometre** ['kɪləˌmi:tə] s kilometer
**kiloton** ['kɪlətʌn] s kiloton
**kilowatt** ['kɪləwɒt] s kilowatt
**kilt** [kɪlt] s kilt
**kimono** [kɪ'məʊnəʊ] (pl. ~s) s kimono
**kin** [kɪn] s släkt, släktingar
**1 kind** [kaɪnd] s slag, sort; *nothing of the* ~ inte alls så; *something of the* ~ något ditåt; *a* ~ *of* ett slags; *every* ~ *of* el. *all* ~*s of* alla slags, alla möjliga; *that* ~ *of thing*

sådant där; *what ~ of weather is it?* vad
är det för väder?
**2 kind** [kaɪnd] *adj* vänlig, snäll; *~ regards*
hjärtliga hälsningar; *would you be ~*
*enough to...?* el. *would you be so ~ as*
*to...?* vill du vara vänlig och...?
**kindergarten** ['kɪndə,gɑ:tn] *s* lekskola,
kindergarten
**kind-hearted** [,kaɪnd'hɑ:tɪd] *adj*
godhjärtad
**kindle** ['kɪndl] *vb tr* antända, tända
**kindly** ['kaɪndlɪ] **I** *adj* vänlig, godhjärtad
**II** *adv* vänligt, snällt; *~ shut the door!* var
snäll och stäng dörren!
**kindred** ['kɪndrəd] **I** *s* **1** släktskap genom
födsel **2** (konstrueras med pl.) släkt, släktingar
**II** *adj* besläktad; liknande
**king** [kɪŋ] *s* **1** kung, konung **2** kung i
kortlek, schack m.fl. spel; dam i damspel; *~ of*
*hearts* hjärter kung
**kingdom** ['kɪŋdəm] *s* **1** kungarike;
kungadöme; *the United Kingdom of*
*Great Britain and Northern Ireland*
Förenade kungariket Storbritannien och
Nordirland **2** bildl. rike; *the ~ of heaven*
himmelriket **3** naturv., *the animal*
*(vegetable, mineral)* ~ djurriket
(växtriket, mineralriket)
**kingfisher** ['kɪŋ,fɪʃə] *s* zool. kungsfiskare
**king-size** ['kɪŋsaɪz] *adj* jättestor, extra stor
**kinsfolk** ['kɪnzfəʊk] *s* litt. släkt, släktingar
[*my ~ live abroad*]
**kinship** ['kɪnʃɪp] *s* släktskap; frändskap
**kinsman** ['kɪnzmən] (pl. *kinsmen*
['kɪnzmən]) *s* litt. släkting, frände
**kiosk** ['ki:ɒsk] *s* kiosk
**kipper** ['kɪpə] *s* 'kipper' slags fläkt, saltad o.
torkad fisk, speciellt sill
**kiss** [kɪs] **I** *vb tr* o. *vb itr* kyssa, pussa;
kyssas, pussas **II** *s* kyss, puss; *give a p.*
*the ~ of life* behandla ngn med
mun-mot-mun-metoden
**kissproof** ['kɪspru:f] *adj* kyssäkta
**kit** [kɪt] *s* **1** utrustning av kläder m.m.;
persedlar; mundering, utstyrsel; byggsats;
*first-aid ~* förbandslåda **2** kappsäck; mil.
packning
**kitbag** ['kɪtbæg] *s* **1** sportbag, sportväska
**2** mil. ränsel, ryggsäck
**kitchen** ['kɪtʃ(ə)n, 'kɪtʃɪn] *s* kök
**kitchenette** [,kɪtʃɪ'net] *s* kokvrå, litet kök
**kitchen range** ['kɪtʃɪnreɪndʒ] *s* köksspis
**kitchen sink** [,kɪtʃɪn'sɪŋk] *s* diskbänk
**kite** [kaɪt] *s* **1** zool. glada **2** drake av t.ex.

papper; *fly a ~* a) sända upp en drake
b) bildl. släppa upp en försöksballong
**kitten** ['kɪtn] *s* kattunge
**kitty** ['kɪtɪ] *s* pott, insats
**kiwi** ['ki:wi:] *s* **1** fågel kivi **2** frukt kiwi
**Kleenex** ['kli:neks] *s* ® ansiktsservett
**kleptomania** [,kleptə'meɪnjə] *s*
kleptomani
**kleptomaniac** [,kleptə'meɪniæk] *s*
kleptoman
**km.** (förk. för *kilometre, kilometres*) km
**knack** [næk] *s* gott handlag, grepp,
förmåga; knep; *get the ~ of a th.* få kläm
på ngt
**knapsack** ['næpsæk] *s* ryggsäck, ränsel
**knave** [neɪv] *s* **1** kanalje, skojare **2** knekt i
kortlek; *~ of hearts* hjärter knekt
**knavery** ['neɪvərɪ] *s* skurkstreck
**knavish** ['neɪvɪʃ] *adj,* *~ trick* skurkstreck
**knead** [ni:d] *vb tr* knåda; älta
**knee** [ni:] *s* knä; *on one's bended ~s* på
sina bara knän; *bring a p. to his ~s*
tvinga ngn på knä
**kneecap** ['ni:kæp] *s* knäskål
**knee-deep** [,ni:'di:p] *adj* ända till knäna
**kneel** [ni:l] (*knelt knelt* el. *kneeled kneeled*)
*vb itr* knäböja, falla på knä; *~ down* falla
på knä
**knee-length** ['ni:leŋθ] *adj* knäkort
**knee-pad** ['ni:pæd] *s* knäskydd
**knell** [nel] *s* själaringning; klämtning; bildl.
dödsstöt
**knelt** [nelt] se *kneel*
**knew** [nju:] se *know I*
**knickerbocker** ['nɪkəbɒkə] *s* **1** pl. *~s*
knickerbockers; slags golfbyxor **2** *~ glory*
fruktvarvad glass
**knickers** ['nɪkəz] *s pl* knickers;
underbyxor, benkläder
**knick-knacks** ['nɪknæks] *s* krimskrams
**knife** [naɪf] **I** (pl. *knives* [naɪvz]) *s* kniv;
*have (have got) one's ~ into a p.* ha ett
horn i sidan till ngn **II** *vb tr* knivhugga
**knight** [naɪt] *s* **1** medeltida riddare
**2** knight adelsman av lägsta rang **3** springare,
häst i schack **II** *vb tr* dubba till riddare;
utnämna till knight, adla
**knighthood** ['naɪthʊd] *s* riddarvärdighet,
knightvärdighet
**knit** [nɪt] (*knitted knitted* el. *knit knit*) *vb tr*
o. *vb itr* **1** sticka t.ex. strumpor **2** *~ one's*
*brows* rynka pannan (ögonbrynen) **3** ~
el. ofta *~ together* förena, binda (knyta)
samman **4** växa ihop; förenas
**knitting** ['nɪtɪŋ] *s* stickning

**knitting-needle** ['nɪtɪŋ͵niːdl] *s* strump-
sticka
**knitwear** ['nɪtweə] *s* trikåvaror
**knives** [naɪvz] *s* se *knife I*
**knob** [nɒb] *s* **1** knopp, knapp; ratt på t.ex.
radio; runt handtag, vred [*doorknob*] **2** liten
bit [*a ~ of sugar (coal)*]; klick [*a ~ of
butter*]
**knock** [nɒk] **I** *vb tr* o. *vb itr* **1** slå, slå till;
bulta, knacka; [*~ at the door*] **2** kollidera,
krocka [*into* med] □ ~ **about** a) slå hit och
dit; misshandla b) vard., om saker ligga och
skräpa c) vard. driva (flacka) omkring
(omkring i); ~ **down** slå ned, köra på; riva
ned (omkull); ~ **off** a) slå av b) slå av på
[*~ a pound off the price*] c) sluta [*~ off
work at five*]; ~ **on** slå mot
(i); ~ **out** a) slå ut; knacka ur [*~ out one's
pipe*]; b) knocka, slå ut boxare; ~ **over** slå
(stöta) omkull; ~ **up** a) kasta upp b) vard.
ställa till med, improvisera; rafsa ihop;
skramla ihop
    **II** *s* slag; knackning; smäll, stöt; *there's
a ~ at the door* det knackar på dörren
**knocker** ['nɒkə] *s* portklapp
**knock-kneed** [͵nɒk'niːd] *adj* kobent
**knock-out** ['nɒkaʊt] *s* knockout,
knockoutslag i boxning
**knot** [nɒt] **I** *s* **1** knut; knop; rosett; *undo
(untie) a ~* lösa (knyta) upp en knut
**2** sjö. knop **II** *vb tr* knyta i knut
**knotty** ['nɒtɪ] *adj* **1** knutig, knölig, knotig
**2** kinkig [*a ~ problem*]
**know** [nəʊ] **I** (*knew known*) *vb tr* o. *vb itr*
**1** veta; ha reda på, känna till; [*he's a bit
stupid,*] *you ~* ...vet du, ...förstår du;
*you never ~* man kan aldrig veta; *as (so)
far as I ~* såvitt jag vet; [*he is dead*] *for
all I ~* ...vad jag vet; *before you ~ where
you are* innan man vet ordet av; *~ about*
känna till, veta om; *~ of* känna till, veta;
*not that I ~ of* inte såvitt (vad) jag vet
**2** kunna, vara kunnig; *he ~s all about
cars* han kan bilar; *I ~ nothing about
paintings* jag förstår mig inte alls på
tavlor; *~ a th. by heart* kunna ngt
utantill; *~ how to* kunna, förstå sig på
att; veta att; *~ how to read* kunna läsa
**3** känna, vara bekant med [*I don't ~
him*]; känna igen [*I knew him by his voice
(på rösten)*]; *get to ~* lära känna; [*he will
do it*] *if I ~ him* ...om jag känner honom
rätt
    **II** *s, in the ~* vard. initierad, invigd
**know-all** ['nəʊɔːl] *s* vard. besserwisser

**know-how** ['nəʊhaʊ] *s* vard. know-how,
kunnande, expertis
**knowing** ['nəʊɪŋ] **I** *adj* **1** kunnig, insiktsfull
**2** medveten; menande [*a ~ glance*] **II** *s,
there is no ~ where that will end* man
kan inte veta var det skall sluta
**knowledge** ['nɒlɪdʒ] (utan pl.) *s* kunskap,
kunskaper [*of* om, i]; vetskap, kännedom
[*of* om]; vetande, lärdom; *to the best of
my ~* el. *to my ~* såvitt jag vet
**known** [nəʊn] *adj* o. *perf p* (av *know*) känd,
bekant [*to a p.* för ngn]; *make ~*
offentliggöra, göra bekant
**knuckle** ['nʌkl] **I** *s* knoge; led; *rap a p.
over the ~s* slå (smälla) ngn på fingrarna
**II** *vb itr, ~ under (down)* falla till föga,
böja sig [*to* för]
**knuckle-duster** ['nʌkl͵dʌstə] *s* knogjärn
**KO** [͵keɪ'əʊ] boxn. sl. **I** *vb tr = knock out* **II** *s =
knock-out*
**koala** [kəʊ'ɑːlə] *s* koala, pungbjörn
**Koran** [kɔ:'rɑːn] *s, the ~* Koranen
**Korea** [kə'rɪə]
**Korean** [kə'rɪən] **I** *s* korean **II** *adj* koreansk
**kosher** ['kəʊʃə] *s* koscher; vard. äkta,
genuin
**k.p.h.** (förk. för *kilometres per hour*) km/tim,
km/h
**Kremlin** ['kremlɪn] *s, the ~* Kreml
**Kuwait** [kʊ'weɪt]
**kW** o. **kw.** (förk. för *kilowatt, kilowatts*) kw

# L

**L, l** [el] *s* L, l
**L** (förk. för *Learner*) övningsbil
**£** [paʊnd, pl. vanl. paʊndz] (förk. för *pound, pounds, pound (pounds) sterling*) pund, £
**l.** (förk. för *litre, litres*) l
**1 lab** [læb] *s* vard. (kortform av *laboratory*) labb
**2 lab** [læb] *s* vard. (förk. för *low-alcohol beer*) ljus lager [äv. ~ *beer*]
**label** ['leɪbl] **I** *s* etikett; adresslapp **II** *vb tr* sätta etikett på; stämpla [*as* såsom]
**labia** ['leɪbjə] *s pl* blygdläppar
**labor** ['leɪbə] amer. **I** *s* se *labour I* **II** *vb itr* se *labour II*
**laboratory** [lə'bɒrətrɪ] *s* laboratorium
**laborious** [lə'bɔːrɪəs] *adj* mödosam; arbetsam
**labour** ['leɪbə] **I** *s* **1** arbete, möda; *hard ~* straffarbete **2** polit., *Labour* el. *the Labour Party* arbetarpartiet; *Labour Government* arbetarregering **3** förlossningsarbete; värkar [äv. ~ *pains*] **II** *vb itr* arbeta hårt [~ *at* (på, med) *a task*]; sträva [*to* efter att]; ~ *under* ha att dras med [~ *under a difficulty*]; lida av
**laboured** ['leɪbəd] *adj* **1** överarbetad **2** besvärad, tung [~ *breathing*]
**labourer** ['leɪbərə] *s* arbetare; *agricultural (farm)* ~ lantarbetare
**labour-saving** ['leɪbəˌseɪvɪŋ] *adj*, ~ *devices* arbetsbesparande hjälpmedel
**laburnum** [lə'bɜːnəm] *s* gullregn
**labyrinth** ['læbərɪnθ] *s* labyrint
**lace** [leɪs] **I** *s* **1** snöre; snodd **2** spets, spetsar **II** *vb tr* o. *vb itr* snöra [*up* till, åt]; ~ *up* el. ~ snöras [*it ~s (it ~s up) at the side*]
**lack** [læk] **I** *s* brist [*of* på] **II** *vb tr* o. *vb itr* **1** sakna, vara utan; ~ *for* sakna [*they lacked for nothing*] **2** *be lacking* fattas, saknas; *be lacking in* sakna
**lackey** ['lækɪ] *s* lakej
**lacquer** ['lækə] **I** *s* lack **II** *vb tr* lackera
**lad** [læd] *s* pojke, grabb; *my* ~ i tilltal min vän
**ladder** ['lædə] **I** *s* **1** stege, trappstege **2** maska på t.ex. strumpa **II** *vb itr*, *my stocking has laddered* det har gått en maska på min strumpa

**ladderproof** ['lædəpruːf] *adj* masksäker [~ *stockings*]
**lade** [leɪd] (*laded laden* el. *laded*) *vb tr* lasta varor på fartyg; ta ombord varor
**laden** ['leɪdn] *adj* o. *perf p* (av *lade*) **1** lastad **2** mättad; fylld [~ *with* (med, av)]
**ladle** ['leɪdl] **I** *s* slev [*soup ~*] **II** *vb tr* ösa med slev; sleva; ~ *out* ösa upp, servera
**lady** ['leɪdɪ] *s* **1** dam; *ladies and gentlemen* mina damer och herrar **2 a)** *ladies'* dam- [*ladies' hairdresser*] **b)** *ladies* damtoalett [*where is the ~ ?*] **c)** ~ *friend* väninna **3** *Lady* Lady adelstitel **4** *Our Lady* Vår Fru, Jungfru Maria
**ladybird** ['leɪdɪbɜːd] *s* nyckelpiga
**ladybug** ['leɪdɪbʌg] *s* amer. nyckelpiga
**lady-killer** ['leɪdɪˌkɪlə] *s* kvinnotjusare
**ladylike** ['leɪdɪlaɪk] *adj* som en lady, kultiverad
**ladyship** ['leɪdɪʃɪp] *s*, *Her Ladyship* Hennes nåd
**lag** [læg] *vb itr* bli (släpa) efter [äv. ~ *behind*]
**lager** ['lɑːgə] *s* ljus lager [äv. ~ *beer*]
**lagoon** [lə'guːn] *s* lagun
**laid** [leɪd] se *3 lay*
**lain** [leɪn] se *2 lie I*
**lair** [leə] *s* vilda djurs läger, lya, kula
**lake** [leɪk] *s* sjö, insjö
**lamb** [læm] *s* lamm; ~ *chop* lammkotlett; *roast* ~ lammstek
**lamb's-wool** ['læmzwʊl] *s* lammull
**lame** [leɪm] **I** *adj* **1** halt; ofärdig **2** lam [*a ~ excuse*] **II** *vb tr* göra halt (ofärdig)
**lament** [lə'ment] **I** *vb itr* klaga, jämra, jämra sig **II** *s* klagosång
**lamp** [læmp] *s* lampa; lykta
**lampoon** [læm'puːn] **I** *s* pamflett, smädeskrift **II** *vb tr* smäda i skrift
**lamppost** ['læmppəʊst] *s* lyktstolpe
**lampshade** ['læmpʃeɪd] *s* lampskärm
**lance** [lɑːns] *s* lans
**lancer** ['lɑːnsə] *s* lansiär
**land** [lænd] **I** *s* **1** land i motsats till hav, vatten; *see how the ~ lies* sondera terrängen **2** litt. land, rike **3** mark, jord **II** *vb tr* o. *vb itr* **1** landsätta; landa, landstiga, gå i land [*we landed at Bombay*] **2** landa [~ *a fish*]; fånga, få tag i [~ *a job*]; vinna [~ *the prize*]; ~ *an aeroplane* landa med ett flygplan **3** hamna [äv. ~ *up*; ~ *in the mud*], råka in [*in* i]; sluta [*in* med, i]; ~ *oneself in great trouble* råka in i en mycket besvärlig situation; *be*

*landed with* få på halsen **4** sl. pricka in, ge [~ *a punch*]; om slag träffa, gå in
**landing** ['lændıŋ] *s* **1** landning; landstigning; *emergency* (*forced*) ~ nödlandning **2** trappavsats
**landing-strip** ['lændıŋstrıp] *s* bana, stråk på flygfält
**landlady** ['lænd¡leıdı] *s* värdinna, hyresvärdinna; husägare; värdshusvärdinna
**landlord** ['lændlɔ:d] *s* värd, hyresvärd; husägare; värdshusvärd
**landlubber** ['lænd¡lʌbə] *s* vard. landkrabba
**landmark** ['lændmɑ:k] *s* **1** gränsmärke; landmärke; orienteringspunkt **2** bildl. milstolpe
**landmine** ['lændmaın] *s* landmina
**landowner** ['lænd¡əʊnə] *s* jordägare
**landscape** ['lændskeıp] *s* landskap, natur; ~ *gardener* trädgårdsarkitekt
**landslide** ['lændslaıd] *s* jordskred; ~ *victory* jordskredsseger
**lane** [leın] *s* **1** a) smal väg mellan t.ex. häckar b) trång gata, gränd; ofta bakgata **2** körfält, fil [äv. *traffic* ~] **3** farled för oceanfartyg, segelled; flyg. luftled **4** sport. bana
**language** ['læŋgwıdʒ] *s* språk; *bad* ~ rått (grovt) språk
**languid** ['læŋgwıd] *adj* slapp, matt; slö, trög
**languish** ['læŋgwıʃ] *vb itr* **1** avmattas; tyna bort **2** tråna, trängta
**lank** [læŋk] *adj* om hår lång och rak, stripig
**lanky** ['læŋkı] *adj* gänglig
**lanolin** ['lænəlın] *s* o. **lanoline** ['lænəli:n] *s* lanolin
**lantern** ['læntən] *s* lykta; lanterna; *Chinese* ~ kulört lykta, papperslykta
**1 lap** [læp] *s* knä; sköte
**2 lap** [læp] **I** *vb tr* linda (svepa) in **II** *s* sport. varv; etapp
**3 lap** [læp] *vb tr* o. *vb itr* **1** lapa, slicka upp (i sig) [äv. ~ *up*] **2** om vågor plaska
**lapdog** ['læpdɒg] *s* knähund
**lapel** [lə'pel] *s* slag på t.ex. kavaj
**Lapland** ['læplænd] Lappland
**Laplander** ['læplændə] *s* o. **Lapp** [læp] *s* same, lapp
**lapse** [læps] **I** *s* **1** lapsus, förbiseende, misstag; felsteg **2** *a* ~ *of a hundred years* hundra år el. en tidrymd av hundra år **II** *vb itr* **1** a) sjunka ned, förfalla, återfalla [*into* till, i] b) ~ *from* avfalla (avvika) från

**2** a) upphöra; förfalla, utlöpa b) återgå **3** om tid förflyta
**laptop** ['læptɒp] *s*, ~ *computer* portföljdator
**larch** [lɑ:tʃ] *s* lärkträd [äv. *larch tree*]
**lard** [lɑ:d] **I** *s* isterflott, ister **II** *vb tr* späcka äv. bildl. [*larded with quotations*]
**larder** ['lɑ:də] *s* skafferi; visthus
**large** [lɑ:dʒ] **I** *adj* stor; vidsträckt **II** *s*, *at* ~ fri, lös, på fri fot
**largely** ['lɑ:dʒlı] *adv* till stor del; i hög grad; i stor utsträckning
**large-scale** ['lɑ:dʒskeıl] *adj* i stor skala
**large-size** ['lɑ:dʒsaız] *adj* o. **large-sized** ['lɑ:dʒsaızd] *adj* stor; i stort nummer
**largish** ['lɑ:dʒıʃ] *adj* ganska stor
**1 lark** [lɑ:k] *s* lärka
**2 lark** [lɑ:k] **I** *s* vard. upptåg, skoj **II** *vb itr* skoja [äv. ~ *about*]
**larva** ['lɑ:və] (pl. *larvae* ['lɑ:vi:]) *s* zool. larv
**laryngitis** [¡lærın'dʒaıtıs] *s* laryngit, strupkatarr
**larynx** ['lærıŋks] (pl. *larynges* [læ'rındʒi:z] el. *larynxes*) *s* struphuvud
**lascivious** [lə'sıvıəs] *adj* lysten, liderlig
**laser** ['leızə] *s* laser
**lash** [læʃ] **I** *vb tr* o. *vb itr* **1** piska; prygla; piska med [*the lion lashed its tail*] **2** ~ *out* slå vilt omkring sig **3** vard. slå på stort, spendera **II** *s* **1** snärt på piska **2** piskrapp, snärt **3** ögonfrans, ögonhår
**lass** [læs] *s* flicka, tös
**lasso** [læ'su:] **I** (pl. ~s el. *lassoes*) *s* lasso **II** *vb tr* fånga med lasso
**1 last** [lɑ:st] *s* skomakares läst
**2 last** [lɑ:st] **I** *adj* sist; senast; ~ *name* efternamn; ~ *week* förra veckan; ~ *year* i fjol, förra året; ~ *Christmas* i julas; ~ *Monday* i måndags; *the* ~ *few years* de senaste åren **II** *adv* **1** sist [*who came* ~?]; i sammansättningar sist- [*last-mentioned*]; ~ *of all* allra sist **2** senast [*when did you see him* ~?] **III** *s* sista; *to* (*till*) *the* ~ (*the very* ~) ända in i det sista; *from first to* ~ från början till slut; *at* ~ till slut; *at* ~*!* äntligen!
**3 last** [lɑ:st] *vb itr* o. *vb tr* **1** vara, hålla på [*how long did it* ~?], räcka **2** hålla sig, stå sig **3** räcka till för någon
**lasting** ['lɑ:stıŋ] *adj* bestående, varaktig
**lastly** ['lɑ:stlı] *adv* till sist, slutligen
**latch** [lætʃ] **I** *s* dörrklinka; spärrhake; *the door is on the* ~ låset är uppställt **II** *vb tr* stänga med klinka; låsa
**latchkey** ['lætʃki:] *s* portnyckel

**late** [leɪt] **I** (komparativ *later* el. *latter*, superlativ *latest* el. *last*) *adj* **1** sen; för sen; *in the ~ forties* i slutet av fyrtiotalet; *he is in his ~ forties* han är närmare femtio; *~ summer* sensommar, sensommaren; *be ~* vara sen (försenad), komma sent **2** endast attributivt a) avliden, framliden b) förre, förra; före detta (f.d.); *my ~ husband* min avlidne man; *the ~ prime minister* förre (framlidne) premiärministern **3** senaste tidens [*the ~ political troubles*]; *of ~* på sista tiden; nyligen
**II** (komparativ *later*, superlativ *latest*, *last*) *adv* sent; för sent; *sit (be) up ~* sitta (vara) uppe länge om kvällarna; *sleep ~* sova länge
**latecomer** ['leɪtˌkʌmə] *s* senkomling, eftersläntrare
**lately** ['leɪtlɪ] *adv* på sista tiden, på sistone
**lateness** ['leɪtnəs] *s, the ~ of his arrival* hans sena ankomst
**latent** ['leɪt(ə)nt] *adj* latent, dold [*~ talent*]
**later** ['leɪtə] **I** *adj* senare **II** *adv* senare; efteråt; *sooner or ~* förr eller senare; *~ on* senare, längre fram; *see you ~!* hej så länge!
**latest** ['leɪtɪst] *adj* senast, sist [*the ~ fashion*]; *it's the ~* vard. det är sista modet; *at the ~* senast
**lathe** [leɪð] *s* **1** svarv; svarvstol **2** drejskiva
**lather** ['lɑːðə] **I** *s* lödder **II** *vb tr* o. *vb itr* tvåla in; löddra sig
**lathery** ['lɑːðərɪ] *adj* löddrig
**Latin** ['lætɪn] **I** *adj* latinsk; *~ America* Latinamerika **II** *s* latin
**latitude** ['lætɪtjuːd] *s* **1** latitud, breddgrad [äv. *degree of ~*] **2** handlingsfrihet, rörelsefrihet; spelrum
**latter** ['lætə] *adj, the ~* den (det, de) senare; denne [*my brother asked his boss but the ~...*], denna, dessa
**lattice** ['lætɪs] *s* galler, spjälverk
**Latvia** ['lætvɪə] Lettland
**Latvian** ['lætvɪən] **I** *adj* lettisk **II** *s* **1** lett **2** lettiska språket
**laudable** ['lɔːdəbl] *adj* berömvärd
**laugh** [lɑːf] **I** *vb itr* skratta **II** *s* skratt
**laughable** ['lɑːfəbl] *adj* skrattretande; löjlig
**laughing** ['lɑːfɪŋ] **I** *adj* skrattande **II** *s* skratt, skrattande; *it is no ~ matter* det är ingenting att skratta åt
**laughing-gas** ['lɑːfɪŋgæs] *s* lustgas
**laughing-stock** ['lɑːfɪŋstɒk] *s* åtlöje; driftkucku

**laughter** ['lɑːftə] *s* skratt; *roars (peals) of ~* skallande skrattsalvor
**1 launch** [lɔːntʃ] *vb tr* **1** sjösätta fartyg **2** slunga, kasta [*~ a spear*], skjuta av, skjuta (sända) upp [*~ a rocket*] **3** lansera; starta [*~ a campaign*]
**2 launch** [lɔːntʃ] *s* större motorbåt
**launder** ['lɔːndə] *vb tr* tvätta
**Launderette** [ˌlɔːn'dret] *s* ® tvättomat
**laundress** ['lɔːndrəs] *s* tvätterska
**Laundromat** ['lɔːndrəmæt] *s* ® speciellt amer. tvättomat
**laundry** ['lɔːndrɪ] *s* **1** tvättinrättning; *~ room* tvättstuga **2** tvätt; tvättkläder
**Laurel** ['lɒr(ə)l] egennamn; *~ and Hardy* komikerpar Helan Hardy och Halvan Laurel
**laurel** ['lɒr(ə)l] *s* lager; lagerträd; *rest on one's ~s* vila på sina lagrar
**lav** [læv] *s* (vard. kortform för *lavatory*) toa
**lava** ['lɑːvə] *s* lava
**lavatory** ['lævətrɪ] *s* toalett, wc; *~ pan* wc-skål; *~ paper* toalettpapper
**lavender** ['lævəndə] *s* lavendel
**lavish** ['lævɪʃ] **I** *adj* slösaktig, frikostig; slösande; påkostad **II** *vb tr* slösa, slösa med, vara frikostig med
**law** [lɔː] *s* **1** lag; *by ~* enligt lag (lagen); i lag **2** juridik; *court of ~* domstol, rätt
**law-abiding** ['lɔːəˌbaɪdɪŋ] *adj* laglydig
**lawcourt** ['lɔːkɔːt] *s* domstol, tingsrätt
**lawful** ['lɔːf(ʊ)l] *adj* laglig; *~ game (prey)* lovligt byte; *~ heir* rättmätig arvinge
**lawmaker** ['lɔːˌmeɪkə] *s* lagstiftare
**lawn** [lɔːn] *s* gräsmatta; *~ tennis* tennis
**lawnmower** ['lɔːnˌməʊə] *s* gräsklippare; *power (powered) ~* motorgräsklippare
**lawsuit** ['lɔːsuːt] *s* process, rättegång, mål
**lawyer** ['lɔːjə] *s* jurist; advokat; affärsjurist
**lax** [læks] *adj* slapp [*~ discipline*]; släpphänt
**laxative** ['læksətɪv] *s* laxermedel, laxativ
**1 lay** [leɪ] *adj* lekmanna- [*~ preacher*]
**2 lay** [leɪ] se *2 lie* I
**3 lay** [leɪ] (*laid laid*) *vb tr* o. *vb itr* **1** lägga; placera; lägga ner, dra [*~ a cable*]; duka [*~ the table*]; *~ eggs* lägga ägg, värpa; *~ waste* ödelägga **2** vid vadhållning sätta, hålla [*~ ten to (mot) one*] □ *~ about* vard. slå vilt omkring sig; *~ aside* a) lägga undan, spara b) lägga bort (ifrån sig) [*~ aside the book*]; *~ down* a) lägga ner (ned) b) offra [*~ down one's life*] c) fastställa, fastslå, uppställa [*~ a th. down as a rule*]; hävda; *~ out* a) lägga fram (ut) b) vard. slå ut (sanslös) c) planera, anlägga; *~ up* a) lägga upp

b) vard., *be laid up* ligga sjuk [*with the flu* i influensa]

**layabout** ['leɪəbaʊt] *s* sl. dagdrivare, odåga

**lay-by** ['leɪbaɪ] *s* parkeringsplats vid landsväg; rastplats

**layer** ['leɪə] *s* lager, skikt

**layman** ['leɪmən] (pl. *laymen* ['leɪmən]) *s* lekman; icke-fackman

**lay-off** ['leɪɒf] *s* friställning

**layout** ['leɪaʊt] *s* **1** planering, anläggning **2** layout; plan; uppställning

**laze** [leɪz] **I** *vb itr* lata sig, slöa; *~ around* gå och slå dank **II** *s* latstund

**laziness** ['leɪzɪnəs] *s* lättja

**lazy** ['leɪzɪ] *adj* lat, lättjefull

**lazybones** ['leɪzɪˌbəʊnz] (pl. lika) *s* vard. latmask, slöfock

**lb.** [paʊnd, pl. paʊndz] (förk. för *pound, pounds*) skålpund

**lbs.** [paʊndz] pl. av *lb*.

**1 lead** [led] *s* **1** bly **2** blyerts, grafit; blyertsstift

**2 lead** [li:d] **I** (*led led*) *vb itr* o. *vb itr* **1** leda, föra [*to* till; *into* in i]; vägleda; anföra; gå före, vara ledare; *~ the way* gå före och visa vägen [*to* för]; *~ by the nose* få vart man vill **2** föranleda [*this led him to believe that...*], få **3** föra [*~ a miserable existence* (tillvaro)], leva [*~ a quiet life*] **4** om t.ex. väg gå, föra, leda [*to* till] **5** leda [*this led to confusion*], resultera [*to* i] **6** kortsp. ha förhand, spela ut, dra [*~ the ace of trumps*] □ *~ astray* föra vilse; *~ away* föra bort; *be led away by* bildl. låta sig ryckas med av; *~ up to* föra (leda) till, resultera i **II** *s* **1** a) ledning b) försprång; tät c) ledtråd; tips; *follow (take) a p.'s ~* följa ngns exempel **2** teat. huvudroll **3** elektr. ledning **4** koppel rem

**leaden** ['ledn] *adj* **1** bly-; blyaktig **2** tung

**leader** ['li:də] *s* ledare

**leadership** ['li:dəʃɪp] *s* ledarskap; ledning

**leading** ['li:dɪŋ] *adj* ledande; förnämst; *~ actor (actress)* manlig (kvinnlig) huvudrollsinnehavare; *~ article* tidn. ledare

**lead pencil** [ˌled'pensl] *s* blyertspenna

**leaf** [li:f] **I** (pl. *leaves* ['li:vz]) *s* **1** löv, blad; lövverk **2** blad i bok; *turn over a new ~* bildl. börja ett nytt liv **3** klaff, skiva till t.ex. bord **II** *vb itr*, *~ through* bläddra i

**leaflet** ['li:flət] *s* flygblad, reklamlapp; folder, broschyr

**leafy** ['li:fɪ] *adj* lövad, lövrik, lummig

**league** [li:g] *s* **1** förbund **2** sport. serie; *the League* engelska ligan

**leak** [li:k] **I** *s* läcka; läckage; *a ~ of information* en läcka **II** *vb itr* o. *vb tr* läcka äv. bildl. [*~ news to the press*]; vara otät; *~ out* sippra (läcka) ut

**leakage** ['li:kɪdʒ] *s* läckage, läcka

**leaky** ['li:kɪ] *adj* läckande, läck, otät

**1 lean** [li:n] *adj* mager

**2 lean** [li:n] (*leaned leaned* [lent, li:nd] el. *leant leant* [lent]) *vb itr* o. *vb tr* luta sig, stödja sig; luta, stödja, ställa

**leaning** ['li:nɪŋ] *s* **1** lutning **2** böjelse, benägenhet [*towards* för]

**leant** [lent] se *2 lean*

**leap** [li:p] **I** (*leapt leapt* [lept]) *vb itr* o. *vb tr* hoppa; hoppa över **II** *s* hopp, språng; *by ~s and bounds* med stormsteg

**leapfrog** ['li:pfrɒg] **I** *s* hoppa bock; *play ~* hoppa bock **II** *vb itr* hoppa bock

**leapt** [lept] se *leap*

**leap year** ['li:pjɪə] *s* skottår

**learn** [lɜ:n] (*learnt learnt* [lɜ:nt] el. *learned learned* [lɜ:nt, lɜ:nd]) *vb tr* o. *vb itr* **1** lära sig [*from a p.* av ngn; *he ~s fast*], lära in; lära; *~ by heart* lära sig utantill **2** få veta, höra [*from* av; *of* om]

**learned** [betydelse *I* lɜ:nt, lɜ:nd, betydelse *II* 'lɜ:nɪd] **I** se *learn* **II** *adj* lärd

**learner** ['lɜ:nə] *s* lärjunge, elev; nybörjare; *~ car* övningsbil

**learning** ['lɜ:nɪŋ] *s* **1** inlärande; inlärning **2** lärdom; *a man of ~* en lärd man

**learnt** [lɜ:nt] se *learn*

**lease** [li:s] **I** *s* arrende, uthyrande; *get (take on) a new ~ of life* få nytt liv **II** *vb tr* **1** arrendera, hyra [*from* av] **2** arrendera ut, hyra ut [äv. *~ out*]; leasa

**leasehold** ['li:s(h)əʊld] *s* arrende

**leaseholder** ['li:sˌ(h)əʊldə] *s* arrendator

**leash** [li:ʃ] **I** *s* koppel, rem; *on a (the) ~* i koppel **II** *vb tr* koppla; föra i koppel

**least** [li:st] (superlativ av *little*) **I** *adj* o. *adv* minst **II** *s, the ~* det minsta; *to say the ~* minst sagt, milt talat; *at ~* a) åtminstone; i varje fall b) minst; *not in the ~* el. *not the ~* inte det minsta

**leather** ['leðə] *s* läder, skinn

**leather-bound** ['leðəbaʊnd] *adj* i skinnband

**leatherette** [ˌleðə'ret] *s* konstläder

**leathery** ['leðərɪ] *adj* läderartad, seg [*~ meat*]

**leave** [li:v] **I** (*left left*) *vb tr* o. *vb itr* **1** lämna; lämna kvar; efterlämna;

glömma; *three from seven ~s four* tre
från sju är (blir) fyra; ~ *hold (go)* vard.
släppa taget; *it ~s much (nothing) to be
desired* det lämnar mycket (ingenting)
övrigt att önska; *he ~s a wife and two
sons* han efterlämnar hustru och två
söner; ~ *alone* låta vara, låta bli; *be left*
a) lämnas kvar b) finnas (bli) kvar
**2** testamentera, efterlämna **3** lämna, gå
(resa) ifrån, avgå ifrån; överge; avresa,
avgå, ge sig av (i väg) [*for* till]; sluta,
flytta; ~ *school* sluta (lämna) skolan
**4** överlåta, överlämna [*to* åt]; ~ *to chance*
lämna åt slumpen; *I'll ~ it to you to...*
jag överlåter åt dig att... □ ~ *about* låta
ligga framme; ~ *aside* lämna åsido, bortse
ifrån; ~ *behind* lämna, lämna kvar, lämna
efter sig, efterlämna; glömma kvar; ~ *off*
sluta med, avbryta, upphöra med; sluta
[*we left off at page 10*]; ~ *out* a) utelämna;
förbigå b) låta ligga framme; *feel left out
of things* känna sig utanför
**II** *s* **1** lov, tillåtelse, tillstånd; *be on ~ of
absence* el. *be on ~* ha permission; vara
tjänstledig; *absent without ~*
frånvarande utan giltigt förfall **2** avsked,
farväl; *take one's ~* säga adjö, ta farväl;
*take ~ of one's senses* bli galen
**leaven** ['levn] **I** *s* surdeg **II** *vb tr* jäsa med
surdeg
**leaves** [li:vz] *s* se *leaf I*
**leave-taking** ['li:v͵teɪkɪŋ] *s* avsked;
avskedstagande
**leaving** ['li:vɪŋ] *s*, pl. ~*s* matrester
**Lebanese** [͵lebə'ni:z] **I** (pl. lika) *s* libanes
**II** *adj* libanesisk
**Lebanon** ['lebənən] Libanon
**lecherous** ['letʃərəs] *adj* liderlig; vällustig
**lechery** ['letʃərɪ] *s* liderlighet, lusta
**lecture** ['lektʃə] **I** *s* **1** föreläsning, föredrag
[*on* om, över]; ~ *hall (room)*
föreläsningssal; *attend ~s* gå på
föreläsningar; *deliver (give) a ~* hålla en
föreläsning **2** straffpredikan **II** *vb itr* o. *vb
tr* **1** föreläsa [*on* om, över]; föreläsa för
**2** läxa upp
**lecturer** ['lektʃərə] *s* **1** föreläsare
**2** universitetslektor
**led** [led] se *2 lead I*
**ledge** [ledʒ] *s* list, hylla
**lee** [li:] *s* lä; läsida [äv. ~ *side*]
**leech** [li:tʃ] *s* blodigel; igel [*hang on like a
~*]
**leek** [li:k] *s* purjolök

**leer** [lɪə] **I** *s* hånfull (lysten) blick **II** *vb itr*
kasta lömska blickar [*at* på]
**lees** [li:z] *s pl* drägg, bottensats
**leeward** ['li:wəd] *s, on the ~ of* på läsidan
**leeway** ['li:weɪ] *s* spelrum, andrum; *have
a great deal of ~ to make up* ha mycket
att ta igen
**1 left** [left] se *leave I*
**2 left** [left] **I** *adj* vänster; ~ *turn*
vänstersväng **II** *adv* till vänster [*of* om], åt
vänster; ~ *turn!* mil. vänster om!; *turn ~*
svänga (gå) till vänster **III** *s* vänster sida
(hand); *the Left* polit. vänstern; *on your ~*
till vänster om dig
**left-hand** ['lefthænd] *adj* vänster-
**left-handed** [͵left'hændid] *adj* vänsterhänt
**left-hander** [͵left'hændə] *s* **1** vänsterhänt
person; sport. vänsterhandsspelare
**2** vänsterslag
**leftist** ['leftɪst] *s* vänsteranhängare
**left-luggage** [͵left'lʌgɪdʒ] *s*, ~ *office* el. ~
effektförvaring, resgodsinlämning
**left-off** ['leftɒf] *s* vard., pl. ~*s* avlagda kläder
**left-over** ['left͵əʊvə] *s* **1** pl. ~*s* matrester
**2** kvarleva
**leftwards** ['leftwədz] *adv* till (åt) vänster
**left-wing** ['leftwɪŋ] *adj* på vänsterkanten;
vänster-, vänsterorienterad
**left-winger** [͵left'wɪŋə] *s*
**1** vänsteranhängare, radikal **2** sport.
vänsterytter
**leg** [leg] *s* **1** ben lem; *feel (find) one's ~s*
a) lära sig stå (gå) b) känna sig
hemmastadd, finna sig till rätta; *pull
a p.'s ~* vard. driva med ngn; *be on one's
~s* vara på benen igen efter sjukdom; *be on
one's last ~s* vard. vara nära slutet **2** kok.
lägg, lår; ~ *of mutton* fårstek, fårlår
**3** byxben; skaft på strumpa el. stövel **4** ben,
fot på t.ex. möbel **5** sport. omgång av t.ex.
matcher [*first (second) ~*] **6** etapp av t.ex.
distans, resa
**legacy** ['legəsɪ] *s* legat, testamentarisk
gåva
**legal** ['li:g(ə)l] *adj* laglig, lag-; lagenlig;
rättslig, juridisk; *take ~ action* vidta laga
åtgärder
**legality** [lɪ'gælətɪ] *s* laglighet, lagenlighet
**legalize** ['li:gəlaɪz] *vb tr* legalisera, göra
laglig
**legation** [lɪ'geɪʃ(ə)n] *s* legation,
beskickning
**legend** ['ledʒ(ə)nd] *s* legend; saga, sägen
**legendary** ['ledʒ(ə)ndrɪ] *adj* legendarisk
**legible** ['ledʒəbl] *adj* läslig, läsbar; tydlig

**let**

**legion** ['li:dʒ(ə)n] s legion; här; *the Foreign Legion* främlingslegionen
**legislate** ['ledʒɪsleɪt] *vb itr* lagstifta
**legislation** [,ledʒɪs'leɪʃ(ə)n] s lagstiftning
**legislative** ['ledʒɪslətɪv] *adj* lagstiftande
**legislator** ['ledʒɪsleɪtə] s lagstiftare
**legislature** ['ledʒɪslətʃə] s lagstiftande församling
**legitimate** [lɪ'dʒɪtɪmət] *adj* legitim, laglig
**leg-pulling** ['leg,pʊlɪŋ] s vard. skämt
**leisure** ['leʒə, amer. vanl. 'li:ʒə] s ledighet, fritid; frihet; ~ *clothes* (*wear*) fritidskläder; *at* ~ ledig, i lugn och ro [*do a th. at* ~]
**leisurely** ['leʒəlɪ, amer. vanl. 'li:ʒəlɪ] *adj* lugn, maklig; *at a* ~ *pace* i lugn (maklig) takt
**lemon** ['lemən] **I** s citron **II** *adj* citronfärgad
**lemonade** [,lemə'neɪd] s lemonad, läskedryck; sockerdricka
**lemon curd** ['lemənkɜ:d] s citronkräm
**lemon soda** [,lemən'səʊdə] s amer., se *lemon squash*
**lemon sole** ['lemənsəʊl] s sjötunga; flundra
**lemon squash** [,lemən'skwɒʃ] s lemon squash citronsaft och sodavatten
**lemon-squeezer** ['lemən,skwi:zə] s citronpress
**lend** [lend] (*lent lent*) *vb tr* **1** låna, låna ut **2** ~ *oneself to* a) låna sig till, gå med på; förnedra sig till b) om sak lämpa sig för **3** ge, skänka [~ *enchantment*]; ~ *a hand with a th.* hjälpa till med ngt
**lender** ['lendə] s långivare
**lending-library** ['lendɪŋ,laɪbrɪ] s lånbibliotek
**length** [leŋθ] s **1** längd; *lie full* ~ ligga raklång; *at arm's* ~ a) på en arms avstånd b) bildl. på avstånd [*keep a p. at arm's* ~]; *win by three* ~s sport. vinna med tre längder; *ten metres in* ~ tio meter lång; *go to any* ~s inte sky något; *go to great* ~s bildl. gå (sträcka sig) mycket långt **2** *at* ~ slutligen, äntligen; utförligt; *at great* ~ mycket utförligt
**lengthen** ['leŋθ(ə)n] *vb itr* förlänga, göra längre; ~ *a skirt* lägga ned en kjol
**lengthiness** ['leŋθɪnəs] s långrandighet
**lengthwise** ['leŋθwaɪz] *adv* på längden
**lengthy** ['leŋθɪ] *adj* lång, långvarig
**lenience** ['li:njəns] s o. **leniency** ['li:njənsɪ] s mildhet, överseende
**lenient** ['li:njənt] *adj* mild, överseende

**lens** [lenz] s lins, objektiv
**Lent** [lent] s fasta, fastan, fastlag, fastlagen
**lent** [lent] se *lend*
**lentil** ['lentl] s bot. lins
**Leo** ['li:əʊ] astrol. Lejonet
**leopard** ['lepəd] s leopard
**leper** ['lepə] s spetälsk
**leprosy** ['leprəsɪ] s spetälska
**lesbian** ['lezbɪən] **I** *adj* lesbisk **II** s lesbisk kvinna
**less** [les] **I** *adj* o. *adv* o. s (komparativ av *little*) **1** mindre; *in* ~ *than no time* på nolltid **2** *no* ~ *than £100* inte mindre än 100 pund; *not* ~ *than £100* minst 100 pund; *it's no* (*nothing*) ~ *than a scandal* det är ingenting mindre än en skandal **II** *prep* minus [*5* ~ *2 is 3*], med avdrag av (för) [*£10 a week* ~ *rates and taxes*]
**lessen** ['lesn] *vb tr* o. *vb itr* minska, reducera; minskas
**lesson** ['lesn] s lektion; läxa; *I learnt a* ~ jag fick en läxa
**lest** [lest] *konj* **1** för (så) att inte [*I took it away* ~ *it should be stolen*], ifall något skulle hända **2** efter ord för t.ex. fruktan, oro för att [*we were afraid* ~ *he should come late*]
**1 let** [let] (*let let*) *vb tr* o. *vb itr* **1** (äv. hjälpverb) låta, tillåta; *let's have a drink!* ska vi ta en drink?; ~ *me introduce...* får jag presentera...; *just* ~ *him try!* vanl. han skulle bara våga! **2** släppa in [*my shoes* ~ *water*] **3** hyra ut [~ *rooms*]; *to* ~ att hyra

☐ ~ *alone* a) låta vara, låta bli b) för att inte tala om, ännu mindre [*he can't look after himself,* ~ *alone others*]; ~ *be* låta vara, låta bli; ~ *down* a) släppa (sänka) ner b) lägga (släppa) ner [~ *down a dress*] c) bildl. lämna i sticket, svika [~ *down a friend*]; ~ *go* släppa [~ *me go!*], släppa lös (fri); släppa taget; låta gå; ~ *oneself go* slå (släppa) sig lös; ~ *in* a) släppa in [~ *in a p.*; ~ *in light*]; ~ *oneself in* låsa upp (öppna) och gå in b) ~ *in the clutch* släppa upp kopplingen c) ~ *oneself in for* inlåta sig på, ge sig in på; *you're letting yourself in for a lot of work* du får bara en massa arbete på halsen d) ~ *a p. in on* inviga ngn i; ~ *into* a) släppa in i; *be* ~ *into* släppas (slippa) in i b) inviga i, låta få veta [~ *a p. into a secret*]; ~ *loose* släppa, släppa lös; ~ *off* a) avskjuta, bränna av [~ *off fireworks*] b) låta slippa undan [~ *off with a fine*]; *be* ~ *off* slippa undan c) släppa ut t.ex. ånga; tappa av

**d)** släppa av [~ *me off at 12th Street!*]
**e)** släppa sig fjärta; ~ **on** vard. skvallra [*I won't* ~ *on*]; låtsas, låtsas om; ~ **out**
**a)** släppa ut; släppa lös; *be* ~ *out* släppas (slippa) ut (lös) **b)** avslöja [~ *out a secret*]
**c)** hyra ut
**2 let** [let] *s* sport. nätboll vid serve
**let-down** ['letdaʊn] *s* besvikelse
**lethal** ['li:θ(ə)l] *adj* dödlig, dödande
**let's** [lets] = *let us*
**letter** ['letə] *s* **1** bokstav; *capital* (*small*) ~ stor (liten) bokstav **2** brev, skrivelse; ~ *of credit* kreditiv; ~ *to the paper* (*editor*) insändare
**letterbox** ['letəbɒks] *s* brevlåda; postlåda
**letter card** ['letəka:d] *s* postbrev
**lettuce** ['letɪs] *s* sallat, sallad; salladshuvud
**let-up** ['letʌp] *s* avbrott, uppehåll
**leukaemia** [luː'ki:mɪə] *s* med. leukemi
**level** ['levl] **I** *s* **1** nivå, plan; höjd; yta; [*the lecture*] *was above my* ~ ...låg över min horisont (nivå); *on a* ~ *with* i nivå (höjd) med, i jämnhöjd med **2** vard., *on the* ~ ärligt sagt; *he's on the* ~ han är just **3** vattenpass
**II** *adj* **1** jämn, slät, plan **2** vågrät; på samma plan [*with* som], i jämnhöjd, jämställd [*with* med]; jämn; ~ *crossing* plankorsning; järnvägskorsning i plan; *a* ~ *teaspoonful* en struken tesked; *do one's* ~ *best* göra sitt allra bästa; *draw* ~ komma jämsides med varandra; *keep* ~ *with* hålla jämna steg med **3** *keep a* ~ *head* hålla huvudet kallt
**III** *vb tr* **1** jämna, planera [~ *a road*]; göra vågrät; jämna ut; ~ *with* (*to*) *the ground* el. ~ jämna med marken, rasera **2** rikta [*at, against* mot]
**level-headed** [ˌlevl'hedɪd] *adj* sansad
**lever** ['li:və] **I** *s* hävstång; spak; handtag **II** *vb tr* lyfta med hävstång
**levy** ['levɪ] **I** *s* uttaxering **II** *vb tr* uttaxera, lägga på [~ *a tax*]
**lewd** [lju:d] *adj* liderlig, oanständig
**lexicographer** [ˌleksɪ'kɒgrəfə] *s* lexikograf, ordboksförfattare
**lexicography** [ˌleksɪ'kɒgrəfɪ] *s* lexikografi
**liability** [ˌlaɪə'bɪlətɪ] *s* **1** ansvar; betalningsskyldighet **2** benägenhet, mottaglighet **3** pl. *liabilities* hand. skulder **4** belastning; olägenhet
**liable** ['laɪəbl] *adj* **1** ansvarig **2** skyldig; ~ *to* belagd med t.ex. straff, skatt; underkastad; ~ *to duty* tullpliktig; *make oneself* ~ *to* utsätta sig för risken av

**3** mottaglig [*to* för]; benägen [*to* för]; *colours* ~ *to fade* färger som gärna vill blekna; *it is* ~ *to be misunderstood* det kan så lätt missförstås
**liaison** [liː'eɪz(ə)n] *s* **1** kärleks- förhållande **2** mil., ~ *officer* sambandsofficer
**liar** ['laɪə] *s* lögnare, lögnerska, lögnhals
**libel** ['laɪb(ə)l] **I** *s* ärekränkning speciellt i skrift **II** *vb tr* ärekränka
**liberal** ['lɪbr(ə)l] **I** *adj* **1** frikostig, generös **2** liberal, frisinnad **3** *Liberal* polit. liberal **II** *s*, *Liberal* polit. liberal
**liberate** ['lɪbəreɪt] *vb tr* befria; frige
**liberation** [ˌlɪbə'reɪʃ(ə)n] *s* befrielse; frigivning; frigörelse
**liberator** ['lɪbəreɪtə] *s* befriare
**liberty** ['lɪbətɪ] *s* frihet; *the* ~ *of the press* tryckfrihet, tryckfriheten; ~ *of speech* yttrandefrihet; *take liberties* ta sig friheter, vara närgången [*with* mot]; *at* ~ på fri fot; *you are at* ~ *to* det står dig fritt att; *set at* ~ frige
**Libra** ['li:brə] *s* astrol. Vågen
**librarian** [laɪ'breərɪən] *s* bibliotekarie
**library** ['laɪbrɪ] *s* bibliotek; film. arkiv
**librettist** [lɪ'bretɪst] *s* librettoförfattare
**libretto** [lɪ'bretəʊ] (pl. ~s el. *libretti*) *s* libretto
**Libya** ['lɪbɪə] Libyen
**Libyan** ['lɪbɪən] **I** *adj* libysk **II** *s* libyer
**lice** [laɪs] *s* se *louse 1*
**licence** ['laɪs(ə)ns] *s* **1** licens [*radio* ~]; *dog* ~ ungefär hundskatt; *driving* (*driver's*) ~ körkort; *pilot's* ~ flygcertifikat **2** tygellöshet; lättsinne **3** handlingsfrihet; *poetic* ~ poetisk frihet
**license** ['laɪs(ə)ns] **I** *vb tr* bevilja (ge) licens **II** *s* amer. = *licence*; ~ *plate* amer. nummerplåt, registreringsskylt
**licensed** ['laɪs(ə)nst] *adj* med spriträttigheter; ~ *premises* (*house*) restaurang (hotell) med spriträttigheter
**lichen** ['laɪkən, 'lɪtʃən] *s* lav
**lick** [lɪk] **I** *vb tr* **1** slicka; slicka på; ~ *a p.'s boots* (*shoes*) vard. krypa (krusa) för ngn; ~ *into shape* sätta fason på **2** vard. ge stryk, slå [~ *a p. at tennis*] **II** *s* **1** slickning **2** saltsleke **3** sl., *at a great* (*at full*) ~ i full fräs
**licorice** ['lɪkərɪs] *s* amer. lakrits
**lid** [lɪd] *s* **1** lock; *put the* ~ *on* vard. sätta stopp för; *take the* ~ *off* vard. avslöja **2** ögonlock [äv. *eyelid*]
**lido** ['li:dəʊ] (pl. ~s) *s* friluftsbad

**1 lie** [laɪ] **I** *s* lögn, osanning; *a pack of ~s* en massa lögner **II** *vb itr* ljuga *[to* för]
**2 lie** [laɪ] **I** *(lay lain) vb itr* ligga; ligga begraven; *here ~s* här vilar □ **~ about** ligga och skräpa, ligga framme; **~ back** luta (lägga) sig tillbaka; **~ down a)** lägga sig och vila, lägga sig ner **b)** *take an insult lying down* finna sig i en förolämpning; **~ in a)** ligga i, bestå i; *everything that ~s in my power* allt som står i min makt **b)** ligga kvar i sängen; **~ with** åvila, ligga hos *[the fault ~s with the Government]*
**II** *s* läge, belägenhet; *know the ~ of the land* bildl. veta hur läget är
**lie-down** [laɪ'daʊn] *s*, *go and have a ~* lägga sig och vila
**lie-in** ['laɪɪn] *s*, *have a nice ~* ligga och dra sig i sängen
**lieutenant** [lef'tenənt, amer. lu:'tenənt] *s* **1** löjtnant inom armén; kapten inom flottan **2** i USA ungefär polisinspektör
**life** [laɪf] (pl. *lives* [laɪvz]) *s* **1** liv; livstid, livslängd; *a ~ sentence* livstidsfängelse; *the ~ and soul of the party* sällskapets medelpunkt; *[tell the children] the facts of ~* vard. ...hur ett barn kommer till; *great loss of ~* stora förluster i människoliv; *at my time of ~* vid min ålder; *I had the time of my ~* vard. jag hade jätteroligt; *not for the ~ of me* vard. inte för mitt liv (allt i världen); *not on your ~* aldrig i livet **2** levnadsteckning, biografi *[the lives of (över) great men]* **3** konst. natur, verklighet; *~ class* krokiklass med elever som tecknar efter levande modell; *larger than ~* i övernaturlig storlek
**lifebelt** ['laɪfbelt] *s* livbälte; räddningsbälte
**lifeboat** ['laɪfbəʊt] *s* livbåt; livräddningsbåt
**lifebuoy** ['laɪfbɔɪ] *s* livboj, frälsarkrans
**lifeguard** ['laɪfgɑ:d] *s* **1** livvakt **2** pl. *~s* livgarde **3** livräddare, strandvakt
**life jacket** ['laɪf‚dʒækɪt] *s* flytväst
**lifeless** ['laɪfləs] *adj* livlös, död, utan liv
**lifelike** ['laɪflaɪk] *adj* livslevande, naturtrogen
**lifeline** ['laɪflaɪn] *s* livlina; räddningslina
**lifelong** ['laɪflɒŋ] *adj* livslång *[~ friendship]*
**life-saving** ['laɪf‚seɪvɪŋ] *s* livräddning
**life-size** [‚laɪf'saɪz] *adj* i kroppsstorlek, i naturlig storlek
**lifetime** ['laɪftaɪm] *s* livstid; *a ~* ett helt liv; hela livet *[it'll last a ~]*; *it is the chance of a ~* det är mitt (ditt etc.) livs chans
**lift** [lɪft] **I** *vb tr* o. *vb itr* **1** lyfta; lyfta på;

höja sig **2** häva *[~ a blockade]*, upphäva **3** lätta *[the fog lifted]*, lyfta, skingras **II** *s* **1** lyft, lyftande **2** *give a p. a ~* ge ngn lift (skjuts) **3** hiss; skidlift
**ligament** ['lɪgəmənt] *s* anat. ligament, ledband
**1 light** [laɪt] **I** *s* ljus, sken; belysning; dagsljus, dager; lampa; *bring (come) to ~* bringa (komma) i dagen; *may I have a ~?* kan jag få lite eld?; *put on (put out) the ~* tända (släcka) ljuset; *shed (throw) ~ on (upon)* bildl. sprida ljus över, bringa klarhet i; *strike a ~* tända en tändsticka; *in a false ~* i falsk dager; pl. *~s* a) teat. rampljus b) trafikljus
**II** *(lit lit* el. *lighted lighted) vb tr* **1** tända [äv. *~ up*] **2** lysa upp, belysa
**2 light** [laɪt] **I** *adj* **1** lätt *[a ~ burden]*; *~ comedy* lättare komedi, lustspel; *~ opera* operett; *~ reading* nöjesläsning; *~ sentence* mild dom; *he is a ~ sleeper* han sover lätt **2** lindrig, lätt *[a ~ attack of flu]* **II** *adv* lätt *[sleep ~]*; *get off ~* slippa lindrigt undan; *travel ~* resa utan mycket bagage
**3 light** [laɪt] *(lit lit* el. *lighted lighted) vb itr*, *~ on (upon)* råka (stöta) på
**light bulb** ['laɪtbʌlb] *s* glödlampa
**1 lighten** ['laɪtn] *vb tr* lätta, göra lättare
**2 lighten** ['laɪtn] *vb tr* o. *vb itr* **1** lysa upp, upplysa **2** ljusna, klarna **3** blixtra
**1 lighter** ['laɪtə] *s* tändare
**2 lighter** ['laɪtə] *s* läktare, pråm
**light-headed** [‚laɪt'hedɪd] *adj* **1** yr i huvudet **2** tanklös, lättsinnig
**lighthouse** ['laɪthaʊs] *s* fyr, fyrtorn
**lighting** ['laɪtɪŋ] *s* lyse, belysning
**lightly** ['laɪtlɪ] *adv* lätt; *~ done* lättstekt; *get off ~* slippa lindrigt undan
**lightning** ['laɪtnɪŋ] *s* blixtar, blixt; *a flash of ~* en blixt; *forked ~* sicksackblixtar, sicksackblixtar; *sheet ~* ytblixt, ytblixtar
**lightning conductor** [‚laɪtnɪŋkən'dʌktə] *s* åskledare
**lightweight** ['laɪtweɪt] *s* **1** lättvikt; attributivt lättvikts- [~ *bicycle*], lätt **2** lättvikt
**light year** ['laɪtjɪə] *s* astron. ljusår äv. bildl.
**likable** ['laɪkəbl] *adj* sympatisk, trevlig
**1 like** [laɪk] **I** *adj* lik; *be ~* vara lik, likna *[she is ~ him]*, se ut som; *what's it ~?* hur är den?; hur ser den ut?; *I have one ~ this at home* jag har en likadan hemma **II** *prep* som *[if I were ~ you]*, såsom, liksom, likt; *~ this* så här □ *~ anything* vard. som bara den *[he ran ~*

*anything*]; **nothing** ~ vard. inte alls, inte på
långt när [*nothing* ~ *as (so) old*]; **something**
~ omkring, ungefär; något i stil med
**III** *konj* vard. som [*do it* ~ *I do*], såsom **IV** *s*
**1** *the* ~ något liknande (dylikt) **2** vard.,
*the ~s of me* såna som jag
**2 like** [laɪk] **I** *vb tr* o. *vb itr* tycka om, gilla;
vilja [*do as you* ~], ha lust; *well, I* ~ *that!*
iron. det må jag då säga!; *I should* ~ *to
know* jag skulle gärna vilja veta; *he can
try if he* ~*s* han får gärna försöka **II** *s*, *~s
and dislikes* sympatier och antipatier
**likelihood** ['laɪklɪhʊd] *s* sannolikhet
**likely** ['laɪklɪ] **I** *adj* sannolik, trolig; *it is* ~
*to be misunderstood* det kan lätt
missförstås; *he is* ~ *to win* han vinner
säkert; *not* ~*!* vard. knappast!, och det
trodde du! **II** *adv*, *very* (*most*) ~
sannolikt, troligen
**like-minded** [ˌlaɪk'maɪndɪd] *adj* likasinnad
**liken** ['laɪk(ə)n] *vb tr* likna [*to* vid]
**likeness** ['laɪknəs] *s* **1** likhet; *family* ~
släkttycke **2** skepnad; form **3** porträtt;
[*the portrait*] *is a good* ~ ...är mycket
likt
**likewise** ['laɪkwaɪz] *adv* likaledes; därtill,
dessutom
**liking** ['laɪkɪŋ] *s*, *take a* ~ *to* fatta tycke
för; *to a p.'s* ~ i ngns smak, till ngns
belåtenhet
**lilac** ['laɪlək] **I** *s* **1** syren **2** lila **II** *adj* lila
**Lilliputian** [ˌlɪlɪ'pju:ʃən] *s* lilleputt
**lilt** [lɪlt] *s* rytm, schvung
**lily** ['lɪlɪ] *s* lilja
**lily of the valley** [ˌlɪlɪəvðə'vælɪ] (pl. *lilies of
the valley*) *s* liljekonvalj
**limb** [lɪm] *s* lem, arm, ben
**limber** ['lɪmbə] *vb tr* o. *vb itr*, ~ *up* mjuka
upp; mjuka upp sig
**1 lime** [laɪm] *s* lime, lime-frukt
**2 lime** [laɪm] *s* lind
**3 lime** [laɪm] **I** *s* kalk; *slaked* ~ släckt kalk
**II** *vb tr* **1** kalka vägg **2** bestryka med
fågellim; snärja
**limelight** ['laɪmlaɪt] *s* rampljus; *be
(appear) in the* ~ stå (träda fram) i
rampljuset
**limestone** ['laɪmstəʊn] *s* kalksten
**limit** ['lɪmɪt] **I** *s* gräns; *that's the* ~*!* vard.
det slår alla rekord!, det var det värsta!
**II** *vb tr* begränsa
**limitation** [ˌlɪmɪ'teɪʃ(ə)n] *s* begränsning
**limited** ['lɪmɪtɪd] *adj* begränsad, inskränkt;
~ *liability company* el. ~ *company*
aktiebolag med begränsad ansvarighet

**limo** ['lɪməʊ] (pl. ~*s*) *s* vard. limousine
**limousine** [ˌlɪmə'zi:n] *s* limousine; lyxbil
**1 limp** [lɪmp] *adj* böjlig; slapp, sladdrig
**2 limp** [lɪmp] **I** *vb itr* linka, halta **II** *s*
haltande gång; *walk with a* ~ halta
**limpid** ['lɪmpɪd] *adj* genomskinlig,
kristallklar
**1 line** [laɪn] **I** *s* **1** a) lina; metrev;
klädstreck b) elektr. el. tele. ledning **2** linje
**3** länga, räcka; fil **4** rad [*page 10* ~ *5*];
*drop me a* ~ skriv några rader **5** versrad
**6** teat., vanl. pl. ~*s* replik [*the actor had
forgotten his* ~*s*], roll [*he knew his* ~*s*]
**7** släktgren, led; ätt **8** fack, bransch [*what
~ is he in?*]; *saving is not in my* ~ att
spara ligger inte för mig **9** hand. vara,
sortiment [*a cheap* ~ *in hats*] **10** diverse
fraser och uttryck: ~ *of action* förfaringssätt;
~ *of business* affärsgren, bransch; ~ *of
goods* varuslag; *be in* ~ *with* ligga helt i
linje med; *are you still on the* ~*?* är du
kvar i telefon?; *bring a th. into* ~ *with*
bringa ngt i överensstämmelse med;
*draw the* ~ bildl. dra gränsen [*at* vid],
säga stopp [*at* när det gäller]; *draw the* ~
*at* inte vilja gå med på; ~ *engaged* (amer.
*busy*)*!* tele. upptaget!; *fall into* ~ mil. falla
in i ledet; *hold the* ~, *please!* tele. var god
och vänta!; *take a strong* (*hard*) ~
uppträda bestämt
    **II** *vb tr* o. *vb itr* **1** linjera **2** rada upp; mil.
ställa upp på linje [äv. ~ *up*]; ~ *up* ställa
upp sig; köa **3** stå utefter, kanta [*people
lined the streets*] **4** göra rynkig, fåra t.ex.
pannan
**2 line** [laɪn] *vb tr* fodra, beklä
**lined** [laɪnd] *adj* **1** randig; strimmig; ~
*paper* linjerat papper **2** rynkad, rynkig
**linen** ['lɪnɪn] *s* **1** linne kollektivt linne
[*bed-linen*]; underkläder; *dirty* (*soiled*) ~
smutskläder
**line-printer** ['laɪnˌprɪntə] *s* data. radskrivare
**liner** ['laɪnə] *s* **1** linjefartyg, oceanfartyg;
trafikflygplan
**linesman** ['laɪnzmən] *s* sport. linjedomare,
linjeman
**line-up** ['laɪnʌp] *s* **1** uppställning äv. sport.;
bildl. gruppering [*a* ~ *of Afro-Asian
powers*] **2** samling
**linger** ['lɪŋgə] *vb itr* **1** dröja sig kvar **2** ~ *on*
leva vidare (kvar)
**lingerie** ['læŋʒəri:] *s* damunderkläder
**lingo** ['lɪŋgəʊ] (pl. *lingoes*) *s* vard. språk
**linguist** ['lɪŋgwɪst] *s* **1** språkkunnig person
**2** lingvist, språkforskare

**linguistics** [ˌlɪŋ'gwɪstɪks] (konstrueras med sg.) *s* lingvistik
**liniment** ['lɪnəmənt] *s* liniment
**lining** ['laɪnɪŋ] *s* foder
**link** [lɪŋk] I *s* **1** länk **2** manschettknapp II *vb tr* o. *vb itr* länka ihop, förena [äv. ~ *together (up)*]; ~ *up* el. ~ länkas ihop, förena sig
**links** [lɪŋks] *s* golfbana
**linnet** ['lɪnɪt] *s* zool. hämpling
**lino** ['laɪnəʊ] (pl. ~s) *s* vard. för *linoleum*
**linoleum** [lɪ'nəʊljəm] *s* linoleum; korkmatta
**linseed** ['lɪnsiːd] *s* linfrö
**linseed oil** ['lɪnsiːdɔɪl] *s* linolja
**lint** [lɪnt] *s* charpi, linneskav
**lintel** ['lɪntl] *s* överstycke på dörr el. fönster
**lion** ['laɪən] *s* lejon
**lioness** ['laɪənəs] *s* lejoninna
**lionize** ['laɪənaɪz] *vb tr* fira, dyrka
**lip** [lɪp] *s* läpp; *upper* ~ överläpp
**lip gloss** ['lɪpglɒs] *s* läppglans
**liposuction** ['lɪpəʊˌsʌkʃ(ə)n] *s* med. fettsugning
**lip-reading** ['lɪpˌriːdɪŋ] *s* läppavläsning
**lipsalve** ['lɪpsælv] *s* cerat
**lip service** ['lɪpˌsɜːvɪs] *s* tomma ord, fagra löften, munväder
**lipstick** ['lɪpstɪk] *s* läppstift
**liquefy** ['lɪkwɪfaɪ] *vb tr* o. *vb itr* smälta; kondensera; anta vätskeform
**liqueur** [lɪ'kjʊə] *s* likör
**liquid** ['lɪkwɪd] I *adj* **1** flytande, i vätskeform **2** klar, genomskinlig; ~ *eyes* blanka ögon **3** hand. likvid [~ *assets* (tillgångar)] II *s* vätska
**liquidate** ['lɪkwɪdeɪt] *vb tr* likvidera
**liquor** ['lɪkə] *s* spritdryck, dryck
**liquorice** ['lɪkərɪs] *s* lakrits
**Lisbon** ['lɪzbən] Lissabon
**lisp** [lɪsp] I *vb itr* o. *vb tr* läspa; läspa fram II *s* läspning; *have a* ~ läspa
**1 list** [lɪst] I *s* lista, förteckning [*of* på]; *shopping* ~ inköpslista, minneslista II *vb tr* ta upp på en lista
**2 list** [lɪst] sjö. I *vb itr* ha (få) slagsida II *s* slagsida
**listen** ['lɪsn] *vb itr* lyssna, höra på; ~ *in on* avlyssna; ~ *in to* a) lyssna på i radio b) avlyssna [~ *in to a telephone conversation*]
**listener** ['lɪsnə] *s* åhörare; lyssnare
**listless** ['lɪstləs] *adj* håglös, apatisk; slö
**lit** [lɪt] se *1 light II, 3 light*
**liter** ['liːtə] *s* amer. liter

**literacy** ['lɪtərəsɪ] *s* läs- och skrivkunnighet
**literal** ['lɪtər(ə)l] *adj* ordagrann; bokstavlig, egentlig [*in the* ~ *sense*]
**literally** ['lɪt(ə)rəlɪ] *adv* ordagrant; bokstavligt; bokstavligt talat
**literary** ['lɪt(ə)rərɪ] *adj* litterär; litteraturlitterate** ['lɪtərət] *adj* läs- och skrivkunnig
**literature** ['lɪtrətʃə] *s* litteratur
**lithe** [laɪð] *adj* smidig, vig; böjlig
**lithograph** ['lɪθəgrɑːf, 'lɪθəgræf] *s* litografi [*a* ~]
**lithography** [lɪ'θɒgrəfɪ] *s* litografi
**Lithuania** [ˌlɪθjʊ'eɪnjə] Litauen
**Lithuanian** [ˌlɪθjʊ'eɪnjən] I *adj* litauisk II *s* **1** litauer **2** litauiska språket
**litmus** ['lɪtməs] *s* lackmus [~ *paper*]
**litre** ['liːtə] *s* liter [*two* ~s *of milk*]
**litter** ['lɪtə] I *s* **1** skräp, avfall **2** bår **3** kull [*a* ~ *of pigs (puppies)*] II *vb tr*, ~ *up* el. ~ skräpa ner
**litterbag** ['lɪtəbæg] *s* skräppåse t.ex. i bil
**litterbin** ['lɪtəbɪn] *s* papperskorg på allmän plats
**litterbug** ['lɪtəbʌg] *s* amer. vard. person som skräpar ner på allmän plats
**litterlout** ['lɪtəlaʊt] *s* vard. person som skräpar ner på allmän plats
**little** ['lɪtl] (komparativ *less*, superlativ *least*) I *adj* liten; pl. små; lill- [~ *finger*] II *adj* o. *adv* o. *s* **1** lite, litet; föga [*of* ~ *value*], ringa [*of* ~ *importance*], obetydlig [~ *damage*]; *make* ~ *of* bagatellisera; *the* ~ det lilla [*the* ~ *I have seen*] **2** *a* ~ a) lite, litet [*he had a* ~ *money left*] b) *not a* ~ inte så litet, ganska mycket; *only a* ~ bara lite
**1 live** [laɪv] I *adj* **1** levande **2** inte avbränd, oanvänd [*a* ~ *match*]; laddad [*a* ~ *cartridge*]; skarp [~ *ammunition*]; ~ *wire* a) strömförande ledning b) bildl. energiknippe; *a* ~ *coal* ett glödande kol **3** radio. el. TV. direktsänd; ~ *broadcast* direktsändning II *adv* radio. el. TV. direkt
**2 live** [lɪv] *vb itr* o. *vb tr* **1** leva [~ *a double life*]; leva kvar [*his memory will always* ~]; *we* ~ *and learn* man lär så länge man lever; ~ *down* rehabilitera sig efter; hämta sig efter; ~ *through* genomleva, uppleva; ~ *to see* få uppleva; ~ *together* leva ihop, sammanbo; ~ *up to* a) leva ända till b) leva upp till, göra skäl för **2** bo, vara bosatt; vistas
**live-in** ['lɪvɪn] *s* sambo
**livelihood** ['laɪvlɪhʊd] *s* uppehälle, levebröd; *means of* ~ födkrok

**lively** ['laɪvlɪ] *adj* livlig, pigg [~ *eyes*]; *look ~!* raska på!

**liven** ['laɪvn] *vb tr* o. *vb itr*, ~ *up* liva (pigga) upp; bli livlig (livligare), livas (piggas) upp

**liver** ['lɪvə] *s* lever; ~ *disease* leversjukdom; ~ *paste* leverpastej

**livery** ['lɪvərɪ] *s* livré

**lives** [laɪvz] *s* se *life*

**livestock** ['laɪvstɒk] *s* kreatursbesättning; boskap, husdjur

**livid** ['lɪvɪd] *adj* **1** blåblek; likblek **2** vard. rasande

**living** ['lɪvɪŋ] **I** *adj* levande; i livet [*are your parents ~?*]; *within (in)* ~ *memory* i mannaminne **II** *s* **1** liv, att leva [~ *is expensive these days*]; *standard of* ~ levnadsstandard **2** levebröd; *earn (make) a (one's)* ~ förtjäna sitt uppehälle [*by* på]; *what does he do for a ~?* vad sysslar han med (lever han av)? **3** kyrkl. pastorat **4** attributivt livs-, levnads- [~ *conditions*]; ~ *quarters* bostad; *a ~ wage* en lön som man kan leva på

**living room** ['lɪvɪŋruːm] *s* vardagsrum

**lizard** ['lɪzəd] *s* ödla

**Ljubljana** [luːˈbljɑːnə]

**'ll** [l] = *will, shall* [*I'll = I will, I shall*]

**llama** ['lɑːmə] *s* lamadjur

**lo** [ləʊ] *interj*, ~ *and behold!* har man sett!

**load** [ləʊd] **I** *s* **1** last; börda **2** tekn. belastning **3** vard., pl. *~s* massor; *~s of* massor av, en massa **II** *vb tr* o. *vb itr* **1** lasta [~ *a ship*]; fylla [~ *the washing machine*] **2** belasta [~ *one's memory with*]; lasta; ~ *one's stomach* överlasta magen **3** ladda **4** ~ *dice* förfalska tärningar

**loaded** ['ləʊdɪd] *perf p* o. *adj* **1** lastad; ~ *dice* falska tärningar **2** sl. tät rik

**1 loaf** [ləʊf] (pl. *loaves* [ləʊvz]) *s* **1 a)** limpa, bröd [äv. ~ *of bread*]; *tin ~* formbröd **b)** *meat ~* köttfärslimpa **2** ~ *sugar* toppsocker

**2 loaf** [ləʊf] *vb itr*, ~ *about* slå dank, stå och hänga

**loam** [ləʊm] *s* lerjord

**loan** [ləʊn] **I** *s* lån; *on ~* utlånad; till låns **II** *vb tr* låna ut

**loath** [ləʊθ] *adj* obenägen [*to* att]

**loathe** [ləʊð] *vb tr* avsky

**loathing** ['ləʊðɪŋ] *s* avsky; äckel

**loathsome** ['ləʊðsəm] *adj* vidrig, äcklig

**loaves** [ləʊvz] *s* se *1 loaf*

**lob** [lɒb] sport. **I** *s* lobb **II** *vb tr* lobba

**lobby** ['lɒbɪ] *s* hall, vestibul, entréhall i t.ex. hotell

**lobe** [ləʊb] *s*, ~ *of the ear* örsnibb

**lobelia** [ləˈbiːljə] *s* lobelia

**lobster** ['lɒbstə] *s* hummer

**lobsterpot** ['lɒbstəpɒt] *s* hummertina

**local** ['ləʊk(ə)l] **I** *adj* lokal, orts-, på orten [~ *population*]; *the ~ authorities* de lokala (kommunala) myndigheterna; ~ *government* kommunal självstyrelse **II** *s* **1** ortsbo; *he is a ~* han är härifrån **2** vard., *the ~* kvarterspuben

**locality** [ləˈkælətɪ] *s* **1** lokalitet, plats, ställe; trakt, ort **2** läge, belägenhet

**locate** [ləʊˈkeɪt] *vb tr* lokalisera; *be located* vara belägen; spåra

**location** [ləʊˈkeɪʃ(ə)n] *s* **1** lokalisering, spårande **2** läge, plats **3** film., *shoot films on ~* filma på platsen

**loch** [lɒk] *s* skotsk. insjö; fjord

**1 lock** [lɒk] *s* lock, länk av hår

**2 lock** [lɒk] **I** *s* **1** lås; *under ~ and key* inom lås och bom; *put a th. under ~ and key* låsa in ngt **2** ~, *stock and barrel* rubb och stubb **3** sluss **II** *vb tr* o. *vb itr* **1** låsa, stänga med lås; ~ *out* a) låsa ut (ute) b) lockouta; ~ *up* a) låsa (stänga) till [~ *up a room*] b) låsa in (undan); spärra in [~ *up a prisoner*] **2** gå i lås, låsas, gå att låsa; ~ *up* låsa efter sig **3** låsa sig

**locker** ['lɒkə] *s* låsbart skåp (fack)

**locket** ['lɒkɪt] *s* medaljong

**lockjaw** ['lɒkdʒɔː] *s* vard. stelkramp

**lockout** ['lɒkaʊt] *s* lockout

**locksmith** ['lɒksmɪθ] *s* låssmed, klensmed

**lock-up** ['lɒkʌp] *s* arrest, finka

**locomotive** [ˌləʊkəˈməʊtɪv] *s* lokomotiv, lok

**locust** ['ləʊkəst] *s* gräshoppa från Asien o. Afrika

**lodge** [lɒdʒ] **I** *s* **1** jakthydda, jaktstuga **2** portvaktsrum **II** *vb tr* o. *vb itr* **1** inkvartera, hysa, logera, ta in **2** framföra [~ *a complaint* (klagomål)] **3** deponera [~ *money in the bank*] **4** hyra rum, bo [*with* hos]

**lodger** ['lɒdʒə] *s* inneboende, hyresgäst

**lodging** ['lɒdʒɪŋ] *s* **1** husrum; ~ *for the night* nattlogi **2** pl. *~s* hyresrum

**lodging house** ['lɒdʒɪŋhaʊs] *s* enklare hotell; *common ~* ungkarlshotell

**loft** [lɒft] *s* vind, loft

**lofty** ['lɒftɪ] *adj* litt. **1** hög, imponerande [*a ~ tower*], ståtlig; om rum hög i taket **2** bildl. hög [~ *ideals*]

**log** [lɒg] s **1** stock; vedträ; *sleep like a ~* sova som en stock **2** sjö. logg

**loganberry** ['ləʊgənbəri] s loganbär en korsning mellan hallon och björnbär

**logbook** ['lɒgbʊk] s sjö. el. flyg. loggbok

**log cabin** ['lɒg͵kæbɪn] s timmerstuga

**loggerhead** ['lɒgəhed] s, *be at ~s* vara osams

**logic** ['lɒdʒɪk] s logik

**logical** ['lɒdʒɪk(ə)l] adj logisk, följdriktig

**loin** [lɔɪn] s **1** pl. *~s* länder **2** kok. njurstek, fransyska

**loin-cloth** ['lɔɪnklɒθ] s höftskynke

**loiter** ['lɔɪtə] vb itr söla; stå och hänga; *~ about* el. *~* dra omkring

**loll** [lɒl] vb itr **1** ligga och dra sig [*~ in bed*]; sitta och hänga **2** *~ out* hänga ut ur munnen [*the dog's tongue was lolling out*]

**lollipop** ['lɒlɪpɒp] s klubba, slickepinne

**lolly** ['lɒlɪ] s vard. klubba, slickepinne; *ice ~* isglass pinne

**London** ['lʌndən]

**Londoner** ['lʌndənə] s Londonbo

**lone** [ləʊn] adj litt. ensam, enslig

**lonely** ['ləʊnlɪ] adj ensam; öde, ödslig

**lonesome** ['ləʊnsəm] adj ensam

**1 long** [lɒŋ] vb itr längta [*for* efter]

**2 long** [lɒŋ] **I** adj lång; längd- [*~ jump*]
**II** s **1** *the ~ and short of it* summan av kardemumman, kontentan **2** lång i morsealfabetet
**III** adv **1** länge; *~ live the King!* leve kungen!; *he had not ~ eaten* han hade nyss ätit **2** hel; *an hour ~* en hel timme; *all day (night)* ~ hela dagen (natten)
**IV** adj o. s o. adv i diverse förbindelser: *I shan't (won't) be ~* jag är strax tillbaka; *be ~ about a th.* hålla på länge (dröja) med ngt; *he was not ~ coming (in coming)* han lät inte vänta på sig; *it was not ~ before he came* det dröjde inte länge förrän han kom; *take ~* ta lång tid; *~ ago* för länge sedan; *as ~* så lång tid [*three times as ~*]; *as (so) ~ as* a) så länge, så länge som [*stay (stay for) as ~ as you like*], lika länge som b) om...bara [*you may borrow the book so ~ as you keep it clean*]; *as ~ as...ago* redan för...sedan; *before ~* inom kort, snart; *for ~* länge; på länge; *so ~!* vard. hej så länge!

**long-distance** [͵lɒŋ'dɪst(ə)ns] adj långdistans- [*~ flight*]; *~ call* rikssamtal

**longing** ['lɒŋɪŋ] **I** adj längtansfull **II** s längtan

**longish** ['lɒŋɪʃ] adj rätt så lång, längre

**longitude** ['lɒndʒɪtjuːd] s longitud, längd

**long-lived** [͵lɒŋ'lɪvd] adj långlivad; långvarig

**long-play** ['lɒŋpleɪ] adj o. **long-playing** ['lɒŋ͵pleɪɪŋ] adj, *~ record (disc)* långspelande skiva, LP

**long-range** [͵lɒŋ'reɪndʒ] adj långdistans- [*~ flight*]; långtids- [*~ forecast* (prognos)]

**long-standing** ['lɒŋ͵stændɪŋ] adj gammal, långvarig

**long-term** ['lɒŋtɜːm] adj lång, långfristig [*~ loans*]; på lång sikt, långsiktig [*~ policy*]

**long-winded** [͵lɒŋ'wɪndɪd] adj mångordig, omständlig, långrandig

**loo** [luː] s vard., *the ~* toa, dass

**look** [lʊk] **I** vb itr o. vb tr **1** se, titta **2** leta, söka **3** verka, förefalla, synas; *~ like* se ut som, likna; *what does he ~ like?* hur ser han ut?; *it ~s like rain* det ser ut att bli regn; *she ~s 50* hon ser ut som 50; *make a p. ~ a fool* göra ngn till ett åtlöje □ *~ about* se sig om; *~ after* se efter; sköta om, ha (ta) hand om; sköta; bevaka [*~ after one's interests*]; *~ after oneself* klara sig själv, sköta om sig; *~ at* se (titta) på; *it isn't much to ~ at* det ser ingenting ut; *~ back* a) se sig om b) se (tänka) tillbaka c) *from then on he never looked back* från och med då gick det stadigt framåt för honom; *~ down* se ned; *~ down on a p.* bildl. se ned på ngn; *~ for* a) leta efter b) vänta sig; *~ forward* se framåt; *~ forward to* se fram emot; *~ in* titta in [*on a p.* till ngn], hälsa på [*on a p.* ngn]; *~ into* a) se (titta) in i b) undersöka [*I'll ~ into the matter*]; *~ on* a) se (titta) på b) betrakta [*~ on a p. with distrust*]; *~ out* a) se (titta) ut [*~ out of* (genom) *the window*] b) se sig för; *~ out!* se upp!, akta dig! c) *~ out on (over)* ha utsikt över; *~ over* a) se över b) se igenom, granska; *~ round* a) se sig om [*~ round the town* (i staden)] b) se sig om [*for* efter]; *~ to* a) se på (till) b) *~ to a p. for a th.* vänta sig ngt av ngn; *~ up* a) se (titta) upp; *~ up to a p.* se upp till ngn b) *things are looking up* bildl. det börjar ljusna c) ta reda på, slå upp [*~ up a word in a dictionary*]; vard. söka upp, hälsa på; *~ upon* betrakta [*~ upon a p. with distrust*]
**II** s **1** blick; titt; *let me have a ~* får jag se (titta); *have (take) a ~ at* ta en titt på **2** a) utseende b) uttryck [*an ugly ~ on* (i) *his face*] c) min [*angry ~s*], uppsyn d) pl.

**~s** persons utseende [*she has her mother's ~s*]; *I don't like the ~ of it* jag tycker inte om det; det verkar oroande

**look-alike** ['lʊkəlaɪk] *s* dubbelgångare

**looker-on** [,lʊkər'ɒn] (pl. *lookers-on* ['lʊkəz'ɒn]) *s* åskådare

**look-in** ['lʊkɪn] *s* vard. **1** titt, påhälsning **2** chans [*I didn't even get a ~*]

**looking glass** ['lʊkɪŋɡlɑːs] *s* spegel

**look-out** ['lʊkaʊt] *s*, *keep a good ~* hålla skarp utkik [*for* efter]; *that's my (his) ~* det är min (hans) sak (ensak); *be on the ~ for* hålla utkik efter

**1 loom** [luːm] *s* vävstol

**2 loom** [luːm] *vb itr*, *~ up* el. *~* dyka fram (upp); *~ ahead* bildl. hota, vara i annalkande [*dangers looming ahead*]

**loop** [luːp] **I** *s* **1** ögla; slinga; ring; hängare **2** spiral livmoderinlägg **II** *vb tr* **1** lägga i en ögla; göra en ögla på **2** flyg., *~ the loop* göra en loping

**loophole** ['luːphəʊl] *s* **1** kryphål [*a ~ in the law*] **2** skottglugg

**loose** [luːs] *adj* **1** lös; slapp [*~ skin*]; glapp; *be at a ~ end* vard. vara sysslolös, inte ha något för sig; *come ~* lossna; *set ~* släppa lös (fri) **2** lösaktig; *~ morals* lättfärdighet

**loose-fitting** ['luːs,fɪtɪŋ] *adj* löst sittande; ledig, vid

**loose-leaf** ['luːsliːf] *adj* lösblads- [*~ book*]

**loosen** ['luːsn] *vb tr* **1** lossa [*~ a screw*], lösa upp [*~ a knot*] **2** göra lösare, luckra upp; *~ up* mjuka upp [*~ up one's muscles*]

**loot** [luːt] **I** *s* byte, rov **II** *vb tr* o. *vb itr* plundra

**looter** ['luːtə] *s* plundrare; tjuv

**lop-sided** [,lɒp'saɪdɪd] *adj* sned, skev

**lord** [lɔːd] **I** *s* **1** herre, härskare [*of* över]; *Our Lord* Vår Herre och Frälsare; *in the year of our Lord 1500* år 1500 efter Kristi födelse; *the Lord's Prayer* fadervår; *good Lord!* Herre Gud!; *Lord knows who (how)!* vard. Gud vet vem (hur)! **2** lord; *live like a ~* leva furstligt; *as drunk as a ~* full som en alika; *swear like a ~* svära som en borstbindare **3** *the House of Lords* el. *the Lords* överhuset; *Lord* Lord adelstitel före namn **II** *vb tr*, *~ it over* spela herre över

**lordship** ['lɔːdʃɪp] *s* **1** herravälde [*over* över] **2** *Your Lordship* Ers nåd

**lore** [lɔː] *s* kultur [*Irish ~*]

**lorgnette** [lɔː'njet] *s* lornjett

**lorry** ['lɒrɪ] *s* lastbil [äv. *motor-lorry*]

**lorry-driver** ['lɒrɪ,draɪvə] *s* lastbilschaufför, lastbilsförare

**lose** [luːz] (*lost lost*) *vb tr* **1** förlora, mista; tappa, tappa bort; *~ sight of* förlora ur sikte; bortse från, glömma; *~ one's (the) way* råka (gå, köra) vilse; *~ weight* gå ned i vikt **2** förspilla, ödsla [*~ time*]

**loser** ['luːzə] *s* förlorare

**loss** [lɒs] *s* **1** förlust; *~ of appetite* bristande aptit; *no ~ of life* inga förluster i människoliv; *~ of sleep* brist på sömn; *~ of time* tidsförlust; *sell at a ~* sälja med förlust **2** *be at a ~* vara villrådig; *he is never at a ~ (at a ~ what to do)* han vet alltid råd; *be at a ~ for words* sakna ord

**lost** [lɒst] **I** imperfekt av *lose* **II** *adj* o. *perf p* (av *lose*) **1** förlorad; borttappad; försvunnen; *get ~* komma bort, försvinna; *~ property office* hittegodsexpedition **2** vilsekommen [*a ~ child*]; bortkommen, vilsen [*I felt ~*]; hjälplös [*I'm ~ without my glasses*] **3** förtappad, fördömd [*a ~ soul*] **4** försummad [*~ opportunities*]; *be ~ on* bildl. vara bortkastad på, gå ngn förbi

**lot** [lɒt] *s* **1** lott **2** tomt [*building ~*], plats [*burial ~*] **3** vard. massa, mängd; *a ~* mycket [*he is a ~ better*]; *~s* massor; *quite a ~* en hel del, rätt mycket; *that's a fat ~!* det är minsann inte mycket!; *the ~* allt, alltihop

**lotion** ['ləʊʃ(ə)n] *s* vätska, lösning; vatten [*hair ~*]; *setting ~* läggningsvätska; *suntan ~* solmjölk, sololja

**lottery** ['lɒtərɪ] *s* lotteri; *~ ticket* lottsedel

**lotto** ['lɒtəʊ] *s* lotto, lottospel

**lotus** ['ləʊtəs] *s* lotus, lotusblomma

**loud** [laʊd] **I** *adj* **1** hög [*~ voice*], stark [*~ sound*]; högljudd; *the ~ pedal* mus. vard. fortepedalen **2** bildl. skrikig [*a ~ tie*]; vulgär **II** *adv* högt [*don't speak so ~!*]

**louden** ['laʊdn] *vb itr* o. *vb tr* bli (göra) högre

**loud-hailer** [,laʊd'heɪlə] *s* megafon

**loudmouth** ['laʊdmaʊθ] *s* gaphals

**loud-mouthed** ['laʊdmaʊθt] *adj* högljudd; skränig

**loudspeaker** [,laʊd'spiːkə] *s* högtalare

**lounge** [laʊndʒ] **I** *vb itr* o. *vb tr*, *~ about* el. *~* gå och driva; stå (sitta) och hänga; lata sig; *~ away* slöa bort [*~ away an hour*] **II** *s* **1** vestibul, foajé, hall [*the hotel ~*] **2** salong; *cocktail ~* cocktailbar; *the ~ bar* i pub den 'finaste' avdelningen

**lounger** ['laʊndʒə] *s* dagdrivare, lätting

**lounge suit** [,laʊndʒ'suːt] *s* kostym

**ouse** [laʊs] s **1** (pl. *lice* [laɪs]) lus **2** sl., person äckel, knöl

**lousy** ['laʊzɪ] adj **1** lusig **2** vard., ~ *with* nedlusad med [~ *with money*] **3** vard. urdålig, urusel [a ~ *dinner; feel* ~], jäkla [*you* ~ *swine*]

**out** [laʊt] s slyngel; drummel, tölp

**outish** ['laʊtɪʃ] adj slyngelaktig; drumlig

**lovable** ['lʌvəbl] adj älsklig, förtjusande

**ove** [lʌv] **I** s **1** kärlek [*for (of) a p.* till ngn; *of a th.* till ngt]; förälskelse [*for* i]; **make** ~ älska, ligga med varandra; **make** ~ **to** älska (ligga) med; ~ *of mankind* människokärlek; *it is not to be had for* ~ *or money* det går inte att få för pengar; *in* ~ förälskad, kär [*with* i]; *fall in* ~ *with* förälska sig i, bli kär i **2** hälsning, hälsningar; *my* ~ *(give my* ~*) to him* hälsa honom så mycket; *send a p. one's* ~ hälsa till ngn; *lots of* ~ el. ~ i brevslut hjärtliga hälsningar **3** älskling, raring; lilla vän **4** i tennis noll
**II** vb tr o. vb itr älska; tycka mycket om, vara förtjust i; *yes, I'd* ~ *to!* ja, mycket gärna!

**ove affair** ['lʌvəˌfeə] s kärleksaffär

**love game** ['lʌvgeɪm] s blankt game i tennis

**lovely** ['lʌvlɪ] **I** adj förtjusande, vacker, söt; härlig, underbar **II** s skönhet om showflicka

**ove-making** ['lʌvˌmeɪkɪŋ] s erotik, älskog, älskande

**love match** ['lʌvmætʃ] s inklinationsparti

**lover** ['lʌvə] s **1** älskare; *the* ~s de älskande **2** vän, älskare; *be a* ~ *of* älska, tycka om

**lovesick** ['lʌvsɪk] adj kärlekskrank

**loving** ['lʌvɪŋ] adj kärleksfull, öm; *a* ~ *couple* ett älskande par

**1 low** [ləʊ] vb itr råma, böla

**2 low** [ləʊ] **I** adj **1** låg; *the Low Countries* Nederländerna, Belgien och Luxemburg; ~ *pressure* lågtryck; *the tide is* ~ det är ebb **2** ringa, obetydlig [~ *rainfall* (nederbörd)]; ~ *in protein* fattig på protein **3** simpel, låg, vulgär; gemen **4** nere, deppig
**II** adv **1** lågt; djupt [*bow* ~]; lågmält; ~ *down on (in) the list* långt ner på listan **2** knappt **3** *as* ~ *as* ända ner till □ *lay* ~ a) kasta omkull, döda b) tvinga att ligga till sängs [*influenza has laid him* ~]; *lie* ~ a) ligga kullslagen b) hålla sig gömd c) vard. ligga lågt
**III** s botten, bottennotering [a *new* ~ *in tastelessness*]

**low-alcohol** [ˌləʊˈælkəhɒl] adj, ~ *beer* lättöl

**lowbrow** ['ləʊbraʊ] vard. **I** adj ointellektuell, obildad **II** s ointellektuell person

**low-class** [ˌləʊˈklɑːs] adj enklare, sämre, andra klassens [a ~ *pub*]

**low-cut** ['ləʊkʌt] adj urringad

**low-down** ['ləʊdaʊn] adj **1** nedrig, gemen **2** förfallen, eländig

**lower** ['ləʊə] **I** adj lägre; obetydligare; undre [~ *limit*]; nedre; *the* ~ *class* (*classes*) de lägre klasserna, underklassen **II** adv lägre; ~ *down* längre ner **III** vb tr sänka; sätta (sänka) ned; göra lägre; dämpa; skruva ned [~ *the radio*], minska; hala (ta) ned [~ *a flag*]; fälla ned; ~ *oneself* a) sänka sig ned b) nedlåta sig

**lowermost** ['ləʊəməʊst] adj lägst; underst

**lowest** ['ləʊɪst] **I** adj o. adv lägst **II** s, *at the* ~ lägst [*ten at the* ~]

**low-grade** ['ləʊgreɪd] adj lågvärdig

**lowland** ['ləʊlənd] **I** s lågland; *the Lowlands* Skotska lågländerna **II** adj låglands-

**low-lying** [ˌləʊˈlaɪɪŋ] adj låglänt

**low-minded** [ˌləʊˈmaɪndɪd] adj lågsinnad

**low-necked** [ˌləʊˈnekt] adj låghalsad, urringad

**low-paid** [ˌləʊˈpeɪd] adj lågavlönad

**low-pitched** [ˌləʊˈpɪtʃt] adj låg; lågmäld [a ~ *voice*]

**low-powered** [ˌləʊˈpaʊəd] adj svag, med liten effekt [a ~ *engine*]

**low-rise** ['ləʊraɪz] adj, ~ *building* låghus

**low-tar** [ˌləʊˈtɑː] adj med låg tjärhalt

**low-voltage** [ˌləʊˈvəʊltɪdʒ] adj svagströms- [~ *motor*], lågspännings-

**loyal** ['lɔɪ(ə)l] adj lojal, solidarisk [*to* mot, med], trofast, pålitlig [a ~ *friend*]

**loyalty** ['lɔɪəltɪ] s lojalitet; trofasthet

**lozenge** ['lɒzɪndʒ] s pastill, tablett [*throat* ~]

**LP** [ˌelˈpiː] s (förk. för *long-playing*) LP

**LSD** [ˌelesˈdiː] s LSD narkotiskt medel

**Ltd.** ['lɪmɪtɪd] (förk. för *Limited*) AB

**lubricant** ['luːbrɪkənt] s smörjmedel

**lubricate** ['luːbrɪkeɪt] vb tr smörja; olja; smörja (olja) in

**lubricating** ['luːbrɪkeɪtɪŋ] adj smörj- [~ *oil*]

**lubrication** [ˌluːbrɪˈkeɪʃ(ə)n] s smörjning; insmörjning

**lucid** ['luːsɪd] adj klar, redig

**luck** [lʌk] s lycka, tur; *any* ~*?* lyckades

det?; *bad* ~ otur; motgång; *good* ~ lycka, tur; *good* ~ *to you!* el. *good* ~*!* lycka till!; *hard* (*rotten, tough*) ~ vard. otur {*on a p.* för ngn}; *just my* ~*!* iron. det är min vanliga tur!; *the best of* ~*!* lycka till!

**luckily** ['lʌkəlɪ] *adv* lyckligtvis, som tur var

**lucky** ['lʌkɪ] *adj* som har tur, med tur {*a* ~ *man*}; lyckosam, lycklig, tursam; lyckobringande {*a* ~ *charm* (amulett)}; lycko- {*it's my* ~ *day (number)*}; *be* ~ a) ha tur b) vara tur {*it's* ~ *for him*}; *a* ~ *dog* (*beggar, devil*) en lyckans ost; *third time* ~*!* tredje gången gillt!; *strike* ~ ha tur

**lucrative** ['lu:krətɪv] *adj* lukrativ, lönande

**ludicrous** ['lu:dɪkrəs] *adj* löjlig

**lug** [lʌg] *vb tr* släpa, kånka; släpa (kånka) på

**luggage** ['lʌgɪdʒ] *s* resgods, bagage; *a piece of* ~ ett kolli

**luggage label** ['lʌgɪdʒˌleɪbl] *s* adresslapp

**luggage office** ['lʌgɪdʒˌɒfɪs] *s* resgodsexpedition

**luggage rack** ['lʌgɪdʒræk] *s* bagagehylla

**luggage van** ['lʌgɪdʒvæn] *s* resgodsvagn

**lukewarm** ['lu:kwɔ:m] *adj* **1** ljum {~ *tea*} **2** bildl. halvhjärtad {~ *support*}

**lull** [lʌl] **I** *vb tr* **1** vyssja, lulla {*to sleep* till sömns} **2** bildl. lugna, stilla {~ *a p.'s fears*} **II** *s* paus, uppehåll {*a* ~ *in the conversation*}

**lullaby** ['lʌləbaɪ] *s* vaggvisa, vaggsång

**lumbago** [lʌm'beɪgəʊ] *s* ryggskott

**lumber** ['lʌmbə] **I** *s* **1** skräp, bråte **2** speciellt amer. timmer, virke **II** *vb tr*, ~ *up* el. ~ belamra

**lumberjack** ['lʌmbədʒæk] *s* skogshuggare

**lumberyard** ['lʌmbəjɑ:d] *s* brädgård

**luminous** ['lu:mɪnəs] *adj* självlysande {~ *paint*}; ~ *tape* reflexband

**lump** [lʌmp] **I** *s* **1** klump; stycke; klimp, bit; ~ *sugar* bitsocker; *a* ~ *of sugar* en sockerbit **2** bula, knöl **II** *vb tr*, ~ *together* slå ihop i klump, bunta ihop; bildl. behandla i klump

**lumpy** ['lʌmpɪ] *adj* full av klumpar, klimpig

**lunacy** ['lu:nəsɪ] *s* vansinne, vanvett

**lunatic** ['lu:nətɪk] *s* galning, dåre

**lunch** [lʌntʃ] **I** *s* lunch; sen frukost; ~ *packet* el. *packed* ~ lunchmatsäck, lunchkorg **II** *vb itr* äta lunch

**luncheon** ['lʌntʃ(ə)n] (formellt för *lunch*) **I** *s* lunch **II** *vb itr* äta lunch

**lunch hour** ['lʌntʃˌaʊə] *s* lunchrast

**lunchtime** ['lʌntʃtaɪm] *s* lunchdags

**lung** [lʌŋ] *s* lunga; attributivt lung- {~ *cancer*}

**lunge** [lʌndʒ] **I** *s* utfall; häftig rörelse **II** *vb itr* o. *vb tr* göra utfall {äv. ~ *out*; *at* mot}; stöta, sticka t.ex. vapen {*into* i}

**lupin** ['lu:pɪn] *s* lupin

**1 lurch** [lɜ:tʃ] **I** *s* krängning; raglande, vinglande **II** *vb itr* kränga; ragla, vingla

**2 lurch** [lɜ:tʃ] *s*, *leave in the* ~ lämna i sticket

**lure** [ljʊə] **I** *s* lockelse, dragningskraft {*the* ~ *of the sea*} **II** *vb tr* locka, lura

**lurid** ['ljʊərɪd] *adj* **1** brandröd, flammande {*a* ~ *sunset*}; skrikig, gräll **2** makaber {~ *details*}

**lurk** [lɜ:k] *vb itr* stå (ligga) på lur

**luscious** ['lʌʃəs] *adj* **1** läcker, delikat {~ *peaches*} **2** vard. yppig {*a* ~ *blonde*}

**lush** [lʌʃ] *adj* frodig, yppig; grönskande

**lust** [lʌst] **I** *s* lusta; kättja; åtrå, begär {*for* efter} **II** *vb itr*, ~ *for* åtrå; törsta efter

**lustful** ['lʌstf(ʊ)l] *adj* lysten {~ *eyes*}, vällustig

**lustre** ['lʌstə] *s* glans; lyster

**lustrous** ['lʌstrəs] *adj* glänsande; skimrande

**lusty** ['lʌstɪ] *adj* kraftfull, livskraftig; kraftig {*a* ~ *kick*}

**Lutheran** ['lu:θərən] **I** *s* lutheran **II** *adj* luthersk

**Luxembourg** ['lʌksəmbɜ:g] Luxemburg

**luxuriant** [lʌg'zjʊərɪənt] *adj* frodig, yppig; ymnig; yvig {~ *hair*}

**luxurious** [lʌg'zjʊərɪəs] *adj* luxuös {*a* ~ *hotel*}, lyxig, flott

**luxury** ['lʌkʃərɪ] *s* **1** lyx, överflöd, överdåd; lyx- {*a* ~ *hotel*} **2** lyxartikel, lyxvara

**1 lying** ['laɪɪŋ] **I** *pres p* av *1 lie* **II** **II** *adj* lögnaktig **III** *s* ljugande

**2 lying** ['laɪɪŋ] *pres p* av *2 lie I*

**lymph** [lɪmf] *s* anat. lymfa

**lynch** [lɪntʃ] *vb tr* lyncha

**lynx** [lɪŋks] *s* lo, lodjur

**lyric** ['lɪrɪk] **I** *adj* lyrisk; ~ *poetry* (*verse*) lyrik **II** *s* lyrisk dikt; pl. ~*s* a) lyrik b) sångtext

**lyrical** ['lɪrɪk(ə)l] *adj* lyrisk

# M

**M, m** [em] *s* M, m
**M** (förk. för *motorway*) [*the M1* i England]
**m.** förk. för *metre, metres, mile, miles, minute, minutes*
**'m** = *am* [*I'm*]
**MA** [,em'eɪ] (förk. för *Master of Arts*) ungefär fil. kand.
**ma** [mɑ:] *s* vard. mamma
**ma'am** [mæm, məm] *s* frun i tilltal av tjänstefolk
**mac** [mæk] *s* vard. regnrock, regnkappa
**macabre** [mə'kɑ:br] *adj* makaber, kuslig
**macadam** [mə'kædəm] *s* makadam
**macaroni** [,mækə'rəʊnɪ] *s* makaroner
**macaroon** [,mækə'ru:n] *s* mandelbiskvi, polyné
**mace** [meɪs] *s* muskotblomma krydda
**Macedonia** [,mæsɪ'dəʊnɪə] Makedonien
**machine** [mə'ʃi:n] *s* maskin
**machine gun** [mə'ʃi:ngʌn] **I** *s* kulspruta, maskingevär **II** *vb itr* o. *vb tr* skjuta med kulspruta
**machine-gunner** [mə'ʃi:n,gʌnə] *s* kulspruteskytt
**machinery** [mə'ʃi:nərɪ] *s* maskiner; maskineri
**macho** ['mætʃəʊ] (pl. *~s*) *s* macho, karlakarl
**mackerel** ['mækr(ə)l] (pl. lika) *s* makrill
**mackintosh** ['mækɪntɒʃ] *s* regnrock, regnkappa
**mad** [mæd] *adj* **1** vansinnig; galen, tokig; rasande; *it's enough to drive one ~* det är så man kan bli vansinnig; *like ~* som besatt, vilt; *raving ~* el. *as ~ as a hatter* spritt galen **2** ilsken [*a ~ bull*]; galen [*a ~ dog*]
**madam** ['mædəm] *s* i tilltal: *Madam* frun, fröken; *can I help you, ~?* kan jag hjälpa er (damen)?; *Dear Madam* el. *Madam* inledning i formella brev: utan motsvarighet i svenskan
**madcap** ['mædkæp] *s* vildhjärna, yrhätta
**madden** ['mædn] *vb tr* göra galen (ursinnig)
**maddening** ['mædnɪŋ] *adj* irriterande, outhärdlig [*~ delays*]
**made** [meɪd] **I** imperfekt av *make* **II** *adj* o. *perf p* (av *make*) **1** gjord, tillverkad **2** konstruerad, uppbyggd [*the plot is well*

*~*] **3** som lyckats [*a ~ man*]; *he's ~ for life* el. *he's ~* vard. hans lycka är gjord
**Madeira** [mə'dɪərə] *s* madeira vin
**made-to-measure** [,meɪdtə'meʒə] *adj* måttbeställd, måttsydd
**made-up** [,meɪd'ʌp] *adj* **1** uppdiktad [*a ~ story*] **2** sminkad, målad
**madhouse** ['mædhaʊs] *s* vard. dårhus
**madman** ['mædmən] (pl. *madmen* ['mædmən]) *s* dåre, galning
**madness** ['mædnəs] *s* vansinne, galenskap
**Madonna** [mə'dɒnə] *s* madonna [*the ~*]
**Mafia** o. **Maffia** ['mæfɪə, 'mɑ:fɪə] *s* maffia äv. bildl.
**magazine** [,mægə'zi:n] *s* **1** illustrerad tidning; veckotidning **2** magasin i gevär
**maggot** ['mægət] *s* larv; mask i ost el. kött
**magic** ['mædʒɪk] **I** *adj* magisk [*~ rites*], troll- [*~ flute*], förtrollad; *~ wand* trollspö, trollstav **II** *s* magi [*black ~*], trolldom; trollkonster; magik; tjuskraft; *like ~* som genom ett trollslag
**magical** ['mædʒɪk(ə)l] *adj* magisk [*~ effect*], förtrollande
**magician** [mə'dʒɪʃ(ə)n] *s* trollkarl; magiker
**magistrate** ['mædʒɪstreɪt] *s* fredsdomare; domare; *magistrates' court* ungefär motsvarande tingsrätt
**magnanimity** [,mægnə'nɪmətɪ] *s* storsinthet, ädelmod
**magnanimous** [mæg'nænɪməs] *adj* storsint
**magnate** ['mægneɪt] *s* magnat
**magnet** ['mægnət] *s* magnet
**magnetic** [mæg'netɪk] *adj* **1** magnetisk; *~ tape* magnetband **2** tilldragande [*a ~ personality*]
**magnetism** ['mægnətɪz(ə)m] *s* **1** magnetism **2** dragningskraft [*his ~*]
**magnetize** ['mægnətaɪz] *vb tr* magnetisera
**magnificence** [məg'nɪfɪsns] *s* storslagenhet, prakt
**magnificent** [məg'nɪfɪsnt] *adj* storslagen, magnifik; praktfull
**magnify** ['mægnɪfaɪ] *vb tr* förstora; *magnifying glass* förstoringsglas
**magnitude** ['mægnɪtju:d] *s* storlek; omfattning; betydelse, vikt; storleksordning
**magnolia** [mæg'nəʊlɪə] *s* bot. magnolia
**magpie** ['mægpaɪ] *s* zool. skata
**mahogany** [mə'hɒgənɪ] *s* mahogny
**maid** [meɪd] *s* **1** hembiträde, tjänsteflicka **2** poet. mö **3** ungmö; *old ~* gammal ungmö (nucka)

**maiden** ['meɪdn] **I** s poet. mö **II** adj **1** ogift [*my ~ aunt*]; ~ *name* flicknamn som ogift **2** jungfru- [~ *speech (voyage)*]
**maidenhead** ['meɪdnhed] s mödomshinna
**maidservant** ['meɪdˌsɜːv(ə)nt] s hembiträde, tjänsteflicka
**1 mail** [meɪl] s, *coat of ~* brynja
**2 mail** [meɪl] **I** s post försändelser; ~ *order* postorder; *send by ~* sända med posten **II** vb tr sända med posten; posta, lägga på [~ *a letter*]
**mailbag** ['meɪlbæg] s postsäck; postväska
**mailbox** ['meɪlbɒks] s amer. brevlåda
**mailman** ['meɪlmən] s amer. brevbärare
**mail-order** ['meɪlˌɔːdə] adj postorder- [~ *firm*]
**maim** [meɪm] vb tr lemlästa, stympa; skadskjuta
**main** [meɪn] **I** adj huvudsaklig, väsentlig; störst; huvud- [~ *building*; ~ *road*] **II** s **1** *in the ~* i huvudsak **2** *with might and ~* av alla krafter **3** huvudledning för vatten, gas, elektricitet; pl. *~s* elektr. nät; *~s set* radio. nätansluten apparat
**mainframe** ['meɪnfreɪm] s, ~ *computer* el. ~ stordator
**mainland** ['meɪnlənd] s fastland
**mainly** ['meɪnlɪ] adv huvudsakligen, mest
**mains-operated** ['meɪnzˌɒpəreɪtɪd] adj elektr. nätansluten
**mainstay** ['meɪnsteɪ] s stöttepelare
**maintain** [meɪn'teɪn] vb tr **1** upprätthålla, vidmakthålla [~ *law and order*] **2** underhålla, hålla i gott skick **3** hålla på, hävda [~ *one's rights*] **4** vidhålla, hävda
**maintenance** ['meɪntənəns] s **1** upprätthållande, vidmakthållande **2** underhåll, skötsel **3** vidhållande, hävdande
**maize** [meɪz] s majs
**majestic** [mə'dʒestɪk] adj majestätisk
**majesty** ['mædʒɪstɪ] s **1** storslagenhet [*the ~ of Rome*] **2** *Your* (*His, Her*) *Majesty* Ers (Hans, Hennes) Majestät
**major** ['meɪdʒə] **I** adj **1** större [*a ~ operation*], stor- [*a ~ war*], mera betydande [*the ~ cities*]; *the ~ part* störst delen, huvudparten; ~ *road* huvudled **2** mus. dur- [~ *scale*]; ~ *key* durtonart; *A ~* A-dur **II** s mil. major
**Majorca** [mə'dʒɔːkə] Mallorca
**major-general** [ˌmeɪdʒə'dʒenər(ə)l] s generalmajor
**majority** [mə'dʒɒrətɪ] s **1** majoritet; flertal; *the ~ of people* de flesta människor;

*absolute ~* absolut majoritet **2** myndig ålder; *attain* (*reach*) *one's ~* bli myndig
**make** [meɪk] **I** (*made made*) vb tr o. vb itr **1 a)** göra [*of, out of* av; *from* av, på]; tillverka, framställa; ~ *into* göra till, förvandla till **b)** göra i ordning, laga till [~ *lunch*], koka [~ *coffee (tea)*]; baka [~ *bread*]; sy [~ *a dress*] **c)** hålla [~ *a speech*]; komma med [~ *excuses*]; ~ *the bed* bädda; ~ *a phone call* ringa ett samtal **2** utnämna (utse) till [*they made him chairman*] **3** få (komma) att [*he made me cry*], förmå att, tvinga att [*he made me do it*]; *it's enough to ~* one cry det är så man kan gråta; *what made the car stop?* vad var det som gjorde att bilen stannade?; ~ *believe that one is* låtsas att man är; ~ *do* klara sig **4** tjäna [~ *£25,000 a year*]; göra sig, skapa sig [~ *a fortune*]; skaffa sig [~ *many friends*] **5** bilda, utgöra; *3 times 3 ~* (*makes*) *9* 3 gånger 3 är (blir) 9; *100 pence ~ a pound* det går 100 pence på ett pund **6 a)** uppskatta till [*I ~ the distance 5 miles*]; *I don't know what to ~ of it* jag vet inte vad jag ska tro om det **b)** bestämma (fastställa) till [~ *the price 10 dollars*]; *let's ~ it 6 o'clock!* ska vi säga klockan 6! **7** komma fram till, lyckas nå [~ *the summit*]; angöra, få i sikte [~ *land*]; hinna med (till) [*we made the bus*] **8** styra kurs, fara [*for* mot, till; *towards* mot]; skynda, rusa [*for* mot, till; *towards* mot] **9** ~ *for* främja, bidra till [~ *for better understanding*] **10** ~ *as if* (*as though*) låtsas som om □ ~ *away with* försvinna med; ~ *off* ge sig i väg, sjappa; ~ *out* **a)** skriva ut [~ *out a cheque*], utfärda [~ *out a passport*], göra upp, upprätta [~ *out a list*]; fylla i [~ *out a form*] **b)** tyda, urskilja, skönja **c)** förstå, begripa [*as far as I can ~ out*] **d)** påstå, göra gällande [*he made out that I was there*]; ~ *up* **a)** bilda; *be made up of* bestå (utgöras) av **b)** göra upp, upprätta [~ *up a list*] **c)** hitta på, dikta ihop **d)** sminka; ~ *oneself up* el. ~ *up* sminka (måla) sig, göra sig make up **e)** göra upp [~ *up a quarrel*]; ~ *it up* bli sams igen **f)** ~ *up for* ersätta, gottgöra; ta igen, hämta in [~ *up for lost time*]; ~ *it up to a p. for a th.* gottgöra ngn för ngt **II** s **1** fabrikat; tillverkning; märke [*cars of all ~s*] **2** utförande, snitt **3** vard., *on the ~* vinningslysten
**make-believe** ['meɪkbɪˌliːv] **I** s låtsaslek **II** adj låtsad, spelad

**maker** ['meɪkə] s **1** tillverkare, fabrikant
**2** skapare; *the (our) Maker* Skaparen
**makeshift** ['meɪkʃɪft] **I** s provisorium,
nödlösning **II** adj provisorisk; nöd- [a ~
solution]
**make-up** ['meɪkʌp] s **1** make up;
sminkning; smink, kosmetika
**2** beskaffenhet, natur
**makeweight** ['meɪkweɪt] s fyllnadsgods
**making** ['meɪkɪŋ] s **1** tillverkning;
tillagning; *that was the ~ of him* det
gjorde folk av honom **2** *have the ~s of...*
ha goda förutsättningar att bli...
**maladjusted** [,mælə'dʒʌstɪd] adj
**1** feljusterad **2** missanpassad; miljöskadad
**malady** ['mælədɪ] s sjukdom; sjuka, ont
**malaria** [mə'leərɪə] s malaria
**Malaysia** [mə'leɪzɪə]
**male** [meɪl] **I** adj manlig [~ heir], av
mankön; han- [~ animal], av hankön; ~
child gossebarn; ~ elephant elefanthane
**II** s **1** mansperson **2** zool. hane, hanne
**malevolent** [mə'levələnt] adj elak, illvillig
**malice** ['mælɪs] s illvilja, elakhet
**malicious** [mə'lɪʃəs] adj illvillig, elak,
illasinnad
**malignant** [mə'lɪɡnənt] adj **1** ondskefull,
hätsk **2** med. elakartad [~ tumour]
**mall** [mɔ:l, mæl] s gågata, galleria
**mallard** ['mæləd] s zool. gräsand
**mallet** ['mælɪt] s mindre klubba,
trähammare; sport. klubba för krocket och
polo
**malnutrition** [,mælnjʊ'trɪʃ(ə)n] s
undernäring
**malt** [mɔ:lt] s malt
**Malta** ['mɔ:ltə]
**Maltese** [,mɔ:l'ti:z] **I** adj maltesisk **II** s
**1** (pl. lika) maltesare **2** maltesiska språket
**maltreat** [mæl'tri:t] vb tr misshandla
**mamma** [mə'mɑ:, amer. 'mɑ:mə] s mamma
**mammal** ['mæm(ə)l] s däggdjur
**mammon** ['mæmən] s mammon
**mammoth** ['mæməθ] adj jättelik,
mammut-
**mammy** ['mæmɪ] s speciellt amer. vard.
mamma
**man** [mæn] **I** (pl. men [men]) s **1** man,
karl; vard., i tilltal gosse! [hurry up, ~!], du,
hörru; *men's clothes* herrkläder; *every ~
for himself* rädda sig den som kan; ~ *for
~* individuellt, en för en; ~ *to ~* man mot
man; man och man emellan **2** människa
[all men must die; feel a new ~]; vanl. *Man*
människan i allmän betydelse **3** arbetare [the

men were locked out] **4** vanl. pl. **men** mil.
meniga [officers and men] **5** schack-,
man-, karl- [man-hater]; **men friends**
manliga vänner **6** pjäs i schack; bricka i t.ex.
brädspel
**II** vb tr sjö. el. mil. bemanna [~ a ship];
besätta med manskap [~ the barricades]
**manage** ['mænɪdʒ] vb tr o. vb itr
**1** hantera; sköta, ha hand om, leda [~ a
business] **2** klara, orka med; lyckas med;
sköta, ordna; *she managed to do it* hon
lyckades göra det **3** klara sig (det) [we
can't ~ without his help]
**manageable** ['mænɪdʒəbl] adj hanterlig;
lättskött; medgörlig, foglig
**management** ['mænɪdʒmənt] s
**1** a) skötsel, ledning b) företagsledning,
direktion; *under new ~* på skylt ny regim
**2** behandling; hanterande
**manager** ['mænɪdʒə] s **1** direktör, chef;
föreståndare; kamrer för banks
avdelningskontor **2** manager; sport. äv.
lagledare, förbundskapten
**manageress** [,mænɪdʒə'res] s direktris;
föreståndarinna
**managing** ['mænɪdʒɪŋ] adj, ~ director
verkställande direktör
**mandarin** ['mændərɪn] s **1** mandarin
kinesisk ämbetsman **2** byråkrat, pamp
**3** mandarin frukt
**mandarine** [,mændə'ri:n] s mandarin frukt
**mandate** ['mændeɪt] s mandat; fullmakt,
bemyndigande
**mandolin** o. **mandoline** [,mændəlɪn] s
mandolin
**mane** [meɪn] s man på djur, äv. vard. för långt
tjockt hår
**man-eating** ['mæn,i:tɪŋ] adj
människoätande [~ tiger]
**maneuver** [mə'nu:və] amer., se manœuvre
**manful** ['mænf(ʊ)l] adj manlig
**manganese** [,mæŋɡə'ni:z] s kem. mangan
**manger** ['meɪndʒə] s krubba
**1 mangle** ['mæŋɡl] **I** s **1** mangel
**2** vridmaskin **II** vb tr o. vb itr **1** mangla
**2** vrida
**2 mangle** ['mæŋɡl] vb tr **1** hacka sönder
**2** illa tilltyga
**mango** ['mæŋɡəʊ] (pl. mangoes el. ~s) s
mango frukt
**mangy** ['meɪndʒɪ] adj skabbig [a ~ dog]
**manhandle** ['mæn,hændl] vb tr
misshandla
**manhood** ['mænhʊd] s **1** mannaålder
[reach ~] **2** manlighet; mandom

# mania
182

**mania** ['meɪnjə] s mani; fluga, vurm
**maniac** ['meɪnɪæk] s galning, dåre
**manicure** ['mænɪkjʊə] I s manikyr II vb tr manikyrera
**manicurist** ['mænɪkjʊərɪst] s manikyrist
**manifest** ['mænɪfest] I adj uppenbar II vb tr manifestera, visa; tydligt visa, röja [~ one's feelings]; ~ **oneself** a) visa sig [the ghost manifested itself at midnight] b) yttra (visa) sig
**manifestation** [ˌmænɪfe'steɪʃ(ə)n] s manifestation
**manifesto** [ˌmænɪ'festəʊ] (pl. ~s) s manifest
**manifold** ['mænɪfəʊld] adj mångfaldig, mångahanda [~ duties]
**manipulate** [mə'nɪpjʊleɪt] vb tr hantera, manövrera [~ a lever]; manipulera
**manipulation** [məˌnɪpjʊ'leɪʃ(ə)n] s hanterande, manövrerande, manipulation
**mankind** [mæn'kaɪnd] s mänskligheten, människosläktet
**manly** ['mænlɪ] adj manlig, manhaftig
**manner** ['mænə] s **1** sätt, vis; sort, slag **2** sätt, hållning, uppträdande **3** pl. ~s maner, uppförande; **good** ~s god ton, fint sätt; **he has no** ~s han förstår inte att uppföra sig **4** pl. ~s seder, vanor; ~s **and customs** seder och bruk
**mannerism** ['mænərɪz(ə)m] s maner
**manœuvre** [mə'nu:və] I s manöver II vb tr o. vb itr manövrera; leda, föra, styra
**man-of-war** [ˌmænəv'wɔ:] (pl. men-of-war) s örlogsfartyg; krigsfartyg
**manor** ['mænə] s herrgård; gods
**manor-house** ['mænəhaʊs] s herrgård; herresäte; slott
**manpower** ['mænˌpaʊə] s arbetskraft
**manservant** ['mænˌsɜ:v(ə)nt] (pl. menservants) s tjänare, betjänt
**mansion** ['mænʃ(ə)n] s **1** herrgård, förnäm bostad **2** pl. ~s hyreshus
**manslaughter** ['mænˌslɔ:tə] s dråp
**mantelpiece** ['mæntlpi:s] s spiselkrans
**mantle** ['mæntl] s **1** mantel, cape **2** bildl. täcke [a ~ of snow]
**man-to-man** [ˌmæntə'mæn] adj ...man mot man [a ~ fight]; ~ **marking** sport. punktmarkering
**manual** ['mænjʊəl] I adj manuell, hand- II s handbok, lärobok
**manufacture** [ˌmænjʊ'fæktʃə] I s **1** tillverkning, fabrikation **2** produkt, fabriksvara; tillverkning, fabrikat II vb tr tillverka

**manufacturer** [ˌmænjʊ'fæktʃərə] s fabrikant, tillverkare; fabrikör
**manufacturing** [ˌmænjʊ'fæktʃərɪŋ] I s tillverkning, produktion II adj fabriks- [~ district]
**manure** [mə'njʊə] s gödsel
**manuscript** ['mænjʊskrɪpt] s manuskript
**many** ['menɪ] adj o. s många; mycket [~ people (folk)]; **a good** ~ ganska (rätt) många; ~ **a man** mången, mången man; [I've been here] ~ **a time** ...många gånger
**map** [mæp] I s karta; sjökort II vb tr, ~ **out** kartlägga
**maple** ['meɪpl] s **1** lönn **2** lönnträ
**mar** [mɑ:] vb tr fördärva; skämma, störa
**marathon** ['mærəθ(ə)n] s maraton
**marble** ['mɑ:bl] s **1** marmor **2** kula till kulspel; **play** ~s spela kula
**March** [mɑ:tʃ] s månaden mars
**march** [mɑ:tʃ] I vb itr o. vb tr marschera; låta marschera; ~ **off** marschera i väg; föra bort; ~ **past** defilera förbi; **quick** ~! framåt marsch! II s marsch
**mare** [meə] s sto, märr
**margarine** [ˌmɑ:dʒə'ri:n, ˌmɑ:gə'ri:n] s margarin
**margin** ['mɑ:dʒɪn] s marginal; kant
**marginal** ['mɑ:dʒɪn(ə)l] adj marginal-; kant-, rand-; marginell
**marguerite** [ˌmɑ:gə'ri:t] s bot. prästkrage
**marigold** ['mærɪgəʊld] s ringblomma; **French** (större **African**) ~ tagetes
**marijuana** [ˌmærɪ'jwɑ:nə] s marijuana
**marinade** [ˌmærɪ'neɪd, 'mærɪneɪd] kok. I s marinad II vb tr marinera
**marine** [mə'ri:n] I adj marin-, marin; havs-, sjö- II s **1** marin, flotta; **the mercantile (merchant)** ~ handelsflottan **2** marinsoldat
**mariner** ['mærɪnə] s sjöman, sjöfarande
**marionette** [ˌmærɪə'net] s marionett
**marital** ['mærɪtl] adj äktenskaplig
**maritime** ['mærɪtaɪm] adj maritim, sjö-; sjöfarts-
**marjoram** ['mɑ:dʒərəm] s bot. el. kok. mejram
**mark** [mɑ:k] I s **1** märke, fläck; spår; **make one's** ~ **in the world** el. **make one's** ~ göra sig ett namn **2** kännetecken, kännemärke [of på]; **a** ~ **of gratitude** ett bevis på tacksamhet **3** märke, tecken; **exclamation** ~ utropstecken **4** streck på en skala; **overstep the** ~ överskrida gränsen, gå för långt; **pass the million** ~

passera miljonstrecket; *be up to* (*below*)
*the* ~ hålla (inte hålla) måttet; *keep a p.
up to the* ~ bildl. ta ngn i örat **5** betyg [*get
good ~s*], poäng **6** mål, prick, skottavla;
*hit the* ~ träffa prick; slå huvudet på
spiken; *miss the* ~ missa; *beside the* ~
vid sidan av; inte på sin plats **7** sport.
startlinje; *on your ~s, get set, go!* på era
platser (klara), färdiga, gå!

**II** *vb tr* **1** sätta märke (märken) på,
märka **2** markera; utmärka, känneteckna;
~ *time* göra på stället marsch; bildl. stå
och stampa på samma fläck; ~ *the time*
slå takten **3** sport. markera **4** betygsätta,
rätta **5** ~ *off* pricka för; ~ *out* staka ut
**6** lägga märke till; ~ *my words* märk
(sanna) mina ord; sport. markera **7** märka,
se upp

**marked** [mɑːkt] *adj* märkt; markerad,
tydlig, påfallande, markant

**market** ['mɑːkɪt] *s* **1** torg, marknad;
torgdag **2** marknad [*the labour ~*];
efterfrågan [*for* på]; ~ *research*
marknadsundersökning,
marknadsundersökningar; *the black ~*
svarta börsen; *put on the ~* släppa ut i
marknaden (handeln)

**market garden** ['mɑːkɪtˌgɑːdn] *s*
handelsträdgård

**market place** ['mɑːkɪtpleɪs] *s* torg

**market square** [ˌmɑːkɪt'skweə] *s, the ~*
stortorget

**market town** ['mɑːkɪttaʊn] *s* ungefär
köping, landsortsstad med torgdag

**marksman** ['mɑːksmən] *s* skicklig skytt

**marmalade** ['mɑːməleɪd] *s*
apelsinmarmelad

**marmot** ['mɑːmət] *s* murmeldjur

**1 maroon** [mə'ruːn] **I** *s* rödbrun färg,
rödbrunt **II** *adj* rödbrun

**2 maroon** [mə'ruːn] *vb tr* landsätta (lämna
kvar) på en obebodd (öde) ö (kust)

**marquee** [mɑː'kiː] *s* **1** tält **2** amer. tak,
baldakin över entré

**marquess** ['mɑːkwɪs] *s* markis titel

**marquis** ['mɑːkwɪs] *s* markis titel

**marriage** ['mærɪdʒ] *s* **1** äktenskap,
giftermål; ~ *guidance*
äktenskapsrådgivning **2** vigsel, bröllop; ~
*certificate* vigselattest

**marriageable** ['mærɪdʒəbl] *adj* giftasvuxen

**married** ['mærɪd] *adj* o. *perf p* gift [*to* med];
vigd; *the newly ~ couple* de nygifta; ~
*life* äktenskap; *be* ~ vara gift; gifta sig;
*get* ~ gifta sig; *engaged to be* ~ förlovad

**marrow** ['mærəʊ] *s* **1** märg **2** *vegetable* ~
el. ~ pumpa, kurbits

**marry** ['mærɪ] *vb tr* o. *vb itr* **1** gifta sig
med; gifta sig **2** ~ *off* el. ~ gifta bort [*to
med*] **3** viga [*to med*]

**Mars** [mɑːz] astron. el. myt. Mars

**marsh** [mɑːʃ] *s* sumpmark, kärr, träsk

**marshal** ['mɑːʃ(ə)l] *s* mil. marskalk

**marshy** ['mɑːʃɪ] *adj* sumpig, träskartad

**marsupial** [ˌmɑː'suːpjəl] *s* pungdjur

**marten** ['mɑːtɪn] *s* mård; mårdskinn

**martial** ['mɑːʃ(ə)l] *adj* krigisk; militär- [~
*music*]; ~ *art* kampsport; ~ *law* krigsrätt

**martin** ['mɑːtɪn] *s* zool. svala

**martinet** [ˌmɑːtɪ'net] *s* disciplintyrann

**martyr** ['mɑːtə] *s* martyr

**marvel** ['mɑːv(ə)l] **I** *s* underverk, under
**II** *vb itr* förundra sig [*at* över]

**marvellous** ['mɑːvələs] *adj* underbar

**Marxism** ['mɑːksɪz(ə)m] *s* marxism,
marxismen

**Marxist** ['mɑːksɪst] *s* marxist

**marzipan** ['mɑːzɪpæn] *s* marsipan

**mascara** [mæ'skɑːrə] *s* mascara

**mascot** ['mæskət] *s* maskot

**masculine** ['mæskjʊlɪn] *adj* manlig;
maskulin äv. gram. [*the ~ gender*]

**masculinity** [ˌmæskjʊ'lɪnətɪ] *s* manlighet

**mash** [mæʃ] **I** *s* mos; vard. potatismos **II** *vb
tr* mosa; *mashed potatoes* potatismos

**mask** [mɑːsk] **I** *s* **1** mask; munskydd
**2** bildl. mask; täckmantel **II** *vb tr* maskera

**masked** [mɑːskt] *adj*, ~ *ball* maskeradbal

**masochist** ['mæsəkɪst] *s* masochist

**mason** ['meɪsn] *s* murare; stenhuggare

**masonic** [mə'sɒnɪk] *adj* frimurar- [~ *lodge*
(loge)]

**masquerade** [ˌmæskə'reɪd] **I** *s* maskerad
**II** *vb itr* **1** vara maskerad (utklädd) **2** bildl.
uppträda; ~ *as* ge sig sken av att vara

**1 mass** [mæs] *s* (ofta *Mass*) kyrkl. el. mus.
mässa; *attend ~* gå i mässan; *say ~* läsa
mässan

**2 mass** [mæs] **I** *s* massa; mängd, hop; *the
masses* massan, de breda lagren; *the ~
media* el. ~ *media* massmedierna,
massmedia; ~ *meeting* massmöte **II** *vb tr*
mil. koncentrera, dra samman [~ *troops*];
*massed attack* massanfall

**massacre** ['mæsəkə] **I** *s* massaker [*of* på],
slakt **II** *vb tr* massakrera, slakta

**massage** ['mæsɑːʒ] **I** *s* massage **II** *vb tr*
massera

**masseur** [mæ'sɜː] *s* massör

**masseuse** [mæ'sɜːz] *s* massös

**massive** ['mæsɪv] *adj* massiv, stadig
**mass-produce** [ˌmæsprə'dju:s] *vb tr* massproducera, masstillverka
**mast** [mɑ:st] *s* mast; *at half ~* på halv stång
**master** ['mɑ:stə] **I** *s* **1** herre, härskare [*of* över]; överman [*find one's ~*]; mästare; husbonde; djurs husse; *be ~ of the situation* behärska situationen **2** skol. lärare; *Master of Arts* univ., ungefär filosofie kandidat **3** mästare [*a painting by an old ~*] **4** *Master of Ceremonies* ceremonimästare, konferencier **5** *Master* före pojknamn unge herr [*Master Henry*] **II** *vb tr* göra sig till (bli) herre över; övervinna; behärska [*~ a language*], bemästra [*~ the situation*]
**masterful** ['mɑ:stəf(ʊ)l] *adj* egenmäktig, dominerande
**master key** ['mɑ:stəki:] *s* huvudnyckel
**masterly** ['mɑ:stəlɪ] *adj* mästerlig, skicklig
**mastermind** ['mɑ:stəmaɪnd] **I** *vb tr* leda, dirigera, vara hjärnan bakom **II** *s*, *be the ~ behind a th.* vara hjärnan bakom ngt
**masterpiece** ['mɑ:stəpi:s] *s* mästerverk
**masterstroke** ['mɑ:stəstrəʊk] *s* mästerdrag
**mastery** ['mɑ:stərɪ] *s* **1** herravälde; övertag [*over, of* över] **2** mästerskap, skicklighet; *have a thorough ~ of a th.* grundligt behärska ngt
**masticate** ['mæstɪkeɪt] *vb tr* tugga
**mastiff** ['mæstɪf] *s* mastiff stor dogg
**masturbate** ['mæstəbeɪt] *vb itr* onanera
**masturbation** [ˌmæstə'beɪʃ(ə)n] *s* onani
**mat** [mæt] *s* **1** matta; *be on the ~* vard. få en skrapa **2** underlägg för t.ex. karott, tablett
**matador** ['mætədɔ:] *s* matador
**1 match** [mætʃ] *s* tändsticka; *strike a ~* tända en tändsticka
**2 match** [mætʃ] **I** *s* **1** sport. match, tävling **2** jämlike; *be no ~ for* inte kunna mäta sig med; *meet one's ~* möta sin överman **3** motstycke, make, pendang; [*these colours*] *are a good ~* ...går bra ihop (matchar varandra bra) **4** giftermål; parti **II** *vb tr* o. *vb itr* **1** gå bra ihop med, gå i stil med, passa till, matcha **2** finna (vara) en värdig motståndare till **3** para ihop; avpassa [*to* efter]; finna ett motstycke (en pendang) till; *be well matched* passa bra ihop **4** passa ihop; passa [*with* till], matcha; [*these two colours*] *don't ~ very well* ...går inte bra ihop; *to ~* som matchar

**matchbook** ['mætʃbʊk] *s* tändsticksplån med avrivningständstickor
**matchbox** ['mætʃbɒks] *s* tändsticksask
**matchless** ['mætʃləs] *adj* makalös
**match point** [ˌmætʃ'pɔɪnt] *s* matchboll i tennis
**1 mate** [meɪt] schack. **I** *s* matt **II** *vb tr* göra matt
**2 mate** [meɪt] **I** *s* **1** vard. kompis, polare; i tilltal äv. du [*hallo, ~!*] **2** sjö. styrman; *chief ~* överstyrman **3** make, maka **II** *vb tr* o. *vb itr* para, para sig
**material** [mə'tɪərɪəl] **I** *adj* materiell; väsentlig **II** *s* material, ämne, stoff; tyg; *raw ~* el. *raw ~s* råmaterial, råvaror
**materialistic** [məˌtɪərɪə'lɪstɪk] *adj* materialistiska
**materialize** [mə'tɪərɪəlaɪz] *vb itr* förverkligas
**maternal** [mə'tɜ:nl] *adj* **1** moderlig **2** på mödernet; *~ grandfather* morfar; *~ leave* mammaledighet
**maternally** [mə'tɜ:nəlɪ] *adv* moderligt
**maternity** [mə'tɜ:nətɪ] *s* moderskap; *~ benefit* ung. föräldrapenning; *~ dress* mammaklänning; *~ hospital* BB barnbördshus
**math** [mæθ] *s* (amer. vard. kortform för *mathematics*) matte
**mathematical** [ˌmæθə'mætɪk(ə)l] *adj* matematisk
**mathematician** [ˌmæθəmə'tɪʃ(ə)n] *s* matematiker
**mathematics** [ˌmæθə'mætɪks] *s* matematik
**maths** [mæθs] *s* (vard. kortform för *mathematics*) matte
**matin** ['mætɪn] *s*, pl. *~s* kyrkl. morgonbön
**matinée** ['mætɪneɪ] *s* matiné
**mating** ['meɪtɪŋ] *s* parning; *~ season* parningstid; brunsttid
**matrimonial** [ˌmætrɪ'məʊnjəl] *adj* äktenskaplig, äktenskaps- [*~ problems*]
**matrimony** ['mætrɪmənɪ] *s* äktenskap, äktenskapet; giftermål
**matron** ['meɪtr(ə)n] *s* **1** föreståndare; husmor i t.ex. skola **2** matrona
**matronly** ['meɪtrənlɪ] *adj* matronaliknande, matroneaktig
**matt** [mæt] *adj* matt [*~ finish* (yta)]
**matter** ['mætə] **I** *s* **1** materia; stoff; ämne [*solid ~*] **2** ämne; innehåll **3 a)** sak [*a ~ I know little about*], angelägenhet, affär; fråga, spörsmål [*legal ~s*] **b)** pl. *~s* förhållanden, förhållandena; *it's no*

*laughing* ~ det är ingenting att skratta åt; *as a* ~ *of course* självfallet, självklart; *a* ~ *of fact* ett faktum; *as a* ~ *of fact* i själva verket; *it is only a* ~ *of time* det är bara en tidsfråga; *make* ~*s worse* förvärra saken (situationen); *for that* ~ vad det beträffar **4** *no* ~ det gör ingenting, det spelar ingen roll; *no* ~ *how I try* hur jag än försöker; *no* ~ *where it is* var den än må vara; *what's the* ~*?* vad står på?, vad har hänt?; *what's the* ~ *with him?* vad är det med honom? **5** med. var
   **II** *vb itr* betyda, vara av betydelse; *it doesn't* ~ det gör ingenting, det spelar ingen roll; *it doesn't* ~ *to me* det gör mig detsamma
**matter-of-fact** [ˌmætərəv'fækt] *adj* saklig
**mattress** ['mætrəs] *s* madrass
**mature** [mə'tjʊə] **I** *adj* mogen **II** *vb tr* o. *vb itr* få att mogna; mogna
**maturity** [mə'tjʊərəti] *s* **1** mognad, mogenhet **2** mogen ålder
**maul** [mɔːl] *vb tr* mörbulta; illa tilltyga
**Maundy** ['mɔːndi] *s*, ~ *Thursday* skärtorsdag, skärtorsdagen
**mausoleum** [ˌmɔːsə'liːəm] *s* mausoleum
**mauve** [məʊv] **I** *adj* malvafärgad, ljuslila **II** *s* malvafärg, ljuslila
**maximum** ['mæksɪməm] **I** *s* maximum, höjdpunkt **II** *adj* högst, störst; maximi- [~ *temperature*]; maximal
**May** [meɪ] *s* månaden maj; ~ *Day* första maj
**may** [meɪ] (imperfekt *might*) *hjälpvb* presens **1** kan, kan kanske [*he* ~ *have said so*] **2** får, får lov att [~ *I interrupt you?*]; kan få; *you* ~ *be sure that...* du kan vara säker på att... **3** må, måtte; *however that* ~ *be* hur det än förhåller sig (må vara) med den saken; *come what* ~ hända vad som hända vill
**maybe** ['meɪbiː] *adv* kanske, kanhända
**mayn't** [meɪnt] = *may not*
**mayonnaise** [ˌmeɪə'neɪz] *s* majonnäs
**mayor** [meə] *s* borgmästare, mayor, ordförande i kommunfullmäktige; *Lord Mayor* överborgmästare
**maypole** ['meɪpəʊl] *s* majstång
**maze** [meɪz] *s* labyrint; virrvarr
**mazurka** [mə'zɜːkə] *s* mus. mazurka
**MC** [ˌem'siː] (förk. för *Master of Ceremonies*) konferencier
**MD** [ˌem'diː] = *Doctor of Medicine* med. dr
**me** [miː, obetonat mi] *pers pron* (objektsform av *I*) **1** mig; jag [*he's younger than* ~]; *dear* ~*!* bevare mig! **2** vard. för *my*; *she*

*likes* ~ *singing* [*to her*] hon tycker om att jag sjunger...
**mead** [miːd] *s* mjöd
**meadow** ['medəʊ] *s* äng
**meagre** ['miːgə] *adj* mager [*a* ~ *result*]; knapp [*a* ~ *income*]; klen; torftig
**1 meal** [miːl] *s* mål, måltid; *a hot* ~ lagad mat
**2 meal** [miːl] *s* grovt mjöl
**meals-on-wheels** [ˌmiːlzɒn'wiːlz] *s pl* hemkörning av lagad mat såsom service inom hemtjänsten
**mealtime** ['miːltaɪm] *s* mattid; matdags
**1 mean** [miːn] **I** *s* **1** *the golden* (*happy*) ~ den gyllene medelvägen **2** mat. medelvärde, medeltal; genomsnitt **II** *adj* medel- [~ *distance*]
**2 mean** [miːn] *adj* **1** snål **2** lumpen, gemen **3** oansenlig; *he is no* ~ *pianist* han är ingen dålig pianist **4** amer. vard. elak
**3 mean** [miːn] (*meant meant*) *vb tr* **1** betyda; innebära **2** mena [*he* ~*s no harm* (illa)], ämna; ha för avsikt; *I meant to tell you* jag tänkte tala om det för dig **3** avse, mena; *that bullet was meant for me* den kulan var avsedd för mig; *what is this meant to be?* vad skall det här föreställa?
**meander** [mɪ'ændə] *vb itr* irra omkring
**meaning** ['miːnɪŋ] **I** *adj* menande, talande [*a* ~ *look*] **II** *s* mening; betydelse, innebörd; *what is the* ~ *of...?* vad betyder...?
**meaningful** ['miːnɪŋf(ʊ)l] *adj* meningsfull, meningsfylld [~ *work*]; betydelsefull
**meaningless** ['miːnɪŋləs] *adj* meningslös; betydelselös
**means** [miːnz] *s* **1** (konstrueras ofta med sg.; pl. *means*) medel, hjälpmedel, sätt [*a* ~; *this* ~]; *a* ~ *to an end* ett medel att nå målet; *by* ~ *of* medelst, genom; *by all* ~ a) så gärna b) på alla sätt; *by any* ~ på något sätt; *by no* ~ el. *not by any* ~ på intet sätt, ingalunda **2** pl. *means* medel, tillgångar; *live beyond one's* ~ leva över sina tillgångar
**means test** ['miːnztest] *s* behovsprövning, inkomstprövning
**meant** [ment] se *3 mean*
**meantime** ['miːntaɪm] o. **meanwhile** ['miːnwaɪl] **I** *s* mellantid; *in the* ~ under tiden **II** *adv* under tiden
**measles** ['miːzlz] *s* mässling; *German* ~ röda hund

**measly** 186

**measly** ['mi:zlɪ] *adj* vard. ynklig, futtig

**measure** ['meʒə] **I** *s* **1** mått; måttredskap, mätredskap; *weights and ~s* mått och vikt; *in some ~* i viss (någon) mån **2** åtgärd; *take ~s* vidta mått och steg; *take strong ~s* vidta stränga åtgärder **II** *vb tr* mäta; ta mått på; *get (be) measured for a suit* ta mått till en kostym

**measurement** ['meʒəmənt] *s* mätning; pl. *~s* mått, dimensioner

**meat** [mi:t] *s* kött

**meat ball** ['mi:tbɔ:l] *s* köttbulle

**meat cube** ['mi:tkju:b] *s* buljongtärning

**meat extract** [,mi:t'ekstrækt] *s* köttextrakt

**meat loaf** [,mi:t'ləʊf] *s* köttfärslimpa

**meat pie** [,mi:t'paɪ] *s* köttpastej, köttpaj

**meaty** ['mi:tɪ] *adj* köttig; kött-

**mechanic** [mə'kænɪk] *s* mekaniker, reparatör; verkstadsarbetare

**mechanical** [mə'kænɪk(ə)l] *adj* mekanisk

**mechanics** [mə'kænɪks] *s* mekanik

**mechanism** ['mekənɪz(ə)m] *s* mekanism; mekanik

**mechanize** ['mekənaɪz] *vb tr* mekanisera

**medal** ['medl] *s* medalj

**medallion** [mə'dæljən] *s* medaljong

**medallist** ['medəlɪst] *s* medaljör; *gold ~* guldmedaljör

**meddle** ['medl] *vb itr* blanda sig i allting; *~ with* a) blanda sig i b) fingra på

**meddlesome** ['medlsəm] *adj* beskäftig; *he is ~* äv. han lägger sig i allt

**media** ['mi:djə] *s* se *medium I*

**mediaeval** [,medi'i:v(ə)l] *adj* = *medieval*

**mediate** ['mi:dɪeɪt] *vb itr* o. *vb tr* medla

**mediation** [,mi:dɪ'eɪʃ(ə)n] *s* medling

**mediator** ['mi:dɪeɪtə] *s* medlare; fredsmäklare; förlikningsman

**Medicaid** ['medɪkeɪd] *s* amer. statlig sjukhjälp åt låginkomsttagare

**medical** ['medɪk(ə)l] **I** *adj* medicinsk; medicinal- [*~ herb*]; *~ certificate* friskintyg, läkarintyg; *~ examination (inspection)* läkarundersökning; *~ practitioner* praktiserande läkare, legitimerad läkare **II** *s* vard. läkarundersökning

**medicinal** [me'dɪsɪnl] *adj* **1** läkande, botande [*~ properties* (egenskaper)] **2** medicinsk; medicinal- [*~ herb*]

**medicine** ['medsɪn] *s* **1** medicin; läkekonst; *Doctor of Medicine* medicine doktor **2** medicin, läkemedel

**medieval** [,medɪ'i:v(ə)l] *adj* medeltida, medeltids-; *in ~ times* under medeltiden

**mediocre** [,mi:dɪ'əʊkə] *adj* medelmåttig

**meditate** ['medɪteɪt] *vb itr* meditera, fundera, grubbla

**meditation** [,medɪ'teɪʃ(ə)n] *s* meditation; funderande, grubbel

**Mediterranean** [,medɪtə'reɪnjən] *adj* o. *s*, *the ~ Sea* el. *the ~* Medelhavet

**medium** ['mi:djəm] **I** (pl. *media* ['mi:djə] el. *mediums*) *s* **1** medium; *the media* massmedierna, massmedia **2** pl. *~s* spiritistiskt medium **3** medelväg [*a happy* (gyllene) *~*] **II** *adj* medelstor, medelgod; *~ size* mellanstorlek; *~ wave* radio. mellanvåg

**medley** ['medlɪ] *s* **1** blandning **2** mus. potpurri

**meek** [mi:k] *adj* ödmjuk; foglig

**meerschaum** ['mɪəʃəm] *s* sjöskumspipa

**meet** [mi:t] (*met met*) *vb tr* o. *vb itr* **1** mäta; träffa; mötas; ses; träffas, sammanträda; samlas; *make both ends ~* få det att gå ihop ekonomiskt **2** motsvara [*~ expectations*]; tillmötesgå [*~ demands*] **3** *~ with* träffa på, stöta på; möta, röna; *~ with an accident* råka ut för en olyckshändelse; *~ with approval* vinna gillande; *~ with difficulties* stöta på svårigheter

**meeting** ['mi:tɪŋ] *s* **1** möte; sammanträffande; sammanträde **2** sport. tävling

**mega-** ['megə] *prefix* mega- en miljon

**megabyte** ['megəbaɪt] *s* data. megabyte

**megacycle** ['megə,saɪkl] *s* megacykel

**megahertz** ['megəhɜ:ts] *s* megahertz

**megalomania** [,megələ'meɪnjə] *s* storhetsvansinne, megalomani

**megaphone** ['megəfəʊn] *s* megafon

**megaton** ['megətʌn] *s* megaton

**megawatt** ['megəwɒt] *s* megawatt

**melancholic** [,melən'kɒlɪk] *adj* melankolisk

**melancholy** ['melənkəlɪ] **I** *s* melankoli **II** *adj* melankolisk; sorglig

**mellow** ['meləʊ] **I** *adj* mogen **II** *vb tr* o. *vb itr* göra mogen; mogna

**melodic** [mɪ'lɒdɪk] *adj* melodisk, melodi-

**melodious** [mɪ'ləʊdjəs] *adj* melodisk

**melodrama** ['melə,drɑ:mə] *s* melodram

**melodramatic** [,melədrə'mætɪk] *adj* melodramatisk; teatralisk

**melody** ['melədɪ] *s* melodi

**melon** ['melən] *s* melon

**mess**

**melt** [melt] *vb itr* o. *vb tr* smälta
**melting-point** ['meltɪŋpɔɪnt] *s* fys.
smältpunkt
**member** ['membə] *s* medlem; deltagare
[*conference* ~]; *Member of Parliament*
parlamentsledamot, riksdagsman
**membership** ['membəʃɪp] *s* **1** medlemskap
**2** medlemsantal
**membrane** ['membreɪn] *s* membran
**memo** ['meməʊ] (pl. ~s) *s* (förk. för
*memorandum*) PM, P.M.
**memoir** ['memwɑ:] *s*, pl. ~s memoarer
**memorable** ['memərəbl] *adj* minnesvärd
**memorandum** [ˌmemə'rændəm] (pl.
*memoranda* [ˌmemə'rændə] el.
*memorandums*) *s* **1** minnesanteckning
**2** dipl. memorandum
**memorial** [mɪ'mɔ:rɪəl] **I** *adj* minnes- [~
*service*] **II** *s* minnesmärke [*to* över]; *war* ~
krigsmonument
**memorize** ['meməraɪz] *vb tr* memorera,
lära sig utantill
**memory** ['memərɪ] *s* minne; *from* ~ ur
minnet; *to the best of my* ~ såvitt jag
kan minnas; *commit to* ~ lägga på
minnet; *memories of childhood*
barndomsminnen; *in* (*to the*) ~ *of* till
minne av; *within living* ~ i mannaminne
**men** [men] *s* se *man I*
**menace** ['menəs] **I** *s* hot [*to* mot]; *he's a*
~ vard. han är en plåga **II** *vb tr* hota
**menagerie** [mɪ'nædʒərɪ] *s* menageri
**mend** [mend] *vb tr* laga, reparera
**menial** ['mi:njəl] **I** *adj* tarvlig, enkel [~
*task*] **II** *s* föraktligt betjänt
**meningitis** [ˌmenɪn'dʒaɪtɪs] *s*
hjärnhinneinflammation, meningit
**men-of-war** [ˌmenəv'wɔ:] *s* se *man-of-war*
**menstruation** [ˌmenstrʊ'eɪʃ(ə)n] *s*
menstruation
**mental** ['mentl] *adj* mental, psykisk,
själslig, andlig; ~ *age* intelligensålder; ~
*arithmetic* huvudräkning; ~ *work*
intellektuellt arbete
**mentality** [men'tælətɪ] *s* mentalitet
**mentally** ['mentəlɪ] *adv* **1** mentalt,
psykiskt, själsligt; andligt **2** i tankarna, i
huvudet
**menthol** ['menθɒl] *s* mentol
**mention** ['menʃ(ə)n] **I** *s* omnämnande;
*make* ~ *of* omnämna **II** *vb tr* nämna, tala
om [*to* för]; *not to* ~ för att inte tala om;
*don't* ~ *it!* svar på tack för all del!, ingen
orsak!; *no harm worth mentioning*
ingen nämnvärd skada

**menu** ['menju:] *s* matsedel, meny
**mercantile** ['mɜ:kəntaɪl] *adj* merkantil; ~
*marine* handelsflotta
**mercantilism** ['mɜ:kəntɪlɪz(ə)m] *s*
merkantilism
**mercenary** ['mɜ:sənərɪ] **I** *adj*
**1** vinningslysten **2** om soldat lejd, lego- **II** *s*
legosoldat, legoknekt
**merchandise** ['mɜ:tʃəndaɪz] *s* kollektivt
varor
**merchant** ['mɜ:tʃ(ə)nt] **I** *s* köpman,
grosshandlare **II** *adj* handels-; ~ *fleet*
(*navy*) handelsflotta; ~ *ship* (*vessel*)
handelsfartyg
**merciful** ['mɜ:sɪf(ʊ)l] *adj* barmhärtig,
nådig
**merciless** ['mɜ:sɪləs] *adj* obarmhärtig
**Mercury** ['mɜ:kjʊrɪ] astron. el. myt.
Merkurius
**mercury** ['mɜ:kjʊrɪ] *s* kvicksilver
**mercy** ['mɜ:sɪ] *s* **1** barmhärtighet; nåd;
*have* ~ *on a p.* förbarma sig över ngn;
vara ngn nådig; *for mercy's sake* för
Guds skull **2** *be at the* ~ *of a p.* (*a th.*)
vara i ngns (ngts) våld
**mere** [mɪə] *adj* blott, ren, bara
**merely** ['mɪəlɪ] *adv* endast, bara
**merge** [mɜ:dʒ] *vb tr* o. *vb itr* **1** slå ihop
(samman) [~ *two companies*] **2** gå ihop
(samman); smälta ihop
**meringue** [mə'ræŋ] *s* maräng
**merit** ['merɪt] **I** *s* förtjänst, merit [*the book
has its* ~s]; värde; *a work of great* ~ ett
mycket förtjänstfullt arbete **II** *vb tr*
förtjäna, vara värd
**merited** ['merɪtɪd] *adj* välförtjänt
**mermaid** ['mɜ:meɪd] *s* sjöjungfru
**merriment** ['merɪmənt] *s* munterhet
**merry** ['merɪ] *adj* munter, uppsluppen;
glad; *A Merry Christmas!* God Jul!;
*make* ~ roa sig
**merry-go-round** ['merɪgəʊraʊnd] *s* karusell
**merry-maker** ['merɪˌmeɪkə] *s* festare
**merry-making** ['merɪˌmeɪkɪŋ] *s*
uppsluppenhet; festglädje
**mesh** [meʃ] *s* maska i t.ex. nät
**mesmerize** ['mezməraɪz] *vb tr*
magnetisera; hypnotisera
**mess** [mes] **I** *s* **1** röra, oreda, oordning,
virrvarr; skräp; klämma, knipa; *make a* ~
smutsa ner, stöka till; *make a* ~ *of*
fördärva; trassla till; *make a* ~ *of things*
trassla till allting **2** mil. el. sjö. mäss
**3** hopkok, mischmasch **II** *vb tr* o. *vb itr*
**1** ~ *up* el. ~ förfuska, fördärva; smutsa

ner, stöka till **2 ~ about** pillra, plottra;
traska (larva) omkring
**message** ['mesɪdʒ] *s* **1** meddelande;
budskap äv. politiskt; bud; *can I give
(leave) a ~?* i t.ex. telefon är det något jag
kan framföra? **2** telegram
**messenger** ['mesɪndʒə] *s* **1** bud;
budbärare, sändebud; **~ boy** expressbud;
springpojke **2** kurir
**Messiah** [mə'saɪə] *s* Messias
**Messrs.** ['mesəz] *s* **1** herrar, herrarna
**2** Firma, Herrar [*~ Jones & Co.*]
**messy** ['mesɪ] *adj* **1** rörig **2** smutsig;
kladdig
**met** [met] se *I meet*
**metabolism** [me'tæbəlɪz(ə)m] *s*
ämnesomsättning, metabolism
**metal** ['metl] *s* metall
**metallic** [me'tælɪk] *adj* metallisk; metall-
**metaphor** ['metəfə] *s* metafor, bild
**meteor** ['mi:tjə] *s* meteor
**meteorite** ['mi:tjəraɪt] *s* meteorit
**meteorological** [ˌmi:tjərə'lɒdʒɪk(ə)l] *adj*
meteorologisk; **~ office** vädertjänst
**meteorologist** [ˌmi:tjə'rɒlədʒɪst] *s*
meteorolog
**1 meter** ['mi:tə] *s* mätare; taxameter; **~
maid** vard. lapplisa
**2 meter** ['mi:tə] *s* amer. meter
**methane** ['mi:θeɪn] *s* kem. metan
**method** ['meθəd] *s* metod
**methodical** [mə'θɒdɪk(ə)l] *adj* metodisk
**Methodist** ['meθədɪst] *s* kyrkl. metodist
**meths** [meθs] *s pl* vard. denaturerad sprit
**methylated** ['meθɪleɪtɪd] *adj*, **~ spirit
(spirits)** denaturerad sprit
**meticulous** [mə'tɪkjʊləs] *adj* noggrann
**metre** ['mi:tə] *s* meter
**metric** ['metrɪk] *adj* meter- [*the ~ system*];
**~ ton** ton 1.000 kg
**metronome** ['metrənəʊm] *s* mus.
metronom
**metropolis** [mə'trɒpəlɪs] *s* metropol,
huvudstad; storstad
**metropolitan** [ˌmetrə'pɒlɪt(ə)n] *adj*
huvudstads-, storstads-; ofta London- [*the
Metropolitan Police*]
**mettle** ['metl] *s* mod, kurage; *put a p. on
his ~* sätta ngn på prov
**mew** [mju:] **I** *vb itr* jama **II** *s* jamande
**Mexican** ['meksɪkən] **I** *adj* mexikansk **II** *s*
mexikan
**Mexico** ['meksɪkəʊ]
**mg.** (förk. för *milligram, milligrams,
milligramme, milligrammes*) mg

**MHz** (förk. för *megahertz*) MHz
**mica** ['maɪkə] *s* glimmer
**mice** [maɪs] *s* se *mouse*
**Mickey Mouse** [ˌmɪkɪ'maʊs] *s* seriefigur
Musse Pigg
**microbe** ['maɪkrəʊb] *s* mikrob
**microgroove** ['maɪkrəgru:v] *s* mikrospår på
grammofonskiva
**microphone** ['maɪkrəfəʊn] *s* mikrofon
**microscope** ['maɪkrəskəʊp] *s* mikroskop
**microwave** ['maɪkrə(ʊ)weɪv] *s*, **~ oven**
mikrovågsugn
**mid** [mɪd] *adj* mitt-, mellan-; mitten av
**mid-air** [ˌmɪd'eə] *adj* i luften
**midday** ['mɪdeɪ] *s* middagstid, middag
**middle** ['mɪdl] **I** *adj* mellersta, mittersta;
*the Middle Ages* medeltiden; *the ~ class
(classes)* medelklassen; *the Middle East*
Mellersta östern; **~ finger** långfinger; *the
Middle West* Mellanvästern i USA **II** *s* **1** *in
the ~ of* i mitten av (på), mitt i (på)
**2** midja
**middle-aged** [ˌmɪdl'eɪdʒd] *adj* medelålders
**middle-class** [ˌmɪdl'klɑ:s] *adj* medelklass-
**middleman** ['mɪdlmæn] (pl. *middlemen*
['mɪdlmen]) *s* hand. mellanhand
**middleweight** ['mɪdlweɪt] *s* sport.
**1** mellanvikt **2** mellanviktare
**middling** ['mɪdlɪŋ] *adj* vard. medelgod;
medelmåttig
**midfielder** ['mɪdˌfi:ldə] *s* sport. mittfältare
**midge** [mɪdʒ] *s* zool. mygga
**midget** ['mɪdʒɪt] **I** *s* dvärg; kryp, plutt,
lilleputt **II** *adj* mini- [*~ golf*], dvärg-
**midland** ['mɪdlənd] *s, the Midlands*
Midlands, mellersta England
**midnight** ['mɪdnaɪt] *s* midnatt; *the ~ sun*
midnattssolen; *burn the ~ oil* arbeta till
långt in på natten
**midriff** ['mɪdrɪf] *s* anat. mellangärde
**midst** [mɪdst] litt. **I** *s* mitt; *in the ~ of* mitt
i, mitt ibland (under) **II** *prep* mitt i
**midsummer** ['mɪdˌsʌmə] *s* midsommar;
*Midsummer Eve* midsommarafton
**midway** [ˌmɪd'weɪ] *adv* halvvägs
**Midwest** ['mɪd'west] *s* amer., *the ~*
Mellanvästern
**midwife** ['mɪdwaɪf] (pl. *midwives*
['mɪdwaɪvz]) *s* barnmorska
**1 might** [maɪt] *hjälpvb* (imperfekt av *may*)
kunde; fick, kunde få; **~ I ask a
question?** skulle jag kunna (kunde jag) få
ställa en fråga?; *he asked if he ~ come in*
han frågade om han fick komma in

**2 might** [maɪt] s makt; kraft; *with all one's ~* med all makt, av alla krafter

**mighty** ['maɪtɪ] I adj mäktig, väldig II adv vard. väldigt

**mignonette** [ˌmɪnjə'net] s bot. reseda

**migraine** ['mi:greɪn, 'maɪgreɪn] s migrän

**migrate** [maɪ'greɪt] vb itr flytta; vandra; utvandra

**migration** [maɪ'greɪʃ(ə)n] s flyttning; vandring

**mike** [maɪk] s vard. mick mikrofon

**Milan** [mɪ'læn] Milano

**mild** [maɪld] adj mild; blid; svag [*a ~ protest*]; lindrig

**mildew** ['mɪldju:] s mjöldagg; mögel

**mildly** ['maɪldlɪ] adv milt; blitt; svagt

**mile** [maɪl] s engelsk mil, 'mile' (= 1760 yards = 1609 m); *nautical ~* nautisk mil, distansminut; *it was ~s better* (*easier*) vard. det var ofantligt mycket bättre (lättare); *for ~s and ~s* mil efter mil

**mileage** ['maɪlɪdʒ] s antal 'miles' (mil)

**mileometer** [maɪ'lɒmɪtə] s vägmätare

**milestone** ['maɪlstəʊn] s milstolpe

**milieu** ['mi:ljɜ:, amer. mi:l'ju:] s miljö, omgivning

**militant** ['mɪlɪt(ə)nt] I adj militant, stridbar II s militant person

**militarism** ['mɪlɪtərɪz(ə)m] s militarism

**militarist** ['mɪlɪtərɪst] s militarist

**militarize** ['mɪlɪtəraɪz] vb tr militarisera

**military** ['mɪlɪtərɪ] adj militärisk, krigs-; *~ academy* militärhögskola; *~ court* krigsrätt; *~ service* militärtjänst; *compulsory ~ service* allmän värnplikt

**militate** ['mɪlɪteɪt] vb itr, *~ against* motverka

**militia** [mɪ'lɪʃə] s milis, lantvärn

**militiaman** [mɪ'lɪʃəmən] s milissoldat

**milk** [mɪlk] I s mjölk II vb tr o. vb itr mjölka

**milk bar** ['mɪlkbɑ:] s ungefär glassbar där äv. mjölkdrinkar o. smörgåsar serveras

**milkmaid** ['mɪlkmeɪd] s mjölkerska; mejerska

**milkman** ['mɪlkmən] s mjölkutkörare, mjölkbud, mjölkförsäljare

**milkshake** [ˌmɪlk'ʃeɪk] s milkshake ofta med glass

**milksop** ['mɪlksɒp] s mes, mähä

**milk tooth** ['mɪlktu:θ] (pl. *milk teeth* ['mɪlkti:θ]) s mjölktand

**milky** ['mɪlkɪ] adj **1** mjölkaktig, mjölklik; mjölkig **2** *the Milky Way* Vintergatan

**mill** [mɪl] s **1** kvarn; *he has been* (*gone*)

*through the ~* han har fått slita ont; *put a p. through the ~* sätta ngn på prov **2** fabrik; verk, bruk; *cotton ~* bomullsspinneri

**millennium** [mɪ'lenɪəm] s **1** årtusende **2** *the ~* det tusenåriga riket

**miller** ['mɪlə] s mjölnare

**millet** ['mɪlɪt] s bot. hirs

**millibar** ['mɪlɪbɑ:] s meteor. millibar

**milligram** o. **milligramme** ['mɪlɪgræm] s milligram

**millilitre** ['mɪlɪˌli:tə] s milliliter

**millimetre** ['mɪlɪˌmi:tə] s millimeter

**milliner** ['mɪlɪnə] s modist

**millinery** ['mɪlɪnərɪ] s **1** modevaror inom hattbranschen **2** modistyrket; hattsömnad

**million** ['mɪljən] räkn o. s miljon; *~s of people* miljontals människor

**millionaire** [ˌmɪljə'neə] s miljonär

**millionairess** [ˌmɪljə'neərɪs] s miljonärska

**millionth** ['mɪljənθ] räkn o. s miljonte; *~ part* miljondel

**millipede** ['mɪlɪpi:d] s tusenfoting

**millstone** ['mɪlstəʊn] s, *a ~ round a p.'s neck* en kvarnsten om halsen på ngn

**mime** [maɪm] I s mim II vb itr spela pantomim, mima

**mimic** ['mɪmɪk] I s imitatör; mimiker II vb tr härma, imitera

**mimosa** [mɪ'məʊzə] s mimosa

**mince** [mɪns] I vb tr **1** hacka; *minced meat* köttfärs **2** välja [*~ one's words*]; *not ~ matters* (*one's words*) inte skräda orden II s köttfärs

**mincemeat** ['mɪnsmi:t] s blandning av russin, mandel, kryddor m.m. som fyllning i paj; *make ~ of* vard. göra slarvsylta av

**mince pie** [ˌmɪns'paɪ] s paj med *mincemeat*

**mincer** ['mɪnsə] s köttkvarn

**mincing** ['mɪnsɪŋ] adj tillgjord; trippande

**mind** [maɪnd] I s **1** sinne; själ; förstånd; *have an open ~* vara öppen för nya idéer; *presence of ~* sinnesnärvaro; *keep one's ~ on* koncentrera sig på; *in ~ and body* till kropp och själ; *in one's right ~* el. *of a sound ~* vid sina sinnens fulla bruk; *in one's mind's eye* för sitt inre öga; *that was a weight* (*load*) *off my ~* en sten föll från mitt bröst; *get a th. off one's ~* få ngt ur tankarna; *have a th. on one's ~* ha ngt på hjärtat; *be out of one's ~* vara från sina sinnen **2** *change one's ~* ändra mening (åsikt); *give a p. a piece of one's ~* säga ngn sin mening rent ut; *read a p.'s ~* läsa ngns tankar; *to my ~*

enligt min mening **3** lust, böjelse; *have a good* (*great*) ~ *to* ha god lust att; *have half a* ~ *to* nästan ha lust att; *know one's own* ~ veta vad man vill; *make up one's* ~ besluta sig; *be in two* ~*s* vara villrådig **4** minne; *bear* (*have*) *in* ~ komma ihåg, ha i minnet; *it must be borne in* ~ *that* man får inte glömma att; *he puts me in* ~ *of* han påminner mig om

**II** *vb tr* o. *vb itr* **1** ge akt på; ~*!* akta dig!, se upp!; ~ *you are in time!* se till att du kommer i tid!; ~ *you don't fall!* akta dig så att du inte faller!; ~ *your head!* akta huvudet!; ~ *what you are doing!* se dig för! **2** se efter, sköta om, passa [~ *children*]; ~ *your own business!* vard. sköt du ditt! **3** bry sig om, tänka på; *I don't* ~… jag bryr mig inte om…; jag har inget emot…; *do you* ~ *if I smoke* el. *do you* ~ *my smoking?* har du något emot att jag röker?; *I don't* ~ gärna för mig, det har jag inget emot; *would you* ~ *shutting the window?* vill du vara snäll och stänga fönstret?

**minded** ['maɪndɪd] *adj* i sammansättningar -sinnad, -sint [*high-minded*]; -medveten; *socially* ~ socialt inriktad

**mindful** ['maɪndf(ʊ)l] *adj*, *be* ~ *of* vara uppmärksam på

**mind-reader** ['maɪnd‚riːdə] *s* tankeläsare

**1 mine** [maɪn] *poss pron* min; *a book of* ~ en av mina böcker; *a friend of* ~ en vän till mig; *it's a habit of* ~ det är en vana jag har

**2 mine** [maɪn] **I** *s* **1** gruva; *a* ~ *of information* bildl. en rik informationskälla **2** mil. mina; ~ *detector* minsökare **II** *vb tr* o. *vb itr* **1** bryta [~ *ore*]; bearbeta; arbeta i en gruva **2** gräva [~ *tunnels*]; ~ *for gold* gräva efter guld **3** mil. minera, lägga ut minor

**minefield** ['maɪnfiːld] *s* **1** mil. minfält **2** gruvfält

**miner** ['maɪnə] *s* gruvarbetare

**mineral** ['mɪnər(ə)l] **I** *s* **1** mineral **2** pl. ~*s* kollektivt mineralvatten; läskedrycker **II** *adj* mineral-; ~ *waters* kollektivt mineralvatten; läskedrycker

**mineralogist** [‚mɪnə'rælədʒɪst] *s* mineralog

**mingle** ['mɪŋgl] *vb tr* o. *vb itr* blanda, blandas, blanda sig

**mingy** ['mɪndʒɪ] *adj* vard. snål, knusslig

**mini** ['mɪnɪ] *s* **1** minibil, småbil **2** minikjol

**miniature** ['mɪnjətʃə] **I** *s* miniatyr **II** *adj* miniatyr-, i miniatyr; ~ *camera* småbildskamera

**minimal** ['mɪnɪm(ə)l] *adj* minimal

**minimize** ['mɪnɪmaɪz] *vb tr* **1** reducera till ett minimum **2** bagatellisera

**minimum** ['mɪnɪməm] **I** *s* minimum **II** *adj* minsta; minimi- [~ *wage*]; minimal

**mining** ['maɪnɪŋ] *s* **1** gruvdrift; gruvarbete; brytning **2** mil. el. sjö. minering

**minister** ['mɪnɪstə] *s* **1** minister **2** präst [äv. ~ *of religion*]

**ministry** ['mɪnɪstrɪ] *s* **1** ministär, regering **2** departement

**mink** [mɪŋk] *s* flodiller; mink

**minor** ['maɪnə] **I** *adj* **1** mindre [*a* ~ *operation*], smärre, mindre viktig; små- [~ *planets*]; lägre i rang; *Asia Minor* Mindre Asien **2** mus. moll- [~ *scale*]; ~ *key* molltonart; *A* ~ a-moll **II** *s* jur. omyndig person, minderårig

**Minorca** [mɪ'nɔːkə] Menorca

**minority** [maɪ'nɒrətɪ] *s* minoritet

**Minsk** [mɪnsk]

**minstrel** ['mɪnstr(ə)l] *s* **1** medeltida trubadur **2** sångare, entertainer vanl. negersminkad

**1 mint** [mɪnt] *s* bot. mynta

**2 mint** [mɪnt] **I** *s* myntverk, mynt **II** *vb tr* mynta, prägla

**minuet** [‚mɪnjʊ'et] *s* menuett

**minus** ['maɪnəs] **I** *prep* **1** minus **2** vard. utan [~ *her clothes*] **II** *adj* minus- [~ *sign*]

**1 minute** [maɪ'njuːt] *adj* ytterst liten, minimal; *in* ~ *detail* in i minsta detalj

**2 minute** ['mɪnɪt] *s* **1** minut; *ten* ~*s to two* (*past two*) tio minuter i två (över två); *I won't be a* ~ jag kommer strax; *wait a* ~*!* ett ögonblick bara!; *this* ~ genast; *in a* ~ om ett ögonblick **2** pl. ~*s* protokoll [*of* över, från]; *keep* (*take*) *the* ~*s* föra protokoll

**minute hand** ['mɪnɪthænd] *s* minutvisare

**minx** [mɪŋks] *s* slyna, markatta

**miracle** ['mɪrəkl] *s* mirakel, underverk

**miraculous** [mɪ'rækjʊləs] *adj* mirakulös

**mirage** ['mɪrɑːʒ, mɪ'rɑːʒ] *s* hägring

**mire** ['maɪə] *s* träsk, myr; dy

**mirror** ['mɪrə] **I** *s* spegel; *driving* ~ backspegel **II** *vb tr* spegla

**mirth** [mɜːθ] *s* munterhet; uppsluppenhet

**misapprehension** ['mɪs‚æprɪ'henʃ(ə)n] *s* missuppfattning; *be under a* ~ missta sig

**misbehave** [‚mɪsbɪ'heɪv] *vb itr* o. *vb rfl*, ~ el. ~ *oneself* bära sig illa åt, uppföra sig illa

**misbehaviour** [ˌmɪsbɪ'heɪvjə] *s* dåligt uppförande

**miscalculate** [ˌmɪs'kælkjʊleɪt] *vb tr* o. *vb itr* felberäkna; räkna fel; missräkna sig

**miscalculation** [ˌmɪsˌkælkjʊ'leɪʃ(ə)n] *s* felräkning; felberäkning; felbedömning

**miscarriage** [ˌmɪs'kærɪdʒ] *s* missfall

**miscellaneous** [ˌmɪsə'leɪnjəs] *adj* blandad, brokig; varjehanda

**mischief** ['mɪstʃɪf] *s* **1** ont, skada **2** *up to all kinds of* ~ full av rackartyg; *get into* ~ hitta på rackartyg **3** skälmskhet

**mischief-maker** ['mɪstʃɪfˌmeɪkə] *s* orosstiftare; intrigmakare

**mischievous** ['mɪstʃɪvəs] *adj* okynnig, rackar-; skälmsk

**misconception** [ˌmɪskən'sepʃ(ə)n] *s* missuppfattning

**misconduct** [mɪs'kɒndʌkt] *s* dåligt uppförande

**misdeed** [ˌmɪs'diːd] *s* missgärning, missdåd

**miser** ['maɪzə] *s* gnidare, girigbuk

**miserable** ['mɪzər(ə)bl] *adj* **1** olycklig, förtvivlad **2** bedrövlig; ynklig, usel; trist

**miserly** ['maɪzəlɪ] *adj* girig, gnidig

**misery** ['mɪzərɪ] *s* elände; misär, nöd

**misfire** [ˌmɪs'faɪə] *vb itr* **1** om skjutvapen klicka; om motor misstända **2** slå slint [*my plans misfired*]

**misfit** ['mɪsfɪt] *s* **1** *the coat is a* ~ rocken passar inte **2** missanpassad person

**misfortune** [mɪs'fɔːtʃ(ə)n, mɪs'fɔːtʃuːn] *s* olycka; motgång; otur [*have the* ~ *to*]

**misgiving** [mɪs'gɪvɪŋ] *s*, pl. ~*s* farhågor

**misgovern** [ˌmɪs'gʌvən] *vb tr* vanstyra

**misguided** [ˌmɪs'gaɪdɪd] *adj* missriktad

**mishandle** [ˌmɪs'hændl] *vb tr* misshandla

**mishap** ['mɪshæp] *s* missöde, malör

**mishmash** ['mɪʃmæʃ] *s* mischmasch, röra

**misinform** [ˌmɪsɪn'fɔːm] *vb tr* felunderrätta

**misinterpret** [ˌmɪsɪn'tɜːprɪt] *vb tr* misstolka

**misjudge** [ˌmɪs'dʒʌdʒ] *vb tr* felbedöma

**mislaid** [mɪs'leɪd] se *mislay*

**mislay** [mɪs'leɪ] (*mislaid mislaid*) *vb tr* förlägga [*I have mislaid my gloves*]

**mislead** [mɪs'liːd] (*misled misled*) *vb tr* föra vilse; vilseleda

**misled** [mɪs'led] se *mislead*

**mismanage** [ˌmɪs'mænɪdʒ] *vb tr* missköta

**misplace** [ˌmɪs'pleɪs] *vb tr* felplacera; perfekt particip *misplaced* äv. malplacerad; bortkastad [*misplaced generosity*]

**misprint** ['mɪsprɪnt] *s* tryckfel

**mispronounce** [ˌmɪsprə'naʊns] *vb tr* uttala fel

**mispronunciation** ['mɪsprəˌnʌnsɪ'eɪʃ(ə)n] *s* feluttal; uttalsfel

**misquote** [ˌmɪs'kwəʊt] *vb tr* felcitera

**misread** [ˌmɪs'riːd] (*misread misread* [ˌmɪs'red]) *vb tr* läsa fel på; feltolka, missuppfatta

**misrepresent** ['mɪsˌreprɪ'zent] *vb tr* ge en felaktig bild av; förvränga

**misrule** [ˌmɪs'ruːl] *s* vanstyre

**1 miss** [mɪs] *s* fröken [*Miss Jones*]

**2 miss** [mɪs] **I** *vb tr* **1** missa; inte hinna med; inte träffa mål **2** gå miste om, bli utan **3** sakna [~ *a friend*] **II** *s* miss; *give a th. a* ~ strunta i ngt; *a* ~ *is as good as a mile* ordspr. nära skjuter ingen hare

**missile** ['mɪsaɪl, amer. 'mɪsl] *s* projektil; robot, robotvapen, missil; raket

**missing** ['mɪsɪŋ] *adj* försvunnen; frånvarande; borta; felande; *be* ~ saknas, fattas

**mission** ['mɪʃ(ə)n] *s* **1** delegation **2** mil. uppdrag **3** mission

**missionary** ['mɪʃən(ə)rɪ] *s* missionär

**missis** ['mɪsɪz] *s* vard., *the (my)* ~ frugan

**misspell** [ˌmɪs'spel] (*misspelt misspelt*) *vb tr* o. *vb itr* stava fel

**misspelling** [ˌmɪs'spelɪŋ] *s* felstavning; stavfel

**misspelt** [ˌmɪs'spelt] se *misspell*

**missus** ['mɪsɪz] *s* se *missis*

**mist** [mɪst] **I** *s* dimma, dis; imma **II** *vb tr* o. *vb itr* hölja i dimma, bli (vara) dimmig; ~ *over* bli immig

**mistake** [mɪ'steɪk] **I** (*mistook mistaken*) *vb tr* ta miste på, ta fel på; missta sig på; ~ *a p.* (*a th.*) *for* förväxla ngn (ngt) med **II** *s* misstag; missförstånd; fel

**mistaken** [mɪ'steɪkən] se *mistake I*

**mistakenly** [mɪ'steɪk(ə)nlɪ] *adv* av misstag

**mister** ['mɪstə] *s* herr; barnspr. i tilltal motsvaras av farbror

**mistimed** [ˌmɪs'taɪmd] *adj* oläglig; malplacerad

**mistletoe** ['mɪsltəʊ] *s* mistel

**mistook** [mɪ'stʊk] se *mistake I*

**mistranslate** [ˌmɪstræns'leɪt] *vb tr* översätta fel

**mistress** ['mɪstrəs] *s* **1** husmor; djurs matte; *the* ~ *of the house* frun i huset **2** älskarinna, mätress **3** härskarinna [*of* över]

**mistrust** [ˌmɪs'trʌst] *vb tr* o. *s* misstro

**misty** ['mɪstɪ] *adj* dimmig, disig, immig

**misunderstand** [ˌmɪsʌndə'stænd]
(*misunderstood misunderstood*) *vb tr*
missförstå

**misunderstanding** [ˌmɪsʌndə'stændɪŋ] *s*
missförstånd; misshällighet

**misunderstood** [ˌmɪsʌndə'stʊd] se
*misunderstand*

**1 mite** [maɪt] *s* pyre, parvel

**2 mite** [maɪt] *s* zool. kvalster; or

**mitre** ['maɪtə] *s* mitra, biskopsmössa

**mitten** ['mɪtn] *s* tumvante; halvvante

**mix** [mɪks] **I** *vb tr* o. *vb itr* **1** blanda; blanda
till; blanda sig; gå ihop [*with* med]; ~ *up*
förväxla; *be* (*get*) *mixed up* a) vara (bli)
inblandad [*in* i] b) vara (bli) förvirrad
**2** umgås [~ *in certain circles*] **II** *s* mix [*cake*
~]

**mixed** [mɪkst] *adj* blandad; ~ *bathing*
gemensamhetsbad; ~ *breed* blandras; ~
*economy* blandekonomi; ~ *school*
samskola

**mixed-up** [ˌmɪkst'ʌp] *adj* vard. förvirrad

**mixer** ['mɪksə] *s* blandare [*concrete* ~];
mixer, matberedningsmaskin; ~ *tap*
blandare, blandningskran

**mixture** ['mɪkstʃə] *s* blandning; *smoking*
~ el. ~ tobaksblandning

**mix-up** ['mɪksʌp] *s* vard. **1** röra;
sammanblandning; förväxling **2** kalabalik

**ml.** (förk. för *millilitre, millilitres*) ml

**mm.** (förk. för *millimetre, millimetres*) mm

**moan** [məʊn] **I** *vb itr* **1** jämra sig, stöna
**2** vard. knota; ~ *and groan* gnöla och
gnälla **II** *s* jämmer, stönande

**moat** [məʊt] *s* vallgrav, slottsgrav

**mob** [mɒb] **I** *s* pöbel, mobb; hop; sl. liga
**II** *vb tr* omringa; *be mobbed* äv. förföljas

**mobile** ['məʊbaɪl, amer. såsom adjektiv
'məʊbl] **I** *adj* rörlig; mobil; ~ *home*
husvagn såsom permanent bostad; ~ *hospital*
fältsjukhus; ~ *library* bokbuss **II** *s* konst.
mobil

**mobility** [məʊ'bɪlətɪ] *s* rörlighet

**mobilization** [ˌməʊbɪlaɪ'zeɪʃ(ə)n] *s*
mobilisering, mobiliserande

**mobilize** ['məʊbɪlaɪz] *vb tr* o. *vb itr*
mobilisera; uppbjuda [~ *one's energy*]

**mobster** ['mɒbstə] *s* sl. ligamedlem,
gangster

**moccasin** ['mɒkəsɪn] *s* mockasin

**mocha** ['mɒkə] *s* mocka, mockakaffe

**mock** [mɒk] **I** *vb tr* o. *vb itr* **1** driva med;
driva [*at* med] **2** härma **II** *adj* oäkta, falsk;
fingerad, sken-; låtsad

**mockery** ['mɒkərɪ] *s* **1** gyckel, drift
**2** parodi [*a* ~ *of justice*]

**mock turtle** [ˌmɒk'tɜːtl] *s*, ~ *soup* falsk
sköldpaddssoppa

**mod cons** [ˌmɒd'kɒnz] vard. förk. för *modern
conveniences*

**mode** [məʊd] *s* **1** sätt; metod **2** bruk;
mode

**model** ['mɒdl] **I** *s* **1** modell; fotomodell;
mannekäng **2** mönster, förebild **II** *adj*
**1** modell- [*a* ~ *train*] **2** mönstergill,
exemplarisk **III** *vb tr* o. *vb itr* **1** modellera
[~ *in clay*]; forma **2** planera; ~ *oneself
after* (*on*) *a p.* försöka efterlikna ngn

**moderate** [adjektiv o. substantiv 'mɒdərət, verb
'mɒdəreɪt] **I** *adj* måttlig, moderat,
måttfull; medelmåttig **II** *s* moderat **III** *vb
tr* moderera; mildra

**moderately** ['mɒdərətlɪ] *adv* **1** måttligt;
lagom **2** medelmåttigt; någorlunda

**moderate-sized** ['mɒdərətsaɪzd] *adj*
medelstor, lagom stor

**moderation** [ˌmɒdə'reɪʃ(ə)n] *s* måttlighet,
återhållsamhet; *in* ~ med måtta, måttligt

**modern** ['mɒd(ə)n] *adj* modern, nutida

**modernize** ['mɒdənaɪz] *vb tr* modernisera

**modest** ['mɒdɪst] *adj* blygsam [*a* ~
*income*]; anspråkslös

**modesty** ['mɒdɪstɪ] *s* blygsamhet;
anspråkslöshet

**modify** ['mɒdɪfaɪ] *vb tr* modifiera; ändra

**modiste** [məʊ'diːst] *s* modist

**modulate** ['mɒdjʊleɪt] *vb tr* modulera

**module** ['mɒdjuːl] *s* modul

**Mohammedan** [mə'hæmɪd(ə)n] **I** *adj*
muslimsk **II** *s* muslim

**moist** [mɔɪst] *adj* fuktig [~ *climate*; ~ *lips*]

**moisten** ['mɔɪsn] *vb tr* o. *vb itr* fukta; bli
fuktig

**moisture** ['mɔɪstʃə] *s* fukt, fuktighet

**Moldavia** [mɒl'deɪvɪə] Moldavien

**1 mole** [məʊl] *s* födelsemärke, hudfläck

**2 mole** [məʊl] *s* zool. mullvad

**molecule** ['mɒlɪkjuːl] *s* molekyl

**molehill** ['məʊlhɪl] *s* mullvadshög; *make
a mountain out of a* ~ göra en höna av
en fjäder, förstora upp allting

**molest** [mə'lest] *vb tr* ofreda, antasta,
störa

**mollusc** ['mɒləsk] *s* zool. mollusk

**molten** ['məʊlt(ə)n] *adj* smält, flytande [~
*lava*]; ~ *metal* gjutmetall

**mom** [mɒm] *s* amer. vard. mamma

**moment** ['məʊmənt] *s* **1** stund; tidpunkt;
*one* ~ el. *just a* ~ ett ögonblick, vänta

litet; **this** ~ a) på ögonblicket, genast b) för ett ögonblick sedan; *leisure* (*spare*) ~s lediga stunder; *at the* ~ för ögonblicket, för tillfället; *at a moment's notice* med detsamma; *in a* ~ *of* [*anger*] i ett anfall av...; *the man of the* ~ mannen för dagen **2** betydelse, vikt [*an affair of great* ~]

**momentary** ['məʊməntrɪ] *adj* momentan

**momentous** [mə'mentəs] *adj* viktig, betydelsefull

**momentum** [mə'mentəm] *s* fart, styrka, kraft [*gain* (vinna i) ~]

**momma** ['mɒmə] *s* amer. vard. mamma

**monarch** ['mɒnək] *s* monark; härskare

**monarchy** ['mɒnəkɪ] *s* monarki

**monastery** ['mɒnəstrɪ] *s* munkkloster

**Monday** ['mʌndeɪ, 'mʌndɪ] *s* måndag; *Easter* ~ annandag påsk; *last* ~ i måndags

**monetary** ['mʌnɪtrɪ] *adj* monetär, mynt-, penning-

**money** ['mʌnɪ] (utan pl.) *s* pengar; penning-; ~ *matters* penningangelägenheter; *be in the* ~ vard. vara tät, tjäna grova pengar; *be short of* ~ ha ont om pengar

**money box** ['mʌnɪbɒks] *s* sparbössa

**money-lender** ['mʌnɪˌlendə] *s* procentare, ockrare

**money-making** ['mʌnɪˌmeɪkɪŋ] **I** *s* penningförvärv; att tjäna pengar **II** *adj* inbringande, lönande

**money order** ['mʌnɪˌɔːdə] *s* amer., se *postal order* under *postal*

**Mongolia** [mɒŋ'gəʊljə] Mongoliet

**Mongolian** [mɒŋ'gəʊljən] **I** *adj* mongolisk **II** *s* mongol; mongoliska kvinna

**mongrel** ['mʌŋgr(ə)l] **I** *s* byracka, bondhund; bastard **II** *adj* av blandras

**monitor** ['mɒnɪtə] **I** *s* **1** skol. ordningsman **2** radio. el. TV. kontrollmottagare; monitor; ~ *screen* el. ~ bildskärm **II** *vb tr* övervaka, kontrollera

**monk** [mʌŋk] *s* munk person

**monkey** ['mʌŋkɪ] **I** *s* apa; ~ *business* smussel, fuffens; ~ *tricks* vard. rackartyg; *you little* ~! din lilla rackarunge! **II** *vb itr*, ~ *about with* el. ~ *with* vard. mixtra (greja) med

**monkey nut** ['mʌŋkɪnʌt] *s* vard. jordnöt

**monocle** ['mɒnəkl] *s* monokel

**monogamous** [mə'nɒgəməs] *adj* monogam

**monogamy** [mə'nɒgəmɪ] *s* engifte, monogami

**monogram** ['mɒnəgræm] *s* monogram

**monologue** ['mɒnəlɒg] *s* monolog

**monopolize** [mə'nɒpəlaɪz] *vb tr* **1** monopolisera **2** bildl. lägga beslag på

**monopoly** [mə'nɒpəlɪ] *s* **1** monopol, ensamrätt **2** *Monopoly* ® Monopol sällskapsspel

**monosyllable** ['mɒnəˌsɪləbl] *s* enstavigt ord

**monotone** ['mɒnətəʊn] *s* enformig ton

**monotonous** [mə'nɒtənəs] *adj* monoton, enformig

**monotony** [mə'nɒtənɪ] *s* monotoni, enformighet

**monoxide** [mə'nɒksaɪd] *s, carbon* ~ koloxid

**monsoon** [mɒn'suːn] *s* monsun

**monster** ['mɒnstə] *s* monster, vidunder

**monstrous** ['mɒnstrəs] *adj* monstruös

**Montenegro** [ˌmɒntɪ'niːgrəʊ]

**month** [mʌnθ] *s* månad; *by the* ~ per månad; *for* ~s i månader; *she's in her eighth* ~ hon är i åttonde månaden; *never* (*not once*) *in a* ~ *of Sundays* vard. aldrig någonsin

**monthly** ['mʌnθlɪ] **I** *adj* månatlig, månads- **II** *adv* månatligen, en gång i månaden

**monument** ['mɒnjʊmənt] *s* monument; minnesmärke; *ancient* ~ fornminne

**monumental** [ˌmɒnjʊ'mentl] *adj* monumental, storslagen

**moo** [muː] *I vb itr* råma **II** *s* mu; råmande

**mooch** [muːtʃ] *vb itr* vard., ~ *about* gå och drälla, driva omkring

**1 mood** [muːd] *s* gram. modus; *the subjunctive* ~ konjunktiven

**2 mood** [muːd] *s* lynne, stämning; humör; *be in the* ~ vara upplagd [*for a th.* för ngt]

**moody** ['muːdɪ] *adj* **1** lynnig, nyckfull **2** på dåligt humör, sur

**moon** [muːn] **I** *s* måne **II** *vb itr* vard., ~ *about* (*around*) gå omkring och drömma

**moonbeam** ['muːnbiːm] *s* månstråle

**moonlight** ['muːnlaɪt] *s* månsken

**moonlighting** ['muːnˌlaɪtɪŋ] *s* vard. extraknäck

**moonlit** ['muːnlɪt] *adj* månljus, månbelyst

**moonscape** ['muːnskeɪp] *s* månlandskap

**moonshine** ['muːnʃaɪn] *s* **1** månsken **2** vilda fantasier, nonsens

**moonstone** ['muːnstəʊn] *s* månsten

**1 moor** [mʊə] *s* hed

**2 moor** [mʊə] *vb tr* o. *vb itr* sjö. förtöja
**moorhen** ['mʊəhen] *s* moripa
**mooring** ['mʊərɪŋ] *s* sjö. förtöjning
**moose** [mu:s] *s* amerikansk älg
**mop** [mɒp] **I** *s* **1** mopp **2** vard. kalufs **II** *vb tr* torka, moppa [~ *the floor*]; ~ *up* a) torka upp b) mil. rensa, rensa upp
**mope** [məʊp] *vb itr* grubbla, tjura
**moped** ['məʊped] *s* moped
**mopping-up** [ˌmɒpɪŋ'ʌp] *adj*, ~ *operations* mil. rensningsaktioner
**moral** ['mɒr(ə)l] **I** *adj* moralisk, sedelärande; sedlig **II** *s* sensmoral; pl. ~*s* moral, seder
**morale** [mɒ'rɑ:l] *s* stridsmoral, kampanda
**morality** [mə'rælətɪ] *s* **1** moral; sedelära; moralitet **2** sedlighet
**moralize** ['mɒrəlaɪz] *vb itr* moralisera
**morbid** ['mɔ:bɪd] *adj* sjuklig, morbid
**more** [mɔ:] *adj* o. *s* o. *adv* (komparativ till *much* o. *many*) **1** mer, mera; ~ *and* ~ *difficult* allt svårare; ~ *or less* a) mer eller mindre b) cirka [*fifty* ~ *or less*]; *all the* ~ desto mera, så mycket mera; *the* ~ *he gets, the* ~ *he wants* ju mer han får, dess mer vill han ha **2** fler, flera [*than* än]; *the* ~ *the merrier* ju fler desto roligare **3** ytterligare, mer; vidare; *once* ~ en gång till **4** komparativbildande adverb mer; -*are*; ofta (vid jämförelse mellan två) mest; -st, -ste; ~ *complicated* mera komplicerad; ~ *easily* lättare □ *no* ~ inte mer (fler); aldrig mer; lika litet [*he knows very little about it, and no* ~ *do I*]; *we saw no* ~ *of him* vi såg aldrig mer till honom; *no* ~ *than* knappast mer än
**morel** [mɒ'rel] *s* bot. murkla
**morello** [mə'reləʊ] (pl. ~*s*) *s* bot., ~ *cherry* el. ~ morell
**moreover** [mɔ:'rəʊvə] *adv* dessutom
**morgue** [mɔ:g] *s* bårhus
**Mormon** ['mɔ:mən] *s* mormon
**morn** [mɔ:n] *s* poet. morgon
**morning** ['mɔ:nɪŋ] *s* morgon, förmiddag; *this* ~ i morse; *yesterday* ~ i går morse (förmiddag); ~ *coat* jackett
**Moroccan** [mə'rɒkən] **I** *adj* marockansk **II** *s* marockan
**Morocco** [mə'rɒkəʊ] **I** Marocko **II** *s* marokäng
**moron** ['mɔ:rɒn] *s* vard. idiot
**morose** [mə'rəʊs] *adj* surmulen, butter
**morphine** ['mɔ:fi:n] *s* morfin; ~ *addict* morfinist

**morrow** ['mɒrəʊ] *s* litt., *the* ~ morgondagen
**Morse** [mɔ:s] egennamn; *the* ~ *code* el. ~ morsealfabetet
**morsel** ['mɔ:s(ə)l] *s* munsbit; bit, smula
**mortal** ['mɔ:tl] **I** *adj* **1** dödlig; döds- [~ *sin*]; *his* ~ *remains* hans jordiska kvarlevor **2** vard., *not a* ~ *soul* inte en själ, inte en enda kotte; *they wouldn't do a* ~ *thing* de ville inte göra ett jäkla dugg **II** *s* dödlig; *ordinary* ~*s* vanliga dödliga
**mortality** [mɔ:'tælətɪ] *s* dödlighet
**mortally** ['mɔ:təlɪ] *adv* dödligt
**1 mortar** ['mɔ:tə] *s* **1** mortel **2** mil. granatkastare **3** raketapparat
**2 mortar** ['mɔ:tə] *s* murbruk
**mortgage** ['mɔ:gɪdʒ] **I** *s* inteckning; hypotek; *first* ~ *loan* bottenlån **II** *vb tr* inteckna [*mortgaged up to the hilt*], belåna
**mortician** [mɔ:'tɪʃ(ə)n] *s* amer. begravningsentreprenör
**mortuary** ['mɔ:tjʊərɪ] *s* bårhus
**mosaic** [mə'zeɪɪk] *s* mosaik; mosaikarbete
**Moscow** ['mɒskəʊ, amer. 'mɒskaʊ] Moskva
**Moslem** ['mɒzlem] **I** *s* muslim **II** *adj* muslimsk
**mosque** [mɒsk] *s* moské
**mosquito** [mə'ski:təʊ] *s* zool. moskit, stickmygga; pl. *mosquitoes* äv. mygg
**moss** [mɒs] *s* mossa; attributivt moss-
**mossy** ['mɒsɪ] *adj* mossig; moss- [~ *green*]
**most** [məʊst] **I** *adj* o. *s* mest, flest, den (det) mesta; ~ *boys* de flesta pojkar; *for the* ~ *part* mest, till största delen; för det mesta; *make the* ~ *of* göra det mesta möjliga av, ta vara på; *at the* ~ el. *at* ~ högst, på sin höjd; i bästa fall **II** *adv* **1** mest [*what pleased me* ~]; *the one he values* ~ (*the* ~) den som han värderar högst (mest) **2** superlativbildande mest; -st, -ste; *the* ~ *beautiful of all* den allra vackraste; ~ *easily* lättast **3** högst, ytterst [~ *interesting*]; ~ *certainly* säkert; ~ *probably* (*likely*) högst sannolikt
**mostly** ['məʊstlɪ] *adv* **1** mest, mestadels **2** vanligen, för det mesta
**MOT** [ˌeməʊ'ti:] (förk. för *Ministry of Transport*); ~ *test* el. vard. ~ årlig besiktning av motorfordon äldre än 3 år
**motel** [məʊ'tel] *s* motell
**moth** [mɒθ] *s* **1** mal **2** nattfjäril
**moth-ball** ['mɒθbɔ:l] *s* malkula, malmedel
**moth-eaten** ['mɒθˌi:tn] *adj* maläten

**mother** ['mʌðə] I s **1** moder, mor, mamma; *queen ~* änkedrottning; *play ~s and fathers* leka mamma, pappa, barn **2** ~ *country* fosterland; hemland; ~ *tongue (language)* modersmål II vb tr **1** sätta till världen; ge upphov till **2** vara som en mor för

**motherhood** ['mʌðəhʊd] s moderskap

**mother-in-law** ['mʌðərɪnlɔ:] (pl. *mothers-in-law* ['mʌðəzɪnlɔ:]) s svärmor

**motherly** ['mʌðəlɪ] adj moderlig

**mother-of-pearl** [ˌmʌðərəv'pɜ:l] s pärlemor

**mothproof** ['mɒθpru:f] I adj malsäker II vb tr malsäkra

**motion** ['məʊʃ(ə)n] I s **1** rörelse; gest, åtbörd, tecken; ~ *picture* film; *make a ~ to leave* göra en ansats att ge sig i väg **2** motion; *submit (make) a ~* väcka ett förslag; framställa ett yrkande **3** vanl. pl. ~s avföring II vb itr o. vb tr vinka, göra tecken; vinka (göra tecken) åt (till)

**motionless** ['məʊʃ(ə)nləs] adj orörlig; i vila

**motivate** ['məʊtɪveɪt] vb tr motivera

**motivation** [ˌməʊtɪ'veɪʃ(ə)n] s motivering; motivation

**motive** ['məʊtɪv] s motiv

**motor** ['məʊtə] I s motor; ~ *show* bilsalong; ~ *works* bilfabrik II vb itr bila

**motorbicycle** ['məʊtəˌbaɪsɪkl] s motorcykel

**motorbike** ['məʊtəbaɪk] s vard. motorcykel

**motorboat** ['məʊtəbəʊt] s motorbåt

**motorcade** ['məʊtəkeɪd] s bilkortege

**motorcar** ['məʊtəkɑ:] s bil

**motorcoach** ['məʊtəkəʊtʃ] s buss, turistbuss

**motorcycle** ['məʊtəˌsaɪkl] s motorcykel; ~ *combination* motorcykel med sidvagn

**motorcyclist** ['məʊtəˌsaɪklɪst] s motorcyklist

**motoring** ['məʊtərɪŋ] s **1** bilande, bilåkning **2** motorsport

**motorist** ['məʊtərɪst] s bilist, bilförare

**motorlaunch** ['məʊtələ:ntʃ] s större motorbåt; motorbarkass

**motorlorry** ['məʊtəˌlɒrɪ] s lastbil

**motor race** ['məʊtəreɪs] s motortävling

**motorscooter** ['məʊtəˌsku:tə] s skoter

**motorway** ['məʊtəweɪ] s motorväg

**mottled** ['mɒtld] adj spräcklig; marmorerad

**motto** ['mɒtəʊ] s motto, valspråk, devis

**1 mould** [məʊld] s jord, mylla; mull

**2 mould** [məʊld] s mögel; mögelsvamp

**3 mould** [məʊld] I s **1** form, gjutform; matris **2** kok. form **3** bildl. typ, karaktär II vb tr gjuta, forma, bilda; gestalta

**mouldy** ['məʊldɪ] adj **1** möglig **2** sl. vissen, urusel

**mound** [maʊnd] s hög, kulle; vall

**1 mount** [maʊnt] s i namn berg; *Mount Etna* Etna

**2 mount** [maʊnt] I vb tr **1** gå upp på (uppför); stiga upp på; bestiga [~ *the throne*] **2** placera [*on* på] **3** montera; sätta upp; infatta; rama in **4** mil. sätta i gång [~ *an offensive*] II s häst

**mountain** ['maʊntɪn] s berg, fjäll; ~ *ash* rönn

**mountain ash** [ˌmaʊntən'æʃ] s bot. rönn

**mountaineer** [ˌmaʊntɪ'nɪə] I s bergbestigare, alpinist II vb itr klättra i bergen

**mountaineering** [ˌmaʊntɪ'nɪərɪŋ] s bergbestigning, alpinism

**mountainous** ['maʊntɪnəs] adj bergig

**mounted** ['maʊntɪd] adj **1** ridande [~ *police*]; fordonsburen **2** monterad; uppsatt; inramad, infattad

**mourn** [mɔ:n] vb itr o. vb tr sörja [*for* över]; sörja över; ~ *for a p.* sörja ngn

**mourner** ['mɔ:nə] s sörjande; *the ~s* de sörjande; *the chief ~* den närmast sörjande

**mournful** ['mɔ:nf(ʊ)l] adj sorglig, dyster

**mourning** ['mɔ:nɪŋ] I adj sörjande II s sorg; sorgdräkt; *in ~* sorgklädd; *go into ~* anlägga sorg; *go out of ~* lägga av sorgen

**mouse** [maʊs] (pl. *mice* [maɪs]) s mus, råtta

**mousetrap** ['maʊstræp] s råttfälla

**mousse** [mu:s] s **1** kok. mousse; såsom dessert äv. fromage **2** hårmousse

**moustache** [mə'stɑ:ʃ, amer. 'mʌstæʃ] s mustascher; *grow a ~* anlägga mustasch

**mouth** [substantiv maʊθ, pl. maʊðz, verb maʊð] I s **1** mun; *by word of ~* muntligen; *be down in the ~* vara deppig; *have one's heart in one's ~* ha hjärtat i halsgropen; *shut your ~!* håll käft! **2** mynning II vb tr o. vb itr 'deklamera'; uttala tillgjort, tala tillgjort

**mouthful** ['maʊθfʊl] s munfull; munsbit

**mouth organ** ['maʊθˌɔ:gən] s munspel

**mouthpiece** ['maʊθpi:s] s **1** munstycke **2** mikrofon på telefon **3** bildl. språkrör

**mouth-to-mouth** [ˌmaʊθtə'maʊθ] adj, *the ~ method* mun-mot-munmetoden

**mouthwash** ['maʊθwɒʃ] s munvatten

**movable** 196

**movable** ['mu:vəbl] *adj* rörlig, flyttbar
**move** [mu:v] I *vb itr* o. *vb itr* **1** flytta, flytta
på; rubba; förflytta [~ *troops*]; röra sig;
förflytta sig, flytta sig **2** röra på [~ *one's
lips*]; ~ *on* gå på, cirkulera; ~ *out* a) gå ut
b) flytta; ~ *up* stiga (gå) fram **3** röra; *be
moved* bli rörd, röras, gripas [*he was
deeply moved*]
II *s* flyttning; i schack etc. drag; bildl. drag
[*a clever* ~], utspel; *what's the next* ~?
vard. vad ska vi göra nu?; *get a* ~ *on!* vard.
raska på!; *be on the* ~ vara i rörelse (i
farten)
**movement** ['mu:vmənt] *s* **1** rörelse **2** mus.
sats [*the first* ~ *of a symphony*] **3** t.ex.
politisk, religiös rörelse [*the Labour* ~]
**movie** ['mu:vɪ] *s* vard. film; *the* ~*s* bio; ~
*star* filmstjärna; ~ *house* (*theater*) amer.
bio; *go to the* ~*s* gå på bio
**moviegoer** ['mu:vɪˌgəʊə] *s* biobesökare
**moving** ['mu:vɪŋ] I *adj* o. *pres p* **1** rörlig; ~
*picture* vard. film; ~ *staircase* (*stairway*)
rulltrappa **2** rörande; gripande [~
*ceremony*] II *s* förflyttning; ~ *van* amer.
flyttbil
**mow** [məʊ] (*mowed* *mown*) *vb tr* meja;
klippa [~ *a lawn*]
**mower** ['məʊə] *s* gräsklippare
**mown** [məʊn] se *mow*
**Mozambique** [ˌməʊzəm'bi:k]
Moçambique
**MP** [ˌem'pi:] förk. för *Member of Parliament*,
*Military Police*
**m.p.h.** förk. för *miles per hour*
**Mr.** o. **Mr** ['mɪstə] (pl. *Messrs.* ['mesəz])
(förk. för *mister*) hr, herr framför namn
**Mrs.** o. **Mrs** ['mɪsɪz] (förk. för *missis*) fru
framför namn
**MS** [ˌem'es, 'mænjʊskrɪpt] (pl. *MSS*
[ˌemes'es]) förk. för *manuscript*
**Ms.** o. **Ms** [mɪz] (pl. *Mses* ['mɪzɪz]) *s* titel för
kvinna som ersättning för *Miss* el. *Mrs.* före
namn [~ *[Louise] Brown*]
**Mt.** förk. för *Mount*, *mountain*
**much** [mʌtʃ] I (*more most*) *adj* o. *adv*
**1** mycket [~ *older*]; *very* ~ *older* betydligt
äldre; *without* ~ *difficulty* utan större
svårighet; *he doesn't look* ~ *like a
clergyman* han ser knappast ut som en
präst; *it looks very* ~ *like it* det ser
nästan så ut; *thank you very* ~ tack så
mycket; ~ *to my delight* till min stora
förtjusning; ~ *too low* alldeles för låg
**2** *pretty* ~ *alike* ungefär lika; *it is* ~ *the
same to me* det gör mig ungefär

detsamma
II *s* **1** mycket; *he is not* ~ *of a writer*
han är inte någon vidare författare; *make
~ of* göra stor affär av; *I don't think* ~ *of
up to* → det är inte mycket bevänt med...
**2** a) *as* ~ lika (så) mycket [*as* som]; *I
thought as* ~ var det inte det jag trodde;
*it was as* ~ *as he could do to keep calm*
det var knappt han kunde hålla sig lugn
b) *how* ~ *is this?* vad kostar den här?;
*how* ~ *does it all come to?* hur mycket
blir det? c) *so* ~ så mycket; *so* ~ *the
better* (*the worse*) så mycket (desto)
bättre (värre); *so* ~ *for that* så var det
med det (den saken)
**much-advertised** [ˌmʌtʃ'ædvətaɪzd] *adj*
uppreklamerad
**much-needed** [ˌmʌtʃ'ni:dɪd] *adj*
välbehövlig
**muck** [mʌk] I *s* gödsel, dynga; vard. skit;
smörja II *vb tr* o. *vb itr* **1** ~ *a th. up* vard.
göra pannkaka av ngt **2** ~ *about* vard.
larva omkring; tjafsa; ~ *about with* pillra
med
**muck-up** ['mʌkʌp] *s* vard., *make a* ~ *of a
th.* göra pannkaka av ngt
**mucky** ['mʌkɪ] *adj* vard. skitig; lerig
**mucus** ['mju:kəs] *s* fysiol. slem
**mud** [mʌd] *s* gyttja, dy; smuts, lera
**muddle** ['mʌdl] I *vb tr* trassla till; ~ *up*
(*together*) röra ihop [*he has muddled
things up*]; blanda ihop, förväxla II *s* röra,
oreda, virrvarr; *make a* ~ *of* trassla till
**muddled** ['mʌdld] *adj* rörig, virrig
**muddle-headed** ['mʌdlˌhedɪd] *adj* virrig
**muddy** ['mʌdɪ] *adj* smutsig, lerig [~ *roads*]
**mudflap** ['mʌdflæp] *s* stänkskydd på bil
**mudguard** ['mʌdgɑ:d] *s* stänkskärm
**mudpack** ['mʌdpæk] *s* kosmetisk
ansiktsmask
**1 muff** [mʌf] *s* muff; öron- skydd
**2 muff** [mʌf] *vb tr* missa, sumpa [~ *an
opportunity*]
**muffin** ['mʌfɪn] *s* **1** slags tebröd som äts varma
med smör på **2** amer. muffin; *English* ~ slags
tebröd som äts varma med smör på
**muffle** ['mʌfl] *vb tr* **1** linda om [~ *one's
throat*]; ~ *up* el. ~ pälsa på [~ *oneself up
well*], svepa in **2** linda om för att dämpa ljud;
dämpa; perfekt particip *muffled* dämpad,
dov [*muffled sounds*]
**muffler** ['mʌflə] *s* **1** halsduk **2** speciellt amer.
ljuddämpare
**mug** [mʌg] I *s* **1** mugg [*a* ~ *of tea*], sejdel

**2** sl., ansikte tryne, fejs **3** sl. lättlurad stackare **II** *vb tr* sl. överfalla och råna
**mugger** ['mʌgə] *s* sl. rånare, ligist
**mugging** ['mʌgɪŋ] *s* sl. överfall och rån
**muggy** ['mʌgɪ] *adj* kvav, tryckande [~ *day*]
**mulatto** [mjʊ'lætəʊ] (pl. ~s el. *mulattoes*) *s* mulatt
**mulberry** ['mʌlbərɪ] *s* mullbär
**mule** [mju:l] *s* mula; mulåsna; *as stubborn (obstinate) as a* ~ envis som synden
**mulligatawny** [ˌmʌlɪgə'tɔ:nɪ] *s*, ~ *soup* indisk currykryddad soppa med höns och ris
**multilateral** [ˌmʌltɪ'lætərəl] *adj* multilateral [~ *agreement*]
**multimillionaire** [ˌmʌltɪmɪljə'neə] *s* mångmiljonär
**multinational** [ˌmʌltɪ'næʃənl] *adj* multinationell [~ *company*]
**multiple** ['mʌltɪpl] *adj* mångfaldig; flerdubbel; ~ *fracture* komplicerat benbrott; ~ *stores* butikskedja
**multiplication** [ˌmʌltɪplɪ'keɪʃ(ə)n] *s* **1** multiplikation **2** mångfaldigande
**multiply** ['mʌltɪplaɪ] *vb tr* o. *vb itr* **1** multiplicera [*by* med] **2** öka; ökas; flerdubblas **3** föröka sig
**multiracial** [ˌmʌltɪ'reɪʃ(ə)l] *adj* som omfattar (representerar) många raser
**multistorey** [ˌmʌltɪ'stɔ:rɪ] *adj* flervånings- [~ *hotel*]; ~ *car park* parkeringshus
**multitude** ['mʌltɪtju:d] *s* **1** mängd, massa; mångfald **2** folkmassa
**mum** [mʌm] *s* mamma; vard. morsa
**mumble** ['mʌmbl] **I** *vb itr* o. *vb tr* mumla, mumla fram **II** *s* mummel
**mumbo jumbo** [ˌmʌmbəʊ'dʒʌmbəʊ] *s* hokuspokus; fikonspråk, jargong
**1 mummy** ['mʌmɪ] *s* mumie
**2 mummy** ['mʌmɪ] *s* barnspr. mamma; *mummy's darling* mammagris, morsgris
**mumps** [mʌmps] *s* påssjuka
**munch** [mʌntʃ] *vb itr* o. *vb tr* mumsa; mumsa på
**mundane** ['mʌndeɪn] *adj* jordisk, världslig
**Munich** ['mju:nɪk] München
**municipal** [mjʊ'nɪsɪp(ə)l] *adj* kommunal [~ *buildings*]; kommun-, stads- [~ *libraries*]; ~ *council* kommunfullmäktige
**municipality** [mjʊˌnɪsɪ'pælətɪ] *s* **1** kommun **2** kommunstyrelse
**munition** [mjʊ'nɪʃ(ə)n] *s*, ~*s* krigsmateriel, vapen och ammunition
**murder** ['mɜ:də] **I** *s* mord [*of* på];

*attempted* ~ mordförsök; *scream blue* ~ vard. gallhojta **II** *vb tr* **1** mörda **2** bildl. misshandla [~ *a song*], rådbråka [~ *the language*]
**murderer** ['mɜ:dərə] *s* mördare
**murderess** ['mɜ:dərɪs] *s* mörderska
**murderous** ['mɜ:dərəs] *adj* mordisk
**murmur** ['mɜ:mə] **I** *s* sorl, sus; mummel; *without a* ~ utan knot **II** *vb itr* sorla, susa; mumla
**muscle** ['mʌsl] *s* muskel, muskler; muskelstyrka
**Muscovite** ['mʌskəvaɪt] *s* moskvabo
**muscular** ['mʌskjʊlə] *adj* muskulös
**1 muse** [mju:z] *s* myt. musa
**2 muse** [mju:z] *vb itr* fundera, grubbla
**museum** [mjʊ'zɪəm] *s* museum
**mushroom** ['mʌʃrʊm] **I** *s* svamp; champinjon **II** *vb itr* plocka svamp
**mushy** ['mʌʃɪ] *adj* mosig, grötig, slafsig
**music** ['mju:zɪk] *s* **1** musik **2** noter [*read* ~], nothäften [*printed* ~] **3** *face the* ~ vard. ta konsekvenserna
**musical** ['mju:zɪk(ə)l] **I** *adj* **1** musikalisk; musikintresserad [*a* ~ *person*]; *have a* ~ *ear* ha bra musiköra **2** musik- [~ *instruments*]; ~ *comedy* musikal **3** ~ *box* speldosa; ~ *chairs* sällskapslek hela havet stormar **II** *s* musikal
**musicassette** ['mju:zɪkəˌset] *s* inspelad kassett för kassettbandspelare
**music hall** ['mju:zɪkhɔ:l] *s* **1** varietéteater; ~ *song* kuplett **2** amer. konsertsal
**musician** [mjʊ'zɪʃ(ə)n] *s* musiker
**music stand** ['mju:zɪkstænd] *s* notställ
**musk** [mʌsk] *s* mysk; ~ *ox* myskoxe
**musket** ['mʌskɪt] *s* hist. musköt
**musketeer** [ˌmʌskə'tɪə] *s* hist. musketerare; musketör
**Muslim** ['mʊzlɪm, 'mʌzlɪm] **I** *s* muslim **II** *adj* muslimsk
**muslin** ['mʌzlɪn] *s* muslin
**musquash** ['mʌskwɒʃ] *s* **1** bisamråtta **2** ~ *fur* el. ~ bisam pälsverk; ~ *coat* el. ~ bisampäls plagg
**mussel** ['mʌsl] *s* zool. mussla
**must** [mʌst, verb obetonat məst] **I** *hjälpvb* presens **1** måste, får **2** med negation får [*you* ~ *never ask*]; ~ *not* el. *mustn't* får inte [*you* ~ *not go*], skall inte [*you mustn't be surprised*] **II** *s* vard., *a* ~ ett måste [*that book is a* ~]
**mustang** ['mʌstæŋ] *s* mustang häst
**mustard** ['mʌstəd] *s* senap
**muster** ['mʌstə] **I** *s*, *pass* ~ hålla måttet;

duga [*as, for* till] **II** *vb tr,* ~ *up* uppbjuda
[~ *up all one's strength*]
**mustn't** ['mʌsnt] = *must not*
**musty** ['mʌstɪ] *adj* unken [~ *smell*],
instängd [~ *air*], ovädrad [~ *room*],
möglig
**mute** [mjuːt] **I** *adj* stum; mållös; tyst **II** *s*
**1** stum person; teat. statist **2** mus. sordin;
dämmare **III** *vb tr* dämpa; mus. sätta
sordin på; *in muted tones* med dämpad
röst
**mutilate** ['mjuːtɪleɪt] *vb tr* stympa,
lemlästa; vanställa, förvanska
**mutilation** [ˌmjuːtɪ'leɪʃ(ə)n] *s* stympning
**mutineer** [ˌmjuːtɪ'nɪə] **I** *s* myterist **II** *vb itr*
göra myteri
**mutinous** ['mjuːtɪnəs] *adj* upprorisk; som
gör myteri
**mutiny** ['mjuːtɪnɪ] **I** *s* myteri **II** *vb itr* göra
myteri
**mutter** ['mʌtə] **I** *vb itr* mumla, muttra [*to
oneself* för sig själv] **II** *s* mumlande,
mummel
**mutton** ['mʌtn] *s* fårkött; *roast* ~ fårstek
**mutual** ['mjuːtʃʊəl] *adj* **1** ömsesidig; ~
*admiration society* sällskap för inbördes
beundran; *they are* ~ *enemies* de är
fiender till varandra **2** gemensam [*a* ~
*friend*]; ~ *efforts* förenade ansträngningar
**muzzle** ['mʌzl] **I** *s* **1** nos, tryne **2** munkorg
**3** mynning på skjutvapen **II** *vb tr* **1** sätta
munkorg på **2** trycka nosen mot
**my** [maɪ, obetonat mɪ] **I** *poss pron* min; *I
broke* ~ *arm* jag bröt armen; *I cut* ~
*finger* jag skar mig i fingret; *without* ~
*knowing it* utan att jag vet (visste) om
det; *yes,* ~ *dear!* ja, kära du! **II** *interj,* ~*!*
oh!, tänk!, oj då!
**Myanmar** ['maɪænmɑː]
**myrtle** ['mɜːtl] *s* myrten
**myself** [maɪ'self] *rfl pron* o. *pers pron* mig [*I
have hurt* ~], mig själv [*I can help* ~]; jag
själv [*nobody but* ~], själv [*I saw it* ~]; *all
by* ~ a) alldeles ensam (för mig själv) [*I
live all by* ~] b) alldeles själv, helt på egen
hand
**mysterious** [mɪs'tɪərɪəs] *adj* mystisk;
gåtfull
**mystery** ['mɪstərɪ] *s* mysterium, gåta;
mystik; hemlighetsfullhet,
hemlighetsmakeri
**mystic** ['mɪstɪk] *s* mystiker
**mysticism** ['mɪstɪsɪz(ə)m] *s* mystik;
mysticism

**mystify** ['mɪstɪfaɪ] *vb tr* mystifiera;
förbrylla
**myth** [mɪθ] *s* myt; saga, sägen, legend
**mythological** [ˌmɪθə'lɒdʒɪk(ə)l] *adj*
mytologisk
**mythology** [mɪ'θɒlədʒɪ] *s* mytologi

# N

**N, n** [en] s N, n
**N** (förk. för *north, northern*) N
**nab** [næb] *vb tr* vard. haffa
**nag** [næg] *vb tr* o. *vb itr* tjata på; tjata [*at* på]
**nail** [neɪl] I s **1** nagel; klo **2** spik; *as hard as ~s* vard. stenhård, obeveklig II *vb tr* **1** spika, spika fast; *~ down* spika igen (till) **2** *~ a p. down* ställa ngn mot väggen **3** vard. sätta fast [*~ a thief*]
**nail file** ['neɪlfaɪl] s nagelfil
**nail polish** ['neɪlˌpɒlɪʃ] s nagellack
**nail scissors** ['neɪlˌsɪzəz] s pl nagelsax
**nail varnish** ['neɪlˌvɑːnɪʃ] s nagellack
**naïve** [naɪˈiːv] *adj* naiv, aningslös
**naïveté** o. **naive** [naɪˈiːvteɪ] s naivitet
**naked** ['neɪkɪd] *adj* naken; bar; *the ~ eye* blotta ögat
**namby-pamby** [ˌnæmbɪˈpæmbɪ] *adj* mjäkig, klemig, pjoskig
**name** [neɪm] I s **1** namn; benämning [*of, for* på, för]; *call a p. ~s* skälla på ngn **2** rykte, namn; *a bad ~* ett dåligt rykte II *vb tr* **1** ge namn åt; kalla; *be named* äv. heta, kallas; *~ after* uppkalla efter **2** namnge [*three persons were named*]; säga namnet på [*can you ~ this flower?*]; benämna **3** säga, ange [*~ your price*] **4** sätta namn på, märka
**namely** ['neɪmlɪ] *adv* nämligen [*only one boy was there, ~ John*]; det vill säga
**namesake** ['neɪmseɪk] s namne
**Namibia** [nəˈmɪbɪə]
**Namibian** [nəˈmɪbɪən] I *adj* namibisk II s namibier
**nanny** ['nænɪ] s barnspr. **1** barnsköterska **2** mormor, farmor
**1 nap** [næp] I s tupplur II *vb itr* ta sig en tupplur; *catch a p. napping* ta ngn på sängen
**2 nap** [næp] s lugg, ludd på t.ex. kläde
**napalm** ['neɪpɑːm, 'næpɑːm] s napalm
**nape** [neɪp] s, *~ of the neck* nacke
**naphtha** ['næfθə] s kem. nafta
**napkin** ['næpkɪn] s **1** *table ~* el. *~ servett* **2** blöja; *disposable ~* blöja **3** amer., *sanitary ~* dambinda
**Naples** ['neɪplz] Neapel
**nappy** ['næpɪ] s (förk. för *napkin*) vard. blöja
**narcissus** [nɑːˈsɪsəs] s narciss, pingstlilja

**narcomaniac** [ˌnɑːkəˈmeɪnɪæk] s narkoman
**narcotic** [nɑːˈkɒtɪk] I s narkotiskt medel; pl. *~s* narkotika II *adj*, *~ drugs* narkotika
**nark** [nɑːk] s sl. tjallare
**narrate** [nəˈreɪt] *vb tr* berätta
**narrative** ['nærətɪv] s berättelse
**narrator** [nəˈreɪtə] s berättare
**narrow** ['nærəʊ] *adj* **1** smal, trång **2** knapp [*~ majority*]; *have a ~ escape* komma undan med knapp nöd; *that was a ~ escape* (*shave*)! det var nära ögat! **3** trångsynt, trång [*~ views*]
**narrowly** ['nærəʊlɪ] *adv* **1** smalt, trångt **2** med knapp nöd [*he ~ escaped*]
**narrow-minded** [ˌnærəʊˈmaɪndɪd] *adj* trångsynt, inskränkt
**nasal** ['neɪz(ə)l] *adj* o. s nasal
**nasalize** ['neɪzəlaɪz] *vb tr* o. *vb itr* uttala nasalt; tala nasalt
**nasturtium** [nəˈstɜːʃ(ə)m] s krasse
**nasty** ['nɑːstɪ] I *adj* otäck; äcklig; elak, stygg, dum [*to* mot]; ruskig [*~ weather*] II s vard. våldsvideo
**nation** ['neɪʃ(ə)n] s nation; folk; folkslag
**national** ['næʃənl] I *adj* nationell; national- [*~ income*], lands-, landsomfattande [*a ~ campaign*]; folk- [*a ~ hero*]; *~ anthem* nationalsång II s undersåte
**nationalism** ['næʃənəlɪz(ə)m] s nationalism
**nationalistic** [ˌnæʃənəˈlɪstɪk] *adj* nationalistisk
**nationality** [ˌnæʃəˈnælətɪ] s nationalitet
**nationalization** [ˌnæʃənəlaɪˈzeɪʃ(ə)n] s nationalisering, socialisering
**nationalize** ['næʃənəlaɪz] *vb tr* nationalisera, socialisera
**nationwide** ['neɪʃ(ə)nwaɪd] *adj* landsomfattande
**native** ['neɪtɪv] I *adj* **1** födelse- [*my ~ town*]; *~ country* fosterland, hemland; *~ language* modersmål **2** infödd [*a ~ Welshman*] II s inföding; infödd
**NATO** ['neɪtəʊ] s (förk. för *North Atlantic Treaty Organization*) NATO atlantpaktsorganisationen
**natural** ['nætʃr(ə)l] *adj* **1** naturlig; natur- [*~ product*]; naturtrogen; *~ science* naturvetenskap; *~ state* naturtillstånd **2** naturlig; *it comes ~ to him* det faller sig naturligt för honom
**naturalize** ['nætʃrəlaɪz] *vb tr* naturalisera
**naturally** ['nætʃrəlɪ] *adv* **1** naturligt **2** naturligtvis, givetvis **3** av naturen [*she is*

~ *musical*] **4** av sig själv [*it grows ~*]; *it comes ~ to me* det faller sig naturligt för mig

**nature** ['neɪtʃə] *s* **1** natur; naturen; väsen, karaktär, art, sort [*things of this ~*]; *human ~* människonaturen; *by ~* till sin natur; av naturen; *something in the ~ of* något i stil med **2** attributivt natur-; ~ *conservation* naturvård; ~ *reserve* naturreservat

**naturist** ['neɪtʃərɪst] *s* naturist, nudist

**naught** [nɔ:t] *s* **1** ingenting; *come to ~* gå om intet **2** amer. noll

**naughty** ['nɔ:tɪ] *adj* stygg, elak, oanständig

**nausea** ['nɔ:sjə] *s* kväljningar, illamående; äckel, vämjelse

**nauseate** ['nɔ:sɪeɪt] *vb tr* kvälja; äckla

**nauseating** ['nɔ:sɪeɪtɪŋ] *adj* kväljande; äcklig

**nautical** ['nɔ:tɪk(ə)l] *adj* nautisk [*~ mile*], sjö- [*~ term*]

**naval** ['neɪv(ə)l] *adj* sjömilitär; sjö- [*~ battle*], marin-, flott-, örlogs- [*~ base*]

**nave** [neɪv] *s* mittskepp i kyrka

**navel** ['neɪv(ə)l] *s* navel

**navigate** ['nævɪgeɪt] *vb tr* o. *vb itr* navigera, segla på (över); segla

**navigation** [,nævɪ'geɪʃ(ə)n] *s* navigation, navigering

**navigator** ['nævɪgeɪtə] *s* **1** navigatör **2** sjöfarare

**navvy** ['nævɪ] *s* vägarbetare; rallare

**navy** ['neɪvɪ] *s* örlogsflotta, marin; *the British (Royal) Navy* brittiska flottan

**navy-blue** [,neɪvɪ'blu:] *adj* marinblå

**Nazi** ['nɑ:tsɪ] **I** *s* nazist **II** *adj* nazistisk

**Nazism** ['nɑ:tsɪzəm] *s* nazism

**NE** (förk. för *north-east, north-eastern*) NO, NÖ

**Neapolitan** [nɪə'pɒlɪtən] **I** *s* neapolitan **II** *adj* neapolitansk, från Neapel

**near** [nɪə] **I** *adj* o. *adv* o. *prep* nära; *the Near East* Främre Orienten; *in the ~ future* i en nära framtid; *come (get, draw)* ~ närma sig; *~ at hand* till hands, i närheten; *~ by* i närheten **II** *vb tr* o. *vb itr* närma sig [*the ship neared land*]

**nearby** [adjektiv 'nɪəbaɪ, adverb nɪə'baɪ] **I** *adj* närbelägen [*a ~ pub*] **II** *adv* i närheten

**nearer** ['nɪərə] *adj* o. *adv* o. *prep* (komparativ av *near*) närmare

**nearest** ['nɪərɪst] *adj* o. *adv* o. *prep* (superlativ av *near*) närmast; *~ to* närmast; *those ~* (*~ and dearest*) *to me* mina närmaste

**nearly** ['nɪəlɪ] *adv* **1** nästan; närmare [*~ 2 o'clock*]; *not ~* långt ifrån [*not ~ so bad*] **2** nära; *~ related* nära släkt

**nearside** ['nɪəsaɪd] *adj* o. *s* vid vänstertrafik vänster sida; vid högertrafik höger sida

**near-sighted** [,nɪə'saɪtɪd] *adj* närsynt

**neat** [ni:t] *adj* **1** ordentlig; snygg [*~ work*]; vårdad [*a ~ appearance*], prydlig [*~ writing*] **2** elegant, smidig [*a ~ solution*] **3** ren, outspädd [*drink whisky ~*]

**necessary** ['nesəsərɪ] **I** *adj* nödvändig; behövlig; *when ~* vid behov, när så behövs **II** *s, the ~* vard. pengarna som behövs

**necessitate** [nə'sesɪteɪt] *vb tr* nödvändiggöra

**necessity** [nə'sesɪtɪ] *s* **1** nödvändighet; *of ~* med nödvändighet; *in case of ~* i nödfall **2** nödvändigt ting [*food and warmth are necessities*]; *the necessities of life* livets nödtorft

**neck** [nek] **I** *s* hals; *have a stiff ~* vara stel i nacken; *stick one's ~ out* vard. sticka ut hakan; *~ and ~* vid kappridning jämsides, i bredd; *win by a ~* vinna med en halslängd; *get it in the ~* vard. få på huden; *be up to one's ~ in debt* vara skuldsatt upp över öronen **II** *vb itr* sl. hångla, grovflörta

**neckerchief** ['nekətʃɪf] *s* halsduk

**necklace** ['nekləs] *s* halsband, collier

**neckline** ['neklaɪn] *s* urringning

**necktie** ['nektaɪ] *s* slips, halsduk

**nectarine** ['nektərɪn, 'nektəri:n] *s* nektarin

**née** [neɪ] *adj* om gift kvinna född [*~ Sharp*]

**need** [ni:d] **I** *s* **1** behov [*of, for* av]; *if ~ be* om så behövs; *you have no ~ to go* du behöver inte gå; *meet a ~* täcka ett behov **2** nöd, trångmål; *be in ~* vara i nöd; *a friend in ~ is a friend indeed* i nöden prövas vännen **II** *vb tr* behöva; kräva, behövas, krävas; *be needed* behövas, krävas

**needful** ['ni:df(ʊ)l] *adj* behövlig, nödvändig

**needle** ['ni:dl] *s* **1** nål; visare på instrument; *sewing ~* synål **2** med., *hypodermic ~* kanyl **3** barr på gran el. fura

**needlecraft** ['ni:dlkrɑ:ft] *s* handarbete, sömnad

**needless** ['ni:dləs] *adj* onödig; *~ to say, he did it* självfallet gjorde han det

**needlework** ['ni:dlwɜ:k] *s* handarbete, sömnad, syarbete; *do ~* sy, handarbeta

**needn't** ['ni:dnt] = *need not*

**needs** [ni:dz] *adv* (före el. efter *must*) nödvändigtvis, ovillkorligen [*he must ~ do it*]

**needy** ['ni:dɪ] *adj* behövande, nödlidande

**negative** ['negətɪv] **I** *adj* negativ; nekande, avvisande [*a ~ answer*] **II** *s* **1** nekande; *answer in the ~* svara nekande **2** nekande ord **3** foto. negativ

**neglect** [nɪ'glekt] **I** *vb tr* försumma; nonchalera, negligera **II** *s* **1** försummelse; nonchalerande; *~ of duty* tjänsteförsummelse **2** vanskötsel; *be in a state of ~* vara vanskött

**neglectful** [nɪ'glektf(ʊ)l] *adj* försumlig

**négligée** o. **negligee** ['neglɪʒeɪ] *s* negligé

**negligence** ['neglɪdʒ(ə)ns] *s* försumlighet

**negligent** ['neglɪdʒ(ə)nt] *adj* försumlig

**negotiate** [nɪ'gəʊʃɪeɪt] *vb itr* o. *vb tr* förhandla; förhandla om

**negotiation** [nɪ,gəʊʃɪ'eɪʃ(ə)n] *s* förhandling

**negotiator** [nɪ'gəʊʃɪeɪtə] *s* förhandlare

**negress** ['ni:grəs] *s* negress, negerkvinna

**negro** ['ni:grəʊ] (pl. *negroes*) *s* neger

**neigh** [neɪ] **I** *vb itr* gnägga **II** *s* gnäggning

**neighbour** ['neɪbə] *s* granne

**neighbourhood** ['neɪbəhʊd] *s* grannskap; omgivning, trakt [*a lovely ~*]; *in the ~ of* a) i närheten av b) bildl. ungefär [*in the ~ of £500*]

**neighbouring** ['neɪbərɪŋ] *adj* grann- [*~ country (village)*]; närbelägen; angränsande

**neither** ['naɪðə], speciellt amer. 'ni:ðə] **I** *pron* ingen av två; ingendera; *in ~ case* i ingetdera fallet **II** *konj* o. *adv* **1** *~...nor* varken...eller **2** med föregående negation inte heller; *~ can I* och inte jag heller

**neo-Fascism** [,ni:əʊ'fæʃɪzm] *s* nyfascism

**neon** ['ni:ən, 'ni:ɒn] *s* neon; *~ sign* neonskylt

**neo-Nazism** [,ni:əʊ'nɑ:tsɪzm] *s* nynazism

**nephew** ['nevjʊ] *s* brorson, systerson

**nepotism** ['nepətɪz(ə)m] *s* nepotism, svågerpolitik

**Neptune** ['neptju:n] astron. el. myt. Neptunus

**nerve** [nɜ:v] *s* **1** nerv; *it gets on my ~s* det går mig på nerverna **2** vard. fräckhet; *he's got a ~!* han är inte lite fräck!

**nerve-racking** ['nɜ:v,rækɪŋ] *adj* nervpåfrestande; enerverande

**nervous** ['nɜ:vəs] *adj* **1** nerv- [*~ system*], nervös; *a ~ breakdown* ett nervsammanbrott **2** ängslig, orolig

**nervy** ['nɜ:vɪ] *adj* vard. **1** nervös, nervig **2** amer. fräck

**nest** [nest] **I** *s* rede; bo [*a wasp's ~*], näste **II** *vb itr* bygga bo; *go nesting* leta fågelbon

**nestle** ['nesl] *vb itr* krypa ihop; *~ up* trycka sig, smyga sig [*against* intill]

**1 net** [net] **I** *s* nät; håv [*butterfly ~*], garn **II** *vb tr* fånga med (i) nät

**2 net** [net] **I** *adj* netto; netto- [*~ weight*] **II** *vb tr* göra en nettovinst på, inbringa netto

**Netherlands** ['neðələndz] **I** *s, the ~* Nederländerna **II** *adj* nederländsk

**netting** ['netɪŋ] *s* nätverk; *wire ~* metalltrådsnät

**nettle** ['netl] **I** *s* nässla; *stinging ~* brännässla **II** *vb tr* reta; såra; perfekt particip *nettled* äv. förnärmad

**network** ['netwɜ:k] *s* **1** nät äv. bildl. [*a ~ of railways*]; nätverk **2** radio. el. TV. sändarnät; radiobolag, TV-bolag

**neurosis** [,njʊə'rəʊsɪs] (pl. *neuroses*) *s* neuros

**neurotic** [,njʊə'rɒtɪk] **I** *adj* neurotisk, nervös **II** *s* neurotiker

**neuter** ['nju:tə] gram. **I** *adj* neutral [*the ~ gender*], neutrum- [*a ~ ending*] **II** *s* neutrum

**neutral** ['nju:tr(ə)l] **I** *adj* neutral **II** *s* **1** neutral person (stat m.m.) **2** motor., *put the gear into ~* lägga växeln i friläge (neutralläge)

**neutrality** [njʊ'trælətɪ] *s* neutralitet

**neutralize** ['nju:trəlaɪz] *vb tr* neutralisera

**neutron** ['nju:trɒn] *s* neutron [*~ bomb*]

**never** ['nevə] *adv* aldrig; *~!* vard. nej, vad säger du!, det menar du inte!; *well, I ~!* jag har aldrig hört (sett) på maken!

**never-ceasing** ['nevə,si:sɪŋ] *adj* o.

**never-ending** ['nevər,endɪŋ] *adj* oupphörlig

**nevertheless** [,nevəðə'les] *adv* inte desto mindre; likväl, ändå

**new** [nju:] *adj* ny, ny- [*~ election*]; *~ moon* nymåne; *~ year* nytt år, nyår; *~ potatoes* färsk potatis, nypotatis

**newcomer** ['nju:,kʌmə] *s* nykomling

**new-laid** [,nju:'leɪd, attributivt 'nju:leɪd] *adj* färsk [*~ eggs*]

**newly** ['nju:lɪ] *adv* nyligen [*~ arrived*], ny- [*a newly-married couple*]

**newly-weds** ['nju:lɪwedz] *s pl* vard., *the ~* de nygifta

**new-mown** ['nju:məʊn] *adj* nyslagen

**news** [nju:z] (konstrueras med sg.) *s* nyheter,
nyhet, underrättelse, underrättelser; *an
interesting piece* (*item, bit*) *of* ~ en
intressant nyhet; *it's very much in the* ~
det är mycket aktuellt; *it was on the* ~
det sas (visades) i nyheterna; ~
*broadcast* nyhetssändning; ~ *bulletin*
nyheter i radio m.m.; ~ *cinema* (*theatre*)
kortfilmsbiograf; ~ *headlines*
nyhetsrubriker; *a* ~ *summary* el. *a
summary of the* ~ nyhetssammandrag,
nyheterna i sammandrag
**news agency** ['nju:z,eɪdʒ(ə)nsɪ] *s*
nyhetsbyrå, telegrambyrå
**newsagent** ['nju:z,eɪdʒ(ə)nt] *s* innehavare
av tidningskiosk (tobaksaffär);
*newsagent's* tidningskiosk, tobaksaffär
**newscast** ['nju:zkɑ:st] *s* radio. el. TV.
nyhetssändning
**newsflash** ['nju:zflæʃ] *s* brådskande
nyhetstelegram; kort extrameddelande i
radio el. TV
**news item** ['nju:z,aɪtəm] *s* tidningsnotis
**newsletter** ['nju:z,letə] *s*
**1** informationsblad **2** pressöversikt
**newspaper** ['nju:s,peɪpə] *s* tidning
**newsreader** ['nju:z,ri:də] *s* radio. el. TV.
nyhetsuppläsare
**newsreel** ['nju:zri:l] *s* journalfilm
**newsroom** ['nju:zru:m] *s* **1** tidskriftsrum
**2** nyhetsredaktion
**newsstand** ['nju:zstænd] *s* tidningskiosk
**newsvendor** ['nju:z,vendə] *s*
tidningsförsäljare på gatan
**newt** [nju:t] *s* vattenödla
**New Year** [,nju:'jɪə] *s* nyår; *New Year's
Eve* nyårsafton
**New York** [,nju:'jɔ:k]
**New Yorker** [,nju:'jɔ:kə] *s* newyorkbo
**New Zealand** [,nju:'zi:lənd] **I** Nya Zeeland
**II** *adj* nyzeeländsk
**New Zealander** [,nju:'zi:ləndə] *s*
nyzeeländare
**next** [nekst] **I** *adj* o. *s* **1** nästa, närmast
[*during the* ~ *two days*]; *to be continued
in our* ~ fortsättning följer i nästa
nummer; *he lives* ~ *door* han bor
alldeles bredvid mig **2** näst [*the* ~ *greatest*]
**II** *adv* **1** därefter, därpå [~ *came a tall
man*], sedan **2** näst; ~ *to* a) intill, bredvid,
näst efter b) ~ *to nothing* nästan
ingenting
**next-door** [,neks'dɔ:] *adj* närmast [*my* ~
*neighbours*]

**next-of-kin** [,nekstəv'kɪn] *s* närmaste
anhörig (anhöriga)
**NHS** [,eneɪtʃ'es] förk. för *National Health
Service*
**nib** [nɪb] *s* stålpenna; stift på reservoarpennna
**nibble** ['nɪbl] **I** *vb tr* o. *vb itr* knapra på;
nafsa efter; knapra; nafsa **II** *s* napp;
knaprande
**nice** [naɪs] *adj* trevlig; sympatisk; hygglig;
snäll [*to* mot]; vacker [*a* ~ *day*], snygg [*a*
~ *dress*]; behaglig, skön; iron. snygg, fin,
skön [*a* ~ *mess* (röra)]; ~ *and soft* mjuk
och skön; ~ *and clean* ren och fin
**nice-looking** [,naɪs'lʊkɪŋ, attributivt
'naɪslʊkɪŋ] *adj* snygg
**niche** [nɪtʃ, ni:ʃ] *s* nisch; plats
**nick** [nɪk] **I** *s* **1** hack, skåra **2** *in the* ~ *of
time* i grevens tid **3** sl., *in the* ~ på kåken
fängelse **II** *vb tr* **1** göra ett hack i **2** sl.
knycka stjäla **3** sl. haffa
**nickel** ['nɪkl] **I** *s* nickel; amer. femcentare
**II** *vb tr* förnickla
**nickel silver** [,nɪkl'sɪlvə] *s*, *electroplated* ~
el. ~ alpacka
**nickname** ['nɪkneɪm] **I** *s* öknamn;
smeknamn **II** *vb tr* ge ngn öknamnet [*they
nicknamed him Skinny*]
**nicotine** ['nɪkəti:n] *s* nikotin
**niece** [ni:s] *s* brorsdotter, systerdotter
**Niger** [staten ni:'ʒeə]
**Nigeria** [naɪ'dʒɪərɪə]
**Nigerian** [naɪ'dʒɪərɪən] **I** *s* nigerian **II** *adj*
nigeriansk
**Nigerien** [ni:'ʒeərɪən] **I** *s* nigerer **II** *adj*
nigerisk
**nigger** ['nɪgə] *s* neds. nigger, svarting;
*work like a* ~ arbeta som en slav
**night** [naɪt] *s* natt; kväll, afton; *first* ~
premiär; *last* ~ a) i går kväll b) i natt,
natten till i dag; *stop the* ~ övernatta; ~*s*
adverb om nätterna; *at* ~ a) på kvällen
b) på (om) natten (nätterna); *by* ~ på
(om) natten
**nightcap** ['naɪtkæp] *s* **1** nattmössa **2** vard.
sängfösare
**nightclub** ['naɪtklʌb] *s* nattklubb
**nightdress** ['naɪtdres] *s* nattlinne
**nightfall** ['naɪtfɔ:l] *s* nattens inbrott
**nightgown** ['naɪtgaʊn] *s* nattlinne
**nightie** ['naɪtɪ] *s* vard. nattlinne
**nightingale** ['naɪtɪŋgeɪl] *s* näktergal
sydnäktergal
**nightlight** ['naɪtlaɪt] *s* nattljus; nattlampa
t.ex. i sovrum

**nightly** ['naɪtlɪ] **I** adj nattlig **II** adv på (om) natten, varje natt

**nightmare** ['naɪtmeə] s mardröm

**night porter** ['naɪtˌpɔːtə] s nattportier

**night safe** ['naɪtseɪf] s nattfack på bank

**night-service** ['naɪtˌsɜːvɪs] s, pl. ~s nattrafik

**nightshade** ['naɪt-ʃeɪd] s bot., *deadly ~* belladonna

**night-time** ['naɪttaɪm] s, *in the ~* el. *at ~* nattetid

**night watchman** [ˌnaɪt'wɒtʃmən] s nattvakt

**nightwear** ['naɪtweə] s nattdräkt

**nil** [nɪl] s noll; *win two ~* vinna med två noll

**Nile** [naɪl] s, *the ~* Nilen

**nimble** ['nɪmbl] adj kvick, flink, snabb

**nincompoop** ['nɪnkəmpuːp] s vard. dumhuvud

**nine** [naɪn] **I** räkn nio **II** s nia

**nineteen** [ˌnaɪn'tiːn] räkn o. s nitton

**nineteenth** [ˌnaɪn'tiːnθ] räkn o. s nittonde; nittondel

**ninetieth** ['naɪntɪɪθ] räkn o. s **1** nittionde **2** nittiondel

**ninety** ['naɪntɪ] **I** räkn nittio **II** s nittio; nittiotal; *in the nineties* på nittiotalet

**ninth** [naɪnθ] räkn o. s nionde; niondel

**nip** [nɪp] **I** vb tr o. vb itr **1** nypa, klämma; bita **2** vard. kila; *~ along (off, round)* kila i väg (bort, över) **II** s nyp, nypning

**nipple** ['nɪpl] s **1** bröstvårta **2** tekn. nippel

**nitpicking** ['nɪtˌpɪkɪŋ] s vard. pedanteri

**nitrate** ['naɪtreɪt] s nitrat

**nitre** ['naɪtə] s salpeter

**nitrogen** ['naɪtrədʒən] s kväve

**nitwit** ['nɪtwɪt] s sl. dumbom, fårskalle

**no** [nəʊ] **I** adj ingen; *~ one* ingen; *she's ~ angel* hon är inte någon ängel precis; *there is ~ knowing when...* man kan inte (aldrig) veta när...; *~ parking (smoking)* parkering (rökning) förbjuden **II** adv nej, inte **III** (pl. *noes*) s nej; nejröst; *the noes have it* nejrösterna är i majoritet

**no.** ['nʌmbə] nr, n:r

**Noah** ['nəʊə] egennamn; *Noah's Ark* Noaks ark

**nobility** [nə'bɪlətɪ] s **1** adel; *the ~* britt. högadeln **2** adelskap **3** ädelhet

**noble** ['nəʊbl] **I** adj adlig, högadlig; ädel, förnäm, nobel **II** s adelsman

**nobleman** ['nəʊblmən] (pl. *noblemen* ['nəʊblmən]) s adelsman

**noble-minded** [ˌnəʊbl'maɪndɪd] adj ädel, högsint

**nobody** ['nəʊbədɪ] **I** indef pron ingen **II** s nolla obetydlig person

**nod** [nɒd] **I** vb itr o. vb tr nicka; sitta och halvsova; nicka med [~ *one's head*]; nicka till [~ *approval* (bifall)] **II** s nick

**noise** [nɔɪz] s buller, starkt ljud, oväsen; *~ suppressor* störningsskydd; *make a ~* bullra, föra oväsen

**noiseless** ['nɔɪzləs] adj ljudlös; tystgående

**noisy** ['nɔɪzɪ] adj bullersam, bullrande

**no-man's-land** ['nəʊmænzlænd] s ingenmansland

**nominate** ['nɒmɪneɪt] vb tr nominera; utnämna, utse

**nomination** [ˌnɒmɪ'neɪʃ(ə)n] s nominering; utnämning

**nominative** ['nɒmɪnətɪv] s nominativ

**non** [nɒn] adv inte; i sammansättningar: a) icke- [*non-smoker*] b) o- [*non-essential* (oväsentlig)] c) -fri [*non-iron; non-skid*]

**non-alcoholic** ['nɒnˌælkə'hɒlɪk] adj alkoholfri

**non-aligned** [ˌnɒnə'laɪnd] adj alliansfri

**nonchalance** ['nɒnʃələns] s nonchalans

**nonchalant** ['nɒnʃələnt] adj nonchalant

**non-commissioned** [ˌnɒnkə'mɪʃ(ə)nd] adj, *~ officer* mil. underofficer; underbefäl

**nondescript** ['nɒndɪskrɪpt] adj obestämbar

**non-drip** [ˌnɒn'drɪp] adj droppfri

**none** [nʌn] **I** indef pron ingen, inget, inga **II** adv ingalunda; *I was ~ the wiser for it* det blev jag inte klokare av

**nonentity** [nɒ'nentətɪ] s nolla, obetydlig person

**non-existent** [ˌnɒnɪg'zɪst(ə)nt] adj obefintlig

**non-fattening** [ˌnɒn'fæt(ə)nɪŋ] adj icke fettbildande

**non-fiction** [ˌnɒn'fɪkʃ(ə)n] s icke skönlitteratur; facklitteratur; sakprosa

**non-iron** [ˌnɒn'aɪən] adj strykfri [*a ~ shirt*]

**nonplussed** [ˌnɒn'plʌst] adj, *be ~* vara ställd (svarslös)

**non-resident** [ˌnɒn'rezɪd(ə)nt] s tillfällig gäst [*the hotel restaurant is open to ~s*]

**nonsense** ['nɒns(ə)ns] s nonsens, prat, strunt, dumheter

**non-skid** [ˌnɒn'skɪd] adj slirfri [~ *tyres*]

**non-smoker** [ˌnɒn'sməʊkə] s **1** icke-rökare **2** kupé för icke-rökare

**non-smoking** [ˌnɒn'sməʊkɪŋ] s, *~ compartment* kupé för icke-rökare

**non-stop** [ˌnɒnˈstɒp] *adj* o. *adv* nonstop; utan att stanna, utan uppehåll
**non-violence** [ˌnɒnˈvaɪələns] *s* icke-våld
**noodle** [ˈnuːdl] *s* nudel slags bandspaghetti
**nook** [nʊk] *s* vrå, skrymsle
**noon** [nuːn] *s* middag, klockan tolv på dagen [*before ~*]
**noose** [nuːs] *s* snara; löpknut
**nor** [nɔː] *konj, neither...~* varken...eller; *~ had I* och inte jag heller
**Nordic** [ˈnɔːdɪk] *adj* nordisk
**normal** [ˈnɔːm(ə)l] **I** *adj* normal **II** *s* det normala [*above ~*]
**Norman** [ˈnɔːmən] **I** *s* normand **II** *adj* **1** normandisk **2** arkit. romansk [*~ style*]
**Normandy** [ˈnɔːməndɪ] Normandie
**north** [nɔːθ] **I** *s* **1** norr, nord; *to the ~ of* norr om **2** *the North* nordliga länder; norra delen **II** *adj* nordlig, norra, nordan-; *North America* Nordamerika; *the North Atlantic Treaty Organization* Atlantpaktsorganisationen; *the North Pole* nordpolen; *the North Sea* Nordsjön **III** *adv* mot (åt) norr, norrut; *~ of* norr om
**northbound** [ˈnɔːθbaʊnd] *adj* nordgående
**north-east** [ˌnɔːθˈiːst] **I** *s* nordost, nordöst **II** *adj* nordöstlig, nordostlig, nordöstra **III** *adv* mot (i) nordost; *~ of* nordost om
**north-easterly** [ˌnɔːθˈiːstəlɪ] *adj* nordostlig
**north-eastern** [ˌnɔːθˈiːstən] *adj* nordostlig
**northerly** [ˈnɔːðəlɪ] *adj* nordlig
**northern** [ˈnɔːð(ə)n] *adj* **1** nordlig; norra, nord- [*Northern Ireland*]; *~ lights* norrsken **2** nordisk
**northerner** [ˈnɔːðənə] *s* person från norra delen av landet (ett land); nordbo
**northernmost** [ˈnɔːð(ə)nməʊst] *adj* nordligast
**northward** [ˈnɔːθwəd] **I** *adj* nordlig **II** *adv* mot norr
**northwards** [ˈnɔːθwədz] *adv* mot norr
**north-west** [ˌnɔːθˈwest] **I** *s* nordväst **II** *adj* nordvästlig, nordvästra **III** *adv* mot (i) nordväst; *~ of* nordväst om
**north-western** [ˌnɔːθˈwestən] *adj* nordvästlig, nordvästra
**Norway** [ˈnɔːweɪ] Norge
**Norwegian** [nɔːˈwiːdʒ(ə)n] **I** *adj* norsk **II** *s* **1** norrman **2** norska språket
**nose** [nəʊz] *s* näsa; nos; *blow one's ~* snyta sig; *stick (poke) one's ~ into other people's business* lägga näsan i blöt; *pay through the ~* vard. bli uppskörtad

**nosey** [ˈnəʊzɪ] *adj* vard. nyfiken i en strut
**nosh** [nɒʃ] *s* sl. käk mat
**nosocomial** [ˌnɒsəˈkəʊmɪəl] *adj* med., *~ disease* sjukhussjuka
**nostalgia** [nɒˈstældʒɪə] *s* nostalgi; hemlängtan
**nostalgic** [nɒˈstældʒɪk] *adj* nostalgisk
**nostril** [ˈnɒstr(ə)l] *s* näsborre
**nosy** [ˈnəʊzɪ] *adj* vard. nyfiken i en strut
**not** [nɒt] *adv* (efter hjälpverb ofta *n't* [*haven't; couldn't*]) inte, icke, ej; *~ that* inte för (så) att [*~ that I fear him*]; *doesn't (hasn't, can't) he (she, it, one)?* vanl. ...eller hur?, ...inte sant?
**notable** [ˈnəʊtəbl] *adj* märklig; framstående, betydande
**notably** [ˈnəʊtəblɪ] *adv* märkbart; särskilt, i synnerhet
**notch** [nɒtʃ] *s* hack, jack, skåra
**note** [nəʊt] **I** *s* **1** anteckning; not; *~s* kommentar, kommentarer **2** kort brev (meddelande) **3** sedel **4** mus. a) ton b) not c) tangent **5** ton, stämning **6** *a man of ~* en framstående man; *take ~ of* lägga märke till; *nothing of ~* ingenting av betydelse **II** *vb tr* **1** märka, notera, observera **2** anteckna, skriva upp (ned)
**note block** [ˈnəʊtblɒk] *s* kollegieblock
**notebook** [ˈnəʊtbʊk] *s* anteckningsbok
**noted** [ˈnəʊtɪd] *adj* bekant, känd [*for* för]
**note pad** [ˈnəʊtpæd] *s* kollegieblock
**notepaper** [ˈnəʊtˌpeɪpə] *s* brevpapper
**noteworthy** [ˈnəʊtˌwɜːðɪ] *adj* anmärkningsvärd, beaktansvärd
**nothing** [ˈnʌθɪŋ] **I** *indef pron* ingenting, inget; *~ but* ingenting annat än; *~ else than (but)* blott □ *there is ~* **for** *it but to* + infinitiv det är inget annat att göra än att...; *for ~* a) gratis [*he did it for ~*] b) förgäves [*suffer for ~*]; *not for ~* inte för inte; *there is ~* **in** *it* a) det ligger ingenting ingen sanning i det b) det är ingen konst; *make ~* **of** inte få ut något av; *I can make ~ of it* jag förstår mig inte på det; *to say ~ of* för att inte tala om; *there's ~* **to** *it* a) det är ingen konst b) det ligger ingenting ingen sanning i det; *with ~* **on** utan någonting på sig
**II** *adv* inte alls, ingalunda; *~ like* inte på långt när
**notice** [ˈnəʊtɪs] **I** *s* **1** notis, meddelande **2** varsel; uppsägning; *give ~* underrätta, varsko [*of* om]; *give ~ to quit* el. *give ~* säga upp sig; *give ~ of a strike* varsla om strejk; *receive (get) a month's ~* bli

uppsagd med en månads varsel; *until*
(*till*) *further* ~ tills vidare **3** kännedom
[*bring a th. to a p.'s* ~]; *attract* ~ väcka
uppmärksamhet; *pay no* ~ *to* el. *take no*
~ *of* inte bry sig om **II** *vb tr* märka, lägga
märke till, iaktta
**noticeable** ['nəʊtɪsəbl] *adj* märkbar;
påfallande
**notice board** ['nəʊtɪsbɔ:d] *s* anslagstavla
**notification** [ˌnəʊtɪfɪ'keɪʃ(ə)n] *s*
underrättelse
**notify** ['nəʊtɪfaɪ] *vb tr* underrätta, varsko
**notion** ['nəʊʃ(ə)n] *s* föreställning, begrepp;
idé, infall [*a stupid* ~]
**notorious** [nə'tɔ:rɪəs] *adj* ökänd
**notwithstanding** [ˌnɒtwɪθ'stændɪŋ] *prep* o.
*konj* trots, oaktat; trots att
**nougat** ['nu:gɑ:] *s* fransk nougat
**nought** [nɔ:t] *s* noll, nolla; ~*s and crosses*
ungefär luffarschack
**noun** [naʊn] *s* substantiv
**nourish** ['nʌrɪʃ] *vb tr* ge näring åt, nära
**nourishing** ['nʌrɪʃɪŋ] *adj* närande [~ *food*]
**nourishment** ['nʌrɪʃmənt] *s* näring, föda
**novel** ['nɒv(ə)l] **I** *adj* ny, nymodig; ovanlig
**II** *s* roman
**novelist** ['nɒvəlɪst] *s* romanförfattare
**novelty** ['nɒvəltɪ] *s* nyhet, nymodighet
**November** [nə'vembə] *s* november
**novice** ['nɒvɪs] *s* novis, nybörjare
**now** [naʊ] **I** *adv* **1** nu; ~ (*every* ~) *and
then* (*again*) då och då; *before* ~ förut;
före detta; *by* ~ vid det här laget; *from* ~
*on* från och med nu **2** ~ *then* a) nå b) aj,
aj [~ *then, don't touch it!*]; *what was your
name,* ~? vad var det du hette nu igen?
**II** *konj* nu då [~ *you mention it*]
**nowadays** ['naʊədeɪz] *adv* nuförtiden
**nowhere** ['nəʊweə] *adv* ingenstans; ingen
vart; ~ *else* (*else but*) ingen annanstans
(annanstans än); ~ *near* inte på långt
när; *we are getting* ~ vi kommer ingen
vart
**nozzle** ['nɒzl] *s* munstycke, pip
**NSPCC** (förk. för *National Society for the
Prevention of Cruelty to Children*) svensk
motsvarighet ung. BRIS
**n't** [nt] = *not* [*hasn't; needn't*]
**nuclear** ['nju:klɪə] *adj* kärn-; nukleär;
kärnvapen- [~ *strike* (anfall)]; ~ *energy*
atomenergi; ~ *power* kärnkraft
**nuclear-powered** [ˌnju:klɪə'paʊəd] *adj*
kärnenergidriven, atom- [~ *submarine*]
**nude** [nju:d] **I** *adj* naken; bar **II** *s* naken

figur; konst. naketstudie, akt; *in the* ~
naken
**nudge** [nʌdʒ] **I** *vb tr,* ~ *a p.* knuffa ngn
med armbågen för att påkalla uppmärksamhet **II** *s*
puff
**nudism** ['nju:dɪz(ə)m] *s* nudism
**nudist** ['nju:dɪst] *s* nudist
**nudity** ['nju:dətɪ] *s* nakenhet
**nugget** ['nʌgɪt] *s* klump, klimp av ädel
metall
**nuisance** ['nju:sns] *s* otyg, oskick;
olägenhet, besvär, plåga; *what a* ~! så
tråkigt!
**numb** [nʌm] **I** *adj* domnad; ~ *with cold*
stel av köld **II** *vb tr* göra stel (stelfrusen)
**number** ['nʌmbə] **I** *s* **1** antal, mängd; *few
in* ~ (*in* ~s) få till antalet; *superior in* ~
(*in* ~s) numerärt överlägsen **2** nummer
[*telephone* ~]; tal [*odd* ~]; *cardinal* ~
grundtal **3** nummer av tidskrift **4** teat. m.m.
nummer [*a solo* ~] **5** numerus **II** *vb tr*
**1** numrera; paginera **2** omfatta, uppgå till
**3** räkna [*I* ~ *myself among his friends*]
**4** räkna antalet av; *his days are numbered*
hans dagar är räknade
**numeral** ['nju:mərəl] *s* **1** gram. räkneord
**2** siffra [*Roman* ~s]
**numerator** ['nju:məreɪtə] *s* mat. täljare
**numerical** [nju'merɪk(ə)l] *adj* numerisk,
numerär [~ *superiority*]; siffer- [~ *system*];
*in* ~ *order* i nummerordning
**numerous** ['nju:mərəs] *adj* talrik
**nun** [nʌn] *s* nunna
**nunnery** ['nʌnərɪ] *s* nunnekloster
**nurse** [nɜ:s] **I** *s* **1** sjuksköterska, syster;
*male* ~ sjukskötare **2** barnsköterska **II** *vb
tr* **1** sköta barn el. sjuka; vårda **2** sköta om
[~ *a cold*]
**nursemaid** ['nɜ:smeɪd] *s* barnflicka
**nursery** ['nɜ:sərɪ] *s* **1** barnkammare; ~
*rhyme* barnkammarrim, barnvisa; ~
*school* lekskola; förskola **2** plantskola,
trädskola
**nursing** ['nɜ:sɪŋ] *s* **1** sjukvård **2** amning
**nursing-home** ['nɜ:sɪŋhəʊm] *s* sjukhem,
vårdhem, privatklinik
**nurture** ['nɜ:tʃə] *vb tr* föda, föda upp, nära
**nut** [nʌt] *s* **1** nöt; kärna i en nöt **2** mutter
**3** vard. tokstolle
**nutcracker** ['nʌtˌkrækə] *s,* vanl. pl. ~*s*
nötknäppare; *a pair of* ~*s* en
nötknäppare
**nuthatch** ['nʌthætʃ] *s* zool. nötväcka
**nutmeg** ['nʌtmeg] *s* krydda muskot
**nutrition** [nju'trɪʃ(ə)n] *s* näring

**nutritious** [njʊ'trɪʃəs] *adj* näringsrik
**nutritive** ['nju:trətɪv] *adj*, **~ value**
näringsvärde
**nuts** [nʌts] *adj* sl. knasig, knäpp
**nutshell** ['nʌt-ʃel] *s* nötskal; **to put it in a**
**~** kort sagt
**nutty** ['nʌtɪ] *adj* **1** med nötsmak; full med
nötter **2** sl. knasig, knäpp
**nuzzle** ['nʌzl] *vb tr* o. *vb itr* trycka nosen
mot [*the horse nuzzled my shoulder*]; **~**
**against** (**up against**) trycka nosen mot
**NW** (förk. för *north-west, north-western*) NV
**NY** förk. för *New York*
**nylon** ['naɪlən] *s* nylon; pl. **~s**
nylonstrumpor
**NZ** förk. för *New Zealand*

# O

**O, o** [əʊ] *s* **1** O, o **2** nolla; i
sifferkombinationer noll; **please dial 5060**
[,faɪvəʊ'sɪksəʊ] var god slå (ta) 5060
**oaf** [əʊf] *s* dummerjöns, idiot; drummel
**oak** [əʊk] *s* **1** ek träd **2** ek, ekvirke
**oaken** ['əʊk(ə)n] *adj* av ek, ek-
**oar** [ɔː] *s* åra
**oarlock** ['ɔːlɒk] *s* årtull, årklyka
**oasis** [əʊ'eɪsɪs] (pl. *oases* [əʊ'eɪsiːz]) *s* oas
**oath** [əʊθ] *s* **1** ed; **take the ~** jur. avlägga
eden **2** svordom
**oatmeal** ['əʊtmiːl] *s* havremjöl; **~**
**porridge** havregrynsgröt
**oats** [əʊts] *s pl* havre
**obedience** [ə'biːdjəns] *s* lydnad, åtlydnad
**obedient** [ə'biːdjənt] *adj* lydig
**obelisk** ['ɒbəlɪsk] *s* obelisk
**obese** [ə'biːs] *adj* mycket (sjukligt) fet
**obesity** [ə'biːsətɪ] *s* stark (sjuklig) fetma
**obey** [ə'beɪ] *vb tr* o. *vb itr* lyda, hörsamma
**obituary** [ə'bɪtjʊərɪ] *s*, **~ notice** el. **~**
dödsruna, dödsannons; rubrik dödsfall
**object** [substantiv 'ɒbdʒɪkt, verb əb'dʒekt] **I** *s*
**1** föremål, sak, ting **2** syfte, ändamål,
avsikt; **money is no ~** det får kosta vad
det vill **3** gram. objekt; **direct ~**
ackusativobjekt **II** *vb tr* o. *vb itr* invända
[*that* att]; protestera [*to* mot]; **~ to** ogilla,
inte tåla; **if you don't ~** om du inte har
något emot det
**objection** [əb'dʒekʃ(ə)n] *s* invändning,
protest [*to, against* mot]; **I have no ~ to**
**it** det har jag ingenting emot
**objectionable** [əb'dʒekʃənəbl] *adj*
förkastlig; anstötlig; obehaglig
**objective** [əb'dʒektɪv] **I** *adj* objektiv; saklig
**II** *s* mål
**obligation** [,ɒblɪ'geɪʃ(ə)n] *s* **1** förpliktelse,
åtagande; åliggande, skyldighet; **be** (**feel**)
**under an ~** vara (känna sig) förpliktad
**2 be under an ~** stå i tacksamhetsskuld
**obligatory** [ə'blɪgətrɪ] *adj* obligatorisk
**oblige** [ə'blaɪdʒ] *vb tr* **1** förpliktiga; **be**
**obliged to** vara förpliktad (tvungen) att
**2** tillmötesgå [*I do my best to ~ him*]; stå
ngn till tjänst; **I'm much obliged** jag är
mycket tacksam; **much obliged!** tack så
mycket!
**obliging** [ə'blaɪdʒɪŋ] *adj* förekommande,
tillmötesgående

**odds**

**oblique** [ə'bli:k] *adj* sned, skev
**obliterate** [ə'blɪtəreɪt] *vb tr* utplåna, stryka ut
**oblivion** [ə'blɪvɪən] *s* glömska
**oblivious** [ə'blɪvɪəs] *adj* glömsk [*of* av]
**oblong** ['ɒblɒŋ] *adj* avlång, rektangulär
**obnoxious** [əb'nɒkʃəs] *adj* vidrig; förhatlig
**oboe** ['əʊbəʊ] *s* oboe
**obscene** [əb'si:n] *adj* oanständig
**obscenity** [əb'senətɪ] *s* oanständighet
**obscure** [əb'skjʊə] **I** *adj* **1** dunkel, mörk **2** svårfattlig, oklar **II** *vb tr* fördunkla; skymma [*mist obscured the view*]
**obscurity** [əb'skjʊərətɪ] *s* **1** dunkel, mörker **2** svårfattlighet
**obsequious** [əb'si:kwɪəs] *adj* inställsam
**observance** [əb'zɜ:v(ə)ns] *s* iakttagande, efterlevnad; fullgörande; firande
**observant** [əb'zɜ:v(ə)nt] *adj* uppmärksam
**observation** [ˌɒbzə'veɪʃ(ə)n] *s* observation, iakttagelse; *powers of* ~ iakttagelseförmåga
**observatory** [əb'zɜ:vətrɪ] *s* observatorium
**observe** [əb'zɜ:v] *vb tr* o. *vb itr* observera, iaktta
**observer** [əb'zɜ:və] *s* iakttagare; observatör
**obsess** [əb'ses] *vb tr*, *be obsessed by* vara besatt av
**obsession** [əb'seʃ(ə)n] *s* fix idé; besatthet
**obsolete** ['ɒbsəli:t] *adj* föråldrad [~ *words*]; omodern [*an* ~ *battleship*]; förlegad
**obstacle** ['ɒbstəkl] *s* hinder [*to* för]
**obstacle-race** ['ɒbstəkleɪs] *s* hindertävling slags sällskapslek
**obstinacy** ['ɒbstɪnəsɪ] *s* envishet
**obstinate** ['ɒbstɪnət] *adj* envis
**obstruct** [əb'strʌkt] *vb tr* täppa till, blockera [~ *a passage*]; hindra [~ *the traffic*]
**obstruction** [əb'strʌkʃ(ə)n] *s* tilltäppning, hindrande; polit. el. sport. obstruktion
**obtain** [əb'teɪn] *vb tr* få, skaffa sig, erhålla
**obtainable** [əb'teɪnəbl] *adj* anskaffbar
**obtuse** [əb'tju:s] *adj* slö, trögtänkt
**obvious** ['ɒbvɪəs] *adj* tydlig, uppenbar
**obviously** ['ɒbvɪəslɪ] *adv* tydligen, uppenbarligen
**occasion** [ə'keɪʒ(ə)n] *s* **1** a) tillfälle [*on* (vid) *several* ~*s*] b) tilldragelse, händelse; *on* ~ då och då; *rise* (*be equal*) *to the* ~ vara situationen vuxen **2** anledning
**occasional** [ə'keɪʒənl] *adj* tillfällig; enstaka [~ *showers*]; *an* ~ *job* ett ströjobb
**occasionally** [ə'keɪʒnəlɪ] *adv* då och då

**occidental** [ˌɒksɪ'dentl] *adj* västerländsk
**occult** [ɒ'kʌlt] **I** *adj* ockult **II** *s*, *the* ~ det ockulta
**occupant** ['ɒkjʊpənt] *s* invånare [*the* ~*s of the house*]; *the* ~*s of the car were...* de som befann sig i bilen var...
**occupation** [ˌɒkjʊ'peɪʃ(ə)n] *s* **1** mil. ockupation; ~ *forces* ockupationsstyrkor **2** sysselsättning [*my favourite* ~], syssla [*my daily* ~*s*]; yrke [*state name and* ~]
**occupational** [ˌɒkjʊ'peɪʃən] *adj* arbets- [~ *therapy*], yrkes- [~ *disease*]
**occupier** ['ɒkjʊpaɪə] *s* innehavare [*the* ~ *of the flat*]; *the* ~*s of the flat* [*had left*] äv. de som bodde i lägenheten...
**occupy** ['ɒkjʊpaɪ] *vb tr* **1** mil. ockupera, inta **2** inneha [~ *an important position*], vara innehavare av **3** bo i (på) [~ *a house*] **4** uppta [~ *a p.'s time*]; *the seat is occupied* platsen är upptagen
**occur** [ə'kɜ:] *vb itr* **1** inträffa, hända, ske; förekomma **2** ~ *to a p.* falla ngn in [*to* att]
**occurrence** [ə'kʌr(ə)ns] *s* händelse, tilldragelse; förekomst
**ocean** ['əʊʃ(ə)n] *s* ocean, världshav, hav
**ochre** ['əʊkə] *s* miner. ockra
**o'clock** [ə'klɒk] *adv*, *it is ten* ~ klockan är tio; *at one* ~ klockan ett
**octagon** ['ɒktəgən] *s* åttahörning
**octane** ['ɒkteɪn] *s* oktan
**octave** ['ɒktɪv] *s* oktav
**October** [ɒk'təʊbə] *s* oktober
**octopus** ['ɒktəpəs] *s* bläckfisk
**ocular** ['ɒkjʊlə] *adj* okulär; ögon-; synlig
**oculist** ['ɒkjʊlɪst] *s* ögonläkare
**odd** [ɒd] *adj* **1** udda, ojämn [*an* ~ *number*]; omaka [*an* ~ *glove*]; ~ *pair* restpar; *keep the* ~ *change!* det är jämna pengar!; *at fifty* ~ vid några och femtio års ålder; *a hundred* ~ *kilometres* drygt hundra kilometer **2** tillfällig, extra; ~ *jobs* ströjobb; *at* ~ *moments* på lediga stunder **3** underlig, besynnerlig, konstig
**oddity** ['ɒdətɪ] *s* underlighet
**odd-job man** [ˌɒd'dʒɒbmæn] *s* diversearbetare
**odd-looking** ['ɒdˌlʊkɪŋ] *adj* med underligt utseende
**oddly** ['ɒdlɪ] *adv* underligt, besynnerligt, konstigt [~ *enough* (nog)]
**oddment** ['ɒdmənt] *s*, pl. ~*s* småsaker
**odds** [ɒdz] *s* **1** utsikter, odds, chanser; *the* ~ *are against him* han har alla odds emot sig; *the* ~ *are in his favour* han har

goda utsikter; *fight against ~* (*heavy ~*)
kämpa mot övermakten **2** spel. odds; *long
~* höga odds; små chanser; *short ~* låga
odds **3** *at ~* oense, osams **4** *~ and ends*
småsaker
**odds-on** ['ɒdzɒn] *adj, be an ~ favourite*
vara klar favorit
**ode** [əʊd] *s* ode [*on* över]
**odious** ['əʊdjəs] *adj* förhatlig, avskyvärd
**odometer** [əʊ'dɒmɪtə] *s* speciellt amer.
vägmätare
**odour** ['əʊdə] *s* lukt; odör; doft
**of** [ɒv, obetonat əv] *prep* om [*north ~ York*];
av [*born ~ poor parents*]; från [*a writer ~
the 18th century; Professor Smith ~
Cambridge*]; i [*die ~ cancer*]; på [*a class ~
30 pupils; a boy ~ ten*]; med [*a man ~
foreign appearance; the advantage ~ this
system*]; *five minutes ~ twelve* amer. fem
minuter i tolv; *a cup ~ tea* en kopp te; *a
number ~ people* ett antal människor;
*the town ~ Brighton* staden Brighton;
*on the fifth ~ May* den femte maj; *a
novel ~ Stevenson's* en roman av
Stevenson; *the works ~ Milton* Miltons
verk; *the University ~ London* Londons
universitet, universitetet i London
**off** [ɒf] **I** *adv* o. *adj* **1** bort, i väg [*~ with
you!*]; av [*get* (stiga) *~*]; på t.ex.
instrumenttavla frånkopplad, från; *~ we go!*
nu går vi!; *far ~* långt bort; *Christmas is
only a week ~* det är bara en vecka till
jul; *time ~* ledighet; *take time ~* ta ledigt
□ **be ~** i speciella betydelser: **a)** vara av [*the lid
is ~*]; vara ur, ha lossnat [*the button is ~*]
**b)** ge sig av, kila; *it's time we were ~* det
är på tiden vi kommer i väg; *where are
you ~ to?* vart ska du ta vägen? **c)** vara
ledig **d)** på restaurang vara slut [*this dish is ~
today*]; vara frånkopplad; vara inställd
[*the party is ~*]; *the wedding is ~* det blir
inget bröllop **e)** vard. inte vara färsk [*the
meat was a bit ~*] **f)** *how are you ~ for
money?* hur har du det med pengar? **2** *~
season* lågsäsong, dödsäsong
  **II** *prep* **1** ner från [*he fell ~ the ladder*],
av [*he fell ~ the bicycle*] **2** vid, nära [*~ the
coast*] **3** vard., *I'm ~ smoking* jag har lagt
av med att röka **4** på [*3% discount ~ the
price*]
**offal** ['ɒf(ə)l] *s* slaktavfall; inälvor
**off-chance** ['ɒftʃɑːns] *s* liten chans [*there is
an ~ that…*]; *we called on the ~ of
finding you at home* vi chansade på att
du skulle vara hemma

**off-colour** [ˌɒf'kʌlə] *adj* lite krasslig (vissen)
**off-day** ['ɒfdeɪ] *s* ledig dag; dålig dag [*one
of my ~s*]
**offence** [ə'fens] *s* **1** lagöverträdelse,
förseelse; försyndelse; *punishable ~*
straffbar handling; *it is an ~ to* det är
straffbart att; *commit an ~* bryta mot
lagen **2** *give* (*cause*) *~ to* väcka anstöt
hos, stöta; *take ~* ta illa upp; *quick to
take ~* lättstött
**offend** [ə'fend] *vb* tr o. *vb* itr väcka anstöt
hos; väcka anstöt; *be offended* bli stött
[*by a p.* på ngn; *by a th.* över ngt]; *don't
be offended* ta inte illa upp; *~ against*
bryta (synda) mot
**offender** [ə'fendə] *s* lagöverträdare;
syndare; *~s will be prosecuted*
överträdelse beivras
**offense** [ə'fens] *s* amer., se *offence*
**offensive** [ə'fensɪv] **I** *adj* **1** offensiv,
anfalls- [*~ weapons*] **2** anstötlig, stötande
**3** vidrig, motbjudande [*an ~ smell*] **II** *s*
offensiv
**offer** ['ɒfə] **I** *vb* tr o. *vb* itr **1** erbjuda; bjuda
[*I offered him £15,000 for the house*]; *~ for
sale* bjuda ut till försäljning; *I offered
him a cigarette* jag bjöd honom på en
cigarrett **2** utlova; *~ a reward* utfästa en
belöning **3** framföra [*~ an apology*] **4** *~ to*
+ infinitiv erbjuda sig att [*he offered to help
me*] **II** *s* erbjudande [*of* om], anbud, bud;
hand. offert
**offering** ['ɒfərɪŋ] *s* offergåva
**off-hand** [ˌɒf'hænd] *adv* o. *adj* **1** på rak arm
**2** nonchalant
**office** ['ɒfɪs] *s* **1** kontor; byrå; expedition;
tjänsterum; kansli; *~ block*
kontorsbyggnad **2** *Office* a) departement
[*the Home Office*] b) ämbetsverk [*the
Patent Office*] **3** ämbete, tjänst,
befattning; *the Government in ~* den
sittande regeringen
**office boy** ['ɒfɪsbɔɪ] *s* kontorspojke
**officer** ['ɒfɪsə] *s* **1** officer; pl. *~s* äv. befäl
**2** *police ~* (vid tilltal vanl. *~*) polis,
polisman
**official** [ə'fɪʃ(ə)l] **I** *s* **1** ämbetsman,
tjänsteman **2** sport. funktionär **II** *adj*
officiell [*in ~ circles*]; ämbets-; tjänste- [*~
letter*]
**officially** [ə'fɪʃəlɪ] *adv* officiellt
**officiate** [ə'fɪʃɪeɪt] *vb* itr fungera [*~ as
chairman*], tjänstgöra; officiera
**offing** ['ɒfɪŋ] *s, in the ~* under uppsegling

[*a quarrel in the* ~]; i kikarn [*I have a job in the* ~]
**off-licence** ['ɒfˌlaɪs(ə)ns] *s* spritbutik
**off-peak** ['ɒfpiːk] *adj, at ~ hours* vid lågtrafik; elektr. vid lågbelastning
**offprint** ['ɒfprɪnt] *s* särtryck
**offset** ['ɒfset] (*offset offset*) *vb tr* uppväga [*the gains* ~ *the losses*]
**offshoot** ['ɒfʃuːt] *s* bot. sidoskott
**offshore** [ˌɒfˈʃɔː] *adj* o. *adv* **1** frånlands- [~ *wind*] **2** utanför kusten [~ *fisheries*]
**offside** [ˌɒfˈsaɪd] *adj* o. *s* **1** sport. offside **2** trafik.: vid vänstertrafik höger sida; vid högertrafik vänster sida
**offspring** ['ɒfsprɪŋ] *s* avkomma, avföda
**off-the-cuff** [ˌɒfðəˈkʌf] *adj* improviserad
**off-white** [ˌɒfˈwaɪt] *adj* off-white, benvit
**oft** [ɒft] *adv* poet. ofta
**often** ['ɒfn] *adv* ofta; *as ~ as not* ganska ofta; *more ~ than not* oftast; *every so ~* då och då
**ogle** ['əʊgl] *vb itr* snegla [*at* på]; ögonflirta [*at* med]
**ogre** ['əʊgə] *s* i folksagor jätte; odjur äv. bildl.
**oh** [əʊ] *interj*, ~! å!, äsch!; oj!, aj!
**oil** [ɔɪl] **I** *s* **1** olja; *pour ~ on troubled waters* bildl. gjuta olja på vågorna **2** mest pl. ~*s* **a**) oljemålningar **b**) *paint in ~s* måla i olja **II** *vb tr* olja in
**oilcloth** ['ɔɪlklɒθ] *s* vaxduk; oljeduk
**oil gauge** ['ɔɪlgeɪdʒ] *s* oljemätare
**oil painting** ['ɔɪlˌpeɪntɪŋ] *s* oljemålning
**oilrig** ['ɔɪlrɪg] *s* oljeborrplattform
**oilslick** ['ɔɪlslɪk] *s* oljefläck t.ex. på vattnet
**oilstove** ['ɔɪlstəʊv] *s* **1** fotogenkök **2** fotogenkamin
**oily** ['ɔɪlɪ] *adj* oljig, oljeaktig; fet, flottig
**ointment** ['ɔɪntmənt] *s* salva; smörjelse
**OK** [ˌəʊˈkeɪ] vard. **I** *adj* o. *adv* OK; *it's ~ by* (*with*) *me* det är OK för min del, gärna för mig **II** *s, the ~* okay, klarsignal **III** *vb tr* godkänna [*the report was OK'd*]
**okay** [ˌəʊˈkeɪ] speciellt amer. = *OK*
**old** [əʊld] **I** (komparativ o. superlativ *older, oldest;* ibland *elder, eldest,* se dessa ord) *adj* **1** gammal; tidigare, f.d.; ~ *boy* **a**) gammal elev [*the school's ~ boys*] **b**) vard. gammal farbror, gamling; ~ *boy* (*chap, fellow, man*)*!* vard. gamle vän!, gamle gosse!; ~ *girl!* vard. flicka lilla!, lilla gumman!; *he's an ~ hand* vard. han är gammal i gamet; *any ~ thing* vard. vad katten som helst; *the Old World* Gamla världen; *good ~ John!* vard. gamle John! **2** forn- [*Old English* engelska språket före

1100]
    **II** *s, in days* (*times*) *of ~* el. *of ~* fordom, i gamla tider; [*I know him*] *of ~* ...sedan gammalt
**old-age** [ˌəʊldˈeɪdʒ] *adj, ~ pension* [ˌəʊldeɪdʒˈpenʃ(ə)n] förr ålderspension, folkpension
**olden** ['əʊld(ə)n] *adj, in ~ times* (*days*) i gamla tider
**old-fashioned** [ˌəʊldˈfæʃ(ə)nd] *adj* **1** gammalmodig, gammaldags **2** lillgammal
**oldish** ['əʊldɪʃ] *adj* äldre, rätt gammal
**old-time** ['əʊldtaɪm] *adj* gammaldags
**old-timer** [ˌəʊldˈtaɪmə] *s* vard. **1** *an ~* en som är gammal i gamet **2** gamling
**old-world** ['əʊldwɜːld] *adj* gammaldags
**olive** ['ɒlɪv] **I** *s* oliv **II** *adj* olivgrön
**Olympiad** [əˈlɪmpiæd] *s* olympiad
**Olympic** [əˈlɪmpɪk] *adj, the ~ Games* de olympiska spelen
**ombudsman** ['ɒmbʊdzmən] *s* i Storbritannien justitieombudsman
**omelet** o. **omelette** ['ɒmlət] *s* omelett
**omen** ['əʊmen] *s* omen, förebud
**ominous** ['ɒmɪnəs] *adj* illavarslande, olycksbådande
**omission** [əˈmɪʃ(ə)n] *s* **1** utelämnande **2** underlåtenhet, försummelse
**omit** [əˈmɪt] *vb tr* **1** utelämna **2** underlåta, försumma
**omnibus** ['ɒmnɪbəs] *s* **1** buss **2** ~ *book* (*volume*) samlingsband, samlingsverk
**omnipotent** [ɒmˈnɪpət(ə)nt] *adj* allsmäktig
**omnivorous** [ɒmˈnɪvərəs] *adj* allätande
**on** [ɒn] **I** *prep* på [~ *the radio (TV)*; amer. ~ *19th Street*]; i [~ *the ceiling; the look ~ his face; talk ~ the telephone*]; vid [*a town ~ the Channel; Newcastle is situated ~ the Tyne*]; mot [*they made an attack ~ the town*]; till [~ *land and sea*; ~ *foot*]; om, kring, över [*a book (lecture) ~ a subject*]; ~ *May 1st* den 1 maj; ~ *the morning of May 1st* den 1 maj på morgonen, på morgonen den 1 maj; ~ *my arrival at Hull* (*in London*), *I went...* vid ankomsten till Hull (London), gick jag...; ~ *hearing this* [*he...*] då han fick veta detta...; ~ *second thoughts* vid närmare eftertanke; *this is ~ me* vard. det är jag som bjuder; *it's ~ the house* vard. det är huset som bjuder; ~ *to* ner (upp) på
    **II** *adv* o. *adj* på [*a pot with the lid ~*]; på sig [*he drew his boots ~*]; vidare [*pass it ~!*]; *walk right ~* gå rakt fram; *a little*

*further* ~ lite längre fram; *from that day*
~ från och med den dagen; *the light is* ~
ljuset är tänt; *the radio is* ~ radion är på;
*what's* ~ *tonight?* vad är det för
program i kväll?; vad är planerna för i
kväll?; *it's just not* ~ vard. det går bara
inte; *what's he* ~ *about?* vad bråkar
(snackar) han om?; ~ *and* ~ utan avbrott,
i ett kör
**once** [wʌns] **I** *adv* **1** en gång [~ *is enough*];
~ *or twice* ett par gånger; ~ *bitten* (*bit*)
*twice shy* ordspr. bränt barn skyr elden; ~
*again* (*more*) en gång till, ännu en gång;
~ *and for all* el. ~ *for all* en gång för alla;
~ *in a while* en och annan gång; *for* ~
för en gångs skull; *at* ~ a) med
detsamma, genast b) på samma gång; *all*
*at* ~ a) plötsligt, med ens b) alla på en
gång **2** en gång, förr; ~ (~ *upon a time*)
*there was a king* det var en gång en
kung **II** *konj*, ~ *he had done it* när han
väl hade gjort det
**oncoming** [ˈɒnˌkʌmɪŋ] **I** *adj* annalkande
[*an* ~ *storm*]; mötande [~ *traffic; an* ~ *car*]
**II** *s* ankomst [*the* ~ *of winter*], annalkande
**one** [wʌn] **I** *räkn* o. *adj* en, ett; ena [*blind*
*in* (på) ~ *eye*]; *for* ~ *thing* för det första;
*not* ~ inte en enda en; *it's all* ~ *to me*
det gör mig detsamma; ~ (*the* ~)...*the*
*other* den ena...den andra; ~ *or two* ett
par stycken; ~ *after another* (*the other*)
*went out* den ena efter den andra gick
ut; ~ *at a* (*the*) *time* en och en, en i
taget; ~ *by* ~ en och en, en åt gången, en
i taget; *I for* ~ jag för min del
  **II** *pron* **1** man; reflexivt sig [*pull after* ~];
*one's* ens [*one's own children*]; sin [~ *must*
*always be on one's guard*]; en, en viss [~
*John Smith*]; ~ *another* varandra [*they*
*like* ~ *another*] **2** stödjeord en [*I lose a friend*
*and you gain* ~]; någon, något [*where is*
*my umbrella? - you didn't bring* ~]; *take*
*the red box, not the black* ~ ta den röda
asken, inte den svarta; *my dear* ~*s* mina
kära; *the little* ~*s* småttingarna; *this*
(*that*) ~ *will do* den här (den där) duger;
*which* ~ *do you like?* vilken tycker du
om?
  **III** *s* **1** etta [*three* ~*s*] **2** vard., *you are a*
~*!* du är en rolig en!
**one-act** [ˈwʌnækt] *adj*, ~ *play* enaktare
**one-armed** [ˈwʌnɑːmd] *adj*, ~ *bandit* vard.
enarmad bandit spelautomat
**one-handed** [ˌwʌnˈhændɪd] *adj* enhänt

**one-man** [ˈwʌnmæn] *adj* enmans-; ~
*show* enmansteater, enmansshow
**onerous** [ˈɒnərəs] *adj* betungande,
tyngande
**oneself** [wʌnˈself] *rfl pron* o. *pers pron* sig
[*wash* ~]; sig själv [*proud of* ~]; själv [*one*
*had to do it* ~]
**one-sided** [ˌwʌnˈsaɪdɪd] *adj* ensidig
**one-storey** [ˈwʌnˌstɔːrɪ] *adj* envånings-,
enplans- [*a* ~ *house*]
**one-track** [ˈwʌntræk] *adj* vard., *have a* ~
*mind* vara enkelspårig
**one-way** [ˈwʌnweɪ] *adj* **1** enkelriktad [*a* ~
*street*] **2** amer., ~ *ticket* enkel biljett
**ongoing** [ˈɒnˌɡəʊɪŋ] *adj* pågående
**onion** [ˈʌnjən] *s* lök, rödlök
**onlooker** [ˈɒnˌlʊkə] *s* åskådare
**only** [ˈəʊnlɪ] **I** *adj* enda; *my one and* ~
*chance* min absolut enda chans; *the only*
*man* [*for the position*] den ende rätte...
**II** *adv* **1** bara, blott, endast; ~ *once* bara
en gång; *if* ~ *to* om inte för annat så (om
så bara) för att [*if* ~ *to spite him*]; *not*
~...*but* inte bara...utan även; *when he*
*was* ~ *three he could read* redan vid tre
års ålder kunde han läsa **2** a) först, inte
förrän [*I met him* ~ *yesterday*] b) senast,
så sent som [*he can't be away, I saw him*
~ *yesterday*] **3** ~ *just* just nu, alldeles nyss
[*I have* ~ *just got it*] **III** *konj* men; [*I*
*would lend you the book,*] ~ *I don't*
*know where it is* ...men jag vet bara inte
var den är; ~ *that* utom att
**onrush** [ˈɒnrʌʃ] *s* anstormning
**onset** [ˈɒnset] *s* **1** anfall **2** inträde
**onshore** [ˌɒnˈʃɔː] *adj* o. *adv* **1** pålands- [~
*wind*] **2** på kusten **3** i land
**onslaught** [ˈɒnslɔːt] *s* våldsamt angrepp
**onstage** [ˌɒnˈsteɪdʒ] *adv* på scenen, in på
scenen
**on-the-spot** [ˌɒnðəˈspɒt] *adj* på ort och
ställe; ~ *fine* ungefär ordningsbot
**onto** [ˈɒntʊ] *prep* = *on to*
**onus** [ˈəʊnəs] *s* börda; skyldighet
**onward** [ˈɒnwəd] *adj* framåtriktad; ~
*march* frammarsch
**onwards** [ˈɒnwədz] *adv* framåt, vidare;
*from page 10* ~ från och med sidan 10
**onyx** [ˈɒnɪks] *s* miner. onyx
**oodles** [ˈuːdlz] *s pl* vard. massor [~ *of*
*money*]
**ooh** [uː] *interj* oj!, åh!; usch!
**ooze** [uːz] *vb itr*, ~ *out* sippra ut, sippra
fram
**opal** [ˈəʊp(ə)l] *s* opal

**opaque** [ə'peɪk] *adj* ogenomskinlig; dunkel; oklar

**open** ['əʊp(ə)n] **I** *adj* öppen; *fling ~* kasta (slänga) upp; *in the ~ air* i fria luften, i det fria; *the ~ season* lovlig tid för jakt o. fiske; *~ secret* offentlig hemlighet; *~ shop* företag med både organiserad och oorganiserad arbetskraft; *~ to* tillgänglig för, öppen för; mottaglig för [*~ to argument*]; *~ to doubt* underkastad tvivel; *this is ~ to question* detta kan ifrågasättas **II** *s* **1** öppet, offentligt; *come (come out) into the ~* komma ut, bli offentlig **2** sport. open tävling öppen för proffs o. amatörer **III** *vb tr* o. *vb itr* **1** öppna; inviga [*~ a new railway*]; öppnas; öppna sig; *~ an account with* öppna konto hos; *~ fire* mil. öppna eld [*on* mot] **2** vetta, ha utsikt [*the window opened on to* (mot, åt) *the garden*]; leda, föra [*into, on to* in (ut) till, ut i]; *the room ~s on* (*on to*) *the garden* rummet har förbindelse med trädgården **3** *~ up* öppna sig, bli meddelsam; *~ up!* öppna dörren!

**open-air** [,əʊpən'eə] *adj* frilufts- [*~ life*], utomhus- [*an ~ dance-floor*]

**opener** ['əʊpənə] *s* **1** *tin (can) ~* konservöppnare **2** inledare [*~ of a discussion*]

**open-handed** [,əʊpən'hændɪd] *adj* frikostig

**open-hearted** [,əʊpən'hɑːtɪd] *adj* **1** öppenhjärtig, uppriktig **2** varmhjärtad

**open-house** [,əʊpən'haʊs] *adj, he is giving an ~ party tomorrow* det är öppet hus hos honom i morgon

**opening** ['əʊpənɪŋ] **I** *pres p* o. *adj* begynnelse-; *~ chapter* inledningskapitel; *his ~ remarks* hans inledande anmärkningar **II** *s* **1** öppnande; början, inledning [*the ~ of the session*]; *~ night* premiär; *~ time* speciellt öppningsdags för pubar **2** öppning äv. bildl.; tillfälle, chans [*for* till]

**open-minded** [,əʊpən'maɪndɪd] *adj* fördomsfri

**opera** ['ɒpərə] *s* opera

**opera glasses** ['ɒpərə,glɑːsɪz] *s pl* teaterkikare

**opera hat** ['ɒpərəhæt] *s* chapeau-claque

**operate** ['ɒpəreɪt] *vb itr* o. *vb tr* **1** verka, göra verkan [*on, upon* på]; om t.ex. maskin arbeta, fungera **2** med. operera [*on a p.* ngn; *for a th.* för ngt] **3** mil. operera **4** sätta (hålla) i gång, manövrera, sköta [*~ a machine*]; leda, driva [*~ a company*]

**operatic** [,ɒpə'rætɪk] *adj* opera- [*~ music*]

**operating theatre** ['ɒpəreɪtɪŋ,θɪətə] *s* operationssal

**operation** [,ɒpə'reɪʃ(ə)n] *s* **1** *be in ~* vara i gång (verksamhet); *come into ~* a) träda i verksamhet b) om t.ex. lag träda i kraft; *put into ~* sätta i verket [*put a plan into ~*] **2** med. operation, ingrepp [äv. *surgical ~*]; *have an ~ for...* bli opererad för... **3** skötsel, hantering [*the ~ of a machine*]

**operator** ['ɒpəreɪtə] *s* **1** *~!* på t.ex. hotell a) hallå!; fröken! b) växeln!; *telephone ~* telefonist; *wireless ~* radiotelegrafist **2** med. kirurg, operatör **3** aktör på börsen

**operetta** [,ɒpə'retə] *s* operett

**opinion** [ə'pɪnjən] *s* **1** mening, åsikt, omdöme [*of, about* om]; *~ poll* opinionsundersökning; *public ~* den allmänna opinionen; *have a high ~ of* ha en hög tanke om; *in my ~* enligt min mening (åsikt); *a matter of ~* en fråga om tycke och smak **2** betänkande, utlåtande [*on* om, över, i]

**opinionated** [ə'pɪnjəneɪtɪd] *adj* egensinnig

**opium** ['əʊpjəm] *s* opium; *~ addict* opiummissbrukare; *~ den* opiumhåla

**opossum** [ə'pɒsəm] *s* opossum, pungråtta

**opponent** [ə'pəʊnənt] *s* motståndare

**opportune** ['ɒpətjuːn] *adj* opportun, läglig

**opportunist** [,ɒpə'tjuːnɪst] *s* opportunist

**opportunity** [,ɒpə'tjuːnətɪ] *s* gynnsamt tillfälle, möjlighet, chans; *at the first ~* vid första tillfälle

**oppose** [ə'pəʊz] *vb tr* motsätta sig

**opposed** [ə'pəʊzd] *adj* motsatt [*~ views*]; *be ~* stå i motsats [*to* till, mot]; *as ~ to* i motsats till

**opposite** ['ɒpəzɪt] **I** *adj* o. *prep* o. *adv* mitt emot [*the ~ house*], motsatt **II** *s* motsats [*black and white are ~s*]; *I mean the ~* jag menar tvärtom

**opposition** [,ɒpə'zɪʃ(ə)n] *s* motsättning, motstånd; opposition

**oppress** [ə'pres] *vb tr* **1** trycka, tynga, trycka (tynga) ned **2** förtrycka [*~ the people*]

**oppression** [ə'preʃ(ə)n] *s* **1** nedtryckande; förtryck [*the ~ of the people*] **2** betrycktfhet **3** tryck, tyngd

**oppressive** [ə'presɪv] *adj* tyngande; tryckande, pressande [*~ heat*]

**oppressor** [ə'presə] *s* förtryckare

**opt** [ɒpt] *vb itr* välja; ~ *for a th.* välja ngt, uttala sig för ngt

**optical** ['ɒptɪk(ə)l] *adj* optisk, syn-; ~ *illusion* synvilla

**optician** [ɒp'tɪʃ(ə)n] *s* optiker

**optics** ['ɒptɪks] *s* optik

**optimism** ['ɒptɪmɪz(ə)m] *s* optimism

**optimist** ['ɒptɪmɪst] *s* optimist

**optimistic** [ˌɒptɪ'mɪstɪk] *adj* optimistisk

**option** ['ɒpʃ(ə)n] *s* val [*I had no* ~], fritt val; valfrihet; valmöjlighet

**optional** ['ɒpʃənl] *adj* valfri

**opulent** ['ɒpjʊlənt] *adj* välmående; frodig

**opus** ['əʊpəs] *s* opus, verk

**or** [ɔ:] *konj* eller; annars; ~ *else* annars, eller också

**oracle** ['ɒrəkl] *s* orakel

**oral** ['ɔ:r(ə)l] *adj* muntlig [*an* ~ *examination*]

**orally** ['ɔ:rəlɪ] *adv* muntligen, muntligt

**orange** ['ɒrɪndʒ] **I** *s* **1** apelsin **2** orange färg **II** *adj* orange färgad

**orangeade** [ˌɒrɪndʒ'eɪd] *s* apelsindryck; läskedryck med apelsinsmak

**orang-outang** [əˌræŋʊ'tæŋ] *s* orangutang

**orate** [ɔ:'reɪt] *vb itr* hålla tal; orera

**oration** [ɔ:'reɪʃ(ə)n] *s* oration; högtidligt tal

**orator** ['ɒrətə] *s* talare, orator

**oratorio** [ˌɒrə'tɔ:rɪəʊ] (pl. ~s) *s* mus. oratorium

**oratory** ['ɒrətrɪ] *s* talarkonst, vältalighet, retorik

**orb** [ɔ:b] *s* klot, sfär, glob

**orbit** ['ɔ:bɪt] **I** *s* t.ex. planets, satellits bana; himlakropps kretslopp; *send into* ~ sända upp i bana **II** *vb tr* röra sig i en bana kring, kretsa kring

**orchard** ['ɔ:tʃəd] *s* fruktträdgård

**orchestra** ['ɔ:kɪstrə] *s* orkester; ~ *stalls* främre parkett

**orchestral** [ɔ:'kestr(ə)l] *adj* orkester-

**orchestrate** ['ɔ:kɪstreɪt] *vb tr* orkestrera

**orchid** ['ɔ:kɪd] *s* orkidé

**ordain** [ɔ:'deɪn] *vb tr* **1** prästviga, ordinera **2** föreskriva

**ordeal** [ɔ:'di:l, 'ɔ:di:l] *s* svårt prov, eldprov; *a terrible* ~ en svår pärs

**order** ['ɔ:də] **I** *s* **1** ordning; ordningsföljd; system; reda; *in (in good) working* ~ i gott skick, funktionsduglig; *out of* ~ i oordning; i olag, ur funktion **2 a)** order, befallning, tillsägelse, bud; ~ *of the day* mil. dagorder **b)** jur., domstols beslut, utslag; ~ *of the Court* domstolsutslag **3 a)** hand. order, beställning [*for* på]; *it's a tall*

*(large)* ~ det är för mycket begärt; *be on* ~ vara beställd; *made to* ~ tillverkad på beställning; skräddarsydd **b)** på restaurang beställning **4** bank. anvisning; utbetalningsorder **5** samhällsklass; *the lower* ~s de lägre klasserna (stånden) **6** orden; ordenssällskap **7** *holy* ~s det andliga ståndet; *take (enter)* ~s (*holy* ~s) låta prästviga sig **8** *in* ~ *to* + infinitiv i avsikt att; *in* ~ *for you to* [*see clearly*] för (så) att du skall...; *in* ~ *that* för att, så att [*I did it in* ~ *that he shouldn't worry*] **9** slag, sort; *of (in) the* ~ *of* av (i) storleksordningen

**II** *vb tr* **1** beordra, befalla, säga till [*a p. to do a th.*]; ~ *a p. about* bildl. kommendera ngn, köra med ngn **2** beställa [~ *a taxi*], rekvirera **3** med. ordinera, föreskriva

**orderly** ['ɔ:dəlɪ] **I** *adj* **1** välordnad; metodisk **2** om person ordentlig **3** stillsam, lugn [*an* ~ *crowd*] **II** *s* **1** mil. ordonnans; *officer's* ~ kalfaktor **2** *hospital* ~ sjukvårdsbiträde; *medical* ~ mil. sjukvårdare

**ordinal** ['ɔ:dɪnl] *adj*, ~ *number* ordningstal

**ordinarily** ['ɔ:dɪnərəlɪ] *adv* vanligen

**ordinary** ['ɔ:dnrɪ] **I** *adj* **1** vanlig; vardaglig, ordinär, alldaglig **2** ordinarie [*the* ~ *train*] **II** *s*, *something out of the* ~ någonting utöver det vanliga

**ore** [ɔ:] *s* **1** malm **2** metall, ädelmetall

**oregano** [ˌɒrɪ'gɑ:nəʊ, ə'regənəʊ] *s* oregano

**organ** ['ɔ:gən] *s* **1** biol. organ; *male* ~ manslem **2** mus. orgel; positiv

**organdie** ['ɔ:gəndɪ] *s* organdi tyg

**organ-grinder** ['ɔ:gənˌgraɪndə] *s* positivhalare, positivspelare

**organic** [ɔ:'gænɪk] *adj* **1** organisk **2** biodynamisk; ~ *farming* biodynamisk odling

**organism** ['ɔ:gənɪz(ə)m] *s* organism

**organist** ['ɔ:gənɪst] *s* organist

**organization** [ˌɔ:gənaɪ'zeɪʃ(ə)n] *s* organisation, organisering

**organize** ['ɔ:gənaɪz] *vb tr* organisera, lägga upp, anordna, arrangera, ställa till

**organizer** ['ɔ:gənaɪzə] *s* organisatör; arrangör

**orgasm** ['ɔ:gæz(ə)m] *s* orgasm, utlösning

**orgy** ['ɔ:dʒɪ] *s* orgie

**orient** ['ɔ:rɪənt] *s*, *the Orient* Orienten

**Oriental** [ˌɔːrɪ'entl] **I** adj orientalisk, österländsk **II** s oriental, österlänning
**orientate** ['ɔːrɪenteɪt] vb tr orientera
**orientation** [ˌɔːrɪen'teɪʃ(ə)n] s orientering
**orienteering** [ˌɔːrɪən'tɪərɪŋ] s sport. orientering
**origin** ['ɒrɪdʒɪn] s ursprung, tillkomst; upphov; country of ~ ursprungsland
**original** [ə'rɪdʒənl] **I** adj **1** ursprunglig, original- **2** originell, nyskapande **II** s original
**originality** [əˌrɪdʒə'nælətɪ] s originalitet
**originally** [ə'rɪdʒənəlɪ] adv **1** ursprungligen **2** originellt [write ~]
**originate** [ə'rɪdʒəneɪt] vb tr o. vb itr ge (vara) upphov till; härröra, härstamma
**originator** [ə'rɪdʒəneɪtə] s upphovsman
**Orlon** ['ɔːlɒn] s ® textil. orlon
**ornament** [substantiv 'ɔːnəmənt, verb 'ɔːnəment] **I** s ornament; utsmyckning **II** vb tr ornamentera; smycka
**ornamental** [ˌɔːnə'mentl] adj ornamental, dekorativ
**ornamentation** [ˌɔːnəmen'teɪʃ(ə)n] s ornamentering, utsmyckning; ornament
**ornate** [ɔː'neɪt] adj utsirad; överlastad
**ornithologist** [ˌɔːnɪ'θɒlədʒɪst] s ornitolog, fågelkännare
**orphan** ['ɔːf(ə)n] s föräldralöst barn
**orphanage** ['ɔːfənɪdʒ] s barnhem, hem för föräldralösa barn
**orris root** ['ɒrɪsruːt] s violrot
**orthodontics** [ˌɔːθə(ʊ)'dɒntɪks] s tandreglering
**orthodox** ['ɔːθədɒks] adj ortodox; renlärig
**orthodoxy** ['ɔːθədɒksɪ] s ortodoxi; renlärighet
**orthography** [ɔː'θɒgrəfɪ] s ortografi, rättstavning
**orthopaedic** o. **orthopedic** [ˌɔːθə'piːdɪk] adj ortopedisk
**oscillate** ['ɒsɪleɪt] vb itr svänga; pendla; oscillera; vibrera
**oscillator** ['ɒsɪleɪtə] s oscillator
**Oslo** ['ɒzləʊ]
**ossify** ['ɒsɪfaɪ] vb itr ossifieras, förvandlas till ben; förbenas
**ostensible** [ɒ'stensəbl] adj skenbar
**ostentation** [ˌɒsten'teɪʃ(ə)n] s ståt, prål
**ostentatious** [ˌɒsten'teɪʃəs] adj grann, prålig [~ jewellery]; prålsjuk
**osteopath** ['ɒstɪəpæθ] s osteopat, kiropraktor
**ostracize** ['ɒstrəsaɪz] vb tr frysa ut, bojkotta

**ostrich** ['ɒstrɪtʃ, 'ɒstrɪdʒ] s struts
**other** ['ʌðə] indef pron annan, annat, andra; ytterligare; the ~ day häromdagen; every ~ week varannan vecka; it was no (none) ~ than the King det var ingen annan än kungen; someone or ~ has broken it någon har haft sönder den; somehow or ~ på ett eller annat sätt; among ~s bland andra, bl.a.; among ~ things bland annat, bl.a.
**otherwise** ['ʌðəwaɪz] adv annorlunda, annat, på annat sätt; annars, i annat fall; för (i) övrigt
**otherworldly** [ˌʌðə'wɜːldlɪ] adj verklighetsfrämmande, världsfrämmande
**otter** ['ɒtə] s utter
**ouch** [aʊtʃ] interj aj!, oj!
**ought** [ɔːt] hjälpvb (presens o. imperfekt med to + infinitiv) bör, borde, skall, skulle; I ~ to know det måtte jag väl veta
**ouija-board** ['wiːdʒəbɔːd] s psykograf använd i spiritism
**1 ounce** [aʊns] s **1** uns (vanl. = 1/16 pound 28,35 gram) **2** bildl. uns, gnutta
**2 ounce** [aʊns] s snöleopard
**our** ['aʊə] poss pron vår
**ours** ['aʊəz] poss pron vår [the house is ~]; ~ is a large family vi är en stor familj
**ourselves** [ˌaʊə'selvz] rfl pron o. pers pron oss [we amused ~], oss själva [we can take care of ~]; själva [we made that mistake ~]
**oust** [aʊst] vb tr driva bort; tränga undan
**out** [aʊt] adv o. adj ute, utanför, borta; ut, bort; take ~ ta fram ur t.ex. fickan; the fire is ~ brasan har slocknat; the light is ~ ljuset är släckt; the tide is ~ det är ebb; before the year is ~ innan året är slut; I was ~ in my calculations jag hade räknat fel; you are not far ~ vard. det är inte så illa gissat; be ~ and about vara uppe, vara på benen; the nicest man ~ den hyggligaste karl som går i ett par skor; it was her Sunday ~ det var hennes lediga söndag
  □ ~ **of a)** ut från, ut ur [come ~ of the house], upp ur; ut genom; ur [drink ~ of a cup]; från; ute ur, borta från, utanför; utom [~ of sight]; ~ of doors utomhus; times ~ of number otaliga gånger; in two cases ~ of ten i två fall av tio; get ~ of here! ut härifrån!; be ~ of training ha dålig kondition, vara otränad; feel ~ of it känna sig utanför **b)** utan [~ of tea] **c)** av, utav [~ of curiosity; it is made ~ of wood]; ~ **with** it! fram med det!, ut med språket!

**out-and-out** [ˌaʊtnˈaʊt] *adj* vard. tvättäkta [*an ~ Londoner*], renodlad [*an ~ swindler*]
**outbalance** [aʊtˈbæləns] *vb tr* uppväga
**outbid** [aʊtˈbɪd] (*outbid outbid*) *vb tr* bjuda över
**outboard** [ˈaʊtbɔːd] *adj* utombords- [*an ~ motor*]
**outbreak** [ˈaʊtbreɪk] *s* utbrott [*an ~ of hostilities*]; *an ~ of fire* en eldsvåda
**outbuilding** [ˈaʊtˌbɪldɪŋ] *s* uthus
**outburst** [ˈaʊtbɜːst] *s* utbrott [*an ~ of rage*], anfall
**outcast** [ˈaʊtkɑːst] *s* utstött (utslagen) människa, paria
**outclass** [aʊtˈklɑːs] *vb tr* utklassa
**outcome** [ˈaʊtkʌm] *s* resultat, utgång
**outcry** [ˈaʊtkraɪ] *s* rop, skri; larm
**outdated** [aʊtˈdeɪtɪd] *adj* omodern, gammalmodig, föråldrad, förlegad
**outdid** [aʊtˈdɪd] se *outdo*
**outdistance** [aʊtˈdɪstəns] *vb tr* distansera
**outdo** [aʊtˈduː] (*outdid outdone*) *vb tr* överträffa, överglänsa, övertrumfa
**outdone** [aʊtˈdʌn] se *outdo*
**outdoor** [ˈaʊtdɔː] *adj* utomhus- [*~ games*]; *~ clothes* ytterkläder; *~ life* friluftsliv
**outdoors** [ˌaʊtˈdɔːz] *adv* utomhus, ute
**outer** [ˈaʊtə] *adj* yttre, ytter-; utvändig; *~ space* yttre rymden
**outermost** [ˈaʊtəməʊst] *adj* ytterst
**outfit** [ˈaʊtfɪt] **I** *s* **1** utrustning [*an explorer's ~*]; utstyrsel, ekipering [*a new spring ~*], mundering; tillbehör; *repair ~* reparationslåda **2** vard. grupp, gäng **II** *vb tr* utrusta, ekipera
**outfitter** [ˈaʊtfɪtə] *s,* *gentlemen's outfitter's* el. *outfitter's* herrekipering
**outgoing** [ˈaʊtˌgəʊɪŋ] *adj* utgående; avgående
**outgrew** [aʊtˈgruː] se *outgrow*
**outgrow** [aʊtˈgrəʊ] (*outgrew outgrown*) *vb tr* växa om; växa ifrån; växa ur kläder
**outgrown** [aʊtˈgrəʊn] se *outgrow*
**outing** [ˈaʊtɪŋ] *s* utflykt
**outlandish** [aʊtˈlændɪʃ] *adj* sällsam, besynnerlig; avlägsen
**outlast** [aʊtˈlɑːst] *vb tr* räcka (vara) längre än
**outlaw** [ˈaʊtlɔː] **I** *s* fredlös; bandit **II** *vb tr* **1** ställa utom lagen, förklara fredlös **2** kriminalisera [*~ war*], förbjuda
**outlay** [ˈaʊtleɪ] *s* utlägg, utgifter
**outlet** [ˈaʊtlet] *s* **1** utlopp [*an ~ for one's energy*], avlopp **2** marknad, avsättning [*an ~ for one's products*]

**outline** [ˈaʊtlaɪn] **I** *s* **1** kontur; skiss, utkast [*for* till]; översikt, sammandrag [*of* över, av]; *rough ~* skiss, utkast; *in broad (general) ~* i stora (grova) drag **2** pl. *~s* grunddrag, huvuddrag **II** *vb tr* skissera
**outlive** [aʊtˈlɪv] *vb tr* överleva [*~ one's wife*]
**outlook** [ˈaʊtlʊk] *s* **1** utsikt; *~ on life* livsinställning **2** framtids- utsikter; *further ~* väder- utsikterna för de närmaste dagarna **3** utkik; *on the ~* på utkik
**outlying** [ˈaʊtˌlaɪɪŋ] *adj* avsides belägen
**outmoded** [aʊtˈməʊdɪd] *adj* urmodig, omodern
**outnumber** [aʊtˈnʌmbə] *vb tr* överträffa i antal, vara fler än
**out-of-date** [ˌaʊtəvˈdeɪt] *adj* omodern, gammalmodig, föråldrad
**out-of-doors** [ˌaʊtəvˈdɔːz] *adv* utomhus, ute
**out-of-print** [ˌaʊtəvˈprɪnt] *adj* utgången på förlaget, utsåld från förlaget
**out-of-the-way** [ˌaʊtəvðəˈweɪ] *adj* **1** avsides belägen, avlägsen **2** ovanlig
**out-of-work** [ˌaʊtəvˈwɜːk] *adj* o. *s* arbetslös
**out-patient** [ˈaʊtˌpeɪʃ(ə)nt] *s* poliklinikpatient; *out-patient's department* (*clinic*) poliklinik
**outpost** [ˈaʊtpəʊst] *s* mil. el. bildl. utpost
**output** [ˈaʊtpʊt] *s* **1** produktion; utbyte, avkastning **2** elektr. el. radio. uteffekt **3** data. utmatning
**outrage** [ˈaʊtreɪdʒ] **I** *s* våldshandling, attentat; skymf, skandal **II** *vb tr* uppröra, chockera
**outrageous** [aʊtˈreɪdʒəs] *adj* skandalös, upprörande, skändlig [*~ treatment*]
**outran** [aʊtˈræn] se *outrun*
**outrider** [ˈaʊtˌraɪdə] *s* **1** förridare **2** föråkare, eskort
**outright** [adverb aʊtˈraɪt, adjektiv ˈaʊtraɪt] **I** *adv* **1** helt och hållet; på fläcken [*he was killed ~*] **2** rent ut [*ask him ~*] **II** *adj* fullständig, total; avgjord, bestridlig
**outrun** [aʊtˈrʌn] (*outran outrun*) *vb tr* springa om (förbi); löpa fortare än
**outset** [ˈaʊtset] *s* början, inledning; inträde; *at the ~* i (vid) början
**outshine** [aʊtˈʃaɪn] (*outshone outshone*) *vb tr* överglänsa
**outshone** [aʊtˈʃɒn] se *outshine*
**outside** [ˌaʊtˈsaɪd] **I** *s* **1** utsida, yttersida; yta; ngts (ngns) yttre **2** *at the ~* på sin höjd **II** *adj* **1** utvändig; ute-, utomhus-; *the ~ world* yttervärlden **2** ytterst liten [*an ~*

*chance*] III *adv* o. *prep* ute; ut [*come ~!*];
utanför; utanpå
**outsider** [ˌaʊtˈsaɪdə] *s* outsider,
utomstående; oinvigd
**outsize** [ˈaʊtsaɪz] I *s* om t.ex. kläder extra stor
storlek II *adj* extra stor
**outskirts** [ˈaʊtskɜːts] *s pl* utkanter;
ytterområden
**outspoken** [aʊtˈspəʊk(ə)n] *adj* rättfram
**outstanding** [aʊtˈstændɪŋ] *adj*
framstående, enastående
**outstay** [aʊtˈsteɪ] *vb tr* stanna längre än [*~
the other guests*]
**outstrip** [aʊtˈstrɪp] *vb tr* distansera;
överträffa; överstiga
**outvote** [aʊtˈvəʊt] *vb tr* rösta omkull
**outward** [ˈaʊtwəd] I *adj* **1** utgående; *the ~
journey* (*voyage*) utresan **2** yttre;
utvändig; *his ~ appearance* hans yttre
II *adv* utåt, ut
**outward-bound** [ˌaʊtwədˈbaʊnd] *adj* om
fartyg utgående, på utgående
**outwardly** [ˈaʊtwədlɪ] *adv* **1** utåt;
utvändigt, utanpå **2** till det yttre
**outwards** [ˈaʊtwədz] *adv* utåt, ut
**outweigh** [aʊtˈweɪ] *vb tr* uppväga; väga
mer än
**outwit** [aʊtˈwɪt] *vb tr* överlista
**oval** [ˈəʊv(ə)l] I *adj* oval; äggformig II *s*
oval
**ovary** [ˈəʊvərɪ] *s* äggstock
**ovation** [əˈveɪʃ(ə)n] *s* ovation, bifallsstorm
**oven** [ˈʌvn] *s* ugn
**ovenproof** [ˈʌvənpruːf] *adj* ugnseldfast
**ovenware** [ˈʌvnweə] *s* ugnseldfast gods
**over** [ˈəʊvə] *prep* o. *adv* över; ovanför;
utanpå, ovanpå; under, i [*~ several days*];
om [*fight ~ a th.*]; *~ and above* förutom,
utöver; *~ the years* under årens lopp,
med åren; *hear a th. ~ the radio* höra
ngt i radio; *be ~ there* vara där borta; *go
~ there* gå dit bort; *there are two apples
~* (*left ~*) det finns två äpplen kvar; *ten
times ~* tio gånger om; *~ and ~ again* el.
*~ and ~* om och om igen, gång på gång;
*~ again* en gång till, om igen; *begin all ~
again* börja om från början; *all ~*
överallt, helt och hållet; *that's him all ~*
det är typiskt han (så likt honom); *get it
~* (*~ and done with*) få det gjort (ur
världen); *it's all ~ with him* det är ute
med honom
**overabundance** [ˌəʊvərəˈbʌndəns] *s*
överflöd, övermått

**overact** [ˌəʊvərˈækt] *vb itr* o. *vb tr* teat.
spela över
**over-age** [ˌəʊvərˈeɪdʒ] *adj* överårig
**overall** [ˈəʊvərɔːl] I *s* **1** skyddsrock,
städrock **2** pl. *~s* blåställ, överdragskläder,
overall II *adj* helhets- [*an ~ impression*];
samlad [*the ~ production*]; generell [*an ~
wage increase*]
**over-anxious** [ˌəʊvərˈæŋʃəs] *adj* alltför
ängslig (ivrig)
**overarm** [adjektiv ˈəʊvərɑːm, adverb
ˌəʊvərˈɑːm] sport. I *adj* överarms-,
överhands- [*an ~ ball*] II *adv, bowl ~*
göra ett överarmskast
**overate** [ˈəʊvəret] se *overeat*
**overawe** [ˌəʊvərˈɔː] *vb tr* injaga fruktan
hos; imponera på
**overbalance** [ˌəʊvəˈbæləns] *vb itr* tappa
balansen [*he overbalanced and fell*]
**overbearing** [ˌəʊvəˈbeərɪŋ] *adj* högdragen
**overboard** [ˈəʊvəbɔːd] *adv* sjö. överbord
**overcame** [ˌəʊvəˈkeɪm] se *overcome*
**overcast** [ˌəʊvəˈkɑːst] *adj* mulen,
molntäckt [*an ~ sky*]
**overcharge** [ˌəʊvəˈtʃɑːdʒ] *vb tr* o. *vb itr* ta
för höga priser; ta överpris
**overcloud** [ˌəʊvəˈklaʊd] *vb tr* o. *vb itr* täcka
med moln; bli molntäckt
**overcoat** [ˈəʊvəkəʊt] *s* överrock, ytterrock
**overcome** [ˌəʊvəˈkʌm] I (*overcame
overcome*) *vb tr* o. *vb itr* besegra [*~ an
enemy*], övervinna; segra [*we shall ~*]
II *perf p* o. *adj* överväldigad; utmattad [*by
av*]
**over-confident** [ˌəʊvəˈkɒnfɪd(ə)nt] *adj*
självsäker
**overcook** [ˌəʊvəˈkʊk] *vb tr* koka för länge
**overcrowded** [ˌəʊvəˈkraʊdɪd] *adj*
överbefolkad; överfull [*an ~ bus*];
trångbodd [*~ families*]
**overdid** [ˌəʊvəˈdɪd] se *overdo*
**overdo** [ˌəʊvəˈduː] (*overdid overdone*) *vb tr*
**1** överdriva, göra för mycket av **2** steka
(koka) mat för länge **3** *~ it* förta
(överanstränga) sig
**overdone** [ˌəʊvəˈdʌn] I se *overdo* II *adj* för
länge stekt (kokt)
**overdose** [ˈəʊvədəʊs] *s* överdos, för stor
dos
**overdraft** [ˈəʊvədrɑːft] *s* bank. överdrag;
överdragning, övertrassering
**overdrive** [ˈəʊvədraɪv] *s* bil. överväxel
**overdue** [ˌəʊvəˈdjuː] *adj* **1** hand. förfallen
**2** försenad [*the post is ~*] **3** länge
emotsedd

**overeat** [ˌəʊvərˈiːt] (*overate overeaten*) *vb itr* äta för mycket, föräta sig

**overeaten** [ˌəʊvərˈiːtn] se *overeat*

**overestimate** [verb ˌəʊvərˈestɪmeɪt, substantiv ˌəʊvərˈestɪmət] **I** *vb tr* överskatta, övervärdera; beräkna för högt **II** *s* överskattning; alltför hög beräkning

**overexertion** [ˌəʊvərɪgˈzɜːʃ(ə)n] *s* överansträngning

**overexpose** [ˌəʊvərɪkˈspəʊz] *vb tr* **1** utsätta för mycket **2** foto. överexponera

**overfed** [ˌəʊvəˈfed] se *overfeed*

**overfeed** [ˌəʊvəˈfiːd] (*overfed overfed*) *vb tr* övergöda, övermätta

**overflew** [ˌəʊvəˈfluː] se *overfly*

**overflow** [ˌəʊvəˈfləʊ] *vb tr* svämma över

**overflown** [ˌəʊvəˈfləʊn] se *overfly*

**overfly** [ˌəʊvəˈflaɪ] (*overflew overflown*) *vb tr* mil. överflyga, flyga över

**overgrown** [ˌəʊvəˈgrəʊn] *adj* övervuxen, igenvuxen [*a garden ~ with weeds*]

**overhang** [ˌəʊvəˈhæŋ] (*overhung overhung*) *vb tr* bildl. sväva (hänga) över ngns huvud; hota

**overhanging** [ˌəʊvəˈhæŋɪŋ] *adj* framskjutande, utskjutande [*an ~ cliff*]

**overhaul** [verb ˌəʊvəˈhɔːl, substantiv ˈəʊvəhɔːl] **I** *vb tr* **1** undersöka; se över; *have one's car overhauled* få sin bil genomgången **2** köra (segla) om [*~ another ship*] **II** *s* undersökning; översyn

**overhead** [adverb ˌəʊvəˈhed, adjektiv ˈəʊvəhed] **I** *adv* över huvudet; uppe i luften (skyn) [*the clouds ~*]; ovanpå **II** *adj*, *~ projector* arbetsprojektor, overheadprojektor

**overheads** [ˈəʊvəhedz] *s pl* allmänna (generella) omkostnader, fasta utgifter

**overhear** [ˌəʊvəˈhɪə] (*overheard overheard*) *vb tr* få höra, råka avlyssna

**overheard** [ˌəʊvəˈhɜːd] se *overhear*

**overheat** [ˌəʊvəˈhiːt] *vb tr* överhetta

**overhung** [ˌəʊvəˈhʌŋ] se *overhang*

**overjoyed** [ˌəʊvəˈdʒɔɪd] *adj* överlycklig

**overkill** [ˈəʊvəkɪl] *s* **1** mil. överdödande-kapacitet totalförstöringskapacitet med kärnvapen **2** överdrifter

**overladen** [ˌəʊvəˈleɪdn] *adj* överbelastad

**overland** [ˌəʊvəˈlænd] *adv* på land; landvägen, till lands [*travel ~*]

**overlap** [ˌəʊvəˈlæp] *vb tr* o. *vb itr* skjuta ut över, skjuta ut över varandra, delvis sammanfalla med, delvis sammanfalla

**overleaf** [ˌəʊvəˈliːf] *adv* på nästa sida

**overload** [ˌəʊvəˈləʊd] *vb tr* överlasta

**overlook** [ˌəʊvəˈlʊk] *vb tr* **1** se (skåda) ut över; *a house overlooking the sea* ett hus med utsikt över havet; *my window ~s the park* mitt fönster vetter mot parken **2** förbise, inte märka **3** överse med [*~ a fault*]

**overnight** [ˌəʊvəˈnaɪt] *adv* **1** *stay ~* stanna över natt, övernatta **2** över en natt, på en enda natt [*it changed ~*]

**overpower** [ˌəʊvəˈpaʊə] *vb tr* överväldiga

**overpowering** [ˌəʊvəˈpaʊərɪŋ] *adj* överväldigande; oemotståndlig; kraftig

**overran** [ˌəʊvəˈræn] se *overrun*

**overrate** [ˌəʊvəˈreɪt] *vb tr* övervärdera, överskatta; *an overrated film* en överreklamerad film

**overreach** [ˌəʊvəˈriːtʃ] *vb tr* sträcka sig över; *~ the mark* skjuta över målet

**overreact** [ˌəʊvərɪˈækt] *vb itr* överreagera

**overridden** [ˌəʊvəˈrɪdn] se *override*

**override** [ˌəʊvəˈraɪd] (*overrode overridden*) *vb tr* **1** sätta sig över, åsidosätta **2** överskugga

**overriding** [ˌəʊvəˈraɪdɪŋ] *adj* allt överskuggande, dominerande

**overrode** [ˌəʊvəˈrəʊd] se *override*

**overrule** [ˌəʊvəˈruːl] *vb tr* **1** avvisa, åsidosätta [*~ a claim*]; jur. ogilla **2** rösta ned [*overruled by the majority*]; *overruling* allt behärskande

**overrun** [ˌəʊvəˈrʌn] (*overran overrun*) *vb tr* översvämma [*overrun with rats*]; härja; *overrun with weeds* övervuxen med ogräs

**overseas** [adjektiv ˈəʊvəsiːz, adverb ˌəʊvəˈsiːz] **I** *adj* utländsk, från (till) utlandet; *~ trade* utrikeshandel **II** *adv* på (från, till) andra sidan havet; utomlands

**overseer** [ˈəʊvəsɪə] *s* förman, verkmästare; uppsyningsman

**oversexed** [ˌəʊvəˈsekst] *adj* övererotisk

**overshadow** [ˌəʊvəˈʃædəʊ] *vb tr* överskugga, kasta sin skugga över

**overshoe** [ˈəʊvəʃuː] *s* galosch

**overshoot** [ˌəʊvəˈʃuːt] (*overshot overshot*) *vb tr*, *~ the mark* skjuta över målet

**overshot** [ˌəʊvəˈʃɒt] se *overshoot*

**oversight** [ˈəʊvəsaɪt] *s* förbiseende [*by (genom) an ~*]

**oversimplify** [ˌəʊvəˈsɪmplɪfaɪ] *vb tr* förenkla alltför mycket [*~ a problem*]

**oversize** [ˈəʊvəsaɪz] *adj* o. **oversized** [ˈəʊvəsaɪzd] *adj* över medelstorlek

**oversleep** [ˌəʊvə'sliːp] (*overslept overslept*) *vb itr* försova sig

**overslept** [ˌəʊvə'slept] se *oversleep*

**overstaffed** [ˌəʊvə'stɑːft] *adj* överbemannad

**overstate** [ˌəʊvə'steɪt] *vb tr* överdriva t.ex. påstående, uppgift; ange för högt

**overstatement** [ˌəʊvə'steɪtmənt] *s* överdrift

**overstep** [ˌəʊvə'step] *vb tr*, ~ *the mark* gå för långt

**overt** [əʊ'vɜːt, 'əʊvɜːt] *adj* öppen, uppenbar

**overtake** [ˌəʊvə'teɪk] (*overtook overtaken*) *vb tr* hinna upp (ifatt); köra (gå) om

**overtaken** [ˌəʊvə'teɪkn] se *overtake*

**overtaking** [ˌəʊvə'teɪkɪŋ] *s* omkörning

**overthrew** [ˌəʊvə'θruː] se *overthrow* I

**overthrow** [verb ˌəʊvə'θrəʊ, substantiv 'əʊvəθrəʊ] **I** (*overthrew overthrown*) *vb tr* störta, fälla [~ *the government*]; omstörta **II** *s* störtande, fällande [*the* ~ *of a government*]; omstörtning

**overthrown** [ˌəʊvə'θrəʊn] se *overthrow* I

**overtime** ['əʊvətaɪm] **I** *s* övertid; övertidsarbete; övertidsersättning; *be on* ~ arbeta över **II** *adj* övertids- [~ *work*] **III** *adv* på övertid; *work* ~ äv. arbeta över

**overtook** [ˌəʊvə'tʊk] se *overtake*

**overture** ['əʊvətjʊə] *s* **1** mus. uvertyr **2** ofta pl. ~*s* närmanden, trevare

**overturn** [ˌəʊvə'tɜːn] *vb tr* o. *vb itr* välta omkull, stjälpa omkull; välta, stjälpa

**overweight** ['əʊvəweɪt] *s* övervikt

**overwhelm** [ˌəʊvə'welm] *vb tr* tynga ned [*overwhelmed with grief*], överväldiga

**overwhelming** [ˌəʊvə'welmɪŋ] *adj* överväldigande, förkrossande [*an* ~ *victory*]

**overwork** [ˌəʊvə'wɜːk] **I** *s* för mycket arbete, överansträngning **II** *vb tr* o. *vb itr* överanstränga [~ *oneself*]; överanstränga sig, arbeta för mycket

**oviduct** ['əʊvɪdʌkt] *s* anat. äggledare

**owe** [əʊ] *vb tr* o. *vb itr* vara skyldig [~ *money*]

**owing** ['əʊɪŋ] *adj* **1** som skall betalas; *the amount* ~ skuldbeloppet **2** ~ *to* på grund av, genom [~ *to a mistake*]; *be* ~ *to* bero på, ha sin orsak i

**owl** [aʊl] *s* uggla

**own** [əʊn] **I** *vb tr* o. *vb itr* äga [*I* ~ *this house*]; ~ *up* vard. erkänna **II** *adj* **1** egen [*this is my* ~ *house*]; *she cooks her* ~ *meals* hon lagar sin mat själv; *he has a*

*house of his* ~ han har eget hus; *on one's* ~ a) ensam, för sig själv [*he lives on his* ~] b) på egen hand [*he is able to work on his* ~] **2** *an* ~ *goal* sport. ett självmål

**owner** ['əʊnə] *s* ägare

**owner-driver** ['əʊnəˌdraɪvə] *s* privatbilist

**owner-occupied** [ˌəʊnər'ɒkjʊpaɪd] *adj* som bebos av ägaren själv; ~ *houses* äv. egnahem

**ownership** ['əʊnəʃɪp] *s* äganderätt, egendomsrätt

**ox** [ɒks] (pl. *oxen* ['ɒks(ə)n]) *s* oxe; stut

**oxeye** ['ɒksaɪ] *s*, ~ *daisy* bot. prästkrage

**oxide** ['ɒksaɪd] *s* oxid

**oxidization** [ˌɒksɪdaɪ'zeɪʃ(ə)n] *s* oxidering

**oxidize** ['ɒksɪdaɪz] *vb tr* o. *vb itr* oxidera; oxideras

**oxtail** ['ɒksteɪl] *s*, ~ *soup* oxsvanssoppa

**oxygen** ['ɒksɪdʒən] *s* syre; syrgas

**oyster** ['ɔɪstə] *s* ostron

**oz.** [aʊns, pl. 'aʊnsɪz] förk. för *ounce, ounces*

**ozone** ['əʊzəʊn, əʊ'zəʊn] *s* ozon; ~ *layer* ozonskikt

**ozs.** ['aʊnsɪz] förk. för *ounces*

# P

**P, p** [pi:] *s* P, p
**p** [pi:] **1** [ sg. o. pl. pi:] (förk. för *penny,
pence*) [40~] **2** förk. för *piano*
**p.** (förk. för *page*) s., sid.
**pa** [pɑ:] *s* vard. pappa
**pace** [peɪs] **I** *s* **1** steg mått [*ten ~s away*]
**2** hastighet, fart, tempo, takt; *keep ~
with* hålla jämna steg med; *quicken
(slacken) one's ~* öka (sakta) farten; *set
(make) the ~* bestämma farten, dra vid
löpning; *at a slow ~* långsamt; *put a p.
through his ~s* låta ngn visa vad han går
för **II** *vb tr* gå av och an på (i) [äv. *~ up
and down a room*]
**pacemaker** ['peɪsˌmeɪkə] *s* sport. el. med.
pacemaker, hjärtstimulator; sport. äv.
farthållare
**pacific** [pə'sɪfɪk] **I** *adj* **1** fredlig **2** *the
Pacific Ocean* Stilla havet **II** *s, the
Pacific* Stilla havet
**pacifier** ['pæsɪfaɪə] *s* amer. tröstnapp
**pacifism** ['pæsɪfɪz(ə)m] *s* pacifism
**pacifist** ['pæsɪfɪst] *s* pacifist, fredsivrare
**pacify** ['pæsɪfaɪ] *vb tr* **1** pacificera,
återställa freden (lugnet) i [*~ a country*]
**2** lugna
**pack** [pæk] **I** *s* **1** packe, knyte, bylte **2** amer.
paket, ask [*a ~ of cigarettes*] **3** samling [*a
~ of liars*], massa [*a ~ of lies*]; pack
**4** kortlek; *a ~ of cards* en kortlek
**5** släpp, koppel [*a ~ of dogs*], flock, skock
[*a ~ of wolves*] **6** kosmetisk mask [*a beauty
~*]
**II** *vb itr* o. *vb tr* **1** packa **2** *~ up* vard.
a) lägga av [*~ up for the day*] b) paja,
säcka ihop **3** packa (tränga) ihop [*~
people into a bus*]; *~ up* packa ner (in); *~
it up (in)!* sl. lägg av!; *packed with
people* fullpackad med folk
**4** a) emballera, packa in; *packed lunch
(meal)* lunchpaket, matsäck
b) konservera på burk [*~ meat*] **5** *~ off*
skicka i väg
**package** ['pækɪdʒ] *s* **1** packe, bunt; större
paket, kolli; förpackning; *~ deal*
paketavtal; *~ tour* paketresa
**2** förpackning, emballage
**packet** ['pækɪt] *s* mindre paket
**packhorse** ['pækhɔ:s] *s* packhäst,
klövjehäst

**packing** ['pækɪŋ] *s* **1** packning,
förpackning **2** emballage
**packing-case** ['pækɪŋkeɪs] *s* packlåda,
packlår
**packthread** ['pækθred] *s* segelgarn
**pact** [pækt] *s* pakt, fördrag
**1 pad** [pæd] **I** *s* **1** dyna; flat kudde **2** sport.
benskydd **3** vaddering; *shoulder ~*
axelvadd **4** skriv- block; *writing ~*
skrivunderlägg **5** färgdyna, stämpeldyna
**6** sl. lya, kvart bostad **II** *vb tr* **1** madrassera
[*a padded cell*]; vaddera **2** *~ out* fylla ut
med fyllnadsgods [*~ out an essay*]
**2 pad** [pæd] *vb itr* traska; tassa
**padding** ['pædɪŋ] *s* vaddering, stoppning;
bildl. fyllnadsgods i t.ex. uppsats
**1 paddle** ['pædl] **I** *s* paddel, paddling,
paddeltur, skovel på hjul **II** *vb tr* o. *vb itr*
paddla
**2 paddle** ['pædl] *vb itr* plaska, plaska
omkring
**paddle steamer** ['pædlˌsti:mə] *s*
hjulångare
**paddle wheel** ['pædlwi:l] *s* skovelhjul
**paddock** ['pædək] *s* **1** paddock
**2** sadelplats
**padlock** ['pædlɒk] **I** *s* hänglås **II** *vb tr* sätta
hänglås för
**padre** ['pɑ:drɪ] *s* fältpräst; vard. präst
**paediatrics** [ˌpi:dɪ'ætrɪks] (konstrueras med
sg.) *s* pediatrik
**1 page** [peɪdʒ] *s* sida
**2 page** [peɪdʒ] **I** *s* hist. page, hovsven **II** *vb
tr* kalla på, söka hotellgäst
**pageant** ['pædʒ(ə)nt] *s* festtåg, parad
**pageantry** ['pædʒəntrɪ] *s* pomp och ståt
**pageboy** ['peɪdʒbɔɪ] *s* **1** pickolo,
springpojke **2** ~ el. *~ style* pagefrisyr
**pagoda** [pə'gəʊdə] *s* pagod
**pah** [pɑ:] *interj* asch!, pytt!; usch!
**paid** [peɪd] se *pay I*
**pail** [peɪl] *s* spann, hink
**pain** [peɪn] **I** *s* **1** smärta, värk; pina, plåga;
*he's a ~ in the neck (ass)* vard. han är en
riktig plåga; *be in ~* känna smärta **2** pl. *~s*
möda; *take (go to) great ~s about
(over, with) a th.* göra sig stort (mycket)
besvär med ngt **II** *vb tr* smärta, pina
**painful** ['peɪnf(ʊ)l] *adj* smärtsam; pinsam
**painkiller** ['peɪnˌkɪlə] *s* smärtstillande
medel
**painless** ['peɪnləs] *adj* smärtfri, utan
plågor
**painstaking** ['peɪnzˌteɪkɪŋ] *adj* noggrann

**paint** [peɪnt] **I** s **1** målarfärg; *wet ~!*
nymålat!; *a box of ~s* en färglåda
**2** smink **II** *vb tr* **1** måla, stryka med
målarfärg **2** sminka
**paintbox** ['peɪntbɒks] s färglåda
**paint-brush** ['peɪntbrʌʃ] s målarpensel
**painter** ['peɪntə] s målare
**painting** ['peɪntɪŋ] s **1** målning, tavla
**2** målning; måleri
**paintwork** ['peɪntwɜ:k] s, *the ~*
målningen, färgen; bil. lackeringen
**pair** [peə] **I** s par; *a ~ of scissors* en sax;
*in ~s* parvis **II** *vb tr* o. *vb itr* **1** para (ihop)
samman **2** *~ off* ordna sig parvis
**pajamas** [pə'dʒɑ:məz, amer. pə'dʒæməz] s
speciellt amer. pyjamas
**Pakistan** [ˌpɑ:kɪ'stɑ:n]
**Pakistani** [ˌpɑ:kɪ'stɑ:nɪ] **I** adj pakistansk
**II** s pakistanare
**pal** [pæl] s vard. kamrat, kompis
**palace** ['pælɪs] s palats, slott
**palatable** ['pælətəbl] adj välsmakande
**palate** ['pælət] s gom; bildl. äv. smak
**palatial** [pə'leɪʃ(ə)l] adj palatslik
**palaver** [pə'lɑ:və] s överläggning, palaver;
prat
**pale** [peɪl] **I** adj blek; *~ ale* ljust öl **II** *vb itr*
blekna, bli blek
**Palestine** ['pæləstaɪn] Palestina
**Palestinian** [ˌpælə'stɪnɪən] **I** adj palestinsk
**II** s palestinier
**palette** ['pælət] s palett
**paling** ['peɪlɪŋ] s staket, plank, inhägnad
**palisade** [ˌpælɪ'seɪd] s palissad, pålverk
**pall** [pɔ:l] s **1** bårtäcke **2** *a ~ of smoke* en
mörk rökridå
**pall-bearer** ['pɔ:lˌbeərə] s kistbärare
**palliasse** ['pælɪæs] s halmmadrass
**palliate** ['pælɪeɪt] *vb tr* lindra [*~ a pain*]
**pallid** ['pælɪd] adj blek
**pallor** ['pælə] s blekhet
**pally** ['pælɪ] adj vard. vänlig, kamratlig
**1 palm** [pɑ:m] **I** s handflata **II** *vb tr, ~ off*
*a th. on a p.* pracka (lura) på ngn ngt
**2 palm** [pɑ:m] s palm; palmkvist,
plamblad
**palmist** ['pɑ:mɪst] s spåkvinna, kiromant
**palmistry** ['pɑ:mɪstrɪ] s konsten att spå i
händerna, kiromanti
**palmy** ['pɑ:mɪ] adj, *~ days* storhetstid
**palpitate** ['pælpɪteɪt] *vb itr* klappa, slå [*his*
*heart palpitated wildly*]
**palpitation** [ˌpælpɪ'teɪʃ(ə)n] s
hjärtklappning
**palsy** ['pɔ:lzɪ] s förlamning; skakningar

**paltry** ['pɔ:ltrɪ] adj usel, futtig [*a ~ sum*]
**pamper** ['pæmpə] *vb tr* klema bort (med)
**pamphlet** ['pæmflət] s broschyr
**1 pan** [pæn] s **1** kok. panna [*frying-pan*]
**2** säng- bäcken **3** wc-skål [äv. *lavatory-pan*]
**2 pan** [pæn] *vb itr* o. *vb tr* film. panorera
**panacea** [ˌpænə'sɪə] s universalmedel;
patentlösning
**Panama** [ˌpænə'mɑ:] **I** egennamn; *panama*
*hat* panamahatt **II** s, *panama*
panamahatt
**Pan-American** [ˌpænə'merɪkən] adj
panamerikansk
**pancake** ['pænkeɪk] s pannkaka; *Pancake*
*Day* fettisdag, fettisdagen då man äter
pannkakor
**panda** ['pændə] s **1** zool. panda **2** *~*
*crossing* övergångsställe med manuellt
påverkade signaler
**pandemonium** [ˌpændɪ'məʊnjəm] s
tumult, kaos, pandemonium
**pander** ['pændə] *vb itr, ~ to* uppmuntra,
underblåsa, vädja till [*~ to low tastes*]
**pane** [peɪn] s glasruta
**panel** ['pænl] s panel
**panelling** ['pænəlɪŋ] s träpanel; *~ doctor*
ung. sjukförsäkringsläkare,
anvisningsläkare
**pang** [pæŋ] s häftig smärta (plåga); kval;
*~s of conscience* samvetskval
**panic** ['pænɪk] **I** s panik **II** *vb itr* gripas av
panik; *don't ~!* ingen panik!
**panicky** ['pænɪkɪ] adj vard. panikslagen
**panic-monger** ['pænɪkˌmʌŋgə] s
panikmakare
**panic-stricken** ['pænɪkˌstrɪk(ə)n] adj o.
**panic-struck** ['pænɪkstrʌk] adj
panikslagen
**panoply** ['pænəplɪ] s **1** pompa **2** stort
uppbåd
**panorama** [ˌpænə'rɑ:mə] s panorama
**pan-pipe** ['pænpaɪp] s panflöjt
**pansy** ['pænzɪ] s **1** bot. pensé; *wild ~*
styvmorsviol **2** sl. fikus, homofil; mes
**pant** [pænt] *vb itr* flämta, flåsa
**pantalettes** [ˌpæntə'lets] s pl mamelucker
**panther** ['pænθə] s panter
**pantie** ['pæntɪ] s vard., pl. *~s* trosor; *~*
*girdle* byxgördel
**pantihose** ['pæntɪhəʊz] s strumpbyxor
**pantomime** ['pæntəmaɪm] s **1** pantomim
**2** julshow med musik o. dans
**pantry** ['pæntrɪ] s skafferi, serveringsrum
**pants** [pænts] s pl **1** kalsonger; trosor
**2** amer. vard. långbyxor

**pantskirt** ['pæntskɜ:t] *s* byxkjol
**pantsuit** ['pæntsu:t] *s* amer. byxdress
**pantyhose** ['pæntɪhəʊz] *s* strumpbyxor
**papa** [pə'pɑ:, amer. 'pɑ:pə] *s* pappa
**papacy** ['peɪpəsɪ] *s* påvedöme
**papal** ['peɪp(ə)l] *adj* påvlig
**paper** ['peɪpə] **I** *s* **1** papper **2** tidning
**3** skriftligt prov, skrivning **4** tapet, tapeter
**II** *vb tr* tapetsera, sätta upp tapeter i (på)
[~ *a room (wall)*]
**paperback** ['peɪpəbæk] *s* paperback;
pocketbok
**paperbag** ['peɪpəbæg] *adj*, ~ *cookery*
stekning i smörat papper
**paper carrier** ['peɪpə,kærɪə] *s* papperskasse
**paper chain** ['peɪpətʃeɪn] *s* pappersgirland
**paper chase** ['peɪpətʃeɪs] *s* snitseljakt
**paper clip** ['peɪpəklɪp] *s* pappersklämma,
gem
**paperhanger** ['peɪpə,hæŋə] *s*
tapetuppsättare; ungefär motsvarande målare
**paperhanging** ['peɪpə,hæŋɪŋ] *s* o. **papering**
['peɪpərɪŋ] *s* tapetsering
**paperweight** ['peɪpəweɪt] *s* brevpress
**paperwork** ['peɪpəwɜ:k] *s* skrivbordsarbete
**paprika** ['pæprɪkə] *s* paprika
**par** [pɑ:] *s*, *not up to* ~ vard. lite vissen
(dålig); *be on a* ~ vara likställd
**parable** ['pærəbl] *s* bibl. liknelse
**parabolic** [,pærə'bɒlɪk] *adj* **1** mat.
parabolisk **2** ~ *aerial* (amer. *antenna*)
parabolantenn
**parachute** ['pærəʃu:t] *s* fallskärm
**parachutist** ['pærəʃu:tɪst] *s*
fallskärmshoppare; fallskärmsjägare
**parade** [pə'reɪd] **I** *s* parad; mönstring;
*fashion* ~ modevisning **II** *vb itr* o. *vb tr*
**1** paradera; låta paradera; mönstra
**2** tåga; tåga igenom, promenera fram och
tillbaka på **3** skylta med [~ *one's
knowledge*]
**parade ground** [pə'reɪdgraʊnd] *s* mil.
exercisplats, paradplats
**paradise** ['pærədaɪs] *s* paradis; *live in a
fool's* ~ leva i lycklig okunnighet; *bird of*
~ paradisfågel
**paradox** ['pærədɒks] *s* paradox
**paradoxical** [,pærə'dɒksɪk(ə)l] *adj*
paradoxal
**paraffin** ['pærəfɪn] *s* paraffin; fotogen; ~
*oil* a) fotogen b) amer. paraffinolja
**paragon** ['pærəgən] *s* mönster, förebild
**paragraph** ['pærəgrɑ:f] *s* nytt stycke,
avsnitt, moment
**Paraguay** ['pærəgwaɪ]

**Paraguayan** [,pærə'gwaɪən] **I** *s*
paraguayare **II** *adj* paraguaysk
**parakeet** ['pærəki:t] *s* slags liten papegoja
**parallel** ['pærəlel] **I** *adj* parallell **II** *s*
**1** parallell **2** geogr. breddgrad
**paralyse** ['pærəlaɪz] *vb tr* paralysera,
förlama
**paralysis** [pə'ræləsɪs] *s* förlamning
**paralytic** [,pærə'lɪtɪk] **I** *adj* paralytisk,
förlamad **II** *s* paralytiker
**paramilitary** [,pærə'mɪlɪtrɪ] *adj* paramilitär
**paramount** ['pærəmaʊnt] *adj* högst [*the* ~
*chiefs*], störst [*of* ~ *interest*]
**paranoiac** [,pærə'nɔɪæk] *s* paranoiker
**paranoid** ['pærənɔɪd] **I** *adj* paranoid **II** *s*
paranoiker
**parapet** ['pærəpɪt] *s* bröstvärn, balustrad,
räcke, parapet
**paraphernalia** [,pærəfə'neɪljə] *s* tillbehör,
utrustning, attiraljer
**paraphrase** ['pærəfreɪz] *s* parafras,
omskrivning
**parasite** ['pærəsaɪt] *s* parasit äv. bildl.
**parasitic** [,pærə'sɪtɪk] *adj* parasitisk
**parasol** ['pærəsɒl] *s* parasoll
**paratrooper** ['pærə,tru:pə] *s*
fallskärmsjägare
**paratroops** ['pærətru:ps] *s pl*
fallskärmstrupper
**paratyphoid** [,pærə'taɪfɔɪd] *s* paratyfus
**parboil** ['pɑ:bɔɪl] *vb tr* **1** förvälla
**2** överhetta
**parcel** ['pɑ:sl] *s* paket, packe, kolli
**parch** [pɑ:tʃ] *vb tr* sveda, bränna, förtorka
[*parched deserts* (öknar)]
**parchment** ['pɑ:tʃmənt] *s* **1** pergament
**2** pergamentmanuskript,
pergamentdokument
**pardon** ['pɑ:dn] **I** *s* **1** förlåtelse; *beg your*
~! el. ~! förlåt!, ursäkta!, hur sa?
**2** benådning **II** *vb tr* **1** förlåta, ursäkta
**2** benåda
**pardonable** ['pɑ:dnəbl] *adj* förlåtlig
**pare** [peə] *vb tr* skala [~ *an apple*]; klippa
[~ *one's nails*]
**parent** ['peər(ə)nt] *s* förälder; målsman; ~
*company* moderbolag
**parentage** ['peər(ə)ntɪdʒ] *s* **1** härkomst,
härstamning, börd **2** föräldraskap
**parental** [pə'rentl] *adj* föräldra- [~
*authority*]; faderlig, moderlig [~ *care*
(omsorg)]
**parenthesis** [pə'renθəsɪs] (pl. *parentheses*
[pə'renθɪsi:z]) *s* parentes; parentestecken
**parenthetic** [,pærən'θetɪk] *adj* o.

**parenthetical** [ˌpærən'θetɪk(ə)l] *adj*
parentetisk, inom parentes

**parenthood** ['peər(ə)nthʊd] *s* föräldraskap

**parents-in-law** ['peər(ə)ntsɪnlɔ:] *s pl*
svärföräldrar

**parfait** [pɑ:'feɪ] *s* parfait slags glass

**pariah** [pə'raɪə, 'pærɪə] *s* paria

**parish** ['pærɪʃ] *s* socken, församling

**parishioner** [pə'rɪʃənə] *s* församlingsbo

**Parisian** [pə'rɪzjən] **I** *adj* parisisk, pariser-
**II** *s* parisare, parisiska

**parity** ['pærətɪ] *s* paritet, likhet

**park** [pɑ:k] **I** *s* park **II** *vb tr* o. *vb itr* parkera

**parka** ['pɑ:kə] *s* **1** parkas **2** skinnanorak

**park-and-ride** [ˌpɑ:kənd'raɪd] *adj, the ~
system* infartsparkering

**parking** ['pɑ:kɪŋ] *s* parkering; *No Parking*
Parkering förbjuden; *~ ticket*
parkeringslapp om parkeringsöverträdelse

**parky** ['pɑ:kɪ] *adj* vard. kylig [*~ air
(weather)*]

**parlance** ['pɑ:ləns] *s, in common
(ordinary) ~* i dagligt tal

**parley** ['pɑ:lɪ] *s* förhandling, överläggning

**parliament** ['pɑ:ləmənt] *s* parlament;
riksdag

**parliamentary** [ˌpɑ:lə'mentrɪ] *adj*
parlamentarisk

**parlor** ['pɑ:lə] *s* amer., se *parlour*

**parlour** ['pɑ:lə] *s* **1** a) sällskapsrum på t.ex.
värdshus; mottagningsrum b) amer.
vardagsrum **2** salong [*beauty ~*]; bar [*ice
cream ~*]

**parlour game** ['pɑ:ləgeɪm] *s* sällskapsspel

**parlour maid** ['pɑ:ləmeɪd] *s* husa

**Parmesan** [ˌpɑ:mɪ'zæn] *s* parmesanost

**parody** ['pærədɪ] **I** *s* parodi **II** *vb tr*
parodiera

**parole** [pə'rəʊl] *s* amer. jur. villkorlig
frigivning (benådning)

**paroxysm** ['pærəksɪz(ə)m] *s* paroxysm,
häftigt anfall [*a ~ of laughter (rage)*]

**parquet** ['pɑ:keɪ, 'pɑ:kɪ] *s* **1** parkett,
parkettgolv [äv. *~ flooring*] **2** amer. parkett
på t.ex. teater

**parrot** ['pærət] *s* papegoja

**parry** ['pærɪ] *vb tr* parera, avvärja [*~ a
blow*]

**arse** [pɑ:z] *vb tr* ta ut satsdelarna i [*~ a
sentence*]

**parsimonious** [ˌpɑ:sɪ'məʊnjəs] *adj* gnidig

**parsley** ['pɑ:slɪ] *s* persilja

**parsnip** ['pɑ:snɪp] *s* palsternacka

**parson** ['pɑ:sn] *s* kyrkoherde

**parsonage** ['pɑ:sənɪdʒ] *s* prästgård

**part** [pɑ:t] **I** *s* **1** del, avdelning, stycke;
reservdel; *in ~* delvis, till en del; *take in
good ~* ta väl upp; *take ~* deltaga,
medverka; *take a p.'s ~* ta ngns parti; *for
my ~* för min del; *on his ~* från hans sida
**2** pl. *~s* trakter, ort **3** teat. m.m. roll; *play
(act) a ~* spela en roll
**II** *vb tr* o. *vb itr* **1** skilja, skilja åt [*we
tried to ~ them*]; skiljas [*from a p.* från
ngn], skiljas åt; gå åt olika håll; *~
company* skiljas **2** dela; bena [*~ one's
hair*]

**partake** [pɑ:'teɪk] (*partook partaken*) *vb itr*
delta; *~ of* inta, förtära

**partaken** [pɑ:'teɪkn] se *partake*

**part-exchange** [ˌpɑ:tɪks'tʃeɪndʒ] *s*
dellikvid [*take a th. in* (som) *~*]

**partial** ['pɑ:ʃ(ə)l] *adj* **1** partiell, del- [*~
payment*] **2** partisk **3** *be ~ to* vara förtjust
i

**partiality** [ˌpɑ:ʃɪ'ælətɪ] *s* **1** partiskhet
**2** smak, förkärlek

**partially** ['pɑ:ʃəlɪ] *adv* delvis

**participant** [pɑ:'tɪsɪpənt] *s* deltagare

**participate** [pɑ:'tɪsɪpeɪt] *vb itr* delta

**participation** [pɑ:ˌtɪsɪ'peɪʃ(ə)n] *s*
deltagande [*~ in a meeting*], medverkan

**participator** [pɑ:'tɪsɪpeɪtə] *s* deltagare,
medverkande

**participle** ['pɑ:tɪsɪpl] *s* gram. particip; *the
past ~* perfekt particip; *the present ~*
presens particip

**particle** ['pɑ:tɪkl] *s* partikel äv. gram.

**particular** [pə'tɪkjʊlə] **I** *adj* **1** särskild,
speciell [*in this ~ case*] **2** om person
noggrann, kinkig [*about, as to, in* i fråga
om, med] **3** utförlig, detaljerad **II** *s* **1** pl.
*~s* speciellt närmare omständigheter
(detaljer); närmare upplysningar **2** *in ~* i
synnerhet, särskilt

**particularly** [pə'tɪkjʊləlɪ] *adv* särskilt,
speciellt; synnerligen [*be ~ glad*]

**parting** ['pɑ:tɪŋ] *s* **1** avsked **2** bena; *make
a ~* kamma bena

**partisan** [ˌpɑ:tɪ'zæn] *s* mil. partisan

**partition** [pɑ:'tɪʃ(ə)n] **I** *s* **1** delning **2** del,
avdelning **3** mur, skiljevägg **II** *vb tr* **1** dela
**2** *~ off* avdela

**partly** ['pɑ:tlɪ] *adv* delvis, dels [*~ stupidity,
~ laziness*]

**partner** ['pɑ:tnə] *s* **1** deltagare
**2** kompanjon; *sleeping ~* passiv delägare
**3** kavaljer, dam **4** i spel partner [*tennis ~*],
medspelare

**partnership** ['pɑ:tnəʃɪp] *s* kompanjonskap

**partook** [pɑːˈtʊk] se *partake*
**part-owner** [ˌpɑːˈtəʊnə] s delägare
**partridge** [ˈpɑːtrɪdʒ] s rapphöna
**part-time** [ˌpɑːˈtaɪm] I *adj* deltids-, halvtids- [~ *work*] II *adv* på deltid (halvtid); *work* ~ ha (arbeta) deltid
**part-timer** [ˌpɑːˈtaɪmə] s deltidsarbetande, deltidsanställd
**party** [ˈpɑːtɪ] s **1** parti **2** sällskap [*a* ~ *of tourists*]; *search* ~ spaningspatrull **3** bjudning [*tea* ~], fest, party; *birthday* ~ födelsedagskalas
**party game** [ˈpɑːtɪgeɪm] s sällskapslek
**party line** [ˌpɑːtɪlaɪn] s polit. partilinje
**party-political** [ˌpɑːtɪpəˈlɪtɪk(ə)l] *adj* partipolitisk
**pass** [pɑːs] I *vb itr* o. *vb tr* **1** passera, gå (köra) förbi (om, igenom) **2** om t.ex. tid gå [*time passed quickly*] **3** gå över, upphöra, försvinna [*the pain soon passed*] **4** gälla, gå, passera **5** parl. m.m. antas **6** sport. el. kortsp. passa **7** tillbringa [~ *a pleasant evening*], fördriva [~ *the time*] **8** räcka, skicka [~ (~ *me*) *the salt, please!*] **9** anta, godkänna [*passed by the censor*]; ~ *the Customs* gå igenom (passera) tullen **10** klara sig i examen; bli godkänd; bli godkänd i, klara [~ *an (one's) examination*] **11** föra, dra, låta fara [*over* över] □ ~ *away* a) gå bort, försvinna b) dö, gå bort **c)** ~ *away the time* fördriva tiden; ~ *off* a) gå över, försvinna [*her anger will soon* ~ *off*] b) *he tried to* ~ *himself off as a count* han försökte ge sig ut för att vara greve **c)** ~ *a th. off on a p.* pracka på ngn ngt; ~ *on* a) gå vidare, fortsätta [~ *on to* (till) *another subject*] b) låta gå vidare [*read this and* ~ *it on*]; ~ *out* vard. tuppa av, svimma; ~ *over* a) gå över b) bildl. förbigå c) räcka, överlämna [*to a p.* till (åt) ngn]; ~ *round* skicka omkring (runt), låta gå runt
II *s* **1** godkännande i examen; *a* ~ godkänt **2** passerkort, passersedel **3** sport. passning **4** bergspass; trång passage
**passable** [ˈpɑːsəbl] *adj* **1** farbar, framkomlig **2** hjälplig, skaplig
**passage** [ˈpæsɪdʒ] s **1** a) färd, resa med båt el. flyg b) genomresa; *work one's* ~ [*to America*] arbeta sig över... **2** passage, genomgång, väg, gång **3** ställe i t.ex. text; avsnitt
**passage way** [ˈpæsɪdʒweɪ] s passage
**passbook** [ˈpɑːsbʊk] s bankbok, motbok
**passenger** [ˈpæsɪndʒə] s passagerare

**passer-by** [ˌpɑːsəˈbaɪ] (pl. *passers-by* [ˈpɑːsəzˈbaɪ]) s förbipasserande
**passing** [ˈpɑːsɪŋ] I *adj* **1** i förbigående [*a* ~ *remark*] **2** ~ *showers* övergående regn (skurar); *a* ~ *whim* en tillfällig nyck II *s*, *the* ~ *of time* tidens gång; *in* ~ i förbigående (förbifarten)
**passion** [ˈpæʃ(ə)n] s **1** passion, lidelse, kärlek **2** *fly* (*get*) *into a* ~ bli ursinnig
**passionate** [ˈpæʃənət] *adj* passionerad
**passive** [ˈpæsɪv] I *adj* passiv; ~ *smoking* passiv rökning II *s* gram., *the* ~ passiv
**passivity** [pæˈsɪvətɪ] s passivitet
**passkey** [ˈpɑːskiː] s huvudnyckel
**Passover** [ˈpɑːsˌəʊvə] s judarnas påskhögtid
**passport** [ˈpɑːspɔːt] s pass
**password** [ˈpɑːswɜːd] s lösenord
**past** [pɑːst] I *adj* gången, förfluten; *the* ~ *few days* de sista dagarna; *for some years* (*time*) ~ sedan några år (någon tid) tillbaka II *s* **1** *the* ~ det förflutna (förgångna); *in the distant* ~ i en avlägsen forntid; *it is a thing of the* ~ det tillhör det förflutna; *he has a shady* ~ han har ett tvivelaktigt förflutet **2** gram., *the* ~ imperfekt, preteritum III *prep* förbi, bortom; ~ *danger* utom fara; *at half* ~ *one* klockan halv två; *a quarter* ~ *two* en kvart över två IV *adv* förbi [*go* (*run*) ~]
**pasta** [ˈpæstə, amer. ˈpɑːstɑ] s kok. pasta
**paste** [peɪst] I *s* **1** deg; massa [*almond* ~] **2** pasta [*tomato* ~]; bredbar pastej [*anchovy* ~] **3** klister, fotolim **4** oäkta ädelstenar, strass II *vb tr*, ~ *up* el. ~ klistra upp
**pasteboard** [ˈpeɪstbɔːd] s papp, kartong
**pastel** [ˈpæst(ə)l] s pastellfärg; pastellmålning
**pastern** [ˈpæstɜːn] s karled på häst
**pasteurize** [ˈpɑːstʃəraɪz, ˈpæstʃəraɪz] *vb tr* pastörisera
**pastille** [ˈpæst(ə)l] s pastill, tablett
**pastime** [ˈpɑːstaɪm] s tidsfördriv, nöje
**pasting** [ˈpeɪstɪŋ] s vard., *give a p. a* ~ ge ngn stryk
**pastmaster** [ˌpɑːstˈmɑːstə] s mästare [*a* ~ *at* (i) *chess*]
**pastor** [ˈpɑːstə] s präst, pastor
**pastoral** [ˈpɑːstər(ə)l] *adj* herde-, pastoral-, pastoral
**pastry** [ˈpeɪstrɪ] s **1** bakverk, bakelser, kakor **2** smördeg
**pastryboard** [ˈpeɪstrɪbɔːd] s bakbord
**pastrycook** [ˈpeɪstrɪkʊk] s konditor
**pasture** [ˈpɑːstʃə] s bete t.ex. gräs; betesmark

**pastureland** ['pɑːstʃələænd] s betesmark
**pasty** [substantiv 'pæsti, adjektiv 'peɪsti] **I** s pirog vanl. med köttfyllning **II** adj degig, blekfet [a ~ complexion]
**pasty-faced** ['peɪstifeɪst] adj blekfet
**pat** [pæt] **I** s **1** lätt slag; a ~ on the back bildl. en klapp på axeln **2** klick [a ~ of butter] **II** vb tr o. vb itr **1** klappa; ~ a p. on the back bildl. ge ngn en klapp på axeln **2** slå lätt [rain patting on the roof]
**patch** [pætʃ] **I** s **1 a)** lapp [a coat with patches on the elbows] **b)** lapp för öga **2** fläck, ställe, stycke **3** jordbit; täppa [a cabbage ~] **II** vb tr lappa, laga; sätta en lapp på; ~ up lappa ihop äv. bildl.
**patch pocket** ['pætʃˌpɒkɪt] s påsydd ficka
**patchwork** ['pætʃwɜːk] s, ~ quilt lapptäcke
**patchy** ['pætʃi] adj vard. ojämn, växlande
**pate** [peɪt] s vard. skämts. skult, skalle
**pâté** ['pæteɪ] s paté, pastej; ~ de foie gras [[dəˌfwɑːˈgrɑː]) äkta gåsleverpastej
**patent** ['peɪt(ə)nt] **I** adj **1** klar, tydlig, uppenbar **2** patenterad, patent- [~ medicine], privilegierad **II** s **1** patent; patentbrev; patenträtt **2** privilegiebrev **III** vb tr patentera
**patent-leather** [ˌpeɪt(ə)nt'leðə] s blankskinn, lackskinn; i sammansättningar lack- [~ shoes]
**paternal** [pə'tɜːnl] adj **1** faderlig **2** på fädernet; ~ grandfather farfar
**paternity** [pə'tɜːnəti] s faderskap
**path** [pɑːθ, pl. pɑːðz] s **1** stig, gångstig; gång [garden ~] **2** bana [the moon's ~]
**pathetic** [pə'θetɪk] adj patetisk, gripande
**pathfinder** ['pɑːθˌfaɪndə] s **1** stigfinnare **2** mil. vägledare flygplan el. person
**pathological** [ˌpæθə'lɒdʒɪk(ə)l] adj patologisk, sjuklig
**pathologist** [pə'θɒlədʒɪst] s **1** patolog **2** obducent
**pathology** [pə'θɒlədʒɪ] s patologi
**pathos** ['peɪθɒs] s patos
**pathway** ['pɑːθweɪ] s stig, gångstig; väg
**patience** ['peɪʃ(ə)ns] s **1** tålamod **2** kortsp. patiens
**patient** ['peɪʃ(ə)nt] **I** adj tålig, tålmodig **II** s patient; sjukling
**patio** ['pætɪəʊ] (pl. ~s) s **1** patio **2** uteplats vid villa
**patisserie** [pə'tɪsərɪ] s **1** konditori **2** bakelser
**patriarch** ['peɪtrɪɑːk] s patriark
**patriarchal** [ˌpeɪtrɪ'ɑːk(ə)l] adj patriarkalisk
**patriot** ['pætrɪət, 'peɪtrɪət] s patriot

**patriotic** [ˌpætrɪ'ɒtɪk, ˌpeɪtrɪ'ɒtɪk] adj patriotisk
**patriotism** ['pætrɪətɪz(ə)m, 'peɪtrɪətɪz(ə)m] s patriotism
**patrol** [pə'trəʊl] **I** s patrullering; patrull; ~ car polisbil, radiobil **II** vb itr o. vb tr patrullera
**patrolman** [pə'trəʊlmæn] s amer. **1** patrullerande polis **2** vakt
**patron** ['peɪtr(ə)n] s **1 a)** beskyddare, gynnare **b)** ~ saint skyddshelgon **2** stamkund, stamgäst
**patronage** ['pætrənɪdʒ] s **1** beskydd **2** kundkrets, kunder
**patronize** ['pætrənaɪz] vb tr **1** beskydda, gynna **2** behandla nedlåtande **3** vara kund (stamgäst) hos
**patronizing** ['pætrənaɪzɪŋ] adj nedlåtande
**1 patter** ['pætə] **I** vb itr **1** om t.ex. regn smattra [on mot] **2** om fotsteg tassa **II** s smattrande (trippande) ljud
**2 patter** ['pætə] **I** vb itr pladdra **II** s pladder
**pattern** ['pætən] s **1** modell, mönster [a ~ for a dress]; schablon **2** varuprov, prov av tyg m.m.; provbit **3** dekorativt mönster
**patty** ['pæti] s liten pastej
**paunch** [pɔːntʃ] s buk; vard. kalaskula
**pauper** ['pɔːpə] s fattighjon
**pause** [pɔːz] **I** s paus, avbrott, uppehåll **II** vb itr göra en paus
**pave** [peɪv] vb tr stenlägga; ~ the way for bildl. bana väg för
**pavement** ['peɪvmənt] s **1** trottoar **2** amer. belagd väg
**pavilion** [pə'vɪljən] s **1** stort tält; prakttält **2** paviljong **3** sport., ungefär klubbhus
**paving-stone** ['peɪvɪŋstəʊn] s gatsten
**paw** [pɔː] s djurs tass
**1 pawn** [pɔːn] s **1** schack. bonde **2** bildl. bricka; verktyg
**2 pawn** [pɔːn] **I** s pant; be in ~ vara pantsatt **II** vb tr pantsätta
**pawnbroker** ['pɔːnˌbrəʊkə] s pantlånare; pawnbroker's shop el. pawnbroker's pantbank
**pawnshop** ['pɔːnʃɒp] s pantbank
**pawn-ticket** ['pɔːnˌtɪkɪt] s pantkvitto
**pay** [peɪ] **I** (paid paid) vb tr o. vb itr **1** betala; put paid to a th. vard. sätta stopp för ngt **2** löna sig [ofta ~ off; honesty ~s], vara lönande □ ~ back a) betala igen (tillbaka) b) bildl. ge betalt (igen); ~ for betala, betala för, bekosta; ~ off (up)

betala till fullo **II** *s* betalning, avlöning;
lön

**pay-as-you-earn** [ˌpeɪəzjʊˈɜːn] *s* källskatt

**paycheck** [ˈpeɪtʃek] *s* amer. lönebesked,
lönecheck

**pay claim** [ˈpeɪkleɪm] *s* lönekrav

**payday** [ˈpeɪdeɪ] *s* avlöningsdag

**paydesk** [ˈpeɪdesk] *s* kassa i butik

**payee** [peɪˈiː] *s* betalningsmottagare

**paying** [ˈpeɪɪŋ] *adj* lönande; betalande

**payload** [ˈpeɪləʊd] *s* nyttolast

**payment** [ˈpeɪmənt] *s* betalning

**pay packet** [ˈpeɪˌpækɪt] *s* lönekuvert

**payroll** [ˈpeɪrəʊl] *s* avlöningslista; ~ *tax*
arbetsgivaravgift

**pay station** [ˈpeɪˌsteɪʃ(ə)n] *s* amer.
telefonkiosk, telefonhytt

**pay telephone** [ˈpeɪˌtelɪfəʊn] *s*
telefonautomat; telefonkiosk

**pay television** [ˈpeɪˌtelɪvɪʒ(ə)n] *s* o. **pay-TV**
[ˈpeɪˌtiːviː] *s* betal-TV

**PC** [ˌpiːˈsiː] förk. för *personal computer, Police
Constable*

**PE** [ˌpiːˈiː] förk. för *physical education*

**pea** [piː] *s* ärt, ärta; *as like as two ~s*
(*two ~s in a pod*) så lika som två bär

**peace** [piːs] *s* fred; fredsslut; frid, lugn,
ro; ~ *and quiet* lugn och ro; ~ *feeler*
fredstrevare; *on a ~ footing* på fredsfot;
~ *negotiations* fredsförhandlingar; *make*
(*conclude*) ~ sluta fred [*with* med]; *I
want to have my meal in* ~ jag vill äta i
lugn och ro; *leave in* ~ lämna (låta vara)
i fred; *may he rest in* ~! må han vila i
frid!

**peaceful** [ˈpiːsf(ʊ)l] *adj* fridfull, stilla;
fredlig

**peace-loving** [ˈpiːsˌlʌvɪŋ] *adj* fredsälskande

**peacemaker** [ˈpiːsˌmeɪkə] *s* fredsstiftare

**peach** [piːtʃ] *s* **1** persika **2** vard. goding, söt
flicka

**peacock** [ˈpiːkɒk] *s* påfågel

**peahen** [ˈpiːhen] *s* påfågel, påfågelshöna

**peak** [piːk] *s* **1** spets; bergstopp **2** skärm,
mösskärm **3** topp, höjdpunkt; *at ~ hours
of traffic* el. *at ~ hours* vid högtrafik; *in
the ~ of condition* i toppform

**peaked** [piːkt] *adj*, ~ *cap* skärmmössa

**peal** [piːl] **I** *s* **1** klockringning; klockklang
**2** klockspel **3** skräll; ~ *of laughter*
skallande skratt; ~ *of thunder* åskdunder
**II** *vb itr* ringa

**peanut** [ˈpiːnʌt] *s* **1** jordnöt [~ *butter*] **2** sl.,
pl. ~*s* 'småpotatis'

**pear** [peə] *s* päron

**pearl** [pɜːl] *s* pärla

**pearl-diver** [ˈpɜːlˌdaɪvə] *s* pärlfiskare

**pearly** [ˈpɜːlɪ] *adj* pärlliknande,
pärlskimrande

**peasant** [ˈpez(ə)nt] *s* **1** bonde speciellt på
den europeiska kontinenten; småbrukare;
attributivt bond- [~ *girl*] **2** vard. lantis;
bondtölp

**peasantry** [ˈpezəntrɪ] *s* bönder

**pease pudding** [ˌpiːzˈpʊdɪŋ] *s* slags kokt rätt
av mosade gula ärter, ägg o. smör

**pea-shooter** [ˈpiːˌʃuːtə] *s* ärtbössa, ärtrör

**pea soup** [ˌpiːˈsuːp] *s* gul ärtsoppa

**peat** [piːt] *s* torv

**pebble** [ˈpebl] *s* kiselsten, småsten

**peck** [pek] *vb tr* o. *vb itr* picka (hacka) på
(i); om fåglar picka; ~ *at* a) hacka (picka)
på (i) b) vard. peta i [~ *at one's food*]

**peckish** [ˈpekɪʃ] *adj* vard. sugen, hungrig

**peculiar** [pɪˈkjuːljə] *adj* egendomlig;
särskild, speciell

**peculiarity** [pɪˌkjuːlɪˈærətɪ] *s* egenhet

**peculiarly** [pɪˈkjuːljəlɪ] *adv* särskilt;
besynnerligt

**pedagogical** [ˌpedəˈgɒdʒɪkəl] *adj*
pedagogisk

**pedagogue** [ˈpedəgɒg] *s* pedagog

**pedagogy** [ˈpedəgɒdʒɪ] *s* pedagogik

**pedal** [ˈpedl] **I** *s* pedal; på t.ex. piano: *loud ~*
vard. högerpedal; *soft ~* vard. vänsterpedal
**II** *adj* pedal-; tramp- [~ *cycle*] **III** *vb itr*
trampa; använda pedal

**pedant** [ˈped(ə)nt] *s* pedant; formalist

**pedantic** [pɪˈdæntɪk] *adj* pedantisk

**pedantry** [ˈpedəntrɪ] *s* pedanteri

**peddle** [ˈpedl] *vb tr* gå omkring och sälja;
~ *narcotics* langa narkotika

**pedestal** [ˈpedɪstl] *s* piedestal, sockel

**pedestrian** [pəˈdestrɪən] *s* fotgängare; ~
*crossing* övergångsställe; ~ *precinct*
område med gågator, gågata

**pediatrics** [ˌpiːdɪˈætrɪks] (konstrueras med sg.)
*s* pediatrik

**pedicure** [ˈpedɪkjʊə] *s* pedikyr; fotvård

**pedigree** [ˈpedɪgriː] *s* stamträd, stamtavla;
~ *dog* rashund

**pedlar** [ˈpedlə] *s* gatuförsäljare; langare

**pee** [piː] sl. **I** *s, have a ~* kissa **II** *vb itr* kissa

**peek** [piːk] **I** *vb itr* kika, titta [*at* på] **II** *s,
have* (*take*) *a ~ at* ta en titt på

**peek-a-boo** [ˌpiːkəˈbuː] *interj* tittut!

**peel** [piːl] **I** *s* skal på t.ex. frukt **II** *vb tr* o. *vb
itr* **1** skala t.ex. frukt; barka träd **2** vard., ~ *off*
ta av sig kläderna **3** flagna, fjälla

**peep** [pi:p] **I** *vb itr* om t.ex. fågelunge, råtta pipa **II** *s* pip

**peep** [pi:p] **I** *vb itr* **1** kika, titta [*at* på]; *peeping Tom* fönstertittare **2** titta (skymta) fram **II** *s* titt

**peepshow** ['pi:pʃəʊ] *s* tittskåp

**peer** [pɪə] *vb itr* kisa, plira, kika

**peer** [pɪə] *s* **1** like, jämlike **2** pär medlem av högadeln i Storbritannien; ungefär adelsman

**peerage** ['pɪərɪdʒ] *s* **1** *the* ~ pärerna, högadeln **2** pärsvärdighet, adelskap

**peerless** ['pɪələs] *adj* makalös, oförliknelig

**peeve** [pi:v] *vb tr*, *peeved at* irriterad över

**peevish** ['pi:vɪʃ] *adj* retlig, vresig

**peg** [peg] *s* **1** pinne; sprint, stift, bult; tapp, plugg **2** klädnypa **3** hängare [*hat-peg*]; *off the* ~ vard. konfektionssydd

**pegtop** ['pegtɒp] *s* snurra med metallspets

**peke** [pi:k] *s* vard. pekines hund

**pekinese** [ˌpi:kɪ'ni:z] (pl. lika) *s* pekines

**pelican** ['pelɪkən] *s* pelikan

**pellet** ['pelɪt] *s* liten kula av trä, papper

**pell-mell** [ˌpel'mel] *adv* huller om buller

**pelmet** ['pelmɪt] *s* gardinkappa; kornisch

**pelt** [pelt] *vb tr* o. *vb itr* **1** kasta [~ *stones*] **2** om regn, snö vräka **3** kuta i väg

**pelvis** ['pelvɪs] *s* anat. bäcken

**pen** [pen] *s* fålla; hönsbur; hage

**pen** [pen] **I** *s* penna **II** *vb tr* skriva, avfatta

**penal** ['pi:nl] *adj*, ~ *law* (*code*) strafflag

**penalize** ['pi:nəlaɪz] *vb tr* straffa

**penalty** ['penltɪ] *s* **1** straff, påföljd; vite, bötesstraff, böter **2** fotb., ~ *kick* el. ~ straffspark; ~ *area* (*box*) straffområde

**penance** ['penəns] *s* penitens, bot

**pence** [pens] se *penny*

**penchant** ['pɑ:ŋʃɑ:ŋ] *s* förkärlek [*for* för]

**pencil** ['pensl] *s* **1** blyertspenna **2** stift speciellt med. [*styptic* ~]; penna, pensel [*eyebrow* ~]

**pencil-sharpener** ['pensl.ʃɑ:pənə] *s* pennvässare

**pendant** ['pendənt] *s* hängsmycke

**pending** ['pendɪŋ] *prep* i avvaktan på [~ *his return*]; under loppet av

**pendulum** ['pendjʊləm] *s* pendel

**penetrate** ['penətreɪt] *vb tr* tränga genom, bryta igenom [~ *the enemy's lines*], tränga in i, penetrera

**penetrating** ['penətreɪtɪŋ] *adj* genomträngande, skarp; skarpsinnig [~ *analysis*]

**penetration** [ˌpenɪ'treɪʃ(ə)n] *s* genomträngande, inträngande

**pen friend** ['penfrend] *s* brevvän

**penguin** ['peŋgwɪn] *s* pingvin

**penicillin** [ˌpenə'sɪlɪn] *s* penicillin

**peninsula** [pə'nɪnsjʊlə] *s* halvö

**peninsular** [pə'nɪnsjʊlə] *adj* halvöliknande

**penis** ['pi:nɪs] *s* penis

**penitence** ['penɪt(ə)ns] *s* botfärdighet, ånger

**penitent** ['penɪt(ə)nt] *adj* botfärdig, ångerfull

**penitentiary** [ˌpenɪ'tenʃərɪ] *s* amer. fängelse

**penknife** ['pennaɪf] (pl. *penknives* ['pennaɪvz]) *s* pennkniv

**pen name** ['penneɪm] *s* pseudonym

**pennant** ['penənt] *s* vimpel, flagga som t.ex. mästerskapstecken

**penniless** ['penɪləs] *adj* utan ett öre, utfattig

**penny** ['penɪ] (pl. *pennies* när mynten avses, *pence* när värdet avses) *s* penny eng. mynt = 1/100 pund; amer. vard. encentslant; *a pretty* ~ en nätt summa; *they are ten* (*two*) *a* ~ det går tretton på dussinet; *spend a* ~ vard. gå på toa

**penny-wise** ['penɪwaɪz] *adj*, *be* ~ *and pound-foolish* låta snålheten bedra visheten

**pen pal** ['penpæl] *s* brevvän

**pen-pusher** ['pen.pʊʃə] *s* vard. kontorsslav

**pension** ['penʃ(ə)n] **I** *s* pension **II** *vb tr* pensionera; ~ *off* ge pension

**pensioner** ['penʃənə] *s* pensionär

**pensive** ['pensɪv] *adj* tankfull, fundersam

**pentagon** ['pentəgən] *s* femhörning

**pentathlete** [pen'tæθli:t] *s* sport. femkampare

**pentathlon** [pen'tæθlɒn] *s* sport. femkamp

**Pentecost** ['pentɪkɒst] *s* amer. pingst, pingstdagen

**penthouse** ['penthaʊs] *s* lyxig takvåning

**pent-up** ['pentʌp] *adj* undertryckt, återhållen [~ *emotions*], förträngd

**penultimate** [pə'nʌltɪmət] *adj* näst sista

**peony** ['pɪənɪ] *s* pion

**people** ['pi:pl] **I** (konstrueras i betydelserna 2-4 med pl.) *s* **1** folk [*the English* ~], nation, folkslag [*primitive* ~s] **2** folk; menighet; *the* ~ de breda lagren, den stora massan; *people's democracy* folkdemokrati **3** människor, personer [*fifty* ~] **4** vard. familj, anhöriga **II** *vb tr* befolka, bebo

**pep** [pep] vard. **I** *s* fart, fräs, kläm **II** *vb tr*, ~ *up* pigga upp, sätta fart på

**pepper** ['pepə] **I** *s* **1** peppar **2** paprika [*green* (*red*) ~] **II** *vb tr* peppra, peppra på

**peppermint** ['pepəmənt] *s* smakämne
pepparmint; växt pepparmynta
**peppery** ['pepərɪ] *adj* pepprig; bildl. hetsig
**pep-pill** ['peppɪl] *s* vard. uppiggande piller
**peppy** ['pepɪ] *adj* vard. ärtig, pigg, klämmig
**pep talk** ['peptɔ:k] *s* vard. kort
uppmuntrande tal; peptalk, taktiksnack
före tävling
**per** [pə] *prep* per, genom; ~ *annum*
([pər'ænəm]) per år; ~ *cent* ([pə'sent])
procent
**perambulate** [pə'ræmbjʊleɪt] *vb tr* o. *vb itr*
vandra (ströva) omkring i; vandra
(ströva) omkring
**perambulator** [pə'ræmbjʊleɪtə] *s* barnvagn
**perceive** [pə'si:v] *vb tr* märka, uppfatta
**percentage** [pə'sentɪdʒ] *s* procent
**perceptible** [pə'septəbl] *adj* märkbar
**perception** [pə'sepʃ(ə)n] *s*
iakttagelseförmåga
**perceptive** [pə'septɪv] *adj* insiktsfull
**1 perch** [pɜ:tʃ] (pl. vanl. lika) *s* abborre
**2 perch** [pɜ:tʃ] **I** *s* sittpinne, pinne för t.ex.
höns **II** *vb itr* flyga upp och sätta sig
**percolator** ['pɜ:kəleɪtə] *s* **1** kaffebryggare
**2** filtreringsapparat, perkolator
**percussion** [pə'kʌʃ(ə)n] *s* slag, stöt; ~ *cap*
knallhatt; ~ *instruments* slagverk,
slaginstrument
**percussionist** [pə'kʌʃənɪst] *s* mus. batterist
**peremptory** [pə'remptrɪ] *adj* diktatorisk
**perennial** [pə'renjəl] **I** *adj* om växt perenn,
flerårig **II** *s* perenn
**perfect** [adjektiv o. substantiv 'pɜ:fɪkt, verb
pə'fekt] **I** *adj* **1** perfekt, fulländad;
*practice makes* ~ övning ger färdighet
**2** fullständig, riktig, verklig [*he is a* ~
*nuisance* (plåga)] **3** vard. perfekt, härlig [*a*
~ *day*] **4** gram., *the* ~ *tense* perfekt **II** *s*
gram., *the present* ~ el. *the* ~ perfekt **III** *vb
tr* göra perfekt, fullända
**perfectible** [pə'fektəbl] *adj* utvecklingsbar
**perfection** [pə'fekʃ(ə)n] *s* fulländning,
perfektion; *to* ~ perfekt, på ett fulländat
sätt
**perfectionist** [pə'fekʃənɪst] *s* perfektionist
**perforate** ['pɜ:fəreɪt] *vb tr* perforera
**perforation** [ˌpɜ:fə'reɪʃ(ə)n] *s* perforering;
tandning, tand på frimärke
**perform** [pə'fɔ:m] *vb tr* **1** utföra [~ *a task*],
uträtta **2** framföra, spela [~ *a piece of
music*; ~ *a part* (en roll)], uppföra, ge [~ *a
play*]
**performance** [pə'fɔ:məns] *s* **1** utförande,
verkställande **2** prestation **3** föreställning

[*a theatrical* ~], uppförande av t.ex. pjäs;
uppträdande
**performer** [pə'fɔ:mə] *s* upptträdande om
person el. djur; spelare; aktör
**performing** [pə'fɔ:mɪŋ] *adj* dresserad
**perfume** [substantiv 'pɜ:fju:m, verb pə'fju:m]
**I** *s* doft; parfym **II** *vb tr* parfymera
**perfumer** [pə'fju:mə] *s* parfymtillverkare
**perfunctory** [pə'fʌŋktərɪ] *adj*
slentrianmässig, mekanisk; nonchalant
**perhaps** [pə'hæps] *adv* kanske
**peril** ['perəl] *s* fara; *at one's* ~ på egen risk
**perilous** ['perələs] *adj* farlig, riskabel
**perimeter** [pə'rɪmɪtə] *s* omkrets
**period** ['pɪərɪəd] *s* **1** period; tidsperiod; *for
a* ~ *of two years* under två års tid
**2** lektion, lektionstimme **3** menstruation,
mens
**periodic** [ˌpɪərɪ'ɒdɪk] *adj* periodisk
**periodical** [ˌpɪərɪ'ɒdɪk(ə)l] *s* tidskrift
**peripheral** [pə'rɪfər(ə)l] *adj* perifer, yttre
**periscope** ['perɪskəʊp] *s* periskop
**perish** ['perɪʃ] *vb itr* **1** omkomma; *be
perishing with cold* frysa ihjäl
**2** förstöras
**perishables** ['perɪʃəblz] *s pl* färskvaror
**peritonitis** [ˌperɪtə'naɪtɪs] *s*
bukhinneinflammation, peritonit
**perjury** ['pɜ:dʒərɪ] *s, commit* ~ begå
mened
**1 perk** [pɜ:k] *vb itr,* ~ *up* piggna till, repa
sig
**2 perk** [pɜ:k] *s* vard., pl. ~*s* extraförmåner
**perky** ['pɜ:kɪ] *adj* käck; pigg
**1 perm** [pɜ:m] **I** *s* **1** permanent; *have a* ~
permanenta sig **2** permanentat hår **II** *vb tr*
permanenta; ~ *one's hair* permanenta
sig
**2 perm** [pɜ:m] *s* vard. system vid tippning;
systemtips
**permanence** ['pɜ:mənəns] *s* beständighet
**permanent** ['pɜ:mənənt] *adj* permanent,
bestående [*of* ~ *value*]; varaktig, ordinarie
[~ *position*]; ~ *wave* permanent
**permanently** ['pɜ:mənəntlɪ] *adv*
permanent, varaktigt, beständigt
**permeate** ['pɜ:mɪeɪt] *vb tr* tränga igenom
**permissible** [pə'mɪsəbl] *adj* tillåtlig
**permission** [pə'mɪʃ(ə)n] *s* tillåtelse, lov; *by*
~ *of...* med tillstånd av...
**permissive** [pə'mɪsɪv] *adj* frigjord; *the* ~
*society* det kravlösa samhället
**permit** [verb pə'mɪt, substantiv 'pɜ:mɪt] **I** *vb
tr* medge; *weather permitting* om vädret
tillåter; *be permitted to* ha tillåtelse att

**II** *s* tillstånd; licens; passersedel; *fishing ~* fiskekort; *work ~* arbetstillstånd

**ermutation** [ˌpɜːmjʊ'teɪʃ(ə)n] *s* systemtips

**ernicious** [pə'nɪʃəs] *adj* skadlig [*to* för]; perniciös [*~ anaemia*]

**eroxide** [pə'rɒksaɪd] *s* peroxid; *~ of hydrogen* el. *~* vätesuperoxid

**erpendicular** [ˌpɜːpən'dɪkjʊlə] *adj* lodrät, vertikal; vinkelrät

**erpetrate** ['pɜːpətreɪt] *vb tr* föröva, begå

**erpetrator** ['pɜːpətreɪtə] *s* gärningsman, förövare

**erpetual** [pə'petʃʊəl] *adj* ständig, oavbruten [*~ chatter*], oupphörlig; evig

**erpetuate** [pə'petʃʊeɪt] *vb tr* föreviga

**erplex** [pə'pleks] *vb tr* förvirra, förbrylla

**erplexed** [pə'plekst] *adj* förbryllad

**erplexity** [pə'pleksətɪ] *s* förvirring

**erquisite** ['pɜːkwɪzɪt] *s* extra förmån

**ersecute** ['pɜːsɪkjuːt] *vb tr* förfölja

**ersecution** [ˌpɜːsɪ'kjuːʃ(ə)n] *s* förföljelse; *~ mania* förföljelsemani

**ersecutor** ['pɜːsɪkjuːtə] *s* förföljare

**erseverance** [ˌpɜːsɪ'vɪər(ə)ns] *s* ihärdighet

**ersevere** [ˌpɜːsɪ'vɪə] *vb itr* framhärda

**ersevering** [ˌpɜːsɪ'vɪərɪŋ] *adj* ihärdig, trägen

**ersia** ['pɜːʃə] Persien

**ersian** ['pɜːʃ(ə)n] **I** *adj* persisk; *~ blinds* utvändiga persienner, spjälluckor; *~ cat* perser katt; *~ lamb* persian skinn; *the Persian Gulf* Persiska viken **II** *s* **1** perser **2** persiska språket **3** perser katt

**ersist** [pə'sɪst] *vb itr, ~ in* framhärda i

**ersistence** [pə'sɪst(ə)ns] *s* framhärdande; envishet; fortlevande, fortbestånd

**ersistent** [pə'sɪst(ə)nt] *adj* ihärdig; ständig

**erson** ['pɜːsn] *s* person; *in ~* personligen

**ersonage** ['pɜːsənɪdʒ] *s* betydande personlighet; person

**ersonal** ['pɜːsənl] *adj* personlig, privat; individuell; *~ column* i tidning personligt; *~ computer* (förk. *PC*) persondator; *~ life* privatliv; *~ record* personbästa; *from ~ experience* av egen erfarenhet; *a ~ matter* en privatsak

**ersonality** [ˌpɜːsə'nælətɪ] *s* personlighet

**ersonally** ['pɜːsnəlɪ] *adv* personligen, för egen del; i egen person

**ersonification** [pɜːˌsɒnɪfɪ'keɪʃ(ə)n] *s* personifikation; förkroppsligande

**ersonify** [pɜː'sɒnɪfaɪ] *vb tr* personifiera; förkroppsliga

**personnel** [ˌpɜːsə'nel] *s* personal; *~ manager* personalchef

**perspective** [pə'spektɪv] *s* perspektiv, syn

**Perspex** ['pɜːspeks] *s* ® plexiglas

**perspicacious** [ˌpɜːspɪ'keɪʃəs] *adj* klarsynt

**perspiration** [ˌpɜːspə'reɪʃ(ə)n] *s* svett

**perspire** [pə'spaɪə] *vb itr* svettas

**persuade** [pə'sweɪd] *vb tr* övertala, förmå

**persuasion** [pə'sweɪʒ(ə)n] *s* övertalning

**persuasive** [pə'sweɪsɪv] *adj* övertalande

**pert** [pɜːt] *adj* näsvis

**pertain** [pɜː'teɪn] *vb itr, ~ to* hänföra sig till

**pertinent** ['pɜːtɪnənt] *adj* relevant [*to* för]

**perturb** [pə'tɜːb] *vb tr* oroa, störa

**Peru** [pə'ruː]

**perusal** [pə'ruːz(ə)l] *s* genomläsning

**peruse** [pə'ruːz] *vb tr* läsa igenom

**Peruvian** [pə'ruːvjən] **I** *adj* peruansk **II** *s* peruan

**pervade** [pə'veɪd] *vb tr* gå (tränga) igenom; genomsyra; prägla

**pervasive** [pə'veɪsɪv] *adj* genomträngande

**perverse** [pə'vɜːs] *adj* motsträvig, tvär

**perversion** [pə'vɜːʃ(ə)n] *s* **1** förvrängning **2** perversitet; sexuell perversion

**pervert** [verb pə'vɜːt, substantiv 'pɜːvɜːt] **I** *vb tr* förvränga [*~ the truth*] **II** *s* pervers individ

**perverted** [pə'vɜːtɪd] *perf p* o. *adj* **1** förvrängd **2** pervers; abnorm

**pessary** ['pesərɪ] *s* pessar

**pessimism** ['pesɪmɪz(ə)m] *s* pessimism

**pessimist** ['pesɪmɪst] *s* pessimist

**pessimistic** [ˌpesɪ'mɪstɪk] *adj* pessimistisk

**pest** [pest] *s* **1** plågoris **2** skadedjur

**pester** ['pestə] *vb tr* plåga, trakassera

**pesticide** ['pestɪsaɪd] *s* pesticid bekämpningsmedel

**pestilence** ['pestɪləns] *s* pest, farsot

**pestle** ['pesl] *s* mortelstöt

**pest-ridden** ['pestˌrɪdn] *adj* pesthärjad

**pet** [pet] **I** *s* **1** sällskapsdjur **2** kelgris; älskling **3** attributivt älsklings- [*~ phrase*]; sällskaps- [*~ dog*]; *~ name* smeknamn; *~ shop* zoologisk affär **II** *vb tr* kela med; skämma bort

**petal** ['petl] *s* kronblad

**peter** ['piːtə] *vb itr* vard., *~ out* ebba ut, sina

**petite** [pə'tiːt] *adj* liten och nätt om kvinna

**petition** [pə'tɪʃ(ə)n] **I** *s* begäran, anhållan; ansökan **II** *vb tr* anhålla om

**petitioner** [pə'tɪʃənə] *s* supplikant

**petrel** ['petr(ə)l] *s* stormfågel; *storm (stormy)* ~ stormsvala
**petrify** ['petrɪfaɪ] *vb tr, petrified with terror* förstenad av skräck
**petrochemical** [ˌpetrəʊ'kemɪkl] *adj* petrokemisk
**petrol** ['petr(ə)l] *s* bensin
**petroleum** [pə'trəʊljəm] *s* petroleum; ~ *jelly* vaselin
**petticoat** ['petɪkəʊt] *s* underkjol
**pettifogging** ['petɪfɒgɪŋ] *s* lagvrängning
**petting** ['petɪŋ] *s* vard. petting, hångel
**petty** ['petɪ] *adj* **1** liten, obetydlig; trivial; ~ *bourgeois* småborgare; ~ *cash* handkassa **2** småsint
**petunia** [pɪ'tjuːnjə] *s* petunia
**pew** [pjuː] *s* kyrkbänk
**pewter** ['pjuːtə] *s* tenn; tennkärl, tennsaker
**pH** [ˌpiː'eɪtʃ], ~ *value* pH-värde
**phallic** ['fælɪk] *adj* fallos-
**phantom** ['fæntəm] *s* spöke; vålnad
**pharmaceutical** [ˌfɑːmə'sjuːtɪk(ə)l] *adj* farmaceutisk; *the* ~ *industry* läkemedelsindustrin
**pharmacist** ['fɑːməsɪst] *s* apotekare, farmaceut
**pharmacologist** [ˌfɑːmə'kɒlədʒɪst] *s* farmakolog
**pharmacology** [ˌfɑːmə'kɒlədʒɪ] *s* farmakologi
**pharmacy** ['fɑːməsɪ] *s* **1** apotek **2** farmaci
**phase** [feɪz] *s* fas; skede; stadium
**Ph. D.** [ˌpiː'eɪtʃ'diː] (förk. för *Doctor of Philosophy*) ungefär fil.dr., FD
**pheasant** ['feznt] *s* fasan
**phenomenal** [fə'nɒmɪnl] *adj* vard. fenomenal
**phenomenon** [fə'nɒmɪnən] (pl. *phenomena* [fə'nɒmɪnə]) *s* fenomen
**phew** [fjuː] *interj* uttryckande utmattning el. lättnad puh!; usch!, äsch!
**phial** ['faɪ(ə)l] *s* liten medicinflaska, ampull
**philanderer** [fɪ'lændərə] *s* flört person
**philanthropic** [ˌfɪlən'θrɒpɪk] *adj* o. **philanthropical** [ˌfɪlən'θrɑpɪk(ə)l] *adj* filantropisk, människovänlig
**philanthropist** [fɪ'lænθrəpɪst] *s* filantrop, människovän
**philanthropy** [fɪ'lænθrəpɪ] *s* filantropi
**philatelist** [fɪ'lætəlɪst] *s* filatelist, frimärkssamlare
**philistine** ['fɪlɪstaɪn] *s* **1** bracka, kälkborgare **2** *Philistine* bibl. filisté
**philological** [ˌfɪlə'lɒdʒɪk(ə)l] *adj* filologisk

**philologist** [fɪ'lɒlədʒɪst] *s* filolog
**philology** [fɪ'lɒlədʒɪ] *s* filologi, språkvetenskap
**philosopher** [fɪ'lɒsəfə] *s* filosof
**philosophical** [ˌfɪlə'sɒfɪkəl] *adj* filosofisk
**philosophize** [fɪ'lɒsəfaɪz] *vb itr* filosofera
**philosophy** [fɪ'lɒsəfɪ] *s* filosofi
**phlegm** [flem] *s* **1** fysiol. slem **2** flegma, tröghet
**phlegmatic** [fleg'mætɪk] *adj* flegmatisk, trög
**phlox** [flɒks] *s* bot. flox
**phobia** ['fəʊbɪə] *s* fobi, skräck
**phoenix** ['fiːnɪks] *s* myt. fågel Fenix
**phone** [fəʊn] vard. (för ex. se *telephone*) **I** *s* telefon **II** *vb tr* o. *vb itr* ringa, telefonera
**phone booth** ['fəʊnbuːð] *s* telefonkiosk
**phone-in** ['fəʊnɪn] *s* radio. el. TV. telefonprogram, program som lyssnare (tittare) kan ringa till
**phonetic** [fə'netɪk] *adj* fonetisk
**phonetician** [ˌfəʊnɪ'tɪʃ(ə)n] *s* fonetiker
**phonetics** [fə'netɪks] *s* fonetik, ljudlära
**phoney** ['fəʊnɪ] vard. **I** *adj* falsk, bluff-, humbug- **II** *s* bluff, humbug; bluffmakare
**phonograph** ['fəʊnəgræf] *s* amer. grammofon
**phosphate** ['fɒsfeɪt] *s* fosfat
**phosphorus** ['fɒsfərəs] *s* fosfor
**photo** ['fəʊtəʊ] (pl. ~s) *s* vard. foto, kort, bild
**photocell** ['fəʊtəsel] *s* fotocell
**photocopier** ['fəʊtəʊˌkɒpɪə] *s* kopieringsapparat
**photocopy** ['fəʊtəˌkɒpɪ] **I** *s* fotokopia **II** *vb tr* fotokopiera
**photoelectric** [ˌfəʊtə(ʊ)ɪ'lektrɪk] *adj* fotoelektrisk; ~ *cell* fotocell
**photogenic** [ˌfəʊtə'dʒenɪk] *adj* fotogenisk
**photograph** ['fəʊtəgrɑːf] **I** *s* fotografi, foto, kort; *have one's* ~ *taken* fotografera sig **II** *vb tr* o. *vb itr* fotografera
**photographer** [fə'tɒgrəfə] *s* fotograf
**photographic** [ˌfəʊtə'græfɪk] *adj* fotografisk
**photography** [fə'tɒgrəfɪ] *s* fotografering, fotografi som konst
**photometer** [fəʊ'tɒmɪtə] *s* ljusmätare
**photostat** ['fəʊtəstæt] **I** *s* **1** ® fotostat fotokopieringsapparat **2** ~ *copy* el. ~ fotostatkopia **II** *vb tr* o. *vb itr* fotostatkopiera
**phrase** [freɪz] *s* fras, uttryck
**phrase book** ['freɪzbʊk] *s* parlör
**phrasemonger** ['freɪzˌmʌŋgə] *s* frasmakare

**phraseology** [ˌfreɪzɪˈɒlədʒɪ] s fraseologi
**physical** [ˈfɪzɪk(ə)l] adj **1** fysisk, materiell;
~ *violence* yttre våld **2** fysikalisk **3** fysisk,
kroppslig [~ *beauty*], kropps- [~ *exercise*];
~ *education* gymnastik; ~ *jerks* vard.
bensprattel, gymnastik; ~ *training*
gymnastik
**physician** [fɪˈzɪʃ(ə)n] s läkare
**physicist** [ˈfɪzɪsɪst] s fysiker
**physics** [ˈfɪzɪks] s fysik som vetenskap
**physiognomy** [ˌfɪzɪˈɒnəmɪ] s fysionomi
**physiological** [ˌfɪzɪəˈlɒdʒɪk(ə)l] adj
fysiologisk
**physiologist** [ˌfɪzɪˈɒlədʒɪst] s fysiolog
**physiology** [ˌfɪzɪˈɒlədʒɪ] s fysiologi
**physiotherapist** [ˌfɪzɪəˈθerəpɪst] s
sjukgymnast
**physiotherapy** [ˌfɪzɪəˈθerəpɪ] s fysioterapi;
sjukgymnastik
**physique** [fɪˈziːk] s fysik [*a man of strong*
~], kroppsbyggnad
**pianist** [ˈpjænɪst] s pianist
**piano** [pɪˈænəʊ] (pl. ~s) s piano; *grand* ~
flygel; *upright* ~ större piano; ~ *accordion*
pianodragspel; *play a* ~ *duet* spela
fyrhändigt
**pianoforte** [ˌpjænəˈfɔːtɪ] s piano
**piano-player** [pɪˈænəʊˌpleɪə] s **1** pianist
**2** pianola
**piano-tuner** [pɪˈænəʊˌtjuːnə] s
pianostämmare
**piccolo** [ˈpɪkələʊ] (pl. ~s) s pickolaflöjt
**1 pick** [pɪk] **I** vb tr o. vb itr **1** plocka [~
*flowers*] **2** peta [~ *one's teeth*], pilla (peta)
på (i); ~ *a lock* dyrka upp ett lås; ~ *one's
nose* peta sig i näsan; ~ *a p.'s pocket*
stjäla ur ngns ficka **3** plocka sönder, riva
sönder [äv. ~ *apart*; ~ *to pieces*] **4** hacka
hål i (på); *they always* ~ (*are always
picking*) *on* (*at*) *him* vard. de hackar
alltid på honom **5** välja (plocka) ut; ~
*and choose* välja och vraka; ~ *a quarrel*
söka (mucka) gräl; ~ *sides* välja lag; ~
*the winner* satsa på rätt häst □ ~ **out**
välja, plocka (ut); ~ **up a)** plocka (ta) upp
**b)** lägga sig till med [~ *up a bad habit*]
**c)** krya på sig, repa sig; ~ *up courage*
repa mod **d)** fånga upp; ta (få) in [~ *up a
radio station*]
**II** s val något utvalt; *the* ~ det bästa,
eliten
**2 pick** [pɪk] s spetshacka, korp
**pickaback** [ˈpɪkəbæk] s, *give a child a* ~
låta ett barn rida på ryggen
**pickaxe** [ˈpɪkæks] s spetshacka, korp

**picked** [pɪkt] adj utvald, handplockad
**picket** [ˈpɪkɪt] **I** s **1** mil. postering, förpost;
vakt; piket **2** strejkvakter **II** vb tr sätta ut
postering (strejkvakter) vid
**picking** [ˈpɪkɪŋ] s, pl. ~s rester, smulor
**pickle** [ˈpɪkl] s lag för inläggning; pl. ~s
pickles
**pickled** [ˈpɪkld] adj marinerad; ~ *herring*
inlagd sill; ~ *onions* syltlök
**pick-me-up** [ˈpɪkmɪˌʌp] s styrketår
**pickpocket** [ˈpɪkˌpɒkɪt] s ficktjuv
**pick-up** [ˈpɪkʌp] s **1** på skivspelare pickup; ~
*arm* tonarm **2** pickup liten, öppen varubil
**picnic** [ˈpɪknɪk] **I** s picknick, utflykt; ~
*hamper* picknickkorg **II** vb itr göra en
picknick
**picnicker** [ˈpɪknɪkə] s picknickdeltagare
**pictorial** [pɪkˈtɔːrɪəl] adj illustrerad
**picture** [ˈpɪktʃə] **I** s **1** bild, illustration;
tavla, målning; porträtt; kort, foto
**2** beskrivning, framställning **3** film [äv.
*motion* ~]; *the* ~s vard. bio; *go to the* ~s
gå på bio **II** vb tr **1** avbilda; beskriva
**2** föreställa sig [ofta ~ *to oneself*]
**picture book** [ˈpɪktʃəbʊk] s bilderbok
**picture card** [ˈpɪktʃəkɑːd] s kortsp. klätt
kort, målare
**picture gallery** [ˈpɪktʃəˌgælərɪ] s
konstgalleri
**picturegoer** [ˈpɪktʃəˌgəʊə] s biobesökare
**picture postcard** [ˌpɪktʃəˈpəʊs(t)kɑːd] s
vykort
**picturesque** [ˌpɪktʃəˈresk] adj pittoresk
**piddle** [ˈpɪdl] ngt vulg. **I** vb itr pinka **II** s pink
**pidgin** [ˈpɪdʒɪn] s, ~ *English*
pidginengelska starkt förenklat halvengelskt
blandspråk
**pie** [paɪ] s **1** paj; pastej **2** bildl., *have a
finger in the* ~ ha ett finger med i spelet;
*it's as easy as* ~ vard. det är en enkel
match
**piebald** [ˈpaɪbɔːld] adj fläckig, skäckig häst
**piece** [piːs] **I** s **1** stycke, bit [*a* ~ *of bread*];
*a* ~ *of advice* ett råd; *a* ~ *of furniture* en
enstaka möbel; *a* ~ *of information* en
upplysning; *a* ~ *of news* en nyhet; *a*
(*the, per*) ~ per styck, stycket; *break to*
~s slå i bitar; *fall* (*tear*) *to* ~s falla (slita)
i stycken (i bitar); *go to* ~s gå sönder,
falla i bitar **2** stycke, verk; *a* ~ *of music*
ett musikstycke **3** mynt [*a fifty-cent* ~; *a
five-penny* ~] **4** pjäs i schackspel **II** vb tr, ~
*together* sy ihop; sätta ihop
**piecemeal** [ˈpiːsmiːl] adv styckevis; i
stycken

**piecework** ['pi:swɜ:k] s ackordsarbete
**piecrust** ['paɪkrʌst] s pajdegshölje
**pied** [paɪd] adj fläckig, skäckig [~ horse]
**pier** [pɪə] s pir, vågbrytare; brygga
**pierce** [pɪəs] vb tr genomborra; borra hål i
**piercing** ['pɪəsɪŋ] adj genomträngande [~ cry]
**piety** ['paɪətɪ] s fromhet
**piffle** ['pɪfl] s vard. trams, strunt
**piffling** ['pɪflɪŋ] adj vard. fjantig; strunt-
**pig** [pɪg] s gris
**pigeon** ['pɪdʒɪn] s duva
**pigeon-breasted** ['pɪdʒɪn‚brestɪd] adj o.
**pigeon-chested** ['pɪdʒɪn‚tʃestɪd] adj, be ~ ha hönsbröst
**pigeonhole** ['pɪdʒɪnhəʊl] s fack i hylla
**piggy** ['pɪgɪ] s vard. griskulting; barnspr. nasse; ~ bank spargris
**piggyback** ['pɪgɪbæk] s, give a child a ~ låta ett barn rida på ryggen
**pigheaded** [‚pɪg'hedɪd] adj tjurskallig, envis
**piglet** ['pɪglət] s spädgris; barnspr. nasse
**pigment** ['pɪgmənt] s pigment, färgämne
**pigmentation** [‚pɪgmən'teɪʃ(ə)n] s pigmentering; färg
**pigskin** ['pɪgskɪn] s svinläder
**pigsty** ['pɪgstaɪ] s svinstia
**pigtail** ['pɪgteɪl] s grissvans; råttsvans hårfläta
**pike** [paɪk] s gädda
**pike-perch** ['paɪkpɜ:tʃ] s gös
**pikestaff** ['paɪksta:f] s, as plain as a ~ solklart
**pilchard** ['pɪltʃəd] s större sardin, pilchard
**1 pile** [paɪl] I s 1 hög, stapel, trave [a ~ of books] 2 atomic ~ atomreaktor, kärnreaktor II vb tr [ofta ~ up] stapla, trava, samla
**2 pile** [paɪl] s lugg på t.ex. tyg; flor på sammet
**piles** [paɪlz] s pl hemorrojder
**pilfer** ['pɪlfə] vb tr o. vb itr snatta
**pilfering** ['pɪlf(ə)rɪŋ] s snatteri
**pilgrim** ['pɪlgrɪm] s pilgrim
**pilgrimage** ['pɪlgrɪmɪdʒ] s pilgrimsfärd
**pill** [pɪl] s piller; take (be on, go on) the ~ ta (gå på) P-piller (preventivpiller)
**pillar** ['pɪlə] s pelare, stolpe; bildl. stöttepelare
**pillar box** ['pɪləbɒks] s brevlåda
**pillbox** ['pɪlbɒks] s pillerask, pillerdosa, pillerburk äv. damhatt
**pillion** ['pɪljən] s på t.ex. motorcykel baksits
**pillory** ['pɪlərɪ] I s skampåle II vb tr ställa vid skampålen

**pillow** ['pɪləʊ] s huvudkudde; dyna
**pillow case** ['pɪləʊkeɪs] s o. **pillow slip** ['pɪləʊslɪp] s örngott
**pilot** ['paɪlət] I s 1 sjö. lots 2 pilot, flygförare, flygare; pilot's licence flygcertifikat II vb tr 1 lotsa 2 föra, vara pilot på flygplan
**pilot boat** ['paɪlətbəʊt] s lotsbåt
**pilot lamp** ['paɪlətlæmp] s kontrollampa
**pilot light** ['paɪlətlaɪt] s 1 tändlåga på t.ex. gasspis 2 kontrollampa, röd lampa
**pimp** [pɪmp] s hallick, sutenör
**pimple** ['pɪmpl] s finne, blemma, kvissla
**pimply** ['pɪmplɪ] adj finnig
**pin** [pɪn] I s 1 knappnål; be on ~s and needles sitta som på nålar 2 sport. kägla; ~ alley kägelbana II vb tr 1 nåla fast, fästa med knappnål el. stift [to vid]; ~ up a notice sätta upp ett anslag 2 ~ a p. down klämma fast ngn; bildl. få ngn att ge klart besked
**pinafore** ['pɪnəfɔ:] s förkläde
**pinball** ['pɪnbɔ:l] s, ~ machine flipperautomat
**pince-nez** ['pænsneɪ] s pincené
**pincers** ['pɪnsəz] s pl kniptång, tång
**pinch** [pɪntʃ] I vb tr 1 nypa, knipa ihop; klämma 2 vard. knycka, stjäla 3 sl. haffa arrestera II s 1 nyp, nypning, klämning 2 nypa [a ~ of salt äv. bildl.]; a ~ of snuff en pris snus 3 at a ~ i nödfall
**pincushion** ['pɪn‚kʊʃ(ə)n] s nåldyna
**1 pine** [paɪn] vb itr 1 tyna bort 2 tråna, trängta [for efter]
**2 pine** [paɪn] s 1 tall, fura; pinje 2 furu
**pineapple** ['paɪn‚æpl] s ananas
**pine-clad** ['paɪnklæd] adj tallklädd, furuklädd, pinjeklädd
**pine cone** ['paɪnkəʊn] s tallkotte
**ping** [pɪŋ] vb itr vina, vissla
**ping-pong** ['pɪŋpɒŋ] s pingpong
**pinhead** ['pɪnhed] s knappnålshuvud
**1 pinion** ['pɪnjən] vb tr bakbinda, binda fast armarna på
**2 pinion** ['pɪnjən] s drev, litet kugghjul
**pink** [pɪŋk] I s 1 mindre nejlika 2 skärt, rosa II adj skär, rosa
**pinky** ['pɪŋkɪ] s amer. vard. lillfinger
**pinnacle** ['pɪnəkl] s 1 spetsig bergstopp 2 bildl. höjdpunkt
**pinpoint** ['pɪnpɔɪnt] vb tr precisera [~ the problem]
**pinprick** ['pɪnprɪk] s nålstick, nålsting
**pinstripe** ['pɪnstraɪp] I s kritstreck II adj kritstrecksrandig

**pint** [paɪnt] s ungefär halvliter mått för våta
varor a) britt. = 1/8 *gallon* = 0,57 liter b) amer.
= 0,47 liter
**pintable** ['pɪnˌteɪbl] s, ~ *machine*
flipperautomat
**pin-up** ['pɪnʌp] s vard. pinuppa [äv. ~ *girl*]
**pioneer** [ˌpaɪə'nɪə] s pionjär, banbrytare
**pious** ['paɪəs] adj from, gudfruktig
**1 pip** [pɪp] s sl., *he's got the* ~ han
deppar; *he gives me the* ~ han gör mig
galen
**2 pip** [pɪp] s kärna i t.ex. apelsin, äpple
**pipe** [paɪp] s **1** rör **2** tobakspipa **3** mus.
pipa; orgelpipa; pl. ~s säckpipa
**pipe-cleaner** ['paɪpˌkliːnə] s piprensare
**pipedream** ['paɪpdriːm] s önskedröm
**pipeline** ['paɪplaɪn] s rörledning;
oljeledning
**piper** ['paɪpə] s pipblåsare
**pipe rack** ['paɪpræk] s pipställ
**piping** ['paɪpɪŋ] adv, ~ *hot* rykande varm
**pippin** ['pɪpɪn] s pippin äppelsort
**piquant** ['piːkənt] adj pikant; skarp
**pique** [piːk] **I** s förtrytelse **II** vb tr såra [~ *a
p.'s pride*]
**piracy** ['paɪərəsɪ] s sjöröveri
**piranha** [pə'rɑːnə, pɪ'rɑːnjə] s piraya
sydamerikansk fisk
**pirate** ['paɪərət] s pirat, sjörövare
**pirouette** [ˌpɪrʊ'et] **I** s piruett **II** vb itr
piruettera
**Pisces** ['paɪsiːz] astrol. Fiskarna
**piss** [pɪs] vulg. **I** s piss **II** vb itr **1** pissa **2** ~
*off!* stick åt helvete!
**pissed** [pɪst] adj vulg. asfull
**pissed-off** [ˌpɪst'ɒf] adj vulg. dödförbannad
**piste** [piːst] s pist; skidspår
**pistil** ['pɪstɪl] s bot. pistill
**pistol** ['pɪstl] s pistol
**piston** ['pɪstən] s pistong, kolv
**1 pit** [pɪt] **I** s **1** a) grop, hål i marken
b) fallgrop **2** gruvhål, gruvschakt; gruva
**3** teat. a) bortre parkett b) *orchestra* ~
orkesterdike **II** vb tr, ~ *oneself* (*one's
strength*) *against* mäta sina krafter med
**2 pit** [pɪt] amer. **I** s kärna **II** vb tr kärna ur
**pit-a-pat** [ˌpɪtə'pæt] s hjärtas dunkande; regns
smatter
**1 pitch** [pɪtʃ] s **1** beck **2** kåda
**2 pitch** [pɪtʃ] **I** vb tr o. vb itr **1** sätta (ställa)
upp i fast läge; slå upp, resa [~ *a tent*]; ~ *a
camp* slå läger **2** kasta, slänga **3** mus.
stämma [*pitched too high*] **4** *pitched
battle* fältslag **5** om fartyg stampa; om
flygplan tippa, kränga

**II** s **1** grad [*a high* ~ *of efficiency*], topp;
*at its highest* ~ på höjdpunkten; *he was
roused to a* ~ *of frenzy* han blev utom
sig av raseri **2** tonhöjd, tonläge; *absolute*
~ absolut gehör; *standard* ~ normalton
**3** kast **4** fotbollsplan, plan
**pitch-black** [ˌpɪtʃ'blæk] adj kolsvart,
becksvart
**pitch-dark** [ˌpɪtʃ'dɑːk] adj kolmörk,
beckmörk
**1 pitcher** ['pɪtʃə] s kanna; amer. äv.
tillbringare; kruka, krus för t.ex. vatten
**2 pitcher** ['pɪtʃə] s i baseball kastare
**pitchfork** ['pɪtʃfɔːk] **I** s högaffel **II** vb tr
**1** lyfta (lassa) med högaffel **2** bildl. kasta
**piteous** ['pɪtɪəs] adj ömklig, ömkansvärd
**pitfall** ['pɪtfɔːl] s fallgrop; bildl. äv. fälla
**pith** [pɪθ] s bot. märg
**pithead** ['pɪthed] s gruvöppning
**pith helmet** ['pɪθˌhelmɪt] s tropikhjälm
**pithy** ['pɪθɪ] adj bildl. kärnfull [~ *sayings*]
**pitiable** ['pɪtɪəbl] adj ömklig, sorglig
**pitiful** ['pɪtɪf(ʊ)l] adj **1** ömklig, sorglig,
patetisk [*a* ~ *spectacle*] **2** ynklig, usel
**pitiless** ['pɪtɪləs] adj skoningslös
**pittance** ['pɪt(ə)ns] s knapp lön; ringa
penning
**pitter-patter** [ˌpɪtə'pætə] **I** s smatter [*the* ~
*of the rain*]; trippande, tassande **II** vb itr
trippa; tassa
**pity** ['pɪtɪ] **I** s medlidande; *feel* ~ *for* tycka
synd om, känna medlidande med; *have
(take)* ~ *on* ha (hysa) medlidande med;
*for pity's sake* för Guds skull; *what a* ~*!*
vad synd! **II** vb tr tycka synd om
**pivot** ['pɪvət] s **1** pivå, svängtapp, axeltapp
**2** bildl. medelpunkt
**pixie** ['pɪksɪ] s tomtenisse
**pizza** ['piːtsə] s pizza
**pizzeria** [ˌpiːtsə'riːə] s pizzeria
**placard** ['plækɑːd] s plakat, affisch;
löpsedel
**placate** [plə'keɪt] vb tr blidka, försona
**placatory** [plə'keɪtərɪ] adj blidkande
**place** [pleɪs] **I** s ställe, plats; utrymme,
sittplats; *any (some)* ~ amer. någonstans;
*put yourself in my* ~ sätt dig i min
situation; *in* ~ *of* i stället för; *out of* ~
inte på sin plats, olämplig; *feel out of* ~
känna sig bortkommen; *the chair looks
out of* ~ *there* stolen passar inte där; *all
over the* ~ överallt, huller om buller;
*change* ~s byta plats; *take* ~ äga rum
**II** vb tr placera, sätta, ställa, lägga
**place name** ['pleɪsneɪm] s ortnamn

**placenta** [plə'sentə] *s* moderkaka
**placid** ['plæsɪd] *adj* lugn, mild; fridsam
**plagiarize** ['pleɪdʒəraɪz] *vb tr* o. *vb itr*
plagiera
**plague** [pleɪg] **I** *s* plåga; pest; farsot **II** *vb tr* vard. plåga
**plague-ridden** ['pleɪg,rɪdn] *adj* pesthärjad
**plague-stricken** ['pleɪg,strɪkən] *adj* pestsmittad, pestdrabbad
**plaice** [pleɪs] *s* rödspätta
**plaid** [plæd] *s* **1** pläd, schal buren till skotsk dräkt **2** skotskrutigt tyg (mönster)
**plain** [pleɪn] **I** *adj* **1** klar, tydlig; *the ~ truth* den enkla sanningen **2** ärlig, uppriktig [*with* mot]; *~ dealing* rent spel; *~ speaking* rent språk; *in ~ terms* rent ut **3** osmyckad; enfärgad [*~ blue dress*]; *~ bread and butter* smörgås utan pålägg, smör och bröd; *~ chocolate* mörk ren choklad; *~ clothes* civila kläder; *~ cooking* enklare matlagning; husmanskost **4** vanlig; om utseende alldaglig, ful **5** slät, jämn, plan **6** kortsp., *~ card* hacka inte trumfkort eller klätt kort **II** *adv* rent ut sagt [*he is ~ stupid*] **III** *s* slätt; jämn mark
**plain-clothes** ['pleɪnkləʊðz] *s* civila kläder; *~ detective (officer)* civilklädd polis, detektiv
**plain-looking** ['pleɪn,lʊkɪŋ] *adj, she is ~* hon har ett alldagligt utseende
**plainness** ['pleɪnnəs] *s* **1** tydlighet **2** enkelhet; alldaglighet
**plaintiff** ['pleɪntɪf] *s* jur. kärande i civilmål
**plaintive** ['pleɪntɪv] *adj* klagande
**plait** [plæt] **I** *s* fläta av hår **II** *vb tr* fläta
**plan** [plæn] **I** *s* plan; *~ of campaign* bildl. krigsplan **II** *vb tr* planera, planlägga; *planned economy* planhushållning
**1 plane** [pleɪn] *s* platan träd
**2 plane** [pleɪn] **I** *s* **1** plan yta, plan; bildl. nivå **2** flygplan **II** *adj* plan, slät
**3 plane** [pleɪn] **I** *s* hyvel **II** *vb tr* o. *vb itr* hyvla
**planet** ['plænɪt] *s* planet
**planetarium** [,plænə'teərɪəm] *s* planetarium
**planetary** ['plænətrɪ] *adj* planetarisk, planet- [*~ system*]
**plane tree** ['pleɪntri:] *s* platan
**plank** [plæŋk] *s* planka, bräda
**planner** ['plænə] *s* planerare [*town ~*]
**plant** [plɑ:nt] **I** *s* **1** planta, växt; ört **2** anläggning; fabrik **II** *vb tr* sätta, plantera [*~ a tree*], så [*~ wheat*]

**plantation** [plæn'teɪʃən] *s* plantage
**plaque** [plæk] *s* **1** platta, minnestavla **2** plack på tänder
**plash** [plæʃ] *s* plask, plaskande
**plaster** ['plɑ:stə] **I** *s* **1** murbruk, puts; gips **2** plåster **II** *vb tr* **1** putsa, rappa; gipsa **2** plåstra om **3** smeta på (över); täcka
**plasterer** ['plɑ:stərə] *s* murare för putsarbete
**plastic** ['plæstɪk] **I** *adj* **1** plast-, av plast **2** plastisk, formbar **II** *s* plast
**plasticine** ['plæstɪsi:n] *s* modellermassa
**plasticity** [plæ'stɪsətɪ] *s* plasticitet
**plastics** ['plæstɪks] *s* plast; plastteknik
**plate** [pleɪt] **I** *s* **1** tallrik, fat; *small ~* assiett; *have too much on one's ~* vard. ha alldeles för mycket att göra **2** kollekttallrik i kyrkan **3** platta, plåt [*steel ~s*]; lamell [*clutch ~*]; namnplåt [äv. *name ~*], skylt **II** *vb tr* plätera; försilvra, förgylla
**plateau** ['plætəʊ] *s* platå, högslätt
**plateful** ['pleɪtfʊl] *s* tallrik mått
**plate glass** [,pleɪt'glɑ:s] *s* spegelglas
**plate rack** ['pleɪtræk] *s* diskställ, torkställ
**platform** ['plætfɔ:m] *s* **1** plattform, perrong **2** estrad
**platinum** ['plætɪnəm] *s* platina
**platitude** ['plætɪtju:d] *s* plattityd
**platitudinous** [,plætɪ'tju:dɪnəs] *adj* banal
**Platonic** [plə'tɒnɪk] *adj* platonisk [*~ love*]
**platoon** [plə'tu:n] *s* pluton
**plausible** ['plɔ:zəbl] *adj* plausibel, rimlig; bestickande [*~ argument*]
**play** [pleɪ] **I** *vb tr* o. *vb itr* leka; spela; spela mot [*England played Brazil*]; *~ a joke (a prank) on a p.* spela ngn ett spratt; *~ for time* försöka vinna tid; maska; *~ in goal* stå i mål □ *~ about (around)* springa omkring och leka; *stop playing about (around)!* sluta upp och larva dig (bråka)!; *~ about (around) with* leka med, fingra på; *~ back: ~ back a recorded tape* spela av ett inspelat band; *~ down* tona ner, avdramatisera; *~ over* spela igenom [*~ over a tape*]; *~ up* a) vard. bråka, ställa till besvär b) förstora upp **II** *s* **1** lek; spel **2** skådespel, teaterstycke, pjäs **3** *be in full ~* vara i full gång; *bring (call) into ~* sätta i gång (i rörelse) **4** fritt spelrum; *have free (full) ~* ha fritt spelrum
**playable** ['pleɪəbl] *adj* spelbar
**play-act** ['pleɪækt] *vb itr* spela teater, låtsas
**playback** ['pleɪbæk] *s* **1** avspelning,

uppspelning; ~ *head* avspelningshuvud på bandspelare **2** TV. repris i slow-motion

**playbill** ['pleɪbɪl] *s* teateraffisch

**playboy** ['pleɪbɔɪ] *s* playboy

**player** ['pleɪə] *s* spelare

**player-piano** [,pleɪəpɪ'ænəʊ] *s* pianola

**playfellow** ['pleɪ,feləʊ] *s* lekkamrat

**playful** ['pleɪf(ʊ)l] *adj* lekfull, skämtsam

**playgoer** ['pleɪ,gəʊə] *s* teaterbesökare

**playgoing** ['pleɪ,gəʊɪŋ] *adj* teaterbesökande

**playground** ['pleɪgraʊnd] *s* skolgård; lekplats

**playhouse** ['pleɪhaʊs] *s* teater

**playing-card** ['pleɪɪŋkɑːd] *s* spelkort

**playing-field** ['pleɪɪŋfiːld] *s* idrottsplan

**playmaker** ['pleɪ,meɪkə] *s* sport. playmaker, speluppläggare

**playmate** ['pleɪmeɪt] *s* lekkamrat

**play-off** ['pleɪɒf] *s* sport. **1** omspel **2** slutspel

**playpen** ['pleɪpen] *s* lekhage

**playsuit** ['pleɪsuːt] *s* lekdräkt

**plaything** ['pleɪθɪŋ] *s* leksak

**playtime** ['pleɪtaɪm] *s* lektid, lekstund

**playwright** ['pleɪraɪt] *s* dramatiker, skådespelsförfattare

**plaza** ['plɑːzə] *s* torg, öppen plats

**PLC** [,piːel'siː] förk. för *public limited company*

**plea** [pliː] *s* **1** försvar, ursäkt; *on* (*under*) *the ~ of ill health* med åberopande av dålig hälsa **2** vädjan [*~ for* (om) *mercy*] **3** jur. a) parts påstående b) svaromål; *~ of guilty* erkännande; *~ of not guilty* nekande; *put in a ~ of not guilty* neka till brottet

**plead** [pliːd] *vb itr* jur. el. allm. **1** plädera, tala; *~ with a p.* vädja till ngn **2** *~ guilty* erkänna; *~ not guilty* neka till brottet

**pleasant** ['pleznt] *adj* behaglig, angenäm

**pleasantry** ['plezntrɪ] *s* skämt, lustighet

**please** [pliːz] *vb itr* o. *vb tr* **1** finna lämpligt; behaga, tilltala, glädja; *as you ~* som du vill (behagar); *do it just to ~ me!* gör det för min skull!; *hard to ~* svår att göra till lags; *~ yourself!* som du vill! **2** *coffee, ~* kan jag få kaffe, tack; *~ daddy!* åh, snälla pappa!; *yes ~* o. el. *~ a*) ja tack b) ja, varsågod; *come in, ~!* var så god och stig in!; *~ give it to me* var snäll och ge mig den

**pleased** [pliːzd] *adj* nöjd, belåten, glad [*at, about* över, åt]; *~ to meet you!* roligt att träffas!

**pleasing** ['pliːzɪŋ] *adj* behaglig, angenäm

**pleasurable** ['pleʒərəbl] *adj* behaglig

**pleasure** ['pleʒə] *s* välbehag, glädje [*to* för], lust; *give ~ to a p.* bereda ngn nöje (glädje); *with ~* med nöje, gärna; *at ~* efter behag

**pleasure boat** ['pleʒəbəʊt] *s* fritidsbåt

**pleasure-loving** ['pleʒə,lʌvɪŋ] *adj* nöjeslysten, njutningslysten

**pleasure-seeker** ['pleʒə,siːkə] *s* nöjeslysten person

**pleasure trip** ['pleʒətrɪp] *s* nöjesresa

**pleat** [pliːt] *s* veck; plissé

**plebiscite** ['plebɪsɪt] *s* folkomröstning

**pledge** [pledʒ] **I** *s* löfte, utfästelse [*~ of* (om) *aid*] **II** *vb tr* **1** förbinda, förplikta **2** lova, göra utfästelser om

**plenary** ['pliːnərɪ] *adj*, *~ meeting* (*session*) plenum

**plenipotentiary** [,plenɪpə'tenʃərɪ] *s* befullmäktigad envoyé [*to* hos]

**plentiful** ['plentɪf(ʊ)l] *adj* riklig, ymnig

**plenty** ['plentɪ] *s* överflöd; *~ of* massor av; *there's ~ of time* det är gott om tid

**plethora** ['pleθərə] *s* övermått, överflöd

**pleurisy** ['plʊərəsɪ] *s* lungsäcksinflammation

**plexus** ['pleksəs] *s*, *solar ~* solarplexus

**pliable** ['plaɪəbl] *adj* böjlig, smidig, mjuk

**pliers** ['plaɪəz] *s pl* plattång; kniptång, avbitare; *a pair of ~* en plattång (kniptång)

**plight** [plaɪt] *s* tillstånd, belägenhet

**plimsolls** ['plɪmsəlz] *s pl* gymnastikskor

**plinth** [plɪnθ] *s* plint under pelare; fot, sockel

**plod** [plɒd] *vb itr* o. *vb tr* **1** lunka; *~ one's way* lunka sin väg fram **2** knoga; *~ away* knoga på [*at a th.* med ngt]

**plodder** ['plɒdə] *s* plikttrogen arbetsmyra

**plodding** ['plɒdɪŋ] *adj* trög; trägen

**1 plonk** [plɒŋk] **I** *vb tr*, ~ el. *~ down* släppa med en duns **II** *adv* med en duns

**2 plonk** [plɒŋk] *s* vard. enklare vin

**1 plot** [plɒt] *s* jordbit; täppa; tomt **II** *vb tr* kartlägga; lägga ut [*~ a ship's course*]

**2 plot** [plɒt] **I** *s* **1** komplott **2** intrig, handling i t.ex. roman **II** *vb itr* konspirera, sammansvärja sig [*against* mot]

**plotter** ['plɒtə] *s* konspiratör, ränksmidare

**plough** [plaʊ] **I** *s* **1** plog **2** astron., *the Plough* Karlavagnen **II** *vb tr* plöja

**ploughman** ['plaʊmən] *s* plöjare

**ploughshare** ['plaʊʃeə] *s* plogbill

**plover** ['plʌvə] *s* brockfågel; *golden ~* ljungpipare; *ringed ~* större strandpipare

**plow** [plaʊ] o. **plowman** ['plaʊmən] o.
**plowshare** ['plaʊʃeə] amer., se **plough** etc.
**ploy** [plɔɪ] s vard. ploj; påhitt, knep
**pluck** [plʌk] I vb tr **1** plocka [~ a flower; ~ a chicken]; ~ up courage ta mod till sig **2** rycka, dra II s vard. mod
**plucky** ['plʌkɪ] adj vard. modig, djärv
**plug** [plʌg] I s **1** propp, tapp, plugg; ~ hole avlopp i handfat etc. **2** tekn. stickpropp II vb tr o. vb itr **1** plugga igen **2** ~ in elektr. koppla in [~ in the radio] **3** ~ away at vard. knoga på med
**plum** [plʌm] s plommon
**plumage** ['plu:mɪdʒ] s fjäderdräkt, fjädrar
**plumb** [plʌm] vb tr loda, sondera, gå till botten med
**plumber** ['plʌmə] adj rörmontör, rörmokare, rörläggare
**plumbing** ['plʌmɪŋ] s rörsystem; rörarbete
**plum cake** ['plʌmkeɪk] s russinkaka
**plume** [plu:m] I s plym; borrowed ~s lånta fjädrar; a ~ of smoke ett rökmoln II vb tr **1** pryda med fjädrar (plymer) **2** om fågel putsa [~ itself] **3** ~ oneself bildl. stoltsera [on med]
**plummy** ['plʌmɪ] adj **1** plommonlik **2** vard. finfin, toppen- [a ~ job]; fyllig [a ~ voice]
**1 plump** [plʌmp] adj fyllig, knubbig, trind; välgödd [~ chicken]
**2 plump** [plʌmp] vb itr, ~ for rösta på, fastna för [~ for one alternative]
**plunder** ['plʌndə] vb tr o. vb itr plundra, skövla
**plunderer** ['plʌndərə] s plundrare, rövare
**plunge** [plʌndʒ] I vb itr o. vb tr störta sig, rusa, dyka ner; störta, kasta, stöta [into in (ner) i], doppa ner II s språng, dykning; take the ~ bildl. ta steget fullt ut
**pluperfect** [‚plu:'pɜ:fɪkt] s gram., the ~ pluskvamperfekt
**plural** ['plʊər(ə)l] gram. I adj plural II s, ~ el. the ~ plural
**plus** [plʌs] I s plus, plustecken II prep plus [one ~ one]
**plus-fours** [‚plʌs'fɔ:z] s pl plusfours, golfbyxor
**plush** [plʌʃ] s plysch
**Pluto** ['plu:təʊ] astron. el. myt. Pluto
**plutocracy** [plu:'tɒkrəsɪ] s plutokrati, penningvälde
**plutocrat** ['plu:təkræt] s plutokrat
**plutonium** [plu:'təʊnjəm] s kem. plutonium
**1 ply** [plaɪ] s i sammansättningar -dubbel,

-skiktad [three-ply wood], -trådig [three-ply wool]
**2 ply** [plaɪ] vb tr o. vb itr **1** ~ a p. with food and drink rikligt traktera ngn; ~ a p. with drink truga i ngn sprit **2** göra regelbundna turer, gå mellan två platser
**plywood** ['plaɪwʊd] s plywood, kryssfaner
**p.m.** [‚pi:'em] förk. e.m., på eftermiddagen (kvällen)
**pneumatic** [nju'mætɪk] adj pneumatisk, trycklufts- [~ drill], luft-, luftfylld; ~ tyre innerslang på t.ex. cykel
**pneumonia** [njʊ'məʊnjə] s lunginflammation
**po** [pəʊ] (pl. ~s) s vard. potta
**1 poach** [pəʊtʃ] vb tr pochera [poached eggs]
**2 poach** [pəʊtʃ] vb itr o. vb tr tjuvjaga, tjuvfiska
**poacher** ['pəʊtʃə] s tjuvskytt; tjuvfiskare
**poaching** ['pəʊtʃɪŋ] s tjuvskytte; tjuvfiske
**pocked** [pɒkt] adj koppärrig
**pocket** ['pɒkɪt] I s **1** ficka; fick-, i fickformat; I'm £10 out of ~ jag har förlorat tio pund [by, over på] **2** bilj. hål **3** flyg. luftgrop [äv. air-pocket] II vb tr **1** stoppa i fickan; tjäna [he pocketed a large sum] **2** bildl. svälja [~ one's pride], finna sig i [~ an insult]
**pocket book** ['pɒkɪtbʊk] s plånbok
**pocketful** ['pɒkɪtfʊl] s, a ~ of en ficka (fickan) full med
**pocket handkerchief** [‚pɒkɪt'hæŋkətʃɪf] s näsduk
**pocketknife** ['pɒkɪtnaɪf] s fickkniv
**pocket money** ['pɒkɪt‚mʌnɪ] s fickpengar, veckopeng
**pocket-size** ['pɒkɪtsaɪz] adj o.
**pocket-sized** ['pɒkɪtsaɪzd] adj i fickformat
**pock mark** ['pɒkmɑ:k] s koppärr
**pock marked** ['pɒkmɑ:kt] adj koppärrig
**pod** [pɒd] s fröskida, balja, kapsel
**podgy** ['pɒdʒɪ] adj vard. knubbig, rultig
**poem** ['pəʊɪm] s dikt, vers
**poet** ['pəʊɪt] s diktare, skald; poet
**poetic** [pəʊ'etɪk] adj o. **poetical** [pəʊ'etɪkəl] adj poetisk; diktar-, skalde- [~ talent]; in poetic form i versform; poetical works dikter
**poetry** ['pəʊətrɪ] s poesi, diktning
**pogo stick** ['pəʊgəʊstɪk] s kängurustylta
**pogrom** ['pɒgrəm] s pogrom
**poignant** ['pɔɪnənt] adj gripande; bitter
**poinsettia** [pɔɪn'setjə] s bot. julstjärna

**point** [pɔɪnt] **I** s **1** punkt, prick; *the fine (finer)* *~s of the game* spelets finesser; *~ of contact* beröringspunkt; *up to a ~* till en viss grad; *when it came to the ~* när det kom till kritan; *I was on the ~ of leaving* jag skulle just gå **2 a)** grad, punkt; *decimal ~* decimalkomma; *one ~ five* (*1.5, 1·5*) ett komma fem (1,5); *boiling ~* kokpunkt **b)** streck på kompass **3** poäng i sport m.m. **4** kärnpunkt, huvudsak; poäng [*the ~ of the story*]; *the ~ is that...* saken är den att...; *the ~ was to* huvudsaken var att; *that's not the ~* det är inte det saken gäller; *make a ~ of* vara noga med, hålla styvt på; *it's quite beside the ~* det har inte alls med saken att göra; *come to the ~* komma (hålla sig) till saken **5** mening, nytta; *there's no ~ in doing that* det är ingen mening med att göra det; *is there any ~ in it?* är det någon idé?
**II** vb tr o. vb itr **1** peka med; rikta, sikta med [*at, towards* mot, på] **2** *~ out* peka ut, peka på **3** peka [*at* mot; *towards* i riktning mot]; *~ to* peka (tyda) på
**point-blank** [ˌpɔɪnt'blæŋk] adv rakt; bildl. direkt, rakt på sak [*tell a p. ~*]; *he refused ~* han vägrade blankt
**point duty** ['pɔɪntˌdjuːtɪ] s tjänstgöring som trafikpolis; *be on ~* ha trafiktjänst
**pointed** ['pɔɪntɪd] adj **1** spetsig **2** bildl. skarp [*a ~ remark*]; tydlig
**pointer** ['pɔɪntə] s **1** pekpinne **2** visare på t.ex. klocka, våg **3** pointer; slags fågelhund **4** tips, förslag
**pointless** ['pɔɪntləs] adj **1** utan spets (udd) **2** meningslös **3** utan poäng
**poise** [pɔɪz] **I** s **1** jämvikt, balans **2** hållning; värdighet **II** vb tr bringa i jämvikt, balansera
**poised** [pɔɪzd] perf p o. adj **1** samlad, värdig, i jämvikt **2** balanserande [*a ball ~ on the nose of a seal*], svävande
**poison** ['pɔɪzn] **I** s gift; *~ pen* anonym brevskrivare av smädebrev; *hate like ~* avsky som pesten **II** vb tr förgifta
**poisoner** ['pɔɪzənə] s giftmördare
**poisonous** ['pɔɪzənəs] adj giftig
**poison-pen** ['pɔɪznpen] adj, *~ letter* anonymt smädebrev
**poke** [pəʊk] s, *buy a pig in a ~* köpa grisen i säcken
**poke** [pəʊk] **I** vb tr o. vb itr **1** stöta (knuffa) till, peta på **2** röra om i t.ex. eld **3** *~ fun at* driva med; *~ one's nose into*

other people's affairs (*business*) lägga näsan i blöt **4** peta; sticka fram **II** s stöt, knuff; *give the fire a ~* röra om i brasan
**poke bonnet** [ˌpəʊk'bɒnɪt] s bahytt
**1 poker** ['pəʊkə] s kortsp. poker
**2 poker** ['pəʊkə] s eldgaffel
**poker-faced** ['pəʊkəfeɪst] adj med pokeransikte
**poky** ['pəʊkɪ] adj vard. trång [*a ~ room*]
**Poland** ['pəʊlənd] Polen
**polar** ['pəʊlə] adj polar; *~ bear* isbjörn; *~ circle* polcirkel
**polarity** [pə(ʊ)'lærətɪ] s polaritet
**polarization** [ˌpəʊləraɪ'zeɪʃ(ə)n] s fys. polarisation
**polarize** ['pəʊləraɪz] vb tr o. vb itr polarisera
**Pole** [pəʊl] s polack
**1 pole** [pəʊl] s påle, stolpe, stång, stake; sport. stav
**2 pole** [pəʊl] s pol
**pole-axe** ['pəʊlæks] **I** s slaktyxa **II** vb tr klubba ner
**polecat** ['pəʊlkæt] s iller; amer. äv. skunk
**polemic** [pə'lemɪk] s, *~s* polemik
**polemical** [pə'lemɪk(ə)l] adj polemisk
**polenta** [pə'lentə] s polenta, majsgröt
**Pole star** ['pəʊlstɑː] s, *the ~* Polstjärnan
**pole vault** ['pəʊlvɔːlt] s sport. stavhopp
**police** [pə'liːs] **I** s polis myndighet [*the ~ have caught him*]; poliser [*several hundred ~*]; *~ constable* polisman; *~ court* polisdomstol; *~ force* poliskår; *~ officer* polisman **II** vb tr bevaka, kontrollera; förse med polis
**policeman** [pə'liːsmən] (pl. *policemen* [pə'liːsmən]) s polis; *policeman's badge* polisbricka
**policewoman** [pə'liːswʊmən] (pl. *policewomen* [pə'liːswɪmɪn]) s kvinnlig polis
**policlinic** [ˌpɒlɪ'klɪnɪk] s allmänt sjukhus
**1 policy** ['pɒlɪsɪ] s politik [*foreign ~*]; policy [*a new company ~*]; linje, hållning; *honesty is the best ~* ärlighet varar längst; *pursue a ~* föra en politik
**2 policy** ['pɒlɪsɪ] s försäkringsbrev [äv. *insurance ~*]
**polio** ['pəʊlɪəʊ] s vard. polio
**poliomyelitis** [ˌpəʊlɪəmaɪə'laɪtɪs] s poliomyelit, polio
**Polish** ['pəʊlɪʃ] **I** adj polsk **II** s polska språket
**polish** ['pɒlɪʃ] **I** s **1** polering, putsning **2** glans, polityr; bildl. förfining, stil **3** polermedel, putsmedel; polish; *nail ~*

nagellack; *shoe* ~ skokräm **II** *vb tr*
**1** polera; putsa äv. bildl.; slipa **2** vard., ~ *up*
bättra på [~ *up one's French*]; ~ *off* klara
av [~ *off a job*], expediera [~ *off an
opponent*]; svepa, sätta i sig [~ *off a bottle
of wine*]
**polished** ['pɒlɪʃt] *adj* **1** polerad **2** bildl.
kultiverad
**polishing** ['pɒlɪʃɪŋ] *adj* poler-, puts- [~
*cloth*]
**politburo** ['pɒlɪtˌbjʊərəʊ] (pl. ~s) *s*
politbyrå
**polite** [pə'laɪt] *adj* artig, hövlig [*to* mot]
**politic** ['pɒlɪtɪk] *adj* klok, försiktig
**political** [pə'lɪtɪkəl] *adj* politisk
**politician** [ˌpɒlɪ'tɪʃ(ə)n] *s* politiker
**politics** ['pɒlɪtɪks] *s* politik; politisk åsikt
**polka** ['pɒlkə] *s* polka dans el. melodi
**poll** [pəʊl] **I** *s* **1** röstetal, röstsiffror,
röstning; *heavy* ~ livligt (stort)
valdeltagande; *go to the* ~*s* gå till val
**2** undersökning [*Gallup* ~]; ~ *rating*
opinionssiffror; *public opinion* ~
opinionsundersökning **II** *vb tr* få antal röster
vid val [*he polled 3,000 votes*]
**pollen** ['pɒlən] *s* pollen; ~ *count*
pollenrapport för allergiker
**pollinate** ['pɒlɪneɪt] *vb tr* pollinera
**polling-booth** ['pəʊlɪŋbu:ð] *s* valbås
**polling-day** ['pəʊlɪŋdeɪ] *s* valdag
**polling-station** ['pəʊlɪŋˌsteɪʃ(ə)n] *s* vallokal
**pollster** ['pəʊlstə] *s* opinionsundersökare
**pollutant** [pə'lu:tənt] *s* förorenande ämne,
förorening
**pollute** [pə'lu:t] *vb tr* förorena, smutsa ned
**pollution** [pə'lu:ʃ(ə)n] *s* förorenande,
förorening, miljöförstöring
**polo** ['pəʊləʊ] *s* sport. polo [*water* ~]
**polonaise** [ˌpɒlə'neɪz] *s* mus. polonäs
**polo neck** ['pəʊləʊnek] *s* polokrage;
polotröja
**polony** [pə'ləʊnɪ] *s* slags rökt korv
**polyclinic** [ˌpɒlɪ'klɪnɪk] *s* allmänt sjukhus
**polyester** [ˌpɒlɪ'estə] *s* polyester
**polygamist** [pə'lɪgəmɪst] *s* polygamist
**polygamous** [pə'lɪgəməs] *adj* polygam
**polygamy** [pə'lɪgəmɪ] *s* polygami
**Polynesia** [ˌpɒlɪ'ni:zjə] Polynesien
**polysyllable** ['pɒlɪˌsɪləbl] *s* flerstavigt ord
**polytechnic** [ˌpɒlɪ'teknɪk] *s* högskola för
teknisk yrkesutbildning
**polythene** ['pɒlɪθi:n] *s* polyeten, etenplast
**polyunsaturated** [ˌpɒlɪʌn'sætʃʊreɪtɪd] *adj*
fleromättad [~ *fats*]
**pomade** [pə'mɑ:d] *s* pomada

**pomegranate** ['pɒmɪˌgrænɪt] *s* granatäpple
**Pomeranian** [ˌpɒmə'reɪnjən] *s* hund
dvärgspets
**pommel** ['pʌml] *s* sadelknapp
**pomp** [pɒmp] *s* pomp, stat, prakt
**pompon** ['pɒmpɒn] *s* rund tofs
**pomposity** [pɒm'pɒsətɪ] *s* uppblåsthet
**pompous** ['pɒmpəs] *adj* uppblåst, pompös
**ponce** [pɒns] *s* sl. hallick, sutenör
**poncho** ['pɒntʃəʊ] (pl. ~s) *s* poncho slags
cape
**pond** [pɒnd] *s* damm; tjärn, liten sjö
**ponder** ['pɒndə] *vb itr* grubbla, fundera
[*on, over* på, över]
**ponderous** ['pɒndərəs] *adj* tung, klumpig
**pone** [pəʊn] *s*, *corn* ~ el. ~ slags amer.
majsbröd
**pontiff** ['pɒntɪf] *s* påve
**pontificate** [pɒn'tɪfɪkət] *s* påves
regeringstid
**1 pontoon** [pɒn'tu:n] *s* ponton
**2 pontoon** [pɒn'tu:n] *s* kortsp. tjugoett
**pony** ['pəʊnɪ] *s* ponny; liten häst
**pony-tail** ['pəʊnɪteɪl] *s* hästsvans frisyr
**pooch** [pu:tʃ] *s* vard. jycke hund
**poodle** ['pu:dl] *s* pudel
**pooh** [pu:] *interj* uttryckande förakt asch!,
pytt!
**pooh-pooh** [ˌpu:'pu:] *vb tr* rynka på näsan
åt, bagatellisera, avfärda [*he pooh-poohed
the idea*]
**1 pool** [pu:l] *s* pöl, damm; bassäng
**2 pool** [pu:l] **I** *s* **1** reserv, förråd; *typing*
(*typists'*) ~ skrivcentral **2** *the football* ~*s*
ungefär tipstjänst; ~*s coupon* tipskupong;
*do* (*play*) *the* ~*s* tippa; *win on the* ~*s*
vinna på tipset **3** slags biljard **II** *vb tr* slå
samman, förena [~ *one's resources*]
**poor** [pʊə] *adj* **1** fattig [*in* på]; *the* ~ de
fattiga **2** klen, ringa [*a* ~ *consolation*];
knapp, dålig **3** stackars, ynklig, usel; ~
*me!* stackars mig (jag)!
**poorly** ['pʊəlɪ] **I** *adj* krasslig **II** *adv* fattigt,
klent, dåligt
**1 pop** [pɒp] **I** *interj* o. *adv* pang, paff **II** *s*
**1** knall, smäll **2** vard. läskedryck **III** *vb itr* o.
*vb tr* **1** smälla, knalla **2** *I'll* ~ *along*
(*round*) *to see you* jag skall kila över till
dig; ~ *in* titta in; ~ *off* kila i väg; ~ *out*
titta fram (ut); *his eyes were popping
out of his head* ögonen stod på skaft på
honom; ~ *up* dyka upp **3** stoppa; ~ *one's
head out of the window* sticka ut
huvudet genom fönstret

**2 pop** [pɒp] vard. I *adj* pop- [~ *art*]; populär [*a ~ concert*] II *s* pop
**3 pop** [pɒp] *s* speciellt amer. vard. pappa
**popcorn** ['pɒpkɔ:n] *s* **1** popcorn, rostad majs **2** puffmajs, smällmajs art som kan rostas
**pope** [pəʊp] *s* påve
**Popeye** ['pɒpaɪ] Karl Alfred seriefigur
**popgun** ['pɒpgʌn] *s* barns luftbössa, korkbössa
**poplar** ['pɒplə] *s* poppel
**poplin** ['pɒplɪn] *s* poplin
**poppa** ['pɒpə] *s* amer. vard. pappa
**poppy** ['pɒpɪ] *s* vallmo
**poppycock** ['pɒpɪkɒk] *s* vard. struntprat
**Popsicle** ['pɒpsɪk(ə)l] *s* ® speciellt amer. isglasspinne
**pop-top** ['pɒptɒp] I *adj* med rivöppnare [*a ~ beer can*] II *s* rivöppnare
**popular** ['pɒpjʊlə] *adj* **1** folk-, allmän; ~ *opinion* folkopinionen **2** populär [*a ~ song*], omtyckt; lättfattlig, enkel
**popularity** [ˌpɒpjʊ'lærətɪ] *s* popularitet
**popularize** ['pɒpjʊləraɪz] *vb tr* popularisera
**popularly** ['pɒpjʊləlɪ] *adv* **1** allmänt, bland folket **2** populärt
**populate** ['pɒpjʊleɪt] *vb tr* befolka
**population** [ˌpɒpjʊ'leɪʃ(ə)n] *s* befolkning
**populous** ['pɒpjʊləs] *adj* folkrik, tätbefolkad
**porcelain** ['pɔ:slɪn] *s* finare porslin
**porch** [pɔ:tʃ] *s* överbyggd entré, förstukvist; amer. veranda
**porcupine** ['pɔ:kjʊpaɪn] *s* piggsvin
**1 pore** [pɔ:] *s* por
**2 pore** [pɔ:] *vb itr* stirra; ~ *over* studera noga
**pork** [pɔ:k] *s* griskött, fläsk speciellt osaltat
**pork chop** [ˌpɔ:k'tʃɒp] *s* griskotlett, fläskkotlett
**porker** ['pɔ:kə] *s* gödsvin
**pork-pie** [ˌpɔ:k'paɪ] *s* **1** fläskpastej **2** ~ *hat* el. ~ flatkullig herrhatt
**porky** ['pɔ:kɪ] *adj* vard. fläskig, fet
**porn** [pɔ:n] *s* o. **porno** ['pɔ:nəʊ] *s* sl. porr
**pornographic** [ˌpɔ:nə'græfɪk] *adj* pornografisk
**pornography** [pɔ:'nɒgrəfɪ] *s* pornografi
**porous** ['pɔ:rəs] *adj* porös, full av porer
**porpoise** ['pɔ:pəs] *s* zool. tumlare
**porridge** ['pɒrɪdʒ] *s* havregröt
**1 port** [pɔ:t] *s* portvin
**2 port** [pɔ:t] *s* hamn, hamnstad
**3 port** [pɔ:t] *s* sjö. babord

**portable** ['pɔ:təbl] *adj* bärbar, portabel; ~ *typewriter* reseskrivmaskin
**portal** ['pɔ:tl] *s* portal, valvport
**porter** ['pɔ:tə] *s* **1** bärare, stadsbud vid järnvägsstation **2** portvakt, dörrvakt; vaktmästare; portier **3** porter slags öl
**porterhouse** ['pɔ:təhaʊs] *s*, ~ *steak* tjock skiva av rostbiff
**portfolio** [ˌpɔ:t'fəʊljəʊ] (pl. ~s) *s* portfölj
**porthole** ['pɔ:thəʊl] *s* sjö. hyttventil; port
**portion** ['pɔ:ʃən] *s* del, stycke; andel, lott; portion
**portly** ['pɔ:tlɪ] *adj* korpulent, fetlagd
**portmanteau** [pɔ:t'mæntəʊ] *s* kappsäck
**portrait** ['pɔ:trət] *s* porträtt; bild
**portray** [pɔ:'treɪ] *vb tr* porträttera, avbilda
**portrayal** [pɔ:'treɪəl] *s* porträtt, bild
**Portugal** ['pɔ:tjʊg(ə)l]
**Portuguese** [ˌpɔ:tjʊ'gi:z] I *adj* portugisisk II *s* **1** (pl. lika) portugis **2** portugisiska språket
**port wine** [ˌpɔ:t'waɪn] *s* portvin
**pose** [pəʊz] I *s* pose, attityd; posering II *vb tr* o. *vb itr* **1** lägga fram [~ *a question*]; ~ *a threat* utgöra ett hot [*of* mot]; ~ *as* posera; göra sig till; ~ *as* ge sig ut för
**poseur** [pəʊ'zɜ:] *s* posör
**posh** [pɒʃ] *adj* vard. flott [*a ~ hotel*]
**position** [pə'zɪʃ(ə)n] I *s* position, ställning; läge, plats II *vb tr* placera
**positive** ['pɒzətɪv] *adj* **1** positiv **2** riktig, verklig [*he is a ~ nuisance*] **3** säker [*of* på], övertygad [*of* om]
**positively** ['pɒzətɪvlɪ] *adv* **1** positivt **2** säkert **3** verkligen, faktiskt
**posse** ['pɒsɪ] *s* polisstyrka, polisuppbåd i USA
**possess** [pə'zes] *vb tr* äga, ha
**possessed** [pə'zest] *perf p* o. *adj* besatt; *like one* ~ som en besatt
**possession** [pə'zeʃən] *s* **1** besittning, innehav; ägo; *take* ~ *of* ta i besittning **2** egendom; pl. ~s ägodelar
**possessive** [pə'zesɪv] I *adj* **1** hagalen; härsklysten **2** gram. possessiv; *the ~ case* genitiv II *s* gram., *the* ~ genitiv
**possessor** [pə'zesə] *s* ägare
**possibility** [ˌpɒsə'bɪlətɪ] *s* möjlighet [*of* av, till]
**possible** ['pɒsəbl] *adj* möjlig; eventuell; *if* ~ om möjligt; *as far as* ~ så vitt (långt som) möjligt
**possibly** ['pɒsəblɪ] *adv* **1** möjligen; eventuellt; *I cannot* ~ *do it* jag kan omöjligen göra det, det finns ingen chans

att jag kan göra det **2** kanske; mycket möjligt

**1 post** [pəʊst] *s* post vid t.ex. dörr; stolpe; *the finishing* (*winning*) ~ sport. mållinjen

**2 post** [pəʊst] **I** *s* befattning, post, plats, tjänst **II** *vb tr* postera; kommendera [*to* till]

**3 post** [pəʊst] **I** *s* post t.ex. brev; *by* ~ med posten, per post **II** *vb tr* posta, skicka

**post-** [pəʊst] *prefix* efter-, post- [*post-Victorian*]

**postage** ['pəʊstɪdʒ] *s* porto; ~ *rate* posttaxa; ~ *stamp* frimärke

**postal** ['pəʊst(ə)l] *adj* post-, postal; ~ *giro service* postgiro; ~ *order* postanvisning i kuvert översänd anvisning på lägre belopp

**postcard** ['pəʊstkɑ:d] *s* frankerat postkort; *picture* ~ vykort

**postcode** ['pəʊstkəʊd] *s* postnummer

**postdate** [ˌpəʊst'deɪt] *vb tr* postdatera, efterdatera

**poster** ['pəʊstə] *s* anslag; affisch

**poste restante** [ˌpəʊst'restɒnt] *s o. adv* poste restante

**posterity** [pɒ'sterətɪ] *s* efterkommande; eftervärlden [*go down to* (gå till) ~]

**post-graduate** [ˌpəʊst'grædjʊət] **I** *adj* efter avlagd första examen vid universitet; ~ *studies* forskarutbildning **II** *s* forskarstuderande

**post-haste** [ˌpəʊst'heɪst] *adv* i ilfart

**posthumous** ['pɒstjʊməs] *adj* postum

**postiche** [pɒ'sti:ʃ] *s* postisch, peruk

**postman** ['pəʊstmən] (pl. *postmen* ['pəʊstmən]) *s* brevbärare, postiljon

**postmark** ['pəʊstmɑ:k] *s* poststämpel

**postmarked** ['pəʊstmɑ:kt] *adj* stämplad, poststämplad

**postmaster** ['pəʊstˌmɑ:stə] *s* postmästare; postföreståndare

**postmistress** ['pəʊstˌmɪstrəs] *s* kvinnlig postmästare (postföreståndare)

**postmortem** [ˌpəʊst'mɔ:təm] *s* obduktion

**post office** ['pəʊstˌɒfɪs] *s* postkontor; *the* ~ postverket

**postpone** [pəʊs(t)'pəʊn] *vb tr* skjuta upp, senarelägga

**postponement** [pəʊs(t)'pəʊnmənt] *s* uppskjutande, bordläggning

**postscript** ['pəʊsskrɪpt] *s* postskriptum

**posture** ['pɒstʃə] *s* kroppsställning, hållning

**post-war** [ˌpəʊst'wɔ:] *adj* efterkrigs-

**posy** ['pəʊzɪ] *s* liten bukett

**pot** [pɒt] **I** *s* **1** a) kruka [*flower-pot*], burk

[*a* ~ *of jam*], pyts [*paint-pot*] b) gryta c) kanna [*a tea-pot*] d) potta, nattkärl; *go to* ~ vard. gå åt pipan **2** bildl. a) vard. massa [*make a* ~ *of money*] b) kortsp. pott **3** sl. hasch, knark **II** *vb tr* lägga in, konservera [*potted shrimps*]

**potash** ['pɒtæʃ] *s* **1** pottaska **2** kali

**potassium** [pə'tæsjəm] *s* kalium; ~ *cyanide* cyankalium

**potato** [pə'teɪtəʊ] (pl. *potatoes*) *s* potatis

**potbellied** ['pɒtˌbelɪd] *adj*, *be* ~ ha kalaskula

**potbelly** ['pɒtˌbelɪ] *s* kalaskula; isterbuk

**potboiler** ['pɒtˌbɔɪlə] *s* vard. beställningsarbete, dussinroman

**potency** ['pəʊtənsɪ] *s* fysiol. potens

**potent** ['pəʊt(ə)nt] *adj* **1** mäktig; kraftig [*a* ~ *remedy*] **2** fysiol. potent

**potentate** ['pəʊtənteɪt] *s* potentat

**potential** [pə'tenʃ(ə)l] **I** *adj* potentiell **II** *s* potential

**pother** ['pɒðə] *s* bråk, ståhej

**pot herb** ['pɒthɜ:b] *s* köksväxt

**pot-holder** ['pɒtˌhəʊldə] *s* grytlapp

**pot-hole** ['pɒthəʊl] *s* potthål, grop

**potion** ['pəʊʃ(ə)n] *s* dryck med giftiga el. magiska egenskaper [*love-potion*]

**pot luck** [ˌpɒt'lʌk] *s*, *take* ~ hålla tillgodo med vad huset förmår

**potpourri** [pəʊpə'ri:] *s* mus. potpurri

**pot roast** ['pɒtrəʊst] *s* grytstek

**pot shot** ['pɒtʃɒt] *s* vard. slängskott

**potted** ['pɒtɪd] *perf p o. adj* sammandragen, förkortad [*a* ~ *version of the film*]

**1 potter** ['pɒtə] *vb itr*, ~ *about* knåpa, pyssla, pilla [*at* med]

**2 potter** ['pɒtə] *s* krukmakare; *potter's wheel* drejskiva

**pottery** ['pɒtərɪ] *s* **1** porslinsfabrik; krukmakeri (porslinsfabrik); lergods **2** porslin; lergods

**potty** ['pɒtɪ] *adj* vard. **1** futtig **2** knasig

**pouch** [paʊtʃ] *s* **1** liten påse, pung [*tobacco-pouch*] **2** biol., t.ex. pungdjurs pung

**poulterer** ['pəʊltərə] *s* fågelhandlare, vilthandlare

**poultice** ['pəʊltɪs] *s* grötomslag

**poultry** ['pəʊltrɪ] *s* fjäderfä, fågel, höns

**poultry farm** ['pəʊltrɪfɑ:m] *s* hönsfarm

**pounce** [paʊns] *vb itr*, ~ *on* (*at*) slå ner på, kasta sig över

**1 pound** [paʊnd] *s* **1** skålpund (vanl. = 16 *ounces* 454 gram) **2** pund (= 100 *pence*)

**2 pound** [paʊnd] *s* fålla, inhägnad

**3 pound** [paʊnd] *vb tr* o. *vb itr* dunka,
banka, hamra, bulta [*at, on* på, i]
**pour** [pɔː] *vb tr* o. *vb itr* hälla, ösa; **~ out**
hälla ut (upp), servera [*~ a cup of tea*]
**2** strömma, forsa; välla; *it is pouring*
(*pouring down*) det regnet öser ner;
*pouring rain* hällande regn
**pout** [paʊt] *vb itr* truta (puta) med
munnen
**poverty** ['pɒvətɪ] *s* fattigdom
**poverty-stricken** ['pɒvətɪˌstrɪkn] *adj*
utfattig, utarmad; torftig
**POW** [ˌpiːəʊ'dʌbljʊ] (förk. för *prisoner of
war*) krigsfånge
**powder** ['paʊdə] **I** *s* pulver; puder **II** *vb tr*
**1** pudra; beströ **2** pulvrisera; *powdered
milk* torrmjölk
**powder-compact** ['paʊdəˌkɒmpækt] *s*
puderdosa
**powder puff** ['paʊdəpʌf] *s* pudervippa
**powder room** ['paʊdəruːm] *s* damrum
**power** ['paʊə] *s* **1** förmåga; *I will do
everything in my* ~ jag skall göra allt
som står i min makt **2** makt; *naval* ~
sjömakt; ~ *politics* maktpolitik; *be in
a p.'s* ~ vara i ngns våld; *come* (*get*) *into*
~ komma till makten **3** kraft, styrka [*the
~ of a lens*]; ~ *failure* strömavbrott; ~
*mower* motorgräsklippare
**power-assisted** [ˌpaʊərə'sɪstɪd] *adj* servo-
[*~ brakes*]
**power brake** ['paʊəbreɪk] *s* servobroms
**power cut** ['paʊəkʌt] *s* strömavbrott
**power drill** ['paʊədrɪl] *s* elektrisk borr;
motorborr
**power-driven** ['paʊəˌdrɪvn] *adj*
maskindriven, motordriven; eldriven
**powerful** ['paʊəf(ʊ)l] *adj* mäktig [*a ~
nation*]; kraftig [*a ~ blow*], stark [*a ~
engine*]
**powerhouse** ['paʊəhaʊs] *s* kraftstation,
kraftverk
**powerless** ['paʊələs] *adj* maktlös, kraftlös
**power mains** ['paʊəmeɪnz] *s pl* elnät
**power mower** ['paʊəˌmaʊə] *s*
motorgräsklippare
**power pack** ['paʊəpæk] *s* nätdel,
nätanslutningsaggregat
**power plant** ['paʊəplɑːnt] *s* elverk,
kraftanläggning, kraftverk
**power-seeking** ['paʊəˌsiːkɪŋ] *adj*
maktlysten
**power shovel** ['paʊəʃʌvl] *s* grävmaskin
**power station** ['paʊəˌsteɪʃən] *s* elverk;
kraftanläggning, kraftstation, kraftverk

**pox** [pɒks] *s*, *the* ~ vard. syffe syfilis
**pp.** (förk. för *pages*) sidor
**PR** [ˌpiː'ɑː] (förk. för *public relations*) PR
**practicable** ['præktɪkəbl] *adj* genomförbar
**practical** ['præktɪkəl] *adj* praktisk;
genomförbar [*a ~ scheme*]
**practically** ['præktɪkəlɪ] *adv* **1** praktiskt, i
praktiken **2** praktiskt taget
**practice** ['præktɪs] *s* **1** praktik [*theory and
~*]; *put a th. into* ~ tillämpa ngt i
praktiken **2** praxis; bruk; sed, vana,
kutym; *make a ~ of* ta för vana att
**3** träning; *~ makes perfect* övning ger
färdighet; *I am out of* ~ jag är otränad
**4** läkares el. advokats praktik **5** pl. *~s* tricks,
knep; tvivelaktiga metoder
**practise** ['præktɪs] *vb tr* o. *vb itr* **1** öva sig
i, öva [*~ music*]; öva sig [*in* i]; öva, träna
**2** praktisera, tillämpa, utöva [*~ a
profession*]; *~ what one preaches* leva
som man lär
**practised** ['præktɪst] *adj* **1** skicklig;
erfaren, rutinerad **2** inövad
**practising** ['præktɪsɪŋ] *adj* praktiserande;
ortodox [*a ~ Jew*]
**practitioner** [præk'tɪʃənə] *s* praktiserande
läkare; jfr *general I 1, medical I*
**pragmatic** [præg'mætɪk] *adj* pragmatisk
**Prague** [prɑːg] Prag
**prairie** ['preərɪ] *s* prärie
**praise** [preɪz] **I** *vb tr* berömma, prisa,
lovorda **II** *s* beröm, lovord
**praiseworthy** ['preɪzˌwɜːðɪ] *adj* lovvärd
**pram** [præm] *s* barnvagn
**prance** [prɑːns] *vb itr* om häst dansa på
bakbenen; om person kråma sig
**prank** [præŋk] *s* spratt, upptåg
**prate** [preɪt] *vb itr* prata, snacka, pladdra
**prattle** ['prætl] **I** *vb itr* pladdra **II** *s* pladder
**prattler** ['prætlə] *s* pratmakare, pladdrare
**prawn** [prɔːn] **I** *s* räka **II** *vb itr* fiska räkor
**pray** [preɪ] *vb tr* o. *vb itr* be, bönfalla; ~
[*don't speak so loud!*] var vänlig och…
**prayer** [preə] *s* bön
**preach** [priːtʃ] *vb itr* o. *vb tr* predika
**preacher** ['priːtʃə] *s* predikant, predikare
**preamble** [priː'æmbl] *s* inledning, företal
**preamplifier** [ˌpriː'æmplɪfaɪə] *s* elektr.
förförstärkare
**prearrange** [ˌpriːə'reɪndʒ] *vb tr* ordna
(avtala) på förhand
**precarious** [prɪ'keərɪəs] *adj* osäker; prekär
**precaution** [prɪ'kɔːʃ(ə)n] *s* försiktighet;
*take ~s* vidta försiktighetsåtgärder

**precautionary** [prɪˈkɔːʃnərɪ] adj
försiktighets- [~ measures (åtgärder)]
**precede** [prɪˈsiːd] vb tr föregå; gå före
**precedence** [ˈpresɪdəns, prɪˈsiːd(ə)ns] s
företräde; företrädesrätt
**precedent** [ˈpresɪd(ə)nt] s tidigare fall;
speciellt jur. prejudikat; it is without ~ det
saknar motstycke
**preceding** [prɪˈsiːdɪŋ] adj föregående
**precept** [ˈpriːsept] s föreskrift, regel
**precinct** [ˈpriːsɪŋkt] s **1** område;
pedestrian ~ område med gågator,
gågata **2** amer. polisdistrikt
**precious** [ˈpreʃəs] adj dyrbar, kostbar,
värdefull; ~ stone ädelsten
**precipice** [ˈpresɪpɪs] s brant, stup
**precipitate** [prɪˈsɪpɪtət] adj brådstörtad
**precipitous** [prɪˈsɪpɪtəs] adj tvärbrant
**précis** [ˈpreɪsiː] s sammandrag, resumé
**precise** [prɪˈsaɪs] adj exakt, precis
**precisely** [prɪˈsaɪslɪ] adv exakt, precis
**precision** [prɪˈsɪʒən] s precision
**precocious** [prɪˈkəʊʃəs] adj brådmogen
**precocity** [prɪˈkɒsətɪ] s brådmogenhet
**preconceive** [ˌpriːkənˈsiːv] vb tr,
preconceived opinions (ideas)
förutfattade meningar
**precondition** [ˌpriːkənˈdɪʃ(ə)n] s
förhandsvillkor
**predecessor** [ˈpriːdɪsesə] s företrädare
**predestine** [prɪˈdestɪn] vb tr
förutbestämma
**predetermine** [ˌpriːdɪˈtɜːmɪn] vb tr
förutbestämma
**predicament** [prɪˈdɪkəmənt] s obehaglig
situation; läge, tillstånd
**predicate** [ˈpredɪkət] s gram. predikat,
predikatsdel
**predict** [prɪˈdɪkt] vb tr förutsäga, spå
**predictable** [prɪˈdɪktəbl] adj förutsägbar
**prediction** [prɪˈdɪkʃən] s förutsägelse
**predilection** [ˌpriːdɪˈlekʃ(ə)n] s förkärlek
**predispose** [ˌpriːdɪˈspəʊz] vb tr, be
predisposed to vara mottaglig (benägen)
för
**predisposition** [ˈpriːˌdɪspəˈzɪʃ(ə)n] s
mottaglighet, benägenhet, anlag [to för]
**predominance** [prɪˈdɒmɪnəns] s
övermakt, övervikt
**predominant** [prɪˈdɒmɪnənt] adj
dominerande, övervägande, förhärskande
**predominate** [prɪˈdɒmɪneɪt] vb itr
dominera; vara förhärskande
**pre-eminent** [prɪˈemɪnənt] adj
utomordentligt framstående; överlägsen

**preen** [priːn] vb tr om fågel putsa [~ its
feathers]; ~ oneself om person snygga till
sig
**prefabricate** [ˌpriːˈfæbrɪkeɪt] vb tr,
prefabricated house monteringshus,
elementhus
**preface** [ˈprefəs] **I** s förord, inledning **II** vb
tr inleda; föregå
**prefatory** [ˈprefətrɪ] adj inledande
**prefect** [ˈpriːfekt] s i vissa brittiska skolor
(ungefär) ordningsman
**prefer** [prɪˈfɜː] vb tr föredra [to framför]
**preferable** [ˈprefərəbl] adj som är att
föredra
**preferably** [ˈprefərəblɪ] adv företrädesvis,
helst [~ today]
**preference** [ˈprefərəns] s förkärlek [have a
~ for Italian food]; företräde [over
framför]; in ~ to framför [in ~ to all
others]
**prefix** [ˈpriːfɪks] s förstavelse, prefix
**pregnancy** [ˈpregnənsɪ] s havandeskap; om
djur dräktighet
**pregnant** [ˈpregnənt] adj **1** havande; om
djur dräktig **2** ~ with rik på
**prehistoric** [ˌpriːhɪˈstɒrɪk] adj o.
**prehistorical** [ˈpriːhɪˈstɒrɪk(ə)l] adj
förhistorisk, urtids- [~ animals]
**prejudice** [ˈpredʒʊdɪs] **I** s fördomar **II** vb tr
inge ngn fördomar; ~ a p.'s case skada
ngns sak
**prejudiced** [ˈpredʒʊdɪst] adj fördomsfull
**prelate** [ˈprelət] s prelat
**preliminary** [prɪˈlɪmɪnərɪ] **I** adj preliminär;
inledande **II** s, pl. preliminaries
förberedelser
**prelude** [ˈpreljuːd] s förspel, upptakt
**premarital** [prɪˈmærɪtl] adj föräktenskaplig
**premature** [ˌpreməˈtjʊə] adj **1** för tidig [~
death] **2** förhastad [a ~ conclusion]
**prematurely** [ˌpreməˈtjʊəlɪ] adv **1** för
tidigt, i förtid; i otid **2** förhastat
**premeditated** [prɪˈmedɪteɪtɪd] adj
överlagd [~ murder]
**premeditation** [prɪˌmedɪˈteɪʃən] s uppsåt,
berått mod
**premier** [ˈpremjə] **I** adj första [~ place];
främsta, förnämst **II** s premiärminister
**première** [ˈpremɪeə] s premiär
**premise** [ˈpremɪs] s, pl. ~s fastigheter;
lokaler
**premium** [ˈpriːmjəm] s försäkringspremie
**premonition** [ˌpriːməˈnɪʃən] s föraning
**preoccupation** [prɪˌɒkjʊˈpeɪʃən] s
**1** självupptagenhet **2** främsta intresse

**preoccupied** [prɪ'ɒkjʊpaɪd] *adj* helt
upptagen [*with* av], djupt försjunken
[*with* i]
**preparation** [ˌprepə'reɪʃ(ə)n] *s*
**1** förberedelse [*make* ~s]; färdigställande
**2** tillagning, tillredning [~ *of food*];
framställning [*the* ~ *of a vaccine*]
**preparatory** [prɪ'pærətəri] *adj*
**1** förberedande; för- [~ *work*]; ~ *school*
a) privat, förberedande skola för inträde i
'public schools' b) i USA högre internatskola
för inträde i college **2** ~ *to* som en
förberedelse för, inför
**prepare** [prɪ'peə] *vb tr* o. *vb itr*
**1** förbereda; preparera, göra i ordning;
laga [~ *food*] **2** förbereda sig, göra sig i
ordning (beredd); ~ *for an exam* läsa på
en examen
**prepared** [prɪ'peəd] *adj* förberedd; beredd,
inställd [*for* på; *to do a th.* på att göra
ngt]; villig [*I'm not* ~ *to…*]
**preparedness** [prɪ'peədnəs,
prɪ'peərɪdnəs] *s* beredskap
**prepay** [ˌpri:'peɪ] *vb tr* betala i förväg
**preponderance** [prɪ'pɒndər(ə)ns] *s*
övervikt; överskott [*of* på]
**preposition** [ˌprepə'zɪʃ(ə)n] *s* preposition
**preposterous** [prɪ'pɒstərəs] *adj* orimlig
**prepuce** ['pri:pju:s] *s* förhud på penis
**prerequisite** [ˌpri:'rekwɪzɪt] *s* förutsättning
**prerogative** [prɪ'rɒgətɪv] *s* prerogativ
[*royal* ~], privilegium, företrädesrätt
**preschool** ['pri:sku:l] **I** *adj* förskole- [~
*age*] **II** *s* förskola
**prescribe** [prɪ'skraɪb] *vb tr* föreskriva; med.
ordinera
**prescription** [prɪ'skrɪpʃ(ə)n] *s* med. recept
[*make up* (expediera) *a* ~]
**presence** ['prezns] *s* närvaro; närhet; ~ *of
mind* sinnesnärvaro; *your* ~ *is requested*
ni anmodas närvara
**1 present** ['preznt] **I** *adj* **1** närvarande [*at*
vid]; *those* (*the people*) ~ de närvarande
**2** nuvarande, innevarande [*the* ~ *month*],
nu pågående, aktuell [*the* ~ *boom*] **3** gram.,
*the* ~ *tense* presens **II** *s* **1** *the* ~ nuet; *at* ~
för närvarande; *for the* ~ för närvarande,
tills vidare **2** gram., *the* ~ presens; ~
*continuous* progressiv presensform
**2 present** [substantiv 'preznt, verb prɪ'zent]
**I** *s* present, gåva **II** *vb tr* **1** föreställa,
presentera speciellt formellt **2** lägga fram [~
*a bill* (lagförslag)]; presentera, lämna in;
framställa [*as* som] **3** överlämna [*to* åt,

till], räcka fram [*to* till] **4** teat. uppföra,
framföra [~ *a new play*]
**presentable** [prɪ'zentəbl] *adj* som kan
läggas fram; presentabel
**presentation** [ˌprezən'teɪʃ(ə)n] *s*
**1** presentation av ngn [*to* för]
**2** framläggande; framställning,
utformning **3** överlämnande **4** teat.
uppförande, framförande [*the* ~ *of a new
play*]
**present-day** ['prezntdeɪ] *adj* nutidens
**presentiment** [prɪ'zentɪmənt] *s* föraning
**presently** ['prezntlɪ] *adv* **1** snart, inom
kort; kort därefter **2** för närvarande
**preservation** [ˌprezə'veɪʃ(ə)n] *s*
**1** bevarande, bibehållande; konservering
**2** vård, fridlysning
**preservative** [prɪ'zɜ:vətɪv] *s*
konserveringsmedel
**preserve** [prɪ'zɜ:v] **I** *vb tr* **1** bevara, skydda
[*from* från] **2** konservera [~ *fruit*], lägga in,
sylta **II** *s* **1** ofta pl. ~s sylt; marmelad;
konserverad frukt **2** *nature* ~
naturreservat **3** bildl. privilegium; reservat
**preset** [ˌpri:'set] *adj* förinställd
**pre-shrunk** [ˌpri:'ʃrʌŋk] *adj* krympfri
**preside** [prɪ'zaɪd] *vb itr* presidera, sitta
som ordförande [*at, over* vid]
**presidency** ['prezɪdənsɪ] *s* presidentskap,
presidentämbete, presidentperiod
**president** ['prezɪd(ə)nt] *s* **1** president
**2** amer. verkställande direktör
**presidential** [ˌprezɪ'denʃ(ə)l] *adj* president-
**press** [pres] **I** *s* **1** a) tryckning [*the* ~ *of*
(på) *a button*] b) press, tryck **2** a) press [*a
hydraulic* ~] b) pressande, pressning äv. av
kläder **3** tryckpress; tryckeri, tidningspress
**II** *vb tr* o. *vb itr* **1** pressa [~ *one's
trousers*]; trycka [~ *a p.'s hand*]; krama,
klämma; ~ *the button* trycka på knappen
äv. bildl. **2** pressa, försöka tvinga [~ *a p. to
do a th.*] **3** ansätta [*be hard pressed*]; *be
pressed for* ha ont om [*be pressed for
time*] **4** pressa, trycka [*on* på] **5** ~ *for* yrka
på [~ *for higher wages*] **6** ~ *on* (*forward*)
pressa på, tränga sig fram, skynda framåt
**press agency** ['pres,eɪdʒənsɪ] *s* pressbyrå
**press box** ['presbɒks] *s* pressbås
**press-clipping** ['pres,klɪpɪŋ] *s* o.
  **press-cutting** ['pres,kʌtɪŋ] *s*
tidningsurklipp, pressurklipp
**press gallery** ['pres,gælərɪ] *s* pressläktare
**pressing** ['presɪŋ] *adj* brådskande [~
*business*]; trängande [~ *need*]
**press-stud** ['presstʌd] *s* tryckknapp

**press-up** ['presʌp] s gymn., liggande armhävning

**pressure** ['preʃə] s **1** tryck, tryckning [~ of the hand]; press [work under ~]; **high ~** högtryck **2** put ~ (bring ~ to bear) on a p. utöva påtryckningar på ngn

**pressure cabin** ['preʃəˌkæbɪn] s tryckkabin

**pressure-cooker** ['preʃəˌkʊkə] s tryckkokare

**pressure gauge** ['preʃəgeɪdʒ] s manometer, tryckmätare

**pressure group** ['preʃəgruːp] s påtryckningsgrupp

**pressurize** ['preʃəraɪz] vb tr **1** sätta tryck på, utöva påtryckningar på **2** pressurized cabin tryckkabin

**prestige** [pre'stiːʒ] s prestige; anseende

**prestigious** [pre'stɪdʒəs] adj prestigefylld, prestigebetonad

**presumably** [prɪ'zjuːməblɪ] adv förmodligen, troligen

**presume** [prɪ'zjuːm] vb tr o. vb itr **1** förmoda **2** tillåta sig, ta sig friheter

**presumption** [prɪ'zʌmpʃ(ə)n] s **1** förmodan **2** övermod, arrogans

**presumptuous** [prɪ'zʌmptjʊəs] adj självsäker, övermodig, arrogant

**presuppose** [ˌpriːsə'pəʊz] vb tr förutsätta

**pretence** [prɪ'tens] s **1** förevändning, svepskäl; falskt sken [a ~ of friendship]; false ~s falska förespeglingar **2** pretentioner

**pretend** [prɪ'tend] vb tr **1** låtsas **2** göra anspråk på, göra gällande

**pretense** [prɪ'tens] s amer. = pretence

**pretension** [prɪ'tenʃ(ə)n] s anspråk [to på]; pretention

**pretentious** [prɪ'tenʃəs] adj pretentiös

**preterite** ['pretərət] s gram., the ~ preteritum, imperfekt

**pretext** ['priːtekst] s förevändning

**pretty** ['prɪtɪ] **I** adj söt [a ~ girl], näpen; a ~ mess iron. en skön röra; a ~ sum (penny) en nätt summa, en vacker slant **II** adv vard. rätt, ganska

**pretty-pretty** [ˌprɪtɪ'prɪtɪ] adj vard. snutfager; kysstäck; om färg sötsliskig

**pretzel** ['pretsl] s saltkringla

**prevail** [prɪ'veɪl] vb itr **1** råda, vara förhärskande (allmänt utbredd) **2** ~ on förmå, övertala

**prevailing** [prɪ'veɪlɪŋ] adj rådande [~ winds], förhärskande [the ~ opinion]

**prevalence** ['prevələns] s allmän förekomst, utbredning

**prevalent** ['prevələnt] adj rådande, förhärskande

**prevent** [prɪ'vent] vb tr hindra, förebygga

**preventable** [prɪ'ventəbl] adj som kan hindras (förebyggas)

**prevention** [prɪ'venʃ(ə)n] s förhindrande, förebyggande; ~ is better than cure ordspr. bättre förekomma än förekommas; the ~ of cruelty to animals ungefär djurskydd

**preventive** [prɪ'ventɪv] adj preventiv, hindrande, förebyggande [~ measures]

**preview** ['priːvjuː] s förhandsvisning

**previous** ['priːvjəs] adj föregående, tidigare

**previously** ['priːvjəslɪ] adv förut, tidigare

**pre-war** [ˌpriː'wɔː, attributivt 'priːwɔː] adj förkrigs-, före kriget

**prey** [preɪ] **I** s rov, byte; be a ~ to vara ett offer för; bird of ~ rovfågel **II** vb itr, ~ on a) jaga, leva på b) ~ on a p.'s mind tynga på ngn

**price** [praɪs] s pris; at any ~ till varje pris; at reduced ~s till nedsatta priser

**price freeze** ['praɪsfriːz] s prisstopp

**priceless** ['praɪsləs] adj ovärderlig; vard. obetalbar

**pricey** ['praɪsɪ] adj vard. dyrbar, dyr

**prick** [prɪk] **I** s **1** stick, styng; sting; ~s of conscience samvetskval **2** vulg. kuk **II** vb tr **1** sticka; sticka hål i [~ a balloon]; ~ one's finger sticka sig i fingret **2** ~ (~ up) one's ears spetsa öronen

**prickle** ['prɪkl] s tagg **II** vb tr o. vb itr sticka; stickas

**prickly** ['prɪklɪ] adj **1** taggig **2** stickande känsla; ~ heat med. hetblemmor

**pride** [praɪd] **I** s stolthet [in över]; take ~ (a ~) in känna stolthet över, sätta sin ära i **II** vb rfl, ~ oneself on (upon) vara stolt över

**priest** [priːst] s präst; woman ~ kvinnlig präst

**priestess** ['priːstes] s prästinna

**priesthood** ['priːsthʊd] s prästerskap

**prig** [prɪg] s självgod pedant, petimäter

**priggish** ['prɪgɪʃ] adj självgod, petig

**prim** [prɪm] adj prydlig [a ~ garden]; sipp, pryd

**prima donna** [ˌpriːmə'dɒnə] s primadonna

**primarily** ['praɪmərəlɪ] adv **1** primärt, ursprungligen **2** huvudsakligen

**primary** ['praɪmərɪ] adj **1** primär, ursprunglig; ~ school primärskola, lågstadieskola: a) britt., motsvarande 6-årig grundskola för åldrarna 5-11 b) amer.,

motsvarande 3- (4-)årig grundskola
**2** huvudsaklig

**prime** [praɪm] **I** *adj* **1** främsta; ~ *minister* premiärminister, statsminister **2** prima, förstklassig **3** primär, ursprunglig **II** *s, in one's* ~ el. *in the* ~ *of life* i sin krafts dagar, i sina bästa år; *he is past his* ~ han har sina bästa år bakom sig **III** *vb tr* **1** instruera [~ *a witness*] **2** vard. proppa full med mat m.m. **3** grundmåla

**primer** ['praɪmə] *s* nybörjarbok

**primitive** ['prɪmɪtɪv] *adj* primitiv

**primp** [prɪmp] *vb itr* snofsa (fiffa) upp sig

**primrose** ['prɪmrəʊs] *s* primula, viva

**primula** ['prɪmjʊlə] *s* bot. Primula

**Primus** ['praɪməs] *s* ®, ~ *stove* primuskök

**prince** [prɪns] *s* prins; furste; ~ *consort* prinsgemål

**princely** ['prɪnslɪ] *adj* furstlig

**princess** [prɪn'ses] *s* prinsessa; furstinna

**principal** ['prɪnsəp(ə)l] **I** *adj* huvudsaklig, främsta, förnämst; ~ *parts of a verb* ett verbs tema **II** *s* chef; skol. rektor

**principality** [ˌprɪnsɪ'pælətɪ] *s* furstendöme; *the Principality* benämning på Wales

**principally** ['prɪnsəplɪ] *adv* huvudsakligen, i främsta rummet

**principle** ['prɪnsəpl] *s* princip [*on* (av) ~]

**prink** [prɪŋk] *vb itr* snofsa (fiffa) upp sig

**print** [prɪnt] **I** *s* **1** tryck; *large* (*small*) ~ stor (liten, fin) stil; *get into* ~ gå i tryck; *out of* ~ utsåld **2** avtryck [~ *of a finger* (*foot*)], märke, spår **3** konst. avtryck, tryck; foto. kopia **II** *vb tr* **1** trycka bok; publicera; *printed matter* trycksaker **2** skriva med tryckstil, texta **3** foto. kopiera

**printable** ['prɪntəbl] *adj* tryckbar

**printer** ['prɪntə] *s* boktryckare, tryckeriarbetare; *printer's error* tryckfel

**printing** ['prɪntɪŋ] *s* tryckning [*second* ~], tryck; kopiering

**printing-house** ['prɪntɪŋhaʊs] *s* tryckeri

**printing-ink** ['prɪntɪŋɪŋk] *s* trycksvärta

**printing-press** ['prɪntɪŋpres] *s* tryckpress

**prior** ['praɪə] **I** *adj* föregående; tidigare [*to* än] **II** *adv*, ~ *to* före [~ *to his marriage*]; ~ *to leaving he...* innan han gav sig i väg... **III** *s* prior

**priority** [praɪ'ɒrətɪ] *s* prioritet, företräde, förtur [*over* framför]; *give* ~ *to* prioritera; *take* ~ *over* gå före

**priory** ['praɪərɪ] *s* priorskloster

**prism** ['prɪz(ə)m] *s* prisma

**prison** ['prɪzn] *s* fängelse, fångvårdsanstalt

**prison camp** ['prɪznkæmp] *s* krigsfångeläger

**prisoner** ['prɪznə] *s* fånge; ~ *of war* krigsfånge

**prison guard** [ˌprɪzn'gɑ:d] *s* fångvaktare

**privacy** ['prɪvəsɪ, 'praɪvəsɪ] *s* avskildhet, privatliv; *in* ~ i enrum

**private** ['praɪvət] **I** *adj* **1** privat, personlig [*my* ~ *opinion*]; enskild; ~ *bar* finare avdelning på en pub **2** avskild; ~ *number* tele. hemligt nummer; ~ *parts* könsdelar; *keep* ~ hemlighålla **II** *s* **1** mil. menig **2** *in* ~ privat, enskilt

**privately** ['praɪvətlɪ] *adv* privat, personligt; enskilt; ~ *owned* privatägd

**privation** [praɪ'veɪʃ(ə)n] *s* umbäranden

**privet** ['prɪvɪt] *s* bot. liguster

**privilege** ['prɪvəlɪdʒ] **I** *s* privilegium **II** *vb tr* privilegiera

**privileged** ['prɪvəlɪdʒd] *adj* privilegierad

**privy** ['prɪvɪ] **I** *adj*, ~ *to* medveten om, invigd **II** *s* toalett, utedass

**1 prize** [praɪz] **I** *s* **1** pris; premie **2** lotterivinst; *the first* ~ högsta vinsten **II** *vb tr* värdera högt

**2 prize** [praɪz] *vb tr*, ~ *up* (*open*) bända upp

**prizefight** ['praɪzfaɪt] *s* proboxningsmatch

**prizefighter** ['praɪzˌfaɪtə] *s* proboxare

**prize-giving** ['praɪzˌgɪvɪŋ] *s* premieutdelning; prisutdelning

**prize money** ['praɪzˌmʌnɪ] *s* prissumma

**prizewinner** ['praɪzˌwɪnə] *s* pristagare

**1 pro** [prəʊ] **I** *prefix* **1** pro-, -vänlig [*pro-British*] **2** pro- [*proconsul*] **II** *s, the ~s and cons* skälen för och emot

**2 pro** [prəʊ] (pl. ~s) *s* vard. proffs [*a golf* ~]; sl. fnask

**probability** [ˌprɒbə'bɪlətɪ] *s* sannolikhet

**probable** ['prɒbəbl] *adj* sannolik, trolig

**probably** ['prɒbəblɪ] *adv* troligen

**probation** [prəʊ'beɪʃ(ə)n] *s* **1** prov [*two years on* ~] **2** jur., *be put on* ~ dömas till skyddstillsyn, få villkorlig dom; ~ *officer* övervakare

**probationer** [prəʊ'beɪʃnə] *s* elev; novis; ~ *nurse* el. ~ sjuksköterskeelev

**probe** [prəʊb] **I** *s* **1** sond **2** undersökning **II** *vb tr* o. *vb itr* **1** sondera **2** tränga in [*into* i]

**problem** ['prɒbləm] *s* problem

**procedure** [prə'si:dʒə] *s* procedur, förfarande, förfaringssätt

**proceed** [prə'si:d] *vb itr* **1** fortsätta **2** ~ *to*

+ infinitiv börja [*he proceeded to get angry*],
övergå till att
**proceeding** [prə'si:dıŋ] *s* **1** förfarande,
förfaringssätt, procedur **2** pl. ~*s*
**a)** förehavanden **b)** i t.ex. domstol, sällskap
förhandlingar **c)** *take legal ~s against*
vidta lagliga åtgärder mot
**proceeds** ['prəusi:dz] *s pl* intäkter
**process** ['prəuses] **I** *s* **1** förlopp; *in ~ of*
*construction* under byggnad **2** process
[*chemical processes*]; tekn. äv. metod [*the*
*Bessemer ~*] **II** *vb tr* tekn. behandla äv. data.;
bearbeta
**procession** [prə'seʃ(ə)n] *s* procession
**proclaim** [prə'kleɪm] *vb tr* proklamera,
tillkännage, kungöra
**proclamation** [ˌprɒklə'meɪʃ(ə)n] *s*
proklamation, tillkännagivande
**procure** [prə'kjʊə] *vb tr* skaffa, skaffa fram
**prod** [prɒd] **I** *vb tr* o. *vb itr*, ~ *at* el. ~ stöta
till **II** *s* stöt
**prodigal** ['prɒdɪɡ(ə)l] **I** *adj* slösaktig [*of*
med] **II** *s* slösare
**prodigious** [prə'dɪdʒəs] *adj* fenomenal
**prodigy** ['prɒdɪdʒɪ] *s*, *infant ~* el. ~
underbarn
**produce** [verb prə'dju:s, substantiv 'prɒdju:s]
**I** *vb tr* **1** producera, framställa, tillverka;
åstadkomma, framkalla [~ *a reaction*]
**2** skaffa fram [~ *a witness*]; lägga fram
**3** teat. regissera, iscensätta; uppföra; film.
producera **II** *s* produkter av jordbruk
[*garden ~*]; varor
**producer** [prə'dju:sə] *s* **1** producent **2** teat.
regissör; film. el. radio. el. TV. producent
**product** ['prɒdʌkt] *s* produkt; vara
**production** [prə'dʌkʃ(ə)n] *s* **1** produktion,
framställning, tillverkning **2** produkt,
alster **3** framskaffande; framläggande
**4** teat. regi, uppsättning; uppförande; film.
inspelning
**productive** [prə'dʌktɪv] *adj* produktiv
**productivity** [ˌprɒdʌk'tɪvətɪ] *s*
produktivitet [*increase ~*];
produktionsförmåga
**prof** [prɒf] *s* vard. profet professor
**profane** [prə'feɪn] **I** *adj* **1** profan, världslig
**2** vanvördig; ~ *language* svordomar **II** *vb*
*tr* vanhelga
**profess** [prə'fes] *vb tr* **1** tillkännage,
förklara sig ha [*he professed interest in my*
*welfare*] **2** göra anspråk på, ge sig ut för
[~ *to be an authority on…*] **3** bekänna sig
till [~ *Christianity*]

**profession** [prə'feʃ(ə)n] *s* yrke med högre
utbildning; *by ~* till yrket
**professional** [prə'feʃ(ə)nl] **I** *adj* yrkes- [*a ~*
*politician*], förvärvs- [~ *life*], yrkesmässig;
professionell **II** *s* professionell, proffs;
yrkesman, fackman
**professor** [prə'fesə] *s* professor [*of* i]
**professorship** [prə'fesəʃip] *s* professur
**proffer** ['prɒfə] *vb tr* räcka fram, erbjuda
**proficiency** [prə'fıʃənsı] *s* färdighet,
skicklighet; *certificate of ~*
kompetensbevis
**proficient** [prə'fıʃ(ə)nt] *adj* skicklig,
kunnig
**profile** ['prəufaıl] *s* profil
**profit** ['prɒfıt] **I** *s* **1** vinst, förtjänst
**2** *derive* (*gain*) ~ *from* dra nytta (fördel)
av **II** *vb itr*, ~ *by* (*from*) dra (ha) nytta
(fördel) av, utnyttja; vinna på, tjäna på
**profitable** ['prɒfıtəbl] *adj* nyttig, givande;
vinstgivande, lönsam, lönande
**profiteer** [ˌprɒfı'tıə] **I** *s* profitör **II** *vb itr*
skaffa sig oskälig profit, ockra
**profiteering** [ˌprɒfı'tıərıŋ] *s*
svartabörsaffärer, jobberi, ocker
**profit-monger** ['prɒfıt,mʌŋɡə] *s* profitör
**profit-sharing** ['prɒfıt,ʃeərıŋ] *s*
vinstdelning; vinstandelssystem
**profligate** ['prɒflıɡət] *adj* utsvävande
**profound** [prə'faʊnd] *adj* **1** djup [~
*anxiety*]; djupsinnig; grundlig,
djupgående **2** outgrundlig [~ *mysteries*]
**profundity** [prə'fʌndətı] *s* djup;
djupsinnighet; grundlighet
**profuse** [prə'fju:s] *adj* ymnig, riklig
**profusion** [prə'fju:ʒ(ə)n] *s* överflöd,
rikedom, riklig mängd
**progenitor** [prəu'dʒenıtə] *s* stamfader
**progeny** ['prɒdʒənı] *s* avkomma
**prognosis** [prəɡ'nəusıs] (pl. *prognoses*
[prəɡ'nəusı:z]) *s* prognos
**program** ['prəuɡræm] **I** *s* **1** data. program
**2** speciellt amer., se *programme I* **II** *vb tr*
**1** data. programmera **2** speciellt amer., se
*programme II*
**programme** ['prəuɡræm] **I** *s* program **II** *vb*
*tr* göra upp program för, planlägga
**progress** [substantiv 'prəuɡres, speciellt amer.
'prɒɡres; verb prə'ɡres] (utan pl.) *s*
framsteg, framåtskridande, utveckling; *in*
~ på (i) gång, under utförande; under
arbete **II** *vb itr* göra framsteg, utvecklas;
skrida framåt
**progression** [prə'ɡreʃ(ə)n] *s* **1** fortgång; *in*
~ i följd **2** progression

**progressive** [prə'gresɪv] I *adj* **1** progressiv, framstegsvänlig [~ *policy*] **2** gradvis tilltagande; *on a ~ scale* i stigande skala **3** gram., ~ *tense* progressiv (pågående) form II *s* framstegsvän

**prohibit** [prə'hɪbɪt] *vb tr* förbjuda; förhindra

**prohibition** [ˌprəʊhɪ'bɪʃ(ə)n] *s* förbud

**project** [verb prə'dʒekt, substantiv 'prɒdʒekt] I *vb tr* o. *vb itr* **1** projicera; slunga (skjuta) ut [~ *missiles*] **2** skjuta fram (ut); *projecting* framskjutande II *s* projekt, plan

**projectile** [prə'dʒektaɪl, amer. prə'dʒektl] *s* projektil

**projection** [prə'dʒekʃ(ə)n] *s* **1** projektion **2** utslungande, utskjutande

**projector** [prə'dʒektə] *s* projektor

**proletarian** [ˌprəʊlə'teərɪən] *s* proletär

**proletariat** [ˌprəʊlə'teərɪət] *s* proletariat

**proliferate** [prə'lɪfəreɪt] *vb itr* föröka (sprida) sig

**prolific** [prə'lɪfɪk] *adj* produktiv

**prologue** ['prəʊlɒg] *s* prolog, förspel

**prolong** [prə'lɒŋ] *vb tr* förlänga, dra ut, dra ut på

**prolongation** [ˌprəʊlɒŋ'geɪʃ(ə)n] *s* förlängning

**promenade** [ˌprɒmə'nɑːd] I *s* promenad II *vb itr* o. *vb tr* promenera; promenera på [~ *the streets*]

**prominence** ['prɒmɪnəns] *s* **1** framträdande plats; bemärkthet **2** utsprång

**prominent** ['prɒmɪnənt] *adj* **1** utstående [~ *eyes*], utskjutande **2** framstående, prominent, bemärkt; framträdande

**promiscuity** [ˌprɒmɪ'skjuːətɪ] *s* promiskuitet

**promiscuous** [prə'mɪskjʊəs] *adj* som lever i promiskuitet; *~ sexual relations* tillfälliga sexuella förbindelser

**promise** ['prɒmɪs] I *s* löfte [*of* om]; *of great ~* el. *full of ~* mycket lovande II *vb tr* o. *vb itr* lova; utlova; *be promised a th.* ha fått (få) löfte om ngt

**promising** ['prɒmɪsɪŋ] *adj* lovande

**promontory** ['prɒməntrɪ] *s* hög udde

**promote** [prə'məʊt] *vb tr* **1** befordra; sport. flytta upp **2** främja, gynna

**promoter** [prə'məʊtə] *s* **1** främjare; upphovsman [*of* till] **2** sport. promotor

**promotion** [prə'məʊʃ(ə)n] *s* **1** befordran, avancemang; sport. uppflyttning

**2** främjande, befordran; ~ *campaign* säljkampanj

**prompt** [prɒmpt] I *adj* snabb, omgående, prompt; *take ~ action* vidta snabba åtgärder II *vb tr* **1** driva [*he was prompted by patriotism*], förmå **2** teat. sufflera; lägga orden i munnen på, påverka [~ *a witness*] **3** föranleda [*what prompted his resignation?*], framkalla, diktera

**prompter** ['prɒmptə] *s* **1** teat. sufflör **2** tillskyndare

**promulgate** ['prɒməlgeɪt] *vb tr* utfärda, kungöra, promulgera

**prone** [prəʊn] *adj* **1** framåtlutad; utsträckt; *in a ~ position* liggande på magen **2** fallen, benägen [*to* för]

**prong** [prɒŋ] *s* på t.ex. gaffel klo, spets, udd

**pronoun** ['prəʊnaʊn] *s* pronomen

**pronounce** [prə'naʊns] *vb tr* **1** uttala **2** avkunna, fälla [~ *judgement*] **3** förklara [*I now ~ you man and wife* (för äkta makar)], deklarera

**pronounceable** [prə'naʊnsəbl] *adj* möjlig att uttala

**pronounced** [prə'naʊnst] *adj* **1** uttalad **2** tydlig, avgjord [*a ~ difference*]

**pronouncement** [prə'naʊnsmənt] *s* uttalande, förklaring

**pronouncing** [prə'naʊnsɪŋ] *s*, ~ *dictionary* uttalsordbok

**pronunciation** [prəˌnʌnsɪ'eɪʃ(ə)n] *s* uttal

**proof** [pruːf] I *s* **1** bevis [*of* på, för] **2** korrektur II *adj* **1** motståndskraftig [*against* mot] **2** i sammansättningar -tät [*waterproof*], -säker [*bombproof*]

**proofread** ['pruːfriːd] (*proofread proofread* [båda 'pruːfred]) *vb tr* o. *vb itr* korrekturläsa

**prop** [prɒp] I *s* stötta, stöd äv. bildl. II *vb tr*, *~ up* el. ~ stötta (palla) upp (under)

**propaganda** [ˌprɒpə'gændə] *s* propaganda

**propagandist** [ˌprɒpə'gændɪst] *s* propagandist

**propagate** ['prɒpəgeɪt] *vb tr* föröka; propagera för

**propagation** [ˌprɒpə'geɪʃ(ə)n] *s* **1** fortplantning, förökning **2** spridning

**propel** [prə'pel] *vb tr* driva; *propelling pencil* stiftpenna, skruvpenna

**propellant** [prə'pelənt] *s* drivmedel

**propeller** [prə'pelə] *s* propeller

**propensity** [prə'pensətɪ] *s* benägenhet

**proper** ['prɒpə] *adj* **1** rätt [*in the ~ way*], riktig; lämplig; tillbörlig, vederbörlig **2** anständig, passande, korrekt **3** egentlig;

*London* ~ det egentliga London **4** gram.,
~ *noun* (*name*) egennamn **5** vard. riktig
[*a* ~ *idiot*]
**properly** ['prɒpəlɪ] *adv* **1** riktigt;
ordentligt; lämpligt [~ *dressed*] **2** vard.
riktigt, ordentligt
**propertied** ['prɒpətɪd] *adj* besutten [*the* ~
*classes*]
**property** ['prɒpətɪ] *s* **1** egendom, ägodelar;
fastighet, ägor, lösöre; *a man of* ~ en
förmögen man **2** teat., mest pl. *properties*
rekvisita
**property-owner** ['prɒpətɪˌəʊnə] *s*
fastighetsägare
**prophecy** ['prɒfəsɪ] *s* profetia; spådom
**prophesy** ['prɒfəsaɪ] *vb tr* o. *vb itr*
profetera, spå
**prophet** ['prɒfɪt] *s* profet; spåman
**prophetic** [prəˈfetɪk] *adj* profetisk
**prophylaxis** [ˌprɒfɪˈlæksɪs] *s* med. profylax
**propjet** ['prɒpdʒet] *adj* turboprop- [~
*engine*]
**proportion** [prəˈpɔː(ə)n] *s* **1** proportion;
*be out of all* ~ *to* inte stå i rimlig
proportion till **2** del [*a large* ~ *of the*
*population*], andel
**proportional** [prəˈpɔːʃənl] *adj*
proportionell
**proportionate** [prəˈpɔːʃənət] *adj*
proportionerlig, proportionell [*to* mot,
till]
**proposal** [prəˈpəʊz(ə)l] *s* **1** förslag **2** frieri,
giftermålsanbud
**propose** [prəˈpəʊz] *vb tr* o. *vb itr* **1** föreslå
**2** lägga fram **3** ämna, tänka [*I* ~ *to start*
*early*] **4** fria [*to* till]
**proposition** [ˌprɒpəˈzɪʃ(ə)n] *s* **1** påstående
**2** förslag **3** vard. affär [*a paying* ~]
**propound** [prəˈpaʊnd] *vb tr* lägga fram,
föreslå [~ *a scheme*]
**proprietary** [prəˈpraɪətrɪ] *adj*, ~ *goods*
märkesvaror
**proprietor** [prəˈpraɪətə] *s* ägare,
innehavare
**propriety** [prəˈpraɪətɪ] *s* anständighet
**props** [prɒps] *s pl* teat. sl. rekvisita
**propulsion** [prəˈpʌlʃ(ə)n] *s* framdrivning;
*jet* ~ jetdrift
**prosaic** [prəˈzeɪɪk] *adj* prosaisk; enformig
**prose** [prəʊz] *s* prosa
**prosecute** ['prɒsɪkjuːt] *vb tr* o. *vb itr*
**1** åtala; *offenders will be prosecuted*
överträdelse beivras **2** väcka åtal
**prosecution** [ˌprɒsɪˈkjuːʃ(ə)n] *s*
**1** fullföljande, slutförande **2** åtal; *director*

*of public* ~*s* allmän åklagare; *the* ~
åklagarsidan
**prosecutor** ['prɒsɪkjuːtə] *s* åklagare;
*public* ~ allmän åklagare
**prosody** ['prɒsədɪ] *s* prosodi, metrik
**prospect** [substantiv 'prɒspekt, verb
prəˈspekt, 'prɒspekt] **I** *s* utsikt; pl. ~*s*
framtidsutsikter **II** *vb itr* prospektera [*for*
efter], leta
**prospective** [prəˈspektɪv] *adj* framtida [~
*profits*]; blivande [~ *son-in-law*]; ~ *buyer*
eventuell köpare
**prospector** [prəˈspektə] *s* prospektor,
guldgrävare
**prospectus** [prəˈspektəs] *s* prospekt,
broschyr; program för kurs
**prosper** ['prɒspə] *vb itr* ha framgång,
blomstra
**prosperity** [prɒˈsperɪtɪ] *s* välstånd [*live in*
~], välmåga; blomstring [*time of* ~]
**prosperous** ['prɒspərəs] *adj* blomstrande;
välmående, välbärgad
**prostate** ['prɒsteɪt] *s*, ~ *gland* prostata
**prostitute** ['prɒstɪtjuːt] **I** *s* prostituerad,
fnask **II** *vb tr* prostituera [~ *oneself*]
**prostitution** [ˌprɒstɪˈtjuːʃ(ə)n] *s*
prostitution
**prostrate** ['prɒstreɪt] *adj* framstupa [*fall*
~], utsträckt [*lie* ~], liggande; bildl. slagen;
nedbruten
**protagonist** [prəˈtægənɪst] *s* huvudperson
i ett drama
**protect** [prəˈtekt] *vb tr* skydda [*from*,
*against* för, mot], beskydda
**protection** [prəˈtekʃ(ə)n] *s* skydd, beskydd
**protective** [prəˈtektɪv] *adj* skyddande;
beskyddande [*towards* emot]
**protector** [prəˈtektə] *s* beskyddare
**protectorate** [prəˈtektərət] *s* protektorat
**protégé** ['prəʊteʒeɪ] *s* skyddsling, protegé
**protein** ['prəʊtiːn] *s* protein
**protest** [substantiv 'prəʊtest, verb prəˈtest]
**I** *s* protest **II** *vb itr* protestera
**Protestant** ['prɒtɪst(ə)nt] **I** *s* protestant
**II** *adj* protestantisk
**protocol** ['prəʊtəkɒl] *s* protokoll
**prototype** ['prəʊtətaɪp] *s* prototyp,
förebild
**protract** [prəˈtrækt] *vb tr* dra ut på [~ *a*
*visit*]
**protracted** [prəˈtræktɪd] *adj* utdragen
**protractor** [prəˈtræktə] *s* gradskiva
**protrude** [prəˈtruːd] *vb tr* o. *vb itr* sticka
(skjuta) fram (ut)

**protruding** [prə'tru:dɪŋ] adj
framskjutande, utstående [~ ears (eyes)]
**proud** [praʊd] I adj stolt [of över] II adv
vard., **do a p.** ~ hedra ngn
**prove** [pru:v] vb tr o. vb itr 1 bevisa,
styrka; **the exception ~s the rule**
undantaget bekräftar regeln 2 ~ **to be** el.
~ visa sig vara
**proverb** ['prɒvɜ:b] s ordspråk
**proverbial** [prə'vɜ:bjəl] adj
ordspråksmässig; legendarisk
**provide** [prə'vaɪd] vb tr o. vb itr 1 skaffa,
sörja för, stå för; ~ **oneself with** förse sig
med, skaffa sig 2 ge [the tree ~s shade],
utgöra 3 ~ **against** vidta åtgärder mot; ~
**for** vidta åtgärder för; försörja [~ for a
large family], sörja för [he ~s for his son's
education]; ~ **for oneself** försörja sig
**provided** [prə'vaɪdɪd] konj, ~ **that** el. ~
förutsatt att, om bara, såvida
**providence** ['prɒvɪd(ə)ns] s försynen
**providing** [prə'vaɪdɪŋ] konj, ~ **that** el. ~
förutsatt att, såvida
**province** ['prɒvɪns] s 1 provins; landskap
2 pl. **the ~s** landsorten
**provincial** [prə'vɪnʃ(ə)l] I adj regional;
provinsiell, lantlig II s landsortsbo
**provision** [prə'vɪʒ(ə)n] s
1 tillhandahållande; pl. ~**s** livsmedel,
matvaror, proviant; ~ **shop** matvaruaffär
2 bestämmelse, stadga
**provisional** [prə'vɪʒənl] adj provisorisk
**provocation** [,prɒvə'keɪʃ(ə)n] s
provokation; **at (on) the slightest** ~ vid
minsta anledning
**provocative** [prə'vɒkətɪv] adj utmanande
**provoke** [prə'vəʊk] vb tr 1 reta upp
2 framkalla; väcka [~ indignation]
3 provocera
**provoking** [prə'vəʊkɪŋ] adj retsam; **how**
~**!** så förargligt!
**prow** [praʊ] s förstäv, framstam
**prowess** ['praʊɪs] s tapperhet; skicklighet
**prowl** [praʊl] I vb itr o. vb tr stryka
omkring; stryka omkring i (på) II s, **be**
(**go**) **on the** ~ stryka omkring [for efter]
**prowler** ['praʊlə] s person (djur) som
stryker omkring
**proximity** [prɒk'sɪmətɪ] s närhet
**proxy** ['prɒksɪ] s, **by** ~ genom fullmakt
(ombud)
**prude** [pru:d] s pryd (sipp) människa
**prudence** ['pru:d(ə)ns] s klokhet
**prudent** ['pru:d(ə)nt] adj klok, försiktig
**prudery** ['pru:dərɪ] s pryderi; prydhet

**prudish** ['pru:dɪʃ] adj pryd, sipp
**1 prune** [pru:n] s sviskon; torkat
katrinplommon
**2 prune** [pru:n] vb tr 1 beskära, tukta t.ex.
träd [ofta ~ down]; klippa [~ a hedge]
2 bildl. skära ner [~ an essay]; rensa [of
från]
**Prussia** ['prʌʃə] Preussen
**Prussian** ['prʌʃ(ə)n] I adj preussisk II s
preussare
**prussic** ['prʌsɪk] adj kem., ~ **acid** blåsyra
**1 pry** [praɪ] vb tr 1 ~ **open** bända upp
2 bildl., ~ **a secret out of a p.** lirka ur ngn
en hemlighet
**2 pry** [praɪ] vb itr snoka [about omkring,
runt; ~ **into** (i) a p.'s affairs]
**prying** ['praɪɪŋ] adj snokande, nyfiken
**PS** [,pi:'es] (förk. för postscript) PS, P.S.
**psalm** [sɑ:m] s psalm i Psaltaren
**pseudo** ['sju:dəʊ] I prefix sken-
[pseudo-democracy], pseudo-
[pseudo-classic], falsk, oäkta II s vard. bluff,
humbug, posör
**pseudonym** ['sju:dənɪm] s pseudonym
**pshaw** [pʃɔ:] interj äh!, äsch!
**psych** [saɪk] vb tr o. vb itr vard.
1 psykoanalysera 2 ~ **out** psyka; **be**
**psyched up** vara i högform
**psyche** ['saɪkɪ] s psyke
**psychedelic** [,saɪkə'delɪk] adj psykedelisk
**psychiatric** [,saɪkɪ'ætrɪk] adj psykiatrisk
**psychiatrist** [saɪ'kaɪətrɪst] s psykiater
**psychiatry** [saɪ'kaɪətrɪ] s psykiatri
**psychic** ['saɪkɪk] adj psykisk; själslig
**psychoanalyse** [,saɪkəʊ'ænəlaɪz] vb tr
psykoanalysera
**psychoanalysis** [,saɪkəʊə'næləsɪs] s
psykoanalys
**psychoanalyst** [,saɪkəʊ'ænəlɪst] s
psykoanalytiker
**psychological** [,saɪkə'lɒdʒɪk(ə)l] adj
psykologisk
**psychologist** [saɪ'kɒlədʒɪst] s psykolog
**psychology** [saɪ'kɒlədʒɪ] s psykologi
**psychopath** ['saɪkəpæθ] s psykopat
**psychopathic** [,saɪkə'pæθɪk] adj
psykopatisk
**PT** [,pi:'ti:] förk. för physical training
**pt.** förk. för pint
**ptarmigan** ['tɑ:mɪgən] s fjällripa
**PTO** [,pi:ti:'əʊ] (förk. för please turn over)
v.g.v., var god vänd!
**ptomaine** ['təʊmeɪn] s ptomain; ~
**poisoning** matförgiftning

**pub** [pʌb] s vard. (kortform för *public-house*)
pub

**pub-crawl** [ˈpʌbkrɔːl] **I** s pubrond [*go on*
(göra) *a ~*] **II** *vb itr*, **go pub-crawling** gå
pubrond

**puberty** [ˈpjuːbətɪ] s pubertet

**pubic** [ˈpjuːbɪk] *adj* blygd- [*~ hairs*]

**public** [ˈpʌblɪk] **I** *adj* offentlig [*~ building*],
allmän [*~ holiday*]; stats- [*~ finances*];
publik; *make ~* offentliggöra; *~ address
system* högtalaranläggning, högtalare t.ex.
på flygplats; *~ bar* enklare avdelning på en
pub; *~ enemy* samhällsfiende; *~ house*
pub; *~ library* offentligt bibliotek,
folkbibliotek; *~ limited company* (förk.
*PLC*) börsnoterat aktiebolag; *~ opinion*
allmänna opinionen, folkopinionen; *~
opinion poll* opinionsundersökning; *~
relations* PR, public relations; *~
relations officer* PR-man; *~ school*
a) britt. 'public school' exklusivt privatinternat
b) amer. allmän (kommunal) skola **II** s
allmänhet [*the general* (stora) *~*], publik;
*in ~* offentligt; *open to the ~* öppen för
allmänheten

**publican** [ˈpʌblɪkən] s pubinnehavare

**publication** [ˌpʌblɪˈkeɪʃ(ə)n] s
**1** publicering, utgivning **2** trycksalster,
skrift **3** offentliggörande

**publicity** [pʌbˈlɪsətɪ] s publicitet,
offentlighet; reklam; *~ agent* manager för
artist

**publicize** [ˈpʌblɪsaɪz] *vb tr* offentliggöra, ge
publicitet åt

**publicly** [ˈpʌblɪklɪ] *adv* offentligt

**publish** [ˈpʌblɪʃ] *vb tr* **1** publicera; ge ut
**2** offentliggöra

**publisher** [ˈpʌblɪʃə] s förläggare; utgivare
[*newspaper ~*]

**publishing** [ˈpʌblɪʃɪŋ] s förlagsverksamhet;
*~ house* (*firm*) förlag

**1 puck** [pʌk] s ungefär tomtenisse

**2 puck** [pʌk] s puck i ishockey

**pucker** [ˈpʌkə] *vb tr* o. *vb itr*, *~ up* el. *~*
rynka (vecka); rynka (vecka) sig

**pudding** [ˈpʊdɪŋ] s pudding; efterrätt;
*black ~* blodkorv; *rice ~* risgrynsgröt

**puddle** [ˈpʌdl] s pöl, vattenpuss

**pudenda** [pjuːˈdendə] s pl yttre könsorgan
specifikt kvinnans

**pudgy** [ˈpʌdʒɪ] *adj* knubbig, rultig

**puerile** [ˈpjʊəraɪl, amer. ˈpjʊərl] *adj* barnslig

**puerility** [pjʊəˈrɪlətɪ] s barnslighet

**puff** [pʌf] **I** s **1** pust; puff; bloss [*a ~ at a
pipe*] **2** sömnad puff **3** kok. a) *jam ~*

smörbakelse med sylt i; *~ pastry*
smördeg b) *cream ~* petit-chou **II** *vb itr* o.
*vb tr* **1** pusta, flåsa, flämta **2** blåsa i
stötar; blåsa [*~ out a candle*] **3** bolma;
bolma på [*~ a cigar*]; *~ at* (*away at*) *a
cigar* bolma på en cigarr **4** *~ up* svälla
upp, svullna **5** a) *~ out* blåsa upp [*~ out
one's cheeks*] b) *~ up* blåsa upp; *puffed up*
uppblåst, pösig

**puffin** [ˈpʌfɪn] s lunnefågel

**puff-puff** [ˈpʌfpʌf] s barnspr. tuff-tufftåg

**puffy** [ˈpʌfɪ] *adj* uppsvälld, svullen; påsig,
pösig

**pug** [pʌg] s, *~* el. *~ dog* mops hundras

**pugilist** [ˈpjuːdʒɪlɪst] s proffsboxare

**pugnacious** [pʌɡˈneɪʃəs] *adj* stridslysten

**pug nose** [ˈpʌɡnəʊz] s trubbnäsa

**puke** [pjuːk] *vb* tr o. *vb itr* vard. spy, kräkas

**pukka** [ˈpʌkə] *adj* vard. riktig; prima

**pull** [pʊl] **I** *vb tr* o. *vb itr* **1** dra, rycka; hala;
dra ut [*~ a tooth*] **2** sträcka [*~ a muscle*]
□ *~ apart* rycka (plocka) isär; *~ down* riva
(dra) ned; *~ in* dra in; bromsa in; *~ in at*
stanna till i (hos); *~ off* a) dra (ta) av sig
b) vard. klara av [*he'll ~ it off*]; *~ out* a) dra
ut [*~ out a tooth*]; ta ur; dra (hala) fram
(upp) b) dra sig tillbaka [*the troops pulled
out of the country*] c) köra ut [*the train
pulled out of the station*]; svänga ut; *~
through* klara sig; *~ together: ~ oneself
together* ta sig samman; ta sig i kragen; *~
up* a) dra (rycka) upp b) stanna [*he pulled
up the car*]
**II** s **1** drag, ryckning; tag **2** a) klunk
b) drag, bloss; *take a ~ at one's pipe* dra
ett bloss på pipan

**pullet** [ˈpʊlɪt] s unghöna, unghöns

**pulley** [ˈpʊlɪ] s block, trissa

**pull-out** [ˈpʊlaʊt] **I** s **1** utvikningssida
**2** tillbakadragande [*~ of troops*] **II** *adj*
utdrags- [*~ bed*]

**pullover** [ˈpʊlˌəʊvə] s pullover

**pull-tab** [ˈpʊltæb] s rivöppnare på burk

**pull-up** [ˈpʊlʌp] s rastställe, kafé vid bilväg

**pulp** [pʌlp] **I** s **1** mos, massa, gröt
**2** fruktkött **3** pappersmassa **II** *vb tr* mosa

**pulpit** [ˈpʊlpɪt] s predikstol

**pulsate** [pʌlˈseɪt] *vb itr* pulsera, vibrera

**pulse** [pʌls] s puls; pulsslag

**pulse-jet** [ˈpʌlsdʒet] *adj* flyg., *~ engine*
pulsmotor

**pulverize** [ˈpʌlvəraɪz] *vb tr* pulvrisera,
krossa

**puma** [ˈpjuːmə] s puma

**pumice stone** [ˈpʌmɪsstəʊn] s pimpsten

**pummel** ['pʌml] *vb tr* puckla på, mörbulta
**1 pump** [pʌmp] *s*, pl. ~**s** släta herrskor; amer. dampumps; gymnastikskor
**2 pump** [pʌmp] **I** *s* pump **II** *vb tr* pumpa
**pumpkin** ['pʌm(p)kɪn] *s* bot. pumpa
**pun** [pʌn] **I** *s* ordlek, vits **II** *vb itr* vitsa
**Punch** [pʌntʃ], ~ *and Judy show* motsvarande kasperteater; *as pleased as ~* vard. storbelåten; *as proud as ~* vard. jättestolt
**1 punch** [pʌntʃ] **I** *s* puns, stans; hålslag; biljettång **II** *vb tr* stansa [~ *holes*], klippa [~ *tickets*]
**2 punch** [pʌntʃ] *s* **1** knytnävsslag; boxn. punch **2** vard. snärt, sting **II** *vb tr* puckla på, slå till; *I punched him on the nose* jag klippte till honom
**3 punch** [pʌntʃ] *s* bål; toddy; *Swedish ~* punsch
**punchbag** ['pʌntʃbæg] *s* boxn. sandsäck
**punchball** ['pʌntʃbɔ:l] *s* boxn. boxboll
**punchbowl** ['pʌntʃbəʊl] *s* bål skål
**punchcard** ['pʌntʃkɑ:d] *s* hålkort
**punch-drunk** [,pʌntʃ'drʌŋk] *adj* boxn. punch-drunk; omtöcknad
**punch-up** ['pʌntʃʌp] *s* sl. råkurr, slagsmål
**punctual** ['pʌŋktjʊəl] *adj* punktlig
**punctuality** [,pʌŋktjʊ'ælətɪ] *s* punktlighet
**punctuate** ['pʌŋktjʊeɪt] *vb tr* interpunktera, kommatera
**punctuation** [,pʌŋktjʊ'eɪʃ(ə)n] *s* interpunktion, kommatering; ~ *mark* skiljetecken
**puncture** ['pʌŋktʃə] **I** *s* punktering **II** *vb tr* punktera; få punktering på
**pundit** ['pʌndɪt] *s* skämts. förståsigpåare
**pungent** ['pʌndʒ(ə)nt] *adj* skarp, besk, frän
**punish** ['pʌnɪʃ] *vb tr* straffa, bestraffa
**punishment** ['pʌnɪʃmənt] *s* **1** straff, bestraffning **2** vard. stryk
**punnet** ['pʌnɪt] *s* spånkorg, kartong för bär
**punt** [pʌnt] **I** *s* punt, stakbåt **II** *vb tr* o. *vb itr* staka, 'punta'
**1 punter** ['pʌntə] *s* 'puntare', båtstakare
**2 punter** ['pʌntə] *s* **1** satsare, spelare i hasardspel **2** vadhållare, tippare
**puny** ['pju:nɪ] *adj* ynklig, liten, klen
**pup** [pʌp] *s* hundvalp
**1 pupil** ['pju:pl] *s* elev, lärjunge
**2 pupil** ['pju:pl] *s* anat. pupill
**puppet** ['pʌpɪt] *s* marionett, docka
**puppet theatre** ['pʌpɪt,θɪətə] *s* dockteater, marionetteater
**puppy** ['pʌpɪ] *s* hundvalp

**purchase** ['pɜ:tʃəs] **I** *s* köp; inköp **II** *vb tr* köpa; *purchasing power* köpkraft
**purchaser** ['pɜ:tʃəsə] *s* köpare
**pure** [pjʊə] *adj* **1** ren, oblandad; hel- [~ *silk*] **2** ren, idel, bara [*it's ~ envy*]
**purée** ['pjʊəreɪ] *s* kok. puré
**purely** ['pjʊəlɪ] *adv* rent; bara; ~ *by accident* av en ren händelse
**purgative** ['pɜ:gətɪv] **I** *s* laxermedel **II** *adj* laxerande
**purgatory** ['pɜ:dʒ] **I** *vb tr* **1** rena [*of* från]; polit. rensa upp i [~ *a party*] **2** laxera **II** *s* rening; polit. utrensning
**purge** [pɜ:dʒ] *s* skärseld, prövning
**purification** [,pjʊərɪfɪ'keɪʃ(ə)n] *s* rening, renande
**purify** ['pjʊərɪfaɪ] *vb tr* o. *vb itr* rena; renas
**puritan** ['pjʊərɪt(ə)n] **I** *s* puritan **II** *adj* puritansk
**puritanical** [,pjʊərɪ'tænɪkəl] *adj* puritansk
**purity** ['pjʊərətɪ] *s* renhet
**purl** [pɜ:l] *s* avig maska i stickning
**purloin** [pɜ:'lɔɪn] *vb tr* stjäla, snatta
**purple** ['pɜ:pl] **I** *s* purpur **II** *adj* purpurfärgad; purpurröd
**purport** [pə'pɔ:t] *vb tr* påstå sig [*to be* vara]
**purpose** ['pɜ:pəs] *s* **1** syfte, avsikt, mening; *for cooking ~s* till matlagning; *for all practical ~s* i praktiken; *on ~* med avsikt (flit) **2** mål [*a ~ in life*]
**purposeful** ['pɜ:pəsf(ʊ)l] *adj* målmedveten
**purposely** ['pɜ:pəslɪ] *adv* med avsikt (flit)
**purr** [pɜ:] **I** *vb itr* spinna [*a cat ~s*] **II** *s* spinnande
**purse** [pɜ:s] **I** *s* **1** portmonnä, börs **2** amer. handväska **II** *vb tr* rynka, dra ihop [~ *one's brows*]
**purser** ['pɜ:sə] *s* sjö. el. flyg. purser
**purse strings** ['pɜ:sstrɪŋz] *s pl* bildl., *hold the ~* ha hand om kassan
**pursue** [pə'sju:] *vb tr* förfölja, jaga; fullfölja
**pursuer** [pə'sju:ə] *s* förföljare
**pursuit** [pə'sju:t] *s* **1** förföljelse [*of* av], jakt [*of* på]; *be in ~ of* vara på jakt efter **2** sysselsättning; syssla
**purveyor** [pɜ:'veɪə] *s* leverantör
**pus** [pʌs] *s* med. var
**push** [pʊʃ] **I** *vb tr* o. *vb itr* **1** a) skjuta; skjuta på, leda [~ *a bike*], dra [~ *a pram*] b) knuffa (stöta) till, driva; knuffas [*don't ~!*] c) trycka på [~ *a button*] d) tränga sig [*he pushed past me*]; ~ *one's way* tränga sig fram; ~ *along* vard. kila; ~ *off* a) skjuta ut b) vard. kila, sticka; ~ *on* köra (gå)

vidare [*to* till]; skynda på [~ *on with one's work*]; ~ *over* knuffa omkull **2** pressa, tvinga; *be pushed for time* ha ont om tid **3** sl. langa [~ *drugs*] **II** *s* **1** knuff, puff, stöt **2** vard. framåtanda

**pushbike** ['pʊʃbaɪk] *s* trampcykel
**pushbutton** ['pʊʃˌbʌtn] *s* tryckknapp; tryckknapps- [~ *tuning* (inställning)]; ~ *telephone* knapptelefon
**pushcart** ['pʊʃkɑːt] *s* kärra; kundvagn; barnstol på hjul
**pushchair** ['pʊʃ-tʃeə] *s* sittvagn
**pusher** ['pʊʃə] *s* **1** gåpåare **2** sl. langare; *drug* (*dope*) ~ knarklangare
**pushover** ['pʊʃˌəʊvə] *s* vard. **1** smal (enkel) sak **2** lätt byte
**push-up** ['pʊʃʌp] *s* armhävning från golvet
**puss** [pʊs] *s* kisse; ~, ~! kiss! kiss!
**1 pussy** ['pʊsɪ] *s* kissekatt, kissemiss
**2 pussy** ['pʊsɪ] *s* vulg. fitta, mus
**pussycat** ['pʊsɪkæt] *s* kissekatt, kissemisse
**pussy willow** ['pʊsɪˌwɪləʊ] *s* sälg; kisse
**put** [pʊt] (*put put*) *vb tr* o. *vb itr* **1** lägga, sätta, ställa; stoppa, sticka [~ *a th. into one's pocket*]; hälla, slå [~ *milk in the tea*]; ~ *a p. to* förorsaka ngn [~ *a p. to expense*]; ~ *oneself to* göra (skaffa) sig, dra på sig [~ *oneself to a lot of trouble (expense)*] **2** uppskatta, beräkna [~ *the value at* (till)...], värdera [*at* till] **3** uttrycka, säga [*it can be* ~ *in a few words*], framställa [~ *the matter clearly*]; ställa, rikta [~ *a question to a p.*] **4** hålla, satsa, sätta [~ *money on a horse*] **5** sjö., ~ *into port* söka hamn; ~ *to sea* löpa ut, sticka till sjöss

□ ~ **across** vard. föra (få) fram [*he has plenty to say but he can't* ~ *it across*]; ~ **aside** a) lägga bort (ifrån sig) b) lägga undan [~ *aside a bit of money*]; ~ **away** a) lägga undan (bort, ifrån sig) b) vard. avliva [*my dog had to be* ~ *away*]; ~ **back** a) lägga tillbaka b) vrida (ställa) tillbaka [~ *the clock back*]; ~ **by** lägga undan; spara [~ *money by*]; ~ **down** a) lägga ned (ifrån sig); sätta (släppa) av [~ *me down at the corner*] b) slå ned, kuva [~ *down a rebellion*] c) anteckna, skriva upp d) ~ *down to* tillskriva, skylla på [*he* ~*s it down to nerves*]; ~ **forward** a) lägga fram, framställa b) vrida (ställa) fram [~ *the clock forward*]; ~ **in a)** lägga in, installera [~ *in central heating*], sticka in; lägga ner [~ *in a lot of work*] b) lägga in c) lämna (ge) in; ~ *in for* ansöka om [*he* ~ *in for the job*] d) sjö. löpa (gå) in [~ *in to*

(i) *harbour*]; ~ **off** a) lägga bort (av); sätta (släppa) av [*he* ~ *me off at the station*] b) skjuta upp, vänta (dröja) med c) vard. förvirra, distrahera; stöta [*his manners* ~ *me off*]; få att tappa lusten; ~ **on a)** lägga (sätta) på [~ *the lid on*]; sätta (ta) på [~ *on one's hat*] b) öka, sätta upp [~ *on speed*]; ~ *on weight* öka i vikt; ~ *on the clock* ställa (vrida) fram klockan c) sätta på [~ *on the radio*], sätta i gång; ~ *on the light* tända ljuset d) ~ *on to* tele. koppla till; *please* ~ *me on to...* kan jag få...; ~ **out a)** lägga ut (fram); räcka (sträcka) fram [~ *out one's hand*], räcka ut [~ *out one's tongue*]; hänga ut [~ *out flags*] b) köra (kasta) ut; ~ *a p. out of his misery* göra slut på ngns lidanden; ~ *a p. out of the way* röja ngn ur vägen c) släcka [~ *out the fire (light)*] d) göra ngn stött; störa [*the interruptions* ~ *me out*] e) ~ *oneself out* göra sig besvär f) sticka ut [*to sea* till sjöss]; ~ **together** lägga ihop (saman); sätta ihop, montera [~ *together a machine*]; ~ **up a)** sätta upp; slå upp, resa [~ *up a tent*]; ställa upp [~ *up a team*] b) räcka (sträcka) upp [~ *up one's hand*]; slå (fälla) upp [~ *up one's umbrella*], hissa [~ *up a flag*] c) höja, driva upp [~ *up the price*] d) utbjuda [~ *up for* (till) *sale*] e) hysa, ta emot [~ *a p. up for the night*]; ~ *up at a hotel* (*with a p.*) ta in (bo) på ett hotell (hos ngn) f) ~ *up with* stå ut med, finna sig i, tåla, tolerera
**putrefaction** [ˌpjuːtrɪˈfækʃ(ə)n] *s* förruttnelse, röta
**putrefy** ['pjuːtrɪfaɪ] *vb itr* o. *vb tr* bli (göra) rutten
**putrid** ['pjuːtrɪd] *adj* rutten; vard. urusel
**putt** [pʌt] golf. **I** *vb tr* o. *vb itr* putta **II** *s* putt
**putting-green** ['pʌtɪŋgriːn] *s* golf.
**1** inslagsplats **2** minigolfbana
**putty** ['pʌtɪ] *s* kitt; spackel
**put-up** ['pʊtʌp] *adj*, *it's a* ~ *job* det var fixat i förväg, det ligger en komplott bakom
**put-you-up** ['pʊtjʊʌp] *s* bäddsoffa
**puzzle** ['pʌzl] **I** *vb tr* o. *vb itr* förbrylla; bry sin hjärna [*over, about* med] **II** *s* **1** gåta **2** pussel, läggspel
**puzzling** ['pʌzlɪŋ] *adj* förbryllande, gåtfull
**pygmy** ['pɪgmɪ] *s* pygmé, dvärg
**pyjamas** [pəˈdʒɑːməz] *s pl* pyjamas; *a pair of* ~ en pyjamas
**pylon** ['paɪlən] *s* kraftledningsstolpe; *radio* ~ radiomast

**pyramid** ['pɪrəmɪd] *s* pyramid
**pyre** ['paɪə] *s* bål speciellt för likbränning
**Pyrenees** [ˌpɪrə'niːz] *s pl, the ~*
  Pyrenéerna
**pyromaniac** [ˌpaɪrə'meɪnɪæk] *s* pyroman
**python** ['paɪθ(ə)n] *s* pytonorm

# Q

**Q, q** [kjuː:] *s* Q, q
**1 quack** [kwæk] **I** *vb itr* om ankor el. bildl.
  snattra **II** *s* snatter
**2 quack** [kwæk] *s* kvacksalvare; charlatan
**quad** [kwɒd] *s* **1** gård i college **2** vard. fyrling
**quadrangle** ['kwɒdræŋgl] *s* **1** geom.
  fyrhörning; fyrkant **2** gård i college
**quadrilateral** [ˌkwɒdrɪ'lætr(ə)l] **I** *s* fyrsiding
  **II** *adj* fyrsidig
**quadruped** ['kwɒdrʊped] *s* fyrfotadjur
**quadruple** ['kwɒdrʊpl] *adj* fyrdubbel,
  fyrfaldig
**quadruplet** ['kwɒdrʊplət] *s* fyrling
**quagmire** ['kwægmaɪə] *s* gungfly, moras
**quail** [kweɪl] *s* zool. vaktel
**quaint** [kweɪnt] *adj* pittoresk; pikant
**quake** [kweɪk] *vb itr* skaka, skälva, darra
**Quaker** ['kweɪkə] *s* kväkare
**qualification** [ˌkwɒlɪfɪ'keɪʃ(ə)n] *s*
  **1** kvalifikation, merit **2** villkor, krav [*~s
  for membership*]
**qualified** ['kwɒlɪfaɪd] *adj* kvalificerad,
  kompetent, meriterad [*for* för], behörig;
  berättigad
**qualify** ['kwɒlɪfaɪ] *vb tr* o. *vb itr* o. *vb rfl*
  kvalificera, meritera, berättiga [*for* till; *to*
  infinitiv att], kvalificera sig, meritera sig;
  *qualifying match* sport.
  kvalificeringsmatch [*for* för], kvalmatch
**qualitative** ['kwɒlɪtətɪv] *adj* kvalitativ
**quality** ['kwɒlətɪ] *s* **1** kvalitet; beskaffenhet
  **2** egenskap [*he has many good qualities*]
**qualm** [kwɑːm] *s*, *~s* el. *~s of conscience*
  samvetskval
**quandary** ['kwɒndərɪ] *s* bryderi; dilemma
  [*be in a ~*]
**quantitative** ['kwɒntɪtətɪv] *adj* kvantitativ
**quantity** ['kwɒntətɪ] *s* kvantitet, mängd;
  *an unknown ~* ett oskrivet blad
**quarantine** ['kwɒrənti:n] *s* karantän
**quarrel** ['kwɒr(ə)l] **I** *s* gräl; *pick a ~* mucka
  gräl **II** *vb itr* gräla
**quarrelsome** ['kwɒr(ə)lsəm] *adj* grälsjuk
**1 quarry** ['kwɒrɪ] *s* villebråd
**2 quarry** ['kwɒrɪ] **I** *s* stenbrott; *slate ~*
  skifferbrott **II** *vb tr* bryta [*~ stone*]
**quart** [kwɔ:t] *s* quart rymdmått för våta varor
  a) britt. = 2 *pints* = 1,136 liter b) amer. = 0,946
  liter
**quarter** ['kwɔ:tə] **I** *s* **1** fjärdedel; *a ~ of a*

*century* ett kvartssekel **2** ~ *of an hour* kvart, kvarts timme; *a* ~ *past* (amer. *after*) *ten* kvart över tio; *a* ~ *to* (amer. *of*) *ten* kvart i tio **3** kvartal **4** mått, ungefär ett hekto [*a* ~ *of sweets*] **5** amer. 25 cent **6** kvarter [*a slum* ~] **7** håll; [*hear a th.*] *from a reliable* ~ ...från säkert håll; *in high* ~*s* på högre (högsta) ort **8** pl. ~*s* logi, bostad; speciellt mil. kvarter, förläggning; *take up one's* ~*s* inkvartera sig **II** *vb tr* **1** dela i fyra delar **2** mil. inkvartera [*on (with) a p.* hos ngn]

**quarterdeck** ['kwɔ:tədek] *s* sjö. halvdäck, akterdäck

**quarter-final** [ˌkwɔ:tə'faɪnl] *s* sport. kvartsfinal

**quarterly** ['kwɔ:təlɪ] **I** *adj* kvartals- **II** *adv* kvartalsvis

**quartet** [kwɔ:'tet] *s* kvartett äv. mus.

**quarto** ['kwɔ:təʊ] (pl. ~*s*) *s* kvartsformat

**quartz** [kwɔ:ts] *s* miner. kvarts; ~ *clock* (*watch*) kvartsur; ~ *crystal* kvartskristall

**quash** [kwɒʃ] *vb tr* **1** jur. ogilla, ogiltigförklara **2** krossa, kuva [~ *a rebellion*]

**quasi** ['kwɑ:zɪ] *prefix* halv- [*quasi-official*], halvt; kvasi-

**quay** [ki:] *s* kaj

**quayside** ['ki:saɪd] *s* kajområde

**queen** [kwi:n] *s* **1** drottning **2 a)** schack. drottning, dam **b)** kortsp. dam; ~ *of hearts* hjärterdam

**queer** [kwɪə] **I** *adj* **1** konstig, underlig; skum **2** sl. homofil **II** *s* sl. fikus homofil

**quell** [kwel] *vb tr* kuva [~ *a rebellion*]

**quench** [kwentʃ] *vb tr* **1** släcka [~ *a fire*]; ~ *one's thirst* släcka törsten **2** dämpa

**query** ['kwɪərɪ] **I** *s* **1** fråga [*raise* (väcka) *a* ~], förfrågan **2** frågetecken som sätts i marginal **II** *vb tr* fråga om, ifrågasätta

**quest** [kwest] *s* sökande [*for* efter]; *in* ~ *of* på jakt efter

**question** ['kwestʃ(ə)n] **I** *s* fråga, spörsmål; *there is no* ~ *about it* det råder inget tvivel om det; *it is out of the* ~ det kommer aldrig i fråga; *without* ~ utan tvekan **II** *vb tr* fråga, ställa frågor till; förhöra [*he was questioned by the police*]; ifrågasätta

**questionable** ['kwestʃənəbl] *adj* tvivelaktig, diskutabel, oviss

**questioning** ['kwestʃənɪŋ] **I** *adj* frågande [*a* ~ *look*] **II** *s* förhör

**question-mark** ['kwestʃənmɑ:k] *s* frågetecken

**questionnaire** [ˌkwestʃə'neə] *s* frågeformulär

**queue** [kju:] **I** *s* kö; *jump the* ~ vard. tränga sig före i kön **II** *vb itr*, ~ *up* el. ~ köa

**quibble** ['kwɪbl] **I** *s* spetsfundighet **II** *vb itr*, ~ *about* (*over*) käbbla om

**quick** [kwɪk] **I** *adj* snabb, hastig; kvick **II** *adv* vard. fort, kvickt [*come* ~!], snabbt

**quicken** ['kwɪk(ə)n] *vb tr* o. *vb itr* **1** påskynda, öka [~ *one's pace*] **2** bli hastigare

**quick-freeze** [ˌkwɪk'fri:z] (*quick-froze quick-frozen*) *vb tr* snabbfrysa, djupfrysa

**quick-froze** [ˌkwɪk'frəʊz] se *quick-freeze*

**quick-frozen** [ˌkwɪk'frəʊzn] se *quick-freeze*

**quickie** ['kwɪkɪ] *s* vard. snabbis

**quickly** ['kwɪklɪ] *adv* snabbt, hastigt, fort

**quicksand** ['kwɪksænd] *s* kvicksand

**quicksilver** ['kwɪkˌsɪlvə] *s* **1** se *mercury* **2** bildl., [*he is*] *like* ~ ...som ett kvicksilver

**quick-tempered** [ˌkwɪk'tempəd, attributivt 'kwɪktempəd] *adj* häftig, lättretad

**quid** [kwɪd] (pl. lika) *s* sl. pund [*ten* ~]

**quiet** ['kwaɪət] **I** *adj* **1** lugn, stilla, tyst; stillsam, tystlåten; *be* ~! var tyst!; *keep a th.* ~ hålla tyst med ngt; *on the* ~ vard. i hemlighet (smyg) **2** lugn, diskret [~ *colours*] **II** *s* stillhet, lugn; tystnad; *in peace and* ~ i lugn och ro **III** *vb tr* o. *vb itr* se *quieten*

**quieten** ['kwaɪətn] *vb tr* o. *vb itr* lugna [~ *a baby*], stilla, få tyst på; ~ *down* lugna sig; tystna

**quilt** [kwɪlt] *s* täcke; ~ *cover* (*case*) påslakan; *down* (*continental*) ~ duntäcke

**quince** [kwɪns] *s* bot. kvitten

**quinine** [kwɪ'ni:n] *s* kem. kinin

**quintet** [kwɪn'tet] *s* kvintett äv. mus.

**quisling** ['kwɪzlɪŋ] *s* quisling, landsförrädare

**quit** [kwɪt] **I** *adj* fri, befriad [*of* från] **II** (*quitted quitted* el. *quit quit*) *vb tr* o. *vb itr* **1** lämna [~ *the country*], sluta på [~ *one's job*] **2** sluta upp med, lägga av [*doing a th.* att göra ngt], flytta om hyresgäst; sluta [~ *because of poor pay*]; vard. sticka; *give a p. notice to* ~ säga upp ngn; *get notice to* ~ bli uppsagd

**quite** [kwaɪt] *adv* **1 a)** alldeles, helt, absolut [~ *impossible*], precis, helt [*she is* ~ *young*], mycket [~ *possible*] **b)** ganska, rätt, nog så; *that I can* ~ *believe* det tror jag gärna; *I don't* ~ *know* jag vet inte riktigt; *not* ~ [*six weeks*] knappt...; ~ *another thing* en helt annan sak; *she is* ~ *a child* hon är bara barnet; *when* ~ *a child* redan som barn; ~ *the best* det allra bästa **2** ~ *so!* el. ~*!* alldeles riktigt!

**quits** [kwɪts] *adj* kvitt [*we are* ~ *now*]

**quiver** ['kwɪvə] **I** *vb itr* darra, skälva [*with av*] **II** *s* darrning, skalv

**quiz** [kwɪz] *s* frågesport, frågelek

**quizmaster** ['kwɪz,mɑːstə] *s* frågesportsledare

**quoit** [kɔɪt] *s* sport., ~*s* ringkastning, quoits

**quota** ['kwəʊtə] *s* kvot; fördelningskvot

**quotation** [kwəʊ'teɪʃ(ə)n] *s* **1** citat, citerande; ~ *mark* citationstecken, anföringstecken **2** hand. kurs [*for* på]; notering

**quote** [kwəʊt] **I** *vb tr* o. *vb itr* **1** citera, anföra **2** hand. notera **II** *s* vard. **1** citat **2** pl. ~*s* citationstecken, anföringstecken

# R

**R, r** [ɑː] *s* R, r

**rabbi** ['ræbaɪ] *s* rabbin

**rabbit** ['ræbɪt] *s* kanin; amer. äv. hare

**rabbit hutch** ['ræbɪthʌtʃ] *s* kaninbur

**rabble** ['ræbl] *s, the* ~ pöbeln, patrasket

**rabid** ['ræbɪd] *adj* rabiat, fanatisk

**rabies** ['reɪbiːz] *s* rabies

**raccoon** [rə'kuːn] *s* sjubb, tvättbjörn

**1 race** [reɪs] *s* ras [*the white* ~]; stam, släkte; *the human* ~ människosläktet

**2 race** [reɪs] **I** *s* kapplöpning, kappkörning; *the* ~*s* kapplöpningarna; *flat* ~ slätlopp; *a* ~ *against time* en kapplöpning med tiden; *run a* ~ springa (löpa) i kapp **II** *vb itr* o. *vb tr* **1** springa (löpa, rida) i kapp, delta i kapplöpningar; springa (löpa, köra) i kapp med **2** rusa [~ *home*]

**racecourse** ['reɪskɔːs] *s* kapplöpningsbana

**racegoer** ['reɪs,gəʊə] *s, he is a* ~ han går ofta på kapplöpningar

**racehorse** ['reɪshɔːs] *s* kapplöpningshäst

**racetrack** ['reɪstræk] *s* **1** löparbana **2** racerbana **3** kapplöpningsbana

**racial** ['reɪʃ(ə)l] *adj* ras- [~ *discrimination*]

**racialist** ['reɪʃəlɪst] *s* rasist

**racing** ['reɪsɪŋ] *s* kapplöpning, hastighetstävling; tävlings-, racer- [*a* ~ *motorist* (förare)]

**racism** ['reɪsɪz(ə)m] *s* rasism

**racist** ['reɪsɪst] *s* rasist

**rack** [ræk] **I** *s* **1** ställ [*pipe* ~], ställning, räcke; hållare; hylla [*hat* ~]; bagagehylla **2** *be (put) on the* ~ ligga (lägga) på sträckbänken **II** *vb tr* bildl. pina, plåga; ~ *one's brains* bry sin hjärna

**1 racket** ['rækɪt] *s* sport. racket

**2 racket** ['rækɪt] *s* **1** oväsen, larm; *kick up (make) a* ~ vard. föra ett förfärligt oväsen **2** vard. skoj, bluff; skumraskaffär; *it's a proper* ~ det är rena rama bluffen

**racketeer** [,rækɪ'tɪə] *s* vard. svindlare, skojare, bluffmakare; utpressare

**racketeering** [,rækɪ'tɪərɪŋ] *s* vard. skoj, fiffel, bluff; organiserad utpressning

**racy** ['reɪsɪ] *adj* kärnfull [*a* ~ *style*]; pikant [*a* ~ *story*]

**radar** ['reɪdɑː] *s* radar; radarsystem

**radial** ['reɪdjəl] **I** *adj* radial [~ *tyre*] **II** *s* radialdäck

**radiance** ['reɪdjəns] *s* strålglans
**radiant** ['reɪdjənt] *adj* utstrålande;
strålande [*a* ~ *smile*]
**radiate** ['reɪdɪeɪt] *vb tr* o. *vb itr* **1** utstråla,
radiera **2** stråla, stråla ut [*roads radiating
from Oxford*; ~ *with* (av) *happiness*]
**radiation** [,reɪdɪ'eɪʃ(ə)n] *s* strålning;
radioaktivitet
**radiator** ['reɪdɪeɪtə] *s* **1** värmeelement,
radiator **2** kylare på bil
**radical** ['rædɪk(ə)l] **I** *adj* radikal,
genomgripande [~ *changes*] **II** *s* polit.
radikal
**radii** ['reɪdɪaɪ] *s* se *radius*
**radio** ['reɪdɪəʊ] **I** (pl. ~*s*) *s* radio;
radioapparat, radiomottagare; ~ *patrol
car* radiobil hos polisen; ~ *set* radio **II** *vb tr*
o. *vb itr* radiotelegrafera till;
radiotelegrafera
**radioactive** [,reɪdɪəʊ'æktɪv] *adj* radioaktiv
**radioactivity** [,reɪdɪəʊæk'tɪvətɪ] *s*
radioaktivitet
**radiocardiogram** [,reɪdɪəʊ'kɑːdɪəʊgræm] *s*
radiokardiogram
**radio-operator** [,reɪdɪəʊ'ɒpəreɪtə] *s*
radiotelegrafist
**radiophone** ['reɪdɪəʊfəʊn] *s* mobiltelefon
**radiotherapy** [,reɪdɪəʊ'θerəpɪ] *s* radioterapi
**radish** ['rædɪʃ] *s* rädisa; *black* ~ rättika
**radium** ['reɪdjəm] *s* radium
**radius** ['reɪdjəs] (pl. *radii* ['reɪdɪaɪ]) *s* radie
**radon** ['reɪdɒn] *s* kem. radon
**RAF** [,ɑːreɪ'ef] förk. för *Royal Air Force*
**raffia** ['ræfɪə] *s* rafiabast
**raffle** ['ræfl] **I** *s* tombola **II** *vb tr* lotta ut
genom tombola, lotta bort
**raft** [rɑːft] *s* flotte [*a rubber* ~];
timmerflotte
**rag** [ræg] *s* **1** trasa **2** vard. tidningsblaska
**ragamuffin** ['rægə,mʌfɪn] *s* rännstensunge,
trashank
**rage** [reɪdʒ] **I** *s* **1** raseri; *be in* (*fly into*) *a*
~ vara (bli) rasande **2** *be the* (*all the*) ~
vard. vara sista skriket **II** *vb itr* rasa
**ragged** ['rægɪd] *adj* **1** trasig, söndersliten
**2** ruggig, raggig; fransig; ovårdad
**raglan** ['ræglən] *s* raglan
**ragout** ['rægu:] *s* kok. ragu
**raid** [reɪd] **I** *s* räd, plundringståg; kupp [*on
mot*]; razzia [*on mot*, i] **II** *vb tr* göra en
räd (razzia) mot (i); plundra
**raider** ['reɪdə] *s* deltagare i räd (razzia)
**rail** [reɪl] *s* **1** stång i t.ex. räcke; ledstång;
räcke; *curtain* ~ gardinstång; *towel* ~
handduksstång **2** sjö. reling **3** skena, räls;

*by* ~ med järnväg; *go off the* ~*s* bildl.
spåra ur
**railcar** ['reɪlkɑː] *s* järnv. motorvagn
**railcard** ['reɪlkɑːd] *s* rabattkort på
järnvägen
**railing** ['reɪlɪŋ] *s*, pl. ~*s* järnstaket, räcke
**railroad** ['reɪlrəʊd] *s* amer., se *railway*
**railway** ['reɪlweɪ] *s* järnväg; järnvägsbolag;
attributivt, vanl. järnvägs- [~ *station*]; ~ *yard*
bangård; *by* ~ med (på) järnväg
**rain** [reɪn] **I** *s* regn; regnväder; *right as* ~
vard. prima; **II** *vb itr* o. *vb tr* regna; hagla
[*the blows rained* (*rained down*) *on him*];
strömma [*tears rained down her cheeks*];
ösa, låta hagla [~ *blows on* (över) *a
person*]; *it never* ~*s but it pours* ordspr. en
olycka kommer sällan ensam; *it's
raining cats and dogs* regnet står som
spön i backen
**rainbow** ['reɪnbəʊ] *s* regnbåge
**raincoat** ['reɪnkəʊt] *s* regnrock
**rainfall** ['reɪnfɔːl] *s* **1** regn, regnskur
**2** regnmängd, nederbörd
**rainproof** ['reɪnpruːf] *adj* regntät, vattentät
**rainy** ['reɪnɪ] *adj* regnig, regn- [~ *season*]
**raise** [reɪz] **I** *vb tr* **1** resa, lyfta, resa (lyfta)
upp, ta upp; hissa (dra) upp; ~ *one's
hand against a p.* lyfta sin hand mot ngn
hota ngn; ~ *one's eyebrows* höja på
ögonbrynen; ~ *one's glass to a p.* höja
sitt glas för ngn, dricka ngn till; ~ *one's
hat to a p.* lyfta på hatten för ngn **2** höja
[~ *prices*] **3** uppföra, resa [~ *a monument*]
**4** föda upp [~ *cattle*], odla; amer. äv.
uppfostra [~ *children*]; ~ *a family* amer.
bilda familj, skaffa barn **5** befordra [~ *a
captain to the rank of major*] **6** uppväcka
[~ *from the dead*], frammana [~ *spirits*]; ~
*hell* (*the devil*) vard. föra ett helvetes liv
**7** orsaka, väcka [~ *a p.'s hopes*]; ~ *the
alarm* slå larm; ~ *a laugh* framkalla
skratt **8** lägga (dra) fram, framställa [~ *a
claim*], väcka, ta upp [~ *a question*]
**9** samla, samla ihop, skaffa [~ *money*]; ta
[~ *a loan*] **10** häva [~ *an embargo*]
**II** *s* speciellt amer. lönelyft
**raisin** ['reɪzn] *s* russin
**1 rake** [reɪk] **I** *s* räfsa, kratta; *thin as a* ~
smal som en sticka **II** *vb tr* räfsa, kratta; ~
*in* [*a lot of money*] håva in...; ~
*together* (*up*) räfsa ihop; skrapa ihop; ~
*up* [*the past*] riva upp...
**2 rake** [reɪk] *s* rumlare, rucklare
**rally** ['rælɪ] **I** *vb tr* o. *vb itr* **1** samla, samla
ihop; samlas, samla sig; ~ *to a p.'s*

*defence* komma till ngns försvar; *rallying point* samlingspunkt **2** samla nya krafter **II** *s* **1** samling **2** möte [*a peace* ~]; massmöte **3** rally [*a motor* ~] **4** bildl. återhämtning **5** sport. slagväxling, lång boll, bollduell

**ram** [ræm] **I** *s* **1** bagge; om person bock [*he is an old* ~] **2** murbräcka [äv. *battering-ram*] **II** *vb tr* **1** slå (stöta, stampa) ned (in, mot); ~ *a th. into a p.'s head* bildl. slå in ngt i huvudet på ngn **2** vard. stoppa, proppa [~ *clothes into a bag*] **3** ramma [~ *a submarine*]

**ramble** ['ræmbl] **I** *vb itr* ströva (vandra) omkring [*about* (i) *the country*]; ~ *on* pladdra på **II** *s* strövtåg, vandring utan mål

**rambler** ['ræmblə] *s* **1** vandrare **2** klängros

**ramification** [ˌræmɪfɪ'keɪʃ(ə)n] *s* **1** förgrening **2** följd, komplikation

**ramp** [ræmp] *s* ramp; uppfart, nerfart

**rampant** ['ræmpənt] *adj* otyglad; grasserande; *be* ~ sprida sig, härja, frodas

**rampart** ['ræmpɑːt] *s* fästningsvall

**ramshackle** ['ræmˌʃækl] *adj* fallfärdig

**ran** [ræn] se *run I*

**ranch** [rɑːntʃ, ræntʃ] *s* i USA ranch, farm

**rancher** ['rɑːntʃə, 'ræntʃə] *s* ranchägare; rancharbetare

**rancid** ['rænsɪd] *adj* härsken

**rancour** ['ræŋkə] *s* hätskhet; agg

**random** ['rændəm] **I** *s, at* ~ på måfå, på en höft **II** *adj* på måfå; ~ *sample* stickprov

**randy** ['rændɪ] *adj* vard. kåt

**rang** [ræŋ] se *1 ring I*

**range** [reɪndʒ] **I** *s* **1** rad, räcka; ~ *of mountains* bergskedja **2** skjutbana [äv. *rifle* ~] **3** räckvidd, omfång, aktionsradie; avstånd; *frequency* ~ frekvensområde; *at long* (*short*) ~ på långt (nära) håll; *medium* ~ medeldistans; *price* ~ prisklass; *a wide* ~ *of colours* en vidsträckt färgskala; ett stort urval av färger; *a wide* ~ *of topics* ett brett ämnesurval **4** *out of* (*beyond*) ~ *of* utom skotthåll för; *within* ~ *of* inom skotthåll för **5** spis **6** amer. betesmark
**II** *vb tr* o. *vb itr* **1** ställa i (på) rad **2** klassificera; inordna **3** ströva (vandra) i (igenom) **4** sträcka sig, löpa **5** ha sin plats, ligga [*with* bland, jämte], inrangeras **6** variera inom vissa gränser; *children ranging in age from two to twelve* barn i åldrar mellan två och tolv **7** ströva (vandra) omkring [~ *over the hills*] **8** nå, ha en räckvidd av

**range-finder** ['reɪndʒˌfaɪndə] *s* mil. el. foto. avståndsmätare

**1 rank** [ræŋk] **I** *s* **1** rad, räcka **2** mil. el. bildl. led; *the* ~*s* el. *the* ~ *and file* de meniga, manskapet; bildl. gemene man, de djupa leden; *close the* ~*s* sluta leden; *rise from the* ~*s* arbeta sig upp **3** rang; mil. grad [*military* ~] **II** *vb tr* o. *vb itr* **1** ställa upp i (på) led; ordna **2** placera, sätta, inordna [*among, with* bland, jämte]; klassificera; ha en plats [*among, with* bland], ha rang [*as, with* som, av]; räknas [*among, with* bland] **3** sport. ranka; rankas

**2 rank** [ræŋk] *adj* **1** yppig, tät **2** grov [~ *injustice*] **3** fullkomlig [*a* ~ *outsider*]

**ranking** ['ræŋkɪŋ] *s* rang, rangordning, rankinglista

**ransack** ['rænsæk] *vb tr* **1** leta igenom, undersöka **2** plundra

**ransom** ['rænsəm] **I** *s* lösen **II** *vb tr* frige mot lösen

**rant** [rænt] *vb itr* orera; gorma

**rap** [ræp] **I** *s* **1** rapp, smäll, slag; knackning **2** amer. sl., *a murder* ~ en mordanklagelse; *a ten-year* ~ ett tioårigt fängelsestraff **II** *vb tr* o. *vb itr* slå, smälla; knacka, knacka på [~ *at* (*on*) *the door*]

**rape** [reɪp] **I** *vb tr* våldta **II** *s* våldtäkt

**rapid** ['ræpɪd] **I** *adj* hastig, snabb, rask **II** *s*, pl. ~*s* fors

**rapidity** [rə'pɪdətɪ] *s* hastighet, snabbhet

**rapier** ['reɪpjə] *s* värja

**rapist** ['reɪpɪst] *s* våldtäktsman

**rapping** ['ræpɪŋ] *s* rapping sångliknande snabbprat till rockmusik

**rapt** [ræpt] *adj* hänryckt

**rapture** ['ræptʃə] *s* hänryckning, extas

**1 rare** [reə] *adj* sällsynt

**2 rare** [reə] *adj* lätt stekt, blodig

**rarely** ['reəlɪ] *adv* sällan; sällsynt

**rarity** ['reərətɪ] *s* sällsynthet, raritet

**rascal** ['rɑːsk(ə)l] *s* lymmel; skämts. rackare

**1 rash** [ræʃ] **I** *s* med. hudutslag

**2 rash** [ræʃ] *adj* obetänksam, förhastad

**rasher** ['ræʃə] *s* tunn baconskiva [äv. ~ *of bacon*]

**rasp** [rɑːsp] **I** *s* **1** rasp; grov fil **2** raspande **II** *vb tr* o. *vb itr* skorra, skorra i; *a rasping voice* en skrovlig röst

**raspberry** ['rɑːzbərɪ] *s* **1** hallon **2** sl. föraktfull fnysning; *blow a p. a* ~ el. *give a p. the* (*a*) ~ fnysa föraktfullt åt ngn, bua ut ngn

**rat** [ræt] *s* råtta; *he's a* ~ vard. han är en skitstövel; *smell a* ~ vard. ana oråd

**rate** [reɪt] **I** *s* **1** hastighet, fart; *at a great (high)* ~ i full fart; i snabb takt; *at any* ~ bildl. i alla (varje) fall; *at that* ~ vard. i så fall **2** taxa; kurs; ~ *of exchange* växelkurs; ~ *of interest* räntefot, räntesats; *letter postage* ~ brevporto **3** pl. ~*s* ungefär kommunalskatt [~*s and taxes*] **II** *vb tr* o. *vb itr* **1** uppskatta, värdera, taxera [*at* till] **2** räkna [*I* ~ *him among my friends*]; räknas [*as* för, som]
**ratepayer** ['reɪtˌpeɪə] *s* kommunal skattebetalare
**rather** ['rɑːðə] *adv* **1** hellre, helst; snarare; *I'd* ~ *not* helst inte **2** rätt, ganska [~ *pretty*]; *I* ~ *like it* jag tycker faktiskt rätt bra om det **3** vard., som svar ja (jo) visst; om!
**ratify** ['rætɪfaɪ] *vb tr* ratificera
**ratio** ['reɪʃɪəʊ] *s* förhållande, proportion
**ration** ['ræʃ(ə)n] **I** *s* ranson, tilldelning **II** *vb tr* ransonera; sätta på ranson
**rational** ['ræʃənl] *adj* rationell; förnufts-
**rationalize** ['ræʃnəlaɪz] *vb tr* o. *vb itr* rationalisera
**rat race** ['rætreɪs] *s* vard. karriärjakt
**rattle** ['rætl] **I** *s* **1** skallra [*a baby's* ~], harskramla **2** skrammel **3** rossling **II** *vb itr* o. *vb tr* **1** skramla; rassla, smattra [*the gunfire rattled*] **2** ~ *on* (*away*) pladdra 'på **3** skramla med; skaka [*the wind rattled the windows*] **4** rabbla; ~ *off* (*out*) rabbla upp **5** perfekt particip *rattled* något skakad, nervös
**rattlesnake** ['rætlsneɪk] *s* skallerorm
**raucous** ['rɔːkəs] *adj* hes, skrovlig [*a* ~ *voice*]
**ravage** ['rævɪdʒ] **I** *vb tr* härja, ödelägga, förhärja, hemsöka [*a country ravaged by war*]; plundra **II** *s* ödeläggelse; pl. ~*s* härjning, härjningar
**rave** [reɪv] **I** *vb tr* o. *vb itr* **1** yra **2** rasa [*against, at* mot] **3** tala med hänförelse [*about, over* om] **II** *s* vard. entusiastiskt beröm; begeistring
**ravel** ['ræv(ə)l] *vb tr, ~ out* riva (repa) upp
**raven** ['reɪvn] *s* zool. korp
**ravenous** ['rævənəs] *adj* glupsk [*for* efter, på], utsvulten; vard. hungrig som en varg
**ravine** [rə'viːn] *s* ravin, bergsklyfta
**raving** ['reɪvɪŋ] **I** *adj* yrande; *a* ~ *lunatic* en blådåre **II** *adv* vard. spritt språngande [~ *mad*] **III** *s*, pl. ~*s* yrande
**ravish** ['rævɪʃ] *vb tr, ravished by* hänförd av

**ravishing** ['rævɪʃɪŋ] *adj* hänförande, förtjusande
**raw** [rɔː] *adj* **1** rå; obearbetad **2** grön, otränad **3** hudlös; öm; oläkt **4** ruggig [~ *weather*]
**1 ray** [reɪ] *s* zool. rocka
**2 ray** [reɪ] *s* stråle; *a* ~ *of hope* en strimma av hopp; *a* ~ *of sunshine* en solstråle
**rayon** ['reɪɒn] *s* textil. rayon
**raze** [reɪz] *vb tr* rasera, jämna med marken [äv. ~ *to the ground*]
**razor** ['reɪzə] *s* rakkniv; rakhyvel; rakapparat
**razor blade** ['reɪzəbleɪd] *s* rakblad
**RC** förk. för *Red Cross, Roman Catholic*
**Rd.** förk. för *Road*
**'re** [ə] = *are* [*they're; we're*]
**reach** [riːtʃ] **I** *vb tr* o. *vb itr* **1** sträcka; ~ *out for* el. ~ *for* sträcka sig efter **2** räcka, ge [~ *me that book*] **3** nå, räcka; nå upp till; komma (nå) fram till; ~ *a decision* nå (träffa) ett avgörande; *as far as the eye can* ~ så långt ögat når **II** *s* räckhåll; räckvidd t.ex. boxares; *out of* (*within*) ~ utom (inom) räckhåll [*of a p.* för ngn]; *within easy* ~ *of the station* på bekvämt avstånd från stationen
**react** [rɪ'ækt] *vb itr* reagera [*to* för, på]
**reaction** [rɪ'ækʃ(ə)n] *s* reaktion
**reactionary** [rɪ'ækʃənərɪ] *adj* o. *s* reaktionär
**reactor** [rɪ'æktə] *s, nuclear* ~ kärnreaktor
**read** [infinitiv o. substantiv riːd; imperfekt, perfekt particip o. adjektiv red] **I** *vb tr* o. *vb itr* **1** läsa [*in* i; *of, about* om], läsa upp, läsa högt [*to a p.* för ngn]; läsa av; studera; ~ *a p.'s hand* läsa i ngns hand, spå ngn i handen; ~ *aloud* läsa högt; ~ *out* läsa upp; läsa högt; ~ *out aloud* läsa högt **2** läsa, studera [~ *law* (juridik)] **3** stå; lyda, låta [*it* ~*s better now*] **4** visa [*the thermometer* ~*s 10*] **II** *adj* o. *perf p, be well* ~ vara beläst **III** *s* lässtund [*a quiet* ~]
**readable** ['riːdəbl] *adj* **1** läslig [~ *handwriting*] **2** läsvärd [~ *book*]
**reader** ['riːdə] *s* **1** läsare; uppläsare **2** läsebok **3** univ., ungefär docent **4** korrekturläsare
**readily** ['redɪlɪ] *adv* **1** villigt, gärna **2** raskt; med lätthet [~ *recognize a th.*]
**readiness** ['redɪnəs] *s* **1** villighet **2** beredskap; *in* ~ i beredskap, redo
**reading** ['riːdɪŋ] *s* **1** läsning, läsande; *a man of wide* ~ en mycket beläst man **2** lektyr; läsmaterial **3** avläsning på instrument; *barometer* ~ barometerstånd

**4** uppläsning [~s *from* (ur) *Shakespeare*], recitation

**eading-lamp** ['ri:dɪŋlæmp] *s* läslampa

**eading-room** ['ri:dɪŋru:m] *s* läsesal, läsrum

**eadjust** [ˌri:ə'dʒʌst] *vb tr* rätta (ordna) till; ställa om [~ *one's watch*]

**eady** ['redɪ] **I** *adj* **1** färdig, klar, redo, beredd [*for* på, för, till]; villig [~ *to forgive*]; ~ *money* reda pengar; ~ *reckoner* snabbräknare, räknetabell; *get* ~ el. *get* (*make*) *oneself* ~ göra sig i ordning (klar); bereda sig [*for* på, för]; *get* ~, *get set, go!* el. ~, *steady, go!* på era platser (klara), färdiga, gå! **2** snar, benägen [*don't be so* ~ *to find fault*] **II** *adv* färdig- [~ *cooked* (lagad)]

**eady-cooked** [ˌredɪ'kʊkt] *adj* färdiglagad

**eady-made** [ˌredɪ'meɪd] **I** *adj* färdigsydd, färdiggjord, konfektionssydd **II** *s* konfektionskostym; konfektionssytt plagg

**eal** [rɪəl] **I** *adj* verklig, faktisk, reell; äkta [~ *pearls*]; *in* ~ *earnest* på fullt allvar **II** *adv* vard. riktigt, verkligt [*have a* ~ *good time*]

**ealist** ['rɪəlɪst] *s* realist

**ealistic** [rɪə'lɪstɪk] *adj* realistisk

**eality** [rɪ'ælətɪ] *s* verklighet; *in* ~ i verkligheten (realiteten)

**ealize** ['rɪəlaɪz] *vb tr* **1** inse, fatta **2** förverkliga, genomföra **3** tjäna

**eally** ['rɪəlɪ] *adv* **1** verkligen, faktiskt **2** riktigt, verkligt [~ *bad* (*good*)]

**ealm** [relm] *s* litt. konungarike; *the* ~ *of the imagination* fantasins värld

**eap** [ri:p] *vb tr* bärga [~ *the harvest*], skörda

**eaper** ['ri:pə] *s* skördearbetare; skördemaskin

**eappear** [ˌri:ə'pɪə] *vb itr* visa sig igen

**1 rear** [rɪə] *vb tr* **1** föda upp [~ *cattle*]; uppfostra [~ *a child*] **2** lyfta på [*the snake reared its head*]

**2 rear** [rɪə] *s* **1** bakre del, bakdel; baksida; *in* (*at*) *the* ~ *of* på baksidan av, bakom **2** attributivt bak- [~ *axle*]

**ear-admiral** [ˌrɪər'ædmər(ə)l] *s* sjö. konteramiral

**ear lamp** ['rɪəlæmp] *s* bil. baklykta

**earm** [ˌri:'ɑ:m] *vb tr* o. *vb itr* återupprusta

**earmament** [rɪ'ɑ:məmənt] *s* återupprustning

**earmost** ['rɪəməʊst] *adj* längst bak

**earrange** [ˌri:ə'reɪndʒ] *vb tr* ordna om

**rear-view** ['rɪəvju:] *adj,* ~ *mirror* backspegel

**reason** ['ri:zn] **I** *s* **1** skäl, anledning, grund **2** förnuft; *there is* ~ (*some* ~) *in that* det är reson i det; *it stands to* ~ det är självklart; [*he complains,* ] *and with* ~ …och det med rätta; *prices are within* ~ priserna är rimliga **II** *vb itr* o. *vb tr* resonera, resonera som så

**reasonable** ['ri:zənəbl] *adj* **1** förnuftig, förståndig, resonlig, resonabel **2** rimlig, skälig [*a* ~ *price*]

**reasoning** ['ri:zənɪŋ] *s* resonemang

**reassurance** [ˌri:ə'ʃʊər(ə)ns] *s* ny (lugnande) försäkran; uppmuntran

**reassure** [ˌri:ə'ʃʊə] *vb tr* lugna; uppmuntra

**reassuring** [ˌri:ə'ʃʊərɪŋ] *adj* lugnande

**rebate** ['ri:beɪt] *s* rabatt, avdrag; återbäring [*tax* ~]

**rebel** [substantiv 'rebl, verb rɪ'bel] **I** *s* rebell, upprorsman; upprors-, rebell- [*the* ~ *forces*] **II** *vb itr* göra uppror

**rebellion** [rɪ'beljən] *s* uppror [*against* mot]; *rise in* ~ göra uppror

**rebellious** [rɪ'beljəs] *adj* upprorisk, rebellisk

**rebirth** [ˌri:'bɜ:θ] *s* pånyttfödelse

**rebound** [verb rɪ'baʊnd, substantiv 'ri:baʊnd] **I** *vb itr* återstudsa, studsa tillbaka **II** *s* återstudsning, studs

**rebuff** [rɪ'bʌf] **I** *s* bakslag; bakläxa **II** *vb tr* avvisa; snäsa av

**rebuild** [ˌri:'bɪld] (*rebuilt rebuilt*) *vb tr* åter bygga upp; bygga om

**rebuilt** [ˌri:'bɪlt] se *rebuild*

**rebuke** [rɪ'bju:k] **I** *vb tr* tillrättavisa **II** *s* tillrättavisning, skrapa

**recall** [rɪ'kɔ:l] **I** *vb tr* **1** kalla tillbaka, kalla hem, återkalla **2** erinra sig, minnas **3** upphäva [~ *a decision*] **II** *s* **1** tillbakakallande, hemkallande **2** återkallande, upphävande; *past* (*beyond*) ~ oåterkallelig, oåterkalleligt

**recapture** [ˌri:'kæptʃə] **I** *vb tr* återta, återerövra **II** *s* återtagande, återerövring

**recede** [rɪ'si:d] *vb itr* gå (träda, dra sig) tillbaka; *a receding forehead* en sluttande panna

**receipt** [rɪ'si:t] *s* **1** kvitto [*for* på] **2** pl. ~*s* intäkter **3** mottagande

**receive** [rɪ'si:v] *vb tr* ta emot, motta, erhålla

**receiver** [rɪ'si:və] *s* **1** mottagare **2** ~ *of stolen goods* el. ~ hälare **3** mottagare, mottagningsapparat; telefonlur

**recent** ['ri:snt] *adj* ny; färsk [~ *news*]; *in* (*during*) ~ *years* under senare år

**recently** ['ri:sntlı] *adv* nyligen

**receptacle** [rı'septəkl] *s* behållare

**reception** [rı'sepʃ(ə)n] *s* **1** mottagande, mottagning i olika betydelser; ~ *desk* reception på hotell **2** radio. mottagningsförhållanden

**receptionist** [rı'sepʃənıst] *s* receptionist; portier

**receptive** [rı'septıv] *adj* receptiv, mottaglig

**recess** [rı'ses] *s* vrå, skrymsle; nisch, alkov; insänkning

**recession** [rı'seʃ(ə)n] *s* konjunkturnedgång

**recharge** [ˌri:'tʃɑːdʒ] *vb tr* elektr. ladda om

**recipe** ['resıpı] *s* kok. recept äv. bildl.

**recipient** [rı'sıpıənt] *s* mottagare

**reciprocal** [rı'sıprək(ə)l] *adj* ömsesidig, reciprok

**reciprocate** [rı'sıprəkeıt] *vb itr* o. *vb tr* göra en gentjänst; gengälda, återgälda

**recital** [rı'saıtl] *s* recitation, uppläsning; mus. solistuppförande

**recitation** [ˌresı'teıʃ(ə)n] *s* recitation, uppläsning

**recite** [rı'saıt] *vb tr* recitera, läsa upp

**reciter** [rı'saıtə] *s* recitatör, uppläsare

**reckless** ['rekləs] *adj* hänsynslös; obetänksam [~ *conduct*], vårdslös [~ *driving*]

**reckon** ['rek(ə)n] *vb tr* o. *vb itr* **1** räkna; ~ *up* räkna ihop (samman, upp); ~ *with* räkna med, ta med i beräkningen **2** beräkna, uppskatta, bedöma **3** räkna, anse [*as* som]; räknas [*he* ~*s among* (bland, till) *the best*] **4** vard. tycka; [*he is pretty good,*] *I* ~ ...tycker jag **5** anta, förmoda; ~ *on* räkna (lita) på; räkna med

**reckoning** ['rekənıŋ] *s* **1** räkning, uppräkning, beräkning; uppskattning **2** räkenskap; *the day of* ~ räkenskapens dag

**reclaim** [rı'kleım] *vb tr* återvinna, odla upp [~ *land*]

**recline** [rı'klaın] *vb tr* o. *vb itr* vila, lägga ned, luta tillbaka; luta sig tillbaka, lägga sig, ligga (sitta) tillbakalutad

**recognition** [ˌrekəg'nıʃ(ə)n] *s* **1** erkännande; *receive* (*meet with*) *due* ~ röna vederbörligt erkännande **2** igenkännande; *beyond* (*out of all, past*) ~ oigenkännlig

**recognizable** ['rekəgnaızəbl] *adj* igenkännlig [*by a th.* på ngt]

**recognize** ['rekəgnaız] *vb tr* **1** känna igen [*by a th.* på ngt] **2** erkänna [~ *a new government*] **3** inse [*he recognized the danger*]

**recoil** [rı'kɔıl] **I** *vb itr* **1** rygga tillbaka [*from* för] **2** studsa tillbaka; mil. rekylera **II** *s* återstuds; mil. rekyl

**recollect** [ˌrekə'lekt] *vb tr* erinra sig, minnas

**recollection** [ˌrekə'lekʃ(ə)n] *s* hågkomst, minne, erinring; pl. ~*s* minnen; *not to my* ~ inte såvitt jag kan minnas

**recommence** [ˌri:kə'mens] *vb itr* o. *vb tr* börja på nytt

**recommend** [ˌrekə'mend] *vb tr* rekommendera; råda

**recommendation** [ˌrekəmen'deıʃ(ə)n] *s* rekommendation; tillrådan

**recompense** ['rekəmpens] **I** *vb tr* gottgöra, ersätta **II** *s* gottgörelse, ersättning

**reconcile** ['rekənsaıl] *vb tr* försona

**reconciliation** [ˌrekənsılı'eıʃ(ə)n] *s* försoning

**reconnaissance** [rı'kɒnıs(ə)ns] *s* speciellt mil. spaning, rekognoscering

**reconnoitre** [ˌrekə'nɔıtə] *vb tr* o. *vb itr* speciellt mil. spana, rekognoscera; sondera

**reconsider** [ˌri:kən'sıdə] *vb tr* på nytt överväga

**reconstruct** [ˌri:kən'strʌkt] *vb tr* rekonstruera [~ *a crime*]; bygga om; ombilda

**record** [substantiv 'rekɔ:d, verb rı'kɔ:d] **I** *s* **1** förteckning, register; protokoll [*of* för]; urkund, dokument; *it is the worst on* ~ det är det värsta som någonsin funnits **2** vitsord, meritlista; rykte; *a clean* ~ ett fläckfritt förflutet **3** sport. rekord; *beat* (*break*) *the* ~ slå rekord **4** grammofonskiva, skiva [*gramophone* ~]; ~ *library* skivsamling **II** *vb tr* **1** a) protokollföra; registrera b) förtälja, återge **2** spela (sjunga, tala) in på grammofonskiva (band) **3** om termometer m.m. registrera, visa

**recorder** [rı'kɔ:də] *s* **1** inspelningsapparat, registreringsapparat **2** blockflöjt

**recording** [rı'kɔ:dıŋ] *s* registrering, protokollförande; radio., film. m.m. inspelning

**record-player** ['rekɔ:dˌpleıə] *s* enklare skivspelare vanl. med högtalare; grammofon

**recount** [i betydelse *I 1* rı'kaʊnt, i betydelse *I 2* ˌri:'kaʊnt, i betydelse *II* 'ri:kaʊnt] **I** *vb tr*

**1** berätta **2** räkna om [~ *the votes*] **II** *s* omräkning

**ecourse** [rɪˈkɔːs] *s*, *have ~ to* tillgripa

**ecover** [rɪˈkʌvə] *vb tr* o. *vb itr* återvinna, återfå [~ *one's health*]; hämta (repa) sig; tillfriskna; *he has recovered* han är återställd

**e-cover** [ˌriːˈkʌvə] *vb tr* **1** åter täcka **2** klä om, förse med nytt överdrag

**ecovery** [rɪˈkʌvərɪ] *s* **1** återvinnande **2** återställande, tillfrisknande, återhämtning; *make a quick ~* återhämta sig snabbt

**e-create** [ˌriːkrɪˈeɪt] *vb tr* skapa på nytt

**ecreation** [ˌrekrɪˈeɪʃ(ə)n] *s* rekreation, förströelse; *~ ground* rekreationsområde, fritidsområde; idrottsplats; *~ room* gillestuga; hobbyrum

**ecruit** [rɪˈkruːt] **I** *s* rekryt **II** *vb tr* o. *vb itr* **1** rekrytera, värva; värva rekryter; *recruiting office* värvningsbyrå; inskrivningslokal, mönstringslokal; *recruiting officer* rekryteringsofficer **2** förnya; friska upp

**ectangle** [ˈrektæŋgl] *s* rektangel

**ectangular** [rekˈtæŋgjʊlə] *adj* rektangulär

**ectify** [ˈrektɪfaɪ] *vb tr* rätta till, korrigera

**ector** [ˈrektə] *s* kyrkoherde

**ectory** [ˈrektərɪ] *s* prästgård

**ectum** [ˈrektəm] *s* ändtarm

**ecuperate** [rɪˈkjuːpəreɪt] *vb itr* hämta sig, repa sig

**ecur** [rɪˈkɜː] *vb itr* återkomma, upprepas

**ecurrent** [rɪˈkʌr(ə)nt] *adj* återkommande

**ecycle** [ˌriːˈsaɪkl] *vb tr* tekn. återanvända [~ *scrap-metal*], återvinna

**ed** [red] **I** *adj* röd; *Red Indian* indian; *~ tape* byråkrati **II** *s* rött

**edbreast** [ˈredbrest] *s*, *robin ~* el. *~* rödhake

**edden** [ˈredn] *vb tr* o. *vb itr* färga (bli) röd; rodna

**eddish** [ˈredɪʃ] *adj* rödaktig

**edecorate** [ˌriːˈdekəreɪt] *vb tr* o. *vb itr* måla och tapetsera om; nyinreda

**edeem** [rɪˈdiːm] *vb tr* lösa ut [~ *pawned rings*]

**ed-handed** [ˌredˈhændɪd] *adj*, *take (catch) a p. ~* ta (gripa) ngn på bar gärning

**edhead** [ˈredhed] *s* vard. rödhårig person

**ed-hot** [ˌredˈhɒt] *adj* glödhet

**edid** [ˌriːˈdɪd] se *redo*

**edirect** [ˌriːdɪˈrekt] *vb tr* eftersända [~ *letters*]; dirigera om [~ *a cargo*]

**rediscover** [ˌriːdɪsˈkʌvə] *vb tr* återupptäcka

**redistribute** [ˌriːdɪsˈtrɪbjʊt] *vb tr* dela ut (distribuera) på nytt; omfördela

**redo** [ˌriːˈduː] (*redid redone*) *vb tr* göra om

**redone** [ˌriːˈdʌn] se *redo*

**redouble** [rɪˈdʌbl] *vb tr* o. *vb itr* fördubbla, fördubblas

**redress** [rɪˈdres] *vb tr* **1** återställa [~ *the balance*]; avhjälpa **2** gottgöra [~ *a wrong*]

**reduce** [rɪˈdjuːs] *vb tr* o. *vb itr* **1** reducera, minska, sätta ned, sänka [~ *the price*]; förminska; reduceras, minskas; banta, gå ned; *~ one's weight* gå ned i vikt, banta **2** försätta [*to i* ett tillstånd]; bringa [*to* till]; *~ to ashes* lägga i aska; *be reduced to beggary* (*begging*) vara hänvisad till tiggeri; *~ to the ranks* degradera till menig

**reduction** [rɪˈdʌkʃ(ə)n] *s* reduktion, reducering, minskning, inskränkning; förminskning; nedsättning, rabatt; *sell at a ~* sälja till nedsatt pris

**redundant** [rɪˈdʌndənt] *adj* överflödig, övertalig [~ *workers*]; friställd

**reduplicate** [rɪˈdjuːplɪkeɪt] *vb tr* fördubbla

**reed** [riːd] *s* vasstrå, vassrör; vass

**re-educate** [ˌriːˈedjʊkeɪt] *vb tr* uppfostra på nytt; omskola

**reef** [riːf] *s* rev

**reek** [riːk] *vb itr* lukta illa, stinka

**reel** [riːl] **I** *s* rulle, spole [~ *of film*]; *~ of cotton* trådrulle; *off the ~* vard. i ett svep **II** *vb tr* o. *vb itr* **1** rulla (spola) upp på rulle; *~ off* bildl. rabbla upp **2** virvla, snurra runt; *my brain* (*head*) *~s* det går runt i huvudet på mig **3** ragla, vackla

**re-elect** [ˌriːɪˈlekt] *vb tr* välja om, återvälja

**re-election** [ˌriːɪˈlekʃ(ə)n] *s* omval, återval

**re-enter** [ˌriːˈentə] *vb tr* o. *vb itr* gå åter (komma, stiga) in igen; åter gå (komma, stiga) in i

**re-examine** [ˌriːɪgˈzæmɪn] *vb tr* på nytt undersöka (granska, förhöra, examinera)

**ref** [ref] vard. sport. (kortform av *referee*) **I** *s* domare **II** *vb itr* o. *vb tr* döma

**refectory** [rɪˈfektərɪ] *s* matsal i t.ex. skola

**refer** [rɪˈfɜː] *vb tr* o. *vb itr* hänskjuta, hänvisa [*to* till]; *~ to* a) hänvisa till, referera till, åberopa; vända sig till b) syfta på, hänföra sig till

**referee** [ˌrefəˈriː] **I** *s* **1** sport. domare **2** referens person **II** *vb itr* o. *vb tr* sport. döma

**reference** [ˈrefər(ə)ns] *s* **1** hänvisning [*to* till]; åberopande **2** anspelning, syftning;

*make* ~ *to* omnämna **3** hänvändelse [*to* till]; ~ *book* uppslagsbok, uppslagsverk; ~ *library* referensbibliotek **4** referens äv. person; tjänstgöringsbetyg
**referendum** [ˌrefəˈrendəm] *s* referendum, folkomröstning
**referral** [rɪˈfɜːr(ə)l] *s* med. remittering, remiss; remitterad patient
**refill** [verb ˌriːˈfɪl, substantiv ˈriːfɪl] **I** *vb tr* åter fylla; tanka **II** *s* påfyllning; patron till kulpenna
**refine** [rɪˈfaɪn] *vb tr* **1** raffinera [~ *sugar (oil)*], förädla, rena **2** förfina
**refinement** [rɪˈfaɪnmənt] *s* **1** raffinering, rening **2** förfining, elegans; raffinemang
**refinery** [rɪˈfaɪnərɪ] *s* raffinaderi [*oil* ~]
**reflect** [rɪˈflekt] *vb tr* o. *vb itr* **1** reflektera, återspegla **2** reflektera, fundera, tänka efter
**reflection** [rɪˈflekʃ(ə)n] *s* **1** reflektering, återkastning **2** spegelbild, bild **3** reflexion; eftertanke, begrundan
**reflector** [rɪˈflektə] *s* reflektor
**reflex** [ˈriːfleks] **I** *s* reflex, reflexrörelse **II** *adj* reflekterad; reflex- [~ *action*]
**reflexive** [rɪˈfleksɪv] gram. **I** *adj* reflexiv **II** *s* reflexivpronomen; reflexivt verb
**reform** [rɪˈfɔːm] **I** *vb tr* o. *vb itr* **1** reformera, förbättra; bättra sig **2** omvända [~ *a sinner*] **II** *s* reform, förbättring
**reformation** [ˌrefəˈmeɪʃ(ə)n] *s* reformation; förbättring, reform
**reformer** [rɪˈfɔːmə] *s* reformator; reformvän, reformivrare
**1 refrain** [rɪˈfreɪn] *s* refräng; omkväde
**2 refrain** [rɪˈfreɪn] *vb itr* avhålla sig, avstå [~ *from hostile action*]; *please ~ from smoking* rökning undanbedes
**refresh** [rɪˈfreʃ] *vb tr* friska upp; liva (pigga) upp; ~ *oneself* styrka sig, pigga upp sig; förfriska sig, läska sig; ~ *one's memory* friska upp minnet
**refreshing** [rɪˈfreʃɪŋ] *adj* **1** uppfriskande, styrkande, uppiggande [*a* ~ *sleep*]; läskande [*a* ~ *drink*] **2** välgörande
**refreshment** [rɪˈfreʃmənt] *s*, vanl. pl. ~*s* förfriskningar; ~ *car* byffévagn
**refrigerate** [rɪˈfrɪdʒəreɪt] *vb tr* kyla, kyla av; frysa, frysa in
**refrigeration** [rɪˌfrɪdʒəˈreɪʃ(ə)n] *s* kylning, avkylning; frysning, infrysning
**refrigerator** [rɪˈfrɪdʒəreɪtə] *s* kylskåp
**refuel** [ˌriːˈfjʊəl] *vb tr* o. *vb itr* tanka, fylla på

**refuge** [ˈrefjuːdʒ] *s* **1** skydd; *take* ~ ta sin tillflykt **2** refug
**refugee** [ˌrefjʊˈdʒiː] *s* flykting
**refund** [verb riːˈfʌnd, substantiv ˈriːfʌnd] **I** *vb tr* återbetala; ersätta ngn för förlust m.m. **II** *s* återbetalning; ersättning
**refusal** [rɪˈfjuːz(ə)l] *s* vägran; avslag
**refuse** [verb rɪˈfjuːz, substantiv ˈrefjuːs] **I** *vb tr* o. *vb itr* vägra, neka, refusera **II** *s* skräp, avfall, sopor; ~ *collector* sophämtare, renhållningsarbetare
**refute** [rɪˈfjuːt] *vb tr* vederlägga, motbevisa
**regain** [rɪˈgeɪn] *vb tr* återfå, återvinna
**regal** [ˈriːg(ə)l] *adj* kunglig, konungslig
**regalia** [rɪˈgeɪljə] *s pl* regalier, insignier
**regard** [rɪˈgɑːd] **I** *vb tr* anse, betrakta; *as* ~*s* vad...beträffar, beträffande **II** *s* **1** *in this* ~ i detta hänseende (avseende); *with* ~ *to* med avseende på, angående **2** hänsyn; *have* ~ *for* hysa aktning för; *pay* ~ *to* ta hänsyn till; *out of* ~ *for* av hänsyn till **3** pl. ~*s* hälsningar; *kind* ~*s* hjärtliga hälsningar; *give him my best* ~*s* hälsa honom så mycket från mig
**regarding** [rɪˈgɑːdɪŋ] *prep* beträffande
**regardless** [rɪˈgɑːdləs] *adj* utan hänsyn [~ *of* (till) *expense*], obekymrad [*of* om]
**regatta** [rɪˈgætə] *s* regatta, kappsegling
**regency** [ˈriːdʒənsɪ] *s* regentskap
**regent** [ˈriːdʒ(ə)nt] *s* regent
**reggae** [ˈregeɪ] *s* reggae västindisk popmusik
**regime** [reɪˈʒiːm] *s* regim, styrelse
**regiment** [substantiv ˈredʒɪmənt, verb ˈredʒɪment] **I** *s* mil. regemente **II** *vb tr* disciplinera; likrikta
**region** [ˈriːdʒ(ə)n] *s* region, område, trakt
**regional** [ˈriːdʒənl] *adj* regional
**register** [ˈredʒɪstə] **I** *s* **1** register, förteckning; *class* ~ skol. klassbok; *hotel* ~ resandebok; *parish* ~ kyrkobok **2** registreringsapparat; mätare; *cash* ~ kassaapparat **II** *vb tr* o. *vb itr* **1** registrera; anteckna; skriva in; skriva in sig [~ *at a hotel*], anmäla sig [~ *for* (till) *a course*]; registrera sig; *registered nurse* legitimerad sjuksköterska; *registered trade mark* inregistrerat varumärke **2** post. rekommendera; *registered letter* rekommenderat brev
**registrar** [ˈredʒɪstrɑː] *s* **1** registrator **2** borgerlig vigselförrättare; *get married before the* ~ gifta sig borgerligt
**registration** [ˌredʒɪˈstreɪʃ(ə)n] *s*

**1** registrering; inskrivning **2** post.
rekommendation

**regret** [rɪ'gret] **I** *vb tr* beklaga; ångra; *we ~
to inform you* vi måste tyvärr meddela
**II** *s* ledsnad, sorg [*for, at* över],
beklagande; ånger [*at* över]; *much to my
~* [*he never came back*] till min stora
sorg...

**regrettable** [rɪ'gretəbl] *adj* beklaglig

**regular** ['regjʊlə] **I** *adj* **1** regelbunden,
regelmässig, reguljär; fast, stadig [*~
work*]; jämn [*~ breathing*]; *~ customer*
stamkund, stadig (fast) kund; *at ~
intervals* med jämna mellanrum **2** vard.
riktig [*a ~ hero*] **3** normal, normal-;
medelstor **II** *s* **1** vanl. pl. *~s* reguljära
trupper **2** vard. stamkund

**regularity** [ˌregjʊ'lærətɪ] *s* regelbundenhet

**regulate** ['regjʊleɪt] *vb tr* reglera; rucka [*~
a watch*], justera, ställa in

**regulation** [ˌregjʊ'leɪʃ(ə)n] *s* **1** reglering
**2** a) regel, föreskrift, bestämmelse; pl. *~s*
äv. ordningsstadga, reglemente,
förordning [*traffic ~s*] b) attributivt
reglementsenlig, föreskriven

**rehabilitate** [ˌri:ə'bɪlɪteɪt] *vb tr* rehabilitera,
återanpassa

**rehabilitation** ['ri:əˌbɪlɪ'teɪʃ(ə)n] *s*
rehabilitering, återanpassning

**rehash** [substantiv 'ri:hæʃ, verb ˌri:'hæʃ] **I** *s*
uppkok; omstuvning [*a~ of* (på) *a
newspaper article*] **II** *vb tr* stuva om,
servera i ny form

**rehearsal** [rɪ'hɜ:s(ə)l] *s* repetition,
instudering; *dress ~* generalrepetition

**rehearse** [rɪ'hɜ:s] *vb tr* o. *vb itr* repetera,
studera in [*~ a part (play)*]; öva

**reign** [reɪn] **I** *s* regering, regeringstid; *~ of
terror* skräckvälde **II** *vb itr* regera, härska
[*over* över], råda; *reigning champion*
regerande mästare

**rein** [reɪn] **I** *s* **1** tygel; *give a horse the ~
(~s)* el. *give a horse a free ~* ge en häst
lösa tyglar **2** pl. *~s* sele för barn **II** *vb tr*
tygla

**reindeer** ['reɪndɪə] (pl. lika) *s* zool. ren

**reinforce** [ˌri:ɪn'fɔ:s] *vb tr* förstärka;
underbygga; *reinforced concrete*
armerad betong

**reinforcement** [ˌri:ɪn'fɔ:smənt] *s*
**1** förstärkning **2** tekn. armering

**reintroduce** ['ri:ˌɪntrə'dju:s] *vb tr*
återinföra

**reject** [verb rɪ'dʒekt, substantiv 'ri:dʒekt] **I** *vb*

*tr* förkasta, avslå, avvisa; kassera; refusera
**II** *s* utskottsvara, defekt vara

**rejection** [rɪ'dʒekʃ(ə)n] *s* förkastande,
förkastelse, avvisande, avslag; kassering;
refusering

**rejoice** [rɪ'dʒɔɪs] *vb itr* glädjas, fröjdas

**rejoicing** [rɪ'dʒɔɪsɪŋ] *s* glädje, fröjd, jubel

**rejoin** [ˌri:'dʒɔɪn] *vb tr* **1** åter sammanfoga
**2** återförena sig med

**relapse** [rɪ'læps] **I** *vb itr* **1** återfalla; åter
försjunka **2** med. få återfall **II** *s* återfall

**relate** [rɪ'leɪt] *vb tr* o. *vb itr* berätta;
relatera; *~ to* hänföra sig till; *relating to*
angående

**related** [rɪ'leɪtɪd] *adj* besläktad, släkt

**relation** [rɪ'leɪʃ(ə)n] *s* **1** relation,
förhållande **2** vanl. pl. *~s* a) förhållande,
relationer b) förbindelse, förbindelser;
*break off diplomatic ~s* avbryta de
diplomatiska förbindelserna **3** släkting

**relationship** [rɪ'leɪʃ(ə)nʃɪp] *s* **1** förhållande,
relation, samband [*to* med] **2** släktskap

**relative** ['relətɪv] **I** *adj* **1** relativ **2** *~ to* som
hänför sig till, som står i samband med
**II** *s* **1** släkting **2** gram. relativ

**relax** [rɪ'læks] *vb tr* o. *vb itr* **1** slappa [*~
one's muscles*]; lossa, lossa på [*~ one's hold
(grip)*]; koppla (slappna) av; *feel relaxed*
känna sig avspänd; *~!* ta det lugnt!
**2** släppa efter på [*~ discipline*]; lätta på [*~
restrictions*]; slappas, slappna **3** minska [*~
one's efforts*]

**relaxation** [ˌri:læk'seɪʃ(ə)n] *s* **1** avkoppling
**2** slappnande; lindring; mildrande

**relaxing** [rɪ'læksɪŋ] *adj* avslappnande; *~
climate* förslappande klimat

**relay** [rɪ'leɪ:, i betydelse *I 2* 'ri:leɪ] **I** *s* **1** skift
[*work in ~s*], arbetslag, omgång; ombyte
**2** sport., *~ race* el. *~* stafettlopp **II** *vb tr*
radio. reläa, återutsända

**release** [rɪ'li:s] **I** *s* **1** frigivning,
frisläppande; befrielse **2** släppande,
lossande; frigörande **3** utsläppande **II** *vb
tr* **1** frige, släppa, befria **2** släppa [*~ one's
hold*], lossa på [*~ the handbrake*]; frigöra;
*~ a bomb* fälla en bomb **3** befria, lösa [*~
a p. from an obligation*], frigöra **4** släppa
ut [*~ a film*]

**relegate** ['relegeɪt] *vb tr* degradera; sport.
flytta ned

**relegation** [ˌrelə'geɪʃ(ə)n] *s* degradering;
sport. nedflyttning

**relent** [rɪ'lent] *vb itr* vekna, ge efter

**relevant** ['relevant] *adj* relevant [*to* för, i]

**reliability** [rɪˌlaɪə'bɪlətɪ] *s* pålitlighet

**reliable** [rɪˈlaɪəbl] *adj* pålitlig
**reliance** [rɪˈlaɪəns] *s* tillit, förtröstan
**reliant** [rɪˈlaɪənt] *adj* **1** tillitsfull **2** beroende [*on* av]
**relic** [ˈrelɪk] *s* **1** relik **2** kvarleva, minne [*of* från] **3** pl. **~s** kvarlevor, stoft
**relief** [rɪˈliːf] *s* **1** lättnad, lindring **2** understöd; bistånd, hjälp; amer. socialhjälp; **~ work** beredskapsarbete, beredskapsarbeten **3** lättnad [*tax* ~] **4** undsättning; befrielse **5** avlösning, vaktombyte; **run a ~ train** sätta in ett extratåg **6** omväxling; **by way of ~** som omväxling **7** **~ map** reliefkarta; **stand out in bold (sharp) ~ against** avteckna sig skarpt mot; **bring (throw) into strong ~** starkt framhäva
**relieve** [rɪˈliːv] *vb tr* **1** lätta, lugna; lindra, avhjälpa [**~** *suffering*], mildra; **~ one's feelings** ge luft åt sina känslor, avreagera sig **2** understödja, bistå, hjälpa **3** undsätta; befria **4** avlösa [**~** *the guard*] **5** ge omväxling åt, variera **6** **~ oneself** förrätta sina behov **7** **~ a p. of a th.** a) avbörda ngn ngt, lasta av ngn ngt b) befria ngn från ngt [**~** *a p. of his duties*]; frånta ngn ngt [**~** *a p. of his command*]
**religion** [rɪˈlɪdʒ(ə)n] *s* religion; skol. religionskunskap; **minister of ~** präst
**religious** [rɪˈlɪdʒəs] *adj* religiös
**relinquish** [rɪˈlɪŋkwɪʃ] *vb tr* **1** lämna ifrån sig; överge [**~** *a plan*] **2** släppa [**~** *one's hold*]
**relish** [ˈrelɪʃ] **I** *s* **1** krydda, piff **2** smak, tycke; aptit **3** kok. smaktillsats; kryddad sås **II** *vb tr* njuta av, uppskatta
**reload** [ˌriːˈləʊd] *vb tr* **1** lasta om **2** ladda om
**reluctance** [rɪˈlʌktəns] *s* motvillighet
**reluctant** [rɪˈlʌktənt] *adj* motvillig
**rely** [rɪˈlaɪ] *vb itr*, **~ on** lita på
**remade** [riːˈmeɪd] se *remake*
**remain** [rɪˈmeɪn] *vb itr* **1** finnas (vara, bli, stå) kvar; **it ~s to be seen** det återstår att se **2** förbli
**remainder** [rɪˈmeɪndə] *s* återstod, rest
**remains** [rɪˈmeɪnz] *s pl* kvarlevor, rester
**remake** [ˌriːˈmeɪk] (*remade remade*) *vb tr* göra om
**remark** [rɪˈmɑːk] **I** *s* anmärkning, yttrande; **pass ~s on** kommentera **II** *vb tr* o. *vb itr* anmärka, yttra; **~ on** kommentera
**remarkable** [rɪˈmɑːkəbl] *adj* märklig
**remarry** [ˌriːˈmærɪ] *vb itr* gifta om sig

**remedial** [rɪˈmiːdjəl] *adj* hjälp-, stöd- [**~** *measures*; **~** *teaching*]; **~ class** specialklass
**remedy** [ˈremɪdɪ] **I** *s* botemedel, läkemedel [*for* för, mot]; hjälpmedel, bot **II** *vb tr* bota; råda bot på, avhjälpa
**remember** [rɪˈmembə] *vb tr* o. *vb itr* minnas, komma ihåg; **~ me to them** hälsa dem från mig
**remembrance** [rɪˈmembr(ə)ns] *s* minne, hågkomst; **in ~ of** till minne av
**remind** [rɪˈmaɪnd] *vb tr* påminna, erinra [*of* om]; **which ~s me** apropå det, förresten
**reminder** [rɪˈmaɪndə] *s* påminnelse; påstötning
**reminiscence** [ˌremɪˈnɪsns] *s* minne, hågkomst
**reminiscent** [ˌremɪˈnɪsnt] *adj*, **~ of** som påminner (erinrar) om
**remnant** [ˈremnənt] *s* lämning, rest; stuvbit
**remodel** [ˌriːˈmɒdl] *vb tr* omforma, ombilda
**remorse** [rɪˈmɔːs] *s* samvetskval, ånger
**remote** [rɪˈməʊt] *adj* **1** avlägsen i tid, i rum el. bildl.; fjärran; avsides belägen; **~ control** fjärrstyrning, fjärrkontroll; **a ~ possibility** en ytterst liten möjlighet **2** otillgänglig
**remote-controlled** [rɪˌməʊtkənˈtrəʊld] *adj* fjärrstyrd, fjärrmanövrerad [**~** *aircraft*]
**remotely** [rɪˈməʊtlɪ] *adv* avlägset, fjärran
**removal** [rɪˈmuːv(ə)l] *s* **1** flyttande; flyttning; **~ van** flyttbil; *furniture* **~** möbelflyttning **2** avlägsnande; bortförande; urtagning
**remove** [rɪˈmuːv] *vb tr* flytta, flytta bort (undan); förflytta; föra bort; avlägsna, ta bort (ur) [**~** *stains*]; ta av [**~** *one's coat*]; **~ furniture** flytta möbler
**remover** [rɪˈmuːvə] *s* **1** *furniture* **~** flyttkarl **2** borttagningsmedel
**remunerate** [rɪˈmjuːnəreɪt] *vb tr* ersätta; belöna
**remuneration** [rɪˌmjuːnəˈreɪʃ(ə)n] *s* ersättning; belöning
**renaissance** [rəˈneɪs(ə)ns] *s* renässans
**rename** [ˌriːˈneɪm] *vb tr* ge nytt namn, döpa om
**render** [ˈrendə] *vb tr* **1** återge t.ex. roll; tolka, framställa **2** överlämna; **~ an account of** lämna redovisning (redogörelse) för; **~ assistance (help)** lämna (ge) hjälp

**rendezvous** ['rɒndɪvuː] *s* rendezvous, möte, träff

**renegade** ['renɪɡeɪd] *s* avfälling

**renegotiate** [ˌriːnɪ'ɡəʊʃɪeɪt] *vb itr o. vb tr* omförhandla

**renegotiation** [ˌriːnɪɡəʊʃɪ'eɪʃ(ə)n] *s* omförhandling

**renew** [rɪ'njuː] *vb tr* förnya

**renewal** [rɪ'njuːəl] *s* förnyande

**rennet** ['renɪt] *s* löpe

**renounce** [rɪ'naʊns] *vb tr* avsäga sig, ge upp

**renovate** ['renəveɪt] *vb tr* renovera; förnya

**renovation** [ˌrenə'veɪʃ(ə)n] *s* renovering; förnyelse

**renown** [rɪ'naʊn] *s* rykte, ryktbarhet

**renowned** [rɪ'naʊnd] *adj* ryktbar

**rent** [rent] **I** *s* hyra **II** *vb tr* hyra; hyra ut

**rental** ['rentl] *s* hyra; avgift

**renunciation** [rɪˌnʌnsɪ'eɪʃ(ə)n] *s* **1** avsägelse **2** förnekande

**reopen** [ˌriː'əʊp(ə)n] *vb tr o. vb itr* åter öppna; åter börja; återuppta; åter öppnas; återupptas

**reorganize** [ˌriː'ɔːɡənaɪz] *vb tr* omorganisera

**repaid** [riː'peɪd] se *repay*

**repair** [rɪ'peə] **I** *vb tr* reparera, laga; rätta till **II** *s* **1** reparation, lagning; ~ *kit* (*outfit*) reparationslåda; ~ *shop* reparationsverkstad; ~ *yard* reparationsvarv; *beyond* ~ omöjlig att reparera, ohjälpligt förfallen, obotlig **2** skick; *in a good state of* ~ i gott stånd (skick)

**reparation** [ˌrepə'reɪʃ(ə)n] *s* gottgörelse, ersättning; speciellt pl. ~*s* skadestånd

**repartee** [ˌrepɑː'tiː] *s* snabb replik; slagfärdighet

**repast** [rɪ'pɑːst] *s* litt. måltid

**repatriate** [verb riː'pætrɪeɪt, substantiv riː'pætrɪət] **I** *vb tr* repatriera **II** *s, a* ~ en repatrierad

**repatriation** [ˌriːpætrɪ'eɪʃ(ə)n] *s* repatriering, hemsändning

**repay** [riː'peɪ] (*repaid repaid*) *vb tr* **1** återbetala **2** återgälda; löna, gottgöra [*for* för]

**repayment** [riː'peɪmənt] *s* **1** återbetalning **2** återgäldande; lön, ersättning

**repeal** [rɪ'piːl] **I** *vb tr* återkalla, upphäva **II** *s* återkallelse, upphävande

**repeat** [rɪ'piːt] **I** *vb tr o. vb itr* **1** upprepa; göra (säga m.m.) om; föra vidare **2** radio. el. TV. ge i repris **3** upprepas, återkomma;

*onions* ~ man får uppstötningar av lök **II** *s* **1** upprepning **2** radio. el. TV. repris

**repeatedly** [rɪ'piːtɪdlɪ] *adv* upprepade gånger, gång på gång

**repel** [rɪ'pel] *vb tr* **1** driva tillbaka [~ *an invader*], slå tillbaka **2** stå emot, avvisa [~ *moisture*] **3** verka frånstötande på, stöta bort

**repellent** [rɪ'pelənt] *adj* **1** tillbakadrivande; avvisande **2** frånstötande, motbjudande

**repent** [rɪ'pent] *vb tr o. vb itr* ångra; ångra sig

**repentance** [rɪ'pentəns] *s* ånger

**repentant** [rɪ'pentənt] *adj* ångerfull

**repercussion** [ˌriːpə'kʌʃ(ə)n] *s*, pl. ~*s* återverkningar, efterdyningar

**repertoire** ['repətwɑː] *s* repertoar

**repetition** [ˌrepə'tɪʃ(ə)n] *s* upprepning

**repetitive** [rɪ'petətɪv] *adj* **1** upprepande **2** enformig, tjatig

**rephrase** [ˌriː'freɪz] *vb tr* formulera om

**replace** [rɪ'pleɪs] *vb tr* sätta (ställa, lägga) tillbaka; återställa, ersätta

**replaceable** [rɪ'pleɪsəbl] *adj* ersättlig

**replacement** [rɪ'pleɪsmənt] *s* **1** återinsättande; återställande; ersättning **2** ersättare

**replay** [verb ˌriː'pleɪ, substantiv 'riː:pleɪ] **I** *vb tr* spela om **II** *s* sport. omspel; TV. repris i slow-motion

**replenish** [rɪ'plenɪʃ] *vb tr* åter fylla, fylla på

**replica** ['replɪkə] *s* konst. replik; exakt kopia

**reply** [rɪ'plaɪ] **I** *vb tr o. vb itr* svara; ~ *to* svara på, besvara **II** *s* svar, genmäle, replik; ~ *paid* på brev svar betalt

**report** [rɪ'pɔːt] **I** *vb tr o. vb itr* rapportera; meddela; anmäla; berätta; anmäla sig [*to* hos]; *it is reported that* det berättas (heter) att; ~ *a p. sick* sjukanmäla ngn; ~ *sick* sjukanmäla sig; ~ *for duty* inställa sig till tjänstgöring **II** *s* **1** rapport, redogörelse [*on, about* om, över] **2** referat, reportage [*on, of* av, över, om] **3** skol. terminsbetyg **4** knall, smäll

**reportage** [ˌrepɔ:'tɑːʒ] *s* reportage; reportagestil

**reporter** [rɪ'pɔːtə] *s* reporter, referent

**repose** [rɪ'pəʊz] *vb tr o. vb itr o. s* vila

**reprehensible** [ˌreprɪ'hensəbl] *adj* klandervärd, förkastlig

**represent** [ˌreprɪ'zent] *vb tr* representera; föreställa

**representation** [ˌreprɪzen'teɪʃ(ə)n] *s* framställande; framställning

**representative** [ˌreprɪ'zentətɪv] I *adj*
representativ, typisk [*of* för] II *s*
representant

**repress** [rɪ'pres] *vb tr* undertrycka [~ *a
revolt*], kväva

**repression** [rɪ'preʃ(ə)n] *s* undertryckande;
förtryck

**reprieve** [rɪ'priːv] I *vb tr* ge anstånd
(uppskov) II *s* **1** anstånd; uppskov
**2** benådning

**reprimand** ['reprɪmɑːnd] I *s* tillrättavisning
II *vb tr* tillrättavisa

**reprint** [verb ˌriː'prɪnt, substantiv 'riːprɪnt]
I *vb tr* trycka om II *s* omtryck, nytryck

**reprisal** [rɪ'praɪz(ə)l] *s* vedergällning;
repressalieåtgärd; pl. **~s** repressalier

**reproach** [rɪ'prəʊtʃ] I *s* **1** förebråelse;
klander **2** *beyond* ~ oklanderlig II *vb tr*
förebrå [*for, with* för]

**reproachful** [rɪ'prəʊtʃf(ʊ)l] *adj* förebrående

**reproduce** [ˌriːprə'djuːs] *vb tr*
**1** reproducera [~ *a picture*], återge [~ *a
sound*] **2** biol. fortplanta; reproducera

**reproduction** [ˌriːprə'dʌkʃ(ə)n] *s*
**1** reproducering, återgivning;
reproduktion **2** biol. fortplantning

**reproductive** [ˌriːprə'dʌktɪv] *adj*
reproducerande; fortplantnings- [~
*organs*]

**reptile** ['reptaɪl] *s* reptil, kräldjur

**republic** [rɪ'pʌblɪk] *s* republik

**republican** [rɪ'pʌblɪkən] I *adj* republikansk
II *s* republikan

**repudiate** [rɪ'pjuːdɪeɪt] *vb tr* tillbakavisa

**repugnance** [rɪ'pʌgnəns] *s* motvilja, ovilja

**repugnant** [rɪ'pʌgnənt] *adj* motbjudande

**repulse** [rɪ'pʌls] *vb tr* slå (driva) tillbaka

**repulsion** [rɪ'pʌlʃ(ə)n] *s* **1** tillbakaslående,
tillbakadrivande **2** motvilja

**repulsive** [rɪ'pʌlsɪv] *adj* motbjudande

**reputable** ['repjʊtəbl] *adj* ansedd [*a ~
firm*]

**reputation** [ˌrepjʊ'teɪʃ(ə)n] *s* rykte,
anseende; *have the ~ of being...* ha rykte
om sig att vara...; *make a ~ for oneself*
göra sig ett namn

**repute** [rɪ'pjuːt] I *vb tr, be reputed as* (*to
be*) anses vara II *s* rykte, anseende,
renommé

**request** [rɪ'kwest] I *s* anhållan, begäran;
anmodan; *by* ~ på begäran II *vb tr*
anhålla om; begära; anmoda, be

**requiem** ['rekwɪem] *s* rekviem, själamässa

**require** [rɪ'kwaɪə] *vb tr* o. *vb itr* behöva,
fordra; kräva, begära [*do as he* ~*s*]

**requirement** [rɪ'kwaɪəmənt] *s* **1** behov
**2** krav, anspråk; pl. ~*s* äv. fordringar [*for*
för]

**requisite** ['rekwɪzɪt] I *adj* erforderlig II *s*
nödvändig sak; *toilet* ~*s* toalettartiklar

**reread** [ˌriː'riːd] (*reread reread* [båda
ˌriː'red]) *vb tr* läsa ˈom

**rescue** ['reskjuː] I *vb tr* rädda, undsätta II *s*
räddning, undsättning; ~ *party*
räddningspatrull

**research** [rɪ'sɜːtʃ] I *s* forskning,
undersökning; *do* ~ forska II *vb itr* forska

**researcher** [rɪ'sɜːtʃə] *s* o. **research-worker**
[rɪ'sɜːtʃˌwɜːkə] *s* forskare

**resell** [ˌriː'sel] (*resold resold*) *vb tr*
återförsälja

**resemblance** [rɪ'zembləns] *s* likhet [*to*
med]; *bear a* ~ *to* påminna om

**resemble** [rɪ'zembl] *vb tr* likna, påminna
om

**resent** [rɪ'zent] *vb tr* bli förbittrad över

**resentful** [rɪ'zentf(ʊ)l] *adj* förbittrad, stött

**resentment** [rɪ'zentmənt] *s* förbittring

**reservation** [ˌrezə'veɪʃ(ə)n] *s* **1** reservation,
förbehåll **2** beställning, bokning

**reserve** [rɪ'zɜːv] I *vb tr* **1** reservera, spara;
förbehålla; ~ *a seat for a p.* hålla en plats
åt ngn **2** reservera, boka [~ *seats on a
train*] II *s* **1** reserv **2** sport. reserv; ~ *team*
B-lag **3** viltreservat **4** tillbakadragenhet

**reserved** [rɪ'zɜːvd] *perf p* o. *adj*
**1** reserverad, tillbakadragen **2** reserverad
[*a ~ seat*]

**reservoir** ['rezəvwɑː] *s* reservoar; behållare

**reshuffle** [ˌriː'ʃʌfl] I *vb tr* **1** blanda om kort
**2** polit. m.m. möblera om (om i), ombilda
II *s* **1** omblandning av kort **2** polit. m.m.
ommöblering, ombildning [*a Cabinet* ~]

**reside** [rɪ'zaɪd] *vb itr* vistas, bo

**residence** ['rezɪd(ə)ns] *s* **1** vistelse,
uppehåll; ~ *permit* uppehållstillstånd;
*take up one's* ~ *in a place* bosätta sig på
en plats **2** *place of* ~ hemvist **3** bostad;
residens

**resident** ['rezɪd(ə)nt] *s* **1** bofast, invånare
**2** gäst på hotell

**residue** ['rezɪdjuː] *s* återstod, rest

**resign** [rɪ'zaɪn] *vb itr* o. *vb itr* **1** avsäga sig,
avgå från; avgå, ta avsked [*from* från]
**2** resignera [*to* inför]

**resignation** [ˌrezɪg'neɪʃ(ə)n] *s* **1** avsägelse;
avgång; *send in* (*give in*) *one's* ~ lämna
in sin avskedsansökan **2** resignation [*to*
inför]

**resigned** [rɪ'zaɪnd] *adj* **1** resignerad; *be ~ to* finna sig i **2** avgången *ur* tjänst
**resilient** [rɪ'zɪlɪənt] *adj* elastisk, spänstig
**resin** ['rezɪn] *s* kåda, harts
**resist** [rɪ'zɪst] *vb tr* o. *vb itr* stå emot; göra motstånd; tåla [*~ heat*]; göra motstånd mot
**resistance** [rɪ'zɪst(ə)ns] *s* motstånd [*to* mot]
**resistant** [rɪ'zɪst(ə)nt] *adj* motståndskraftig [*to* mot]
**resold** [ˌriː'səʊld] se *resell*
**resolute** ['rezəluːt] *adj* resolut, beslutsam
**resolution** [ˌrezə'luːʃ(ə)n] *s* **1** beslutsamhet **2** föresats; *New Year's* (*Year*) *~* nyårslöfte; *pass* (*adopt*) *a ~* anta en resolution
**resolve** [rɪ'zɒlv] **I** *vb tr* o. *vb itr* **1** besluta, besluta sig för; besluta sig [*on* för] **2** lösa [*~ a problem*] **3** lösa upp; analysera; lösas upp **II** *s* beslut, föresats
**resonance** ['rezənəns] *s* resonans
**resonant** ['rezənənt] *adj* genljudande; resonansrik, klangfull; ljudlig; ekande
**resort** [rɪ'zɔːt] **I** *vb itr*, *~ to* ta sin tillflykt till; tillgripa [*~ to force*] **II** *s* **1** *have ~ to* ta sin tillflykt till; tillgripa; *in the last ~* som en sista utväg, i nödfall **2** tillhåll [*a ~ of* (för) *thieves*]; tillflyktsort; rekreationsort; *health ~* kurort, rekreationsort; *seaside ~* badort
**resound** [rɪ'zaʊnd] *vb itr* genljuda; *resounding* rungande; dunder- [*a resounding success*]
**resource** [rɪ'sɔːs] *s* **1** pl. *~s* resurser, tillgångar; *natural ~s* naturtillgångar **2** fyndighet; *leave a p. to his own ~s* låta ngn sköta sig själv
**respect** [rɪ'spekt] **I** *s* **1** respekt, aktning, vördnad [*for* för] **2** hänsyn; *pay ~ to* ta hänsyn till **3** avseende; *in many ~s* i många avseenden; *with ~ to* med avseende på **4** pl. *~s* vördnadsbetygelser; *pay one's ~s to a p.* betyga ngn sin aktning **II** *vb tr* respektera; akta; ta hänsyn till
**respectability** [rɪˌspektə'bɪlətɪ] *s* anständighet, aktningsvärdhet
**respectable** [rɪ'spektəbl] *adj* **1** respektabel, väl ansedd [*a ~ firm*]; anständig [*a ~ girl*] **2** ansenlig [*a ~ sum of money*]; hygglig, hyfsad
**respectful** [rɪ'spektf(ʊ)l] *adj* aktningsfull, vördsam
**respective** [rɪ'spektɪv] *adj* respektive

**respectively** [rɪ'spektɪvlɪ] *adv* var för sig; *they got £5 and £10 ~* de fick 5 respektive 10 pund
**respirator** ['respɪreɪtə] *s* respirator
**respiratory** [rɪ'spaɪərətrɪ] *adj* andnings-, respirations- [*~ organs*]
**resplendent** [rɪ'splendənt] *adj* glänsande; praktfull
**respond** [rɪ'spɒnd] *vb itr* svara [*to* på]
**response** [rɪ'spɒns] *s* **1** svar; genmäle; *in ~ to* som svar på **2** gensvar, respons; *meet with* (*with a*) *~* väcka genklang
**responsibility** [rɪˌspɒnsə'bɪlətɪ] *s* ansvar [*to* inför; *for* för], ansvarighet; *on one's own ~* på eget ansvar
**responsible** [rɪ'spɒnsəbl] *adj* **1** ansvarig [*for* för; *to* inför]; ansvarsfull; *make oneself ~ for* ta på sig ansvaret för **2** vederhäftig, solid
**responsive** [rɪ'spɒnsɪv] *adj* mottaglig
**1 rest** [rest] **I** *s* **1** vila; lugn, ro, frid; vilopaus; *have* (*take*) *a ~* vila sig; *set a p.'s mind* (*fears*) *at ~* lugna ngns farhågor **2** mus. paus **II** *vb itr* o. *vb tr* **1** vila, vila sig [*from* efter] **2** *~ with* ligga hos ngn (i ngns händer) **3** *God ~ his soul!* må han vila i frid! **4** perfekt particip *rested* utvilad **5** vila, stödja [*~ one's elbows on the table*]
**2 rest** [rest] *s, the ~* resten, återstoden; *as to* (*for*) *the ~* vad det övriga beträffar
**restaurant** ['restrənt] *s* restaurang
**restaurant-car** ['restrəntkɑː] *s* restaurangvagn
**restaurateur** [ˌrestərə'tɜː] *s* restauranginnehavare, källarmästare
**rest cure** ['restˌkjʊə] *s* vilokur, liggkur
**restful** ['restf(ʊ)l] *adj* lugn, vilsam, fridfull
**resting-place** ['restɪŋpleɪs] *s* rastplats; viloplats; *last ~* sista vilorum grav
**restless** ['restləs] *adj* rastlös, nervös, otålig
**restoration** [ˌrestə'reɪʃ(ə)n] *s* **1** återställande; återupprättande; återlämnande; återinsättande **2** restaurering, renovering
**restore** [rɪ'stɔː] *vb tr* **1** återställa; återlämna [*~ stolen property*]; återupprätta; *~ to life* återkalla till livet **2** restaurera, renovera **3** återinsätta [*to* i]; *~ a p. to power* återföra ngn till makten
**restrain** [rɪ'streɪn] *vb tr* hindra, avhålla [*from* från]; *~ oneself* behärska sig
**restraint** [rɪ'streɪnt] *s* **1** tvång; band [*on* på]; hinder; *throw off all ~* kasta alla

hämningar; *without* ~ ohämmat, fritt
**2** *exercise* (*show*) ~ visa återhållsamhet
**restrict** [rɪ'strɪkt] *vb tr* inskränka, begränsa
**restriction** [rɪ'strɪkʃ(ə)n] *s* inskränkning,
begränsning; restriktion
**rest room** ['restru:m] *s* amer. toalett på
arbetsplats o.d.
**result** [rɪ'zʌlt] **I** *vb itr* **1** vara (bli) resultatet
[*from* av]; *the resulting war* det krig som
blev följden **2** ~ *in* resultera i **II** *s* resultat;
*as a* (*the*) ~ *of* till följd av
**resume** [rɪ'zju:m] *vb tr* o. *vb itr* återuppta;
återupptas
**résumé** ['rezjʊmeɪ] *s* resumé,
sammanfattning
**resumption** [rɪ'zʌmpʃ(ə)n] *s*
återupptagande
**resurrect** [ˌrezə'rekt] *vb tr* uppväcka från de
döda; återkalla till livet
**resurrection** [ˌrezə'rekʃ(ə)n] *s*
uppståndelse från de döda
**retail** [substantiv, adjektiv o. adverb 'ri:teɪl, verb
ri:'teɪl] **I** *s* detaljhandel, minuthandel
**II** *adj* detalj-, minut- [~ *trade*] **III** *adv,* *buy*
(*sell*) ~ köpa (sälja) i minut **IV** *vb tr* o. *vb*
*itr* **1** sälja (säljas) i minut **2** berätta i
detalj [~ *a story*], återge
**retailer** ['ri:teɪlə] *s* detaljist,
detaljhandlare, minuthandlare
**retain** [rɪ'teɪn] *vb tr* hålla kvar, behålla;
bevara
**retake** [verb ˌri:'teɪk, substantiv 'ri:teɪk]
**I** (*retook retaken*) *vb tr* **1** återta, återerövra
**2** ta om film **II** *s* omtagning av film
**retaken** [ˌri:'teɪkn] se *retake I*
**retaliate** [rɪ'tælɪeɪt] *vb itr* öva
vedergällning, vidta motåtgärder, ge igen
**retaliation** [rɪˌtælɪ'eɪʃ(ə)n] *s* vedergällning
**retard** [rɪ'tɑ:d] *vb tr* försena, fördröja;
*mentally retarded* psykiskt
utvecklingsstörd
**retell** [ˌri:'tel] (*retold retold*) *vb tr*
återberätta
**retention** [rɪ'tenʃ(ə)n] *s* kvarhållande;
bibehållande, bevarande
**reticent** ['retɪs(ə)nt] *adj* tystlåten, förtegen
**retina** ['retɪnə] *s* ögats näthinna, retina
**retinue** ['retɪnju:] *s* följe, svit
**retire** [rɪ'taɪə] *vb tr* **1** dra sig tillbaka
(undan) [*to, into* till] **2** gå till sängs **3** mil.
retirera
**retired** [rɪ'taɪəd] *adj* **1** tillbakadragen [*lead*
*a* ~ *life*] **2** avgången, pensionerad
**retirement** [rɪ'taɪəmənt] *s* **1** avskildhet;
*live in* ~ leva tillbakadraget **2** avgång; ~

*age* pensionsålder; ~ *pension*
ålderspension
**retiring** [rɪ'taɪərɪŋ] *adj* tillbakadragen
**retold** [ˌri:'təʊld] se *retell*
**retook** [ˌri:'tʊk] se *retake I*
**retort** [rɪ'tɔ:t] **I** *vb tr* svara, replikera **II** *s*
svar, genmäle
**retouch** [ˌri:'tʌtʃ] *vb tr* retuschera
**retrace** [rɪ'treɪs] *vb tr* följa tillbaka spår
m.m.; ~ *one's steps* gå samma väg
tillbaka
**retract** [rɪ'trækt] *vb tr* **1** dra tillbaka, dra
in [*the cat retracted its claws*], fälla in **2** ta
tillbaka [~ *a statement*]; dementera
**retraining** [ˌri:'treɪnɪŋ] *s* omskolning
**retread** [ˌri:'tred] *vb tr* regummera [~ *a*
*tyre*]
**retreat** [rɪ'tri:t] **I** *s* **1** reträtt, återtåg; *beat a*
*hasty* ~ hastigt slå till reträtt; *sound*
(*blow*) *the* ~ blåsa till reträtt **2** tillflykt
**II** *vb itr* retirera, slå till reträtt
**retribution** [ˌretrɪ'bju:ʃ(ə)n] *s*
vedergällning; straff
**retrieve** [rɪ'tri:v] *vb tr* **1** återvinna, återfå,
få tillbaka **2** jakt., om hundar apportera
**retriever** [rɪ'tri:və] *s* **1** om hund apportör
**2** retriever hundras
**return** [rɪ'tɜ:n] **I** *vb itr* o. *vb tr* **1** återvända,
återkomma, återgå **2** ställa (lägga, sätta)
tillbaka **3** returnera; återlämna **4** besvara,
återgälda
**II** *s* **1** återkomst, hemkomst,
återvändande; ~ *ticket* turochreturbiljett;
*day* ~ endagsbiljett; *many happy* ~*s of*
*the day!* el. *many happy* ~*s!* har den
äran att gratulera!; *by* ~ *of post* per
omgående **2** återsändande, återlämnande
[*the* ~ *of a book*] **3** besvarande; ~ *match*
(*game*) returmatch, revanschmatch,
revanschparti; ~ *service* gentjänst; ~ *visit*
svarsvisit; *in* ~ i gengäld **4** *income-tax* ~
självdeklaration
**returnable** [rɪ'tɜ:nəbl] *adj* som kan lämnas
tillbaka; retur- [~ *bottles*]
**reunification** [ˌri:ju:nɪfɪ'keɪʃ(ə)n] *s*
återförening
**reunion** [ˌri:'ju:njən] *s* **1** återförening
**2** sammankomst, samkväm
**reunite** [ˌri:ju:'naɪt] *vb tr* o. *vb itr*
återförena; återförenas
**re-use** [ˌri:'ju:z] *vb tr* använda på nytt
(igen)
**Rev.** förk. för *Reverend*
**rev** [rev] vard. **I** *vb tr* o. *vb itr,* ~ (~*up*) *an*

*engine* rusa en motor; ~ *up* el. ~ om motor rusa **II** *s* varv; ~ *counter* varvräknare

**revaluation** [ˌri:væljʊ'eɪʃ(ə)n] *s* **1** revalvering av valuta **2** omvärdering

**revaluation** [ˌri:væljʊ'eɪʃ(ə)n] *s* **1** revalvering, uppskrivning **2** omvärdering

**revalue** [ˌri:'vælju:] *vb tr* **1** revalvera valuta **2** omvärdera

**reveal** [rɪ'vi:l] *vb tr* avslöja, röja, yppa

**revel** ['revl] **I** *vb itr* festa, rumla, festa (rumla) om; ~ *in* frossa i, gotta sig åt (i) **II** *s*, pl. ~*s* fest; rummel

**revelation** [ˌrevə'leɪʃ(ə)n] *s* avslöjande; yppande, uppdagande

**reveller** ['revələ] *s* rumlare, festare

**revelry** ['revlrɪ] *s* festande, rummel

**revenge** [rɪ'vendʒ] **I** *vb tr*, ~ *oneself* (*be revenged*) *on a p.* hämnas på ngn **II** *s* hämnd [*on, upon* på; *for* för]; revansch; *take* (*have*) *one's* ~ ta hämnd; *take* ~ *on a p.* hämnas på ngn

**revengeful** [rɪ'vendʒf(ʊ)l] *adj* hämndlysten

**revenue** ['revənju:] *s* statsinkomster, inkomster

**reverberate** [rɪ'vɜ:bəreɪt] *vb itr* genljuda

**reverence** ['revər(ə)ns] *s* vördnad

**reverend** ['revər(ə)nd] *adj* i kyrkliga titlar (förk. ofta *Rev.*), *Reverend* (*the Reverend*) *J. Smith* pastor (kyrkoherde) J. Smith

**reverie** ['revərɪ] *s* drömmeri; dagdröm

**reversal** [rɪ'vɜ:s(ə)l] *s* omkastning, omsvängning [*a* ~ *of public opinion*]

**reverse** [rɪ'vɜ:s] **I** *adj* motsatt [~ *direction*], omvänd, bakvänd [*in* ~ *order*], omkastad; ~ *gear* backväxel; *the* ~ *side* baksidan **II** *s* **1** motsats; *just* (*quite*) *the* ~ alldeles tvärtom; *the exact* (*very*) ~ raka motsatsen [*of* till, mot] **2** baksida, avigsida **3** *suffer a* ~ röna motgång; lida ett nederlag **4** bil. back; *put the car in* ~ lägga i backen **III** *vb tr* o. *vb itr* **1** vända, vända på (om); backa [~ *one's car*]; ~ *the charges* tele. låta mottagaren betala samtalet **2** ändra, kasta om [~ *the order*] **3** vända, slå om [*the trend has reversed*]

**reversible** [rɪ'vɜ:səbl] *adj* vändbar, omkastbar

**revert** [rɪ'vɜ:t] *vb itr* återgå, gå tillbaka [~ *to an earlier stage*]; återkomma [*to* till]

**review** [rɪ'vju:] **I** *s* **1** granskning; *in the period under* ~ under den aktuella perioden; *come under* ~ tas upp till granskning **2** översikt [*of* över, av]; återblick [*of* på] **3** mil. revy, mönstring **4** recension, anmälan av bok **II** *vb tr* **1** granska på nytt **2** överblicka; låta passera revy **3** mil. mönstra, inspektera [~ *the troops*] **4** recensera, anmäla bok

**reviewer** [rɪ'vju:ə] *s* recensent, anmälare

**revile** [rɪ'vaɪl] *vb tr* smäda, skymfa

**revise** [rɪ'vaɪz] *vb tr* **1** revidera; omarbeta, bearbeta **2** skol. repetera

**revision** [rɪ'vɪʒ(ə)n] *s* **1** revidering; omarbetning, bearbetning **2** skol. repetition

**revisit** [ˌri:'vɪzɪt] *vb tr* besöka igen (på nytt)

**revitalize** [ˌri:'vaɪtəlaɪz] *vb tr* återuppliva; vitalisera, liva upp

**revival** [rɪ'vaɪv(ə)l] *s* **1** återupplivande; återuppvaknande till sans, liv **2** repris, återupptagande [~ *of a play*] **3** ~ *meeting* väckelsemöte

**revive** [rɪ'vaɪv] *vb tr* o. *vb itr* **1** återuppliva, åter få liv i; vakna till liv igen, kvickna till **2** ge i repris [~ *a play*]

**revoke** [rɪ'vəʊk] *vb tr* återkalla, upphäva

**revolt** [rɪ'vəʊlt] **I** *vb itr* o. *vb tr* **1** revoltera, göra uppror (revolt) **2** uppröra; *be revolted* känna avsky [*by* vid, över] **II** *s* revolt, uppror, resning [*against* mot]

**revolting** [rɪ'vəʊltɪŋ] *adj* **1** upprorisk **2** motbjudande, äcklig

**revolution** [ˌrevə'lu:ʃ(ə)n] *s* **1** rotation kring en axel; varv **2** revolution [*the French Revolution*]

**revolutionary** [ˌrevə'lu:ʃənərɪ] **I** *adj* revolutionär **II** *s* revolutionär

**revolutionize** [ˌrevə'lu:ʃənaɪz] *vb tr* revolutionera

**revolve** [rɪ'vɒlv] *vb itr* vrida sig, rotera

**revolver** [rɪ'vɒlvə] *s* revolver

**revolving** [rɪ'vɒlvɪŋ] *adj* roterande; ~ *chair* kontorsstol, svängstol; ~ *door* svängdörr

**revue** [rɪ'vju:] *s* teat. revy

**revulsion** [rɪ'vʌlʃ(ə)n] *s* motvilja [*against* mot]

**reward** [rɪ'wɔ:d] **I** *s* belöning; hittelön; *offer a* ~ *of £100* utfästa en belöning på hundra pund **II** *vb tr* belöna

**rewarding** [rɪ'wɔ:dɪŋ] *adj* givande, tacksam, inbringande

**rewind** [ˌri:'waɪnd] (*rewound rewound*) *vb tr* spola om (tillbaka) film, band m.m.

**reword** [ˌri:'wɜ:d] *vb tr* formulera om

**rewound** ['ri:waʊnd] se *rewind*

**rewrite** [ˌriːˈraɪt] (*rewrote rewritten*) *vb tr*
skriva om
**rewritten** [ˌriːˈrɪtn] se *rewrite*
**rewrote** [ˌriːˈrəʊt] se *rewrite*
**rhapsody** [ˈræpsədɪ] *s* **1** rapsodi **2** *go into rhapsodies over* råka i extas över
**rhetoric** [ˈretərɪk] *s* retorik, vältalighet
**rhetorical** [rɪˈtɒrɪk(ə)l] *adj* retorisk
**rheumatic** [rʊˈmætɪk] *adj* reumatisk
**rheumatism** [ˈruːmətɪz(ə)m] *s* reumatism
**rheumatoid** [ˈruːmətɔɪd] *adj* reumatoid; ~ *arthritis* ledgångsreumatism
**Rhine** [raɪn] *s, the ~* Rhen
**rhino** [ˈraɪnəʊ] (pl. *~s*) *s* vard. kortform för *rhinoceros*
**rhinoceros** [raɪˈnɒsərəs] *s* noshörning
**Rhodes** [rəʊdz] Rhodos
**rhododendron** [ˌrəʊdəˈdendr(ə)n] *s* rhododendron
**rhubarb** [ˈruːbɑːb] *s* rabarber
**rhyme** [raɪm] **I** *s* rim; *nursery ~* barnramsa, barnkammarrim **II** *vb itr* rimma
**rhythm** [ˈrɪð(ə)m] *s* rytm, takt
**rhythmic** [ˈrɪðmɪk] *adj* o. **rhythmical** [ˈrɪðmɪk(ə)l] *adj* rytmisk
**rib** [rɪb] *s* anat. revben; slakt. högrev av nötkött; rygg av kalv, lamm; *~s of pork* kok. revbensspjäll; *poke* (*dig*) *a p. in the ~s* puffa (stöta) till ngn i sidan
**ribbon** [ˈrɪbən] *s* band, remsa, strimla; *typewriter ~* färgband; *torn to ~s* i trasor
**rice** [raɪs] *s* bot. ris; risgryn
**rich** [rɪtʃ] *adj* **1** rik [*in* på]; förmögen **2** riklig, stor [*~ vocabulary*], rikhaltig [*~ supply* (förråd)] **3** fet, kraftig [*~ food*], mäktig [*~ cake*]
**riches** [ˈrɪtʃɪz] *s pl* rikedom, rikedomar
**richly** [ˈrɪtʃlɪ] *adv* rikt; rikligt, rikligen
**rickets** [ˈrɪkɪts] *s* engelska sjukan, rakitis
**rickety** [ˈrɪkətɪ] *adj* rankig [*~ chair*], ranglig, skranglig
**ricochet** [ˈrɪkəʃeɪ, ˈrɪkəʃet] *vb itr* rikoschettera
**rid** [rɪd] (*rid rid*) *vb tr* befria, göra fri, rensa [*of* från]; *~ oneself of* bli fri från, göra sig kvitt; *get ~ of* bli av med, göra sig av med
**ridden** [ˈrɪdn] perfekt particip av *ride*; i sammansättningar -härjad [*crisis-ridden*], ansatt (plågad, hemsökt) av [*fear-ridden*]
**1 riddle** [ˈrɪdl] *s* gåta
**2 riddle** [ˈrɪdl] *vb tr* genomborra
**ride** [raɪd] **I** (*rode ridden*) *vb itr* o. *vb tr*

**1** rida, rida på **2** åka [*~ a (on a) bicycle*], köra [*~ a (on a) motorcycle*] **II** *s* ritt, ridtur; åktur, tur [*bus-ride*], resa, färd; *go for* (*have*) *a ~* rida (åka) ut, göra en ridtur (åktur)
**rider** [ˈraɪdə] *s* **1** ryttare **2** i sammansättningar -åkare [*cycle ~*]
**ridge** [rɪdʒ] *s* rygg, kam; upphöjd rand; *~ of high pressure* meteor. högtrycksrygg
**ridicule** [ˈrɪdɪkjuːl] **I** *s* åtlöje, löje; *hold up* (*expose*) *to ~* göra till ett åtlöje **II** *vb tr* förlöjliga
**ridiculous** [rɪˈdɪkjʊləs] *adj* löjlig; absurd
**riding** [ˈraɪdɪŋ] *s* ridning; ridsport; *Little Red Riding Hood* Rödluvan
**rife** [raɪf] *adj* **1** mycket vanlig, utbredd; *be ~* äv. grassera **2** *with* full av
**riff-raff** [ˈrɪfræf] *s* slödder, pack, patrask
**1 rifle** [ˈraɪfl] *vb tr* rota igenom för att stjäla
**2 rifle** [ˈraɪfl] *s* gevär, bössa
**rifle range** [ˈraɪflreɪndʒ] *s* skjutbana
**rift** [rɪft] *s* spricka; klyfta, brytning
**1 rig** [rɪg] *vb tr* fixa; *~ an election* bedriva valfusk
**2 rig** [rɪg] *vb tr* **1** sjö. rigga, tackla **2** *~ out* utrusta, ekipera
**Riga** [ˈriːgə]
**1 right** [raɪt] **I** *adj* **1** rätt, riktig; rättmätig; *~?* va?, eller hur?; *the ~ change* jämna pengar; *get on the ~ side of a p.* komma på god fot med ngn; *do the ~ thing by a p.* handla rätt mot ngn; *is this ~ for...?* är det här rätt väg till...?; *that's ~!* just det!, det var rätt!, det stämmer!; *~ you are!* el. *~ oh!* vard. OK!, kör för det!; *put* (*set*) *~* ställa till rätta; ställa i ordning; reparera; rätta till, avhjälpa fel **2** om vinkel rät; *at ~ angles with* i rät vinkel mot
**II** *adv* **1** rätt, rakt; *~ ahead* rakt fram **2** just, precis [*~ here*]; genast, strax [*I'll be ~ back*]; *~ away* genast, strax; utan vidare, direkt; *~* now just nu; ögonblickligen **3** alldeles, helt; ända [*~ to the bottom*] **4** rätt, riktigt
**III** *s* **1** rätt [*~ and wrong* (orätt)]; *by ~s* rätteligen **2** rättighet, rätt [*to* till]; *fishing ~s* fiskerätt; *all ~s reserved* med ensamrätt; *human ~s* de mänskliga rättigheterna; *~ of way* a) förkörsrätt b) allemansrätt till väg; *by ~ of* i kraft av, på grund av; *he is quite within his ~s* han är i sin fulla rätt **3** *the ~s and wrongs of the case* de olika sidorna av saken
**IV** *vb tr* räta upp [*~ a car*], få på rätt

köl [~ *a boat*]; *things will ~ themselves*
det kommer att rätta till sig
**2 right** [raɪt] **I** *adj* höger; ~ *hand* höger
hand; bildl. högra hand [*he is my ~ hand*];
~ *turn* högersväng **II** *adv* till höger [*of
om*], åt höger; ~ *and left* till höger och
vänster, från alla håll; ~ *turn!* mil. höger
om!; *turn* ~ svänga (gå) till höger **III** *s*
höger sida (hand); *the Right* polit.
högern; *on your* ~ till höger om dig
**right-about** ['raɪtəbaʊt] *adv*, ~ *turn
(face)!* helt höger om!
**right-angled** ['raɪt,æŋgld] *adj* rätvinklig
**righteous** ['raɪtʃəs] *adj* **1** rättfärdig,
rättskaffens **2** rättmätig [~ *indignation*]
**rightful** ['raɪtf(ʊ)l] *adj* rättmätig, rätt
**right-hand** ['raɪthænd] *adj* höger-; *his ~
man* bildl. hans högra hand
**right-handed** [,raɪt'hændɪd] *adj* högerhänt
**right-hander** [,raɪt'hændə] *s* **1** högerhänt
person; sport. högerhandsspelare
**2** högerslag
**rightly** ['raɪtlɪ] *adv* **1** rätt; riktigt [*I don't ~
know*]; ~ *or wrongly* med rätt eller orätt
**2** med rätta [~ *proud of his work*]
**right-minded** [,raɪt'maɪndɪd] *adj* rättsinnad
**righto** [,raɪt'əʊ] *interj* vard. OK!, kör för
det!
**rightwards** ['raɪtwədz] *adv* till (åt) höger
**right-wing** ['raɪtwɪŋ] *adj* på högerkanten;
höger-, högerorienterad
**right-winger** [,raɪt'wɪŋə] *s*
**1** högeranhängare **2** sport. högerytter
**rigid** ['rɪdʒɪd] *adj* **1** styv **2** rigid, sträng,
strikt
**rigidity** [rɪ'dʒɪdətɪ] *s* **1** styvhet **2** stränghet
**rigmarole** ['rɪgmərəʊl] *s* **1** svammel;
harang **2** omständlig (krånglig) procedur
**rigorous** ['rɪgərəs] *adj* **1** rigorös, sträng
**2** bister, hård [~ *climate*]
**rigour** ['rɪgə] *s* stränghet, hårdhet; pl. ~*s*
strapatser; *the ~s of winter* den stränga
vinterkylan
**rile** [raɪl] *vb tr* vard. reta, reta upp, irritera
**rim** [rɪm] *s* **1** kant, fals, rand **2** fälg
**rime** [raɪm] *s* rimfrost
**rimless** ['rɪmləs] *adj*, ~ *spectacles*
glasögon utan bågar
**rind** [raɪnd] *s* skal [~ *of a melon*]; svål
[*bacon ~*]; kant, skalk [*cheese ~*]
**1 ring** [rɪŋ] **I** (*rang rung*) *vb itr* o. *vb tr*
**1** ringa, klinga; ringa med (i, på) klocka
m.m.; ringa till, ringa upp [*ofta ~ up*]; ~
*false* klinga falskt; [*his story*] ~*s true*
…låter sann; ~ *off* tele. ringa av, lägga på

luren **2** genljuda [~ *in a p.'s ears*] **3** slå
[*the bell ~s the hours*] **II** *s* ringning, signal;
klingande; *there's a ~ at the door*
(*phone*) det ringer på dörren (i
telefonen); *give me a ~ sometime* slå en
signal någon gång
**2 ring** [rɪŋ] **I** *s* **1** ring äv. boxn.; *make* (*run*)
~*s round a p.* vard. slå (besegra) ngn hur
lätt som helst **2** liga [*spy ~*] **II** *vb tr* ringa,
ringmärka
**ringleader** ['rɪŋ,li:də] *s* upprorsledare
**ringmaster** ['rɪŋ,mɑ:stə] *s* cirkusdirektör
**ring-opener** ['rɪŋ,əʊpənə] *s* rivöppnare på
burk
**ring ouzel** ['rɪŋ,u:zl] *s* zool. ringtrast
**ring road** ['rɪŋrəʊd] *s* kringfartsled
**ringworm** ['rɪŋwɜ:m] *s* med. revorm
**rink** [rɪŋk] *s* bana för ishockey, skridskoåkning
**rinse** [rɪns] **I** *vb tr* skölja, skölja av; ~ *out*
el. ~ skölja ur (ren) **II** *s* **1** sköljning; *give
a th. a ~* skölja av ngt **2** sköljmedel; *hair
~* toningsvätska
**riot** ['raɪət] **I** *s* upplopp, tumult; pl. ~*s*
kravaller; *run* ~ härja; bildl. skena iväg
[*his imagination runs ~*]; växa ohejdat
**II** *vb itr* ställa till (deltaga i) upplopp
(kravaller)
**rioter** ['raɪətə] *s* upprorsmakare; deltagare
i upplopp (kravaller)
**riotous** ['raɪətəs] *adj* tumultartad,
kravallartad
**rip** [rɪp] *vb tr* riva, slita, fläka, skära [*open,
up sup*]; *off* av, loss]
**ripcord** ['rɪpkɔ:d] *s* utlösningslina på
fallskärm
**ripe** [raɪp] *adj* mogen
**ripen** ['raɪp(ə)n] *vb itr* o. *vb tr* mogna; få
att mogna
**ripple** ['rɪpl] **I** *vb itr* **1** om t.ex. vattenyta krusa
sig **2** porla **II** *s* **1** krusning på vattnet
**2** porlande; *a ~ of laughter* ett porlande
skratt; en skrattsalva
**rise** [raɪz] **I** (*rose risen*) *vb itr* **1** resa sig,
resa sig upp; stiga upp, gå upp **2** stiga;
höja sig; *the glass is rising* barometern
stiger; ~ *to the occasion* vara situationen
vuxen **3** resa sig, göra uppror **4** stiga i
graderna, avancera [~ *to be* (till) *a
general*]; ~ *in the world* komma sig upp
här i världen **5** uppkomma, uppstå [*from
av*] **6** kok. jäsa om bröd
**II** *s* **1** stigning [*a ~ in the ground*],
upphöjning **2** stigande, tillväxt,
tilltagande, stegring, ökning; förhöjning,
löneförhöjning **3** uppgång, uppkomst;

*give ~ to* ge upphov till; *the ~ of industrialism* industrialismens genombrott

**risen** ['rɪzn] se *rise I*

**riser** ['raɪzə] s, *be an early ~* vara morgontidig; *be a late ~* ligga länge på morgnarna

**rising** ['raɪzɪŋ] I *adj* stigande; *the ~ generation* det uppväxande släktet; *a ~ young politician* en kommande ung politiker **II** s **1** resning, uppror **2** uppstigning; stigande

**risk** [rɪsk] I s risk, fara; *run a ~* löpa en risk; *be at ~* stå på spel **II** *vb tr* riskera; våga

**risky** ['rɪskɪ] *adj* riskabel

**risotto** [rɪ'zɒtəʊ] (pl. *~s*) s kok. risotto

**rissole** ['rɪsəʊl] s kok. krokett; flottyrkokt risoll

**rite** [raɪt] s rit; kyrkobruk, ceremoni

**ritual** ['rɪtʃʊəl] I *adj* rituell **II** s ritual

**rival** ['raɪv(ə)l] I s rival, konkurrent, medtävlare **II** *adj* rivaliserande, konkurrerande **III** *vb tr* o. *vb itr* tävla (rivalisera) med; tävla, rivalisera

**rivalry** ['raɪvəlrɪ] s rivalitet, konkurrens

**river** ['rɪvə] s flod

**rivet** ['rɪvɪt] I s nit **II** *vb tr* nita; nita fast; *~ one's eyes on* fästa blicken på

**Riviera** [ˌrɪvɪ'eərə] s, *the ~* Rivieran

**RN** förk. för *Royal Navy*

**roach** [rəʊtʃ] s zool. mört

**road** [rəʊd] s väg; landsväg; körbana; *Road Up* på skylt vägarbete; *one for the ~* vard. en färdknäpp

**roadblock** ['rəʊdblɒk] s vägspärr

**road-holding** ['rəʊdˌhəʊldɪŋ] *adj*, *~ ability* väghållning

**roadhouse** ['rəʊdhaʊs] s finare värdshus (hotell) vid landsvägen

**roadmap** ['rəʊdmæp] s vägkarta

**roadside** ['rəʊdsaɪd] s **1** vägkant, vägens sida **2** attributivt vid vägen [*a ~ inn*]

**roadsign** ['rəʊdsaɪn] s **1** vägmärke; trafikskylt **2** vägvisare

**roadster** ['rəʊdstə] s öppen tvåsitsig sportbil

**roadtest** ['rəʊdtest] s provkörning på väg av bil m.m.

**roadway** ['rəʊdweɪ] s körbana; vägbana

**roadworks** ['rəʊdwɜːks] s *pl* vägarbete

**roadworthy** ['rəʊdˌwɜːðɪ] *adj* trafikduglig

**roam** [rəʊm] *vb itr* o. *vb tr* ströva omkring; ströva igenom

**roar** [rɔː] I s **1** rytande, vrål; *~ of laughter* skrattsalva **2** dån, larm, brus [*the ~ of the traffic*] **II** *vb itr* **1** ryta; vråla [*~ with pain*]; tjuta, gallskrika; *~ with laughter* gapskratta **2** dåna, larma, brusa

**roast** [rəʊst] I *vb tr* o. *vb itr* steka, ugnsteka; rosta; stekas **II** s stek **III** *adj* stekt; rostad; *~ beef* rostbiff; oxstek; *~ potatoes* ugnstekt potatis

**rob** [rɒb] *vb tr* plundra, råna, bestjäla [*of på*]

**robber** ['rɒbə] s rånare; rövare

**robbery** ['rɒbərɪ] s rån; röveri

**robe** [rəʊb] s **1** pl. **2** galaklänning **3** badrock; amer. morgonrock

**robin** ['rɒbɪn] s rödhake [äv. *~ redbreast*]

**robot** ['rəʊbɒt] s robot; *~ pilot* autopilot

**robust** [rə'bʌst] *adj* robust; kraftig; härdig [*~ plant*]; *have a ~ appetite* ha frisk aptit

**1 rock** [rɒk] s **1** klippa äv. bildl.; skär; *be on the ~s* vard. vara pank; *whisky on the ~s* whisky med is **2** stenblock, klippblock; amer. sten i allm. [*throw ~s*] **3** berg, berggrund [*a house built on ~*] **4** bergart **5** ungefär polkagrisstång

**2 rock** [rɒk] I *vb tr* vagga, gunga, vyssja; skaka; *~ with laughter* skaka av skratt **II** s gungning, vaggande; skakning

**rock-bottom** [ˌrɒk'bɒtəm] s bildl., vard. absoluta botten

**rock cake** ['rɒkkeɪk] s hastbulle med russin

**rock-climbing** ['rɒkˌklaɪmɪŋ] s bergbestigning, alpinism

**rock crystal** [ˌrɒk'krɪstl] s bergkristall

**rocker** ['rɒkə] s med på vagga, gunga, gungstol

**rockery** ['rɒkərɪ] s stenparti i trädgård

**rocket** ['rɒkɪt] I s raket; *~ missile* raketvapen; *~ propulsion* raketdrift **II** *vb itr* flyga som en raket; bildl. skjuta i höjden [*prices rocketed*]

**rocket-assisted** ['rɒkɪtəˌsɪstɪd] *adj*, *~ take-off* raketstart

**rock garden** ['rɒkˌɡɑːdn] s stenparti

**Rockies** ['rɒkɪz] s *pl*, *the ~* Klippiga bergen

**rocking-chair** ['rɒkɪŋtʃeə] s gungstol

**rocking-horse** ['rɒkɪŋhɔːs] s gunghäst

**rocky** ['rɒkɪ] *adj* klippig; stenig; *the Rocky Mountains* Klippiga bergen

**rococo** [rə'kəʊkəʊ] s rokoko

**rod** [rɒd] s **1** käpp; stång **2** metspö **3** spö, ris

**rode** [rəʊd] se *ride I*

**rodent** ['rəʊd(ə)nt] s zool. gnagare

**rodeo** [rə'deɪəʊ] (pl. ~s) *s* rodeo
riduppvisning
**1 roe** [rəʊ] *s* rom, fiskrom; *soft* ~ mjölke
**2 roe** [rəʊ] *s* rådjur
**rogue** [rəʊg] *s* skurk, lymmel; skojare
**roguish** ['rəʊgɪʃ] *adj* **1** skurkaktig
**2** skälmsk
**role** [rəʊl] *s* roll; uppgift, funktion
**roll** [rəʊl] **I** *s* **1** rulle **2** valk [~s *of fat*]
**3** småfranska, fralla **4** rulla, lista,
förteckning, register **5** rullande, rullning
**II** *vb tr* o. *vb itr* **1** rulla [~ *a cigarette*];
rulla sig, vältra sig; ~ *in luxury* vard.
vältra sig i lyx; *he's rolling in money* (*in
it*) vard. han har pengar som gräs; ~
*along* a) rulla vägen fram b) vard. rulla på
gå stadigt framåt; ~ *in* rulla in; strömma in
[*offers of help were rolling in*], strömma till;
~ *up* rulla ihop sig; komma tågande; *Roll
up! Roll up!* på t.ex. tivoli välkomna hit
mina damer och herrar! **2** kavla, valsa,
kavla (valsa) ut [äv. ~ *out*]; *rolled gold*
gulddoublé **3** om t.ex. åska mullra **4** sjö.
rulla
**rollcall** ['rəʊlkɔ:l] *s* upprop
**roller-coaster** ['rəʊlə,kəʊstə] *s*
berg-och-dalbana
**roller-skate** ['rəʊləskeɪt] **I** *s* rullskridsko
**II** *vb itr* åka rullskridsko
**rolling** ['rəʊlɪŋ] *adj* rullande; vågig; ~
*country* ett böljande landskap
**rolling-pin** ['rəʊlɪŋpɪn] *s* brödkavel
**roll-neck** ['rəʊlnek] *s*, ~ *sweater* polotröja
**roll-on** ['rəʊlɒn] *s* resårgördel **2** roll-on
**roll-top** ['rəʊltɒp] *s*, ~ *desk* jalusiskrivbord
**Roman** ['rəʊmən] **I** *adj* romersk; romar-
[*the* ~ *Empire*]; ~ *Catholic*
romersk-katolsk; romersk katolik; ~
(*roman*) *numerals* romerska siffror **II** *s*
romare
**romance** [rə'mæns] **I** *s* **1** romantik
**2** romans kärlekshistoria **3** äventyrsroman
**II** *vb itr* **1** fabulera **2** svärma
**Romania** [rəʊ'meɪnjə] Rumänien
**Romanian** [rəʊ'meɪnjən] **I** *adj* rumänsk **II** *s*
**1** rumän **2** rumänska språket
**romantic** [rə'mæntɪk] **I** *adj* romantisk **II** *s*
romantiker
**romanticism** [rə'mæntɪsɪz(ə)m] *s*
romantik
**romanticize** [rə'mæntɪsaɪz] *vb tr* o. *vb itr*
romantisera; vara romantisk; svärma
**Rome** [rəʊm] *s* Rom; *the Church of* ~
romersk-katolska kyrkan; *when in* ~ *do*

*as the Romans do* ungefär man får ta
seden dit man kommer
**romp** [rɒmp] *vb itr* **1** stoja, leka vilt, tumla
om **2** vard., ~ *in* (*home*) kapplöpn. vinna
lätt
**romper** ['rɒmpə] *s*, pl. ~*s* sparkbyxor,
sparkdräkt
**roof** [ru:f] **I** *s* tak, yttertak, hustak; *the* ~ *of
the mouth* gommen **II** *vb tr* **1** lägga tak
på, taklägga **2** ge husrum åt, hysa
**roof garden** ['ru:f,gɑ:dn] *s* **1** takträdgård,
takterrass **2** amer. takservering
**roofing** ['ru:fɪŋ] *s* takläggning;
taktäckningsmaterial
**roof rack** ['ru:fræk] *s* takräcke på bil
**1 rook** [rʊk] **I** *s* zool. råka **II** *vb tr* vard.
skinna, ta ockerpriser av
**2 rook** [rʊk] *s* schack. torn
**room** [ru:m, rʊm] **I** *s* **1** rum i hus; pl. ~*s* äv.
hyresrum; *ladies'* ~ damrum, damtoalett;
*men's* ~ herrtoalett; *set of* ~*s* våning
**2** plats, rum, utrymme; *standing* ~
ståplats, ståplatser; *there's no* ~ *for the
table* bordet får inte plats; *there's plenty
of* ~ det är gott om plats; *make* ~ *for*
lämna plats för
**roommate** ['ru:mmeɪt] *s* rumskamrat
**room service** ['ru:m,sɜ:vɪs] *s* rumservice
**roomy** ['ru:mɪ] *adj* rymlig
**roost** [ru:st] **I** *s* hönspinne; *rule the* ~ vard.
vara herre på täppan **II** *vb itr* om fågel slå
sig ner
**rooster** ['ru:stə] *s* tupp
**root** [ru:t] **I** *s* **1** rot; ~ *beer* läskedryck
smaksatt med växtextrakt; *the* ~ *cause*
grundorsaken; ~ *filling* rotfyllning; *take
(strike)* ~ slå rot, få rotfäste; *be at the* ~
*of* vara roten och upphovet till; *pull
(pluck, tear) up by the* ~*s* rycka upp
med roten (rötterna) **2** mat. rot; *square* ~
kvadratrot **II** *vb tr* **1** rotfästa; *deeply
rooted* djupt rotad; inrotad; *be rooted in*
ha sin grund (rot) i **2** ~ *out* utrota
**rope** [rəʊp] **I** *s* **1** rep, lina, tåg; *know the*
~*s* vard. känna till knepen; *give a p.
plenty of* ~ ge ngn fria tyglar; ge ngn fritt
spelrum; *be at the end of one's* ~ amer.
inte orka mer **2** ~ *of pearls* pärlband,
pärlhalsband **II** *vb tr* **1** binda med rep **2** ~
*in* inhägna med rep; ~ *off* (*out*) spärra av
med rep **3** vard., ~ *a p. in* förmå ngn att
hjälpa till (vara med)
**rope-walker** ['rəʊp,wɔ:kə] *s* lindansare
**rosary** ['rəʊzərɪ] *s* radband
**1 rose** [rəʊz] se *rise I*

**2 rose** [rəʊz] **I** s **1** bot. ros; ~ *hip* nypon frukt **2** rosa, rosenrött **II** *adj* **1** i sammansättningar ros-, rosen- [*rosebush*] **2** rosa, rosenröd
**rosebud** ['rəʊzbʌd] s rosenknopp
**rosebush** ['rəʊzbʊʃ] s rosenbuske
**rosehip** ['rəʊzhɪp] s bot. nypon
**rosemary** ['rəʊzmərɪ] s rosmarin
**rosette** [rə'zet] s rosett
**rosewater** ['rəʊzˌwɔːtə] s rosenvatten
**rostrum** ['rɒstrəm] s **1** talarstol; podium **2** prispall
**rosy** ['rəʊzɪ] *adj* **1** rosig, rödblommig **2** rosenfärgad, rosenröd; ljus [*a ~ future*]; *take a ~ view of* se ljust på **3** i sammansättningar rosen-; *rosy-cheeked* rosenkindad
**rot** [rɒt] **I** *vb itr* o. *vb tr* ruttna; få att ruttna **II** s **1** röta, ruttenhet; förruttnelse **2** vard. strunt, smörja
**rota** ['rəʊtə] s tjänstgöringslista
**rotate** [rəʊ'teɪt] *vb itr* o. *vb tr* **1** rotera, svänga [*~ round* (kring) *an axis*]; låta rotera **2** växla; gå runt; låta växla; *~ crops* bedriva växelbruk
**rotation** [rəʊ'teɪʃ(ə)n] s **1** rotation; varv **2** turordning; *in* (*by*) ~ i tur och ordning, växelvis **3** lantbr., *crop ~* växelbruk
**rote** [rəʊt] s, *by* ~ utantill [*know by ~*]
**rotten** ['rɒtn] *adj* **1** rutten; skämd **2** vard. urusel [*~ weather*], vissen [*feel ~*]; *what ~ luck!* en sån förbaskad otur!
**rotter** ['rɒtə] s sl. odåga, rötägg, kräk
**rouble** ['ruːbl] s rubel
**rouge** [ruːʒ] **I** s **1** rouge **2** putspulver för metall **II** *vb tr* o. *vb itr* sminka sig med rouge, lägga på rouge
**rough** [rʌf] **I** *adj* **1** grov, ojämn, sträv **2** gropig [*a ~ sea*] **3** hårdhänt, omild [*~ handling*]; ~ *play* sport. ojust spel, ruff; *have a ~ time* (*a ~ time of it*) vard. ha det svårt **4** ohyfsad, råbarkad; *a ~ customer* en rå typ **5** rå, oslipad [*a ~ diamond*] **6** grov; ~ *copy* kladd, koncept; ~ *outline* skiss, utkast; *in ~ outlines* i grova drag **7** ungefärlig [*a ~ estimate* (beräkning)]; *a ~ guess* en lös gissning **II** *adv* grovt; rått; hårt; *play ~* spela ojust, ruffa **III** *vb tr*, ~ *it* slita ont; leva primitivt
**roughage** ['rʌfɪdʒ] s fiberrik kost; kostfiber
**rough-and-ready** [ˌrʌfnd'redɪ] *adj* **1** grov, ungefärlig [*a ~ estimate* (beräkning)] **2** om person rättfram

**roughen** ['rʌf(ə)n] *vb tr* o. *vb itr* göra (bli) grov
**roughly** ['rʌflɪ] *adv* **1** grovt; *treat ~* behandla omilt (hårt) **2** cirka, ungefär; ~ *speaking* i stort sett
**roughneck** ['rʌfnek] s sl. ligist, hårding
**roulade** [ruː'lɑːd] s kok. rulad
**roulette** [rʊ'let] s rulett
**round** [raʊnd] **I** *adj* rund, jämn, avrundad [*a ~ sum*]; ungefärlig [*a ~ estimate*] **II** s **1** ring, krets **2** skiva av bröd; *a ~ of beef* a) ett lårstycke av oxkött b) en smörgås med oxkött **3** kretslopp; rond, runda, tur; *the postman's ~* brevbärarens utbärningstur; *go the ~s* a) göra sin inspektionsrunda b) gå runt, cirkulera; grassera, härja; *go the ~ of* a) gå runt i b) gå laget runt bland; *make one's ~s* gå ronden **4** omgång, varv; ~ *of ammunition* mil. a) skottsalva b) skott [*he had three ~s of ammunition left*]; *a ~ of applause* en applåd; *stand a ~ of drinks* bjuda på en omgång drinkar **5** sport. rond, omgång; *a ~ of golf* en golfrunda **III** *adv* **1** runt [*show a p. ~*], omkring, runtom; om tillbaka [*don't turn ~!*]; ~ *about* runtomkring, runtom; *all ~* runtom; överallt; överlag, laget runt; *all the year ~* hela året, året runt (om) **2** hit, över [*he came ~ one evening*]; *ask a p. ~* be ngn hem till sig **3** ~ *about* omkring [*~ about lunchtime*]
**IV** *prep* om [*he had a scarf ~ his neck*], runt, omkring, kring [*sit ~ the table*]; runtom; ~ *the clock* dygnet runt
**V** *vb tr* o. *vb itr* **1** göra rund; runda [*~ the lips*]; ~ *off* a) runda t.ex. hörn b) runda av summa c) avrunda, avsluta [*~ off an evening*] **2** runda, svänga om (runt) [*~ a street corner*], gå (fara, segla) runt; sjö. äv. dubblera [*~ a cape*] **3** ~ *up* samla (driva) ihop [*~ up the cattle*], mobilisera, samla [*~ up volunteers*] **4** ~ *out* bli fylligare (rundare) [*her figure is beginning to ~ out*] **5** ~ *on a p.* fara ut mot ngn
**roundabout** ['raʊndəbaʊt] **I** *adj* omständlig; use ~ *methods* gå omvägar; ~ *way* (*route*) omväg; *in a ~ way* indirekt, på omvägar **II** s **1** karusell **2** trafik. rondell
**round-table** [ˌraʊnd'teɪbl] *adj* rundabords-
**round-the-clock** ['raʊndðəklɒk] *adj* dygnslång; ~ *service* dygnetruntservice
**round-trip** ['raʊndtrɪp] *adj* amer. turochretur- [*a ~ ticket*]

**round-up** ['raʊndʌp] *s* **1** mobiliserande **2** razzia [*of* bland] **3** sammandrag [*a news* ~]; *Sports* ~ radio. el. TV. sportronden, sportextra

**rouse** [raʊz] *vb tr* väcka; rycka upp [*from* ur]; egga, elda upp [~ *the masses*]; reta upp [~ *a p. to anger*]; ~ *oneself* rycka upp sig, vakna upp; [*he is terrible*] *when roused* ...när han är uppretad

**rousing** ['raʊzɪŋ] *adj* väckande, eldande [*a* ~ *speech*], medryckande; översvallande [*a* ~ *welcome*]

**rout** [raʊt] **I** *s* vild flykt; sammanbrott, nederlag; *put to* ~ driva på flykten **II** *vb tr* driva på flykten; fullständigt besegra

**route** [ruːt] **I** *s* rutt, väg, led; marschrutt; *on* ~ *number 50* på linje 50 **II** *vb tr* sända viss väg; dirigera

**routine** [ruːˈtiːn] **I** *s* **1** rutin; slentrian; *office* ~ kontorsrutiner **2** teat. nummer på repertoaren [*a dance* ~] **II** *adj* rutinmässig, slentrianmässig

**rove** [rəʊv] *vb itr* o. *vb tr* ströva omkring, vandra; ströva omkring i

**rover** ['rəʊvə] *s* vandrare; rastlös person

**roving** ['rəʊvɪŋ] *adj* kringströvande, irrande; ~ *ambassador* resande ambassadör; ~ *reporter* flygande reporter

**1 row** [rəʊ] *s* **1** rad, räcka, länga [*a* ~ *of houses*]; led **2** bänkrad **3** i stickning varv

**2 row** [rəʊ] **I** *vb tr* o. *vb itr* ro **II** *s* roddtur

**3 row** [raʊ] **I** *s* **1** oväsen, bråk; *stop that* ~! för inte ett sånt liv! **2** gräl, bråk; *have a* ~ bråka, gräla **II** *vb itr* **1** väsnas, bråka **2** gräla

**rowan** ['rəʊən] *s* rönn

**rowanberry** ['rəʊən,berɪ] *s* rönnbär

**rowdy** ['raʊdɪ] **I** *s* bråkmakare, råskinn **II** *adj* bråkig, våldsam [~ *scenes*]

**rower** ['rəʊə] *s* roddare

**rowing** ['rəʊɪŋ] *s* rodd; ~ *match* kapprodd

**rowing-boat** ['rəʊɪŋbəʊt] *s* roddbåt

**rowlock** ['rɒlək, 'rəʊlɒk] *s* årtull, årklyka

**royal** ['rɔɪ(ə)l] *adj* kunglig; statlig; *the* ~ *speech* trontalet

**royalist** ['rɔɪəlɪst] **I** *s* rojalist **II** *adj* rojalistisk

**royalistic** [,rɔɪə'lɪstɪk] *adj* rojalistisk

**royalty** ['rɔɪəltɪ] *s* **1** kunglighet **2** royalty

**RSPCA** (förk. för *Royal Society for the Prevention of Cruelty to Animals*) brittiska djurskyddsföreningen

**rub** [rʌb] **I** *vb tr* o. *vb itr* gnida, gno, gnugga; ~ *shoulders* (*elbows*) *with* umgås med; neds. frottera sig med; ~ *a p.*

(~ *a p. up*) *the wrong* (*right*) *way* bildl. stryka ngn medhårs (medhårs) □ ~ **down** gnida ren; slipa av, putsa av; frottera; ~ **in** gnida in; *don't* ~ *it in!* bildl. du behöver inte tjata om (påminna mig om) det!; ~ **off** gnida (putsa) av (bort), sudda ut (bort); sudda ren; ~ **out** sudda (stryka) ut (bort), gnida av (bort); ~ **up** putsa, polera **II** *s* **1** gnidning, frottering; *give the silver a* ~! putsa upp silvret! **2** *there's the* ~ det är där problemet ligger

**1 rubber** ['rʌbə] *s* kortsp. robbert; spel

**2 rubber** ['rʌbə] *s* **1** kautschuk, gummi [äv. *India* ~]; radergummi; ~ *goods* gummivaror, sanitetsvaror **2** amer. sl. gummi kondom

**rubber band** [,rʌbə'bænd] *s* gummisnodd

**rubber-stamp** [,rʌbə'stæmp] **I** *s* gummistämpel **II** *vb tr* stämpla; vard. godkänna utan vidare

**rubbery** ['rʌbərɪ] *adj* seg som gummi, gummiartad

**rubbish** ['rʌbɪʃ] *s* **1** avfall; sopor; skräp **2** bildl. skräp, smörja; struntprat

**rubbish heap** ['rʌbɪʃhiːp] *s* skräphög

**rubbishy** ['rʌbɪʃɪ] *adj* skräpig

**rubble** ['rʌbl] *s* **1** stenskärv; packsten **2** spillror; *a heap of* ~ en grushög

**rub-down** ['rʌbdaʊn] *s* gnidning, putsning; *a cold* ~ en kall avrivning

**ruby** ['ruːbɪ] **I** *s* rubin; rubinrött **II** *adj* rubinröd; ~ *lips* purpurröda läppar

**rucksack** ['rʌksæk] *s* ryggsäck

**rudder** ['rʌdə] *s* roder; flyg. sidoroder

**ruddy** ['rʌdɪ] *adj* rödblommig [*a* ~ *complexion*]; rödaktig

**rude** [ruːd] *adj* ohövlig, ohyfsad, rå, ful

**rudiment** ['ruːdɪmənt] *s* **1** rudiment, ansats [*of* till] **2** pl. ~s första grunder

**rudimentary** [,ruːdɪ'mentərɪ] *adj* rudimentär; elementär

**ruff** [rʌf] *s* pipkrage; krås, krus

**ruffian** ['rʌfjən] *s* råskinn, buse, bandit

**ruffianly** ['rʌfjənlɪ] *adj* skurkaktig, rå

**ruffle** ['rʌfl] *vb tr* **1** rufsa till [~ *a p.'s hair*]; burra upp [*the bird ruffled its feathers*]; röra upp, krusa **2** ~ *a p.'s temper* förarga ngn; *be ruffled* bli stött **3** rynka, vecka

**rug** [rʌg] *s* **1** matta **2** filt; pläd

**rugby** ['rʌgbɪ] *s* rugby [äv. *Rugby*; ~ *football*]

**rugged** ['rʌgɪd] *adj* **1** ojämn, skrovlig; oländig, kuperad [~ *country*] **2** fårad, grov [*a* ~ *face*] **3** sträv, kärv, barsk [*a* ~ *old peasant*] **4** kraftig, robust [~ *physique*]

**rugger** ['rʌgə] s vard. rugby

**ruin** ['ruɪn] **I** s **1** ruin, ruiner **2** ruin, undergång, förfall; ödeläggande **II** vb tr **1** ödelägga, förstöra **2** ruinera, störta i fördärvet **3** fördärva, förstöra [~ one's health]

**ruination** [ruɪ'neɪʃ(ə)n] s **1** ruinering; ödeläggelse **2** ruin, fördärv

**ruined** ['ruɪnd] adj **1** förfallen; i ruiner **2** ruinerad **3** fördärvad, förstörd, ödelagd

**rule** [ru:l] **I** s **1** regel; bestämmelse, föreskrift **2** styre, välde [under British ~]; regering **3** tumstock, måttstock **II** vb tr o. vb itr **1** regera över, styra, härska över; regera, härska [over över]; råda **2** fastställa, förordna; bestämma; ~ out [the possibility] utesluta… **3** linjera; ruled paper linjerat papper **4** hand., om t.ex. pris gälla, råda [ruling prices]

**ruler** ['ru:lə] s **1** härskare [of över] **2** linjal

**1 rum** [rʌm] s rom dryck

**2 rum** [rʌm] adj vard. konstig, underlig; a ~ customer en konstig prick

**rumba** ['rʌmbə] **I** s rumba **II** vb itr dansa rumba

**rumble** ['rʌmbl] **I** vb itr mullra; om mage kurra **II** s mullrande

**ruminate** ['ru:mɪneɪt] vb itr **1** idissla **2** grubbla, fundera [about på, över]

**rummage** ['rʌmɪdʒ] vb tr o. vb itr leta (rota) igenom; leta, rota

**rummy** ['rʌmɪ] s rummy slags kortspel

**rumour** ['ru:mə] **I** s rykte [a false ~] **II** vb tr, it is rumoured that det ryktas att

**rumour-monger** ['ru:mə,mʌŋgə] s ryktesspridare

**rump** [rʌmp] s bakdel, rumpa

**rumple** ['rʌmpl] vb tr skrynkla ned

**rumpsteak** [,rʌmp'steɪk] s rumpstek

**rumpus** ['rʌmpəs] s vard. bråk, uppträde

**run** [rʌn] **I** (ran run) vb itr o. vb tr **1** springa, löpa; ~ errands (messages) springa ärenden [for åt, för] **2** polit. m.m. ställa upp, kandidera [for till] **3** glida, löpa, rulla, köra **4 a)** om t.ex. maskin gå, vara i gång, vara på; leave the engine running låta motorn gå på tomgång **b)** gå, köra [the buses ~ every five minutes] **5** om t.ex. färg fälla [these colours won't ~]; flyta ut (omkring) **6** rinna, droppa [your nose is running], flyta, flöda; om sår vätska (vara) sig **7** ~ dry torka ut, sina ut; ~ high a) om tidvatten, pris m.m. stiga högt b) om t.ex. känslor svalla; ~ low ta slut, tryta [supplies are running low] **8 a)** löpa,

gälla [the contract ~s (~s for) three years] **b)** pågå, gå; the play ran for six months pjäsen gick i sex månader **9** lyda, låta; it ~s as follows det lyder som följer **10** my stocking has ~ det har gått en maska på min strumpa **11** springa i kapp med [I ran him to the corner] **12** driva [~ a business]; leda, styra [Communist-run countries]; sköta, förestå; ~ a course leda (hålla) en kurs **13 a)** köra, skjutsa [I'll ~ you home in my car] b) låta glida (löpa), dra, fara med, köra [~ one's fingers through one's hair] **14 a)** hålla (sätta) i gång; ~ a film köra (visa) en film; ~ a tape spela (spela av) ett band b) köra med; sätta in (i trafik) [~ extra buses] **15** låta rinna, tappa [~ water into a bath-tub]; strömma av **16** a car that is expensive to ~ en bil som är dyr i drift; ~ a temperature vard. ha feber □ ~ about springa (löpa, fara) omkring; ~ across a) löpa (gå) tvärs över b) stöta (råka, träffa) på; ~ against a) stöta (råka, träffa) på, stöta ihop med; rusa emot b) sport. m.m. tävla (springa) mot; ställa upp (kandidera) mot; ~ aground gå (segla, ränna) på grund; ~ along! vard. i väg med dig!; ~ away springa i väg (bort); rymma; ~ down a) springa (löpa, ränna) ner (nedför, nedåt) b) be (feel) ~ down vara (känna sig) trött och nere c) ta slut; köra slut på; the battery has ~ down batteriet är slut d) köra över (ner) e) tala illa om, racka ner på; ~ for a) springa till (efter) b) ~ for it vard. skynda sig, springa fort; ~ for one's life springa för livet c) polit. m.m. ställa upp som, kandidera till [~ for president]; ~ in a) rusa in b) it ~s in the family det ligger (går) i släkten c) köra in [~ in a new car (an engine)]; running in om bil under inkörning; ~ into a) köra (rusa) på (in i, emot), ränna in i (emot) b) stöta (råka, träffa) på c) råka in i, stöta på; försätta i [~ into difficulties; ~ into debt]; ~ off a) springa sin väg b) trycka; köra, dra [~ off fifty copies of a stencil] c) spela av (upp), köra [~ off a tape] d) sport. avgöra; ~ on a) gå 'på, springa (köra) vidare b) fortsätta, löpa vidare c) gå på, drivas med [~ on petrol]; ~ out a) springa (löpa) ut b) löpa (gå) ut; hålla på att ta slut, börja sina (tryta); ~ over a) rinna (flöda) över b) köra över; he was ~ over han blev överkörd; ~ through a) gå (löpa) igenom b) genomborra [~

*a p. through with a sword*]; ~ **to** a) skynda
till [~ *to his help*] b) uppgå till c) omfatta
[*the story ~s to 5,000 words*], komma upp
till (i) d) vard. ha råd med (till); ~ **up**
a) springa (löpa) uppför b) skjuta (rusa) i
höjden; ~ *up a debt* skaffa sig skulder
c) om pris, ~ *up to* uppgå till d) ~ *up
against* stöta på [~ *up against difficulties*],
råka 'på (in i)
     II *s* **1** löpning, lopp; *on the* ~ vard. på
flykt, på rymmen **2** sport., i t.ex. kricket
'run', poäng **3** kort färd; *a ~ in the car* en
biltur **4** rutt, väg, runda **5** serie, följd,
räcka [*a ~ of misfortunes*]; *have a good ~*
ha framgång, då bra; *a ~ of good (bad)
luck* ständig tur (otur); *in the long ~* i
längden, på lång sikt **6** plötslig (stegrad)
efterfrågan; *there was a ~ on the bank*
det blev rusning till banken för att få ut
innestående pengar **7** vard. fritt tillträde,
tillgång [*of till*] **8** maska på t.ex. strumpa
**rundown** ['rʌndaʊn] *adj* **1** slutkörd;
nedgången; medtagen **2** förfallen
**rune** [ru:n] *s* runa
**1 rung** [rʌŋ] se *1 ring I*
**2 rung** [rʌŋ] *s* pinne på stege; steg
**runner** ['rʌnə] *s* **1** sport. m.m. löpare
**2** smugglare ofta i sammansättningar
[*gunrunner*] **3** bordlöpare **4** med på släde;
skridskoskena **5** bot., *scarlet ~* el. *~ bean*
rosenböna **6** tekn. löpning, löprulle;
glidstång
**runner-up** [ˌrʌnər'ʌp] (pl. *runners-up*
[ˌrʌnəz'ʌp]) *s, be ~* komma på andra
plats
**running** ['rʌnɪŋ] I *pres p* o. *adj* **1** löpande,
springande; rinnande [~ *water*], flytande;
*take a ~ jump* hoppa med ansats; ~
*mate* a) kapplöpn. draghjälp b) amer.
'parhäst', vicepresidentkandidat; *in good
~ order* körklar och i gott skick; ~ *time*
körtid; films speltid **2** löpande; i rad
(sträck) [*three times ~*]; ~ *commentary*
fortlöpande kommentar, direktreferat i
radio el. TV; ~ *expenses* löpande utgifter,
driftskostnader
     II *s* **1** a) springande, löpande; lopp
b) gång [*the smooth ~ of an engine*]; *make
the ~* a) vid löpning bestämma farten
b) bildl. ha initiativet; *be in the ~* vara
med i leken (tävlingen); *be out of the ~*
vara ur leken (spelet) **2** körförhållanden,
löpningsförhållanden, bana [*the ~ is
good*]; före **3** rinnande **4** drivande, drift;
skötsel

**running-board** ['rʌnɪŋbɔ:d] *s* fotsteg på bil
**running-in** [ˌrʌnɪŋ'ɪn] *s* inkörning av bil
**run-up** ['rʌnʌp] *s* **1** sport. sats, ansats **2** bildl.
inledning, upptakt
**runway** ['rʌnweɪ] *s* flyg. startbana,
landningsbana
**rupture** ['rʌptʃə] I *s* **1** bristning i muskel
m.m.; brytande; brytning [*a diplomatic ~*]
**2** med. bråck II *vb itr* o. *vb tr* **1** brista
**2** spräcka, spränga
**rural** ['rʊər(ə)l] *adj* lantlig; lantbruks-; ~
*district* landskommun; ~ *life* lantliv,
lantlivet; *in ~ districts* på landsbygden
**ruse** [ru:z] *s* list, knep, fint
**1 rush** [rʌʃ] *s* bot. säv; tåg
**2 rush** [rʌʃ] I *vb itr* o. *vb tr* **1** rusa, störta
[*into* in i, i]; ~ *and tear* jäkta; ~ *at* rusa
'på (mot) **2** forsa, rusa, brusa **3** störta,
driva; rusa i väg med, föra i all hast [*he
was rushed to hospital*]; forcera, driva
(skynda, jäkta) 'på [äv. ~ *on (up)*]; ~ *a p.
off his feet* bringa ngn ur fattningen;
*don't ~ me!* jäkta mig inte! **4** storma;
kasta sig över, angripa **5** sl. skörta upp;
skinna
     II *s* **1** rusning, rush, tillströmning [*on,
to, into* till]; *the Christmas ~* julrushen,
julbrådskan; *gold ~* guldrush, guldfeber;
*the ~ hour* rusningstid, rusningstiden
**2** jäkt, jäktande [äv. ~ *and tear*]; brådska
**rush-hour** ['rʌʃˌaʊə] *s* rusningstid; ~ *traffic*
rusningstrafik
**rusk** [rʌsk] *s* skorpa bakverk
**russet** ['rʌsɪt] I *adj* rödbrun; gulbrun II *s*
rödbrunt; gulbrunt
**Russia** ['rʌʃə] Ryssland
**Russian** ['rʌʃ(ə)n] I *adj* rysk; om staten
Ryssland rysländsk; ~ *salad* legymsallad
     II *s* **1** ryss; ryska **2** ryska språket
**russula** ['rʌsjʊlə] *s* bot. kremla
**rust** [rʌst] I *s* rost II *vb itr* o. *vb tr* rosta;
göra rostig
**rustic** ['rʌstɪk] I *adj* lantlig, bonde-; rustik
     II *s* lantbo
**rustle** ['rʌsl] I *vb itr* o. *vb tr* **1** prassla,
rassla; prassla (rassla) med **2** amer. vard.
stjäla boskap; stjäla [~ *cattle*] **3** vard. fixa
[~ (~ *up*) *some food*] II *s* prassel, rassel;
sus
**rustler** ['rʌslə] *s* amer. boskapstjuv
**rustproof** ['rʌstpru:f] *adj* rostbeständig,
rostfri
**rusty** ['rʌstɪ] *adj* **1** rostig **2** a) om person
otränad [*a bit ~ at tennis*] b) försummad;
*get ~* komma ur form, bli ringrostig

**1 rut** [rʌt] *s* brunst
**2 rut** [rʌt] *s* hjulspår; *get into a* ~ fastna i
slentrian
**ruthless** ['ru:θləs] *adj* skoningslös,
hänsynslös
**rye** [raɪ] *s* **1** råg **2** i USA o. Canada: ~ el. ~
*whiskey* whisky gjord på råg **3** rågbröd
**rye bread** ['raɪbred] *s* rågbröd; grovt bröd
**Ryvita** [raɪ'vi:tə] *s* ® slags knäckebröd

# S

**S, s** [es] *s* S, s
**S** (förk. för *south, southern*) S
**$** = *dollar, dollars*
**'s** = *has* [*what's he done?*]; *is* [*it's*]; *does*
[*what's he want?*]; *us* [*let's see*]
**Sabbath** ['sæbəθ] *s* sabbat
**sable** ['seɪbl] *s* **1** zool. sobel **2** sobelpäls
**sabotage** ['sæbətɑ:ʒ] **I** *s* sabotage **II** *vb tr*
sabotera
**saboteur** [ˌsæbə'tɜ:] *s* sabotör
**sabre** ['seɪbə] *s* sabel
**sabre-rattling** ['seɪbəˌrætlɪŋ] *s* bildl.
vapenskrammel
**sac** [sæk] *s* zool. el. bot. säck
**saccharin** ['sækərɪn] *s* sackarin
**sachet** ['sæʃeɪ] *s* **1** luktpåse **2** plastkudde
med t.ex. schampo **3** portionspåse för t.ex. te
**1 sack** [sæk] **I** *s* **1** säck **2** vard., *get the* ~ få
sparken; *give a p. the* ~ sparka ngn; *hit
the* ~ krypa till kojs **II** *vb tr* vard. ge
sparken
**2 sack** [sæk] **I** *s* plundring **II** *vb tr* plundra
**sackcloth** ['sækklɒθ] *s* säckväv, säckduk
**sacking** ['sækɪŋ] *s* säckväv
**sacrament** ['sækrəmənt] *s* kyrkl.
sakrament; *administer the last ~s to* ge
nattvarden åt
**sacred** ['seɪkrɪd] *adj* helig; andlig [~
*songs*], kyrko- [~ *music*]
**sacrifice** ['sækrɪfaɪs] **I** *s* offer; uppoffring
[*make ~s*]; uppoffrande **II** *vb itr* o. *vb tr*
offra
**sacrilege** ['sækrɪlɪdʒ] *s* helgerån,
vanhelgande
**sad** [sæd] *adj* **1** ledsen, sorgsen **2** sorglig
**sadden** ['sædn] *vb tr* göra ledsen (sorgsen)
**saddle** ['sædl] **I** *s* sadel **II** *vb tr* sadla
**saddlebag** ['sædlbæg] *s* **1** sadelficka,
sadelpåse **2** verktygsväska på cykel;
cykelväska
**sadism** ['seɪdɪz(ə)m] *s* sadism
**sadist** ['seɪdɪst] *s* sadist
**sadistic** [sə'dɪstɪk] *adj* sadistisk
**sadly** ['sædlɪ] *adv* **1** sorgset **2** illa, svårt
**3** *be* ~ *in need of* vara i stort behov av
**safari** [sə'fɑ:rɪ] *s* safari
**safe** [seɪf] **I** *adj* säker, trygg, utom fara;
riskfri, ofarlig; *at a* ~ *distance* på
behörigt avstånd; *to be on the* ~ *side* för
att vara på den säkra sidan, för säkerhets

skull; ~ *and sound* välbehållen, oskadd; i gott behåll **ll** *s* **1** kassaskåp **2** amer. vard. gummi kondom

**safe conduct** [ˌseɪfˈkɒndʌkt] *s* fri lejd

**safe-deposit** [ˈseɪfdɪˌpɒzɪt] *s* kassavalv; ~ *box* förvaringsfack i bank; bankfack

**safeguard** [ˈseɪfgɑːd] **l** *s* garanti, säkerhet, skydd **ll** *vb tr* garantera, säkra, trygga

**safely** [ˈseɪflɪ] *adv* säkert, tryggt

**safety** [ˈseɪftɪ] *s* säkerhet, trygghet; *Safety First* säkerheten framför allt

**safety belt** [ˈseɪftɪbelt] *s* säkerhetsbälte

**safety catch** [ˈseɪftɪkætʃ] *s* säkring på vapen; *release the* ~ osäkra t.ex. vapnet

**safety curtain** [ˈseɪftɪˌkɜːtn] *s* teat. järnridå

**safety glass** [ˈseɪftɪglɑːs] *s* splitterfritt glas

**safety island** [ˈseɪftɪˌaɪlənd] *s* amer. (trafik.) refug

**safety pin** [ˈseɪftɪpɪn] *s* säkerhetsnål

**safety razor** [ˈseɪftɪˌreɪzə] *s* rakhyvel

**safety valve** [ˈseɪftɪvælv] *s* säkerhetsventil

**saffron** [ˈsæfr(ə)n] *s* saffran; saffransgult

**sag** [sæg] *vb itr* svikta, ge efter; sjunka, sätta sig

**1 sage** [seɪdʒ] *s* bot. salvia

**2 sage** [seɪdʒ] *s* vis man

**Sagittarius** [ˌsædʒɪˈteərɪəs] astrol. Skytten

**sago** [ˈseɪgəʊ] *s* sago; sagogryn

**Sahara** [səˈhɑːrə] *s, the* ~ Sahara

**said** [sed] **l** se *say I* **ll** *adj* jur. sagd, nämnd [*the* ~ *Mr. Smith*]

**sail** [seɪl] **l** *s* segel; *make (set)* ~ *for* avsegla till **ll** *vb itr* o. *vb tr* segla, segla på

**sailing** [ˈseɪlɪŋ] *s* segling; avsegling; *list of* ~*s* båtturlista

**sailing boat** [ˈseɪlɪŋbəʊt] *s* segelbåt

**sailing ship** [ˈseɪlɪŋʃɪp] *s* o. **sailing vessel** [ˈseɪlɪŋˌvesl] *s* segelfartyg

**sailor** [ˈseɪlə] *s* sjöman; matros; *be a bad* ~ ha lätt för att bli sjösjuk

**saint** [seɪnt, obetonat snt] **l** *adj, Saint* framför namn (förk. *St.*) Sankt, Sankta, Helige, Heliga **ll** *s* helgon; *saint's day* kyrkl. helgondag; helgons namnsdag

**sake** [seɪk] *s, for a p.'s (a th.'s)* ~ för ngns (ngts) skull; *die for the* ~ *of one's country* dö för sitt fosterland

**salad** [ˈsæləd] *s* sallad; grönsallad

**salami** [səˈlɑːmɪ] *s* salami

**salary** [ˈsælərɪ] *s* månadslön

**sale** [seɪl] *s* **1** försäljning; ~*s manager* försäljningschef; *for (on)* ~ till salu; *put up (offer) for* ~ salubjuda **2** realisation, rea; *bargain* ~ utförsäljning till vrakpriser; *clearance* ~ utförsäljning, lagerrensning

**salesclerk** [ˈseɪlzklɜːk] *s* amer., se *salesman 2*

**salesman** [ˈseɪlzmən] (pl. *salesmen* [ˈseɪlzmən]) *s* **1** representant, försäljare för firma **2** speciellt amer. försäljare, expedit, affärsbiträde

**salient** [ˈseɪljənt] *adj* framträdande [~ *features*]

**saliva** [səˈlaɪvə] *s* saliv

**1 sallow** [ˈsæləʊ] *s* bot. sälg

**2 sallow** [ˈsæləʊ] *adj* speciellt om hy gulblek

**salmon** [ˈsæmən] *s* lax

**salmon-trout** [ˈsæməntraʊt] *s* laxöring

**salon** [ˈsælɒn] *s* salong [*beauty* ~]

**saloon** [səˈluːn] *s* **1** salong [*shaving* ~]; *the* ~ *bar* i pub den 'finaste' avdelningen **2** amer. krog, bar

**saloon car** [səˈluːnkɑː] *s* bil. sedan

**salt** [sɔːlt] **l** *s* salt; *be worth (not be worth) one's* ~ göra skäl (inte göra skäl) för sig; *take a th. with a grain (a pinch) of* ~ ta ngt med en nypa salt **ll** *adj* salt-; saltad **lll** *vb tr* salta

**saltcellar** [ˈsɔːltˌselə] *s* saltkar

**salty** [ˈsɔːltɪ] *adj* salt, saltaktig, salthaltig

**salute** [səˈluːt] **l** *s* **1** hälsning med gest **2** mil. honnör; salut **ll** *vb tr* o. *vb itr* **1** hälsa **2** mil. göra honnör för; göra honnör, salutera

**salvage** [ˈsælvɪdʒ] **l** *s* bärgning, räddning från skeppsbrott **ll** *vb tr* bärga, rädda från skeppsbrott

**salvation** [sælˈveɪʃ(ə)n] *s* räddning [*tourism was their* ~], frälsning; *the Salvation Army* Frälsningsarmén

**salve** [sælv] *s* sårsalva

**salver** [ˈsælvə] *s* serveringsbricka

**sal volatile** [ˌsælvəˈlætəlɪ] *s* luktsalt

**Samaritan** [səˈmærɪtn] *s* samarit

**same** [seɪm] *adj* o. *adv* o. *pron, the* ~ samma; densamma, detsamma, desamma; samma sak [*it is the* ~ *with me*]; likadan [*they all look the* ~]; lika, likadant; *the* ~ *to you!* detsamma; *he is the* ~ *as ever* han är sig lik; *all the* ~ i alla fall [*thank you all the* ~], ändå; *it's all the* ~ *to me* det gör mig detsamma

**sample** [ˈsɑːmpl] **l** *s* prov; varuprov, provbit; provexemplar; smakprov; exempel [*of* på] **ll** *vb tr* ta prov (stickprov) av; provsmaka

**Samson** [ˈsæmsn] bibl. Simson

**sanatorium** [ˌsænəˈtɔːrɪəm] *s* sanatorium; konvalescenthem; vårdhem

**sanction** [ˈsæŋkʃ(ə)n] **I** *s* **1** bifall, godkännande, tillstånd av myndighet **2** straffpåföljd; sanktion [*economic ~s*] **II** *vb tr* **1** bifalla, godkänna, ge tillstånd till **2** sanktionera, stadfästa

**sanctity** [ˈsæŋktətɪ] *s* fromhet, renhet, helighet; okränkbarhet

**sanctuary** [ˈsæŋktjʊərɪ] *s* **1** helgedom, helig plats **2** asyl, fristad; *take ~* söka sin tillflykt

**sand** [sænd] **I** *s* **1** sand; grus; *bury one's head in the ~* sticka huvudet i busken **2** pl. *~s* sandstrand; sandrev **II** *vb tr* sanda

**sandal** [ˈsændl] *s* sandal

**sandbag** [ˈsændbæg] *s* sandsäck, sandpåse

**sandcastle** [ˈsændˌkɑːsl] *s* barns sandslott

**sand dune** [ˈsændjuːn] *s* sanddyn

**sandglass** [ˈsændglɑːs] *s* timglas

**sandpaper** [ˈsændˌpeɪpə] **I** *s* sandpapper **II** *vb tr* sandpappra, slipa

**sandpit** [ˈsændpɪt] *s* **1** sandlåda för barn **2** sandtag, sandgrop

**sandwich** [ˈsænwɪdʒ, ˈsænwɪtʃ] *s* dubbelsmörgås med pålägg mellan; *open ~* enkel smörgås med pålägg

**sandy** [ˈsændɪ] *adj* **1** sandig, sand- **2** sandfärgad; om hår rödblond

**sane** [seɪn] *adj* vid sina sinnens fulla bruk; sund, förnuftig

**sang** [sæŋ] se *sing*

**sanitarium** [ˌsænəˈteərɪəm] *s* amer., se *sanatorium*

**sanitary** [ˈsænətərɪ] *adj* sanitär, hälsovårds-, sundhets-; hygienisk; *~ towel* (amer. *napkin*) dambinda

**sanitation** [ˌsænɪˈteɪʃ(ə)n] *s* sanitär utrustning, sanitära anläggningar

**sanity** [ˈsænətɪ] *s* mental hälsa; sunt förstånd (omdöme)

**sank** [sæŋk] se *sink I*

**Santa Claus** [ˈsæntəklɔːz] *s* jultomten

**sap** [sæp] **I** *s* sav, växtsaft **II** *vb tr* bildl. försvaga [*~ a p.'s energy*]

**sapphire** [ˈsæfaɪə] **I** *s* safir **II** *adj* safirblå

**Sarajevo** [ˌsærəˈjeɪvəʊ]

**sarcasm** [ˈsɑːkæz(ə)m] *s* sarkasm, spydighet

**sarcastic** [sɑːˈkæstɪk] *adj* sarkastisk, spydig

**sardine** [sɑːˈdiːn] *s* sardin; *be packed like ~s* stå (sitta) som packade sillar

**Sardinia** [sɑːˈdɪnjə] Sardinien

**Sardinian** [sɑːˈdɪnjən] **I** *adj* sardisk, sardinsk **II** *s* sard, sardinare

**sash** [sæʃ] *s* skärp; gehäng

**sat** [sæt] se *sit*

**Satan** [ˈseɪt(ə)n]

**satanic** [səˈtænɪk] *adj* satanisk, djävulsk

**satchel** [ˈsætʃ(ə)l] *s* skolväska med axelrem

**satellite** [ˈsætəlaɪt] *s* satellit äv. TV.; *~ broadcast* satellitsändning; *~ dish* parabolantenn

**satin** [ˈsætɪn] *s* satäng, satin

**satire** [ˈsætaɪə] *s* satir [*on, over* över]

**satirical** [səˈtɪrɪk(ə)l] *adj* satirisk

**satirist** [ˈsætərɪst] *s* satiriker

**satirize** [ˈsætəraɪz] *vb tr* satirisera över

**satisfaction** [ˌsætɪsˈfækʃ(ə)n] *s* tillfredsställelse, belåtenhet; tillfredsställande

**satisfactory** [ˌsætɪsˈfæktərɪ] *adj* tillfredsställande [*to* för], nöjaktig

**satisfied** [ˈsætɪsfaɪd] *perf p* o. *adj* **1** tillfredsställd, nöjd, belåten **2** övertygad [*about, as to* om; *that* om att]

**satisfy** [ˈsætɪsfaɪ] *vb tr* **1** tillfredsställa, tillgodose; mätta [*~ a p.*] **2** övertyga [*that* om att]

**satisfying** [ˈsætɪsfaɪɪŋ] *adj* tillfredsställande; tillräcklig; mättande

**saturate** [ˈsætʃəreɪt] *vb tr* **1** genomdränka, göra genomblöt **2** mätta

**saturation** [ˌsætʃəˈreɪʃ(ə)n] *s* mättande, mättning

**Saturday** [ˈsætədeɪ, ˈsætədɪ] *s* lördag; *last ~* i lördags

**Saturn** [ˈsætən] astron. el. myt. Saturnus

**sauce** [sɔːs] *s* **1** sås **2** vard., *none of your ~!* var lagom fräck!

**saucepan** [ˈsɔːspən] *s* kastrull

**saucer** [ˈsɔːsə] *s* tefat

**saucy** [ˈsɔːsɪ] *adj* vard. **1** uppkäftig **2** käck [*a ~ hat*]

**Saudi** [ˈsaʊdɪ, ˈsɔːdɪ] *s* saudier

**Saudi Arabia** [ˌsaʊdɪəˈreɪbɪə, ˌsɔːdɪəˈreɪbɪə] Saudi-Arabien

**Saudi Arabian** [ˌsaʊdɪəˈreɪbɪən, ˌsɔːdɪəˈreɪbɪən] **I** *adj* saudisk, saudiarabisk **II** *s* saudier, saudiarab

**sauna** [ˈsɔːnə, ˈsaʊnə] *s* bastu

**saunter** [ˈsɔːntə] *vb itr* flanera; släntra

**sausage** [ˈsɒsɪdʒ] *s* **1** korv **2** vard., *not a ~* inte ett enda dugg (ett korvöre)

**sauté** [ˈsəʊteɪ, ˈsɔːteɪ] kok. **I** *s* sauté **II** *vb tr* sautera, bryna **III** *adj* sauterad, brynt

**savage** [ˈsævɪdʒ] **I** *adj* vild [*~ beast*], barbarisk **II** *s* vilde

**savagery** ['sævɪdʒ(ə)rɪ] s vildhet; barbari
**save** [seɪv] I vb tr o. vb itr **1** rädda; skydda; God ~ the King! Gud bevare konungen! **2** relig. frälsa **3** spara; spara pengar [äv. ~ up] **4** sport. rädda II s sport. räddning III prep o. konj litt. utom, så när som på [all ~ him (he)]; ~ for så när som på
**saving** ['seɪvɪŋ] I adj **1** räddande; ~ grace (feature) försonande drag **2** sparsam, ekonomisk; i sammansättningar -besparande [labour-saving] II s sparande; besparing; pl. ~s besparingar, sparmedel
**savings account** ['seɪvɪŋzəˌkaʊnt] s sparkasseräkning; sparkonto
**savings bank** ['seɪvɪŋzbæŋk] s sparbank
**saviour** ['seɪvjə] s frälsare; räddare
**savour** ['seɪvə] I s smak II vb tr njuta av
**savoury** ['seɪvərɪ] I adj välsmakande; kryddad, pikant II s aptitretare; smårätt
**1 saw** [sɔ:] se 2 see
**2 saw** [sɔ:] I s såg II (sawed sawn) vb tr o. vb itr såga
**sawdust** ['sɔ:dʌst] s sågspån
**sawn** [sɔ:n] se 2 saw II
**Saxony** ['sæksənɪ] Sachsen
**saxophone** ['sæksəfəʊn] s saxofon
**saxophonist** ['sæksəfəʊnɪst, ˌsæks'sɒfənɪst] s saxofonist
**say** [seɪ] I (said said) vb tr o. vb itr **1** säga; I ~ a) hör du, säg mig [I ~, do you want this?] b) uttryckande överraskning jag måste säga att, vet du vad [I ~, that's a pretty dress!]; I should ~ so! det tror jag det!; you don't ~ (~ so)! vad 'säger du!; it ~s in the paper det står i tidningen; he is said to be (they ~ he is) the only one who... han skall (lär) vara den ende som...; no sooner said than done sagt och gjort; when (after) all is said and done när allt kommer omkring **2** läsa, be [~ a prayer]
II s, have (say) one's ~ säga sin mening; he has no (a great deal of) ~ han har ingenting (en hel del) att säga till om
**saying** ['seɪɪŋ] pres p o. s **1** that is ~ too much det är för mycket sagt; that goes without ~ det säger sig självt **2** ordstäv, ordspråk
**says** [sez] vb, helsthelit ~ han/hon/den säger; se vidare say I
**say-so** ['seɪsəʊ] s vard. påstående; tillåtelse
**scab** [skæb] s **1** sårskorpa **2** vard. strejkbrytare
**scabbard** ['skæbəd] s skida, slida för svärd

**scabies** ['skeɪbi:z, 'skeɪbii:z] s med. skabb
**scaffold** ['skæf(ə)ld] s **1** byggnadsställning **2** schavott
**scaffolding** ['skæfəldɪŋ] s byggnadsställning
**scald** [skɔ:ld] vb tr skålla; bränna
**1 scale** [skeɪl] s vågskål; ~ el. pl. ~s våg; a pair of ~s en våg
**2 scale** [skeɪl] s skala; gradindelning; on a large ~ i stor skala
**3 scale** [skeɪl] s fjäll
**scallop** ['skɒləp] s zool. kammussla
**scalp** [skælp] I s hårbotten; skalp II vb tr skalpera
**scamper** ['skæmpə] vb itr kila (kuta) i väg
**scan** [skæn] vb tr **1** granska, studera **2** skumma [~ a newspaper] **3** radar. el. TV. avsöka
**scandal** ['skændl] s **1** skandal **2** skvaller
**scandalmonger** ['skændlˌmʌŋɡə] s skandalspridare; skvallerkärring
**scandalous** ['skændələs] adj skandalös; skamlig
**Scandinavia** [ˌskændɪ'neɪvjə] Skandinavien, Norden
**Scandinavian** [ˌskændɪ'neɪvjən] I adj skandinavisk, nordisk II s skandinav; nordbo
**Scania** ['skeɪnɪə] Skåne
**scanner** ['skænə] s tekn. avsökare, scanner
**scant** [skænt] adj knapp; ringa [a ~ amount]; pay ~ attention to ta föga notis om
**scanty** ['skæntɪ] adj knapp [~ supply]; ringa; klen, torftig; knapphändig
**scapegoat** ['skeɪpɡəʊt] s syndabock
**scar** [skɑ:] I s ärr II vb tr tillfoga ärr
**scarce** [skeəs] adj **1** otillräcklig; money is ~ det är ont om pengar; make oneself ~ vard. försvinna, smita, dunsta **2** sällsynt [such stamps are ~]
**scarcely** ['skeəslɪ] adv knappt [she is ~ twenty]; knappast; ~ ever nästan aldrig
**scarcity** ['skeəsətɪ] s **1** brist, knapphet **2** sällsynthet
**scare** [skeə] I vb tr skrämma II s skräck; get a ~ bli skrämd (rädd); give a p. a ~ skrämma ngn
**scarecrow** ['skeəkrəʊ] s fågelskrämma
**scarf** [skɑ:f] s scarf, halsduk; sjal
**scarlatina** [ˌskɑ:lə'ti:nə] s scharlakansfeber
**scarlet** ['skɑ:lət] I s scharlakansrött II adj scharlakansröd; ~ fever scharlakansfeber; ~ runner bean el. ~ runner bot. rosenböna

**scarred** [skɑːd] *adj* ärrig; märkt
**scary** ['skeərɪ] *adj* vard. hemsk, skrämmande
**scathing** ['skeɪðɪŋ] *adj* skarp, bitande [~ *criticism*]
**scatter** ['skætə] *vb tr* **1** sprida; strö ut [~ *seeds*], strö omkring **2** skingra [~ *a crowd*] **3** beströ [~ *a road with gravel*]
**scattered** ['skætəd] *adj* spridd, strödd
**scavenger** ['skævɪndʒə] *s* renhållningsarbetare, gatsopare
**scavenging** ['skævɪndʒɪŋ] *s* gatsopning; ~ *department* renhållningsverk
**scenario** [sɪˈnɑːrɪəʊ] (pl. ~s) *s* film. o. bildl. scenario
**scene** [siːn] *s* **1** scen; *behind the ~s* bakom kulisserna (scenen) **2** skådeplats; *the ~ of the crime* brottsplatsen **3** uppträde; *make (create) a ~* ställa till en scen (en skandal)
**scenery** ['siːnərɪ] *s* **1** teat. sceneri, scenbilder **2** vacker natur [*admire the ~*]; landskap; scenerier
**scent** [sent] **I** *vb tr* **1** vädra [~ *a hare*; ~ *trouble*] **2** parfymera; uppfylla med doft **II** *s* **1** doft, lukt; parfym **2** väderkorn; *get ~ of* få väderkorn på; *put a p. on the wrong ~* leda ngn på villospår
**scented** ['sentɪd] *adj* parfymerad; doftande
**sceptical** ['skeptɪk(ə)l] *adj* skeptisk
**scepticism** ['skeptɪsɪz(ə)m] *s* skepsis
**sceptre** ['septə] *s* spira
**schedule** ['ʃedjuːl, *speciellt amer.* 'skedʒ(ʊ)l] **I** *s* schema, tidtabell; *be behind ~* vara försenad; ligga efter **II** *vb tr* planera; *it is scheduled for tomorrow* det skall enligt planerna ske i morgon; *scheduled flights* reguljära flygturer
**scheme** [skiːm] **I** *s* **1** plan, projekt **2** intrig **II** *vb itr* intrigera
**schemer** ['skiːmə] *s* intrigmakare
**scheming** ['skiːmɪŋ] *adj* beräknande, intrigant
**schizophrenia** [ˌskɪtsəˈfriːnjə] *s* schizofreni
**schnorkel** ['ʃnɔːkl] *s* snorkel
**scholar** ['skɒlə] *s* vetenskapsman; forskare
**scholarly** ['skɒləlɪ] *adj* lärd; vetenskaplig
**scholarship** ['skɒləʃɪp] *s* **1** lärdom; vetenskaplig noggrannhet **2** skol. el. univ. stipendium
**1 school** [skuːl] *s* **1** skola; *leave ~* sluta skolan **2** attributivt skol- [~ *meals*] **3** univ. fakultet
**2 school** [skuːl] *s* stim, flock

**schoolboy** ['skuːlbɔɪ] *s* skolpojke
**schoolfellow** ['skuːlˌfeləʊ] *s* skolkamrat
**schoolgirl** ['skuːlgɜːl] *s* skolflicka
**schoolmaster** ['skuːlˌmɑːstə] *s* manlig lärare
**schoolmate** ['skuːlmeɪt] *s* skolkamrat
**schoolmistress** ['skuːlˌmɪstrɪs] *s* lärarinna, lärare
**schoolroom** ['skuːlruːm] *s* skolrum, skolsal
**schoolteacher** ['skuːlˌtiːtʃə] *s* lärare
**schooner** ['skuːnə] *s* sjö. skonert, skonare
**sciatica** [saɪˈætɪkə] *s* ischias
**science** ['saɪəns] *s* vetenskap; naturvetenskap
**scientific** [ˌsaɪənˈtɪfɪk] *adj* vetenskaplig; naturvetenskaplig
**scientist** ['saɪəntɪst] *s* vetenskapsman, naturvetenskapsman; forskare
**scissors** ['sɪzəz] *s* sax; *a pair of ~* (ibland *a ~*) en sax
**1 scoff** [skɒf] *vb tr* vard. sätta (glufsa) i sig
**2 scoff** [skɒf] *vb itr*, ~ *at* driva med, håna
**scold** [skəʊld] *vb tr* skälla på (ut)
**scolding** ['skəʊldɪŋ] *s* ovett, utskällning
**scone** [skɒn, skəʊn] *s* kok. scone, scones
**scoop** [skuːp] **I** *s* skopa; skyffel **II** *vb tr* ösa, skopa [~ *up*], skyffla
**scooter** ['skuːtə] *s* **1** sparkcykel **2** skoter
**scope** [skəʊp] *s* **1** vidd, omfattning, omfång **2** spelrum, utrymme
**scorch** [skɔːtʃ] *vb tr* sveda, bränna, förbränna
**scorcher** ['skɔːtʃə] *s* vard. **1** stekhet dag [*yesterday was a ~*] **2** panggrej
**scorching** ['skɔːtʃɪŋ] *adj* stekhet, brännhet [*a ~ day*]; *the sun is ~* solen steker
**score** [skɔː] **I** *s* **1** sport. m.m. a) ställning [*the ~ was 2-1*]; *what's the ~?* hur är ställningen?, hur står det?; *the final ~* slutställningen, slutresultatet
b) poängräkning; målsiffra **2** tjog; *a ~ of people* ett tjugotal människor; *~s of* tjogtals (massvis) med **3** mus. partitur **II** *vb tr* **1** föra räkning över **2** vinna, kunna notera [~ *a success* (framgång)]; ~ *a goal* göra mål
**scoreboard** ['skɔːbɔːd] *s* sport. poängtavla, resultattavla, matchtavla
**scorn** [skɔːn] **I** *s* förakt; hån; *be put to ~* bli hånad **II** *vb tr* förakta; håna
**scornful** ['skɔːnf(ʊ)l] *adj* föraktfull; hånfull
**Scorpio** ['skɔːpɪəʊ] astrol. Skorpionen
**scorpion** ['skɔːpjən] *s* skorpion
**Scot** [skɒt] *s* skotte; *the ~s* skottarna
**Scotch** [skɒtʃ] **I** *adj* skotsk **II** *s* **1** *the ~*

skottarna **2** skotska språket **3** skotsk whisky

**Scotchman** ['skɒtʃmən] (pl. *Scotchmen* ['skɒtʃmən]) *s* skotte

**Scotchwoman** ['skɒtʃ,wʊmən] (pl. *Scotchwomen* ['skɒtʃ,wɪmɪn]) *s* skotska

**Scotland** ['skɒtlənd] Skottland; ~ *Yard* (*New* ~ *Yard*) Londonpolisens högkvarter

**Scots** [skɒts] mera vårdat el. speciellt i Skottland **I** *adj* skotsk **II** *s* **1** skotska språket **2** pl. av *Scot*

**Scotsman** ['skɒtsmən] (pl. *Scotsmen* ['skɒtsmən]) *s* mera vårdat el. speciellt i Skottland skotte

**Scotswoman** ['skɒts,wʊmən] (pl. *Scotswomen* ['skɒts,wɪmɪn]) *s* mera vårdat el. speciellt i Skottland skotska

**Scottish** ['skɒtɪʃ] mera vårdat el. speciellt i Skottland **I** *adj* skotsk **II** *s* skotska språket

**scoundrel** ['skaʊndr(ə)l] *s* skurk, bov

**1 scour** ['skaʊə] **I** *vb tr* skura [~ *a saucepan*] **II** *s* skurning; *give a th. a good* ~ skura av ngt ordentligt

**2 scour** ['skaʊə] *vb tr* leta igenom; genomströva [~ *the woods*]

**scourge** [skɜ:dʒ] **I** *s* gissel, hemsökelse, plågoris **II** *vb tr* gissla, hemsöka

**scouring-powder** ['skaʊrɪŋ,paʊdə] *s* skurpulver

**scout** [skaʊt] **I** *s* **1** mil. spanare **2** motsvarande juniorscout 11-12 år; patrullscout 13-15 år; *cub* ~ miniorscout; *girl* ~ amer. flickscout **3** *talent* ~ talangscout **II** *vb itr*, ~ *about* (*around*) *for* spana (söka) efter

**scoutmaster** ['skaʊt,mɑ:stə] *s* scoutledare

**scowl** [skaʊl] **I** *vb itr* se bister ut; ~ *at* blänga på **II** *s* bister uppsyn (blick)

**Scrabble** ['skræbl] *s* ® alfapet slags bokstavsspel

**scraggy** ['skrægɪ] *adj* mager, tanig, knotig

**scramble** ['skræmbl] **I** *vb itr* o. *vb tr* **1** klättra **2** rusa [*they scrambled for* (till) *the door*]; slåss, kivas [*for* om] **3** hafsa; ~ *to one's feet* resa sig hastigt **4** blanda; *scrambled eggs* äggröra **II** *s* **1** klättring **2** rusning; kiv, slit **3** virrvarr

**1 scrap** [skræp] **I** *s* **1** bit, stycke, smula; *not a* ~ inte ett dugg; *a* ~ *of paper* en papperslapp **2** pl. ~*s* matrester, smulor **3** skrot **II** *vb tr* **1** skrota [~ *a ship*] **2** vard. kassera, slopa

**2 scrap** [skræp] vard. **I** *s* slagsmål **II** *vb itr* slåss

**scrapbook** ['skræpbʊk] *s* urklippsalbum

**scrape** [skreɪp] **I** *vb tr* o. *vb itr* **1** skrapa; skrapa mot; ~ *together* skrapa (rafsa) ihop **2** skrapa med [~ *one's feet*] **3** ~ *through* vard. klara sig med nöd och näppe **4** *bow and* ~ krusa och buga [*to a p.* för ngn] **II** *s* **1** skrapning, skrapande **2** knipa, klämma [*get into a* ~]

**scrap heap** ['skræphi:p] *s* skrothög

**scrap iron** ['skræp,aɪən] *s* järnskrot

**scrap metal** ['skræp,metl] *s* metallskrot

**scrappy** ['skræpɪ] *adj* hoprafsad; osammanhängande, planlös

**scrapyard** ['skræpjɑ:d] *s* skrotupplag

**scratch** [skrætʃ] **I** *vb tr* o. *vb itr* **1** klösa, riva; rispa, repa; göra repor i; klösas, rivas **2** klia, riva; klia (riva) på; klia (riva) sig **3** rista in [~ *one's name on glass*] **4** krafsa, skrapa [~ *at the door*] **II** *s* **1** skråma, rispa; repa **2** klösning

**scrawl** [skrɔ:l] **I** *vb itr* o. *vb tr* klottra **II** *s* klotter

**scream** [skri:m] **I** *vb itr* skrika; tjuta **II** *s* skrik; tjut

**screech** [skri:tʃ] **I** *vb itr* gallskrika, gnissla [*the brakes screeched*] **II** *s* gallskrik

**screen** [skri:n] **I** *s* **1** skärm, fasad **2** duk [*cinema* ~]; *television* ~ TV-ruta, bildruta; *viewing* ~ bildskärm **3** film. **a)** *on the* ~ på filmduken, på vita duken **b)** attributivt film- [~ *actor*]; *the* ~ *version* filmversionen **II** *vb tr* **1** skydda, skyla, dölja [*from* för, mot] **2** skärma av **3** film. filmatisera

**screenplay** ['skri:npleɪ] *s* filmmanus

**screw** [skru:] **I** *s* skruv **II** *vb tr* skruva; ~ *down* skruva igen

**screwdriver** ['skru:,draɪvə] *s* skruvmejsel

**screw top** ['skru:tɒp] *s* skruvlock

**scribble** ['skrɪbl] **I** *vb tr* o. *vb itr* klottra **II** *s* klotter

**scribbling-block** ['skrɪblɪŋblɒk] *s* o.

**scribbling-pad** ['skrɪblɪŋpæd] *s* kladdblock, anteckningsblock

**script** [skrɪpt] *s* film. el. radio. manus; ~ *girl* scripta

**scripture** ['skrɪptʃə] *s*, *the Holy Scriptures* el. *the Scriptures* den heliga skrift, Bibeln

**scriptwriter** ['skrɪpt,raɪtə] *s* film. el. radio. manusförfattare

**scroll** [skrəʊl] *s* skriftrulle

**scrounge** [skraʊndʒ] *vb tr* vard. snylta sig till

**scrounger** ['skraʊndʒə] *s* vard. snyltare

**1 scrub** [skrʌb] **I** *vb tr* o. *vb itr* skura,

skrubba **ll** *s*, *it needs a good* ~ den
behöver skuras (skrubbas) ordentligt
**2 scrub** [skrʌb] *s* buskskog, busksnår
**scrubbing-brush** ['skrʌbɪŋbrʌʃ] *s*
skurborste
**scruff** [skrʌf] *s*, *the* ~ *of the neck*
nackskinnet
**scruffy** ['skrʌfɪ] *adj* vard. sjaskig, sjabbig
**scruple** ['skru:pl] *s*, pl. ~*s* skrupler; *have*
~*s about* ha samvetsbetänkligheter mot
**scrupulous** ['skru:pjʊləs] *adj* **1** nogräknad,
noga **2** samvetsgrann, noggrann
**scrutinize** ['skru:tɪnaɪz] *vb tr* fingranska
**scrutiny** ['skru:tɪnɪ] *s* fingranskning
**scuffle** ['skʌfl] *s* slagsmål, handgemäng
**scullery** ['skʌlərɪ] *s* diskrum, grovkök
**sculptor** ['skʌlptə] *s* skulptör, bildhuggare
**sculptress** ['skʌlptrəs] *s* skulptris
**sculpture** ['skʌlptʃə] **l** *s* skulptur **ll** *vb tr* o.
*vb itr* skulptera
**scum** [skʌm] **l** *s* **1** skum vid kokning **2** hinna
på stillastående vatten **3** bildl. avskum **ll** *vb tr*
skumma, skumma av
**scurf** [skɜ:f] *s* skorv, mjäll
**scurry** ['skʌrɪ] *vb itr* kila, rusa; jäkta
**scuttle** ['skʌtl] **l** *s* lucka; sjö. ventil;
ventillucka **ll** *vb tr* sjö. borra i sank
**scythe** [saɪð] **l** *s* lie **ll** *vb tr* slå med lie,
meja
**SE** (förk. för *south-east, south-eastern*) SO,
SÖ
**sea** [si:] *s* **1** hav [*the Caspian Sea*], sjö [*the
North Sea*]; *there is a heavy* (*high*) ~
det är hög sjö; *at* ~ till sjöss (havs), på
havet (sjön); *I'm all at* ~ vard. bildl. jag
förstår inte ett dugg; *by* ~ sjöledes,
sjövägen [*go by* ~]; *go to* ~ gå till sjöss,
bli sjöman; ge sig ut på en sjöresa; *put to*
~ om fartyg löpa ut, avsegla; sjösätta
**2** attributivt sjö- [~ *scout*]
**sea anemone** ['si:əˌneməni] *s* havsanemon
**sea bathing** ['si:ˌbeɪðɪŋ] *s* havsbad
**seaborne** ['si:bɔ:n] *adj* sjöburen [~ *goods*]
**seafarer** ['si:ˌfeərə] *s* sjöfarare
**seafaring** ['si:ˌfeərɪŋ] *adj* sjöfarande
**seafood** ['si:fu:d] *s* fisk och skaldjur
**seafront** ['si:frʌnt] *s* sjösida av ort, strand
**seagull** ['si:gʌl] *s* fiskmås
**1 seal** [si:l] *s* zool. säl
**2 seal** [si:l] **l** *s* sigill; lack; försegling,
plombering, plomb; *put the* ~ *of one's
approval on a th.* bildl. sanktionera ngt
**ll** *vb tr* **1** sätta sigill på (under) [~ *a
document*]; ~ *down* el. ~ försegla, klistra
(lacka) igen [~ *a letter*] **2** besegla [*his fate*

is *sealed*]; avgöra [*this sealed his fate*]
**3** tillsluta, försluta; täta; klistra igen [~ *up
a window*]; ~ *off* spärra av
**sea level** ['si:ˌlevl] *s* vattenstånd i havet;
*above* ~ över havet (havsytan)
**sealing-wax** ['si:lɪŋwæks] *s* sigillack, lack;
*stick of* ~ lackstång
**sea lion** ['si:ˌlaɪən] *s* sjölejon
**sealskin** ['si:lskɪn] *s* sälskinn
**seam** [si:m] **l** *s* **1** söm; *burst at the* ~*s*
spricka (gå upp) i sömmarna; *split at the*
~ spricka (gå upp) i sömmen **2** fog, skarv
**ll** *vb tr* **1** förse med en söm **2** *seamed*
fårad [*a face seamed with* (av) *care*]
**seaman** ['si:mən] (pl. *seamen* ['si:mən]) *s*
sjöman
**seamanlike** ['si:mənlaɪk] *adj*
sjömansmässig; sjömans-
**seamanship** ['si:mənʃɪp] *s* sjömanskap
**seamark** ['si:mɑ:k] *s* **1** sjömärke
**2** högvattenlinje
**sea mile** ['si:maɪl] *s* sjömil, nautisk mil
**seamstress** ['semstrəs] *s* sömmerska
**seamy** ['si:mɪ] *adj*, ~ *side* avigsida av plagg;
bildl. skuggsida [*the* ~ *side of life*]
**seance** ['seɪɑ:ns] *s* seans
**sea nymph** ['si:nɪmf] *s* havsnymf
**seaplane** ['si:pleɪn] *s* sjöflygplan
**seaport** ['si:pɔ:t] *s* hamnstad, sjöstad
**search** [sɜ:tʃ] **l** *vb tr* o. *vb itr* **1** söka (leta)
igenom; leta (söka) i [*for* efter]; visitera
[~ *a ship*], kroppsvisitera **2** söka, leta,
spana [*for* efter] **ll** *s* sökande, letande,
spaning [*for, after* efter], genomsökning;
kroppsvisitation; *people in* ~ *of
adventure* folk som söker äventyr
**searching** ['sɜ:tʃɪŋ] **l** *adj* **1** forskande,
spanande [*a* ~ *look*] **2** ingående [*a* ~ *test*]
**ll** *s* sökande, letande
**searchlight** ['sɜ:tʃlaɪt] *s* strålkastare,
strålkastarljus, sökarljus
**search party** ['sɜ:tʃˌpɑ:tɪ] *s* spaningspatrull
**search warrant** ['sɜ:tʃˌwɒr(ə)nt] *s*
husrannsakningsorder
**seashell** ['si:ʃel] *s* snäckskal, musselskal
**seashore** ['si:ʃɔ:] *s* havsstrand
**seasick** ['si:sɪk] *adj* sjösjuk
**seasickness** ['si:ˌsɪknəs] *s* sjösjuka
**seaside** ['si:saɪd, ˌsi:'saɪd] *s* **1** kust; *go to
the* ~ *for one's holidays* fara till kusten
(en badort) på semestern **2** attributivt kust-
[~ *town*]; strand-; ~ *place* (*resort*)
badort
**season** ['si:zn] **l** *s* **1** årstid [*the four* ~*s*]; *the
rainy* ~ regntiden i tropikerna **2** säsong;

*oysters are in (out of)* ~ det är (är inte) säsong för ostron, det är (är inte) ostrontid **3** *Christmas* ~ julhelgen, jultiden; *season's greetings* jul- och nyårshälsningar **II** *vb tr* **1** låta mogna; *a seasoned pipe* en inrökt pipa **2** krydda [*~food*]; smaksätta, salta och peppra; *highly seasoned* starkt kryddad

**seasonal** ['si:z(ə)nl] *adj* säsong- [~ *work*], säsongbetonad [~ *trade*]

**seasoning** ['si:zənɪŋ] *s* krydda, smaktillsats; kryddning, smaksättning

**season ticket** ['si:zn,tɪkɪt] *s* abonnemangskort; *monthly* ~ månadskort

**seat** [si:t] **I** *s* **1** sittplats; stol, bänk; säte; plats; biljett [*book four ~s for* (till) '*Hamlet*']; ~ *reservation* sittplatsbeställning; sittplats; *keep one's* ~ sitta kvar; *take a* ~ sätta sig, sitta ned; *take one's* ~ inta sin plats; *this* ~ *is taken* den här platsen är upptagen **2** sits på möbel **3** bak, stuss; *the* ~ *of the trousers* (*pants*) byxbaken **4** plats, mandat
**II** *vb tr* **1** sätta, placera, låta sitta; ta plats, sätta sig [*please be seated!*] **2** ha plats för, rymma

**seat belt** ['si:tbelt] *s* säkerhetsbälte, bilbälte

**seated** ['si:tɪd] *perf p* o. *adj* **1** sittande [~ *on a chair*] **2** belägen **3** i sammansättningar -sitsig [*a two-seated plane*]

**seater** ['si:tə] *s* i sammansättningar -sitsigt fordon [*two-seater*]

**seaward** ['si:wəd] *adv* o. **seawards** ['si:wədz] *adv* mot havet

**seaweed** ['si:wi:d] *s* alg, alger, tång

**seaworthy** ['si:,wɜ:ðɪ] *adj* sjöduglig, sjövärdig

**secateurs** [,sekə'tɜ:z] *s pl* sekatör, trädgårdssax; *a pair of* ~ en sekatör (trädgårdssax)

**secluded** [sɪ'klu:dɪd] *adj* avskild, avsides belägen

**seclusion** [sɪ'klu:ʒ(ə)n] *s* avskildhet, tillbakadragenhet

**1 second** ['sek(ə)nd] **I** *adj* o. *räkn* andra, andre; andra-; *in the* ~ *place* i andra rummet (hand), för det andra; *be* ~ *in command* ha näst högsta befälet; *be* ~ *to none* inte stå någon efter **II** *adv* **1** näst [*the* ~ *largest thing*] **2** andra klass [*travel* ~] **3** *come* (*finish*) ~ komma (bli) tvåa **III** *s* **1** sport. tvåa; andraplacering

**2 second** [~ *in a duel*]; boxn. sekond **IV** *vb tr* **1** understödja, ansluta sig till [~ *a proposal*] **2** vara sekundant (boxn. sekond) åt

**2 second** ['sek(ə)nd] *s* sekund; ögonblick; ~ *hand* sekundvisare; för ex. jfr *2 minute 1*

**secondary** ['sekəndrɪ] *adj* sekundär; underordnad [*of* ~ *importance*]; ~ *school* sekundärskola mellan- och högstadieskola samt gymnasieskola för åldrarna 11-18

**second-best** [,sek(ə)nd'best] **I** *adj* näst bäst [*my* ~ *suit*] **II** *adv* näst bäst; *come off* ~ dra det kortaste strået

**second-class** [,sek(ə)nd'klɑ:s] *adj* andraklass-; andra klassens [*a* ~ *hotel*]

**second-hand** [,sek(ə)nd'hænd] **I** *adj* begagnad [~ *clothes*]; andrahands- [~ *information*]; ~ *bookshop* antikvariat **II** *adv* i andra hand [*get news* ~]

**secondly** ['sek(ə)ndlɪ] *adv* för det andra

**second-rate** [,sek(ə)nd'reɪt] *adj* andra klassens, medelmåttig

**secrecy** ['si:krəsɪ] *s* **1** sekretess **2** hemlighetsfullhet; *in* ~ i hemlighet (tysthet)

**secret** ['si:krət] **I** *adj* hemlig; lönn- [~ *door*]; dold [*a* ~ *place*]; ~ *service* polit. underrättelsetjänst, hemligt underrättelseväsen **II** *s* hemlighet; *keep a th. a* ~ *from a p.* hålla ngt hemligt för ngn; *let a p. into a* ~ inviga ngn i en hemlighet

**secretarial** [,sekrə'teərɪəl] *adj* sekreterar- [~ *work*]

**secretariat** [,sekrə'teərɪət] *s* sekretariat

**secretary** ['sekrətrɪ] *s* **1** sekreterare **2** polit. minister

**secretary-general** [,sekrətrɪ'dʒenər(ə)l] (pl. *secretaries-general*) *s* generalsekreterare

**secrete** [sɪ'kri:t] *vb tr* avsöndra, utsöndra

**secretion** [sɪ'kri:ʃ(ə)n] *s* avsöndring, utsöndring, sekretion; sekret

**secretive** ['si:krətɪv] *adj* hemlighetsfull

**secretly** ['si:krətlɪ] *adv* hemligt, i hemlighet, i tysthet

**sect** [sekt] *s* relig. m.m. sekt

**section** ['sekʃ(ə)n] *s* **1** del, avdelning; avsnitt; paragraf; sektion, stycke, bit; *the sports* ~ *of* [*a newspaper*] sportsidorna i... **2** område, sektor [*the industrial* ~ *of a country*]

**sector** ['sektə] *s* sektor

**secular** ['sekjʊlə] *adj* världslig; utomkyrklig

**secularism** ['sekjʊlərɪz(ə)m] *s* sekularism

**secure** [sɪˈkjʊə] **I** adj **1** säker, trygg, skyddad [from, against för, emot]; tryggad, säkrad [a ~ future] **2** i säkert förvar, i säkerhet **II** vb tr **1** befästa; säkra, säkerställa, trygga, skydda **2** säkra, göra fast [~ the doors]; binda, binda fast [~ a prisoner]; fästa **3** försäkra sig om, skaffa, lyckas skaffa sig

**security** [sɪˈkjʊərətɪ] s **1 a)** trygghet [the child lacks ~]; säkerhets- [~ risk]; the Security Council säkerhetsrådet i FN; ~ precautions säkerhetsanordningar, säkerhetsåtgärder **2** hand. säkerhet, borgen [lend money on (mot) ~] **3** värdepapper; government ~ statsobligation

**sedate** [sɪˈdeɪt] adj stillsam, sansad; stadig

**sedative** [ˈsedətɪv] s lugnande medel

**sedentary** [ˈsednt(ə)rɪ] adj stillasittande [a ~ life]

**sediment** [ˈsedɪmənt] s sediment, avlagring, fällning, bottensats

**seduce** [sɪˈdjuːs] vb tr förföra

**seducer** [sɪˈdjuːsə] s förförare

**seductive** [sɪˈdʌktɪv] adj förförisk

**1 see** [siː] s stift; biskopssäte

**2 see** [siː] (saw seen) vb tr o. vb itr **1** se; se (titta) på; se (titta) efter [I'll ~ who it is], kolla; se till, ordna; we'll ~ vi får väl se; ~ you don't fall! se till (akta dig så) att du inte faller!; nobody was to be seen ingen syntes till □ ~ about sköta om, ta hand om; we'll ~ about that det sköter vi om; det får vi allt se, det ska vi nog bli två om; ~ from se i (av, på) [I ~ from the letter that...]; ~ into titta närmare på, undersöka; ~ over se på, inspektera; ~ through a) genomskåda b) slutföra; this will ~ you through på det här klarar du dig; ~ to ta hand om, sköta, ordna; ~ to it that... se till att... **2** förstå, inse, se [I can't ~ the use of it]; oh, I ~ jag förstår, jaså; I was there, you ~ jag var där förstår (ser) du **3** hälsa på, besöka; gå till, söka [you must ~ a doctor about (för) it]; I'm seeing him tonight jag ska träffa honom i kväll; I'll be seeing you! el. ~ you later! vard. vi ses!, hej så länge! **4** följa [he saw me home]; ~ a p. off vinka (följa) av ngn

**seed** [siːd] **I** s **1** frö; pl. ~s frö, utsäde, säd [a packet of ~s] **2** kärna [raisin ~s] **3** sport. seedad spelare; he is No. 1 ~ han är seedad som etta **II** vb tr **1** beså, så **2** kärna ur [~ raisins] **3** sport. seeda

**seedcake** [ˈsiːdkeɪk] s sockerkaka med kummin

**seedless** [ˈsiːdləs] adj kärnfri [~ raisins]

**seedy** [ˈsiːdɪ] adj **1** vard. sjaskig, sjabbig **2** vard. krasslig

**seeing** [ˈsiːɪŋ] **I** s **1** seende; ~ is believing att se är att tro **2** syn **II** adj o. pres p seende; worth ~ värd att se, sevärd **III** konj, ~ that el. ~ eftersom, med tanke på att

**seek** [siːk] (sought sought) vb tr o. vb itr **1** söka [~ one's fortune]; sträva efter [~ fame]; ~ a p.'s advice söka råd hos ngn; ~ out a p. söka upp ngn; ~ for söka, söka efter; be sought after vara eftersökt **2** söka sig till, uppsöka [~ the shade] **3** ~ to do a th. försöka göra ngt

**seem** [siːm] vb itr verka, tyckas, förefalla, se ut [it isn't as easy as it ~s]; verka vara; ~ to tyckas [he ~s to know everybody], verka, förefalla; it ~s that no one knew ingen tycktes veta; it would ~ that det kunde tyckas att; it ~s to me that jag tycker nog att; so it ~s det verkar så, det ser så ut

**seeming** [ˈsiːmɪŋ] adj skenbar, låtsad

**seemingly** [ˈsiːmɪŋlɪ] adv till synes; tydligen

**seemly** [ˈsiːmlɪ] adj passande, tillbörlig

**seen** [siːn] se 2 see

**seesaw** [ˈsiːsɔː] **I** s gungbräde **II** adj vacklande [~ policy] **III** vb itr **1** gunga gungbräde; gunga upp och ned **2** bildl. svänga fram och tillbaka

**seethe** [siːð] vb itr sjuda, koka

**see-through** [ˈsiːθruː] adj genomskinlig [a ~ blouse]

**segment** [ˈsegmənt] s segment [~ of a circle]; klyfta [orange ~]; del

**segregate** [ˈsegrɪgeɪt] vb tr skilja åt, segregera; genomföra rassegregation mellan

**segregation** [ˌsegrɪˈgeɪʃ(ə)n] s åtskiljande, segregation; racial ~ rassegregation, rasåtskillnad

**seismograph** [ˈsaɪzməgrɑːf] s seismograf

**seismological** [ˌsaɪzməˈlɒdʒɪk(ə)l] adj seismologisk

**seize** [siːz] vb tr o. vb itr **1** gripa, fatta [~ a p.'s hand], ta tag i; ta fast, fånga; be seized with apoplexy drabbas av ett slaganfall **2** bemäktiga sig [~ the throne], inta, erövra [~ a fortress] **3** ta i beslag, beslagta [~ smuggled goods] **4** ~ on gripa

tag i; nappa på [~ *on an offer*] **5 ~ up** el. ~
om motor skära ihop
**eizure** ['si:ʒə] s **1** gripande
**2** beslagtagande
**eldom** ['seldəm] adv sällan
**elect** [sə'lekt] **I** adj vald [~ *passages from*
*Milton*]; utvald; utsökt, exklusiv [*a* ~
*club*] **II** vb tr välja, välja ut; *selected*
*poems* valda dikter
**election** [sə'lekʃ(ə)n] s **1** utväljande, val;
uttagning **2** urval; sortiment **3** ~*s from*
*Shakespeare* Shakespeare i urval
**elenium** [sɪ'li:njəm] s kem. selen
**elf** [self] (pl. *selves* [selvz]) s o. pron **1** jag
[*he showed his true* ~] **2** hand., *pay* ~ betala
till mig själv; *cheque drawn to* ~ check
ställd till egen order
**elf-adhesive** [ˌselfəd'hi:sɪv] adj
självhäftande
**elf-assured** [ˌselfə'ʃʊəd] adj självsäker
**elf-centred** [ˌself'sentəd] adj
självupptagen, egocentrisk
**elf-confidence** [ˌself'kɒnfɪdəns] s
självförtroende, självtillit
**elf-confident** [ˌself'kɒnfɪd(ə)nt] adj full
av självförtroende; självsäker
**elf-conscious** [ˌself'kɒnʃəs] adj generad,
förlägen, osäker
**elf-contained** [ˌselfkən'teɪnd] adj
komplett; självständig
**elf-control** [ˌselfkən'trəʊl] s
självbehärskning
**elf-defence** [ˌselfdɪ'fens] s självförsvar
**elf-drive** [ˌself'draɪv] adj, ~ *car hire*
biluthyrning
**elf-evident** [ˌself'evɪd(ə)nt] adj självklar
**elf-explanatory** [ˌselfɪk'splænətrɪ] adj
självförklarande, självklar
**elf-important** [ˌselfɪm'pɔ:t(ə)nt] adj
viktig, dryg
**elf-indulgent** [ˌselfɪn'dʌldʒ(ə)nt] adj
ajutningslysten
**elf-inflicted** [ˌselfɪn'flɪktɪd] adj
jälvförvållad
**elf-interest** [ˌself'ɪntrəst] s egennytta
**elfish** ['selfɪʃ] adj självisk, egoistisk
**elf-made** [ˌself'meɪd], attributivt 'selfmeɪd]
adj selfmade, som själv har arbetat sig
upp
**elf-pity** [ˌself'pɪtɪ] s självömkan
**elf-possessed** [ˌselfpə'zest] adj
behärskad, lugn
**elf-preservation** ['self,prezə'veɪʃ(ə)n] s,
*instinct of* ~ självbevarelsedrift

**self-raising** [ˌself'reɪzɪŋ] adj självjäsande; ~
*flour* mjöl blandat med bakpulver
**self-respect** [ˌselfrɪ'spekt] s självaktning
**self-respecting** [ˌselfrɪ'spektɪŋ] adj med
självaktning [*no* ~ *man*]
**self-righteous** [ˌself'raɪtʃəs] adj självgod
**self-rule** [ˌself'ru:l] s självstyre
**self-sacrifice** [ˌself'sækrɪfaɪs] s
självuppoffring
**selfsame** ['selfseɪm] adj, *the* ~ precis
samma
**self-satisfied** [ˌself'sætɪsfaɪd] adj
självbelåten
**self-service** [ˌself'sɜ:vɪs] s självbetjäning,
självservering; ~ *store* el. ~ snabbköp,
självbetjäningsaffär
**self-sufficient** [ˌselfsə'fɪʃ(ə)nt] adj
**1** självförsörjande **2** självtillräcklig
**self-supporting** [ˌselfsə'pɔ:tɪŋ] adj
självförsörjande
**self-taught** [ˌself'tɔ:t] adj självlärd
**self-timer** [ˌself'taɪmə] s foto. självutlösare
**self-willed** [ˌself'wɪld] adj egensinnig
**sell** [sel] (*sold sold*) vb tr o. vb itr **1** sälja;
föra, ha [*this shop* ~s *my favourite brand*]
**2** säljas, gå [*at, for* för]; ~ *like hot cakes*
gå åt som smör i solsken □ ~ **off** realisera
bort, slumpa bort; ~ **out**: *the book is sold*
*out* boken är utsåld (slutsåld)
**seller** ['selə] s säljare; i sammansättningar
-handlare [*bookseller*]
**selves** [selvz] s se *self*
**semantic** [sɪ'mæntɪk] adj semantisk
**semaphore** ['seməfɔ:] **I** s **1** semafor
**2** semaforering **II** vb tr o. vb itr semaforera
**semblance** ['sembləns] s sken;
tillstymmelse
**semen** ['si:mən] s sädesvätska
**semester** [sə'mestə] s univ. el. skol. (i USA)
termin
**semicircle** ['semɪ,sɜ:kl] s halvcirkel
**semicircular** [ˌsemɪ'sɜ:kjʊlə] adj
halvcirkelformig
**semicolon** [ˌsemɪ'kəʊlən] s semikolon
**semidetached** [ˌsemɪdɪ'tætʃt] adj om hus
sammanbyggd på en sida; *a* ~ *house* ena
hälften av ett parhus, en parvilla
**semifinal** [ˌsemɪ'faɪnl] s semifinal
**semifinalist** [ˌsemɪ'faɪnəlɪst] s semifinalist
**seminar** ['semɪnɑ:] s univ. seminarium
**semiprecious** [ˌsemɪ'preʃəs] adj, ~ *stone*
halvädelsten
**Semitic** [sɪ'mɪtɪk] adj semitisk
**semitropical** [ˌsemɪ'trɒpɪk(ə)l] adj
subtropisk

**semolina** [ˌseməˈliːnə] s semolinagryn; mannagryn

**senate** [ˈsenət] s senat

**senator** [ˈsenətə] s senator

**send** [send] (sent sent) vb tr o. vb itr **1** sända, skicka; **the rain sent them hurrying home** regnet fick (tvingade) dem att skynda sig hem; ~ **word** låta meddela; ~ **for** skicka efter [~ for a doctor], hämta; rekvirera **2** göra [~ a p. mad] □ ~ **off a)** avsända [~ off a letter], expediera **b)** sport. utvisa [~ a player off] **c)** ~ **a p. off** ta farväl av (vinka av) ngn; ~ **on** sända (skicka) vidare, eftersända; ~ **round** to a p. skicka över till ngn; ~ **up a)** sända (skicka) upp (ut) [~ up a rocket] **b)** driva (pressa) upp [~ prices up]

**sender** [ˈsendə] s avsändare

**senile** [ˈsiːnaɪl] adj senil, ålderdomssvag

**senility** [səˈnɪlətɪ] s senilitet, ålderdomssvaghet

**senior** [ˈsiːnjə] **I** adj äldre äv. i t.ex. tjänsten [to än]; den äldre, senior [John Smith, Senior]; högre i rang; överordnad; ~ **citizen** pensionär **II** s äldre i tjänsten; äldre medlem

**seniority** [ˌsiːnɪˈɒrətɪ] s anciennitet, tjänsteålder [by (efter) ~]

**senna** [ˈsenə] s senna, sennablad

**sensation** [senˈseɪʃ(ə)n] s **1** förnimmelse, känsla [a ~ of cold] **2** cause (create) a great ~ väcka stort uppseende

**sensational** [senˈseɪʃ(ə)nl] adj sensationell, uppseendeväckande

**sensationalism** [senˈseɪʃənəlɪz(ə)m] s sensationsmakeri, sensationalism

**sense** [sens] **I** s **1** sinne [the five ~s]; **the ~ of hearing** hörselsinnet; **a sixth ~** ett sjätte sinne; **no man in his (nobody in their)** ~s ingen vettig människa; **are you out of your ~s?** är du från vettet?; **come to one's ~s** komma till besinning; återfå medvetandet **2** känsla [of av, för]; ~ **of humour** sinne för humor **3** vett, förstånd; **common ~** sunt förnuft; [he ought to have had] **more ~** ...bättre förstånd; **there is no ~ in waiting** det är ingen mening att vänta **4** betydelse, bemärkelse; **it does not make ~** jag fattar det inte; det stämmer inte; **in a (the) strict (proper)** ~ i egentlig mening (betydelse) **II** vb tr känna, ha på känn

**senseless** [ˈsensləs] adj **1** meningslös **2** sanslös, medvetslös

**sensibility** [ˌsensəˈbɪlətɪ] s känslighet [to för], sensibilitet

**sensible** [ˈsensəbl] adj **1** förståndig, förnuftig, klok, vettig [~ shoes] **2** medveten [of om; that om att]

**sensitive** [ˈsensɪtɪv] adj känslig [to för]; ömtålig [a ~ skin]; sensibel

**sensitivity** [ˌsensəˈtɪvətɪ] s känslighet, sensibilitet; ~ **training** sensitivitetsträning

**sensual** [ˈsensjʊəl] adj sensuell [~ lips]

**sensuality** [ˌsensjʊˈælətɪ] s sensualitet

**sensuous** [ˈsensjʊəs] adj sinnes- [~ impressions], känslig

**sent** [sent] se **send**

**sentence** [ˈsentəns] **I** s **1** jur. dom; **serve one's** ~ avtjäna sitt straff; **under** ~ **of death** dödsdömd **2** gram. mening; sats **II** vb tr döma [to till]

**sentiment** [ˈsentɪmənt] s **1** känsla; känslosamhet **2** pl. ~s uppfattning, mening

**sentimental** [ˌsentɪˈmentl] adj sentimental, känslosam; ~ **value** affektionsvärde

**sentimentalist** [ˌsentɪˈmentəlɪst] s sentimentalist

**sentimentality** [ˌsentɪmenˈtælətɪ] s sentimentalitet

**sentinel** [ˈsentɪnl] s vaktpost

**sentry** [ˈsentrɪ] s vaktpost; **stand (be on)** ~ stå på vakt

**sentry box** [ˈsentrɪbɒks] s vaktkur

**separate** [adjektiv ˈseprət, verb ˈsepəreɪt] **I** adj skild [from från], avskild, enskild, särskild [each ~ case], separat **II** vb tr o. vb itr skilja, skilja åt; avskilja, särskilja; separera; sära på; skiljas, skiljas åt

**separately** [ˈseprətlɪ] adv separat; var för sig

**separation** [ˌsepəˈreɪʃ(ə)n] s **1** skiljande [from från], frånskiljande, särskiljande, separering **2** judicial (legal) ~ el. ~ av domstol ådömd hemskillnad

**September** [sepˈtembə] s september

**septic** [ˈseptɪk] adj septisk, infekterad

**sequel** [ˈsiːkw(ə)l] s **1** följd, resultat [to av] **2** fortsättning [to på]

**sequence** [ˈsiːkwəns] s ordningsföljd, ordning, följd [in rapid ~], räcka, serie

**sequin** [ˈsiːkwɪn] s paljett

**Serb** [sɜːb] **I** adj serbisk **II** s **1** serb **2** serbiska

**Serbia** [ˈsɜːbjə] Serbien

**Serbian** [ˈsɜːbjən] s o. adj se **Serb**

**erenade** [ˌserə'neɪd] **I** s serenad **II** vb tr o. vb itr ge serenad för; ge serenad

**erene** [sə'ri:n] adj lugn [~ look], fridfull

**erenity** [sə'renəti] s lugn, fridfullhet

**erf** [sɜ:f] s livegen, träl

**erfdom** ['sɜ:fdəm] s livegenskap, träldom

**erge** [sɜ:dʒ] s cheviot [blue ~]

**ergeant** ['sɑ:dʒ(ə)nt] s **1** mil. sergeant, inom armén el. flyget; amer. furir inom armén, korpral inom flyget; ~ **major** fanjunkare; **flight** ~ fanjunkare inom flyget **2** **police** ~ ungefär polisassistent

**erial** ['sɪərɪəl] **I** adj **1** i serie; ~ **number** serienummer **2** serie-; som publiceras häftesvis; ~ **story** följetong **II** s följetong; serie i t.ex. radio

**erialize** ['sɪərɪəlaɪz] vb tr publicera som följetong; sända (ge) som en serie

**eries** ['sɪəri:z] (pl. lika) s serie, rad, räcka

**erious** ['sɪərɪəs] adj allvarlig [a ~ attempt], allvarsam; seriös; verklig; **are you ~?** menar du allvar?

**eriously** ['sɪərɪəslɪ] adv allvarligt; **quite** ~ på fullt allvar; **take** ~ ta på allvar

**erious-minded** ['sɪərɪəsˌmaɪndɪd] adj allvarligt sinnad

**eriousness** ['sɪərɪəsnəs] s allvar, allvarlighet; **in all** ~ på fullt allvar

**ermon** ['sɜ:mən] s predikan

**erpent** ['sɜ:p(ə)nt] s orm

**errated** [sə'reɪtɪd] adj sågtandad [~ edge]

**erum** ['sɪərəm] s serum

**ervant** ['sɜ:v(ə)nt] s **1** tjänare; pl. **~s** äv. tjänstefolk; **domestic** ~ hembiträde, tjänsteflicka; betjänt **2** **civil** ~ tatstjänsteman, tjänsteman inom civilförvaltningen

**ervant girl** ['sɜ:v(ə)ntgɜ:l] s tjänsteflicka, hembiträde

**erve** [sɜ:v] **I** vb tr o. vb itr **1** tjäna **2** servera; **dinner is served** middagen är serverad; [**refreshments**] **were served** det bjöds på...; **are you being served?** på estaurang är det beställt?; ~ **at table** servera; **serving hatch** serveringslucka **3** expediera; vara expedit; **are you being served?** är det tillsagt? **4** förse, försörja **5** duga till (åt), passa; ~ (**it ~s**) **you right!** rätt åt dig!, där fick du! **6** ~ **one's sentence** el. ~ **time** avtjäna sitt straff, sitta fängelse **7** sport. serva **8** tjänstgöra, tjäna, göra tjänst; ~ **on** [a **committee** (**jury**)] vara medlem i (av)..., sitta i... **9** fungera, duga, passa, tjäna [as, for som, till] **II** s sport. serve

**service** ['sɜ:vɪs] **I** s **1** tjänst, tjänstgöring; **On His** (**Her**) **Majesty's Service** påskrift tjänste; **military** ~ militärtjänst **2** **health** ~ hälsovård; **the postal ~s** postväsendet; **social ~s** socialvård, socialvården **3** regelbunden översyn, service [take the car in for ~] **4 a)** servering, betjäning, service [the ~ was poor]; ~ **charge** el. ~ serveringsavgift, betjäningsavgift **b)** servis [dinner-service] **5** tjänst [you have done me a ~]; hjälp; nytta [it may be of (till) great ~ to you] **6** trafik. förbindelse, linje; **air ~s** trafikflyg; **postal** ~ postförbindelse **7** kyrkl. gudstjänst, mässa [äv. **divine** ~]; förrättning, akt **8** sport. serve **II** vb tr ta in för service [~ a car]

**serviceable** ['sɜ:vɪsəbl] adj **1** användbar, brukbar **2** slitstark, hållbar

**serviceman** ['sɜ:vɪsmən] (pl. **servicemen** ['sɜ:vɪsmən]) s militär

**serviette** [ˌsɜ:vɪ'et] s servett

**servile** ['sɜ:vaɪl] adj **1** servil, krypande **2** slavisk [~ **obedience**]

**servitude** ['sɜ:vɪtju:d] s **1** träldom, slaveri **2** **penal** ~ straffarbete; fängelse

**servo-assisted** [ˌsɜ:vəʊə'sɪstɪd] adj, ~ **brake** servobroms

**session** ['seʃ(ə)n] s session, sammanträde; sammankomst

**set** [set] **I** (**set set**) vb tr o. vb itr **1** sätta, ställa, lägga; infatta [~ in gold]; bestämma, fastställa; förelägga, ge [~ a p. a task] **2** teat. m.m., **the scene is ~ in France** scenen är förlagd till Frankrike **3** mus., ~ **a th. to music** sätta musik till ngt, tonsätta ngt **4** med. återföra i rätt läge [~ a broken bone] **5** om himlakropp gå ner [the sun ~s at 8] **6** stelna [the jelly has not ~ yet], hårdna □ ~ **about** a) ta itu med [~ about a task] b) vard. gå lös på; ~ **aside** a) lägga undan, sätta av, anslå [for till, för] b) bortse från; **setting aside...** bortsett från...; ~ **down** a) sätta ner b) skriva upp (ner); ~ **in** börja, inträda, falla på [darkness ~ in]; ~ **off** a) ge sig i väg (ut) [~ off on a journey], starta, avresa [for till] b) framkalla [the explosion was ~ off by...] c) sätta i gång, starta, utlösa [~ off a chain reaction] d) framhäva [the white dress ~ off her suntan]; ~ **out** ge sig av (ut, i väg) [~ out on a journey], starta, avresa [for till]; ~ **to** hugga i; ~ **to work** sätta i gång; ~ **up** a) sätta (ställa) upp, resa [~ up a ladder]; slå upp [~ up a tent] b) upprätta [~ up an institution], anlägga

[~ *up a factory*], grunda, inrätta; införa [~ *up a new system*]; tillsätta [~ *up a committee*] c) etablera sig

**II** *perf p* o. *adj* **1** fast, fastställd [~ *price*]; bestämd [~ *rules*]; *a ~ phrase* en stående fras, ett talesätt **2** belägen [*a town ~ on a hill*] **3** *be ~ on* vara fast besluten; ha slagit in på [*he is ~ on a dangerous course*] **4** vard. klar, färdig; *all ~* allt klart; *get ~!* sport. färdiga! [*on your marks! get ~! go!*]

**III** *s* **1** uppsättning [*a ~ of golf clubs*], sats; uppsats, saker [*toilet-set*]; omgång, sätt [*a ~ of underwear*]; servis [*tea set*]; serie [*a ~ of lectures*]; *a chess ~* ett schackspel **2** grupp; krets, kotteri, klick **3** apparat [*radio (TV) ~*] **4** i tennis set

**setback** ['setbæk] *s* bakslag, motgång

**set piece** [,set'pi:s] *s* **1** teat. kuliss **2** sport. fast situation

**set point** ['setpɔɪnt] *s* setboll i tennis

**set square** ['setskweə] *s* vinkelhake för ritare

**settee** [se'ti:] *s* soffa

**setting** ['setɪŋ] *s* **1** sättande, sättning, ställande **2** infattning för t.ex. ädelstenar **3** a) iscensättning, uppsättning b) bildl. ram, inramning [*a beautiful ~ for the procession*]; miljö, omgivning **4** mus. tonsättning **5** himlakropps nedgång [*the ~ of the sun*]

**setting lotion** ['setɪŋ,ləʊʃ(ə)n] *s* läggningsvätska

**settle** ['setl] *vb tr* o. *vb itr* **1** sätta (lägga) till rätta; installera **2** kolonisera, slå sig ner i **3** avgöra [*that ~s the matter*]; göra slut på [~ *a quarrel*]; ordna, klara upp; ~ *a conflict* lösa en konflikt; ~ *a dispute* avgöra en tvist **4** betala, göra upp **5** fastställa, avtala, bestämma [~ *a date (day)*]; bestämma sig [*on* för] **6** bosätta sig, slå sig ner, sätta sig till rätta [ofta ~ *down*]; *marry and ~ down* gifta sig och slå sig till ro; *he is settling down to his new job* han börjar komma in i sitt nya arbete **7** om väder stabilisera sig

**settled** ['setld] *adj* **1** avgjord, bestämd, uppgjord; på räkning betalt **2** fast, stadgad, stadig; om väder lugn och vacker **3** bebodd, bebyggd [*a thinly (glest) ~ area*]

**settlement** ['setlmənt] *s* **1** avgörande, uppgörelse; lösning av en konflikt; biläggande av en tvist; förlikning **2** fastställande; överenskommelse, avtal

**3** betalning **4** bosättning, bebyggelse, kolonisering

**settler** ['setlə] *s* nybyggare, kolonist

**set-up** ['setʌp] *s* uppbyggnad, struktur, organisation; situation

**seven** ['sevn] **I** *räkn* sju **II** *s* sjua

**seventeen** [,sevn'ti:n] *räkn* o. *s* sjutton

**seventeenth** [,sevn'ti:nθ] *räkn* o. *s* sjuttonde; sjuttondel

**seventh** ['sevnθ] *räkn* o. *s* sjunde; sjundedel

**seventieth** ['sevntɪɪθ] *räkn* o. *s* sjuttionde; sjuttiondel

**seventy** ['sevntɪ] **I** *räkn* sjuttio **II** *s* sjuttio; sjuttiotal; *in the seventies* på sjuttiotalet

**sever** ['sevə] *vb tr* avskilja; hugga (rycka, bryta) av

**several** ['sevr(ə)l] *adj* o. *pron* flera, åtskilliga

**severe** [sɪ'vɪə] *adj* sträng; hård, svår; bister

**severely** [sɪ'vɪəlɪ] *adv* strängt, hårt; ~ *wounded* svårt sårad

**severity** [sə'verətɪ] *s* stränghet, hårdhet; *the ~ of the winter* [*in Canada*] den stränga vintern…

**Seville** [sə'vɪl] Sevilla; ~ *orange* pomeran

**sew** [səʊ] (imperfekt *sewed*; perfekt particip *sewn* el. *sewed*) *vb tr* o. *vb itr* sy; ~ *on* sy fast (i); ~ *up* sy till; sy ihop (igen)

**sewer** ['su:ə, 'sjʊə] *s* kloak, avloppsledning

**sewing** ['səʊɪŋ] *s* sömnad, sömnadsarbete

**sewing-machine** ['səʊɪŋməˌʃi:n] *s* symaskin

**sewing-needle** ['səʊɪŋˌni:dl] *s* synål

**sewn** [səʊn] se *sew*

**sex** [seks] *s* **1** kön; *the fair ~* det täcka könet **2** sex, erotik; *have ~* älska, ligga med varandra **3** attributivt köns- [~ *hormone*], sexuell, sex-; ~ *appeal* sex appeal; ~ *equality* jämställdhet mellan könen; ~ *maniac* sexgalning

**sexism** ['seksɪz(ə)m] *s* sexism, könsdiskriminering

**sex-starved** ['seksstɑ:vd] *adj* sexuellt utsvulten, sexhungrig

**sexual** ['seksjʊəl] *adj* sexuell; ~ *desire* könsdrift; ~ *intercourse* samlag; ~ *organs* könsorgan

**sexuality** [,seksjʊ'ælətɪ] *s* sexualitet

**sexy** ['seksɪ] *adj* vard. sexig

**sh** [ʃ:] *interj* sch!, hysch!

**shabby** ['ʃæbɪ] *adj* sjabbig, sjaskig; tarvlig

**shack** [ʃæk] *s* timmerkoja, hydda

**shackle** ['ʃækl] *s*, pl. ~*s* bojor, fjättrar

**shade** [ʃeɪd] **I** *s* **1** skugga [*30°in the ~*];

309

**sharp-shooter**

*hrow (put) into the* ~ bildl. ställa i
skuggan **2** nyans; färgton **3** aning, smula
*I am a ~ better today*] **4** skärm
*lampshade*] **II** *vb tr* skugga, skugga för
**adow** ['ʃædəʊ] **I** *s* skugga [*the ~ of a man
against* (på) *the wall*]; ~ *boxing*
skuggboxning; ~ *cabinet* oppositionens
skuggkabinett, skuggregering; *without
beyond*) *a ~ of doubt* utan skuggan av
tt tvivel **II** *vb tr* skugga [*the detective
hadowed him*]
**adowy** ['ʃædəʊɪ] *adj* **1** skuggig
**2** skugglik, overklig
**ady** ['ʃeɪdɪ] *adj* **1** skuggig; skuggande [*a
~ tree*] **2** vard. skum [*a ~ customer* (figur)]
**aft** [ʃɑːft] *s* **1** skaft på spjut, vissa verktyg
n.m. **2** schakt i gruva m.m.; trumma [*lift ~*];
~ el. *ventilating ~* lufttrumma
**aggy** ['ʃægɪ] *adj* raggig, lurvig; buskig
**ah** [ʃɑː] *s* shah, schah
**ake** [ʃeɪk] **I** (*shook shaken*) *vb tr* o. *vb itr*
skaka, skaka ur (ner); ~ *oneself* skaka
å sig; ~ *hands* skaka hand; ~ *hands on
th.* ta varandra i hand på ngt; ~ *one's
ead* skaka på huvudet [*over, at* åt]
skaka, göra upprörd; *he was shaken
y the news* han blev skakad av nyheten
komma att skaka (skälva, darra)
skaka, skälva, darra [*with* av]
**II** *s* skakning; skälvning, darrning; *give
a good ~!* skaka av (om, på) det
rdentligt!
**aken** ['ʃeɪk(ə)n] se *shake I*
**aky** ['ʃeɪkɪ] *adj* skakig, darrande;
stadig, ranglig [*a ~ old table*]; vacklande
a ~ *government*]
**all** [ʃæl, obetonat ʃəl] (imperfekt *should*, jfr
etta uppslagsord) *hjälpvb* presens skall; *I ~
neet him tomorrow* jag träffar (skall
räffa) honom i morgon
**allot** ['ʃəlɒt] *s* schalottenlök
**allow** ['ʃæləʊ] *adj* grund [~ *water*]; flat
a ~ *dish*]; ytlig [*a ~ person; a ~ argument*]
**am** [ʃæm] **I** *vb tr* o. *vb itr* simulera,
yckla, låtsas **II** *s* **1** hyckleri, humbug,
luff **2** imitation [*these pearls are ~s*]
bluffmakare, humbug **III** *adj* låtsad,
ngerad, sken- [*a ~ attack*], oäkta [~
earls]
**ame** [ʃeɪm] **I** *s* skam, blygsel; vanära; ~
n *you!* fy skam (skäms)!; *what a ~!* så
råkigt (synd)!; *put a p. to ~* a) skämma
t ngn b) ställa ngn i skuggan; *be put to*
få stå där med skammen **II** *vb tr* få att
kämmas; skämma ut, dra vanära över

**shamefaced** ['ʃeɪmfeɪst] *adj* skamsen
**shamefacedly** [ʃeɪm'feɪstlɪ, 'ʃeɪmfeɪsɪdlɪ]
*adv* skamset
**shameful** ['ʃeɪmf(ʊ)l] *adj* skamlig, neslig
**shameless** ['ʃeɪmləs] *adj* skamlös, fräck
**shammy** ['ʃæmɪ] *s,* ~ *leather* el. ~
sämskskinn
**shampoo** [ʃæm'puː] **I** *vb tr* schamponera
**II** *s* **1** schamponering; *give a p. a ~*
schamponera ngn; *a ~ and set* tvättning
och läggning **2** schampo,
schamponeringsmedel
**shamrock** ['ʃæmrɒk] *s* treklöver
**shandy** ['ʃændɪ] *s* en blandning av öl och
sockerdricka
**shan't** [ʃɑːnt] = *shall not*
**shape** [ʃeɪp] **I** *s* **1** form, fason; *in any ~ or
form* i någon form; *get out of ~* förlora
formen (fasonen) **2** tillstånd, skick; *his
finances are in good ~* hans ekonomi är
bra; *he is in good ~* han är i god form
(har bra kondis) **II** *vb tr* forma; skapa,
gestalta; *shaped like a pear* päronformig
**shapeless** ['ʃeɪpləs] *adj* formlös, oformlig
**shapeliness** ['ʃeɪplɪnəs] *s* vacker form
**shapely** ['ʃeɪplɪ] *adj* välformad, välskapad;
~ *legs* välsvarvade ben
**share** [ʃeə] **I** *s* **1** del, andel; *have a ~ in*
a) vara medansvarig i b) få del av **2** aktie;
andel **II** *vb tr* o. *vb itr* **1** dela [*with a p.*
med ngn]; ha del i **2** ~ *out* el. ~ dela ut,
fördela **3** ~ *in* dela; delta i, ha del i, vara
delaktig i
**shareholder** ['ʃeəˌhəʊldə] *s* aktieägare;
*shareholder's meeting* bolagsstämma
**1 shark** [ʃɑːk] *s* zool. haj
**2 shark** [ʃɑːk] *s* vard. börshaj, bondfångare
**sharp** [ʃɑːp] **I** *adj* **1** skarp, vass **2** markant,
klar **3** stark [*a ~ rise; a ~ taste*], syrlig [*a ~
flavour*] **4** vaken, intelligent, pigg **5** mus.
a) höjd en halv ton; med #-förtecken; *A ~*
m.fl., se under resp. bokstav b) en halv ton för
hög
**II** *s* mus. kors, #-förtecken, #; ~*s and flats*
svarta tangenter på t.ex. piano
**III** *adv* **1** på slaget, prick [*at six (at six
o'clock) ~*] **2** skarpt; tvärt [*turn* (ta av) ~
*left*]; *look ~!* sno (raska) på!
**sharpen** ['ʃɑːp(ə)n] *vb tr* o. *vb itr* göra
skarp (vass); göra vassare (skarpare);
skärpa, vässa, slipa; bli skarp (vass),
skärpas, vässas, slipas
**sharpener** ['ʃɑːpnə] *s* pennvässare
**sharpness** ['ʃɑːpnəs] *s* skärpa
**sharp-shooter** ['ʃɑːpˌʃuːtə] *s* prickskytt

# sharp-sighted

**sharp-sighted** [ˌʃɑːpˈsaɪtɪd] *adj* skarpsynt
**sharp-witted** [ˌʃɑːpˈwɪtɪd] *adj* skarpsinnig
**shatter** [ˈʃætə] *vb tr* o. *vb itr* splittra, bryta sönder, krossa; splittras, brytas sönder, krossas
**shattering** [ˈʃætərɪŋ] *adj* förödande [*a ~ defeat*]; öronbedövande [*a ~ noise*]
**shave** [ʃeɪv] **I** *vb tr* o. *vb itr* (imperfekt *shaved*; perfekt particip *shaved* el. speciellt som adjektiv *shaven*) **1** raka [*~ one's beard*; *~ a p.*]; *be* (*get*) *shaved* raka sig, bli rakad **2** *~ off* el. *~* skrapa (hyvla, raka) av **3** snudda vid **4** raka sig **II** *s* **1** rakning; *have* (*get*) *a ~* raka sig **2** vard., *it was a close* (*narrow, near*) *~* det var nära ögat; *he had a close* (*narrow, near*) *~* han hann undan med knapp nöd
**shaven** [ˈʃeɪvn] **I** se *shave I* **II** *adj* rakad [*clean-shaven*]
**shaver** [ˈʃeɪvə] *s* rakapparat [*electric ~*]
**shaving** [ˈʃeɪvɪŋ] *s* **1** rakning; attributivt rak- [*~ brush*; *~ cream*]; *~ stick* raktvål **2** pl. *~s* hyvelspån
**shawl** [ʃɔːl] *s* sjal, schal
**she** [ʃiː, obetonat ʃi] **I** (objektsform *her*) *pers pron* hon; om fartyg, bil, land m.m. den, det **II** (pl. *~s*) *s* kvinna, flicka; hona; hon [*the child is a ~*] **III** *adj* i sammansättningar vid djurnamn hon-, -hona [*she-fox*]
**sheaf** [ʃiːf] (pl. *sheaves* [ʃiːvz]) *s* bunt [*a ~ of papers*]
**shear** [ʃɪə] (imperfekt *sheared*; perfekt particip *shorn* el. *sheared*) *vb tr* klippa [*~ sheep*]; klippa av; skära
**shears** [ʃɪəz] *s pl* sax trädgårdssax etc.; *a pair of ~* en sax
**sheath** [ʃiːθ] (pl. *~s* [ʃiːðz]) *s* **1** slida, skida, balja; fodral **2** kondom
**sheath knife** [ˈʃiːθnaɪf] *s* slidkniv
**sheaves** [ʃiːvz] se *sheaf*
**1 shed** [ʃed] *s* skjul; stall [*engine ~*]
**2 shed** [ʃed] (*shed shed*) *vb tr* **1** utgjuta [*~ blood*]; *blood will be ~* blod kommer att flyta; *~ tears* fälla tårar **2** fälla [*~ leaves*], tappa **3** sprida [*~ warmth*]; *~ light on* sprida ljus över, belysa
**she'd** [ʃiːd] = *she had, she would*
**she-devil** [ˈʃiːˌdevl] *s* djävulsk kvinna
**sheen** [ʃiːn] *s* glans [*the ~ of silk*], lyster
**sheep** [ʃiːp] (pl. lika) *s* får
**sheepdog** [ˈʃiːpdɒg] *s* fårhund
**sheepfaced** [ˈʃiːpfeɪst] *adj* förlägen, generad
**sheep farmer** [ˈʃiːpˌfɑːmə] *s* fåruppfödare
**sheepfold** [ˈʃiːpfəʊld] *s* fårfålla

**sheepish** [ˈʃiːpɪʃ] *adj* förlägen, generad
**1 sheer** [ʃɪə] *adj* **1** ren [*~ nonsense* (*waste*)] **2** mycket tunn, skir [*~ material* (tyg)] **3** tvärbrant [*a ~ rock*]
**2 sheer** [ʃɪə] *vb itr*, *~ off* (*away*) bege sig väg
**sheet** [ʃiːt] *s* **1** lakan **2** tunn plåt [*~ of metal*], tunn skiva [*~ of glass*]; *~ metal* plåt **3** blad [*map-sheet*]; *some ~s of paper* några papper (pappersark); *~ music* notblad **4** *~ lightning* ytblixt, ytblixtar; *~ of water* vidsträckt vattenyta
**sheik** o. **sheikh** [ʃeɪk, ʃiːk] *s* shejk, schejk
**shelf** [ʃelf] (pl. *shelves* [ʃelvz]) *s* hylla; avsats
**shell** [ʃel] **I** *s* **1** a) hårt skal; snäcka b) ärtskida **2** a) granat b) patron **II** *vb tr* **1** skala [*~ shrimps*], sprita [*~ peas*] **2** mi(*) bombardera, beskjuta med granater
**she'll** [ʃiːl] = *she will* (*shall*)
**shellac** [ʃəˈlæk] *s* schellack
**shellfish** [ˈʃelfɪʃ] *s* skaldjur
**shelter** [ˈʃeltə] **I** *s* skydd; lä; tillflykt; *air-raid ~* el. *~* skyddsrum; *bus ~* regnskydd vid busshållplats **II** *vb tr* o. *vb itr* skydda, ge skydd; ta skydd
**shelve** [ʃelv] *vb tr* bordlägga, skrinlägga
**shelves** [ʃelvz] *s* se *shelf*
**shepherd** [ˈʃepəd] *s* fåraherde
**shepherd boy** [ˈʃepədbɔɪ] *s* vallpojke
**shepherd dog** [ˈʃepəddɒg] *s* vallhund
**shepherdess** [ˈʃepədes] *s* herdinna
**sherbet** [ˈʃɜːbət] *s* **1** *~ powder* el. *~* tomtebrus **2** kok. sorbet
**sheriff** [ˈʃerɪf] *s* sheriff
**sherry** [ˈʃerɪ] *s* sherry
**she's** [ʃiːz, ʃɪz] = *she is*; *she has*
**Shetland** [ˈʃetlənd] geogr. **I** *~* el. *the ~s* el. *the ~ Islands* Shetlandsöarna **II** *adj* shetlands- [*~ pony*; *~ wool*]
**shield** [ʃiːld] **I** *s* sköld **II** *vb tr* skydda [*from mot*]
**shift** [ʃɪft] **I** *vb tr* o. *vb itr* skifta; flytta, flytta om, växla, ändra sig; ändra ställning [*he shifted in his seat*]; *~ gears* bil. växla; *he shifted into second gear* han lade i tvåans växel **II** *s* **1** förändring, ombyte, skifte; växling **2** arbetsskift **3** växelspak
**shilling** [ˈʃɪlɪŋ] *s* shilling förr eng. mynt = 1/20 pund
**shimmer** [ˈʃɪmə] **I** *vb itr* skimra **II** *s* skimmer
**shin** [ʃɪn] **I** *s* skenben, smalben **II** *vb itr*, *~ up a tree* klättra uppför ett träd

**hinbone** ['ʃɪnbəʊn] s skenben

**hine** [ʃaɪn] I (*shone shone*) vb itr skina;
lysa; glänsa; stråla; blänka; *a shining
example* ett lysande exempel II s glans,
sken, blankhet

**hingle** ['ʃɪŋgl] s klappersten på sjöstrand

**hingles** ['ʃɪŋglz] s med. bältros

**hinguard** ['ʃɪŋgɑ:d] s o. **shinpad** ['ʃɪnpæd]
s sport. benskydd

**hiny** ['ʃaɪnɪ] adj skinande, glänsande;
blankputsad [~ *shoes*]; klar, blank [*a ~
nose*]; blanksliten

**hip** [ʃɪp] I s skepp, fartyg II vb tr **1** skeppa
n, ta (föra) ombord [~ *goods*; ~
*passengers*] **2** sända, transportera [~ *goods
by boat (rail)*], avlasta, skeppa

**hipbuilder** ['ʃɪpˌbɪldə] s skeppsbyggare

**hipload** ['ʃɪpləʊd] s skeppslast, fartygslast

**hipmate** ['ʃɪpmeɪt] s skeppskamrat

**hipment** ['ʃɪpmənt] s **1** inskeppning
**2** sändning, transport, skeppslast

**hipowner** ['ʃɪpˌəʊnə] s skeppsredare

**hipping** ['ʃɪpɪŋ] s **1** tonnage **2** sjöfart;
skeppning, sändande; ~ *company* rederi;
~ *route* trad

**hipshape** ['ʃɪpʃeɪp] adj o. adv snygg och
prydlig; snyggt och prydligt

**hipwreck** ['ʃɪprek] I s skeppsbrott,
förlisning II vb tr komma att förlisa; perfekt
particip *shipwrecked* skeppsbruten, förlist;
*be shipwrecked* lida skeppsbrott, förlisa

**hipwright** ['ʃɪpraɪt] s skeppsbyggare

**hipyard** ['ʃɪpjɑ:d] s skeppsvarv

**hirk** [ʃɜ:k] vb tr o. vb itr dra sig undan,
smita från; smita

**hirt** [ʃɜ:t] s skjorta; sport. tröja

**hirtblouse** ['ʃɜ:tblaʊz] s skjortblus

**hirtfront** ['ʃɜ:tfrʌnt] s skjortbröst

**hirting** ['ʃɜ:tɪŋ] s skjorttyg

**hirtsleeve** ['ʃɜ:tsli:v] s skjortärm

**hirtwaist** ['ʃɜ:tweɪst] s skjortblus

**hish kebab** [ʃɪʃkə'bæb] s kok. shishkebab,
grillspett

**hit** [ʃɪt] vulg. I s skit II (*shit shit* el. *shitted
shitted*) vb itr skita III interj fan också!,
jävlar!

**hiver** ['ʃɪvə] I vb itr darra, skälva, huttra,
rysa [~ *with* (av) *cold*] II s darrning,
kälvning, rysning; *it gives me the ~s*
vard. det kommer mig att rysa

**hivery** ['ʃɪvərɪ] adj darrig; rysande

**hoal** [ʃəʊl] I s **1** stim [*a ~ of herring*]
**2** massa, mängd; *in ~s* i massor II vb itr
timma; *shoaling fish* stimfisk

**hock** [ʃɒk] s, *a ~ of hair* en kalufs

**2 shock** [ʃɒk] I s **1** våldsam stöt; ~ *wave*
stötvåg, chockvåg, tryckvåg **2** chock II vb
tr uppröra, chockera

**shock-absorber** ['ʃɒkəbˌsɔ:bə] s
stötdämpare

**shocking** ['ʃɒkɪŋ] adj upprörande,
chockerande; vard. förskräcklig [*a ~
blunder*]

**shockproof** ['ʃɒkpru:f] adj stötsäker

**shod** [ʃɒd] se *shoe* II

**shoddy** ['ʃɒdɪ] adj sjabbig, sjaskig; tarvlig

**shoe** [ʃu:] I s sko; speciellt lågsko II (*shod
shod*) vb tr sko [~ *a horse*]

**shoehorn** ['ʃu:hɔ:n] s skohorn

**shoelace** ['ʃu:leɪs] s skosnöre, skorem

**shoemaker** ['ʃu:ˌmeɪkə] s skomakare

**shoestring** ['ʃu:strɪŋ] s skosnöre

**shoetree** ['ʃu:tri:] s skoblock

**shone** [ʃɒn] se *shine* I

**shook** [ʃʊk] se *shake* I

**shoot** [ʃu:t] I (*shot shot*) vb itr o. vb tr
**1** skjuta [*at* på, mot] **2** jaga; *be* (*go*) *out
shooting* vara ute på jakt **3** rusa, susa [*he
shot past me*]; ~ *up* skjuta upp; rusa i
höjden [*prices shot up*] **4** fotografera,
filma; spela in [~ *a film*] **5** ~*!* vard. kör
på!, sätt igång! **6** kasta [~ *a glance at a p.*]
II s bot. skott

**shooting** ['ʃu:tɪŋ] s **1** skjutande; attributivt
skjut- [~ *practice*]; ~ *incident*
skottintermezzo **2** jakt **3** filmning,
skjutning

**shooting-brake** ['ʃu:tɪŋbreɪk] s kombivagn,
stationsvagn

**shooting-gallery** ['ʃu:tɪŋˌgælərɪ] s täckt
skjutbana

**shooting-range** ['ʃu:tɪŋreɪndʒ] s skjutbana

**shooting-star** ['ʃu:tɪŋstɑ:] s stjärnskott,
stjärnfall

**shoot-out** ['ʃu:taʊt] s **1** eldstrid **2** fotb.,
*penalty* ~ straffsparksläggning efter
förlängning

**shop** [ʃɒp] I s **1** affär, butik, bod, shop; *set
up* ~ öppna affär, öppna eget; *shut up* ~
vard. slå igen butiken sluta; *all over the* ~
vard. i en enda röra, åt alla håll
**2** verkstad, fabrik **3** vard., *talk* ~ prata
jobb II vb itr göra sina inköp, handla,
shoppa; *go shopping* gå ut och handla
(shoppa)

**shop assistant** ['ʃɒpəˌsɪstənt] s
affärsbiträde, expedit

**shopfront** ['ʃɒpfrʌnt] s skyltfönster

**shopkeeper** ['ʃɒpˌki:pə] s

butiksinnehavare, affärsinnehavare, handlande

**shoplifter** [ˈʃɒpˌlɪftə] *s* snattare

**shoplifting** [ˈʃɒpˌlɪftɪŋ] *s* snatteri

**shopper** [ˈʃɒpə] *s* person som är ute och handlar (shoppar)

**shopping** [ˈʃɒpɪŋ] *s* inköp, shopping; *do some ~* göra några inköp, handla (shoppa) lite; *~ bag* shoppingväska, shoppingbag

**shopsoiled** [ˈʃɒpsɔɪld] *adj* butiksskadad

**shop steward** [ˈʃɒpˌstjʊəd] *s* arbetares förtroendeman; fackligt ombud

**shopwalker** [ˈʃɒpˌwɔːkə] *s* butikskontrollant; varuhusvärd, varuhusvärdinna

**shopwindow** [ˌʃɒpˈwɪndəʊ] *s* skyltfönster, butiksfönster

**shore** [ʃɔː] *s* strand; kust [*a rocky ~*]; *~ leave* sjö. landpermission

**shorn** [ʃɔːn] se *shear*

**short** [ʃɔːt] **I** *adj* **1** kort, kortvarig, kortvuxen [*a ~ man*]; *~ for* förkortning för; *~ cut* genväg; *~ sight* närsynthet; *~ story* novell; *cut a p.* (*a th.*) *~* avbryta ngn (ngt); *we are £5 ~* det fattas 5 pund för oss; *fuel is in ~ supply* det är knapp tillgång på bränsle □ *~ of* a) otillräckligt försedd med b) så när som på, utom; *~ of breath* andfådd; *little ~ of* närapå, snudd på [*little ~ of a scandal*]; *be ~ of* ha ont om, ha brist på **2** kort, tvär, brysk [*with* mot]
**II** *adv* **1** tvärt, plötsligt **2** *fall ~ of* inte gå upp mot; inte motsvara; *go ~* bli utan [*of a th.* ngt]; *run ~* lida brist [*of* på]
**III** *s* **1** pl. *~s* shorts, kortbyxor **2** *for ~* för korthetens skull; kort och gott; *in ~* kort sagt **3** elektr. kortslutning

**shortage** [ˈʃɔːtɪdʒ] *s* brist, knapphet

**shortbread** [ˈʃɔːtbred] *s* o. **shortcake** [ˈʃɔːtkeɪk] *s* mördegskaka

**short circuit** [ˌʃɔːtˈsɜːkɪt] *s* kortslutning

**shortcoming** [ˈʃɔːtˌkʌmɪŋ] *s* brist, fel

**shortcrust** [ˈʃɔːtkrʌst] *adj*, *~ paste* mördeg

**shorten** [ˈʃɔːtn] *vb tr* o. *vb itr* förkorta, göra kortare, korta av, ta av; sömnad. lägga upp; bli kortare

**shorthand** [ˈʃɔːthænd] *s* stenografi; *~ typist* stenograf och maskinskriverska; *take a th. down in ~* stenografera ngt

**short-lived** [ˌʃɔːtˈlɪvd] *adj* kortlivad, kortvarig

**shortly** [ˈʃɔːtlɪ] *adv* kort [*~ after*], strax [*~ before noon*]; inom kort

**short-range** [ˌʃɔːtˈreɪndʒ] *adj* kortdistans-; kortsiktig [*~ plans*]

**short-sighted** [ˌʃɔːtˈsaɪtɪd] *adj* **1** närsynt **2** kortsynt

**short-staffed** [ˌʃɔːtˈstɑːft] *adj* underbemannad

**short-tempered** [ˌʃɔːtˈtempəd] *adj* obehärskad, häftig, lättretad

**shortwave** [ˈʃɔːtweɪv] *s* radio. kortvåg

**1 shot** [ʃɒt] **I** se *shoot I* **II** *adj* **1** vattrad [*~ silk*] **2** *get ~ of a th.* vard. bli kvitt ngt

**2 shot** [ʃɒt] *s* **1** skott [*at* mot, på, efter]; *blank ~* löst skott; *he was off like a ~* vard. han for i väg som ett skott (en pil); *he did it like a ~* vard. han gjorde det på stubben **2** (pl. lika) kula **3** skytt **4** foto, kort **5** vard., *have a ~ at it!* gör ett försök!; *not by a long ~* inte på långt när **6** sport. skott, boll; kula; *put the ~* stöta kula; *putting* [ˈpʊtɪŋ] *the ~* kulstötning, kula

**shotgun** [ˈʃɒtɡʌn] *s* hagelgevär

**should** [ʃʊd, obetonat ʃəd] *hjälpvb* (imperfekt av *shall*) skulle; borde, bör [*you ~ see a doctor*]; skall [*it is surprising that he ~ be so foolish*]

**shoulder** [ˈʃəʊldə] **I** *s* **1** skuldra, axel; *~ of mutton* fårbog **2** vägkant **II** *vb tr* **1** lägga på (över) axeln [*~ a burden*], axla; *~ arms!* mil. på axel gevär! **2** ta på sig [*~ the blame*]

**shoulder bag** [ˈʃəʊldəbæɡ] *s* axelväska

**shoulder belt** [ˈʃəʊldəbelt] *s* axelgehäng

**shoulder blade** [ˈʃəʊldəbleɪd] *s* skulderblad

**shouldered** [ˈʃəʊldəd] *perf p* o. *adj* i sammansättningar -axlad [*broad-shouldered*]

**shoulder strap** [ˈʃəʊldəstræp] *s* **1** mil. axelklaff **2** axelrem **3** axelband på damplagg

**shouldn't** [ˈʃʊdnt] = *should not*

**shout** [ʃaʊt] **I** *vb itr* o. *vb tr* skrika; ropa, gapa och skrika; *~ out* ropa (skrika) högt skrika (ropa) ut [*~ out one's orders*] **II** *s* skrik, rop

**shouting** [ˈʃaʊtɪŋ] *s* skrik, skrikande

**shove** [ʃʌv] **I** *vb tr* o. *vb itr* skjuta, knuffa; skjutas, knuffas **II** *s* knuff, stöt, skjuts

**shovel** [ˈʃʌvl] **I** *s* skovel; skyffel **II** *vb itr* o. *vb tr* skovla, skyffla, skotta

**show** [ʃəʊ] **I** (*showed shown*) *vb tr* o. *vb itr* **1** visa, visa fram, visa upp [*~ one's passport*]; visa sig, synas, vara (bli) synlig; *~ one's hand* (*cards*) bildl. bekänna färg (kort); *that just ~s you!* vard. där ser du!; *that'll ~ them!* vard. då ska dom få se!; *~*

*off* visa upp, vilja briljera (skryta) med; vilja briljera, göra sig till; **~ up** a) visa upp b) avslöja [*~ up a fraud*] c) synas tydligt, framträda d) vard. visa sig, dyka upp **2** visa; följa [*~ a p. to the door*]; *~ a p. the door* visa ngn på dörren **3** påvisa, bevisa [*we have shown that the story is false*] **4** visas, spelas, gå [*the film is showing at the Grand*] **II** *s* **1** utställning [*flower ~*]; uppvisning [*fashion ~*]; teaterföreställning, revy, show; *good ~!* bravo!, fint!; *put up a good ~* göra mycket bra ifrån sig; *be on ~* vara utställd, kunna beses; *run the ~* basa för det hela **2** stått, prål

**show biz** [ˈʃəʊˌbɪz] *s* vard. showbusiness, nöjesbranschen

**show business** [ˈʃəʊˌbɪznəs] *s* showbusiness, nöjesbranschen

**showcase** [ˈʃəʊkeɪs] *s* monter; utställningsskåp

**showdown** [ˈʃəʊdaʊn] *s* uppgörelse; kraftmätning

**shower** [ˈʃaʊə] **I** *s* **1** skur **2** dusch **3** amer. lysningsmottagning **II** *vb itr* o. *vb tr* **1** falla i skurar, strömma ned [*ofta ~ down*]; låta regna ned; bildl. överhopa; *~ gifts upon a p.* överhopa ngn med gåvor **2** duscha, duscha över

**shower bath** [ˈʃaʊəbɑːθ] *s* dusch

**showerproof** [ˈʃaʊəpruːf] *adj* regntät

**showery** [ˈʃaʊərɪ] *adj* regnig, regn-

**showgirl** [ˈʃəʊgɜːl] *s* balettflicka

**show-jumping** [ˈʃəʊˌdʒʌmpɪŋ] *s* ridn. hoppning

**shown** [ʃəʊn] se *show* I

**showpiece** [ˈʃəʊpiːs] *s* turistattraktion; paradnummer

**showroom** [ˈʃəʊruːm] *s* utställningslokal

**show window** [ˈʃəʊˌwɪndəʊ] *s* skyltfönster

**showy** [ˈʃəʊɪ] *adj* grann, prålig; flärdfull

**shrank** [ʃræŋk] se *shrink*

**shred** [ʃred] **I** *s* remsa, strimla; *not a ~ of evidence* inte en tillstymmelse till bevis; *in ~s* i trasor, söndertrasad **II** *vb tr* skära (klippa, riva) i remsor (strimlor), strimla; *shredded tobacco* finskuren tobak; *shredded wheat* slags vetekudde som äts med mjölk till frukost

**shredder** [ˈʃredə] *s* **1** rivjärn, råkostkvarn **2** dokumentförstörare

**shrew** [ʃruː] *s* **1** argbigga **2** näbbmus [äv. *shrewmouse* (pl. *shrewmice*)]

**shrewd** [ʃruːd] *adj* skarpsinnig, klipsk [*a ~ remark*], klok; slug, smart

**shriek** [ʃriːk] **I** *vb itr* gallskrika; tjuta [*~ with* (av) *laughter*] **II** *s* gallskrik

**shrill** [ʃrɪl] *adj* gäll, genomträngande [*a ~ cry*]

**shrimp** [ʃrɪmp] *s* **1** räka, tångräka **2** bildl. puttefnask, plutt

**shrine** [ʃraɪn] *s* **1** relikskrin, helgonskrin; helgonaltare **2** helgedom

**shrink** [ʃrɪŋk] (*shrank shrunk*) *vb itr* o. *vb tr* **1** krympa [*the shirt will not ~*], krympa ihop; komma att krympa **2** *~ back* el. *~ rygga tillbaka* [*at* vid, för]; *~ from doing a th.* dra sig för att göra ngt

**shrinkage** [ˈʃrɪŋkɪdʒ] *s* krympning; *allow for ~* beräkna krymppmån

**shrinkproof** [ˈʃrɪŋkpruːf] *adj* krympfri

**shrivel** [ˈʃrɪvl] *vb itr* o. *vb tr*, *~ up* el. *~ skrumpna*; skrynkla ihop sig, komma att skrumpna (skrynkla ihop sig)

**shroud** [ʃraʊd] **I** *s* **1** svepning **2** bildl. hölje, slöja [*a ~ of mystery*] **II** *vb tr* **1** svepa lik **2** hölja, dölja [*shrouded in fog*]; *shrouded in mystery* höljd i dunkel

**Shrove** [ʃrəʊv] *s*, *~ Sunday* fastlagssöndag, fastlagssöndagen; *~ Tuesday* fettisdag, fettisdagen

**shrub** [ʃrʌb] *s* buske

**shrubbery** [ˈʃrʌbərɪ] *s* buskage

**shrug** [ʃrʌg] *vb tr*, *~ one's shoulders* rycka på axlarna [*at* åt] **II** *s*, *a ~ of the shoulders* el. *a ~* en axelryckning

**shrunk** [ʃrʌŋk] se *shrink*

**shrunken** [ˈʃrʌŋk(ə)n] *adj* hopfallen, insjunken [*~ cheeks*]

**shudder** [ˈʃʌdə] **I** *vb itr* rysa, bäva, skälva, huttra **II** *s* rysning; skälvning; *give a ~* rysa till

**shuffle** [ˈʃʌfl] **I** *vb itr* o. *vb tr* **1** gå släpande, hasa, lunka, lufsa; *~ one's feet* släpa med fötterna **2** kortsp. blanda **II** *s* **1** släpande; hasande **2** kortsp. blandande; *it's your ~* det är din tur att blanda

**shun** [ʃʌn] *vb tr* undvika

**shunt** [ʃʌnt] *vb tr* **1** järnv. växla [*~ a train on to* (över på) *a sidetrack*] **2** elektr. shunta

**shut** [ʃʌt] (*shut shut*) *vb tr* o. *vb itr* stänga [*~ a door*]; stänga av; fälla ned (igen) [*~ a lid*]; slå ihop (igen) [*~ a book*], stängas, slutas till; gå att stänga [*the door ~s easily*]; *~ one's eyes* blunda; *~ one's eyes to* blunda för □ *~* **down** slå igen, stänga, stängas [*~ down a lid; the factory has ~ down*]; bildl. äv. lägga ned [*~ down a factory*]; *~* **in** stänga inne; innesluta; *~* **off** stänga av; bildl. utestänga, utesluta; *~* **out**

stänga ute; utesluta [*from* ur]; *the trees ~ out the view* träden skymmer utsikten; ~ **to** stänga till [~ *a door* to]; ~ **up a)** stänga (bomma) till (igen) [~ *up a house*]; stänga, stängas, stängas till **b)** låsa in **c)** ~ *a p. up* vard. tysta ned ngn **d)** vard. hålla käften; ~ *up!* håll käft!

**shutdown** [ˈʃʌtdaʊn] *s* stängning [~ *of a factory*]

**shutter** [ˈʃʌtə] *s* **1** fönsterlucka; rulljalusi; *put up the ~s* stänga fönsterluckorna **2** foto. slutare; ~ *release* utlösare

**shuttle** [ˈʃʌtl] *s* **1** skyttel, skottspole **2 a)** ~ *service* skytteltrafik, pendeltrafik **b)** pendelbuss, pendeltåg; matarbuss

**shuttlecock** [ˈʃʌtlkɒk] *s* badmintonboll

**shy** [ʃaɪ] *adj* skygg, blyg [*of* för]; *fight ~ of* dra sig för, gå ur vägen för [*fight ~ of a p.*]

**Siamese** [ˌsaɪəˈmiːz] **I** *adj* **1** hist. siamesisk **2** ~ el. ~ *cat* siames, siameskatt; ~ *twins* siamesiska tvillingar **II** *s* **1** (pl. lika) hist. siames **2** siamesiska språket **3** (pl. lika) siameskatt

**Siberia** [saɪˈbɪərɪə] Sibirien

**Siberian** [saɪˈbɪərɪən] **I** *adj* sibirisk **II** *s* sibirier

**Sicilian** [sɪˈsɪljən] **I** *adj* siciliansk **II** *s* sicilianare

**Sicily** [ˈsɪsəlɪ] Sicilien

**sick** [sɪk] **I** *adj* **1 a)** sjuk [*her ~ husband*; amer. *he has been ~ for a week*]; *go* (*report*) ~ speciellt mil. sjukanmäla sig **b)** illamående; *be ~* kräkas, spy [*he was ~ three times*]; *be ~ at* (*to, in*) *one's stomach* amer. vara (bli) illamående; *feel ~* känna sig illamående, må illa **2** sjuklig; makaber [*a ~ joke*]; ~ *humour* sjuk humor **3** ~ *and tired of* grundligt led på (åt) **II** *s, the* ~ de sjuka **III** *vb tr* o. *vb itr*, ~ *up* vard. spy, spy upp

**sick benefit** [ˈsɪkˌbenɪfɪt] *s* sjukpenning

**sicken** [ˈsɪk(ə)n] *vb itr* o. *vb tr* **1** insjukna, börja bli sjuk [*the child is sickening for* (i) *something*] **2** göra illamående; äckla

**sickening** [ˈsɪkənɪŋ] *adj* vidrig, beklämmande [*a ~ sight*], äcklig

**sickle** [ˈsɪkl] *s* skära skörderedskap

**sick leave** [ˈsɪkliːv] *s* sjukledighet, sjukpermission

**sick list** [ˈsɪklɪst] *s, be on the* ~ vara sjukskriven

**sickly** [ˈsɪklɪ] **I** *adv* sjukligt **II** *adj* **1** sjuklig [*a ~ child*] **2** matt, blek **3** äcklig [*a ~ taste*]; sötsliskig [~ *sentimentality*]

**sickness** [ˈsɪknəs] *s* **1** sjukdom; i sammansättningar -sjuka [*air ~*]; ~ *benefit* sjukpenning **2** kväljningar, illamående; kräkningar

**sick pay** [ˈsɪkpeɪ] *s* sjuklön

**side** [saɪd] **I** *s* **a)** sida **b)** håll, kant **c)** sport. lag **d)** attributivt sido- [*a ~ door*], sid-; *take ~s* ta parti (ställning) [*with a p.* för ngn] □ *at the ~ of* bredvid, vid sidan av; *at a p.'s* ~ vid ngns sida; ~ *by* ~ sida vid sida, bredvid varandra; *on all ~s* på (från) alla sidor, på alla håll och kanter; *on one* ~ a) på en sida b) avsides [*take a p. on one ~*]; *on the* ~ vid sidan 'om [*earn money on the ~*]; *look on the bright ~ of life* se livet från den ljusa sidan; *on the large* (*small*) ~ i största (minsta) laget; stort (smått) tilltagen; *he's a bit on the old* ~ han är rätt gammal; [*put a th.*] *to one* ~ …åt sidan (undan) **II** *vb itr*, ~ *against* (*with*) *a p.* ta parti mot (för) ngn

**sideboard** [ˈsaɪdbɔːd] *s* **1** byffé, skänk; sideboard **2** pl. ~*s* vard. polisonger

**sideburns** [ˈsaɪdbɜːnz] *s pl* speciellt amer. vard. polisonger

**sidecar** [ˈsaɪdkɑː] *s* sidvagn till motorcykel

**side effect** [ˈsaɪdɪˌfekt] *s* med. el. bildl. biverkan; pl. ~*s* biverkningar

**side glance** [ˈsaɪdɡlɑːns] *s* sidoblick

**sidelight** [ˈsaɪdlaɪt] *s* **1** sidoljus, sidobelysning **2** *throw interesting ~s on a th.* ge intressanta glimtar av ngt

**sideline** [ˈsaɪdlaɪn] *s* **1** sport. sidlinje; *from the ~s* från åskådarplats **2** bisyssla

**sidelong** [ˈsaɪdlɒŋ] *adj* sido- [*a ~ glance*]

**side plate** [ˈsaɪdpleɪt] *s* assiett

**sideshow** [ˈsaɪdʃəʊ] *s* stånd, bod på t.ex. nöjesfält

**side-splitting** [ˈsaɪdˌsplɪtɪŋ] *adj* hejdlöst rolig [*a ~ farce*]; hejdlös

**sidestep** [ˈsaɪdstep] *vb tr* bildl. förbigå, undvika, kringgå

**sidestreet** [ˈsaɪdstriːt] *s* sidogata

**sidetrack** [ˈsaɪdtræk] **I** *s* sidospår **II** *vb tr* bildl. leda in på ett sidospår

**sidewalk** [ˈsaɪdwɔːk] *s* amer. trottoar

**sideward** [ˈsaɪdwəd] *adj* åt sidan

**sidewards** [ˈsaɪdwədz] *adv* åt sidan

**sideways** [ˈsaɪdweɪz] **I** *adv* från sidan [*viewed ~*]; åt sidan, i sidled [*jump ~*]; på snedden **II** *adj* åt sidan [*a ~ movement*], sido- [*a ~ glance*]

**sidewhiskers** [ˈsaɪdˌwɪskəz] *s pl* polisonger

**siding** [ˈsaɪdɪŋ] *s* järnv. sidospår, växelspår

**siege** [si:dʒ] *s* belägring; *state of* ~ belägringstillstånd

**siesta** [sɪ'estə] *s, take a* ~ ta siesta, sova middag

**sieve** [sɪv] **I** *s* såll, sikt; *he has a memory like a* ~ han har ett hönsminne **II** *vb tr* sålla, sikta

**sift** [sɪft] *vb tr* sålla; sikta [~ *flour*]; sovra

**sifter** ['sɪftə] *s* sikt [*flour-sifter*]; ströare

**sigh** [saɪ] **I** *vb itr* sucka [*for* efter] **II** *s* suck

**sight** [saɪt] **I** *s* **1** syn, synförmåga **2** åsyn, anblick; *catch (get)* ~ *of* få syn på; *lose* ~ *of* förlora ur sikte; *at (on)* ~ på fläcken [*shoot a p. on* ~]; *play at* ~ mus. spela från bladet; *at first* ~ vid första anblicken; *love at first* ~ kärlek vid första ögonkastet **3** synhåll; sikte; *be in (within)* ~ *of a th.* ha ngt i sikte (inom synhåll), sikta ngt [*we were in (within)* ~ *of land*]; [*the end of the war*] *was in* ~ man började skönja...; *be out of* ~ vara utom synhåll [*of a p.* för ngn]; *out of* ~, *out of mind* ur syn ur sinn; *keep out of* ~ hålla sig gömd, inte visa sig **4** syn [*a sad* ~], skådespel; sevärdhet [*see the* ~*s of the town*] **5** sikte, siktinrättning **6** vard. massa, mängd; *a damned* ~ *better* bra mycket bättre **II** *vb tr* **1** speciellt sjö. sikta [~ *land*] **2** rikta in [~ *a gun at* (mot)]

**sight-read** ['saɪtri:d] (*sight-read sight-read* [båda 'saɪtred]) *vb tr* o. *vb itr* spela (sjunga) från bladet

**sight-reader** ['saɪtˌri:də] *s, be a good* ~ vara skicklig i att spela (sjunga) från bladet

**sightseeing** ['saɪtˌsi:ɪŋ] **I** *pres p, go* ~ gå (åka) på sightseeing **II** *s* sightseeing; ~ *tour* sightseeingtur, rundtur

**sightseer** ['saɪtˌsi:ə] *s* person på sightseeing, turist

**sign** [saɪn] **I** *s* **1** tecken; symbol; *there is every* ~ *that* allt tyder på att; *bear* ~*s of* bära spår av (märken efter); *make the* ~ *of the cross* göra korstecknet; *make no* ~ inte ge något tecken ifrån sig **2** skylt [*street* ~*s*], märke [*warning* ~*s*]
  **II** *vb tr* o. *vb itr* **1** underteckna, skriva under (på), skriva sitt namn **2** engagera, värva [~ *a new footballer*] **3** ge tecken åt [~ *a p. to stop*]; ~ *for* kvittera ut □ ~ **off** radio. sluta sändningen; ~ **on** a) anställa [~ *on workers*], engagera [~ *on actors*], värva äv. mil.; itr. ta anställning b) anmäla sig, skriva in sig

**signal** ['sɪgn(ə)l] **I** *s* signal; tecken **II** *vb tr* o.

*vb itr* signalera; ~ *to a p.* el. ~ *a p.* signalera till ngn, ge tecken åt ngn

**signal box** ['sɪgn(ə)lbɒks] *s* järnv. ställverk

**signature** ['sɪgnətʃə] *s* signatur, namnteckning; underskrift

**signboard** ['saɪnbɔ:d] *s* skylt; anslagstavla

**signet ring** ['sɪgnɪtrɪŋ] *s* signetring

**significance** [sɪg'nɪfɪkəns] *s* mening, innebörd; vikt, betydelse

**significant** [sɪg'nɪfɪkənt] *adj* menande [*a* ~ *look*]; betecknande [*of* för]; betydelsefull

**signify** ['sɪgnɪfaɪ] *vb tr* antyda, beteckna, betyda

**signpost** ['saɪnpəʊst] **I** *s* vägvisare, vägskylt **II** *vb tr, the roads are well signposted* vägarna är väl skyltade

**silence** ['saɪləns] **I** *s* tystnad, tysthet; ~*!* tyst!, tysta! **II** *vb tr* tysta, tysta ned, få tyst, få tyst på

**silencer** ['saɪlənsə] *s* tekn. ljuddämpare

**silent** ['saɪlənt] **I** *adj* tyst [~ *footsteps*], tystlåten; *be* ~ äv. tiga; *become* ~ äv. tystna; ~ *film* stumfilm **II** *s* stumfilm

**silhouette** [ˌsɪlu'et] *s* siluett, skuggbild

**silicone** ['sɪlɪkəʊn] *s* silikon

**silicosis** [ˌsɪlɪ'kəʊsɪs] *s* med. silikos

**silk** [sɪlk] *s* silke, siden, sidentyg; *artificial* ~ konstsilke; konstsiden; *pure* ~ helsilke; helsiden

**silken** ['sɪlk(ə)n] *adj* silkeslen

**silkworm** ['sɪlkwɜ:m] *s* silkesmask

**silky** ['sɪlkɪ] *adj* silkeslen, silkesmjuk

**sill** [sɪl] *s* **1** fönsterbräde **2** tröskel t.ex. i bil

**silly** ['sɪlɪ] *adj* dum, enfaldig

**silver** ['sɪlvə] **I** *s* silver; bordssilver; ~ *anniversary* 25-årsdag, 25-årsjubileum; ~ *birch* björk; ~ *fir* silvergran; ~ *jubilee* 25-årsjubileum; ~ *paper* stanniolpapper; ~ *plate* a) bordssilver b) nysilver, pläter

**silver-plated** [ˌsɪlvə'pleɪtɪd] *adj* försilvrad, pläterad

**silversmith** ['sɪlvəsmɪθ] *s* silversmed

**silvery** ['sɪlvərɪ] *adj* silverliknande, silver-

**similar** ['sɪmɪlə] *adj* lik [*to a p.* ngn; *to a th.* ngt], liknande; likadan; dylik

**similarity** [ˌsɪmɪ'lærətɪ] *s* likhet

**similarly** ['sɪmɪləlɪ] *adv* på liknande sätt

**simile** ['sɪmɪlɪ] *s* liknelse

**simmer** ['sɪmə] *vb itr* småkoka, puttra; sjuda

**simple** ['sɪmpl] *adj* **1** enkel; anspråkslös; okonstlad **2** enfaldig, godtrogen

**simple-minded** [ˌsɪmpl'maɪndɪd] *adj* godtrogen, enfaldig, naiv

**simpleton** ['sɪmplt(ə)n] s dummerjöns,
dumbom
**simplicity** [sɪm'plɪsəti] s **1** enkelhet;
anspråkslöshet **2** lätthet, enkelhet [the ~
of a problem]
**simplification** [ˌsɪmplɪfɪ'keɪʃ(ə)n] s
förenkling
**simplify** ['sɪmplɪfaɪ] vb tr förenkla
**simply** ['sɪmplɪ] adv **1** enkelt;
anspråkslöst; okonstlat **2** helt enkelt, rent
av [~ impossible]; bara [he is ~ a workman]
**simultaneous** [ˌsɪməl'teɪnjəs] adj samtidig
**sin** [sɪn] **I** s synd, försyndelse **II** vb itr
synda
**since** [sɪns] **I** adv **1** sedan dess [I have not
been there ~]; ever ~ alltsedan dess
**2** sedan [how long ~ is it?] **II** prep
alltsedan, alltifrån **III** konj **1** sedan; ever ~
alltsedan, ända sedan [ever ~ I left]
**2** eftersom, då [~ you are here], emedan
**sincere** [sɪn'sɪə] adj uppriktig
**sincerely** [sɪn'sɪəlɪ] adv uppriktigt; Yours
~ i brevslut Din (Er) tillgivne
**sincerity** [sɪn'serəti] s uppriktighet
**sinew** ['sɪnju:] s sena
**sinewy** ['sɪnju:ɪ] adj senig
**sinful** ['sɪnf(ʊ)l] adj syndfull, syndig
**sing** [sɪŋ] (sang sung) vb itr o. vb tr sjunga
**singe** [sɪndʒ] vb tr sveda, bränna [~ cloth
with an iron (strykjärn)]
**singer** ['sɪŋə] s sångare; sångerska
**single** ['sɪŋgl] **I** adj **1** enda [not a ~ man]
**2** enkel, odelad; ~ bed enkelsäng,
enmanssäng; ~ room enkelrum; ~ ticket
enkelbiljett **3** ogift [a ~ man (woman)] **II** s
**1** sport., ~s singel, singelmatch; men's ~s
herrsingel **2** enkel **3** grammofonskiva singel
**III** vb tr, ~ out välja (peka) ut; skilja ut
**single-breasted** [ˌsɪŋgl'brestɪd] adj
enkelknäppt, enradig [a ~ suit]
**single-handed** [ˌsɪŋgl'hændɪd] adv på
egen hand, ensam
**single-minded** [ˌsɪŋgl'maɪndɪd] adj
målmedveten
**singsong** ['sɪŋsɒŋ] **I** s **1** sångstund; a ~ äv.
allsång **2** in a ~ i en enformig ton **II** adj
halvsjungande [in a (med) ~ voice]
**singular** ['sɪŋgjʊlə] **I** adj **1** gram. singular
**2** enastående **3** egendomlig, besynnerlig
**II** s gram., ~ el. the ~ singular
**singularity** [ˌsɪŋgjʊ'lærəti] s **1** sällsynthet,
egendomlighet **2** egenhet
**sinister** ['sɪnɪstə] adj **1** olycksbådande
**2** elak; ond; fördärvlig
**sink** [sɪŋk] **I** (sank sunk) vb itr o. vb tr

**1** sjunka; sänka sig, sänka sig ned; sänka
[~ a ship], få att sjunka; låta sjunka
**2** avta, minska, minskas; falla, dala [prices
have sunk] **II** s **1** diskbänk **2** a) avloppsrör
b) avloppsbrunn
**sinusitis** [ˌsaɪnə'saɪtɪs] s
bihåleinflammation
**sip** [sɪp] **I** vb tr o. vb itr läppja (smutta) på,
läppja (smutta) **II** s smutt
**siphon** ['saɪf(ə)n] **I** s **1** hävert **2** ~ bottle el.
~ sifon **II** vb tr, ~ off suga upp, tappa upp
**sir** [sɜ:, obetonat sə] s **1** i tilltal: min herre,
sir, skol. magistern; can I help you, ~?
kan jag hjälpa er?; Dear Sir (Sirs) el. Sir
(Sirs) inledning i formella brev: utan
motsvarighet i sv. **2** Sir före förnamnet som titel
åt baronet el. knight sir [Sir John (Sir John
Moore)]
**sire** ['saɪə] s om djur, speciellt hästar fader
**siren** ['saɪərən] s **1** myt. siren **2** siren
signalapparat
**sirloin** ['sɜ:lɔɪn] s kok. ländstycke; ~ of beef
dubbelbiff; ~ steak utskuren biff
**sirocco** [sɪ'rɒkəʊ] (pl. ~s) s scirocco,
sirocko
**sis** [sɪs] s vard. (kortform för sister) syrra,
syrran
**sister** ['sɪstə] s **1** syster **2** syster sjuksköterska
el. nunna; avdelningssköterska
**sisterhood** ['sɪstəhʊd] s systerskap
**sister-in-law** ['sɪstərɪnlɔ:] (pl. sisters-in-law
['sɪstəzɪnlɔ:]) s svägerska
**sisterly** ['sɪstəlɪ] adj systerlig
**sit** [sɪt] (sat sat) vb itr **1** sitta; sätta sig; be
sitting pretty vard. a) ha det bra b) ligga
bra till; ~ at table sitta till bords; ~ for
an examination gå upp i en examen; ~
on the bench bildl. sitta som (vara)
domare □ ~ back a) sätta sig till rätta; vila
sig, koppla av b) sitta med armarna i
kors; ~ down sätta sig, slå sig ned; ~ down
to dinner sätta sig till bords; ~ in
a) närvara [on vid], deltaga [~ in on (i,
vid) a meeting] b) sittstrejka; ~ through
sitta (stanna) kvar till slutet; ~ up a) sitta
upprätt b) sitta uppe [~ up late] c) sätta
sig upp [~ up in bed] **2** om t.ex. parlament,
domstol hålla sammanträde, sammanträda
**sit-down** ['sɪtdaʊn] adj **1** ~ strike sittstrejk
**2** sittande [a ~ supper]
**site** [saɪt] **I** s **1** tomt; byggplats [äv. building
~] **2** plats; the ~ of the murder
mordplatsen **II** vb tr placera, förlägga
**sit-in** ['sɪtɪn] s sittstrejk; ockupation
**sitting** ['sɪtɪŋ] s **1** sittande; sittning,

posering [~ *for a painter*] **2** sammanträde, session **3** *at one (a single)* ~ i ett sträck (tag, svep); på en gång, vid en sittning

**sitting room** ['sɪtɪŋru:m] *s* **1** vardagsrum **2** sittplats, sittplatser, sittutrymme

**situated** ['sɪtjʊeɪtɪd] *adj* **1** belägen **2** bildl. ställd [*be badly* ~]; *comfortably* ~ välsituerad

**situation** [ˌsɪtjʊ'eɪʃ(ə)n] *s* **1** läge, belägenhet; bildl. äv. situation, läge [*the political* ~] **2** plats, anställning; *~s vacant* rubrik lediga platser

**six** [sɪks] **I** *räkn* sex **II** *s* sexa; *at sixes and sevens* a) i en enda röra b) villrådig

**six-footer** [ˌsɪks'fʊtə] *s* vard. sex fot (ungefär 180 cm) lång person

**sixteen** [ˌsɪks'ti:n] *räkn* o. *s* sexton

**sixteenth** [ˌsɪks'ti:nθ] *räkn* o. *s* sextonde; sextondel

**sixth** [sɪksθ] *räkn* o. *s* sjätte; sjättedel

**sixtieth** ['sɪkstɪθ] *räkn* o. *s* sextionde; sextiondel

**sixty** ['sɪkstɪ] **I** *räkn* sextio **II** *s* sextio; sextiotal; *in the sixties* på sextiotalet

**size** [saɪz] **I** *s* storlek, mått, format; nummer **II** *vb tr*, ~ *up* mäta, värdera, bedöma [~ *up one's chances*]

**sizzle** ['sɪzl] **I** *vb itr* fräsa [*sausages sizzling in the pan*] **II** *s* fräsande

**1 skate** [skeɪt] **I** *s* skridsko; rullskridsko [äv. *roller-skate*] **II** *vb itr* åka skridsko; åka rullskridsko [äv. *roller-skate*]

**2 skate** [skeɪt] *s* zool. slätrocka

**skateboard** ['skeɪtbɔ:d] *s* skateboard

**skater** ['skeɪtə] *s* skridskoåkare; rullskridskoåkare [äv. *roller-skater*]

**skating** ['skeɪtɪŋ] *s* skridskoåkning; rullskridskoåkning [äv. *roller-skating*]

**skein** [skeɪn] *s* härva [*a* ~ *of wool*]

**skeleton** ['skelɪtn] *s* skelett

**skeptical** o. **skepticism** amer., se *sceptical*, *scepticism*

**sketch** [sketʃ] **I** *s* **1** skiss; utkast **2** teat. sketch **II** *vb tr* skissera, göra utkast till

**sketchy** ['sketʃɪ] *adj* skissartad; knapphändig

**skewer** ['skjʊə] **I** *s* steknål; stekspett; grillspett **II** *vb tr* fästa med steknål (stekspett, grillspett); trä upp på spett

**ski** [ski:] **I** *s* skida; ~ *boots* skidpjäxor; ~ *stick* (amer. *pole*) skidstav **II** *vb itr* åka skidor

**skid** [skɪd] **I** *s* slirning, sladd, sladdning **II** *vb itr* slira, sladda

**kier** ['ski:ə] *s* skidåkare, skidlöpare

**skiff** [skɪf] *s* eka; jolle

**skiing** ['ski:ɪŋ] *s* skidåkning, skidsport

**ski-jumping** ['ski:ˌdʒʌmpɪŋ] *s* backhoppning

**skilful** ['skɪlf(ʊ)l] *adj* skicklig, duktig

**skill** [skɪl] *s* skicklighet, händighet

**skilled** [skɪld] *adj* **1** skicklig, duktig **2** yrkesskicklig; ~ *worker* yrkesarbetare

**skim** [skɪm] *vb tr* o. *vb itr* **1** skumma [~ *milk*] **2** glida fram över; glida fram **3** ögna igenom, skumma [~ *a book*]; ~ *through the newspaper* ögna igenom (skumma) tidningen

**skimpy** ['skɪmpɪ] *adj* knapp; för liten (trång)

**skin** [skɪn] **I** *s* **1** hud; skinn; *next to the* ~ närmast kroppen; *get under a p.'s* ~ vard. irritera ngn **2** skal [*banana* ~] **II** *vb tr* flå, dra av huden (skinnet) på [~ *a rabbit*]; skala [~ *a banana*]; *keep one's eyes skinned* vard. hålla ögonen öppna

**skindiver** ['skɪnˌdaɪvə] *s* sportdykare

**skindiving** ['skɪnˌdaɪvɪŋ] *s* sportdykning

**skinflint** ['skɪnflɪnt] *s* gnidare, snåljåp

**skinny** ['skɪnɪ] *adj* skinntorr, mager

**skinny-dipper** ['skɪnɪˌdɪpə] *s* vard. nakenbadare

**1 skip** [skɪp] **I** *vb itr* o. *vb tr* **1** hoppa [~ *from one subject to another*], skutta; ~ *over* hoppa (skutta) över; ~ *it!* vard. strunt i det! **2** hoppa rep **II** *s* hopp, skutt

**2 skip** [skɪp] *s* sopcontainer, container

**skipper** ['skɪpə] **I** *s* **1** skeppare **2** sport. lagkapten; lagledare **II** *vb tr* **1** vara skeppare på [~ *a boat*] **2** vara lagkapten för [~ *a team*]

**skipping-rope** ['skɪpɪŋrəʊp] *s* hopprep

**skirt** [skɜ:t] **I** *s* **1** kjol **2** vard. fruntimmer, brud **3** skört [*the* ~*s of a coat*] **II** *vb tr* kanta; löpa längs utmed

**skirting-board** ['skɜ:tɪŋbɔ:d] *s* golvlist

**ski-run** ['ski:rʌn] *s* skidbacke; skidspår

**skit** [skɪt] *s* sketch; satir, parodi

**skittle** ['skɪtl] *s* **1** kägla **2** ~*s* kägelspel

**Skopje** ['skɔ:pje]

**skull** [skʌl] *s* skalle; ~ *and crossbones* dödskalle med två korslagda benknotor dödssymbol

**skullcap** ['skʌlkæp] *s* kalott

**skunk** [skʌŋk] *s* **1** zool. skunk **2** vard. kräk

**sky** [skaɪ] *s*, ~ *el. pl. skies* himmel

**sky-blue** [ˌskaɪ'blu:] *adj* himmelsblå

**sky-borne** ['skaɪbɔ:n] *adj* luftburen, flygburen [~ *troops*]

**sky-high** [ˌskaɪˈhaɪ] adj o. adv vard. skyhög,
skyhögt; *blow* ~ spränga i luften
**skyjack** [ˈskaɪdʒæk] vb tr kapa flygplan
**skyjacker** [ˈskaɪˌdʒækə] s flygplanskapare
**skylark** [ˈskaɪlɑːk] s sånglärka
**skylight** [ˈskaɪlaɪt] s takfönster
**skyline** [ˈskaɪlaɪn] s **1** horisont **2** kontur,
silhuett [*the* ~ *of New York*]
**skyscraper** [ˈskaɪˌskreɪpə] s skyskrapa
**skysign** [ˈskaɪsaɪn] s ljusreklamskylt
**skywards** [ˈskaɪwədz] adv mot himlen
**skywriting** [ˈskaɪˌraɪtɪŋ] s rökskrift från
flygplan
**slab** [slæb] s platta [~ *of stone*], häll; tjock
skiva [~ *of cheese*]
**slack** [slæk] **I** adj **1** slö, loj **2** slapp [~
*discipline*], slak **3** stilla, död [~ *season*];
trög [*trade is* ~] **II** s, pl. ~*s* slacks,
fritidsbyxor
**slacken** [ˈslæk(ə)n] vb tr **1** minska [~ *one's
efforts*], sakta [~ *the speed*] **2** släppa (lossa)
på
**slacker** [ˈslækə] s vard. slöfock, latmask
**slain** [sleɪn] se *slay*
**slalom** [ˈslɑːləm] s sport. slalom; *giant* ~
storslalom
**slam** [slæm] **I** vb tr o. vb itr slå (smälla)
igen, slås (smällas) igen [äv. ~ *to*] **II** s
smäll
**slammer** [ˈslæmə] s vard., *in the* ~ på
kåken, i finkan
**slander** [ˈslɑːndə] **I** s förtal, skvaller **II** vb tr
förtala, baktala
**slanderer** [ˈslɑːndərə] s förtalare,
baktalare, bakdantare
**slanderous** [ˈslɑːndərəs] adj bakdantar-;
skvalleraktig [~ *tongue*]
**slang** [slæŋ] s slang
**slangy** [ˈslæŋɪ] adj slangartad, full av slang
**slant** [slɑːnt] vb itr o. vb tr **1** slutta, luta
**2** göra lutande (sned) **3** vinkla [~ *the
news*]
**slap** [slæp] **I** vb tr smälla (daska) ¹till; ~
*a p. on the back* dunka ngn i ryggen; ~
*a p.'s face* el. ~ *a p. on the face* slå ngn i
ansiktet **II** s smäll, slag; *a* ~ *on the back*
en dunk i ryggen **III** adv vard. bums,
pladask [äv. *bang* ~]
**slap-bang** [ˌslæpˈbæŋ] adv vard. pang,
bums
**slapdash** [ˈslæpdæʃ] adv o. adj vard. hafsigt;
hafsig
**slapstick** [ˈslæpstɪk] s buskteater, buskis
**slap-up** [ˈslæpʌp] adj vard. flott [~ *dinner*]
**slash** [slæʃ] **I** vb tr o. vb itr **1** rista upp,

skära sönder **2** vard. sänka kraftigt [~
*prices*] **3** ~ *at* slå (piska) på (mot) **II** s
**1** hugg, slag **2** djup skåra
**slate** [sleɪt] s **1** skiffer **2** skifferplatta,
takskiffer **3** griffeltavla
**slaughter** [ˈslɔːtə] **I** s slakt, slaktande;
massaker **II** vb tr slakta; massakrera
**slaughterhouse** [ˈslɔːtəhaʊs] s slakteri,
slakthus
**Slav** [slɑːv] s slav medlem av ett folkslag
**slave** [sleɪv] **I** s slav, slavinna **II** vb itr slava,
träla [*at* med, på]
**slave-driver** [ˈsleɪvˌdraɪvə] s slavdrivare
**slavery** [ˈsleɪvərɪ] s slaveri
**slave trade** [ˈsleɪvtreɪd] s slavhandel
**slave traffic** [ˈsleɪvˌtræfɪk] s slavhandel
**slavish** [ˈsleɪvɪʃ] adj slavisk
**Slavonic** [sləˈvɒnɪk] **I** adj slavisk **II** s
slaviska språk
**slay** [sleɪ] (*slew slain*) vb tr dräpa; litt. slå
ihjäl
**slayer** [ˈsleɪə] s vard. mördare, baneman
**sled** [sled] s släde; kälke
**sledge** [sledʒ] s släde; kälke
**sledge-hammer** [ˈsledʒˌhæmə] s
smedslägga
**sleek** [sliːk] adj om hår el. skinn slät, glatt
**sleep** [sliːp] **I** (*slept slept*) vb itr sova **II** s
sömn; *I have had a good* ~ jag har sovit
gott; *drop off to* ~ somna (lura) ¹till; *go
to* ~ somna
**sleeping** [ˈsliːpɪŋ] adj o. s sovande, sömn-;
~ *accommodation* sovplats, sovplatser,
sängplats, sängplatser; nattlogi; ~
*policeman* trafik. fartgupp, farthinder; *the
Sleeping Beauty* Törnrosa
**sleeping-bag** [ˈsliːpɪŋbæg] s **1** sovsäck;
*sheet* ~ reselakan, lakanspåse **2** sovpåse
**sleeping-car** [ˈsliːpɪŋkɑː] s o.
**sleeping-carriage** [ˈsliːpɪŋˌkærɪdʒ] s järnv.
sovvagn
**sleeping-compartment**
[ˈsliːpɪŋkəmˌpɑːtmənt] s järnv. sovkupé
**sleeping-draught** [ˈsliːpɪŋdrɑːft] s
sömndryck, sömnmedel
**sleeping-pill** [ˈsliːpɪŋpɪl] s sömntablett
**sleepless** [ˈsliːpləs] adj sömnlös, vaken
**sleepwalker** [ˈsliːpˌwɔːkə] s sömngångare
**sleepwalking** [ˈsliːpˌwɔːkɪŋ] s att gå i
sömnen
**sleepy** [ˈsliːpɪ] adj sömnig; sömnaktig
**sleet** [sliːt] s snöblandat regn, snöslask
**sleeve** [sliːv] s **1** ärm; *laugh up one's* ~
skratta i mjugg; *have a th. up one's* ~ ha

ngt i bakfickan **2** grammofon skivfodral, skivomslag

**sleeveboard** ['sli:vbɔ:d] *s* ärmbräda

**sleigh** [sleɪ] *s* släde; kälke

**slender** ['slendə] *adj* smärt, smal, slank

**slept** [slept] se *sleep I*

**sleuth** [slu:θ] *s* vard. deckare, blodhund

**sleuth-hound** ['slu:θhaʊnd] *s* blodhund; spårhund

**slew** [slu:] se *slay*

**slice** [slaɪs] **I** *s* **1** skiva [*a ~ of bread*]; *~ of bread and butter* smörgås **2** del, andel [*a ~ of the profits*], stycke **3** stekspade; fiskspade; tårtspade **II** *vb tr* **1** skära upp i skivor, skiva [äv. *~ up*] **2** sport., *~ a ball* 'slica' (skruva) en boll

**slick** [slɪk] *adj* **1** glättad, driven [*~ style*] **2** smart [*~ salesman*]

**slid** [slɪd] se *slide I*

**slide** [slaɪd] **I** (*slid slid*) *vb itr* o. *vb tr* **1** glida; halka; rutscha, kana; låta glida, skjuta, skjuta fram (in); *let things ~* bildl. strunta i allting **2** sticka [*he slid a coin into my hand*] **II** *s* **1** glidning; glidande **2** isbana, kana; glidbana, rutschbana, rutschkana **3** diapositiv, diabild; *~ projector* småbildsprojektor; *colour ~* färgdia **4** hårspänne

**slide rule** ['slaɪdru:l] *s* räknesticka

**sliding** ['slaɪdɪŋ] *adj* glidande; skjut- [*~ door*]; *~ roof* soltak, skjutbart tak

**slight** [slaɪt] **I** *adj* **1** spenslig, späd **2** klen, bräcklig [*~ foundation*] **3** lätt [*~ cold*], lindrig; ringa; *not the slightest doubt* inte det minsta tvivel; *not in the slightest* inte på minsta sätt **II** *vb tr* ringakta, nonchalera; skymfa **III** *s* ringaktning

**slightly** ['slaɪtlɪ] *adv* lätt [*~ wounded; touch a th. ~*], svagt, något [*~ better*]

**slim** [slɪm] **I** *adj* smal, slank, smärt, spenslig **II** *vb itr* o. *vb tr* banta; göra smal (slank)

**slime** [slaɪm] *s* slem; dy, gyttja

**slimming** ['slɪmɪŋ] *s* bantning

**slim-waisted** ['slɪmˌweɪstɪd] *adj* smal om midjan

**slimy** ['slaɪmɪ] *adj* slemmig; dyig, gyttjig

**sling** [slɪŋ] **I** (*slung slung*) *vb tr* slunga, slänga, kasta **II** *s* **1** slunga; slangbåge **2** med. bindel; *carry* (*have*) *one's arm in a ~* bära (ha) armen i band

**slink** [slɪŋk] (*slunk slunk*) *vb itr* smyga, smyga sig, slinka [*~ away (off, in)*]

**slip** [slɪp] **I** *vb itr* o. *vb tr* **1** glida; halka;

halka omkull; *~ up* halka; *the name has slipped my mind* (*memory*) namnet har fallit mig ur minnet **2** smyga, smyga sig, slinka [*~ away (out, past)*]; *~ along* (*across, round, over*) *to* vard. kila i väg (över) till **3** göra fel; *~ up* vard. dabba sig, göra en tabbe **4** låta glida, smyga, sätta [*~ a ring on to a finger*]; sticka [*~ a coin into a p.'s hand*]; *~ one's clothes off* (*on*) slänga (dra) av (på) sig kläderna **5** undkomma, undslippa [*~ one's captors*] **II** *s* **1** glidning; halkning **2** fel, lapsus; *~ of the pen* skrivfel; *~ of the tongue* felsägning **3** örngott **4** underklänning; midjekjol, underkjol; gymnastikdräkt **5** bit, stycke; *~ of paper* pappersremsa, papperslapp

**slipper** ['slɪpə] *s* toffel, slipper

**slippery** ['slɪpərɪ] *adj* hal, glatt

**slipshod** ['slɪpʃɒd] *adj* slarvig, hafsig

**slip-up** ['slɪpʌp] *s* vard. tabbe, fel

**slit** [slɪt] **I** (*slit slit*) *vb tr* skära (sprätta, fläka) upp **II** *s* **1** reva, skåra, snitt **2** sprund **3** springa, öppning

**slither** ['slɪðə] *vb itr* hasa, halka; glida

**sloe** [sləʊ] *s* slånbuske; slånbär

**slog** [slɒg] *vb itr* o. *vb tr* **1** sport. slugga; dänga 'till **2** knoga; *~ away* knoga 'på, knega vidare

**slogan** ['sləʊgən] *s* slogan, slagord

**sloop** [slu:p] *s* sjö. slup enmastat segelfartyg

**slop** [slɒp] **I** *s* **1** pl. *~s* slaskvatten, diskvatten **2** sentimental smörja **II** *vb itr* spillas ut, skvalpa över [äv. *~ over*]

**slope** [sləʊp] **I** *s* lutning; sluttning **II** *vb itr* slutta, luta

**sloping** ['sləʊpɪŋ] *adj* sluttande, lutande

**sloppy** ['slɒpɪ] *adj* **1** slaskig **2** vard. hafsig, slafsig **3** vard. sentimental, pjollrig

**slosh** [slɒʃ] *vb tr* kladda 'på [*~ paint*]; skvätta; skvalpa omkring med

**slot** [slɒt] *s* **1** springa; myntinkast; brevinkast **2** spår, fals

**slot machine** ['slɒtməˌʃi:n] *s* varuautomat; spelautomat

**slouch** [slaʊtʃ] *vb itr* gå (stå, sitta) hopsjunken; *~ about* stå och hänga

**slouch hat** [ˌslaʊtʃˈhæt] *s* slokhatt

**Slovak** ['sləʊvæk] *s* **1** slovak; *the ~ Republic* Slovakiska republiken, Slovakien **2** slovakiska *språket*

**Slovakia** [slə(ʊ)ˈvækɪə] Slovakien

**Slovakian** [slə(ʊ)ˈvækɪən] *adj* slovakisk

**Slovene** ['sləʊvi:n, slə'vi:n] *s* sloven

**Slovenia** [slə(ʊ)ˈvi:njə] Slovenien

# Slovenian

**Slovenian** [slə'vi:njən] **I** *adj* slovensk **II** *s* slovenska språket

**slovenly** ['slʌvnlɪ] *adj* slarvig, hafsig

**slow** [sləʊ] **I** *adj* långsam, sakta; *be ~* gå efter (för sakta) [*be ten minutes ~*]; *in ~ motion* i slow-motion (ultrarapid) **II** *adv* långsamt, sakta; *go ~* a) gå (springa, köra) sakta (långsamt) b) maska vid arbetskonflikt c) om klocka gå efter **III** *vb itr* o. *vb tr* **1** *~ down* (*off, up*) sakta farten, sakta in; sakta [*~ down a car*] **2** försena, fördröja

**slowcoach** ['sləʊkəʊtʃ] *s* vard. slöfock

**slowly** ['sləʊlɪ] *adv* långsamt, sakta

**slow-motion** [,sləʊ'məʊʃ(ə)n] *adj, a ~ film* en film i slow-motion (ultrarapid)

**sludge** [slʌdʒ] *s* gyttja; slam

**sluggish** ['slʌgɪʃ] *adj* **1** lat, långsam, trög **2** trögflytande; trög [*~ market*]

**sluice** [slu:s] *s* sluss; dammlucka

**slum** [slʌm] *s* **1** slumkvarter; *~ landlord* slumhusägare; *turn into* (*become*) *a ~* förslummas **2** *the ~s* slummen

**slumber** ['slʌmbə] **I** *vb itr* slumra **II** *s* slummer

**slummy** ['slʌmɪ] *adj* förslummad, slum-

**slump** [slʌmp] **I** *s* prisfall, lågkonjunktur **II** *vb itr* **1** rasa [*prices slumped*] **2** sjunka ner (ihop)

**slung** [slʌŋ] se *sling I*

**slunk** [slʌŋk] se *slink*

**slurp** [slɜ:p] **I** *vb tr* o. *vb itr* sörpla i sig; sörpla **II** *s* sörplande

**slush** [slʌʃ] *s* snösörja, snöslask

**slushy** ['slʌʃɪ] *adj* slaskig

**slut** [slʌt] *s* slarva; slampa

**sluttish** ['slʌtɪʃ] *adj* slarvig, slampig

**sly** [slaɪ] *adj* **1** slug, listig; *a ~ dog* vard. en filur; *on the ~* i smyg **2** skälmsk

**1 smack** [smæk] **I** *s* **1** smack, smackning [*~ of* (med) *the lips*] **2** smäll, slag; *a ~ in the eye* (*face*) vard. bildl. ett slag i ansiktet **II** *vb tr* **1** smälla, smälla till, daska, daska till, smiska, slå **2** smacka med [*~ one's lips*] **III** *adv* vard. rakt, tvärt; bums

**2 smack** [smæk] **I** *s* bismak **II** *vb itr, ~ of* smaka

**small** [smɔ:l] **I** *adj* liten; pl. små; *~ change* småpengar, växel; *~ talk* småprat, kallprat **II** *s* **1** *the ~ of the back* korsryggen **2** pl. *~s* underkläder; småtvätt

**smallholder** ['smɔ:l,həʊldə] *s* småbrukare

**smallish** ['smɔ:lɪʃ] *adj* ganska (rätt så) liten

**small-minded** ['smɔ:l,maɪndɪd] *adj* småaktig, småsint

**smallpox** ['smɔ:lpɒks] *s* smittkoppor

**smarmy** ['smɑ:mɪ] *adj* inställsam [*~ type of a person*]

**smart** [smɑ:t] **I** *adj* **1** skarp, svidande [*~ blow*] **2** rask, snabb [*at a ~ pace*] **3** skärpt, duktig; pigg, vaken [*~ lad*] **4** smart, skicklig [*~ politics*] **5** stilig, flott, snofsig **6** fashionabel, fin **II** *vb itr* göra ont, svida; ha ont, plågas; *~ under* lida (plågas) av

**smart card** ['smɑ:tkɑ:d] *s* smart card, aktivkort

**smarten** ['smɑ:tn] *vb tr* o. *vb itr* snygga upp; *~ up* göra sig fin (snygg)

**smash** [smæʃ] **I** *vb tr* o. *vb itr* **1** slå sönder (i kras), krossa [äv. *~ up*]; gå sönder (i kras), krossas [äv. *~ to pieces*], krascha **2** *~ into* krocka (smälla ihop) med **3** sport. smasha **II** *s* **1** slag, smäll; brak, skräll [*fall with a ~*] **2** krock, kollision; krasch; krossande **3** sport. smash

**smash-and-grab** [,smæʃən'græb] *adj, there was a ~ raid* (*robbery*) tjuvarna krossade skyltfönstret och tog sakerna (varorna)

**smasher** ['smæʃə] *s* vard. **1** panggrej, toppgrunka **2** toppenkille; toppentjej

**smash-hit** ['smæʃhɪt] *s* vard. jättesuccé, dundersuccé; succémelodi

**smashing** ['smæʃɪŋ] *adj* **1** krossande; förkrossande **2** vard. jättefin, fantastisk

**smattering** ['smætərɪŋ] *s* ytlig kännedom [*of* om]; *a ~ of French* ett hum om franska

**smear** [smɪə] **I** *s* fläck, fettfläck **II** *vb tr* smeta, smeta ner; fläcka

**smell** [smel] **I** (*smelt smelt*) *vb tr* känna lukten av; lukta på [*~ a rose*] **II** *s* lukt; *I noticed a ~ of gas* jag kände lukten av gas

**smelling-bottle** ['smelɪŋ,bɒtl] *s* luktflaska

**smelling-salts** ['smelɪŋsɔ:lts] *s pl* luktsalt

**smelly** ['smelɪ] *adj* vard. illaluktande, stinkande

**smelt** [smelt] se *smell I*

**smile** [smaɪl] **I** *vb itr* le, småle [*at* åt] **II** *s* leende; *he was all ~s* han var idel leende

**smith** [smɪθ] *s* smed

**smithereens** [,smɪðə'ri:nz] *s pl* vard. småbitar; *smash to ~* slå i bitar

**smithy** ['smɪðɪ] *s* smedja

**smock** [smɒk] *s* skyddsrock

**smog** [smɒg] *s* smog, rökblandad dimma

**smoke** [sməʊk] *s* **1** rök **2** vard. rök, bloss [*long for a ~*] **II** *vb itr* o. *vb tr* **1** ryka [*the*

chimney ~s], osa [the lamp ~s] **2** röka
[may I ~?]; **smoked ham** rökt skinka
**smoker** ['sməʊkə] s **1** rökare; *a heavy ~*
en storrökare **2** vard. rökkupé
**smokescreen** ['sməʊkskri:n] s mil.
rökslöja; rökridå äv. bildl.
**smoking** ['sməʊkɪŋ] **I** adj rökande;
rykande **II** s rökande; *no ~ allowed* el. *no
~* rökning förbjuden
**smoking-compartment**
['sməʊkɪŋkəm,pɑ:tmənt] s rökkupé
**smoking-room** ['sməʊkɪŋru:m] s rökrum
**smoky** ['sməʊkɪ] adj **1** rykande [~
chimney] **2** rökig [~ room], rökfylld;
röklik, rök- [~ taste]
**smooth** [smu:ð] **I** adj **1** slät, jämn [~
surface]; blank [~ paper] **2** len, fin, slät [~
skin] **3** lugn, stilla [~ sea; ~ crossing]
**4** välblandad, slät, jämn **5** mild, mjuk [~
wine; ~ voice] **II** vb tr **1** göra jämn (slät),
jämna **2** släta 'till [äv. ~ down]; ~ out släta
(jämna) ut; ~ over släta över
**smother** ['smʌðə] vb tr **1** kväva **2** täcka;
*smothered with sauce* dränkt i sås
**smoulder** ['sməʊldə] vb itr ryka; pyra
**smudge** [smʌdʒ] **I** s smutsfläck, suddigt
märke **II** vb tr sudda ner (till), kladda ner
(till)
**smug** [smʌg] adj självbelåten; trångsynt
**smuggle** ['smʌgl] vb tr o. vb itr smuggla
**smuggler** ['smʌglə] s smugglare
**smuggling** ['smʌglɪŋ] s smuggling
**snack** [snæk] s matbit, lätt mål
**snack bar** ['snækbɑ:] s snackbar, lunchbar
**snag** [snæg] s stötesten; *there's a ~ in it
somewhere* det finns en hake någonstans
**snail** [sneɪl] s snigel med skal
**snake** [sneɪk] s orm
**snake-bite** ['sneɪkbaɪt] s ormbett
**snap** [snæp] **I** vb itr o. vb tr **1** nafsa,
snappa, hugga [at efter]; ~ *up* nafsa
(nappa) åt sig, snappa upp **2** fräsa, fara
ut [she snapped at him] **3** gå av (itu),
brytas av (itu), bryta av (itu) [äv. ~ off];
slita av [~ a thread] **4** knäppa, knäppa till;
knäppa med [~ one's fingers], smälla med
[~ a whip] **5** vard., ~ *into it* raskt ta itu
med saken; *try to ~ out of it!* försök att
komma över det!
  **II** s **1** a) knäpp, knäppande [a ~ with
one's fingers] b) knäck; smäll [the oar broke
with a ~] **2** tryckknäppe, lås [the ~ of a
bracelet]; tryckknapp
**snapdragon** ['snæp,dræg(ə)n] s bot.
lejongap

**snap-fastener** ['snæp,fɑ:snə] s tryckknapp;
tryckknäppe
**snappy** ['snæpɪ] adj kvick; *make it (look)
~!* vard. raska på!
**snapshot** ['snæpʃɒt] s foto. kort, snapshot
**snare** [sneə] **I** s snara **II** vb tr snara, snärja
**snarl** [snɑ:l] **I** vb itr morra **II** s morrande
**snatch** [snætʃ] **I** vb tr rycka till sig, rafsa åt
sig, gripa **II** s hugg, grepp
**sneak** [sni:k] **I** vb itr **1** smyga, smyga sig
**2** skol. sl. skvallra **II** s skol. sl. skvallerbytta
**III** adj överrasknings- [~ raid], smyg-
**sneakers** ['sni:kəz] s pl amer.
gymnastikskor, tennisskor
**sneer** [snɪə] **I** vb itr **1** hånle [at åt] **2** ~ *at*
håna **II** s **1** hånleende **2** hån
**sneering** ['snɪərɪŋ] adj hånfull
**sneeze** [sni:z] **I** vb itr nysa **II** s nysning
**sniff** [snɪf] **I** vb itr o. vb tr **1** vädra, lukta [at
på], sniffa; snörvla **2** fnysa, rynka på
näsan [at åt] **3** andas in; sniffa på; lukta
på **II** s **1** inandning; snörvling **2** andetag;
sniff
**sniffer** ['snɪfə] s vard. **1** sniffare **2** ~ *dog*
narkotikahund
**snifter** ['snɪftə] s aromglas, sup
**snigger** ['snɪgə] **I** vb itr fnissa **II** s fnissande
**snip** [snɪp] vb tr klippa (knipsa) 'av
**snipe** [snaɪp] **I** s zool. beckasin; snäppa
  **II** vb itr o. vb tr mil. skjuta (döda) från
bakhåll
**sniper** ['snaɪpə] s mil. prickskytt; krypskytt
**snivel** ['snɪvl] vb itr gnälla, lipa, snyfta
**snob** [snɒb] s snobb
**snobbery** ['snɒbərɪ] s snobberi
**snobbish** ['snɒbɪʃ] adj snobbig
**snooker** ['snu:kə] s slags biljard
**snoop** [snu:p] vb itr vard. snoka, spionera
**snooper** ['snu:pə] s vard. snokare, spion
**snooty** ['snu:tɪ] adj vard. snorkig, mallig
**snooze** [snu:z] vard. **I** vb itr ta sig en lur **II** s
tupplur
**snore** [snɔ:] **I** vb itr snarka **II** s snarkning
**snorkel** ['snɔ:kl] s snorkel
**snort** [snɔ:t] **I** vb itr fnysa; frusta **II** s
fnysning
**snot** [snɒt] s vard. snor
**snotty** ['snɒtɪ] adj vard. **1** snorig **2** snorkig
**snout** [snaʊt] s nos, tryne
**snow** [snəʊ] **I** s snö; snöfall **II** vb itr snöa
**snowball** ['snəʊbɔ:l] **I** s snöboll **II** vb itr o.
vb tr kasta snöboll; kasta snöboll på
**snow-bound** ['snəʊbaʊnd] adj insnöad
**snow-capped** ['snəʊkæpt] adj snötäckt [~
mountains]

**snowdrift** ['snəʊdrɪft] s snödriva
**snowdrop** ['snəʊdrɒp] s snödroppe
**snowfall** ['snəʊfɔ:l] s snöfall
**snowflake** ['snəʊfleɪk] s snöflinga
**snowman** ['snəʊmæn] s snögubbe
**snowstorm** ['snəʊstɔ:m] s snöstorm
**snowtyre** ['snəʊ,taɪə] s vinterdäck
**snowy** ['snəʊɪ] adj snöig, snötäckt
**Snr.** o. **snr.** ['si:njə] (förk. för *senior*) sr, s:r
**snub** [snʌb] I vb tr snäsa av II s avsnäsning III adj, ~ **nose** trubbnäsa
**snub-nosed** ['snʌbnəʊzd] adj trubbnosig
**1 snuff** [snʌf] s snus; *a pinch of* ~ en pris snus
**2 snuff** [snʌf] vb tr snoppa, putsa [~ *a candle*]; ~ **out** släcka med t.ex. ljussläckare
**snuffbox** ['snʌfbɒks] s snusdosa
**snug** [snʌg] adj **1** *be* ~ *in bed* ha det varmt och skönt i sängen **2** trivsam, mysig
**snuggle** ['snʌgl] vb itr, ~ *up to* (*against*) trycka sig intill
**so** [səʊ] I adv så, sålunda, på detta sätt; därför, följaktligen [*she's ill* ~ *she can't come*]; *it's* ~ *kind of you* det var mycket vänligt av dig; *is that* ~*?* jaså?, säger du det?; *if* ~ i så fall; *I'm afraid* ~ jag är rädd för det; *I believe* ~ jag tror det; *I told you* ~*!* vad var det jag sa!; [*It was cold yesterday.*] *So it was.* ...Ja,det var det; *he's hungry and* ~ *am I* han är hungrig och det är jag också (med) II konj **1** så, och därför, varför [*she asked me to go,* ~ *I went*] **2** i utrop så, jaså, alltså [~ *you're back again!*]; ~ *there!* så det så!; ~ *what?* än sen då?
**soak** [səʊk] I vb tr **1** blöta, lägga i blöt **2** göra genomvåt; *soaked through* genomvåt, genomblöt II s genomblötning; blötläggning; *give a* ~ el. *put in* ~ lägga i blöt
**soaking** ['səʊkɪŋ] I s uppblötning; blötläggning II adj genomvåt III adv, ~ *wet* genomvåt
**so-and-so** ['səʊənsəʊ] s **1** den och den, det eller det **2** neds. typ, fårskalle [*that old* ~]
**soap** [səʊp] I s tvål; såpa; *a* ~ en tvålsort; *a cake (piece, tablet) of* ~ en tvål; ~ *opera* vard. 'tvålopera' kommersiell ofta sentimental radio- el. TV-serie II vb tr tvåla, tvåla in
**soapdish** ['səʊpdɪʃ] s tvålkopp, tvålfat
**soapflakes** ['səʊpfleɪks] s pl tvålflingor
**soapsuds** ['səʊpsʌdz] s pl tvållödder, såplödder

**soar** [sɔ:] vb itr flyga (sväva) högt, stiga
**soaring** ['sɔ:rɪŋ] adj ständigt stigande, skyhög
**sob** [sɒb] I vb itr **1** snyfta **2** flämta II s snyftning, snyftande
**sober** ['səʊbə] I adj **1** nykter; *become* ~ nyktra till **2** måttfull, sansad; sober, dämpad, diskret [~ *colours*] II vb tr o. vb itr **1** få (göra) nykter [äv. ~ *up (down)*] **2** ~ *up (down)* nyktra till, bli nykter
**so-called** [,səʊ'kɔ:ld, attributivt 'səʊkɔ:ld] adj s.k., så kallad
**soccer** ['sɒkə] s vard. (kortform för *Association football*) vanlig fotboll i motsats till rugby el. amerikansk fotboll
**sociable** ['səʊʃəbl] adj sällskaplig; gemytlig
**social** ['səʊʃ(ə)l] adj **1** social, social-; samhällelig, samhälls-; ~ *climber* streber; ~ *welfare* socialvård; ~ *worker* el. ~ *welfare worker* socialarbetare **2** sällskaplig; sällskaps- [~ *talents*]
**socialism** ['səʊʃəlɪz(ə)m] s socialism
**socialist** ['səʊʃəlɪst] I s socialist; ofta *Socialist* socialdemokrat II adj socialistisk, socialist-; ofta *Socialist* socialdemokratisk
**society** [sə'saɪətɪ] s **1** samhälle, samhället **2** samfund, sällskap, förening **3** ~ el. *high* ~ societet, societeten, sällskapslivet
**sociologist** [,səʊʃɪ'ɒlədʒɪst] s sociolog
**sociology** [,səʊʃɪ'ɒlədʒɪ] s sociologi
**1 sock** [sɒk] s kortstrumpa, socka; *pull one's* ~*s up* vard. skärpa sig
**2 sock** [sɒk] sl. I s, *a* ~ *on the jaw* en snyting II vb tr slå, dänga till; ~ *a p. on the jaw* ge ngn en snyting
**socket** ['sɒkɪt] s **1** *eye* ~ ögonhåla **2** hållare, sockel, fattning [*lamp* ~]; uttag
**1 sod** [sɒd] s gräsmark, grästorv
**2 sod** [sɒd] vulg. I s jävel, knöl II vb tr, ~ *it!* fan! III vb itr, ~ *about* larva omkring
**soda** ['səʊdə] s **1** soda; *bicarbonate of* ~ bikarbonat **2** sodavatten; *a whisky and* ~ en whiskygrogg
**soda fountain** ['səʊdə,faʊntən] s ungefär glassbar; sodabar, läskedrycksbar
**sodium** ['səʊdjəm] s natrium
**sofa** ['səʊfə] s soffa
**soft** [sɒft] adj **1** mjuk; lös; *have a* ~ *spot for* vara svag för **2** dämpad [~ *light*; ~ *music*], mild; ~ *pedal* mus. vard. vänsterpedal **3** ~ *drink* läskedryck **4** lätt, lindrig [~ *job*]
**soft-boiled** [,sɒft'bɔɪld] adj löskokt [~ *eggs*]
**soften** ['sɒfn] vb tr **1** mjuka upp, göra

mjuk [bildl. ofta ~ *up*] **2** dämpa, mildra, lindra

**soft-hearted** [ˌsɒftˈhɑːtɪd] *adj* godhjärtad

**software** [ˈsɒftweə] *s* data. mjukvara, programvara

**soggy** [ˈsɒgɪ] *adj* blöt, uppblött

**1 soil** [sɔɪl] *s* **1** jord, jordmån, mull, mylla **2** mark [*on foreign ~*]

**2 soil** [sɔɪl] *vb tr* smutsa, smutsa ner, solka, solka ner; *soiled linen* smutskläder, smutstvätt

**solar** [ˈsəʊlə] *adj* **1** sol- [*~ system (energy)*] **2 ~ plexus** ([ˌsəʊləˈpleksəs]) anat. el. boxn. solarplexus

**solarium** [səˈleərɪəm] *s* solarium

**sold** [səʊld] se *sell*

**solder** [ˈsɒldə] *vb tr* löda

**soldier** [ˈsəʊldʒə] *s* **1** soldat; *tin (toy) ~* tennsoldat **2** militär, krigare [*a great ~*]

**1 sole** [səʊl] **I** *s* **1** skosula; fotsula **2** zool. sjötunga **II** *vb tr* sula, halvsula

**2 sole** [səʊl] *adj* enda; ensam i sitt slag; *~ agent (distributor)* ensamförsäljare

**solecism** [ˈsɒlɪsɪz(ə)m] *s* språkfel, groda

**solely** [ˈsəʊllɪ] *adv* **1** ensam [*~ responsible*] **2** endast, uteslutande, blott

**solemn** [ˈsɒləm] *adj* högtidlig, allvarlig

**solemnity** [səˈlemnətɪ] *s* högtidlighet

**solicit** [səˈlɪsɪt] *vb tr* enträget be, hemställa hos

**solicitor** [səˈlɪsɪtə] *s* underrätts- advokat som ger råd i juridiska frågor

**solicitude** [səˈlɪsɪtjuːd] *s* **1** överdriven omsorg **2** oro, ängslan [*for*]

**solid** [ˈsɒlɪd] **I** *adj* **1** fast [*~ fuel*]; *~ food* fast föda; *frozen ~* hårdfrusen **2** solid; *~ gold* massivt guld **3** bastant, stadig [*a ~ meal*]; stark, kraftig **4** obruten, sammanhängande; *two ~ hours* två timmar i sträck, två hela timmar; *a ~ day's work* en hel dags arbete **II** *s* **1** fys. fast kropp **2** pl. *~s* fast föda

**solidarity** [ˌsɒlɪˈdærətɪ] *s* solidaritet, samhörighetskänsla

**solidify** [səˈlɪdɪfaɪ] *vb tr* o. *vb itr* göra fast (solid); övergå till fast form; bli fast (solid)

**solidity** [səˈlɪdətɪ] *s* fasthet; soliditet

**soliloquy** [səˈlɪləkwɪ] *s* speciellt teat. monolog

**solitary** [ˈsɒlɪtrɪ] *adj* **1** ensam [*a ~ traveller*]; enslig; *~ confinement* placering i ensamcell (isoleringscell) **2** enda [*not a ~ instance (one)*]

**solitude** [ˈsɒlɪtjuːd] *s* ensamhet, avskildhet

**solo** [ˈsəʊləʊ] **I** (pl. *~s*) *s* **1** mus. solo **2** solouppträdande, solonummer **II** *adj* solo-, ensam- [*~ flight* (flygning)] **III** *adv* solo, ensam [*fly ~*]

**soloist** [ˈsəʊləʊɪst] *s* solist

**solstice** [ˈsɒlstɪs] *s* solstånd [*summer (winter) ~*]

**soluble** [ˈsɒljʊbl] *adj* **1** upplösbar, löslig [*~ in water*] **2** lösbar [*a ~ problem*]

**solution** [səˈluːʃ(ə)n] *s* lösande, lösning [*the ~ of a problem*]; upplösning; kem. lösning

**solve** [sɒlv] *vb tr* lösa [*~ a problem*], tyda

**sombre** [ˈsɒmbə] *adj* mörk, dyster

**sombrero** [sɒmˈbreərəʊ] (pl. *~s*) *s* sombrero

**some** [sʌm, obetonat səm] **I** *indef pron* **1** a) någon, något, några b) viss [*it is open on ~ days*] c) en del [*~ of it was spoilt*], somlig d) litet [*would you like ~ more?*]; *~ day* någon (en) dag; *~ people* somliga, en del **2** åtskillig, en hel del [*that will take ~ courage*]; *for ~ time yet* än på ett bra tag **3** vard., *that was ~ party!* det kan man verkligen kalla en fest! **II** *adv* framför räkneord etc. ungefär, omkring, en [*~ twenty minutes*]; *~ dozen people* ett dussintal människor

**somebody** [ˈsʌmbədɪ] **I** *indef pron* någon; *~ or other* någon, någon vem det nu är (var) **II** *s*, *he thinks he is ~* han tror att han är något

**somehow** [ˈsʌmhaʊ] *adv* på något (ett eller annat) sätt [äv. *~ or other*]; av någon anledning [*she never liked me, ~*]

**someone** [ˈsʌmwʌn] *indef pron* = *somebody I*

**somersault** [ˈsʌməsɔːlt] *s*, *turn (do) a ~* slå en kullerbytta (volt, saltomortal)

**something** [ˈsʌmθɪŋ] *indef pron* o. *s* något, någonting; *~ or other* någonting, någonting vad det nu är (var); *~ of the kind (sort)* någonting ditåt (åt det hållet); *you've got ~ there!* där sa du någonting!

**sometime** [ˈsʌmtaɪm] **I** *adv* någon gång; *~ or other* någon gång, någon gång i framtiden **II** *adj* förra [*~ (the ~) chairman*]

**sometimes** [ˈsʌmtaɪmz] *adv* ibland

**somewhat** [ˈsʌmwɒt] *adv* något, rätt, ganska

**somewhere** [ˈsʌmweə] *adv* någonstans; *~ else* någon annanstans; *~ or other* någonstans; *~ about (round) Christmas*

vid jultiden; **~ about (round) ten
pounds** ungefär 10 pund
**somnolent** ['sɒmnələnt] *adj* sömnig, dåsig
**son** [sʌn] *s* **1** son; **~ of a bitch** speciellt amer.
sl. jävel, knöl **2** i tilltal min gosse
**sonata** [sə'nɑːtə] *s* mus. sonat
**song** [sɒŋ] *s* sång; visa; **buy (sell) a th.
for a** ~ köpa (sälja) ngt för en spottstyver
**song hit** ['sɒŋhɪt] *s* schlager
**son-in-law** ['sʌnɪnlɔː] (pl. *sons-in-law*
['sʌnzɪnlɔː]) *s* svärson, måg
**sonnet** ['sɒnɪt] *s* sonett
**sonny** ['sʌnɪ] *s* vard., tilltal lille gosse, min
lille gosse
**sonorous** ['sɒnərəs] *adj* ljudande, ljudlig;
sonor, klangfull
**soon** [suːn] *adv* **1** snart, strax; **as (so) ~
as** så snart (fort) som; **too ~** för tidigt; **~
after** a) kort därefter b) kort efter att
**2 just as ~** el. **as ~** lika gärna; **I would
just as ~ not go there** jag skulle helst
vilja slippa gå dit
**sooner** ['suːnə] *adv* **1** tidigare; **~ or later**
förr eller senare; **the ~ the better** ju förr
dess bättre; **no ~ did we sit down than**
vi hade knappt satt oss förrän; **no ~ said
than done** sagt och gjort **2** hellre, snarare
**soot** [sʊt] **I** *s* sot **II** *vb tr* sota, sota ner
**soothe** [suːð] *vb tr* lugna; lindra
**soothing** ['suːðɪŋ] *adj* lugnande, lindrande
**sooty** ['sʊtɪ] *adj* sotig
**sop** [sɒp] *vb tr*, **~ up** suga upp, torka upp
[**~ up water with a towel**]
**sophisticated** [sə'fɪstɪkeɪtɪd] *adj*
sofistikerad, raffinerad; sinnrik,
avancerad
**sophistication** [sə,fɪstɪ'keɪʃ(ə)n] *s*
raffinemang; förfining, finesser
**sopping** ['sɒpɪŋ] *adv*, **~ wet** genomblöt
**soppy** ['sɒpɪ] *adj* bildl. vard. fånig; blödig
**soprano** [sə'prɑːnəʊ] **I** (pl. ~*s*) *s* sopran
**II** *adj* sopran-
**sorbet** ['sɔːbeɪ] *s* sorbet
**sordid** ['sɔːdɪd] *adj* eländig; simpel, tarvlig
**sore** [sɔː] **I** *adj* **1** öm [**~ feet**]; inflammerad;
**a sight for ~ eyes** en fröjd för ögat; **have
a ~ throat** ha ont i halsen **2** bildl. känslig,
ömtålig **3** speciellt amer. vard. irriterad,
förargad **II** *s* ont (ömt) ställe; varsår,
varböld
**sorrow** ['sɒrəʊ] **I** *s* sorg, bedrövelse **II** *vb itr*
sörja
**sorrowful** ['sɒrəf(ʊ)l] *adj* sorgsen; sorglig
**sorry** ['sɒrɪ] *adj* **1** ledsen; **so ~!** el. **~!**
förlåt!, ursäkta mig!, ursäkta!; **I'm very ~**

**to hear it** det var tråkigt att höra; **I feel ~
for you** jag tycker synd om dig; **you'll be
~ for this!** det här kommer du att få
ångra! **2** ynklig [**a ~ sight**], eländig [**a ~
performance**], dålig
**sort** [sɔːt] **I** *s* sort, slag; typ; **he is a good
(decent) ~** vard. han är bussig; **~ of** vard.
liksom, på något vis; **all ~s of things** alla
möjliga saker; **that ~ of thing** sådant där;
**what ~ of** vad för slags (sorts); hurdan;
**nothing of the ~** inte alls så; som svar visst
inte!, inte alls!; **something of the ~** något
sådant; **out of ~s** a) krasslig, vissen b) ur
gängorna, nere
**II** *vb tr* sortera, ordna; **~ out** sortera,
sortera ut; vard. ordna (reda) upp [**~ out
one's problems**]; **things will ~ themselves
out** vard. det ordnar sig; **get oneself
sorted out** vard. komma i ordning;
**sorting office** ~ post. sorteringskontor
**sorter** ['sɔːtə] *s* speciellt post. sorterare
**SOS** [,esəʊ'es] *s* **1** SOS; **~ signal** el. **~**
nödsignal **2** radio. personligt meddelande
**so-so** ['səʊsəʊ] *adj* o. *adv* vard. skaplig,
skapligt, sådär
**sot** [sɒt] *s* fyllbult, fyllo
**soufflé** ['suːfleɪ] *s* kok. sufflé
**sought** [sɔːt] se *seek*
**soul** [səʊl] *s* själ; **poor ~** stackars ~
människa
**soul-destroying** ['səʊldɪ,strɔɪɪŋ] *adj*
själsdödande [**~ work**]
**soul-searching** ['səʊl,sɜːtʃɪŋ] *s*
självrannsakan
**soul-stirring** ['səʊl,stɜːrɪŋ] *adj* gripande
**1 sound** [saʊnd] **I** *adj* **1** frisk [**~ teeth**],
sund **2** klok; sund, riktig **3** säker, solid [**a
~ investment**] **4** grundlig; **a ~ thrashing**
ett ordentligt kok stryk **II** *adv* sunt; **be ~
asleep** sova djupt (gott)
**2 sound** [saʊnd] **I** *s* **1** ljud; **within (out
of) ~** inom (utom) hörhåll [**of** för] **2** ton,
klang; **I don't like the ~ of it** det låter
inte bra, det låter oroande **II** *vb itr* o. *vb tr*
**1** ljuda, tona, klinga **2** låta [**the music ~s
beautiful**] **3** låta ljuda, blåsa, blåsa i [**~ a
trumpet**]; **~ the alarm** slå larm; **~ the
all-clear** ge 'faran över' **4** speciellt mil.
blåsa till, beordra; **~ an (the) alarm** slå
(blåsa) alarm
**3 sound** [saʊnd] *vb tr* sondera, pejla
**4 sound** [saʊnd] *s* sund
**sound barrier** ['saʊnd,bærɪə] *s* ljudvall;
**break the ~** spränga ljudvallen

**sound effects** ['saʊndɪˌfekts] *s pl*
ljudeffekter; radio. äv. ljudkulisser
**sounding** ['saʊndɪŋ] *s* sondering, pejling
**soundproof** ['saʊndpruːf] **I** *adj* ljudtät,
ljudisolerande **II** *vb tr* ljudisolera
**soundwave** ['saʊndweɪv] *s* ljudvåg
**soup** [suːp] *s* kok. soppa; *thick ~* redd
soppa; *be in the ~* vard. ha råkat i klistret
**soup plate** ['suːppleɪt] *s* sopptallrik, djup
tallrik
**sour** ['saʊə] **I** *adj* sur, syrlig; *go ~* surna
**II** *vb tr* göra sur, komma att surna; bildl.
förbittra
**source** [sɔːs] *s* källa; *~ of energy*
energikälla; *from a reliable ~* ur säker
källa
**souse** [saʊs] *vb tr* lägga i saltlake
(marinad); *soused herring* ungefär inkokt
strömming
**south** [saʊθ] **I** *s* **1** söder, syd; *to the ~ of*
söder om **2** *the South* södern, sydliga
länder; södra delen; *the South* i USA
Södern, sydstaterna **II** *adj* sydlig, södra,
söder-; *South America* Sydamerika; *the
South Pole* sydpolen **III** *adv* mot (åt)
söder, söderut; *~ of* söder om
**southbound** ['saʊθbaʊnd] *adj* sydgående
**south-east** [ˌsaʊθ'iːst] **I** *s* sydost, sydöst
**II** *adj* sydöstlig, sydostlig, sydöstra **III** *adv*
mot (i) sydost; *~ of* sydost om
**south-easterly** [ˌsaʊθ'iːstəlɪ] *adj* sydostlig
**south-eastern** [ˌsaʊθ'iːstən] *adj* sydostlig
**southerly** ['sʌðəlɪ] *adj* sydlig
**southern** ['sʌðən] *adj* **1** sydlig; södra,
söder- **2** sydländsk
**southerner** ['sʌðənə] *s* person från södra
delen av landet (ett land); sydlänning
**southernmost** ['sʌðənməʊst] *adj* sydligast
**southward** ['saʊθwəd] **I** *adj* sydlig **II** *adv*
mot söder
**southwards** ['saʊθwədz] *adv* mot söder
**south-west** [ˌsaʊθ'west] **I** *s* sydväst **II** *adj*
sydvästlig, sydvästra **III** *adv* mot (i)
sydväst; *~ of* sydväst om
**south-western** [ˌsaʊθ'westən] *adj*
sydvästlig, sydvästra
**souvenir** [ˌsuːvə'nɪə] *s* souvenir, minne,
minnesgåva
**sou'-wester** [saʊ'westə] *s* sydväst
huvudbonad
**sovereign** ['sɒvrən] **I** *adj* **1** högst, högsta
[*~ power*] **2** suverän [*a ~ state*] **II** *s*
**1** monark, regent **2** sovereign tidigare eng.
guldmynt; = £1

**sovereignty** ['sɒvrəntɪ] *s* **1** suveränitet,
högsta makt **2** överhöghet
**Soviet** ['səʊvɪət] *adj* sovjet-; sovjetisk; *the
~ Union* el. *the Union of ~ Socialist
Republics* hist. Sovjetunionen, Sovjet
**1 sow** [səʊ] (imperfekt *sowed*; perfekt particip
*sown* el. *sowed*) *vb itr* o. *vb tr* **1** så; *as a
man ~s, so shall he reap* ordspr. som
man sår får man skörda **2** beså [*~ a field
with wheat*]
**2 sow** [saʊ] *s* sugga
**sown** [səʊn] se *1 sow*
**soy** [sɔɪ] *s* **1** soja, sojasås; *~ sauce* soja,
sojasås **2** sojaböna
**soya** ['sɔɪə] *s* **1** sojaböna **2** *~ sauce* soja,
sojasås
**soya bean** ['sɔɪəbiːn] *s* o. **soybean**
['sɔɪbiːn] *s* sojaböna
**spa** [spɑː] *s* **1** brunnsort **2** hälsobrunn
**space** [speɪs] **I** *s* **1** rymd, rymden; *outer ~*
yttre rymden; *~ trip* rymdfärd
**2** utrymme, plats; avstånd, mellanrum;
*blank ~* tomrum, lucka; *living ~* livsrum;
*the wide open ~s* de stora vidderna; *it
takes up too much ~* det tar för mycket
plats **3** tidrymd [äv. *~ of time*], period; *for
(in) the ~ of a month* under en månad
**II** *vb tr* göra mellanrum mellan; *~ out*
placera ut; sprida, sprida ut
**spacecraft** ['speɪskrɑːft] (pl. lika) *s*
rymdfarkost, rymdskepp
**spaceman** ['speɪsmæn] (pl. *spacemen*
['speɪsmən]) *s* rymdfarare, astronaut,
kosmonaut
**spaceprobe** ['speɪsprəʊb] *s* rymdsond
**space-saving** ['speɪsˌseɪvɪŋ] *adj*
utrymmesparande, utrymmessnål
**spaceship** ['speɪsʃɪp] *s* rymdskepp
**spacesuit** ['speɪssuːt, 'speɪssjuːt] *s*
rymddräkt
**space travel** ['speɪsˌtrævl] *s* rymdfärder
**spacious** ['speɪʃəs] *adj* rymlig; spatiös
**1 spade** [speɪd] *s* kortsp. spaderkort; pl. *~s*
spader
**2 spade** [speɪd] *s* spade; *call a ~ a ~*
nämna en sak vid dess rätta namn
**spadeful** ['speɪdf(ʊ)l] *s* spade mått
**spadework** ['speɪdwɜːk] *s* förarbete,
grovarbete
**spaghetti** [spə'getɪ] *s* spaghetti
**Spain** [speɪn] Spanien
**span** [spæn] **I** *s* **1** avstånd mellan tumme
och lillfinger utspärrade **2** brospann, valv
**3** spännvidd, räckvidd, omfång; flyg. äv.
vingbredd **4** tidrymd **II** *vb tr* om t.ex. bro

spänna (leda) över [~ *a river*]; omspänna, spänna (nå) över
**spangle** ['spæŋgl] *s* paljett; pl. ~s äv. glitter
**Spaniard** ['spænjəd] *s* spanjor; spanjorska
**spaniel** ['spænjəl] *s* spaniel hundras
**Spanish** ['spænɪʃ] I *adj* spansk; ~ *chestnut* äkta (ätlig) kastanj; ~ *onion* stor gul steklök, spansk lök II *s* **1** spanska språket **2** *the* ~ spanjorerna **3** vard. lakrits
**spank** [spæŋk] I *vb tr* ge smäll (smisk); daska till; *be spanked* få smäll (smisk) II *s* smäll, dask
**spanking** ['spæŋkɪŋ] *s* smäll, dask; *give a* ~ ge smäll (smisk)
**spanner** ['spænə] *s* skruvnyckel; *adjustable* ~ skiftnyckel; *throw a* ~ *into the works* bildl. sätta en käpp i hjulet
**spar** [spɑː] I *vb itr* sparra; träningsboxas II *s* sparring; träningsboxning
**spare** [speə] I *adj* ledig; extra, reserv- [*a* ~ *key*; ~ *parts*]; ~ *bed* extrasäng; ~ *cash* pengar som blir över, pengar över; ~ *room* (*bedroom*) gästrum; ~ *time* fritid II *vb tr* **1** avvara, undvara [*can you* ~ *a pound?*]; *can you* ~ *me a few minutes?* har du några minuter över?; [*he caught the train*] *with a few minutes to* ~ …med några minuters marginal **2** a) skona [~ *a p.'s life (feelings)*] b) bespara [*a p. a th.* ngn ngt], förskona [*a p. a th.* ngn från (för) ngt] **3** spara på; ~ *no pains* (*expense*) inte sky (spara) någon möda (utgift) III *s* reservdel, lös del
**spareribs** ['speərɪbz] *s* kok. revbensspjäll
**spark** [spɑːk] I *s* gnista [*a* ~ *of hope*] II *vb itr* o. *vb tr* gnistra; ~ *off* el. ~ utlösa, vara den tändande gnistan till
**sparking-plug** ['spɑːkɪŋplʌg] *s* tändstift
**sparkle** ['spɑːkl] I *vb itr* **1** gnistra, spraka; briljera; *sparkling eyes* strålande ögon **2** om vin moussera, pärla II *s* **1** gnistrande, sprakande; bildl. briljans **2** pärlande
**sparkler** ['spɑːklə] *s* tomtebloss
**spark plug** ['spɑːkplʌg] *s* tändstift
**sparring-partner** ['spɑːrɪŋˌpɑːtnə] *s* sparringpartner
**sparrow** ['spærəʊ] *s* sparv
**sparse** [spɑːs] *adj* gles [*a* ~ *population*]
**Spartan** ['spɑːt(ə)n] I *adj* spartansk II *s* spartan
**spasm** ['spæz(ə)m] *s* **1** spasm, kramp **2** anfall [*a* ~ *of coughing*]
**spasmodic** [spæz'mɒdɪk] *adj* spasmodisk; bildl. stötvis

**spastic** ['spæstɪk] I *adj* spastisk II *s* spastiker
**1 spat** [spæt] se *2 spit I*
**2 spat** [spæt] *s*, vanl. pl. ~*s* korta damasker
**spate** [speɪt] *s* ström [*a* ~ *of letters*]
**spatter** ['spætə] I *vb tr* stänka ned; stänka II *s* stänkande; stänk; skur [*a* ~ *of rain*]
**spatula** ['spætjʊlə] *s* **1** spatel **2** kok. stekspade
**spawn** [spɔːn] I *vb tr* o. *vb itr* lägga rom, ägg (om t.ex. fiskar); yngla, leka, lägga rom; yngla av sig II *s* rom; ägg av vissa skaldjur
**speak** [spiːk] (*spoke spoken*) *vb itr* o. *vb tr* **1** tala; *so to* ~ så att säga; *speaking!* i telefon det är jag som talar; *Smith speaking!* i telefon det här är Smith!; *seriously speaking* allvarligt talat; *strictly speaking* strängt taget, egentligen; *speaking of* på tal om, apropå; *not to* ~ *of* för att nu inte tala om (nämna); ~ *to* a) tilltala, tala till b) säga ²åt, säga ¹till, tala allvar med [*you had better* ~ *to the boy*] **2** säga, yttra; ~ *the truth* säga sanningen; tala sanning
**speaker** ['spiːkə] *s* **1** talare [*a fine* ~]; *Speaker* parl. talman **2** högtalare
**speaking** ['spiːkɪŋ] *adj* o. *s* talande; tal- [*a* ~ *part* (roll)]; i sammansättningar -talande [*English-speaking*]; *they are not on* ~ *terms* de är osams
**speaking-tube** ['spiːkɪŋtjuːb] *s* talrör
**spear** [spɪə] I *s* spjut II *vb tr* genomborra med spjut
**spearmint** ['spɪəmɪnt] *s* tuggummi med mintsmak
**special** ['speʃ(ə)l] I *adj* speciell, särskild [~ *reasons*]; special-, extra-; ~ *delivery* express; ~ *edition* extraupplaga, extranummer II *s*, *today's* ~ dagens rätt på matsedel
**specialist** ['speʃəlɪst] *s* specialist
**speciality** [ˌspeʃɪ'ælətɪ] *s* **1** utmärkande drag, egendomlighet **2** specialitet
**specialize** ['speʃəlaɪz] *vb tr* o. *vb itr* specialisera; specialisera sig [*in, on* på, inom]
**specially** ['speʃəlɪ] *adv* särskilt, speciellt
**species** ['spiːʃiːz] (pl. lika) *s* **1** art, species; *the* ~ el. *the human* ~ människosläktet; *the origin of* ~ arternas uppkomst **2** slag, sort, typ
**specific** [spə'sɪfɪk] *adj* **1** bestämd, specificerad, speciell [*a* ~ *purpose*] **2** specifik, speciell

**specification** [ˌspesɪfɪˈkeɪʃ(ə)n] s
**1** specificering **2** ~ el. pl. **~s** specifikation

**specify** [ˈspesɪfaɪ] vb tr specificera [the sum
specified], i detalj ange, noga uppge

**specimen** [ˈspesɪmən] s prov,
provexemplar, provbit [of på, av];
exemplar

**speck** [spek] s liten fläck, prick; korn [a ~
of dust]

**speckled** [ˈspekld] adj fläckig, spräcklig

**specs** [speks] s pl vard. (kortform av
spectacles) brillor

**spectacle** [ˈspektəkl] s **1** syn, anblick [a
charming ~]; make a ~ of oneself göra
sig löjlig (till ett spektakel) **2** pl. **~s**
glasögon [a pair of ~s]

**spectacular** [spekˈtækjʊlə] adj effektfull;
praktfull; spektakulär

**spectator** [spekˈteɪtə] s åskådare

**spectre** [ˈspektə] s spöke

**speculate** [ˈspekjʊleɪt] vb itr spekulera

**speculation** [ˌspekjʊˈleɪʃ(ə)n] s spekulation

**speculator** [ˈspekjʊleɪtə] s spekulant

**sped** [sped] se speed II

**speech** [spiːtʃ] s **1** tal; talförmåga; ~
impediment talfel; freedom (liberty) of
~ yttrandefrihet **2** tal; after-dinner ~
middagstal; make (deliver, give) a ~
hålla tal (ett anförande) [on, about om,
över] **3** teat. replik

**speechless** [ˈspiːtʃləs] adj mållös, stum

**speech-training** [ˈspiːtʃˌtreɪnɪŋ] s
talträning, talteknik

**speed** [spiːd] I s **1** fart, hastighet, tempo;
at full (top) ~ i (med) full fart; med full
fräs **2** på cykel etc. växel [a three-speed
bicycle] II (sped sped) vb itr o. vb tr **1** rusa, rusa
iväg, ila **2 a)** köra för fort **b)** ~ up öka
farten (takten) **3** skynda på, sätta fart på
[äv. ~ up; ~ up production]

**speedboat** [ˈspiːdbəʊt] s snabb motorbåt,
racerbåt

**speed indicator** [ˈspiːdˌɪndɪkeɪtə] s
hastighetsmätare

**speeding** [ˈspiːdɪŋ] s fortkörning

**speed limit** [ˈspiːdˌlɪmɪt] s fartgräns,
maximihastighet; hastighetsbegränsning

**speedometer** [spɪˈdɒmɪtə] s
hastighetsmätare

**speedway** [ˈspiːdweɪ] s **1** speedwaybana; ~
racing speedway **2** amer. motorväg

**speedy** [ˈspiːdɪ] adj hastig; snabb, rask;
snar [a ~ recovery]

**1 spell** [spel] s (spelt spelt) vb tr o. vb itr
**1** stava, stava till; bokstavera; ~ out tyda
**2** innebära, betyda [it ~s ruin]

**2 spell** [spel] s **1** trollformel **2** förtrollning;
be under the ~ of a p. vara förtrollad av
ngn; vara i ngns våld

**3 spell** [spel] s **1** skift [~ of work], omgång
**2** kort period, tid [a cold ~]

**spellbound** [ˈspelbaʊnd] adj trollbunden

**spelling** [ˈspelɪŋ] s stavning

**spelling-bee** [ˈspelɪŋbiː] s stavningslek,
stavningstävling

**spelt** [spelt] se 1 spell

**spend** [spend] (spent spent) vb tr o. vb itr
**1 a)** ge (lägga) ut pengar; göra av med,
spendera; ~ freely strö pengar omkring
sig **b)** använda tid, krafter m.m.; lägga ned,
offra [on, in på] **2** tillbringa [~ a whole
evening over a job], fördriva

**spender** [ˈspendə] s slösare

**spending** [ˈspendɪŋ] s utgifter; ~ money
fickpengar; ~ power köpkraft

**spendthrift** [ˈspendθrɪft] I s slösare II adj
slösaktig

**spent** [spent] I imperfekt av spend II perf p o.
adj förbrukad; förbi, slut; time well ~ väl
använd tid

**sperm** [spɜːm] s **1** sperma, sädesvätska
**2** spermie, sädescell

**spew** [spjuː] vb itr o. vb tr spy, spy upp
(ut)

**sphere** [sfɪə] s **1** sfär, klot; glob, kula
**2** bildl. sfär; gebit; ~ of activity
verksamhetsområde; ~ of influence
intressesfär

**spherical** [ˈsferɪk(ə)l] adj sfärisk; klotrund

**sphinx** [sfɪŋks] s sfinx

**spice** [spaɪs] I s krydda; kollektivt kryddor;
variety is the ~ of life ombyte förnöjer
II vb tr krydda

**spicy** [ˈspaɪsɪ] adj kryddad, aromatisk; bildl.
pikant, mustig [a ~ story]

**spider** [ˈspaɪdə] s spindel; spider's web
spindelväv, spindelnät

**spike** [spaɪk] s pigg, spets; spik, brodd
under sko; dubb

**spill** [spɪl] s (spilt spilt) vb tr spilla (stjälpa)
ut; utgjuta [~ blood]

**spilt** [spɪlt] se spill

**spin** [spɪn] I s (spun spun) vb tr o. vb itr
**1** spinna **2** ~ a yarn vard. dra en historia;
~ out dra ut på [~ out a discussion]
**3** snurra runt, snurra med [~ a top];
skruva boll; ~ a coin singla slant **4** ~
along glida (flyta, susa) fram II s
**1** snurrande; skruv på boll; flyg. spinn; flat

~ flyg. flatspinn; *give* (*give a*) ~ *to a ball*
skruva en boll **2** vard. liten åktur [*go for a*
~ *in a car*]
**spinach** ['spɪnɪdʒ, 'spɪnɪtʃ] *s* spenat
**spinal** ['spaɪnl] *adj* ryggrads-; ~ *column*
ryggrad; ~ *cord* ryggmärg
**spindle** ['spɪndl] *s* **1** textil. spindel; rulle,
spole **2** tekn. axel; axeltapp
**spin-drier** ['spɪnˌdraɪə] *s* centrifug för tvätt
**spin-dry** [ˌspɪn'draɪ] *vb tr* centrifugera tvätt
**spine** [spaɪn] *s* **1** ryggrad **2** tagg **3** bokrygg
**spineless** ['spaɪnləs] *adj* ryggradslös; bildl.
äv. mesig
**spinning-wheel** ['spɪnɪŋwi:l] *s* spinnrock
**spin-off** ['spɪnɒf] *s* biprodukt, sidoeffekt
**spinster** ['spɪnstə] *s* **1** jur. ogift kvinna
**2** gammal fröken; *old* ~ äv. nucka
**spiral** ['spaɪər(ə)l] **I** *adj* spiralformig,
spiral- [~ *spring*]; ~ *staircase* spiraltrappa
**II** *s* spiral
**spire** ['spaɪə] *s* tornspira; spira
**spirit** ['spɪrɪt] **I** *s* **1** ande äv. om person; själ,
kraft [*the leading* ~*s*]; *evil* ~ ond ande;
*the Holy Spirit* den Helige Ande; *the* ~
*is willing but the flesh is weak* ordspr.
anden är villig, men köttet är svagt
**2** ande; spöke **3** anda, stämning;
sinnelag; *that's the* ~! så ska det låta!
**4** pl. ~*s* humör, sinnesstämning; *good* ~*s*
gott humör; *high* ~*s* gott humör, hög
stämning; *keep up one's* ~*s* hålla modet
(humöret) uppe **5** andemening; *the* ~ *of*
*the law* lagens anda **6** pl. ~*s* sprit,
spritvaror **II** *vb tr*, ~ *away* smuussla
(trolla) bort
**spirited** ['spɪrɪtɪd] *adj* livlig, livfull
**spiritual** ['spɪrɪtjʊəl] **I** *adj* andlig, själslig
**II** *s* spiritual, andlig negersång [äv. *Negro*
~]
**spiritualism** ['spɪrɪtjʊəlɪz(ə)m] *s*
spiritualism, spiritism
**spiritualist** ['spɪrɪtjʊəlɪst] *s* spiritualist,
spiritist
**1 spit** [spɪt] **I** *s* stekspett **II** *vb tr* sätta på
spett
**2 spit** [spɪt] **I** (*spat spat*) *vb itr* o. *vb tr*
**1** spotta [~ *on the floor*]; ~ *at* (*upon*)
spotta på (åt) **2** stänka och fräsa i
stekpanna **3** vard. stänka, småregna **4** ~ *out*
spotta ut; ~ *it out!* kläm fram med det!
**5** *he's the spitting image of his dad* han
är sin pappa upp i dagen **II** *s* spott
**spite** [spaɪt] **I** *s* ondska, illvilja; agg; *in* ~
*of* trots; *in* ~ *of myself* mot min vilja
**II** *vb tr* bemöta med illvilja; reta

**spiteful** ['spaɪtf(ʊ)l] *adj* ondskefull, elak
**spittle** ['spɪtl] *s* spott, saliv
**spittoon** [spɪ'tu:n] *s* spottkopp, spottlåda
**splash** [splæʃ] **I** *vb tr* o. *vb itr* **1** stänka ned
[~ *with mud*]; stänka, skvätta [~ *paint all*
*over one's clothes*], slaska; skvätta ut
**2** plaska; skvalpa **3** ~ *one's money about*
vard. strö pengar omkring sig **II** *s*
**1** plaskande; skvalpande; plask; skvalp;
*make a* ~ vard. väcka uppseende **2** skvätt,
stänk **3** färgstänk; ~ *of colour* bildl.
färgklick **III** *interj* o. *adv* plask!; pladask,
plums
**splendid** ['splendɪd] *adj* praktfull, härlig,
präktig; vard. finfin, utmärkt
**splendour** ['splendə] *s* glans, prakt, ståt
**splice** [splaɪs] **I** *vb tr* splitsa rep; skarva,
skarva ihop film, band m.m. **II** *s* splits; skarv
**splint** [splɪnt] *s* kir. spjäla, skena
**splinter** ['splɪntə] *s* flisa, skärva [~ *of glass*
(*bone*)], sticka; splitter
**splinterproof** ['splɪntəpru:f] *adj* splitterfri
**split** [splɪt] **I** (*split split*) *vb tr* o. *vb itr*
**1** splittra; klyva, spränga; splittras, klyvas
[*into* i], spricka, spricka upp, gå sönder;
~ *hairs* ägna sig åt hårklyverier; *my head*
*is splitting* det sprängvärker i huvudet på
mig; ~ *up* a) klyva sig, dela sig b) vard.
skiljas, separera **2** dela [*with* med]; vard.
dela på bytet (vinsten); dela upp, dela på
**II** *s* **1** splittring, spricka båda äv. bildl.;
klyvning **2** *do the* ~*s* gå ned i spagat
**split-second** [ˌsplɪt'sek(ə)nd] **I** *adj* på
sekunden [~ *timing*] **II** *s* bråkdel av en
sekund
**splitting** ['splɪtɪŋ] *adj*, *a* ~ *headache* en
brinnande huvudvärk
**splutter** ['splʌtə] *vb itr* **1** snubbla på orden
**2** spotta och fräsa
**spoil** [spɔɪl] **I** *s*, pl. ~*s* rov, byte **II** (*spoilt*
*spoilt* el. *spoiled spoiled*) *vb tr* **1** förstöra,
fördärva **2** skämma bort [~ *a child*]
**spoilsport** ['spɔɪlspɔ:t] *s* vard. glädjedödare
**spoilt** [spɔɪlt] se *spoil II*
**1 spoke** [spəʊk] se *speak*
**2 spoke** [spəʊk] *s* eker i hjul
**spoken** ['spəʊk(ə)n] **I** se *speak* **II** *adj* talad;
muntlig; ~ *English* engelskt talspråk
**spokesman** ['spəʊksmən] (pl. *spokesmen*
['spəʊksmən]) *s* talesman [*of, for* för]
**sponge** [spʌndʒ] **I** *s* tvättsvamp **II** *vb itr* o.
*vb tr* **1** vard. snylta [*on a p.* på ngn]
**2** tvätta (torka) av med svamp [äv. ~
*down* (*over*)]; ~ *up* suga upp med svamp
**sponge bag** ['spʌndʒbæg] *s* necessär

**sponge cake** ['spʌndʒkeɪk] s lätt sockerkaka

**sponger** ['spʌndʒə] s vard. snyltgäst

**spongy** ['spʌndʒɪ] adj svampig; svampaktig

**sponsor** ['spɒnsə] I s 1 sponsor; garant 2 fadder vid dop 3 radio. el. TV. sponsor, annonsör II vb tr vara sponsor (garant) för; stå bakom

**spontaneity** [,spɒntə'ni:ətɪ] s spontanitet

**spontaneous** [spɒn'teɪnjəs] adj spontan

**spook** [spu:k] s vard. spöke

**spooky** ['spu:kɪ] adj vard. spöklik, kuslig

**spool** [spu:l] I s spole; filmrulle II vb tr spola

**spoon** [spu:n] s sked; skopa

**spoonfed** ['spu:nfed] se spoonfeed

**spoonfeed** ['spu:nfi:d] (spoonfed spoonfed) vb tr mata med sked; bildl. servera allt på fat, mata som småbarn [~ the students]

**spoonful** ['spu:nf(ʊ)l] s sked mått; a ~ of en sked, en sked med

**sporadic** [spə'rædɪk] adj sporadisk, spridd

**sport** [spɔ:t] I s 1 sport; idrott, idrottsgren; pl. ~s äv. a) kollektivt sport; idrott b) idrottstävling, idrottstävlingar [school ~s]; athletic ~s friidrott; ~s car sportbil; ~s ground idrottsplats; ~s jacket blazer, kavaj; sportjacka; in ~ på skoj (skämt) II vb tr vard. ståta med, skylta med [~ a rose in one's buttonhole]

**sporting** ['spɔ:tɪŋ] adj sportig, sport-, idrotts- [a ~ event]; sportsmannamässig

**sportsman** ['spɔ:tsmən] (pl. sportsmen ['spɔ:tsmən]) s sportsman; idrottsman; jägare, fiskare

**sportsmanlike** ['spɔ:tsmənlaɪk] adj sportsmannamässig

**sportsmanship** ['spɔ:tsmənʃip] s sportsmannaanda; renhårighet

**sportswear** ['spɔ:tsweə] s sportkläder

**sporty** ['spɔ:tɪ] adj vard. sportig; hurtig

**spot** [spɒt] I s 1 fläck; prick på tärning, kort m.m.; finne, blemma; ~ remover fläckurtagningsmedel 2 plats, ställe [a lovely ~]; punkt; tender ~ öm punkt; ~ fine ungefär ordningsbot; be in a ~ vard. vara i klämma (knipa); on the ~ på platsen (ort och ställe); på stället (fläcken) [act on the ~] 3 droppe, stänk [~s of rain]; a ~ of bother lite trassel; a ~ of lunch lite lunch 4 ~ cash kontant betalning vid leverans

II vb tr 1 fläcka ned [~ one's fingers with

ink]; sätta prickar på 2 få syn på, känna igen; ~ the winner tippa vem som vinner

**spot-check** ['spɒttʃek] s stickprov; flygande kontroll

**spotless** ['spɒtləs] adj fläckfri, skinande ren

**spotlight** ['spɒtlaɪt] s spotlight; strålkastarljus; strålkastare; sökarljus; be in the ~ bildl. stå i rampljuset

**spotted** ['spɒtɪd] adj fläckig, prickig; fläckad

**spotty** ['spɒtɪ] adj fläckig, prickig; finnig

**spouse** [spaʊs, spaʊz] s jur. äkta make (maka)

**spout** [spaʊt] I vb itr o. vb tr spruta, spruta ut II s pip [the ~ of a teapot]

**sprain** [spreɪn] I vb tr vricka, stuka [~ one's ankle] II s vrickning, stukning

**sprang** [spræŋ] se 1 spring I

**sprat** [spræt] s skarpsill; tinned ~s ansjovis i burk

**sprawl** [sprɔ:l] vb itr o. vb tr 1 sträcka (breda) ut sig, vräka sig 2 breda ut sig, sprida ut sig; om handstil m.m. spreta åt alla håll 3 spreta med [~ one's legs]

**sprawling** ['sprɔ:lɪŋ] adj 1 spretig, ojämn [a ~ hand (handstil)] 2 utspridd [~ suburbs]

**1 spray** [spreɪ] s blomklase; liten bukett

**2 spray** [spreɪ] I s 1 stänk [the ~ of a waterfall]; yrande skum [sea ~]; stråle, dusch 2 sprej; sprejflaska; rafräschissör; spruta, spridare II vb tr spreja; bespruta; spruta [a p. with a th. ngt på ngn]

**spread** [spred] I (spread spread) vb tr o. vb itr 1 breda (sprida) ut, lägga ut; spänna ut [the bird ~ its wings]; sträcka ut 2 stryka, breda [on på]; täcka [with med] 3 sprida [~ disease; ~ knowledge] 4 breda ut sig [äv. ~ out]; sprida sig; sträcka sig [a desert spreading for hundreds of miles] 5 vara lätt att breda på [butter ~s easily] II s 1 utbredning, spridning 2 utsträckning, sträcka; vidd, omfång [the ~ of an arch] 3 vard. kalas 4 middle-age (middle-aged) ~ vard. gubbfläsk; gumfläsk 5 pasta; bredbart pålägg

**spreadeagle** [,spred'i:gl] vb tr sträcka ut

**spree** [spri:] s vard. 1 fest, rummel; go (go out) on the ~ gå ut och festa 2 go on a buying ~ gripas av köpraseri

**sprig** [sprɪg] s kvist [a ~ of parsley]

**sprightly** ['spraɪtlɪ] adj livlig, pigg, glad

**1 spring** [sprɪŋ] I (sprang sprung) vb itr o. vb tr 1 hoppa [~ out of bed; ~ over a gate],

rusa [*at a p.* på ngn], fara, flyga [~ *up from one's chair*]; **the doors sprang open** dörrarna flög upp **2** rinna, spruta; *tears sprang to her eyes* hennes ögon fylldes av tårar **3** ~ el. ~ *up* **a)** om växter spira, skjuta upp **b)** bildl. dyka upp; *industries sprang up* [*in the suburbs*] industrier växte snabbt upp... **4** spränga [~ *a mine*], utlösa; ~ *a trap* få en fälla att smälla (slå) igen [*upon* om] **5** plötsligt komma med [~ *a surprise on* (åt) *a p.*]; ~ *a th. on a p.* överraska ngn med ngt
**II** *s* **1** språng, hopp **2** källa [*hot (mineral)* ~]; *medicinal* ~ hälsobrunn **3** fjäder [*the* ~ *of a watch*]; resår; pl. ~*s* äv. fjädring; ~ *mattress* (*bed*) resårmadrass
**2 spring** [sprɪŋ] *s* vår, för ex. jfr *summer*
**spring balance** [ˌsprɪŋˈbæləns] *s* fjädervåg
**springboard** [ˈsprɪŋbɔːd] *s* **1** språngbräda **2** trampolin, sviktbräda
**spring-clean** [ˈsprɪŋkliːn] *vb tr* vårstäda, storstäda
**spring-cleaning** [ˈsprɪŋˌkliːnɪŋ] *s* vårstädning, storstädning
**springtime** [ˈsprɪŋtaɪm] *s* vår
**springy** [ˈsprɪŋɪ] *adj* fjädrande; spänstig
**sprinkle** [ˈsprɪŋkl] **I** *vb tr* **1** strö, strö ut, stänka **2** beströ, bestänka, bespruta **II** *s* stänk [~ *of rain*]
**sprinkler** [ˈsprɪŋklə] *s* **1** vattenspridare; sprinkler; stril; stänkflaska **2** vattenvagn
**sprinkling** [ˈsprɪŋklɪŋ] *s* **1** bestänkande, utströende, besprutande **2** bildl. inslag [*a* ~ *of Irishmen among them*], fåtal
**sprint** [sprɪnt] sport. **I** *vb itr* sprinta, spurta **II** *s* **1** sprinterlopp **2** spurt, slutspurt
**sprinter** [ˈsprɪntə] *s* sport. sprinterlöpare
**sprite** [spraɪt] *s* fe; älva; tomte
**sprout** [spraʊt] **I** *vb itr* o. *vb tr* **1** gro, spira, spira upp (fram), skjuta skott **2** anlägga, lägga sig till med **II** *s* skott; grodd
**1 spruce** [spruːs] *adj* prydlig, fin, nätt
**2 spruce** [spruːs] *s* bot. gran
**sprung** [sprʌŋ] **I** se *1 spring I* **II** *adj*, ~ *bed* resårsäng
**spry** [spraɪ] *adj* rask; hurtig; pigg
**spun** [spʌn] **I** se *spin I* **II** *adj* spunnen; ~ *glass* glasfibrer
**spunk** [spʌŋk] *s* **1** vard. mod; fart, liv [*he has no* ~] **2** vulg. sats sädesvätska
**spur** [spɜː] **I** *s* sporre, eggelse; *on the* ~ *of the moment* utan närmare eftertanke, spontant **II** *vb tr*, ~ *on* sporra, egga [*into, to* till], driva på
**spurn** [spɜːn] *vb tr* försmå, förakta

**1 spurt** [spɜːt] **I** *vb itr* spurta **II** *s* spurt
**2 spurt** [spɜːt] **I** *vb itr* o. *vb tr* spruta, spruta ut **II** *s* stråle
**sputter** [ˈspʌtə] **I** *vb itr* spotta när man talar; ~ *out* fräsa till och slockna [*the candle sputtered out*] **II** *s* spottande; sprättande; fräsande
**spy** [spaɪ] **I** *vb itr* o. *vb tr* spionera; få syn på; iaktta **II** *s* spion; spejare
**spy glass** [ˈspaɪɡlɑːs] *s* liten kikare
**spy hole** [ˈspaɪhəʊl] *s* titthål, kikhål
**spy ring** [ˈspaɪrɪŋ] *s* spionliga
**sq. ft.** förk. för *square foot* (*feet*)
**sq. in.** förk. för *square inch* (*inches*)
**sq. m.** förk. för *square metre* (*metres*), *square mile* (*miles*)
**squabble** [ˈskwɒbl] **I** *s* käbbel **II** *vb itr* käbbla
**squad** [skwɒd] *s* **1** mil. grupp **2** trupp, skara; patrull; *fraud* ~ bedrägerirotel; ~ *car* polisbil
**squadron** [ˈskwɒdr(ə)n] *s* mil. skvadron inom kavalleriet; eskader inom flottan; division inom flyget; ~ *leader* major vid flyget
**squalid** [ˈskwɒlɪd] *adj* snuskig, eländig
**squall** [skwɔːl] *vb itr* skrika, gasta
**squalor** [ˈskwɒlə] *s* snusk, elände
**squander** [ˈskwɒndə] *vb tr* slösa (ödsla) bort
**square** [skweə] **I** *s* **1** fyrkant, ruta; kvadrat **2** torg; fyrkantig öppen plats; kvarter; *barrack* ~ mil. kaserngård
**II** *adj* **1** fyrkantig; *a room four metres* ~ ett rum som mäter fyra meter i kvadrat; ~ *dance* kontradans av 4 par; ~ *foot* kvadratfot; ~ *root* kvadratrot **2** reglerad, balanserad [*get one's accounts* ~]; jämn, kvitt; *get* ~ *with* vard. göra upp med [*get* ~ *with one's creditors*] **3** renhårig, ärlig; *get a* ~ *deal* bli rättvist behandlad **4** ~ *meal* stadig (rejäl) måltid
**III** *vb tr* o. *vb itr* **1** ruta; *squared paper* rutpapper **2** mat. upphöja i kvadrat [~ *a number*] **3** reglera, göra upp, betala [äv. ~ *up*; *it's time I squared up with you*] **4** passa ihop, stämma överens [*with* med]
**1 squash** [skwɒʃ] **I** *vb tr* krama (klämma) sönder; platta till [*sit on a hat and* ~ *it*]; ~ *one's finger* [*in a door*] klämma fingret... **II** *s* **1** mosande; mos **2** squash dryck [*lemon* ~] **3** sport. squash
**2 squash** [skwɒʃ] *s* squash slags pumpa
**squat** [skwɒt] **I** *vb itr* **1** sitta på huk; huka sig, huka sig ned [äv. ~ *down*] **2** ockupera

ett hus som står tomt **II** *adj* kort och
tjock, satt

**squatter** ['skwɒtə] *s* husockupant

**squatting** ['skwɒtɪŋ] *s* husockupation

**squaw** [skwɔ:] *s* squaw indiankvinna

**squawk** [skwɔ:k] **I** *vb itr* speciellt om fåglar
skria **II** *s* skri, gällt skrik

**squeak** [skwi:k] **I** *vb itr* pipa om t.ex. råttor;
skrika gällt; gnissla, gnälla om t.ex. gångjärn;
knarra om t.ex. skor **II** *s* **1** pip; gällt skrik;
gnissel, gnisslande, gnäll, knarr **2** vard., *it
was a narrow* ~ det var nära ögat

**squeaky** ['skwi:kɪ] *adj* pipig, gäll; gnisslig,
gnällig; knarrig

**squeal** [skwi:l] **I** *vb itr* **1** skrika gällt o.
utdraget; skria; *squealing brakes*
gnisslande (skrikande) bromsar **2** sl. tjalla
**II** *s* skrik, skri; gnissel

**squeamish** ['skwi:mɪʃ] *adj* **1** överkänslig;
pryd, sipp **2** kräsen, kinkig

**squeeze** [skwi:z] **I** *vb tr* **1** krama, klämma,
klämma på, pressa, trycka hårt [~ *a p.'s
hand*]; ~ *one's finger* klämma sig i
fingret **2** klämma, pressa in (ned) [~
*things into a box*] **II** *s* **1** kram, kramning,
tryck, press; hopklämning; *it was a tight*
~ det var väldigt trångt; *it was a narrow*
(*tight*) ~ vard. det var nära ögat **2** ekon.
åtstramning [*credit* ~]

**squeezer** ['skwi:zə] *s* fruktpress

**squelch** [skweltʃ] **I** *vb itr* klafsa, slafsa;
skvätta ut **II** *s* klafs, smask

**squint** [skwɪnt] **I** *s* **1** vindögdhet; *have a* ~
vara vindögd **2** vard., *have a* ~ *at* ta en titt
på **II** *vb itr* **1** vara vindögd **2** vard. skela,
snegla [*at* på]

**squint-eyed** ['skwɪntaɪd] *adj* vindögd

**squire** ['skwaɪə] *s* godsägare

**squirm** [skwɜ:m] **I** *vb itr* vrida sig, skruva
på sig; bildl. våndas, pinas **II** *s* skruvande

**squirrel** ['skwɪr(ə)l] *s* ekorre

**squirt** [skwɜ:t] **I** *vb tr* o. *vb itr* spruta ut
med tunn stråle **II** *s* tunn stråle [~ *of water*]

**sq. yd.** förk. för *square yard*

**Sr.** o. **sr.** (förk. för *senior*) sr, s:r

**Sri Lanka** [ˌsrɪ'læŋkə]

**SS** o. **S/S** förk. för *steamship*

**1 St.** [snt] (förk. för *saint*) S:t, S:ta

**2 St.** förk. för *street*

**stab** [stæb] **I** *vb tr* sticka ned, genomborra;
sticka, köra [~ *a weapon into*]; ~ *a p. in
the back* bildl. falla ngn i ryggen **II** *s*
**1** stick, sting; *a* ~ *in the back* bildl. en
dolkstöt i ryggen **2** plötslig smärta; sting
[*a* ~ *of pain*]

**stability** [stə'bɪlətɪ] *s* stabilitet, stadga

**stabilization** [ˌsteɪbɪlaɪ'zeɪʃ(ə)n] *s*
stabilisering

**stabilize** ['steɪbɪlaɪz] *vb tr* stabilisera

**stabilizer** ['steɪbɪlaɪzə] *s* flyg. el. sjö.
stabilisator

**1 stable** ['steɪbl] *adj* stabil; stadig, fast

**2 stable** ['steɪbl] *s* **1** stall äv. om uppsättning
hästar; pl. ~*s* stall, stallbyggnad **2** stall
grupp racerförare med gemensam manager

**staccato** [stə'kɑ:təʊ] **I** *adv* stackato äv.
mus.; stötvis **II** (pl. ~*s*) *s* mus. stackato

**stack** [stæk] **I** *s* **1** stack av t.ex. hö **2** trave [*a*
~ *of books*], stapel [*a* ~ *of boards*], hög [*a*
~ *of papers*] **3** skorstensgrupp av
sammanbyggda pipor; skorsten på ångbåt, ånglok
m.m. **II** *vb tr* stacka; trava (stapla), trava
(stapla) upp

**stadium** ['steɪdjəm] *s* stadion, idrottsarena

**staff** [stɑ:f] **I** *s* **1** stav; *the* ~ *of life* brödet
**2** flaggstång **3** personal [*office* ~], stab; ~
*room* lärarrum, kollegierum; *temporary*
~ extrapersonal **4** mil. stab **II** *vb tr* skaffa
(anställa) personal till, bemanna

**stag** [stæg] *s* kronhjort hanne

**stage** [steɪdʒ] **I** *s* **1** teat. scen; estrad; teater
[*the French* ~], skådeplats; ~ *direction*
scenanvisning; ~ *management* regi
**2** stadium, skede [*at an early* ~]; *rocket* ~
raketsteg **3** etapp; *by easy* ~*s* i korta
etapper; bildl. i små portioner

**II** *vb tr* **1** sätta upp, iscensätta [~ *a
play*]; uppföra **2** bildl. arrangera,
organisera; ~ *a comeback* göra
comeback

**stagecoach** ['steɪdʒkəʊtʃ] *s* diligens,
postvagn

**stage door** [ˌsteɪdʒ'dɔ:] *s* sceningång

**stage effect** ['steɪdʒɪˌfekt] *s* teatereffekt

**stage fright** ['steɪdʒfraɪt] *s* rampfeber

**stage hand** ['steɪdʒhænd] *s* scenarbetare

**stage manager** ['steɪdʒˌmænɪdʒə] *s*
inspicient, regiassistent; TV. studioman

**stage name** ['steɪdʒneɪm] *s* artistnamn

**stage-struck** ['steɪdʒstrʌk] *adj* teaterbiten

**stage whisper** [ˌsteɪdʒ'wɪspə] *s*
teaterviskning

**stagger** ['stægə] **I** *vb itr* o. *vb tr* **1** vackla,
ragla, stappla **2** få att vackla, förbluffa,
skaka **3** sprida [~ *lunch hours*] **II** *s*
vacklande, ragling, stapplande; vacklande
gång

**staggering** ['stægərɪŋ] *adj* **1** vacklande,
raglande **2** ~ *blow* dråpslag
**3** häpnadsväckande

**stagnant** ['stægnənt] *adj* **1** stillastående
[~ *water*] **2** bildl. stagnerande; *become* ~
stagnera
**stagnate** [stæg'neɪt] *vb itr* stå stilla;
stagnera
**stagnation** [stæg'neɪʃ(ə)n] *s* stagnation;
stillastående; stockning
**stag party** ['stæg,pɑ:tɪ] *s* vard. svensexa
**staid** [steɪd] *adj* stadig, stadgad
**stain** [steɪn] **I** *vb tr* o. *vb itr* **1** fläcka, fläcka
ned; bildl. äv. befläcka [~ *one's reputation*];
missfärga **2** färga [~ *cloth*]; betsa [~
*wood*]; *stained glass* målat glas ofta med
inbrända färger **3** få fläckar; missfärgas
**4** sätta en fläck (fläckar) **II** *s* **1** fläck; ~
*remover* fläckurtagningsmedel
**2** färgämne; bets
**stained-glass** ['steɪndglɑ:s] *adj*, ~
*window* fönster med målat glas ofta med
inbrända färger
**stainless** ['steɪnləs] *adj* **1** fläckfri,
obefläckad [*a* ~ *reputation*] **2** rostfri [~
*steel*]
**stair** [steə] *s* **1** trappsteg **2** vanl. ~*s* trappa
speciellt inomhus [*winding* ~*s*];
trappuppgång; *a flight of* ~*s* en trappa
**staircase** ['steəkeɪs] *s* trappa;
trappuppgång; *corkscrew* (*spiral*) ~
spiraltrappa
**stairhead** ['steəhed] *s* översta trappavsats
**stake** [steɪk] **I** *s* **1** stake **2** hist., *be burnt at
the* ~ brännas på bål **3** ~ el. pl. ~*s* insats
vid t.ex. vad; *my honour is at* ~ min heder
står på spel; *play for high* ~*s* spela högt
**4** del, andel [*have a* ~ *in an undertaking*]
**II** *vb tr* **1** fästa vid (stödja med) en stake
**2** ~ *out* a) staka ut [~ *out an area*]
b) sätta av; reservera; ~ *out a claim* resa
anspråk **3** sätta på spel, riskera [~ *one's
future*], satsa
**stale** [steɪl] **I** *adj* **1** gammal [~ *bread*],
unken [~ *air*], duven, avslagen, fadd
**2** förlegad, gammal [~ *news*], sliten [~
*jokes*] **3** övertränad, speltrött **II** *vb itr* bli
gammal (unken, duven)
**stalemate** ['steɪlmeɪt] **I** *s* **1** schack.
pattställning **2** dödläge **II** *vb tr* **1** schack.
göra patt **2** stoppa; få att gå i baklås
(köra fast)
**1 stalk** [stɔ:k] *s* bot. stjälk; stängel, skaft
**2 stalk** [stɔ:k] *vb itr* o. *vb tr* **1** skrida,
skrida fram; skrida fram genom (på)
**2** smyga sig; sprida sig långsamt [*famine
stalked through the country*]; smyga sig på

(efter) [~ *an enemy*]; sprida sig långsamt
genom
**1 stall** [stɔ:l] *vb itr* vard. slingra sig,
komma med undanflykter; maska
**2 stall** [stɔ:l] **I** *s* **1** spilta, bås **2** stånd;
kiosk, bod; bord, disk för varor **3** teat.
parkettplats; *orchestra* ~*s* främre
parkett; *in the* ~*s* på parkett **4** kyrkl.
korstol **5** fingertuta **6** motor. tjuvstopp
**II** *vb itr* om t.ex. motor tjuvstanna
**stallion** ['stæljən] *s* hingst
**stalwart** ['stɔ:lwət] **I** *adj* ståndaktig, trogen
**II** *s* speciellt polit. ståndaktig (trogen)
anhängare
**stamen** ['steɪmen] *s* bot. ståndare
**stamina** ['stæmɪnə] *s* uthållighet
**stammer** ['stæmə] **I** *vb itr* o. *vb tr* stamma;
~ el. ~ *out* stamma fram **II** *s* stamning
**stamp** [stæmp] **I** *vb itr* o. *vb tr* **1** stampa [~
*on the floor*]; trampa, klampa **2** stampa
med [~ *one's foot*] **3** ~ *out* a) trampa ut
[~ *out a fire*] b) utrota [~ *out a disease*]
c) krossa, slå ned [~ *out a rebellion*]
**4** stämpla [~ *a p. as a liar*], trycka [~
*patterns on cloth*] **5** frankera, sätta
frimärke på [~ *a letter*] **6** bildl. prägla,
inprägla [~ *on* (i) *one's memory*]
**II** *s* **1** stampande, stamp **2** stämpel
**3** frimärke; *book of* ~*s* frimärkshäfte
**4** slag, sort, kaliber [*men of his* ~]
**stamp-collector** ['stæmpkə,lektə] *s*
frimärkssamlare
**stamp duty** ['stæmp,djuːtɪ] *s* stämpelavgift
**stampede** [stæm'piːd] **I** *s* vild flykt; panik
**II** *vb itr* o. *vb tr* **1** råka i vild flykt, fly i
panik **2** störta, rusa **3** hetsa [~ *a p. into
a th.*]
**stamping-ground** ['stæmpɪŋgraʊnd] *s* vard.
tillhåll, ställe [*my favourite* ~]
**stamp pad** ['stæmppæd] *s* stämpeldyna
**stance** [stæns, stɑːns] *s* stance,
slagställning i golf m.m.; ställning
**stand** [stænd] **I** (*stood stood*) *vb itr* **1** stå; ~
*to lose* riskera att förlora; ~ *to win*
(*gain*) ha utsikt att (kunna) vinna; *as it
now* ~*s, the text is ambiguous* som
texten nu lyder är den tvetydig; *I want to
know where I* ~ jag vill ha klart besked
**2** stiga (stå) upp [*we stood, to see better*]
**3** ligga, vara belägen **4** a) stå kvar, stå
fast, stå [*let the words* ~] b) stå sig,
fortfarande gälla **5** stå, förhålla sig; *as
affairs* (*matters*) *now* ~ som saken (det)
nu förhåller sig **6** mäta, vara [*he* ~*s six feet
in his socks*] **7** ställa, ställa upp, resa, resa

**start**

upp [~ *a ladder against a wall*] **8** tåla, stå
ut med **9** bjuda på [~ *a dinner;* ~ *a p. to
dinner*] □ ~ **at** uppgå till [*the number* ~*s at
50*]; ~ **back a)** dra sig bakåt, stiga tillbaka
**b)** *the house* ~*s back from the road*
huset ligger en bit från vägen; ~ **by a)** stå
bredvid, bara stå och se på **b)** hålla sig i
närheten, stå redo; ~ *by for further
news* avvakta ytterligare nyheter **c)** bistå
[~ *by one's friends*], stödja **d)** stå fast vid
[~ *by one's promise*]; ~ **for** a) stå för [*what
do these initials* ~ *for?*], betyda b) kämpa
för [~ *for liberty*] c) kandidera för, ställa
upp som kandidat till d) vard. finna sig i
[*I won't* ~ *for that*]; ~ **on** hålla på [~ *on
one's dignity (rights)*]; ~ **out a)** stiga (träda)
fram; stå ut, skjuta fram; framträda,
avteckna sig, sticka av; vara framstående;
*it* ~*s out a mile* det syns (märks) lång
väg; ~ **out in a crowd** skilja sig från
mängden **b)** ~ *out for* hålla fast vid [~ *out
for a demand*], hålla på [~ *out for one's
rights*]; kräva, yrka på [~ *out for more
pay*]; ~ **to** stå fast vid, hålla [~ *to one's
promise*]; ~ **up** stiga (stå, ställa sig) upp; ~
*up for* försvara [~ *up for one's rights*];
hålla på; ta parti för; ~ *up for yourself!*
stå ¦på dig!; ~ *up to* trotsa, sätta sig upp
mot
  **II** *s* **1** stannande, halt; *come to a* ~
stanna, stanna av **2** motstånd, försök till
motstånd [*his last* ~]; *make a* ~ hålla
stånd, kämpa **3** ställning; *take a* ~ el.
*take up a* ~ ta ställning, ta ståndpunkt
[*on* i] **4** stånd; kiosk; åskådarläktare
**5** amer. vittnesbås; *take the* ~ avlägga
vittnesmål
**standard** ['stændəd] **I** *s* **1** standar [*the
royal* ~], fana **2** standardmått; standard;
norm, måttstock, nivå; ~ *of living*
levnadsstandard; *below* ~ under det
normala, undermålig; *come* (*be*) *up to* ~
hålla måttet **3** ~ *lamp* golvlampa **II** *adj*
standard-, normal- [~ *time;* ~ *weights*],
normal; *Standard English* engelskt
riksspråk; ~ *price* normalpris; enhetspris
**standard-bearer** ['stændəd,beərə] *s*
fanbärare, banerförare
**standardization** [,stændədɑr'zeɪʃ(ə)n] *s*
standardisering; normalisering
**standardize** ['stændədaɪz] *vb tr*
standardisera; normalisera
**standby** ['stændbaɪ] *s* **1** larmberedskap
**2** gammal favorit, säkert kort **3** reserv,
ersättare; ersättning

**stand-in** ['stændɪn] *s* stand-in; ersättare,
vikarie
**standing** ['stændɪŋ] **I** *adj* **1** stående;
upprättstående; stillastående **2** bildl.
stående [*a* ~ *army; a* ~ *joke*] **II** *s*
**1** stående; ~ *room* ståplats, ståplatser
**2** ställning, status, anseende; *a man of* ~
(*of high* ~) en ansedd man **3** *of long* ~
av gammalt datum, långvarig
**stand-offish** [,stænd'ɒfɪʃ] *adj* om person
reserverad
**standpoint** ['stændpɔɪnt] *s* ståndpunkt
**standstill** ['stændstɪl] *s* stillastående,
stopp; *be at a* ~ stå stilla; *bring to a* ~
stanna, få att stanna; *come to a* ~ stanna,
stanna av
**stank** [stæŋk] se *stink I*
**stanza** ['stænzə] *s* metrik. strof
**1 staple** ['steɪpl] **I** *s* häftklammer **II** *vb tr*
häfta, häfta samman
**2 staple** ['steɪpl] *adj* huvudsaklig [~ *food*];
~ *commodity* stapelvara
**star** [stɑ:] **I** *s* **1** stjärna; *the Stars and
Stripes* stjärnbaneret USA:s flagga; *thank
one's lucky* ~*s that* tacka sin lyckliga
stjärna att **2** film., sport. m.m. stjärna; ~
*turn* huvudnummer, paradnummer **II** *vb
tr* o. *vb itr* teat. el. film. presentera i
huvudrollen, spela huvudrollen; *a film
starring...* en film med...i huvudrollen
**starboard** ['stɑ:bəd] *s* sjö. styrbord
**starch** [stɑ:tʃ] **I** *s* stärkelse **II** *vb tr* stärka
med stärkelse
**starched** [stɑ:tʃt] *adj* stärkt med stärkelse
**starchy** ['stɑ:tʃɪ] *adj* stärkelsehaltig [~
*food*]
**stare** [steə] **I** *vb itr* o. *vb tr* stirra, stirra på
**II** *s* stirrande blick; stirrande
**starfish** ['stɑ:fɪʃ] *s* sjöstjärna
**stark** [stɑ:k] **I** *adj* **1** skarp [~ *outlines*]
**2** ren, fullständig [~ *nonsense*] **II** *adv*, ~
*naked* spritt naken
**starlight** ['stɑ:laɪt] *s* stjärnljus [*by* (i) ~]
**starling** ['stɑ:lɪŋ] *s* stare
**star-spangled** ['stɑ:,spæŋgld] *adj*, *the
Star-Spangled Banner* stjärnbaneret
USA:s flagga
**start** [stɑ:t] **I** *vb itr* o. *vb tr* **1** börja, starta;
*to* ~ *with* a) för det första b) till att börja
med; *starting May 1...* med början den
1 maj... **2** starta, ge sig iväg, sätta igång;
*let's get started!* nu sätter vi igång!; *I
can't get the engine started* jag kan inte
få igång (starta) motorn **3** rycka till, haja
till **4** *the tears started to her eyes* hon

fick tårar i ögonen; ~ *a fire* tända en eld;
~ *a p. in life* hjälpa fram ngn; *his uncle
started him in business* hans farbror
hjälpte honom att etablera sig
**II** *s* **1** början, start; avfärd; *make a
fresh* ~ börja om från början; *for a* ~
vard. för det första **2** försprång [*a few
metres'* ~] **3** startplats, start **4** *give a* ~
rycka (haja) till; *by fits and ~s* ryckvis,
stötvis

**starter** ['stɑ:tə] *s* **1** sport. starter startledare; *a*
~ en av de startande **2** bil. startkontakt;
startknapp **3** *as a* ~ el. *for ~s* vard. som en
början; *have oysters as a* ~ (*for ~s*) ha
ostron som förrätt

**starting** ['stɑ:tɪŋ] *adj* startande;
begynnelse- [~ *pay* (lön)]; utgångs- [~
*position*]

**starting-block** ['stɑ:tɪŋblɒk] *s* sport.
startblock

**starting-point** ['stɑ:tɪŋpɔɪnt] *s*
utgångspunkt

**starting-post** ['stɑ:tɪŋpəʊst] *s* kapplöpn.
startstolpe; startlinje

**startle** ['stɑ:tl] *vb tr* **1** komma att hoppa
till, skrämma; *be startled* bli förskräckt
[*by* över] **2** skrämma upp [~ *a deer*]

**startling** ['stɑ:tlɪŋ] *adj* häpnadsväckande,
alarmerande [~ *news*]

**starvation** [stɑ:'veɪʃ(ə)n] *s* svält

**starve** [stɑ:v] *vb itr* o. *vb tr* **1** svälta,
hungra; ~ *to death* svälta ihjäl; *I'm
simply starving* vard. jag håller på att
svälta ihjäl; ~ *for* hungra efter **2** låta
svälta [~ *a p. to death* (ihjäl)]

**starved** [stɑ:vd] *adj* utsvulten; ~ *to death*
ihjälsvulten; *be* ~ *of* vara svältfödd på

**starving** ['stɑ:vɪŋ] *adj* svältande, utsvulten

**state** [steɪt] **I** *s* **1** tillstånd; skick [*in a bad*
~]; situation; ~ *of alarm*
a) larmberedskap b) oro, ängslan; ~ *of
health* hälsotillstånd; ~ *of mind*
sinnestillstånd; ~ *of readiness*
stridsberedskap; *the* ~ *of things* (*affairs*)
förhållandena; *what a* ~ *you are in!* vard.
vad du ser ut!; *get into a* ~ vard. hetsa
upp sig **2** stat; i USA m.fl. äv. delstat; *the
State* Staten; *the States* Staterna Förenta
staterna; *the welfare* ~ välfärdssamhället;
*the State Department* i USA
utrikesdepartementet; ~ *visit* statsbesök
**3** stånd, ställning; *married* ~ gift stånd
**II** *vb tr* uppge, påstå; framlägga [~ *one's
case* (*opinion*)], framföra; konstatera

**stated** ['steɪtɪd] *perf p* o. *adj* påstådd,
angiven

**stately** ['steɪtlɪ] *adj* ståtlig, storslagen

**statement** ['steɪtmənt] *s* **1** uttalande;
påstående; *a* ~ *to the Press* ett
pressmeddelande; *make a* ~ göra ett
uttalande **2** rapport, redovisning

**stateroom** ['steɪtru:m] *s* sjö. lyxhytt

**statesman** ['steɪtsmən] *s* statsman

**statesmanship** ['steɪtsmənʃɪp] *s*
statskonst; statsmannaskicklighet

**static** ['stætɪk] *adj* statisk

**station** ['steɪʃ(ə)n] **I** *s* **1** station **2** stånd,
rang; *a low* (*humble*) ~ *in life* en ringa
ställning i livet **3** mil. bas; *naval* ~ flottbas
**II** *vb tr* stationera, förlägga [~ *a regiment*];
postera

**stationary** ['steɪʃən(ə)rɪ] *adj* stillastående
[~ *train*]; stationär

**stationer** ['steɪʃənə] *s* pappershandlare;
*stationer's* pappershandel

**stationery** ['steɪʃən(ə)rɪ] *s* skrivmaterial,
kontorsmateriel; skrivpapper

**station hall** ['steɪʃ(ə)nhɔ:l] *s* banhall

**stationmaster** ['steɪʃ(ə)n,mɑ:stə] *s*
stationsinspektor, stationschef, stins

**station wagon** ['steɪʃ(ə)n,wægən] *s* speciellt
amer. herrgårdsvagn, kombivagn

**statistic** [stə'tɪstɪk] *adj* o. **statistical**
[stə'tɪstɪk(ə)l] *adj* statistisk

**statistics** [stə'tɪstɪks] *s* statistik, statistiken

**statue** ['stætʃu:] *s* staty; *the Statue of
Liberty* frihetsstatyn i New Yorks hamn

**statuette** [,stætjʊ'et] *s* statyett

**stature** ['stætʃə] *s* längd; *short in* (*of*) ~
liten till växten

**status** ['steɪtəs] *s* ställning, status, rang

**statute** ['stætju:t] *s* skriven lag stiftad av
parlament; författning

**staunch** [stɔ:ntʃ] *adj* trofast, pålitlig

**stave** [steɪv] *vb tr*, ~ *off* avvärja [~ *off
defeat* (*ruin*)]

**stay** [steɪ] **I** *vb itr* o. *vb tr* **1** stanna, stanna
kvar; ~ *in bed late in the morning* ligga
länge på morgonen; ~ *on* stanna kvar; ~
*out* stanna ute; utebli, hålla sig borta; ~
*up* stanna (vara, sitta) uppe inte lägga sig
**2** tillfälligt vistas, bo [~ *at a hotel*; ~ *with*
(hos) *a friend*], stanna **3** förbli, hålla sig
[~ *calm*]; *if the weather ~s fine* om det
vackra vädret håller i sig; *staying power*
uthållighet **4** hejda [~ *the progress of a
disease*] **II** *s* uppehåll; vistelse

**stay-in** ['steɪɪn] *adj*, ~ *strike* sittstrejk

**stay-up** ['steɪʌp] **I** *adj,* ~ *stockings* stay-up strumpor **II** *s,* pl. ~*s* stay-up strumpor
**St. Bernard** [sn(t)'bɜ:nəd] *s* sanktbernhardshund
**STD** [ˌesti:'di:] förk. för *subscriber trunk dialling*
**steadfast** ['stedfɑ:st] *adj* stadig, ståndaktig
**steady** ['stedɪ] **I** *adj* **1** stadig [*a* ~ *table*], fast, solid, stabil [~ *foundation*]; stadgad **2** jämn [*a* ~ *speed*], stadig [*a* ~ *improvement*] **II** *adv* stadigt [*stand* ~]; *go* ~ vard. kila stadigt **III** *interj,* ~*!* ta det lugnt! **IV** *vb tr* göra stadig; lugna [~ *one's nerves*]; stabilisera [~ *prices*]
**steady-going** ['stedɪˌgəʊɪŋ] *adj* stadgad
**steak** [steɪk] *s* biff; stekt köttskiva
**steal** [sti:l] (*stole stolen*) *vb tr* o. *vb itr* **1** stjäla; ~ *a glance at* kasta en förstulen blick på **2** smyga, smyga sig [*away* undan, bort]
**stealing** ['sti:lɪŋ] *s* stöld, tjuveri
**stealth** [stelθ] *s, by* ~ i smyg
**stealthy** ['stelθɪ] *adj* förstulen [~ *glance*], smygande
**steam** [sti:m] **I** *s* **1** ånga; *full* ~ *ahead!* full fart framåt!; *at full* ~ el. *full* ~ för full maskin; *let off* ~ a) släppa ut ånga b) avreagera sig **2** imma [~ *on the windows*] **II** *vb itr* o. *vb tr* **1** ~ *up* bli immig **2** ånga; ångkoka
**steamboat** ['sti:mbəʊt] *s* ångbåt
**steam-boiler** ['sti:mˌbɔɪlə] *s* ångpanna
**steam-engine** ['sti:mˌendʒɪn] *s* **1** ångmaskin **2** ånglok
**steamer** ['sti:mə] *s* ångare, ångfartyg
**steamhammer** ['sti:mˌhæmə] *s* ånghammare
**steamroller** ['sti:mˌrəʊlə] *s* ångvält
**steamship** ['sti:mʃɪp] *s* ångfartyg
**steel** [sti:l] *s* stål
**steelworks** ['sti:lwɜ:ks] *s* stålverk
**1 steep** [sti:p] *vb tr* lägga i blöt; genomdränka; ~ *in vinegar* lägga i ättika
**2 steep** [sti:p] *adj* **1** brant [~ *hill*] **2** vard. otrolig, orimlig [~ *price*]
**steeple** ['sti:pl] *s* spetsigt kyrktorn; tornspira
**steeplechase** ['sti:pltʃeɪs] *s* sport. **1** steeplechase **2** hinderlöpning
**steer** [stɪə] *vb tr* o. *vb itr* styra [~ *a car; for* till, mot], manövrera [~ *a ship*]; bildl. lotsa [~ *a bill through Parliament*]; ~ *clear of* bildl. undvika

**steerage** ['stɪərɪdʒ] *s* sjö. **1** styrning **2** mellandäck, tredje klass [~ *passenger*]
**steering-column** ['stɪərɪŋˌkɒləm] *s* bil. rattstång; ~ *gear-change* (*gearshift*) rattväxel
**steering-wheel** ['stɪərɪŋwi:l] *s* bil. ratt
**stellar** ['stelə] *adj* stjärn- [~ *light*], stellar-
**1 stem** [stem] **I** *s* **1** stam; stängel, stjälk **2** skaft äv. på pipa; hög fot på glas **3** sjö. stäv, för, förstäv; *from* ~ *to stern* från för till akter **II** *vb itr,* ~ *from* härröra från
**2 stem** [stem] *vb tr* stämma, stoppa, hejda
**stench** [stentʃ] *s* stank
**stencil** ['stensl] **I** *s* stencil **II** *vb tr* stencilera
**stenographer** [ste'nɒgrəfə] *s* amer. stenograf och maskinskriverska
**stenography** [ste'nɒgrəfɪ] *s* stenografi
**step** [step] **I** *s* **1** steg [*walk with slow* ~*s*]; danssteg; *a* ~ *in the right direction* ett steg i rätt riktning; *keep* ~ hålla takten, gå i takt; *keep in* ~ *with* el. *keep* ~ *with* hålla jämna steg (gå i takt) med; *watch* (*mind*) *one's* ~ se sig för; bildl. se sig noga för, se upp; ~ *by* steg för steg, gradvis; *in* ~ i takt; *out of* ~ i otakt **2** åtgärd; *take* ~*s* vidta åtgärder **3** trappsteg; trappa; stegpinne; fotsteg; pl. ~*s* yttertrappa; trappstege; *a flight of* ~*s* en trappa
**II** *vb itr* o. *vb tr* stiga, kliva, gå; träda; trampa [~ *on the brake*]; ~ *this way!* var så god, den här vägen!; ~ *into a car* kliva in i en bil; ~ *on it* vard. gasa på; skynda på; ~ *aside* stiga (kliva) åt sidan; ~ *down* a) stiga ner b) bildl. träda tillbaka c) gradvis minska, sänka [~ *down production*]; ~ *forward* stiga (träda) fram; ~ *in* stiga in (på); ingripa; ~ *inside* stiga (kliva, gå) in; ~ *off* (*out*) stega upp (ut); ~ *up* driva upp, öka; intensifiera
**stepbrother** ['stepˌbrʌðə] *s* styvbror
**stepchild** ['steptʃaɪld] (pl. *stepchildren* ['stepˌtʃɪldr(ə)n]) *s* styvbarn
**step dance** ['stepdɑ:ns] *s* stepp, steppdans
**stepdaughter** ['stepˌdɔ:tə] *s* styvdotter
**stepfather** ['stepˌfɑ:ðə] *s* styvfar
**stepladder** ['stepˌlædə] *s* trappstege
**stepmother** ['stepˌmʌðə] *s* styvmor
**steppe** [step] *s* stäpp, grässlätt
**stepping-stone** ['stepɪŋstəʊn] *s* **1** klivsten över t.ex. vatten **2** bildl. trappsteg, språngbräde [~ *to promotion*]
**stepsister** ['stepˌsɪstə] *s* styvsyster

**stepson** ['stepsʌn] s styvson
**stereo** ['sterɪəʊ, 'stɪərɪəʊ] **I** adj stereo-; stereofonisk **II** (pl. ~s) s stereo; stereoanläggning
**stereophonic** [ˌsterɪə'fɒnɪk, ˌstɪərɪə'fɒnɪk] adj stereofonisk, stereo-
**stereoscope** ['sterɪəskəʊp, 'stɪərɪəskəʊp] s stereoskop
**stereotype** ['sterɪətaɪp, 'stɪərɪətaɪp] **I** s stereotyp **II** vb tr stereotypera; **stereotyped** bildl. stereotyp
**sterile** ['steraɪl, amer. 'ster(ə)l] adj steril; ofruktbar, ofruktsam
**sterility** [ste'rɪlətɪ] s sterilitet; ofruktbarhet, ofruktsamhet
**sterilization** [ˌsterəlaɪ'zeɪʃ(ə)n] s sterilisering
**sterilize** ['sterəlaɪz] vb tr sterilisera
**sterling** ['stɜːlɪŋ] **I** s sterling eng. myntvärde, myntenhet [five pounds ~] **II** adj **1** sterling- [~ silver] **2** bildl. äkta, gedigen
**1 stern** [stɜːn] adj sträng [a ~ father; a ~ look], barsk, bister
**2 stern** [stɜːn] s sjö. akter, akterspegel
**steroid** ['sterɔɪd] s kem. steroid
**stethoscope** ['steθəskəʊp] s med. stetoskop
**stevedore** ['stiːvədɔː] s stuvare, stuveriarbetare, hamnarbetare
**stew** [stjuː] **I** vb tr småkoka **II** s ragu, gryta; stuvning; **Irish ~** irländsk fårgryta
**steward** [stjʊəd] s **1** hovmästare i finare hus **2** sjö., flyg. m.m. steward, uppassare **3** funktionär vid t.ex. tävling
**stewardess** [ˌstjʊə'des] s sjö., flyg. m.m. kvinnlig steward, stewardess; flygvärdinna, bussvärdinna osv.
**stewed** [stjuːd] adj kokt; ~ beef ungefär köttgryta; kalops; ~ fruit kompott t.ex. kokta katrinplommon
**1 stick** [stɪk] s **1** pinne, kvist **2** käpp [walk with a (med) ~], stav [ski ~]; klubba [hockey ~]; **get hold of the wrong end of the ~** vard. få alltsammans om bakfoten; **get a lot of ~** få en massa stryk; **give a p. ~** vard. ge ngn på nöten **3** stång, bit; stift [lipstick]; ~ **of celery** selleristjälk; **a ~ of chalk** en krita; **a ~ of chewing-gum** ett tuggummi
**2 stick** [stɪk] (stuck stuck) vb tr o. vb itr **1** sticka, köra [~ a fork into a potato]; stoppa [~ one's hands into one's pockets]; sätta, ställa, lägga [you can ~ it anywhere you like] **2** klistra; fästa, limma fast; klistra upp; ~ **no bills!** affischering

förbjuden!; ~ **a stamp on a letter** sätta ett frimärke på ett brev **3** vard. stå ut med, tåla [I can't ~ that fellow!] **4 I got stuck** vard. jag blev ställd, jag körde fast; **be stuck for** sakna, plötsligt stå där utan; **be stuck with** vard. få på halsen; få dras med **5** klibba (hänga, sitta) fast; fastna [the key stuck in the lock], sätta sig fast [the door has stuck], kärva; ~ **at nothing** bildl. inte sky några medel **6** ~ **at** vard. hålla på med, ligga i med [~ at one's work]; ~ **by a p.** vard. vara lojal mot ngn; ~ **to** hålla sig till [~ to the point (the truth)]; ~ **to one's promise (word)** hålla sitt löfte; ~ **together** vard. hålla ihop □ ~ **out** a) räcka ut [~ one's tongue out], sticka ut (fram); skjuta ut (fram); puta ut b) hålla ut, härda ut; **it ~s out a mile** vard. det syns (märks) lång väg; ~ **out for higher wages** envist hålla fast vid sina krav på högre lön; ~ **up** sticka upp, skjuta upp; ~ **up for** vard. försvara; ta i försvar, stödja [~ up for a friend]
**sticker** ['stɪkə] s gummerad etikett, märke att klistra på; dekal
**sticking-plaster** ['stɪkɪŋˌplɑːstə] s häftplåster
**stickleback** ['stɪklbæk] s fisk spigg
**stickler** ['stɪklə] s pedant; **be a ~ for etiquette** hålla strängt på etiketten
**stick-on** ['stɪkɒn] adj gummerad, självhäftande [~ labels]
**stick-up** ['stɪkʌp] s sl. rånöverfall, rånkupp
**sticky** ['stɪkɪ] adj **1** klibbig, kladdig **2** om väder tryckande, klibbig **3** besvärlig, kinkig [a ~ problem]
**stiff** [stɪf] **I** adj **1** styv [~ collar], stel [~ legs]; ~ **brush** hård borste; **keep a ~ upper lip** bita ihop tänderna, inte förändra en min **2** stram, stel [a ~ manner]; **a ~ whisky** en stor (stadig) whisky **3** hård [~ competition], skarp [a ~ protest] **4** vard. styv, dryg, jobbig [a ~ walk], svår, besvärlig [a ~ climb (task)], seg **II** adv, **bore a p.** ~ tråka ut (ihjäl) ngn; **frozen** ~ stelfrusen
**stiffen** ['stɪfn] vb tr göra styv (stel); styvna, stelna, hårdna
**stifle** ['staɪfl] vb tr kväva
**stifling** ['staɪflɪŋ] adj kvävande [~ heat]
**stigmatize** ['stɪgmətaɪz] vb tr bildl. brännmärka, stämpla [~ a p. as a traitor]
**stile** [staɪl] s klivstätta
**stiletto** [stɪ'letəʊ] (pl. ~s) s stilett
**1 still** [stɪl] **I** adj stilla; tyst; **keep** ~ hålla

sig stilla **II** s stillbild **III** adv **1** tyst och
stilla [sit ~] **2** ännu, fortfarande [he is ~
busy]; **when (while)** ~ **a child** redan som
barn **3** vid komparativ ännu [~ better]
**IV** konj likväl, ändå, dock
**2 still** [stıl] s **1** destillationsapparat
**2** bränneri
**stillbirth** ['stılbɜ:θ] s **1** dödfödsel **2** dödfött
barn
**stillborn** ['stılbɔ:n] adj dödfödd
**still life** [,stıl'laıf] (pl. ~s) s stilleben
**stilt** [stılt] s stylta
**stilted** ['stıltıd] adj om t.ex. stil uppstyltad
**stimulant** ['stımjʊlənt] s stimulerande
medel; stimulans
**stimulate** ['stımjʊleıt] vb tr stimulera,
egga
**stimulation** [,stımjʊ'leıʃ(ə)n] s stimulering
**stimulus** ['stımjʊləs] (pl. stimuli
['stımjʊli:]) s stimulans; drivfjäder
**sting** [stıŋ] **I** s **1** gadd **2** stick, sting, styng,
bett av t.ex. insekt; **take the ~ out of** bildl.
bryta udden av **II** (stung stung) vb tr o. vb
itr **1** sticka, stinga [stung by a bee];
stickas; om nässla bränna; brännas **2** bildl.
såra
**stinging-nettle** ['stıŋıŋ,netl] s brännässla
**stingy** ['stındʒı] adj snål, knusslig, närig
**stink** [stıŋk] **I** (stank stunk) vb itr o. vb tr
stinka; ~ of stinka av, lukta; ~ out
förpesta luften i, förpesta **II** s **1** stank,
dålig lukt **2** vard. ramaskri
**stinker** ['stıŋkə] s vard. **1** äckel, kräk
**2** hård nöt att knäcka, något ursvårt
**stinking** ['stıŋkıŋ] adj stinkande
**stint** [stınt] vb tr snåla med; vara snål
mot; ~ oneself snåla
**stipulate** ['stıpjʊleıt] vb tr stipulera,
fastställa [~ a price]; avtala
**stipulation** [,stıpjʊ'leıʃ(ə)n] s stipulation,
stipulering, bestämmelse i t.ex. kontrakt
**stir** [stɜ:] **I** vb tr o. vb itr **1** röra, sätta i
rörelse; ~ the imagination sätta fantasin
i rörelse; [a breeze] stirred the lake
...krusade sjön; ~ oneself sätta i gång,
rycka upp sig; ~ up hetsa upp; väcka [~
up interest]; sätta i gång, ställa till [~ up
trouble (bråk)] **2** röra, röra i, röra om i [~
the fire (porridge)] **3** röra sig [not a leaf
stirred], börja röra på sig; he never
stirred out of the house han gick aldrig
ut
**II** s, make (create) a great ~
åstadkomma stor uppståndelse

**stirring** ['stɜ:rıŋ] adj rörande, gripande,
spännande [~ events]
**stirrup** ['stırəp] s stigbygel
**stitch** [stıtʃ] **I** s **1** stygn; a ~ in time saves
nine ordspr. bättre stämma i bäcken än i
ån **2** maska i t.ex. stickning [drop (tappa) a
~] **3** have not a ~ on vara naken, inte ha
en tråd på sig **4** håll i sidan; I was in
stitches jag skrattade så jag höll på att dö
**II** vb tr itr sy, sticka söm; brodera; ~
together el. ~ sy ihop; ~ on sy fast (på); ~
up sy ihop
**stoat** [stəʊt] s vessla
**stock** [stɒk] **I** s **1** stock, stubbe **2** stam av
t.ex. träd **3** underlag för ympning; grundstam
**4** block, stock, kloss **5** härstamning, släkt
[of Dutch ~] **6** bot. lövkoja **7** buljong, spad
**8** lager [~ of butter], förråd; take ~ göra
en inventering; bildl. granska läget; have
(keep) in ~ lagerföra, ha på (i) lager; be
out of ~ vara slut [på lagret] **9** ekon.
aktier; ~s and shares el. ~s börspapper,
fondpapper
**II** adj **1** stereotyp, klichéartad [~
situations]; ~ example typexempel; ~
sizes standardstorlekar **2** ~ exchange
fondbörs
**III** vb tr **1** fylla med lager [~ the shelves];
well stocked with välförsedd med,
välsorterad i (med) **2** lagerföra, ha på
lager; ~ up fylla på lagret av
**stockade** [stɒ'keıd] s palissad, pålverk
**stockbroker** ['stɒk,brəʊkə] s fondmäklare,
börsmäklare
**stockfish** ['stɒkfıʃ] s stockfisk, lutfisk
**Stockholm** ['stɒkhəʊm]
**stockinet** [,stɒkı'net] s slät trikå
**stocking** ['stɒkıŋ] s lång strumpa
**stock-still** [,stɒk'stıl] adj alldeles stilla
**stocktaking** ['stɒk,teıkıŋ] s hand. m.m.
lagerinventering
**stocky** ['stɒkı] adj undersätsig, satt
**stodgy** ['stɒdʒı] adj **1** om mat tung, mastig
[a ~ pudding] **2** bildl. tråkig
**stoke** [stəʊk] vb tr elda, sköta elden i [~ a
furnace]; ~ the fire sköta elden; ~ up
förse med bränsle
**stoker** ['stəʊkə] s eldare
**stole** [stəʊl] se steal
**stolen** ['stəʊl(ə)n] se steal
**stolid** ['stɒlıd] adj trög, slö
**stomach** ['stʌmək] **I** s magsäck; mage;
buk; on an empty ~ på fastande mage; ~
trouble magbesvär **II** vb tr **1** kunna äta,
tåla **2** bildl. tåla, smälta [~ an insult]

**stomach ache** ['stʌməkeɪk] *s* magvärk; *I have got* ~ (*a* ~) jag har ont i magen

**stomach pump** ['stʌməkpʌmp] *s* magpump

**stone** [stəʊn] **I** *s* **1** sten; *precious* ~ ädelsten; *the Stone Age* stenåldern; *leave no* ~ *unturned* pröva alla medel (vägar) **2** kärna i stenfrukt **3** (pl. vanl. *stone*) viktenhet = 14 *pounds* (6,36 kg) [*he weighs 11* ~ (*~s*)] **II** *vb tr* **1** stena; kasta sten på **2** kärna ur stenfrukt

**stone-cold** [ˌstəʊn'kəʊld] *adj* iskall

**stone-dead** [ˌstəʊn'ded] *adj* stendöd

**stone-deaf** [ˌstəʊn'def] *adj* stendöv

**stoneware** ['stəʊnweə] *s* stengods

**stony** ['stəʊnɪ] *adj* **1** stenig [~ *road*] **2** stenhård, isande [~ *silence*]

**stony-broke** [ˌstəʊnɪ'brəʊk] *adj* sl. luspank

**stood** [stʊd] se *stand I*

**stooge** [stuːdʒ] *s* **1** ungefär 'skottavla' hjälpaktör till komiker **2** vard. underhuggare, strykpojke

**stool** [stuːl] *s* **1** stol utan ryggstöd; pall; *fall between two* ~*s* bildl. sätta sig mellan två stolar **2** med. avföring

**stool pigeon** ['stuːlˌpɪdʒən] *s* **1** lockfågel **2** vard. tjallare

**1 stoop** [stuːp] **I** *vb itr* **1** luta (böja) sig, luta (böja) sig ned [ofta ~ *down*] **2** bildl. nedlåta sig **II** *s* kutryggighet; *with a* ~ kutryggig

**2 stoop** [stuːp] *s* amer. öppen veranda

**stop** [stɒp] **I** *vb tr* o. *vb itr* **1** stoppa, stanna; hindra; ~ *thief!* ta fast tjuven!; ~ *at nothing* inte sky några medel; ~ *by for a chat* titta in för en pratstund; ~ *dead* (*short*) tvärstanna; ~ *over* stanna över [*at* i, vid] **2** sluta, sluta med [~ *that nonsense!*]; ~ *it!* sluta!, låt bli!; ~ *work* sluta arbeta; lägga ner arbetet **3** stoppa (proppa) igen, täppa till (igen) [ofta ~ *up*; ~ *a leak*]; ~ *one's ears* hålla för öronen; *my nose is stopped up* jag är täppt i näsan; *the pipe is stopped up* röret är igentäppt **4** om ljud m.m. sluta, upphöra **5** vard. a) stanna [~ *at home*], bo [~ *at a hotel*]; ~ *for* stanna kvar till [*won't you* ~ *for dinner?*]; *he is stopping here for a week* han bor här en vecka; ~ *up late* stanna uppe länge b) ~ *the night* stanna över, ligga över

**II** *s* **1** stopp; uppehåll, avbrott; *come to a full* ~ (*a* ~) avstanna helt; göra halt; *put a* ~ *to* sätta stopp (p) för **2** hållplats

[*bus* ~] **3** skiljetecken; stop punkt; *full* ~ punkt

**stopgap** ['stɒpɡæp] *s* **1** tillfällig ersättning (åtgärd); nödfallsutväg **2** ersättare

**stop-light** ['stɒplaɪt] *s* trafik. **1** stoppljus, rött ljus **2** bromsljus

**stop-over** ['stɒpˌəʊvə] *s* avbrott, uppehåll

**stoppage** ['stɒpɪdʒ] *s* **1** tilltäppning **2** a) avbrytande; stopp; stockning b) avbrott c) driftstörning, driftstopp d) arbetsnedläggelse

**stopper** ['stɒpə] *s* propp i t.ex. flaska; plugg

**stop-press** ['stɒppres] *s*, ~ *news* el. ~ press-stopp-nyheter, pressläggningsnytt

**stopwatch** ['stɒpwɒtʃ] *s* stoppur, tidtagarur

**storage** ['stɔːrɪdʒ] *s* **1** lagring, magasinering; ~ *battery* (*cell*) elektr. ackumulator; batteri **2** magasinsutrymme, lagerutrymme; lagringskapacitet

**store** [stɔː] **I** *s* **1** förråd, lager; pl. ~*s* förråd [*military* ~*s*]; *be in* ~ *for a p.* vänta ngn **2** magasin, förrådshus **3** a) vanl. ~*s* varuhus [äv. *department* ~*s* (*~*)]; *be in* ~ *for a p.* storbutik [*co-operative* ~*s*]; *general* ~*s* lanthandel, diversehandel b) speciellt amer. butik, affär **II** *vb tr* lägga upp lager av, samla på lager, lagra; förvara, magasinera [~ *furniture*]; elektr. m.m. ackumulera

**storehouse** ['stɔːhaʊs] *s* magasin, förrådshus

**storekeeper** ['stɔːˌkiːpə] *s* amer. butiksinnehavare

**storeroom** ['stɔːruːm] *s* **1** förrådsrum; skräpkammare; vindskontor **2** lagerlokal

**storey** ['stɔːrɪ] *s* våning, våningsplan, etage; *on the first* ~ en trappa upp; amer. på nedre botten

**storeyed** ['stɔːrɪd] *adj* i sammansättningar med...våningar, -vånings- [*a three-storeyed house*]

**stork** [stɔːk] *s* stork

**storm** [stɔːm] **I** *s* **1** oväder, svår storm; *a* ~ *of applause* en bifallsstorm; *a* ~ *in a teacup* en storm i ett vattenglas **2** störtskur, skur **3** speciellt mil. stormning; *take by* ~ ta med storm **II** *vb itr* o. *vb tr* bildl. rasa [*at* över, mot]; rusa häftigt (i raseri) [~ *out of a room*]

**stormy** ['stɔːmɪ] *adj* stormig

**story** ['stɔːrɪ] *s* **1** historia, berättelse **2** *short* ~ novell; handling i t.ex. bok, film **3** osanning speciellt barns; *tell stories* tala osanning

**tory book** ['stɔ:rɪbʊk] s sagobok
**tory-teller** ['stɔ:rɪˌtelə] s
**1** historieberättare; sagoberättare **2** vard.
lögnare
**tory-writer** ['stɔ:rɪˌraɪtə] s novellförfattare;
sagoförfattare
**tout** [staʊt] **I** adj stark, kraftig; robust; om
person bastant, tjock **II** s ungefär porter
**tove** [stəʊv] s ugn; kamin; spis
**tow** [stəʊ] vb tr o. vb itr stuva, stuva in,
packa; ~ *away* a) stuva undan b) gömma
sig ombord, fara som fripassagerare
**towaway** ['stəʊəweɪ] s fripassagerare
**traddle** ['strædl] vb itr o. vb tr skreva;
sitta grensle; sitta grensle på
**traggle** ['strægl] vb itr sacka efter; vara
(ligga) spridd; spreta, bre ut sig
**traggler** ['stræglə] s eftersläntrare
**traggling** ['stræglɪŋ] adj eftersläntrande;
som sprider (grenar ut) sig åt olika håll;
spretig
**traight** [streɪt] **I** adj **1** rak [a ~ *line*], rät;
*is my hat on ~?* sitter min hatt rätt?; *put*
~ rätta till **2** i följd, rak [ten ~ *wins*] **3** *get*
(*put*) ~ få ordning (rätsida) på, ordna
upp [*get one's affairs* ~] **4** uppriktig, ärlig,
öppenhjärtig [a ~ *answer*] **5** ärlig,
hederlig **II** adv **1** a) rakt, rätt [~ *up*
(*through*)], mitt, tvärs [~ *across the street*];
rak, rakt, upprätt [*sit* (*stand, walk*) ~]; ~
*on* rakt fram; *sit up* ~ sitta rak b) rätt,
riktigt; logiskt [*think* ~] **2** direkt, raka
vägen [*go* ~ *to London*], rakt [*he went* ~
*into…*]; genast [*I went* ~ *home*] **3** bildl.
hederligt [*live* ~]; *go* ~ vard. föra ett
hederligt liv **4** ~ *away* (*off*) genast, på
ögonblicket; tvärt **5** ~ *out* el. ~ direkt,
rent ut [*I told him* ~ (~ *out*) *that…*] **III** s
raksträcka
**traightaway** [ˌstreɪtə'weɪ] adv genast
**traighten** ['streɪtn] vb tr räta, räta ut,
rikta; räta på [~ *one's back*]; rätta till [~
*one's tie*]; ~ *out* räta ut; *it will* ~ *itself out*
det ordnar sig
**traightforward** [ˌstreɪt'fɔ:wəd] adj
**1** uppriktig, ärlig, rättfram **2** enkel,
okomplicerad [a ~ *problem*]; normal
**train** [streɪn] **I** vb tr o. vb itr **1** spänna,
sträcka **2** slita på; överanstränga; ~ *one's*
*ears* lyssna spänt; ~ *every nerve*
anstränga sig till det yttersta; ~ *oneself*
överanstränga sig **3** med. sträcka [~ *a*
*muscle*] **4** sila, filtrera; passera **5** ~ *at*
streta (slita) med **II** s **1** spänning,
påfrestning, tryck **2** ansträngning,

påfrestning [*on* för]; press, stress [*the* ~ *of*
*modern life*]; överansträngning; *mental* ~
psykisk påfrestning; *nervous* ~ nervpress,
stress; *be a* ~ *on a th.* fresta på ngt; *it's a*
~ *on the eyes* det är ansträngande för
ögonen; *it's a* ~ *on my nerves* det sliter
på nerverna; *put a great* ~ *on* hårt
anstränga **3** vanl. pl. ~s toner, musik
**strained** [streɪnd] adj spänd; ansträngd
**strainer** ['streɪnə] s sil; filter
**strait** [streɪt] s **1** ~ el. ~s sund **2** pl. ~s
trångmål; *in financial* ~s i penningknipa
**straiten** ['streɪtn] vb tr, *in straitened*
*circumstances* i knappa omständigheter
**straitjacket** ['streɪtˌdʒækɪt] s tvångströja
äv. bildl.
**strait-laced** [ˌstreɪt'leɪst, attributivt
'streɪtleɪst] adj trångbröstad, bigott; pryd
**1 strand** [strænd] s repsträng; tråd
**2 strand** [strænd] vb tr sätta på grund [~
*a ship*]; *be stranded* stranda, sitta fast;
*be left stranded* el. *be stranded* bildl. vara
strandsatt
**strange** [streɪndʒ] adj främmande;
egendomlig, underlig; ~ *to say*
egendomligt (underligt)
**strange-looking** ['streɪndʒˌlʊkɪŋ] adj med
ett egendomligt utseende
**stranger** ['streɪndʒə] s främling; pl. ~s äv.
främmande människor, obekanta
**strangle** ['stræŋgl] vb tr strypa; förkväva
**stranglehold** ['stræŋglhəʊld] s sport.
strupgrepp; bildl. järngrepp; *put a* ~ *on*
strypa åt
**strangulate** ['stræŋgjʊleɪt] vb tr strypa
**strangulation** [ˌstræŋgjʊ'leɪʃ(ə)n] s
strypning
**strap** [stræp] **I** s **1** rem; band; packrem;
*watch* ~ klockarmband **2** stropp
**3** byxhälla **4** strigel **II** vb tr fästa (spänna
fast) med rem (remmar)
**strapping** ['stræpɪŋ] adj vard. stor och
kraftig
**strata** ['strɑ:tə, 'streɪtə] s se *stratum*
**stratagem** ['strætədʒəm] s list, fint, knep
**strategic** [strə'ti:dʒɪk] adj o. **strategical**
[strə'ti:dʒɪkəl] adj strategisk
**strategist** ['strætədʒɪst] s strateg
**strategy** ['strætədʒɪ] s strategi, taktik
**stratosphere** ['strætəsfɪə] s stratosfär
**stratum** ['strɑ:təm, 'streɪtəm] (pl. *strata*
['strɑ:tə, 'streɪtə]) s geol. el. bildl. skikt,
lager
**straw** [strɔ:] **I** s **1** strå, halmstrå; *that was*
*the last* ~ ordspr. det var droppen som

kom bägaren att rinna över, det var
droppen...; *catch* (*clutch, grasp*) *at a ~*
bildl. gripa efter ett halmstrå **2** halm; strå
**3** sugrör **II** *adj* halm- [*~ hat*]
**strawberry** ['strɔ:bərɪ] *s* jordgubbe; *wild ~*
skogssmultron, smultron
**stray** [streɪ] **I** *vb itr* **1** gå vilse **2** glida,
vandra [*his hand strayed towards his
pocket*] **II** *s* vilsekommet djur **III** *adj*
**1** kringdrivande, vilsekommen [*~ cattle*],
herrelös [*a ~ cat (dog)*] **2** tillfällig, strö-
[*a ~ customer*]; förlupen [*a ~ bullet*]
**streak** [stri:k] **I** *s* **1** strimma, rand; streck;
*~ of lightning* blixt; *like a ~ of lightning*
el. *like a ~* bildl. som en oljad blixt **2** drag,
inslag [*a ~ of cruelty*] **II** *vb itr* vard. susa,
svepa [*the car streaked along*]
**streaky** ['stri:kɪ] *adj* **1** strimmig, randig [*a
~ bacon*] **2** amer. vard. uppskärrad
**stream** [stri:m] **I** *s* ström; vattendrag, å,
bäck; *a constant* (*continuous*) *~* bildl. en
jämn ström **II** *vb itr* **1** strömma; rinna,
flöda [*sweat was streaming down his face*]
**2** *~ with* rinna (drypa) av
**streamer** ['stri:mə] *s* **1** vimpel **2** serpentin;
remsa
**streamline** ['stri:mlaɪn] **I** *s* strömlinje;
strömlinjeform **II** *vb tr* strömlinjeforma;
*streamlined* strömlinjeformad
[*streamlined cars*]
**street** [stri:t] *s* gata; *they are not in the
same ~* vard. de står inte i samma klass;
*walk* (*be, go*) *on the ~s* el. *walk the ~s*
om prostituerad gå på gatan; *it's just up*
(amer. *down*) *my street* vard. det passar
mig precis; *be streets ahead of a p.* vard.
ligga långt före ngn
**streetcar** ['stri:tkɑ:] *s* amer. spårvagn
**street-cleaner** ['stri:t,kli:nə] *s* gatsopare
**streetdoor** ['stri:tdɔ:] *s* port, ytterdörr
**streetlamp** ['stri:tlæmp] *s* gatlykta
**streetlighting** ['stri:t,laɪtɪŋ] *s*
gatubelysning
**street-sweeper** ['stri:t,swi:pə] *s* gatsopare
**street-walker** ['stri:t,wɔ:kə] *s* gatflicka
**strength** [streŋθ] *s* **1** styrka; kraft, krafter;
bildl. stark sida [*one of his ~s is...*]; *armed
~* väpnad styrka; ett lands krigsmakt; *go
from ~ to ~* gå från klarhet till klarhet;
*on the ~ of* på grund av, på [*on the ~ of
his recommendation*] **2** styrka, numerär
[*the ~ of the enemy*]; *be below ~* vara
underbemannad; *in great ~* el. *in ~* i
stort antal; *be in full ~* el. *be up to ~* vara
fulltalig

**strengthen** ['streŋθ(ə)n] *vb tr* o. *vb itr*
stärka, styrka; förstärka; förstärkas
**strenuous** ['strenjʊəs] *adj* **1** ansträngande,
påfrestande [*~ work*] **2** ihärdig [*make ~
efforts*]
**stress** [stres] **I** *s* **1** tryck; psykol. stress; *be
suffering from ~* vara stressad **2** vikt; *lay
~ on* framhålla, betona; lägga vikt vid
**3** betoning, tonvikt, tryck, accent;
huvudton, ton [*the ~ is on the first syllable*]
**4** mek. spänning; tryck, belastning **II** *vb tr*
betona, framhålla, understryka
**stress mark** ['stresmɑ:k] *s* accenttecken
**stretch** [stretʃ] **I** *vb tr* o. *vb itr* **1** spänna [*~
a rope*], sträcka; tänja ut; sträcka ut;
sträcka på [*~ one's neck*]; *~ one's legs*
sträcka på benen **2** sträcka på sig [*~ and
yawn*], sträcka på benen **3** sträcka sig [*the
wood stretches for miles*] **4** tänja sig, töja ut
sig; gå att töja ut [*rubber stretches easily*]
**II** *s* sträcka; trakt, område [*a ~ of
meadow*]; avsnitt, stycke [*for long stretches
the story is dull*]; *at a ~* i ett sträck **III** *adj*,
*~ nylon* stretchnylon; *~ tights*
strumpbyxor
**stretchable** ['stretʃəbl] *adj* tänjbar, töjbar
**stretcher** ['stretʃə] *s* sjukbår
**stretcher-bearer** ['stretʃə,beərə] *s*
sjukbärare, bårbärare
**strew** [stru:] *vb tr* strö, strö ut; beströ
**stricken** ['strɪk(ə)n] *adj* olycksdrabbad [*a
~ area*]; *~ with panic* gripen av panik
**strict** [strɪkt] *adj* sträng [*with* mot]; strikt;
*in a ~ sense* i egentlig mening
**strictly** ['strɪktlɪ] *adv* strängt [*~ forbidden*];
strikt; i egentlig mening; *~ speaking*
strängt taget
**stridden** ['strɪdn] se *stride I*
**stride** [straɪd] **I** (*strode stridden*) *vb itr* gå
med långa steg [*~ off (away)*], stega,
kliva **II** *s* långt steg, kliv; *make great
(rapid) ~s* bildl. göra stora (snabba)
framsteg; *get into one's ~* börja komma i
gång; *take a th. in one's ~* klara ngt;
*throw a p. off* (*out of*) *his ~* få ngn att
förlora fattningen
**strife** [straɪf] *s* stridighet, missämja; strid;
*industrial ~* konflikter på
arbetsmarknaden; *political ~* politiska
strider
**strike** [straɪk] **I** (*struck struck*) *vb tr* o. *vb itr*
**1** slå; slå till; slå på; *~ dumb* göra stum
**2** träffa [*the blow struck him on the chin*];
drabba, hemsöka **3** slå (stöta, köra) emot
[*the car struck a tree*]; sjö. gå (stöta) på

[*the ship struck a mine*]; ~ **bottom** få bottenkänning **4** träffa på, upptäcka [~ *gold*] **5** a) slå, frappera [*what struck me was…*] b) förefalla, tyckas [*it ~s me as (as being) the best*] **6** stryka [~ *a name from the list*; ~ *a p. off* (från, ur) *the register*] **7** sjö. stryka [~ *sail*] **8** avsluta, göra upp, träffa [~ *a bargain with a p.*] **9** slå, stöta [*against a th.* emot ngt]; ~ *at* slå efter; bildl. angripa; ~ *lucky* ha tur **10** om klocka slå [*the clock struck four*] **11** mil. anfalla **12** strejka **13** slå ned [*the lightning struck*] □ ~ **back** slå igen (tillbaka); ~ **off** a) hugga (slå) av b) stryka [~ *off a name from the list*]; ~ **out** stryka, stryka ut (över) [~ *out a name (word)*]; ~ **up** a) inleda, knyta [~ *up a friendship*] b) stämma (spela) upp [*the band struck up a waltz*]
II *s* **1** strejk; ~ *benefit (pay)* strejkunderstöd; ~ *fund* strejkkassa; *general* ~ storstrejk, generalstrejk; *sympathetic* ~ sympatistrejk; *call a* ~ utlysa strejk; *be out on* ~ el. *be on* ~ strejka; *go (come) out on* ~ gå i strejk, lägga ner arbetet **2** mil., *nuclear* ~ kärnvapenanfall

**trike-breaker** ['straɪkˌbreɪkə] *s* strejkbrytare

**triker** ['straɪkə] *s* **1** strejkare, strejkande **2** fotb. anfallsspelare

**triking** ['straɪkɪŋ] *adj* **1** slående, påfallande, markant [*a ~ likeness*] **2** *within ~ distance* inom skotthåll (bildl. räckhåll)

**trikingly** ['straɪkɪŋlɪ] *adv* slående, påfallande [~ *beautiful*]; markant

**tring** [strɪŋ] I *s* **1** snöre; band, snodd; *piece of* ~ snöre **2** a) sträng [*the ~s of a violin*], sena [*the ~s of a tennis racket*] b) pl. ~s stråkinstrument, stråkar c) attributivt stråk- [~ *orchestra (quartet)*], sträng- [~ *instruments*] **3** bildl. uttryck: *pull the ~s* hålla (dra) i trådarna; *pull ~s* använda sitt inflytande, mygla; *without ~s* vard. utan några förbehåll **4** ~ *of pearls* pärlhalsband; *a ~ of onions* en lökfläta **5** serie, följd [*a ~ of events*]; kedja [*a ~ of hotels*]
II (*strung strung*) *vb tr* **1** stränga [~ *a racket (violin)*] **2** ~ *up* el. ~ hänga upp på t.ex. snöre **3** behänga [*a room strung with festoons* (girlander)] **4** trä upp på band (snöre) [~ *pearls*]; ~ *together* sätta (länka) ihop [~ *words together*] **5** snoppa, rensa [~ *beans*] **6** *be all strung up* bildl.

vara på helspänn **7** ~ *along with* vard. hålla ihop med; ~ *together* hänga ihop

**string bag** ['strɪŋbæg] *s* nätkasse

**string bean** [ˌstrɪŋ'biːn] *s* skärböna

**stringed** [strɪŋd] *adj*, ~ *instrument* stränginstrument

**stringent** ['strɪndʒ(ə)nt] *adj* **1** sträng [~ *rules*]; ekon. el. polit. stram [~ *policy*] **2** strängt logisk, stringent

**stringy** ['strɪŋɪ] *adj* trådig, senig [~ *meat*]

**1 strip** [strɪp] *vb tr* o. *vb itr* **1** a) skrapa av (bort), skala av (bort); ~ *off* ta av sig [~ *off one's shirt*] b) klä av; skrapa (plocka) ren [*of* från, på]; ~ *a p. of a th.* beröva ngn ngt **2** klä av sig; strippa

**2 strip** [strɪp] *s* **1** remsa [*a ~ of cloth*], list, skena [*a ~ of metal*], stycke **2** serie; *comic* ~ skämtserie, tecknad serie; *film* ~ bildband **3** sport. vard. lagdräkt

**stripe** [straɪp] I *s* **1** rand; strimma **2** mil. streck i gradbeteckning II *vb tr* göra randig

**striped** [straɪpt] *adj* randig; strimmig

**strip-lighting** ['strɪpˌlaɪtɪŋ] *s* lysrörsbelysning

**stripper** ['strɪpə] *s* vard. striptease-artist, strippa

**strippoker** [ˌstrɪp'pəʊkə] *s* klädpoker

**striptease** ['strɪptiːz] I *s* striptease II *vb itr* göra striptease, strippa

**strive** [straɪv] (*strove striven*) *vb itr* sträva, bemöda sig

**striven** ['strɪvn] se *strive*

**strode** [strəʊd] se *stride* I

**1 stroke** [strəʊk] *s* **1** slag [*the ~ of a hammer*]; klockslag **2** med. slaganfall **3** tekn. a) kolvslag b) slaglängd c) takt [*four-stroke engine*] **4** i bollspel slag; simn. simtag; *do the butterfly* ~ simma fjärilsim **5** streck [*thin ~s*]; *with a ~ of the pen* med ett penndrag **6** bildl. drag, grepp [*a masterly ~*]; *do a ~ (a good ~) of business* göra en bra affär; *that was a ~ of genius* det var ett snilledrag; *what a ~ of luck!* en sådan tur!; *he doesn't do a ~ (a ~ of work)* han gör inte ett handtag

**2 stroke** [strəʊk] I *vb tr* stryka, smeka [~ *a cat*]; ~ *one's beard* stryka sig om skägget; ~ *a p. the wrong way* bildl. stryka ngn mothårs II *s* strykning

**stroll** [strəʊl] I *vb itr* o. *vb tr* promenera, flanera; promenera (flanera) på II *s* promenad; *be out for a* ~ vara ute och promenera

**stroller** ['strəʊlə] *s* **1** flanör **2** speciellt amer. sittvagn, paraplyvagn för barn

# strong

**strong** [strɒŋ] **I** *adj* stark; kraftig; stor [*there is a ~ likelihood that...*]; ivrig, varm [*~ supporters*] **II** *adv* starkt, kraftigt [*smell ~*]; *be still going ~* vard. ännu vara i sin fulla kraft; vara i full gång

**stronghold** ['strɒŋhəʊld] *s* fäste, borg

**strongly** ['strɒŋlı] *adv* starkt, kraftigt; på det bestämdaste [*I ~ advise you to go*]

**strong room** ['strɒŋru:m] *s* kassavalv

**strong-willed** [ˌstrɒŋ'wɪld] *adj* viljestark

**strove** [strəʊv] se *strive*

**struck** [strʌk] se *strike I*

**structure** ['strʌktʃə] *s* struktur; byggnadsverk

**struggle** ['strʌgl] **I** *vb itr* **1** kämpa, strida, brottas **2** streta, knoga [*~ up a hill*], kämpa (arbeta) sig [*~ through a book*]; *~ along* knaggla sig fram **II** *s* kamp, strid; kämpande; *they put up a ~* de bjöd motstånd

**strum** [strʌm] *vb itr* klinka [*~ on the piano*], knäppa [*~ on the banjo*]

**strung** [strʌŋ] se *string II*

**strut** [strʌt] *vb itr* stoltsera; kråma sig

**stub** [stʌb] **I** *s* **1** stump; *cigar ~* cigarrstump, cigarrfimp **2** stubbe **3** talong, stam på t.ex. biljetthäfte **II** *vb tr* **1** *~ one's toe* stöta tån **2** *~ out* el. *~* fimpa [*~ a cigarette*]

**stubble** ['stʌbl] *s* stubb; skäggstubb

**stubborn** ['stʌbən] *adj* envis [*a ~ illness*], hårdnackad [*~ resistance*]

**stubby** ['stʌbɪ] *adj* **1** stubbig **2** kort och bred; knubbig [*~ fingers*], satt

**stuck** [stʌk] se *2 stick*

**stuck-up** [ˌstʌk'ʌp] *adj* vard. mallig, uppblåst

**1 stud** [stʌd] *s* **1** stall uppsättning hästar [*racing ~*] **2** stuteri **3** avelshingst

**2 stud** [stʌd] **I** *s* **1** lös kragknapp; *shirt (dress) ~* el. *~* skjortknapp, bröstknapp **2** a) stift, spik b) dobb; på t.ex. däck dubb **II** *vb tr* **1** a) besätta (beslå) med stift b) dubba [*studded tyres*] **2** späcka [*studded with quotations*]; *studded with jewels* juvelbesatt

**student** ['stju:d(ə)nt] *s* studerande [*medical ~*]; student [*university ~s*]; amer. äv. elev

**studied** ['stʌdɪd] *adj* medveten, överlagd, avsiktlig [*~ insult*], utstuderad

**studio** ['stju:dɪəʊ] *s* ateljé; studio; pl. *~s* filmstad; *film ~* filmateljé, filmstudio

**studious** ['stju:djəs] *adj* flitig, flitig i sina studier

**study** ['stʌdɪ] **I** *s* **1** studier [*fond of ~*], studerande; studium, undersökning; *~ circle* studiecirkel; *make a ~ of a th.* studera ngt, bemöda sig om ngt **2** arbetsrum, läsrum; *headmaster's ~* rektorsexpedition **3** mus. etyd **II** *vb tr* o. *vb itr* studera, läsa [*~ medicine*], lära sig; studera (lära) in [*~ a part*]; undersöka, granska; vara mån om

**stuff** [stʌf] **I** *s* **1** material, ämne; materia; *the same old ~* det gamla vanliga; *it's poor ~* det är ingenting att ha; *some sticky ~* något klibbigt **2** vard. **a)** saker, grejor [*I've packed my ~*] **b)** *do your ~!* visa vad du kan!; *he knows his ~* han kan sin sak; *~ and nonsense* struntprat **II** *vb tr* **1** stoppa [*~ a cushion*], stoppa (proppa) full [*with* med]; *~ oneself with food* proppa i sig mat **2** *~ up* el. *~* täppa till; *my nose is stuffed up* jag är täppt i näsan **3** stoppa upp [*~ a bird*] **4** kok. fylla, färsera

**stuffed** [stʌft] *adj* **1** stoppad; fullstoppad, fullproppad [*~ with facts*] **2** kok. fylld [*~ turkey*], färserad **3** uppstoppad [*~ birds*]

**stuffing** ['stʌfɪŋ] *s* stoppning; uppstoppning; kok. fyllning [*turkey ~*], färs; inkråm

**stuffy** ['stʌfɪ] *adj* **1** instängd, kvav **2** täppt [*~ nose*]

**stumble** ['stʌmbl] *vb itr* **1** snava, snubbla; *~ across* stöta (råka) på **2** stappla; stamma

**stumbling-block** ['stʌmblɪŋblɒk] *s* stötesten [*to a p.* för ngn]

**stump** [stʌmp] **I** *s* stubbe **II** *vb tr*, *the question stumped him* vard. han gick bet på frågan

**stun** [stʌn] *vb tr* **1** bedöva [*~ a p. with a blow*] **2** överväldiga, förbluffa; chocka

**stung** [stʌŋ] se *sting II*

**stunk** [stʌŋk] se *stink I*

**stunning** ['stʌnɪŋ] *adj* **1** bedövande [*a ~ blow*]; chockande **2** vard. fantastisk [*a ~ performance*]; jättesnygg

**stunt** [stʌnt] *s* vard. **1** konstnummer, trick; *acrobatic ~s* akrobatkonster **2** jippo

**stunted** ['stʌntɪd] *adj* förkrympt; *be ~* vara hämmad i växten

**stupefy** ['stju:pɪfaɪ] *vb tr* bedöva; göra omtöcknad [*stupefied with* (av) *drink*]; göra häpen (bestört)

**stupendous** [stju'pendəs] *adj* häpnadsväckande, förbluffande; kolossal

**stupid** ['stju:pɪd] *adj* dum, enfaldig

**upidity** [stjʊ'pɪdətɪ] s dumhet, enfald

**upor** ['stju:pə] s dvala, omtöcknat illstånd; *in a drunken ~* redlöst berusad

**urdy** ['stɜ:dɪ] adj robust, kraftig

**urgeon** ['stɜ:dʒ(ə)n] s stör fisk

**utter** ['stʌtə] I vb itr stamma II s tamning

**sty** [staɪ] s svinstia

**sty** o. **stye** [staɪ] s med. vagel

**yle** [staɪl] I s a) stil; stilart b) mode dressed in (efter) the latest ~]; *do things  it) in ~* slå på stort, leva på stor fot; *live  n great (grand) ~* el. *live in ~* leva flott  I vb tr **1** titulera [he is styled 'Colonel']  **2** formge, designa [~ cars (dresses)]; ~  *a p.'s hair* lägga frisyr på ngn

**ylish** ['staɪlɪʃ] adj stilfull, stilig; noderiktig

**ylize** ['staɪlaɪz] vb tr stilisera

**ylus** ['staɪləs] s pickupnål

**yptic** ['stɪptɪk] I adj blodstillande; ~  *encil* alunstift II s blodstillande medel

**ave** [swɑ:v] adj förbindlig, älskvärd

**bcommittee** ['sʌbkəˌmɪtɪ] s underutskott, underkommitté

**bconscious** [ˌsʌb'kɒnʃəs] I adj  undermedveten II s undermedvetande;  *he* ~ det undermedvetna

**bcontinent** [ˌsʌb'kɒntɪnənt] s ubkontinent [the Indian ~]

**bdivision** ['sʌbdɪˌvɪʒ(ə)n] s underavdelning

**bdue** [səb'dju:] vb tr underkuva [~ a  ountry], kuva

**bdued** [səb'dju:d] adj **1** underkuvad  ' dämpad [~ light], diskret [~ colours]; terhållsam

**bheading** ['sʌbˌhedɪŋ] s underrubrik

**bject** [substantiv, adjektiv o. adverb  sʌbdʒɪkt, verb səb'dʒekt] I s **1** undersåte;  *ie is a British ~* han är engelsk  nedborgare **2** ämne i t.ext. skola, för samtal;  *hange the ~* byta samtalsämne; *on the  ~ of* angående, om; *~ of (for)* föremål för  **3** gram. subjekt  II adj, *~ to* underkastad [~ to changes];  *ie ~ to* utsättas för; ha anlag för, lida av  be ~ to headaches]; *be ~ to duty* vara  ullpliktig  III adv, *~ to* under förutsättning av [~  *) your approval* (godkännande)]; med  örbehåll för [~ to alterations]  IV vb tr utsätta [to för]; *be subjected to  ).* vara föremål för, drabbas av

**bjection** [səb'dʒekʃ(ə)n] s

underkuvande; underkastelse [to under]; beroende [to av]

**subjective** [səb'dʒektɪv] adj subjektiv

**subject matter** ['sʌbdʒɪktˌmætə] s  innehåll, stoff [the ~ of the book]; ämne

**subjugate** ['sʌbdʒʊgeɪt] vb tr underkuva

**subjunctive** [səb'dʒʌŋktɪv] adj gram.  konjunktivisk; *the ~ mood* konjunktiven

**sublet** [ˌsʌb'let] (sublet sublet) vb tr hyra ut  i andra hand

**sublime** [sə'blaɪm] I adj storslagen II s  storslagenhet

**sub-machine-gun** [ˌsʌbmə'ʃi:ngʌn] s  kulsprutepistol, kpist

**submarine** [ˌsʌbmə'ri:n] s ubåt,  undervattensbåt

**submerge** [səb'mɜ:dʒ] vb tr doppa (sänka)  ner i vatten; översvämma

**submerged** [səb'mɜ:dʒd] adj, *be ~* vara  (stå) under vatten

**submersion** [səb'mɜ:ʃ(ə)n] s nedsänkning;  översvämning

**submission** [səb'mɪʃ(ə)n] s  **1** underkastelse [to under]  **2** framläggande, föredragning;  presentation; föreläggande

**submissive** [səb'mɪsɪv] adj undergiven,  foglig

**submit** [səb'mɪt] vb tr o. vb itr **1** ~ to  utsätta för; *~ oneself to* underkasta sig  **2** framlägga, föredra, presentera [~ one's  plans]; avge [~ a report to a p.] **3** ge vika

**subnormal** [ˌsʌb'nɔ:m(ə)l] adj som är  under det normala [~ temperatures]

**subordinate** [adjektiv o. substantiv  sə'bɔ:dənət, verb sə'bɔ:dɪneɪt] I adj  **1** underordnad [a ~ position]; lägre [a ~  officer], underlydande; bi- [a ~ role] **2** ~  clause gram. bisats II s underordnad [his  ~s] III vb tr underordna [to under]; sätta i  andra hand [~ one's private interests]

**subplot** ['sʌbplɒt] s sidohandling i roman

**subpoena** [səb'pi:nə] jur. I s stämning II vb  tr delge en stämning

**subscribe** [səb'skraɪb] vb tr o. vb itr  **1** teckna sig för, teckna **2** prenumerera,  abonnera [~ to (på) a newspaper] **3** ge  bidrag **4** ~ to skriva under [~ to an  agreement]; bildl. ansluta sig till, dela [~ to  a p.'s views]

**subscriber** [səb'skraɪbə] s **1** prenumerant  [~ to (på) a newspaper]; telefonabonnent;  *~ trunk dialling* tele. automatkoppling  **2** bidragsgivare

**subscription** [səb'skrɪpʃ(ə)n] s

**1 a)** teckning [~ *for* (av) *shares*];
insamling [*to* till]; *start (raise) a ~* sätta
i gång en insamling **b)** bidrag
**2 a)** prenumeration [*to* på]; abonnemang;
*take out a ~ for* prenumerera för
**b)** prenumerationsavgift; medlemsavgift;
undertecknande
**subsequent** ['sʌbsɪkwənt] *adj* följande,
efterföljande
**subsequently** ['sʌbsɪkwəntlɪ] *adv* därefter,
sedan, efteråt
**subside** [səb'saɪd] *vb itr* **1** sjunka undan
[*the flood has subsided*]; sjunka, sätta sig
[*the house will* ~] **2** avta, lägga sig [*the
wind began to* ~]
**subsidiary** [səb'sɪdjərɪ] **I** *adj* **1** sido- [~
*theme*]; ~ *character* bifigur; ~ *company*
dotterbolag **2** underordnad [*to a th.* ngt]
**II** *s* dotterbolag, dotterföretag
**subsidize** ['sʌbsɪdaɪz] *vb tr* subventionera,
understödja; perfekt particip *subsidized*
subventionerad
**subsidy** ['sʌbsɪdɪ] *s* subvention,
statsunderstöd, bidrag, anslag
**subsistence** [səb'sɪst(ə)ns] *s* uppehälle,
utkomst; *means of* ~ existensmedel; ~
*allowance* traktamente
**substance** ['sʌbst(ə)ns] *s* **1** ämne, materia,
stoff; substans [*a chalky* ~] **2** innehåll;
huvudinnehåll, innebörd, andemening
[*the* ~ *of a speech*]
**substandard** [ˌsʌb'stændəd] *adj*
undermålig; om språk ovårdad
**substantial** [səb'stænʃ(ə)l] *adj* **1** verklig,
reell, påtaglig **2** avsevärd, betydande [~
*improvement*], omfattande **3** stabil,
gedigen; stadig, bastant [*a* ~ *meal*]
**substantially** [səb'stænʃ(ə)lɪ] *adv*
väsentligen, i allt väsentligt
**substantiate** [səb'stænʃɪeɪt] *vb tr* bestyrka
**substantive** ['sʌbstəntɪv] *s* gram.
substantiv
**substitute** ['sʌbstɪtjuːt] **I** *s*
**1** ställföreträdare, ersättare, vikarie; sport.
reserv; *the substitute's bench* sport.
avbytarbänken **2** ersättning, surrogat **II** *vb
tr* **1** sätta i stället [*for* för]; ~ *beer for
wine* ersätta vin med öl **2** vikariera, vara
ersättare (avbytare) [*for* för]
**substitution** [ˌsʌbstɪ'tjuːʃ(ə)n] *s* utbyte;
ersättande; ersättning
**subtenant** [ˌsʌb'tenənt] *s* hyresgäst i
andra hand; *be a* ~ hyra i andra hand
**subterfuge** ['sʌbtəfjuːdʒ] *s* undanflykt,
förevändning

**subterranean** [ˌsʌbtə'reɪnjən] *adj*
underjordisk
**subtitle** ['sʌbˌtaɪtl] **I** *s* **1** undertitel **2** film.,
pl. ~*s* text [*an English film with Swedish
~s*] **II** *vb tr* **1** förse med en undertitel
**2** film. texta
**subtle** ['sʌtl] *adj* **1** subtil, hårfin [*a* ~
*difference*]; obestämbar [*a* ~ *charm*],
diskret [*a* ~ *perfume*] **2** utstuderad,
raffinerad [~ *methods*] **3** vaken [*a* ~
*observer*]
**subtlety** ['sʌtltɪ] *s* subtilitet, hårfinhet;
skärpa, skarpsinne
**subtract** [səb'trækt] *vb tr* o. *vb itr*
subtrahera, dra ifrån [~ *6 from 9*], dra av
**subtraction** [səb'trækʃ(ə)n] *s* subtraktion
**subtropical** [ˌsʌb'trɒpɪk(ə)l] *adj* subtropisk
**suburb** ['sʌbɜːb] *s* förort, förstad; *garden
~* villaförort, villastad, trädgårdsstad
**suburban** [sə'bɜːb(ə)n] *adj* **1** förorts-,
förstads-; ~ *area* ytterområde **2** neds.
småstadsaktig
**suburbanite** [sə'bɜːbənaɪt] *s* förortsbo
**subversion** [səb'vɜːʃ(ə)n] *s* omstörtning
**subversive** [səb'vɜːsɪv] *adj* omstörtande [~
*activity* (verksamhet)]
**subway** ['sʌbweɪ] *s* **1** gångtunnel **2** amer.
tunnelbana
**succeed** [sək'siːd] *vb itr* o. *vb tr* **1** lyckas
[*the attack succeeded*], ha framgång;
*nothing ~s like success* ordspr. den ena
framgången drar den andra med sig **2** ~
*to* överta, ärva [~ *to an estate*]; ~ *to the
throne* el. ~ överta tronen; efterträda,
komma efter
**success** [sək'ses] *s* framgång, lycka [*with
varying* ~], medgång; succé; ~ *story*
framgångssaga; *make a* ~ *of* lyckas med;
*meet with* ~ ha framgång, göra succé
**successful** [sək'sesf(ʊ)l] *adj* framgångsrik
[*in* i], lyckosam; lyckad [~ *experiments*];
succé- [~ *play*]; godkänd [~ *candidates*]
**succession** [sək'seʃ(ə)n] *s* **1** följd [*a* ~ *of
years*], serie, rad; ordning, ordningsföljd
**2** arvföljd; tronföljd
**successive** [sək'sesɪv] *adj* på varandra
följande; successiv [~ *changes*]; *three* ~
*days* tre dagar i rad
**successor** [sək'sesə] *s* efterträdare,
efterföljare [*to a p.* till ngn]; ~ *to the
throne* tronföljare
**succumb** [sə'kʌm] *vb itr* duka under [*to*
för], ge efter, falla [~ *to* (för) *flattery*]
**such** [sʌtʃ] *adj* o. *pron* **1** a) sådan [~
*books*], dylik; liknande [*tea, coffee, and* ~

*drinks*] b) så [~ *big books*; ~ *long hair*]; *we had ~ fun* vi hade verkligen roligt; *there is ~ a draught* det drar så; *I've never heard of ~ a thing!* jag har aldrig hört på maken!; *I shall do no ~ thing* det gör jag definitivt inte; *some ~ thing* något sådant (liknande); ~ *and ~* den och den [~ *and ~ a day*]; *as ~* som sådan, i sig [*I like the work as ~*] **2** ~ *as* sådan som; som t.ex., som, såsom [*vehicles ~ as cars*]; ~ *books as these* sådana här böcker; *have you ~ a thing as a stamp?* har du möjligen ett frimärke?; *there are no ~ things as ghosts* det finns inga spöken; ~ *as it is* sådan den nu är

**suchlike** ['sʌtʃlaɪk] *adj* o. *pron* sådan, liknande, dylik; *and ~ things* el. *and ~* och dylikt, o.d.

**suck** [sʌk] **I** *vb tr* o. *vb itr* suga [~ *at* (på) *one's pipe*], suga upp; dia; suga ur [~ *an orange*]; suga på [~ *a sweet*] **II** *s* **1** sugning, sug [*at* på]; *have a ~ at a th.* suga på ngt **2** *give ~ to* amma

**sucking-pig** ['sʌkɪŋpɪg] *s* spädgris, digris

**suckle** ['sʌkl] *vb tr* dia, ge di, amma

**suction** ['sʌkʃ(ə)n] *s* insugning; sug

**Sudan** [suˈdɑːn, suˈdæn], *the ~* Sudan

**sudden** ['sʌdn] **I** *adj* plötslig, oväntad **II** *s*, *all of a ~* helt plötsligt

**suddenly** ['sʌdnlɪ] *adv* plötsligt, med ens

**sue** [sjuː, suː] *vb tr* o. *vb itr* jur. **1** stämma, åtala **2** processa [*for* om, för att få]; väcka åtal [*threaten to ~*]; ~ *for a divorce* begära skilsmässa

**suede** [sweɪd] *s* mockaskinn

**suet** ['suɪt] *s* njurtalg

**suffer** ['sʌfə] *vb tr* o. *vb itr* **1** lida, få utstå, utstå [~ *punishment*], genomlida; drabbas av; plågas; ta skada, fara illa [*from* av]; ~ *damage* lida (ta) skada; ~ *for* få umgälla, få plikta (sota) för, lida för **2** undergå, genomgå [~ *change*] **3** tåla

**sufferer** ['sʌfərə] *s* lidande person; *hay-fever ~s* de som lider av hösnuva; *he will be the ~* det blir han som blir lidande

**suffering** ['sʌfərɪŋ] *s* o. *adj* lidande

**suffice** [səˈfaɪs] *vb itr* o. *vb tr* vara nog, räcka, räcka till; vara tillräcklig för

**sufficiency** [səˈfɪʃənsɪ] *s* tillräcklig mängd [*of* av]; tillräcklighet

**sufficient** [səˈfɪʃ(ə)nt] **I** *adj* tillräcklig; *be ~* räcka [*for* till, för] **II** *s*, *be ~ of an expert to...* vara tillräckligt mycket expert för att...

**suffix** ['sʌfɪks] *s* gram. suffix, ändelse

**suffocate** ['sʌfəkeɪt] *vb tr* o. *vb itr* kväva; kvävas

**suffocating** ['sʌfəkeɪtɪŋ] *adj* kvävande, kvalmig, kvav

**suffocation** [ˌsʌfəˈkeɪʃ(ə)n] *s* kvävning

**sugar** ['ʃʊɡə] **I** *s* **1** socker; *brown ~* farinsocker **2** vard. sötnos, älskling **II** *vb tr* sockra, sockra i (på); ~ *the pill* sockra det beska pillret

**sugar almonds** [ˌʃʊɡərˈɑːməndz] *s pl* dragerade mandlar

**sugar basin** ['ʃʊɡəˌbeɪsn] *s* sockerskål

**sugar beet** ['ʃʊɡəbiːt] *s* sockerbeta

**sugar bowl** ['ʃʊɡəbəʊl] *s* sockerskål

**sugar candy** ['ʃʊɡəˌkændɪ] *s* kandisocker

**sugar cane** ['ʃʊɡəkeɪn] *s* sockerrör

**sugar daddy** ['ʃʊɡəˌdædɪ] *s* vard. äldre rik beundrare (älskare) till ung flicka

**sugar-free** ['ʃʊɡəfriː] *adj* sockerfri

**sugary** ['ʃʊɡərɪ] *adj* sockrad, sockrig; sockerhaltig; sötsliskig

**suggest** [səˈdʒest, amer. səɡˈdʒest] *vb tr* **1** föreslå [~ *a p. for* (till) *a post*] **2** antyda; påminna om, väcka tanken på

**suggestible** [səˈdʒestəbl, amer. səɡˈdʒestəbl] *adj* lättpåverkad; lättsuggererad, suggestibel

**suggestion** [səˈdʒestʃ(ə)n, amer. səɡˈdʒestʃ(ə)n] *s* **1** förslag [~s *for* (till) *improvement*] **2** antydan, vink; uppslag

**suggestive** [səˈdʒestɪv, amer. səɡˈdʒestɪv] *adj* tankeväckande, uppslagsrik; suggestiv; *be ~ of* väcka tanken på; tyda på, vittna om

**suicidal** [suːɪˈsaɪdl] *adj* självmords- [~ *tendencies*]

**suicide** ['suːɪsaɪd] *s* självmord [*commit* (begå) ~]

**suit** [suːt, sjuːt] **I** *s* **1** dräkt [*spacesuit*]; *man's ~* el. ~ herrkostym, kostym; *woman's ~* damdräkt, dräkt; *a ~ of armour* en rustning; *a ~ of clothes* en hel kostym; *dress ~* högtidsdräkt, frack; *two-piece ~* a) herrkostym b) tvådelad dräkt **2** kortsp. färg; *follow ~* bekänna (följa) färg; bildl. följa exemplet, göra likadant

　　**II** *vb tr* **1** a) passa [*which day ~s you best?*] b) klä [*white ~s her*] c) vara (göra) till lags [*you can't ~ everybody*] d) vara lämplig för e) passa ihop med [*that will ~ my plans*]; *will tomorrow ~ you?* passar det i morgon?; ~ *yourself!* gör som du vill! **2** anpassa, avpassa [*to* efter]

**suitability** [ˌsuːtəˈbɪlətɪ, ˌsjuːtəˈbɪlətɪ] *s* lämplighet
**suitable** [ˈsuːtəbl, ˈsjuːtəbl] *adj* passande, lämplig [*to, for* för, till]; *be* ~ äv. passa, duga
**suitably** [ˈsuːtəblɪ, ˈsjuːtəblɪ] *adv* lämpligt, passande; riktigt, rätt
**suitcase** [ˈsuːtkeɪs, ˈsjuːtkeɪs] *s* resväska
**suite** [swiːt] *s* **1** svit, följe, uppvaktning **2 a)** *a* ~ *of furniture* el. *a* ~ ett möblemang, en möbel **b)** soffgrupp; *a three-piece* ~ en soffgrupp i tre delar **3** svit [*a* ~ *at a hotel*] **4** uppsättning; serie, räcka
**suited** [ˈsuːtɪd, ˈsjuːtɪd] *adj* lämplig, passande, lämpad [*for, to* för]; anpassad, avpassad [*to* efter]; *they are well* ~ *to each other* de passar bra ihop
**sulfate** o. **sulfur** o. **sulfuric** amer., se *sulphate* etc.
**sulk** [sʌlk] *vb itr* tjura, vara sur
**sulky** [ˈsʌlkɪ] *adj* sur, tjurig
**sullen** [ˈsʌlən] *adj* surmulen, butter
**sulphate** [ˈsʌlfeɪt] *s* sulfat
**sulphur** [ˈsʌlfə] *s* svavel
**sulphuric** [sʌlˈfjʊərɪk] *adj*, ~ *acid* svavelsyra
**sultan** [ˈsʌlt(ə)n] *s* sultan
**sultana** [sʌlˈtɑːnə] *s* **1** sultaninna **2** sultanrussin
**sultry** [ˈsʌltrɪ] *adj* kvav, kvalmig
**sum** [sʌm] **I** *s* **1** summa **2** penningsumma, belopp **3** matematikexempel, matematikuppgift; pl. ~*s* äv. matematik; *do* ~*s* lösa räkneuppgifter **II** *vb tr* summera, addera [*up* ihop]; ~ *up* **a)** sammanfatta; göra en sammanfattning **b)** bedöma, bilda sig en uppfattning om; *to* ~ *up* sammanfattningsvis
**summarize** [ˈsʌməraɪz] *vb tr* sammanfatta, göra (vara) en sammanfattning av
**summary** [ˈsʌmərɪ] *s* sammanfattning, sammandrag
**summer** [ˈsʌmə] *s* sommar; *last* ~ förra sommaren, i somras; *this* ~ den här sommaren, i sommar; *in the* ~ el. *in* ~ på sommaren; *in the* ~ *of 1994* sommaren 1994; *in the early* (*late*) ~ el. *in early* (*late*) ~ på försommaren (sensommaren), tidigt (sent) på sommaren; *children's* ~ *camp* el. ~ *camp* barnkoloni
**summer-house** [ˈsʌməhaʊs] *s* **1** lusthus, paviljong **2** sommarhus, sommarställe
**summertime** [ˈsʌmətaɪm] *s* sommar,

sommartid; *in the* ~ el. *in* ~ på (under) sommaren
**summery** [ˈsʌmərɪ] *adj* sommarlik
**summit** [ˈsʌmɪt] *s* **1** topp, spets [*the* ~ *of a mountain*] **2** topp- [~ *conference* (*meeting*)]
**summon** [ˈsʌmən] *vb tr* **1** kalla, kalla på, tillkalla; kalla in [~ *Parliament*]; ~ *a meeting* sammankalla ett möte **2** jur. instämma, kalla, kalla in [~ *a p. as a witness*]; ~ *a p. before court* el. ~ *a p.* stämma ngn inför rätta **3** ~ *up* el. ~ samla [~ (~ *up*) *one's courage*]
**summons** [ˈsʌmənz] *s* **1** kallelse, inkallelse; jur. stämning; *serve a* ~ *on a p.* delge ngn stämning **2** maning, signal
**sumptuous** [ˈsʌmptjʊəs] *adj* överdådig
**sum-total** [ˌsʌmˈtəʊtl] *s* slutsumma
**sun** [sʌn] **I** *s* sol; solsken; *everything under the* ~ allt mellan himmel och jord **II** *vb tr* sola; ~ *oneself* sola sig
**sunbath** [ˈsʌnbɑːθ] *s* solbad
**sunbathe** [ˈsʌnbeɪð] *vb itr* solbada
**sunbeam** [ˈsʌnbiːm] *s* solstråle
**sunblind** [ˈsʌnblaɪnd] *s* markis; jalusi
**sunburn** [ˈsʌnbɜːn] *s* solbränna
**sunburned** [ˈsʌnbɜːnd] *adj* o. **sunburnt** [ˈsʌnbɜːnt] *adj* solbränd
**sundae** [ˈsʌndeɪ, ˈsʌndɪ] *s* glasscoupe med garnering
**Sunday** [ˈsʌndeɪ, ˈsʌndɪ] *s* söndag; *last* ~ i söndags
**sundeck** [ˈsʌndek] *s* soldäck
**sundial** [ˈsʌndaɪ(ə)l] *s* solur, solvisare
**sundown** [ˈsʌndaʊn] *s*, *at* ~ i (vid) solnedgången
**sundry** [ˈsʌndrɪ] *adj* diverse [~ *items*], varjehanda; *all and* ~ alla och envar
**sunflower** [ˈsʌnˌflaʊə] *s* solros
**sung** [sʌŋ] se *sing*
**sunglasses** [ˈsʌnˌglɑːsɪz] *s pl* solglasögon
**sunhelmet** [ˈsʌnˌhelmɪt] *s* tropikhjälm
**sunk** [sʌŋk] *adj* o. perf p (av *sink*) nedsänkt, sänkt; sjunken; *we are* ~ [*if that happens*] vard. vi är sålda…
**sunken** [ˈsʌŋk(ə)n] *adj* sjunken; nedsänkt; insjunken [~ *eyes*], infallen [~ *cheeks*]
**sunlamp** [ˈsʌnlæmp] *s* sollampa, kvartslampa
**sunlight** [ˈsʌnlaɪt] *s* solljus
**sunlit** [ˈsʌnlɪt] *adj* solbelyst; solig
**sunny** [ˈsʌnɪ] *adj* solig; sol- [~ *beam* (*day*)]; *look on the* ~ *side of things* el. *look on the* ~ *side* se allt från den ljusa sidan

**sunray** ['sʌnreɪ] s **1** solstråle **2** ~ *treatment* ultraviolett strålning
**sunrise** ['sʌnraɪz] s, *at* ~ i (vid) soluppgången
**sunroof** ['sʌnruːf] s soltak på bil
**sunset** ['sʌnset] s solnedgång; *at* ~ i (vid) solnedgången
**sunshade** ['sʌnʃeɪd] s **1** parasoll **2** markis **3** solskärm
**sunshield** ['sʌnʃiːld] s solskydd i bil
**sunshine** ['sʌnʃaɪn] s solsken
**sunspot** ['sʌnspɒt] s astron. solfläck
**sunstroke** ['sʌnstrəʊk] s solsting
**sunsuit** ['sʌnsuːt, 'sʌnsjuːt] s soldräkt
**suntan** ['sʌntæn] **I** s solbränna; ~ *lotion* solmjölk, sololja **II** *vb itr* bli solbränd
**sunup** ['sʌnʌp] s speciellt amer. soluppgång
**super** ['suːpə, 'sjuːpə] *adj* vard. toppen, jättefin
**superabundance** [ˌsuːpərə'bʌndəns, ˌsjuː-] s överflöd, riklighet [*of* på, av]
**superb** [sʊ'pɜːb, sjʊ-] *adj* storartad, enastående [*a* ~ *view*], ypperlig, utmärkt
**supercilious** [ˌsuːpə'sɪliəs, ˌsjuː-] *adj* högdragen, överlägsen, övermodig
**superficial** [ˌsuːpə'fɪʃ(ə)l, ˌsjuː-] *adj* ytlig
**superficiality** [ˌsuːpəˌfɪʃɪ'ælətɪ, ˌsjuː-] s ytlighet
**superfluous** [suː'pɜːflʊəs, sjuː-] *adj* överflödig, onödig; ~ *hair* (*hairs*) generande hårväxt
**superhuman** [ˌsuːpə'hjuːmən, ˌsjuː-] *adj* övermänsklig
**superintend** [ˌsuːpərɪn'tend, ˌsjuː-] *vb tr* övervaka, tillse, ha (hålla) uppsikt över
**superintendence** [ˌsuːpərɪn'tendəns, ˌsjuː-] s överinseende, tillsyn, uppsikt
**superintendent** [ˌsuːpərɪn'tendənt, ˌsjuː-] s överintendent; ledare, direktör för ämbetsverk; *police* ~ el. ~ poliskommissarie, kommissarie
**superior** [suː'pɪərɪə, sjuː-] **I** *adj* **1** högre i rang osv. [*to* än]; överlägsen [*to a p.* ngn] **2** extra prima [~ *quality*] **3** överlägsen, högdragen [*a* ~ *air* (*attitude*)] **II** s överordnad [*my* ~s]
**superiority** [suːˌpɪərɪ'ɒrətɪ, sjuː-] s överlägsenhet [*to* över]; *his* ~ *in rank* hans överordnade ställning
**superjet** ['suːpədʒet, 'sjuː-] s överljudsjetplan
**superlative** [suː'pɜːlətɪv, sjuː-] **I** *adj* **1** förträfflig; enastående **2** gram. superlativ; *the* ~ *degree* superlativen **II** s superlativ äv. gram.

**superman** ['suːpəmæn, 'sjuː-] (pl. *supermen* [-men]) s **1** övermänniska **2** vard. stålman; *Superman* Stålmannen seriefigur
**supermarket** ['suːpəˌmɑːkɪt, 'sjuː-] s stort snabbköp
**supernatural** [ˌsuːpə'nætʃr(ə)l, ˌsjuː-] *adj* övernaturlig
**superpower** ['suːpəˌpaʊə, 'sjuː-] s supermakt
**supersede** [ˌsuːpə'siːd, ˌsjuː-] *vb tr* **1** ersätta [*CDs have superseded gramophone records*], avlösa **2** efterträda [~ *a p. as chairman*]
**supersensitive** [ˌsuːpə'sensətɪv, ˌsjuː-] *adj* överkänslig
**supersonic** ['suːpə'sɒnɪk, 'sjuː-] *adj* överljuds- [~ *aircraft* (*bang*)]
**superstition** [ˌsuːpə'stɪʃ(ə)n, ˌsjuː-] s vidskepelse, vidskeplighet
**superstitious** [ˌsuːpə'stɪʃəs, ˌsjuː-] *adj* vidskeplig
**superstore** ['sjuːpəstɔː] s stormarknad
**supervise** ['suːpəvaɪz, 'sjuː-] *vb tr* övervaka, tillse, ha tillsyn över
**supervision** [ˌsuːpə'vɪʒ(ə)n, ˌsjuː-] s överinseende, övervakning, tillsyn
**supervisor** ['suːpəvaɪzə, 'sjuː-] s **1** övervakare; tillsyningsman; arbetsledare; föreståndare i t.ex. varuhus; kontrollant **2** skol. handledare, studieledare
**supervisory** [ˌsuːpə'vaɪzərɪ, ˌsjuː-] *adj* övervakande, övervaknings- [~ *duties*]
**supper** ['sʌpə] s kvällsmat [*have cold meat for* (till) ~], kvällsmål, supé
**suppertime** ['sʌpətaɪm] s dags för kvällsmat
**supplant** [sə'plɑːnt] *vb tr* ersätta [*gramophone records have been supplanted by CDs*], avlösa
**supple** ['sʌpl] *adj* böjlig, mjuk, smidig
**supplement** [substantiv 'sʌplɪmənt, verb 'sʌplɪment] **I** s supplement, tillägg; bilaga, bihang **II** *vb tr* öka, öka ut [~ *one's income*]; supplera; komplettera
**supplementary** [ˌsʌplɪ'mentərɪ] *adj* tillagd; supplement- [~ *volume*], tilläggs-; kompletterande
**supply** [sə'plaɪ] **I** *vb tr* **1** skaffa [~ *proof*]; speciellt hand. leverera [~ *a th. to a p.*] **2** fylla, fylla ut, täcka [~ *a want*], ersätta [~ *a deficiency*]; ~ *a demand* tillfredsställa ett behov
**II** s tillförsel, anskaffning, leverans [~ *of goods*]; tillgång [~ *of* (på) *food*], förråd,

lager [*a large* ~ *of shoes*]; pl. **supplies** mil.
proviant; ~ *and demand* ekon. tillgång
och efterfrågan; *medical supplies*
medicinska förnödenheter
**support** [sə'pɔ:t] **I** *vb tr* **1** stötta, stödja;
uppehålla [*too little food to* ~ *life*]; försörja
[*can he* ~ *himself?*]; [*the bridge is not
strong enough to*] ~ *heavy vehicles*
...bära tung trafik **2** stödja, understödja,
backa upp [~ *a party*], främja, gynna;
hålla på [~ *Arsenal*]
**II** *s* **1** stöd; *arch* ~ hålfotsinlägg
**2** understöd, hjälp äv. ekonomisk; *in* ~ *of*
till (som) stöd för **3** underhåll,
försörjning; *means of* ~
utkomstmöjlighet, utkomstmöjligheter
**supporter** [sə'pɔ:tə] *s* anhängare,
supporter; understödjare; försörjare
**suppose** [sə'pəʊz] *vb tr* anta; förmoda; ~
*he comes ?* tänk om han kommer?; ~ *we
went for a walk?* hur skulle det vara om
vi tog en promenad?; *I* ~ *so* jag förmodar
(antar) det; *I* ~ *not* el. *I don't* ~ *so* jag
tror inte det; *he is ill, I* ~ han är sjuk,
antar jag; han är nog (väl) sjuk; *he is
supposed to be rich* han lär (skall) vara
rik; *I am supposed to be there at five*
jag skall vara där klockan fem
**supposing** [sə'pəʊzɪŋ] *konj* antag att; ~ *it
rains* tänk om det skulle regna
**supposition** [ˌsʌpə'zɪʃ(ə)n] *s* antagande;
förmodan, tro
**suppository** [sə'pɒzɪtərɪ] *s* med. stolpiller
**suppress** [sə'pres] *vb tr* **1** undertrycka,
kuva, kväva [~ *a rebellion*] **2** dra in [~ *a
publication*]; förbjuda, bannlysa [~ *a
party*] **3** förtiga [~ *the truth*]
**suppression** [sə'preʃ(ə)n] *s*
**1** undertryckande, kuvande
**2** förbjudande, bannlysning av t.ex. parti
**3** förtigande; psykol. bortträngning
**suppressor** [sə'presə] *s*, *noise* ~
störningsskydd
**supremacy** [sʊ'preməsɪ, sjʊ-] *s*
**1** överhöghet **2** ledarställning;
överlägsenhet
**supreme** [sʊ'pri:m, sjʊ-] *adj* **1** högst;
över-; suverän; ~ *command* högsta
kommando (befäl); ~ *commander*
överbefälhavare **2** enastående,
oförliknelig
**surcharge** ['sɜ:tʃɑːdʒ] *s* tilläggsavgift,
extraavgift
**sure** [ʃʊə, ʃɔ:] **I** *adj* säker; *be* ~ *of oneself*
vara självsäker; *he is* ~ *to succeed* han

kommer säkert att lyckas; *be* ~ *to* (*be* ~
*you*) *come* se till att du kommer; *to be* ~
naturligtvis; *I don't know, I'm* ~ det vet
jag faktiskt inte; *make* ~ förvissa
(försäkra) sig [*of* om; *that* om att], se till,
kontrollera; *to make* ~ för säkerhets
skull; *know for* ~ vard. veta säkert
**II** *adv* **1** ~ *enough* alldeles säkert,
mycket riktigt [~ *enough, there he was*]
**2** *as* ~ *as* så säkert som **3** speciellt amer.
vard. verkligen, minsann [*he* ~ *can play
football*]; ~*!* visst!
**sure-fire** ['ʃʊəˌfaɪə] *adj* vard. bergsäker [*a* ~
*winner*]
**surely** ['ʃʊəlɪ] *adv* **1** säkert [*slowly but* ~],
säkerligen [*he will* ~ *fail*] **2** verkligen,
minsann [*you are* ~ *right*] **3** väl, nog; ~
*that's impossible* det är väl inte möjligt
**surety** ['ʃʊərətɪ] *s* säkerhet, borgen;
borgensman
**surf** [sɜ:f] **I** *s* bränning, bränningar,
vågsvall **II** *vb itr* sport. surfa
**surface** ['sɜ:fɪs] **I** *s* yta; utsida; *on the* ~ på
ytan, ytligt sett **II** *adj* yt- [~ *soil*]; dag- [~
*mining*]; ~ *mail* ytpost; ~ *noise* nålbrus
från grammofonskiva **III** *vb itr* stiga (dyka)
upp till ytan
**surfboard** ['sɜ:fbɔ:d] *s* surfingbräda
**surfeit** ['sɜ:fɪt] *s* övermått, överflöd [*of* på]
**surfing** ['sɜ:fɪŋ] *s* surfing
**surf-riding** ['sɜ:fˌraɪdɪŋ] *s* surfing
**surge** [sɜ:dʒ] **I** *vb itr* svalla, bölja; forsa
[*water surged into the boat*], strömma,
strömma till, välla, välla fram **II** *s*
brottsjö, svallvåg; vågsvall, bränningar
[*the* ~ *of the sea*]
**surgeon** ['sɜ:dʒ(ə)n] *s* kirurg; *dental* ~
tandläkare
**surgery** ['sɜ:dʒərɪ] *s* **1** kirurgi
**2** mottagning; ~ *hours* mottagningstid
**surgical** ['sɜ:dʒɪk(ə)l] *adj* kirurgisk; ~
*appliances* a) kirurgiska instrument
b) stödbandage; ~ *boot* (*shoe*)
ortopedisk sko; ~ *spirit* desinfektionssprit
**surly** ['sɜ:lɪ] *adj* butter, vresig, sur,
surmulen
**surmise** [verb sə'maɪz, substantiv 'sɜ:maɪz]
**I** *vb tr* o. *vb itr* gissa, förmoda, anta **II** *s*
gissning, förmodan, antagande
**surmount** [sə'maʊnt] *vb tr* **1** övervinna [~
*a difficulty*] **2** bestiga [~ *a hill*];
*surmounted by* (*with*) krönt med, täckt
av, med...ovanpå
**surname** ['sɜ:neɪm] *s* efternamn,
familjenamn

**surpass** [sə'pɑːs] *vb tr* överträffa

**surplus** ['sɜːpləs] *s* överskott

**surprise** [sə'praɪz] **I** *s* överraskning; förvåning [*at* över]; *take by* ~ överrumpla, överraska; *much to my* ~ till min stora förvåning **II** *vb tr* överraska; förvåna; överrumpla [~ *the enemy*]

**surprising** [sə'praɪzɪŋ] *adj* överraskande

**surprisingly** [sə'praɪzɪŋlɪ] *adv* överraskande, förvånansvärt [~ *good*]

**surrealistic** [sə,rɪə'lɪstɪk] *adj* surrealistisk

**surrender** [sə'rendə] **I** *vb itr* ge sig, överlämna sig [~ *to* (åt) *the enemy*], kapitulera [*to* inför] **II** *s* överlämnande, utlämnande; kapitulation

**surreptitious** [,sʌrəp'tɪʃəs] *adj* förstulen

**surround** [sə'raʊnd] *vb tr* omge, innesluta, omsluta; omringa

**surrounding** [sə'raʊndɪŋ] *adj* omgivande, kringliggande

**surroundings** [sə'raʊndɪŋz] *s pl* omgivning, omgivningar; miljö

**surveillance** [sɜː'veɪləns] *s* bevakning [*of* över, av], uppsikt [*of* över]

**survey** [verb sə'veɪ, substantiv 'sɜːveɪ] **I** *vb tr* överblicka; granska, syna **II** *s* **1** överblick [*of* över], översikt [*of* över, av] **2** granskning, besiktning **3** uppmätning, kartläggning; lantmätning **4** undersökning [*a statistical* ~]

**surveyor** [sə'veɪə] *s* lantmätare

**survival** [sə'vaɪv(ə)l] *s* **1** överlevande **2** kvarleva

**survive** [sə'vaɪv] *vb tr* o. *vb itr* överleva

**surviving** [sə'vaɪvɪŋ] *adj* överlevande; fortlevande; *the* ~ *relatives* de efterlevande

**survivor** [sə'vaɪvə] *s* överlevande; *the* ~s äv. de kvarlevande

**susceptibility** [sə,septə'bɪlətɪ] *s* känslighet, mottaglighet

**susceptible** [sə'septəbl] *adj* känslig, mottaglig

**suspect** [verb sə'spekt, substantiv 'sʌspekt] **I** *vb tr* misstänka [*of* för]; misstro; *I suspected as much* jag anade (misstänkte) det **II** *s* misstänkt

**suspend** [sə'spend] *vb tr* **1** hänga, hänga upp [~ *a th. by* (i, på) *a thread*; ~ *a th. from* (i, från) *the ceiling*]; *be suspended* vara upphängd **2 a)** suspendera, tills vidare avstänga, utesluta [~ *a member from* (ur) *a club*] **b)** inställa; ~ *a p.'s driving licence* dra in ngns körkort tills vidare; ~ *hostilities* inställa fientligheterna

**suspender** [sə'spendə] *s* **1** strumpeband; ~ *belt* strumpebandshållare **2** pl. ~*s* amer. hängslen [*a pair of* ~*s*]

**suspense** [sə'spens] *s* spänning, spänd väntan [*keep (hold) a p. in* ~]

**suspension** [sə'spenʃ(ə)n] *s* **1** upphängning; ~ *bridge* hängbro **2 a)** suspendering, tillfällig avstängning från t.ex. tjänstgöring, äv. sport. **b)** tillfälligt upphävande (avskaffande); indragning; uppskov; ~ *of hostilities* inställande av fientligheterna

**suspicion** [sə'spɪʃ(ə)n] *s* **1** misstanke; misstro [*of* till, mot], misstänksamhet; aning [*of (about) a th.* om ngt]; *be above* ~ vara höjd över alla misstankar **2** antydan, skymt [*a* ~ *of irony*]

**suspicious** [sə'spɪʃəs] *adj* **1** misstänksam, misstrogen [*about (of)* mot] **2** misstänkt, tvivelaktig, suspekt, skum [*a* ~ *affair*]

**sustain** [sə'steɪn] *vb tr* **1** ~ *life* (*oneself*) uppehålla livet **2** utstå, lida [~ *damage*]; ådra sig [~ *severe injuries*] **3** mus. hålla ut [~ *a note*] **4** jur. godta, godkänna [~ *a claim*; *objection sustained*!]

**sustained** [sə'steɪnd] *adj* ihållande, oavbruten [~ *applause*]; mus. uthållen [*a* ~ *note*]

**sustenance** ['sʌstənəns] *s* näring, föda

**SW** (förk. för *south-west, south-western*) SV

**swab** [swɒb] **I** *s* svabb; skurtrasa **II** *vb tr* svabba; torka med våt trasa

**swagger** ['swægə] **I** *vb itr* **1** stoltsera, kråma sig **2** skrävla **II** *s* **1** stoltserande; mallighet **2** skrävel

**swaggering** ['swægərɪŋ] *adj* **1** stoltserande; mallig **2** skrytsam

**1 swallow** ['swɒləʊ] *s* svala; speciellt ladusvala; ~ *dive* sport. svanhopp; *one* ~ *does not make a summer* ordspr. en svala gör ingen sommar

**2 swallow** ['swɒləʊ] **I** *vb tr* o. *vb itr* svälja [itr. *he swallowed hard*]; bildl. äv. tro på, gå på [*he will* ~ *anything you tell him*]; ~ *up* el. ~ **a)** svälja, äta upp **b)** sluka, äta upp [*the expenses* ~ *up the earnings*] **c)** uppsluka [*as if swallowed up by the earth*] **II** *s* sväljning; klunk; [*empty a glass*] *at one* ~ ...i en enda klunk

**swam** [swæm] se *swim I*

**swamp** [swɒmp] **I** *s* träsk, kärr **II** *vb tr* **1 a)** översvämma, sätta under vatten **b)** fylla med vatten, sänka [*a wave* *swamped the boat*] **2** bildl. a) översvämma [*foreign goods ~ the market*] b) överhopa [*with* med]

**swampy** ['swɒmpɪ] *adj* sumpig, träskartad

**swan** [swɒn] *s* svan

**swank** [swæŋk] vard. I *s* **1** mallighet; snobberi **2** skrytmåns II *vb itr* snobba; malla sig

**swanky** ['swæŋkɪ] *adj* vard. **1** mallig **2** flott, vräkig [*a ~ car*]

**swansong** ['swɒnsɒŋ] *s* svanesång

**swap** [swɒp] vard. I *vb tr* o. *vb itr* byta [*for* mot; ~ *stamps*]; utbyta [~ *ideas*]; ~ *places* byta plats II *s* byte [*for* mot]

**swarm** [swɔːm] I *s* svärm II *vb itr* svärma; skocka sig, trängas [*they swarmed round him*]; strömma; vimla [~ *with* (av) *people*]

**swarthy** ['swɔːðɪ] *adj* svartmuskig, mörk

**swastika** ['swɒstɪkə] *s* hakkors, svastika

**swat** [swɒt] *vb tr* smälla, smälla till [~ *flies*]

**swathe** [sweɪð] *vb tr* linda om; svepa, hölja, svepa (hölja) in [*swathed in furs (fog)*]

**sway** [sweɪ] *vb itr* o. *vb tr* **1** svänga [~ *to and fro*], svaja; vackla till **2** härska **3** få att svänga (gunga), komma att svaja (vaja) [*the wind swayed the tops of the trees*]; ~ *one's hips* svänga på höfterna **4** bildl. påverka, inverka på; *be swayed* [*by one's feelings*] låta sig ledas…

**sway-backed** ['sweɪbækt] *adj* svankryggig speciellt om häst

**swear** [sweə] (*swore sworn*) *vb tr* o. *vb itr* **1** svära [*to* på]; bedyra [*he swore he was innocent*], försäkra; ~ *the oath* avlägga ed (eden); ~ *by* tro blint på **2** ~ *in* låta avlägga ed [~ *in a witness*] **3** svära begagna svordomar [*at* över, åt]

**swearword** ['sweəwɜːd] *s* svärord, svordom

**sweat** [swet] I *s* **1** svett; *by the ~ of one's brow* i sitt anletes svett; *it was a bit of a ~* det var svettigt **2** svettning; *be in* (*all of*) *a ~* bada i svett; vara mycket nervös; *be in a cold ~* kallsvettas II *vb itr* o. *vb tr* svettas; *sweated labour* hårt arbete till svältlöner

**sweatband** ['swetbænd] *s* **1** svettrem i hatt **2** svettband, pannband för t.ex. tennisspelare

**sweater** ['swetə] *s* sweater, ylletröja

**sweatsuit** ['swetsuːt, 'swetsjuːt] *s* träningsoverall

**sweaty** ['swetɪ] *adj* **1** svettig **2** jobbig

**Swede** [swiːd] *s* **1** svensk **2** *swede* kålrot

**Sweden** ['swiːdn] Sverige

**Swedish** ['swiːdɪʃ] I *adj* svensk II *s* svenska språket

**sweep** [swiːp] I (*swept swept*) *vb itr* o. *vb tr* **1** sopa, feja; ~ *clean* sopa ren; ~ *out* sopa rent i (på); ~ *the chimney* sota skorstenen **2** svepa, fara, komma susande (farande) [*along* fram; *over* fram, över], sträcka (utbreda) sig **3** ~ *along* rycka med sig; ~ *aside* fösa (dra) åt sidan; ~ *away* (*off*) sopa bort (undan), rycka bort (undan); *be swept off one's feet* a) bildl. ryckas med; tas med storm b) kastas omkull **4** svepa fram över, dra fram över (genom) **5** dragga

II *s* **1** sopning; sotning; *give the room a good ~* sopa ordentligt i rummet; *make a clean ~* bildl. göra rent hus [*of* med] **2** *at one ~* el. *in one ~* i ett svep (drag) **3** sotare

**sweeper** ['swiːpə] *s* **1** sopare person [*street ~s*] **2** sotare **3** sopmaskin; mattsopare **4** fotb. sopkvast, libero

**sweeping** ['swiːpɪŋ] I *s* sopning, sopande; sotning; draggning II *adj* **1** vittgående [~ *reforms*], kraftig [~ *reductions in prices*]; förkrossande [*a ~ victory*]; ~ *statements* generaliseringar **2** svepande [*a ~ gesture*]

**sweet** [swiːt] I *adj* **1** söt; ~ *stuff* sötsaker, godsaker, snask **2** färsk, frisk; behaglig, ljuvlig, härlig **3 a)** söt [*a ~ dress*], näpen [*a ~ baby*] **b)** rar, älskvärd; *it was ~ of you* det var väldigt snällt av dig **4** *be ~ on* vard. vara kär (förtjust) i II *s* **1** karamell, sötsak, godsak; pl. ~*s* äv. snask, godis **2** söt efterrätt, dessert

**sweetbread** ['swiːtbred] *s* kok. kalvbräss

**sweeten** ['swiːtn] *vb tr* göra söt, söta

**sweetener** ['swiːtnə] *s* sötningsmedel

**sweetheart** ['swiːthɑːt] *s* pojkvän, flickvän; älskling; ~! älskling!, sötnos!

**sweetie** ['swiːtɪ] *s* **1** vanl. pl. ~*s* godis, snask **2** vard., ~ *pie* el. ~ sötnos, älskling

**sweetmeat** ['swiːtmiːt] *s* sötsak; karamell; pl. ~*s* äv. konfekt, godis

**sweet pea** [ˌswiːt'piː] *s* luktärt

**sweetshop** ['swiːtʃɒp] *s* gottaffär

**sweet-tempered** [ˌswiːt'tempəd] *adj* älskvärd, godmodig

**sweet-toothed** [ˌswiːt'tuːθt] *adj* svag för sötsaker

**sweet william** [ˌswiːt'wɪljəm] *s* borstnejlika

**swell** [swel] I (*swelled swollen*) *vb itr* **1** svälla; svullna, svullna upp, bulna

**2** bildl. svälla [*his heart swelled with* (av) *pride*] **3** bildl. stegras, öka **II** adj vard. flott; förnäm; alla tiders, toppen

**welling** ['swelɪŋ] s svällande, svullnande, svullnad

**welter** ['sweltə] vb itr förgås av värme

**weltering** ['sweltərɪŋ] adj tryckande, kvävande [~ *heat*]; stekhet [*a* ~ *day*]

**wept** [swept] se *sweep I*

**werve** [swɜ:v] **I** vb itr vika (böja) av från sin kurs, gira, svänga åt sidan **II** s vridning, sväng (kast) åt sidan

**wift** [swɪft] **I** adj snabb, hastig **II** s tornsvala

**wig** [swɪg] vard. **I** vb tr o. vb itr stjälpa i sig, halsa [~ *beer*] **II** s klunk, slurk

**will** [swɪl] vb tr skölja, spola, skölja (spola) ur (av, över); ~ *down* skölja ned

**wim** [swɪm] **I** (*swam swum*) vb itr o. vb tr **1** simma; simma över [~ *the English Channel*]; *go swimming* gå och bada **2** snurra; *everything swam before his eyes* allt gick runt för honom **II** s **1** simning; simtur, bad; *go for a* ~ gå och bada **2** bildl., *be in the* ~ vara med i svängen

**wimmer** ['swɪmə] s simmare

**wimming** ['swɪmɪŋ] s simning

**wimming-bath** ['swɪmɪŋbɑ:θ] s simbassäng; pl. ~*s* äv. simhall, simbad

**wimming-costume** ['swɪmɪŋ,kɒstju:m] s baddräkt, simdräkt

**wimmingly** ['swɪmɪŋlɪ] adv bildl. lekande lätt, som smort [*everything went* ~]

**wimming-pool** ['swɪmɪŋpu:l] s simbassäng, swimmingpool

**wimsuit** ['swɪmsu:t, -sju:t] s baddräkt, simdräkt

**windle** ['swɪndl] **I** vb tr bedra, lura **II** s svindel, skoj, bluff

**windler** ['swɪndlə] s svindlare, skojare

**wine** [swaɪn] (pl. lika) s svin

**wing** [swɪŋ] **I** (*swung swung*) vb itr o. vb tr **1** svänga; pendla; vagga, vicka, vippa, gunga [~ *a p. in a hammock*]; dingla **2** mus. vard. swinga, spela (dansa) swing; ~ *it* spela swing, spela med swing **3** svänga om (runt); få att svänga; svinga [~ *a golf club*]; ~ *one's hips* vagga med höfterna **II** s **1** svängning, sväng; gungning; omsvängning **2** fart, kläm, schvung; rytm; *be in full* ~ vara i full gång (fart); *get into the* ~ *of things* komma in i det hela (i gång); *it's going with a* ~ det går med full fart **3** gunga; *make up on the*

~*s what is lost on the roundabouts* ordspr. ta igen på gungorna vad man förlorar på karusellen **4** mus. swing

**swingdoor** ['swɪŋdɔ:] s svängdörr

**swipe** [swaɪp] **I** vb itr o. vb tr **1** ~ *at* slå (klippa) till hårt [~ *at a ball*] **2** slå (klippa, drämma) till [*he swiped the ball*] **II** s vard. hårt slag, rökare

**swirl** [swɜ:l] **I** vb itr virvla runt (omkring) **II** s virvel [*a* ~ *of dust*]

**swish** [swɪʃ] **I** vb tr o. vb itr **1** vifta till med [*the horse swished its tail*] **2** svepa (susa) fram; susa, vina [*the bullet (car) swished past*]; prassla, rassla **II** s svep; sus, vinande; fras

**Swiss** [swɪs] **I** (pl. lika) s schweizare; schweiziska **II** adj schweizisk; schweizer- [~ *cheese*]; *chocolate* ~ *roll* drömtårta; *jam* ~ *roll* rulltårta

**switch** [swɪtʃ] **I** s **1** strömbrytare, kontakt; omkopplare **2** spö [*riding* ~], smal käpp **3** omställning, övergång; omsvängning; byte

**II** vb tr o. vb itr **1** koppla; ~ *off* koppla av (ur), bryta [~ *off the current*]; släcka [~ *off the light*]; släcka ljuset; stänga (slå) av [~ *off the radio*]; ~ *on* koppla på, koppla in [~ *on the current*]; knäppa på, tända [~ *on the light*]; slå på strömmen, tända ljuset; sätta (slå) på [~ *on the radio*] **2** ändra [~ *methods*]; byta; leda (föra) över [~ *the talk to another subject*]; ~ *over* ställa om [~ *over production to the manufacture of cars*]; ~ *over* el. ~ gå över, byta

**switchback** ['swɪtʃbæk] s berg-och-dalbana

**switchboard** ['swɪtʃbɔ:d] s tele. växel-, telefonväxel

**Switzerland** ['swɪtsələnd] Schweiz

**swivel** ['swɪvl] **I** s tekn. svivel; pivå **II** vb tr o. vb itr svänga, snurra, snurra på

**swivel-chair** ['swɪvltʃeə] s snurrstol, svängbar skrivbordsstol (kontorsstol)

**swollen** ['swəʊl(ə)n] **I** se *swell I* **II** adj **1** uppsvälld, svullen [*a* ~ *ankle*] **2** vard., *he has a* ~ *head* han är uppblåst

**swollen-headed** [,swəʊl(ə)n'hedɪd] adj vard., om person uppblåst

**swoon** [swu:n] **I** vb itr svimma; ~ *away* svimma av **II** s svimningsanfall

**swoop** [swu:p] **I** vb itr slå ned [äv. ~ *down*; *the eagle swooped down on its prey*] **II** s plötsligt angrepp, överfall; räd, razzia

**sword** [sɔ:d] s svärd; *cross* ~*s with* växla

hugg med; **draw one's** ~ dra blankt [*on a p.* mot ngn]

**swordfish** ['sɔːdfɪʃ] *s* svärdfisk

**swore** [swɔː] se *swear*

**sworn** [swɔːn] **I** se *swear* **II** *adj* svuren äv. bildl. [*a* ~ *enemy*]; edsvuren

**swot** [swɒt] skol. vard. **I** *vb itr* o. *vb tr* plugga **II** *s* plugghäst

**swum** [swʌm] se *swim I*

**swung** [swʌŋ] se *swing I*

**sycamore** ['sɪkəmɔː] *s* **1** ~ el. ~ *fig* sykomor **2** ~ el. ~ *maple* tysk lönn, sykomorlönn

**syllable** ['sɪləbl] *s* stavelse

**syllabus** ['sɪləbəs] *s* kursplan för visst ämne; studieplan

**symbol** ['sɪmb(ə)l] *s* symbol [*of* för], tecken

**symbolic** [sɪm'bɒlɪk] *adj* symbolisk

**symbolism** ['sɪmbəlɪz(ə)m] *s* symbolism; symbolik

**symbolize** ['sɪmbəlaɪz] *vb tr* symbolisera

**symmetric** [sɪ'metrɪk] *adj* o. **symmetrical** [sɪ'metrɪk(ə)l] *adj* symmetrisk

**symmetry** ['sɪmɪtrɪ] *s* symmetri; harmoni

**sympathetic** [ˌsɪmpə'θetɪk] *adj* **1** full av medkänsla (förståelse) [*to, towards* för], förstående, deltagande [~ *words*]; ~ *strike* sympatistrejk **2** sympatisk [*a* ~ *face*], tilltalande [*to* för]

**sympathize** ['sɪmpəθaɪz] *vb itr* sympatisera, hysa (ha) medkänsla [*with* med, för]; vara välvilligt inställd [~ *with* (till) *a proposal*]

**sympathizer** ['sɪmpəθaɪzə] *s* sympatisör

**sympathy** ['sɪmpəθɪ] *s* sympati [*for, with* för], medkänsla, medlidande [*for, with* med], förståelse [*for, with* för], deltagande [*for, with* med, för]

**symphonic** [sɪm'fɒnɪk] *adj* symfonisk

**symphony** ['sɪmfənɪ] *s* symfoni

**symptom** ['sɪm(p)təm] *s* symtom [*of* på]

**symptomatic** [ˌsɪm(p)tə'mætɪk] *adj* symtomatisk [*of* för]; kännetecknande [*of* för]

**synagogue** ['sɪnəgɒg] *s* synagoga

**synchro** ['sɪŋkrəʊ] *s* konstsim

**synchronization** [ˌsɪŋkrənaɪ'zeɪʃ(ə)n] *s* synkronisering

**synchronize** ['sɪŋkrənaɪz] *vb tr* o. *vb itr* synkronisera, samordna; sammanfalla; *synchronized swimming* konstsim

**syncopate** ['sɪŋkəpeɪt] *vb tr* mus. synkopera [*syncopated rhythm*]

**syncopation** [ˌsɪŋkə'peɪʃ(ə)n] *s* mus. synkopering

**syndicate** ['sɪndɪkət] *s* syndikat; konsortium

**syndrome** ['sɪndrəʊm] *s* syndrom

**synonym** ['sɪnənɪm] *s* synonym

**synonymous** [sɪ'nɒnɪməs] *adj* synonym

**syntax** ['sɪntæks] *s* syntax, satslära

**synth** [sɪnθ] *s* (förk. för *synthesizer*) mus. vard. synt

**synthesis** ['sɪnθəsɪs] (pl. *syntheses* ['sɪnθəsiːz]) *s* syntes, sammanställning

**synthesize** ['sɪnθəsaɪz] *vb tr* syntetisera

**synthesizer** ['sɪnθəsaɪzə] *s* mus. synthesizer

**synthetic** [sɪn'θetɪk] *adj* syntetisk; ~ *fibre* syntetfiber, konstfiber

**syphilis** ['sɪfɪlɪs] *s* syfilis

**Syria** ['sɪrɪə] Syrien

**Syrian** ['sɪrɪən] **I** *adj* syrisk **II** *s* syrier

**syringe** ['sɪrɪndʒ] **I** *s* spruta; injektionsspruta **II** *vb tr* spruta in [*into* i]

**syrup** ['sɪrəp] *s* **1** sockerlag; saft kokt med socker **2** sirap

**system** ['sɪstəm] *s* system; *postal* ~ postväsen; *prison* ~ fängelseväsen; *solar* ~ solsystem; *make a* ~ *of* sätta i system; *get a th. out of one's* ~ bildl. komma över något

**systematic** [ˌsɪstə'mætɪk] *adj* systematisk

**systematize** ['sɪstəmətaɪz] *vb tr* systematisera

333

# T

**T, t** [ti:] _s_ T, t; _to a T_ alldeles precis, utmärkt [_that would suit me to a T_], på pricken

**ta** [tɑ:] _interj_ vard. tack!

**tab** [tæb] _s_ **1** lapp, flik **2** etikett, liten skylt **3** _keep ~s on_ vard. hålla koll på

**tabby** ['tæbɪ] _s_ spräcklig (strimmig) katt

**table** ['teɪbl] _s_ **1** bord; _lay (set) the ~_ duka bordet; _wait at_ (amer. _wait_ el. _wait on_) ~ passa upp vid bordet **2** tabell [_multiplication_ ~]; register; ~ _of contents_ innehållsförteckning **3** _turn the ~s on a p._ få övertaget igen över ngn; _the ~s are turned_ rollerna är ombytta

**tablecloth** ['teɪblklɒθ] _s_ bordduk

**tableknife** ['teɪblnaɪf] _s_ bordskniv, matkniv

**tableland** ['teɪbllænd] _s_ högplatå

**table-linen** ['teɪbl,lɪnɪn] _s_ bordslinne

**table-manners** ['teɪbl,mænəz] _s pl_ bordsskick

**tablemat** ['teɪblmæt] _s_ tablett; liten duk; karottunderlägg

**tablespoon** ['teɪblspu:n] _s_ matsked äv. mått

**tablespoonful** ['teɪbl,spu:nfʊl] _s_ matsked mått

**tablet** ['tæblət] _s_ **1** minnestavla **2** liten platta **3** a) tablett [_throat ~s_] b) kaka [_a ~ of chocolate_]; _a ~ of soap_ en tvålbit

**table tennis** ['teɪbl,tenɪs] _s_ bordtennis

**table top** ['teɪbltɒp] _s_ bordsskiva

**taboo** [tə'bu:] I _s_ tabu II _vb tr_ tabuförklara, bannlysa

**tabulator** ['tæbjʊleɪtə] _s_ tabulator

**tacho** ['tækəʊ] _s_ vard. o. **tachograf** ['tækəʊgrɑ:f] _s_ bil. färdskrivare

**taciturn** ['tæsɪtɜ:n] _adj_ tystlåten, fåordig

**tack** [tæk] I _s_ nubb, stift, spik II _vb tr_ spika, nubba, fästa med stift; ~ _a th. to (on to)_ tråckla fast ngt vid; bildl. lägga till ngt till

**tackle** ['tækl] I _s_ **1** redskap, grejor; _shaving_ ~ rakgrejor **2** fotb. tackling II _vb tr_ **1** angripa, ge sig på, tackla [~ _a problem_] **2** sport. tackla

**tact** [tækt] _s_ takt, finkänslighet

**tactful** ['tæktf(ʊ)l] _adj_ taktfull, finkänslig

**tactical** ['tæktɪk(ə)l] _adj_ taktisk

**tactician** [tæk'tɪʃ(ə)n] _s_ taktiker

**tactics** ['tæktɪks] _s_ taktik

**tactless** ['tæktləs] _adj_ taktlös

**tadpole** ['tædpəʊl] _s_ grodlarv, grodyngel

**taffeta** ['tæfɪtə] _s_ taft

**tag** [tæg] I _s_ **1** lapp, märke, etikett; _price ~_ el. ~ prislapp **2** remsa, flik, stump II _vb tr_, ~ _a th. to (on to)_ fästa ngt vid (i), lägga till ngt till

**tagliatelle** [,tæljə'telɪ] _s_ kok. bandspaghetti, tagliatelle

**tail** [teɪl] I _s_ **1** svans, stjärt; ända, bakre del [_the ~ of a cart_]; _turn_ ~ vända sig bort; ta till flykten **2** skört [_the ~ of a coat_]; pl. _~s_ vard. frack; _in ~s_ vard. klädd i frack **3** baksida av mynt **4** fläta II _vb_ tr o. _vb itr_ **1** _top and ~_ el. ~ snoppa bär **2** skugga [~ _a suspect_]; komma sist i [~ _a procession_] **3** ~ _away (off)_ avta, dö bort [_her voice tailed away_]

**tailback** ['teɪlbæk] _s_ lång bilkö

**tailboard** ['teɪlbɔ:d] _s_ bakbräde på lastvagn

**tail coat** [,teɪl'kəʊt] _s_ frack

**tail end** [,teɪl'end] _s_ slut, sista del [_the ~ of a speech_]; sluttamp

**tailgate** ['teɪlgeɪt] _s_ bil. **1** bakdörr på halvkombi **2** bakbräde på lastvagn

**taillight** ['teɪllaɪt] _s_ bil. baklykta

**tailor** ['teɪlə] I _s_ skräddare; _tailor's dummy_ provdocka; klädsnobb II _vb tr_ skräddarsy; _tailored costume_ promenaddräkt

**tailoring** ['teɪlərɪŋ] _s_ skrädderi

**tailor-made** ['teɪləmeɪd] _adj_ skräddarsydd

**tailpiece** ['teɪlpi:s] _s_ slutstycke; slutkläm

**tailspin** ['teɪlspɪn] _s_ flyg. spinn

**taint** [teɪnt] I _s_ förorening; besmittelse; fördärv II _vb tr_ **1** fläcka, besudla [~ _a p.'s name_] **2** göra skämd; _tainted meat_ skämt kött

**Taiwan** [taɪ'wɑ:n]

**take** [teɪk] (_took taken_) _vb tr_ o. _vb itr_ **1** ta; fatta, gripa; ta tag i; ~ _a p.'s arm_ ta ngn under armen; ~ _a p.'s hand_ ta ngn i handen **2** ta med sig, bära, flytta; föra; leda **3** a) ta sig [~ _a liberty_]; ~ _a bath_ ta sig ett bad b) göra sig [~ _a lot of trouble_] **4** anteckna, skriva upp [~ _a p.'s name_] **5** ta, resa, åka, slå in på [~ _another road_]; ~ _the road to the right_ gå (köra) åt höger **6** ta emot [~ _a gift_]; ~ _it or leave it!_ passar det inte så får det vara!; ~ _that!_ där fick du så du tog! **7** behövas, fordras, krävas [_it took six men to_ (för att) _do it_]; dra [_the car ~s a lot of petrol_]; _it ~s so little to make her happy_ det behövs så lite för att hon ska bli glad; _it ~s a lot to_

***make her cry*** det ska mycket till för att
hon ska gråta; ***it will ~ some doing*** det
inte gjort utan vidare; ***it took some
finding*** den var svår att hitta; ***she has
got what it ~s*** vard. hon har allt som
behövs **8** ta på sig [*~ the blame*], överta,
åta sig [*~ the responsibility*] **9** ***be taken ill***
bli sjuk; ***be taken with*** få, drabbas av
**10** tåla; ***he can't ~ a joke*** han tål inte
skämt **11** a) uppfatta, förstå [*he took the
hint*]; ***this must be taken to mean that***
det måste uppfattas så att b) följa, ta [*~
my advice*] **12** tro, anse; ***I ~ it that*** jag
antar att; ***do you ~ me for a fool?*** tror
du jag är en idiot?; ***you may ~ my word
for it*** (***may ~ it from me***) ***that*** du kan
tro mig på mitt ord när jag säger att
**13** vinna, ta [*he took the first set 6-3*];
kortsp. få, ta hem [*~ a trick*] **14** fatta, få [*~
a liking to*], finna, ha [*~ a pleasure in*]
**15** a) läsa [*~ English at the university*]; gå
igenom [*~ a course*] b) undervisa i [*~ a
class*] c) gå upp i [*~ one's exam*] **16** gram.
konstrueras med [*the verb ~s the
accusative*] **17** ta [*the vaccination didn't ~*]
**18** om växt slå rot, ta sig **19** ta, ta av [*~ to
the right*]; fly [*~ to the woods*]; ***~ to the
lifeboats*** gå i livbåtarna

□ ***~ after*** brås på [*he ~s after his father*];
***~ along*** ta med sig, ta med; ***~ away*** a) ta
bort (undan) b) dra ifrån [*~ away six
from nine*]; ***~ back*** a) ta tillbaka, återta
b) föra tillbaka i tiden; ***~ down*** a) ta ned
b) riva ned, riva [*~ down a house*] c) skriva
ned (upp), ta diktamen på [*~ down a
letter*] d) ***~ a p. down a peg or two*** sätta
ngn på plats; ***~ in*** a) ta in b) föra in; ***~ a
lady in to dinner*** föra en dam till bordet
c) ta emot, ha [*~ in boarders*] d) omfatta
[*the map ~s in the whole of London*] e) vard.
besöka, gå på; ***~ in a cinema*** gå på bio
f) förstå, fatta [*I didn't ~ in a word*];
överblicka [[*~ in the situation*]]; uppfånga
[*she took in every detail*] g) ***he ~s it all in***
vard. han går på allting; ***be taken in*** låta
lura sig; ***~ off*** a) ta bort (loss); ta av sig, ta
av [*~ off one's shoes*] b) föra bort [*be taken
off to prison*] c) ***~ a day off*** ta sig ledigt en
dag d) imitera, härma; parodiera e) ge sig
i väg; flyg. starta, lyfta, lätta; ***~ on*** a) åta
sig, ta på sig [*~ on extra work*] b) ta in,
anställa [*~ on new workers*] c) anta, få [*~
on a new meaning*] d) ställa upp mot, ta
sig an [*~ a p. on at* (i) *golf*]; ***~ out*** a) ta
fram (upp, ut) [*from, of* ur]; dra ut tand

b) ta med ut, bjuda ut [*~ a p. out to* (på)
*dinner*]; ***~ over*** ta över, överta ledningen
(makten, ansvaret); ***~ over from*** avlösa;
***~ to*** a) börja ägna sig åt [*~ to gardening*];
hemfalla åt; ***~ to doing a th.*** lägga sig till
med att göra ngt; ***~ to drink*** (***drinking***)
börja dricka b) bli förtjust i, börja tycka
om, tycka om [*the children took to her at
once*]; ***~ up*** a) ta upp (fram); ***~ up arms***
gripa till vapen b) fylla upp, fylla [*it ~s up
the whole page*]; uppta, ta i anspråk, lägga
beslag på [*~ up a p.'s time*] c) inta [*~ up
an attitude*] d) anta [*~ up a challenge*], gå
med på; ta sig an, åta sig [*~ up a p.'s
cause*]; börja ägna sig åt, börja lära sig,
börja spela e) fortsätta, ta vid [*we took up
where we left off*]

**takeaway** ['teɪkəweɪ] *s* o. *adj* restaurang
med mat för avhämtning [äv. *~
restaurant*]; måltid för avhämtning [äv. *~
meal*]

**takehome** ['teɪkhəʊm] *adj*, ***~ pay***
(***wages***) lön efter skatt, nettolön

**taken** ['teɪk(ə)n] se *take*

**takeoff** ['teɪkɒf] *s* **1** flyg. start [*a smooth ~*];
startplats **2** härmning; karikatyr

**takeover** ['teɪkˌəʊvə] *s* övertagande; ***State
~*** statligt övertagande; ***~ bid*** anbud att
överta aktiemajoriteten i ett företag

**taking** ['teɪkɪŋ] *s* **1** tagande **2** pl. *~s*
intäkter, inkomst, inkomster

**talc** [tælk] *s* o. **talcum** ['tælkəm] *s* talk

**tale** [teɪl] *s* **1** berättelse, historia, saga;
*nursery ~* barnsaga; amsaga **2** lögn,
lögnhistoria; ***tell ~s*** skvallra, springa med
skvaller

**talent** ['tælənt] *s* talang, begåvning

**talented** ['tæləntɪd] *adj* talangfull,
begåvad

**talk** [tɔːk] **I** *vb itr* o. *vb tr* tala, prata; vard.
snacka; skvallra; ***now you're talking!***
vard. så ska det låta!; ***~ big*** vard. vara stor i
orden (mun) □ ***~ about*** tala (prata) om; ***~
down*** ta användane en nedlåtande ton till; ***~
a p. into*** doing a th. övertala ngn att göra
ngt; ***~ of*** tala (prata) om; ***talking of*** på tal
om, apropå; ***~ on*** tala (hålla föredrag) om
(över); ***~ a p. out of*** doing a th. övertala
ngn att inte göra ngt; ***~ over*** diskutera,
resonera om [*let's ~ the matter over*]; ***~
round*** övertala, få att ändra sig; ***~ to*** a) tala
(prata) med; tala till b) säga till på
skarpen; ***~ with*** tala (prata, samtala) med
**II** *s* **1** samtal; pratstund; pl. *~s* äv.
förhandlingar [*peace ~s*]; ***small ~***

småprat, kallprat **2** a) prat [*we want action, not ~* b) tal [*there can be no ~ of* (om) *that*]; **there has been ~ of that** det har varit tal om det; **the ~ of the town** det allmänna samtalsämnet **3** föredrag [*a ~ on* (i) *the radio*]

**talkative** ['tɔ:kətɪv] *adj* talför, pratsam

**talker** ['tɔ:kə] *s* pratmakare; **he's a good ~** han talar bra; **he's a great talker** han kan hålla låda

**talking** ['tɔ:kɪŋ] **I** *s* prat [*no ~!*]; **he did all the ~** det var han som pratade **II** *adj* talande

**talking-to** ['tɔ:kɪŋtu:] *s* utskällning [*get a ~*]

**tall** [tɔ:l] *adj* **1** lång [*a ~ man*], storväxt, reslig; hög [*a ~ building*] **2** vard. otrolig [*a ~ story*]

**tallboy** ['tɔ:lbɔɪ] *s* byrå med höga ben

**Tallinn** ['tælɪn]

**tallow** ['tæləʊ] *s* talg

**tally** ['tælɪ] **I** *s* poängsumma, totalsumma **II** *vb itr* stämma överens [*the lists ~*]

**talon** ['tælən] *s* rovfågelsklo

**tame** [teɪm] **I** *adj* tam **II** *vb tr* tämja; kuva

**tamer** ['teɪmə] *s* djurtämjare

**tamper** ['tæmpə] *vb itr*, **~ with** mixtra med; fiffla med

**tampon** ['tæmpən] *s* tampong

**tan** [tæn] **I** *vb tr* **1** garva, barka **2** göra brunbränd; **tanned** solbränd **II** *s* **1** mellanbrunt **2** solbränna

**tandem** ['tændəm] *s* tandem, tandemcykel

**tangent** ['tændʒ(ə)nt] *s* geom. tangent; *fly off at a ~* bildl. plötsligt avvika från ämnet

**tangerine** [,tændʒə'ri:n] *s* tangerin; slags mandarin

**tangible** ['tændʒəbl] *adj* påtaglig [*~ proofs*]; konkret [*~ proposals*]

**tangle** ['tæŋgl] **I** *vb tr* trassla till, göra trasslig; *get tangled up* el. *get tangled* trassla ihop sig **II** *s* trassel, oreda; virrvarr

**tangled** ['tæŋgld] *adj* tilltrasslad, trasslig

**tango** ['tæŋgəʊ] **I** (pl. ~s) *s* tango **II** *vb itr* dansa tango

**tank** [tæŋk] **I** *s* **1** a) tank; cistern, behållare b) reservoar [*rain-water ~*] **2** mil. stridsvagn, tank; **~ regiment** pansarregemente **II** *vb itr*, **~ up** tanka fullt

**tankard** ['tæŋkəd] *s* kanna, stop; sejdel, krus

**tanker** ['tæŋkə] *s* tanker, tankfartyg

**tank top** ['tæŋktɒp] *s* ärmlös T-shirt

**tannic** ['tænɪk] *adj* garv-; **~ acid** garvsyra

**tannin** ['tænɪn] *s* tannin garvämne; garvsyra

**tantalize** ['tæntəlaɪz] *vb tr* fresta; reta; gäcka

**tantalizing** ['tæntəlaɪzɪŋ] *adj* lockande; retsam, gäckande [*a ~ smile*]

**tantamount** ['tæntəmaʊnt] *adj*, **be ~ to** vara liktydig med, vara detsamma som

**tantrum** ['tæntrəm] *s* raserianfall; *fly into a ~* få ett raserianfall

**Tanzania** [,tænzə'ni:ə, ,tæn'zeɪnɪə]

**Tanzanian** [,tænzə'ni:ən, ,tæn'zeɪnɪən] **I** *s* tanzanier **II** *adj* tanzanisk

**1 tap** [tæp] **I** *s* **1** kran på ledningsrör **2** plugg, tapp i tunna **II** *vb tr* **1** tappa ur, tappa av **2** utnyttja, exploatera [*~ sources of energy*]; *~ a p. for money* vigga (tigga) pengar av ngn **3** tele. avlyssna [*~ a telephone conversation*]; *~ the wires* göra telefonavlyssning

**2 tap** [tæp] **I** *vb tr* o. *vb itr* knacka i (på); slå lätt, klappa lätt [*~ a p. on the shoulder*]; knacka [*~ at* (on) *the door*] **II** *s* knackning, lätt slag; *there was a ~ at the door* det knackade på dörren

**tap-dance** ['tæpdɑ:ns] **I** *s* steppdans **II** *vb itr* steppa

**tap-dancing** ['tæp,dɑ:nsɪŋ] *s* steppdans

**tape** [teɪp] **I** *s* **1** band [*cotton ~*] **2** *adhesive* (*sticky*) *~* el. *~* tejp, klisterremsa; *insulating ~* isoleringsband **3** a) ljudband; *magnetic ~* inspelningsband; *~ library* bandarkiv; *record on ~* spela in på band, banda b) vard. bandinspelning **4** sport. målsnöre; *breast the ~* spränga målsnöret **5** måttband **6** telegrafremsa **II** *vb tr* **1** binda om (fast) med band **2** linda med tejp (isoleringsband); *~ up* tejpa ihop **3** ta upp på band, banda **4** vard., *I've got him taped* jag vet vad han går för

**tape deck** ['teɪpdek] *s* bandspelardäck

**tape head** ['teɪphed] *s* tonhuvud på bandspelare

**tape measure** ['teɪp,meʒə] *s* måttband

**taper** ['teɪpə] **I** *s* **1** smalt vaxljus **2** avsmalnande form **II** *vb itr*, **~ off** el. **~** smalna av

**tape-record** ['teɪprɪ,kɔ:d] *vb tr* o. *vb itr* spela in på band, banda; göra bandinspelningar

**tape-recorder** ['teɪprɪ,kɔ:də] *s* bandspelare

**tape-recording** ['teɪprɪ,kɔ:dɪŋ] *s* bandinspelning

**tapering** ['teɪpərɪŋ] *adj* spetsig; avsmalnande; långsmal

**tapestry** ['tæpəstrı] s gobeläng, gobelänger
**tapeworm** ['teɪpwɜ:m] s binnikemask
**tar** [tɑ:] **I** s tjära **II** vb tr tjära; asfaltera
**target** ['tɑ:gɪt] s måltavla, skottavla; be on ~ träffa prick; be off ~ missa målet; ~ practice målskjutning; skjutövning
**tariff** ['tærɪf] s **1** tull **2** taxa, tariff; prislista
**tarnish** ['tɑ:nɪʃ] vb tr o. vb itr **1** göra matt (glanslös), missfärga; bli matt (glanslös), mista sin glans **2** bildl. skamfila [his reputation is tarnished]
**tarpaulin** [tɑ:'pɔ:lɪn] s presenning
**tarragon** ['tærəgən] s krydda dragon
**tart** [tɑ:t] s **1** mördegstårta med frukt; fruktpaj; jam ~ mördegsform med sylt **2** sl. fnask
**tartan** ['tɑ:t(ə)n] s **1** tartan, skotskrutigt tyg (mönster) **2** pläd
**Tartar** ['tɑ:tə] s **1** tatar **2** tyrann
**tartar** ['tɑ:tə] s **1** tandsten **2** kem. vinsten
**tartare** ['tɑ:tɑ:] adj, ~ sauce tartarsås
**task** [tɑ:sk] s arbetsuppgift, uppdrag; set a p. a ~ ge ngn en uppgift; take (call) a p. to ~ läxa upp ngn
**task force** ['tɑ:skfɔ:s] s mil. specialtrupp
**tassel** ['tæs(ə)l] s tofs
**taste** [teɪst] **I** s smaksinne; smak; bismak; försmak [of av]; smakprov; it is a matter of ~ det är en smaksak; it would be bad ~ to refuse det skulle vara ofint att tacka nej; there is no accounting for ~s om tycke och smak skall man inte diskutera (disputera); in bad ~ smaklös, smaklöst; in good ~ smakfull, smakfullt **II** vb tr o. vb itr smaka; smaka (på)
**tasteless** ['teɪstləs] adj smaklös; osmaklig
**tasty** ['teɪstɪ] adj välsmakande; smakfull
**tatter** ['tætə] s, mest pl. ~s trasor
**tattered** ['tætəd] adj trasig, söndersliten
**1 tattoo** [tə'tu:] s **1** mil. tapto; beat (sound) the ~ blåsa tapto **2** militärparad, militäruppvisning
**2 tattoo** [tə'tu:] **I** vb tr tatuera **II** s tatuering
**taught** [tɔ:t] se teach
**taunt** [tɔ:nt] **I** vb tr håna **II** s glåpord, gliring
**Taurus** ['tɔ:rəs] astrol. Oxen
**taut** [tɔ:t] adj **1** spänd [~ muscles], styv; stram **2** fast, vältrimmad
**tavern** ['tævən] s värdshus; ölkrog
**tawny** ['tɔ:nɪ] adj gulbrun
**tax** [tæks] **I** s **1** statlig skatt; pålaga; ~ arrears kvarstående skatt; ~ avoidance skatteplanering; ~ evader (dodger) skattesmitare, skattefuskare; ~ evasion (dodging) skattesmitning, skattefusk; ~ exile skatteflykting; ~ haven skatteparadis lågskatteland; ~ relief skattelättnad **2** bildl. påfrestning [~ on a p.'s health] **II** vb tr **1** beskatta; taxera [at till; by efter] **2** betunga, sätta på hårt prov
**taxable** ['tæksəbl] adj beskattningsbar
**taxation** [tæk'seɪʃ(ə)n] s **1** beskattning; taxering **2** skatter [reduce ~]
**tax-collector** ['tækskə,lektə] s uppbördsman, skattmas
**tax-free** [,tæks'fri:, attributivt 'tæksfri:] adj skattefri
**taxi** ['tæksɪ] **I** s taxi, bil; air ~ taxiflyg **II** vb itr flyg. taxa, köra på marken t.ex. före start
**taxicab** ['tæksɪkæb] s taxi, bil
**taxi-driver** ['tæksɪ,draɪvə] s taxichaufför
**taximeter** ['tæksɪ,mi:tə] s taxameter
**taxiplane** ['tæksɪpleɪn] s taxiflyg, taxiplan
**taxi rank** ['tæksɪræŋk] s taxihållplats; rad väntande taxibilar
**taxpayer** ['tæks,peɪə] s skattebetalare
**TB** [,ti:'bi:] s (vard. för tuberculosis) tbc
**tea** [ti:] s te dryck, måltid; tebjudning; afternoon (five o'clock) ~ eftermiddagste; high ~ lätt kvällsmåltid med te, tidig tesupé vanl. vid 6-tiden; have ~ dricka te; not for all the ~ in China ungefär inte för allt smör i Småland; that's just my cup of ~ det är just min likör; she is not my cup of ~ hon är inte min typ
**tea bag** ['ti:bæg] s tepåse
**tea break** ['ti:breɪk] s tepaus
**tea caddy** ['ti:,kædɪ] s o. tea canister ['ti:,kænɪstə] s teburk
**teach** [ti:tʃ] (taught taught) vb tr o. vb itr undervisa, undervisa i, lära [he teaches us French]; vara lärare; I'll ~ you to lie! jag ska lära dig att ljuga, jag!
**teacher** ['ti:tʃə] s lärare
**teaching** ['ti:tʃɪŋ] **I** s **1** undervisning; go in for ~ ägna sig åt (slå sig på) lärarbanan **2** vanl. pl. ~s lära, läror [the ~s of the Church] **II** adj undervisnings- [a ~ hospital]; lärar- [the ~ profession]
**teaching-aid** ['ti:tʃɪŋeɪd] s hjälpmedel i undervisningen
**tea cloth** ['ti:klɒθ] s **1** teduk **2** torkhandduk
**tea cosy** ['ti:,kəʊzɪ] s tehuv, tevärmare
**teacup** ['ti:kʌp] s tekopp; a storm in a ~ en storm i ett vattenglas

**teak** [ti:k] *s* teak, teakträ

**tea kettle** ['ti:ˌketl] *s* tepanna, tekittel med pip

**teal** [ti:l] *s* fågel kricka, krickand

**tea leaf** ['ti:li:f] (pl. *tea leaves* ['ti:li:vz]) *s* teblad

**team** [ti:m] **I** *s* team, gäng, lag [*football ~*]; trupp **II** *vb itr*, ~ *up* vard. slå sig ihop, arbeta i team

**team-mate** ['ti:mmeɪt] *s* lagkamrat

**team spirit** ['ti:mˌspɪrɪt] *s* laganda

**teamster** ['ti:mstə] *s* amer. långtradarchaufför

**teamwork** ['ti:mwɜ:k] *s* teamwork, lagarbete, grupparbete

**tea party** ['ti:ˌpɑ:tɪ] *s* tebjudning

**teaplant** ['ti:plɑ:nt] *s* tebuske

**teapot** ['ti:pɒt] *s* tekanna

**1 tear** [tɪə] *s* tår [*flood of ~s*]; **shed ~s** fälla tårar; *burst into ~s* brista i gråt

**2 tear** [teə] **I** (*tore torn*) *vb tr* o. *vb itr* **1** slita, riva, riva och slita [*at* i], rycka; slita (riva, rycka) sönder; ~ *open* slita (riva) upp [*~ open a letter*]; ~ *to pieces* slita sönder (i bitar, i stycken); *that's torn it* vard. nu är det klippt; *it ~s easily* den slits sönder lätt **2** rusa, flänga [*~ down the road (into a room)*] □ ~ *about* rusa omkring; ~ *along* rusa fram; ~ *away* slita (riva) bort; rusa i väg; ~ *oneself away* slita sig lös [*I can't ~ myself away from this place (book)*]; ~ *down* riva (plocka) ned; ~ *off* a) slita bort, riva av (loss) b) rusa i väg; ~ *out* a) riva ut [*~ out a page*] b) rusa ut; ~ *up* slita (riva) sönder; riva upp **II** *s* reva, rispa; rivet hål

**tear-duct** ['tɪədʌkt] *s* tårkanal

**tearful** ['tɪəf(ʊ)l] *adj* **1** tårfylld **2** gråtmild

**tear gas** ['tɪəgæs] *s* tårgas

**tearing** ['teərɪŋ] *adj*, *at a ~ pace* i rasande fart

**tea room** ['ti:ru:m] *s* teservering, konditori

**tease** [ti:z] **I** *vb tr* o. *vb itr* reta, retas med, retas **II** *s* retsticka

**tea set** ['ti:set] *s* teservis

**teashop** ['ti:ʃɒp] *s* teservering, konditori

**teaspoon** ['ti:spu:n] *s* tesked äv. mått

**teaspoonful** ['ti:ˌspu:nfʊl] *s* tesked mått

**tea-strainer** ['ti:ˌstreɪnə] *s* tesil

**teat** [ti:t] *s* **1** spene **2** napp på flaska

**teatime** ['ti:taɪm] *s* tedags

**tea towel** ['ti:ˌtaʊ(ə)l] *s* torkhandduk

**tea tray** ['ti:treɪ] *s* tebricka

**tea trolley** ['ti:ˌtrɒlɪ] *s* tevagn, rullbord

**tec** [tek] *s* (kortform för *detective*) sl. deckare, snut

**technical** ['teknɪk(ə)l] *adj* teknisk; fackinriktad, yrkesinriktad [*a ~ school*]; ~ *knock-out* boxn. teknisk knockout

**technicality** [ˌteknɪˈkælətɪ] *s* teknik; formalitet, teknisk detalj [*it's just a ~*]

**technician** [tekˈnɪʃ(ə)n] *s* tekniker; teknisk expert

**technique** [tekˈni:k] *s* teknik

**technocrat** ['teknəkræt] *s* teknokrat

**technological** [ˌteknəˈlɒdʒɪk(ə)l] *adj* teknologisk

**technologist** [tekˈnɒlədʒɪst] *s* teknolog

**technology** [tekˈnɒlədʒɪ] *s* teknologi, teknik, tekniken; *school of ~* teknisk skola

**teddy** ['tedɪ] *s* **1** ~ *bear* teddybjörn, leksaksbjörn **2** teddy damunderplagg

**tedious** ['ti:djəs] *adj* långtråkig, ledsam

**tedium** ['ti:djəm] *s* långtråkighet; leda

**tee** [ti:] *s* golf. utslagsplats, tee pinne på vilken bollen placeras vid slag

**1 teem** [ti:m] *vb itr* vimla, myllra, krylla

**2 teem** [ti:m] *vb itr*, *it was teeming with rain* el. *it was teeming* regnet vräkte ned

**teenage** ['ti:neɪdʒ] *s* attributivt tonårs-

**teenager** ['ti:nˌeɪdʒə] *s* tonåring

**teens** [ti:nz] *s pl* tonår

**teeny** ['ti:nɪ] *adj* vard. pytteliten

**teeth** [ti:θ] *s* se *tooth*

**teethe** [ti:ð] *vb itr* få tänder

**teething** ['ti:ðɪŋ] *s* tandsprickning; ~ *ring* bitring; ~ *troubles* a) tandsprickningsbesvär b) bildl. barnsjukdomar, initialsvårigheter [äv. ~ *problems*]

**teeth ridge** ['ti:θrɪdʒ] *s* tandvall

**teetotaller** [ti:ˈtəʊtələ] *s* helnykterist, absolutist

**telecast** ['telɪkɑ:st] **I** (*telecast telecast* el. *telecasted telecasted*) *vb tr* sända (visa) i TV, televisera **II** *s* TV-sändning

**telecom** ['telɪkɒm] *s* (förk. för *telecommunications*); *British T~* brittiska televerket

**telecommunications** ['telɪkəˌmju:nɪˈkeɪʃ(ə)nz] (konstrueras med sg.) *s* teleteknik; telekommunikationer

**telegram** ['telɪgræm] *s* telegram

**telegraph** ['telɪgrɑ:f] **I** *s* telegraf; telegram **II** *vb tr* o. *vb itr* telegrafera [*for* efter]

**telegraphese** [ˌtelɪgrəˈfi:z] *s* vard. telegramspråk, telegramstil

**telegraphic** [ˌtelɪ'græfɪk] *adj* telegrafisk, telegraf-; ~ *address* telegramadress

**telegraphist** [tə'legrəfɪst] *s* o.

**telegraph-operator** ['telɪgrɑːfˌɒpəreɪtə] *s* telegrafist

**telegraph pole** ['telɪgrɑːfpəʊl] *s* o.

**telegraph post** ['telɪgrɑːfpəʊst] *s* telegrafstolpe, telefonstolpe

**telegraphy** [tə'legrəfɪ] *s* telegrafi; telegrafering

**telepathic** [ˌtelɪ'pæθɪk] *adj* telepatisk

**telepathy** [tə'lepəθɪ] *s* telepati

**telephone** ['telɪfəʊn] **I** *s* telefon; ~ *box* (*booth*) telefonkiosk, telefonhytt; ~ *directory* (*book*) telefonkatalog; ~ *exchange* telefonväxel; telefonstation; ~ *operator* telefonist; *by* (*over the*) ~ per telefon; *be on the* ~ vara i telefon; ha inneha telefon; *you are wanted on the* ~ det är telefon till dig **II** *vb tr* telefonera till, ringa, ringa upp

**telephonist** [tə'lefənɪst] *s* telefonist

**telephoto** ['telɪfəʊtəʊ] *adj* foto., ~ *lens* teleobjektiv

**teleprinter** ['telɪˌprɪntə] *s* teleprinter

**telescope** ['telɪskəʊp] **I** *s* teleskop, kikare **II** *vb tr* skjuta ihop, skjuta in i varandra, skjuta in

**telescopic** [ˌtelɪ'skɒpɪk] *adj* teleskopisk; ~ *lens* teleobjektiv; ~ *aerial* (*antenna*) teleskopantenn

**teletext** ['telɪtekst] *s* text-TV, teletext, videotex

**televiewer** ['telɪvjuːə] *s* TV-tittare

**televise** ['telɪvaɪz] *vb tr* sända (visa) i TV, televisera

**television** ['telɪˌvɪʒ(ə)n] *s* television, TV; ~ *broadcast* TV-sändning; ~ *receiver* (*set*) TV-apparat; ~ *screen* TV-ruta, bildruta; ~ *viewer* TV-tittare

**telex** ['teleks] **I** *s* ® telex **II** *vb tr* telexa

**tell** [tel] (*told told*) *vb tr* o. *vb itr* **1** tala ʹom, berätta, tala [*of* ngn], säga; ~ *a p. about a th.* berätta om ngt för ngn; *something ~s me* [*he is not coming*] jag känner på mig att...; *you're telling me!* vard. som om jag inte skulle veta det!; det kan du skriva upp!; *I told you so!* el. *what did I ~ you?* vad var det jag sa?; *I* (*I'll*) ~ *you what...* el. ~ *you what...* vard. vet du vad... **2** säga ʹtill (ʹåt), be [~ *him to sit down*]; *do as you are told* gör som man säger **3** skilja [*from* från]; känna igen [*by* på], urskilja; *I can't* ~ *them apart* jag kan inte skilja dem åt; ~ *the difference*

*between* skilja mellan (på); *who can* ~? vem vet?; *you never can* ~ man kan aldrig så noga veta **4** vard., ~ *off* läxa upp, skälla ut; *be* (*get*) *told off* få på pälsen (huden) **5** skvallra [*on* på] **6** vard., ~ *on* ta (fresta) på [*it ~s on my nerves*]

**teller** ['telə] *s* **1** berättare **2** kassör i bank

**telling** ['telɪŋ] *adj* träffande [*a* ~ *remark*]

**telling-off** [ˌtelɪŋ'ɒf] *s* utskällning

**telltale** ['telteɪl] **I** *s* skvallerbytta **II** *adj* avslöjande, skvallrande [*a* ~ *blush*]; ~ *tit!* skvallerbytta bingbong!

**telly** ['telɪ] *s* vard. TV

**temper** ['tempə] *s* humör, lynne [*be in* (på, vid) *a good* (*bad*) ~]; fattning; *control* (*keep*) *one's* ~ bibehålla sitt lugn; *lose one's* ~ tappa humöret (besinningen); *in a* ~ på dåligt humör; i ett anfall av vrede; *get* (*fly*) *into a* ~ fatta humör

**temperament** ['tempərəmənt] *s* temperament, humör [*a cheerful* ~]

**temperamental** [ˌtempərə'mentl] *adj* temperamentsfull

**temperamentally** [ˌtempərə'mentəlɪ] *adv* till temperamentet

**temperance** ['tempər(ə)ns] *s* **1** måttlighet, återhållsamhet **2** helnykterhet

**temperate** ['tempərət] *adj* **1** måttlig, återhållsam **2** tempererad [*a* ~ *climate*]

**temperature** ['tempərətʃə] *s* temperatur; feber; *have* (*run*) *a* ~ ha feber

**tempest** ['tempɪst] *s* storm, oväder; *a* ~ *in a teapot* amer. en storm i ett vattenglas

**tempestuous** [tem'pestjʊəs] *adj* stormig, våldsam

**tempi** ['tempiː] *s* se *tempo*

**1 temple** ['templ] *s* tempel; helgedom

**2 temple** ['templ] *s* anat. tinning

**tempo** ['tempəʊ] *s* (pl. *tempos*, i betydelse *1* vanl. *tempi* ['tempiː]) *s* **1** mus. tempo **2** tempo, fart

**temporary** ['tempərərɪ] *adj* **1** temporär, tillfällig, provisorisk [*a* ~ *bridge*]; kortvarig **2** tillförordnad, extraordinarie

**tempt** [tempt] *vb tr* fresta, förleda, locka; ~ *fate* utmana ödet

**temptation** [tem'teɪʃ(ə)n] *s* frestelse; lockelse; *yield* (*give way*) *to* ~ falla för frestelser

**tempter** ['temptə] *s* frestare

**temptress** ['temtrəs] *s* fresterska

**ten** [ten] **I** *räkn* tio **II** *s* tia; tiotal

**tenable** ['tenəbl] *adj* hållbar [*a* ~ *theory*]

**tenacity** [tə'næsətɪ] *s* seghet; orubblighet;

**~ of purpose** målmedvetenhet; ihärdighet
**tenancy** ['tenənsɪ] s **1** förhyrning, hyrande **2** hyrestid
**tenant** ['tenənt] **I** s hyresgäst **II** vb tr hyra; arrendera; bebo
**tench** [tentʃ] s sutare fisk
**1 tend** [tend] vb tr vårda, sköta [~ the wounded], passa [~ a machine]; vakta
**2 tend** [tend] vb itr tendera
**tendency** ['tendənsɪ] s tendens; **he has a ~ to exaggerate** han har en benägenhet att överdriva
**1 tender** ['tendə] adj **1** mör [a ~ steak]; öm [a ~ spot; a ~ age] **2** ömsint
**2 tender** ['tendə] **I** vb tr erbjuda [~ one's services]; lämna in [~ one's resignation] **II** s anbud
**tender-hearted** ['tendə,hɑːtɪd] adj ömsint
**tendon** ['tendən] s anat. sena
**tendril** ['tendrəl] s bot. klänge, ranka
**tenement** ['tenəmənt] s bostadshus, hyreshus
**tenfold** ['tenfəʊld] **I** adj tiodubbel, tiofaldig **II** adv tiodubbelt, tiofaldigt, tiofalt
**tenner** ['tenə] s vard. tiopundssedel; amer. tiodollarssedel
**tennis** ['tenɪs] s tennis; **~ court** tennisbana
**tenor** ['tenə] s mus. tenor; tenorstämma
**tenpence** ['tenpəns] s tio pence
**tenpenny** ['tenpənɪ] adj tiopence-; **a ~ piece** en tiopenny
**1 tense** [tens] s gram. tempus, tidsform
**2 tense** [tens] **I** adj spänd; stram, sträckt **II** vb tr o. vb itr spänna, strama åt; spännas, stramas åt
**tension** ['tenʃ(ə)n] s spänning äv. elektr. [high (low) ~]; spändhet
**tent** [tent] s tält; **pitch one's ~** slå upp sitt tält
**tentacle** ['tentəkl] s tentakel
**tentative** ['tentətɪv] adj preliminär; trevande
**tenterhook** ['tentəhʊk] s, **be on ~s** bildl. sitta som på nålar; **keep a p. on ~s** hålla ngn på sträckbänken (helspänn)
**tenth** [tenθ] räkn o. s tionde; tiondel
**tenure** ['tenjʊə] s besittning, besittningsrätt; innehav; **permanent ~** fast anställning; **security of ~** anställningstrygghet
**tepid** ['tepɪd] adj ljum
**term** [tɜːm] **I** s **1** tid, period [a ~ of five years]; skol. el. univ. termin **2** pl. **~s** villkor;

bestämmelse, bestämmelser; pris, priser [the ~s are reasonable]; betalningsvillkor; **come to ~s with a p.** träffa en uppgörelse med ngn **3** pl. **~s** förhållande; **be on good ~s with** stå på god fot med; **be on bad ~s with** vara ovän med; **meet on equal (level) ~s** mötas som jämlikar; **we parted on the best of ~s** vi skildes som de bästa vänner **4** term [a scientific ~], uttryck; pl. **~s** ord, ordalag [in general ~s] **II** vb tr benämna, kalla
**terminal** ['tɜːmɪnl] s **1** slutstation; terminal **2** elektr. klämma, kabelfäste; pol [battery ~s] **3** data. terminal
**terminate** ['tɜːmɪneɪt] vb tr o. vb itr avsluta, göra slut på; sluta [the word ~s in (på) a vowel]
**termination** [ˌtɜːmɪ'neɪʃ(ə)n] s slut, avslutning
**terminology** [ˌtɜːmɪ'nɒlədʒɪ] s terminologi
**terminus** ['tɜːmɪnəs] s slutstation, ändstation; terminal
**termite** ['tɜːmaɪt] s termit, vit myra
**terrace** ['terəs] **I** s terrass; avsats; uteplats; **~ house** radhus **II** vb tr terrassera
**terraced** ['terəst] adj **1** terrasserad, i terrasser **2** ~ **house** radhus
**terracotta** [ˌterə'kɒtə] s terrakotta
**terrestrial** [tə'restrɪəl] adj jordisk, jord-; land- [~ animals]
**terrible** ['terəbl] adj förfärlig, förskräcklig
**terrier** ['terɪə] s terrier hundras
**terrific** [tə'rɪfɪk] adj fruktansvärd, förfärlig; enorm, oerhörd [~ speed]; vard. jättebra
**terrify** ['terɪfaɪ] vb tr förskräcka; **terrified of** livrädd för
**territorial** [ˌterɪ'tɔːrɪəl] adj territoriell; land-, jord- [~ claims]; **~ waters** territorialvatten
**territory** ['terɪtərɪ] s **1** territorium; land; mark **2** besittning [overseas territories] **3** djurs revir
**terror** ['terə] s **1** skräck, fasa; **strike ~ into** sätta skräck i; **be in ~ of one's life** frukta för sitt liv **2** vard., om person plåga, satunge **3** terror; **reign of ~** skräckvälde
**terrorism** ['terərɪz(ə)m] s terrorism
**terrorist** ['terərɪst] s terrorist
**terrorize** ['terəraɪz] vb tr o. vb itr terrorisera; **~ over** terrorisera
**terror-stricken** ['terə,strɪk(ə)n] adj o.
**terror-struck** ['terəstrʌk] adj skräckslagen
**terry** ['terɪ] s frotté [äv. ~ cloth]; **~ towel** frottéhandduk
**Terylene** ['terəliːn] s ® textil. terylene

**test** [test] **I** *s* prov, provning, prövning, försök; test; förhör [*an oral ~*]; *driving ~* körkortsprov; *nuclear ~* kärnvapenprov; *written ~* skrivning, skriftligt prov; *put to the ~* sätta på prov; *stand the ~* bestå provet **II** *vb tr* prova, pröva; sätta på prov; testa; förhöra; prova ut; *have one's eyesight tested* kontrollera synen

**testament** ['testəmənt] *s* **1** jur., *last will and ~* testamente **2** bibl., *the Old (New) Testament* Gamla (Nya) testamentet

**test card** ['testkɑ:d] TV. testbild

**test case** ['testkeɪs] *s* jur. prejudicerande rättsfall

**testicle** ['testɪkl] *s* testikel

**testify** ['testɪfaɪ] *vb itr* o. *vb tr* vittna [*to* om; *against* mot; *in favour of* till förmån för], avlägga vittnesmål; intyga; vittna om

**testimonial** [ˌtestɪ'məʊnjəl] *s* **1** intyg, vitsord **2** rekommendation **3** sport. recettmatch

**testimony** ['testɪmənɪ] *s* vittnesmål, vittnesbörd [*to, of* om]; bevis [*of, to* på]; bevismaterial; *bear ~ to* vittna om

**test paper** ['test,peɪpə] *s* skrivning

**test pattern** ['test,pætən] *s* TV. testbild

**test tube** ['testtju:b] *s* provrör

**tetanus** ['tetənəs] *s* med. stelkramp

**tête-à-tête** [ˌteɪtɑ:'teɪt] *s* tätatät, samtal mellan fyra ögon

**tether** ['teðə] *s*, *be at the end of one's ~* bildl. inte orka mer

**Texas** ['teksəs]

**text** [tekst] *s* text; ordalydelse

**textbook** ['tekstbʊk] *s* lärobok

**textile** ['tekstaɪl] **I** *adj* textil-, vävnads- **II** *s* vävnad; textilmaterial; pl. *~s* äv. textilier

**textual** ['tekstʃʊəl] *adj* text- [*~ criticism*]

**texture** ['tekstʃə] *s* struktur; konsistens

**Thai** [taɪ] **I** *adj* thailändsk, thai- **II** *s* **1** thailändare **2** thailändska språket

**Thailand** ['taɪlænd]

**thalidomide** [θə'lɪdəmaɪd] *s* farmakol. neurosedyn ®

**Thames** [temz] *s*, *the ~* Themsen; *he will never set the ~ on fire* ungefär han kommer aldrig att gå långt

**than** [ðæn, obetonat ðən, ðn] *konj* o. *prep* än, än vad som [*more ~ is good for him*]; *no sooner had we sat down ~...* knappt hade vi satt oss förrän...

**thank** [θæŋk] **I** *vb tr* tacka [*a p. for a th.* ngn för ngt]; *~ goodness (God)!* gudskelov!; *~ Heaven!* Gud vare tack och lov!; *~ you!* tack!, jo tack!; *no, ~ you!* nej tack!; jag betackar mig! **II** *s*, pl. *~s* tack; *~s awfully (a lot)!* vard. tack så väldigt mycket!; *give ~s* tacka [*to God* Gud]; *speech of ~s* tacktal; *received with ~s* el. *with ~s* på kvitto vilket tacksamt erkännes; *~s to* preposition tack vare

**thankful** ['θæŋkf(ʊ)l] *adj* mycket tacksam

**thankless** ['θæŋkləs] *adj* otacksam [*a ~ task*]

**thanksgiving** ['θæŋks,gɪvɪŋ] *s* kyrkl. tacksägelse; *Thanksgiving Day* el. *Thanksgiving* i USA tacksägelsedagen allmän fridag 4 torsdagen i november

**that** [ðæt, obetonat ðət] **I** *pron* **1** (pl. *those*) den där, det där; denne, denna, detta; den, det [*~ happened long ago*]; så [*~ is not the case*]; pl. *those* de där, dessa; de; *~ is to say* el. *~ is* det vill säga, dvs., alltså; *and that's ~!* och därmed basta!; och hör sen!; så var det med den saken!; [*carry this for me*] *that's a good boy (girl)* vard. ...så är du snäll; *he is not so stupid as all ~* så dum är han inte; *what of ~?* än sen då?; [*the rapidity of light is greater*] *than ~ of sound* ...än ljudets; *my car and ~ of my friend (friend's)* min och min väns bil; [*he has one merit,*] *~ of being honest* ...den att vara ärlig **2** som [*the only thing (person) ~ I can see*], vilken, vilket, vilka; *all ~ I heard* allt vad (allt det, allt som) jag hörde **3** såvitt, vad [*he has never been here ~ I know of*] **II** *konj* **1** att [*she said ~ she would come*] **2** a) som [*it was there ~ I first saw him*] b) när, då [*now ~ I think of it, he was there*] **3** eftersom [*what have I done ~ he should insult me?*] **4** om; [*I don't know ~ I do*] jag vet inte om jag gör det **III** *adv* vard. så pass [*~ far (much)*]; *he's not ~ (all ~) good* så bra är han inte; han är inte så värst bra

**thatch** [θætʃ] **I** *s* halmtak, vasstak **II** *vb tr* täcka med halm; *a thatched cottage* en stuga med halmtak

**thaw** [θɔ:] **I** *vb itr* o. *vb tr* töa [*it is thawing*]; *~ out* el. *~* tina upp, tina; *~ out the refrigerator* frosta av kylskåpet **II** *s* tö, upptinande; polit. töväder

**the** [obetonat: ðə framför konsonantljud, ðɪ framför vokalljud; betonat: ði: (så alltid i betydelse *I 3*)] **I** *best art* **1** *~ book* boken; *~ old man* den gamle mannen; *he is ~ captain of a ship* han är kapten på en båt; *~ London of our days* våra dagars

London; ~ *following story* följande historia; *on ~ left hand* på vänster hand; *speak ~ truth* tala sanning; [*I'm going to*] ~ *Dixons* ...Dixons (familjen Dixon) **2** en, ett; *to ~ amount of* till ett belopp av; *at ~ price of* till ett pris av **3** emfatiskt, *is he ~ Dr. Smith?* är han den kände (berömde) dr Smith? **II** *pron* den, det, de; ~ *wretch!* den uslingen!; ~ *idiots!* vilka (såna) idioter! **III** *adv*, ~...~ ju...desto (dess, ju); ~ *sooner ~ better* ju förr dess hellre (bättre)

**theater** ['θɪətə] *s* amer. = *theatre*

**theatre** ['θɪətə] *s* **1** teater [*go to* (på) *the ~*] **2** hörsal (sal); *operating ~* operationssal

**theatregoer** ['θɪətə,ɡəʊə] *s* teaterbesökare; pl. ~s äv. teaterpubliken

**theatregoing** ['θɪətə,ɡəʊɪŋ] **I** *s* teaterbesök; *I like ~* jag tycker om att gå på teatern **II** *adj, the ~ public* teaterpubliken

**theatrical** [θɪ'ætrɪk(ə)l] **I** *adj* **1** teater-; ~ *company* teatersällskap **2** teatralisk **II** *s*, pl. ~s el. *amateur* (*private*) ~s amatörteater

**theft** [θeft] *s* stöld, tillgrepp

**their** [ðeə] *poss pron* deras, dess [*the Government and ~ remedy for unemployment*]; sin [*they sold ~ car*]

**theirs** [ðeəz] *poss pron* deras [*is that house ~?*]; sin [*they must take ~*]; *a friend of ~* en vän till dem

**them** [ðem, obetonat ðəm] *pers pron* (objektsform av *they*) **1** dem; vard. de, dom [*it wasn't ~*] **2** sig [*they took it with ~*]

**theme** [θi:m] *s* tema; ~ *park* temapark; ~ *song* a) signaturmelodi b) refräng

**themselves** [ðəm'selvz] *rfl pron* o. *pers pron* sig [*they amused ~*], sig själva [*they can take care of ~*]; själva [*they made that mistake ~*]

**then** [ðen] **I** *adv* **1** a) då, på den tiden b) sedan, så; *there and ~* på fläcken, genast **2** alltså [*the journey, ~, could begin*]; då, i så fall [~ *it is no use*] **II** *s, before ~* innan dess, dessförinnan, förut; *by ~* vid det laget, då, till dess [*by ~ I shall be back*]; *since ~* sedan dess; *until* (*till*) ~ till dess **III** *adj* dåvarande [*the ~ prime minister*]

**thence** [ðens] *adv* litt., *from ~* därifrån; därav [~ *it follows that...*]

**theologian** [θɪə'ləʊdʒjən] *s* teolog

**theological** [θɪə'lɒdʒɪk(ə)l] *adj* teologisk

**theology** [θɪ'ɒlədʒɪ] *s* teologi

**theorem** ['θɪərəm] *s* teorem; sats

**theoretical** [θɪə'retɪk(ə)l] *adj* teoretisk

**theorist** ['θɪərɪst] *s* teoretiker

**theorize** ['θɪəraɪz] *vb itr* teoretisera

**theory** ['θɪərɪ] *s* teori; *in ~* i teorin

**therapeutic** [,θerə'pju:tɪk] *adj* terapeutisk; ~ *baths* medicinska bad

**therapist** ['θerəpɪst] *s* terapeut

**therapy** ['θerəpɪ] *s* terapi behandling

**there** [ðeə] **I** *adv* **1** a) där; framme [*we'll soon be ~*] b) dit [*I hope to go ~*]; fram [*we'll soon get ~*]; ~ *and back* fram och tillbaka; *down* (*in, out* m.fl.) ~ a) därnere, därinne, därute m.fl. b) dit ner (in, ut m.fl.), ner (in, ut m.fl.) dit; ~ *you are!* a) där (här) har du! b) jaså, där är du! c) där ser du!; [*carry this for me*] *there's a dear* (*a good girl*) vard. ...så är du snäll! **2** det formellt subjekt [~ *were* (var, fanns) *only two left*]; ~ *is no knowing when...* man kan inte (aldrig) veta när... **II** *interj* så där! [~, *that will do*], så där ja! [~! *you've smashed it*]; ~, ~! lugnande el. tröstande såja!, seså! [~, ~! *don't cry*]; ~ *now!* så där ja! nu är det klart

**thereabouts** ['ðeərəbaʊts] *adv* däromkring

**thereafter** [,ðeər'ɑ:ftə] *adv* litt. därefter

**thereby** [,ðeə'baɪ] *adv* litt. därvid

**therefore** ['ðeəfɔ:] *adv* därför, således, följaktligen

**there's** [ðeəz] = *there is, there has*

**thereupon** [,ðeərə'pɒn] *adv* därpå

**thermometer** [θə'mɒmɪtə] *s* termometer

**Thermos** ['θɜ:mɒs] *s* ®, ~ *flask* el. ~ termos, termosflaska

**thermostat** ['θɜ:məstæt] *s* termostat

**these** [ði:z] *demonstr pron* se *this*

**thesis** ['θi:sɪs] (pl. *theses* ['θi:si:z]) *s* **1** tes, sats; teori **2** doktorsavhandling

**they** [ðeɪ] (objektsform *them*) *pron* **1** de [~ *are here*] **2** den, det **3** man; ~ *say* [*that he is rich*] man säger..., det sägs...

**they'd** [ðeɪd] = *they had, they would*

**they'll** [ðeɪl] = *they will* (*shall*)

**they're** [ðeə] = *they are*

**they've** [ðeɪv] = *they have*

**thick** [θɪk] **I** *adj* **1** tjock [*a ~ book*]; *I'll give you a ~ ear* [*if you do that*] jag ska ge dig på moppe... **2** tjock [~ *hair*, ~ *fog*] **3** *that's a bit ~* det är lite väl magstarkt, nu går det för långt **II** *s, in the ~ of the crowd* mitt i trängseln; *in the ~ of the fight* mitt i striden; *stick to a p. through ~ and thin* följa ngn i alla väder

**thicken** ['θɪk(ə)n] *vb tr* göra tjock (tät),
göra tjockare (tätare)

**thicket** ['θɪkɪt] *s* busksnår, buskage

**thickness** ['θɪknəs] *s* tjocklek, grovlek

**thickset** [ˌθɪk'set] *adj* undersätsig, satt

**thick-skinned** [ˌθɪk'skɪnd] *adj* tjockhudad
*äv.* bildl.

**thief** [θi:f] (pl. **thieves** [θi:vz]) *s* tjuv; *stop
~!* ta fast tjuven!

**thiefproof** ['θi:fpru:f] *adj* stöldsäker

**thieve** [θi:v] *vb itr* o. *vb tr* stjäla

**thievery** ['θi:vərɪ] *s* stöld, tjuveri

**thieves** [θi:vz] *s* se *thief*

**thievish** ['θi:vɪʃ] *adj* tjuvaktig

**thigh** [θaɪ] *s* anat. lår

**thimble** ['θɪmbl] *s* fingerborg

**thimbleful** ['θɪmblfʊl] *s* fingerborg mått

**thin** [θɪn] **I** *adj* **1** tunn; mager **2** gles, tunn
[*~ hair*] **II** *adv* tunt [*spread the butter on ~*]
**III** *vb tr* o. *vb itr,* ~ **down** el. ~ göra tunn
(tunnare), förtunna; ~ **out** el. ~ gallra,
glesa, glesa ur, tunna ut (ur) [*~ the hair*];
bli tunn (tunnare), förtunnas, tunna
(tunnas) av, bli gles (glesare), glesna,
magra

**thing** [θɪŋ] *s* **1** sak, ting, grej; pl. *~s* äv.
saker och ting; *these ~s happen* (*will
happen*) sånt händer; *it's just one of
those ~s* sånt händer tyvärr **2** speciellt vard.
varelse [*a sweet little ~*]; *poor little ~!*
stackars liten!; *you poor ~!* stackars du
(dig)! **3** *this a fine ~!* jo, det var just
snyggt!; *the great ~ about it* det fina
med (i) det; *the last ~* vard., adverb allra
sist [*last ~ at night*]; *the only ~ you can
do* det enda du kan göra; *it is a strange
~ that...* det är egendomligt att...; *what
a stupid ~ to do!* vad dumt att göra så!
**4** pl. *~s* i speciella betydelser **a)** tillhörigheter,
saker [*pack up your ~s*]; bagage [*take off
your ~s!*] **b)** redskap, grejor, saker, servis
[*tea ~s*] **c)** det, saken, läget, ställningen;
*~s are in a bad way* det går dåligt; *as
(the way) ~s are* som det nu är, som
saken ligger till; *how are* (vard. *how's*)
*~s?* hur går det?, hur är läget?; *you know
how ~s are* du vet hur läget (det) är; *~s
look bad for him* det ser illa ut för
honom **5** *make a ~ of* göra affär av;
*taking one ~ with another* när allt
kommer omkring; *the ~ is* saken är den;
*the ~ to do is to...* vad man ska göra är
att...; *quite the ~* el. *the ~* på modet,
inne; *that's just the ~ for you* det är

precis vad du behöver; *for one ~,...* för
det första,...

**think** [θɪŋk] (*thought thought*) *vb tr* o. *vb itr*
**1** tänka; tänka sig för; betänka; fundera
på **2** tro [*do you ~ it will rain?*]; tycka [*do
you ~ we should go on?*]; *~ fit* (*proper*)
anse lämpligt; *I should ~ so!* jo, det vill
jag lova!; jo, jag menar det!; *I should
jolly* (*damn*) *well ~ so!* tacka sjutton för
det!; [*he's a bit lazy,*] *don't you ~?*
...eller vad tycker du?, ...eller hur?
**3** tänka (föreställa) sig [*I can't ~ how the
story will end*]; ana, tro [*you can't ~ how
glad I am*]; förstå [*I can't ~ where she's
gone*]; *to ~ that she* [*is so rich*] tänk att
hon... □ ~ **about a)** tänka på, tänka på
**b)** *what do you ~ about...?* vad tycker du
om...?; ~ **of a)** tänka på; fundera på
**b)** komma på [*can you ~ of his name?*]
**c)** tänka sig, föreställa sig; *just ~ of that*
(*of it*)! tänk bara!, kan du tänka dig!
**d)** *what do you ~ of...?* vad tycker (säger,
anser) du om...?; ~ *a lot of* sätta stort
värde på; *he ~s a lot of himself* han har
höga tankar om sig själv; ~ **out** tänka
(fundera) ut [*~ out a new method*]; ~ **over**
tänka igenom, tänka över

**thinkable** ['θɪŋkəbl] *adj* tänkbar

**thinker** ['θɪŋkə] *s* tänkare; *he is a slow ~*
han tänker långsamt

**thinking** ['θɪŋkɪŋ] *s* tänkande; tänkesätt; *I
am of my way of ~* jag tycker som han

**thinking-cap** ['θɪŋkɪŋkæp] *s* vard., *put on
one's ~* ta sig en ordentlig funderare på
saken

**think tank** ['θɪŋktæŋk] *s* vard. hjärntrust,
idébank

**thinner** ['θɪnə] *s* thinner

**thin-skinned** [ˌθɪn'skɪnd] *adj* bildl.
överkänslig, känslig

**third** [θɜ:d] **I** *räkn* tredje; *~ class* tredje
klass **II** *adv* **1** *the ~ largest town* den
tredje staden i storlek **2** i tredje klass
[*travel ~*] **3** *come* (*finish*) *~* komma
(sluta som) trea **III** *s* **1** tredjedel **2** sport.
trea, tredje man; tredjeplacering **3** mus.
ters

**third-class** [ˌθɜ:d'klɑ:s] *adj* tredjeklass-;
tredje klassens [*a ~ hotel*]

**thirdly** ['θɜ:dlɪ] *adv* för det tredje

**third-rate** [ˌθɜ:d'reɪt] *adj* tredje klassens,
undermålig

**thirst** [θɜ:st] **I** *s* törst; *~ for knowledge*
kunskapstörst **II** *vb itr* törsta [*for* efter]

**thirsty** ['θɜ:stɪ] *adj* törstig

**thirteen** [ˌθɜːˈtiːn] *räkn* o. *s* tretton
**thirteenth** [ˌθɜːˈtiːnθ] *räkn* o. *s* trettonde;
trettondel
**thirtieth** [ˈθɜːtɪɪθ] *räkn* o. *s* trettionde,
trettiondel
**thirty** [ˈθɜːtɪ] **I** *räkn* trettio **II** *s* **1** trettio,
trettiotal; *in the thirties* på trettiotalet **2** i
sammansättningar: *five-thirty* halv sex, fem
och trettio
**this** [ðɪs] **I** (pl. *these*) *pron* den här, det här;
denne, denna, detta [*at ~ moment*]; det;
*these* de här, dessa; *~ afternoon* adverb i
eftermiddag, i eftermiddags; *these days*
nuförtiden; *to ~ day* hittills; [*I have been
waiting*] *these three weeks* ...nu i tre
veckor; *do it like ~* gör så här; *~
one...that one* ...den där **II** *adv*
vard. så här [*not ~ late*]
**thistle** [ˈθɪsl] *s* tistel
**thistledown** [ˈθɪsldaʊn] *s* tistelfjun
**thither** [ˈðɪðə] *adv* litt. dit
**thong** [θɒŋ] *s* läderrem; pisksnärt
**thorn** [θɔːn] *s* tagg, törne, torn; *a ~ in the
(one's) flesh (side)* en påle i köttet, en
nagel i ögat
**thorny** [ˈθɔːnɪ] *adj* **1** törnig, taggig **2** bildl.
kvistig [*a ~ problem*]
**thorough** [ˈθʌrə] *adj* grundlig, ingående,
genomgripande; riktig [*a ~ nuisance
(plåga)*], fullkomlig
**thoroughbred** [ˈθʌrəbred] **I** *adj* fullblods-,
rasren [*a ~ horse*] **II** *s* fullblod, rasdjur;
fullblodshäst, rashäst
**thoroughfare** [ˈθʌrəfeə] *s* **1** genomfart; *no
thoroughfare* trafik. genomfart förbjuden
**2** genomfartsgata
**thoroughgoing** [ˌθʌrəˈgəʊɪŋ] *adj* grundlig
[*he is ~*]; genomgripande, omfattande
**thoroughly** [ˈθʌrəlɪ] *adv* grundligt,
genomgripande; i grund och botten; helt,
alldeles; *I ~ enjoyed it* jag tyckte det var
väldigt roligt
**those** [ðəʊz] *pron* se *that I*
**though** [ðəʊ] *konj* **1** fast, fastän; *even ~* el.
*~ även om* **2** *as ~* som, som om [*he looks
as ~ he were ill*]
**thought** [θɔːt] **I** *s* tanke [*of* på]; tänkande,
tänkesätt; *train (line) of ~* tankegång; *I
didn't give it a second ~* jag tänkte inte
närmare på det; *lost (deep, wrapped
up) in ~* försjunken i sina tankar; *after
much (mature) ~* efter moget
övervägande; *on second ~s* [*I will...*] vid
närmare eftertanke... **II** se *think*

**thoughtful** [ˈθɔːtf(ʊ)l] *adj* tankfull,
fundersam; omtänksam
**thoughtless** [ˈθɔːtləs] *adj* tanklös
**thousand** [ˈθaʊz(ə)nd] *räkn* o. *s* tusen;
tusental, tusende [*in ~s*]; *~s of people*
tusentals människor
**thousandth** [ˈθaʊz(ə)nθ] **I** *räkn* tusende; *~
part* tusendel **II** *s* tusendel
**thrash** [θræʃ] *vb tr* o. *vb itr* **1** ge stryk; vard.
klå, besegra; *be thrashed* få stryk **2** *~ out*
diskutera igenom [*~ out a problem*] **3** *~
about* slå vilt omkring sig
**thrashing** [ˈθræʃɪŋ] *s* smörj, stryk
**thread** [θred] **I** *s* **1** tråd; garn; fiber
**2** skruvgänga **II** *vb tr* **1** trä; *~ a needle* trä
på en nål; *~ beads (pearls)* trä upp
pärlor **2** *~* el. *~ one's way through*
slingra sig fram genom **3** gänga
**threadbare** [ˈθredbeə] *adj* **1** luggsliten,
trådsliten **2** bildl. utnött, utsliten [*~ jokes*];
torftig [*~ arguments*]
**threat** [θret] *s* hot [*to* mot]; fara [*to* för];
*be under the ~ of* hotas av
**threaten** [ˈθretn] *vb tr* o. *vb itr* hota; hota
med [*~ revenge*]; *a threatening letter* ett
hotelsebrev; *the threatened strike* [*did
not take place*] den hotande strejken...;
*~ a p.'s life* hota ngn till livet
**three** [θriː] **I** *räkn* tre **II** *s* trea
**three-dimensional** [ˌθriːdaɪˈmenʃənl] *adj*
tredimensionell [*~ film*]
**threefold** [ˈθriːfəʊld] **I** *adj* tredubbel,
trefaldig **II** *adv* tredubbelt, trefaldigt
**three-four** [ˌθriːˈfɔː] *adj* o. *s*, *~ time* el. *~*
trefjärdedelstakt
**three-piece** [ˈθriːpiːs] *adj* tredelad
**thresh** [θreʃ] *vb tr* o. *vb itr* tröska
**thresher** [ˈθreʃə] *s* **1** tröskare **2** tröskverk
**threshold** [ˈθreʃhəʊld] *s* dörrtröskel; bildl.
tröskel [*on the ~ of a revolution*]
**threw** [θruː] se *throw I*
**thrice** [θraɪs] *adv* tre gånger, trefalt
**thrift** [θrɪft] *s* sparsamhet
**thriftiness** [ˈθrɪftɪnəs] *s* sparsamhet
**thrifty** [ˈθrɪftɪ] *adj* sparsam, ekonomisk
**thrill** [θrɪl] **I** *vb tr* få att rysa av spänning
[*the film thrilled the audience*] **II** *s*
spänning; *it gave me a ~* jag tyckte det
var spännande
**thriller** [ˈθrɪlə] *s* rysare, thriller
**thrilling** [ˈθrɪlɪŋ] *adj* spännande, rafflande
**thrive** [θraɪv] *vb itr* **1** om växter el. djur växa
och frodas, trivas; om barn växa och bli
frisk och stark **2** blomstra, ha framgång
**thriving** [ˈθraɪvɪŋ] *adj* **1** om växter el. djur

som frodas, frodig **2** blomstrande [*a ~ business*], framgångsrik

**throat** [θrəʊt] *s* strupe, hals; svalg; *clear one's ~* klara strupen, harkla sig; *cut a p.'s ~* skära halsen av ngn; *have a sore ~* ha ont i halsen; *take (seize) a p. by the ~* ta struptag på ngn; *jump down a p.'s ~* vard. fara ut mot ngn; *thrust (ram, force) a th. down a p.'s ~* pracka (tvinga) på ngn ngt

**throb** [θrɒb] **I** *vb itr* **1** banka, bulta; dunka **2** skälva, darra [*~ with* (av) *excitement*] **II** *s* bankande, bultande, dunkande

**throe** [θrəʊ] *s*, mest pl. *~s* plågor, kval; *~s* el. *~s of death* dödskamp

**thrombosis** [θrɒm'bəʊsɪs] (pl. *thromboses* [θrɒm'bəʊsi:z]) *s* blodpropp, trombos

**throne** [θrəʊn] *s* tron; *come to the ~* komma på tronen

**throng** [θrɒŋ] **I** *s* **1** trängsel, vimmel **2** massa, mängd **II** *vb itr* o. *vb tr* trängas; strömma till i stora skaror; fylla till trängsel, trängas på (i) [*people thronged the streets*]

**throttle** ['θrɒtl] **I** *s* spjäll; strypventil; *at full ~* el. *with the ~ full open* med öppet spjäll **II** *vb tr* strypa, kväva

**through** [θru:] **I** *prep* **1** genom, igenom; in (ut) genom [*climb ~ a window*]; över [*a path ~ the fields*]; *he has been ~ a good deal* han har varit med om en hel del **2** genom, på grund av [*absent ~ illness*]; tack vare **3** om tid **a)** [*he worked*] *all ~ the night* ...hela natten **b)** amer. till och med [*Monday ~ Friday*]

**II** *adv* **1** igenom; genom- [*wet ~*]; till slut, till slutet [*he heard the speech ~*]; *~ and ~* alltigenom [*a gentlemen ~ and ~*]; *wet ~ and ~* våt helt igenom **2** tele., *be ~* ha kommit fram; *get ~* komma fram; *put ~* koppla [*I will put you ~ to...*]; *you're ~ to Rome* klart Rom **3** *be ~* vard., i speciella betydelser **a)** vara klar (färdig) [*he is ~ with his studies*]; *are you ~?* äv. har du slutat? **b)** vara slut [*he is ~ as a tennis player*] **c)** ha fått nog [*with* av; *I'm ~ with this job*]; *we're ~* det är slut mellan oss

**III** *adj* genomgående, direkt [*a ~ train*]; *~ traffic* genomfartstrafik; *no through traffic* genomfart förbjuden

**through carriage** ['θru:ˌkærɪdʒ] *s* direktvagn

**throughout** [θru'aʊt] **I** *adv* **1** alltigenom, genom- [*rotten ~*]; överallt **2** hela tiden, från början till slut **II** *prep* **1** överallt i,

genom hela, över hela [*~ the US*] **2** om tid, *~ the year* under hela året

**throw** [θrəʊ] **I** (*threw thrown*) *vb tr* o. *vb itr* **1** kasta, slunga, slänga; störta [*~ oneself into*]; kasta av [*the horse threw its rider*]; kasta omkull [*he threw his opponent*]; *~ oneself on a p.* kasta sig över ngn; *~ one's arms round a p.* slå armarna om ngn **2** bygga, slå [*~ a bridge across a river*] **3** vard. ställa till, ha [*~ a party for a p.*] □ *~ away* kasta (hälla) bort; *it is labour thrown away* det är bortkastad möda; *~ in* **a)** kasta in **b)** *you get that thrown in* man får det på köpet **c)** fotb. göra inkast; *~ off* **a)** kasta av (bort); kasta av sig [*he threw off his coat*] **b)** bli av med, bli kvitt [*I can't ~ off this cold*]; *~ out* **a)** kasta ut; köra ut (bort); *~ a p. out of work* göra ngn arbetslös **b)** sända ut [*~ out light*], utstråla [*~ out heat*] **c)** kasta fram, komma med [*~ out a remark*]; *~ over* **a)** avvisa, överge, ge upp [*~ over a plan*] **b)** göra slut med, ge på båten [*she threw over her boy-friend*]; *~ up* **a)** kasta (slänga) upp **b)** lyfta, höja [*she threw up her head*] **c)** kräkas (kasta) upp; kräkas **d)** ge upp, sluta [*~ up one's job*]

**II** *s* kast; *stake everything on one ~* sätta allt på ett kort (bräde)

**throwaway** ['θrəʊəweɪ] **I** *s* engångsartikel **II** *adj* engångs- [*~ container*], slit-och-släng-; *at ~ prices* till vrakpriser

**throw-in** ['θrəʊɪn] *s* fotb. inkast

**thrown** [θrəʊn] se *throw I*

**thrum** [θrʌm] *vb tr* o. *vb itr* **1** knäppa, knäppa på [*~ (~ on) a guitar*] **2** trumma, trumma på [*~ on the table*]

**thrush** [θrʌʃ] *s* trast; *~ nightingale* näktergal

**thrust** [θrʌst] **I** (*thrust thrust*) *vb tr* o. *vb itr* **1** sticka, stoppa [*he ~ his hands into his pockets*], köra, stöta [*~ a dagger into a p.'s back*] **2** *~ one's way through the crowd* tränga sig fram genom folkmassan; *~ a th. upon a p.* pracka på ngn ngt; *~ oneself upon a p.* tvinga sig på ngn **3** knuffa, skjuta [*~ aside*], tränga sig [*she ~ past me*] **II** *s* **1** stöt, knuff **2** framstöt; utfall, anfall, angrepp [*at* mot] **3** fäktning stöt

**thud** [θʌd] **I** *s* duns [*it fell with a ~*] **II** *vb itr* dunsa, dunsa ner; dunka

**thug** [θʌg] *s* bandit, mördare, gangster

**thumb** [θʌm] **I** *s* tumme; *she is all ~s* hon är fumlig (valhänt); *have a p. under*

*one's* ~ hålla ngn i ledband **ll** *vb tr*
**1** tumma, använda flitigt [*this dictionary will be much thumbed*]; ~ el. ~ *through* bläddra igenom **2** ~ *a lift* (*ride*). få lift, lifta

**thumbmark** ['θʌmmɑ:k] *s* märke efter tummen i t.ex. en bok

**thumbnail** ['θʌmneɪl] *s* tumnagel

**thumbtack** ['θʌmtæk] *s* amer. häftstift

**thump** [θʌmp] **l** *vb tr* o. *vb itr* dunka, bulta, banka; dunka (bulta, banka) på **ll** *s* dunk [*a* ~ *on the back*], smäll, duns

**thunder** ['θʌndə] **l** *s* åska; dunder, dån; *a crash* (*peal*) *of* ~ en åskskräll; *steal a p.'s* ~ stjäla ngns idéer; förekomma ngn **ll** *vb itr* **1** åska [*it was thundering and lightening*]; dåna **2** bildl. dundra [*he thundered against the new law*]

**thunderbolt** ['θʌndəbəʊlt] *s* åskvigg, blixt; *like a* ~ som ett åskslag

**thunderclap** ['θʌndəklæp] *s* åskskräll

**thundering** ['θʌndərɪŋ] **l** *adj* **1** dundrande **2** vard. väldig; grov [*a* ~ *lie*] **ll** *adv* vard. väldigt, förfärligt

**thunderous** ['θʌndərəs] *adj* dånande, rungande [~ *applause*]

**thunderstorm** ['θʌndəstɔ:m] *s* åskväder, åska

**thundery** ['θʌndərɪ] *adj* åsk- [~ *rain*], åskig

**Thursday** ['θɜ:zdeɪ, 'θɜ:zdɪ] *s* torsdag; *last* ~ i torsdags

**thus** [ðʌs] *adv* **1** sålunda, så, så här [*do it* ~] **2** alltså, således **3** ~ *far* så långt; ~ *much* så mycket

**thwart** [θwɔ:t] *vb tr* korsa, gäcka [~ *a p.'s plans*]; ~ *a p.* motarbeta ngn

**thyme** [taɪm] *s* timjan

**thyroid** ['θaɪrɔɪd] **l** *adj*, ~ *gland* sköldkörtel **ll** *s* sköldkörtel

**tiara** [tɪ'ɑ:rə] *s* tiara; diadem

**Tibet** [tɪ'bet]

**Tibetan** [tɪ'bet(ə)n] **l** *adj* tibetansk **ll** *s* **1** tibetanska språket **2** tibetan

**tick** [tɪk] **l** *vb itr* o. *vb tr* **1** ticka **2** ~ *over* gå på tomgång **3** ~ *away* ticka fram [*the clock ticked away the minutes*] **4** ~ *off* el. ~ pricka (bocka) av [~ *off names*] **5** vard., ~ *off* läxa upp **ll** *s* **1** tickande; *in two* ~*s* vard. på momangen; *half a* ~! vard. ett ögonblick! **2** bock, kråka vid kollationering; *put a* ~ *against* pricka (bocka) för

**ticker-tape** ['tɪkəteɪp] *s* telegrafremsa, teleprinterremsa

**ticket** ['tɪkɪt] *s* **1** biljett **2** lapp [*price* ~; *parking* ~]; kvitto, sedel [*pawn-ticket*];

etikett; *lottery* ~ lottsedel **3** vard., *the* ~ det enda riktiga (rätta); *that's the* ~ äv. det är så det skall vara

**ticket agency** ['tɪkɪt,eɪdʒənsɪ] *s* biljettkontor

**ticket barrier** ['tɪkɪt,bærɪə] *s* biljettspärr

**ticket-collector** ['tɪkɪtkə,lektə] *s* biljettmottagare; spärrvakt; konduktör

**ticket office** ['tɪkɪt,ɒfɪs] *s* biljettkontor

**ticking** ['tɪkɪŋ] *s* bolstervarstyg, kuddvarstyg

**ticking-off** [,tɪkɪŋ'ɒf] *s* vard. läxa, uppsträckning, skrapa [*give a p. a good* ~]

**tickle** ['tɪkl] **l** *vb tr* o. *vb itr* **1** kittla, klia; *my nose* ~*s* det kittlar i näsan **2** roa [*the story tickled me*], glädja [*the news will* ~ *you*]; smickra, kittla [~ *a p.'s vanity*]; *tickled to death* el. *be tickled no end* vard. skratta ihjäl sig [*at, by* åt]; bli jätteglad [*at, by* över] **3** kittlas **ll** *s* kittling; *he gave my foot a* ~ han kittlade mig under foten

**ticklish** ['tɪklɪʃ] *adj* **1** kittlig **2** kinkig, knepig

**tick-tock** ['tɪktɒk] **l** *s* ticktack, tickande **ll** *adv* o. *interj* ticktack

**tidal** ['taɪdl] *adj*, ~ *wave* a) tidvattensvåg b) jättevåg c) bildl. stark våg [*a* ~ *wave of enthusiasm*]

**tidbit** ['tɪdbɪt] *s* speciellt amer. godbit, läckerbit

**tiddler** ['tɪdlə] *s* vard. liten fisk; speciellt spigg

**tiddley** o. **tiddly** ['tɪdlɪ] *adj* vard. **1** packad berusad **2** liten, futtig

**tiddlywinks** ['tɪdlɪwɪŋks] *s* loppspel

**tide** [taɪd] **l** *s* **1** tidvatten, ebb och flod; flod; *high* ~ högvatten, flod [*at* (vid) *high* ~]; *low* ~ lågvatten, ebb [*at* (vid) *low* ~]; *the* ~ *is in* (*up*) det är flod (högvatten) **2** bildl. strömning, tendens; *the* ~ *has turned* en strömkantring har skett; *stem the* ~ gå mot strömmen **ll** *vb tr*, ~ *over* hjälpa ngn över (igenom) [~ *a p. over a crisis*]

**tidings** ['taɪdɪŋz] *s* litt., *glad* (*sad*) ~ glada (sorgliga) nyheter

**tidy** ['taɪdɪ] **l** *adj* **1** snygg, välvårdad; städad [*a* ~ *room*] **2** vard. nätt, vacker, rundlig [*a* ~ *sum*] **ll** *vb tr* o. *vb itr*, ~ *up* el. ~ städa, snygga upp

**tie** [taɪ] **l** *vb tr* o. *vb itr* **1 a)** binda [~ *a horse* (vid) *a tree*], knyta fast; ~ *a p. hand and foot* binda ngn till händer och fötter **b)** knyta [~ *one's shoelaces*] **2** bildl. binda; klavbinda, hämma **3** knytas [*the*

*sash ~s in front*], knytas fast (ihop) **4** sport.
stå (komma) på samma poäng, få (nå)
samma placering [*with* som] □ **~ down**
binda äv. bildl. [*to* vid, till; ~ *a p. down to a
contract*]; binda fast; *be tied down by
children* vara bunden av barn; ~ **on** binda
på, knyta (binda) fast [*~ on a label*]; ~ **up**
binda upp; binda fast; binda ihop
(samman); bildl. binda [*I am too tied up
with* (av) *other things*]; låsa [*~ up one's
capital*]
**II** *s* **1** band, länk; *business ~*
affärsförbindelse **2** slips; fluga, kravatt,
rosett **3** sport. a) lika poängtal; oavgjort
resultat; *it ended in a ~* det slutade
oavgjort b) match i cuptävling; *play off a ~*
spela om matchen för att avgöra en tävling
**tiebreak** ['taɪbreɪk] *s* o. **tiebreaker**
['taɪˌbreɪkə] *s* i tennis tie-break
**tie clip** ['taɪklɪp] *s* slipshållare
**tie-on** ['taɪɒn] *adj* som går att binda på
(knyta fast) [*a ~ label*]
**tie pants** ['taɪpænts] *s pl* snibb blöja
**tiepin** ['taɪpɪn] *s* kråsnål
**tie-up** ['taɪʌp] *s* **1** sammanslagning
**2** samband **3** speciellt amer. stillestånd,
dödläge
**tiff** [tɪf] **I** *s* litet gräl, gnabb **II** *vb itr* gräla
**tiger** ['taɪgə] *s* tiger; ~ *cub* tigerunge;
*paper ~* bildl. papperstiger
**tigerish** ['taɪgərɪʃ] *adj* tigerlik, tigeraktig
**tiger lily** ['taɪgəˌlɪlɪ] *s* tigerlilja
**tight** [taɪt] **I** *adj* **1** åtsittande, åtsmitande,
tajt, snäv [*~ trousers*], trång [*~ shoes*];
spänd [*a ~ rope*]; *be* (*find oneself*) *in a ~
corner* vara i knipa **2** fast, hård [*a ~
knot*]; *a ~ hold* ett fast (hårt) grepp; *keep
a ~ hand* (*hold*) *over a p.* hålla ngn kort
(i schack) **3** snål, njugg; knapp; stram [*a
~ money market*] **4** vard. packad berusad
**II** *adv* tätt, fast, hårt [*hug* (krama) *a p. ~*];
*sleep ~!* vard. sov gott!
**tighten** ['taɪtn] *vb itr* o. *vb itr* **1** spänna; ~
*one's belt* bildl. dra åt svångremmen; ~
*up* el. ~ dra åt [*~ the screws* el. ~ *up the
screws*]; skärpa [*~ up the regulations*]
**2** spännas; ~ *up* el. ~ dras åt; skärpas [*the
regulations have tightened up*]; ~ *up on
crime* intensifiera kampen mot
brottsligheten
**tight-fisted** [ˌtaɪt'fɪstɪd] *adj* vard. snål
**tight-fitting** [ˌtaɪt'fɪtɪŋ] *adj* åtsittande
**tightrope** ['taɪtrəʊp] *s* spänd lina; ~
*walker* lindansare; *walk on the* (*a*) ~ gå

(dansa) på lina; *walk a ~* bildl. gå
balansgång
**tights** [taɪts] *s pl* **1** ~ el. *stretch ~*
strumpbyxor **2** trikåer artistplagg;
trikåbyxor
**tigress** ['taɪgrəs] *s* tiginna, tigerhona
**tile** [taɪl] **I** *s* tegelpanna, tegelplatta; tegel;
kakelplatta; *be on* (*out on*) *the ~s* vard.
vara ute och svira **II** *vb tr* täcka (belägga)
med tegel; klä med kakel
**tileworks** ['taɪlwɜːks] *s* tegelbruk
**1 till** [tɪl] **I** *prep* till, tills; ~ *then* till dess,
dittills; *not ~* inte förrän, först **II** *konj* till,
tills, till dess att [*wait ~ the rain stops*]
**2 till** [tɪl] *s* **1** kassalåda; kassaapparat
**2** kassa pengar
**3 till** [tɪl] *vb tr* odla, odla upp, bruka [*~
the soil*]; *tilled land* odlad jord (mark)
**tillage** ['tɪlɪdʒ] *s* odling [*the ~ of soil*]
**tilt** [tɪlt] **I** *vb tr* o. *vb itr* luta, vippa på [*he
tilted his chair back*]; fälla [*~ back* (upp) *a
seat*]; vippa; välta, tippa; ~ *over* välta
(vicka) omkull **II** *s* **1** lutning; vippande
**2** *at full ~* el. *full ~* i (med) full fart
**timber** ['tɪmbə] *s* **1** timmer, trä, virke
**2** speciellt amer. timmerskog
**timberline** ['tɪmbəlaɪn] *s* trädgräns
**timber merchant** ['tɪmbəˌmɜːtʃ(ə)nt] *s*
virkeshandlare, trävaruhandlare
**timberyard** ['tɪmbəjɑːd] *s* brädgård
**time** [taɪm] **I** *s* **1** a) tid; tiden [*~ will show
who is right*]; *~s* tider [*hard ~s*], tid [*the
good old* (gamla goda) *~s*]; *~!* tiden är
ute!; stängningsdags! [t.ex. på en pub: ~
*gentlemen, please!*] b) i förbindelse med *long*:
*what a long ~ you have been!* så (vad)
länge du har varit!; *it will be a long ~
before...* det dröjer länge innan...; [*I
have not been there*] *for a long ~* ...på
länge; *for a long ~ past* el. *for a long ~*
sedan länge c) med verb: *time's up!* tiden
är ute!; *it's ~ for lunch* det är lunchdags;
*there is a ~ and place for everything*
allting har sin tid; *there are ~s when I
wonder...* ibland undrar jag...; *what is
the ~?* vad (hur mycket) är klockan?;
*find* (*get*) ~ *to do a th.* hinna med ngt;
*have the ~* el. *have ~* ha tid, hinna; *have
a good* (*nice*) ~ ha roligt, ha det trevligt;
*have ~ on one's hands* ha gott om tid;
*keep ~* a) hålla tider (tiderna, tiden), vara
punktlig b) ta tid med stoppur c) hålla
takten; *keep good ~* el. *keep ~* om ur gå
rätt; *keep bad ~* om ur gå fel; *take ~* ta
tid; *take one's ~* ta god tid på sig [*about*

*(over) a th.* till (för) ngt]; *take your ~!* ta
god tid på dig!, ingen brådska!; *tell the ~*
kunna klockan; *can you tell me the right
~?* kan du säga mig vad klockan är?; *you
don't waste much ~, do you?* du är
snabb, du! **d)** med vissa pronomen: [*they
were laughing*] *all the ~* ...hela tiden; *at
all ~s* alltid; *any ~* när som helst; vard.
alla gånger; *every ~!* vard. så klart!; alla
gånger!; *I've got no ~ for* vard. jag har
ingenting till övers för; *at no ~* inte
någon gång; *in less than no ~* el. *in no ~*
på nolltid; *at the same ~* a) vid samma
tidpunkt, samtidigt b) å andra sidan,
samtidigt; *for some ~* en längre tid; *for
some ~ yet* än på ett bra tag; *by that ~*
vid det laget, då; till dess; *this ~ last
year* i fjol vid den här tiden; *by this ~*
vid det här laget; *what ~ is it?* el. *what's
the ~?* vad (hur mycket) är klockan?

□ **about ~ too!** det var minsann på
tiden!; **against ~** i kapp med tiden; *a race
against ~* en kapplöpning med tiden; **at**
*one ~* a) en gång i tiden b) på en
(samma) gång; *at the ~* vid det tillfället,
vid den tiden [*he was only a boy at the ~*];
*at ~s* tidvis, emellanåt; *at my ~ of life*
vid min ålder; *at different ~s* vid olika
tidpunkter; **by** *the ~* när, då, vid den tid
då; **for** *the ~ being* för närvarande, tills
vidare; **from** *~ to ~* då och då, emellanåt;
**in** ~ med tiden [*in ~ he'll understand*]; *just
in ~* el. *in ~* precis lagom (i tid) [*come in
~ for dinner*]; *in a week's ~* om en vecka;
*all* **of** *the ~* hela tiden; *for the sake of old
~s* för gammal vänskaps skull; *~* **off** fritid;
ledigt; **on** ~ i tid, precis, punktlig,
punktligt; *once* **upon** *a ~ there was...* det var
en gång...

**2** gång [*the first ~ I saw her, five ~s four
is twenty*]; *~ after ~* el. *~ and again* gång
på gång; *many a ~* mången gång, många
gånger; *one more ~* vard. en gång till; *two
or three ~s* ett par tre (några) gånger;
*one at a ~* en åt gången, en i sänder
**3** mus. takt, tempo; taktart; *~ signature*
taktbeteckning; *beat ~* slå takt (takten);
*beat ~ with one's foot (feet)* stampa
takten; *keep ~* hålla takten

**II** *vb tr* **1** välja tiden för, tajma, avpassa
**2** ta tid på [*~ a runner*], ta tid vid [*~ a
race*], tajma

**time bomb** ['taɪmbɒm] *s* tidsinställd bomb
**time-consuming** ['taɪmkənˌsjuːmɪŋ] *adj*
tidsödande, tidskrävande

**time-honoured** ['taɪmˌɒnəd] *adj* ärevördig,
hävdvunnen [*~ customs*]
**timekeeper** ['taɪmˌkiːpə] *s* tidmätare;
tidkontrollör; tidtagare
**timekeeping** ['taɪmˌkiːpɪŋ] *s* tidtagning;
tidkontroll på arbetsplats
**time-killer** ['taɪmˌkɪlə] *s* vard. tidsfördriv
**timelag** ['taɪmlæg] *s* tidsfördröjning
**time limit** ['taɪmˌlɪmɪt] *s* tidsgräns; tidsfrist
[*exceed the ~*]; *impose a ~ on*
tidsbegränsa
**timely** ['taɪmlɪ] *adj* läglig, lämplig; i rätt
tid
**timepiece** ['taɪmpiːs] *s* ur, tidmätare
**timer** ['taɪmə] *s* **1** tidtagare **2** tidur; timer
**timesaving** ['taɪmˌseɪvɪŋ] *adj*
tidsbesparande [*a ~ device*]
**time signal** ['taɪmˌsɪgn(ə)l] *s* tidssignal
**timetable** ['taɪmˌteɪbl] *s* **1** tågtidtabell;
tidsschema **2** schema
**timewasting** ['taɪmˌweɪstɪŋ] *adj*
tidsödande
**timid** ['tɪmɪd] *adj* skygg; blyg, timid
**timidity** [tɪ'mɪdətɪ] *s* skygghet; blyghet
**timing** ['taɪmɪŋ] *s* **1** val av tidpunkt [*the
President's ~ was excellent*], tajming äv.
sport.; *the ~ was perfect* a) tidpunkten
var utmärkt vald b) allting klaffade
perfekt **2** tidtagning
**timorous** ['tɪmərəs] *adj* räddhågad
**timothy** ['tɪməθɪ] *s*, *~ grass* timotej
**tin** [tɪn] **I** *s* **1** tenn **2** bleck; plåt
**3** konservburk, burk [*a ~ of peaches*],
bleckburk, plåtburk, dosa **4** form, plåt för
bakning **II** *vb tr* **1** förtenna **2** lägga in,
konservera
**tin can** [ˌtɪn'kæn] *s* bleckburk, plåtburk
**tincture** ['tɪŋktʃə] *s* kem. el. med. tinktur
**tinder** ['tɪndə] *s* fnöske
**tinfoil** [ˌtɪn'fɔɪl] *s* stanniol; foliepapper
**tinge** [tɪndʒ] **I** *vb tr* färga lätt; prägla; *be
tinged with red* skifta i rött **II** *s* lätt
skiftning, nyans, färgton
**tingle** ['tɪŋgl] **I** *vb itr* **1** sticka, svida; klia
**2** pingla, plinga **II** *s* **1** stickande känsla,
stickning **2** pinglande
**tinker** ['tɪŋkə] *vb itr* knåpa, pilla, joxa
**tinkle** ['tɪŋkl] **I** *vb itr* o. *vb tr* klinga, pingla;
klirra; klinka [*~ on the piano*]; ringa
(pingla) med [*~ a bell*]; klinka på [*~ the
keys of a piano*] **II** *s* pinglande, plingande
[*the ~ of tiny bells*]; *I'll give you a ~* vard.
jag slår en signal på telefon
**tin-loaf** [ˌtɪn'ləʊf] (pl. *tin-loaves*
[ˌtɪn'ləʊvz]) *s* formbröd

**tin mine** ['tɪnmaɪn] s tenngruva
**tinned** [tɪnd] adj **1** förtent, förtennad
**2** konserverad [~ *fruit*], på burk [~ *peas*];
~ *food* burkmat; ~ *goods* konserver
**tinny** ['tɪnɪ] adj **1** tennhaltig; tenn-
**2** metallisk; *a ~ piano* ett piano med
spröd klang
**tin-opener** ['tɪnˌəʊpənə] s konservöppnare
**tinplate** ['tɪnpleɪt] s bleckplåt; tennplåt
**tinpot** ['tɪnpɒt] adj vard. skruttig [*a ~ firm*];
tredjeklassens [*a ~ actor*]
**tinsel** ['tɪns(ə)l] s glitter [*a Christmas tree
with ~*]
**tint** [tɪnt] I s **1** färgton, skiftning, nyans
**2** toningsvätska II vb tr färga lätt, tona [~
*one's hair*]
**tintack** ['tɪntæk] s nubb, stift
**tiny** ['taɪnɪ] adj mycket liten; ~ *little*
pytteliten; ~ *tot* småtting
**1 tip** [tɪp] I s **1** spets, tipp, topp; ända; *I
have it at the ~s of my fingers* jag har
det på mina fem fingrar; *walk on the ~s
of one's toes* gå på tå; *the ~ of one's
tongue* tungspetsen; *have a th. on the ~
of one's tongue* bildl. ha ngt på tungan
**2** munstycke på cigarett [*filter-tip*] II vb tr
förse med en spets, sätta en spets på;
*tipped cigarette* cigarett med munstycke
**2 tip** [tɪp] I vb tr o. vb itr **1** tippa; tippa
(stjälpa) omkull [äv. ~ *over, ~ up*] **2** ~
*one's hat* lyfta på hatten [*to* för] **3** stjälpa
av (ur), tippa ut [äv. ~ *out*] **4** vippa,
stjälpa (välta, tippa) över ända, vicka
omkull [äv. ~ *over*] II s tipp,
avstjälpningsplats
**3 tip** [tɪp] I vb tr o. vb itr vard. **1** ge dricks
till, ge dricks **2** tippa [~ *the winner*] **3** ge
en vink, tipsa; ~ *a p. off* tipsa ngn II s
**1** dricks **2** vard. vink; tips; *take my ~!* lyd
mitt råd!
**tipcart** ['tɪpkɑːt] s tippkärra, tippvagn
**tipping** ['tɪpɪŋ] s vard., ~ [*has been
abolished*] systemet att ge dricks...
**tipple** ['tɪpl] vb itr pimpla, småsupa
**tippler** ['tɪplə] s småsupare, fyllbult
**tipsy** ['tɪpsɪ] adj lätt berusad
**tiptoe** ['tɪptəʊ] I s, *walk on* ~ gå på tå
II adv på tå III vb itr gå på tå
**tiptop** [ˌtɪp'tɒp, 'tɪptɒp] adj o. adv perfekt,
prima [*a ~ hotel*], tiptop
**tip-up** ['tɪpʌp] adj uppfällbar [~ *seat*]
**tirade** [taɪ'reɪd] s tirad, lång harang
**1 tire** ['taɪə] vb tr o. vb itr trötta; tröttna;
ledsna, bli trött (led) [*of* på]
**2 tire** ['taɪə] s amer., se *tyre*

**tired** ['taɪəd] adj trött [*of* på; *with* av]; led,
utledsen [*of* på]; ~ *out* uttröttad,
utmattad; ~ *to death* dödstrött
**tireless** ['taɪələs] adj outtröttlig
**tiresome** ['taɪəsəm] adj **1** tröttsam;
långtråkig **2** förarglig, besvärlig
**tiring** ['taɪərɪŋ] adj tröttande, tröttsam
**tissue** ['tɪʃuː] s **1** vävnad äv. biol. el. anat.
[*muscular ~*]; väv **2** bildl. väv, nät, härva [*a
~ of lies*] **3** mjukt papper; cellstoff; *face
(facial)* ~ ansiktsservett; *toilet* ~ mjukt
toalettpapper
**tissue paper** ['tɪʃuːˌpeɪpə] s silkespapper
**1 tit** [tɪt] s zool. mes; *blue ~* blåmes; *coal ~*
svartmes; *great ~* talgoxe
**2 tit** [tɪt] s, ~ *for tat* lika för lika; *give ~
for tat* ge svar på tal
**3 tit** [tɪt] s **1** vard. bröstvårta **2** vulg. tutte
bröst
**titanic** [taɪ'tænɪk] adj titanisk; jättelik
**titbit** ['tɪtbɪt] s godbit, läckerbit
**title** ['taɪtl] s titel
**titled** ['taɪtld] adj betitlad; adlig [*a ~ lady*]
**titleholder** ['taɪtlˌhəʊldə] s speciellt sport.
titelhållare, titelinnehavare
**title page** ['taɪtlpeɪdʒ] s titelsida, titelblad
**title role** ['taɪtlrəʊl] s titelroll
**titmouse** ['tɪtmaʊs] (pl. *titmice* ['tɪtmaɪs]) s
zool. mes; *blue ~* blåmes; *coal ~* svartmes;
*great ~* talgoxe
**titter** ['tɪtə] I vb itr fnittra II s fnitter
**tittle-tattle** ['tɪtlˌtætl] I s skvaller II vb itr
skvallra
**titty** ['tɪtɪ] s **1** vard. bröstvårta; ~ *bottle*
diflaska **2** vulg. tutte bröst
**T-junction** ['tiːˌdʒʌŋkʃ(ə)n] s T-korsning av
vägar; T-knut
**to** [tuː, obetonat tʊ, tə] I prep **1** till **2** för;
*open ~ the public* öppen för
allmänheten; ~ *me it was...* för mig var
det...; *what is that ~ you?* vad angår det
dig?; [*we had the compartment*] *all ~
ourselves* ...helt för oss själva
**3** uttryckande riktning i [*a visit ~ England*];
på [*go ~ a concert*] **4** mot, emot
**a)** uttryckande riktning el. placering mot [*with
his back ~ the fire*]; *hold a th. ~ the light*
hålla ngt mot ljuset **b)** efter ord uttryckande
t.ex. bemötande [*good (polite) ~ a p.*] **c)** i
jämförelse med [*he's quite rich now*] ~
*what he used to be* ...mot vad han varit
förut **5** hos; *I have been ~ his house* jag
har varit hemma hos honom; *be on a
visit ~ a p.* vara på besök hos ngn
**6** betecknande proportion: *thirteen ~ a dozen*

tretton på dussinet; [*his pulse was 140*]
**~ the minute** ...i minuten **7** andra uttryck:
*freeze ~ death* frysa ihjäl; *tell a p. a th.* **~**
*his face* säga ngn ngt mitt upp i ansiktet;
*would ~ God that...* Gud give att...;
*here's ~ you!* skål!
   **II** *infinitivmärke* **1** att **2** med syftning på en
föreg. infinitiv: [*we didn't want to go*] *but
we had ~* ...men vi måste **3** för att [*he
struggled ~ get free*] **4** *he wants us ~ try*
han vill att vi ska försöka; *I'm waiting
for Bob ~ come* jag väntar på att Bob ska
komma; *he was the last ~ arrive* han var
den siste som kom; *~ hear him speak
you would believe that...* när man hör
honom skulle man tro att...; *he lived ~
be ninety* han levde tills han blev nittio
   **III** *adv* **1** igen, till [*push the door ~*] **2** *~
and fro* av och an, fram och tillbaka
**toad** [təʊd] *s* padda
**toadstool** ['təʊdstuːl] *s* svamp; speciellt
giftsvamp
**toast** [təʊst] **I** *s* **1** rostat bröd **2** skål; *drink
a ~ to the bride and bridegroom* skåla
för brudparet; *propose a ~* föreslå
(utbringa) en skål [*to* för] **II** *vb tr* **1** rosta
[*~ bread*] **2** utbringa (dricka) en skål för;
skåla med
**toaster** ['təʊstə] *s* brödrost; grillgaffel
**toasting-fork** ['təʊstɪŋfɔːk] *s* grillgaffel,
rostningsgaffel
**toastmaster** ['təʊst̩mɑːstə] *s* toastmaster,
ceremonimästare vid större middag
**toast rack** ['təʊstræk] *s* ställ för rostat
bröd
**tobacco** [tə'bækəʊ] (pl. *~s*) *s* tobak
**tobacconist** [tə'bækənɪst] *s*
tobakshandlare; *tobacconist's*
tobaksaffär
**tobacco pouch** [tə'bækəʊpaʊtʃ] *s*
tobakspung
**to-be** [tə'biː] *adj* blivande [*the bride ~*],
framtida, kommande
**toboggan** [tə'bɒg(ə)n] **I** *s* toboggan, kälke
   **II** *vb itr* åka kälke
**today** [tə'deɪ] **I** *adv* **1** i dag; *~ week* el. *a
week ~* i dag om en vecka **2** nu för tiden
   **II** *s*, *a year from ~* i dag om ett år; *the
England of ~* dagens England
**oddle** ['tɒdl] *vb itr* **1** tulta, tulta omkring;
*~ along* tulta omkring **2** vard., *~ along
(off)* knalla i väg
**oddler** ['tɒdlə] *s* liten knatte (tulta)
**oddy** ['tɒdɪ] *s* **1** whisky toddy **2** palmvin

**to-do** [tə'duː] (pl. *~s*) *s* vard. ståhej,
uppståndelse
**toe** [təʊ] **I** *s* tå; *on one's ~s* på sin vakt
(alerten); *step* (*tread*) *on a p.'s ~s*
trampa ngn på tårna **II** *vb tr* ställa sig
(stå) vid [*~ the starting line*]; *~ the line*
(*mark*) äv. a) ställa upp sig b) bildl. följa
partilinjerna; hålla sig på mattan
**toecap** ['təʊkæp] *s* tåhätta
**toe-in** ['təʊɪn] *s* bil. toe-in
**toenail** ['təʊneɪl] *s* tånagel
**toffee** ['tɒfɪ] *s* knäck, hård kola,
kolakaramell; *he can't act for ~* (*~ nuts*)
sl. han kan inte spela för fem öre
**toffee apple** ['tɒfɪˌæpl] *s* äppelklubba äpple
överdraget med knäck
**together** [tə'geðə] *adv* **1** tillsammans;
ihop; samman; gemensamt **2** efter
varandra, i sträck (rad); *for days ~* flera
dagar i sträck; *for hours ~* i timmar
**togs** [tɒgz] *s pl* vard. kläder, rigg, stass
**toil** [tɔɪl] **I** *vb itr* arbeta hårt, slita **II** *s* hårt
arbete, slit
**toilet** ['tɔɪlət] *s* **1** toalett t.ex. klädsel,
påklädning **2** toalett, WC
**toilet paper** ['tɔɪlətˌpeɪpə] *s* toalettpapper
**toilet roll** ['tɔɪlətrəʊl] *s* toalettrulle
**toilet soap** ['tɔɪlətsəʊp] *s* toalettvål
**toilet training** ['tɔɪlətˌtreɪnɪŋ] *s* barns
potträning
**toilet water** ['tɔɪlətˌwɔːtə] *s*
eau-de-toilette, toalettvatten
**token** ['təʊk(ə)n] **I** *s* **1** tecken, bevis [*of*
på]; kännetecken; symbol [*of* för] **2** *book
~* presentkort på böcker (en bok)
**3** minne, minnesgåva **II** *adj* symbolisk [*~
payment*; *~ strike*]
**told** [təʊld] se äv. *tell*; *all ~* inalles
**tolerable** ['tɒlərəbl] *adj* dräglig, uthärdlig,
tolerabel
**tolerably** ['tɒlərəblɪ] *adv* någorlunda,
tämligen
**tolerance** ['tɒlər(ə)ns] *s* tolerans
**tolerant** ['tɒlər(ə)nt] *adj* tolerant [*to* mot]
**tolerate** ['tɒləreɪt] *vb tr* tolerera, tåla,
finna sig i; vara tolerant mot
**toleration** [ˌtɒlə'reɪʃ(ə)n] *s* tolerans
**1 toll** [təʊl] *s* **1** avgift, tull **2** bildl., *the
death ~* antalet dödsoffer; *the war took
a heavy ~ of the enemy* kriget krävde
många offer bland fienden
**2 toll** [təʊl] *vb tr* o. *vb itr* **1** ringa i, klämta
i **2** slå klockslag [*Big Ben tolled five*]; med
långsamma slag ringa, klämta
**toll-call** ['təʊlkɔːl] *s* amer. rikssamtal

**tomahawk** ['tɒməhɔ:k] s tomahawk
**tomato** [tə'mɑ:təʊ, amer. tə'meɪtəʊ] (pl.
*tomatoes*) s tomat
**tomb** [tu:m] s grav; gravvalv; gravvård
**tombola** [tɒm'bəʊlə, 'tɒmbələ] s **1** slags
bingo **2** tombola
**tomboy** ['tɒmbɔɪ] s pojkflicka, yrhätta
**tombstone** ['tu:mstəʊn] s gravsten
**tomcat** ['tɒmkæt] s hankatt
**tome** [təʊm] s lunta, volym
**tomfoolery** [tɒm'fu:lərɪ] s tokigheter; skoj
**tommy-gun** ['tɒmɪgʌn] s kulsprutepistol
**tommyrot** ['tɒmɪrɒt] s vard. dumheter
**tomorrow** [tə'mɒrəʊ] **I** adv i morgon; i
morgon dag; ~ *week* i morgon om åtta
dagar, en vecka i morgon **II** s
morgondagen; *the day after* ~ i
övermorgon
**tomtit** [,tɒm'tɪt] s blåmes
**tomtom** ['tɒmtɒm] s tamtamtrumma
**ton** [tʌn] s **1** ton: **a)** britt. = 2 240 *lbs.* = 1 016
kg **b)** amer. = 2 000 *lbs.* = 907,2 kg **c)** *metric*
~ ton 1 000 kg **2** vard., ~*s of* massor av,
tonvis med [~*s of money*]
**tone** [təʊn] **I** s **1** ton, tonfall [*speak in*
(med) *an angry* ~]; röst [*in a low* ~ (~ *of
voice*)]; klang [*the* ~ *of a piano*]; ~ *control*
tonkontroll, klangfärgskontroll; *set the* ~
bildl. ange tonen **2** färgton, nyans **3** stil,
atmosfär, ton **II** vb tr, ~ *down* tona ner,
dämpa
**tone arm** ['təʊnɑ:m] s tonarm, pickuparm
**tongs** [tɒŋz] s pl tång; *a pair of* ~ en tång
**tongue** [tʌŋ] s **1** tunga; mål; *be on
everybody's* ~ vara på allas läppar; *has
the cat got your* ~? vard. har du tappat
talförmågan?; *have a ready* ~ vara rapp i
munnen; *hold one's* ~ hålla mun, tiga
[*about a th.* med ngt]; *keep one's* ~ hålla
mun; *stick* (*put*) *one's* ~ *out* räcka ut
tungan; [*he said*] *with his* ~ *in his
cheek* ...smått ironiskt, ...med glimten i
ögat **2** språk; tungomål; *confusion of* ~*s*
språkförbistring **3** plös
**tongue-tied** ['tʌŋtaɪd] adj som lider av
tunghäfta; mållös; tystlåten
**tongue-twister** ['tʌŋ,twɪstə] s tungvrickare
**tonic** ['tɒnɪk] **I** adj stärkande,
uppfriskande; ~ *water* tonic **II** s **1** med.
tonikum, stärkande medel (medicin)
**2 a)** tonic [*a gin and* ~] **b)** *skin* ~
ansiktsvatten
**tonight** [tə'naɪt] **I** adv i kväll; i natt **II** s
denna kväll, kvällen, natten [*tonight's
show*]

**tonnage** ['tʌnɪdʒ] s tonnage
**tonne** [tʌn] s metriskt ton
**tonsil** ['tɒnsl] s halsmandel, tonsill
**tonsillitis** [,tɒnsɪ'laɪtɪs] s inflammation i
tonsillerna, tonsillit, halsfluss
**too** [tu:] adv **1** alltför, för; *that's* ~ *bad!*
vad tråkigt (synd)!; *a little* ~ [*clever*] litet
för...; *I'm none* (*not, not any*) ~ *good
at it* jag är inte så värst bra på det
**2** också, med [*me* ~], även
**took** [tʊk] se *take*
**tool** [tu:l] s redskap, verktyg
**tool-bag** ['tu:lbæg] s verktygsväska på cykel
**toolbox** ['tu:lbɒks] s o. **toolchest**
['tu:ltʃest] s verktygslåda
**tool-shed** ['tu:lʃed] s redskapsskjul,
redskapsbod
**toot** [tu:t] **I** vb itr tuta **II** s tutning
**tooth** [tu:θ] (pl. *teeth* [ti:θ]) s tand; *false
(artificial)* ~ löstand; *cut one's teeth* få
tänder; *dig* (*get*) *one's teeth into* sätta
tänderna i; *escape by* (*with*) *the skin of
one's teeth* klara sig undan med knapp
nöd; *fight* ~ *and nail* kämpa med näbbar
och klor; *have a* ~ *out* (amer. *pulled*) dra
(låta dra) ut en tand; *set one's teeth* bita
ihop tänderna; *it sets my teeth on edge*
det får mig att rysa; *have a sweet* ~ vara
en gottgris
**toothache** ['tu:θeɪk] s tandvärk
**toothbrush** ['tu:θbrʌʃ] s tandborste
**toothcomb** ['tu:θkəʊm] s, *go over
(through) with a* ~ bildl. finkamma;
fingranska
**toothless** ['tu:θləs] adj tandlös
**toothmug** ['tu:θmʌg] s tandborstmugg
**toothpaste** ['tu:θpeɪst] s tandkräm
**toothpick** ['tu:θpɪk] s tandpetare
**tooth wheel** ['tu:θwi:l] s kugghjul
**toothy** ['tu:θɪ] adj med en massa tänder; *a
~ smile* ett stomatolleende
**1 top** [tɒp] s snurra; *sleep like a* ~ sova
som en stock
**2 top** [tɒp] **I** s **1** topp, spets; övre del;
krön; *blow one's* ~ vard. explodera av
ilska; *at the* ~ överst, högst upp, ovanpå;
*at the* ~ *of one's voice* så högt man kan;
av (för) full hals; *from* ~ *to bottom*
uppifrån och ner; *on* ~ ovanpå, på
toppen; *be on* ~ ha övertaget; *come out
on* ~ bli etta, vara bäst; *on* ~ *of* a) utöver
b) ovanpå, omedelbart på (efter); *on* ~ *of
that* (*this*) ovanpå det, dessutom; till
råga på allt; *I feel on* ~ *of the world* jag
känner mig absolut i toppform; *get on* ~

**of** ta överhanden över [*don't let the work get on ~ of you*] **2** topp klädesplagg; överdel **3** bordskiva; yta
  **II** *adj* **1** översta, högsta, över- [*the ~ floor* (våning)]; topp- [*~ prices*]; **~ C** mus. höga C; **~ copy** maskinskrivet original; *in ~ gear* på högsta växeln; **~ hat** hög hatt **2** främsta, bästa, topp- [*~ secret*]
  **III** *vb tr* **1** vara överst på, toppa [*~ the list*], höja sig över, överträffa attraktionen; *to ~ it all* till råga på allt **2 ~ up** fylla på [*~ up a car battery*; *let me ~ up your glass*]; **~ off** avsluta, avrunda **3** toppa, beskära

**opaz** ['təʊpæz] *s* miner. topas
**opboot** [,tɒp'buːt] *s* kragstövel
**op-heavy** [,tɒp'hevɪ] *adj* för tung upptill
**opic** ['tɒpɪk] *s* samtalsämne
**opical** ['tɒpɪk(ə)l] *adj* aktuell; **~ allusion** anspelning på samtida händelser; *make ~* aktualisera
**opicality** [,tɒpɪ'kælətɪ] *s* aktualitet
**opknot** ['tɒpnɒt] *s* hårknut på hjässan
**opless** ['tɒpləs] *adj* topless, utan överdel
**op-level** [,tɒp'levl, attributivt 'tɒp,levl] *adj*, **~ conference** konferens på toppnivå, toppkonferens
**opmost** ['tɒpməʊst] *adj* överst, högst
**opnotch** [,tɒp'nɒtʃ] *adj* vard. jättebra
**opography** [tə'pɒgrəfɪ] *s* topografi
**opper** ['tɒpə] *s* vard. hög hatt
**opping** ['tɒpɪŋ] *s* kok. garnering, toppskikt; *a ~ of ice cream on the pie* ett lager av glass ovanpå pajen
**opple** ['tɒpl] *vb itr* o. *vb tr* ramla [äv. *~ over* (*down*)]; störtas; stjälpa; störta
**op-ranking** ['tɒp,ræŋkɪŋ] *adj* topprankad
**op-secret** [,tɒp'siːkrɪt] *adj* hemligstämplad; topphemlig
**opspin** ['tɒpspɪn] *s* i t.ex. tennis överskruv
**opsy-turvy** [,tɒpsɪ'tɜːvɪ] **I** *adv* upp och ner **II** *adj* uppochnervänd; bakvänd
**orch** [tɔːtʃ] *s* **1** bloss; fackla **2 electric ~** el. **~ ficklampa 3** amer. blåslampa
**orchlight** ['tɔːtʃlaɪt] *s* fackelsken; **~ procession** fackeltåg
**ore** [tɔː] se *2 tear I*
**oreador** ['tɒrɪədɔː] *s* toreador, tjurfäktare
**orment** [substantiv 'tɔːment, verb tɔː'ment] **I** *s* plåga, pina, kval, tortyr; *be in ~* lida kval **II** *vb tr* plåga, pina
**ormentor** [tɔː'mentə] *s* plågoande
**orn** [tɔːn] se *2 tear I*
**ornado** [tɔː'neɪdəʊ] (pl. *tornadoes* el. *~s*) *s* tromb, virvelstorm, tornado

**torpedo** [tɔː'piːdəʊ] **I** (pl. *torpedoes*) *s* torped **II** *vb tr* torpedera
**torpedo boat** [tɔː'piːdəʊbəʊt] *s* torpedbåt; **~ destroyer** torpedjagare
**torpid** ['tɔːpɪd] *adj* slö, overksam
**torpor** ['tɔːpə] *s* dvala; slöhetstillstånd, törnrosasömn
**torque** [tɔːk] *s* tekn. vridmoment
**torrent** ['tɒr(ə)nt] *s* **1** ström, störtflod; *a ~ of abuse* en störtflod av okvädinsord **2** störtregn
**torrential** [tə'renʃ(ə)l] *adj* forsande; **~ rain** skyfallsliknande regn
**torrid** ['tɒrɪd] *adj* bränd; solstekt; het [*the ~ zone*]
**torso** ['tɔːsəʊ] (pl. *~s*) *s* torso; bål
**tortoise** ['tɔːtəs] *s* sköldpadda
**torture** ['tɔːtʃə] **I** *s* tortyr; kval, pina **II** *vb tr* tortera; pina, plåga
**torturer** ['tɔːtʃərə] *s* bödel; plågoande
**Tory** ['tɔːrɪ] *s* tory, konservativ
**toss** [tɒs] **I** *vb tr* o. *vb itr* **1** kasta, slänga; kasta upp (av); kasta hit och dit [*the waves tossed the boat*]; *tossed salad* grönsallad med dressing **2** singla, singla slant med; singla slant; **~ up** el. **~ for it** singla slant om det (saken); **~ a coin** singla slant **3** om t.ex. fartyg rulla, gunga **4 ~ about** el. **~** kasta sig av och an; **~ and turn** vända och vrida sig □ **~ back** el. **~ down** kasta (stjälpa) i sig; **~ off** a) kasta av sig b) kasta (stjälpa) i sig [*~ off a few drinks*]; **~ up** kasta (slänga) upp; **~ up a coin** el. **~ up** singla slant
  **II** *s* **1** kastande; kast; *a ~ of the head* ett kast med huvudet **2** slantsingling [*lose (win) the ~*]; *argue the ~* vard. diskutera fram och tillbaka
**toss-up** ['tɒsʌp] *s* slantsingling; lottning; *it is a ~* det är rena lotteriet
**1 tot** [tɒt] *s* **1** pyre, tulta [*a tiny ~*] **2** vard. hutt, litet glas konjak m.m.
**2 tot** [tɒt] *vb tr*, **~ up** addera, summera, lägga ihop, räkna ihop
**total** ['təʊtl] **I** *adj* fullständig, total, hel, slut- [*the ~ amount*]; **~ abstainer** absolutist, helnykterist **II** *s* slutsumma, totalsumma **III** *vb tr* **1** räkna samman, lägga ihop [äv. *~ up*] **2** uppgå till
**totalitarian** [,təʊtælɪ'teərɪən] *adj* totalitär, diktatur- [*~ State*]
**totalitarianism** [,təʊtælɪ'teərɪənɪz(ə)m] *s* totalitarism; diktatur
**totalizator** ['təʊtəlaɪzeɪtə] *s* totalisator

**tote** [təʊt] *s* (vard. kortform för *totalizator*)
toto

**totem** ['təʊtəm] *s*, ~ *pole* totempåle

**totter** ['tɒtə] *vb itr* vackla; stappla; svikta

**tottering** ['tɒtərɪŋ] *adj* o. **tottery** ['tɒtərɪ] *adj* vacklande, stapplande; osäker, ostadig

**touch** [tʌtʃ] **I** *vb tr* o. *vb itr* (se äv. *touched*) **1** röra, röra vid, toucha; nudda; ta i (på); röra (snurra) vid varandra **2** gränsa till [*the two estates* ~ *each other*]; gränsa till varanda **3** nå, nå fram till; stiga (sjunka) till [*the temperature touched 35*]; ~ *bottom* a) nå botten b) sjö. få bottenkänning; *there's no one to* ~ *him* det finns ingen som går upp mot honom **4** smaka [*he never touches wine*], röra [*he didn't even* ~ *the food*] **5** röra, göra ett djupt intryck på □ ~ **down** flyg. ta mark, landa; ~ **off** avlossa, avfyra [~ *off a cannon*]; bildl. utlösa [~ *off a crisis*]; ~ **on** beröra, komma in på [~ *on a subject*]; ~ **up** retuschera, bättra på [~ *up a painting*]; snygga (fiffa) upp; finputsa **II** *s* **1** beröring, vidröring, snudd **2** kontakt; *keep* ~ *with* hålla kontakten med; *lose* ~ *with* tappa kontakten med; *be* (*keep*) *in* ~ *with* hålla (vara i, stå i) kontakt med; *keep in* ~*!* hör av dig!; *get in* (*into*) ~ *with* få (komma i) kontakt med; sätta sig i förbindelse med; *put in* ~ *with* sätta i förbindelse med **3** känsel, beröringssinne [äv. *sense of* ~]; *you can tell it's silk by the* ~ det känns att det är siden när man tar på det **4** aning, antydan, spår; stänk [*a* ~ *of irony* (*bitterness*)]; släng [*a* ~ *of flu*] **5** drag, prägel, anstrykning **6** mus. el. i t.ex. maskinskrivning a) anslag b) grepp; *have a light* ~ a) ha ett lätt anslag b) om t.ex. piano vara lättspelad **7** grepp; hand, handlag; *with a light* ~ med lätt hand; *the* ~ *of a master* en mästares hand; *he has a very sure* ~ han har ett mycket säkert handlag; *lose one's* ~ tappa greppet **8** fotb. område utanför sidlinjen; *be in* ~ vara utanför sidlinjen, vara död; *kick the ball into* ~ sparka bollen över sidlinjen

**touch-and-go** [ˌtʌtʃənd'gəʊ] *adj* osäker, riskabel; *it was* ~ det hängde på ett hår

**touchdown** ['tʌtʃdaʊn] *s* flyg. landning

**touched** [tʌtʃt] *adj* **1** rörd **2** vard. vrickad

**touching** ['tʌtʃɪŋ] **I** *adj* rörande, gripande **II** *prep* rörande, angående

**touch-line** ['tʌtʃlaɪn] *s* fotb. sidlinje

**touchstone** ['tʌtʃstəʊn] *s* probersten; bildl. äv. prövosten; kriterium

**touch-typing** ['tʌtʃˌtaɪpɪŋ] *s* maskinskrivning enligt touchmetoden

**touch-up** ['tʌtʃʌp] *s* retusch, retuschering

**touchy** ['tʌtʃɪ] *adj* retlig, snarstucken

**tough** [tʌf] **I** *adj* **1** seg [~ *meat*] **2** jobbig, kämpig, slitig [*a* ~ *job*]; seg [~ *negotiations*]; ~ *luck* vard. otur **3** tuff; kallhamrad; *a* ~ *guy* (*customer*) vard. en hårding, en tuffing **4** hård, seg [*a* ~ *defence*]; *get* ~ *with* ta i med hårdhandskarna mot **II** *s* buse; råskinn

**toughen** ['tʌfn] *vb tr* o. *vb itr* göra seg (hård); bli seg (hård)

**toupee** ['tu:peɪ] *s* tupé

**tour** [tʊə] **I** *s* rundresa; rundtur; rundvandring; teat. m.m. turné [*on* ~]; ~ *of inspection* inspektionsresa, inspektionsrunda; *conducted* (*guided*) ~ sällskapsresa, guidad tur; *make a* ~ *of* resa runt i, göra en rundtur i **II** *vb itr* o. *vb tr* **1** göra en rundresa; turista, resa [*through, about* genom, i]; resa runt (omkring) i, besöka [~ *a country*]; göra en rundtur genom, bese [~ *the factory*] **2** teat. m.m. turnera; turnera i [~ *the provinces*]

**tourism** ['tʊərɪz(ə)m] *s* turism, turistväsen

**tourist** ['tʊərɪst] *s* turist; ~ *agency* resebyrå, turistbyrå

**tournament** ['tʊənəmənt] *s* sport. turnering, tävlingar

**tousle** ['taʊzl] *vb tr* rufsa (tufsa) till t.ex. hår

**tout** [taʊt] **I** *vb tr* försöka pracka på folk; tipsa om, sälja stalltips om **II** *s* svartabörshaj, biljettjobbare [äv. *ticket* ~]

**tow** [təʊ] **I** *vb tr* bogsera; släpa; bärga bil; *ask for the car to be towed* begära bärgning av bilen **II** *s* bogsering; *take in* ~ bogsera

**towards** [tə'wɔ:dz] *prep* **1** mot, i riktning mot; till; vänd mot [*with his back* ~ *us*] **2** gentemot, mot [*his feelings* ~ *us*] **3** för [*they are working* ~ *peace*], till [*save money* ~ *a new house*] **4** om tid inemot, mot [~ *evening*]

**towel** ['taʊ(ə)l] *s* handduk; *sanitary* ~ dambinda; *Turkish* ~ frottéhanddduk; *throw in the* ~ boxn. vard. kasta in handduken

**towel rail** ['taʊ(ə)lreɪl] *s* handduksställning

**tower** ['taʊə] **I** *s* **1** torn; ~ *block* punkthus, höghus **2** borg; fästning; fängelsetorn **3** ~ *of strength* stöttepelare, kraftkälla **II** *vb* *itr* torna upp sig, höja (resa) sig; ~ *above* (*over*) höja sig över

**towering** ['taʊərɪŋ] *adj* **1** jättehög, reslig **2** våldsam [*a* ~ *rage*]

**towing** ['təʊɪŋ] *s* bogsering; bärgning av bil

**towline** ['təʊlaɪn] *s* bogserlina, draglina

**town** [taʊn] *s* stad; *the talk of the* ~ det allmänna samtalsämnet; *go to* (*up to*) ~ åka (fara, köra) till stan

**town-dweller** ['taʊn,dwelə] *s* stadsbo

**townsfolk** ['taʊnzfəʊk] *s* stadsbor

**towrope** ['təʊrəʊp] *s* bogserlina

**toxic** ['tɒksɪk] *adj* toxisk, giftig, förgiftnings- [~ *symptoms*]

**toy** [tɔɪ] **I** *s* leksak; ~ *poodle* dvärgpudel **II** *vb itr* sitta och leka, leka [~ *with a pencil*]; ~ *with the idea of buying a car* leka med tanken på att köpa en bil

**toyshop** ['tɔɪʃɒp] *s* leksaksaffär

**trace** [treɪs] **I** *vb tr* **1** spåra; följa spåren av; spåra upp; upptäcka, finna spår av **2** kalkera **II** *s* spår; märke; *a* ~ *of arsenic* ett spår av arsenik; *a* ~ *of garlic in the food* en aning vitlök i maten

**tracing-paper** ['treɪsɪŋ,peɪpə] *s* kalkerpapper

**track** [træk] **I** *s* **1** spår på marken, på magnetband m.m.; fotspår; järnvägsspår, bana; *cover* (*cover up*) *one's* ~*s* sopa igen spåren efter sig; *keep* ~ *of* bildl. hålla reda på; *lose* ~ *of* bildl. tappa kontakten med; tappa bort, tappa räkningen på; *throw a p. off the* ~ leda ngn på villospår; *on one's* ~ efter sig, i hälarna **2** stig, väg; kurs **3** sport. löparbana [äv. *running* ~]; ~ *events* tävlingar i löpning på bana **II** *vb tr* spåra, följa spåren av; ~ *down* försöka spåra upp, spåra

**track-and-field** [,trækənd'fiːld] *adj* speciellt amer., ~ *sports* friidrott

**track shoe** ['trækʃuː] *s* spiksko

**track suit** ['træksuːt, 'træksjuːt] *s* träningsoverall

**tract** [trækt] *s* område, sträcka; pl. ~*s* äv. vidder

**tract** [trækt] *s* religiös, politisk skrift, broschyr, traktat

**tractable** ['træktəbl] *adj* medgörlig, foglig

**tractor** ['træktə] *s* **1** traktor **2** lokomobil

**trade** [treɪd] **I** *s* **1** a) handel, affärer [*in a th.* med ngt]; kommers; handelsutbyte b) affärsgren, bransch [*in the book* ~]; ~ *discount* handelsrabatt, varurabatt; ~ *name* handelsnamn, firmanamn; *foreign* ~ utrikeshandel, utrikeshandeln **2** yrke,

hantverk, fack; ~ *dispute* arbetstvist, arbetskonflikt; ~ *union* fackförening; *The Trades Union Congress* Brittiska Landsorganisationen; *by* ~ till yrket (facket)

**II** *vb itr* o. *vb tr* **1** handla, driva (idka) handel [*in a th.* med ngt] **2** spekulera, jobba [*in a th.* med (i) ngt]; ~ *on* utnyttja [~ *on a p.'s sympathy*] **3** vard. handla [*at* hos] **4** handla med ngt; byta, byta ut (bort) [*for* mot]; ~ *in a th. for* a) ta ngt i inbyte mot b) lämna ngt i utbyte mot

**trade-in** ['treɪdɪn] *s* vard. inbyte, inbytesvara; ~ *car* inbytesbil

**trademark** ['treɪdmɑːk] *s* varumärke, firmamärke, fabriksmärke

**trader** ['treɪdə] *s* affärsman, köpman

**tradesman** ['treɪdzmən] (pl. *tradesmen* ['treɪdzmən]) *s* detaljhandlare, handelsman; *tradesmen's entrance* köksingång

**trade union** [,treɪd'juːnjən] *s* fackförening

**trade-unionism** [,treɪd'juːnjənɪz(ə)m] *s* fackföreningsrörelsen

**trade-unionist** [,treɪd'juːnjənɪst] *s* fackföreningsmedlem; fackföreningsman

**trade wind** ['treɪdwɪnd] *s* passadvind

**trading** ['treɪdɪŋ] *s* handel; byteshandel

**tradition** [trə'dɪʃ(ə)n] *s* tradition; hävd

**traditional** [trə'dɪʃənl] *adj* traditionell

**traditionalist** [trə'dɪʃənəlɪst] *s* traditionalist

**tradition-bound** [trə'dɪʃ(ə)nbaʊnd] *adj* traditionsbunden

**traffic** ['træfɪk] **I** *vb itr* handla, driva handel [*in a th.* med ngt; *with a p.* med ngn]; driva olaga handel [*in a th.* med ngt] **II** *s* **1** trafik; ~ *island* refug; trafikdelare; ~ *jam* trafikstockning; ~ *lane* körfält, fil; ~ *light* trafikljus; ~ *offender* trafiksyndare; ~ *regulations* trafikförordning; ~ *sign* vägmärke, trafikmärke; ~ *warden* trafikvakt, lapplisa; *one-way* ~ enkelriktad trafik **2** handel; neds. trafik [~ *in* (med) *narcotics*]

**trafficker** ['træfɪkə] *s* handlande; *drug* ~ narkotikahaj, narkotikalangare

**tragedy** ['trædʒədɪ] *s* tragedi

**tragic** ['trædʒɪk] *adj* tragisk

**tragi-comedy** [,trædʒɪ'kɒmɪdɪ] *s* tragikomedi

**trail** [treɪl] **I** *s* **1** strimma, slinga [*a* ~ *of smoke*] **2** spår; *leave in one's* ~ ha i släptåg, medföra [*war left misery in its* ~];

*be hot on the ~ of a p.* vara tätt i hälarna på ngn

II *vb tr* o. *vb itr* **1** släpa, släpa i marken [*her dress trailed across the floor*], dra efter sig; släpa sig, släpa sig fram; driva [*smoke was trailing from the chimneys*]; *~ away (off)* bildl. dö bort **2** spåra, spåra upp **3** krypa, slingra sig om t.ex. växt, orm **4** vard. komma (sacka) efter [äv. *~ behind*]; *~ by one goal* sport. ligga under med ett mål

**trailer** ['treɪlə] *s* **1** släpvagn, släp, trailer; amer. husvagn **2** film. trailer

**train** [treɪn] I *vb tr* o. *vb itr* **1** öva, öva in (upp), träna upp; utbilda, skola; utbilda sig; dressera [*~ animals*]; sport. träna, träna sig; mil. exercera; *~ as (to be, to become) a nurse* utbilda sig till sjuksköterska **2** rikta in kanon, kikare m.m. [*on, upon* på, mot]

II *s* **1** järnv. tåg [*for, to* till]; *fast ~* snälltåg; *special ~* extratåg; *change ~s* byta tåg; *go by ~* åka tåg, ta tåg (tåget) **2** följe, svit; tåg, procession; rad, räcka, följd [*a whole ~ of events*], serie; *~ of thought* tankegång; *bring in one's ~* ha i släptåg, medföra [*war brings famine in its ~*] **3** klänningssläp **4** tekn. hjulverk, löpverk [äv. *~ of gears (wheels)*]

**trained** [treɪnd] *adj* tränad; utbildad, utexaminerad [*a ~ nurse*]; dresserad

**trainee** [treɪ'ni:] *s* praktikant, lärling, elev, aspirant

**trainer** ['treɪnə] *s* **1** tränare; instruktör; lagledare; handledare **2** dressör **3** träningssko

**train ferry** ['treɪn,ferɪ] *s* tågfärja

**training** ['treɪnɪŋ] *s* utbildning; träning, övning; fostran, skolning; dressyr; mil. exercis, drill; *in ~* i god kondition, tränad; *be out of ~* ha dålig kondition, vara otränad; *go into ~* lägga sig i träning

**training-camp** ['treɪnɪŋkæmp] *s* träningsläger

**training-centre** ['treɪnɪŋ,sentə] *s* ungefär yrkesskola, utbildningscentrum

**training-cycle** ['treɪnɪŋ,saɪkl] *s* motionscykel

**training-school** ['treɪnɪŋsku:l] *s* fackskola, yrkesskola, seminarium

**training-shoes** ['treɪnɪŋʃu:z] *s pl* träningsskor

**trait** [treɪt] *s* drag, karakteristiskt (kännetecknande) drag; karaktärsdrag, egenskap

**traitor** ['treɪtə] *s* förrädare [*to* mot]

**tram** [træm] *s* spårvagn

**tramcar** ['træmkɑ:] *s* spårvagn

**tramline** ['træmlaɪn] *s* **1** spårvagnslinje **2** spårvägsskena; pl. *~s* äv. spårvagnsspår

**tramp** [træmp] I *vb itr* **1** trampa; klampa; stampa **2** traska II *s* **1** tramp, trampande **2** luffare; landstrykare **3** trampbåt **4** speciellt amer. vard. slampa, luder, fnask

**trample** ['træmpl] *vb tr* o. *vb itr* trampa [*on* på, i], trampa ned, trampa på; *~ to death* trampa ihjäl

**tramway** ['træmweɪ] *s* spårväg

**trance** [trɑːns] *s* trans; *send a p. (fall, go) into a ~* försätta ngn (falla) i trans

**trannie** ['trænɪ] *s* vard. transistor[radio]

**tranquil** ['træŋkwɪl] *adj* lugn, stilla, stillsam

**tranquillity** [træŋ'kwɪlətɪ] *s* lugn, ro

**tranquillize** ['træŋkwəlaɪz] *vb tr* lugna, stilla

**tranquillizer** ['træŋkwəlaɪzə] *s* lugnande medel

**transact** [træn'zækt] *vb tr* bedriva [*~ business*], föra [*~ negotiations*]

**transaction** [træn'zækʃ(ə)n] *s* transaktion, affär [*the ~s of a firm*]; affärsuppgörelse

**transatlantic** [,trænzət'læntɪk] *adj* transatlantisk

**transcend** [træn'send] *vb tr* överstiga, överskrida; överträffa, överglänsa

**transcribe** [træn'skraɪb] *vb tr* **1** skriva av, kopiera **2** transkribera

**transcript** ['trænskrɪpt] *s* avskrift, kopia; utskrift

**transcription** [træn'skrɪpʃ(ə)n] *s* **1** avskrivning; utskrivning **2** avskrift, kopia; utskrift **3** transkription

**transfer** [verb træns'fɜ:, substantiv 'trænsfə] I *vb tr* **1** flytta, förflytta; flytta över, föra över; *in a transferred sense* i överförd bemärkelse **2** överlåta [*to a p.* på ngn] **3** girera; ekon. transferera, överföra **4** sport. sälja, transferera spelare

II *s* **1** flyttning, förflyttning; överflyttning; omplacering; transfer; *~ fee* sport. transfersumma, övergångssumma för spelare; *~ list* sport. transferlista **2** avtryck av mönster m.m.; kopia; dekal, överföringsbild, gnuggbild [äv. *~ picture*] **3** girering; ekon. transferering, överföring

**transferable** [træns'fɜ:rəbl] *adj* överflyttbar, överförbar; *not ~* får ej överlåtas

**transfix** [træns'fɪks] *vb tr* **1** genomborra

**2** perfekt particip *transfixed* förstenad, lamslagen

**transform** [træns'fɔ:m] *vb tr* förvandla; omvandla; omskapa; förändra; transformera

**transformation** [ˌtrænsfə'meiʃ(ə)n] *s* förvandling; omvandling; förändring; transformation

**transformer** [træns'fɔ:mə] *s* **1** omskapare **2** elektr. transformator

**transfusion** [træns'fju:ʒ(ə)n] *s* transfusion [*blood* ~]

**transgressor** [træns'gresə] *s* överträdare, lagbrytare; syndare

**transient** ['trænziənt] *adj* övergående, förgänglig; flyktig

**transistor** [træn'zistə] *s* **1** transistor **2** vard. transistorradio

**transistorize** [træn'zistəraiz] *vb tr* transistorisera

**transit** ['trænzit] *s* **1** genomresa, överresa, färd; ~ *visa* genomresevisum, transitvisum; *in* ~ på genomresa **2** hand. transport, befordran av varor, passagerare; [*goods lost*] *in* ~ ...under transporten

**transition** [træn'siʒ(ə)n] *s* övergång; ~ *stage* övergångsstadium

**transitional** [træn'siʒənl] *adj* övergångs-, mellan- [*a* ~ *period*]

**transitive** ['trænsitiv] *adj* gram. transitiv

**transitory** ['trænsitri] *adj* övergående, kortvarig; obeständig

**translate** [træns'leit] *vb tr* översätta [*into* till; *by* med]

**translation** [træns'leiʃ(ə)n] *s* översättning [*into* till]

**translator** [træns'leitə] *s* översättare, translator

**transmission** [trænz'miʃ(ə)n] *s* **1** vidarebefordran; översändande; överföring **2** mek. transmission; kraftöverföring **3** radio. sändning

**transmit** [trænz'mit] *vb tr* **1** vidarebefordra [~ *news*]; överlämna, överlåta [*to* till, på]; ~ *a disease* överföra en sjukdom **2** mek. överföra **3** radio. sända; *transmitting station* sändarstation

**transmitter** [trænz'mitə] *s* **1** vidarebefordrare **2** radiosändare

**transparency** [træn'spærənsi] *s* **1** genomlysthet, genomskinlighet **2** diapositiv, diabild, ljusbild

**transparent** [træn'spær(ə)nt] *adj* genomsynlig; genomskinlig

**transpire** [træn'spaiə] *vb itr* läcka ut; komma fram; vard. hända, inträffa

**transplant** [verb træn'spla:nt, substantiv 'trænspla:nt] **I** *vb tr* **1** plantera om **2** förflytta, flytta över **3** kir. transplantera **II** *s* kir. **1** transplantation [*a heart* ~] **2** transplantat

**transplantation** [ˌtrænspla:n'teiʃ(ə)n] *s* **1** omplantering **2** förflyttning, överflyttning **3** kir. transplantation [*heart* ~]

**transponder** [træn'spɒndə] *s* TV. transponder

**transport** [verb træn'spɔ:t, substantiv 'trænspɔ:t] **I** *vb tr* **1** transportera, förflytta, forsla **2** *be transported* hänryckas; *transported with joy* utom sig av glädje **II** *s* **1** transport, förflyttning **2** a) transportmedel [äv. *means of* ~] b) ~ *service* (*services*) el. ~ transportväsen, transportväsendet; *public* ~ allmänna kommunikationer, kollektivtrafik

**transportation** [ˌtrænspɔ:'teiʃ(ə)n] *s* transport, transportering, förflyttning

**transpose** [træn'spəuz] *vb tr* flytta om, kasta om ordning, ord m.m.

**transposition** [ˌtrænspə'ziʃ(ə)n] *s* omkastning, omflyttning

**transvestism** [trænz'vestizm] *s* transvestism

**transvestite** [trænz'vestait] *s* transvestit

**trap** [træp] **I** *s* **1** fälla, snara; *fall into the* ~ gå i fällan; *set* (*lay*) *a* ~ *for* gillra en fälla för **2** fallucka, falldörr, lucka i golvet el. taket **II** *vb tr* **1** snara, fånga, snärja; *trapped in* [*a burning building*] instängd i...; ~ *a p. into doing a th.* lura ngn att göra ngt **2** sätta ut fällor (snaror) på (i) **3** ~ *a ball* fotb. dämpa en boll

**trapdoor** [ˌtræp'dɔ:] *s* fallucka, falldörr

**trapeze** [trə'pi:z] *s* trapets

**trappings** ['træpiŋz] *s pl* grannlåt, ståt; utsmyckning (utsmyckningar)

**trash** [træʃ] *s* **1** skräp, smörja **2** amer. skräp, sopor; ~ *can* soptunna **3** vard. slödder, pack

**trashy** ['træʃi] *adj* usel, skräp- [~ *novels*]

**travel** ['trævl] **I** *vb itr* o. *tr* **1** resa, färdas, åka, fara; om t.ex. ljus, ljud gå, röra sig **2** resa omkring i **3** tillryggalägga [~ *great distances*] **II** *s* resande, att resa, resor [*enrich one's mind by* ~]; pl. ~**s** resor [*in* (*during*) *my* ~s]; *book of* ~ reseskildring; ~ *agency* (*bureau*) resebyrå, turistbyrå; ~ *agent* resebyråman; ~ *sickness* åksjuka

**traveller** ['træv(ə)lə] *s* resande, resenär; *commercial* ~ handelsresande; *traveller's cheque* (amer. *check*) resecheck

**travelling** ['træv(ə)lɪŋ] **I** *s* resande, att resa, resor; ~ *companion* reskamrat; ~ *expenses* resekostnader **II** *adj* resande, kringresande [~ *circus*]; ~ *library* a) vandringsbibliotek b) bokbuss; ~ *salesman* handelsresande, representant

**travesty** ['trævəstɪ] **I** *vb tr* travestera, parodiera **II** *s* travesti, karikatyr; parodi på

**trawler** ['trɔ:lə] *s* **1** trålare **2** trålfiskare

**tray** [treɪ] *s* **1** bricka; brevkorg, låda **2** löst lådfack i skrivbord m.m.

**treacherous** ['tretʃərəs] *adj* förrädisk; svekfull; lömsk [*a* ~ *attack*]

**treachery** ['tretʃərɪ] *s* förräderi; svek

**treacle** ['tri:kl] *s* sirap; melass

**tread** [tred] **I** (*trod trodden*) *vb itr* o. *vb tr* **1** trampa, träda, stiga; trampa till; ~ *on a p.'s corns* a) trampa på ngns liktornar b) bildl. trampa ngn på tårna; ~ *on a p.'s toes* bildl. trampa ngn på tårna; ~ *down* trampa ner **2** gå [~ *a path*], vandra på **II** *s* **1** steg; gång; tramp **2** trampyta på fot el. sko **3** slitbana; slitbanemönster, däckmönster [äv. ~ *pattern*]

**treadmill** ['tredmɪl] *s* trampkvarn

**treason** ['tri:zn] *s* förräderi; landsförräderi; *high* ~ högförräderi; *an act of* ~ ett förräderi

**treasure** ['treʒə] **I** *s* skatt, klenod; bildl. äv. pärla [*she's a* ~]; kollektivt skatter, klenoder **II** *vb tr* skatta, värdera

**treasurer** ['treʒərə] *s* skattmästare; kassör i t.ex. förening

**treasury** ['treʒərɪ] *s* skattkammare; bildl. äv. guldgruva; antologi

**treat** [tri:t] **I** *vb tr* **1** behandla [*he was treated for his illness*]; *how is the world treating you?* hur är läget?, hur har du det? **2** betrakta, ta [*he* ~*s it as a joke*] **3** bjuda [*to p*â], traktera; ~ *oneself to a th.* kosta på sig ngt, unna sig ngt **II** *s* **1** traktering, förplägnad; barnkalas; bjudning **2** nöje, njutning, upplevelse

**treatise** ['tri:tɪz] *s* avhandling [*on* om]

**treatment** ['tri:tmənt] *s* behandling

**treaty** ['tri:tɪ] *s* fördrag, avtal [*peace* ~]

**treble** ['trebl] **I** *adj* tredubbel, trefaldig **II** *s* mus. diskant, sopran **III** *vb tr* tredubbla

**tree** [tri:] *s* **1** träd; *Christmas* ~ julgran **2** skoblock, läst

**treeline** ['tri:laɪn] *s* trädgräns

**trefoil** ['trefɔɪl, 'tri:fɔɪl] *s* bot. klöver

**trellis** ['trelɪs] *s* galler; spaljé

**tremble** ['trembl] **I** *vb itr* darra, skälva; *I* ~ *to think what might have happened* jag bävar vid tanken på vad som kunde ha hänt **II** *s* skälvning, darrning; *be all of* (*in*) *a* ~ darra i hela kroppen

**tremendous** [trə'mendəs] *adj* vard. kolossal, väldig; våldsam [*a* ~ *explosion*]

**tremor** ['tremə] *s* **1** skälvning, darrning **2** jordskalv [äv. *earth* ~]

**trench** [trentʃ] *s* dike; mil. skyttegrav, löpgrav; ~ *warfare* skyttegravskrig, ställningskrig

**trend** [trend] **I** *s* riktning, tendens; strömning; trend; *set the* ~ skapa ett mode (en trend) **II** *vb itr* tendera, röra sig [*prices have trended upwards*]

**trendy** ['trendɪ] *adj* vard. toppmodern; inne-, trendig

**trepidation** [ˌtrepɪ'deɪʃ(ə)n] *s* bestörtning; bävan

**trespass** ['trespəs] **I** *vb itr* o. *vb tr* **1** inkräkta, göra intrång [~ *on a p.'s property*] **2** bildl., ~ *on* inkräkta på, göra intrång [~ *on a p.'s rights*] **3** bibl. synda; *...as we forgive them that* ~ *against us* bibl. ...såsom ock vi förlåta dem oss skyldiga äro **4** bildl. överskrida [~ *the bounds of good taste*] **II** *s* lagöverträdelse; intrång; bibl. synd

**trespasser** ['trespəsə] *s* **1** inkräktare **2** lagbrytare; ~*s will be prosecuted* överträdelse beivras

**trespassing** ['trespəsɪŋ] *s* intrång, inkräktande; *no* ~*!* tillträde förbjudet!

**trestle** ['tresl] *s* bock stöd

**trestle table** ['tresl‚teɪbl] *s* bord med lösa bockar, bockbord

**trial** ['traɪ(ə)l] *s* **1** prov, försök, experiment; ~ *offer* hand. introduktionserbjudande; ~ *period* prövotid, försöksperiod; ~ *run* provkörning av bil m.m.; provtur; ~ *of strength* kraftprov; *give a th. a* ~ pröva ngt; *stand the* ~ bestå provet; *the boy was on* ~ pojken var anställd på prov; *put to the* ~ sätta på prov **2** jur. rättegång; process; mål; *stand* ~ stå inför rätta; ~ *by jury* rättegång inför jury; *be on* ~ vara åtalad, stå inför rätta **3** sport. försök; i motorsport el. kapplöpn. vanl. trial; ~ *heat* försöksheat

**triangle** ['traɪæŋgl] *s* triangel

**triangular** [traɪ'æŋgjʊlə] *adj* triangelformig

**tribal** ['traɪb(ə)l] *adj* stam- [~ *feuds*], släkt-
**tribe** [traɪb] *s* folkstam
**tribunal** [traɪ'bjuːnl] *s* domstol, rätt,
tribunal; *rent* ~ hyresnämnd
**tributary** ['trɪbjʊtrɪ] *adj* o. *s*, ~ *river* el. ~
biflod
**tribute** ['trɪbjuːt] *s* tribut [*a* ~ *to his
bravery*]; *floral* ~*s* blomsterhyllning,
blomsterhyllningar; *pay* ~ *to a p.* ge
(bringa) ngn sin hyllning; *a* ~ *to* ett bevis
på
**trick** [trɪk] **I** *s* **1** a) knep, list b) konst,
konster, konstgrepp; trick; *a dirty
(mean, shabby)* ~ ett fult spratt; *how's
~s?* hur är läget?; *that will do the* ~
vard. det kommer att göra susen; *play a* ~
*(play ~s) on a p.* spela ngn ett spratt; *he
has been at his old ~s again* nu har han
varit i farten igen; *the whole bag of ~s*
vard. hela klabbet; *box of ~s* trollerilåda;
*be up to every* ~ kunna alla knep; *he's
up to some* ~ *(some ~s)* han har något
fuffens för sig **2** egenhet, ovana [*he has a
~ of repeating himself*] **2** kortsp. trick, stick
**II** *vb tr* lura [~ *a p. into doing (att göra)
a th.*]; ~ *a p. out of a th.* lura av ngn ngt
**trickery** ['trɪkərɪ] *s* knep; skoj, bluff
**trickle** ['trɪkl] **I** *vb tr* droppa, drypa [*with
av*], sippra, trilla, rinna sakta [*the tears
trickled down her cheeks*]; ~ *out* bildl.
a) sippra ut [*the news trickled out*]
b) droppa ut (av) [*people began to* ~ *out of
the theatre*] **II** *s* droppande; droppe
**trickster** ['trɪkstə] *s* skojare, bluffmakare
**tricky** ['trɪkɪ] *adj* **1** listig, slug **2** kinkig,
knepig
**tricolour** ['trɪkələ, 'traɪˌkʌlə] trikolor,
trefärgad flagga
**tricycle** ['traɪsɪkl] *s* trehjulig cykel
**tried** [traɪd] *adj* beprövad
**trifle** ['traɪfl] **I** *s* **1** bagatell, småsak [*stick at
~s*]; struntsak **2** ~ som adverb en smula
(aning) [*a* ~ *too short*] **3** 'trifle', slags dessert
med lager av sockerkaka, frukt, sylt etc., täckt med
vaniljkräm el. vispgrädde **II** *vb itr* o. *vb tr* **1** ~
*with* leka med; *he is not to be trifled
with* han är inte att leka med **2** leka [*with
med*] **3** ~ *away* förslösa, spilla [~ *away
one's time*]
**trifling** ['traɪflɪŋ] **I** *adj* obetydlig [*a* ~ *error*],
ringa [*it's no* ~ *matter* det är ingen
bagatell, det är inget att leka med **II** *s* lek,
skämt
**trigger** ['trɪgə] **I** *s* avtryckare på skjutvapen;
*cock the* ~ spänna hanen, osäkra vapnet

(geväret m.m.); *pull (draw) the* ~ trycka
av **II** *vb tr*, ~ el. ~ *off* starta, utlösa [~ *off a
rebellion*]
**trigger-happy** ['trɪgəˌhæpɪ] *adj* vard.
skjutglad
**triggerman** ['trɪgəmæn] (pl. *triggermen*
['trɪgəmen]) *s* sl. mördare, lejd mördare
**trigonometry** [ˌtrɪgə'nɒmətrɪ] *s* geom.
trigonometri
**trilby** ['trɪlbɪ] *s* vard., ~ el. ~ *hat* trilbyhatt
mjuk filthatt
**trill** [trɪl] mus. **I** *s* drill **II** *vb tr* o. *vb itr* drilla
**trilogy** ['trɪlədʒɪ] *s* trilogi
**trim** [trɪm] **I** *adj* **1** välordnad, välskött
**2** snygg, nätt, prydlig, vårdad [~ *clothes*; *a
~ figure*]
**II** *vb tr* **1** klippa, jämna av, putsa,
trimma, tukta [~ *a hedge*; ~ *one's beard*];
~ *one's nails* klippa (putsa) naglarna; ~
*a wick* putsa en veke **2** dekorera, smycka
(pynta); garnera **3** sjö. trimma, kantsätta
[~ *the sails*]
**III** *s* **1** skick, form [*be in good* ~]; *be in
~* a) vara i ordning b) speciellt sport. vara i
form; *get into* ~ a) sätta i skick b) sport. få
(komma) i form **2** sjö. trimning; om segel
äv. kantsättning **3** klippning, putsning [*the
~ of one's beard (hair)*], trimning
**trimmer** ['trɪmə] *s* klippningsmaskin;
trimningsmaskin; trimningssax; *nail* ~
nagelklippare
**trimming** ['trɪmɪŋ] *s* **1** klippning, putsning,
trimning **2** speciellt pl. ~*s* a) dekoration,
dekorationer, pynt; utsmyckning,
utsmyckningar äv. bildl.; garnering,
garneringar b) speciellt kok. extra tillbehör,
garnityr **3** sjö. trimmning
**trinket** ['trɪŋkɪt] *s* billigt smycke; billig
prydnadssak; pl. ~*s* äv. grannlåt, nipper
**trio** ['triːəʊ] (pl. ~*s*) *s* trio
**trip** [trɪp] **I** *vb itr* o. *vb tr* **1** trippa
**2** a) snubbla [äv. ~ *up*; *over* på, över],
snava b) begå ett felsteg; ~ el. ~ *up* få att
snubbla, sätta krokben för **II** *s* **1** tripp,
resa [*a* ~ *to Paris*], tur, utflykt [*a* ~ *to the
seaside*] **2** snubblande, snavande; krokben
**3** sl. tripp narkotikarus
**tripe** [traɪp] *s* **1** kok. komage **2** sl., pl. ~*s*
tarmar; buk **3** sl. skit, smörja [*talk* ~]
**triple** ['trɪpl] **I** *adj* trefaldig, tredubbel;
trippel- [~ *alliance*]; ~ *jump* sport.
trestegshopp, tresteg **II** *vb tr* tredubbla
**triplet** ['trɪplət] *s* trilling
**triplicate** ['trɪplɪkət] **I** *adj* om avskrift i tre

exemplar **II** *s* tredje exemplar (avskrift);
*in* ~ i tre exemplar
**trip meter** ['trɪpˌmiːtə] *s* bil. trippmätare
**tripod** ['traɪpɒd] *s* stativ till kamera etc.
**tripper** ['trɪpə] *s* nöjesresenär;
söndagsfirare
**tripping** ['trɪpɪŋ] **I** *s* sport. tripping, fällning
**II** *adj* trippande, lätt [*a* ~ *gait*]
**trip recorder** ['trɪprɪˌkɔːdə] *s* bil.
trippmätare
**tripwire** ['trɪpˌwaɪə] *s* mil. snubbeltråd
**trite** [traɪt] *adj* nött, banal, trivial
**triumph** ['traɪəmf] **I** *s* triumf **II** *vb itr*
triumfera; segra; jubla
**triumphal** [traɪˈʌmf(ə)l] *adj*, ~ *arch*
triumfbåge; ~ *procession* triumftåg
**triumphant** [traɪˈʌmfənt] *adj*
triumferande; *be* ~ triumfera
**trivial** ['trɪvɪəl] *adj* obetydlig, trivial
**triviality** [ˌtrɪvɪˈælətɪ] *s* **1** obetydlighet;
bagatell, struntsak **2** banalitet, trivialitet
**trod** [trɒd] se *tread I*
**trodden** ['trɒdn] se *tread I*
**trolley** ['trɒlɪ] *s* **1** dragkärra **2** lastvagn,
truck; tralla **3** rullbord, tevagn;
serveringsvagn **4** amer. spårvagn
**trolleybus** ['trɒlɪbʌs] *s* trådbuss,
trolleybuss
**trolley car** ['trɒlɪkɑː] *s* amer. spårvagn
**trombone** [trɒmˈbəʊn] *s* trombon, basun;
*slide* ~ dragbasun
**troop** [truːp] **I** *s* **1** skara, skock **2** mil. trupp
**II** *vb itr* **1** ~ *in* (*out*) myllra (strömma) in
(ut) **2** marschera, tåga
**troop-carrier** ['truːpˌkærɪə] *s*
trupptransportplan, trupptransportfartyg,
trupptransportfordon
**troopship** ['truːpʃɪp] *s* trupptransportfartyg
**trophy** ['trəʊfɪ] *s* trofé; sport. äv. pris
**tropic** ['trɒpɪk] **I** *s* **1** tropik, vändkrets [*the
Tropic of Cancer (Capricorn)*] **2** *the* ~*s*
(*Tropics*) tropikerna **II** *adj* tropisk [*the* ~
*zone*]
**tropical** ['trɒpɪk(ə)l] *adj* tropisk [~ *climate*]
**trot** [trɒt] **I** *vb itr* o. *vb tr* **1** trava; rida i
trav; ~ *along* trava på (i väg) **2** lunka,
trava **3** ~ *out* a) rida fram med [~ *out a
horse*] b) vard. komma körande med [~ *out
one's knowledge*] **II** *s* trav; lunk, lunkande,
travande; *be on the* ~ vard. vara i farten
**trotter** ['trɒtə] *s* **1** travare, travhäst **2** kok.,
*pigs'* ~*s* grisfötter
**trotting** ['trɒtɪŋ] *s* trav, travande;
travsport; ~ *race* travtävling
**troubadour** ['truːbəˌdʊə] *s* trubadur

**trouble** ['trʌbl] **I** *vb tr* o. *vb itr* **1** oroa,
bekymra, besvära; ~ *oneself* a) oroa sig
b) göra sig besvär; ~ *one's head about
a th.* bry sin hjärna med ngt **2** besvära;
*sorry to* ~ *you!* förlåt att jag besvärar!
**3** besvära sig [*about a th.* med ngt] **4** oroa
sig [*about (over) a th.* för ngt]
**II** *s* **1** a) oro, bekymmer b) besvär,
möda [*take* (göra sig) *the* ~ *to write*]
c) svårighet, svårigheter, trassel; *the* ~ *is
that...* svårigheten (det tråkiga) är att...;
*what's the* ~? hur är det fatt?; vad gäller
saken?; *no* ~ *at all!* ingen orsak !; *it's no*
~ det är (var) inget besvär alls; *my car
has been giving me* ~ *lately* min bil har
krånglat på sista tiden; *make* ~ ställa till
bråk; *be in* ~ vara i knipa (svårigheter);
*get into* ~ råka i knipa, råka illa ut; *I
don't want to put you to any* ~ jag vill
inte ställa till besvär för dig **2** åkomma,
ont, besvär [*stomach* ~] **3** oro [*political* ~];
speciellt pl. ~*s* oroligheter **4** tekn. fel,
krångel [*engine* ~]
**troubled** ['trʌbld] *adj* **1** orolig [~ *times*];
*fish in* ~ *waters* fiska i grumligt vatten
**2** orolig, bekymrad [*about* över, för]
**troublemaker** ['trʌblˌmeɪkə] *s* orosstiftare,
bråkmakare, bråkstake
**troubleshooter** ['trʌblˌʃuːtə] *s*
konfliktlösare; tekn. felsökare
**troublesome** ['trʌblsəm] *adj* besvärlig,
plågsam; bråkig [*a* ~ *child*]
**trouble spot** ['trʌblspɒt] *s* oroscentrum
plats där bråk ofta förekommer
**trough** [trɒf] *s* **1** tråg, ho **2** meteor., ~ *of
low pressure* lågtryck, lågtrycksområde
**trounce** [traʊns] *vb tr* slå, klå; *be
trounced* få smörj
**troupe** [truːp] *s* skådespelartrupp,
teatersällskap; cirkustrupp
**trousers** ['traʊzəz] *s pl* långbyxor [*a pair of*
~]; ~ *pocket* byxficka
**trouser suit** ['traʊzəsuːt, 'traʊzəsjuːt] *s*
byxdress
**trousseau** ['truːsəʊ] *s* brudutstyrsel
**trout** [traʊt] *s* forell; *salmon* ~ laxöring
**trowel** ['traʊ(ə)l] *s* **1** murslev; *lay it on
with a* ~ bildl. bre på, smickra grovt
**2** trädgårdsspade
**truant** ['truːənt] *s* skolkare; *play* ~ skolka
från skolan
**truce** [truːs] *s* stillestånd, vapenvila
**truck** [trʌk] *s* **1** öppen godsvagn **2** lastbil;
*long distance* ~ långtradare **3** a) truck
b) transportvagn; skottkärra

**truck-driver** ['trʌkˌdraɪvə] s
**1** lastbilschaufför, långtradarchaufför
**2** truckförare
**truculent** ['trʌkjʊlənt] adj stridslysten
**trudge** [trʌdʒ] vb itr traska, lunka, gå
tungt
**true** [tru:] adj **1** a) sann, sanningsenlig
b) riktig, rätt c) egentlig [the frog is not a
~ reptile]; äkta [a ~ Londoner], verklig,
sann [a ~ friend] d) rättmätig [the ~ heir;
the ~ owner]; **come** ~ slå in, besannas [his
words came ~]; **hold** (**be**) ~ hålla streck,
gälla, äga giltighet **2** trogen, trofast [to
mot]; **be** (**run**) ~ **to form** (**type**) vara
typisk (normal); ~ **to life**
verklighetstrogen
**truffle** ['trʌfl] s tryffel
**truly** ['tru:lɪ] adv **1** sant, sanningsenligt;
verkligt [a ~ beautiful picture] **2** i brev:
**Yours** ~ Högaktningsfullt
**trump** [trʌmp] **I** s kortsp. trumf äv. bildl.;
trumfkort; ~ **card** trumfkort äv. bildl. **II** vb
tr kortsp. ta (sticka) med trumf
**trumped-up** ['trʌmptʌp] adj vard.
konstruerad, falsk [a ~ charge
(anklagelse)]
**trumpet** ['trʌmpɪt] s **1** trumpet; **blow
one's own** ~ slå på trumman för sig själv
**2** hörlur för lomhörd **3** trumpet, trumpetare
i orkester
**trumpeter** ['trʌmpɪtə] s trumpetare
**truncheon** ['trʌntʃ(ə)n] s batong
**trunk** [trʌŋk] s **1** trädstam **2** bål kroppsdel
**3** koffert, trunk; amer. äv. bagageutrymme,
bagagelucka i bil **4** zool. snabel **5** pl. ~s
a) idrottsbyxor, badbyxor
b) kortkalsonger
**trunk road** ['trʌŋkrəʊd] s riksväg,
huvudväg
**truss** [trʌs] **I** vb tr, ~ el. ~ **up** a) binda [~
hay] b) kok. binda upp före tillredning [~ up
a chicken] **II** s med. bråckband
**trust** [trʌst] **I** s **1** förtroende [in för],
tilltro, tillit [in till], tro [in till, på]; **put**
(**place**) **one's** ~ **in** sätta sin lit till; **take
a th. on** ~ ta ngt för gott **2 hold a th. in**
~ **for a p.** förvalta ngt åt ngn; **be held in**
~ el. **be under** ~ stå under förvaltning
**3** hand. trust [steel ~]; stiftelse
**II** vb tr **1** lita på; sätta tro till, tro på
**2** a) tro fullt och fast [a p. to do a th. att
ngn gör ngt] b) hoppas uppriktigt
(innerligt); ~ **him to try to** [get it
cheaper]! iron. typiskt för honom att han

skulle försöka...! **3** ~ **a p. with a th.**
anförtro ngn ngt (ngt åt ngn)
**trustee** [ˌtrʌ'sti:] s jur. förtroendeman;
förvaltare; förmyndare
**trusthouse** ['trʌsthaʊs] s trusthotell trustägt
hotell
**trustworthy** ['trʌstˌwɜ:ðɪ] adj pålitlig,
trovärdig [a ~ person], tillförlitlig
**truth** [tru:θ, pl. tru:ðz] s sanning; ~ **is
stranger than fiction** verkligheten är
underbarare än dikten; **the** ~ **of the
matter** det verkliga förhållandet,
sanningen; **to tell the** ~ sanningen att
säga; **tell a p. some home** ~**s** säga ngn
några beska sanningar
**truthful** ['tru:θf(ʊ)l] adj **1** sannfärdig,
uppriktig [a ~ person] **2** sann,
sanningsenlig
**try** [traɪ] **I** vb tr o. vb itr **1** försöka [at
med]; försöka sig [at på] **2** a) försöka
med [~ knocking (att knacka) at the door],
prova, pröva [have you tried this new
recipe?] b) göra försök med, prova; **he
tried his best** [to beat me] han gjorde
sitt bästa (yttersta)...; ~ **one's hand at
a th.** försöka (ge) sig på ngt **3** sätta på
prov [~ a p.'s patience] **4** jur. a) behandla,
handlägga; döma i b) anklaga, åtala [be
tried for murder] □ ~ **on a)** prova [~ on a
new suit] b) vard., don't ~ **it on with me!**
försök inte med mig!; ~ **out** grundligt
pröva, prova
**II** s försök; **have a** ~ **at a th.** göra ett
försök med ngt, pröva ngt
**trying** ['traɪɪŋ] adj ansträngande,
påfrestande [to för; a ~ day], besvärlig [a
~ boy]
**tsar** [zɑ:] s tsar
**T-shirt** ['ti:ʃɜ:t] s T-shirt, T-tröja
**T-square** ['ti:skweə] s vinkellinjal
**tub** [tʌb] s **1** balja, bytta [a ~ of butter],
tunna [a rain-water ~]; tråg **2** vard. badkar
**3** glassbägare
**tuba** ['tju:bə] s mus. tuba
**tubby** ['tʌbɪ] adj rund, knubbig
**tube** [tju:b] s **1** rör [steel ~]; slang [rubber
~]; **inner** ~ innerslang **2** tub [a ~ of
toothpaste] **3** vard. T-bana, tunnelbana [go
by ~] **4** radio. el. TV. a) amer. rör b) el.
**picture** ~ bildrör; **the** ~ amer. vard. teve,
TV
**tubeless** ['tju:bləs] adj slanglös [a ~ tyre]
**tubercular** [tjʊ'bɜ:kjʊlə] adj tuberkulös
**tuberculosis** [tjʊˌbɜ:kjʊ'ləʊsɪs] s
tuberkulos

**tubing** ['tju:bɪŋ] *s* rör [*a piece of copper* ~],
slang [*a piece of rubber* ~]
**tubular** ['tju:bjʊlə] *adj* rörformig,
tubformig
**TUC** [ˌti:ju:'si:] (förk. för *Trades Union
Congress*) *s*, *the* ~ Brittiska LO
**tuck** [tʌk] **I** *vb tr* o. *vb itr* **1** stoppa, stoppa
in (ner) [~ *the money into your wallet*]; ~
*away* stoppa (gömma) undan; ~ *in*
stoppa in (ner) [~ *in your shirt*], vika in; ~
*the children into* (*up in*) *bed* stoppa om
barnen **2** ~ *up* kavla upp [~ *up your
sleeves*] **3** vard., ~ el. ~ *away* (*in*) glufsa
(stoppa) i sig; ~ *in* hugga för sig; ~ *into*
hugga in på [*he tucked into the ham*] **II** *s*
**1** sömnad. m.m. veck, invikning, uppslag
**2** skol. vard. snask, godis
**tuck-shop** ['tʌkʃɒp] *s* vard. kondis, gottaffär
i el. nära en skola
**Tuesday** ['tju:zdeɪ, 'tju:zdɪ] *s* tisdag; *last* ~
i tisdags
**tuft** [tʌft] *s* **1** tofs; tott, test **2** tuva [*a* ~ *of
grass*]
**tug** [tʌg] **I** *vb tr* o. *vb itr* dra, streta med;
hala; rycka i; rycka, slita **II** *s* **1** ryck,
ryckning, tag, drag; ~ *of war* dragkamp
**2** bogserare, bogserbåt
**tugboat** ['tʌgbəʊt] *s* bogserbåt
**tuition** [tjʊ'ɪʃ(ə)n] *s* undervisning [*private
~*], handledning
**tulip** ['tju:lɪp] *s* tulpan
**tumble** ['tʌmbl] **I** *vb itr* **1 a)** ramla, falla,
trilla, störta **b)** om t.ex. byggnad, ~ el. ~
*down* störta samman, rasa **2** ~ *into bed*
stupa (ramla) i säng **3** vard., ~ *to a th.*
komma underfund med ngt **II** *s* fall äv.
bildl.; störtning, nedstörtande
**tumbledown** ['tʌmbldaʊn] *adj* fallfärdig,
förfallen
**tumble-drier** ['tʌmbl.draɪə] *s* torktumlare
**tumbler** ['tʌmblə] *s* **1** glas utan fot; tumlare
**2** tillhållare i lås **3** torktumlare
**tummy** ['tʌmɪ] *s* vard. el. barnspr. mage
**tumour** ['tju:mə] *s* tumör, svulst, växt
**tumult** ['tju:mʌlt] *s* **1** tumult, upplopp
**2** bildl. förvirring; *be in a* ~ vara i uppror
**tumultuous** [tjʊ'mʌltjʊəs] *adj* tumultartad
[*a* ~ *reception*]; stormande [~ *applause*]
**tuna** ['tu:nə] *s* stor tonfisk, tuna [äv. ~ *fish*]
**tundra** ['tʌndrə] *s* tundra
**tune** [tju:n] **I** *s* **1** melodi; låt; *call the* ~
bildl. ange tonen, bestämma; *change
one's* ~ bildl. ändra ton, stämma ner
tonen **2** [*the piano*] *is in* ~ (*out of* ~)
…är stämt (ostämt); [*the piano and the*

*violin*] *are not in* ~ …är inte samstämda;
*keep in* ~ hålla tonen; *sing in* ~ (*out of*
~) sjunga rent (orent, falskt) **3** bildl., *be in*
~ (*out of* ~) *with* stå i (inte stå i)
samklang med **4** *to the* ~ *of* till ett
belopp av
   **II** *vb tr* o. *vb itr* **1** stämma [~ *a piano*]
**2** radio. avstämma; ställa in; ~ *in* ställa in
radion [~ *in to* (på) *the BBC*]; ~ *in to
another station* ta in en annan station
**3** ~ *up* **a)** finjustera, trimma t.ex. motor
**b)** stämma, stämma instrumenten [*the
orchestra is tuning up*]
**tuneful** ['tju:nf(ʊ)l] *adj* melodisk
**tuner** ['tju:nə] *s* **1** stämmare [*piano-tuner*]
**2** radio. tuner mottagare utan effektförstärkare
**tungsten** ['tʌŋstən] *s* volfram
**tunic** ['tju:nɪk] *s* **1** vapenrock; för t.ex. polis
uniformskavaj **2** tunika
**tuning-fork** ['tju:nɪŋfɔ:k] *s* mus. stämgaffel
**tuning-knob** ['tju:nɪŋnɒb] *s* radio.
inställningsknapp
**Tunisia** [tjʊ'nɪzɪə] Tunisien
**Tunisian** [tjʊ'nɪzɪən] **I** *adj* tunisisk **II** *s*
tunisier
**tunnel** ['tʌnl] *s* tunnel; underjordisk gång
**tunny** ['tʌnɪ] *s* o. **tunny fish** ['tʌnɪfɪʃ] *s*
tonfisk
**tuppence** ['tʌp(ə)ns] *s* vard. = *twopence*; *not
worth* ~ inte värd ett rött öre
**tuppenny** ['tʌpnɪ] *adj* vard. = *twopenny*
**turban** ['tɜ:bən] *s* turban
**turbine** ['tɜ:baɪn] *s* turbin
**turbo-jet** ['tɜ:bəʊdʒet] **I** *s* **1** turbojetmotor
**2** turbojetplan **II** *adj* turbojet- [~ *engine*]
**turbot** ['tɜ:bət] *s* piggvar
**turbulent** ['tɜ:bjʊlənt] *adj* orolig, stormig,
upprörd [~ *waves*; ~ *feelings*], våldsam
**tureen** [tə'ri:n] *s* soppskål, terrin
**turf** [tɜ:f] *s* **1** torv; grästorva **2** *the* ~
a) kapplöpningsbanan b) hästsporten
**Turk** [tɜ:k] *s* turk
**Turkey** ['tɜ:kɪ] Turkiet
**turkey** ['tɜ:kɪ] *s* kalkon
**Turkish** ['tɜ:kɪʃ] **I** *adj* turkisk; ~ *towel*
frottéhandduk **II** *s* turkiska språket
**turmeric** ['tɜ:mərɪk] *s* bot. el. kok. gurkmeja
**turmoil** ['tɜ:mɔɪl] *s* vild oordning [*the town
was in a* ~], kaos, tumult, villervalla
**turn** [tɜ:n] **I** *vb tr* o. *vb itr* **1** vända, vända
på [~ *one's head*]; vända sig; ~ *one's
back on a p.* bildl. vända ngn ryggen; ~
*the other cheek* vända andra kinden till;
~ *a* (*one's*) *hand to* ägna sig åt; [*the
very thought of food*] ~*s my stomach*

...kommer det att vända sig i magen på mig; *it makes my stomach* ~ det vänder sig i magen på mig; *left* (*right*) ~! vänster (höger) om! **2 a)** vrida, vrida på (om) [~ *the key in the lock*]; skruva, snurra, skruva (snurra) på, veva; ~ *a p.'s head* bildl. stiga ngn åt huvudet **b)** svänga, snurra, svänga (snurra) runt; ~ *on one's heel* (*heels*) svänga om på klacken **3** vika (vända) om, svänga runt [~ *a corner*]; ~ *to the right* el. ~ *right* ta (vika) av till höger, svänga åt höger **4 a)** ~ *into* förvandla (göra om) till; ~ *into* (*to*) bli till [*the water had turned into* (*to*) *ice*], förvandlas till, övergå till (i) **b)** komma att surna [*hot weather* ~*s milk*]; bli sur, surna [*the milk has turned*] **c)** fylla år; *he has turned fifty* han har fyllt femtio; *it has just turned three* klockan är lite över tre **d)** bli [~ *pale*; ~ *sour*] **5** visa (köra) bort [~ *a p. from one's door*]; ~ *loose* släppa loss (ut) [~ *the cattle loose*] □ **about** ~! helt om!; *right* (*left*) *about* ~! höger (vänster) om!; ~ **against** vända sig mot; ~ **aside** gå (stiga, dra sig) åt sidan, vika undan; vända sig bort; ~ **away** a) vända sig bort; vända (vrida) bort [~ *one's head away*] b) avvisa [*many spectators were turned away*]; ~ **back** vända tillbaka, vända om, återvända, komma tillbaka; *there is no turning back* det finns ingen återvändo; ~ **down** a) vika ner b) skruva ner [~ *down the radio*] c) avvisa, förkasta [~ *down an offer*], avslå; ~ **off** a) vrida (skruva, stänga) av [~ *off the light* (*radio*)]; ~ *off the light* äv. släcka b) vika (ta) av [~ *off to the left*] c) vard. stöta, beröra illa [*his manner* ~*s me off*], avskräcka; ~ *a p. off a th.* få ngn att tappa lusten för ngt; ~ **on** a) vrida (skruva, sätta) på [~ *on the radio*]; ~ *on the light* tända b) vända sig mot, gå lös på [*the dog turned on his master*]; ge sig på c) vard., *it* (*he*) ~*s me on* jag tänder på det (honom); ~ **out** a) vika (vända) utåt, vara vänd utåt b) släcka [~ *out the light*] c) framställa, tillverka [*the factory* ~*s out 5,000 cars a week*] d) köra (kasta) ut; köra bort; ~ *out one's pockets* tömma fickorna e) möta (ställa) upp, gå (rycka) ut [*everybody turned out to greet him*]; ~ *out to a man* gå man ur huse f) utfalla, sluta [*I don't know how it will* ~ *out*]; ~ *out well* (*badly*) äv. slå väl (illa) ut; *he turned out to be* el. *it turned out that he*

*was* han visade sig vara; ~ **over** a) vända; vända sig b) ~ *over the page* vända bladet; *please* ~ *over!* var god vänd! c) välta (stjälpa) omkull, få omkull d) hand. omsätta [*they* ~ *over £9,000 a week*]; ~ **round** a) vända; vända (vrida) på; vända sig om b) svänga (vrida) runt; *his head turned round* det snurrade i huvudet på honom; ~ **to** a) vända sig mot; vända sig till [~ *to a p. for* (för att få) *help*]; ~ *to page 10* slå upp sidan 10 b) *the conversation turned to politics* samtalet kom in på politik; ~ **up** a) vika (slå, fälla, vända) upp; vika (vända, böja) sig uppåt b) skruva upp [~ *up the radio*] c) dyka upp [*he has not turned up yet*; *I expect something to* ~ *up*], komma till rätta, infinna sig

**II** *s* **1** vändning, vridning; svängning, sväng [*left* ~]; varv; *done to a* ~ lagom stekt (kokt) **2** vägkrök, sväng [*a* ~ *to the left*], krok; *at every* ~ vid varje steg, vart man vänder sig **3 a)** förändring; *a* ~ *for the worse* (*better*) en vändning till det sämre (bättre); *his health took a* ~ *for the worse* hans hälsa försämrades **b)** *the* ~ *of the century* sekelskiftet **4 a)** tur; *it's my* ~ det är min tur; *take* ~*s in* (*at*) *doing a th.* el. *take it in* ~ (*turns*) *to do a th.* turas om att göra ngt; *in* ~ a) i tur och ordning; växelvis b) i sin tur, återigen [*and this, in* ~, *means...*]; *speak out of* ~ a) tala när man inte står i tur b) uttala sig taktlöst **b)** *take a* ~ *at* hjälpa till ett tag vid (med) **5** tjänst; *one good* ~ *deserves another* ordspr. den ena tjänsten är den andra värd; *do a p. a good* ~ göra ngn en stor tjänst; *a bad* ~ en otjänst, en björntjänst **6** läggning; ~ *of mind* sinnelag; tänkesätt **7** liten tur; *take a* ~ [*round the garden*] ta en sväng... **8** nummer på t.ex. varieté **9** vard. chock; *it gave me a terrible* ~ äv. jag blev alldeles chockad

**turncoat** ['tɜ:nkəʊt] *s* överlöpare, avhoppare; *be a* ~ vända kappan efter vinden

**turn-down** ['tɜ:ndaʊn] *adj* nedvikbar, dubbelvikt [*a* ~ *collar*]

**turned-up** ['tɜ:ndʌp] *adj*, ~ *nose* uppnäsa

**turning** ['tɜ:nɪŋ] *s* **1** vändning; ~ *circle* vändradie; ~ *space* vändplats **2** avtagsväg, tvärgata [*the first* ~ *to* (*on*) *the right*] **3** bildl. vändpunkt

**turning-point** ['tɜ:nɪŋpɔɪnt] s vändpunkt, kritisk punkt

**turnip** ['tɜ:nɪp] s bot. rova; *Swedish* ~ kålrot

**turnover** ['tɜ:n,əʊvə] s hand. m.m. omsättning

**turnstile** ['tɜ:nstaɪl] s vändkors; spärr i t.ex. T-banestation

**turntable** ['tɜ:n,teɪbl] s skivtallrik på skivspelare; *transcription* ~ skivspelare av avancerad typ

**turn-up** ['tɜ:nʌp] s **1** uppslag på t.ex. byxa **2** sport. m.m. skräll, överraskning

**turpentine** ['tɜ:pəntaɪn] s terpentin

**turps** [tɜ:ps] s vard. terpentin

**turquoise** ['tɜ:kwɔɪz] s **1** miner. turkos **2** turkos

**turtle** ['tɜ:tl] s havssköldpadda

**turtle dove** ['tɜ:tldʌv] s turturduva

**turtle neck** ['tɜ:tlnek] s halvpolokrage, polokrage

**turtle soup** ['tɜ:tlsu:p] s sköldpaddssoppa

**tusk** [tʌsk] s bete; *elephant's* ~ elefantbete

**tussle** ['tʌsl] **I** s strid, kamp, slagsmål **II** vb itr strida, kämpa, slåss [*with* med; *for* om]

**tutor** ['tju:tə] s **1** *private* ~ el. ~ privatlärare [*to* åt, för] **2** univ. handledare

**tuxedo** [tʌk'si:dəʊ] (pl. ~s) s amer. smoking

**TV** [,ti:'vi:] s TV; för ex., se *television*

**twaddle** ['twɒdl] **I** vb itr svamla **II** s svammel

**twang** [twæŋ] **I** vb itr **1** om t.ex. sträng sjunga, dallra **2** knäppa [~ *at a banjo*] **3** tala i näsan **II** s sjungande (dallrande) ton; klang; *have a nasal* ~ tala i näsan

**tweed** [twi:d] s tweed; pl. ~s tweedkläder

**tweet** [twi:t] **I** s kvitter; pip **II** vb itr kvittra; pipa

**tweeter** ['twi:tə] s diskanthögtalare

**tweezers** ['twi:zəz] s pl pincett; *a pair of* ~ en pincett

**twelfth** [twelfθ] *räkn* o. s tolfte; tolftedel; *Twelfth Night* trettondagsafton

**twelve** [twelv] **I** *räkn* tolv **II** s tolv, tolva

**twentieth** ['twentɪɪθ] *räkn* o. s tjugonde; tjugondel

**twenty** ['twentɪ] **I** *räkn* tjugo **II** s tjugo; tjugotal; *in the twenties* på tjugotalet

**twice** [twaɪs] *adv* två gånger [*I've been there* ~; ~ *3 is 6*]; ~ *a day* (*week*) två gånger om dagen (i veckan); ~ *as many* el. ~ *the number* dubbelt så många; *think* ~ *about* (*before*) *doing a th.* tänka sig för innan man gör ngt

**twiddle** ['twɪdl] **I** vb tr **1** sno, snurra på **2** ~ *one's thumbs* rulla tummarna, sitta med armarna i kors **II** s **1** snurrande **2** krumelur i t.ex. skrift

**twig** [twɪg] s kvist, liten gren; spö

**twilight** ['twaɪlaɪt] s skymning

**twill** [twɪl] vävn. **I** s **1** ~ *weave* el. ~ *kypert* **2** twills, tvills **II** vb tr kypra

**twin** [twɪn] **I** s tvilling **II** adj tvilling- [~ *brother* (*sister*)]; ~ *beds* två enmanssängar; ~ *set* jumperset; ~ *towns* vänorter **III** vb tr para ihop

**twin-cylinder** ['twɪn,sɪlɪndə] adj tvåcylindrig

**twine** [twaɪn] **I** s segelgarn; tråd; snöre **II** vb tr **1** tvinna; fläta samman **2** vira, linda, fläta [*about, round* om]

**twin-engine** ['twɪn,endʒɪn] adj o. **twin-engined** ['twɪn,endʒɪnd] adj tvåmotorig

**twinge** [twɪndʒ] **I** vb itr sticka, göra ont, svida **II** s stickande smärta, hugg, stick, sting; *a* ~ *of conscience* samvetsagg

**twinkle** ['twɪŋkl] **I** vb itr tindra, blinka [*stars that* ~ *in the sky*], blänka; gnistra; fladdra **II** s tindrande [*the* ~ *of the stars*], blinkande; glimt i ögat; *in a* ~ el. *in the* ~ *of an eye* på ett litet kick

**twinkling** ['twɪŋklɪŋ] s tindrande, blinkande; *in a* ~ el. *in the* ~ *of an eye* på ett litet kick

**twin-lens** ['twɪnlens] adj, ~ *reflex camera* tvåögd spegelreflexkamera

**twirl** [twɜ:l] **I** vb itr o. vb tr snurra runt; snurra, sno [~ *one's moustaches*] **II** s **1** snurr, snurrande **2** släng, snirkel

**twist** [twɪst] **I** s **1** vridning; *he gave my arm a* ~ han vred om armen på mig **2** krök [*a* ~ *in the road*] **3** vrickning **II** vb tr **1 a)** sno, vrida; vrida ur [~ *a wet cloth*]; ~ *a p.'s arm* vrida om armen på ngn; ~ *and turn* vrida och vränga på **b)** tvinna, fläta ihop (samman) [*into* till] **c)** vira, linda [*round* kring] **d)** sno (slingra) sig, vrida sig; ~ *and turn* el. ~ slingra sig fram **2** vrida ur led, vricka; förvrida; *I have twisted my ankle* jag har vrickat foten **3** förvränga, förvanska, vantolka, snedvrida **4** twista, dansa twist

**twisted** ['twɪstɪd] adj snodd; vriden; snedvriden; *get* ~ sno sig, trassla ihop sig

**twister** ['twɪstə] s vard. fixare, svindlare

**twitch** [twɪtʃ] **I** vb tr o. vb itr **1** ~ *one's ears* klippa med öronen; ~ *one's eyelids* (*mouth*) ha ryckningar i ögonlocken

(kring munnen) **2** rycka till; *his face*
***twitches*** han har ryckningar i ansiktet
**3** rycka, dra **II** *s* **1** krampryckning,
muskelsammandragning **2** ryck [*I felt a ~*
*at my sleeve*]
**witter** ['twɪtə] **I** *vb itr* kvittra **II** *s* kvitter;
snatter
**wo** [tu:] **I** *räkn* två; båda, bägge; *a day or*
*~* ett par dagar; *~ or three days* ett par
tre dagar; *the ~ of you* ni båda (bägge,
två) **II** *s* tvåa
**wo-dimensional** [ˌtu:daɪˈmenʃənl] *adj*
tvådimensionell
**wo-faced** [ˌtu:ˈfeɪst, attributivt ˈtu:feɪst] *adj*
om person falsk, hycklande
**wofold** ['tu:fəʊld] **I** *adj* dubbel, tvåfaldig
**II** *adv* dubbelt, tvåfaldigt
**wo-legged** [ˌtu:ˈlegd, ˌtu:ˈlegɪd] *adj*
tvåbent
**wopence** ['tʌp(ə)ns] *s* två pence
**wopenny** ['tʌpnɪ] *adj* tvåpence- [*a ~*
*stamp*]
**wo-piece** ['tu:pi:s] *adj* tudelad, tvådelad
[*a ~ bathing-suit*]
**wo-seater** [ˌtu:ˈsi:tə] *s* tvåsitsig bil;
tvåsitsigt flygplan
**wo-sided** [ˌtu:ˈsaɪdɪd] *adj* tvåsidig
**rcoon** [taɪˈku:n] *s* vard. magnat [*oil ~s*],
pamp
**rpe** [taɪp] **I** *s* **1** typ, art, slag, sort **2** vard.
individ, typ **3** boktr. typ; stilsort; *printed*
*in large* (*small*) *~* tryckt med stor (liten)
stil **II** *vb tr* o. *vb itr* skriva på maskin;
skriva maskin; *a typed letter* ett
maskinskrivet brev; *~ out* skriva ut
**pescript** ['taɪpskrɪpt] *s* maskinskrivet
manuskript
**pewrite** ['taɪpraɪt] (*typewrote typewritten*)
*vb tr* o. *vb itr* skriva maskin; *a*
*typewritten letter* ett maskinskrivet brev
**pewriter** ['taɪpˌraɪtə] *s* skrivmaskin; *~*
*ribbon* färgband
**pewriting** ['taɪpˌraɪtɪŋ] *s* maskinskrivning
**pewritten** ['taɪprɪtn] se *typewrite*
**pewrote** ['taɪprəʊt] se *typewrite*
**phoid** ['taɪfɔɪd] *adj* o. *s*, *~ fever* el. *~* tyfus
**phoon** [taɪˈfu:n] *s* tyfon
**pical** ['tɪpɪk(ə)l] *adj* typisk [*of* för]
**pify** ['tɪpɪfaɪ] *vb tr* vara ett typiskt
exempel på, exemplifiera
**ping** ['taɪpɪŋ] *s* maskinskrivning; *~*
*bureau* skrivbyrå, maskinskrivningsbyrå;
*~ paper* skrivmaskinspapper
**pist** ['taɪpɪst] *s* maskinskrivare,
maskinskriverska

**typographer** [taɪˈpɒgrəfə] *s* typograf
**typographic** [ˌtaɪpəˈgræfɪk] *adj* o.
**typographical** [ˌtaɪpəˈgræfɪk(ə)l] *adj*
typografisk; tryck- [*a ~ error*]
**typography** [taɪˈpɒgrəfɪ] *s* typografi
**tyrannical** [tɪˈrænɪk(ə)l] *adj* tyrannisk
**tyrannize** ['tɪrənaɪz] *vb itr* o. *vb tr* **1** *~ over*
tyrannisera **2** tyrannisera
**tyrannous** ['tɪrənəs] *adj* tyrannisk
**tyranny** ['tɪrənɪ] *s* tyranni
**tyrant** ['taɪər(ə)nt] *s* tyrann
**tyre** ['taɪə] *s* däck, ring till t.ex. bil, cykel; *~*
*pressure* ringtryck
**Tyrol** [tɪˈrəʊl] *s*, *the ~* Tyrolen
**Tyrolean** [ˌtɪrəˈli:ən] o. **Tyrolese** [ˌtɪrəˈli:z]
**I** *adj* tyrolsk, tyroler- [*~ hat*] **II** (pl. lika) *s*
tyrolare
**tzar** [zɑ:] *s* tsar

# U

**U, u** [ju:] *s* U, u
**udder** ['ʌdə] *s* juver
**UFO** ['ju:fəʊ] (pl. ~s) *s* (förk. för *unidentified flying object*) oidentifierat flygande föremål, ufo
**Uganda** [juˈgændə]
**Ugandan** [juˈgændən] **I** *adj* ugandisk **II** *s* ugandier
**ugly** ['ʌglɪ] *adj* **1** ful; elak [*an ~ rumour*]; *an ~ customer* vard. en otrevlig typ; *the ~ duckling* den fula ankungen **2** otrevlig, pinsam [*an ~ situation*]
**UK** [ˌjuːˈkeɪ] (förk. för *United Kingdom*) *s*, *the ~* Förenade kungariket Storbritannien och Nordirland
**Ukraine** [juˈkreɪn], *the ~* Ukraina
**Ukrainian** [juˈkreɪnjən] **I** *s* ukrainare **II** *adj* ukrainsk
**ukulele** [ˌjuːkəˈleɪlɪ] *s* ukulele
**ulcer** ['ʌlsə] *s*, *gastric ~* magsår
**ulcerate** ['ʌlsəreɪt] *vb itr* bli sårig, få sår
**ulterior** [ʌlˈtɪərɪə] *adj* dold [*~ motives*]; *~ motive* baktanke
**ultimate** ['ʌltɪmət] *adj* slutlig, slut- [*the ~ aim*], sista; yttersta [*the ~ consequences*]
**ultimately** ['ʌltɪmətlɪ] *adv* till sist (slut), slutligen; i sista hand
**ultimatum** [ˌʌltɪˈmeɪtəm] *s* ultimatum
**ultramarine** [ˌʌltrəməˈriːn] *s* o. *adj* ultramarin
**ultrashort** [ˌʌltrəˈʃɔːt] *adj* radio., *~ wave* ultrakortvåg
**ultrasound** [ˌʌltrəˈsaʊnd] *s* ultraljud
**ultraviolet** ['ʌltrəˈvaɪələt] *adj* ultraviolett [*~ rays*]; *~ lamp* kvartslampa
**umbilical** [ʌmˈbɪlɪk(ə)l] *adj*, *~ cord* navelsträng
**umbrella** [ʌmˈbrelə] *s* paraply
**umpire** ['ʌmpaɪə] sport. **I** *s* domare **II** *vb tr* o. *vb itr* döma
**umpteen** ['ʌmtiːn] *adj* vard. femtielva; *~ times* äv. otaliga gånger
**umpteenth** ['ʌmtiːnθ] *adj* o. **umptieth** ['ʌmtɪθ] *adj* bägge vard. femtielfte [*for the ~ time*]
**UN** [ˌjuːˈen] (förk. för *United Nations*) *s*, *the ~* FN Förenta nationerna
**unable** [ʌnˈeɪbl] *adj*, *be ~ to do a th.* inte kunna göra ngt, vara ur stånd att göra ngt

**unacceptable** [ˌʌnəkˈseptəbl] *adj* oacceptabel, oantagbar
**unaccompanied** [ˌʌnəˈkʌmpənɪd] *adj* **1** utan sällskap; *~ by* utan **2** mus. oackompanjerad
**unaccountable** [ˌʌnəˈkaʊntəbl] *adj* oförklarlig [*to* för; *for* (av) *some ~ reason*]
**unaccustomed** [ˌʌnəˈkʌstəmd] *adj* **1** ovan [*to* vid] **2** ovanlig [*his ~ silence*]
**unacquainted** [ˌʌnəˈkweɪntɪd] *adj* obekant [*with* med]; ovan [*with* vid]; *be ~ with* äv. inte känna till
**unadaptable** [ˌʌnəˈdæptəbl] *adj* oanpassbar
**unadulterated** [ˌʌnəˈdʌltəreɪtɪd] *adj* oförfalskad, oblandad, äkta, ren
**1 unaffected** [ˌʌnəˈfektɪd] *adj* **1** opåverkad, oberörd [*by* av] **2** med. inte angripen
**2 unaffected** [ˌʌnəˈfektɪd] *adj* okonstlad, otvungen, naturlig [*~ manners (style)*]
**unaided** [ʌnˈeɪdɪd] *adj* utan hjälp [*by* av]; på egen hand [*he did it ~*]
**unaltered** [ʌnˈɔːltəd] *adj* oförändrad
**unambiguous** [ˌʌnæmˈbɪgjʊəs] *adj* entydig, otvetydig
**unanimity** [ˌjuːnəˈnɪmətɪ] *s* enhällighet, enstämmighet, enighet
**unanimous** [juˈnænɪməs] *adj* enhällig, enstämmig, enig [*a ~ opinion*]
**unarmed** [ʌnˈɑːmd] *adj* avväpnad; obeväpnad
**unashamed** [ˌʌnəˈʃeɪmd] *adj* **1** oblyg; utan skamkänsla **2** ohöljd, ogenerad
**unasked** [ʌnˈɑːskt] *adj* oombedd; objuden
**unassuming** [ˌʌnəˈsjuːmɪŋ] *adj* anspråkslös, blygsam; försynt [*a quiet, ~ person*]
**unattended** [ˌʌnəˈtendɪd] *adj* utan tillsyn, obevakad, utan uppsikt; obemannad
**unattractive** [ˌʌnəˈtræktɪv] *adj* föga tilldragande; osympatisk
**unauthorized** [ʌnˈɔːθəraɪzd] *adj* inte auktoriserad, obemyndigad; obehörig
**unavailable** [ˌʌnəˈveɪləbl] *adj* inte tillgänglig; oanträffbar
**unavoidable** [ˌʌnəˈvɔɪdəbl] *adj* oundviklig
**unaware** [ˌʌnəˈweə] *adj* omedveten, ovetande, okunnig [*of* om; *that* om att]
**unawares** [ˌʌnəˈweəz] *adv* omedvetet; oavsiktligt; *take (catch) a p. ~* överrumpla (överraska) ngn
**unbalanced** [ʌnˈbælənst] *adj* **1** obalanserad, överspänd; sinnesförvirrad; *have an ~ mind* vara

**unconscious**

sinnesförvirrad **2** hand. inte balanserad
[*an ~ budget*]

**unbearable** [ˌʌn'beərəbl] *adj* outhärdlig

**unbeatable** [ˌʌn'biːtəbl] *adj* oöverträffbar,
överlägsen; oslagbar

**unbeaten** [ˌʌn'biːtn] *adj* obesegrad;
oslagen [*an ~ record*], oöverträffad

**unbecoming** [ˌʌnbɪ'kʌmɪŋ] *adj*
missklädsam

**unbelievable** [ˌʌnbə'liːvəbl] *adj* otrolig

**unbend** [ˌʌn'bend] (*unbent unbent*) *vb* tr o.
*vb* itr **1** böja (räta) ut [*~ a wire*]; rätas ut
**2** bildl. bli mera tillgänglig, tina upp

**unbent** [ˌʌn'bent] se *unbend*

**unbiased** o. **unbiassed** [ˌʌn'baɪəst] *adj*
fördomsfri; opartisk

**unbidden** [ˌʌn'bɪdn] *adj* **1** objuden [*~
guests*] **2** oombedd

**unbleached** [ˌʌn'bliːtʃt] *adj* oblekt

**unbolt** [ˌʌn'bəʊlt] *vb* tr regla upp, öppna

**unbosom** [ˌʌn'bʊzəm] *vb* itr o. *vb* rfl, *~* el.
*~ oneself* anförtro sig [*to* åt]

**unbreakable** [ˌʌn'breɪkəbl] *adj* obrytbar;
okrossbar, oförstörbar

**unbroken** [ˌʌn'brəʊk(ə)n] *adj* **1** obruten
**2** oavbruten [*~ silence*]

**unbuckle** [ˌʌn'bʌkl] *vb* tr **1** spänna
(knäppa) upp **2** spänna av sig [*~ one's
skis*]

**unburden** [ˌʌn'bɜːdn] *vb* tr avbörda,
avlasta, lätta [*~ one's conscience*]; befria
[*of* från]; *~ oneself* (*one's mind*) lätta
sitt hjärta

**unbusinesslike** [ˌʌn'bɪznɪslaɪk] *adj* föga
affärsmässig

**unbutton** [ˌʌn'bʌtn] *vb* tr knäppa upp;
*come unbuttoned* gå upp

**uncalled-for** [ˌʌn'kɔːldfɔː] *adj* **1** opåkallad,
omotiverad [*~ measures*], obefogad
**2** taktlös [*an ~ remark*]

**uncanny** [ˌʌn'kænɪ] *adj* **1** kuslig, spöklik [*~
sounds*] **2** förunderlig [*an ~ power*]

**unceasing** [ˌʌn'siːsɪŋ] *adj* oavbruten,
oupphörlig

**uncertain** [ˌʌn'sɜːtn] *adj* **1** osäker, inte
säker [*of, about* på], oviss [*of, about* om]
**2** obestämd; *in no ~ terms* i otvetydiga
ordalag

**uncertainty** [ˌʌn'sɜːtntɪ] *s* **1** osäkerhet;
obestämdhet **2** *the ~ of* det osäkra
(ovissa) i

**unchallenged** [ˌʌn'tʃæləndʒd] *adj*
obestridd, oemotsagd; opåtald

**unchanging** [ˌʌn'tʃeɪndʒɪŋ] *adj*
oföränderlig, konstant

**uncharitable** [ˌʌn'tʃærɪtəbl] *adj* kärlekslös,
obarmhärtig [*to* mot]

**unchecked** [ˌʌn'tʃekt] *adj* **1** inte
kontrollerad [*~ figures*] **2** ohämmad

**uncivilized** [ˌʌn'sɪvɪlaɪzd] *adj* ociviliserad,
barbarisk; okultiverad

**unclassified** [ˌʌn'klæsɪfaɪd] *adj*
**1** oklassificerad **2** inte hemligstämplad

**uncle** ['ʌŋkl] *s* farbror; morbror; *Uncle
Sam* Onkel Sam personifikation av USA;
*Uncle Tom* neds. neger som är inställsam mot
vita; [*my watch is*] *at my uncle's* vard.
…på stampen

**unclean** [ˌʌn'kliːn] *adj* oren

**unclench** [ˌʌn'klentʃ] *vb* tr o. *vb* itr öppna
[*he unclenched his hand (fist)*]; öppnas,
öppna sig

**uncock** [ˌʌn'kɒk] *vb* tr säkra [*~ a gun*]

**uncoil** [ˌʌn'kɔɪl] *vb* tr o. *vb* itr rulla upp [*~
a rope*]; rulla av; rulla upp sig; räta ut sig

**uncomfortable** [ˌʌn'kʌmfətəbl] *adj*
obekväm; otrivsam; obehaglig

**uncommitted** [ˌʌnkə'mɪtɪd] *adj*
oengagerad [*~ writers*]; alliansfri [*the ~
countries*]; opartisk

**uncommon** [ˌʌn'kɒmən] *adj* ovanlig

**uncommonly** [ˌʌn'kɒmənlɪ] *adv* ovanligt

**uncomplimentary** ['ʌnˌkɒmplɪ'mentrɪ] *adj*
mindre (föga) smickrande [*to* för]

**uncompromising** [ˌʌn'kɒmprəmaɪzɪŋ] *adj*
principfast, obeveklig, ståndaktig, oböjlig;
kompromisslös [*an ~ attitude*]

**unconcerned** [ˌʌnkən'sɜːnd] *adj*
**1** obekymrad [*~ about* (om) *the future*],
oberörd **2** inte inblandad (delaktig) [*~ in
the plot*]

**unconditional** [ˌʌnkən'dɪʃ(ə)nl] *adj*
**1** villkorslös, ovillkorlig; *~ surrender*
kapitulation utan villkor **2** obetingad;
kategorisk [*an ~ refusal*]

**unconditioned** [ˌʌnkən'dɪʃ(ə)nd] *adj* psykol.
obetingad [*~ reflex*]

**unconfirmed** [ˌʌnkən'fɜːmd] *adj*
obekräftad, obestyrkt

**uncongenial** [ˌʌnkən'dʒiːnjəl] *adj*
**1** motbjudande [*to* för] **2** olämplig [*to*
för]

**unconnected** [ˌʌnkə'nektɪd] *adj*
osammanhörande; utan samband
(förbindelse)

**unconquerable** [ˌʌn'kɒŋkərəbl] *adj*
oövervinnlig, obetvinglig; okuvlig

**unconscious** [ˌʌn'kɒnʃəs] **I** *adj*
**1** omedveten **2** medvetslös **II** *s*, *the ~* det
undermedvetna

**unconstitutional** [ˈʌnˌkɒnstɪˈtjuːʃənl] *adj*
grundlagsstridig, författningsstridig
**uncontrollable** [ˌʌnkənˈtrəʊləbl] *adj*
**1** okontrollerbar **2** som man inte kan
behärska, våldsam [~ *rage*]
**unconventional** [ˌʌnkənˈvenʃ(ə)nl] *adj*
okonventionell, fördomsfri;
icke-konventionell [~ *weapons*]
**unconvincing** [ˌʌnkənˈvɪnsɪŋ] *adj* föga
övertygande; osannolik [*an ~ explanation*]
**uncooked** [ˌʌnˈkʊkt] *adj* inte färdigkokt
**unco-operative** [ˌʌnkəʊˈɒpərətɪv] *adj*
samarbetsovillig; föga tillmötesgående
**uncork** [ˌʌnˈkɔːk] *vb tr* dra korken ur,
korka (dra) upp [~ *a bottle*]
**uncountable** [ˌʌnˈkaʊntəbl] **I** *adj*
**1** oräknelig, otalig **2** oräknebar; gram. äv.
inte pluralbildande **II** *s* gram. oräknebart
(inte pluralbildande) substantiv
**uncouple** [ˌʌnˈkʌpl] *vb tr* koppla av (från)
[~ *the locomotive*]; koppla lös
**uncouth** [ˌʌnˈkuːθ] *adj* **1** ohyfsad [~
*behaviour*], grov, ofin **2** otymplig [~
*appearance*]
**uncover** [ˌʌnˈkʌvə] *vb tr* **1** täcka av,
avtäcka; blotta [~ *one's head*]; ta av täcket
(höljet, locket) på (från) **2** bildl. avslöja [~
*a plot*]
**uncovered** [ˌʌnˈkʌvəd] *adj* **1** avtäckt,
blottad **2** otäckt, inte övertäckt [*an ~
shed*]; obetäckt [*an ~ head*] **3** hand. inte
täckt [~ *by insurance*]
**uncultivated** [ˌʌnˈkʌltɪveɪtɪd] *adj*
**1** ouppodlad [~ *land*] **2** okultiverad,
obildad
**uncut** [ˌʌnˈkʌt] *adj* oskuren, oklippt,
ohuggen; om bok a) oskuren
b) ouppskuren; om ädelsten oslipad [*an ~
diamond*]; om text m.m. oavkortad
**undecided** [ˌʌndɪˈsaɪdɪd] *adj* **1** oavgjord,
obestämd, inte bestämd **2** obeslutsam
**undecipherable** [ˌʌndɪˈsaɪfərəbl] *adj*
odechiffrerbar, otydbar
**undefeated** [ˌʌndɪˈfiːtɪd] *adj* obesegrad
**undefended** [ˌʌndɪˈfendɪd] *adj* oförsvarad
**undefinable** [ˌʌndɪˈfaɪnəbl] *adj*
odefinierbar, obestämbar
**undelivered** [ˌʌndɪˈlɪvəd] *adj* inte
avlämnad, olevererad; kvarliggande
**undemanding** [ˌʌndɪˈmɑːndɪŋ] *adj*
anspråkslös, förnöjsam
**undemocratic** [ˈʌnˌdeməˈkrætɪk] *adj*
odemokratisk
**undemonstrative** [ˌʌndɪˈmɒnstrətɪv] *adj*
reserverad, behärskad

**undeniable** [ˌʌndɪˈnaɪəbl] *adj* obestridlig,
oförneklig, oneklig
**undeniably** [ˌʌndɪˈnaɪəblɪ] *adv*
obestridligen, onekligen
**undependable** [ˌʌndɪˈpendəbl] *adj*
opålitlig
**under** [ˈʌndə] **I** *prep* **1** a) under b) mindre
än [*I can do it in ~ a week*] **2** enligt, i
enlighet med [~ *the terms of the treaty*]
**II** *adv* **1** under [*one on top and one ~*],
nedanför; därunder [*children of seven and
~*] **2** under; nere
**under-age** [ˌʌndərˈeɪdʒ] *adj* omyndig,
minderårig; underårig
**underarm** [adjektiv ˈʌndərɑːm, adverb
ˌʌndərˈɑːm] sport. **I** *adj* underhands- [*an ~
ball*] **II** *adv* underifrån [*serve ~*]
**underbid** [ˌʌndəˈbɪd] (*underbid underbid*)
*vb tr* o. *vb itr* bjuda under
**undercarriage** [ˈʌndəˌkærɪdʒ] *s* **1** flyg.
landningsställ **2** underrede på fordon
**undercharge** [ˌʌndəˈtʃɑːdʒ] *vb tr* ta för lite
betalt av
**underclothes** [ˈʌndəkləʊðz] *s pl* o.
**underclothing** [ˈʌndəˌkləʊðɪŋ] *s*
underkläder
**undercover** [ˈʌndəˌkʌvə] *adj* hemlig; ~
*agent* hemlig agent, spion
**undercurrent** [ˈʌndəˌkʌr(ə)nt] *s*
underström
**underdeveloped** [ˌʌndədɪˈveləpt] *adj*
underutvecklad [~ *muscles*]
**underdog** [ˈʌndədɒg] *s, the ~* den svagare,
den som är i underläge
**underdone** [ˌʌndəˈdʌn, attributivt
ˈʌndədʌn] *adj* kok. för lite stekt (kokt);
lättstekt, blodig
**underdose** [ˈʌndədəʊs] *s* för liten (svag)
dos
**underestimate** [verb ˌʌndərˈestɪmeɪt,
substantiv ˌʌndərˈestɪmət] **I** *vb tr*
underskatta, undervärdera; beräkna för
lågt **II** *s* underskattning, undervärdering;
alltför låg beräkning
**underexpose** [ˌʌndərɪkˈspəʊz] *vb tr* foto.
underexponera
**underexposure** [ˌʌndərɪkˈspəʊʒə] *s* foto.
underexponering
**underfed** [ˌʌndəˈfed] **I** se *underfeed* **II** *adj*
undernärd, svältfödd
**underfeed** [ˌʌndəˈfiːd] (*underfed underfed*)
*vb tr* ge för litet att äta, ge för litet mat
**underfoot** [ˌʌndəˈfʊt] *adv* under fötterna
(foten); *it is dry ~* det är torrt på marken

**undergarment** ['ʌndəˌgɑːmənt] s
underplagg
**undergo** [ˌʌndə'gəʊ] (*underwent undergone*)
*vb tr* undergå, genomgå [~ *a change*];
underkasta sig; få utstå [~ *hardships*]
**undergone** [ˌʌndə'gɒn] se *undergo*
**undergraduate** [ˌʌndə'grædjʊət] s univ.
student, studerande
**underground** [adverb ˌʌndə'graʊnd, adjektiv
o. substantiv 'ʌndəgraʊnd] **I** *adv* under
jorden [*go* ~] **II** *adj* **1** a) underjordisk,
underjords- b) tunnelbane-, T-bane- [~
*station*]; ~ *railway* tunnelbana **2** bildl.
underjordisk, hemlig; ~ *movement* polit.
underjordisk motståndsrörelse **III** *s*
**1** tunnelbana, T-bana **2** polit.
underjordisk motståndsrörelse
**undergrowth** ['ʌndəgrəʊθ] s
undervegetation; småskog, underskog
**underhand** [adjektiv 'ʌndəhænd, adverb
ˌʌndə'hænd] **I** *adj* **1** lömsk, bedräglig [~
*methods*] **2** hemlig, under bordet [*an* ~
*deal*]; *use* ~ *means* (*methods*) gå
smygvägar **II** *adv* **1** lömskt, bakslugt;
bedrägligt **2** i hemlighet, i smyg
**underlaid** [ˌʌndə'leɪd] se *1 underlay*
**underlain** [ˌʌndə'leɪn] se *underlie*
**1 underlay** [ˌʌndə'leɪ] (*underlaid underlaid*)
*vb tr* förse med underlag; stötta
**2 underlay** [ˌʌndə'leɪ] se *underlie*
**underlie** [ˌʌndə'laɪ] (*underlay underlain*) *vb
tr* ligga under; bildl. ligga bakom (under)
**underline** [ˌʌndə'laɪn] *vb tr* stryka under;
bildl. understryka, betona; framhäva
**underlinen** ['ʌndəˌlɪnɪn] s underkläder
**underlip** ['ʌndəlɪp] s underläpp
**underlying** [ˌʌndə'laɪɪŋ] *adj*
**1** underliggande **2** bildl. bakomliggande,
som ligger bakom [*the* ~ *causes*]
**undermanned** [ˌʌndə'mænd] *adj*
underbemannad
**undermentioned** [ˌʌndə'menʃ(ə)nd] *adj*
nedan nämnd
**undermine** [ˌʌndə'maɪn] *vb tr*
underminera; bildl. äv. undergräva [~
*a p.'s authority*]
**underneath** [ˌʌndə'niːθ] **I** *prep* under,
inunder; nedanför **II** *adv* under, inunder
[*wear wool* ~]; på undersidan, nertill **III** *s*
undersida; underdel
**undernourished** [ˌʌndə'nʌrɪʃt] *adj*
undernärd, svältfödd
**undernourishment** [ˌʌndə'nʌrɪʃmənt] s
undernäring
**underpaid** [ˌʌndə'peɪd] se *underpay*

**underpants** ['ʌndəpænts] s pl speciellt amer.
underbyxor; kalsonger
**underpass** ['ʌndəpɑːs] s **1** a) planskild
korsning b) vägtunnel **2** amer. gångtunnel
**underpay** [ˌʌndə'peɪ] (*underpaid underpaid*)
*vb tr* underbetala [~ *a p.*]
**underprivileged** [ˌʌndə'prɪvɪlɪdʒd] *adj*
missgynnad, tillbakasatt [~ *minorities*],
sämre lottad, underprivilegierad [~
*classes*]
**underrate** [ˌʌndə'reɪt] *vb tr* undervärdera,
underskatta; värdera för lågt
**underseal** ['ʌndəsiːl] bil. m.m. **I** *vb tr*
underredsbehandla **II** *s*
underredsbehandling
**undersell** [ˌʌndə'sel] (*undersold undersold*)
*vb tr* **1** sälja billigare än, underbjuda [~
*a p.*] **2** sälja till underpris
**undershirt** ['ʌndəʃɜːt] s speciellt amer.
undertröja
**undersigned** ['ʌndəsaɪnd] (pl. lika) s
undertecknad; *we, the* ~, *hereby certify*
undertecknade intygar härmed
**undersize** ['ʌndəsaɪz] *adj* o. **undersized**
['ʌndəsaɪzd] *adj* under medelstorlek
(medellängd)
**undersold** [ˌʌndə'səʊld] se *undersell*
**underspin** ['ʌndəspɪn] s i t.ex. tennis
underskruv
**understaffed** [ˌʌndə'stɑːft] *adj*
underbemannad; *be* ~ äv. ha för liten
personal
**understand** [ˌʌndə'stænd] (*understood
understood*) *vb tr* o. *vb itr* **1** förstå, begripa;
fatta; *give a p. to* ~ *that...* låta ngn förstå
att...; *I quite* ~ jag förstår precis **2** förstå
sig på [~ *children*]
**understandable** [ˌʌndə'stændəbl] *adj*
förståelig, begriplig
**understanding** [ˌʌndə'stændɪŋ] **I** *s*
**1** förstånd; fattningsförmåga; insikt [*of* i],
kännedom [*of* om] **2** förståelse [*the* ~
*between the nations*] **3** överenskommelse;
*come to* (*reach*) *an* ~ nå samförstånd,
komma överens **4** *on the* ~ *that* på det
villkoret att **II** *adj* **1** förstående
**2** förståndig
**understatement** [ˌʌndə'steɪtmənt] s
underdrift, understatement
**understood** [ˌʌndə'stʊd] **I** imperfekt av
*understand* **II** *adj* o. *perf p* (av *understand*)
**1** förstådd; ~ ? uppfattat? **2** självklar,
given [*that's an* ~ *thing*]; *that is* ~ det
säger (förstås av) sig självt
**understudy** [substantiv 'ʌndəˌstʌdɪ, verb

‚Andə'stʌdɪ] **I** s **1** teat. ersättare, inhoppare **2** ställföreträdare, vikarie **II** vb tr **1** teat., ~ *a part* lära in en roll för att kunna hoppa in som ersättare **2** a) assistera b) vikariera för

**undertake** [ˌʌndə'teɪk] (*undertook undertaken*) vb tr **1** företa [~ *a journey*] **2** a) åta sig [~ *a task*; ~ *to do a th.*], förbinda sig [~ *to do a th.*] b) garantera

**undertaken** [ˌʌndə'teɪk(ə)n] se *undertake*

**undertaker** ['ʌndəˌteɪkə] s begravningsentreprenör

**undertaking** [ˌʌndə'teɪkɪŋ] s **1** företag; arbete **2** a) åtagande b) garanti

**under-the-counter** [ˌʌndəðə'kaʊntə] adj vard. som säljs under disken (svart)

**under-the-table** [ˌʌndəðə'teɪbl] adj vard. under bordet; svart [~ *dealings*]

**underthings** ['ʌndəˌθɪŋz] s pl vard. underkläder

**undertone** ['ʌndətəʊn] s **1** *in an* ~ el. *in* ~*s* med dämpad röst, lågmält **2** bildl. underton

**undertook** [ˌʌndə'tʊk] se *undertake*

**undervalue** [ˌʌndə'vælju:] vb tr undervärdera, underskatta; värdera för lågt

**undervest** ['ʌndəvest] s undertröja

**underwater** [adjektiv 'ʌndəwɔːtə, adverb ˌʌndə'wɔːtə] **I** adj undervattens- [~ *explosion*] **II** adv under vattnet

**underwear** ['ʌndəweə] s underkläder

**underweight** ['ʌndəweɪt] **I** s undervikt **II** adj underviktig, under normalvikt

**underwent** [ˌʌndə'went] se *undergo*

**underworld** ['ʌndəwɜːld] s **1** undre värld **2** dödsrike; *the* ~ äv. underjorden

**undeserved** [ˌʌndɪ'zɜːvd] adj oförtjänt

**undeserving** [ˌʌndɪ'zɜːvɪŋ] adj ovärdig; *be* ~ *of* inte förtjäna (vara värd)

**undesirable** [ˌʌndɪ'zaɪərəbl] adj icke önskvärd [~ *effects*]; ovälkommen [~ *visitors*]

**undesired** [ˌʌndɪ'zaɪəd] adj icke önskad (önskvärd)

**undetected** [ˌʌndɪ'tektɪd] adj oupptäckt

**undeveloped** [ˌʌndɪ'veləpt] adj **1** outvecklad; outnyttjad [~ *natural resources*], oexploaterad **2** foto. oframkallad

**undid** [ʌn'dɪd] se *undo*

**undies** ['ʌndɪz] s pl vard. damunderkläder

**undignified** [ʌn'dɪgnɪfaɪd] adj föga värdig [*in an* ~ *manner*], ovärdig

**undiluted** [ˌʌndaɪ'ljuːtɪd] adj outspädd

**undiminished** [ˌʌndɪ'mɪnɪʃt] adj oförminskad, oförsvagad [~ *energy*]

**undiscovered** [ˌʌndɪ'skʌvəd] adj oupptäckt

**undiscriminating** [ˌʌndɪ'skrɪmɪneɪtɪŋ] adj urskillningslös, okritisk

**undisposed** [ˌʌndɪ'spəʊzd] adj obenägen

**undisputed** [ˌʌndɪ'spjuːtɪd] adj obestridd

**undistinguished** [ˌʌndɪ'stɪŋgwɪʃt] adj slätstruken [*an* ~ *performance*]

**undisturbed** [ˌʌndɪ'stɜːbd] adj ostörd, lugn; orörd

**undivided** [ˌʌndɪ'vaɪdɪd] adj odelad [~ *attention*]; enad, obruten [~ *front*]

**undo** [ʌn'duː] (*undid undone*) vb tr **1** knäppa upp [~ *the buttons (one's coat)*], lösa (knyta) upp [~ *a knot*], få upp; spänna loss [~ *straps*]; ta av [~ *the wrapping*]; ta (packa) upp, öppna [~ *a parcel*]; *come undone* gå upp [*my shoelace has come undone*]; lossna **2** a) göra ogjord [*what is done can't be undone*] b) göra om intet

**undoing** [ʌn'duːɪŋ] s fördärv, undergång [*it will be his* ~]

**undomesticated** [ˌʌndə'mestɪkeɪtɪd] adj **1** föga huslig **2** otämjd

**undone** [ʌn'dʌn] **I** se *undo* **II** adj **1** uppknäppt, upplöst; oknäppt, oknuten **2** ogjord

**undoubted** [ʌn'daʊtɪd] adj otvivelaktig, obestridlig; avgjord, klar [*an* ~ *victory*]

**undoubtedly** [ʌn'daʊtɪdlɪ] adv otvivelaktigt, utan tvivel

**undress** [ʌn'dres] **I** vb tr o. vb intr klä av; klä av sig **II** s, *in a state of* ~ oklädd

**undressed** [ʌn'drest] adj **1** a) avklädd b) oklädd **2** lätt klädd, halvklädd **3** obehandlad, obearbetad [~ *leather*]

**undrinkable** [ʌn'drɪŋkəbl] adj odrickbar

**undue** [ʌn'djuː] adj onödig [~ *haste*], opåkallad; otillbörlig

**unduly** [ʌn'djuːlɪ] adv oskäligt; överdrivet, orimligt; otillbörlig

**unearned** [ʌn'ɜːnd] adj **1** ~ *income* inkomst av kapital **2** oförtjänt [~ *praise*]

**unearth** [ʌn'ɜːθ] vb tr gräva upp (fram)

**unearthly** [ʌn'ɜːθlɪ] adj **1** övernaturlig; kuslig **2** vard., *at an* ~ *hour* okristligt tidigt

**uneasiness** [ʌn'iːzɪnəs] s oro, ängslan [*about* för]; obehag, olust

**uneasy** [ʌn'iːzɪ] adj orolig, ängslig [*about* för]; olustig, illa till mods; ~ *feeling* obehaglig känsla

# unhappiness

**uneatable** [ˌʌn'iːtəbl] *adj* oätbar, oätlig

**uneaten** [ˌʌn'iːtn] *adj* inte uppäten; orörd

**uneconomical** [ˈʌnˌiːkə'nɒmɪk(ə)l] *adj* slösaktig, oekonomisk; odryg

**uneducated** [ˌʌn'edjʊkeɪtɪd] *adj* obildad

**unemotional** [ˌʌnɪ'məʊʃənl] *adj* känslolös, kall, oberörd

**unemployed** [ˌʌnɪm'plɔɪd] *adj* arbetslös, sysslolös; *the* ~ de arbetslösa

**unemployment** [ˌʌnɪm'plɔɪmənt] *s* arbetslöshet; ~ *benefit* (amer. äv. *compensation*) arbetslöshetsunderstöd

**unending** [ʌn'endɪŋ] *adj* **1** ändlös **2** vard. evig

**un-English** [ʌn'ɪŋglɪʃ] *adj* oengelsk

**unenterprising** [ˌʌn'entəpraɪzɪŋ] *adj* oföretagsam

**unentertaining** [ˈʌnˌentə'teɪnɪŋ] *adj* föga (allt annat än) underhållande

**unenviable** [ʌn'envɪəbl] *adj* föga (inte) avundsvärd [*an* ~ *task*]

**unequal** [ʌn'iːkw(ə)l] *adj* olika, olika stor (lång); inte likvärdig (jämlik, jämställd); omaka; ojämn [*an* ~ *contest*]; *be* ~ *to the task* inte vara vuxen uppgiften

**unequalled** [ʌn'iːkw(ə)ld] *adj* ouppnådd, oöverträffad, makalös, enastående

**unessential** [ˌʌnɪ'senʃ(ə)l] **I** *adj* oväsentlig, oviktig **II** *s* oväsentlighet, bisak

**uneven** [ʌn'iːv(ə)n] *adj* **1** ojämn **2** udda [~ *number*] **3** olika, olika lång

**uneventful** [ˌʌnɪ'ventf(ʊ)l] *adj* händelsefattig

**unexpected** [ˌʌnɪk'spektɪd] *adj* oväntad

**unexpectedly** [ˌʌnɪk'spektɪdlɪ] *adv* oväntat; ~ *good* bättre än väntat

**unexplained** [ˌʌnɪk'spleɪnd] *adj* oförklarad, ouppklarad

**unexplored** [ˌʌnɪk'splɔːd] *adj* outforskad

**unfailing** [ʌn'feɪlɪŋ] *adj* **1** osviklig [~ *accuracy*], ofelbar [*an* ~ *remedy*], säker **2** outtömlig, outsinlig

**unfair** [ʌn'feə] *adj* orättvis, ojust

**unfaithful** [ʌn'feɪθf(ʊ)l] *adj* **1** otrogen [*to* mot], trolös [*an* ~ *lover*] **2** otillförlitlig [~ *translation*]

**unfamiliar** [ˌʌnfə'mɪljə] *adj* **1** inte förtrogen [*with* med], ovan [*with* vid], främmande [*with* för] **2** obekant, främmande [*to a p.* för ngn]

**unfamiliarity** [ˈʌnfəˌmɪlɪ'ærətɪ] *s* obekantskap, bristande förtrogenhet [*with* med]

**unfashionable** [ʌn'fæʃənəbl] *adj* omodern

**unfasten** [ʌn'fɑːsn] *vb tr* lossa, lösgöra; lösa (knyta) upp; låsa upp, öppna

**unfavourable** [ʌn'feɪvərəbl] *adj* ogynnsam, ofördelaktig [*to (for)* för]

**unfeeling** [ʌn'fiːlɪŋ] *adj* okänslig [*to* för]; känslolös; hjärtlös

**unfinished** [ʌn'fɪnɪʃt] *adj* oavslutad, ofullbordad, inte färdig

**unfit** [ʌn'fɪt] *adj* olämplig, oduglig [*for* till, som; *to* att], oförmögen [*for* till; *to* att]; ovärdig [*for a th.* ngt]; i dålig kondition; ~ *for human consumption* otjänlig som människoföda

**unfitted** [ʌn'fɪtɪd] *adj* olämplig, oduglig

**unflagging** [ʌn'flægɪŋ] *adj* outtröttlig

**unflinching** [ʌn'flɪntʃɪŋ] *adj* ståndaktig, orubblig

**unfold** [ʌn'fəʊld] *vb tr* **1** veckla ut (upp) [~ *a newspaper*], vika ut (upp) **2** utveckla, framställa, lägga fram [*she unfolded her plans*]

**unforeseeable** [ˌʌnfɔː'siːəbl] *adj* oförutsebar, omöjlig att förutse, oviss

**unforgettable** [ˌʌnfə'getəbl] *adj* oförglömlig

**unforgivable** [ˌʌnfə'gɪvəbl] *adj* oförlåtlig

**unfortunate** [ʌn'fɔːtʃənət] *adj* olycklig; olycksdrabbad; *be* ~ ha otur

**unfortunately** [ʌn'fɔːtʃənətlɪ] *adv* tyvärr, olyckligtvis

**unfounded** [ʌn'faʊndɪd] *adj* ogrundad [~ *suspicion*], grundlös, lös [~ *rumour*]

**unfriendly** [ʌn'frendlɪ] *adj* ovänlig [*to* mot]

**unfurl** [ʌn'fɜːl] *vb tr* om t.ex. flagga veckla ut

**ungainly** [ʌn'geɪnlɪ] *adj* klumpig, otymplig

**ungenerous** [ʌn'dʒenərəs] *adj* **1** snål, knusslig **2** föga generös

**ungodly** [ʌn'gɒdlɪ] *adj* gudlös, ogudaktig; *at an* ~ *hour* vard. okristligt tidigt

**ungovernable** [ʌn'gʌvənəbl] *adj* oregerlig; obändig [~ *temper*]

**ungrateful** [ʌn'greɪtf(ʊ)l] *adj* otacksam

**ungratified** [ʌn'grætɪfaɪd] *adj* otillfredsställd, ouppfylld [~ *desire*]

**unguarded** [ʌn'gɑːdɪd] *adj* **1** obevakad **2** ovarsam, tanklös [*an* ~ *remark*]

**unhampered** [ʌn'hæmpəd] *adj* obunden, obehindrad, inte hämmad [*by* av]

**unhappily** [ʌn'hæpəlɪ] *adv* **1** olyckligt **2** olyckligtvis

**unhappiness** [ʌn'hæpɪnəs] *s* olycka, brist på lycka

**unhappy** [ʌn'hæpɪ] *adj* olycklig;
olycksalig; misslyckad, olämplig
**unharmed** [ʌn'hɑ:md] *adj* oskadd
**unhealthy** [ʌn'helθɪ] *adj* **1** sjuklig, klen
**2** ohälsosam, osund, skadlig [~ *ideas*]
**unheard-of** [ʌn'hɜ:dɒv] *adj* **1** förut okänd
**2** exempellös; utan motstycke
**unheeded** [ʌn'hi:dɪd] *adj* obeaktad,
ouppmärksammad
**unhesitating** [ʌn'hezɪteɪtɪŋ] *adj* tveklös
**unhinge** [ʌn'hɪndʒ] *vb tr* **1** haka av [~ *a
door*] **2** förrycka; *his mind is unhinged*
han är sinnesrubbad
**unholy** [ʌn'həʊlɪ] *adj* ohelig
**unhook** [ʌn'hʊk] *vb tr* häkta (haka) av
**unhospitable** [ʌn'hɒspɪtəbl] *adj*
ogästvänlig
**unhurt** [ʌn'hɜ:t] *adj* oskadad, oskadd
**unicorn** ['ju:nɪkɔ:n] *s* enhörning
**unidentified** [ʌnaɪ'dentɪfaɪd] *adj*
oidentifierad [~ *flying object*], icke
identifierad
**unification** [ju:nɪfɪ'keɪʃ(ə)n] *s* enande
**uniform** ['ju:nɪfɔ:m] **I** *adj* **1** likformig,
enhetlig **2** jämn, konstant [~ *speed*] **II** *s*
uniform
**uniformity** [ju:nɪ'fɔ:mətɪ] *s* likformighet,
uniformitet, enhetlighet
**unify** ['ju:nɪfaɪ] *vb tr* ena, förena
**unilateral** [ju:nɪ'lætər(ə)l] *adj* ensidig,
unilateral [~ *agreement*]
**unimaginable** [ʌnɪ'mædʒɪnəbl] *adj*
otänkbar; ofattbar
**unimaginative** [ʌnɪ'mædʒɪnətɪv] *adj*
fantasilös
**unimpaired** [ʌnɪm'peəd] *adj* oförminskad,
oförsvagad, obruten [~ *health*]
**unimportant** [ʌnɪm'pɔ:t(ə)nt] *adj*
obetydlig, oviktig, betydelselös,
oväsentlig
**unimposing** [ʌnɪm'pəʊzɪŋ] *adj* föga
imponerande
**uninformed** [ʌnɪn'fɔ:md] *adj* inte
underrättad (informerad), oupplyst
**uninhabitable** [ʌnɪn'hæbɪtebl] *adj*
obeboelig
**uninhabited** [ʌnɪn'hæbɪtɪd] *adj* obebodd
**uninhibited** [ʌnɪn'hɪbɪtɪd] *adj*
hämningslös, ohämmad
**unintelligible** [ʌnɪn'telɪdʒəbl] *adj*
obegriplig, oförståelig
**unintentional** [ʌnɪn'tenʃənl] *adj* oavsiktlig
**uninterrupted** ['ʌn,ɪntə'rʌptɪd] *adj*
oavbruten, ostörd

**uninviting** [ʌnɪn'vaɪtɪŋ] *adj* föga
inbjudande
**union** ['ju:njən] *s* **1** förening, enande,
sammanslutning, sammanförande
**2** union [*postal* ~], förbund, förening;
*students'* ~ studentkår; *the Union of
Soviet Socialist Republics* hist.
Sovjetunionen; *the Union Jack* Union
Jack Storbritanniens flagga **3** *the* ~ facket;
*trade* ~ el. ~ fackförening; *national trade*
~ el. *national* ~ fackförbund
**unique** [ju:'ni:k] *adj* unik, enastående
**unisex** ['ju:niseks] *adj* ungefär gemensam
för båda könen, unisex- [~ *fashions*]
**unison** ['ju:nɪsn] *s* mus. samklang,
harmoni; *in* ~ unisont
**unit** ['ju:nɪt] *s* **1** enhet **2** avdelning, enhet
[*production* ~]; mil. förband
**unite** [ju:'naɪt] *vb tr* o. *vb itr* **1** förena, föra
samman [*with, to* med], samla, ena
**2** förena sig, förenas, slå sig samman
**united** [ju:'naɪtɪd] *adj* förenad; samlad [~
*action*]; enig, enad [*present a* ~ *front*]; *the
United Kingdom* Förenade kungariket
Storbritannien och Nordirland; *the United
Nations Organization* el. *the United
Nations* Förenta nationerna; *the United
States of America* el. *the United States*
Förenta staterna
**unity** ['ju:nətɪ] *s* **1** enhet **2** endräkt,
harmoni, enighet, sammanhållning
**universal** [ju:nɪ'vɜ:s(ə)l] *adj* allmän,
allmänt utbredd [~ *belief*]; allomfattande;
universell
**universally** [ju:nɪ'vɜ:səlɪ] *adv* allmänt,
universellt, överallt
**universe** ['ju:nɪvɜ:s] *s* universum
**university** [ju:nɪ'vɜ:sətɪ] *s* universitet,
högskola; ~ *education* akademisk
utbildning (bildning)
**unjust** [ʌn'dʒʌst] *adj* orättfärdig, orättvis
**unjustifiable** ['ʌn,dʒʌstɪ'faɪəbl] *adj*
oförsvarlig; otillbörlig; orättvis
**unjustified** [ʌn'dʒʌstɪfaɪd] *adj*
oberättigad, obefogad
**unjustly** [ʌn'dʒʌstlɪ] *adv* orättfärdigt,
orättvist
**unkempt** [ʌn'kemt] *adj* **1** okammad
**2** ovårdad, vanskött
**unkind** [ʌn'kaɪnd] *adj* ovänlig; omild, inte
skonsam [~ *to* (mot) *the skin*]
**unknown** [ʌn'nəʊn] **I** *adj* okänd, obekant
[*to* för, i, bland] **II** *adv*, ~ *to us* oss
ovetande, utan vår vetskap

**unlawful** [ˌʌn'lɔ:f(ʊ)l] *adj* olaglig; orättmätig; olovlig

**unleash** [ˌʌn'li:ʃ] *vb tr* koppla lös (loss), släppa lös (loss) [*~ a dog*; *he unleashed his fury*]

**unleavened** [ˌʌn'levnd] *adj* osyrad [*~ bread*]

**unless** [ən'les] *konj* om inte; med mindre än att; annat än, utom

**unlike** [ˌʌn'laɪk] **I** *adj* olik **II** *prep* olikt; olika mot; i olikhet med, i motsats till [*~ most other people, he is…*]

**unlikely** [ˌʌn'laɪklɪ] *adj* osannolik, otrolig; *he is ~ to come* han kommer troligen inte

**unlimited** [ˌʌn'lɪmɪtɪd] *adj* **1** obegränsad, oinskränkt [*~ power*] **2** gränslös

**unload** [ˌʌn'ləʊd] *vb tr* o. *vb itr* **1** lasta av, lossa [*~ a cargo*]; lossas [*the ship is unloading*] **2** ta ut patronen ur [*~ the gun*]

**unlock** [ˌʌn'lɒk] *vb tr* o. *vb itr* låsa upp, låsas upp

**unlocked** [ˌʌn'lɒkt] *adj* upplåst; olåst

**unlooked-for** [ˌʌn'lʊktfɔ:] *adj* oväntad

**unloose** [ˌʌn'lu:s] *vb tr* o. **unloosen** [ˌʌn'lu:sn] *vb tr* lossa, lösa; släppa lös; knyta upp

**unluckily** [ˌʌn'lʌkəlɪ] *adv* **1** olyckligtvis **2** olyckligt

**unlucky** [ˌʌn'lʌkɪ] *adj* olycklig; olycksdiger; *be ~* ha otur [*at i*]

**unmanageable** [ˌʌn'mænɪdʒəbl] *adj* ohanterlig, svårhanterlig; oregerlig

**unmanly** [ˌʌn'mænlɪ] *adj* omanlig

**unmanned** [ˌʌn'mænd] *adj* obemannad

**unmannerly** [ˌʌn'mænəlɪ] *adj* obelevad, okultiverad, ohyfsad

**unmarried** [ˌʌn'mærɪd] *adj* ogift

**unmask** [ˌʌn'mɑ:sk] *vb tr* demaskera, avslöja

**unmerited** [ˌʌn'merɪtɪd] *adj* oförtjänt

**unmistakable** [ˌʌnmɪ'steɪkəbl] *adj* omisskännlig; otvetydig, ofelbar [*an ~ sign*]

**unmitigated** [ˌʌn'mɪtɪgeɪtɪd] *adj* oförminskad; *~ by* utan några förmildrande drag av; *an ~ scoundrel* en ärkeskurk

**unmoved** [ˌʌn'mu:vd] *adj* **1** oberörd, lugn, kall **2** orörd

**unnecessarily** [ˌʌn'nesəsərəlɪ] *adv* onödigt; i onödan

**unnecessary** [ˌʌn'nesəsərɪ] *adj* onödig

**unnerve** [ˌʌn'nɜ:v] *vb tr* göra nervös

**unnoticeable** [ˌʌn'nəʊtɪsəbl] *adj* omärklig

**unnoticed** [ˌʌn'nəʊtɪst] *adj* obemärkt

**UNO** ['ju:nəʊ] (förk. för *United Nations Organization*) FN

**unobserved** [ˌʌnəb'zɜ:vd] *adj* obemärkt

**unobstructed** [ˌʌnəb'strʌktɪd] *adj* obehindrad, fri [*~ view*]

**unobtainable** [ˌʌnəb'teɪnəbl] *adj* oåtkomlig, oanskaffbar, oöverkomlig

**unobtrusive** [ˌʌnəb'tru:sɪv] *adj* inte påträngande, diskret

**unoccupied** [ˌʌn'ɒkjʊpaɪd] *adj* **1** inte ockuperad; obebodd [*~ territory*] **2** ledig [*~ seat*], inte upptagen **3** sysslolös

**unofficial** [ˌʌnə'fɪʃ(ə)l] *adj* inofficiell [*~ statement*], inte officiell; *~ strike* vild strejk

**unorthodox** [ˌʌn'ɔ:θədɒks] *adj* oortodox

**unpack** [ˌʌn'pæk] *vb tr* o. *vb itr* packa upp (ur)

**unpaid** [ˌʌn'peɪd] *adj* obetald; ofrankerad [*~ letter*]; oavlönad

**unpalatable** [ˌʌn'pælətəbl] *adj* oaptitlig

**unparalleled** [ˌʌn'pærəleld] *adj* makalös

**unpardonable** [ˌʌn'pɑ:dnəbl] *adj* oförlåtlig

**unplanned** [ˌʌn'plænd] *adj* oplanerad, inte planerad

**unplayable** [ˌʌn'pleɪəbl] *adj* **1** ospelbar **2** om t.ex. boll omöjlig, otagbar

**unpleasant** [ˌʌn'pleznt] *adj* otrevlig; obehaglig [*~ taste*; *~ truth*]

**unpleasantness** [ˌʌn'plezntnəs] *s* obehag; tråkigheter; bråk [*try to avoid ~*]

**unplug** [ˌʌn'plʌg] *vb tr* dra ur proppen ur [*~ the sink*]; dra ur sladden till [*~ the TV*]

**unpolished** [ˌʌn'pɒlɪʃt] *adj* opolerad; oputsad; oslipad [*~ diamond*; *~ style*]

**unpopular** [ˌʌn'pɒpjʊlə] *adj* impopulär, illa omtyckt

**unprecedented** [ˌʌn'presɪdəntɪd] *adj* exempellös, utan motstycke, makalös

**unprejudiced** [ˌʌn'predʒʊdɪst] *adj* fördomsfri, opartisk

**unprepossessing** ['ʌnˌpri:pə'zesɪŋ] *adj* föga intagande, osympatisk

**unpretentious** [ˌʌnprɪ'tenʃəs] *adj* anspråkslös, blygsam, opretentiös

**unprincipled** [ˌʌn'prɪnsəpld] *adj* principlös; samvetslös [*~ scoundrel*]

**unprintable** [ˌʌn'prɪntəbl] *adj* otryckbar

**unproductive** [ˌʌnprə'dʌktɪv] *adj* improduktiv; ofruktbar; föga lönande

**unprofessional** [ˌʌnprə'feʃənl] *adj* inte professionell; oprofessionell

**unprofitable** [ˌʌn'prɒfɪtəbl] *adj* onyttig, föga givande; olönsam

**unpromising** [ˌʌnˈprɒmɪsɪŋ] adj föga
lovande, ogynnsam
**unprotected** [ˌʌnprəˈtektɪd] adj oskyddad
**unprovided** [ˌʌnprəˈvaɪdɪd] adj **1** inte
försedd (utrustad) [with med] **2** ~ for
oförsörjd
**unpublished** [ˌʌnˈpʌblɪʃt] adj opublicerad
**unpunctual** [ˌʌnˈpʌŋktjʊəl] adj inte
punktlig
**unpunished** [ˌʌnˈpʌnɪʃt] adj ostraffad
**unqualified** [ˌʌnˈkwɒlɪfaɪd] adj
**1** okvalificerad, inkompetent [as som; for
till, för; to do a th. att göra ngt]; inte
behörig, utan kompetens
**2** oförbehållsam, odelad [~ approval]
**unquestionable** [ˌʌnˈkwestʃənəbl] adj
obestridlig, odiskutabel
**unquestioned** [ˌʌnˈkwestʃ(ə)nd] adj
obestridd, oemotsagd; obestridlig
**unquestioning** [ˌʌnˈkwestʃənɪŋ] adj
obetingad, blind [~ obedience]
**unquote** [ˌʌnˈkwəʊt] vb itr, ...~ ...slut på
citatet, ...slut citat, jfr quote II
**unravel** [ˌʌnˈræv(ə)l] vb tr **1** riva upp, repa
upp [~ knitting]; reda ut **2** bildl. reda ut,
klara upp, lösa [~ a mystery]
**unreadable** [ˌʌnˈriːdəbl] adj oläsbar;
oläslig
**unreal** [ˌʌnˈrɪəl] adj overklig; inbillad
**unreasonable** [ˌʌnˈriːzənəbl] adj oresonlig;
omedgörlig; oskälig
**unreasoning** [ˌʌnˈriːzənɪŋ] adj oförnuftig;
okritisk; oreflekterad; ~ hate blint hat
**unrecognizable** [ˌʌnˈrekəgnaɪzəbl] adj
oigenkännlig
**unrelated** [ˌʌnrɪˈleɪtɪd] adj obesläktad [to
med], inte relaterad [to till]; be ~ to inte
ha något samband med
**unrelenting** [ˌʌnrɪˈlentɪŋ] adj **1** oböjlig;
obeveklig **2** ständig [~ pressure]
**unreliable** [ˌʌnrɪˈlaɪəbl] adj opålitlig [an ~
witness]; ovederhäftig, otillförlitlig
**unrepair** [ˌʌnrɪˈpeə] s, in a state of ~ i
dåligt skick, illa underhållen
**unrepeatable** [ˌʌnrɪˈpiːtəbl] adj **1** som inte
kan återges [~ remarks] **2** unik; som inte
återkommer [an ~ offer (erbjudande)]
**unrepentant** [ˌʌnrɪˈpentənt] adj o.
**unrepenting** [ˌʌnrɪˈpentɪŋ] adj obotfärdig
**unrequited** [ˌʌnrɪˈkwaɪtɪd] adj obesvarad
[~ love]
**unresolved** [ˌʌnrɪˈzɒlvd] adj **1** olöst [~
problem (conflict)] **2** obeslutsam, tveksam
**unrest** [ʌnˈrest] s oro, jäsning
**unrestrained** [ˌʌnrɪˈstreɪnd] adj

**1** ohämmad, otyglad; obehärskad
**2** otvungen, fri
**unrestricted** [ˌʌnrɪˈstrɪktɪd] adj
**1** oinskränkt [~ power] **2** med fri fart,
utan fartgräns
**unrewarding** [ˌʌnrɪˈwɔːdɪŋ] adj föga
givande; otacksam [an ~ part (roll)]
**unripe** [ˌʌnˈraɪp] adj omogen
**unrivalled** [ˌʌnˈraɪv(ə)ld] adj makalös,
oöverträffad, utan like
**unroll** [ˌʌnˈrəʊl] vb tr o. vb itr rulla (veckla)
upp; rulla (veckla) upp sig
**unruffled** [ˌʌnˈrʌfld] adj oberörd, lugn
**unruly** [ˌʌnˈruːlɪ] adj besvärlig, oregerlig
**unsaddle** [ˌʌnˈsædl] vb tr **1** sadla av [~ a
horse] **2** kasta av [~ a rider]
**unsafe** [ˌʌnˈseɪf] adj osäker
**unsatisfactory** [ˈʌnˌsætɪsˈfæktərɪ] adj
otillfredsställande; otillräcklig
**unsatisfied** [ˌʌnˈsætɪsfaɪd] adj
otillfredsställd, inte tillfredsställd
**unsavoury** [ˌʌnˈseɪvərɪ] adj oaptitlig;
motbjudande, osmaklig [an ~ affair]
**unscathed** [ˌʌnˈskeɪðd] adj oskadd;
helskinnad
**unscrew** [ˌʌnˈskruː] vb tr o. vb itr skruva av
(loss); skruvas av (loss)
**unscrupulous** [ˌʌnˈskruːpjʊləs] adj
samvetslös, skrupelfri, hänsynslös
**unseeded** [ˌʌnˈsiːdɪd] adj sport. oseedad
**unseemly** [ˌʌnˈsiːmlɪ] adj opassande
**unseen** [ˌʌnˈsiːn] adj osynlig, dold; osedd
**unselfish** [ˌʌnˈselfɪʃ] adj osjälvisk
**unsettle** [ˌʌnˈsetl] vb tr bringa ur balans,
störa; göra osäker (nervös)
**unsettled** [ˌʌnˈsetld] adj **1** orolig, osäker,
ostadig [~ weather], instabil; som inte
stadgat sig **2** ouppklarad, olöst, oavgjord
[~ questions]; obetald, inte avvecklad [~
debts]
**unshakable** [ˌʌnˈʃeɪkəbl] adj orubblig
**unshaved** [ˌʌnˈʃeɪvd] adj o. **unshaven**
[ˌʌnˈʃeɪvn] adj orakad
**unshrinkable** [ˌʌnˈʃrɪŋkəbl] adj krympfri
**unsightly** [ˌʌnˈsaɪtlɪ] adj ful, anskrämlig
**unsigned** [ˌʌnˈsaɪnd] adj inte
undertecknad, utan underskrift;
osignerad
**unskilled** [ˌʌnˈskɪld] adj oerfaren, okunnig;
~ labour a) outbildad arbetskraft
b) grovarbete; ~ labourer grovarbetare; ~
worker inte yrkeskunnig arbetare
**unsociable** [ˌʌnˈsəʊʃəbl] adj osällskaplig
**unsolicited** [ˌʌnsəˈlɪsɪtɪd] adj oombedd
**unsolved** [ˌʌnˈsɒlvd] adj olöst, ouppklarad

**unsound** [ʌn'saʊnd] *adj* **1** osund; oklok **2** ekonomiskt osäker, dålig [~ *finances*]
**unsparing** [ʌn'speərɪŋ] *adj* outtröttlig [*with ~ energy*]; *be ~ in one's efforts* inte spara någon möda
**unspeakable** [ʌn'spi:kəbl] *adj* **1** outsäglig [~ *joy*], obeskrivlig [~ *wickedness*] **2** avskyvärd [*an ~ scoundrel*]
**unspoken** [ʌn'spəʊk(ə)n] *adj* outtalad; osagd
**unsporting** [ʌn'spɔ:tɪŋ] *adj* o.
**unsportsmanlike** [ʌn'spɔ:tsmənlaɪk] *adj* osportslig
**unstable** [ʌn'steɪbl] *adj* instabil, ostadig, vacklande [*an ~ foundation*], labil
**unsteady** [ʌn'stedɪ] *adj* ostadig, osäker, vacklande [*an ~ walk*]; ojämn
**unstick** [ʌn'stɪk] (*unstuck unstuck*) *vb tr*, *come unstuck* a) lossna, gå upp b) vard. gå i stöpet; råka illa ut [*he'll come unstuck one day*]
**unstressed** [ʌn'strest] *adj* obetonad [~ *syllable*]
**unstuck** [ʌn'stʌk] se *unstick*
**unsuccessful** [ʌnsək'sesf(ʊ)l] *adj* misslyckad; *be ~* äv. misslyckas
**unsuited** [ʌn'su:tɪd, ʌn'sju:tɪd] *adj* olämplig; opassande [*to* för]; *be ~ for* (*to*) äv. inte passa (lämpa sig) för
**unsure** [ʌn'ʃʊə] *adj* osäker [*of, about* på, om]; oviss [*of* om]
**unsurmountable** [ʌnsə'maʊntəbl] *adj* oöverstiglig [~ *obstacles*]; oövervinnlig
**unsurpassed** [ʌnsə'pɑ:st] *adj* oöverträffad
**unsuspecting** [ʌnsə'spektɪŋ] *adj* omisstänksam; intet ont anande
**unsympathetic** ['ʌnˌsɪmpə'θetɪk] *adj* **1** oförstående, likgiltig; negativt inställd **2** osympatisk, motbjudande
**untamed** [ʌn'teɪmd] *adj* otämd, okuvad
**untarnished** [ʌn'tɑ:nɪʃt] *adj* **1** fläckfri, obesudlad [*an ~ reputation*] **2** glänsande, blank [~ *silver*]
**unthinkable** [ʌn'θɪŋkəbl] *adj* otänkbar
**unthought-of** [ʌn'θɔ:tɒv] *adj* oanad, som man inte kunnat tänka sig; inte påtänkt
**untidy** [ʌn'taɪdɪ] *adj* ovårdad; ostädad
**untie** [ʌn'taɪ] *vb tr* knyta upp, lösa upp, få upp; *come* (*get*) *untied* gå upp
**until** [ən'tɪl] *prep* o. *konj* till, tills etc., se 1 *till* I, II
**untimely** [ʌn'taɪmlɪ] *adj* **1** förtidig [*an ~ death*] **2** malplacerad [~ *remarks*]; oläglig [*at an ~ hour*]
**untiring** [ʌn'taɪərɪŋ] *adj* outtröttlig

**untold** [ʌn'təʊld] *adj* omätlig [~ *wealth*]
**untouchable** [ʌn'tʌtʃəbl] *adj* o. *s* i Indien kastlös
**untried** [ʌn'traɪd] *adj* oprövad, obeprövad
**untrue** [ʌn'tru:] *adj* osann, falsk, oriktig
**untruth** [ʌn'tru:θ, pl. ʌn'tru:ðz] *s* lögn; *tell an ~* tala osanning
**untruthful** [ʌn'tru:θf(ʊ)l] *adj* osann, falsk; lögnaktig
**untuned** [ʌn'tju:nd] *adj* mus. ostämd
**untutored** [ʌn'tju:təd] *adj* obildad, okunnig; otränad [*an ~ ear*]
**unused** [betydelse *1* ʌn'ju:zd, betydelse *2* ʌn'ju:st] *adj* **1** obegagnad, oanvänd; ~ *stamp* ostämplat frimärke **2** ovan [*he is ~ to* (vid) *city life*]
**unusual** [ʌn'ju:ʒəl] *adj* ovanlig; sällsynt
**unvarnished** [ʌn'vɑ:nɪʃt] *adj* **1** osminkad [*the ~ truth*] **2** ofernissad
**unveil** [ʌn'veɪl] *vb tr* ta slöjan från [~ *one's face*]; avtäcka [~ *a statue*]; bildl. avslöja [~ *a secret*]
**unverified** [ʌn'verɪfaɪd] *adj* obekräftad, obestyrkt; okontrollerad
**unvoiced** [ʌn'vɔɪst] *adj* fonet. tonlös
**unwanted** [ʌn'wɒntɪd] *adj* inte önskad (önskvärd), oönskad, ovälkommen
**unwarranted** [ʌn'wɒrəntɪd] *adj* obefogad, oberättigad; omotiverad
**unwavering** [ʌn'weɪvərɪŋ] *adj* orubblig
**unwell** [ʌn'wel] *adj* dålig, sjuk
**unwieldy** [ʌn'wi:ldɪ] *adj* klumpig, otymplig
**unwilling** [ʌn'wɪlɪŋ] *adj* ovillig; motvillig
**unwillingly** [ʌn'wɪlɪŋlɪ] *adv* ogärna, motvilligt, mot sin vilja
**unwind** [ʌn'waɪnd] (*unwound unwound*) *vb tr* o. *vb itr* nysta (linda, rulla) upp; nystas (lindas, rullas) upp
**unwise** [ʌn'waɪz] *adj* oklok, oförståndig
**unwittingly** [ʌn'wɪtɪŋlɪ] *adv* **1** oavsiktligt, ofrivilligt **2** ovetande, ovetandes
**unworkable** [ʌn'wɜ:kəbl] *adj* outförbar, ogenomförbar [*an ~ plan*]; svårarbetad
**unworldly** [ʌn'wɜ:ldlɪ] *adj* ovärldslig; världsfrämmande
**unworthy** [ʌn'wɜ:ðɪ] *adj* ovärdig
**unwound** [ʌn'waʊnd] **I** se *unwind* **II** *adj* ouppdragen [*an ~ clock*]
**unwrap** [ʌn'ræp] *vb tr* veckla upp (ut); öppna, ta upp, packa upp [~ *a parcel*]
**unwritten** [ʌn'rɪtn] *adj* oskriven [*an ~ page*]; *an ~ law* en oskriven lag
**unyielding** [ʌn'ji:ldɪŋ] *adj* oböjlig, fast
**unzip** [ʌn'zɪp] *vb tr* o. *vb itr* dra ner

(öppna, dra upp) blixtlåset på; öppnas
med blixtlås

**up** [ʌp] **I** adv o. adj **1** a) upp; uppåt
b) fram [*he came ~ to me*]; ~ *the Arsenal!*
heja Arsenal!; ~ *the Republic!* leve
republiken!; ~ *and down* fram och
tillbaka, av och an; upp och ner [*jump ~
and down*]; ~ *north* norrut; uppe i norr; ~
*there* dit upp; däruppe; ~ *to town* in
(upp, ned) till stan (London); *children
from six years* ~ barn från sex år och
uppåt **2** uppe [*stay ~ all night*]; *be ~ and
about* vara uppe och i full gång **3** över,
slut [*my leave was nearly ~*]; *the game is
~* spelet är förlorat; *time's ~ !* tiden är
ute!; *it's all ~ with me* det är ute med
mig **4** sport. m.m. plus; *be one (one goal)
~* leda med ett mål; *he's always trying
to be one ~ (one ~ on you)* han skall
alltid vara värst **5** *be ~* **a)** vara uppe
(uppstigen) **b)** ha stigit (gått upp) [*the
price of meat is ~*] **c)** vara uppe i luften;
flyga på viss höjd [*five thousand feet ~*]
**d)** vara uppriven (uppgrävd) [*the street is
~*] **e)** *what's ~?* vad står på?; *there's
something ~* det är något på gång □ *be ~
against* stå (ställas) inför, kämpa med
(mot); *be ~ against it* vara illa ute, ligga
illa till; *be ~ before* vara uppe till behandling i
[*be ~ before Congress*]; *be ~ for* vara uppe
till [*be ~ for debate*]; ~ *to* **a)** upp till [*count
from one ~ to ten*], fram till, tills; ~ *to now*
tills nu, hittills **b)** i nivå med; *he (it) isn't
~ to much* det är inte mycket bevänt
med honom (det) **c)** *he isn't ~ to [the
job*] han duger inte till (klarar inte)...; *I
don't feel ~ to working (to work)* jag
känner inte för att arbeta; *I don't feel
(I'm not) ~ to it* jag känner mig inte i
form; jag tror inte jag klarar det; jag
känner inte för det **d)** efter, i enlighet
med [*act ~ to one's principles*] **e)** *be ~ to
a p.* vara ngns sak [*it's ~ to you to tell her*];
*it's ~ to you* det är din sak, det är upp
till dig **f)** *be ~ to something* ha något
fuffens för sig; *be ~ to mischief* ha något
rackartyg för sig; *what is he ~ to?* vad
har han för sig?

**II** *prep* uppför [*~ the hill*]; uppe på (i)
[*~ the tree*]; uppåt; längs [*~ the street*]; ~
*and down the street* fram och tillbaka på
gatan; *travel ~ and down the country*
resa kors och tvärs i landet

**III** s, *~s and downs* växlingar,
svängningar; med- och motgång; *he has*

*his ~s and downs* det går upp och ned
för honom

**up-and-coming** [ˌʌpənˈkʌmɪŋ] adj lovande
[*an ~ author*], uppåtgående

**upbeat** [ˈʌpbiːt] adj optimistisk; glad;
uppåt

**upbringing** [ˈʌpˌbrɪŋɪŋ] s uppfostran

**update** [ʌpˈdeɪt] vb tr uppdatera;
modernisera

**upgrade** [substantiv ˈʌpɡreɪd, verb ʌpˈɡreɪd]
**I** s stigning; *be on the ~* bildl. vara på
uppåtgående **II** vb tr **1** befordra
**2** uppvärdera

**upheaval** [ʌpˈhiːv(ə)l] s bildl. omvälvning
[*social (political) ~s*]

**upheld** [ʌpˈheld] se *uphold*

**uphill** [ˌʌpˈhɪl, adjektiv ˈʌphɪl] **I** adv uppåt,
uppför backen **II** s stigning, uppförsbacke
**III** adj **1** stigande, brant; uppförs- [*an ~
slope*]; *be ~* bära uppför **2** bildl. mödosam

**uphold** [ʌpˈhəʊld] (*upheld upheld*) vb tr
**1** upprätthålla, vidmakthålla [*~ discipline*]
**2** godkänna, gilla [*~ a verdict*]

**upholder** [ʌpˈhəʊldə] s upprätthållare

**upholster** [ʌpˈhəʊlstə] vb tr stoppa, klä [*~
a sofa*], madrassera

**upholsterer** [ʌpˈhəʊlstərə] s tapetserare

**upholstery** [ʌpˈhəʊlstərɪ] s
**1** möbelstoppning **2** a) möbeltyg,
gardintyg, draperityg b) klädsel konkret
**3** tapetseraryrke, tapetserararbete

**upkeep** [ˈʌpkiːp] s underhåll;
underhållskostnader

**upland** [ˈʌplənd] **I** s, vanl. pl. *~s* högland
**II** adj höglänt; höglands-

**uplift** [verb ʌpˈlɪft, substantiv o. adjektiv ˈʌplɪft]
**I** vb tr lyfta, höja; bildl. äv. upplyfta **II** s
**1** höjning **2** vard. uppryckning **III** adj, ~
*bra* stöd-bh

**upon** [əˈpɒn] prep på etc., jfr *on* I; *once ~ a
time there was* i sagor det var en gång;
[*the forest stretched*] *for mile ~ mile*
...mile efter mile

**upper** [ˈʌpə] **I** adj övre, högre; över- [*the ~
jaw (lip)*]; överst; *the ~ class (classes)*
de högre klasserna, överklassen **II** s, pl. *~s*
ovanläder

**upper-class** [ˌʌpəˈklɑːs] adj överklass-;
överklassig; *be ~* vara överklass

**uppercut** [ˈʌpəkʌt] s boxn. uppercut

**uppermost** [ˈʌpəməʊst] **I** adj allra överst;
allra högst; främst, förnämst; *the
thoughts that were ~ in his mind* vad
han mest tänkte på **II** adv allra överst;
allra högst

**upright** ['ʌpraɪt] I adj 1 upprätt; put (set) ~ resa upp, ställa upp; stand ~ stå rak (upprätt) 2 hederlig II s 1 stolpe, stötta, pelare, post 2 ~ piano el. ~ piano, pianino III adv upprätt, rakt upp, lodrätt

**uprising** [ˌʌp'raɪzɪŋ] s resning, uppror

**uproar** ['ʌprɔ:] s tumult, kalabalik [the meeting ended in an ~ (in ~)]

**uproarious** [ʌp'rɔ:rɪəs] adj 1 tumultartad 2 larmande, vild, uppsluppen 3 vard. helfestlig [an ~ comedy]

**uproot** [ʌp'ru:t] vb tr rycka (dra) upp med rötterna

**upset** [verb o. adjektiv ʌp'set, substantiv 'ʌpset] I (upset upset) vb tr 1 stjälpa, välta [~ a table], slå omkull; komma att kantra [~ the boat] 2 a) kullkasta, rubba [~ a p.'s plans] b) göra upprörd [the incident ~ her]; bringa ur fattningen, förarga c) göra illamående; the food ~ his stomach han tålde inte maten
II s 1 fysisk el. psykisk rubbning, störning; have a stomach ~ ha krångel med magen 2 sport. skräll
III perf p o. adj i oordning; kullkastad; upprörd; be (feel) ~ äv. ta illa vid sig [about av, över]; be emotionally ~ vara upprörd; my stomach is ~ min mage krånglar

**upsetting** [ʌp'setɪŋ] adj upprörande

**upshot** ['ʌpʃɒt] s resultat, utgång; slut; the ~ of the matter was... slutet på alltsammans blev...

**upside-down** [ˌʌpsaɪ'daʊn] I adv upp och ned; huller om buller II adj uppochnedvänd

**upstairs** [ˌʌp'steəz] adv uppför trappan (trapporna), upp [go ~]; i övervåningen

**upstanding** [ʌp'stændɪŋ] adj uppstående [an ~ collar]; välväxt [a fine ~ boy]

**upstart** ['ʌpstɑ:t] s uppkomling, parveny

**upstream** [ˌʌp'stri:m, som adjektiv 'ʌpstri:m] adv o. adj uppför (mot) strömmen; uppåt floden

**upswing** ['ʌpswɪŋ] s uppsving; uppåtgående trend

**uptake** ['ʌpteɪk] s, be quick (slow) on the ~ ha lätt (svårt) för att fatta

**uptight** ['ʌptaɪt] adj vard. spänd; nervös [about för], skärrad, på helspänn, hämmad

**up-to-date** [ˌʌptə'deɪt] adj à jour; med sin tid

**up-to-the-minute** [ˌʌptəðə'mɪnɪt] adj fullt

modern, toppmodern; helt aktuell; det senaste

**uptown** [ˌʌp'taʊn, adjektiv 'ʌptaʊn] adv o. adj amer. till (i, från) norra (övre) delen av stan (stans utkanter)

**upturn** [ʌp'tɜ:n] vb tr vända; vända upp och ned på

**upturned** [ˌʌp'tɜ:nd] adj 1 uppåtvänd; ~ nose uppnäsa 2 uppochnedvänd

**upward** ['ʌpwəd] adj uppåtriktad, uppåtvänd [an ~ glance]; uppåtgående, stigande

**upwards** ['ʌpwədz] adv uppåt, upp; uppför; from childhood ~ alltifrån (ända från) barndomen; and ~ och mer, och därutöver

**uranium** [jʊ'reɪnjəm] s uran

**Uranus** [jʊ(ə)'reɪnəs] astron. Uranus

**urban** ['ɜ:bən] adj stads- [~ population], tätorts-; stadsmässig

**urbane** [ɜ:'beɪn] adj belevad, världsvan

**urbanity** [ɜ:'bænətɪ] s belevenhet, världsvana

**urbanization** [ˌɜ:bənaɪ'zeɪʃ(ə)n] s urbanisering

**urbanize** ['ɜ:bənaɪz] vb tr urbanisera

**urchin** ['ɜ:tʃɪn] s rackarunge; gatpojke, gatunge [äv. street ~]

**urge** [ɜ:dʒ] I vb tr 1 ~ on (onward) driva på, påskynda 2 försöka övertala, enträget be, anmoda II s stark längtan [feel an ~ to travel]; begär, drift

**urgency** ['ɜ:dʒənsɪ] s brådskande natur; a matter of great ~ ett mycket brådskande ärende

**urgent** ['ɜ:dʒ(ə)nt] adj brådskande, angelägen; the matter is ~ äv. saken brådskar; ~ telegram iltelegram; be in ~ need of vara i trängande behov av

**urgently** ['ɜ:dʒ(ə)ntlɪ] adv, food is ~ needed (required) det finns ett trängande behov av mat

**urinal** [jʊə'raɪnl, amer. 'jʊrənl] s 1 bed ~ uringlas 2 public ~ el. ~ pissoar

**urinate** ['jʊərɪneɪt] vb itr kasta vatten, urinera

**urine** ['jʊərɪn] s urin

**urn** [ɜ:n] s urna; gravurna

**Uruguay** ['jʊərəgwaɪ]

**Uruguayan** [jʊərə'gwaɪən] I s uruguayare II adj uruguaysk

**US** [ju:'es] I (förk. för United States) s 1 the ~ USA 2 attributivt Förenta Staternas, USA:s, amerikansk II förk. för Uncle Sam

**us** [ʌs, obetonat əs, s] pers pron (objektsform av

*we)* **1** oss **2** vi, oss [*they are younger than ~*] **3** vard. för *our*; *she likes ~ singing* [*her to sleep*] hon tycker om att vi sjunger… **4** vard. mig [*give ~ a piece*]

**USA** [ˌjuːesˈeɪ] (förk. för *United States of America*) s, *the ~* USA

**usable** [ˈjuːzəbl] *adj* användbar, brukbar

**usage** [ˈjuːzɪdʒ, ˈjuːsɪdʒ] s **1** behandling, hantering [*rough ~*] **2** språkbruk **3** vedertaget bruk **4** användning

**use** [substantiv juːs, verb: betydelse *1* o. *2* juːz, betydelse *3* juːs] I s **1** användning, begagnande, bruk; nytta; *make ~ of* använda, begagna sig av, utnyttja; *directions for ~* bruksanvisning; *be in ~* vara i bruk; *be (go) out of ~* vara (komma) ur bruk **2** nytta, gagn, fördel; *what's the ~?* vad tjänar det till?; *be of ~* vara (komma) till nytta; *be of no ~* el. *be no ~* inte gå att använda, vara till ingen nytta; *he is no ~* han duger ingenting till, han är värdelös; *it is (there is) no ~ trying* det tjänar ingenting till (det är ingen idé) att försöka **3** a) *lose the ~ of one eye* bli blind på ena ögat; *lose the ~ of one's legs* förlora rörelseförmågan i benen b) *room with ~ of kitchen* rum med tillgång till (del i) kök

II *vb tr* o. *vb itr* **1** använda, begagna, bruka, nyttja [*as* som; *for* till, för; som, i stället för; *to* + infinitiv till (för) att + infinitiv]; utnyttja [*he ~s people*]; *~ force* bruka våld; *may I ~ your telephone?* får jag låna din telefon? **2** *~ up* el. *~* förbruka, göra slut på, uttömma **3** a) *used to* ([ˈjuːstə, ˈjuːstʊ]) brukade [*he used to say*]; *there used to be…* förr fanns det…; *he used to smoke a pipe* han brukade röka pipa; *things are not what they used to be* det är inte längre som förr b) i nekande satser: *he used not (used't, didn't ~) to be like that* han brukade inte vara sådan

**used** [betydelse *1* juːzd, betydelse *2* juːst] *adj* o. *perf p* **1** använd, begagnad [*~ cars*]; *hardly ~* nästan som ny **2** *~ to* van vid [*he is ~ to hard work*]; *you'll soon be (get) ~ to it* du blir snart van vid det, du vänjer dig snart

**useful** [ˈjuːsf(ʊ)l] *adj* **1** nyttig [*to a p.* för ngn; *for a th.* till, om ngt]; användbar, lämplig, bra [*to a p.* för ngn; *for a th.* till ngt]; *come in ~* komma väl (bra) till pass, komma till nytta **2** vard. skaplig [*he's a ~ goalkeeper*]

**usefulness** [ˈjuːsf(ʊ)lnəs] s nytta, gagn; nyttighet; användbarhet, lämplighet

**useless** [ˈjuːsləs] *adj* **1** onyttig, oduglig; oanvändbar, obrukbar; värdelös **2** lönlös, gagnlös, fruktlös [*~ attempts*]

**user** [ˈjuːzə] s förbrukare, konsument; *road ~* vägtrafikant; *telephone ~* telefonabonnent

**user-friendly** [ˈjuːzəˌfrendlɪ] *adj* användarvänlig

**usher** [ˈʌʃə] I s vaktmästare, platsanvisare på t.ex. bio, teater; rättstjänare i rättslokal II *vb tr* **1** föra, ledsaga, visa [*in; into, to*] **2** *~ in* bildl. inleda, inviga

**usherette** [ˌʌʃəˈret] s platsanviserska på t.ex. bio, teater

**USSR** [ˌjuːesesˈɑː] (förk. för *Union of Soviet Socialist Republics*) s hist., *the ~* Sovjet

**usual** [ˈjuːʒʊəl] *adj* vanlig, bruklig; [*he came late,* ] *as ~* …som vanligt; *as is ~* [*in our family*] som det brukas…, som vanligt…

**usually** [ˈjuːʒʊlɪ] *adv* vanligtvis, vanligen; *more than ~ hot* varmare än vanligt

**usurer** [ˈjuːʒərə] s ockrare, procentare

**usurp** [juːˈzɜːp] *vb tr* tillskansa sig, bemäktiga sig, tillvälla sig [*~ power*]

**usurper** [juːˈzɜːpə] s troninkräktare; inkräktare

**usury** [ˈjuːʒərɪ] s ocker

**utensil** [juːˈtensl] s redskap, verktyg; pl. *~s* äv. utensilier; *cooking ~s* kokkärl; *household (kitchen) ~s* hushållsredskap, köksredskap

**uterus** [ˈjuːtərəs] (pl. *uteri*) s livmoder, uterus

**utilitarian** [ˌjuːtɪlɪˈteərɪən] *adj* nytto- [*~ morality*], nyttighets- [*~ principle*]

**utility** [juːˈtɪlətɪ] s **1** praktisk nytta, användbarhet; nyttighet **2** *public ~* el. *~* a) affärsdrivande verk, statligt (kommunalt) affärsverk b) samhällsservice, allmän nyttighet; *public ~ company* allmännyttigt företag **3** nyttig, praktisk, funktionell

**utilization** [ˌjuːtɪlaɪˈzeɪʃ(ə)n] s utnyttjande

**utilize** [ˈjuːtɪlaɪz] *vb tr* utnyttja, dra nytta av

**utmost** [ˈʌtməʊst] I *adj* ytterst, störst [*with the ~ care*] II s, *the ~* det yttersta; *do one's ~* göra sitt yttersta

**Utopia** [juːˈtəʊpjə] s utopi

**Utopian** [juːˈtəʊpjən] *adj* utopisk, verklighetsfrämmande

**1 utter** [ˈʌtə] *adj* fullständig [*an ~ denial*],

fullkomlig, total [~ *darkness*], yttersta [~ *misery*]
**2 utter** ['ʌtə] *vb tr* **1** ge ifrån sig, utstöta [~ *a cry*]; få fram; uttala, artikulera [~ *sounds*] **2** yttra, uttala [*the last words he uttered*]; uttrycka
**utterance** ['ʌtər(ə)ns] *s* uttalande, yttrande; *give ~ to* ge uttryck åt
**utterly** ['ʌtəlɪ] *adv* fullständigt, fullkomligt
**U-turn** ['juːtɜːn] *s* **1** U-sväng **2** bildl. helomvändning

# V

**V, v** [viː] *s* V, v; *V sign* V-tecken
**vac** [væk] *s* vard. kortform för *vacation*
**vacancy** ['veɪkənsɪ] *s* vakans; ledig plats
**vacant** ['veɪk(ə)nt] *adj* **1** tom [~ *seat*], ledig [~ *room*; ~ *situation* (plats)], vakant **2** frånvarande, uttryckslös [~ *smile*]
**vacantly** ['veɪk(ə)ntlɪ] *adv*, *stare ~* stirra frånvarande
**vacate** [və'keɪt] *vb tr* flytta ifrån (ur), utrymma, lämna
**vacation** [və'keɪʃ(ə)n] *s* **1** ferier, lov [*the Christmas ~*]; *the long* (*summer*) *~* sommarlovet; *be on ~* ha ferier (lov); speciellt amer. ha semester **2** utrymning av t.ex. bostad; utflyttning
**vacationer** [və'keɪʃənə] *s* o. **vacationist** [və'keɪʃənɪst] *s* amer. semesterfirare
**vaccinate** ['væksɪneɪt] *vb tr* vaccinera
**vaccination** [ˌvæksɪ'neɪʃ(ə)n] *s* vaccinering
**vaccine** ['væksiːn] *s* vaccin
**vacillate** ['væsɪleɪt] *vb itr* vackla, tveka
**vacillation** [ˌvæsɪ'leɪʃ(ə)n] *s* vacklan, vacklande; vankelmod
**vacuum** ['vækjʊəm] **I** *s* vakuum, tomrum; lufttomt rum; *~ cleaner* dammsugare; *~ flask* termosflaska **II** *vb tr* o. *vb itr* vard. dammsuga
**vacuum-packed** ['vækjʊəmpækt] *adj* vakuumförpackad
**vagabond** ['vægəbɒnd] **I** *adj* kringflackande [~ *life*], vagabond- **II** *s* vagabond; landstrykare, lösdrivare; odåga
**vagina** [və'dʒaɪnə] *s* anat. slida, vagina
**vague** [veɪg] *adj* vag, oklar, obestämd [~ *outlines*]; *I haven't the vaguest* (*the vaguest idea*) jag har inte den ringaste aning; *a ~ recollection* ett dunkelt (svagt) minne
**vaguely** ['veɪglɪ] *adv* vagt, oklart, obestämt; *the name is ~ familiar* namnet förefaller bekant
**vain** [veɪn] *adj* **1** gagnlös, fåfäng; *in ~* förgäves **2** fåfäng, flärdfull
**vainglorious** [ˌveɪn'glɔːrɪəs] *adj* inbilsk, högfärdig, skrytsam
**vainglory** [veɪn'glɔːrɪ] *s* inbilskhet, högfärd, skrytsamhet
**vainness** ['veɪnnəs] *s* **1** fåfänglighet; *the ~ of the attempt* det fruktlösa i försöket **2** fåfänga, egenkärlek

**Valentine** ['væləntaɪn] **I** egennamn; *St. Valentine's Day* Valentins dag 14 febr.; Alla hjärtans dag **II** *s, valentine* a) valentin, valentinfästmö b) valentinbrev

**valerian** [vəˈlɪərɪən] *s* bot. valeriana

**valet** ['vælɪt] **I** *s* **1** kammartjänare, betjänt **2** klädserviceman på hotell **3** ~ *stand* el. ~ herrbetjänt möbel **II** *vb tr* **1** passa upp **2** sköta om kläderna åt

**valiant** ['væljənt] *adj* tapper, modig

**valid** ['vælɪd] *adj* giltig; *be* ~ äv. gälla; *become* ~ vinna laga kraft; ~ *reasons* vägande skäl

**validity** [vəˈlɪdətɪ] *s* giltighet

**valise** [vəˈliːz] *s* liten resväska

**valium** ['vælɪəm] *s* ® farmakol. Valium

**valley** ['vælɪ] *s* dal, dalgång

**valorous** ['vælərəs] *adj* tapper, dristig

**valour** ['vælə] *s* tapperhet, dristighet

**valuable** ['væljʊəbl] **I** *adj* värdefull, dyrbar [*to* för]; värderad **II** *s*, vanl. pl. *~s* värdesaker

**valuation** [ˌvæljʊˈeɪʃ(ə)n] *s* **1** värdering [~ *of a property*], uppskattning **2** värde, värderingsbelopp

**value** ['væljuː] **I** *s* **1** värde; valör; *exchange* ~ bytesvärde; *have a sentimental* ~ ha affektionsvärde; *at its full* ~ till sitt (dess) fulla värde; *of* (*to*) *the* ~ *of* till ett värde (belopp) av; *good* ~ *for money* bra valuta för pengarna **2** valör, innebörd **3** pl. *~s* värderingar [*moral ~s*] **II** *vb tr* värdera, uppskatta, taxera [*at* till]; bildl. äv. sätta värde på; ~ *highly* (*dearly*) sätta stort värde på

**value-added** ['væljuːˌædɪd] *adj*, ~ *tax* mervärdesskatt, moms

**valued** ['væljuːd] *adj* värderad, högt skattad, aktad, ärad

**valueless** ['væljuːlǝs] *adj* värdelös

**valve** [vælv] *s* **1** tekn. ventil, klaff; *overhead* ~ toppventil **2** anat. hjärtklaff

**1 vamp** [væmp] *vb tr* o. *vb itr* improvisera; mus. improvisera ett ackompanjemang

**2 vamp** [væmp] *s* vard., kvinna vamp

**vampire** ['væmpaɪə] *s* vampyr, blodsugare

**1 van** [væn] *s* **1** täckt transportbil, skåpbil, varubil [äv. *delivery* ~]; flyttbil [äv. *furniture* ~] **2** järnv. resgodsvagn [äv. *luggage* ~]; godsvagn; *guard's* ~ konduktörskupé **3** *police* ~ transitbuss, piket; *recording* ~ film. el. TV. inspelningsbuss; radio. reportagebil

**2 van** [væn] *s* se *vanguard*

**3 van** [væn] *s* vard., i tennis fördel; ~ *in* fördel in (servaren); ~ *out* fördel ut (mottagaren)

**vandal** ['vænd(ə)l] *s* vandal

**vandalism** ['vændəlɪz(ə)m] *s* vandalism

**vandalize** ['vændəlaɪz] *vb tr* vandalisera

**vane** [veɪn] *s* vindflöjel; kvarnvinge; blad på t.ex. propeller

**vanguard** ['vænɡɑːd] *s* mil. förtrupp, tät; *be in the* ~ *of* gå i spetsen (täten) för

**vanilla** [vəˈnɪlə] *s* vanilj; ~ *custard* vaniljkräm; vaniljsås; ~ *ice* (*ice cream*) vaniljglass

**vanish** ['vænɪʃ] *vb itr* försvinna [*into* i]; *vanishing cream* dagkräm, puderunderlag

**vanishing** ['vænɪʃɪŋ] *s* försvinnande; ~ *act* borttrollningsnummer; ~ *trick* borttrollningstrick

**vanity** ['vænətɪ] *s* **1** fåfänga [*injure* (*wound*) *a p.'s* ~] **2** fåfänglighet, fåfänga **3** ~ *bag* (*case*) a) sminkväska, necessär b) aftonväska

**vanquish** ['væŋkwɪʃ] *vb tr* övervinna, besegra

**vapid** ['væpɪd] *adj* fadd, smaklös; duven; bildl. andefattig, platt [*a* ~ *conversation*]

**vaporize** ['veɪpəraɪz] *vb tr* o. *vb itr* förvandla till ånga; vaporisera; avdunsta

**vaporizer** ['veɪpəraɪzə] *s* avdunstningsapparat; sprej apparat; spridare

**vapour** ['veɪpə] *s* ånga; imma; dunst

**variable** ['veərɪəbl] *adj* växlande [~ *winds*], varierande [~ *standards*], föränderlig; ombytlig [~ *mood*], ostadig [~ *weather*]

**variance** ['veərɪəns] *s, be at* ~ a) om personer vara oense b) om t.ex. åsikter gå isär

**variant** ['veərɪənt] *s* variant; variantform

**variation** [ˌveərɪˈeɪʃ(ə)n] *s* variation, förändring

**varicose** ['værɪkəs] *adj* med. varikös; pl. ~ *veins* åderbråck kollektivt

**varied** ['veərɪd] *adj* växlande, varierande, skiftande

**variety** [vəˈraɪətɪ] *s* **1** omväxling, ombyte, variation; ~ *is the spice of life* ombyte förnöjer; *by way of* ~ som omväxling **2** mångfald, rikedom; *for a* ~ *of reasons* av en mängd olika skäl **3** sort, slag, form, typ **4** ~ *entertainment* el. ~ *show* varieté, revy; ~ *turn* varieténummer

**various** ['veərɪəs] *adj* **1** olika [~ *types*], olikartad, olikartade **2** åtskilliga, diverse, flera [*for* ~ *reasons*]

**varnish** ['vɑ:nɪʃ] **I** *s* fernissa; lack [*nail varnish*]; lackering **II** *vb tr* fernissa [äv. ~ *over*]; lacka, lackera [~ *one's nails*]

**vary** ['veərɪ] *vb tr* o. *vb itr* **1** variera, ändra; växla, skifta [*his mood varies from day to day*] **2** vara olik [*from a th.* ngt]; skilja sig

**varying** ['veərɪɪŋ] *adj* växlande, varierande, skiftande, olika

**vase** [vɑ:z, amer. veɪs, veɪz] *s* vas

**vaseline** ['væsəli:n] *s* ® vaselin

**vast** [vɑ:st] *adj* vidsträckt, omfattande, väldig, oerhörd; *the ~ majority* det överväldigande flertalet

**vastly** ['vɑ:stlɪ] *adv* oerhört, oändligt; vard. kolossalt, väldigt

**vastness** ['vɑ:stnəs] *s* vidsträckthet, väldighet, vidd, stor omfattning

**VAT** [ˌvi:eɪ'ti:, væt] *s* (förk. för *value-added tax*) moms

**vat** [væt] *s* stort fat [*a wine ~*]; kar

**Vatican** ['vætɪkən] *s*, *the ~* Vatikanen

**vaudeville** ['vəʊdəvɪl] *s* speciellt amer., ~ *show* el. ~ varieté, revy

**1 vault** [vɔ:lt] **I** *s* valv; källarvalv; gravvalv; kassavalv **II** *vb tr* välva; perfekt particip *vaulted* välvd [*a vaulted roof*]; med välvt tak [*a vaulted chamber*]

**2 vault** [vɔ:lt] **I** *vb itr* hoppa upp, svinga sig upp [~ *into* (upp i) *the saddle*]; hoppa (svinga sig) över **II** *s* språng, stavhopp

**vaulting-horse** ['vɔ:ltɪŋhɔ:s] *s* gymn. bygelhäst

**vaulting-pole** ['vɔ:ltɪŋpəʊl] *s* stav till stavhopp

**VCR** [ˌvi:si:'ɑ:] förk. för *videocassette recorder*

**VD** [ˌvi:'di:] (förk. för *venereal disease*) VS

**'ve** [v] = *have* [*I've, they've, we've, you've*]

**veal** [vi:l] *s* kalvkött; *roast ~* kalvstek; ~ *cutlet* kalvschnitzel; kalvkotlett

**veer** [vɪə] *vb itr* o. *vb tr* **1** om vind ändra riktning, svänga om speciellt medsols [äv. ~ *round*] **2** om fartyg ändra kurs, gira **3** bildl. svänga, slå om **4** vända [~ *a ship*]

**veg** [vedʒ] vard. för *vegetable, vegetables*

**vegetable** ['vedʒətəbl] **I** *adj* vegetabilisk [~ *food*]; grönsaks- [*a ~ diet*]; växt- [~ *fibre*]; *the ~ kingdom* växtriket; ~ *marrow* pumpa, kurbits; ~ *oil* vegetabilisk olja **II** *s* **1** grönsak; köksväxt; ~ *garden* köksträdgård; ~ *market* grönsakstorg **2** vard., om person hjälplöst kolli, paket

**vegetarian** [ˌvedʒɪ'teərɪən] **I** *s* vegetarian **II** *adj* vegetarisk

**vegetate** ['vedʒɪteɪt] *vb itr* **1** om växt växa, utveckla sig **2** föra ett enformigt liv

**vegetation** [ˌvedʒɪ'teɪʃ(ə)n] *s* vegetation; växtlighet

**vehemence** ['vi:əməns] *s* häftighet

**vehement** ['vi:əmənt] *adj* häftig, våldsam

**vehicle** ['vi:ɪkl] *s* **1** fordon; åkdon, vagn; farkost [*space ~*] **2** bildl. uttrycksmedel; medium, språkrör

**veil** [veɪl] **I** *s* **1** slöja, flor; *take the ~* ta doket, bli nunna **2** bildl. täckmantel **II** *vb tr* beslöja, skyla, dölja; perfekt particip *veiled* äv. dold, förstucken [*a veiled threat*]

**vein** [veɪn] *s* **1** anat. ven, blodåder **2** åder, ådra äv. bildl. [*a ~ of coal (water)*]; geol. malmgång; malmåder **3** nerv i t.ex. blad; ådra i t.ex. trä, sten **4** stämning, humör; *be in the (the right) ~* vara upplagd, vara i den rätta stämningen; *in a jocular (humorous)* ~ a) på skämthumör b) på skämt **5** stil [*remarks in the same ~*]

**Velcro** ['velkrəʊ] *s* ® kardborrband, kardborrknäppning

**velocity** [və'lɒsətɪ] *s* hastighet [*the ~ of light*]

**velour** o. **velours** [və'lʊə] *s* velour, velur; plysch; bomullssammet

**velvet** ['velvət] *s* sammet

**velvety** ['velvətɪ] *adj* sammetslen

**vendetta** [ven'detə] *s* vendetta, blodshämnd

**vendor** ['vendə] *s* gatuförsäljare

**veneer** [və'nɪə] **I** *vb tr* snickeri fanera **II** *s* **1** snickeri faner; fanerskiva **2** bildl. fasad, yttre sken [*a ~ of respectability*]

**venerable** ['venərəbl] *adj* vördnadsvärd, ärevördig

**venerate** ['venəreɪt] *vb tr* ära, vörda

**veneration** [ˌvenə'reɪʃ(ə)n] *s* vördnad [*of* för]; *hold (have) in ~* hålla i ära, vörda

**venereal** [vɪ'nɪərɪəl] *adj* venerisk, köns- [~ *disease*]

**Venetian** [və'ni:ʃ(ə)n] **I** *adj* venetiansk [~ *glass*]; ~ *blind* persienn **II** *s* venetianare

**Venezuela** [ˌvene'zweɪlə] *s*

**Venezuelan** [ˌvene'zweɪlən] **I** *s* venezuelan **II** *adj* venezuelansk

**vengeance** ['vendʒ(ə)ns] *s* **1** hämnd; *take ~ on a p.* ta hämnd på ngn **2** *with a ~* vard. så det förslår (förslog)

**Venice** ['venɪs] *s* Venedig

**venison** ['venɪsn] *s* kok. rådjurskött, hjortkött, älgkött; rådjursstek, hjortstek, älgstek

**venom** ['venəm] s gift
**venomous** ['venəməs] adj giftig
**vent** [vent] I s 1 a) lufthål, springa
b) rökgång 2 bildl. utlopp, fritt lopp [give
~ (free ~) to one's feelings] II vb tr ge fritt
lopp åt [~ one's bad temper]; ösa ut [~
one's anger on (över) a p.]; vädra, lufta
[she vented her grievance]
**vent-hole** ['venthəʊl] s lufthål,
ventilationsöppning; rökhål
**ventilate** ['ventɪleɪt] vb tr ventilera, vädra;
ge uttryck åt [~ one's feelings]
**ventilating** ['ventɪleɪtɪŋ] adj ventilations-;
~ **shaft** lufttrumma
**ventilation** [,ventɪ'leɪʃ(ə)n] s ventilation,
luftväxling
**ventilator** ['ventɪleɪtə] s rumsventil;
ventilationsanordning, fläkt
**ventriloquism** [ven'trɪləkwɪz(ə)m] s
buktaleri, buktalarkonst
**ventriloquist** [ven'trɪləkwɪst] s buktalare;
**ventriloquist's dummy** buktalardocka
**ventriloquy** [ven'trɪləkwɪ] s buktaleri,
buktalarkonst
**venture** ['ventʃə] I s 1 vågstycke, vågspel;
satsning 2 hand. spekulation 3 försök [at
till] II vb tr o. vb itr 1 våga, satsa [~ one's
life]; riskera, sätta på spel; **nothing ~,
nothing gain** (have, win) den intet
vågar han intet vinner 2 våga, försöka [~
a guess]; ta risker, våga sig [I won't ~ a
step further, ~ too far out]; ~ **to** våga, ta sig
friheten att [I ~ to suggest]
**venue** ['venjuː] s mötesplats; sport.
tävlingsplats; fotb. m.m. spelplats
**Venus** ['viːnəs] astron. el. myt. Venus
**veracity** [və'ræsətɪ] s sannfärdighet
**veranda** o. **verandah** [və'rændə] s veranda
**verb** [vɜːb] s verb
**verbal** ['vɜːb(ə)l] adj 1 ord-; i ord; verbal
[~ ability]; språklig [~ error] 2 muntlig [a
~ agreement]
**verbally** ['vɜːbəlɪ] adv muntligt; ordagrant
**verbiage** ['vɜːbɪɪdʒ] s ordflöde, svada
**verbose** [vɜː'bəʊs] adj mångordig
**verbosity** [vɜː'bɒsətɪ] s mångordighet
**verdict** ['vɜːdɪkt] s jurys utslag; ~ **of
acquittal** friande dom; **bring in** (return)
**a ~ of** fälla utslag, avge dom; **the jury
brought in a ~ of guilty** juryns utslag
lydde på skyldig
**verdigris** ['vɜːdɪgrɪ:, 'vɜːdɪgriːs] s ärg
**1 verge** [vɜːdʒ] I s 1 kant, rand [the ~ of a
cliff], brädd 2 bildl. brant [on the ~ of
ruin], rand; **be on the ~ of doing a th.**

vara på vippen att göra ngt; **on the ~ of
tears** gråtfärdig 3 gräskant; vägkant,
vägren II vb itr, ~ **on** gränsa till
**2 verge** [vɜːdʒ] vb itr luta; böja sig, vrida
**verger** ['vɜːdʒə] s kyrkvaktmästare
**verifiable** [verɪ'faɪəbl] adj bevislig; möjlig
att verifiera; kontrollerbar
**verification** [,verɪfɪ'keɪʃ(ə)n] s bekräftande,
bestyrkande, verifikation; bekräftelse [of
av]; kontroll
**verify** ['verɪfaɪ] vb tr bekräfta, bestyrka;
verifiera; kontrollera
**veritable** ['verɪtəbl] adj formlig, veritabel
**vermicelli** [,vɜːmɪ'selɪ] s vermiceller slags
tunna spaghetti
**vermin** ['vɜːmɪn] (pl. lika) s skadeinsekt,
ohyra; bildl. pack, ohyra
**vermouth** ['vɜːməθ] s vermouth
**vernacular** [və'nækjʊlə] s, **in the ~** på
vanligt vardagsspråk
**vernal** ['vɜːnl] adj, ~ **equinox**
vårdagjämning
**versatile** ['vɜːsətaɪl, amer. 'vɜːsətl] adj
mångsidig [a ~ writer], mångkunnig,
allsidig
**versatility** [,vɜːsə'tɪlətɪ] s mångsidighet,
allsidighet
**verse** [vɜːs] s 1 vers, poesi [prose and ~]; a
**volume of ~** en diktsamling 2 strof, vers
3 versrad
**versed** [vɜːst] adj, ~ **in** bevandrad i
**versify** ['vɜːsɪfaɪ] vb itr skriva vers, dikta
**version** ['vɜːʃ(ə)n] s version, framställning,
tolkning; **screen ~** filmatisering; **stage ~**
scenbearbetning
**versus** ['vɜːsəs] prep sport. mot [Arsenal ~
(v.) Spurs]
**vertebra** ['vɜːtɪbrə] (pl. vertebrae
['vɜːtɪbriː]) s ryggkota
**vertebrate** ['vɜːtɪbrət] s ryggradsdjur
**vertical** ['vɜːtɪk(ə)l] adj vertikal, lodrät
**vertigo** ['vɜːtɪgəʊ] s svindel, yrsel, vertigo
**verve** [vɜːv] s schvung, fart, kläm
**very** ['verɪ] I adv 1 mycket; not ~ inte så
värst, inte så vidare [not ~ interesting]; ~
**much more** betydligt mer 2 the ~ next
**day** redan nästa dag; **the ~ same place**
precis samma plats; **it is my ~ own** den
är helt min egen 3 framför superlativ allra
[the ~ first day]; **at the ~ least** allra minst
II adj 1 efter the (this, that, his osv.):
a) själva, själv; **in the ~ act** på bar
gärning; **in the ~ centre** i själva centrum;
**the ~ idea of it** blotta tanken på det
b) just den (det) rätta, precis [he is the ~

man I want], alldeles; *before our ~ eyes*
mitt för ögonen på oss; *the ~ opposite*
raka motsatsen **c)** till och med [*his ~
children bully him*] **d)** redan [*at the ~
beginning*]; just [*at that ~ moment*]; ända
[*from the ~ beginning*] **2** allra [*I did my ~
utmost*]

**essel** ['vesl] *s* **1** kärl äv. anat. [*blood vessel*];
*empty ~s make the greatest noise*
tomma tunnor skramlar mest **2** fartyg

**est** [vest] *s* undertröja; amer. väst

**ested** ['vestɪd] *adj*, *~ interest* ekon.
kapitalintresse; *they have a ~ interest in
it* bildl. det ligger i deras intresse

**estibule** ['vestɪbju:l] *s* vestibul, farstu,
hall, entré

**estige** ['vestɪdʒ] *s* spår [*of* av, efter]

**estment** ['vestmənt] *s* kyrkl. skrud;
mässhake

**estry** ['vestrɪ] *s* sakristia

**et** [vet] vard. **I** *s* (kortform för *veterinary*,
*veterinary surgeon*) veterinär, djurläkare
**II** *vb tr* undersöka, kolla [*~ a report*],
kritiskt granska

**eteran** ['vetər(ə)n] *s* veteran

**eterinarian** [ˌvetərɪ'neərɪən] *s* amer.
veterinär

**eterinary** ['vetərɪnərɪ] **I** *adj* veterinär- [*~
science*]; *~ surgeon* veterinär **II** *s* veterinär

**eto** ['vi:təʊ] **I** (pl. *vetoes*) *s* veto; *right of ~*
vetorätt **II** *vb tr* inlägga veto mot

**ex** [veks] *vb tr* förarga; besvära

**exation** [vek'seɪʃ(ə)n] *s* förargelse

**exatious** [vek'seɪʃəs] *adj* förarglig

**exed** [vekst] *adj* **1** förargad **2** omtvistad,
omstridd [*a ~ question*]

**ia** ['vaɪə] *prep* via, över

**iaduct** ['vaɪədʌkt] *s* viadukt

**ibrant** ['vaɪbr(ə)nt] *adj* vibrerande

**ibraphone** ['vaɪbrəfəʊn] *s* vibrafon

**ibrate** [vaɪ'breɪt] *vb itr* vibrera; skälva;
skaka; speciellt fys. svänga

**ibration** [vaɪ'breɪʃ(ə)n] *s* vibration

**ibrator** [vaɪ'breɪtə] *s* vibrator,
massageapparat; äv. massagestav

**icar** ['vɪkə] *s* kyrkoherde

**icarage** ['vɪkərɪdʒ] *s* prästgård

**¹ vice** [vaɪs] *s* last [*virtues and ~s*]; *the ~
squad* sedlighetsrotlen

**² vice** [vaɪs] *s* skruvstäd

**ice-chairman** [ˌvaɪs'tʃeəmən] *s* vice
ordförande

**ice-president** [ˌvaɪs'prezɪd(ə)nt] *s*
**1 a)** vicepresident **b)** vice ordförande
**2** amer. vice verkställande direktör

**vice versa** [ˌvaɪsɪ'vɜ:sə] *adv* vice versa

**vicinity** [vɪ'sɪnətɪ] *s* grannskap, omgivning,
trakt; *in the ~ of* i trakten (närheten) av

**vicious** ['vɪʃəs] *adj* illvillig [*~ gossip; a ~
blow*]; elak, ond, arg; ilsken [*a ~ temper*];
argsint [*a ~ dog*]; *~ circle* ond cirkel

**vicissitude** [vɪ'sɪsɪtju:d] *s* växling,
förändring; *the ~s of life* livets skiften

**victim** ['vɪktɪm] *s* offer; *be the* (*a*) *~ of*
vara (falla) offer för

**victimization** [ˌvɪktɪmaɪ'zeɪʃ(ə)n] *s*
diskriminering; trakasserande; mobbning

**victimize** ['vɪktɪmaɪz] *vb tr* **1** göra till
offer, offra **2** trakassera; mobba

**victor** ['vɪktə] *s* segrare, segerherre

**Victorian** [vɪk'tɔ:rɪən] **I** *adj* viktoriansk från
(karakteristisk för) drottning Viktorias tid
1837-1901 [*the ~ age (period)*] **II** *s* viktorian

**victorious** [vɪk'tɔ:rɪəs] *adj* segrande,
segerrik; *be ~* segra

**victory** ['vɪktərɪ] *s* seger; *gain* (*win*) *a ~
over* äv. segra över

**victual** ['vɪtl] *s*, pl. *~s* livsmedel, proviant

**video** ['vɪdɪəʊ] **I** (pl. *~s*) *s* video **II** *adj*
video- [*~ cartridge*]

**video camera** ['vɪdɪəʊˌkæmərə] *s*
videokamera

**videocassette** [ˌvɪdɪəʊkə'set] *s*
videokassett; *~ recorder* (förk. *VCR*)
videobandspelare

**video game** ['vɪdɪəʊɡeɪm] *s* videospel

**video nasty** ['vɪdɪəʊˌnɑ:stɪ] *s* vard.
våldsvideo

**videophone** ['vɪdɪəʊfəʊn] *s* bildtelefon

**videoplayer** ['vɪdɪəʊˌpleɪə] *s*
videobandspelare

**videotape** ['vɪdɪəʊteɪp] **I** *s* videoband **II** *vb
tr* videospela

**Vienna** [vɪ'enə] **I** Wien **II** *adj* wiener-

**Viennese** [ˌvɪə'ni:z] **I** *adj* wiensk, wien-; *~
waltz* wienervals **II** (pl. lika) *s* wienare

**Vietnam** [ˌvjet'næm]

**Vietnamese** [ˌvjetnə'mi:z] **I** *adj*
vietnamesisk **II** *s* **1** (pl. lika) vietnames
**2** vietnamesiska språket

**view** [vju:] **I** *s* **1** syn, anblick; synhåll;
sikte; sikt [*block* (skymma) *the ~*]; *take a
long ~ of the matter* betrakta saken på
lång sikt **2** utsikt, vy **3 a)** synpunkt [*on, of*
på], uppfattning, åsikt [*on, of* om]; syn
[*on, of* på] **b)** *point of ~* synpunkt,
synvinkel; ståndpunkt □ *in ~* i sikte; *in
my ~* a) i min åsyn b) enligt min
uppfattning (mening); *in ~ of* a) inom
synhåll för b) i betraktande av, med

hänsyn till [*in* ~ *of the financial situation*]; *in full* ~ *of* fullt synlig för, mitt framför; *come* **into** ~ komma inom synhåll (i sikte); *be* **on** ~ vara till beskådande, vara utställd; **out of** ~ utom synhåll, ur sikte; **with** *a* ~ *to* med sikte på, med…i sikte; *with a* ~ *to doing a th.* i avsikt (syfte) att göra ngt **II** *vb tr* bese; betrakta, se på, se [~ *the matter in the right light*]; ~ *TV* se (titta) på TV

**viewer** ['vju:ə] *s* åskådare; TV-tittare

**view-finder** ['vju:‚faɪndə] *s* foto. sökare

**viewing** ['vju:ɪŋ] *s* tittande; TV-tittande; ~ *hours* (*time*) TV. sändningstid

**viewpoint** ['vju:pɔɪnt] *s* **1** synpunkt; synvinkel [*from* (ur) *this* ~]; ståndpunkt **2** utsiktspunkt

**vigil** ['vɪdʒɪl] *s* vaka; *keep* (*keep a*) ~ *over* vaka hos

**vigilance** ['vɪdʒɪləns] *s* vaksamhet

**vigilant** ['vɪdʒɪlənt] *adj* vaksam

**vigilante** [‚vɪdʒɪ'læntɪ] *s* speciellt i USA medlem av ett medborgargarde

**vigorous** ['vɪɡərəs] *adj* kraftig, kraftfull; energisk; spänstig

**vigour** ['vɪɡə] *s* kraft, styrka, kraftfullhet; spänstighet, vigör; energi

**Viking** ['vaɪkɪŋ] *s* viking

**vile** [vaɪl] *adj* usel; lumpen; avskyvärd; vidrig

**villa** ['vɪlə] *s* villa speciellt i förort el. på kontinenten; sommarvilla

**village** ['vɪlɪdʒ] *s* by

**villager** ['vɪlɪdʒə] *s* bybo, byinvånare

**villain** ['vɪlən] *s* **1** bov, skurk **2** vard. rackare, busunge [*you* (din) *little* ~!]

**villainous** ['vɪlənəs] *adj* skurkaktig, bovaktig

**villainy** ['vɪlənɪ] *s* skurkaktighet; ondska

**Vilnius** ['vɪlnɪʊs]

**vim** [vɪm] *s* vard. kraft, energi; kläm

**vindicate** ['vɪndɪkeɪt] *vb tr* **1** försvara, rättfärdiga **2** frita, fria **3** hävda, förfäkta [~ *a right*]

**vindictive** [vɪn'dɪktɪv] *adj* hämndlysten

**vindictiveness** [vɪn'dɪktɪvnəs] *s* hämndlystnad

**vine** [vaɪn] *s* **1** vin växt; vinranka, vinstock **2** ranka [*hop* ~]; slingerväxt

**vinegar** ['vɪnɪɡə] *s* ättika

**vinegary** ['vɪnɪɡərɪ] *adj* sur som ättika; vresig

**vine-grower** ['vaɪn‚ɡrəʊə] *s* vinodlare

**vineyard** ['vɪnjəd] *s* vingård

**vintage** ['vɪntɪdʒ] **I** *s* årgång av vin [*rare old*

~*s*] **II** *adj* av gammal fin årgång, gammal fin [~ *brandy*]

**vinyl** ['vaɪnɪl] *s* kem. vinyl; ~ *acetate* vinylacetat; ~ *chloride* vinylklorid

**1 viola** [vɪ'əʊlə] *s* mus. altfiol, viola

**2 viola** ['vaɪələ, vaɪ'əʊlə] *s* odlad viol

**violate** ['vaɪəleɪt] *vb tr* **1** kränka [~ *a treaty*], bryta mot [~ *a principle*], överträda [~ *the law*] **2** inkräkta på [~ *a p.'s privacy*] **3** vanhelga, skända; våldta

**violation** [‚vaɪə'leɪʃ(ə)n] *s* **1** kränkning, överträdelse **2** störande intrång [~ *of* (i) *a p.'s privacy*] **3** vanhelgande, skändning; våldtäkt

**violence** ['vaɪələns] *s* **1** våldsamhet, häftighet **2** våld [*I had to use* ~]; yttre våld [*no marks* (spår) *of* ~]; våldsamheter, oroligheter; *act of* ~ våldsdåd; *robbery with* ~ våldsrån

**violent** ['vaɪələnt] *adj* våldsam, häftig, stark, svår [*a* ~ *headache*], kraftig [~ *noise*]

**violet** ['vaɪələt] **I** *s* **1** viol **2** violett [*dressed in* ~] **II** *adj* violett

**violin** [‚vaɪə'lɪn] *s* fiol, violin

**violin bow** [‚vaɪə'lɪnbəʊ] *s* fiolstråke

**violin case** [‚vaɪə'lɪnkeɪs] *s* fiollåda

**violinist** ['vaɪəlɪnɪst] *s* violinist

**violoncellist** [‚vaɪələn'tʃelɪst] *s* violoncellist

**violoncello** [‚vaɪələn'tʃeləʊ] (pl. ~*s*) *s* violoncell

**VIP** [‚vi:aɪ'pi:] *s* (förk. för *Very Important Person*) VIP, högdjur, höjdare

**viper** ['vaɪpə] *s* huggorm; bildl. orm, skurk

**virgin** ['vɜːdʒɪn] **I** *s* jungfru, oskuld; *the Virgin Mary* jungfru Maria; *the Blessed* (*Holy*) *Virgin* den heliga jungfrun **II** *adj* jungfrulig; jungfru- [*a* ~ *speech* (*voyage*)]; obefläckad, kysk; orörd, oberörd; ~ *soil* jungfrulig (orörd) mark

**virginity** [və'dʒɪnətɪ] *s* jungfrulighet, jungfrudom, mödom, oskuld

**Virgo** ['vɜːɡəʊ] astrol. Virgo, Jungfrun

**virile** ['vɪraɪl, amer. 'vɪr(ə)l] *adj* manlig, viril

**virility** [vɪ'rɪlətɪ] *s* manlighet, virilitet

**virtual** ['vɜːtʃʊəl] *adj* verklig, faktisk

**virtually** ['vɜːtʃʊəlɪ] *adv* faktiskt, i realiteten; så gott som [*he is* ~ *unknown*]

**virtue** ['vɜːtjuː] *s* dygd; *a woman of easy* ~ en lättfärdig kvinna

**virtuosity** [‚vɜːtjʊ'ɒsətɪ] *s* virtuositet

**virtuoso** [‚vɜːtjʊ'əʊzəʊ] (pl. ~*s* el. *virtuosi*) *s* virtuos

**virtuous** ['vɜːtʃʊəs] *adj* dygdig

**virulent** ['vɪrʊlənt] *adj* giftig; elakartad

**virus** ['vaɪərəs] *s* virus; smittämne; datavirus

**visa** ['viːzə] **I** *s* visum; *entrance* (*entry*) ~ inresevisum; *exit* ~ utresevisum **II** *vb tr* visera [*get one's passport visaed*]

**viscount** ['vaɪkaʊnt] *s* viscount näst lägsta rangen inom engelska högadeln

**viscous** ['vɪskəs] *adj* viskös, trögflytande

**visibility** [ˌvɪzɪ'bɪlətɪ] *s* **1** synlighet **2** meteor. sikt [*poor* (dålig) ~]; *improved* ~ siktförbättring; *reduced* ~ siktförsämring

**visible** ['vɪzəbl] *adj* synlig [*to* för]; tydlig

**vision** ['vɪʒ(ə)n] *s* **1** syn [*it has improved his* ~]; synförmåga **2** syn, vision, drömbild; uppenbarelse **3** *a man of* ~ en klarsynt man

**visionary** ['vɪʒənərɪ] *s* visionär; drömmare

**visit** ['vɪzɪt] **I** *vb tr o. vb itr* besöka; göra besök (visit) hos, hälsa 'på; vara på besök i (på); gå på, frekventera [~ *pubs*]; vara på (avlägga) besök **II** *s* besök, visit [*to a p.* hos ngn; *to* (i) *a town*]; *pay* (*make*) *a* ~ *to a p.* göra (avlägga) besök hos ngn; *be on a* ~ vara på besök [*to a p.* hos ngn; *to* (i) *Italy*]

**visitation** [ˌvɪzɪ'teɪʃ(ə)n] *s* hemsökelse

**visiting** ['vɪzɪtɪŋ] **I** *s* besök, besökande; visit, visiter; ~ *hours* besökstid **II** *adj* besökande; främmande, gästande [*a* ~ *team*]; ~ *lecturer* gästföreläsare; ~ *nurse* distriktssköterska

**visiting-card** ['vɪzɪtɪŋkɑːd] *s* visitkort

**visitor** ['vɪzɪtə] *s* besökare, besökande; gäst [*summer* ~*s*]; resande; pl. ~*s* äv. främmande [*have* ~*s*]; *visitors' book* gästbok

**visor** ['vaɪzə] *s* **1** mösskärm, skärm **2** solskydd i bil

**vista** ['vɪstə] *s* **1** utsikt, fri sikt, perspektiv, panorama **2** framtidsperspektiv

**visual** ['vɪzjʊəl] *adj* **1** syn- [*the* ~ *nerve*]; visuell [~ *aids* (hjälpmedel) *in teaching*]; ~ *impression* synintryck; ~ *inspection* (*examination*) okulärbesiktning **2** synlig [~ *objects*]

**isualization** [ˌvɪzjʊəlaɪ'zeɪʃ(ə)n] *s* åskådliggörande, visualisering

**isualize** ['vɪzjʊəlaɪz] *vb tr* åskådliggöra [~ *a scheme*], frammana en klar bild av [~ *a scene*]; tydligt föreställa sig

**ital** ['vaɪtl] **I** *adj* **1** livsviktig, vital [~ *organs*]; livskraftig; ~ *force* livskraft; ~ *statistics* a) befolkningsstatistik b) skämts. byst-, midje- och höftmått på t.ex. skönhetsdrottning; *former* **2** väsentlig,

absolut nödvändig; trängande [*a* ~ *necessity*] **II** *s*, pl. ~*s* ädlare delar, vitala delar

**vitality** [vaɪ'tælətɪ] *s* vitalitet, livskraft, liv

**vitalize** ['vaɪtəlaɪz] *vb tr* vitalisera, ge liv åt

**vitamin** ['vɪtəmɪn] *s* vitamin

**vitaminize** ['vɪtəmɪnaɪz] *vb tr* vitaminisera

**vivacious** [vɪ'veɪʃəs] *adj* livlig; pigg

**vivacity** [vɪ'væsətɪ] *s* livlighet, livfullhet

**vivid** ['vɪvɪd] *adj* livlig [*a* ~ *imagination*], levande [*a* ~ *personality*]; om färg äv. ljus, glad, klar; intensiv

**vivisect** [ˌvɪvɪ'sekt] *vb tr* företa vivisektion på, vivisekera

**vivisection** [ˌvɪvɪ'sekʃ(ə)n] *s* **1** vivisektion **2** bildl. dissekering, minutiös analys

**vixen** ['vɪksn] *s* **1** rävhona **2** ragata, häxa

**V-neck** ['viːnek] *s* V-ringning, V-skärning

**vocabulary** [və'kæbjʊlərɪ] *s* ordförråd, vokabulär; ordlista, gloslista, glosbok

**vocal** ['vəʊkl] *adj* **1** röst- [~ *organ*]; sång- [~ *exercise*]; mus. vokal- [~ *music*] **2** högljudd [~ *protests*]

**vocalist** ['vəʊkəlɪst] *s* vokalist

**vocalize** ['vəʊkəlaɪz] *vb tr o. vb itr* artikulera, uttala; sjunga

**vocation** [və'keɪʃ(ə)n] *s* kallelse [*follow one's* ~]; kall; *he mistook his* ~ han valde fel bana

**vocational** [və'keɪʃ(ə)nl] *adj* yrkesmässig; yrkes- [*a* ~ *school*]; ~ *guidance* yrkesvägledning; ~ *training school* fackskola, yrkesskola

**vociferous** [və'sɪfərəs] *adj* högljudd

**vodka** ['vɒdkə] *s* vodka

**vogue** [vəʊg] *s* mode; *it's all the* ~ det är högsta mode

**voice** [vɔɪs] **I** *s* **1** röst, stämma; sångröst; talan; *give* ~ *to* ge uttryck åt; *raise one's* ~ höja rösten (tonen); *have a* ~ *in the matter* ha (få) ett ord med i laget; *I have no* ~ *in this matter* jag har ingen talan i den här saken **2** gram., verbs huvudform; *in the active* (*passive*) ~ i aktiv (passiv) form **II** *vb tr* **1** uttala; uttrycka **2** fonet. uttala (göra) tonande

**voiced** [vɔɪst] *adj* fonet. tonande [~ *consonants*]

**voiceless** ['vɔɪsləs] *adj* fonet. tonlös [~ *consonants*]

**void** [vɔɪd] **I** *adj* **1** tom **2** ~ *of* blottad på, utan [~ *of interest*] **3** speciellt jur. ogiltig **II** *s* tomrum; vakuum

**volatile** ['vɒlətaɪl, amer. 'vɒlətl] *adj* **1** fys.

flyktig [~ *oil*] **2** bildl. flyktig, ombytlig, labil

**volcanic** [vɒlˈkænɪk] *adj* vulkanisk

**volcano** [vɒlˈkeɪnəʊ] (pl. ~s) *s* vulkan

**vole** [vəʊl] *s* sork, åkersork

**volition** [vəˈlɪʃ(ə)n] *s* vilja; viljekraft; *of one's own* ~ av fri vilja

**volley** [ˈvɒlɪ] **I** *s* **1** mil. el. bildl. salva, skur [*a* ~ *of arrows*]; *a* ~ *of applause* en applådåska **2** sport. volley; volleyretur **II** *vb tr* **1** avlossa en salva (skur) **2** sport. slå på volley [~ *a ball*]

**volleyball** [ˈvɒlɪbɔ:l] *s* volleyboll

**volt** [vəʊlt] *s* elektr. volt

**voltage** [ˈvəʊltɪdʒ] *s* elektr. spänning i volt

**volte-face** [ˌvɒltˈfɑ:s] *s* helomvändning, kovändning

**voluble** [ˈvɒljʊbl] *adj* talför, munvig

**volume** [ˈvɒlju:m] *s* **1** volym, band, del [*in five* ~*s*]; *speak* (*express*) ~*s* bildl. tala sitt tydliga språk **2** volym; kubikinnehåll; omfång **3** radio. el. mus. volym, ljudstyrka

**voluminous** [vəˈlju:mɪnəs] *adj* omfångsrik; omfattande, vidlyftig

**voluntary** [ˈvɒləntrɪ] *adj* frivillig

**volunteer** [ˌvɒlənˈtɪə] **I** *s* frivillig [*an army of* ~*s*]; volontär **II** *vb itr* o. *vb tr* **1** frivilligt anmäla sig [*for* till] **2** frivilligt erbjuda [~ *one's services*], frivilligt lämna [~ *information*]

**voluptuous** [vəˈlʌptjʊəs] *adj* vällustig; fyllig [*a* ~ *figure*], yppig

**vomit** [ˈvɒmɪt] **I** *vb tr* o. *vb itr* kräkas upp, kasta upp, spy; kräkas **II** *s* kräkning, kräkningsanfall; spyor

**voracious** [vəˈreɪʃəs] *adj* glupsk, rovgirig

**voracity** [vɒˈræsətɪ] *s* glupskhet, rovgirighet

**votary** [ˈvəʊtərɪ] *s* anhängare [*of* av]

**vote** [vəʊt] **I** *s* **1** röst vid t.ex. votering; *cast* (*give*, *record*) *one's* ~ avge (avlämna) sin röst; *casting* ~ utslagsröst; *he won by 20* ~*s* han vann med 20 rösters övervikt (marginal) **2** röster [*the women's* ~]; röstetal, röstsiffra **3** omröstning, votering, röstning; *popular* ~ folkomröstning; *have the* ~ ha rösträtt; *put a th. to the* ~ låta ngt gå till votering; *take a* ~ rösta [*on* om]; ~ *of censure* (*of no confidence*) misstroendevotum [*on* mot]; *pass* (*move*) *a* ~ *of censure* ställa misstroendevotum; *he proposed a* ~ *of thanks to...* han föreslog att man skulle uttala sitt tack till...

**II** *vb itr* o. *vb tr* **1** rösta [*old enough to* ~];

rösta för **2** bevilja [~ *a grant* (anslag)], anslå [~ *an amount for* (för, till) *a th.*] **3** ~ *Liberal* rösta med (på) liberalerna **4** *they voted the trip a success* de var eniga om att resan hade varit lyckad

**vote-catching** [ˈvəʊtˌkætʃɪŋ] *s* röstfiske

**voter** [ˈvəʊtə] *s* röstande, röstberättigad; väljare

**voting** [ˈvəʊtɪŋ] *s* röstning, votering, val; ~ *by ballot* sluten omröstning

**voting-paper** [ˈvəʊtɪŋˌpeɪpə] *s* valsedel

**vouch** [vaʊtʃ] *vb itr*, ~ *for* garantera, ansvara för, gå i god (borgen) för

**voucher** [ˈvaʊtʃə] *s* **1** kupong [*luncheon* ~], turistkupong; rabattkupong; *gift* ~ el. ~ *presentkort* **2** kvitto; bong

**vow** [vaʊ] *s* högtidligt löfte; ~ *of chastity* kyskhetslöfte; *make a* ~ avlägga ett löfte; *take* ~*s* (*the* ~*s*) avlägga klosterlöfte **II** *vb tr* lova högtidligt, svära, svära på

**vowel** [ˈvaʊ(ə)l] *s* vokal

**voyage** [ˈvɔɪɪdʒ] **I** *s* sjöresa; färd genom luften el. i rymden **II** *vb itr* o. *vb tr* resa till sjöss; färdas genom t.ex. luften; resa (färdas) på (över)

**voyager** [ˈvɔɪɪdʒə] *s* resande, sjöfarare

**voyeur** [vwɑːˈjɜ:] *s* voyeur, fönstertittare

**V-sign** [ˈvi:saɪn] *s* (förk. för *victory sign*) v-tecken segertecken

**VSOP** (förk. för *Very Superior Old Pale*) beteckning för finare cognac

**vulcanize** [ˈvʌlkənaɪz] *vb tr* vulkanisera, vulka

**vulgar** [ˈvʌlgə] *adj* **1** vulgär; tarvlig; oanständig **2** vanlig, allmän **3** mat., ~ *fraction* allmänt (vanligt) bråk

**vulgarity** [vʌlˈgærətɪ] *s* vulgaritet

**vulnerability** [ˌvʌlnərəˈbɪlətɪ] *s* sårbarhet

**vulnerable** [ˈvʌlnərəbl] *adj* sårbar [*to* för], ömtålig, känslig [*a* ~ *spot*]; utsatt [*a* ~ *position*]

**vulture** [ˈvʌltʃə] *s* zool. gam

# W

**W, w** ['dʌblju:] *s* W, w

**W** (förk. för *west, western*) V

**wad** [wɒd] **I** *s* bunt, packe; sedelbunt [äv. *~ of banknotes*] **II** *vb tr* vaddera, stoppa; *wadded quilt* vadderat täcke

**wadding** ['wɒdɪŋ] *s* **1** vaddering, vaddstoppning **2** vadd; cellstoff

**waddle** ['wɒdl] *vb itr* vagga, rulta

**wade** [weɪd] *vb itr* **1** vada; pulsa (traska) fram [*~ through the mud*] **2** vard., *~ in* sätta i gång, hugga i; *~ into* a) ta itu med, hugga i med b) gå lös på, kasta sig över; *~ through* plöja igenom

**wafer** ['weɪfə] *s* **1** rån **2** oblat, hostia

**waffle** ['wɒfl] *s* våffla

**waffle** ['wɒfl] *vb itr* vard. svamla, dilla

**wag** [wæg] **I** *vb tr* o. *vb itr* vifta på (med) [*the dog wagged its tail*], vippa på (med), vicka på (med) [*~ one's foot*], höta med [*~ one's finger at* (åt) *a p.*]; vifta [*the dog's tail wagged*], vippa, vagga; *~ one's tongue* bildl. pladdra; *set tongues wagging* bildl. sätta fart på skvallret **II** *s* **1** viftning [*a ~ of* (på) *the tail*], vippande, vaggande **2** skämtare

**wage** [weɪdʒ] **I** *s*, vanl. pl. *~s* lön, avlöning speciellt veckolön för arbetare; *weekly ~s* veckolön; *~ bracket* lönenivå, lönegrupp, löneklass; *~ demand* lönekrav; *~ dispute* lönekonflikt; *~ drift* löneglidning; *~ freeze* lönestopp; *~ packet* lönekuvert; *~ restraint* löneåterhållsamhet; *~ talks* löneförhandlingar **II** *vb tr* utkämpa [*~ a battle*; *against (on)* mot]; *~ war* föra krig

**wage-earner** ['weɪdʒ,ɜ:nə] *s* löntagare

**wager** ['weɪdʒə] **I** *s* vad; insats; *lay (make) a ~* hålla (slå) vad [*on* om; *that* om att] **II** *vb tr* slå (hålla) vad om; satsa, sätta [*~ 10 pounds*]

**waggle** ['wægl] **I** *vb tr* vifta (vippa, vicka) på (med) **II** *s* viftning, vippande, vickande [*with a ~ of the hips*]

**waggon** ['wægən] *s* se *wagon*

**wagon** ['wægən] *s* **1** lastvagn, transportvagn; höskrinda; järnv. öppen godsvagn; *covered ~* a) täckt godsvagn b) prärievagn **2** amer. vard. polispiket; *the ~* äv. Svarta Maja fångtransportvagn **3** vard., *go on the ~* spola kröken sluta med spriten

**wagon-lit** [ˌvægɒn'li:] (pl. *wagons-lit* [uttalas som sg.] el. *wagon-lits* [ˌvægn'li:z]) *s* sovvagn; sovkupé

**wagtail** ['wægteɪl] *s* zool. sädesärla

**waif** [weɪf] *s* föräldralöst (hemlöst) barn

**wail** [weɪl] **I** *vb itr* **1** klaga, jämra sig **2** om t.ex. vind tjuta, vina **II** *s* högljudd klagan, jämmer

**wainscot** ['weɪnskət] **I** *s* panel, panelning, boasering **II** *vb tr* panela, boasera

**waist** [weɪst] *s* midja, liv

**waistband** ['weɪstbænd] *s* **1** linning; kjollinning, byxlinning; midjeband **2** gördel, skärp

**waistcoat** ['weɪstkəʊt] *s* väst

**waist-deep** [ˌweɪst'di:p] *adj* o. *adv* upp (ända) till midjan [*he stood ~ in the water*]

**waist-high** [ˌweɪst'haɪ] *adj* o. *adv* till midjan

**waistline** ['weɪstlaɪn] *s* midja [*a slim ~*]

**wait** [weɪt] **I** *vb itr* o. *vb tr* **1** vänta; dröja; stanna; *you ~!* vänta du bara! hotelse; *keep a p. waiting* el. *make a p. ~* låta ngn vänta; *everything comes to those who ~* ungefär den som väntar på något gott väntar aldrig för länge; *that can ~* det är inte så bråttom med det; *~ to* + infinitiv a) vänta för att [*we waited to see what would happen*] b) vänta på att; *he couldn't ~ to get there* han kunde inte komma dit snabbt nog **2** passa upp, servera **3** vänta på; *~ one's opportunity* avvakta (vänta på) ett lämpligt tillfälle; *you must ~ your turn* du får vänta tills det blir din tur **4** vänta med; *don't ~ dinner for me* vänta inte på mig med middagen □ **at** *table* passa upp vid bordet, servera; **~ for** vänta på, avvakta; **~ on** passa upp, servera; betjäna, expediera [*~ on a customer*]

**II** *s* **1** väntan [*for* på], väntetid, paus; *we had a long ~ for the bus* vi fick vänta länge på bussen **2** *lie in ~ for* ligga i bakhåll för

**wait-and-see** [ˌweɪtən'si:] *adj, pursue a ~ policy* inta en avvaktande hållning

**waiter** ['weɪtə] *s* kypare, uppassare, servitör; *~!* vaktmästarn!

**waiting** ['weɪtɪŋ] *s* **1** väntan; *play a ~ game* inta en avvaktande hållning **2** trafik., *No Waiting!* Förbud att stanna fordon stoppförbud

**waiting-list** ['weɪtɪŋlɪst] *s* väntelista

**waiting-room** ['weɪtɪŋru:m] *s* väntrum, väntsal

**waitress** ['weɪtrəs] *s* servitris, uppasserska;
~*!* fröken!

**waive** [weɪv] *vb tr* avstå från [~ *one's
right*], uppge [~ *one's claim*]; ~ *aside* vifta
bort

**1 wake** [weɪk] (*woke woken*) *vb itr* o. *vb tr*,
~ *up* el. ~ vakna, vakna upp; väcka [*the
noise woke me (woke me up)*], väcka upp;
bildl. väcka, sätta liv i; ~ *up to* bildl. väcka
till insikt om

**2 wake** [weɪk] *s*, *in the* ~ *of a p.* el. *in
a p.'s* ~ i ngns kölvatten; *bring in one's*
~ medföra, dra med sig

**wakeful** ['weɪkf(ʊ)l] *adj* **1** vaken; sömnlös
**2** vaksam

**waken** ['weɪk(ə)n] *vb tr* o. *vb itr*, ~ *up* el. ~
väcka

**Wales** [weɪlz] geogr. egennamn; *the Prince
of* ~ prinsen av Wales titel för den brittiske
tronföljaren

**walk** [wɔːk] **I** *vb itr* o. *vb tr* **1** gå;
promenera, vandra, flanera; ~ *on all
fours* gå på alla fyra **2** om t.ex. spöken gå
igen, spöka **3** gå (promenera, vandra,
flanera) på (i); gå av och an (fram och
tillbaka) i (på) [~ *the deck*]; ~ *it* vard. gå
till fots; ~ *the streets* a) gå (promenera)
på gatorna b) om prostituerad gå på gatan
**4** vard. följa, gå med [~ *a girl home*] □ ~
*about* gå (promenera etc.) omkring i (på);
~ *away* a) gå sin väg, avlägsna sig b) ~
*away with* vard. knycka stjäla [~ *away with
the silver*]; vinna [*he walked away with the
first prize*]; ~ *in* gå in (träda) in, stiga in (på);
~ *into* gå in (ner, upp) i; ~ *off* gå sin väg;
~ *on* gå på, gå (vandra) vidare; ~ *out* a) gå
ut; gå ut och gå b) gå i strejk c) ~ *out on*
vard. gå ifrån, lämna [*they walked out on
the meeting; he has walked out on her*],
lämna i sticket; ~ *up* a) gå (stiga) upp
(uppför) b) gå (stiga) fram [*to* till]
**II** *s* **1** promenad; fotvandring; *it is only
ten minutes'* ~ det tar bara tio minuter
att gå; *go out for (take) a* ~ el. *go for a*
~ gå ut och gå (promenera); *take (take
out) the dog for a* ~ gå ut med hunden,
valla hunden **2** sport. gångtävling; *20 km.
~ 20 km gång **3** [*I know him*] *by his* ~
…på hans sätt att gå **4** promenadtakt; *at
a* ~ i skritt; gående **5** promenadväg,
gångväg, allé **6** ~ *of life* samhällsställning,
samhällsgrupp, samhällsklass

**walkie-talkie** [ˌwɔːkɪˈtɔːkɪ] *s* walkie-talkie

**walking** ['wɔːkɪŋ] **I** *s* **1** gående;
fotvandringar, promenader; ~ *is good*

*exercise* att gå är bra motion; ~ *distance*
gångavstånd; *at a* ~ *pace* i skritt; gående
**2** sport. gång **II** *adj* gående, gång-; *a* ~
*dictionary* (*encyclopedia*) ett levande
lexikon

**walking-shoe** ['wɔːkɪŋʃuː] *s* promenadsko

**walking-stick** ['wɔːkɪŋstɪk] *s*
promenadkäpp

**Walkman** ['wɔːkmən] (pl. ~s) *s* ® freestyle
kassettbandspelare i fickformat

**walk-on** ['wɔːkɒn] *adj* teat. statist- [*a ~
part*]

**walkout** ['wɔːkaʊt] *s* **1** strejk **2** uttåg i
protest från t.ex. sammanträde

**walkover** ['wɔːkˌəʊvə] *s* **1** sport. walk-over;
promenadseger **2** bildl. enkel match (sak)

**wall** [wɔːl] **I** *s* mur; vägg; befästningsmur;
~ *bars* gymn. ribbstol; *come (be) up
against a brick (stone, blank)* ~ bildl.
köra (ha kört) fast; *drive (send) up the*
~ sl. driva till vansinne, göra galen; *have
one's back to the* ~ bildl. vara ställd mot
väggen; *put (stand) a p. up against a* ~
bildl. ställa ngn mot väggen; *run (bang)
one's head against a brick (stone)* ~
bildl. köra huvudet i väggen **II** *vb tr*, ~ *in*
omge (förse) med en mur

**wallet** ['wɒlɪt] *s* plånbok

**wallflower** ['wɔːlˌflaʊə] *s* **1** bot. lackviol
**2** vard. panelhöna

**wallop** ['wɒləp] **I** *vb tr* vard. klå upp, ge
stryk; slå till [~ *a ball*] **II** *s* vard. slag,
smocka **III** *adv* med en duns

**wallow** ['wɒləʊ] *vb itr* **1** vältra (rulla) sig
[*pigs wallowing in the mire*] **2** bildl., ~ *in*
vältra (vräka) sig i [~ *in luxury*], frossa i

**wall-painting** ['wɔːlˌpeɪntɪŋ] *s*
väggmålning, fresk

**wallpaper** ['wɔːlˌpeɪpə] **I** *s* tapet, tapeter
**II** *vb tr* tapetsera

**wall-plug** ['wɔːlplʌg] *s* elektr. stickpropp

**wallsocket** ['wɔːlˌsɒkɪt] *s* elektr. vägguttag

**Wall Street** ['wɔːlstriːt] gata i New York, där
börsen är belägen; *on* ~ äv. på den amerikanska
börsen

**wall-to-wall** [ˌwɔːltʊˈwɔːl] *adj*, ~ *carpet*
heltäckningsmatta

**walnut** ['wɔːlnʌt] *s* valnöt

**walrus** ['wɔːlrəs] *s* valross

**waltz** [wɔːls] **I** *s* vals dans; valsmelodi **II** *vb
itr* **1** dansa vals, valsa **2** vard. dansa [*she
waltzed into the room*]; *he waltzed off
with the first prize* han tog lätt hem
första priset

**wan** [wɒn] *adj* glåmig; matt, blek

**warm**

**vand** [wɒnd] *s* trollstav, trollspö

**wander** ['wɒndə] *vb itr* **1** ~ el. ~ *about* vandra (ströva) omkring; om t.ex. blick, hand glida, fara, gå [*over* över]; *his attention wandered* hans tankar började vandra **2** ~ *away* (*off*) gå vilse; ~ *from the subject* (*point*) gå (komma) ifrån ämnet; *his mind is wandering* han yrar

**wanderer** ['wɒndərə] *s* vandrare

**wandering** ['wɒndərɪŋ] **I** *s* vandring; pl. ~*s* vandringar; kringflackande **II** *adj* kringvandrande; kringflackande [*lead a* ~ *life*]

**wane** [weɪn] **I** *vb itr* **1** avta [*his strength is waning*], minska, minskas, försvagas **2** om t.ex. månen avta, vara i avtagande **II** *s*, *on the* ~ i avtagande, på tillbakagång; *the moon is on the* ~ månen är i nedan (i avtagande)

**wangle** ['wæŋgl] vard. **I** *vb tr* o. *vb itr* fiffla med; mygla till sig [~ *an invitation to a party*]; fiffla, tricksa; mygla **II** *s*, *a* ~ fiffel, mygel

**want** [wɒnt] **I** *s* **1** brist, avsaknad; ~ *of* brist på **2** speciellt pl. ~*s* behov; önskningar; *supply* (*meet*) *a long-felt* ~ fylla ett länge känt behov **3** nöd [*freedom from* ~]; *be in* ~ lida nöd

**II** *vb tr* o. *vb itr* **1** vilja [*we can stay at home if you* ~]; vilja ha [*do you* ~ *some bread?*], önska sig [*what do you* ~ *for Christmas?*]; sökes [*cook wanted*]; *I don't* ~ *it said that...* jag vill inte att man ska säga att...; *how much do you* ~ *for...?* hur mycket begär du för...?; *what do you* ~ *from* (*of*) *me?* vad begär du av mig?, vad vill du mig? **2** behöva; *it* ~*s doing* det behöver göras; *it* ~*s some doing* det är ingen lätt sak; *it* ~*s doing* [*with great care*] det måste (bör) göras...; *you* ~ *to be more careful* du måste (borde) vara försiktigare **3** sakna, inte ha [*he* ~*s the will to do it*] **4** opersonligt, *it* ~*s very little* det fattas mycket litet **5** vilja tala med [*tell Bob I* ~ *him*]; *you are wanted on the phone* det är telefon till dig; *wanted by the police* efterlyst av polisen **6** amer., ~ *in* (*out*) vilja komma (gå) in (ut); ~ *out* vard. inte vilja vara med längre

**anting** ['wɒntɪŋ] *adj* o. *pres p*, *be* ~ saknas, fattas; *be* ~ *in* sakna [*be* ~ *in intelligence*], brista i [*be* ~ *in respect*]

**anton** ['wɒntən] **I** *adj* godtycklig;

meningslös [~ *destruction*]; hänsynslös [*a* ~ *attack*] **II** *s* lättfärdig kvinna, slinka

**war** [wɔ:] **I** *s* krig; kamp [*the* ~ *against disease*]; *civil* ~ inbördeskrig; ~ *crimes* krigsförbrytelser; ~ *criminal* krigsförbrytare; ~ *memorial* krigsmonument; ~ *of nerves* nervkrig; *declare* ~ förklara krig [*on, against* mot]; *make* (*wage*) ~ föra krig [*on* mot]; *go to* ~ börja krig [*against, with* mot, med] **II** *vb itr* kriga, föra krig [*against* mot]

**warble** ['wɔ:bl] **I** *vb tr* o. *vb itr* speciellt om fåglar kvittra, drilla **II** *s* fågels sång, kvitter, drill

**war cloud** ['wɔ:klaʊd] *s* bildl. krigsmoln

**war cry** ['wɔ:kraɪ] *s* **1** stridsrop **2** bildl. slagord, paroll

**ward** [wɔ:d] **I** *s* avdelning, sal, rum på t.ex. sjukhus; *casualty* ~ olycksfallsavdelning på sjukhus; *maternity* ~ BB-avdelning, förlossningsavdelning; *private* ~ enskilt rum **II** *vb tr*, ~ *off* avvärja, parera [~ *off a blow*]; avvända [~ *off a danger*], avstyra

**war dance** ['wɔ:dɑ:ns] *s* krigsdans

**warden** ['wɔ:dn] *s* föreståndare; uppsyningsman; *air-raid* ~ ungefär ordningsman vid civilförsvaret; *traffic* ~ trafikvakt; kvinnlig äv. lapplisa

**warder** ['wɔ:də] *s* fångvaktare

**wardrobe** ['wɔ:drəʊb] *s* **1** a) garderob [äv. *built-in* ~], klädkammare b) klädskåp **2** samling kläder garderob [*renew one's* ~]

**ware** [weə] *s*, pl. ~*s* varor [*advertise one's* ~*s*], småartiklar

**warehouse** ['weəhaʊs] *s* lager, varuupplag, magasin, nederlag

**warfare** ['wɔ:feə] *s* krig, krigföring; krigstillstånd

**warhead** ['wɔ:hed] *s* stridsdel, stridsspets i robot [*nuclear* ~]; stridsladdning

**warhorse** ['wɔ:hɔ:s] *s* vard. **1** veteran **2** om teaterpjäs el. musikstycke gammalt slagnummer

**warily** ['weərəlɪ] *adv* varsamt, försiktigt

**wariness** ['weərɪnəs] *s* varsamhet, försiktighet

**warlike** ['wɔ:laɪk] *adj* **1** krigisk, stridslysten, stridbar **2** krigs- [~ *preparations*]

**warm** [wɔ:m] **I** *adj* **1** varm **2** obehaglig, otrevlig; besvärlig; [*he left*] *when things started to get* ~ ...när det började osa katt **3** i lek, *you're getting* ~ det bränns

**II** *vb tr* o. *vb itr* **1** värma, värma upp [~ *the milk*]; ~ *up* värma upp äv. sport. **2** bli varm (varmare); värmas, värmas upp; värma sig; ~ **to** (*towards*) **a** *p.* bli vänligare stämd mot ngn; ~ *to one's subject* gå upp i sitt ämne, tala sig varm för sin sak; ~ *up* a) värmas upp, bli varm [*the engine is warming up*] b) bildl. bli varm i kläderna; tala sig varm c) sport. värma upp sig

**warm-blooded** [ˌwɔːmˈblʌdɪd] *adj* varmblodig

**warmonger** [ˈwɔːˌmʌŋɡə] *s* krigshetsare

**warmth** [wɔːmθ] *s* värme

**warm-up** [ˈwɔːmʌp] *s* sport. uppvärmning

**warn** [wɔːn] *vb tr* o. *vb itr* **1** varna [*a p. of (about) a th.* ngn för ngt; *a p. against a p. (a th.)* ngn för ngn (ngt)]; *he warned me against going* el. *he warned me not to go* han varnade mig för att gå; ~ *against* (*about, of*) varna för, slå larm om **2** varsla, varsko, förvarna [*of* om; *that* om att]; ~ *a p. off a th.* avvisa ngn från ngt

**warning** [ˈwɔːnɪŋ] *s* **1** varning **2** förvarning, varsel [*of* om]; *give a p. a fair* ~ varna (varsko) ngn i tid

**warp** [wɔːp] *vb tr* o. *vb itr* göra skev (vind); snedvrida; bli skev (vind)

**warpaint** [ˈwɔːpeɪnt] *s* krigsmålning

**warpath** [ˈwɔːpɑːθ] *s*, *on the* ~ på krigsstigen, på stridshumör

**warped** [wɔːpt] *adj* **1** skev, vind **2** bildl. depraverad [*a* ~ *mind*]

**warplane** [ˈwɔːpleɪn] *s* krigsflygplan

**warrant** [ˈwɒr(ə)nt] *I s* **1** speciellt jur. a) fullmakt, befogenhet, bemyndigande b) skriven order; ~ *of arrest* el. ~ häktningsorder; *a* ~ *is out against him* han är efterlyst av polisen **2** grund [*he had no* ~ *for saying so*], stöd **3** garanti [*of* för]; bevis [*of* på] **II** *vb tr* **1** berättiga, rättfärdiga [*nothing can* ~ *such insolence*]; motivera **2** garantera [*warranted 22 carat gold*]; ansvara (stå) för, gå i god för

**warranty** [ˈwɒrəntɪ] *s* garanti

**warren** [ˈwɒr(ə)n] *s* kaningård

**warrior** [ˈwɒrɪə] *s* krigare; *the Unknown Warrior* den okände soldaten

**Warsaw** [ˈwɔːsɔː] Warszawa

**warship** [ˈwɔːʃɪp] *s* krigsfartyg, örlogsfartyg

**wart** [wɔːt] *s* vårta; utväxt

**wart hog** [ˈwɔːthɒɡ] *s* vårtsvin

**wartime** [ˈwɔːtaɪm] *s* krigstid

**wary** [ˈweərɪ] *adj* varsam, försiktig; på sin vakt; *be* ~ *of* akta sig för

**was** [wɒz, obetonat wəz], *I* ~ jag var; *hel shelit* ~ han/hon/den/det var; se vidare *be*

**wash** [wɒʃ] **I** *vb tr* o. *vb itr* **1** tvätta; skölja, spola; ~ *the dishes* diska; ~ *oneself* tvätta sig; ~ *one's hands of* bildl. ta sin hand ifrån, inte vilja ha något att göra med; *I* ~ *my hands of it* bildl. jag tvår mina händer; ~ *one's dirty linen in public* bildl. tvätta sin smutsiga byk offentligt **2** om t.ex. vågor a) skölja mot, spola in (över b) spola, skölja [~ *overboard*] **3** tvätta sig; tvätta av sig **4** om t.ex. tyg gå att tvätta, tåla tvätt [*a material that will* ~] **5** vard., *it won't* ~ det håller inte; den gubben går inte **6** om vatten m.m. skölja □ *~ ashore* spola (spolas) i land; ~ *away* a) tvätta (spola, skölja) bort b) urholka, urgröpa [*the cliffs had been washed away by the sea*]; ~ *down* a) tvätta, spola av [~ *down a car*] b) skölja ned [~ *down the food with beer*]; ~ *off* a) tvätta bort (av) [~ *off stains*] b) gå bort i tvätten c) sköljas (spolas) bort; ~ *out* tvätta (skölja) ur; tvätta (skölja) upp [~ *out clothes*]; *feel washed out* vard. känna sig urlakad; ~ *up* a) diska; diska av b) om vågor skölja (spola) upp c) vard., *washed up* slut, färdig [*he was washed up as a boxer*]

**II** *s* **1** tvättning, tvagning; *give the car a good* ~ tvätta (spola) av bilen ordentligt; *have a* ~ tvätta av sig; *have a* ~ *and brush up* snygga till sig **2** a) tvättning av kläder b) tvättkläder c) tvättinrättning; *it will come out in the* ~ a) det går bort i tvätten b) bildl. det kommer att ordna upp sig **3** svallvåg speciellt efter båt; skvalp; kölvatten

**washable** [ˈwɒʃəbl] *adj* tvättbar, tvättäkta

**wash-and-wear** [ˌwɒʃənd'weə] *adj* som går att tvätta (dropptorka) och ta på

**washbasin** [ˈwɒʃˌbeɪsn] *s* handfat, tvättfat

**washboard** [ˈwɒʃbɔːd] *s* tvättbräde

**washbowl** [ˈwɒʃbəʊl] *s* handfat, tvättfat

**washcloth** [ˈwɒʃklɒθ] *s* disktrasa; speciellt amer. tvättlapp

**washdown** [ˈwɒʃdaʊn] *s* **1** översköljning, avtvättning, avspolning; *give the car a* ~ tvätta (spola) av bilen **2** kall avrivning

**washer** [ˈwɒʃə] *s* tekn. **1** packning till t.ex. kran **2** underläggsbricka

**wash-house** [ˈwɒʃhaʊs] *s* tvättstuga uthus

**washing** [ˈwɒʃɪŋ] *s* **1** tvätt, tvättning, tvagning, diskning, sköljning, spolning **2** tvättkläder

**washing-day** [ˈwɒʃɪŋdeɪ] *s* tvättdag

# water

**washing-machine** ['wɒʃɪŋməˌʃiːn] s
tvättmaskin
**washing-powder** ['wɒʃɪŋˌpaʊdə] s
tvättpulver, tvättmedel
**washing-soda** ['wɒʃɪŋˌsəʊdə] s
kristallsoda, tvättsoda
**Washington** ['wɒʃɪŋtən]
**washing-up** [ˌwɒʃɪŋ'ʌp] s disk, diskning;
rengöring; ~ *bowl* diskbalja; ~ *liquid*
flytande diskmedel; *do the* ~ diska
**wash leather** ['wɒʃˌleðə] s tvättskinn
**washout** ['wɒʃaʊt] s vard. fiasko; om person
odugling, nolla
**washproof** ['wɒʃpruːf] adj tvättäkta
**washroom** ['wɒʃruːm] s toalettrum,
tvättrum
**washstand** ['wɒʃstænd] s tvättställ;
kommod
**washtub** ['wɒʃtʌb] s tvättbalja
**wasn't** ['wɒznt] = *was not*
**wasp** [wɒsp] s geting
**waste** [weɪst] **I** adj **1** öde, ödslig; *lay* ~
ödelägga, skövla; *lie* ~ ligga öde **2** avfalls-
[~ *products*]; ~ *paper* pappersavfall; ~
*paper basket* papperskorg
**II** vb tr o. vb itr **1** slösa, ödsla bort,
förslösa, förspilla [*in (over)*]; *a th.* på
(med) ngt]; slösa med; förslösas, gå till
spillo; ~ *one's breath* tala för döva öron;
~ *time* speciellt sport. maska; ~ *a p.'s time*
uppta ngns tid; ~ *not, want not* den som
spar han har **2** försumma, försitta [~ *an
opportunity*] **3** ödelägga, föröda, skövla
**4** tära på, förtära [äv. ~ *away*]; ~ *away* om
person tyna av, avtäras; [*a body*] *wasted
by disease* ...tärd (härjad) av sjukdom
**III** s **1** slöseri, slösande [*of* med]; *it's a
~ of breath* det är att tala för döva öron;
*a ~ of time* bortkastad tid, slöseri med
tid; *go (run) to* ~ gå till spillo **2** avfall;
*cotton* ~ trassel **3** ödemark, ödevidd
**wastebasket** ['weɪstˌbɑːskɪt] s amer.
papperskorg
**wastebin** ['weɪstbɪn] s soplår, soptunna
**waste disposal** ['weɪstdɪsˌpəʊz(ə)l] s
avfallshantering
**waste-disposer** ['weɪstdɪsˌpəʊzə] s
avfallskvarn
**wasteful** ['weɪstf(ʊ)l] adj slösaktig
**wasteland** ['weɪstlænd] s ödejord;
ofruktbar mark, ödemark; öken
**wastepipe** ['weɪstpaɪp] s avloppsrör
**waster** ['weɪstə] s **1** slösare **2** odåga
**watch** [wɒtʃ] **I** s **1** vakt, vakthållning,
bevakning; uppsikt; utkik; *keep (keep a)*

~ *for* hålla utkik efter; *keep (keep a)* ~
*on (over)* hålla uppsikt (vakt) över **2** om
person vakt, utkik; kollektivt nattvakt **3** sjö.
vakt: a) vaktmanskap b) vakthållning
c) vaktpass **4** klocka, ur, fickur,
armbandsur; *set one's* ~ ställa klockan
(sin klocka) [*by* efter]; *what time is it by
your* ~? hur mycket (vad) är din klocka?
**5** vaka, vakande; likvaka
**II** vb itr o. vb tr **1** se 'på, titta 'på, titta; ~
*for* a) hålla utkik efter; vänta (vakta) på
[~ *for a signal*] b) avvakta, passa [~ *for an
opportunity*]; ~ *out* se upp [~ *out when you
cross the road*]; ~ *out for* hålla utkik efter;
ge akt på; ~ *over* vakta, ha uppsikt över;
vaka över **2** vakta, hålla vakt, stå (gå) på
vakt **3** vaka [*over* över; *by (with)* a p. hos
ngn] **4** se på, titta på [~ *television*]; ge akt
på, iaktta, betrakta; vara noga (se upp)
med [~ *one's weight*]; ~ *it (yourself)!*
akta dig!; ~ *what you do!* ge akt på vad
du gör! **5** bevaka [~ *one's interests*]; vaka
över, hålla ett öga på, passa, vakta, valla
[~ *one's sheep*]
**watchcase** ['wɒtʃkeɪs] s boett
**watchdog** ['wɒtʃdɒg] s vakthund,
bandhund
**watcher** ['wɒtʃə] s bevakare, observatör;
iakttagare; *bird* ~ fågelskådare
**watchful** ['wɒtʃf(ʊ)l] adj vaksam, på sin
vakt [*against, of* mot], uppmärksam [*for*
på]; *keep a* ~ *eye on* hålla ett vakande
öga på
**watchmaker** ['wɒtʃˌmeɪkə] s urmakare
**watchman** ['wɒtʃmən] (pl. *watchmen*
['wɒtʃmən]) s nattvakt, väktare
**watchout** ['wɒtʃaʊt] s, *keep a* ~ hålla
utkik
**watchstrap** ['wɒtʃstræp] s klockarmband
**watchtower** ['wɒtʃˌtaʊə] s vakttorn,
utkikstorn
**watchword** ['wɒtʃwɜːd] s paroll, slagord,
lösen, motto
**water** ['wɔːtə] **I** s vatten; pl. ~s a) vatten,
vattenmassor b) farvatten [*in British* ~s];
*body of* ~ vattenmassa; *table* ~
bordsvatten; ~ *on the knee* med. vatten i
knät; *spend money like* ~ ösa ut pengar;
*drink (take) the* ~s dricka brunn; *pass*
~ kasta vatten, urinera; *take in* ~ ta in
vatten, läcka; *keep one's head (oneself)
above* ~ bildl. hålla sig flytande; *of the
first (purest)* ~ av renaste vatten; bildl. av
högsta klass
**II** vb tr o. vb itr **1** vattna; bevattna **2** ~

***down*** spä, spä ut; bildl. göra urvattnad;
***watered down*** äv. urvattnad **3** vattra
[*watered silk*] **4** vattna sig, vattnas; *it
made his mouth* ~ det vattnades i
munnen på honom **5** rinna, tåras [*the
smoke made my eyes* ~]
**water bottle** ['wɔːtəˌbɒtl] *s* **1** vattenkaraff
**2** fältflaska, vattenflaska
**watercan** ['wɔːtəkæn] *s* vattenkanna
**water cannon** ['wɔːtəˌkænən] *s*
vattenkanon
**watercart** ['wɔːtəkɑːt] *s* vattenvagn,
bevattningsvagn
**waterchute** ['wɔːtəʃuːt] *s* vattenrutschbana
**water closet** ['wɔːtəˌklɒzɪt] *s* vattenklosett,
wc
**watercolour** ['wɔːtəˌkʌlə] *s* **1** vattenfärg,
akvarellfärg; *in* ~*s* i akvarell
**2** akvarellmålning, målning i vattenfärg
**water-cooled** ['wɔːtəkuːld] *adj* vattenkyld
**watercress** ['wɔːtəkres] *s* vattenkrasse
**water-diviner** ['wɔːtədɪˌvaɪnə] *s*
slagruteman
**waterfall** ['wɔːtəfɔːl] *s* vattenfall, fors
**waterfowl** ['wɔːtəfaʊl] *s* vanl. kollektivt
vattenfågel, sjöfågel
**waterfront** ['wɔːtəfrʌnt] *s* strand; sjösida
av stad; *along the* ~ längs (vid) vattnet
**water gauge** ['wɔːtəgeɪdʒ] *s* tekn.
vattenmätare; vattenståndsmätare
**water-heater** ['wɔːtəˌhiːtə] *s*
varmvattenberedare
**water hose** ['wɔːtəhəʊz] *s* vattenslang
**water ice** ['wɔːtəraɪs] *s* isglass, vattenglass
**watering** ['wɔːtərɪŋ] *s* vattning, vattnande
**watering-can** ['wɔːtərɪŋkæn] *s*
vattenkanna för vattning
**watering-cart** ['wɔːtərɪŋkɑːt] *s* vattenvagn,
bevattningsvagn
**watering-place** ['wɔːtərɪŋpleɪs] *s*
**1** vattningsställe **2** hälsobrunn, brunnsort
**water jug** ['wɔːtədʒʌg] *s* vattentillbringare,
vattenkanna
**water jump** ['wɔːtədʒʌmp] *s* sport.
vattengrav
**water level** ['wɔːtəˌlevl] *s* **1** vattenstånd,
vattennivå **2** sjö. vattenlinje **3** tekn.
vattenpass
**water lily** ['wɔːtəˌlɪlɪ] *s* näckros
**waterlogged** ['wɔːtəlɒgd] *adj*
**1** vattenfylld, full av vatten **2** vattensjuk
**watermark** ['wɔːtəmɑːk] **I** *s*
**1** vattenmärke; vattenstämpel
**2** vattenståndsmärke, vattenståndslinje
**II** *vb tr* vattenstämpla

**watermelon** ['wɔːtəˌmelən] *s* vattenmelon
**waterpipe** ['wɔːtəpaɪp] *s* **1** vattenledning,
vattenledningsrör **2** vattenpipa
**water polo** ['wɔːtəˌpəʊləʊ] *s* vattenpolo
**water power** ['wɔːtəˌpaʊə] *s* vattenkraft
**waterproof** ['wɔːtəpruːf] **I** *adj* vattentät;
impregnerad [~ *material*]; ~ *hat* regnhatt
**II** *s* regnplagg; vattentätt tyg **III** *vb tr* göra
vattentät; impregnera
**waterproofing** ['wɔːtəˌpruːfɪŋ] *s*
impregnering
**water rate** ['wɔːtəreɪt] *s* vattenavgift,
vattentaxa
**water-resistant** [ˌwɔːtərɪ'zɪst(ə)nt] *adj*
vattenbeständig, vattenfast; vattentät
**water-ski** ['wɔːtəskiː] **I** *s* vattenskida;
vattenskidor **II** *s* vattenskida
**water-softener** ['wɔːtəˌsɒfnə] *s*
vattenavhärdare
**water supply** ['wɔːtəsəˌplaɪ] *s*
**1** vattenförsörjning; vattentillförsel
**2** vattentillgång, vattenförråd
**water tap** ['wɔːtətæp] *s* vattenkran
**watertight** ['wɔːtətaɪt] *adj* vattentät [~
*compartments*; *a* ~ *alibi*], tät
**waterway** ['wɔːtəweɪ] *s* **1** farled, segelled,
farvatten; kanal **2** vattenväg, vattenled
**water wings** ['wɔːtəwɪŋz] *s pl* armkuddar
slags simdyna
**waterworks** ['wɔːtəwɜːks] *s* vattenverk
**watery** ['wɔːtərɪ] *adj* **1** vattnig, sur, blöt;
vatten- [~ *vapour*] **2** vattnig [~ *soup*];
tunn; urvattnad
**watt** [wɒt] *s* elektr. watt
**wave** [weɪv] **I** *s* **1** våg; bölja; ~ *of strikes*
strejkvåg; *heat* ~ värmebölja **2** vågighet,
våglinje **3** vinkning; vink; viftning **4** våg i
hår; ondulering [*permanent* ~]; permanent
[*cold* ~]
**II** *vb itr* o. *vb tr* **1** bölja, gå i vågor
(böljor); vaja, fladdra **2** våga sig, falla [*her
hair* ~*s naturally*]; våga, ondulera [~ *one's
hair*] **3** vinka [*to* till; ~ *goodbye*]; vifta;
vinka med [~ *one's hand*], vifta med [*he
waved his handkerchief*]; ~ *aside* a) vinka
bort [~ *a p. aside*]; vinka avsides b) bildl.
vifta bort, avvisa, avfärda
**wavelength** ['weɪvleŋθ] *s* radio. våglängd
**waver** ['weɪvə] *vb itr* **1** fladdra [*the candle
wavered*]; skälva [*her voice wavered*];
**2** vackla [*his courage wavered*]; ge vika
**3** vingla, skifta, vackla [~ *between two
opinions*]; tveka
**wavy** ['weɪvɪ] *adj* vågig, vågformig
**1 wax** [wæks] *vb itr* speciellt om månen tillta,

växa; ~ *and wane* bildl. tillta och avta i styrka

**2 wax** [wæks] **I** *s* vax; bivax; öronvax **II** *vb tr* vaxa; bona [~ *floors*]; polera

**waxen** ['wæks(ə)n] *adj* **1** av vax, vax- [~ *image*] **2** vaxlik, vaxartad; vaxblek

**waxwork** ['wækswɜ:k] *s* **1** a) vaxfigur b) vaxarbeten, vaxfigurer **2** ~*s* vaxkabinett

**waxy** ['wæksɪ] *adj* vaxartad, vaxlik

**way** [weɪ] **I** *s* **1** väg [*they went the same* ~], håll, riktning; sträcka, stycke **2** väg, stig [*a* ~ *across the field*]; gång **3** sätt [*the right* ~ *of doing (to do) a th.*]; utväg **4** ~*s and means* möjligheter, medel; ~ *of life* livsföring, livsstil **5** med 'the' el. pronomen *that is always the* ~ så är det alltid; *that's the* ~ *it is* så är det, sånt är livet; *that's the* ~ *to do it* så skall det göras (gå till); [*he ought to be promoted*] *after the* ~ *he has worked* ...som han arbetat; *do it any* ~ *you like* gör precis som du själv vill; *you can't have it both* ~*s* man kan inte både äta kakan och ha den kvar, man kan inte få bådadera; *each* ~ varje väg; i vardera riktningen; *put ten pounds on a horse each* ~ kapplöpn. satsa tio pund både på vinnare och på plats; *it is not his* ~ *to be mean* snålhet ligger inte för honom; *no* ~*!* vard. aldrig i livet!, sällan! **6** med verb: **ask** *the (one's)* ~ fråga efter vägen; **clear** *the* ~ bana väg, gå ur vägen; **feel** *one's* ~ känna sig fram; bildl. känna väg för; **go** *a long* ~ gå långt; räcka långt, vara dryg; **go a long (great)** ~ *to* (*towards*) bidra starkt till; **go the right** ~ *about it* angripa det från rätt sida, börja i rätt ände; *are you going my* ~*?* skall du åt mitt håll?; *everything was going my* ~ allt gick vägen för mig; **have** (*have it all*) *one's own* ~ få sin vilja fram; *have it your own* ~*!* gör som du vill!; *let a p. have his own* ~ låta ngn få som han vill; *if I had my* ~*...* om jag fick bestämma...; *she has a* ~ *with children* hon har god hand med barn; **know** *the (one's)* ~ *about* a) vara hemmastadd på platsen b) ha reda på saker och ting; **lead** *the* ~ gå före och visa vägen, gå före; bildl. gå i spetsen, visa vägen; **lose** *one's (the)* ~ råka (gå, köra etc.) vilse; **make** ~ bereda (lämna) plats [*for* åt, för], gå undan (ur vägen) [*for* för]; *make one's* ~ el. *make one's* ~ *in the world* (*in life*) arbeta sig upp, slå sig fram

□ ~ **about (round)** omväg [*go* (göra, ta) *a long* ~ *about (round)*]; *the other* ~ **round** (*about*) precis tvärtom; **across** *the* ~ på andra sidan vägen (gatan); **by** *the* ~ för övrigt; *by the* ~, *do you know...?* förresten vet du...?; *not by a long* ~ inte på långa vägar; *by* ~ *of* a) via, över b) som [*by* ~ *of an explanation*]; **in** *a* ~ på sätt och vis; *he is in a bad* ~ det är illa ställt med honom; *in a small* ~ i liten skala; *in the* ~ i vägen [*of* för]; *in any* ~ på något sätt; *in no* ~ på intet sätt, ingalunda [*in no* ~ *inferior*]; ~ **in** ingång, väg in, infart; ~ **off** långt borta; **on** *the (his)* ~ *to* på väg (på vägen) till; *be on the* ~ vara på väg; *be well on one's* ~ ha kommit en bra bit på väg; bildl. vara på god väg; ~ **out** a) utgång, väg ut, utfart b) bildl. utväg, råd; **out of** *the* ~ a) ur vägen [*be out of the* ~], undan, borta b) avsides, avsides belägen c) ovanlig, originell; *go out of one's* ~ a) ta (göra, köra etc.) en omväg, göra en avstickare b) göra sig extra besvär [*he went out of his* ~ *to help me*]; *put a p. out of the* ~ röja ngn ur vägen; **be under** ~ ha kommit i gång; **get under** ~ komma i gång

**II** *adv* vard. långt, högt; ~ *back in the seventies* redan på 70-talet; *it's* ~ *over my head* det går långt över min horisont

**wayfarer** ['weɪˌfeərə] *s* vägfarande

**waylaid** [weɪ'leɪd] se *waylay*

**waylay** [weɪ'leɪ] (*waylaid waylaid*) *vb tr* **1** ligga i bakhåll för, lurpassa på **2** hejda [*he waylaid me and asked for a loan*]

**way-out** [ˌweɪ'aʊt] *adj* vard. extrem; excentrisk, mysko

**wayside** ['weɪsaɪd] *s* vägkant; ~ *inn* värdshus vid vägen; *by the* ~ vid vägen

**wayward** ['weɪwəd] *adj* egensinnig, nyckfull

**WC** [ˌdʌblju'si:] (förk. för *water closet*) wc

**we** [wi:, obetonat wɪ] (objektsform *us*) *pers pron* **1** vi **2** man [~ *say 'please' in English*]

**weak** [wi:k] *adj* svag; klen, bräcklig; dålig; *the weaker sex* det svaga (svagare) könet; *have a* ~ *stomach* ha dålig mage

**weaken** ['wi:k(ə)n] *vb tr* o. *vb itr* försvaga, göra svagare, förslappa, matta; försvagas, bli svagare, förslappas, mattas

**weak-kneed** [ˌwi:k'ni:d] *adj* **1** knäsvag **2** vek, eftergiven, velig

**weakling** ['wi:klɪŋ] *s* vekling, stackare

**weakness** ['wi:knəs] *s* svaghet [*of*, *in* i; *for* för]; klenhet, svag sida, brist; *have a* ~

*for* vara svag för, ha en svaghet för
[*Vincent has a ~ for chocolate*]; *in a
moment of ~* i ett svagt ögonblick
**weak-willed** [‚wiːkˈwɪld] *adj* viljelös
**weal** [wiːl] *s* strimma, rand märke på huden
efter slag
**wealth** [welθ] *s* rikedom, rikedomar,
förmögenhet; välstånd; tillgångar; *a man
of ~* en förmögen man; *a ~ of* bildl. en
rikedom på
**wealthiness** [ˈwelθɪnəs] *s* rikedom
**wealthy** [ˈwelθɪ] *adj* rik, förmögen
**wean** [wiːn] *vb tr* **1** avvänja [*~ a baby*]; *~
a baby on...* föda upp ett spädbarn på...
**2** *~ from* avvänja från
**weapon** [ˈwepən] *s* vapen; tillhygge
**weaponry** [ˈwepənrɪ] *s* vapen kollektivt
[*nuclear ~*]
**wear** [weə] **I** (*wore worn*) *vb tr* o. *vb itr* **1** ha
på sig, vara klädd i, ha, bära [*~ a ring*],
klä sig i, gå klädd i [*she always ~s blue*],
använda [*~ spectacles*]; *~ a beard* ha
skägg; *~ one's hair long* (*short*) ha långt
(kort) hår; *~ lipstick* använda läppstift; *~
one's years* (*age*) *well* bära sina år med
heder; *this coat has not been worn* den
här rocken är inte använd **2** nöta (slita)
på [*hard use has worn the gloves*]; nöta
(trampa, köra) upp [*~ a path across the
field*]; *~ a hole in* nöta (slita) hål på (i)
**3 a)** nötas, slitas, bli nött; *~ thin* bli
tunnsliten; bildl. börja bli genomskinlig
[*his excuses are wearing thin*]; börja ta slut
[*my patience wore thin*] **b)** *~ on a p.* gå
ngn på nerverna **4 a)** hålla [*this material
will ~ for years*]; stå sig; *~ well* hålla bra;
vara väl bibehållen [*she ~s well*] **b)** vard.
hålla streck; *the argument won't ~*
argumentet håller inte □ *~* **down a)** nöta
(slita) ned (ut), nötas (slitas) ned (ut);
*worn down* nedsliten, utnött **b)** trötta ut
[*he ~s me down*] **c)** bryta ned, övervinna
[*~ down the enemy's resistance*]; *~* **off**
**a)** nöta av (bort), nötas av (bort) **b)** gå
över (bort) [*his fatigue had worn off*];
minska, avta [*the effect wore off*]; *~* **on** om
t.ex. tid lida, framskrida [*as the winter wore
on*]; *~* **out** slita (nöta) ut, slitas (nötas) ut;
göra slut på; förslitas; *be worn out* äv.
vara utarbetad (slut)
**II** *s* **1** bruk [*clothes for everyday ~*]
**2** slitage [*travel ~*]; *men's ~* herrkläder,
herrkonfektion **3** nötning, slitning; *~* el. *~
and tear* slitage, förslitning; bildl.
påfrestningar; *fair ~ and tear* normalt

slitage; *show signs of ~* börja se sliten
ut; *stand any amount of ~* tåla omild
behandling; *be the worse for ~* vara
sliten (illa medfaren)
**wearisome** [ˈwɪərɪs(ə)m] *adj* **1** tröttsam,
långtråkig **2** tröttande, besvärlig
**weary** [ˈwɪərɪ] **I** *adj* trött, uttröttad [*with
av*] **II** *vb tr* o. *vb itr* trötta ut; tröttna [*of
på*]
**weasel** [ˈwiːzl] *s* zool. vessla
**weather** [ˈweðə] *s* väder, väderlek; *wet ~*
regnväder; *make heavy ~ of* [*the
simplest task*] bildl. göra mycket väsen
(ett berg) av...; *under the ~* vard. vissen,
krasslig; *~ bulletin* väderrapport; *~
bureau* meteorologisk byrå, vädertjänst;
*~ forecast* väderrapport, väderprognos
**II** *vb tr* sjö. el. bildl. rida ut [*~ a storm*]; bildl.
äv. klara, överleva [*~ a crisis*]
**weather-beaten** [ˈweðə‚biːtn] *adj*
väderbiten, barkad [*a ~ face*]
**weatherboard** [ˈweðəbɔːd] *s* byggn.
fjällpanelbräda; pl. *~s* äv. fjällpanel
**weatherbound** [ˈweðəbaʊnd] *adj* hindrad
(försenad) på grund av vädret
**weathercock** [ˈweðəkɒk] *s* vindflöjel,
väderflöjel, kyrktupp
**weather glass** [ˈweðəglɑːs] *s* barometer
**weatherproof** [ˈweðəpruːf] **I** *adj*
väderbeständig; *~ jacket* vindtygsjacka
**II** *vb tr* göra väderbeständig, impregnera
**weathervane** [ˈweðəveɪn] *s* vindflöjel
**weave** [wiːv] **I** (*wove woven*) *vb tr* o. *vb itr*
**1** väva [*~ cloth*] **2** fläta [*~ a basket*], binda
[*~ a garland of flowers*]; fläta in [*into* i] **II** *s*
väv, vävning
**weaver** [ˈwiːvə] *s* vävare, väverska
**weaving** [ˈwiːvɪŋ] *s* vävning, vävnad
**web** [web] *s* **1** väv **2** *spider's ~* el. *~*
spindelväv, spindelnät
**wed** [wed] (*wedded wedded* el. *wed wed*) *vb
tr* o. *vb itr* gifta sig med; gifta bort; viga;
gifta sig
**we'd** [wiːd] = *we had, we would, we should*
**wedded** [ˈwedɪd] *adj* o. *perf p* gift [*to* med],
vigd [*to* vid]; äkta [*the ~ couple*]; *his
lawful ~ wife* hans äkta maka
**wedding** [ˈwedɪŋ] *s* bröllop; vigsel; *~
anniversary* bröllopsdag årsdag; *~
breakfast* bröllopslunch; *~ day*
bröllopsdag; *~ dress* brudklänning
**wedding cake** [ˈwedɪŋkeɪk] *s* bröllopstårta
fruktkaka i våningar täckt med marsipan och glasyr
**wedding ring** [ˈwedɪŋrɪŋ] *s* vigselring
**wedge** [wedʒ] **I** *s* kil; bit [*a ~ of a cake*]

**II** *vb tr* kila; kila fast; *be wedged in* el. *be wedged* vara inkilad (inklämd); ~ *together* tränga ihop

**wedge-shaped** ['wedʒʃeɪpt] *adj* kilformig, kilformad

**wedlock** ['wedlɒk] *s* jur. äktenskap; *holy* ~ det heliga äkta ståndet

**Wednesday** ['wenzdeɪ, 'wenzdɪ] *s* onsdag; *last* ~ i onsdags

**wee** [wi:] *adj* mycket liten, liten liten [*just a* ~ *drop*]; ~ *little* pytteliten; *a* ~ *bit* en liten aning (smula)

**weed** [wi:d] **I** *s* ogräs **II** *vb tr* **1** rensa, rensa i [~ *the garden*]; bildl. gallra, gallra i **2** ~ *out* rensa bort [~ *out a plant*], gallra ut

**veed-killer** ['wi:dˌkɪlə] *s* ogräsmedel

**weeds** [wi:dz] *s pl, widow's* ~ el. ~ änkedräkt, sorgdräkt

**week** [wi:k] *s* vecka; *last* ~ förra veckan; *last Sunday* ~ i söndags för en vecka sedan; *this* ~ i veckan, den här veckan; *today* (*this day*) ~ el. *a* ~ *today* (*from now*) i dag om en vecka; *a* ~ *ago today* i dag för en vecka sedan; ~ *by* ~ vecka för vecka; *be paid by the* ~ få betalt per vecka; [*it went on*] *for* ~s ...i veckor; *never* (*not once*) *in a* ~ *of Sundays* vard. aldrig någonsin, aldrig i livet

**weekday** ['wi:kdeɪ] *s* vardag, veckodag

**weekend** [ˌwi:k'end] *s* helg, veckoslut, weekend

**weekly** ['wi:klɪ] **I** *adj* vecko- [*a* ~ *publication*]; varje vecka [~ *visits*] **II** *adv* en gång i veckan; varje vecka; per vecka **III** *s* veckotidning, veckotidskrift

**weeny** ['wi:nɪ] *adj* vard. pytteliten

**veep** [wi:p] **I** (*wept wept*) *vb itr* o. *vb tr* gråta **II** *s* gråtanfall; *have a good* ~ gråta ut

**weeping** ['wi:pɪŋ] **I** *s* gråt, gråtande; ~ *fit* gråtattack **II** *adj* **1** gråtande **2** bot., ~ *willow* tårpil

**vee-wee** ['wi:wi:] barnspr. el. vard. **I** *s* kiss; *do a* ~ kissa **II** *vb itr* kissa

**weigh** [weɪ] *vb tr* o. *vb itr* **1** väga [*it* ~s *a ton*]; ~ *one's words* väga sina ord; ~ *on* bildl. trycka, tynga; *it* ~s *on me* (*my mind*) det trycker (plågar) mig **2** sjö. lyfta (dra) upp [~ *the anchor*]; ~ *anchor* lätta ankar □ ~ *down* tynga (trycka) ned; *weighed down with cares* tyngd av bekymmer; ~ *in* a) sport. väga (vägas) in b) vard. hoppa in, ingripa; ~ *together* bildl. väga mot varandra; ~ *up* bedöma [~ *up*

*one's chances*], beräkna, avväga; ~ *a p. up* bedöma vad ngn går för

**weigh-in** ['weɪɪn] *s* sport. invägning

**weighing-machine** ['weɪɪŋməˌʃi:n] *s* större våg; personvåg

**weight** [weɪt] *s* **1** vikt; tyngd [*the pillars support the* ~ *of the roof*]; ~s *and measures* mått och vikt; *loss of* ~ viktförlust; *he is twice my* ~ han väger dubbelt så mycket som jag; *be worth one's* ~ *in gold* bildl. vara värd sin vikt i guld; *give short* ~ väga knappt (snålt); *lose* ~ gå ned i vikt, magra; *pull one's* ~ göra sin del (insats); *put on* ~ gå upp (öka) i vikt **2** tyngd, börda [*the* ~ *of his responsibility*]; tryck [*a* ~ *on* (över) *the chest*]; *that was a* ~ *off my mind* (*heart*) en sten föll från mitt bröst; *attach* ~ *to* fästa vikt vid; [*his words*] *carry* (*have*) *no* ~ ...har ingen inverkan; *give* (*lend*) ~ *to* [*one's words*] ge eftertryck (kraft, tyngd) åt...; *throw* (*chuck*) *one's* ~ *about* vard. göra sig märkvärdig, flyta ovanpå **3** sport.: a) kula; *put the* ~ stöta kula; *putting the* ~ kulstötning b) boxn. viktklass c) kapplöpn. handikappvikt

**weightlifter** ['weɪtˌlɪftə] *s* sport. tyngdlyftare

**weightlifting** ['weɪtˌlɪftɪŋ] *s* sport. tyngdlyftning

**weight-reducing** ['weɪtrɪˌdju:sɪŋ] *s* bantning

**weightwatcher** ['weɪtˌwɒtʃə] *s* viktväktare

**weighty** ['weɪtɪ] *adj* tung; tyngande [~ *cares*]; tungt vägande [~ *arguments*]

**weir** [wɪə] *s* damm, fördämning

**weird** [wɪəd] *adj* **1** spöklik, kuslig [~ *sounds*] **2** vard. mysko, kufisk [*he is a bit* ~]

**welcome** ['welkəm] **I** *adj* **1** välkommen [*a* ~ *opportunity*]; glädjande [*a* ~ *sign*]; *bid a p.* ~ hälsa ngn välkommen; *make a p.* ~ få ngn att känna sig välkommen **2** *you're* ~! svar på tack, speciellt amer. ingen orsak!, för all del!; *you're* ~ (~ *to it*)! håll till godo!, väl bekomme! äv. iron.

**II** *s* välkomnande, mottagande [*a hearty* ~]; välkomsthälsning; *give a p. a hearty* ~ önska ngn hjärtligt välkommen; *give a p. a warm* ~ a) önska ngn varmt välkommen b) iron. ta emot ngn med varma servetter; *outstay* (*overstay*) *one's* ~ stanna kvar för länge

**III** (*welcomed welcomed*) *vb tr* välkomna [~ *a p.* (*a change*)], hälsa välkommen; hälsa med glädje [~ *the return of a p.*]

**welcoming** ['welkəmɪŋ] *adj* välkomnande [*a ~ smile*]; välkomst- [*a ~ party*]

**weld** [weld] **I** *vb tr* svetsa; svetsa fast (ihop, samman) **II** *s* svets, svetsning; svetsfog, svetsställe

**welder** ['weldə] *s* **1** svetsare **2** svetsmaskin

**welding** ['weldɪŋ] *s* svetsning; svets-, svetsnings- [*~ unit* (aggregat)]; *~ blowpipe* (*torch*) svetsbrännare

**welfare** ['welfeə] *s* **1** välfärd, väl, välgång; *the Welfare State* välfärdsstaten, välfärdssamhället; *the public ~* den allmänna välfärden **2** *social ~* socialvård; *child ~* barnomsorg; *industrial ~* arbetarskydd; *social ~ worker* el. *~ worker* socialarbetare, socialvårdare **3** amer., *be on ~* leva på understöd

**1 well** [wel] **I** *s* **1** brunn; källa [*oil-well*] **2** mineralkälla **3** hisschakt, hisstrumma **4** fördjupning, hål **II** *vb itr*, *~* el. *~ forth* (*out, up*) välla (strömma) [*from* ur, från]; *tears welled up in her eyes* hennes ögon fylldes av tårar

**2 well** [wel] **I** (*better best*) *adv* **1** väl, bra; noga, noggrant; mycket väl, gott, med rätta [*it may ~ be said that…*]; *~ and truly* ordentligt, med besked [*he was ~ and truly beaten*]; *not very ~* inte så bra; *you can very ~ do that* det kan du gott (mycket väl) göra; *he couldn't very ~ refuse* han kunde inte gärna vägra; *it may ~ be that…* det kan mycket väl hända att…; *carry one's years ~* bära sina år med heder; *be ~ off* ha det bra ställt; *I'm very ~ off for clothes* jag har gott om kläder; *you're ~ out of it* du kan vara glad att du slipper det (har sluppit undan det) **2** betydligt, ett bra stycke; *~ away* på god väg; *~ on (advanced) in years* till åren; *~ past (over) sixty* en bra bit över sextio år **3** *as ~* a) också, dessutom [*he gave me clothes as ~*] b) lika gärna [*you may as ~ stay*]; *just as ~* lika gärna; *as ~ as* a) såväl…som, både…och [*he gave me clothes as ~ as food*] b) lika bra som [*he plays as ~ as me*]; *as ~ as I can* så gott jag kan

**II** (*better best*) *adj* **1** frisk, kry, bra; *I don't feel quite ~ today* jag mår inte riktigt bra i dag **2** bra, gott, väl [*all is ~ with us*]; *all's ~* mil. el. sjö. allt väl; *all's ~ that ends well* ordspr. slutet gott, allting gott; *that's all very ~* för al del; *it's all very ~ but…* det är gott och väl men…; *it's all very ~ for you to say* det är lätt

för dig att säga; *it's (it's just) as well* [*I didn't go*] det är lika så bra att…; *be ~ in with* ligga bra till hos [*he's ~ in with the boss*]

**III** *interj* nå!, nåväl!, nåja!; sesä!; så!, så där ja! [*~, here we are at last!*]; *~ I never!* jag har aldrig hört (sett) på maken; *~ then!* nå!, alltså!; *very ~!* ja då!, jo!, gärna!; *very ~ then!* nåväl!, som du vill då!; *~, ~!* nå!, nåväl!; ja ja!, jo jo!; ser man på!

**we'll** [wi:l] = *we will, we shall*

**well-adjusted** [ˌwelə'dʒʌstɪd] *adj* **1** välanpassad [*a ~ child*] **2** väl inställd

**well-advised** [ˌweləd'vaɪzd] *adj* välbetänkt

**well-attended** [ˌwelə'tendɪd] *adj* talrikt (livligt) besökt, välbesökt [*a ~ meeting*]

**well-balanced** [ˌwel'bæ> lənst] *adj* välbalanserad; allsidig [*a ~ diet* (kost)]

**well-behaved** [ˌwelbɪ'heɪvd] *adj* väluppfostrad, värtad

**well-being** [ˌwel'bi:ɪŋ] *s* välbefinnande

**well-chosen** [ˌwel'tʃəʊzn] *adj* väl vald, träffande [*a few ~ words*]

**well-cooked** [ˌwel'kʊkt] *adj* välkokt, välstekt, vällagad

**well-deserved** [ˌweldɪ'zɜ:vd] *adj* välförtjänt

**well-disposed** [ˌweldɪ'spəʊzd] *adj* välvilligt inställd, vänligt sinnad

**well-done** [ˌwel'dʌn] *adj* **1** välgjord **2** genomstekt [*a ~ steak*], genomkokt

**well-earned** [ˌwel'ɜ:nd] *adj* välförtjänt

**well-established** [ˌwelɪ'stæblɪʃt] *adj* väletablerad, väl inarbetad

**well-hung** [ˌwel'hʌŋ] *adj* kok. välhängd

**wellies** ['welɪz] (kortform för *wellingtons*, se *wellington*) *s pl* vard. gummistövlar

**well-informed** [ˌwelɪn'fɔ:md] *adj* **1** allmänbildad **2** välinformerad, välunderrättad

**wellington** ['welɪŋtən] *s*, *~* el. *~ boot* a) gummistövel b) kragstövel, ridstövel

**well-intentioned** [ˌwelɪn'tenʃ(ə)nd] *adj* **1** välmenande **2** välment

**well-kept** [ˌwel'kept] *adj* välskött, välvårdad

**well-knit** [ˌwel'nɪt] *adj* välbyggd

**well-known** ['welnəʊn] *adj* känd, välkänd, välbekant

**well-made** [ˌwel'meɪd] *adj* **1** välgjord, välkonstruerad **2** välskapad

**well-mannered** [ˌwel'mænəd] *adj* väluppfostrad, belevad, hyfsad

**well-meaning** [ˌwel'mi:nɪŋ] *adj* **1** välmenande **2** välment

**well-meant** [ˌwel'ment] *adj* välment

**well-nigh** ['welnaɪ] *adv* nära nog, nästan, hart när

**well-off** [ˌwel'ɒf] *adj* välbärgad; *be ~* äv. ha det bra ställt

**well-read** [ˌwel'red] *adj* beläst [*in* i], allmänbildad

**well-spoken** [ˌwel'spəʊk(ə)n] *adj* vältalig; kultiverad, belevad

**well-stocked** [ˌwel'stɒkt] *adj* välutrustad, välsorterad, välfylld [*a ~ cupboard*]

**well-timed** [ˌwel'taɪmd] *adj* läglig, lämplig; väl beräknad, vältajmad; väl vald

**well-to-do** [ˌweltə'duː] *adj* välbärgad

**well-upholstered** [ˌwelʌp'həʊlstəd] *adj* **1** välstoppad **2** vard. mullig, rund

**well-wisher** ['welˌwɪʃə] *s* sympatisör; välgångsönskande person

**well-worn** [ˌwel'wɔːn] *adj* sliten, utnött

**Welsh** [welʃ] **I** *adj* walesisk **II** *s* **1** *the ~* walesarna **2** walesiska språket

**Welshman** ['welʃmən] (pl. *Welshmen* ['welʃmən]) *s* walesare

**Welshwoman** ['welʃˌwʊmən] (pl. *Welshwomen* ['welʃˌwɪmɪn]) *s* walesiska

**welt** [welt] **I** *s* **1** skomakeri rand **2** strimma, rand märke på huden efter slag **II** *vb tr* skomakeri randsy

**welter** ['weltə] **I** *vb itr* rulla, svalla; vältra sig **II** *s* virrvarr; förvirrad massa

**welterweight** ['weltəweɪt] *s* sport. weltervikt; welterviktare

**wench** [wentʃ] *s* vard. tjej, brud; dial. bondtös

**wend** [wend] *vb tr*, *~ one's way* bege sig [*to* mot, till]

**Wendy** ['wendɪ] kvinnonamn; *~ house* lekstuga

**went** [went] se *go I*

**wept** [wept] se *weep I*

**were** [wɜː, weə, obetonat wə] (se äv. *be*) **1** *they/we/you ~* de/vi/du/ni var **2** imperfekt konjunktiv, *if I ~ you I should...* om jag vore du skulle jag...

**we're** [wɪə] = *we are*

**weren't** [wɜːnt] = *were not*

**werewolf** ['wɪəwʊlf] (pl. *werewolves* ['wɪəwʊlvz]) *s* myt. varulv

**west** [west] **I** *s* **1** väster, väst; *to the ~ of* väster om **2** *the West* a) Västerlandet b) i USA Västern, väststaterna c) västra delen av landet; *the Middle West* Mellanvästern i USA **II** *adj* västlig, västra, väst- [*on the ~ coast*]; *West Germany* hist. Västtyskland; *the West Indies* pl.

Västindien **III** *adv* mot (åt) väster, västerut; *~ of* väster om; *go ~* sl. a) kola vippen dö b) gå åt helsike; *out (way out) West* borta i Västern i USA

**westbound** ['westbaʊnd] *adj* västgående

**westerly** ['westəlɪ] *adj* västlig

**western** ['westən] **I** *adj* **1** västlig, västra, väst- **2** *Western* västerländsk **II** *s, Western* vildavästernfilm

**westward** ['westwəd] **I** *adj* västlig **II** *adv* mot väster

**westwards** ['westwədz] *adv* mot väster

**wet** [wet] **I** *adj* **1** våt, blöt, fuktig [*with* av], sur; regnig [*a ~ day*]; *~ blanket* glädjedödare; *~ dream* erotisk dröm med sädesuttömning; pollution; *Wet Paint!* Nymålat!; *~ behind the ears* vard. inte torr bakom öronen; *~ through* genomvåt; *~ to the skin* våt in på bara kroppen; *make ~* blöta ner **2** sl. knasig; fjompig

**II** *s* **1** regn [*don't go out in the ~*] **2** sl. fjomp

**III** (*wet wet* el. *wetted wetted*) *vb tr* **1** väta, fukta [*~ one's lips*]; blöta; *~ one's whistle* fukta strupen, ta sig ett glas; *~ through* göra genomblöt **2** väta (kissa) i (på) [*~ the bed*]; *~ one's pants* el. *~ oneself* kissa i byxorna (på sig)

**wet-nurse** ['wetnɜːs] *s* amma

**we've** [wiːv] = *we have*

**whack** [wæk] vard. **I** *vb tr* smälla (slå) på (i); klå upp; *be whacked* vara slutkörd **II** *s* **1** slag, smäll **2** del, andel

**whacking** ['wækɪŋ] **I** *s* kok stryk **II** *adj* vard. väldig, kolossal; *a ~ lie* en grov lögn **III** *adv* vard. väldigt, jätte- [*~ big (great) parcel*]

**whale** [weɪl] **I** *s* zool. val, valfisk **II** *vb itr* bedriva valfångst

**whalebone** ['weɪlbəʊn] *s* valbard, fiskben

**whale-fishing** ['weɪlˌfɪʃɪŋ] *s* valfångst

**whaler** ['weɪlə] *s* **1** valfångare **2** valfångstfartyg; valfångstbåt

**whaling** ['weɪlɪŋ] *s* valfångst, valjakt

**wham** [wæm] *s* dunk, dunkande, smäll, slag

**wharf** [wɔːf] *s* kaj, lastkaj, lastageplats, hamnplats

**what** [wɒt] **I** *interr pron* **1** vad [*~ do you mean?*], vilken, vilket, vilka [*~ is your reason ?*]; *~ ever can it mean?* vard. vad i all världen kan det betyda?; *~ for?* varför?; vad då till?; *I gave him ~ for* vard. jag gav honom så han teg; *~ if...?*

tänk om...?; ~ *of it?* än sen då?; *what's yours?* vad vill du ha att dricka?; *what's up?* vad står på?; *so ~?* än sen då?; *do you know ~?* vet du vad?; *know what's ~* vard. ha väl reda på sig; *I'll show you what's ~!* vard. jag ska minsann visa dig!; ~ *age is he?* hur gammal är han?; ~ *sort (kind) of fellow (a fellow) is he?* vad är han för en? **2** i utrop, ~ *weather!* vilket väder!; ~ *fools!* vilka (sådana) idioter!; ~ *a question!* det var också en fråga!; ~ *a pity!* så synd!, vad tråkigt! **II** *rel pron* vad, det [*I'll do ~ I can*]; vad (det) som [~ *followed was unpleasant*]; ~ *is interesting about this is...* det intressanta med det här är...; *and ~ is more* och dessutom, och vad mer är; *come ~ may* hända vad som hända vill; *the food, ~ there was of it* [*was rotten*] den lilla mat som fanns kvar...

**III** *adv,* ~ *with...and* dels på grund av...och dels på grund av [~ *with hard work and tiredness, he could not...*]; ~ *with one thing and another I was obliged to...* och det ena med det andra gjorde att jag måste...

**what-do-you-call-it** ['wɒtdjuˌkɔːlɪt] *s* vard. vad är det den (det) heter nu igen

**whatever** [wɒt'evə] **I** *rel pron* vad...än [~ *you do, do not forget...*], vad som...än; allt vad [~ *I have is yours*], allt som [*do ~ is necessary*]; ~ *his faults* [*, he is honest*] vilka (hur stora) fel han än må ha...; ~ *you like (say)* som du vill; *do ~ you like* gör som (vad) du vill; *no doubt ~* inte något som helst tvivel **II** *interr pron,* ~ *can it mean?* vad i all världen kan det betyda?

**what-for** [wɒt'fɔː] *s* vard., *I gave him ~* jag gav honom så han teg

**what's-his-name** ['wɒtsɪzneɪm] *s* vard. vad är det han heter nu igen

**whatsoever** [ˌwɒtsəʊ'evə] *pron* se *whatever I*

**wheat** [wiːt] *s* vete

**wheatear** ['wiːtɪə] *s* stenskvätta

**wheedling** ['wiːdlɪŋ] **I** *s* lämpor **II** *adj* inställsam [~ *voice*]

**wheel** [wiːl] **I** *s* **1** hjul **2** ratt, styrratt; *take the ~* ta över ratten **3** skiva, trissa; *potter's ~* drejskiva **II** *vb tr* o. *vb itr* **1** rulla, köra, skjuta, dra [~ *a bath chair*]; ~ *a cycle* leda (dra) en cykel **2** svänga, svänga runt, snurra, snurra på **3** ~ *round*

svänga, snurra, svänga (snurra) runt; vända sig om

**wheelbarrow** ['wiːlˌbærəʊ] *s* skottkärra

**wheelbase** ['wiːlbeɪs] *s* hjulbas

**wheelchair** ['wiːltʃeə] *s* rullstol

**wheeze** [wiːz] **I** *vb itr* andas med ett pipande ljud; pipa, rossla **II** *s* **1** pipande, rosslande **2** trick, knep

**wheezy** ['wiːzɪ] *adj* pipande, rosslig

**whelk** [welk] *s* zool. valthornssnäcka

**whelp** [welp] *s* valp

**when** [wen] *adv* o. *konj* **1** när, hur dags; ~ *ever...?* vard. när i all världen...?; *say ~!* säg stopp! speciellt vid påfyllning av glas **2** då, när; som [~ *young*]; förrän [*scarcely (hardly)...~*]; *it was only ~ I had seen it that...* det var först sedan jag hade sett den som...

**whence** [wens] *adv* litt. varifrån; varav, hur; varför; därav [~ *his surprise*]; *from ~* varifrån

**whenever** [wen'evə] **I** *konj* när...än, närhelst, varje gång, så ofta [~ *I see him*]; ~ *you like* när du vill, när som helst **II** *adv,* ~*...?* när i all världen...?

**where** [weə] *adv* **1** var; på vilket sätt [~ *does this affect us?*]; ~ *ever?* var i all världen?; ~ *would we be, if...?* hur skulle det gå (bli) med oss om...?; ~ *to?* vart? **2** vart [~ *are you going?*]; ~ *ever?* vard. vart i all världen? **3** där [*a country ~ it never snows*]; var [*sit ~ you like*] **4** dit [*the place ~ I went next was Highbury*]; vart [*go ~ you like*]

**whereabouts** [adverb ˌweərə'baʊts, substantiv 'weərəbaʊts] **I** *adv* var ungefär, var någonstans [~ *did you find it?*] **II** *s* tillhåll; [*nobody knows*] *his ~* ...var han befinner sig

**whereas** [weər'æz] *konj* då (medan), däremot

**whereby** [weə'baɪ] *adv* varigenom, varmed

**whereupon** [ˌweərə'pɒn] *adv* varpå

**wherever** [weər'evə] *adv* **1** varhelst; varthelst; överallt där; överallt dit; ~ *he comes from* varifrån han än kommer **2** ~*...?* var i all världen...?

**whet** [wet] *vb tr* **1** bryna, slipa, vässa **2** bildl. skärpa, reta [~ *one's appetite*]

**whether** ['weðə] *konj* om [*I don't know ~ he is here or not*], huruvida; *the question ~...* frågan om...; *I doubt ~ he will come* jag tvivlar på att han kommer; *you must, ~ you want to or not* du måste, antingen du vill eller inte

**whetstone** ['wetstəʊn] s bryne, brynsten

**whew** [hju:] *interj* puh! [~, *it's hot in here!*]; usch!

**whey** [weɪ] s vassla

**which** [wɪtʃ] **I** *interr pron* vilken, vilket, vilka, vem [~ *of you did it?*]; vilkendera; vilken (vilket, vilka, vem) som [*I don't know ~ of them came first*]; ~ *ever...?* vard. vilken (vem) i all världen...?
**II** (genitiv vars = *whose*) *rel pron* som [*was the book ~ you were reading a novel?*]; vilken, vilka; något (en sak) som, vilket [*he is very old,* ~ *ought to be remembered*]; [*he told me to leave,*] ~ *I did* ...vilket jag också gjorde, ...och det gjorde jag också; *among* ~ bland vilka; *the house* el. *the roof of* ~ [*could be seen above the trees*] huset vars tak...; [*we saw ten cars,*] *three of* ~ *were vans* ...varav (av vilka) tre var skåpbilar

**whichever** [wɪtʃ'evə] **I** *rel pron* vilken...än [~ *road you take, you will go wrong*], vilkendera...än; vilken...som än; den, den som [*take* ~ *you like best*] **II** *interr pron,* ~*...?* vilken (vem) i all världen...?

**whiff** [wɪf] **I** s **1** pust [~ *of wind*], fläkt, puff; *a ~ of fresh air* en nypa frisk luft **2** bloss; inandning **3** vard. cigarill **II** *vb itr* blossa [~ *at* (på) *one's pipe*]

**whiffleball** ['wɪflbɔ:l] s golf. m.m. träningsboll med hål i

**while** [waɪl] **I** s **1** stund [*a good (short)* ~]; tid; *it will be a long ~ before...* det kommer att dröja länge innan...; *all the ~* hela tiden; *for a ~* en stund, ett slag; *in a ~* om en stund; *every once in a ~* någon enstaka gång; *for once in a ~* för en gångs skull; *quite a ~* ganska länge **2** *it is not worth ~* det är inte mödan värt; *I will make it worth your ~* jag ska se till att det blir värt besväret för dig
**II** *konj* **1** medan, under det att; så länge [*I'll stay ~ my money lasts*] **2** medan (då) däremot [*Jane was dressed in brown,* ~ *Mary was dressed in blue*]; samtidigt som [~ *I admit his good points, I can see his bad*]
**III** *vb tr,* ~ *away the time* fördriva tiden [*with* med], få tiden att gå

**whilst** [waɪlst] *konj* se *while* II 2

**whim** [wɪm] s nyck, infall

**whimper** ['wɪmpə] **I** *vb itr* gnälla, gny **II** s gnäll, gnällande, gny, gnyende

**whimsical** ['wɪmzɪk(ə)l] *adj* nyckfull; excentrisk

**whimsicality** [ˌwɪmzɪ'kælətɪ] s nyckfullhet

**whinchat** ['wɪn-tʃæt] s buskskvätta

**whine** [waɪn] **I** *vb itr* gnälla; yla; vina [*the bullets whined through the air*] **II** s gnäll, gnällande; ylande; vinande

**whining** ['waɪnɪŋ] *adj* gnällande, gnällig; vinande

**whinny** ['wɪnɪ] **I** *vb itr* gnägga **II** s gnäggning

**whip** [wɪp] **I** *vb tr* o. *vb itr* **1** piska [~ *a horse*]; spöa, ge stryk **2** vispa [~ *cream*] **3** rusa, kila [*he whipped upstairs*] □ ~ *across* kila över [~ *across the road*]; ~ *down* rusa (kila) ner; ~ *in* rusa (kila) in; slänga (stoppa) in; ~ *into* rusa (kila) in i; slänga (kasta) in (ner) i [*he whipped the packet into the drawer*]; ~ *into shape* få fason (hyfs) på [~ *the team into shape*]; ~ *off* rusa bort, sticka i väg; ~ *out* rusa (störta, kila) ut (fram); kvickt rycka (dra) upp [*the policeman whipped out his notebook*]; ~ *round* sticka (kila) runt [*he whipped round the corner*]; ~ *round to a p.'s place* kila över till ngn; ~ *round* sätta i gång en insamling; ~ *up* rusa (flänga, kila) upp (uppför); vispa upp; fixa ihop (till) [~ *up a meal*]; piska upp [~ *up excitement* (stämningen)]; väcka [~ *up enthusiasm*]
**II** s **1** piska; piskrapp; gissel **2** stålvisp **3** kok., slags mousse **4** parl. inpiskare

**whipcord** ['wɪpkɔ:d] s textil. whipcord

**whip-hand** [ˌwɪp'hænd] s, *have the ~* ha övertaget (makt) [*over a p.* över ngn]

**whiplash** ['wɪplæʃ] s pisknsärt

**whipped** [wɪpt] *adj* **1** piskad, pryglad **2** vispad; ~ *cream* vispgrädde

**whippersnapper** ['wɪpəˌsnæpə] s spoling, snorvalp

**whipping** ['wɪpɪŋ] s **1 a)** piskning, piskande **b)** *get a ~* få stryk **2** vispning, vispande; ~ *cream* vispgrädde

**whip-round** ['wɪpraʊnd] s vard. insamling

**whiptop** ['wɪptɒp] s pisknsurra

**whirl** [wɜ:l] **I** *vb itr* o. *vb tr* **1** virvla [*the leaves whirled in the air*]; snurra; virvla upp [*the wind whirled the dead leaves*]; *they were whirled away in the car* bilen susade iväg med dem; ~ *round* svänga runt med **2** rusa, susa, virvla [*she came whirling into the room*] **3** *his head (brain) whirled* det gick runt för honom **4** slunga, slänga
**II** s **1** virvel; virvlande; snurr, snurrande; *a ~ of dust* ett virvlande dammoln; *his brain was in a ~* det gick

runt för honom **2** bildl. virvel [*a ~ of meetings*]; *a ~ of excitement* ett tillstånd av upphetsning

**whirling** ['wɜ:lɪŋ] *adj* virvlande, virvel-, snurrande, svängande; dansande

**whirlpool** ['wɜ:lpu:l] *s* **1** strömvirvel **2** bubbelpool

**whirlwind** ['wɜ:lwɪnd] *s* virvelvind; bildl. virvel [*a ~ of meetings*]; *sow the wind and reap the ~* ordspr. så vind och skörda storm; *a ~ tour* en blixtsnabb turné

**whirr** [wɜ:] *vb itr* surra, vina

**whirring** ['wɜ:rɪŋ] *s* surr, surrande, vin, vinande

**whisk** [wɪsk] **I** *s* **1** viska, dammvippa; *fly ~* flugviska, flugsmälla **2** visp **3** viftning [*a ~ of* (med) *the tail*]; svep [*a ~ of* (med) *the broom*] **II** *vb tr* **1** vifta [*~ the flies away*] **2** svänga (vifta) med [*the cow whisked her tail*] **3** föra i flygande fläng **4** vispa [*~ eggs*]

**whisker** ['wɪskə] *s* **1** vanl. pl. *~s* polisonger; [*that joke*] *has got ~s* vard. …är urgammalt (mossigt) **2** morrhår

**whiskey** ['wɪskɪ] *s* amer. el. irl. whisky

**whisky** ['wɪskɪ] *s* whisky

**whisper** ['wɪspə] **I** *vb itr* viska **II** *s* viskning; rykte; *talk in a ~* (*in ~s*) viska

**whispering** ['wɪspərɪŋ] **I** *s* viskande; *~ campaign* viskningskampanj **II** *adj* viskande

**whispering-gallery** [ˌwɪspərɪŋ'gælərɪ] *s* viskgalleri

**whist** [wɪst] *s* kortsp. whist, vist; *a game of ~* ett parti whist; *~ drive* whistturnering

**whistle** ['wɪsl] **I** *vb itr* o. *vb tr* vissla [*for* på, efter; *to* på; *~ a tune*]; vissla på (till); vina, susa; drilla [*the birds were whistling*]; om t.ex. ångbåt blåsa; *~ in the dark* försöka spela modig; *you can ~ for it* vard. det får du titta i månen efter
**II** *s* **1** vissling, vinande, susande, susning, drill, visselsignal **2** visselpipa; vissla [*factory* (*steam*) *~*]; *penny* (*tin*) *~* leksaksflöjt; *as clean as a ~* hur ren (fin) som helst **3** *wet one's ~* vard. fukta strupen, ta sig ett glas

**whistling** ['wɪslɪŋ] *s* visslande; vinande; drillande

**whit** [wɪt] *s* uns [*not a ~ of truth in it*]

**white** [waɪt] **I** *adj* vit; vitblek, blek; *~ coffee* kaffe med mjölk (grädde); *~ flag* vit flagga, parlamentärflagga; *~ frost* rimfrost; *~ heat* vitvärme; *at a ~ heat* vitglödgad; *her anger was at ~ heat* hon var vit (kokade) av vrede; *work at ~ heat* arbeta för högtryck; *the White House* Vita huset den amerikanske presidentens residens i Washington; *~ lie* vit lögn, from lögn; *the ~ man's burden* den vite mannens börda den vita rasens självpåtagna ansvar gentemot de färgade folken; *~ noise* vitt brus i t.ex. radio; *~ slavery* vit slavhandel; *~ tie* a) vit rosett (fluga) b) frack [*come in a ~ tie*]; *~ wine* vitt vin, vitvin
**II** *s* **1** vitt **2** vit; *the ~s* de vita, den vita rasen **3** vita: a) *~ of egg* äggvita; *the ~ of an egg* en äggvita b) *the ~ of the eye* ögonvitan, vitögat **4** med., *the ~s* flytningar

**whitebait** ['waɪtbeɪt] *s* småsill, skarpsill

**whitecaps** ['waɪtkæps] *s pl* vita gäss på sjön

**white-collar** ['waɪtˌkɒlə] *adj*, *~ job* manschettyrke; *~ worker* manschettarbetare

**whitefish** ['waɪtfɪʃ] *s* **1** sik **2** fisk med vitt kött t.ex. torsk, kolja, vitling

**white-haired** ['waɪtˌheəd] *adj* **1** a) vithårig b) linhårig **2** vard., *~ boy* gullgosse, kelgris

**Whitehall** [ˌwaɪt'hɔ:l] **1** gata i London med flera departement **2** bildl. brittiska regeringen

**whiteheart** ['waɪthɑ:t] *s*, *~* el. *~ cherry* bigarrå

**white-hot** [ˌwaɪt'hɒt] *adj* vitglödgad; bildl. glödande

**white-livered** ['waɪtˌlɪvəd] *adj* feg, harhjärtad, rädd

**whiten** ['waɪtn] *vb tr* göra vit, vitfärga, krita [*~ a pair of shoes*]; bleka

**whitener** ['waɪtnə] *s* vitmedel; blekmedel

**white-slave** [ˌwaɪt'sleɪv] *adj*, *~ traffic* (*trade*) vit slavhandel

**white-tie** [ˌwaɪt'taɪ] *adj* frack- [*~ dinner*]; *~ occasion* (*affair*) fracktillställning

**whitewash** ['waɪtwɒʃ] **I** *s* **1** limfärg, kalkfärg **2** rentvående; bortförklaring **II** *vb tr* **1** limstryka, vitlimma, vitmena, kalka **2** rentvå [*~ a p.*]; bortförklara

**whitewood** ['waɪtwʊd] **I** *s* **1** träd med vitt virke; speciellt tulpanträd **2** hand. granvirke **3** trävitt **II** *adj* trävitt

**whitey** ['waɪtɪ] *s* neds. vit man

**whither** ['wɪðə] *adv* **1** varthän, vart **2** dit; vart, vartän

**whiting** ['waɪtɪŋ] *s* **1** krita; kritpulver **2** fisk vitling

**whitlow** ['wɪtləʊ] *s* med. nagelböld, fulslag

**Whit Monday** [ˌwɪt'mʌndɪ] *s* annandag pingst

**Whitsun** ['wɪtsn] I adj pingst- [~ week] II s pingst, pingsten

**Whit Sunday** o. **Whitsunday** [ˌwɪt'sʌndɪ] s pingstdag, pingstdagen

**Whitsuntide** ['wɪtsntaɪd] s pingst, pingsten, pingsthelg, pingsthelgen

**whittle** ['wɪtl] vb tr tälja på [~ a stick]; vässa; tälja till; ~ down bildl. reducera, skära ner

**whiz** [wɪz] vb itr vina, vissla, svischa [the bullet whizzed past him]

**whiz-kid** ['wɪzkɪd] s vard. underbarn, fenomen; expert

**who** [hu:, obetonat hʊ] (genitiv whose; objektsform whom; informellt who) I interr pron vem, vilka [~ is he?]; objektsform: [~ (whom) do you mean?; he asked ~ I live with]; ~ ever...? vem i all världen...?; **Who's Who?** uppslagsbok Vem är det? II rel pron som; vilken, vilka [there's somebody ~ (någon som) wants you on the telephone;]; objektsform: [the man whom ~ we met]; informellt: [the man ~ we met]; all of whom vilka alla; many of whom av vilka många

**who'd** [hu:d] = who had, who would

**whodunit** o. **whodunnit** [ˌhu:'dʌnɪt] s (av who has done it? el. who done it?) vard. deckare detektivroman

**whoever** [hu:'evə] I rel pron vem som än [~ did it, I didn't (så inte var det jag)], vem (vilka)...än [~ he (they) may be]; vem (vilka) som helst som, var och en som, den som [~ says that is wrong], alla (de) som [~ does that will be punished]; vem [she can choose ~ she wants] II interr pron, ~...? vem i all världen...?

**whole** [həʊl] I adj hel; [it went on] for five ~ days ...i fem hela dagar II s helhet; a ~ ett helt, en helhet; en hel; the ~ of hela [the ~ of Europe]; alla; taken as a ~ som helhet betraktad; on the ~ på det hela taget

**whole-hearted** [ˌhəʊl'hɑ:tɪd] adj helhjärtad

**wholemeal** ['həʊlmi:l] s osiktat mjöl; grahamsmjöl; ~ bread fullkornsbröd

**wholesale** ['həʊlseɪl] I adj engros-, parti- [~ price], bildl. mass- [~ arrests]; ~ dealer (merchant) grosshandlare, grossist; ~ destruction massförstörelse II adv en gros, i parti [sell ~]; bildl. i massor; i stor skala

**wholesaler** ['həʊlˌseɪlə] s grosshandlare, grossist

**wholesome** ['həʊls(ə)m] adj hälsosam [~ food]; sund; nyttig [~ exercise]

**whole-time** [ˌhəʊl'taɪm] adj heltids- [~ job]

**wholly** ['həʊllɪ] adv helt och hållet, helt [I ~ agree with you], fullt; fullständigt

**whom** [hu:m, obetonat hʊm] pron se who

**whoop** [wu:p] I vb itr ropa, tjuta, skrika [~ with (av) joy], heja II s rop, tjut, skrik [~s of joy], hejarop

**whoopee** [substantiv 'wʊpi:, interjektion wʊ'pi:] I s, make ~ vard. festa, slå runt II interj hurra!; tjohej!

**whooping cough** ['hu:pɪŋkɒf] s kikhosta

**whoops** [wʊps] interj hoppsan!

**whoopsadaisy** ['wʊpsəˌdeɪzɪ] interj hoppsan!

**whopper** ['wɒpə] s vard. **1** baddare, bjässe, bamsing **2** jättelögn

**whopping** ['wɒpɪŋ] vard. I adj jättestor; a ~ lie en jättelögn II adv jätte- [a ~ big fish]

**whore** [hɔ:] I s hora, sköka, luder II vb itr hora; bedriva hor (otukt)

**whorehouse** ['hɔ:haʊs] s bordell, horhus

**whortleberry** ['wɜ:tlˌberɪ] s blåbär; red ~ lingon

**who's** [hu:z] = who is, who has

**whose** [hu:z] (se äv. who, which) I interr pron vems [~ book is it?], vilkens, vilkas II rel pron vars [is that the boy ~ father died?], vilkens, vilkets, vilkas

**whosoever** [ˌhu:səʊ'evə] rel pron litt. se whoever I

**why** [waɪ] I adv **1** frågande varför; ~ don't I come and pick you up? ska jag inte komma och hämta dig?; ~ ever [did he]? varför i all världen...?; ~ is it that...? hur kommer det sig att...? **2** relativt varför [~ I mention this is because...]; därför [that is ~ I like him]; till att, varför [the reason ~ he did it]; so that is ~ jaså, det är därför II interj **1** t.ex. förvånat, indignerat, protesterande men...ju [don't you know? ~, it's in today's paper], nej men [~, I believe I've been asleep], ja men [~, it's quite easy (lätt gjort)] **2** t.ex. bedyrande, bekräftande ja, jo [~, of course!]; ~, no! nej då!, nej visst inte!; ~, yes (sure)! oh ja!, ja (jo) visst!; ja då [if that won't do, ~ (~ then), we must try something else]

**wick** [wɪk] s veke

**wicked** ['wɪkɪd] adj **1** ond [~ thoughts], elak [a ~ tongue]; syndig; no peace (rest) for the ~ skämts. aldrig får man någon ro **2** vard. hemsk [the weather is ~], usel; it's a ~ shame det är både synd och skam

**wicker** ['wɪkə] I s **1** vidja **2** flätverk,
korgarbete **3** videkorg II *adj* korg- [*~
chair*], vide- [*~ basket*]; *~ bottle*
korgflätad flaska

**wickerwork** ['wɪkəwɜːk] s korgarbete,
flätverk; attributivt korg- [*~ furniture*]

**wicket** ['wɪkɪt] s **1** sidogrind; liten
sidodörr **2** i kricket: a) grind b) plan mellan
grindarna

**wide** [waɪd] I *adj* **1** vid; vidsträckt,
vittomfattande [*~ interests*]; stor [*~
experience*], rik, omfattande; *~ screen*
vidfilmsduk; *the ~ world* stora vida
världen **2** bred [*a ~ river*] II *adv* vida
omkring; vitt; långt [*of* från]; långt
bredvid (förbi); *fall (go) ~ of the mark*
a) falla (gå) långt vid sidan, gå fel, missa
[*the shot went ~*] b) vara (bli) ett slag i
luften; *~ apart* vitt skilda, långt ifrån
varandra; utbredda [*arms ~ apart*]; *~
awake* klarvaken; *~ open* vidöppen, på
vid gavel; uppspärrad [*with eyes ~ open*];
*he left himself ~ open* han gav en blotta
på sig

**wide-angle** ['waɪd,æŋgl] *adj, ~ lens*
vidvinkelobjektiv

**wide-awake** [,waɪdə'weɪk] *adj* vaken;
skärpt

**widely** ['waɪdlɪ] *adv* vitt [*~ different*], vida;
vitt och brett; vitt omkring [*~ scattered*];
*~ known* allmänt känd, vittbekant

**widen** ['waɪdn] *vb tr* o. *vb itr* vidga, bredda
[*~ the road*]; vidgas, bli vidare (bredare);
*~ the breach (gulf)* vidga klyftan

**wide-ranging** ['waɪd,reɪndʒɪŋ] *adj*
omfattande, vittomspännande

**wide-screen** ['waɪdskriːn] *adj, ~ film*
vidfilm

**widespread** ['waɪdspred] *adj* vidsträckt [*~
floods*]; omfattande [*~ search*]; allmänt
utbrett (spritt)

**widgeon** ['wɪdʒən] s bläsand

**widow** ['wɪdəʊ] I s änka [*of* efter];
*widow's weeds* änkedräkt II *vb tr* göra
till änka; *he has a widowed sister* han
har en syster som är änka

**widower** ['wɪdəʊə] s änkling, änkeman

**width** [wɪdθ] s **1** bredd; vidd [*~ round the
waist*] **2** *~ of cloth* tygvåd

**wield** [wiːld] *vb tr* hantera [*~ an axe*],
sköta, använda, svinga [*~ a weapon*]

**wiener** ['wiːnə] s o. **wienie** ['wiːniː] s vard.
wienerkorv

**Wiener schnitzel** [,wiːnə'ʃnɪts(ə)l] s
wienerschnitzel

**wife** [waɪf] (pl. *wives* [waɪvz]) s fru,
hustru, maka; *the ~* vard. min fru, frugan

**wig** [wɪg] s peruk

**wiggle** ['wɪgl] I *vb itr* o. *vb tr* vrida sig [*~
like a worm*], slingra sig [*~ through a
crowd*]; vicka; vicka med [*~ one's toes*];
vifta med [*~ one's ears*] II *s* vridning;
vickning

**wigwam** ['wɪgwæm] s vigvam indianhydda

**wild** [waɪld] I *adj* **1** vild; förvildad; *~ beast*
vilddjur; *~ duck* vildand; gräsand; *sow
one's ~ oats* så sin vildhavre, rasa ut
**2** ursinnig, rasande **3** vild; uppsluppen [*a
~ party*] **4** vettlös [*~ talk*], vanvettig [*a ~
idea*]; vild [*~ schemes*] II *adv* o. *adj* med verb
vilt [*grow ~*]; *make (drive) a p. ~* göra
ngn ursinnig (rasande); *run ~* a) växa
vilt; förvildas; leva i vilt tillstånd
b) springa omkring vind för våg [*the
children are allowed to run ~*] c) skena III *s*,
pl. *~s* vildmark, obygd, ödemark

**wildcat** ['waɪldkæt] I s **1** zool. vildkatt **2** om
kvinna vildkatta; markatta II *adj* vard., *a ~
strike* en vild strejk

**wilderness** ['wɪldənəs] s vildmark,
ödemark; ödslig trakt; öken

**wildfire** ['waɪld,faɪə] s, *run (spread) like
~* sprida sig som en löpeld

**wild goose** ['waɪldguːs] I (pl. *wild geese*
['waɪldgiːs]) s vildgås II *adj, a wild-goose
chase* ett lönlöst (hopplöst) företag; *go
(be sent) on a wild-goose chase* gå
(skickas) förgäves

**wildlife** ['waɪldlaɪf] s vilda djur; naturliv,
djurliv, djurlivet

**wile** [waɪl] s, vanl. pl. *~s* list, knep

**wilful** ['wɪlf(ʊ)l] *adj* **1** egensinnig [*a ~
child*], envis **2** uppsåtlig, överlagd [*~
murder*]

**will** [wɪl, hjälpverb obetonat wəl, əl]
I (imperfekt *would*) *hjälpvb* presens (ofta
hopdraget till *'ll*, nekande äv. *won't*)
**1** kommer att [*you ~ never manage it*];
skall [*how ~ it end?*]; *if that ~ suit you*
om det passar; *you ~ write, won't you?*
du skriver väl? **2** skall t.ex. ämnar [*I'll do it
at once*]; *I'll soon be back* jag är snart
tillbaka **3** vill [*he ~ not (won't) do as he is
told*]; *won't you sit down?* var så god
och sitt!; *the door won't shut* dörren går
inte att stänga; *shut that door, ~ you?*
stäng dörren är du snäll! **4** skall (vill)
absolut; *boys ~ be boys* pojkar är nu en
gång pojkar; *such things ~ happen* sånt
händer **5** brukar, kan [*she ~ sit for hours*

*doing nothing*]; *meat won't keep* [*in hot weather*] kött brukar inte hålla sig...
**6** torde [*you ~ understand that...*]; *this'll be the book* [*you are looking for*] det är nog den här boken...; *that ~ do* det får räcka (duga)
**II** *vb tr* **1** vilja [*God has willed it so*]; *God willing* om Gud vill **2** förmå (få)
**III** *s* **1** vilja; *good ~* god vilja, välvilja; *ill ~* illvilja; *thy ~ be done* bibl. ske din vilja; *where there's a ~ there's a way* man kan bara man vill; *have (get) one's ~* få sin vilja fram; *at ~* efter behag, fritt; [*you may come and go*] *at ~* ...som du vill, ...som det passar dig; *of one's own free ~* av egen fri vilja **2** testamente; *my last ~ and testament* min sista vilja, mitt testamente
**willing** ['wɪlɪŋ] **I** *adj* villig; beredvillig, tjänstvillig; *I am quite ~* det vill (gör) jag gärna **II** *s, show ~* visa god vilja
**willingly** ['wɪlɪŋlɪ] *adv* **1** gärna, villigt, beredvilligt, med nöje **2** frivilligt
**will-o'-the-wisp** [ˌwɪləðə'wɪsp] *s* **1** irrbloss, lyktgubbe **2** spelevink
**willow** ['wɪləʊ] *s* bot. pil, vide; *~ warbler* lövsångare; *weeping ~* tårpil
**willowy** ['wɪləʊɪ] *adj* smärt, slank
**willpower** ['wɪlˌpaʊə] *s* viljekraft, viljestyrka
**willy-nilly** [ˌwɪlɪ'nɪlɪ] *adv* med eller mot sin vilja; *he will have to do it ~* vare sig (antingen) han vill eller inte
**wilt** [wɪlt] *vb itr* o. *vb tr* **1** vissna, torka, sloka; börja mattas **2** komma att vissna
**Wilton** ['wɪlt(ə)n] *s, ~ carpet (rug)* wiltonmatta
**wily** ['waɪlɪ] *adj* knipslug; förslagen
**win** [wɪn] **I** (*won won*) *vb tr* o. *vb itr* **1** vinna, vinna i (vid) [*~ the election*]; segra; ta hem äv. kortsp. [*~ a trick*]; tillvinna sig, erövra; *~ the day* vinna slaget, hemföra segern **2** *~ a p. over* vinna ngn för sin sak, få ngn med sig [*he soon won the audience over*]; *~ a p. over* få ngn över på sin sida; *~ a p. round* få ngn med sig **II** *s* vard. **1** sport. seger **2** vinst [*a ~ on the pools*]
**wince** [wɪns] **I** *vb itr* rycka till [*~ at* (vid) *an insult*; *~ with* (av) *pain*]; rygga tillbaka [*at* inför], krypa ihop [*she winced under the blow*] **II** *s* ryckning; *without a ~* utan att röra en min
**winch** [wɪntʃ] **I** *s* **1** vinsch, vindspel **2** vev, vevsläng **II** *vb tr* vinscha upp

**1 wind** [wɪnd] **I** *s* **1** vind [*warm ~s*], blåst; *gust of ~* kastby, vindstöt; *there is a strong ~* det blåser hårt (hård vind); *take the ~ out of a p.'s sails* bildl. ta loven av ngn; förekomma ngn; *go (keep, sail) close to the ~* a) segla dikt bidevind b) bildl. leva indraget (knappt); tangera gränsen för det otillåtna; *there is something in the ~* bildl. det är något under uppsegling; *throw to the ~s* bildl. kasta överbord [*throw caution* (all försiktighet) *to the ~s*] **2** *get one's second ~* börja andas igen, hämta andan; bildl. hämta sig; *out of ~* andfådd **3** väderkorn; *get ~ of* få nys om, få korn på **4** väderspänningar, gaser från magen; *break ~* a) rapa b) släppa väder; *get (have) the ~ up* vard. bli (vara) skraj **5** mus., *the wind* blåsarna; *~ instrument* blåsinstrument **6** vard., *raise the ~* skaffa pengar **II** *vb tr* göra andfådd [*the race winded him*]; *be (get) winded* vara (bli) andfådd
**2 wind** [waɪnd] (*winded winded* el. *wound wound*) *vb tr* blåsa [*~ a trumpet*], stöta i [*~ a horn*]
**3 wind** [waɪnd] **I** (*wound wound*) *vb tr* o. *vb itr* **1** linda, vira, sno **2** nysta [*~ yarn*]; spola [*~ thread*; *~ a film on to* (på) *a spool*]; *~ (~ up) wool into a ball* nysta garn till ett nystan **3 a)** veva [*~ back* (tillbaka) *a film*; *~ down (up) a window*]; veva (vrida) på [*~ a handle* (vev)] **b)** *~ up* vinda (veva, hissa) upp **4** *~ up* vrida (dra) upp [*~ up a watch*] □ *~* **up** bildl. **a)** sluta [*he wound up by saying*], avsluta [*~ up a meeting*]; hamna [*~ up in hospital*]; *we wound up at a restaurant* vi gick på restaurang efteråt som avslutning; *he will ~ up being* [*the boss*] han kommer att sluta som... **b)** hand. avveckla [*~ up a company*]; avsluta [*~ up the accounts*]; *~ up an estate* jur. utreda ett dödsbo
**II** *s* vridning; varv; *give a clock one more ~* vrida upp en klocka ett varv till
**windbag** ['wɪndbæg] *s* vard. pratkvarn
**windbreaker** ['wɪndˌbreɪkə] *s* amer. vindtygsjacka
**windcheater** ['wɪndˌtʃiːtə] *s* vindtygsjacka
**windfall** ['wɪndfɔːl] *s* **1** fallfrukt **2** bildl. skänk från ovan, glad överraskning
**windflower** ['wɪndˌflaʊə] *s* vitsippa
**wind force** ['wɪndfɔːs] *s* vindstyrka

# wind gauge

**wind gauge** ['wɪndgeɪdʒ] *s* meteor.
vindmätare

**winding** ['waɪndɪŋ] *adj* slingrande, krokig
[*a ~ path*]; **~ staircase** spiraltrappa

**winding-sheet** ['waɪndɪŋʃiːt] *s* liksvepning,
sveplakan

**windlass** ['wɪndləs] *s* tekn. vindspel,
vinsch; sjö. ankarspel

**windmill** ['wɪndmɪl] *s* väderkvarn

**window** ['wɪndəʊ] *s* fönster äv. på kuvert;
skyltfönster

**window box** ['wɪndəʊbɒks] *s* fönsterlåda,
balkonglåda för växter

**window-cleaner** ['wɪndəʊˌkliːnə] *s*
fönsterputsare

**window display** ['wɪndəʊdɪˌspleɪ] *s*
fönsterskyltning

**window-dressing** ['wɪndəʊˌdresɪŋ] *s*
**1** fönsterskyltning, fönsterdekorering
**2** bildl. skyltande, briljerande, uppvisning

**window envelope** ['wɪndəʊˌenvələʊp] *s*
fönsterkuvert

**window frame** ['wɪndəʊfreɪm] *s*
fönsterkarm

**window ledge** ['wɪndəʊledʒ] *s*
fönsterbleck

**windowpane** ['wɪndəʊpeɪn] *s* fönsterruta

**window sash** ['wɪndəʊsæʃ] *s* fönsterbåge

**window-shop** ['wɪndəʊʃɒp] *vb itr* titta i
skyltfönster, fönstershoppa

**windowsill** ['wɪndəʊsɪl] *s* fönsterbräde

**windpipe** ['wɪndpaɪp] *s* luftstrupe

**windscreen** ['wɪndskriːn] *s* vindruta på bil;
**~ washer** vindrutespolare; **~ wiper**
vindrutetorkare

**windshield** ['wɪndʃiːld] *s* amer., se
*windscreen*

**windswept** ['wɪndswept] *adj* vindpinad

**windy** ['wɪndɪ] *adj* **1** blåsig **2** vard. skraj

**wine** [waɪn] **I** *s* vin **II** *vb itr* o. *vb tr*, **~ and
dine** äta och dricka, festa; **~ and dine
a p.** bjuda ngn på en god middag

**wine bottle** ['waɪnˌbɒtl] *s* vinbutelj,
vinflaska

**wine cellar** ['waɪnˌselə] *s* vinkällare

**wineglass** ['waɪnglɑːs] *s* vinglas

**wine-grower** ['waɪnˌɡrəʊə] *s* vinodlare

**wine merchant** ['waɪnˌmɜːtʃ(ə)nt] *s*
vinhandlare

**wine-taster** ['waɪnˌteɪstə] *s* vinprovare

**wine-vinegar** ['waɪnˌvɪnɪɡə] *s* vinättika,
vinäger

**wing** [wɪŋ] **I** *s* **1** vinge; **clip a p.'s ~s** bildl.
vingklippa ngn; stäcka ngn; **take ~**
a) flyga upp, lyfta b) bildl. ge sig av; flyga

sin kos; **on the ~** i flykten [*shoot a bird on
the ~*]; **take a p. under one's ~** bildl. ta
ngn under sina vingars skugga **2** flygel äv.
mil. el. polit.; flygelbyggnad **3** flygel på bil; **~
mirror** backspegel **4** kragsnibb **5** sport.
ytterkant **6** teat., speciellt pl. **~s** kulisser; **be
waiting in the ~s** vänta i kulisserna; bildl.
vara redo **7** mil. flygflottilj; amer.
flygeskader; **~ commander**
överstelöjtnant vid flygvapnet **II** *vb tr*
vingskjuta [*~ a bird*]

**winger** ['wɪŋə] *s* sport. ytter

**wing nut** ['wɪŋnʌt] *s* vingmutter

**wingspan** ['wɪŋspæn] *s* flyg. el. zool.
vingbredd

**wink** [wɪŋk] **I** *vb itr* o. *vb tr* blinka; blinka
med; **~ at a p.** blinka åt ngn; ögonflörta
med ngn; **~ at a th.** bildl. blunda för ngt,
se genom fingrarna med ngt **II** *s* **1** blink;
blinkning **2** blund [*I didn't sleep a ~ last
night*]; **I couldn't get a ~ of sleep** jag fick
inte en blund i ögonen; **forty ~s** vard. en
liten tupplur

**winking** ['wɪŋkɪŋ] *s* blinkning; **as easy as
~** lekande lätt

**winkle** ['wɪŋkl] *s* ätbar strandsnäcka

**winner** ['wɪnə] *s* **1** vinnare, segrare **2** vard.
succé, fullträff

**Winnie** ['wɪnɪ] egennamn; **Winnie-the-Pooh**
['wɪnɪðə'puː] Nalle Puh

**winning** ['wɪnɪŋ] **I** *adj* **1** vinnande [*the ~
horse*], segrande; vinnar- [*he is a ~ type*];
vinst- [*a ~ number*] **2** bildl. vinnande [*a ~
smile*], intagande **II** *s* **1** vinnande;
erövring; utvinning **2** pl. **~s** vinst, vinster

**winning-post** ['wɪnɪŋpəʊst] *s* kapplöpn.
målstolpe, mållinje, mål

**wino** ['waɪnəʊ] *s* (pl. **~s**) speciellt amer. sl.
alkis. Alkoholist; **the ~s** av. A-laget

**winsome** ['wɪnsəm] *adj* behaglig,
vinnande, sympatisk, charmerande [*a ~
smile*]

**winter** ['wɪntə] **I** *s* (för ex. jfr äv. *summer*)
vinter; attributivt vinter- [*~ sports*]; **in the
dead (depth) of ~** mitt i smällkalla
vintern **II** *vb itr* övervintra; tillbringa
vintern [*~ in the south*]

**wintry** ['wɪntrɪ] *adj* vintrig, vinterlik,
vinter-

**wipe** [waɪp] **I** *vb tr* o. *vb itr* torka, torka av
[*~ the dishes (floor)*]; torka bort, stryka
(sudda) ut [*~ a th. off*]; torka [*~ the
blackboard*]; gnida; **~ one's eyes** torka
tårarna; **~ one's face** torka sig i ansiktet;
**~ one's feet** torka sig om fötterna; **~ the**

*floor with a p.* vard. sopa golvet med ngn; ~ *one's shoes* torka av skorna □ ~ *away* torka bort; ~ **down** torka ren (av); ~ **off** **a)** torka av; stryka (sudda) ut [~ *off a th. from the blackboard*] **b)** utplåna; ~ *off a debt* göra sig kvitt en skuld; ~ *a th. off the face of the earth* (*off the map*) totalförstöra ngt; ~ **out a)** torka ur; torka bort, gnida ur [~ *out a stain*], stryka (sudda) ut **b)** utplåna, rentvå sig från [~ *out an insult*]; ~ *out a debt* göra sig kvitt en skuld **c)** tillintetgöra, förinta [*the whole army was wiped out*], utplåna; utrota [~ *out crime*]; ~ **up** torka upp; torka [~ *up the dishes*] **II** *s* avtorkning; *give a* ~ torka av

**viper** ['waɪpə] *s* **1** torkare [*windscreen* ~] **2** torktrasa

**wire** ['waɪə] **I** *s* **1** tråd av metall; ledning; kabel; lina; vajer; *barbed* ~ taggtråd; *pull* ~*s* använda sitt inflytande, mygla **2** vard. telegram; telegraf; *by* ~ per telegram **II** *vb tr* o. *vb itr* **1** linda om med ståltråd **2** förse med ledningar, dra in ledningar i **3** vard. telegrafera till; telegrafera [*for* efter], skicka telegram

**wirebrush** ['waɪəbrʌʃ] *s* stålborste

**wirecutter** ['waɪəˌkʌtə] *s* slags avbitartång

**wire fence** ['waɪəfens] *s* o. **wire fencing** ['waɪəˌfensɪŋ] *s* ståltrådsstängsel

**wire-haired** ['waɪəheəd] *adj* strävhårig [*a* ~ *terrier*]

**wireless** ['waɪələs] **I** *adj* trådlös; ~ *telegraphy* trådlös telegrafi, radiotelegrafi **II** *s* åld. radioapparat; ~ *operator* radiotelegrafist

**wire netting** [ˌwaɪə'netɪŋ] *s* metalltrådsnät, ståltrådsnät; ståltrådsstängsel

**wirepulling** ['waɪəˌpʊlɪŋ] *s* spel bakom kulisserna; intrigerande; mygel

**wiretapping** ['waɪəˌtæpɪŋ] *s* telefonavlyssning

**wire wool** ['waɪəwʊl] *s* stålull

**wiring** ['waɪərɪŋ] *s* elinstallation; ledningsnät, ledningar

**wiry** ['waɪərɪ] *adj* **1** lik ståltråd; stripig [~ *hair*] **2** seg; senig

**wisdom** ['wɪzd(ə)m] *s* visdom, vishet, klokhet; förstånd

**wisdom tooth** ['wɪzdəmtu:θ] (pl. *wisdom-teeth* ['wɪzdəmti:θ]) *s* visdomstand

**wise** [waɪz] *adj* vis, klok, förståndig; ~ *guy* amer. vard. a) stöddig kille b) förståsigpåare, besserwisser; *be* ~ *after*

*the event* vara efterklok; [*if you take it*] *nobody will be any the wiser* ...kommer ingen att märka något; *we were none the wiser* vi blev inte ett dugg klokare för det; *get* ~ *to a th.* vard. komma på det klara med ngt

**wiseacre** ['waɪzˌeɪkə] *s* snusförnuftig människa; besserwisser; politisk kannstöpare

**wisecrack** ['waɪzkræk] vard. **I** *s* kvickhet; spydighet **II** *vb itr* vara kvick; vara spydig

**wish** [wɪʃ] **I** *vb tr* o. *vb itr* **1** önska; vilja ha; önska sig något [*close your eyes and* ~ *!*]; *I* ~ *to* [*say a few words*] jag skulle vilja...; ~ *a p. further* vard. önska ngn dit peppar'n växer; *I* ~ *you would be quiet* om du ändå ville vara tyst; *I* ~ *to God* (*Heaven*) *that...* jag önskar vid Gud att...; *as you* ~ som du vill; ~ *for* önska sig [*she has everything a woman can* ~ *for*]; ~ *on* (*upon*) *a star* se på en stjärna och önska (önska sig) något **2** tillönska, önska [~ *a p. a Happy New Year*]; ~ *a p. joy* lyckönska ngn; *I* ~ *you well!* lycka till!

**II** *s* önskan, önskemål [*for* om]; längtan [*for* efter, till]; pl. *wishes* a) önskningar, önskemål [*for* om] b) hälsningar [*best wishes from Mary*]; *my best* (*good*) *wishes* mina varmaste lyckönskningar; *make a* ~ önska, önska sig något; *against* (*contrary to*) *a p.'s wishes* mot ngns önskan (vilja)

**wishbone** ['wɪʃbəʊn] *s* gaffelben på fågel; önskeben, ben i form av en klyka som dras itu av två personer varvid den som fått den längsta delen får önska sig något

**wished-for** ['wɪʃtfɔ:] *adj* efterlängtad, önskad

**wishful** ['wɪʃf(ʊ)l] *adj* längtansfull; ~ *thinking* önsketänkande

**wishing-well** ['wɪʃɪŋwel] *s* önskebrunn

**wishy-washy** ['wɪʃɪˌwɒʃɪ] *adj* blaskig [~ *tea*], vattnig [~ *colours*], matt, blek; slafsig

**wisp** [wɪsp] *s* tapp [*a* ~ *of hay*], knippa, bunt; strimma, remsa, slinga; stycke, bit; ~ *of hair* hårtest, hårtott

**wispy** ['wɪspɪ] *adj* tovig [*a* ~ *beard*], stripig

**wistaria** [wɪ'steərɪə, wɪ'steərɪə] *s* o. **wisteria** [wɪ'steərɪə] *s* bot. blåregn

**wistful** ['wɪstf(ʊ)l] *adj* längtansfull, trånande, trånsjuk; grubblande, tankfull

**wit** [wɪt] *s* **1** pl. ~*s* vett, förstånd; slagfärdighet; *have a ready* ~ vara slagfärdig; *collect one's* ~*s* samla sig; *she has got her* ~*s about her* hon har huvudet på skaft; *he kept his ~s about him* han höll huvudet kallt; *I am at my wit's* (*wits'*) *end* jag vet varken ut eller in; *live by one's ~s* leva på sin intelligens och fiffighet; *be out of one's ~s* a) vara från vettet b) vara ifrån sig; *frighten a p. out of his ~s* skrämma ngn från vettet **2** kvickhet; espri, spiritualitet **3** kvickhuvud

**witch** [wɪtʃ] *s* **1** häxa; trollkäring **2** vard. häxa, käring [*an ugly old ~*]

**witchcraft** ['wɪtʃkrɑːft] *s* trolldom, häxeri

**witch-doctor** ['wɪtʃˌdɒktə] *s* medicinman

**witch-hunt** ['wɪtʃhʌnt] *s* häxjakt

**witch-hunter** ['wɪtʃhʌntə] *s* häxjägare

**witching** ['wɪtʃɪŋ] *adj* förhäxande, troll-, häx-; *the ~ hour of night* den tid på natten då häxorna är ute, spöktimmen

**with** [wɪð] *prep* **1** med; för [*I bought it ~ my own money*]; till, i [*take sugar ~ one's coffee*]; hos [*he is staying* (bor) *~ the Browns*]; bland [*popular ~*]; av [*stiff ~ cold*; *tremble ~ fear*]; mot [*be frank* (*honest*) *~ a p.*]; på [*be angry ~ a p.*] **2** *you can never tell ~ him* när det gäller honom (med honom) kan man aldrig så noga veta; *it's OK ~ me* vard. gärna för mig; *be laid up ~ influenza* ligga till sängs i influensa; *what does he want ~ me?* vad vill han mig?; *be ~ it* vard. vara inne modern; hänga med

**withdraw** [wɪð'drɔː] (*withdrew withdrawn*) *vb tr* o. *vb itr* **1** dra tillbaka [*~ troops from a position*], dra bort (undan); avlägsna, ta bort [*from* från, ur], ta ut [*~ money from* (från, på) *the bank*]; återkalla [*~ an accusation*] **2** dra sig tillbaka, avlägsna sig, gå avsides, gå ut [*he withdrew for a moment*]; dra sig undan (ur); träda tillbaka [*~ in favour of a younger candidate*]

**withdrawal** [wɪð'drɔː(ə)l] *s* **1** tillbakadragande, avlägsnande; uttag **2** återkallande **3** utträde, tillbakaträdande, avgång; mil. återtåg

**withdrawn** [wɪð'drɔːn] **I** se *withdraw* **II** *adj* bildl. tillbakadragen, inåtvänd, reserverad; *a ~ life* ett tillbakadraget liv

**withdrew** [wɪð'druː] se *withdraw*

**wither** ['wɪðə] *vb tr* o. *vb itr* förtorka, göra vissen, komma att vissna; *~* el. *~ away* vissna, förtorka, tyna bort

**withheld** [wɪð'held] se *withhold*

**withhold** [wɪð'həʊld] (*withheld withheld*) *vb tr* hålla inne [*~ a p.'s wages*]; vägra att

ge [*~ one's consent*]; *~ a th. from a p.* undanhålla ngn ngt

**within** [wɪ'ðɪn] **I** *prep* **1** i rumsuttryck el. bildl. inom [*~ the city*], inuti, inne i, i, innanför; *be ~ doors* vara inomhus (inne); *from ~* [*the house* (*the room*)] inifrån... **2** i tidsuttryck: *~ the space of* inom loppet av; *~ the last half hour* för mindre än en halvtimme sedan **II** *adv* **1** inuti, innanför; inne; *from ~* inifrån **2** bildl. inom sig

**with-it** ['wɪðɪt] *adj* vard. inne, inne- modern [*~ clothes*]

**without** [wɪ'ðaʊt] **I** *prep* utan **II** *adv* **1** utanför, utvändigt, på utsidan; *from ~* utifrån **2** [*there's no bread,*] *so you'll have to do ~* ...så du får klara dig utan

**withstand** [wɪð'stænd] (*withstood withstood*) *vb tr* motstå, stå emot [*~ an attack*], tåla [*~ hard wear*], uthärda [*~ heat* (*pain*)]

**withstood** [wɪð'stʊd] se *withstand*

**witness** ['wɪtnəs] **I** *s* **1** vittne äv. jur.; *be ~* (*a ~*) *of* (*to*) vara vittne till, bevittna **2** bevittnare [*~ of a signature*] **II** *vb tr* o. *vb itr* **1** vara vittne till, bevittna [*~ an accident*], uppleva, vara med om; närvara vid [*~ a transaction*] **2** bevittna [*~ a document* (*signature*)]; vittna, betyga, intyga [*that* att] **3** vittna, vara vittne

**witness box** ['wɪtnəsbɒks] *s* vittnesbås

**witness stand** ['wɪtnəsstænd] *s* amer. vittnesbås

**witticism** ['wɪtɪsɪz(ə)m] *s* kvickhet; vits

**witty** ['wɪtɪ] *adj* kvick, spirituell; vitsig

**wives** [waɪvz] *s* se *wife*

**wizard** ['wɪzəd] **I** *s* **1** trollkarl; häxmästare **2** vard. mästare, trollkarl [*a financial ~*], geni **II** *adj* vard. fantastisk, toppen

**wizardry** ['wɪzədrɪ] *s* **1** trolldom **2** otrolig skicklighet; genialitet

**wizened** ['wɪznd] *adj* skrynklig, rynkig

**wobble** ['wɒbl] **I** *vb itr* o. *vb tr* **1** vackla, kränga (vingla) till; gunga, vicka [*the table ~s*] **2** få att vackla (kränga, vingla); gunga (vagga) på, vicka på [*don't ~ the table!*] **II** *s* krängning, vinglande

**wobbly** ['wɒblɪ] *adj* vacklande, osäker [*a ~ gait*], vinglig [*a ~ table*]; ostadig

**woe** [wəʊ] *s* poet. el. skämts. ve, sorg; *tale of ~* a) tragisk historia b) klagolåt

**woebegone** ['wəʊbɪˌgɒn] *adj* bedrövad

**woeful** ['wəʊf(ʊ)l] *adj* **1** bedrövad, sorgsen **2** dyster, trist, eländig **3** bedrövlig

**wok** [wɒk] **I** s wok **II** vb tr o. vb itr woka, laga med wok

**woke** [wəʊk] se 1 wake

**woken** ['wəʊk(ə)n] se 1 wake

**wolf** [wʊlf] **I** (pl. wolves [wʊlvz]) s varg, ulv; **a ~ in sheep's clothing** en ulv i fårakläder; **a lone ~** en ensamvarg; **the ~ is at the door** nöden står för dörren; **cry ~ too often** ge falskt alarm; **keep the ~ from the door** hålla nöden (svälten) från dörren; **who is afraid of the big bad ~?** ingen rädder för vargen här!; **throw to the wolves** kasta åt vargarna **II** vb tr, ~ el. **~ down** glufsa i sig

**wolf cub** ['wʊlfkʌb] s vargunge

**wolf hound** ['wʊlfhaʊnd] s varghund

**wolf pack** ['wʊlfpæk] s vargflock, vargskock

**wolfram** ['wʊlfrəm] s **1** wolfram **2** wolframit

**wolverine** ['wʊlvəri:n] s järv

**wolves** [wʊlvz] s se wolf I

**woman** ['wʊmən] (pl. women ['wɪmɪn]) s kvinna; dam; fruntimmer; ~ **of the world** dam av värld, världsdam; ~ **author** (writer) författarinna, kvinnlig författare; ~ **friend** kvinnlig vän, väninna vanl. till kvinna; **women's lib** vard. kvinnosaken; **women's libber** vard. a) kvinnosakskvinna b) gynnare av kvinnosaken; **women's liberation movement** kvinnornas frihetsrörelse; **women's suffrage** kvinnlig rösträtt

**womanhood** ['wʊmənhʊd] s **1** kvinnor, kvinnosläktet **2** vuxen ålder [reach ~]

**womanizer** ['wʊmənaɪzə] s kvinnojägare

**womankind** ['wʊmənkaɪnd] s kvinnosläktet, kvinnor, kvinnfolk

**womanly** ['wʊmənlɪ] adj kvinnlig

**womb** [wu:m] s anat. livmoder

**women** ['wɪmɪn] s se woman

**womenfolk** ['wɪmɪnfəʊk] s, ~ el. **~s** kvinnfolk, kvinnor

**won** [wʌn] se win I

**wonder** ['wʌndə] **I** s **1** under, underverk [the seven ~s of the world]; **the ~ is that...** det märkliga är att...; **is it any ~ that...?** är det att undra på att...?; **it is no** (little, small) ~ det är inte att undra på [he refused, and no ~]; **~s** (~s will) **never cease** (ofta iron.) ungefär undrens tid är inte förbi **2** undran [at över; that över att] **II** vb itr o. vb tr **1** förundra (förvåna) sig, förvånas [at, over över] **2** undra [I was just wondering]; **I ~!** det undrar jag!; **I**

~ **if I could speak to...** skulle jag kunna få tala med...

**wonderful** ['wʌndəf(ʊ)l] adj underbar [~ weather], fantastisk

**wonderland** ['wʌndəlænd] s underland, sagoland; **Wonderland** underlandet [Alice in Wonderland]

**wonky** ['wɒŋkɪ] adj vard. ostadig [~ on one's legs], vinglig, skranglig [a ~ chair]

**wont** [wəʊnt, wɒnt] adj van; **he was ~ to say** han hade för vana att säga

**won't** [wəʊnt] = will not

**woo** [wu:] vb tr o. vb itr litt. fria till; uppvakta; fria; **go wooing** gå på friarstråt

**wood** [wʊd] s **1** trä; ved; virke, timmer; träslag [teak is a hard ~]; **touch** (amer. **knock on**) ~! ta i trä!; peppar, peppar! **2** ~ el. **~s** liten skog [go for a walk in the ~ (~s)]; **one** (you) **cannot see the ~ for the trees** man ser inte skogen för bara trän; **be out of the ~** (amer. **~s**) bildl. vara ur knipan, ha klarat krisen

**wood anemone** [,wʊdə'nemənɪ] s vitsippa

**woodbine** ['wʊdbaɪn] s vildkaprifol

**wood-carver** ['wʊd,kɑ:və] s träsnidare

**wood-carving** ['wʊd,kɑ:vɪŋ] s träsnideri

**woodcock** ['wʊdkɒk] s morkulla

**woodcut** ['wʊdkʌt] s träsnitt

**wood-cutter** ['wʊd,kʌtə] s **1** skogshuggare, timmerhuggare; vedhuggare **2** träsnidare

**wooded** ['wʊdɪd] adj skogig, skogrik [a ~ landscape], skogbevuxen

**wooden** ['wʊdn] adj **1** av trä, trä- [a ~ leg (spoon)] **2** bildl. a) träaktig [~ manners], träig; stel [a ~ smile] b) torr [a ~ style]

**woodland** ['wʊdlənd] s skogsbygd, skogsland

**wood louse** ['wʊdlaʊs] (pl. wood lice ['wʊdlaɪs]) s gråsugga

**woodpecker** ['wʊd,pekə] s hackspett

**wood pigeon** ['wʊd,pɪdʒɪn] s skogsduva; ringduva

**woodshed** ['wʊdʃed] s vedbod, vedskjul

**woodwind** ['wʊdwɪnd] s mus., **the ~** (the ~s) träblåsarna; ~ el. ~ **instrument** träblåsinstrument

**woodwork** ['wʊdwɜ:k] s **1** a) byggn. träverk, timmerverk b) snickerier, träarbeten **2** snickeri; speciellt skol. träslöjd

**woodyard** ['wʊdjɑ:d] s **1** virkesupplag, timmerupplag; brädgård **2** vedgård

**1 woof** [wu:f] s vävn. väft; inslag; väv

**2 woof** [wu:f] **I** vb itr brumma; om hund morra **II** s brumning; om hund morrning

**woofer** ['wu:fə] s radio. bashögtalare

**wooing** ['wu:ɪŋ] *s* frieri

**wool** [wʊl] *s* **1** a) ull b) ullgarn; *draw (pull) the ~ over a p.'s eyes* bildl. slå blå dunster i ögonen på ngn **2** ylle, ylletyg, yllekläder; *all (pure) ~* helylle

**woollen** ['wʊlən] **I** *adj* **1** ull- [*~ yarn*], av ull **2** ylle- [*a ~ blanket*], av ylle **II** *s* ylle; vanl. pl. **~s** ylletyger, yllevaror; ylleplagg

**wool-lined** ['wʊllaɪnd] *adj* yllefodrad

**woolly** ['wʊlɪ] *adj* **1** ullig; ullbeklädd; ullik **2** ylle- [*~ clothes*] **3** bildl. vag, luddig [*~ ideas*]

**word** [wɜ:d] **I** *s* **1** ord; pl. **~s** äv. ordalag [*in well chosen ~s*]; *a ~ of advice* ett råd; *~ of honour* hedersord; *put in a good ~ for a p.* lägga ett gott ord för ngn; *it's the last ~* det är det allra senaste (sista skriket) [*in* i fråga om]; *have the last ~* a) ha (få) sista ordet b) ha avgörandet i sin hand; *~s fail me!* jag saknar ord!; *have a ~ with a p.* tala ett par ord med ngn; *have ~s* vard. gräla; *I'd like a ~ with you* a) jag skulle vilja tala lite med dig b) jag har ett par ord att säga dig; *put in a ~* a) få ett ord med i laget b) lägga ett gott ord [*for* för]; *take the ~s right out of a p.'s mouth* ta ordet ur munnen på ngn **2** pl. **~s** ord, text; sångtext **3** lösenord [*give the ~*]; paroll, motto **4** hedersord, löfte [*break (give, keep) one's ~*]; *my ~!* vard. minsann!, ser man på!; *take my ~ for it!* tro mig!, sanna mina ord!; *be as good as one's ~* kunna stå vid sitt ord **5** meddelande, besked; *the ~ got (went) round that...* det ryktades att...; *have (get, receive) ~* få bud (meddelande) [*that* om att] **6** order; *give the ~ to do a th.* ge order om att göra ngt; *pass the ~* ge order, säga ¦till; *say the ~* säga ¦till [*just say the ~ and I'll do it*] □ *at the (the given) ~* på givet kommando; *take a p. at his ~* a) ta ngn på orden b) ta ngns ord för gott; *beyond ~s* mer än ord kan uttrycka, obeskrivligt; *by ~ of mouth* muntligen; *stand by one's ~* stå vid sitt ord; *it's too funny for ~s* det är så roligt så man kan dö; *he is too stupid for ~s* han är otroligt dum; *in other ~s* med andra ord; *in so many ~s* klart och tydligt, rent ut [*he told me in so many ~s that...*]; *put into ~s* uttrycka i ord; *a man of few ~s* en fåordig man; *go back on one's ~* ta tillbaka sitt ord, bryta sitt löfte; *play on ~s* lek med ord, ordlek; *upon my ~!* förvånat minsann!, ser man på!

**II** *vb tr* uttrycka, formulera [*a sharply-worded protest*], avfatta [*a carefully-worded letter*]

**word-blind** ['wɜ:dblaɪnd] *adj* ordblind

**word-for-word** [,wɜ:dfə'wɜ:d] *adj* ordagrann [*a ~ translation*]

**wording** ['wɜ:dɪŋ] *s* formulering; lydelse

**word order** ['wɜ:d,ɔ:də] *s* ordföljd

**word-perfect** [,wɜ:d'pɜ:fɪkt] *adj, be ~ in a th.* kunna ngt perfekt (utantill)

**word play** ['wɜ:dpleɪ] *s* ordlek

**wordy** ['wɜ:dɪ] *adj* ordrik, mångordig; vidlyftig [*~ style*]; långrandig

**wore** [wɔ:] se *wear I*

**work** [wɜ:k] **I** *s* **1** arbete, jobb, uppgift [*that is his life's ~*]; verk; *all ~ and no play makes Jack a dull boy* bara arbete gör ingen glad; *good (nice) ~!* fint!, bra gjort!; *it was hard ~ getting there* det var jobbigt att komma dit; *that was quick ~* det gick undan; *a job of ~* ett arbete [*he always does a fine job of ~*]; *a piece of ~* **a)** ett arbete, en prestation **b)** *he is a nasty piece of ~* vard. han är en ful fisk; *I had my ~ cut out to* [*keep the place in order*] jag hade fullt sjå med att...; *he has done great ~ for* [*his country*] han har gjort stora insatser för...; *many hands make light ~* ordspr. ju fler som hjälper till, dess lättare går det; *make quick ~ of* klara av kvickt; *make short ~ of* göra processen kort med; *stop ~* sluta arbeta; lägga ner arbetet; *at ~* a) på arbetet (jobbet) [*don't phone him at ~*] b) i arbete, i verksamhet, i drift, i gång [*we saw the machine at ~*]; *be at ~ at (on)* arbeta på, hålla på med; *off ~* inte i arbete, ledig; *out of ~* utan arbete, arbetslös; *be thrown out of ~* bli arbetslös; *set (get) ~ to ~ at (on) a th. (to do a th.)* ta itu (sätta i gång) med ngt (med att göra ngt) **2** verk [*the ~s of Shakespeare*], arbete [*a new ~ on* (om) *modern art*], opus, alster; arbeten kollektivt [*the villagers sell their ~ to tourists*]; handarbete; *a ~ of art* ett konstverk **3** **~s** fabrik [*a new ~s*], bruk, verk **4** pl. **~s** verk [*the ~s of a clock*], mekanism **5** *public ~s* offentliga arbeten

**II** (*worked worked*, i betydelserna 4, 6 *wrought wrought*) *vb tr* o. *vb tr* **1** arbeta, jobba, verka; *music while you ~* musik under arbetet **2** fungera, funka [*the pump ~s*], arbeta, gå [*it ~s smoothly*], drivas [*this machine ~s by electricity*]; vara i funktion, vara i gång **3** lyckas, fungera [*will this new plan ~?*], klaffa, funka **4** bearbeta [~ *silver*]; bereda, behandla **5** manövrera, hantera; driva [*this machine is worked by electricity*]; ~ *a p.* **to death** låta ngn arbeta ihjäl sig; ~ *oneself to death* slita ihjäl sig **6** åstadkomma [*time had wrought great changes*], vålla, orsaka; vard. ordna, fixa [*how did you ~ it?*] **7** ~ *one's way* arbeta sig fram; ~ *one's way (way up)* bildl. arbeta sig upp □ ~ **against** arbeta emot, motarbeta; *we are working against time* det är en kapplöpning med tiden; ~ **at** arbeta på (med); ~ **away** arbeta vidare [*at, on* på], arbeta (jobba) undan (på); ~ **for** arbeta för (åt) [~ *for a p.*]; ~ *for one's exam* arbeta på sin examen; ~ **free** slita sig loss, lossna; ~ **loose** lossna, släppa [*the screw (tooth) has worked loose*]; ~ **on** a) arbeta på (med) b) påverka; bearbeta, spela på [~ *on a p.'s feelings*]; ~ **out** a) utarbeta [~ *out a plan (a scheme)*], utforma; arbeta fram b) räkna ut (fram); lösa [~ *out a problem*], tyda c) utvecklas, gå [*let us see how it ~s out*]; lyckas [*he hoped the plan would ~ out*]; *it may ~ out all right* det kommer nog att gå bra; *these things ~ themselves out* sådant brukar ordna sig d) ~ *out at (to)* uppgå till, gå på [*the total ~s out at (to) £10*]; ~ **towards** arbeta för [~ *towards a peaceful settlement*]; ~ **up** a) arbeta (driva) upp [~ *up a business*] b) bearbeta, förädla; arbeta upp; ~ *oneself up* hetsa (jaga) upp sig; perfekt particip *worked up* upphetsad, upprörd; *get all worked up over nothing* hetsa upp sig för ingenting

**workable** ['wɜ:kəbl] *adj* **1** möjlig att bearbeta **2** genomförbar [*a ~ plan*], praktisk, användbar [*a ~ method*]

**work addict** ['wɜ:k‚ædɪkt] *s* o. **workaholic** [‚wɜ:kə'hɒlɪk] *s* vard. arbetsnarkoman

**workbench** ['wɜ:kbentʃ] *s* arbetsbänk

**worker** ['wɜ:kə] *s* **1** arbetare, jobbare; arbetstagare; *Workers' Educational Association* motsvarande ungefär Arbetarnas bildningsförbund; *~s of the world, unite!* proletärer i alla länder, förenen eder!; *he is a hard ~* han arbetar hårt **2** zool. arbetare: a) arbetsbi [äv. *~ bee*] b) arbetsmyra [äv. *~ ant*]

**workforce** ['wɜ:kfɔ:s] *s* arbetsstyrka

**working** ['wɜ:kɪŋ] **I** *s* **1** arbete; verksamhet; *the ~s of a p.'s mind* vad som rör sig inom ngn **2** bearbetande, bearbetning;

exploatering, drift [*the ~ of a mine*]; skötsel

**II** *adj* o. attributivt *s* **1** arbetande [*the ~ masses*], arbetar-; arbets- [~ *conditions*]; drifts-; ~ *capital* rörelsekapital, driftskapital; ~ *clothes* arbetskläder; ~ *hours* arbetstid **2** funktionsduglig, användbar; praktisk; *he has a ~ knowledge of French* han kan franska till husbehov; *a ~ majority* parl. en regeringsduglig (arbetsduglig) majoritet; *in ~ order* i användbart skick, funktionsduglig

**working-class** [‚wɜ:kɪŋ'klɑ:s] *s* arbetarklass; *the working-classes* arbetarklassen

**working-man** ['wɜ:kɪŋmæn] (pl. *working-men* ['wɜ:kɪŋmen]) *s* kroppsarbetare

**workless** ['wɜ:kləs] *adj* arbetslös

**workload** ['wɜ:kləʊd] *s* arbetsbörda

**workman** ['wɜ:kmən] (pl. *workmen* ['wɜ:kmən]) *s* arbetare; hantverkare

**workmanlike** ['wɜ:kmənlaɪk] *adj* väl utförd, gedigen

**workmanship** ['wɜ:kmənʃɪp] *s* **1** yrkesskicklighet, kunnande **2** utförande [*articles of* (i) *excellent ~*]; *a piece of solid ~* ett gediget arbete

**workmate** ['wɜ:kmeɪt] *s* arbetskamrat

**work-out** ['wɜ:kaʊt] *s* **1** träningspass; *he went there for a ~* han gick dit för att träna **2** genomgång, prov, test **3** gymnastik, gymping

**worksheet** ['wɜ:kʃiːt] *s* arbetssedel

**workshop** ['wɜ:kʃɒp] *s* verkstad

**worktop** ['wɜ:ktɒp] *s* arbetsbänk, arbetsyta

**world** [wɜ:ld] *s* **1** värld; jord [*a journey round the ~*]; ~ *champion* världsmästare; *the First (Second) World War* el. *World War I (II)* första (andra) världskriget; *experience of the ~* världserfarenhet; *the fashionable ~* den fina världen; *the New (Old) World* Nya (Gamla) världen; *what's the ~ coming to?* såna tider vi lever i!; *the ~ to come (be)* livet efter detta; *how goes the ~ with you?* el. *how is the ~ using you?* vard. hur lever världen (hur står det till) med dig ?; *I would give the ~ (give ~s) to know* jag skulle ge ud som helst för att få veta; *see the ~* se sig om i världen; *not for the ~* inte för allt (något) i världen; *for all the ~ as if* precis som om; *for all the ~ like* på pricken lik, precis som; *how (what,* *where*) *in the ~?* hur (vad, var) i all världen?; *all the difference in the ~* en himmelsvid skillnad; *bring a child into the ~* sätta ett barn till världen; *make the best of both ~s* finna en kompromiss; *the food is out of this ~* vard. maten är inte av denna världen; *all over the ~* över (i) hela världen; *sail round the ~* segla jorden runt; *dead to the ~* död för världen

**2** massa, mängd; *a ~ of* en massa (mängd) [*a ~ of trouble*]; *there is a ~ of difference between...* det är en himmelsvid skillnad mellan...; *it will do you a* (*the*) *~ of good* det kommer att göra dig oändligt gott; [*the two books*] *are ~s apart* det är en enorm skillnad mellan...; *think the ~ of a p.* uppskatta ngn enormt; avguda ngn

**world-beater** ['wɜːldˌbiːtə] *s, be a ~* vara i världsklass

**world-famous** [ˌwɜːldˈfeɪməs] *adj* världsberömd

**worldliness** ['wɜːldlɪnəs] *s* världslighet

**worldly** ['wɜːldlɪ] *adj* världslig, jordisk; världsligt sinnad; *~ goods* världsliga ägodelar; *~ wisdom* världserfarenhet

**world-shaking** ['wɜːldˌʃeɪkɪŋ] *adj* som skakar (skakade) hela världen [*a ~ crisis*]

**worldwide** [ˌwɜːldˈwaɪd] *adj* världsomfattande, världsomspännande

**worm** [wɜːm] **I** *s* **1** mask; småkryp; bildl. stackare; *can of ~s* bildl. trasslig härva; *even a ~ will turn* ungefär även den tålmodigaste reser sig till slut

**2** inälvsmask **II** *vb tr*, *~ oneself* (*~ one's way*) *in* (*into*) orma (åla, slingra) sig in (in i); *~ oneself into a p.'s favour* nästla (ställa) sig in hos ngn; *~ a th. out of a p.* locka (lirka) ur ngn ngt

**worm-eaten** ['wɜːmˌiːtn] *adj* maskäten

**wormwood** ['wɜːmwʊd] *s* malört

**worn** [wɔːn] *adj* o. *perf p* (av *wear*) nött, sliten; bildl. äv. tärd, medtagen, trött [*with av*], avfallen; avlagd, begagnad [*~ clothes*]

**worried** ['wʌrɪd] *adj* orolig, ängslig [*about, over* för, över; *at* över]

**worry** ['wʌrɪ] **I** *vb tr* o. *vb itr* **1** oroa, bekymra, plåga, pina; *~ the life out of a p.* el. *~ a p. to death* plåga (pina) livet ur ngn; *~ oneself* oroa (bekymra) sig [*about* för, över]; *don't let it ~ you* oroa dig inte för det **2** oroa sig, ängslas, vara orolig [*about, over* över, för]; *I should ~!* vard. det struntar jag blankt i, det rör mig

inte i ryggen; *I'll* (*we'll*) *~ when the time comes* den tiden, den sorgen; *don't you ~!* oroa dig inte!; *not to ~!* vard. ingenting att bry sig om!, ta det lugnt! **II** *s* oro, bekymmer, sorg; besvär, besvärlighet

**worrying** ['wʌrɪɪŋ] *adj* plågsam, enerverande

**worse** [wɜːs] **I** *adj* o. *adv* (komparativ av *bad, badly, ill*) värre, sämre; *be ~ off* ha det sämre ställt, vara sämre; *get* (*grow, become*) *~* bli värre (sämre), förvärras, försämras; *to make matters ~* till råga på eländet; *so much the ~ for him* desto värre för honom; *be the ~ for drink* (*liquor*) vara berusad; *he is none the ~ for it* han har inte tagit skada av det **II** *s* värre saker, något ännu värre [*I have ~ to tell*]

**worsen** ['wɜːsn] *vb tr* o. *vb itr* förvärra, försämra; förvärras, försämras

**worship** ['wɜːʃɪp] **I** *s* **1** dyrkan, tillbedjan; gudstjänst; andaktsövning; *religious ~* religionsutövning; *place of ~* gudstjänstlokal **2** *Your Worship* Ers nåd, herr domare **II** *vb tr* dyrka, tillbe; avguda

**worshipper** ['wɜːʃɪpə] *s* dyrkare, tillbedjare

**worst** [wɜːst] **I** *adj* o. *adv* (superlativ av *bad, badly, ill*) värst, sämst; *be ~ off* ha det sämst; *come off ~* klara sig sämst, dra det kortaste strået

**II** *s, the ~* den (det, de) värsta [*the ~ is yet to come* (återstår)], den (det, de) sämsta; *the ~ of it is that...* det värsta (sämsta) av allt är att...; *that's the ~ of being alone* det är det värsta med att vara ensam; *have* (*get*) *the ~ of it* dra det kortaste strået, råka värst ut; *I want to know the ~* jag vill veta sanningen även om den är obehaglig; *think the ~ of a p.* tro ngn om det värsta; *at the ~* el. *at ~* i värsta fall; *if the ~ comes to the ~* i värsta (sämsta) fall

**III** *vb tr* besegra, övervinna

**worsted** ['wʊstɪd] **I** *s* **1** kamgarn

**2** kamgarnstyg **II** *adj* kamgarns- [*~ suit*]

**worth** [wɜːθ] **I** *adj* värd [*it's ~ £5*]; *it is not ~ while* det är inte mödan värt; *it is ~ noticing* det förtjänar anmärkas; *~ reading* värd att läsa (läsas), läsvärd; *be ~ seeing* vara värd att se (ses), vara sevärd; *for all one is ~* av alla krafter, för glatta livet; [*I'll give you a tip*] *for what it is ~* ...vad det nu kan vara värt **II** *s* **1** värde; *know one's ~* känna sitt eget värde **2** *a hundred pounds' ~ of goods*

**wrench**

varo för hundra pund; *get (have) one's
money's ~* få valuta för pengarna
**worthless** ['wɜ:θləs] *adj* värdelös
**worthwhile** ['wɜ:θwaɪl] *adj* som är värd att
göra [*a ~ experiment*], värd besväret;
givande, värdefull [*~ discussions*]; lönande
**worthy** ['wɜ:ðɪ] *adj* värdig [*a ~ successor*];
värd; *~ of* värd [*an attempt ~ of a better
fate*]; *be ~ of* vara värd, förtjäna [*be ~ of
praise*]; *I am not ~ of her* jag är henne
inte värdig
**would** [wʊd, obetonat wəd, əd] *hjälpvb*
(imperfekt av *will*) **1** skulle [*I (you, he) ~ do
it if I (you, he) could; he was afraid
something ~ happen*]; *that ~ be nice* det
vore trevligt; *~ you believe it?* kan man
tänka sig!; *I wouldn't know* inte vet jag;
*how ~ I know?* hur skulle jag kunna veta
det?; *if that ~ suit you* om det passar
**2** ville [*he wouldn't do it; I could if I ~*]; *I
wish you ~ stay* jag önskar du ville
stanna, jag skulle vilja att du stannade; *if
it ~ only stop raining* om det bara ville
sluta regna **3** skulle absolut; *of course it ~
rain* naturligtvis måste (skulle) det regna
**4** skulle vilja [*~ you do me a favour?*];
*shut the door, ~ you?* stäng dörren är du
snäll! **5** brukade, kunde [*he ~ sit for hours
doing nothing*] **6** torde; *he ~ be your
uncle, I suppose* han är väl din farbror?;
*it ~ seem (appear) that...* det vill synas
som om...
**would-be** ['wʊdbi:] *adj* **1** tilltänkt [*the ~
victim*]; *~ buyers* eventuella köpare **2** så
kallad, s.k. [*a ~ philosopher*]
**wouldn't** ['wʊdnt] = *would not*
**1 wound** [waʊnd] se *2 wind, 3 wind I*
**2 wound** [wu:nd] **I** *s* sår; *a bullet ~* ett sår
efter en kula; *inflict a ~ upon a p.* såra
ngn; *lick one's ~s* slicka sina sår äv. bildl.;
*reopen old ~s* bildl. riva upp gamla sår
**II** *vb tr* såra; bildl. äv. kränka; *badly
wounded* svårt sårad
**wove** [wəʊv] se *weave I*
**woven** ['wəʊv(ə)n] se äv. *weave I*; *~ fabric*
vävt tyg, väv, vävnad
**wow** [waʊ] *interj* oj då!; oj, oj! [*~! what a
dress!*], det var som tusan!, nej men!
**wrangle** ['ræŋgl] *vb itr* gräla, käbbla
**wrap** [ræp] **I** *vb tr* **1 a)** *~ up* el. *~* svepa,
svepa in [*in i*]; svepa om [*in med*]; linda
(veckla, vira) in, slå in, packa in [*in i*]; *~
a th. (a th. up) in paper*] hölja, täcka; *~
(~ up) a parcel* slå in ett paket; *~
oneself up well* klä på sig ordentligt **b)** *~*

*a th. round* svepa (linda, vira) ngt kring
(runt, om), slå ngt kring (runt, om) [*~
paper round it*] **2** *wrapped up in*
a) fördjupad i, helt absorberad av
[*wrapped up in one's studies (work)*]
b) nära (intimt) förknippad med; *be
wrapped up in oneself* vara
självupptagen; *wrapped (wrapped up)
in mystery* höljd i dunkel
**II** *s* sjal; resfilt; pl. *~s* ytterplagg,
ytterkläder, badkappa; *evening ~*
aftonkappa; *morning ~* morgonrock
**wrapper** ['ræpə] *s* omslag, hölje;
skyddsomslag på bok; tidningsbanderoll
**wrapping** ['ræpɪŋ] *s* **1** ofta pl. *~s* omslag,
hölje; emballage **2** omslagspapper
**wrapping-paper** ['ræpɪŋˌpeɪpə] *s*
omslagspapper
**wrath** [rɒθ, amer. ræθ] *s* vrede [*the day of
~*]
**wreak** [ri:k] *vb tr* utkräva, ta [*~ vengeance
on a p.*]; *~ havoc on* anställa förödelse på
**wreath** [ri:θ, pl. ri:ðz el. ri:θs] *s* **1** krans av
blommor m.m.; girland **2** vindling, virvel,
slinga [*a ~ of smoke*], spiral
**wreathe** [ri:ð] *vb tr* **1** bekransa [*wreathed
with flowers*], omge; *be wreathed in*
bekransas (omges) av; *his face was
wreathed in smiles* han var idel solsken
**2** vira, linda, fläta, binda [*round, about*]
kring, runt]
**wreck** [rek] **I** *s* **1** skeppsbrott, förlisning,
haveri **2** ödeläggelse, förstöring; **3** vrak,
skeppsvrak, bilvrak; pl. *~s* vrakspillror
**4** bildl. vrak, ruin; spillror; *he is a ~ of his
former self* han är blott en skugga av sitt
forna jag **II** *vb tr* **1** komma att förlisa
(stranda, haverera); kvadda; *be wrecked*
lida skeppsbrott, stranda, haverera äv.
bildl.; förlisa [*the ship was wrecked*]; bli
kvaddad **2** ödelägga, förstöra, undergräva
**wreckage** ['rekɪdʒ] *s* **1** vrakspillror,
vrakdelar **2** skeppsbrott; haveri
**wrecker** ['rekə] *s* **1** vrakbärgare
**2** vrakplundrare **3** skadegörare
**wrecking** ['rekɪŋ] *adj* amer. bärgnings-; *~
car (truck)* bärgningsbil; *~ train*
hjälptåg
**wren** [ren] *s* zool. gärdsmyg
**wrench** [rentʃ] **I** *s* **1** häftigt ryck; *give a ~
at* vrida om (till) **2** vrickning, stukning
**3** bildl. hårt slag, svår förlust **4** skiftnyckel
**II** *vb tr* **1** rycka loss (av) [*~ a gun from
a p.*], slita loss (av) [*~ the door off* (från)
*its hinges*], vrida; *~ oneself from...* slita

(vrida) sig ur... **2** vricka, stuka [~ *one's ankle* (foten)]

**wrest** [rest] *vb tr* rycka, slita [*from* från; *out of a p. 's hands* ur händerna på ngn]; ~ *a th. from a p.* äv. pressa (tvinga) av ngn ngt [~ *a secret from a p.*]

**wrestle** ['resl] **I** *vb itr* o. *vb tr* brottas, kämpa [*with* med]; brottas med **II** *s* brottning; brottningsmatch

**wrestler** ['reslə] *s* brottare

**wrestling** ['reslɪŋ] *s* brottning

**wrestling-match** ['reslɪŋmætʃ] *s* brottningsmatch; brottartävling

**wretch** [retʃ] *s* **1** stackare **2** usling

**wretched** ['retʃɪd] *adj* **1** djupt olycklig, eländig [*feel* ~], hopplös [*a* ~ *existence*]; stackars [*the* ~ *woman*] **2** usel, futtig **3** bedrövlig, urusel [~ *weather*]; vard. förbaskad [*a* ~ *cold*]

**wretchedness** ['retʃɪdnəs] *s* **1** förtvivlan; elände, misär **2** uselhet

**wriggle** ['rɪgl] **I** *vb itr* o. *vb tr* slingra sig, vrida sig, åla sig; vrida på, vicka på [~ *one's hips*]; ~ *out of* åla sig ur; slingra sig ur (från) [*he tried to* ~ *out of his promise*]; ~ *one's way* slingra sig fram, åla sig **II** *s* **1** slingrande (ålande) rörelse, slingring; vickning **2** snirkel

**wring** [rɪŋ] **I** (*wrung wrung*) *vb tr* vrida [~ *one's hands in despair*]; vrida (krama) ur [~ *the water from wet clothes*]; krama, trycka [*he wrung my hand hard*]; ~ *a p.'s neck* vrida halsen (nacken) av ngn; ~ *a th. out of* (*from*) *a p.* pressa (tvinga) av ngn ngt [~ *money (a confession) out of* (*from*) *a p.*], pressa ur ngn ngt; ~ *out* vrida (krama) ur [~ *out the water from* (ur) *wet clothes*] **II** *s* vridning, kramning; *give the washing a* ~ vrida (krama) ur tvätten

**wringer** ['rɪŋə] *s* vridmaskin

**wringing** ['rɪŋɪŋ] *adv*, ~ *wet* drypande våt, dyblöt

**wrinkle** ['rɪŋkl] **I** *s* rynka, skrynkla, veck; rynkning [*a* ~ *of* (på) *the nose*] **II** *vb tr* o. *vb itr* rynka, rynka på [*she wrinkled her nose*]; skrynkla, skrynkla till (ned), vecka [äv. ~ *up*]; bli rynkig (skrynklig), rynka sig, skrynklas

**wrinkled** ['rɪŋkld] *adj* o. **wrinkly** ['rɪŋklɪ] *adj* rynkig, skrynklig

**wrist** [rɪst] *s* handled, handlov

**wristband** ['rɪstbænd] *s* **1** handlinning, manschett **2** armband

**wristwatch** ['rɪstwɒtʃ] *s* armbandsur

**writ** [rɪt] *s* jur. skrivelse, handling

**write** [raɪt] (*wrote written*) *vb tr* o. *vb itr* **1** skriva, skriva ner (ut), författa; vara författare; ~ *for* a) skriva för (i) [~ *for a newspaper*] b) skriva efter; ~ *for a living* leva på att skriva **2** gå att skriva med □ ~ *back* svara; ~ *down* skriva upp (ner), anteckna; ~ *off* a) avskriva [~ *off a debt*], avfärda [*it was written off as a failure*] b) ~ *off for* skriva efter, rekvirera, beställa; ~ *off to* skriva till; ~ *out* skriva ut [~ *out a cheque*]

**writer** ['raɪtə] *s* författare, skribent; *writer's cramp* skrivkramp; *the present* ~ undertecknad

**write-up** ['raɪtʌp] *s* vard. recension, kritik; *a bad* ~ en dålig recension

**writhe** [raɪð] *vb itr* vrida sig [~ *with* el. *under* (av, i) *pain*]; bildl. våndas, pinas

**writing** ['raɪtɪŋ] **I** *s* **1** skrift; *in* ~ äv. skriftlig; skriftligt; skriftligen; *put* (*put down*) *in* ~ el. *take down in* ~ skriva ner, avfatta skriftligt **2** skrivning; skrivkonst; ~ *is difficult* det är svårt att skriva **3** författarverksamhet, författarskap; *he turned to* ~ [*at an early age*] han började skriva... **4** handstil **5** inskrift, inskription; skrift; *the* ~ *on the wall* skriften på väggen, ett dåligt omen **6** skrift, arbete, verk [*his collected* ~*s*] **II** *adj* skriv-; ~ *materials* skrivmaterial, skrivdon

**writing-desk** ['raɪtɪŋdesk] *s* skrivbord

**writing-pad** ['raɪtɪŋpæd] *s* **1** skrivunderlägg **2** skrivblock

**writing-paper** ['raɪtɪŋˌpeɪpə] *s* skrivpapper, brevpapper

**writing-table** ['raɪtɪŋˌteɪbl] *s* skrivbord

**written** ['rɪtn] *adj* o. *perf p* (av *write*) skriven; skriftlig [~ *test*]; ~ *language* skriftspråk

**wrong** [rɒŋ] **I** *adj* **1** orätt [*it is* ~ *to steal*], orättfärdig; orättvis **2** fel [*he got into the* ~ *train*], felaktig, galen; *sorry,* ~ *number!* förlåt, jag (ni) har kommit fel!; *be on the* ~ *side of fifty* vara över femtio år; *get on the* ~ *side of a p.* komma på kant med ngn; *get out of bed* (*get up*) *on the* ~ *side* vard. vakna på fel sida; *the* ~ *way round* bakvänd; bakvänt, bakfram; *go the* ~ *way about it* börja i galen (fel) ända; *go the* ~ *way to work* gå felaktigt till väga; *the food went* (*went down*) *the* ~ *way* maten fastnade i vrångstrupen; *be* ~ ha fel, ta fel (miste); *you're* ~ *there!*

där tar (har) du fel!; *be ~ in the (one's) head* vard. vara dum i huvudet; *what's ~ with...?* a) vad är det för fel med (på)...? b) vad har du emot...? c) hur skulle det vara med...?

**II** *adv* orätt, oriktigt [*act ~*]; fel, galet [*guess ~*]; vilse; *do ~* handla (göra) orätt (fel); *you've got it all ~* du har fått alltsammans om bakfoten; *don't get me ~!* förstå mig rätt!; *go ~* a) gå (komma) fel (vilse); göra fel b) misslyckas, gå snett c) vard. gå sönder, paja

**III** *s* orätt [*right and ~*]; orättfärdighet; oförrätt, orättvisa, ont; missförhållande; *do a p. ~* a) göra orätt mot ngn; förorätta ngn b) bedöma ngn orätt; *I had done no ~* jag hade inget ont gjort; *be in the ~* a) ha orätt (fel) b) vara skyldig; *put a p. in the ~* lägga skulden på ngn

**IV** *vb tr* förorätta, förfördela, kränka [*she was deeply wronged*]

**wrongdoer** ['rɒŋduə] *s* **1** syndare **2** ogärningsman, lagbrytare

**wrongdoing** ['rɒŋduːɪŋ] *s* ond gärning, missgärning; oförrätt; synd, förseelse

**wrongful** ['rɒŋf(ʊ)l] *adj* **1** orättvis, orättfärdig **2** olaglig, orättmätig

**wrongly** ['rɒŋlɪ] *adv* **1** fel, felaktigt, fel- [*~ spelt*], orätt **2** orättvist [*~ accused*]

**wrote** [rəʊt] se *write*

**wrought** [rɔːt] **I** se *work II* **II** *adj* **1** formad, arbetad, bearbetad; smidd, hamrad [*~ copper*]; *~ iron* smidesjärn **2** prydd, dekorerad, utsirad

**wrung** [rʌŋ] se *wring I*

**wry** [raɪ] (adverb *wryly*) *adj* **1** sned, skev **2** spydig; *make (pull) a ~ face* göra en grimas (sur min); *~ humour* torr (besk) humor; *~ smile* tvunget leende

# X

**X, x** [eks] *s* **1** X, x **2** X, x beteckning för okänd faktor, person m.m. [*x = y*; *Mr. X*] **3** kryss; äv. symbol för kyss i t.ex. brev

**xenon** ['zenɒn] *s* kem. xenon

**xenophobia** [ˌzenəˈfəʊbjə] *s* främlingshat

**XL** (förk. för *extra large*) beteckning för extra stor i klädesplagg

**Xmas** ['krɪsməs] *s* kortform för *Christmas*

**X-rated** ['eksˌreɪtɪd] *adj* ej lämplig för barn

**X-ray** ['eksreɪ] **I** *s* röntgenstråle, X-stråle; röntgen **II** *vb tr* röntga; röntgenbehandla

**XS** (förk. för *extra small*) beteckning för extra liten i klädesplagg

**xylophone** ['zaɪləfəʊn] *s* mus. xylofon

# Y

**Y, y** [waɪ] *s* **1** Y, y **2** mat. Y, y beteckning för bl.a. okänd faktor

**yacht** [jɒt] *s* lustjakt, yacht, segelbåt

**yacht club** ['jɒtklʌb] *s* segelsällskap, yachtklubb

**yachting** ['jɒtɪŋ] **I** *s* segling, segelsport **II** *adj* o. attributivt *s* lustjakt-, segel-, båt- [*~ trip*], seglar- [*~ cap*]

**yachtsman** ['jɒtsmən] (pl. *yachtsmen* ['jɒtsmən]) *s* seglare, kappseglare

**Yank** [jæŋk] *s* o. *adj* vard. för *Yankee*

**yank** [jæŋk] vard. **I** *vb tr* o. *vb itr* rycka (dra, hugga tag) i **II** *s* ryck, knyck

**Yankee** ['jæŋkɪ] *s* vard. yankee, jänkare

**yap** [jæp] **I** *vb itr* gläfsa, bjäbba; vard. tjafsa; snacka **II** *s* gläfsande, bjäbbande; vard. tjat, tjafs; snack

**yappy** ['jæpɪ] *adj* gläfsande, bjäbbande

**1 yard** [jɑ:d] *s* yard (= 3 *feet* = 0,91 m)

**2 yard** [jɑ:d] *s* **1** a) inhägnad gård, gårdsplan b) amer. trädgård **2** område, inhägnad; *railway ~* bangård **3** *the Yard* vard. för *Scotland Yard (New Scotland Yard)*

**yardstick** ['jɑ:dstɪk] *s* bildl. måttstock

**yarn** [jɑ:n] *s* **1** garn; tråd **2** vard. skepparhistoria; *spin a ~* dra en skepparhistoria

**yawn** [jɔ:n] **I** *vb itr* o. *vb tr* gäspa; *~ one's head off* gäspa käkarna ur led **II** *s* gäspning

**yawning** ['jɔ:nɪŋ] *adj* **1** gäspande [*a ~ audience*] **2** gapande [*a ~ abyss*]

**yd.** o. **yds.** (förk. för *yard, yards*) se *1 yard*

**yeah** [jeə] *adv* vard. ja; *oh ~?* jaså?

**year** [jɪə] *s* år; årtal; årgång; *~ of birth* födelseår; *~s and ~s* många herrans år; *last ~* i fjol, förra året; *this ~* i år; *a ~ or two ago* för ett par år sedan; *~s ago* för flera (många) år sedan; *~ by (after) ~* år för (efter) år; *by next ~* till (senast) nästa år; *for* (speciellt amer. *in*) *~s* i (på) åratal (många år); *in the ~ 2000* år 2000; *in two ~s* på (om) två år; *of late (recent) ~s* på (under) senare år

**yearbook** ['jɪəbʊk] *s* årsbok; årskalender

**yearlong** ['jɪəlɒŋ] *adj* årslång

**yearly** ['jɪəlɪ] **I** *adj* årlig, års- **II** *adv* årligen

**yearn** [jɜ:n] *vb itr* längta, trängta [*for*

*(after) a th.* efter ngt; *to do* efter att göra], tråna

**yearning** ['jɜ:nɪŋ] *s* stark åtrå, trängtan

**yeast** [ji:st] *s* jäst

**yell** [jel] **I** *vb itr* o. *vb tr* gallskrika, tjuta, vråla; skrika ut **II** *s* skrik, tjut, vrål; anskri

**yellow** ['jeləʊ] **I** *adj* **1** gul; *~ fever* gula febern **2** vard. feg **II** *s* **1** gult; **2** äggula

**yellow-belly** ['jeləʊˌbelɪ] *s* sl. fegis

**yelp** [jelp] **I** *vb itr* gläfsa, skälla, tjuta; skrika **II** *s* gläfs, skarpt skall, tjut; skrik

**yes** [jes] **I** *adv* ja; jo; *~?* verkligen?, och sedan?; *~, sir!* vard. jajamen!, jadå!, jodå! **II** *s* ja; *say ~* äv. samtycka

**yes-man** ['jesmæn] (pl. *yes-men* ['jesmen]) *s* jasägare, eftersägare, medlöpare

**yesterday** ['jestədɪ, 'jestədeɪ] **I** *adv* i går; *I was not born ~* jag är inte född i går **II** *s* gårdagen; *~ morning (evening)* i går morse (kväll); *~ night* i går kväll; i natt; *the day before ~* i förrgår

**yet** [jet] **I** *adv* **1** ännu, än; *as ~* än så länge, hittills; *the most serious incident ~* den hittills allvarligaste incidenten; *while there's ~ time* medan det ännu är tid; *you will win ~* du kommer att vinna till sist; *have you done ~?* har du slutat nu?; *I have ~ to see* [*the man who can beat me at tennis*] ännu har jag inte sett... **2** förstärkande ännu [*more important ~*]; ytterligare [*~ others*]; *~ again* el. *~ once more* ännu en gång; *~ another* ännu en **II** *adv* o. *konj* ändå, likväl, dock [*strange and ~ true*], i alla fall; men

**yew** [ju:] *s* idegran

**yid** [jɪd] *s* sl. (neds.) jude

**Yiddish** ['jɪdɪʃ] *s* jiddisch

**yield** [ji:ld] **I** *vb tr* o. *vb itr* **1** ge, avkasta, ge i avkastning (vinst), inbringa **2** lämna ifrån sig, överlämna, avstå, överge **3** ge efter (vika) [*to* för; *~ to threats*], ge sig; svikta; falla undan, ge med sig, vika, ge upp; *~ ground* falla undan [*to* för]; *~ to temptation* falla för frestelsen **4** lämna företräde i trafiken [*to åt*] **II** *s* avkastning; behållning, vinst; produktion; skörd

**yielding** ['ji:ldɪŋ] *adj* **1** foglig, eftergiven **2** böjlig, elastisk, tänjbar

**YMCA** [ˌwaɪˈemˌsiːˈeɪ] (förk. för *Young Men's Christian Association*) KFUM

**yodel** ['jəʊdl] *vb tr* o. *vb itr* joddla

**yoga** ['jəʊɡə] *s* yoga indisk religionsfilosofisk lära

**yoghurt** o. **yogurt** ['jɒɡət] *s* yoghurt

**yoke** [jəʊk] **I** *s* ok äv. bildl.; *shake (throw)*

*off the* ~ kasta av oket **II** *vb tr* oka, lägga oket på; spänna [~ *oxen to* (för) *a plough*]; oka ihop

**yokel** ['jəʊk(ə)l] *s* lantis, tölp

**yolk** [jəʊk] *s* äggula, gula

**yon** [jɒn] *pron* o. *adv* se *yonder*

**yonder** ['jɒndə] *pron* den där; ~ *group of trees* trädgruppen där borta **II** *adv* där borta; dit bort

**yore** [jɔ:] *s* litt., *of* ~ fordom; *in days* (*times*) *of* ~ i forna tider

**Yorkshire** ['jɔ:kʃɪə], ~ *pudding* yorkshirepudding slags ugnspannkaka gräddad med steksky och äts med kött

**you** [ju:, obetonat jʊ] *pers pron* **1 a)** du; ni; som objekt etc. dig; er, Eder; ~ *fool!* din dumbom! **b)** man [~ *get a good meal there*]; speciellt som objekt en; reflexivt sig **2** utan motsvarighet i sv.: *don't* ~ *do that again!* gör inte om det där!; *there's a fine apple for* ~*!* vard. se ett sånt fint äpple!; *there's friendship for* ~*!* vard. det kan man kalla vänskap!; iron. och det skall kallas vänskap!

**you'd** [ju:d] = *you had, you would*

**you'll** [ju:l] = *you will, you shall*

**young** [jʌŋ] **I** *adj* **1** ung; liten [*a* ~ *child*]; ~ *bird* fågelunge; *my* ~ *brother* min lillebror; ~ *lady!* unga dam!, min unga fröken!; *his* ~ *lady* vard. hans flickvän (flicka); *her* ~ *man* hennes pojkvän (pojke); ~ *ones* ungar; *the evening* (*night*) *is still* ~ kvällen har bara börjat; *the* ~ de unga, ungdomen **2** ungdomlig **II** *s pl* ungar; *bring forth* ~ få (föda) ungar; *with* ~ dräktig

**younger** ['jʌŋgə] *adj* (komparativ av *young*) yngre etc., jfr *young* I; *which is the* ~*?* vilken är yngst?

**youngest** ['jʌŋgɪst] *adj* superlativ av *young*

**youngish** ['jʌŋgɪʃ] *adj* rätt så ung, yngre [*a* ~ *man*]

**youngster** ['jʌŋstə] *s* **1** unge, pojke, grabb **2** yngling, tonåring

**your** [jɔ:, obetonat jə] *poss pron* din; er, Eder; *Your Excellency* Ers Excellens; *Your Majesty* Ers Majestät; motsvarande *you* i betydelsen 'man' sin [*you* (man) *cannot alter* ~ *nature*]; ens [~ *arms get tired sometimes*]

**you're** [jɔ:, jʊə] = *you are*

**yours** [jɔ:z] *poss pron* din; er, Eder; *what's* ~*?* vard. vad ska du ha?

**ourself** [jɔ:'self, obetonat jə'self] (pl. *yourselves* [jɔ:'selvz, jə'selvz]) *rfl pron* o.

*pers pron* dig, er, sig [*you* (du, ni, man) *may hurt* ~], dig (er, sig) själv [*you are not* ~ *today*]; du (ni, man) själv [*nobody but* ~], själv [*do it* ~]; *your father and* ~ din (er) far och du (ni) själv

**youth** [ju:θ, i pl. ju:ðz] *s* **1** abstrakt ungdom, ungdomen, ungdomstid, ungdomstiden; *a friend of my* ~ en ungdomsvän till mig; *in my* ~ i min ungdom; ~ *centre* ungefär ungdomsgård; ~ *hostel* vandrarhem **2** yngling, ung man; *as a* ~ som yngling, som ung **3** ungdomlighet

**youthful** ['ju:θf(ʊ)l] *adj* ungdomlig, ung

**you've** [ju:v, obetonat jʊv, jəv] = *you have*

**yo-yo** ['jəʊjəʊ] **I** (pl. ~*s*) *s* jojo leksak **II** *adj* jojo- [*a* ~ *effect*]; hastigt svängande **III** *vb itr* åka jojo, svänga fram och tillbaka, pendla

**Yugoslav** ['ju:gəslɑ:v] **I** *s* jugoslav **II** *adj* jugoslavisk

**Yugoslavia** [ju:gə'slɑ:vjə] hist. Jugoslavien

**Yugoslavian** [ju:gə'slɑ:vjən] **I** *s* jugoslav **II** *adj* jugoslavisk

**Yule** [ju:l] *s* dial. el. litt. jul, julen

**yummy** ['jʌmɪ] *adj* vard. smackens, mumsig

**yum-yum** [jʌm'jʌm] *interj* vard. namnam!, mums!, härligt!

**YWCA** [ˌwaɪdʌblju:ˌsi:'eɪ] (förk. för *Young Women's Christian Association*) KFUK

# Z

**Z, z** [zed, amer. vanl. zi:] *s* Z, z
**Zagreb** ['zɑːgreb]
**Zaire** [zaˈɪə]
**Zairean** o. **Zairian** [zaˈɪərɪən] **I** *adj* zairisk
**II** *s* zairier
**Zambia** ['zæmbɪə]
**Zambian** ['zæmbɪən] **I** *adj* zambisk **II** *s* zambier
**zany** ['zeɪnɪ] *s* pajas, dåre
**zap** [zæp] sl. **I** *vb tr* knäppa, skjuta **II** *s* kraft, fart **III** *interj* svisch!, pang!
**zapper** ['zæpə] *s* **1** TV. fjärrkontroll **2** person som ständigt växlar mellan TV-kanaler
**zeal** [ziːl] *s* iver, nit, entusiasm
**zealot** ['zelət] *s* fanatiker; trosivrare
**zealous** ['zeləs] *adj* ivrig, nitisk
**zebra** ['zebrə, 'ziːbrə] *s* **1** zool. sebra **2** ~ *crossing* övergångsställe för fotgängare markerat med vita ränder
**zed** [zed] *s* bokstaven z
**zee** [ziː] *s* amer., bokstaven z
**zenith** ['zenɪθ] *s* zenit; höjdpunkt [*at the ~ of the career*]
**zero** ['zɪərəʊ] *s* **1** noll; ~ *growth* nolltillväxt **2** nollpunkt; fryspunkt; *absolute* ~ absoluta nollpunkten; *be at* ~ stå på noll; *10 degrees below* ~ äv. 10 minusgrader; *it is below* ~ äv. det är minusgrader
**zest** [zest] *s* iver, entusiasm [*with* ~]; aptit [*for* på]; ~ *for life* livsglädje, livslust; *add (give, lend) a* ~ *to* ge en extra krydda åt, sätta piff på
**zigzag** ['zɪgzæg] **I** *adj* sicksackformig, sicksack- [*a* ~ *line*] **II** *s* sicksack, sicksacklinje **III** *adv* i sicksack **IV** *vb itr* gå (löpa) i sicksack
**zilch** [zɪltʃ] *s* speciellt amer. sl. noll, ingenting
**Zimbabwe** [zɪmˈbɑːbwɪ]
**Zimbabwean** [zɪmˈbɑːbwɪən] **I** *adj* zimbabwisk **II** *s* zimbabwier
**zinc** [zɪŋk] *s* zink; ~ *ointment* zinksalva
**zing** [zɪŋ] *s* **1** vinande ljud **2** vard. energi
**Zionism** ['zaɪənɪzm] *s* sionism
**zip** [zɪp] **I** *s* **1** vinande, visslande [*the* ~ *of a bullet*] **2** vard. kläm, fart, energi [*full of* ~] **3** blixtlås **II** *vb tr*, ~ el. ~ *open* öppna blixtlåset på; ~ el. ~ *up* dra igen blixtlåset på, stänga; *will you* ~ *me up* (~ *up my*

*dress*)*?* vill du dra igen blixtlåset på min klänning?
**zip code** ['zɪpkəʊd] *s* amer. postnummer
**zip-fastener** ['zɪpˌfɑːsnə] *s* blixtlås
**zipper** ['zɪpə] *s* blixtlås
**zippy** ['zɪpɪ] *adj* vard. fartig, energisk
**zither** ['zɪðə] *s* cittra
**zodiac** ['zəʊdɪæk] *s* astrol., *the* ~ zodiaken [*the signs of the* ~], djurkretsen
**zombi** o. **zombie** ['zɒmbɪ] *s* vard. dönick
**zone** [zəʊn] *s* zon; bälte; *the danger* ~ riskzonen, farozonen; *postal delivery* ~ amer. postdistrikt; *the temperate* ~*s* de tempererade zonerna; *the torrid* ~ den tropiska (heta) zonen; ~ *therapist* zonterapeut; ~ *therapy* zonterapi
**Zoo** [zuː] *s* vard. zoo
**zoological** [ˌzəʊəˈlɒdʒɪk(ə)l, i 'zoological gardens': zʊˈlɒdʒɪk(ə)l] *adj* zoologisk, djur-; ~ *gardens* zoologisk trädgård, djurpark
**zoologist** [zəʊˈɒlədʒɪst] *s* zoolog
**zoology** [zəʊˈɒlədʒɪ] *s* zoologi
**zoom** [zuːm] **I** *s* **1** flyg. brant stigning; bildl. brant uppgång **2** ~ *lens* zoomlins, zoomobjektiv **3** brummande, surrande **II** *vb itr* **1** flyg. stiga brant; bildl. stiga hastigt, skjuta i höjden [*prices zoomed*] **2** film. el. TV. zooma [~ *in (out)*]; om bildmotiv zoomas in (ut)
**Zulu** ['zuːluː] *s* **1** zulu **2** zuluspråket

# Engelska oregelbundna verb

| INFINITIV | IMPERFEKT | PERFEKT PARTICIP |
|---|---|---|
| arise | arose | arisen |
| awake | awoke | awoken |
| be | was | been |
| (Presens indikativ: sg. I am, you are, he/she/it is; pl.: they/we are) | (Pl.:were) | |
| bear | bore | borne; born ('född') |
| beat | beat | beaten |
| become | became | become |
| begin | began | begun |
| behold | beheld | beheld |
| bend | bent | bent |
| bereave | bereft, bereaved | bereft, bereaved |
| beseech | besought | besought |
| bet | bet, betted | bet, betted |
| bid ('bjuda', 'befalla') | bade | bidden, bid |
| bid ('bjuda på auktion') | bid | bid |
| bind | bound | bound |
| bite | bit | bitten |
| bleed | bled | bled |
| blow | blew | blown |
| break | broke | broken |
| breed | bred | bred |
| bring | brought | brought |
| broadcast | broadcast, broadcasted | broadcast, broadcasted |
| build | built | built |
| burn | burnt | burnt |
| burst | burst | burst |
| buy | bought | bought |
| cast | cast | cast |
| catch | caught | caught |
| choose | chose | chosen |
| cleave | cleft, cleaved | cleft |
| cling | clung | clung |

| INFINITIV | IMPERFEKT | PERFEKT PARTICIP |
|-----------|-----------|------------------|
| clothe | clothed, (*poet.*) clad | clothed, (*poet.*) clad |
| come | came | come |
| cost | cost | cost |
| creep | crept | crept |
| crow | crowed, crew | crowed |
| cut | cut | cut |
| deal | dealt | dealt |
| dig | dug | dug |
| do | did | done |
| (he/she/it does) | | |
| draw | drew | drawn |
| dream | dreamt, dreamed | dreamt, dreamed |
| drink | drank | drunk |
| drive | drove | driven |
| dwell | dwelt | dwelt |
| eat | ate | eaten |
| fall | fell | fallen |
| feed | fed | fed |
| feel | felt | felt |
| fight | fought | fought |
| find | found | found |
| flee | fled | fled |
| fling | flung | flung |
| fly | flew | flown |
| forbear | forbore | forborne |
| forbid | forbade | forbidden |
| forecast | forecast, forecasted | forecast, forecasted |
| forget | forgot | forgotten |
| forgive | forgave | forgiven |
| forsake | forsook | forsaken |
| freeze | froze | frozen |
| get | got | got, *amer. äv.* gotten (*i vissa bet., t. ex.* 'fått', 'kommit') |
| give | gave | given |
| go | went | gone |
| (he/she/it goes) | | |
| grind | ground | ground |
| grow | grew | grown |
| hang | hung | hung |
| (*I bet.* 'avliva genom hängning' *vanl.* hanged hanged) | | |

| INFINITIV | IMPERFEKT | PERFEKT PARTICIP |
|-----------|-----------|------------------|
| have | had | had |
| (he/she/it has) | | |
| hear | heard | heard |
| hew | hewed | hewed, hewn |
| hide | hid | hidden, hid |
| hit | hit | hit |
| hold | held | held |
| hurt | hurt | hurt |
| keep | kept | kept |
| kneel | knelt, kneeled | knelt, kneeled |
| knit | knitted, knit | knitted, knit |
| know | knew | known |
| lade | laded | laden, laded |
| lay | laid | laid |
| lead | led | led |
| lean | leaned, leant | leaned, leant |
| leap | leapt | leapt |
| learn | learnt, learned | learnt, learned |
| leave | left | left |
| lend | lent | lent |
| let | let | let |
| lie | lay | lain |
| light | lit, lighted | lit, lighted |
| lose | lost | lost |
| make | made | made |
| mean | meant | meant |
| meet | met | met |
| mow | mowed | mown |
| pay | paid | paid |
| put | put | put |
| quit | quitted, quit | quitted, quit |
| read | read | read |
| rid | rid | rid |
| ride | rode | ridden |
| ring | rang | rung |
| rise | rose | risen |
| run | ran | run |
| saw | sawed | sawn |
| say | said | said |
| see | saw | seen |
| seek | sought | sought |

| *INFINITIV* | *IMPERFEKT* | *PERFEKT PARTICIP* |
|---|---|---|
| sell | sold | sold |
| send | sent | sent |
| set | set | set |
| sew | sewed | sewn, sewed |
| shake | shook | shaken |
| shear | sheared | shorn, sheared |
| shed | shed | shed |
| shine | shone | shone |
| shoe | shod | shod |
| shoot | shot | shot |
| show | showed | shown |
| shrink | shrank | shrunk |
| shut | shut | shut |
| sing | sang | sung |
| sink | sank | sunk |
| sit | sat | sat |
| slay | slew | slain |
| sleep | slept | slept |
| slide | slid | slid |
| sling | slung | slung |
| slink | slunk | slunk |
| slit | slit | slit |
| smell | smelt | smelt |
| smite | smote | smitten |
| sow | sowed | sown, sowed |
| speak | spoke | spoken |
| speed ('skynda', 'ila') | sped | sped |
| spell | spelt | spelt |
| spend | spent | spent |
| spill | spilt | spilt |
| spin | spun | spun |
| spit | spat | spat |
| split | split | split |
| spoil | spoilt, spoiled | spoilt, spoiled |
| spread | spread | spread |
| spring | sprang | sprung |
| stand | stood | stood |
| steal | stole | stolen |
| stick | stuck | stuck |
| sting | stung | stung |

| INFINITIV | IMPERFEKT | PERFEKT PARTICIP |
|---|---|---|
| stink | stank | stunk |
| stride | strode | stridden |
| strike | struck | struck |
| string | strung | strung |
| strive | strove | striven |
| swear | swore | sworn |
| sweep | swept | swept |
| swell | swelled | swollen |
| swim | swam | swum |
| swing | swung | swung |
| take | took | taken |
| teach | taught | taught |
| tear | tore | torn |
| tell | told | told |
| think | thought | thought |
| throw | threw | thrown |
| thrust | thrust | thrust |
| tread | trod | trodden |
| underbid | underbid | underbid |
| wake | woke | woken |
| wear | wore | worn |
| weave | wove | woven |
| wed | wedded, wed | wedded, wed |
| weep | wept | wept |
| win | won | won |
| wind | wound | wound |
| wring | wrung | wrung |
| write | wrote | written |

# Mått och vikt i Storbritannien (och USA)

*Det internationella metersystemet används också, i synnerhet i Storbritannien*

## Längdmått

| | | |
|---|---|---|
| inch (in.) | 0.083 foot | 2,54 cm |
| foot (ft.) | 12 inches | 30,48 cm |
| yard (yd.) | 3 feet | 0,914 m |
| mile (m.) | 1 760 yards | 1 609 m |

## Ytmått

| | | |
|---|---|---|
| square inch (sq. in.) | | 6,45 cm² |
| square foot (sq. ft.) | 144 sq. inches | 9,29 dm² |
| square yard (sq. yd.) | 9 sq. feet | 0,84 m² |
| acre | 4 840 sq. yards | 40,47 a |
| square mile (sq. m.) | 640 acres | 259 ha (2,6 km²) |

## Rymdmått

| | | |
|---|---|---|
| cubic inch (cu. in.) | | 16,387 cm³ |
| cubic foot (cu. ft.) | 1 728 cu. inches | 0,028 m³ |
| cubic yard (cu. yd.) | 27 cu. feet | 0,765 m³ |
| registerton (tonnagemått) | 100 cu. feet | 2,83 m³ |

### För våta varor

| | | |
|---|---|---|
| pint (pt.) | | 0,568 l (amer. 0,473 l) |
| quart (qt.) | 2 pints | 1,136 l (amer. 0,946 l) |
| gallon (gal.) | 4 quarts | 4,546 l (amer. 3,785 l) |

### *Matlagningsmått*

1 teaspoonful 6 ml (amer. 5 ml)   1 tesked 5 ml
1 tablespoonful 18 ml (amer. 15 ml)   1 matsked 15 ml
1 cupful 284 ml (amer. 237 ml)   1 kopp
(Obs! 1 kaffekopp
150 ml)

## *Viktmått*

| | | |
|---|---|---|
| ounce (oz.) | | 28,35 g |
| pound (lb.) | 16 ounces | 0,454 kg |
| stone (st.) | 14 pounds | 6,35 kg |
| quarter (qr.) | 28 pounds | 12,7 kg |
| | (amer. 25 pounds) | (amer. 11,3 kg) |
| hundredweight (cwt.) | 112 pounds | 50,8 kg |
| | (amer. 100 pounds) | (amer. 45,4 kg) |
| ton (short, amer.) | 2 000 pounds | 907,2 kg |
| ton (long) | 2 240 pounds | 1 016 kg |

### *Motsvarande värden för några svenska mått- och vikt- enheter*

1 cm=0.394 inch  1 cm²=0.155 square inch  1 cm³=0.061 cubic inch
1 m=1.094 yards  1 m²=1.196 square yards  1 m³=1.308 cubic yards
1 km=0.621 mile  1 a=119.6 square yards
1 mil=6.21 miles  1 ha=2.471 acres
1 km²=0.386 square mile

1 l=1.76 pints  1 g=0.035 ounce
1 dl=0.176 pints  1 hg=3.5 ounces
1 kg=2.2 pounds
1 ton=1.1 short tons (0.984 long ton)

# Kläd- och skostorlekar  Termometern

| SWEDEN | BRITAIN | USA |
|---|---|---|
| **Ladies' coats and jackets** | | |
| 36 | 8/30 | 6 |
| 38 | 10/32 | 8 |
| 40 | 12/34 | 10 |
| 42 | 14/36 | 12 |
| 44 | 16/38 | 14 |
| 46 | 18/40 | 16 |
| **Men's Suits and Overcoats** | | |
| 46 | 36 | 36 |
| 48 | 38 | 38 |
| 50 | 40 | 40 |
| 52 | 42 | 42 |
| 54 | 44 | 44 |
| 56 | 46 | 46 |
| **Men's Shirts** | | |
| 36 | 14 | 14 |
| 37 | 14 1/2 | 14 1/2 |
| 38 | 15 | 15 |
| 39 | 15 1/2 | 15 1/2 |
| 40 | 15 1/2 | 15 1/2 |
| 41 | 16 | 16 |
| 42 | 16 1/2 | 16 1/2 |
| 43 | 17 | 17 |
| **Ladies' Shoes** | | |
| 36 | 3 | 4 1/2 |
| 37 | 4 | 5 1/2 |
| 38 | 5 | 6 1/2 |
| 39 | 6 | 7 1/2 |
| 40 | 7 | 8 1/2 |
| **Men's Shoes** | | |
| 40 | 6 | 6 1/2 |
| 41 | 7 | 7 1/2 |
| 42 | 8 | 8 1/2 |
| 43 | 9 | 9 1/2 |
| 44 | 10 | 10 1/2 |

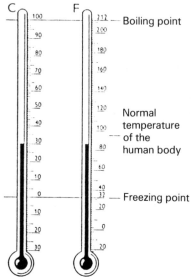

Temperatur anges i USA (liksom ibland i Storbritannien) i Fahrenheitsgrader, och motsvarigheten i Celsiusgrader framgår av ovanstående figur.

# Norstedts lilla engelska ordbok
## Svensk-engelsk

# A

**a** *s* mus. A

**å** *prep*, **~ fem kronor** at five kronor; **5 ~ 6 gånger** 5 or 6 times

**AB** bolag Ltd., amer. Inc., jfr aktiebolag

**abborre** *s* perch (pl. vanl. lika)

**abdikation** *s* abdication

**abdikera** *vb itr* abdicate

**aber** *s, ett* ~ a snag (drawback)

**abessinier** *s* kattras Abyssinian

**abnorm** *adj* abnormal

**abnormitet** *s* abnormality

**abonnemang** *s* subscription [*på* to, for]

**abonnemangsavgift** *s* subscription charges pl.; tele. telephone rental

**abonnent** *s* subscriber; teat. season-ticket holder

**abonnera** *vb itr* o. *vb tr* subscribe [*på* to, for]; **~d buss** hired coach, amer. chartered bus

**abort** *s* abortion; missfall miscarriage; **göra ~** have an abortion

**abortmotståndare** *s* anti-abortionist

**abrupt I** *adj* abrupt **II** *adv* abruptly

**ABS-bromsar** *s pl* ABS brakes (förk. för anti-lock brake system el. braking system)

**absolut I** *adj* absolute, definite **II** *adv* absolutely; helt utterly; säkert certainly, definitely

**absolutist** *s* helnykterist teetotaller, total abstainer

**absorbera** *vb tr* absorb

**abstrakt** *adj* abstract

**absurd** *adj* absurd

**absurditet** *s* absurdity

**acceleration** *s* acceleration

**accelerationsförmåga** *s* [power of] acceleration

**accelerera** *vb tr* o. *vb itr* accelerate

**accent** *s* accent; tonvikt stress

**accenttecken** *s* accent, stress mark

**accentuera** *vb tr* accentuate, stress

**acceptabel** *adj* acceptable; nöjaktig passable

**acceptera** *vb tr* accept

**accessoarer** *s pl* accessories

**accis** *s, ~ på bilar* purchase tax on cars

**aceton** *s* acetone

**acetylsalicylsyra** *s* acetylsalicylic acid

**ack** *interj* oh dear!; i högre stil alas!

**acklamation** *s, med ~* by acclamation

**acklimatisera I** *vb tr* acclimatize **II** *vb rfl*, **~ sig** become acclimatized

**ackompanjatör** *s* accompanist

**ackompanjemang** *s* accompaniment

**ackompanjera** *vb tr* accompany

**ackord** *s* **1** mus. chord **2** överenskommelse contract [*på* for]; **arbeta på ~** do piecework

**ackordsarbete** *s* piecework (end. sg.)

**ackordslön** *s* piece wages pl.

**ackumulator** *s* accumulator

**ackumulera** *vb tr* accumulate

**ackusativ** *s* gram. accusative; **i ~** in the accusative

**ackusativobjekt** *s* gram. accusative (direct) object

**acne** *s* med. acne

**a conto** on account

**ADB** (förk. för *automatisk databehandling*) ADP (förk. för automatic data processing)

**addera** *vb tr* add; lägga ihop add up (together)

**addition** *s* addition

**adekvat** *adj* adequate; träffande apt

**adel** *s,* **~n** the nobility

**adelsman** *s* nobleman

**aderton** *räkn* se *arton*

**adjektiv** *s* adjective

**adjunkt** *s* ung. assistant master (kvinnlig mistress) [at a secondary school]

**adjutant** *s* mil. aide-de-camp, aide

**adjö I** *interj* goodbye; vard. bye-bye! **II** *s* goodbye; **säga ~ åt ngn** say goodbye to a p.

**adla** *vb tr* raise...to the nobility

**adlig** *adj* noble, aristocratic

**administration** *s* administration

**administrativ** *adj* administrative

**administratör** *s* administrator

**administrera** *vb tr* administer, manage

**adoptera** *vb tr* adopt

**adoption** *s* adoption

**adoptivbarn** *s* adopted child

**adoptivföräldrar** *s pl* adoptive parents

**adrenalin** *s* adrenaline

**adress** *s* address

**adressat** *s* addressee

**adressera** *vb tr* address

**adresslapp** *s* address label, luggage label

**adressändring** *s* change of address

**Adriatiska havet** the Adriatic [Sea]

**advent** *s* Advent

**adventskalender** *s* Advent calendar

**adventsstake** *s* Advent candlestick [with

four candles lit in turn on each Sunday in Advent]
**adverb** s adverb
**adverbial** s adverbial modifier
**advokat** s lawyer; juridiskt ombud solicitor; sakförare vid domstol barrister, amer. vanl. attorney
**advokatbyrå** s kontor lawyer's office; firma firm of lawyers
**aerobics** s aerobics sg.
**aerobisk** adj, ~ träning aerobics
**aerodynamisk** adj aerodynamic
**aerogram** s air letter, aerogram
**aerosol** s aerosol
**aerosolförpackning** s aerosol container
**affekt** s emotion; handla i ~ act in the heat of the moment
**affekterad** adj affected
**affektionsvärde** s sentimental value
**affisch** s bill; större placard, poster
**affischering** s placarding; ~ förbjuden! post (stick) no bills!
**affischnamn** s outstanding media personality
**affär** s 1 business; butik shop, speciellt amer. store; hur går ~erna? how's business?; göra en god ~ do a good piece of business, make a good bargain; ha ~er med do business with 2 angelägenhet affair; sköt dina egna ~er! mind your own business!; göra stor ~ av ngt (ngn) make a great fuss about a th. (of a p.)
**affärsbiträde** s shop assistant, amer. salesclerk, clerk
**affärsbrev** s business letter
**affärsgata** s shopping street
**affärsidé** s business concept
**affärsinnehavare** s shopkeeper, amer. storekeeper
**affärsman** s businessman
**affärsmässig** adj businesslike
**affärsresa** s business trip
**affärstid** s business (opening) hours pl.
**afghan** s Afghan äv. hund
**Afghanistan** Afghanistan
**afghansk** adj Afghan
**Afrika** Africa
**afrikan** s African
**afrikansk** adj African
**afroasiatisk** adj Afro-Asian
**afrofrisyr** s Afro (pl. -s)
**afton** s evening; senare night; god ~! good evening!
**aftonbön** s evening prayers pl.
**aftondräkt** s evening dress

**aftonklänning** s evening gown
**aga** s corporal punishment
**agent** s agent; spion spy
**agentroman** s spy novel (story)
**agentur** s agency
**agera** vb tr o. vb itr act; ~ förmyndare act as guardian; de ~nde those involved; hans ~nde his actions
**agg** s, hysa ~ mot ngn bear a p. ill-feeling (a grudge)
**aggregat** s aggregate; tekn. unit
**aggression** s aggression
**aggressiv** adj aggressive
**aggressivitet** s aggressiveness
**agitation** s agitation, campaign
**agitator** s agitator
**agitera** vb itr agitate
**agn** s vid fiske bait
**aids** s med. Aids, AIDS (förk. för acquired immune deficiency syndrome förvärvat immunbristsyndrom)
**aidssjuk** subst adj, en ~ an Aids sufferer (victim)
**aiss** s mus. A sharp
**aj** interj oh!, ouch!; ~, ~! varnande now! now!
**à jour** s, hålla sig ~ keep up to date; hålla ngn ~ keep a p. informed (up to date)
**ajournera** vb tr adjourn
**akademi** s academy; Svenska Akademien the Swedish Academy
**akademiker** s med examen university graduate
**akademisk** adj academic
**akilleshäl** s Achilles' heel
**akleja** s columbine
**akne** s med. acne
**akrobat** s acrobat
**akrobatik** s acrobatics (sg. el. pl.)
**akrobatisk** adj acrobatic
**akryl** s acrylic
**akrylfiber** s acrylic fibre
**akrylfärg** s acrylic paint
**1 akt** s 1 ceremoni ceremony 2 teat. act 3 urkund document
**2 akt** s, giv ~! attention!; ge ~ på observe, notice, pay attention to; ta tillfället i ~ take the opportunity
**akta I** vb tr be careful with; vårda take care of; ~ huvudet! mind your head! II vb rfl, ~ sig take care, be careful [för att göra det not to do that (so)]; vara på sin vakt be on one's guard [för against]; se upp look out [för for]; ~ dig, du! watch your step!
**aktad** adj respected

**akter** s sjö. stern
**akterdäck** s after-deck
**akterlanterna** s stern light; flyg. tail light
**akterskepp** s stern
**aktersnurra** s outboard motor; båt outboard motor-boat
**aktie** s share; ~r koll. stock sg.
**aktiebolag** s joint-stock company; med begränsad ansvarighet limited company; börsnoterat public limited company (förk. PLC)
**aktiefond** s unit trust, amer. mutual fund
**aktiekurs** s share price (quotation)
**aktiesparare** s share investor
**aktieägare** s shareholder, spec. amer. stockholder
**aktion** s action
**aktionsradie** s sjö. el. flyg. range
**aktiv I** adj active **II** s gram. the active, the active voice
**aktivera** vb tr activate
**aktivist** s activist
**aktivitet** s activity
**aktning** s respect
**aktningsvärd** adj ...worthy of respect; betydlig considerable
**aktsam** adj careful
**aktsamhet** s care
**aktualisera** vb tr bring...to the fore; åter bring up...again; frågan har ~ts the question has arisen (come up)
**aktualitet** s current (immediate) interest, topicality
**aktuell** adj ...of current interest, topical; current; nu rådande present; ifrågavarande ...in question; bli ~ arise, come up, come to the fore; Aktuellt i TV the News sg.
**aktör** s skådespelare actor; person som agerar main figure, person involved, t.ex. på börsen operator
**akupunktur** s acupuncture
**akupunktör** s acupuncturist
**akustik** s ljudförhållanden acoustics pl.
**akustisk** adj acoustic
**akut** adj **I** acute **II** s, ~en the emergency ward
**akutmottagning** s emergency ward
**akvarell** s watercolour
**akvarium** s aquarium
**akvavit** s aquavit, snaps
**al** s alder; för sammansättningar jfr björk-
**alabaster** s alabaster
**la carte** adv à la carte
**-lag** s **1** sport. first team; bildl. äv. A-team **2** vard., A-laget ung. the local winos pl.

**alarm** s signal alarm; falskt ~ false alarm; slå ~ sound the (an) alarm
**alarmberedskap** s state of alert
**alarmera** vb tr alarm; ~ brandkåren call the fire brigade
**alban** s Albanian
**Albanien** Albania
**albansk** adj Albanian
**albatross** s albatross
**albino** s albino (pl. -s)
**album** s album; urklipps~ scrapbook
**aldrig** adv never; ~ mer never again; ~ i livet! not on your life!, no way!
**alert I** adj alert **II** s, vara på ~en be alert
**alfabet** s alphabet
**alfabetisk** adj alphabetical
**Alfapet** s ® Scrabble slags bokstavsspel
**alg** s alga (pl. algae)
**algblomning** s algal bloom
**algebra** s algebra
**Alger** Algiers
**algerier** s Algerian
**Algeriet** Algeria
**algerisk** adj Algerian
**alias** adv alias
**alibi** s alibi
**alkali** s alkali
**alkalisk** adj alkaline
**alkis** s vard. wino (pl. -s), boozer
**alkohol** s alcohol
**alkoholfri** adj non-alcoholic; ~ dryck soft drink
**alkoholhalt** s alcoholic content
**alkoholhaltig** adj alcoholic
**alkoholiserad** adj, vara ~ be an alcoholic
**alkoholism** s alcoholism
**alkoholist** s alcoholic
**alkoholmissbruk** s addiction to alcohol
**alkoholpåverkad** adj ...under the influence of drink
**alkotest** s breathalyser test
**alkotestapparat** s breathalyser
**alkov** s alcove, recess
**all** pron all; varje every; ha ~ anledning att have every reason to; ~t annat everything else; ~t annat än anything but; ~a människor everybody; ~t möjligt all sorts of things
**alla** pron fristående all; varenda en everybody, everyone (båda sg.); en gång för ~ once and for all
**Alla helgons dag** s the Saturday between 31st October and 6th November
**alldaglig** adj everyday (end. attr.); vanlig ordinary

**alldeles** adv quite; absolut absolutely; fullkomligt perfectly; grundligt thoroughly; fullständigt completely; helt och hållet entirely; totalt utterly; ~ *för många* far too many; ~ *nyss* just now

**allé** s avenue

**allehanda** adj ...of all sorts (kinds)

**allemansrätt** s ung. legal right of access to private land

**allergi** s allergy

**allergiframkallande** adj allergenic

**allergiker** s allergic person, allergy sufferer

**allergisk** adj allergic [*mot* to]

**allesammans** pron all of us (you etc.); adjö ~*!* goodbye everybody!

**allhelgonadag** s, ~*en* All Saints' Day

**allians** s alliance

**alliansfri** adj non-aligned

**alliansring** s eternity ring

**alliera** vb rfl, ~ *sig* ally oneself [*med* to]

**allierad** I adj allied [*med* to] II subst adj ally; *de* ~*e* the allies

**alligator** s alligator

**allihop** pron all of us resp. you etc.

**allmosa** s alms (pl. lika)

**allmän** adj vanlig common; för alla general; *på* ~ *bekostnad* at public expense; *det* ~*na* the community

**allmänbildad** adj well-informed, well-read

**allmänbildning** s all-round education, general knowledge

**allmängiltig** adj generally applicable

**allmänhet** s **1** *i* ~ in general, generally, as a rule **2** ~*en* el. *den stora* ~*en* the public, the public at large

**allmänmänsklig** adj ...common to all mankind, human

**allmänning** common

**allmännytta** s, ~*n* **a)** the public good (interest) **b)** bostäder the public housing sector

**allmännyttig** adj ...for the benefit of everyone

**allmänpraktiserande** adj, ~ *läkare* general practitioner (förk. GP)

**allmänt** adv commonly, generally; ~ *känd* widely known; ~ *utbredd* widespread

**allmäntillstånd** s general condition

**allra** adv, *den* ~ *bästa* the very best; *de* ~ *flesta* (*flesta bilar*) the great majority (great majority of cars); ~ *mest* (*minst*) most (least) of all

**allriskförsäkring** s comprehensive insurance

**alls** adv, *inte* ~ not at all, by no means; *inget besvär* ~ no trouble at all

**allsidig** adj all-round; *en* ~ *kost* a balanced diet

**allsmäktig** adj almighty

**allströmsmottagare** s all-mains receiver

**allsvensk** adj, *allsvenskan* the Premier Division of the Swedish Football League

**allsång** s community singing

**allt** I pron fristående all, everything; ~ *eller intet* all or nothing; *när* ~ *kommer omkring* after all; when all is said and done; *bara tio* ~ *som* ~ only ten all told (all in all); *spring* ~ *vad du kan* run as fast as you can; *inte för* ~ *i världen* not for anything in the world II adv, ~ *bättre* better and better; ~ *intressantare* more and more interesting; ~ *sämre* worse and worse

**alltefter** prep according to

**allteftersom** konj as

**alltemellanåt** adv from time to time

**alltför** adv far (much) too

**alltiallo** s, *hans* ~ his right hand, his factotum

**alltid** adv always; *för* ~ for ever

**allt-i-ett-pris** s all-in price

**alltifrån** prep om tid ever since

**alltihop** se *alltsammans*

**allting** pron everything

**alltjämt** adv fortfarande still; ständigt constantly

**alltmer** adv more and more

**alltsammans** pron all [of it resp. them], the whole lot (thing)

**alltsedan** prep, adv o. konj ever since

**alltså** adv accordingly, thus, consequently; det vill säga in other words

**allvar** s seriousness; starkare gravity; *mena* ~ be serious; *på* ~ (*fullt* ~) in earnest (real earnest); *ta...på* ~ take...seriously

**allvarlig** adj serious; starkare grave

**allvetare** s walking encyclopedia; neds. know-all

**alm** s elm; för sammansättningar jfr *björk-*

**almanacka** s vägg~ calendar; fick~ diary

**alp** s alp; *Alperna* the Alps

**alpin** adj alpine

**alster** s product, production

**alstra** vb tr produce, generate

**alt** s mus. alto (pl. -s)

**altan** s terrace; balkong balcony

**altare** s altar

**alternativ** s o. adj alternative

**alternera** vb itr alternate [*med* with]

**altfiol** s mus. viola
**aluminium** s aluminium, amer. aluminum
**aluminiumfolie** s aluminium foil
**aluminiumfälgar** s pl alloy wheels (rims)
**alun** s alum
**amalgam** s kem. amalgam
**amaryllis** s bot. amaryllis
**amatör** s amateur [på to]
**ambassad** s embassy
**ambassadör** s ambassador
**ambition** s framåtanda ambition; pliktkänsla conscientiousness
**ambitiös** adj ambitious, conscientious
**ambulans** s ambulance
**ambulera** vb itr move from place to place
**amen** interj amen
**Amerika** America; ~s förenta stater the United States of America
**amerikan** s o. **amerikanare** s American
**amerikansk** adj American, jfr svensk
**amerikanska** s 1 kvinna American woman 2 språk American English; jfr svenska
**ametist** s amethyst
**amfetamin** s amphetamine
**aminosyra** s kem. amino-acid
**amiral** s admiral
**amma** vb tr breast-feed, nurse
**ammoniak** s ammonia
**ammonium** s ammonium
**ammunition** s ammunition
**amnesti** s amnesty
**amok** s, löpa ~ run amok
**amortera** vb tr lån pay off…by instalments
**amortering** s amorterande repayment by instalments; belopp instalment
**ampel** s för växter hanging flowerpot
**ampere** s ampere
**ampull** s ampoule; liten flaska phial
**amputation** s amputation
**amputera** vb tr amputate
**AMU** förk, se arbetsmarknadsutbildning
**AMU-center** s Vocational Training (Employment) Centre
**amulett** s amulet, talisman
**an** adv, av och ~ up and down
**ana** vb tr have a feeling, have an idea [att that]; misstänka suspect; föreställa sig think, imagine; ~ oråd suspect mischief; vard. smell a rat
**anabol** adj med., ~a steroider anabolic steroids
**analfabet** s, vara ~ be illiterate (an illiterate)
**analfabetism** s illiteracy
**analogi** s analogy

**analys** s analysis (pl. analyses)
**analysera** vb tr analyse, amer. analyze
**analöppning** s anus
**anamma** interj, fan ~! damn it!, hell!
**ananas** s pineapple
**anarki** s anarchy
**anarkist** s anarchist
**anatomi** s anatomy
**anatomisk** adj anatomical
**anbefalla** vb tr rekommendera recommend
**anbelanga** vb tr, vad det ~r as far as that's concerned
**anblick** s sight; vid första ~en at first sight
**anbringa** vb tr fästa fix; applicera apply
**anbud** s offer, bid
**and** s wild duck
**anda** s **1** andedräkt breath; dra ~n draw breath; hålla (tappa) ~n hold (lose) one's breath **2** stämning, andemening spirit; i vänskaplig ~ in a friendly atmosphere
**andakt** s andaktsövning devotions pl.; friare, aktning reverence
**andas** vb tr o. vb itr breathe; ~ in (ut) breathe in (out); känna sig lättad breathe freely
**ande** s **1** själ spirit, mind; ~n är villig, men köttet är svagt the spirit is willing, but the flesh is weak **2** okroppsligt väsen spirit, ghost; den Helige Ande the Holy Ghost
**andedrag** s breath; i ett ~ in one breath
**andedräkt** s breath; dålig ~ bad breath
**andel** s share
**andetag** s breath; i ett ~ in one breath
**andfådd** adj breathless, …out of breath
**andlig** adj spiritual; ~a sånger religious songs
**andlös** adj breathless; ~ tystnad dead silence
**andlöst** adv, ~t spännande breathtaking, thrilling
**andning** s breathing; konstgjord ~ artificial respiration
**andningsorgan** s respiratory organ
**andnöd** s shortness of breath
**andra** (andre) **I** räkn second (förk. 2nd); den ~ från slutet the last but one; för det ~ in the second place; vid uppräkning secondly; i ~ hand se hand; ~ klassens (rangens) second-rate; jfr femte o. sammansättningar **II** pron se annan
**andraga** vb tr put forward, present
**andrahandsvärde** s second-hand value
**andraklassbiljett** s second-class ticket
**andre I** räkn se andra **II** pron se annan

**andrum** s breathing-space
**andäktig** adj devout; uppmärksam [extremely] attentive
**anekdot** s anecdote
**anemi** s anaemia
**anemon** s anemone
**anfall** s attack [*mot* against, on]; *gå till ~ mot ngn* attack a p.
**anfalla** vb tr attack
**anfallskrig** s war of aggression
**anfallsspelare** s striker, forward
**anfordran** s, *vid ~* on demand
**anföra** vb tr **1** föra befäl över be in command of **2** yttra, andraga state, say; *~ till sitt försvar* plead in one's defence
**anförande** s yttrande statement; tal speech
**anföringstecken** s quotation mark
**anförtro** vb tr, *~ ngn ngt* entrust a th. to a p.; *~ ngn* t.ex. en hemlighet confide...to a p.
**anförvant** s relation
**ange** vb tr **1** uppge state, mention; utvisa indicate; på karta mark; *närmare ~* specify **2** anmäla report; *~ ngn* t.ex. till polisen inform against a p.; *~ sig själv* give oneself up
**angelägen** adj **1** brådskande urgent **2** *~ om ngt* hågad för keen on a th.; *jag är ~ om att det här inte sprids* I am anxious that this should not be spread about
**angelägenhet** s ärende affair; sak matter
**angenäm** adj pleasant, agreeable
**angina** s med. angina
**angiva** se *ange*
**angivare** s informer
**Angola** Angola
**angolan** s Angolan
**angolansk** adj Angolan
**angrepp** s attack [*mot*, *på* against, on]
**angripa** vb tr attack; inverka skadligt på affect
**angripare** s attacker; polit. aggressor
**angripen** adj skadad, sjuk affected; om tänder decayed; *~ av rost* rusty
**angränsande** adj adjacent [*till* to]
**angå** vb tr concern; *vad mig ~r* as far as I am concerned
**angående** prep concerning, regarding
**anhålla I** vb tr arrestera arrest, take...into custody **II** vb itr, *~ om* request; t. ex. stipendium apply for
**anhållan** s request, application [*om* for]
**anhållande** s arresterling arrest
**anhängare** s follower, supporter
**anhörig** subst adj relative, relation; *närmaste ~a* next of kin
**aning** s **1** förkänsla feeling, idea [*om att* that]; *onda ~ar* misgivings **2** begrepp notion, conception [*om* of; *om att* that]; *jag har ingen ~!* I have no idea! **3** *en ~ vitlök* a touch of (a little) garlic; *en ~ trött* a bit tired
**aningslös** adj naive
**anka** s duck
**ankare** s anchor; *kasta (lyfta, lätta) ~* cast (weigh) anchor; *ligga för ankar* ride (lie) at anchor
**ankdamm** s duckpond; bildl. backwater, backwoods sg.
**ankel** s ankle
**anklaga** vb tr accuse [*för* of]
**anklagelse** s accusation
**anknyta I** vb tr attach [*till* to]; connect, [*till* with, on to] **II** vb itr, *~ till* link up with
**anknytning** s connection, attachment; tele. extension
**ankomma** vb itr **1** arrive [*till* at, in] **2** *~ på* bero depend on
**ankommande** adj om post, trafik incoming
**ankomst** s arrival [*till* at, in]
**ankomsthall** s arrival hall (lounge)
**ankomsttid** s time of arrival; *beräknad ~* estimated time of arrival (förk. ETA)
**ankra** vb itr anchor
**ankunge** s duckling
**anlag** s natural ability, aptitude; begåvning gift [*för* for]; disposition tendency [*för* towards]
**anledning** s skäl reason [*till* for]; *ge ~ till* cause; medföra lead to; *med ~ av* on account of, owing to; *med ~ av Ert brev* with reference to your letter
**anletsdrag** s pl features
**anlita** vb tr vända sig till turn to, engage; tillkalla call in
**anlägga** vb tr uppföra build, erect; bygga construct; grunda found
**anläggning** s erection, construction; foundation; byggnad structure; fabrik etc. works (pl. lika); parkanläggningar park grounds pl.
**anlända** vb itr arrive [*till* at, in]
**anmana** vb tr request
**anmoda** vb tr request, call upon; beordra instruct
**anmodan** s request
**anmäla I** vb tr **1** rapportera report; förlust, sjukdomsfall etc. notify **2** recensera review **II** vb rfl, *~ sig* report [*för*, *hos* to]; *~ sig som sökande till...* apply for...; *~ sig till* examen, tävling enter (enter one's name) for
**anmälan** s **1** report; om förlust sjukdomsfall

notification [*om* of]; till examen, tävling application, entry [*till* for] **2** recension review

**anmälningsavgift** *s* entry (application) fee

**anmälningsblankett** *s* application form

**anmärka I** *vb tr* yttra remark **II** *vb itr* kritisera m.m. criticize [*på ngn, ngt* a p., a th.]; find fault [*på* with]

**anmärkning** *s* yttrande remark, observation; förklaring note, comment; *en* ~ kritik criticism

**anmärkningsvärd** *adj* remarkable

**annalkande I** *s*, *vara i* ~ be approaching **II** *adj* approaching

**annan** *(annat, andre, andra) pron* **1** other, jfr *3 en III; en* ~ another, another one; någon annan somebody else; *annat* other things; något annat something (anything) else; *andra* others, other people; *någon* ~ person anybody (en viss somebody) else; *vilken* ~ who else; *alla andra* all the others, everybody else; *någon* ~ *än* a) förenat any other...but; en viss some other...than b) substantiviskt anybody but; en viss somebody other than; *hon gör inte (ingenting) annat än gråter* she does nothing but cry; det var *något helt annat än* ...something quite different from **2** vard., 'riktig' regular, proper; *som en* ~ *tjuv* just like a common thief

**annandag** *s*, ~ *jul* Boxing Day; ~ *pingst* Whit Monday; ~ *påsk* Easter Monday

**annanstans** *adv*, *någon* ~ elsewhere, somewhere (anywhere) else

**annars** *adv* otherwise; or, or else

**annat** *pron* se *annan*

**annektera** *vb tr* annex

**annex** *s* annexe, speciellt amer. annex

**annons** *s* advertisement (förk. advt.); vard. ad, advert; döds~ etc. announcement

**annonsbyrå** *s* advertising agency

**annonsera** *vb itr* o. *vb tr* i tidning advertise [*efter* for]; tillkännage announce

**annonskampanj** *s* advertising campaign

**annonsör** *s* advertiser

**annorlunda I** *adv* otherwise; ~ *än* differently from **II** *adj* different [*än* from]

**annullera** *vb tr* cancel

**anonym** *adj* anonymous

**anonymitet** *s* anonymity

**anor** *s pl* ancestry sg.; *ha gamla* ~ have a long history; om tradition be a time-honoured tradition

**anorak** *s* anorak

**anordna** *vb tr* get up, organize, arrange

**anordning** *s* arrangement; mekanism device

**anorektiker** *s* anorectic, anorexic

**anorexi** *s* med. anorexia [nervosa]

**anpassa I** *vb tr* suit, adjust, adapt [*efter, för, till* to] **II** *vb rfl*, ~ *sig* adjust (adapt) oneself [*efter* to]

**anpassning** *s* adaptation, adjustment, [*efter, till* to]

**anrikning** *s* enrichment; tekn. äv. dressing

**anropa** *vb tr* call [*ngn om ngt* upon a p. for a th.]; tele. call up

**anryckning** *s* advance

**anrätta** *vb tr* prepare; laga cook

**anrättning** *s* **1** tillredning preparation; tillagning cooking **2** maträtt dish

**ansa** *vb tr* tend; t.ex. rosor prune

**ansamling** *s* accumulation

**ansats** *s* **1** sport. run; *hopp med* ~ running jump; *hopp utan* ~ standing jump **2** ansträngning attempt, effort [*till* at]; början start

**ansatt** *adj* se *ansätta*

**anse** *vb tr* **1** think, consider, be of the opinion; *man* ~*r att* it is believed (held) that **2** betrakta, hålla för regard, look upon [*som* as]

**ansedd** *adj* respected; distinguished; *en* ~ *firma* a firm of high standing; *han är väl (illa)* ~ he has a good (bad) reputation

**anseende** *s* reputation; standing

**ansenlig** *adj* considerable; large

**ansikte** *s* face; *kända* ~*n* personer well-known personalities; *visa sitt rätta* ~ show one's true colours; *skratta ngn mitt i (upp i)* ~*t* laugh in a p.'s face; *säga ngn ngt mitt i* ~*t* tell a p. a th. straight to his face; *tvätta sig i* ~*t* wash one's face; *stå* ~ *mot* ~ *med* stand face to face with

**ansiktsbehandling** *s* facial, facial treatment

**ansiktsdrag** *s pl* features

**ansiktsfärg** *s* colouring, complexion

**ansiktskräm** *s* face cream

**ansiktslyftning** *s*, *en* ~ a face-lift äv. bildl.

**ansiktsmask** *s* mask; skönhets~ äv. face pack

**ansiktsservett** *s* face (facial) tissue

**ansiktsuttryck** *s* facial expression, expression

**ansiktsvatten** *s* skin tonic, face lotion

**ansjovis** *s* konserverad skarpsill sprat

**anskaffa** *vb tr* obtain, acquire; tillhandahålla provide, supply [*ngt åt ngn* a p. with a th.]

**anslag** *s* **1** meddelande notice **2** penningmedel

grant, allowance; **bevilja ngn ett ~** make a p. a grant **3** på tangent touch

**anslagstavla** s notice (amer. bulletin) board

**ansluta I** vb tr connect [till with, to] **II** vb rfl, **~ sig** stå i förbindelse connect [till with, to]; **~ sig till** personer join

**ansluten** adj connected [till with]

**anslutning** s connection, association [till with]; **färjorna har ~ till** tågen the ferryboats run in connection with...; mötet **fick en storartad ~** ...was very well supported by the public; **i ~ till detta** in this connection

**anslå** vb tr anvisa allow, allot; **~** tid **till** devote...to

**anspela** vb itr allude [på to], hint [på at]

**anspelning** s allusion [på to]

**anspråk** s claim; **göra ~ på** ngt lay claim to a th.; **göra ~ på att** claim to; **ställa stora ~ på** make great demands on; **ta i ~** a) erfordra require, take b) lägga beslag på requisition c) begagna make use of d) uppta, t.ex. ngns tid make demands on, take up

**anspråksfull** adj fordrande exacting

**anspråkslös** adj unassuming; om t.ex. måltid simple; om t.ex. fordringar moderate

**anstalt** s institution institution, establishment

**anstifta** vb tr cause; t.ex. myteri stir up; om brott commit

**anstrykning** s aning, spår touch, trace

**anstränga I** vb tr strain; trötta tire; **~ sina resurser** tax one's resources **II** vb rfl, **~ sig** exert oneself, make an effort

**ansträngande** adj strenuous, trying [för to]

**ansträngd** adj strained; om leende, sätt forced; **personalen är hårt ~** the staff is (are) overworked

**ansträngning** s effort, exertion; påfrestning strain

**anstå** vb itr **1 låta saken ~** let the matter wait; **låta ~ med** t.ex. betalning let...stand over **2** passa become

**anstånd** s respite

**anställa** vb tr **1** ge arbete åt employ, engage, amer. hire **2** åstadkomma bring about; **~ skada på** cause damage to

**anställd** adj, **vara ~** be employed [hos ngn by a p., vid at, in]; **en ~** an employee

**anställning** s tjänst employment; tillfällig engagement, post, position

**anställningsvillkor** s pl terms of employment

**anständig** adj aktningsvärd respectable; passande, proper decent

**anständighet** s respectability; decency

**anständighetskänsla** s sense of propriety, decency

**anstöt** s, ta **~ av** take offence at; **väcka ~** give offence [hos to]

**anstötlig** adj offensive [för to]; oanständig indecent

**ansvar** s responsibility; **ställa ngn till ~** hold a p. responsible

**ansvara** vb itr be responsible [för for]

**ansvarig** adj responsible [inför to]

**ansvarighet** s responsibility

**ansvarighetsförsäkring** s third party insurance (liability insurance)

**ansvarsfull** adj responsible

**ansvarskänsla** s sense of responsibility

**ansvarslös** adj irresponsible

**ansvarslöshet** s irresponsibility

**ansätta** vb tr, **~s (vara ansatt) av fienden** be beset by the enemy; **hårt ansatt** hard pressed

**ansöka** vb itr, **~ om** apply for; **en ~nde** an applicant [till for]

**ansökan** s application [om for]; **skriftlig ~** application in writing

**ansökningsblankett** s application form

**ansökningstid** s, **~en utgår den 15** applications must be sent in before the 15th

**anta** o. **antaga** vb tr **1** ta emot, t.ex. plats take; säga ja till accept **2** intaga som elev etc. admit **3** godkänna accept, agree to, adopt, approve; lagförslag pass **4** förmoda assume, suppose **5** göra till sin adopt; **~ namnet...** take (assume) the name of... **6** få assume; **~ fast konsistens** set, harden

**antagande** s mottagande acceptance; som elev admission; godkännande acceptance, adoption, approval; lagförslag passing; förmodan assumption, supposition

**antagbar** adj acceptable

**antagligen** adv presumably; probably

**antagning** s admission

**antagonist** s antagonist, adversary

**antal** s number; **tio till ~et** ten in number

**Antarktis** the Antarctic

**antasta** vb tr vara närgången mot accost, molest

**antecipera** vb tr anticipate, forestall

**anteckna I** vb tr note down, make a note of **II** vb rfl, **~ sig** put one's name down [för for, som as]

**anteckning** s note

**anteckningsbok** s notebook

**antenn** s **1** radio. aerial, speciellt amer.

antenna; radar scanner **2** zool. antenna (pl. antennae), feeler

**antibiotikum** s antibiotic

**antibiotisk** adj antibiotic

**antik** adj antique

**antikhandel** se antikvitetsaffär

**antiklimax** s anticlimax

**antikropp** s antibody

**antikvariat** s second-hand bookshop

**antikvitet** s antikt föremål antique

**antikvitetsaffär** s antique shop; second-hand furniture shop

**antilop** s antelope

**antingen** konj either; vare sig whether; ~ du vill eller inte whether you want to or not

**antipati** s antipathy; ha (hysa) ~ feel an antipathy [för towards, mot to]

**antirasism** s antiracism

**antisemit** s anti-Semite

**antisemitism** s, ~ el. ~en anti-Semitism

**antiseptisk** adj antiseptic; ~t medel antiseptic

**antistatbehandla** vb tr treat with an antistatic agent (fluid)

**antistatisk** adj antistatic

**antologi** s anthology

**antropolog** s anthropologist

**antropologi** s anthropology

**anträffa** vb tr find, meet with

**anträffbar** adj available

**antyda** vb tr hint, suggest

**antydan** s vink hint [om of]; tecken indication [om of]; ansats, skymt suggestion, trace [till of]

**antydning** s insinuation insinuation

**antända** vb tr set fire to; t.ex. bensin ignite

**anus** s anus

**anvisa** vb tr tilldela etc. allot, assign; ~ ngn en sittplats show a p. to a seat

**anvisning** s, ~ el. ~ar upplysning, föreskrift directions pl., instructions pl.

**anvisningsläkare** s ung. panel doctor

**använda** vb tr **1** use, employ; göra bruk av make use of; bära, t.ex. kläder, glasögon wear [till, för i samtliga fall for] **2** tillämpa, t.ex. regel apply; metod adopt **3** lägga ned, t.ex. tid, pengar spend [på on, in]; ägna devote **4** förbruka use up [till on]

**användare** s user

**användargrupp** s user group

**användarvänlig** adj user-friendly

**användbar** adj usable, ...of use; om t.ex. metod practicable; i ~t skick in working order

**användning** s use, employment; tillämpning

application; komma till ~ be of use, prove (be) useful

**användningsområde** s field of application

**apa** I s zool. monkey; svanslös ape II vb itr, ~ efter ngn ape (mimic, imitate) a p. III vb rfl, ~ sig play the fool

**apartheidpolitik** s apartheid policy

**apati** s apathy

**apatisk** adj apathetic

**apelsin** s orange

**apelsinjuice** s orange juice

**apelsinklyfta** s orange segment; friare piece of orange

**apelsinmarmelad** s marmalade, orange marmalade

**apelsinsaft** s orange juice; sockrad, för spädning orange squash

**apelsinskal** s orange peel

**Apenninerna** s pl the Apennines

**aperitif** s aperitif

**A-post** s first-class mail

**apostel** s apostle

**apostrof** s apostrophe

**apotek** s pharmacy, britt. chemist's [shop], amer. äv. drugstore

**apotekare** s pharmacist, britt. ofta dispensing chemist

**apparat** s instrument apparatus [för for]; anordning, t.ex. elektronisk device, appliance; radio~, TV~ set

**apparatur** s equipment (end. sg.), apparatus

**appell** s appeal

**appellationsdomstol** s court of appeal

**applicera** vb tr apply [på to]

**applåd** s, ~ el. ~er applause sg.; handklappningar clapping sg.; stormande ~er tremendous applause

**applådera** vb tr o. vb itr applaud, clap

**approximativ** adj approximate

**aprikos** s apricot

**april** s April (förk. Apr.); ~, ~! April fool!; i ~ (~ månad) in April (the month of April); idag är det den femte ~ today is the fifth of April, jfr femte; [den] sista ~ som adverbial on the last day of April; i början av ~ at the beginning of April, early in April; i mitten av ~ in the middle of April, in mid-April; i slutet av ~ at the end of April

**aprilskämt** s, ett ~ an April fools' joke (trick)

**apropå** I prep, ~ det talking of that, by the way II adv by the by (way); helt ~ quite unexpectedly

**aptit** s appetite [på for]

**aptitlig** *adj* appetizing, savoury
**aptitretande** *adv* appetizing; *den verkar ~* it whets the appetite
**aptitretare** *s* appetizer
**arab** *s* Arab, Arabian
**Arabien** Arabia
**arabisk** *adj* om t.ex. folk Arab; om språk Arabic; *Arabiska öknen* the Arabian desert
**arabiska** *s* **1** kvinna Arabian woman **2** språk Arabic
**arabvärlden** *s* the Arab world
**arbeta** *vb itr* o. *vb tr* work; vara sysselsatt be at work; tungt labour; *~ hårt* work hard; *~ med (på) ett problem* work at (on) a problem
  □ *~* **bort** get rid of; *~* **sig fram** work one's way along, make one's way; *~* **ihjäl sig** work oneself to death; *~* **in:** *~ in förlorad arbetstid* make up for lost time, jfr äv. *inarbetad; ~* **om** bok etc. revise; *~* **sig upp** work one's way up (along); *~* **över** på övertid work overtime
**arbetare** *s* worker; jordbruks~ o. grov~ labourer; fabriks~ hand; verkstads~ mechanic; i motsats till arbetsgivare employee
**arbetarfamilj** *s* working-class family
**arbetarklass** *s* working class; *~en* vanl. the working classes pl.
**arbetarrörelse** *s*, *~n* the Labour movement
**arbetarskydd** *s* 'välfärdsanordningar' industrial welfare (safety)
**arbetarskyddslag** *s* occupational safety and health act
**arbete** *s* work (end. sg.), labour; sysselsättning employment; plats job; *ett ~* a) abstrakt a piece of work, a job b) konstnärligt el. litterärt a work; handarbete, slöjd etc. a piece of work; *det var ett ansträngande ~ att komma dit* it was hard work (a tough job) getting there; *tillfälliga (smärre) ~n* odd jobs; *ha ~ hos...* be in the employ of...; *lägga ned ~t* stop work; strejka go on strike; *söka ~* look for a job (for work); *sätta ngn i ~* få att arbeta put a p. to work; *vara i ~* be at work; *gå (vara) utan ~* be out of work
**arbetsam** *adj* hard-working
**arbetsavtal** *s* labour agreement
**arbetsbesparande** *adj* labour-saving
**arbetsbänk** *s* workbench; i kök worktop
**arbetsbörda** *s* burden of work; *hans ~* the amount of work he has to do
**arbetsdag** *s* working-day; vardag workday

**arbetsfred** *s* industrial peace
**arbetsför** *adj* ...fit for work; *den ~a befolkningen* the working population
**arbetsförhållanden** *s pl* working conditions
**arbetsförmedling** *s* byrå employment exchange, jobcentre
**arbetsgivaravgift** *s* payroll tax
**arbetsgivare** *s* employer
**arbetsgrupp** *s* working team; kommitté working party
**arbetsinkomst** *s* wage (resp. salary) earnings pl.
**arbetskamrat** *s* fellow-worker
**arbetskonflikt** *s* industrial (labour) dispute
**arbetskraft** *s* folk labour, manpower
**arbetsliv** *s*, *komma (gå) ut i ~et* go out to work
**arbetslös** *adj* unemployed; *en ~* a man (resp. woman) who is out of work; *de ~a* the unemployed
**arbetslöshet** *s* unemployment
**arbetslöshetsförsäkring** *s* unemployment insurance
**arbetslöshetsunderstöd** *s* unemployment benefit
**arbetsmarknad** *s* labour market
**Arbetsmarknadsstyrelse** *s*, *~n* the National Labour Market Board
**arbetsmarknadsutbildning** *s* (förk. AMU) vocational training courses pl. for the unemployed and handicapped
**arbetsmiljö** *s* working environment
**arbetsnedläggelse** *s* stoppage of work
**arbetsplats** *s* place of work
**arbetsprojektor** *s* overhead projector
**arbetsskada** *s* industrial injury
**arbetssökande** *adj*, *en ~* a person in search of work
**arbetstagare** *s* employee
**arbetstakt** *s* working pace (speed)
**arbetsterapeut** *s* occupational therapist
**arbetsterapi** *s* occupational therapy
**arbetstid** *s* working hours pl.
**arbetstillfälle** *s* vacant job, opening
**arbetstillstånd** *s* labour (work) permit
**arbetstvist** *s* labour dispute
**arbetsuppgift** *s* task, assignment
**arbetsvecka** *s* working week
**areal** *s* area
**arena** *s* arena
**arg** *adj* angry, amer. äv. mad {*på ngn* with a p., *på ngt* at a th.}
**Argentina** the Argentine, Argentina
**argentinare** *s* Argentine
**argentinsk** *adj* Argentine

**rgsint** *adj* ill-tempered

**rgument** *s* argument

**rgumentera** *vb itr* argue [*för* in favour of]

**ria** *s* aria

**ristokrat** *s* aristocrat

**ristokrati** *s* aristocracy

**ristokratisk** *adj* aristocratic

**ark** *s*, *Noaks* ~ Noah's Ark

**ark** *s* pappersark sheet

**rkebusera** *vb tr* shoot, execute by a firing squad

**rkebusering** *s* execution by a firing squad

**rkeolog** *s* archaeologist

**rkeologi** *s* archaeology

**rkipelag** *s* archipelago (pl. -s)

**rkitekt** *s* architect

**rkitektur** *s* architecture

**rkiv** *s* archives pl.; dokumentsamling records pl.; bild~, film~ library

**rkivera** *vb tr* file

**rktisk** *adj* arctic

**arm** *adj* usel wretched; stackars poor

**arm** *s* arm

**rmatur** *s* belysnings~ electric fittings pl.

**rmband** *s* bracelet

**rmbandsur** *s* wristwatch

**rmbindel** *s* armlet, armband

**rmbrytning** *s* arm (amer. Indian) wrestling

**rmbåge** *s* elbow

**rmé** *s* army

**rmenien** Armenia

**rmenier** *s* Armenian

**rmenisk** *adj* Armenian

**rmera** *vb tr* **1** mil. arm **2** *~d betong* reinforced concrete

**rmhåla** *s* armpit

**rmhävning** *s* press-up; från golvet push-up

**rmring** *s* bangle

**rom** *s* aroma

**romatisk** *adj* aromatic

**romglas** *s* balloon [glass], snifter

**rrak** *s* arrack

**rrangemang** *s* arrangement äv. mus.

**rrangera** *vb tr* arrange äv. mus.; organize

**rrangör** *s* arranger äv. mus.; organizer

**rrendator** *s* leaseholder, tenant

**rrende** *s* tenancy, leasehold

**rrendera** *vb tr* lease, rent

**rrest** *s* arrest; lokal cell; *sitta i* ~ be under arrest (in custody)

**rrestera** *vb tr* arrest

**rrestering** *s* arrest

**rrogans** *s* arrogance

**rrogant** *adj* arrogant

**rsenal** *s* arsenal äv. bildl.

**arsenik** *s* arsenic

**arsle** *s* vulg. arse, amer. ass; som skällsord arsehole, amer. asshole

**art** *s* slag kind; vetensk. species (pl. lika); natur nature

**arta** *vb rfl*, ~ *sig* turn out, develop; *det ~r sig till* lovar it promises (hotar it threatens) to be; ser ut att bli it looks like

**arterioskleros** *s* arteriosclerosis

**artificiell** *adj* artificial

**artig** *adj* polite; formellare courteous

**artighet** *s* politeness; formellare courtesy; *en* ~ an act of politeness (courtesy)

**artikel** *s* article äv. gram.

**artikulation** *s* articulation

**artikulera** *vb tr* articulate

**artilleri** *s* artillery

**artist** *s* artist; teat. artiste

**artistisk** *adj* artistic

**arton** *räkn* eighteen; jfr *fem* o. sammansättningar

**artonde** *räkn* eighteenth (förk. 18th)

**artonhundratalet** *s*, *på* ~ in the nineteenth century

**arv** *s* inheritance; andligt heritage; testamentarisk gåva legacy; *få i* ~ inherit [*efter* from]; *gå i* ~ a) om egendom be handed down b) vara ärftlig be hereditary

**arvfiende** *s* hereditary (friare sworn) enemy

**arvinge** *s* heir; kvinnlig heiress

**arvlös** *adj*, *göra ngn* ~ disinherit a p.

**arvode** *s* fee

**arvsanlag** *s* biol. gene; allmännare hereditary character (disposition)

**arvslott** *s* part (share) of an (resp. the) inheritance

**arvsskatt** *s* inheritance tax, death duty

**arvtagare** *s* heir

**arvtagerska** *s* heiress

**as** *s* kadaver [animal] carcass, carrion

**asbest** *s* asbestos

**asfalt** *s* asphalt

**asfaltera** *vb tr* asphalt

**asiat** *s* Asiatic, Asian

**asiatisk** *adj* Asiatic, Asian

**Asien** Asia; *Mindre* ~ Asia Minor

**1 ask** *s* bot. ash; för sammansättningar jfr *björk-*

**2 ask** *s* box; ~ *tändstickor* box of matches; ~ *cigaretter* packet of cigarettes

**aska I** *s* ashes pl.; cigarettaska ash **II** *vb tr* o. *vb itr*, ~ *av* vid rökning knock the ash off

**A-skatt** *s* tax deducted from income at source

**askfat** *s* o. **askkopp** *s* ashtray

**Askungen** *s* sagan Cinderella

**asocial** *adj* asocial, antisocial
**asp** *s* bot. aspen; för sammansättningar jfr *björk-*
**aspekt** *s* aspect
**aspirant** *s* sökande applicant, candidate; under utbildning trainee
**1 ass** *s* brev insured letter
**2 ass** *s* mus. A flat
**assiett** *s* small plate; maträtt hors-d'œuvre
**assistera** *vb tr* o. *vb itr* assist [*vid* in]
**association** *s* association
**associera** *vb tr* associate
**assurans** *s* insurance
**assurera** *vb tr* insure
**aster** *s* aster
**asterisk** *s* asterisk
**astigmatisk** *adj* astigmatic
**astma** *s* asthma
**astmatiker** *s* asthmatic
**astmatisk** *adj* asthmatic
**astrolog** *s* astrologer
**astrologi** *s* astrology
**astrologisk** *adj* astrological
**astronaut** *s* astronaut
**astronom** *s* astronomer
**astronomi** *s* astronomy
**astronomisk** *adj* astronomical; *~a tal* astronomical figures
**asyl** *s* asylum; *begära politisk ~* seek political asylum
**asymmetrisk** *adj* asymmetric, asymmetrical
**ateism** *s*, *~* el. *~en* atheism
**ateist** *s* atheist
**ateljé** *s* studio; t.ex. sy~ workroom
**Aten** Athens
**Atlanten** the Atlantic [Ocean]
**atlantisk** *adj* Atlantic
**Atlantpakten** organisationen the North Atlantic Treaty Organization (förk. NATO)
**atlas** *s* kartbok atlas [*över* of]
**atlet** *s* stark karl strong man
**atletisk** *adj* om kroppsbyggnad athletic
**atmosfär** *s* atmosphere äv. bildl.
**atmosfärisk** *adj* atmospheric; *~a störningar* radio. atmospherics pl.
**atom** *s* atom; för sammansättningar jfr äv. *kärn-*
**atombomb** *s* atom bomb
**atomdriven** *adj* nuclear-powered
**atomsopor** *s pl* nuclear waste sg.
**atomubåt** *s* nuclear-powered submarine
**ATP** allmän tilläggspension supplementary pension
**att I** infinitivmärke to; *han lovade ~ inte göra det* he promised not to do that;

*undvika ~ göra ngt* avoid doing a th.; *boken är värd ~ läsa* the book is worth reading; *efter ~ ha ätit frukost gick han* after having (having had) breakfast he went; *konsten ~ sjunga* the art of singing **II** *konj* that; *jag är säker på ~ han...* I'm sure he (that he)...; *frånsett ~ han...* apart from the fact that he...; *du kan lita på ~ jag gör det* you may depend on it that I will do it (on me to do it); *vad vill du ~ jag ska göra?* what do you want me to do?; *jag väntar på ~ han skall komma* I am waiting for (expecting) him to come; *ursäkta ~ jag stör!* excuse my (me) disturbing you!
**attaché** *s* attaché
**attachéväska** *s* attaché case
**attack** *s* attack [*mot* on]
**attackera** *vb tr* attack
**attackplan** *s* fighter-bomber
**attentat** *s* mordförsök attempted assassination [*mot* of]; våldsdåd outrage, attempted outrage [*mot* against]; *ett ~ mot ngn* an attempt on a p.'s life
**attentatsman** *s* would-be assassin; perpetrator of an (resp. the) outrage
**attest** *s* bemyndigande authorization; intyg certificate
**attestera** *vb tr* belopp authorize...for payment; handling certify
**attiraljer** *s pl* gear sg.; grejor paraphernalia pl.
**attityd** *s* attitude; pose pose
**attrahera** *vb tr* attract
**attraktion** *s* attraction
**attraktiv** *adj* attractive
**aubergine** *s* aubergine
**audiens** *s* audience
**auditorium** *s* åhörare audience
**audivisuell** *adj* audio-visual; *~a hjälpmedel* audio-visual (AV) aids
**augusti** *s* August (förk. Aug.); jfr *april* o. *femte*
**auktion** *s* auction [*på* of]; *köpa (sälja) ngt på ~* buy a th. at an (sell a th. by) auction
**auktionera** *vb tr*, *~ bort* auction, auction off, dispose of... by auction
**auktionsförrättare** *s* auctioneer
**auktorisera** *vb tr* authorize; *~d revisor* chartered accountant
**auktoritativ** *adj* authoritative
**auktoritet** *s* authority
**auktoritär** *adj* authoritarian
**aula** *s* assembly hall; univ. lecture hall

**au pair** *s, en* ~ an au pair
**Australien** Australia
**australiensare** *s* o. **australier** *s* Australian
**australisk** *adj* Australian
**autenticitet** *s* authenticity
**autentisk** *adj* authentic
**autograf** *s* autograph
**autografjägare** *s* autograph hunter
**automat** *s* automatic machine; med myntinkast slot machine
**automatgevär** *s* automatic rifle
**automation** *s* automation
**automatisera** *vb tr* automatize, automate
**automatisk** *adj* automatic
**automatlåda** *s* bil. automatic gearbox
**automattelefon** *s* dial (automatic) telephone
**automatvapen** *s* automatic weapon
**automatväxel** *s* på bil automatic gear-change; tele. automatic exchange
**autopilot** *s* autopilot
**av I** *prep* **1** of; *en del* ~ *tiden* part of the time; *i nio fall* ~ *tio* in nine cases out of ten; *ett bord* ~ *ek* an oak table **2** agent: by; *huset är byggt* ~ *A.* ...was built by A.; *vad snällt* ~ *dig* how kind of you **3** orsak: *gråta* ~ *glädje* cry for joy; *han gjorde det* ~ *nyfikenhet* he did it out of curiosity; ~ *brist på* for want (lack) of; ~ *fruktan för* for fear of; ~ *ett eller annat skäl* for some reason or other **4** av sig själv: *han gjorde det* ~ *sig själv* he did it by himself (självmant of his own accord); *det går* ~ *sig själv (självt)* it runs (works) by itself **5** från: *en gåva* ~ *min fru* a present from my wife; *jag ser* ~ *ditt brev att...* I see from (by) your letter that... **II** *adv* bort, i väg, ned m.m. vanl. off; itu in two; avbruten broken
**avancera** *vb itr* advance
**avancerad** *adj* advanced
**avbeställa** *vb tr* cancel
**avbeställning** *s* cancellation
**avbetala** *vb tr,* ~ *på en skuld (en vara)* pay a debt (pay for an article) by (in) instalments
**avbetalning** *s* belopp instalment; system the hire-purchase system; *göra en* ~ pay an instalment; *på* ~ by instalments
**avbetalningskontrakt** *s* hire-purchase contract (agreement)
**avbild** *s* representation; kopia copy; *sin fars* ~ the very image of his (her etc.) father
**avbilda** *vb tr* reproduce; depict
**avbildning** *s* reproduction

**avbitare** *s* o. **avbitartång** *s* cutting nippers (pliers) pl.
**avblåsa** *vb tr* se *blåsa av* under *2 blåsa*
**avbländare** *s* bil. dipswitch, amer. dimmer
**avbrott** *s* uppehåll: störning interruption; tillfälligt break; paus pause, stoppage; *ett* ~ *i trafiken* a traffic hold-up; *utan* ~ without stopping (a break)
**avbryta I** *vb tr* interrupt; göra slut på break off; resa break; förbindelser etc. sever; tillfälligt avbryta, t.ex. ett arbete leave off **II** *vb rfl,* ~ *sig* break off, stop speaking
**avbräck** *s* bakslag setback; skada harm; materiell damage båda end. sg.; finansiellt financial loss; *vålla...*~ be harmful (damaging) to...
**avbytare** *s* substitute, reserve båda äv. sport.
**avböja** *vb tr* avvisa decline, refuse
**avböjande** *adj,* ~ *svar* refusal, negative answer [*på* to]
**avdankad** *adj* avskedad discharged; uttjänt superannuated
**avdelning** *s* i ämbetsverk, varuhus etc. department; på sjukhus äv. ward; del part; avsnitt section
**avdelningsföreståndare** *s* på sjukhus ward sister
**avdrag** *s* deduction; beviljat allowance
**avdragsgill** *adj* deductible
**avdunsta** *vb itr* o. *vb tr* evaporate
**avdunstning** *s* evaporation
**avel** *s* ras stock, breed
**aveny** *s* avenue
**avfall** *s* sopor refuse, rubbish; köksavfall garbage
**avfart** *s* exit
**avfolka** *vb tr* depopulate
**avfolkning** *s* depopulation
**avfyra** *vb tr* fire, let off, discharge
**avfälling** *s* polit. defector; vard. backslider
**avfärd** *s* departure, going away
**avfärda** *vb tr* avvisa dismiss, brush aside
**avföring** *s* motion; exkrementer excrement; *ha* ~ pass a motion
**avgaser** *s pl* exhaust fumes
**avgasrenare** *s* exhaust emission control device
**avgasrening** *s* exhaust emission control
**avgasrör** *s* exhaust pipe, exhaust
**avge** *vb tr* avsöndra emit, give off; ge, lämna give; bekännelse, löfte make
**avgift** *s* charge; t.ex. inträdes~, parkerings~ fee; färd~, taxa fare
**avgiftsfri** *adj* free, ...free of charge
**avgiftsfritt** *adv* free, free of charge

**avgjord** *adj* decided etc., jfr *avgöra;* tydligt distinct; *därmed var saken* ~ that settled the matter
**avgrund** *s* abyss; klyfta chasm
**avgränsa** *vb tr* demarcate; *skarpt ~d* clearly-defined
**avguda** *vb tr* idolize, adore
**avgå** *vb itr* **1** om tåg etc. leave, start, depart [*till* i samtliga fall for] **2** dra sig tillbaka retire, withdraw; ta avsked resign; ~ *med seger* be victorious, be the winner
**avgående** *adj* om brev, fartyg outgoing; om flyg, tåg departing
**avgång** *s* **1** departure [*till* for, to] **2** persons retirement, resignation
**avgångshall** *s* departure hall (lounge)
**avgöra** *vb tr* decide; ordna settle; vara avgörande för determine
**avgörande I** *adj* om t.ex. seger decisive; om faktor determining; *det ~ för mig var* what decided me was **II** *s* beslut decision, settlement
**avhandling** *s* skrift treatise; akademisk thesis (pl. theses), dissertation [*över* i samtliga fall on]
**avhjälpa** *vb tr* t.ex. fel, brist remedy
**AV-hjälpmedel** *s pl* AV (audio-visual) aids
**avhopp** *s* polit. defection äv. friare
**avhoppare** *s* polit. defector äv. friare
**avhålla** *vb rfl,* ~ *sig från* abstain from
**avhållsam** *adj* abstinent; sexuellt continent
**avhållsamhet** *s* abstinence; sexuell continence
**avhämta** *vb tr* fetch, call for, collect
**avi** *s* hand. advice; ~ *om försändelse* dispatch note
**avigsida** *s* wrong side, reverse; bildl. unpleasant side, disadvantage
**avindustrialisera** *vb tr* de-industrialize
**avisera** *vb tr* announce, notify
**avisning** *s* de-icing
**avkall** *s,* göra *(ge)* ~ *på kvaliteten* lower one's standards of quality; *göra (ge)* ~ *på sina principer* renounce (abandon) one's principles
**avkastning** *s* yield, proceeds pl.; vinst profit
**avklädningshytt** *s* vid strand bathing hut; inomhus cubicle
**avkomling** *s* descendant
**avkomma** *s* offspring
**avkoppling** *s* vila relaxation
**avkriminalisera** *vb tr* no longer consider... a criminal offence, decriminalize
**avkunna** *vb tr,* ~ *dom* pronounce (pass) sentence

**avlagd** *adj* kasserad, ~*a kläder* cast-off clothes
**avlasta** *vb tr* unload; bildl. relieve
**avlastning** *s* unloading; bildl. relief
**avleda** *vb tr* leda bort divert
**avlida** *vb itr* die, pass away
**avliden** *adj* deceased; *den avlidne* the deceased
**avliva** *vb tr* put...to death; sjuka djur destroy, put away; ~ *ett rykte* put an end to a rumour
**avlopp** *s* drain; i handfat etc. plughole
**avloppsledning** *s* kloak sewer
**avloppsrör** *s* sewage pipe
**avloppsvatten** *s* sewage
**avlossa** *vb tr* avskjuta fire, discharge
**avlyssna** *vb tr* ofrivilligt overhear; avsiktligt listen in to; i spioneringssyfte intercept
**avlång** *adj* oblong; oval oval
**avlägga** *vb tr* bekännelse make; ~ *vittnesmål* give evidence; jfr *besök, rapport*
**avlägsen** *adj* distant, remote, out-of-the-way; långt bort far-off
**avlägsna I** *vb tr* remove **II** *vb rfl,* ~ *sig* go away, leave; dra sig tillbaka withdraw, retire
**avlämna** *vb tr* t.ex. rapport hand in, present
**avläsa** *vb tr* mätare etc. read
**avlöna** *vb tr* pay
**avlönad** *adj* salaried; *väl* ~ well-paid
**avlöning** *s* pay; ämbetsmans salary; veckolön wages pl.
**avlöningsdag** *s* pay day
**avlöningskuvert** *s* pay packet
**avlöpa** *vb itr* pass off; sluta end; utfalla turn out
**avlösa** *vb tr* vakt, i arbete relieve; följa på succeed; ersätta replace
**avmagringsmedel** *s* reducing (slimming) preparation
**avmattas** *vb itr dep* se *mattas*
**avnjuta** *vb tr* enjoy
**avocado** *s* avocado
**avogt** *adv,* vara ~ *sinnad (stämd) mot* be unfavourably disposed towards, have an aversion to
**avpassa** *vb tr* fit, match; anpassa adapt, adjust, suit [*efter* i samtliga fall to]
**avreagera** *vb rfl,* ~ *sig* relieve one's feelings; vard. let off steam
**avreglera** *vb tr* deregulate
**avreglering** *s* deregulation
**avresa I** *vb itr* depart, leave [*till* for] **II** *s* departure
**avrunda** *vb tr* round off; ~*d summa* round sum

**avråda** vb tr, ~ ngn från advise (warn) a p. against

**avrätta** vb tr execute, put...to death [genom by]

**avrättning** s execution, putting to death

**avsaknad** s loss, want; vara i ~ av be without, lack

**avsats** s på mur, klippa ledge; i trappa landing

**avse** vb tr 1 syfta på concern, refer to 2 ha i sikte aim at, be directed towards; ämna mean, intend; vara avsedd för be intended (designed) for; ha avsedd verkan have the intended effect

**avseende** s 1 reference; ha ~ på relate (refer) to 2 hänseende respect; beaktande etc. consideration; fästa ~ vid pay attention to; i detta ~ from this point of view, in this respect; med ~ på with respect to, as regards; lämna ngt utan ~ disregard a th.

**avsevärd** adj considerable; märkbar appreciable

**avsides** adv aside; ligga ~ lie apart; ~ liggande remote, out-of-the-way

**avsigkommen** adj down at heel, shabby

**avsikt** s intention; syfte purpose, aim; motiv, uppsåt design, motive; ha för ~ att gå intend to go; med ~ on purpose, deliberately

**avsiktlig** adj intentional, deliberate

**avskaffa** vb tr abolish, do away with

**avskaffande** s abolishing, doing away with; slaveriets ~ the abolition of slavery

**avsked** s 1 ur tjänst dismissal; anhålla om (begära) ~ hand in one's resignation 2 ta ~ say goodbye [av to]; take leave [av of]

**avskeda** vb tr dismiss, discharge

**avskedande** s dismissal, discharge

**avskedsansökan** s resignation; lämna in sin ~ hand in one's resignation

**avskild** adj secluded; isolerad isolated

**avskildhet** s seclusion; isolering isolation

**avskilja** vb tr separate; lösgöra detach

**avskjutningsramp** s för raketer launching pad (platform)

**avskrift** s copy, transcript

**avskriven** adj, rätt avskrivet intygas... true (correct) copy certified by...

**avskräcka** vb tr scare; förhindra deter, discourage

**avskräckande I** adj om t.ex. verkan deterrent; ett ~ exempel an example of what one should not do **II** adv, verka ~ act as a deterrent

**avsky I** vb tr detest, loathe **II** s loathing [för for]

**avskyvärd** adj abominable, detestable

**avslag** s på förslag rejection [på of]; få ~ på ngt have one's...turned down

**avslagen** adj om dryck flat, stale

**avsluta** vb tr 1 finish, finish off, complete, finalize; bilda avslutning på finish off, terminate; den avslutande tävlingen the closing competition 2 göra upp, t.ex. köp, fördrag conclude; avtal enter into

**avslutad** adj finished, completed; förklara sammanträdet avslutat declare the meeting closed

**avslutning** s avslutande del conclusion, finish; slut end, termination; skol. breaking-up, amer. commencement; ~en i skolan äger rum 6 juni school breaks up on June 6th

**avslå** vb tr t.ex. begäran, förslag reject

**avslöja** vb tr reveal, disclose; person expose

**avslöjande** s revelation, disclosure; om person exposure

**avsmak** s, få ~ för take a dislike to; känna ~ feel disgusted

**avsnitt** s sector; av bok etc. part; av t.ex. följetong instalment; av TV-serie episode

**avspark** s kick-off

**avspegla I** vb tr reflect **II** vb rfl, ~ sig be reflected

**avspelningshuvud** s på bandspelare playback head

**avspisa** vb tr, ~ ngn put a p. off

**avspänd** adj om person o. t.ex. atmosfär relaxed

**avspänning** s avslappning relaxation; polit. détente

**avstava** vb tr divide...into syllables

**avstavning** s division into syllables

**avstickare** s utflykt detour; göra en ~ make a detour

**avstjälpningsplats** s tip, dump

**avstyrka** vb tr, ~ ngt object to a th.; avstyrkes authority withheld, sanction refused

**avstå** vb itr, ~ från give up [att gå going]; uppge abandon; försaka forgo, deny oneself; avsäga sig renounce; låta bli refrain from; undvara dispense with

**avstånd** s distance; vid t.ex. målskjutning range; ta ~ från dissociate oneself from; på ~ at a (i fjärran in the, från långt håll from a) distance

**avståndsmätare** s foto. range-finder

**avstämpla** vb tr stamp; brev etc. postmark

**avstänga** vb tr se stänga av

**avsäga** *vb rfl,* ~ *sig* t.ex. befattning resign, give up; ~ *sig tronen* abdicate
**avsändare** *s* sender; på brevs baksida from
**avsätta** *vb tr* **1** avskeda remove, dismiss **2** sälja sell
**avsättning** *s* **1** avskedande removal, dismissal **2** av varor sale; *finna (få)* ~ *för* dispose of
**avta** *vb itr* minska decrease, diminish
**avtagande** *s, vara i* ~ be on the decrease
**avtagbar** *adj* detachable
**avtagsväg** *s* turning; sidoväg side road
**avtal** *s* agreement, settlement; kontrakt contract; *träffa* ~ come to an agreement [*om* about]
**avtala I** *vb itr* agree [*om* about] **II** *vb tr* agree on, settle, fix
**avtalsenlig** *adj* ...according to agreement
**avtalsförhandlingar** *s pl* wage negotiations
**avtalsrörelse** *s* förhandlingar round of wage negotiations pl.
**avteckna** *vb rfl,* ~ *sig mot* stand out against
**avtjäna** *vb tr,* ~ *ett straff* serve a sentence; vard. do time
**avtryck** *s* imprint, impression
**avtryckare** *s* på gevär trigger; på kamera shutter release
**avtvinga** *vb tr,* ~ *ngn ngt* t.ex. pengar, bekännelse extort a th. from a p.
**avtåg** *s* departure, marching off
**avtåga** *vb itr* march off (out)
**avtäcka** *vb tr* uncover; konstverk etc. unveil
**avund** *s* envy
**avundas** *vb tr,* ~ *ngn ngt* envy a p. a th.
**avundsjuk** *adj* envious [*på, över* of]
**avundsjuka** *s* envy
**avvakta** *vb tr* ankomst, svar await; händelsernas gång wait and see; vänta (lura) på wait (watch) for
**avvaktan** *s, i* ~ *på* while awaiting
**avvaktande** *adj, inta en* ~ *hållning* play a waiting game, pursue a wait-and-see policy
**avvara** *vb tr* spare
**avveckla** *vb tr* speciellt affärsrörelse wind up, settle
**avveckling** *s* winding up, settlement
**avverka** *vb tr* **1** träd fell **2** tillryggalägga cover, do [*på* in]
**avvika** *vb itr* skilja sig differ; från t.ex. ämne digress; från t.ex. kurs (om fartyg), sanningen deviate
**avvikande** *adj* differing; ~ *beteende*

deviant (abnormal) behaviour; *en* ~ a deviant
**avvikelse** *s* divergence, deviation
**avvisa** *vb tr* **1** person turn away, put...off **2** t.ex. förslag reject; t.ex. beskyllning repudiate; t.ex. anfall repel
**avvisande** *adj* negative; unsympathetic
**avväga** *vb tr* avpassa adjust [*efter* to]; *väl avvägd* well-balanced
**avvägning** *s* adjustment, balance
**avvända** *vb tr* **1** leda bort divert **2** avvärja avert
**avvänja** *vb tr* spädbarn wean; t.ex. rökare cure; alkoholskadad detoxify, vard. detox
**avvänjningskur** *s* cure, aversion treatment (end. sg.)
**avväpna** *vb tr* disarm
**avvärja** *vb tr* t.ex. slag ward off; t.ex. fara äv. avert
**avyttra** *vb tr* dispose of
**ax** *s* sädesax ear
**1 axel** *s* geogr. el. polit. axis (pl. axes); hjulaxel axle
**2 axel** *s* skuldra shoulder; *rycka på axlarna* shrug one's shoulders; *se ngn över* ~*n* look down on a p.
**axelband** *s* på kläder shoulder strap
**axelklaff** *s* shoulder strap
**axelremsväska** *s* shoulder bag
**axelryckning** *s* shrug, shrug of the shoulders
**axeltryck** *s* axle load
**axla** *vb tr,* ~ *en börda* bildl. shoulder a burden
**azalea** *s* azalea

# B

**b** *s* mus. **1** ton B flat **2** sänkningstecken flat
**babbel** *s* babble; babblande babbling
**babbla** *vb itr* babble
**babian** *s* baboon
**babord** *s* port
**baby** *s* baby
**babylift** *s* carrycot
**babysitter** *s* stol bouncing cradle
**babysäng** *s* spjälsäng cot, amer. crib
**bacill** *s* germ; med. bacillus (pl. bacilli)
**1 back** *s* låda tray; ölback crate
**2 back I** *s* **1** sport. back **2** backväxel reverse
  gear **II** *adv* back; **gå ~** gå med förlust run at
  a loss
**backa** *vb tr* o. *vb itr* back, reverse; **~ upp**
  understödja back, back up
**backe** *s* höjd hill; sluttning hillside, slope
**backhand** *s* tennis etc. backhand äv. slag
**backhoppare** *s* ski-jumper
**backhoppning** *s* ski-jumping
**backig** *adj* hilly
**backkrön** *s* top of a (resp. the) hill
**backljus** *s* på bil reversing (back-up) light
**backspegel** *s* driving (rear-view) mirror
**backväxel** *s* reverse gear
**bacon** *s* bacon
**bad** *s* **1** badning: a) karbad bath b) utebad
  bathe; **ta [sig] ett varmt ~** have a hot
  bath; **härliga ~** splendid bathing sg. **2** se
  *badhus, badplats*
**bada I** *vb tr* bath; **~ ett barn** bath (amer.
  bathe) a child, give a child a bath **II** *vb itr*
  simbad bathe; karbad have a bath; **gå [ut]**
  **och ~** go for a bathe (a swim), go bathing
  (swimming); **~nde i sol (svett)** bathed in
  sunshine (perspiration); **en ~nde** a bather
**badboll** *s* beach ball
**badborste** *s* bath brush
**badbyxor** *s pl* bathing trunks, trunks
**badda** *vb tr* fukta bathe
**baddare** *s* överdängare ace; **en ~ i tennis** a
  crack tennis player
**baddräkt** *s* swimsuit
**badhandduk** *s* bath towel; för strand bathing
  (beach) towel
**badhus** *s* [public] baths pl.; simhall
  swimming baths (pl. lika)
**badhytt** *s* vid strand bathing-hut; inomhus
  cubicle

**badkappa** *s* bathrobe; för strand
  bathing-wrap
**badkar** *s* bathtub, bath
**badminton** *s* badminton
**badmintonboll** *s* shuttlecock
**badmössa** *s* bathing cap
**badort** *s* seaside resort (town)
**badplats** *s* strand bathing beach
**badrock** *s* bathrobe; för strand bathing-wrap
**badrum** *s* bathroom
**badrumsvåg** *s* bathroom scales pl.
**badsemester** *s* holiday by the sea
**badstrand** *s* beach, bathing beach
**badtvål** *s* bath soap
**badvakt** *s* swimming-pool attendant; vid
  badstrand lifeguard
**bag** *s* bag
**bagage** *s* luggage, baggage
**bagagehylla** *s* luggage (baggage) rack
**bagagelucka** *s* utrymme boot, amer. trunk;
  dörr boot (amer. trunk) lid
**bagageutrymme** *s* i bil boot, amer. trunk
**bagare** *s* baker
**bagatell** *s* trifle, bagatelle
**bagatellisera** *vb tr* make light of, minimize
**bageri** *s* bakery; butik baker's [shop]
**bagge** *s* ram
**baguette** *s* baguette, French stick [loaf]
**bajonett** *s* bayonet
**bajs** *s* barnspr. poo-poo, number two
**bajsa** *vb itr* barnspr. do a poo-poo (number
  two)
**bak I** *s* vard., säte behind, bottom; byxbak
  seat **II** *adv* behind, at the back; **för långt**
  **~** too far back; **~ och fram** se *bakfram*
**baka** *vb tr* o. *vb itr* bake; **~ bröd** bake
  (make) bread
**bakaxel** *s* rear axle
**bakben** *s* hind leg
**bakbinda** *vb tr* pinion
**bakdel** *s* människas buttocks pl.; vard. behind,
  bottom; djurs hind quarters pl., rump
**bakdörr** *s* back door; på bil rear door
**bakelse** *s* pastry, fancy cake; med frukt, sylt
  tart; **~r** pastry sg.
**bakficka** *s* på byxor hip pocket; **ha ngt i ~n**
  have a th. up one's sleeve
**bakform** *s* baking-tin
**bakfot** *s* hind foot; **få saken (det) om ~en**
  get hold of the wrong end of the stick
**bakfram** *adv* back to front; the wrong way
  round
**bakfull** *adj*, **vara ~** have a hangover
**bakgata** *s* back street, lane
**bakgrund** *s* background

**bakgård** s backyard
**bakhjul** s rear wheel
**bakhjulsdriven** adj bil. rear-wheel driven
**bakhåll** s ambush
**bakifrån** prep o. adv from behind
**bakkappa** s på sko heel; fackspr. counter
**baklucka** se bagagelucka
**baklykta** s rear (tail) light (lamp)
**baklås** s, dörren har gått i ~ the lock has jammed; hela saken har gått i ~ ...has reached a deadlock
**baklänges** adv backward, backwards
**bakläxa** s, få ~ avslag meet with a rebuff
**bakom** prep o. adv behind; jag undrar vad som ligger ~ ...what is at the bottom of it; ~ el. ~ flötet vard. stupid, daft
**bakplåt** s baking-tray
**bakpulver** s baking-powder
**bakre** adj t.ex. bänk back; t.ex. ben hind
**bakruta** s på bil rear window
**baksida** s back; på mynt etc. reverse; bildl. unpleasant side
**bakskärm** s på bil rear wing (amer. fender)
**bakslag** s motgång reverse, setback
**baksmälla** s vard. hangover
**baksäte** s back (rear) seat
**baktala** vb tr slander, backbite
**baktalare** s slanderer, backbiter
**baktanke** s ulterior (secret) motive
**bakterie** s germ; ~er äv. bacteria
**bakteriologisk** adj bacteriological
**baktill** adv behind, at the back
**baktung** adj ...heavy at the back
**baktända** vb itr bil. backfire
**bakugn** s oven
**bakut** adv backward, backwards, behind
**bakvagn** s bils rear part of a (resp. the) car
**bakvatten** s backwater
**bakverk** s pastry; jfr bakelse, kaka
**bakväg** s back way; gå ~ar bildl. use underhand means (methods)
**bakvänd** adj ...the wrong (other) way round; tafatt awkward
**bakvänt** adv the wrong way, awkwardly
**bakåt** adv backward, backwards; tillbaka back
**bakåtlutad** adj reclining
**bakåtlutande** adj ...that slopes backwards
**bakåtsträvare** s reactionary
**bal** s ball; mindre dance
**balans** s balance; kassabrist deficit
**balansera** vb tr o. vb itr balance
**balansgång** s, gå ~ balance oneself; bildl. strike (try to strike) a balance
**balett** s ballet

**balettdansör** s ballet dancer
**balettdansös** s ballet dancer
**balettflicka** s chorus girl
**balja** s kärl tub; mindre bowl
**balk** s träbalk beam; järnbalk girder
**Balkan** staterna the Balkans pl.
**balkong** s balcony
**ballong** s balloon
**balsam** s balsam; bildl. balm
**balsamera** vb tr embalm
**balt** s Balt
**Baltikum** the Baltic States pl.
**baltisk** adj Baltic
**bambu** s bamboo
**bamsing** s whopper
**bana I** s **1** väg path, track; lopp course; planets, satellits orbit; levnadsbana career **2** sport. track; löparbana running track; tennisbana court **3** järnv. line; spår track **II** vb tr, ~ väg clear (pave) the way [för for]
**banal** adj commonplace, banal
**banan** s banana
**banbrytande** adj pioneering; epokgörande epoch-making
**band** s **1** remsa, knytband **a)** band; smalt o. i bandspelare tape; prydnadsband ribbon **b)** löpande ~ conveyor belt, assembly line; han skriver romaner på löpande ~ ...one novel after the other **c)** bildl. tie; bond; lägga ~ på sig check (restrain) oneself **2** bokband binding; volym volume **3** trupp, följe band, gang; jazzband etc. band
**banda** vb tr ta upp på band tape
**bandage** s bandage
**banderoll** s streamer; pappersremsa kring förpackning wrapper
**bandinspelning** s tape-recording
**bandit** s bandit
**bandspaghetti** s koll. tagliatelle
**bandspelare** s tape-recorder
**bandtraktor** s caterpillar, caterpillar tractor
**bandupptagning** s på bandspelare tape recording
**bandy** s bandy
**bandyklubba** s bandy stick
**baner** s banner, standard
**bangård** s railway (amer. railroad) yard (station station)
**banjo** s banjo (pl. -s el. -es)
**bank** s penningbank bank; gå på ~en go to the bank; ha pengar på ~en have money in (at) the bank
**banka** vb itr bulta knock loudly, bang
**bankbok** s bankbook

**bankdirektör** s bank director; vid filial bank manager

**bankett** s banquet

**bankfack** s safe-deposit box

**bankgiro** s bank giro service (konto account)

**bankir** s banker, private banker

**bankkamrer** s vid bankfilial bank manager

**bankkassör** s bank cashier

**bankkonto** s bank account

**banklån** s bank loan

**Bankomat** s ® cash dispenser (machine), ATM (förk. för automated el. automatic teller machine); vard., utomhus hole in the wall

**bankrutt I** s bankruptcy; *göra* ~ go bankrupt **II** adj bankrupt

**bankrån** s bank robbery

**banktjänsteman** s bank clerk

**bankör** s spel. banker

**bannlysa** vb tr förbjuda ban

**banta** vb itr slim, reduce; ~ *ned ngt* reduce (cut down) a th.

**bantamvikt** s bantam weight

**bantning** s slimming, reducing

**bantningskur** s slimming (reducing) cure

**bantningsmedel** s slimming (reducing) preparation

**1 bar** adj bare; naked; *stå på* ~ *backe* be penniless; *tagen på* ~ *gärning* caught red-handed; *under* ~ *himmel* under the open sky

**2 bar** s cocktailbar etc. bar; matställe snack bar, cafeteria

**bara I** adv only; merely; *han är* ~ *barnet* he is just (only) a child, he is a mere child; *vänta* ~! just you wait! **II** konj om blott if only; såvida provided

**barack** s barracks (pl. lika)

**barbar** s barbarian

**barbari** s barbarism

**barbarisk** adj barbarous

**barbent** adj barelegged

**barberare** s barber, hairdresser

**barbröstad** adj barechested; om kvinna äv. bare-breasted

**bardisk** s bar, bar counter

**barfota** adj o. adv barefoot, barefooted

**barhuvad** adj bareheaded

**bark** s bot. bark

**barka** vb tr, ~ el. ~ *av* träd bark, strip

**barlast** s ballast (end. sg.)

**barm** s bosom, breast

**barmark** s, *det är* ~ there is no snow on the ground

**barmhärtig** adj nådig merciful; medlidsam compassionate

**barmhärtighet** s nåd mercy; medlidande compassion, charity

**barn** s child (pl. children); vard. kid; spädbarn baby; *lika* ~ *leka bäst* birds of a feather flock together; *vara med (vänta)* ~ be pregnant

**barnadödlighet** s infant mortality [rate]

**barnarov** s kidnapping; bildl. baby-snatching

**barnasinne** s, *han har* ~*t kvar* he is still a child at heart

**barnavård** s child (baby) care; samhällets child welfare

**barnavårdscentral** s child welfare centre (clinic), amer. child-health station

**barnbarn** s grandchild

**barnbarnsbarn** s great grandchild

**barnbegränsning** s birth control

**barnbidrag** s family allowance

**barnbok** s children's book

**barndaghem** s day nursery, day-care centre

**barndom** s, ~ el. ~*en* childhood; späd infancy, babyhood

**barndomsvän** s, *vi är* ~*ner* we knew each other as children

**barndop** s christening

**barnfamilj** s family, family with children

**barnflicka** s nursemaid

**barnförbjuden** adj, ~ *film* film for adults only, adult film

**barnhem** s children's home; för föräldralösa orphanage

**barnkammare** s nursery

**barnkoloni** s children's holiday camp

**barnkär** adj ...fond of children

**barnläkare** s specialist in children's diseases

**barnlös** adj childless, ...without a family

**barnmat** s baby food

**barnmisshandel** s child abuse

**barnmorska** s midwife

**barnomsorg** s child welfare

**barnpassning** s looking after children

**barnprogram** s children's programme

**barnsjukdom** s children's disease; ~*ar* t.ex. hos en ny bilmodell teething troubles pl.

**barnslig** adj childlike; neds. childish

**barnslighet** s childishness (end. sg.)

**barnsäker** adj childproof

**barnsäng** s säng för barn cot, amer. crib

**barntillsyn** s childminding

**barntillåten** *adj,* ~ *film* universal (förk. U) film

**barnunge** *s* child, kid

**barnvagn** *s* perambulator, pram; amer. baby carriage (buggy)

**barnvakt** *s* baby-sitter; *sitta* ~ baby-sit

**barnvårdare** *s* child-care worker

**barometer** *s* barometer

**barr** *s* bot. needle

**barra** *vb itr,* granen ~*r* ...is shedding its needles

**barrikad** *s* barricade

**barrikadera** *vb tr* barricade; ~ *sig* barricade oneself

**barriär** *s* barrier

**barrskog** *s* pine forest, fir forest

**barrträd** *s* coniferous tree

**barservering** *s* cafeteria

**barsk** *adj* harsh, stern; om leende grim

**bartender** *s* bartender, barman; kvinnlig barmaid

**barvinter** *s* snowless winter

**baryton** *s* baritone

**1 bas** *s* grund, underlag base; utgångspunkt basis (pl. bases)

**2 bas** *s* mus. bass

**3 bas** *s* förman foreman, boss

**basa** *vb itr* vara förman be the boss

**ba-samtal** *s* tele. transferred-charge (amer. collect) call

**basar** *s* bazaar

**basbelopp** *s* basic amount

**basera** *vb tr* base; förslaget ~*r sig (är ~t) på* ...is based (founded) on

**basfiol** *s* double bass

**basilika** *s* krydda basil

**basis** *s* basis (pl. bases); *på bred* ~ on a broad basis

**basker** *s* o. **baskermössa** *s* beret

**basket** *s* o. **basketboll** *s* basketball

**baslinje** *s* baseline äv. tennis el. lantmät.

**basröst** *s* bass, bass voice

**bassäng** *s* basin; sim~ swimming-bath, swimming-pool

**bast** *s* bast; rafia~ raffia

**basta** *adv, och därmed* ~*!* and that's that!

**bastant** *adj* stadig substantial, solid

**bastu** *s* sauna

**basun** *s* trombone

**basunera** *vb itr, måste du* ~ *ut att...* must you advertise the fact that...

**basvara** *s* staple commodity

**batalj** *s* battle

**bataljon** *s* battalion

**batik** *s* batik

**batong** *s* truncheon, baton

**batteri** *s* t.ex. i bil, radio battery

**batteridriven** *adj* battery-operated

**batterist** *s* drummer

**Bayern** Bavaria

**bayersk** *adj* Bavarian

**bayrare** *s* Bavarian

**BB** maternity hospital (avdelning ward)

**be** *vb tr* o. *vb itr* **1** relig., se *bedja 1* **2** ask; starkare beg; hövligt request; ~ *ngn om* (*att få*) *ngt* ask (beg) a p. for a th.; ~ *ngn om en tjänst* ask a p. a favour; i hövlighetsfraser, *får jag* ~ *om...?* el. *jag ska* ~ *att få...* can (could) I have..., please?; *får jag* ~ *om notan?* the bill, please! **3** bjuda ask, invite; ~ *hem ngn på middag* ask a p. to dinner

**beakta** *vb tr* uppmärksamma pay attention to, notice; fästa avseende vid pay regard to

**beaktande** *s* consideration

**bearbeta** *vb tr* t.ex. gruva work; jord cultivate; söka inverka på try to influence, work on; ~ *för* t.ex. radio adapt for

**bearbetning** *s* gruva working; jord cultivation; t.ex. radio adaptation

**bearnaisesås** *s* Béarnaise sauce

**bebo** *vb tr* inhabit; hus occupy, live in

**beboelig** *adj* inhabitable, ...fit to live in

**bebygga** *vb tr* med hus build on; kolonisera colonize; *bebyggt område* built-up area; *glest bebyggt område* thinly-populated area

**bebyggelse** *s* hus houses pl., buildings pl.

**beck** *s* pitch

**beckasin** *s* snipe

**bedarra** *vb itr* calm down, lull

**bedja** *vb tr* o. *vb itr* **1** relig. pray; ~ *en bön* say a prayer **2** se *be 2-3*

**bedra** o. **bedraga I** *vb tr* deceive; på pengar o.d. cheat, swindle [*ngn på ngt* a p. out of a th.]; vara otrogen mot be unfaithful to, cheat on **II** *vb rfl,* ~ *sig* be mistaken [*på ngn* in a p., *på ngt* about a th.]

**bedragare** *s* deceiver; på pengar swindler, fraudster

**bedrift** *s* bragd exploit, feat

**bedriva** *vb tr* carry on; t.ex. studier pursue

**bedrägeri** *s* deceit, cheating; brott fraud; skoj swindle

**bedrövad** *adj* distressed, grieved [*över* about]

**bedrövlig** *adj* deplorable; usel miserable

**bedårande** *adj* fascinating, charming

**bedöma** *vb tr* judge [*efter* by]; form an opinion of; uppskatta, värdera estimate

**•edömning** s judgement; uppskattning estimate

**•edöva** vb tr med. give...an anaesthetic; med injektion give an injection to; **~nde** anaesthetic

**•edövning** s med. anaesthesia; *få* ~ have an anaesthetic

**•edövningsmedel** s anaesthetic

**•efalla** vb tr order, command [*att ngt skall göras* a th. to be done]

**•efallande** adj commanding, overbearing

**•efallning** s order, command

**•efara** vb tr frukta fear

**•efatta** vb rfl, ~ *sig med* concern oneself with

**•efattning** s syssla post, position; ämbete office

**•efinna I** vb tr, **~s vara** turn out (prove) to be, be found to be **II** vb rfl, ~ *sig* be, feel; *mor och barn befinner sig väl* ...are doing well

**•efintlig** adj existing; tillgänglig available

**•efogad** adj om sak justified, legitimate

**•efogenhet** s persons authority (end. sg.), right

**•efolka** vb tr populate; bebo inhabit; *glest* **~d** sparsely populated

**•efolkning** s population

**•efordra** vb tr **1** skicka forward, send **2** främja promote, further **3** upphöja promote

**•efordran** s **1** sändande forwarding; conveyance, transport **2** främjande, avancemang promotion

**•efria** vb tr free, liberate; rädda rescue

**•efriare** s liberator; räddare rescuer

**•efrielse** s liberation, release; lättnad relief

**•efrielserörelse** s liberation movement

**•efrukta** vb tr fertilize

**•efruktning** s fertilization; *konstgjord* ~ artificial insemination

**•efäl** s, *ha (föra)* ~ el. ~*et över* be in command of; befälshavare officers pl.

**•efälhavare** s commander [*över* of]; *högste* ~ commander-in-chief

**•efängd** adj absurd

**•efästa** vb tr bildl. strengthen, confirm

**•efästning** s fortification

**•egagna I** vb tr use **II** vb rfl, ~ *sig av* use, profit by, take advantage of

**•egagnad** adj used; inte ny second-hand

**•ege** vb rfl, ~ *sig* make one's way; ~ *sig av (i väg) till* leave for, set off (out) for

**•egeistrad** adj enthusiastic [*för* about]

**•egonia** s begonia

**begrava** vb tr bury

**begravning** s burial; sorgehögtid funeral

**begravningsbyrå** s undertakers pl., amer. morticians pl.; lokal funeral parlour (amer. home)

**begravningsentreprenör** s undertaker

**begravningsplats** s burial ground

**begravningståg** s funeral procession

**begrepp** s **1** föreställning m.m. conception, notion [*om* of]; *jag har inget* ~ *om hur...* I have no idea how...; *reda ut* ~*en* straighten things out **2** *stå (vara) i* ~ *att gå* be about to go

**begripa** vb tr understand, comprehend

**begriplig** adj intelligible, comprehensible [*för* to]

**begrunda** vb tr ponder over

**begränsa I** vb tr kanta border; inskränka limit, restrict; hejda check; sätta en gräns för set limits to; hålla inom en viss gräns confine [*till* to] **II** vb rfl, ~ *sig* inskränka sig limit (restrict) oneself

**begränsning** s limitation, restriction; ofullkomlighet limitations pl.

**begynnelse** s beginning

**begynnelselön** s commencing salary, starting pay (end. sg.)

**begå** vb tr t.ex. ett brott commit; t.ex. ett misstag make

**begåvad** adj gifted, talented, clever

**begåvning** s **1** talent, gift **2** person gifted (talented) person

**begär** s desire, craving, longing; åtrå lust [*efter* i samtliga fall for]

**begära** vb tr ask for; anhålla om äv. request; ansöka om apply for; fordra require; starkare demand; göra anspråk på claim; vänta sig expect; önska sig wish for, desire

**begäran** s anhållan request [*om* for]; *på* ~ by request; *på allmän* ~ by general request; *på egen* ~ at his (her etc.) own request

**begärlig** adj ...in great demand

**behag** s **1** välbehag pleasure; *efter* ~ as one wishes, as you etc. wish, ad lib; alltefter smak according to taste **2** tjusning charm; *kvinnliga* ~ feminine charms

**behaga** vb tr **1** tillteala please, appeal to; verka tilldragande attract **2** önska wish; *gör som ni* ~*r* do just as you like

**behaglig** adj angenäm pleasant, agreeable

**behandla** vb tr treat äv. med.; deal with; hantera handle; dryfta discuss; ansökan etc. consider

**behandling** s treatment äv. med.; hantering

handling; dryftande discussion, consideration

**behov** s need; brist want; nödvändighet necessity; vad som behövs requirements pl. [av for]; *för eget ~* for one's own use; *vid ~* when necessary

**behovsprövning** s means test

**behå** s brassière; vard. bra

**behåll** s, *ha ngt i ~* have a th. left; *undkomma med livet i ~* escape with one's life

**behålla** vb tr keep, retain; *~ för sig själv* för egen del keep for oneself; tiga med keep to oneself

**behållare** s container, receptacle, holder; vätske~ reservoir; större tank

**behållning** s återstod remainder; saldo balance, balance in hand; vinst, utbyte profit; *ha ~* utbyte *av ngt* profit (benefit) by a th.

**behändig** adj bekväm handy, convenient

**behärska I** vb tr control, rule; kunna master; *~ engelska bra* have a good command of English; *~ ämnet* have a good grasp of the subject **II** vb rfl, *~ sig* control oneself

**behärskad** adj self-controlled; måttfull moderate

**behärskning** s control; själv~ self-command

**behörig** adj **1** kompetent qualified **2** *på ~t avstånd* at a safe distance

**behörighet** s kompetens gratification; myndighets rättighet authority; *ha ~ att* be qualified to

**behöva** vb tr need, want, require; vara tvungen have (have got) to; *radion behöver lagas* the radio needs repairing

**behövas** vb itr dep be needed (wanted); *det behövs pengar för att göra det* it takes money to do that; *när så behövs* when necessary

**behövlig** adj necessary, ...needed

**beige** adj beige

**beivra** vb tr, *överträdelse ~s* offenders (trespassers) will be prosecuted

**bekant I** adj known [*för ngn* to a p.]; välkänd well-known; *som ~* as we (you) know; *vara (bli) ~ med* be (become) acquainted (förtrogen familiar) with **II** subst adj acquaintance, friend; *en ~ till mig* a friend of mine

**bekanta** vb rfl, *~ sig med ngt* acquaint oneself with a th.; *~ sig med varandra* get to know each other

**bekantskap** s kännedom knowledge; *göra (stifta) ~ med* become (get) acquainted with, get to know

**beklaga** vb tr vara ledsen över regret, be sorry about; *jag ber att få ~ sorgen* please accept my condolences (sympathy)

**beklagande** s regret, expression of regret

**beklaglig** adj regrettable; pinsam deplorable

**beklädnad** s klädsel clothing, wear; överdrag cover

**beklämmande** adj depressing; pinsam deplorable

**bekosta** vb tr pay (find the money) for

**bekostnad** s, *på ngns ~* at a p.'s expense

**bekräfta** vb tr confirm; erkänna acknowledge

**bekräftelse** s confirmation [*på* of]

**bekväm** adj **1** comfortable; behändig convenient, handy **2** om person, *~* el. *~ av sig* easy-going

**bekvämlig** adj comfortable; behändig convenient

**bekvämlighet** s convenience; trevnad comfort; *alla moderna ~er* every modern convenience sg., vard. mod cons

**bekvämlighetsinrättning** s public convenience

**bekvämt** adv comfortably; behändigt conveniently; *ha det ~* be comfortable

**bekymmer** s worry, anxiety; omsorg care; *göra (vålla) ngn ~* give a p. a lot of worry

**bekymra** vb rfl, *~ sig* trouble (worry) oneself [*för, över, om* about]

**bekymrad** adj worried, anxious [*för, över* i samtliga fall about]

**bekämpa** vb tr fight, fight against, combat

**bekämpning** s combating [*av* of]; fight [*av* against]

**bekämpningsmedel** s biocide; mot skadeinsekter etc. insecticide, pesticide

**bekänna** vb tr, *~* el. *~ sig skyldig* confess; *~ färg* kortsp. follow suit; bildl. show one's hand

**bekännelse** s confession

**belasta** vb tr load, charge; *~ sitt minne med* burden (load) one's memory with

**belastning** s load, charge; bildl. nackdel disadvantage, handicap

**belevad** adj well-bred; artig courteous

**belgare** s Belgian

**Belgien** Belgium

**belgisk** adj Belgian

**Belgrad** Belgrade

**belopp** s amount, sum

**belysa** vb tr lysa på light up, illuminate;

*fallet belyser riskerna* this case illustrates the risks

●**elysande** *adj* åskådlig illuminating; betecknande illustrative, characteristic [*för* of]

●**elysning** *s* lighting, illumination

●**elåna** *vb tr* **1** inteckna mortgage; uppta lån på raise a loan on **2** ge lån på grant a loan on

●**elåten** *adj* satisfied, pleased; förnöjd contented; *är ni ~?* mätt have you had enough to eat?

●**elåtenhet** *s* satisfaction [*över* at]; contentment; *vara till allmän ~* be satisfactory to everybody

●**elägen** *adj* situated [*vid* near, by]

●**elägg** *s* instance, example [*för, på* of]; bevis evidence, proof [*för* of]

●**elägga** *vb tr* betäcka cover

●**eläggning** *s* cover, covering; på gata paving; på tunga fur, coating; på tänder film

●**elägra** *vb tr* besiege

●**elägring** *s* siege

●**elägringstillstånd** *s* state of siege; *proklamera ~* proclaim martial law

●**elöna** *vb tr* reward; med pengar remunerate

●**elöning** *s* reward

●**emanna** *vb tr* man; *~d* manned

●**emyndiga** *vb tr* authorize

●**emyndigande** *s* authorization; befogenhet authority

●**emärkelse** *s* sense; *i bildlig ~* in a figurative sense

●**emärkelsedag** *s* red-letter day; högtidsdag great occasion

●**emärkt** *adj* noted; framstående prominent; *göra sig ~* make a name for oneself

●**emästra** *vb tr* master, overcome

●**emöda** *vb rfl*, *~ sig* take pains, try hard [*om att* inf. to inf.]

●**emödande** *s* effort, exertion

●**emöta** *vb tr* behandla treat; motta receive; besvara answer, meet

●**en** *s* **1** ämne o. t.ex. fiskben bone **2** lem, äv. på strumpa, stol etc. leg; *dra ~en efter sig* gå långsamt go shuffling along; söla hang about; *lägga ~en på ryggen* step on it; *hjälpa ngn på ~en* att resa sig help a p. to his (her etc.) feet; *stå på egna ~* stand on one's own feet; *vara på ~en* be up and about

. **bena** *vb tr* fisk bone

* **bena I** *vb tr*, *~ håret* part one's hair **II** *s* parting

●**enbrott** *s* fractured (broken) leg, fracture

●**enfri** *adj* boneless; om fisk boned

**Bengalen** Bengal

**benhård** *adj* bildl. rigid, strict

**benig** *adj* bony

**benkläder** *s pl* under~: mans pants, speciellt amer. underpants; dams knickers, panties

**bensin** *s* motorbränsle petrol, amer. gasoline, gas; kem. benzine

**bensindunk** *s* petrol (amer. gasoline) can

**bensinmack** vard., se *bensinstation*

**bensinmätare** *s* fuel gauge

**bensinskatt** *s* petrol tax, amer. gasoline tax

**bensinsnål** *adj* om bil economical to run; *bilen är ~* the car has a low petrol (amer. gasoline) consumption

**bensinstation** *s* petrol (amer. gas) station

**bensintank** *s* petrol (fuel, amer. gasoline) tank

**benskydd** *s* sport. shinguard, shinpad

**benvit** *adj* ivory-coloured

**benåda** *vb tr* pardon; dödsdömd reprieve

**benådning** *s* pardon; av dödsdömd reprieve; amnesti amnesty

**benägen** *adj* inclined, apt, villig willing [*att* to]

**benägenhet** *s* fallenhet tendency [*för* to]; disposition inclination [*för* to], disposition [*för* to]

**benämna** *vb tr* call, name; beteckna designate

**benämning** *s* name [*på* for]; beteckning designation

**beordra** *vb tr* order

**beprövad** *adj* well-tried, tested, reliable

**bereda I** *vb tr* prepare; förorsaka cause; skänka give, afford; *~ plats för* make room for; *~ väg för* make way for; *~ ngn tillfälle att* inf. give a p. an opportunity of ing-form **II** *vb rfl*, *~ sig* göra sig beredd prepare, prepare oneself [*på, till* for]; *~ sig på det värsta* prepare for (expect) the worst

**beredd** *adj* prepared, ready; *göra sig ~ på* prepare oneself (be prepared) for

**beredskap** *s* preparedness; *ha i ~* have in readiness, have ready

**beredskapsarbete** *s* relief work (end. sg.)

**beredskapsplan** *s* contingency (emergency) plan

**beredvillig** *adj* ready and willing

**berest** *adj*, *vara mycket ~* have travelled a great deal

**berg** *s* mountain; mindre hill; klippa rock

**bergart** *s* kind of rock

**bergbestigare** *s* mountaineer, mountain climber

**bergbestigning** s mountain-climbing, mountaineering; en ~ a mountain climb
**berggrund** s bedrock
**bergig** adj mountainous; mindre hilly; klippig rocky
**bergis** s bröd poppy seed loaf
**bergkristall** s rock crystal
**berg-och-dalbana** s roller-coaster, big dipper, switchback
**bergskedja** s mountain chain
**bergsklyfta** s gorge, ravine
**bergskred** s landslide
**bergspass** s mountain pass
**bergstopp** s mountain peak
**bergstrakt** s mountain (mountainous) district
**bergsäker** adj dead certain
**bergtunga** s fisk lemon sole
**berguv** s eagle owl, amer. great horned owl
**berika** vb tr enrich
**berlock** s charm
**bermudas** s pl shorts Bermudas, Bermudas shorts
**Bermudasöarna** s pl the Bermudas
**bero** vb itr **1** ~ på ha till orsak be due (owing) to; komma an på depend on; det ~r på dig, om... it depends on (is up to) you whether...; det ~r på, det! it all depends! **2** låta saken ~ let the matter rest
**beroende I** adj **1** avhängig dependent [av (på) on]; vara ~ av (på) äv. depend on; ~ på a) på grund av owing to [att the fact that] b) avhängigt av depending on [om whether] **2** vara ~ om missbrukare be addicted **II** s **1** avhängighet dependence [av on]; beroendeställning position of dependence **2** missbrukares addiction
**berså** s arbour, bower
**berusa** vb tr intoxicate
**berusad** adj intoxicated, drunk
**beryktad** adj notorious
**berått** adj, med ~ mod deliberately
**beräkna** vb tr calculate; uppskatta estimate [till at]; tiden var för knapppt ~d the time allotted was too short
**beräknande** adj calculating
**beräkning** s calculation; uppskattning estimate; ta ...med i ~en bildl. allow for ...

**berätta** vb tr tell [ngt för ngn a p. a th., a th. to a p.]; ~ ngt skildra relate (narrate) a th.; ~ historier tell stories; man har ~t för mig att... I have been told that...; det ~s att... it is said that...

**berättande** adj narrative
**berättare** s story-teller; narrator
**berättelse** s historia tale; novell short story; skildring narrative; redogörelse report, statement, account
**berättiga** vb tr entitle
**berättigad** adj om person entitled, authorized [att inf. to inf.], justified [att inf. in ing-form]; rättmätig just, legitimate
**berättigande** s justification; rättmätighet justice, legitimacy; rätt right
**beröm** s praise; ge ngn ~ praise a p.
**berömd** adj famous; vida ~ renowned
**berömdhet** s celebrity
**berömma** vb tr praise
**berömmelse** s fame, renown
**berömvärd** adj praiseworthy
**beröra** vb tr **1** touch; snudda vid graze **2** omnämna touch on **3** påverka affect; bli illa berörd av ngt be unpleasantly affected by a th.
**beröring** s contact, touch
**beröva** vb tr, ~ ngn ngt deprive a p. of a th.
**besatt** adj **1** occupied, filled **2** ~ av en idé obsessed by an idea; som en ~ like a madman (one possessed)
**besatthet** s obsession
**besegra** vb tr defeat, conquer
**besegrare** s conqueror; t.ex. sport. winner
**besiktiga** vb tr inspect, examine
**besiktning** s inspection, examination
**besiktningsman** s inspector
**besinning** s sinnesnärvaro presence of mind; behärskning self-control; förlora ~en lose one's head; komma till ~ come to one's senses
**besitta** vb tr possess
**besittning** s possession äv. landområde; ta ... i ~ take possession of...; besätta occupy...
**besk** adj bitter
**beskaffad** adj skapad constituted; konstruerad constructed
**beskaffenhet** s nature; om vara quality; tillstånd state
**beskatta** vb tr tax
**beskattning** s taxation
**beskattningsbar** adj taxable
**besked** s **1** svar answer; upplysning information [om about]; jag skall ge (lämna) dig ~ i morgon I will let you know tomorrow **2** med ~ properly, with a vengeance
**beskedlig** adj meek and mild; snäll obliging, good-natured; tam tame

**besvärad**

**beskickning** *s* ambassad embassy; legation legation
**beskjuta** *vb tr* fire at; bombardera shell
**beskjutning** *s* firing; bombardemang shelling; **under ~** under fire
**beskriva** *vb tr* describe
**beskrivande** *adj* descriptive
**beskrivning** *s* **1** description **2** anvisning directions pl.; kok. recipe
**beskydd** *s* protection
**beskydda** *vb tr* protect, shield
**beskylla** *vb tr* accuse [*för* of]
**beskyllning** *s* accusation [*för* of]
**beskåda** *vb tr* look at, regard
**beskådan** *s* inspection; **till allmän ~** on view
**beskäftig** *adj* fussy, meddlesome
**beskära** *vb tr* trädg. prune; reducera cut down
**beslag** *s* **1** metallskydd mounting **2** kvarstad confiscation; **lägga ~ på** requisition; vard. take, lay hands on; **ta i ~** konfiskera confiscate
**beslagta** *vb tr* commandeer
**beslut** *s* decision; **fatta ett ~** come to a decision
**besluta I** *vb tr* o. *vb itr* decide [*ngt, om ngt* on a th.] **II** *vb rfl,* **~ sig** make up one's mind, decide
**besluten** *adj* determined
**beslutsam** *adj* resolute, determined
**beslutsamhet** *s* resolution, determination
**besläktad** *adj* related [*med* to]
**besmitta** *vb tr* infect
**bespara** *vb tr* skona spare; spara save; **~ ngn besvär** save a p. trouble
**besparing** *s* saving; **göra ~ar** effect economies
**bespisning** *s* feeding; skolmatsal dining-hall
**bespruta** *vb tr* syringe, spray
**besprutningsmedel** *s* spray; bekämpningsmedel pesticide
**besserwisser** *s* know-all
**bestialisk** *adj* bestial
**bestick** *s* [set of] knife, fork, and spoon; cutlery (end. sg.)
**besticka** *vb tr* bribe
**bestickning** *s* bribery, corruption
**bestiga** *vb tr* berg climb; tron ascend; häst mount
**bestigning** *s* berg climbing, ascent; **en ~** a climb
**bestjäla** *vb tr* rob [*ngn på ngt* a p. of a th.]
**bestraffa** *vb tr* punish
**bestraffning** *s* punishment

**bestrida** *vb tr* **1** förneka deny; opponera sig emot contest, dispute **2** betala, **~ kostnaderna** bear (pay) the cost (costs)
**bestseller** *s* best seller
**bestyr** *s pl* göromål work sg., things to do
**bestyrka** *vb tr* confirm; intyga certify; bevisa prove
**bestå I** *vb tr* genomgå go (pass) through; **~ provet** stand the test **II** *vb itr* **1** fortfara last, endure; friare äv. go on, remain **2** **~ av (i)** consist of, be made up of
**beståndsdel** *s* component part
**beställa** *vb tr* o. *vb itr* rekvirera order; boka book; **har ni beställt?** på restaurang etc. have you ordered (given your order)?; **hovmästarn, får jag ~!** waiter, I would like to give my order!; **~ tid hos** make an appointment with
**beställning** *s* order; bokning booking; **gjord på ~** made to order
**bestämd** *adj* fixed, settled; tydlig clear, distinct; definitiv definite; fast, orubblig determined, firm; **~ artikel** gram. definite article
**bestämma I** *vb tr* fastställa fix, settle; besluta, avgöra decide, determine; definiera define; gram. modify, qualify; **det får du ~** [*själv*] that's for you to decide **II** *vb rfl,* **~ sig** decide, make up one's mind
**bestämmelse** *s* regel regulation; villkor condition
**bestämt** *adv* definitivt definitely; eftertryckligt firmly; säkerligen certainly; **veta ~** know for certain; **det har ~ hänt något** something must have happened
**beständig** *adj* constant
**bestörtning** *s* dismay
**besvara** *vb tr* answer; återgälda return
**besvikelse** *s* disappointment [*över* at]
**besviken** *adj* disappointed [*på* in; *över* at]
**besvär** *s* **1** trouble, inconvenience, bother; möda hard work; **tack för ~et!** thanks very much for all the trouble you have taken; **bli (vara) till ~** be a bother (nuisance); **det är värt (inte värt) ~et** it is worth (not worth) while **2** jur. appeal [*över* about]
**besvära I** *vb tr* trouble, bother; **förlåt att jag ~r** excuse my troubling you; **får jag ~ dig med att komma hit?** would you mind coming here?; **får jag ~ om saltet?** may I trouble you for the salt? **II** *vb rfl,* **~ sig** trouble (bother) oneself, put oneself out
**besvärad** *adj* generad embarrassed

**besvärlig** *adj* troublesome; svår hard, difficult; ansträngande trying; mödosam laborious; *det är ~t att behöva* inf. it is a nuisance having to inf.

**besvärlighet** *s* difficulty

**besynnerlig** *adj* strange, peculiar, odd

**beså** *vb tr* sow

**besätta** *vb tr* fylla fill äv. tjänst; occupy; *salongen var glest (väl) besatt* the theatre was sparsely (well) filled

**besättning** *s* sjö., flyg. crew

**besök** *s* visit; kortare call; *avlägga (göra) ~ hos ngn* pay a visit to (a call on) a p.; *få (ha) ~* have (have got) a caller el. visitor (resp. callers el. visitors); *få ~ av...* be called upon by...

**besöka** *vb tr* hälsa på el. bese visit, pay a visit to, go to see; bevista attend; ofta ~ frequent; *~ ngn* visit (call on) a p., pay a p. a visit

**besökare** *s* visitor [*av, i, vid* to]; på kortare besök caller

**besökstid** *s* visiting-hours pl.

**bet** *adj*, *bli (gå) ~* i spel lose the game; *han gick ~ på uppgiften* the task was too much for him

**1 beta** *vb tr* o. *vb itr*, *~* el. *~ av* om gräsätare graze

**2 beta** *s* bot. beet

**betagande** *adj* charming, captivating

**betagen** *adj* overcome [*av* with]; *~ i...* charmed by...

**betala I** *vb tr* o. *vb itr* pay; varor, arbete pay for; *får jag ~!* på restaurang can I have the bill, please!; *det ska du få betalt för!* sona, ge tillbaka I'll pay you out (back) for that!; *han tar ordentligt (bra) betalt* he charges a lot; *betalt svar* answer (reply) prepaid; *~ av* se avbetala; *~ in (ut)* pay in (out); *~ in ett belopp på* ett konto etc. pay an amount into... **II** *vb rfl*, *~ sig* pay

**betalbar** *adj* payable

**betalning** *s* payment; *inställa ~arna* suspend payment (payments); *göra ngt mot ~* ...for a consideration; *utan ~* free of charge

**betalningsbalans** *s* balance of payments

**betalningsskyldig** *adj*, *vara ~* be liable for payment

**betalningsvillkor** *s pl* terms, terms of payment

**betal-TV** *s* pay-TV

**1 bete** *s* boskaps~ pasturage; *gå på ~* be grazing (feeding)

**2 bete** *s* fiske. bait

**3 bete** *s* huggtand tusk

**4 bete** *vb rfl*, *~ sig* uppföra sig behave, act

**beteckna** *vb tr* betyda denote, signify; ange indicate; känneteckna characterize

**betecknande** *adj* characteristic, typical [*för* of]

**beteckning** *s* designation

**beteende** *s* behaviour, conduct (båda end. sg.)

**beteendemönster** *s* pattern of behaviour

**betesmark** *s* pasture, pastureland

**beting** *s*, *arbeta på ~* work by the piece (by contract)

**betinga** *vb tr* **1** *~s (vara ~d) av* a) vara beroende av be dependent (conditional) on b) ha sin grund i be conditioned by; *~d reflex* conditioned reflex **2** *~ ett högt pris* fetch a high price

**betingelse** *s* förutsättning condition

**betjäna** *vb tr* serve; uppassa attend, attend on; vid bordet wait on; sköta work

**betjäning** *s* **1** uppassning service; på hotell attendance **2** personal staff

**betjäningsavgift** *s* service charge

**betjänt** *s* manservant (pl. menservants), valet

**betona** *vb tr* stress äv. fonet.; emphasize

**betong** *s* concrete

**betongblandare** *s* concrete mixer

**betoning** *s* stress, accent

**betrakta** *vb tr* **1** se på look at, observe; bese view **2** anse consider, regard

**betraktande** *s*, *ta i ~* take into consideration

**betraktelse** *s* meditation reflection, meditation [*över* on]

**betrodd** *adj* pålitlig trusted

**betryggande** *adj* tillfredsställande satisfactory; *på ~ avstånd* at a safe distance

**beträda** *vb tr* set foot on; *Beträd ej gräsmattan!* Keep off the Grass!

**beträffa** *vb tr*, *vad mig (det) ~r* as far as I am (that is) concerned

**beträffande** *prep* concerning, regarding

**bets** *s* färg stain

**betsa** *vb tr* stain

**betsel** *s* bit; remtyg bridle

**betsocker** *s* beet sugar

**bett** *s* **1** hugg, tandställning, tugga bite; *vara på ~et* be in great form (in the mood) **2** tandgård set of teeth **3** på betsel bit

**bettleri** *s* begging

**betunga** *vb tr* burden; *vara ~d av* be oppressed (weighed down) by

**betungande** *adj* heavy; *vara ~* be a heavy burden [*för* to]

**betvinga** *vb tr* subdue, subjugate

**etvivla** *vb tr* doubt

**etyda** *vb tr* mean, signify; imply; beteckna denote; *det betyder ingenting* gör ingenting it doesn't matter, it is of no importance

**etydande** *adj* important; stor considerable

**etydelse** *s* meaning, sense; vikt significance, importance; *det har ingen ~ spelar ingen roll* it doesn't matter

**etydelsefull** *adj* significant; viktig important

**etydelselös** *adj* meaningless, insignificant; oviktig unimportant

**etydlig** *adj* considerable

**etyg** *s* **1** intyg o. examens~ certificate; arbetsgivares reference; termins~ report **2** betygsgrad mark, amer. grade

**etyga** *vb tr* intyga certify

**etygsätta** *vb tr* mark, amer. o. friare grade

**etänka** *vb tr* consider; *man måste ~ att...* one must bear in mind that...

**etänkande** *s* **1** utlåtande report **2** *efter mycket ~* after a good deal of thought; *utan ~* without hesitation; *en dags ~* a day to think the matter over

**etänketid** *s* time to think the matter over

**etänklig** *adj* allvarlig serious; oroväckande disquieting

**etänklighet** *s, ~er* apprehensions [*mot* about]

**etänksam** *adj* försiktig cautious; tveksam hesitant

**etänksamhet** *s* försiktighet caution; tveksamhet hesitation

**eundra** *vb tr* admire

**eundran** *s* admiration

**eundransvärd** *adj* admirable

**eundrare** *s* admirer

**evaka** *vb tr* **1** hålla vakt vid guard **2** tillvarata look after **3** nyhet, händelse cover

**evakad** *adj, ~ järnvägsövergång* controlled level-crossing

**evakning** *s* guard; *stå under ~ (sträng ~)* be in custody (close custody)

**evandrad** *adj, ~ i* familiar with, versed in

**evara** *vb tr* **1** bibehålla preserve; upprätthålla maintain; förvara keep **2** skydda protect; *bevara mig väl!* dear me!; *Gud bevare konungen!* God save the King!

**evilja** *vb tr* grant

**evis** *s* proof [*på* of]; vittnesbörd evidence

**evisa** *vb tr* prove

**evismaterial** *s* evidence, body of evidence

**evista** *vb tr* attend; närvara vid be present at

**bevittna** *vb tr* **1** bestyrka attest, testify **2** vara vittne till witness

**bevuxen** *adj* overgrown

**bevåg** *s, på eget ~* on one's own responsibility

**bevänt** *adj, det är inte mycket ~ med det (honom)* it (he) is not up to much

**beväpna** *vb tr* arm

**beväpnad** *adj* armed; *~ med* försedd med equipped with

**bh** se *behå*

**bi** *s* bee

**bibehålla** *vb tr* ha i behåll retain; bevara keep, preserve; upprätthålla maintain

**bibel** *s* bible; *Bibeln* the Bible

**bibliografi** *s* bibliography

**bibliotek** *s* library

**bibliotekarie** *s* librarian

**biblisk** *adj* biblical

**biceps** *s pl* biceps (pl. lika)

**bidé** *s* bidet

**bidra** se *bidraga*

**bidrag** *s* contribution; understöd allowance; stats~ grant, subsidy

**bidraga** *vb itr* contribute, make a contribution [*till* to]; *~ med* pengar, idéer contribute; *en ~nde orsak* a contributory cause

**bidrottning** *s* queen bee

**bifall** *s* **1** samtycke assent, consent; *röna (vinna) ~* meet with approval **2** applåder applause sg.; rop cheers pl.; *väcka stormande ~* call forth a volley of applause

**biff** *s* beefsteak, steak; *vi klarade ~en!* vard. we made it!

**biffko** *s* beef cow

**biffstek** *s* beefsteak, steak

**bifftomat** *s* beefsteak tomato

**bifigur** *s* minor character

**biflod** *s* tributary, tributary river

**bifoga** *vb tr* enclose; vidfästa attach

**bigami** *s* bigamy

**bigamist** *s* bigamist

**bigarrå** *s* whiteheart cherry, whiteheart

**bigata** *s* sidestreet

**bigott** *adj* bigoted

**bihåla** *s* sinus

**bihåleinflammation** *s* sinusitis

**bijouterier** *s pl* costume jewellery (amer. jewelry) sg.

**bikarbonat** *s* bicarbonate

**bikini** *s* baddräkt bikini

**bikt** *s* confession

**bikta** *vb tr* o. *vb rfl*, **~ sig** confess, confess one's sins
**biktfader** *s* confessor, father confessor
**bikupa** *s* beehive, hive
**bil** *s* car, speciellt amer. automobile; taxibil taxi, taxicab; *köra* **~** drive, drive a car; *åka* **~** go by car
**bila** *vb itr* go (travel) by car
**bilaga** *s* till t.ex. brev enclosure; tidnings~ supplement; till bok appendix
**bilateral** *adj* bilateral
**bilavgaser** *s pl* [car] exhaust fumes
**bilbesiktning** se *kontrollbesiktning*
**bilbälte** *s* säkerhetsbälte seat belt, safety belt
**bild** *s* **1** picture; illustration illustration; porträtt portrait; inre bild, föreställning image; bildligt uttryck metaphor, image; *komma in i ~en* come into the picture (into it) **2** skolämne art, art education
**bilda I** *vb tr* åstadkomma form; grunda found; *~s* uppstå form, be formed; fostra educate; cultivate **II** *vb rfl* **1 ~ sig** skaffa sig bildning educate oneself **2 ~ sig en uppfattning om** form an opinion of
**bildad** *adj* educated; kultiverad cultivated
**bildband** *s* filmstrip
**bilderbok** *s* picture book
**bildkunskap** *s* skol. art
**bildlig** *adj* figurative
**bildligt** *adv*, **~ talat** figuratively speaking
**bildlärare** *s* art teacher, art master (kvinnlig mistress)
**bildning** *s* **1** skol~ o.d. education; kultur culture **2** åstadkommande formation
**bildrulle** *s* vårdslös bilist road hog
**bildruta** *s* TV. screen, viewing screen
**bildrör** *s* TV. picture tube
**bildskärm** *s* TV. viewing screen; data. display, display screen
**bildskön** *adj* strikingly beautiful
**bildtext** *s* caption
**bildtidning** *s* pictorial
**bildäck** *s* **1** på hjul tyre, amer. tire **2** sjö. car deck
**bilfabrik** *s* car factory, motor works (pl. lika)
**bilfärja** *s* car ferry
**bilförare** *s* car driver
**bilförsäkring** *s* motor-car insurance
**bilhandske** *s* driving-glove
**bilindustri** *s* motor industry
**bilintresserad** *adj* car-minded
**bilism** *s*, **~** el. **~en** motoring
**bilist** *s* motorist, driver
**biljakt** *s* car chase
**biljard** *s* spel billiards sg.

**biljardkö** *s* cue
**biljett** *s* ticket
**biljettautomat** *s* ticket machine
**biljettförsäljning** *s* sale of tickets
**biljetthäfte** *s* book of tickets
**biljettkontor** *s* o. **biljettlucka** *s* booking-office, amer. ticket office
**biljettpris** *s* admission, price of admission; för resa fare
**bilkarta** *s* road map
**bilkrock** *s* car crash
**bilkö** *s* line (queue) of cars; speciellt efter olycka tailback
**billig** *adj* **1** cheap äv. bildl.; ej alltför dyr inexpensive; *för en ~ penning* cheap **2** rimlig fair, reasonable
**billighetsresa** *s* cheap trip
**billighetsupplaga** *s* cheap edition
**billykta** *s* car headlight
**bilmekaniker** *s* motor mechanic
**bilmärke** *s* make of car
**bilnummer** *s* car (registration) number
**bilolycka** *s* car accident
**bilparkering** *s* plats car park
**bilradio** *s* car radio
**bilreparatör** *s* car repairer; bilmekaniker motor mechanic
**bilresa** *s* car journey
**bilring** *s* **1** däck tyre, amer. tire **2** fettvalk spare tyre (amer. tire)
**bilsjuk** *adj* car-sick
**bilskatt** *s* car (motor) tax
**bilskattekvitto** *s* ung. vehicle tax receipt, britt. motsv. vehicle licence, tax disc
**bilskola** *s* driving school
**bilsport** *s* motor sport
**bilstöld** *s* car theft
**biltelefon** *s* carphone
**biltjuv** *s* car thief
**biltrafik** *s* [motor] traffic
**biltull** *s* toll; *väg med ~* tollway
**biltur** *s* drive, ride
**biltvätt** *s* car wash
**biltävling** *s* car (motor) race
**biluthyrning** *s* car hire (rental) service
**bilverkstad** *s* garage
**bilväg** *s* motor road
**bilägare** *s* car owner
**bilägga** *vb tr* **1** tvist etc. settle; gräl make up **2** bifoga enclose
**binda** *s* **1** bandage; dambinda sanitary towel (amer. napkin) **II** *vb tr* o. *vb itr* bind; knyta tie; *~ ngn till händer och fötter* bind a p. hand and foot; *bundet kapital* tied-up capital; *bunden vid sjuksängen* confined

to bed **III** *vb rfl*, ~ *sig* bind (commit) oneself

□ ~ **fast** tie…on [*vid* to]; ~ **för:** ~ *för ögonen på ngn* blindfold a p.; ~ **ihop** tie…together; ~ **om** paket etc. tie up; sår bind up

**bindande** *adj* förpliktande binding [*för ngn* on a p.]; ~ *bevis* conclusive evidence

**bindel** *s* ögon~ bandage; ~ *om armen* t.ex. som igenkänningstecken armlet

**bindestreck** *s* hyphen

**bindning** *s* **1** av böcker binding **2** skid~ binding, fastening

**bingo** *s* bingo

**binnikemask** *s* tapeworm

**bio** *s* cinema; *gå på* ~ go to the cinema (the pictures, speciellt amer. the movies)

**biobesökare** *s* filmgoer

**biobiljett** *s* cinema ticket

**biobränsle** *s* biofuel

**biocid** *s* biocide

**biodlare** *s* bee-keeper

**biodynamisk** *adj*, *~a* livsmedel organically grown…; ~ *odling* organic farming

**biföreställning** *s* cinema performance

**biograf** *s* bio cinema, speciellt amer. vard. movie, movie theater

**biografi** *s* biography

**biografisk** *adj* biographical

**biolog** *s* biologist

**biologi** *s* biology

**biologisk** *adj* biological

**biopublik** *s* cinema (speciellt amer. movie) audience; biobesökare filmgoers pl., cinemagoers pl.

**biprodukt** *s* by-product

**biroll** *s* minor part (role)

**bisam** *s* pälsverk musquash (amer. muskrat) fur

**bisamråtta** *s* muskrat, musquash

**bisarr** *adj* bizarre, odd

**bisats** *s* gram. subordinate clause

**biskop** *s* bishop

**biskvi** *s* bakverk ung. macaroon

**bismak** *s* slight flavour

**bisonoxe** *s* bison

**bister** *adj* om min etc. grim, forbidding; om klimat severe; *bistra tider* hard times

**bistå** *vb tr* aid, assist, help

**bistånd** *s* aid, assistance; *med benäget ~ av…* kindly assisted by…

**bisvärm** *s* swarm of bees

**bisyssla** *s* sideline

**bit** *s* stycke piece, bit; del part; brottstycke fragment; av socker, kol lump, knob; munsbit mouthful; vard., musikstycke piece of music; låt tune; *äta en ~ mat* have a snack (a bite); *inte en ~ mat* i huset not a scrap of food…; *gå en bra ~* walk quite a long way; *det är bara en liten ~ att gå* it is only a short distance; *gå i ~ar* go (fall) to pieces

**bita I** *vb tr* bite **II** *vb itr* bite; om kniv cut; om köld, blåst bite, cut; *något att ~ i* bildl. something to get one's teeth into; ~ *i gräset* stupa bite the dust

□ ~ **av** bort bite off; itu bite…in two; ~ **sig fast vid** bildl. stick (cling) to; ~ **ihop** tänderna clench one's teeth

**bitande** *adj* biting, cutting äv. om köld, blåst

**bitas** *vb itr* bite

**bitring** *s* för barn teething ring

**biträda** *vb tr* assistera assist [*vid* in]

**biträdande** *adj* assistant

**biträde** *s* **1** bistånd assistance, aid, support **2** medhjälpare assistant

**bitsk** *adj* fierce

**bitsocker** *s* lump sugar, cube sugar

**bitter** *adj* bitter

**bitterhet** *s* bitterness

**bittermandel** *s* bitter almond

**bitti** *adv*, *i morgon* ~ early tomorrow morning

**biverkningar** *s pl* side effects

**bjuda** *vb tr* o. *vb itr* **1** erbjuda, räcka fram offer; servera serve **2** inbjuda ask, invite [*ngn på middag* a p. to dinner] **3** betala treat [*ngn på ngt* a p. to a th.]; *det är jag som bjuder* it is on me **4** påbjuda, befalla bid, order **5** göra anbud offer; på auktion bid [*på ngt* for a th.]

□ ~ **hem ngn** invite (ask) a p. to one's home; ~ **igen** ask (invite)…in return; ~ **upp ngn** till dans ask a p. for a dance; ~ **ut** till salu offer for sale; ~ *ut ngn* på restaurang etc. take a p. out

**bjudning** *s* kalas party; middags~ dinner, dinner party; *ha ~* give (vard. throw) a party

**bjudningskort** *s* invitation card

**bjälke** *s* beam

**bjällra** *s* little bell

**bjärt** *adj* gaudy; *stå i ~ kontrast mot* be in glaring contrast to

**bjässe** *s* stor karl big strapping fellow, hefty chap; *en ~ till ek* a huge oak

**björk** *s* birch äv. virke

**björkdunge** *s* birch grove, clump of birches

**björkkvist** *s* birch twig

**björklöv** *s* birch leaf

**björkmöbel** s möblemang birch suite; *björkmöbler* bohag birch furniture sg.

**björkris** s birch twigs pl.

**björkskog** s birchwood; större birch forest

**björkstam** s birch trunk

**björkved** s birchwood

**björn** s zool. bear; *väck inte den ~ som sover!* ung. let sleeping dogs lie!; *Stora (Lilla) ~* astron. the Great (Little) Bear

**björnbär** s blackberry

**björntjänst** s, *göra ngn en ~* do a p. a disservice

**björntråd** s bear cotton thread

**bl.a.** se *bland*

**blackout** s, *få en ~* have a blackout

**blad** s **1** bot. leaf (pl. leaves) **2** pappers- sheet; i bok leaf (pl. leaves); *han är ett oskrivet ~* he is an unknown quantity **3** på kniv, åra etc. blade

**bladlus** s plant louse, green fly

**bland** prep among, amongst; *~ andra* (förk. *bl.a.*) among others; *~ annat* (förk. *bl.a.*) among other things; *han blev utvald ~ tio sökande* ...from among ten applicants; *~ det bästa* jag sett one of the best things...

**blanda** vb tr mix; mingle; olika kvaliteter av t.ex. te, tobak blend; spelkort shuffle □ *~ bort korten* confuse the issue; *~ i* ngt i... mix a th. in..., add a th. to...; *~ ihop* förväxla mix up, confuse; *~ in* ngn mix a p. up, involve a p. [*i* in]; *~ till* tillreda mix

**blandad** adj mixed, mingled, blended; *~e karameller* assorted sweets; *~e känslor* mixed feelings; *blandat sällskap* mixed company

**blandare** s mixer; vattenblandare mixer tap, amer. mixing faucet

**blandekonomi** s mixed economy

**blandning** s mixture; av olika kvaliteter av t.ex. te, tobak blend; av konfekt etc. assortment; kem. compound

**blandras** s mixed breed; *vara av ~* äv. be a mongrel

**blandras** s crossbreed

**blank** adj bright, shining, glossy; oskriven, tom blank; *ett ~t avslag (nej)* a flat refusal; *~t game* i tennis love game

**blanka** vb tr polish

**blankett** s form; *fylla i en ~* fill in (up) a form

**blankpolera** vb tr polish

**blanksliten** adj om tyg shiny, threadbare

**blankt** adv brightly; *neka ~ till ngt* flatly deny a th.; *rösta ~* return a blank ballot-paper; *det struntar jag ~ i!* I

don't care a damn!; han sprang *på 10 sekunder ~* ...in 10 seconds flat

**blasé** adj blasé

**blask** s **1** om dryck dishwater **2** slaskväder slush

**blazer** s sports jacket; klubbjacka blazer

**bleck** s tinplate, tin

**bleckblåsare** s brass player

**bleckslagare** s tinsmith

**blek** adj pale

**bleka** vb tr kem. bleach; färger fade; *~s* fade

**blekmedel** s bleach, bleaching agent

**blekna** vb itr om person turn pale; om färg etc., samt bildl. fade

**blekselleri** s [blanched] celery

**blessyr** s wound

**bli I** passivbildande *hjälpvb* be; vard. get; uttr. gradvist skeende become **II** vb itr **1** uttr. förändring become, get; långsamt grow; uttr. plötslig övergång turn; med vissa adj. go; i betydelsen 'vara' el. 'komma att vara' (i futurum) be; visa sig vara turn out, prove; *tre och två ~r fem* three and two make five; *hur mycket ~r det?* how much will that be (does it come to)?; *hur ~r det med* den saken? what about...?; *det blev märken på mattan efter skorna* the shoes left (made) marks on the carpet; *det ~r regn* it is going to rain; *det blev regn* there was rain; *när det ~r sommar* when summer comes; *han blev kapten* förra året he was made captain...; *~ kär* fall in love; *~ sjuk* fall (be taken, get) ill **2** *låta ~ ngn (ngt)* leave (let)...alone; *låta ~ att* sluta med leave off ing-form; *jag kan inte låta ~ (låta ~ att göra det)* I can't help it (help doing it); gör det då *om du inte kan låta ~* ...if you must; *det är svårt att låta ~* it is difficult not to; *låt ~ det där!* don't do that!, don't!, stop it (that)!

□ *~ av* komma till stånd take place, come off; *vad ska det ~ av honom?* what is going to become of him?; *~ av med* förlora lose; bli kvitt get rid of; *~ borta* stay (be) away; *~ ifrån sig* be beside oneself; starkare go frantic [*av* with]; *~ kvar* stanna remain (stay) behind; bli över be over; *~ till* come into existence (being); *~ utan* go without, have to go without; *~ över* be left over

**blick** s ögonkast look; hastig glance, glimpse; *fästa ~en på* fix one's eyes on; *ha (sakna) ~ för* have an (have no) eye for; *kasta en ~ på* have (take) a look (glance) at

**blickfång** s **1** som fångar blicken eye-catcher **2** blickfält field of vision
**blickfält** s field of vision
**blickpunkt** s, *i ~en* in the limelight
**blickstilla** adj om person stock-still; om t.ex. vattenyta dead calm
**blid** adj om t.ex. röst soft; om t.ex. väder mild
**blidka** vb tr appease, placate
**blidväder** s, *det är (har blivit) ~* a thaw has set in
**blind** adj blind; *en ~* a blind person
**blindbock** s, *leka ~* play blindman's-buff
**blindhund** s guide dog
**blindskrift** s braille
**blindtarm** s appendix
**blindtarmsinflammation** s appendicitis
**blindtest** s blindfold test
**blink** s blinkande av ljus twinkling; ljusglimt twinkle; blinkning wink
**blinka** vb itr om ljus twinkle; med ögonen blink; som tecken wink
**blinker** s bil. indicator, flashing indicator
**bliva** se *bli*
**blivande** adj framtida future; *~ mödrar* expectant mothers
**blixt** s **1** åskslag lightning (end. sg.); *en ~* a flash of lightning; *~en slog ned i huset* the house was struck by lightning; *som en ~ från en klar himmel* like a bolt from the blue **2** konstgjord flash
**blixtkub** s flashcube
**blixtkär** adj ...madly in love
**blixtlampa** s flash bulb
**blixtljus** s foto. flashlight
**blixtlås** s zip, zip-fastener; vard. zipper
**blixtra** vb itr **1** *det ~r (~r till)* there's lightning (a flash of lightning) **2** om t.ex. ögon flash
**blixtsnabb** adj ...as quick as lightning
**blixtsnabbt** adv at lightning speed
**block** s **1** massivt stycke, äv. husblock block; för skor shoetree **2** skrivblock pad, block
**blockad** s blockade
**blockchoklad** s cooking chocolate
**blockera** vb tr block, block up, jam
**blockflöjt** s recorder
**blod** s blood; *väcka ont (ond) ~* stir up bad blood; *med kallt ~* in cold blood
**bloda** vb tr, *~ ned* fläcka stain with blood; fullständigt make... all bloody
**blodapelsin** s blood orange
**blodbad** s blood bath
**blodbank** s blood bank
**blodbrist** s anaemia

**blodcirkulation** s circulation of the blood, blood circulation
**bloddoping** s blood-doping
**bloddroppe** s, *till sista ~n* to the last drop of blood
**blodfattig** adj anaemic
**blodfläck** s bloodstain
**blodförgiftning** s blood-poisoning
**blodförlust** s loss of blood
**blodgivarcentral** s blood donor (transfusion) centre
**blodgivare** s blood donor
**blodgivning** s blood donation
**blodgrupp** s blood group
**blodhund** s bloodhound
**blodig** adj **1** blodfläckad bloodstained; nedblodad ...all bloody; som kostar mångas liv bloody **2** lätt stekt underdone
**blodigel** s leech
**blodkorv** s black pudding, amer. blood sausage
**blodkropp** s blood cell (corpuscle)
**blodkärl** s blood vessel
**blodomlopp** s circulation of the blood
**blodpropp** s sjukdom thrombosis
**blodprov** s, *ta ett ~* take a blood test
**blodpudding** s black pudding, amer. blood sausage
**blodsband** s blood relationship
**blodsocker** s blood sugar
**blodsprängd** adj bloodshot
**blodstänkt** adj bloodstained
**blodsugare** s bloodsucker
**blodsutgjutelse** s bloodshed
**blodsänka** se *sänka I 2*
**blodtest** s blood test
**blodtransfusion** s blood transfusion
**blodtryck** s blood pressure
**blodtörstig** adj bloodthirsty
**blodvärde** s blood count
**blodåder** s vein, blood vein
**blom** s, *stå i ~* be in bloom
**blomblad** s petal
**blombukett** s bouquet, bunch of flowers
**blomkruka** s flowerpot
**blomkål** s cauliflower
**blomkålshuvud** s head of cauliflower
**blomma I** s flower **II** vb itr flower, bloom; speciellt om fruktträd blossom; *...har blommat ut (är utblommad)* ...has ceased flowering
**blommig** adj flowery
**blommografera** vb itr send flowers by Interflora

**blommogram** s ® flowers pl. sent by Interflora

**blomningstid** s flowering-season

**blomster** s flower

**blomsteraffär** s flower shop, florist's [shop]; som skylt florist

**blomsterförmedling** s, *Blomsterförmedlingen* ® Interflora

**blomsterhandlare** s florist

**blomsterhyllning** s floral tribute

**blomsterlök** s bulb, flower bulb

**blomsterrabatt** s flowerbed

**blomsterutställning** s flower show

**blomstra** vb itr blossom, bloom; frodas flourish, prosper

**blomstrande** adj flourishing, prospering

**blond** adj om person fair, fair-haired, blond (om kvinna blonde); om hår fair, light, blond

**blondera** vb tr bleach, dye...blond

**blondin** s blonde

**bloss** s **1** fackla torch **2** vid rökning, *ta (dra) ett ~ på pipan* take a puff at one's pipe

**blossa** vb itr **1** ~ *upp* flare (blaze) up **2** röka puff [*på* at]

**blott I** adj mere; bare; *~a tanken på* the mere (very) thought of; *med ~a ögat* with the naked eye **II** adv only, but; merely; *~ och bart* simply and solely

**blotta I** s gap in one's defence, weak spot **II** vb tr expose, uncover, bare **III** vb rfl, ~ *sig* förråda sig betray oneself, give oneself away; visa könsorgan expose oneself indecently; vard. flash

**blottad** adj avtäckt bare, uncovered

**blottare** s vard. flasher

**blottställa** vb tr expose [*för* to]

**bluff** s humbug bluff, humbug

**bluffa** vb tr o. vb itr bluff

**bluffmakare** s bluffer

**blund** s, *inte få en ~ i ögonen* not get a wink of sleep

**blunda** vb itr sluta ögonen samt bildl. shut one's eyes [*för* to]; hålla ögonen slutna keep one's eyes shut

**blunder** s blunder

**blus** s blouse; skjortblus shirt

**bly** s lead

**blyertspenna** s pencil, lead pencil

**blyfri** adj, ~ *bensin* unleaded (leadfree) petrol (amer. gasoline)

**blyg** adj shy [*för* of]; försagd timid

**blygdläppar** s pl labia

**blygsam** adj modest

**blygsamhet** s modesty

**blygsel** s shame; *rodna av ~* blush with shame

**blyhaltig** adj ...containing lead; *vara ~* contain lead

**blå** (jfr *blått*) adj blue; om druvor black; *få ett ~tt öga* get a black eye

**blåaktig** adj bluish

**blåbär** s bilberry, blueberry

**blådåre** s madman

**blåklint** s cornflower

**blåklocka** s harebell, i Skottl. bluebell

**blåklädd** adj ...dressed in blue

**blåkopia** s blueprint

**blålackerad** adj ...lacquered (painted) blue

**blåmes** s blue tit

**blåmussla** s sea mussel

**blåmåla** vb tr paint...blue; *~d* ...painted blue

**blåmärke** s o. **blånad** s bruise

**blåprickig** adj blue-spotted, ...spotted blue; *den är ~* vanl. it has blue spots

**blårandig** adj blue-striped, ...striped blue

**blårutig** adj blue-chequered; *den är ~* vanl. it has blue checks

**1 blåsa** s **1** urinblåsa bladder **2** i huden o. glas blister

**2 blåsa** vb itr o. vb tr blow; *det blåser* it's windy; *~ nytt liv i* breathe fresh life into; *~ på elden* blow up the fire □ *~ av* blow off; avsluta bring...to an end; *~ av matchen* blow the final whistle; *~ bort* blow away; *~ ned (omkull)* blow down (over); *~ upp* blow up; öppnas blow open

**blåsare** s mus. wind player

**blåsig** adj om väder windy

**blåsinstrument** s wind instrument

**blåsippa** s hepatica

**blåskatarr** s inflammation of the bladder

**blåslampa** s blowlamp, amer. blowtorch

**blåsning** s vard., *åka på en ~* be swindled (cheated)

**blåsorkester** s brass band

**blåst** s wind; starkare gale

**blåställ** s dungarees, overalls (båda pl.); *ett ~* a pair of dungarees (overalls)

**blåsväder** s windy (stormy) weather; *vara ute i ~* bildl. be under fire

**blåsyra** s prussic acid

**blåtira** s vard., *få en ~* get a black eye

**blått** s blue; *målad i ~* painted blue; *det går i ~* it has a shade of blue in it

**blåögd** adj blue-eyed äv. bildl.

**bläck** s ink; skrivet *med ~* ...in ink

**bläckfisk** s cuttlefish; åttaarmad octopus

**bläckpenna** s pen

**bläddra** vb itr turn over the leaves (pages); ~ *igenom* look through

**blända** vb tr **1** göra blind blind; tillfälligt o. bildl. dazzle **2** bil. ~ *av* vid möte dip (amer. dim) the headlights...

**bländande** adj dazzling äv. bildl.

**bländare** s foto. diaphragm; öppning aperture; inställning stop

**blänga** vb itr glare [på at]

**blänka** vb itr shine, gleam

**blöda** vb itr bleed; *du blöder i ansiktet* your face is bleeding

**blödig** adj sensitive, soft, weak

**blödning** s bleeding

**blöja** s napkin; vard. nappy, amer. diaper; cellstoff- disposable napkin

**blöjbyxor** s pl baby pants

**blöt I** adj våt wet **II** s, *ligga i* ~ be in soak; *lägga* ngt *i* ~ put...in soak; *lägga sin näsa i* ~ poke one's nose into other people's business

**blöta** vb tr soak; göra våt wet; ~ *ned*... wet...; ~ *ned sig* get (get oneself) all wet

**blötsnö** s watery (wet) snow

**BNP** se *bruttonationalprodukt*

**bo I** vb itr live; tillfälligt stay; som inneboende lodge; ha sin hemvist reside; ~ *på hotell* stay at a hotel; ~ *gratis* (*billigt*) pay no (a low) rent; ~ *kvar* live there still; tillfälligt stay on **II** s **1** fågels nest; däggdjurs lair, den **2** egendom, kvarlåtenskap personal estate (property); *sätta* ~ settle, set up house

**boaorm** s boa constrictor, boa

**1 bock** s **1** get he-goat; *han är en gammal* ~ he is an old goat (lecher) **2** stöd trestle, stand; tekn. horse **3** gymn. buck; *hoppa* ~ play leap-frog **4** tecken tick; *sätta* ~ *för* ngt mark...as wrong

**2 bock** s bugning bow

**1 bocka** vb itr o. vb rfl, ~ *sig* buga bow [för to]; ~ *djupt* make a low bow

**2 bocka** vb tr, ~ *av* pricka för tick off

**bod** s butik shop; marknadsstånd booth, stall; uthus shed

**bodelning** s division of the joint property of husband and wife

**Bodensjön** Lake (the Lake of) Constance

**body** s body, bodysuit plagg

**bodybuilding** s body-building

**boendekostnader** s pl housing costs

**boendeparkering** s local residents' parking

**boett** s watchcase

**bofast** adj resident, domiciled

**bofink** s chaffinch

**bog** s **1** shoulder **2** sjö. bow, bows pl.

**bogsera** vb tr tow; ta på släp take...in tow

**bogserbåt** s towboat, tug

**bogsering** s towage, towing

**bogserlina** s towline

**bohag** s household goods pl., furniture

**bohem** s Bohemian

**bohemisk** adj Bohemian

**boj** s sjö. buoy

**bojkott** s boycott

**bojkotta** vb tr boycott

**1 bok** s bot. beech; för sammansättningar jfr *björk-*

**2 bok** s book

**boka** vb tr beställa book, amer. reserve

**bokband** s binding, cover

**bokbinderi** s bookbindery, bindery

**bokbuss** s mobile library

**bokcirkel** s book club

**bokföra** vb tr enter, enter...in the books

**bokföring** s redovisning bookkeeping

**bokförlag** s publishing house, publishers pl.

**bokförläggare** s publisher

**bokhandel** s butik bookshop, bookstore

**bokhandlare** s bookseller

**bokhylla** s skåp bookcase; enstaka hylla bookshelf

**bokhållare** s bookkeeper

**bokklubb** s book club

**bokmärke** s **1** bookmark **2** glansbild scrap sällsynt i Storbritannien o. USA

**bokomslag** s cover, book cover

**bokslut** s, *göra* ~ close (make up) the books

**bokstav** s letter; *liten* (*stor*) ~ small (capital) letter

**bokstavsordning** s alphabetical order

**boktryckeri** s printing-office; större äv. printing-house

**bolag** s company; *bilda* (*starta*) ~ form a company

**bolagisering** s conversion into an independent subsidiary company

**bolagsstämma** s shareholders' meeting, general meeting

**Bolivia** Bolivia

**bolivian** s Bolivian

**boliviansk** adj Bolivian

**boll** s ball; slag i tennis etc. stroke; skott i fotboll shot; passning pass; *lång* ~ i tennis rally

**bolla** vb itr play ball; träningsslå knock up

**bollplank** s bildl. sounding board

**bollsinne** s ball sense (control)

**bollspel** s ball game

**bolma** vb itr belch out smoke; ~ **på en cigarr** puff away at a cigar
**bolmört** s henbane
**bolsjevik** s Bolshevik
**bolster** s feather bed
**1 bom** s stång bar; järnv. level crossing gate; gymn. horizontal bar
**2 bom** s felskott miss
**bomb** s bomb
**bomba** vb tr bomb
**bombanfall** s bombing (bomb) attack
**bombardemang** s bombardment äv. med t.ex. frågor; bombing
**bombardera** vb tr bombard äv. med t.ex. frågor; från luften bomb
**bombastisk** adj bombastik
**bombattentat** s bomb outrage
**bombflyg** s bombers pl.
**bombplan** s bomber
**bombsäker** adj bombproof
**1 bomma** vb tr, ~ **för** (**igen**) bar; ~ **igen** stänga shut...up
**2 bomma** vb itr missa miss [**på ngt** a th.]
**bomull** s cotton; rå~, vadd cotton wool
**bomullsgarn** s cotton
**bomullspinne** s cotton bud
**bomullssammet** s velveteen
**bomullstråd** s cotton thread
**bomullstyg** s cotton cloth (fabric)
**bona** vb tr vaxa wax, polish
**bondböna** s broad bean
**bonde** s farmer; lantbo, speciellt i europeiska länder utom Storbritannien peasant; i schack pawn
**bondflicka** s peasant (country) girl
**bondfångare** s confidence trickster; vard. con man
**bondförstånd** s common sense
**bondgård** s farm
**bondkomik** s slapstick, custard-pie comedy
**bondpermission** s French leave
**bondstuga** s peasant's cottage
**bondtur** s the luck of the devil
**bondtölp** s neds. country bumpkin, boor
**boning** s dwelling
**bonus** s bonus
**bonusklass** s försäkr. bonus class
**bonvax** s floor polish
**bookmaker** s bookmaker
**bord** s table; skrivbord desk; **föra ngn till ~et** take a p. in to dinner; **sitta till ~s** sit at table; **sätta sig till ~s** sit down to dinner (lunch etc.)
**borda** vb tr board
**bordduk** s tablecloth

**borde** se **böra**
**bordeaux** s Bordeaux wine; röd claret
**bordell** s brothel
**bordlägga** vb tr uppskjuta postpone
**bordsben** s table leg
**bordsbön** s grace
**bordsdam** s dinner partner, lady (woman) partner at table
**bordsgranne** s neighbour at table, partner
**bordskavaljer** s dinner partner, partner at table
**bordsskick** s table manners pl.
**bordsskiva** s table top; lös table leaf
**bordsvatten** s table water
**bordsvisa** s drinking song
**bordsända** s, **vid övre** (**nedre**) **~n** at the head (foot) of the table
**bordtennis** s table tennis; vard. ping-pong
**borg** s slott castle; fäste stronghold
**borga** vb itr, ~ **för ngt** vouch for a th.
**borgare** s medelklassare bourgeois (pl. lika); icke-socialist non-Socialist
**borgarklass** s middle class, bourgeoisie
**borgen** s säkerhet security; guarantee; **gå i ~ för ngn** stand surety for a p.; vouch for a p.; **frige mot ~** release on bail
**borgenslån** s loan against a personal guarantee
**borgensman** s guarantor, surety
**borgenär** s creditor
**borgerlig** adj av medelklass middle class; neds. bourgeois; icke-socialistisk non-Socialist
**borgerligt** adv, **gifta sig ~** marry before the registrar
**borgmästare** s utanför Sverige mayor
**borr** s drill; liten handborr gimlet; tandläkarborr drill, burr
**borra** vb tr o. vb itr bore [**efter** for]; t.ex. metall drill
**borrmaskin** s drill, drilling-machine
**borrsväng** s brace
**borst** s bristle; koll. bristles pl.; **resa ~** bristle, bristle up
**borsta** vb tr brush; ~ **skorna** (**tänderna**) brush one's shoes (teeth); ~ **av** rocken brush...
**borste** s brush
**borsyra** s boracic acid
**1 bort** se **böra**
**2 bort** adv away; **vi ska ~** är bortbjudna we are invited out; **hit** (**dit**) ~ over here (there); **långt ~** a long way off, far away (off); ~ **med fingrarna** (**tassarna**)! hands off!
**borta** adv away; för alltid gone; borttappad

missing, lost; bortbjuden out; förvirrad confused; *där* ~ over there; *här* ~ over here; ~ *bra men hemma bäst* East, West, home is best

**bortaplan** *s* sport. away ground; *spela på* ~ play away

**bortbjuden** *adj* invited out [*på middag* to dinner]

**bortblåst** *adj, vara som* ~ be completely vanished

**bortersta** *adj* farthest, farthermost

**bortfall** *s* falling off, decline; inkomst~ reduction

**bortförklaring** *s* excuse

**bortgång** *s* död decease

**bortgången** *adj, den bortgångne* the deceased

**bortifrån** I *prep* from II *adv, långt* ~ from a long way off

**bortkastad** *adj* se *kasta bort* under *kasta*

**bortkommen** *adj* förvirrad confused, lost; försagd timid

**bortom** *prep* beyond

**bortre** *adj* further, farther; *i* ~ *delen av* at the far end of

**bortrest** *adj, han är* ~ he has gone away

**bortse** *vb itr,* ~ *från* disregard, leave...out of account; *bortsett från* apart from

**bortskämd** *adj* spoilt

**bortåt** *prep* **1** om rum towards **2** nästan nearly

**bosatt** *adj* resident; *vara* ~ *i* live in

**boskap** *s* cattle pl., livestock

**Bosnien** Bosnia

**bosnier** *s* Bosnian

**bosnisk** *adj* Bosnian

**bospara** *vb itr* save for a home, have a home-savings account

**bostad** *s* privat hus house; våning flat, apartment; högtidl. residence; *han saknar* ~ he has not got a place (anywhere) to live; *han träffas i* ~*en* som svar i telefon you can get hold of him at home

**bostadsadress** *s* permanent (home) address

**bostadsbidrag** *s* accommodation (housing) allowance

**bostadsbrist** *s* housing shortage

**bostadsbyggande** *s* house building

**bostadsförmedling** *s* myndighet local housing authority; privat accommodation agency

**bostadshus** *s* dwelling house; större residential block

**bostadskvarter** *s* residential quarter

**bostadskö** *s* housing queue

**bostadsrätt** *s* lägenhet ung. co-operative building-society flat (apartment)

**bostadsrättsförening** *s* ung. co-operative (tenant-owners') building society

**bostadssökande** *subst adj* person house-hunter, flat-hunter, person looking for somewhere to live

**bosätta** *vb rfl,* ~ *sig* settle down, settle

**bosättningslån** *s* loan for setting up a home

**bot** *s* botemedel remedy, cure; *råda* ~ *på* (*för*) remedy

**bota** *vb tr* läka cure [*från* of]; avhjälpa remedy

**botanik** *s* botany

**botanisk** *adj* botanical

**botanist** *s* botanist

**botemedel** *s* remedy, cure [*mot* for]

**botlig** *adj* curable

**botten** *s* **1** bottom; *nå* ~ touch bottom; *dricka glaset i* ~ drain (empty) one's glass; ~ *opp!* vard. bottoms up!; *gå till* ~ *med...* go (bildl. get) to the bottom of... **2** våning, *på nedre* ~ on the ground (amer. first) floor **3** på tapet, flagga ground

**Bottenhavet** [the southern part of] the Gulf of Bothnia

**bottenlån** *s* first mortgage loan

**bottenrekord** *s, det här är* ~ this is a new low

**bottensats** *s* sediment; i vin etc. lees pl., dregs pl.

**Bottenviken** the Gulf of Bothnia

**bottenvåning** *s* ground (amer. first) floor

**bottna** *vb itr* touch bottom; *det* ~*r i...* ...is the cause (origin) of it

**Bottniska viken** the Gulf of Bothnia

**boulevard** *s* boulevard

**bouppteckning** *s* lista estate inventory

**bourgogne** *s* vin burgundy

**boutredning** *s* winding up of the estate of a (the) deceased person

**bov** *s* villain, scoundrel; förbrytare criminal

**bovaktig** *adj* villainous; rascally

**bowling** *s* bowling

**bowlingbana** *s* bowling alley

**box** *s* låda box

**boxa** I *vb tr,* ~ *ut bollen* sport. punch the ball away II *vb itr* boxas box

**boxare** *s* boxer

**boxas** *vb itr dep* box

**boxer** *s* boxer

**boxhandske** *s* boxing glove

**boxkalv** *s* box-calf

**boxning** s idrottsgren boxing
**boxningsmatch** s boxing match
**boyta** s living space
**B-post** s second-class mail
**bra** (jfr *bättre, bäst*) **I** adj **1** good; fine; *det var ~ att du kom* it's a good thing you came; *det är ~ så!* tillräckligt that's enough, thank you; *vad skall det vara ~ för?* what's the good (the use) of that?; *vara ~ att ha* come in handy **2** frisk well, all right **II** adv **1** well; *tack, ~ (mycket ~)* fine (very well), thanks; *hon dansar ~* she is a good dancer; *ha det ~* skönt etc. be comfortable; ekonomiskt be well off; *ha det så ~!* have a good time!; *se ~ ut* om person be good-looking **2** mycket, riktigt quite, very; *jag skulle ~ gärna vilja veta...* I should very much like to know...
**bragd** s bedrift exploit, feat
**brak** s crash
**braka** vb itr crash; *~ ihop* kollidera crash; *~ lös* break out; *~ ned* collapse
**brakmiddag** s slap-up dinner
**brakseger** s overwhelming victory
**brallor** s pl vard. trousers, amer. pants
**brand** s eldsvåda fire; *råka i ~* take (catch) fire; *stå i ~* be on fire; *sätta...i ~* eg. set fire to...; känslor inflame
**brandalarm** s fire alarm
**brandbil** s fire engine
**brandbomb** s incendiary bomb
**brandfackla** s bildl. bombshell; *bli en ~* äv. arouse very heated discussion
**brandfara** s danger of fire; *vid ~* in case of fire
**brandförsäkring** s fire insurance
**brandgul** adj orange, reddish yellow
**brandkår** s fire brigade
**brandlukt** s smell of fire (burning)
**brandman** s fireman
**brandredskap** s fire appliance
**brandrisk** s risk of fire
**brandsegel** s jumping sheet (net)
**brandskada** s fire damage
**brandsläckare** s apparat fire extinguisher
**brandstation** s fire station
**brandstege** s fire ladder
**brandsäker** adj fireproof
**brandvarnare** s automatic fire alarm
**bransch** s line of business (trade), line, trade
**brant I** adj steep **II** s **1** stup precipice **2** rand verge äv. bildl.; *på ruinens ~* on the verge of ruin

**brasa** s fire, log-fire; *vid (kring) ~n* at (round) the fireside
**brasilianare** s Brazilian
**brasiliansk** adj Brazilian
**Brasilien** Brazil
**brasklapp** s ung. reservation, saving clause
**brassa** vb itr, *~ på* a) elda stoke up the fire b) skjuta fire (blaze) away; *~ på!* sätt fart let it rip!
**brasse** s vard. Brazilian
**bravad** s exploit, achievement
**bravo** interj bravo!, well done!
**bravorop** s cheer
**braxen** s bream
**bre** se *breda*
**bred** adj broad; vidöppen samt vid måttuppgifter wide; om mun wide
**breda** vb tr spread; *~ en smörgås* butter a slice of bread □ *~ på* a) lägga på spread b) vard., överdriva lay it on thick; *~ ut* spread out (about); *~ ut sig* spread; sträcka ut sig stretch out
**bredaxlad** adj broad-shouldered
**bredbar** adj easy-to-spread; *~ ost* cheese spread
**bredd** s **1** breadth, width; *i ~* abreast; en meter *på ~en* ...broad (in breadth); *mäta ngt på ~en* measure the breadth of a th. **2** geogr. latitude, degree of latitude
**bredda** vb tr broaden, widen
**breddgrad** s degree of latitude; *49:e ~en* the 49th parallel
**bredsida** s broadside
**bredvid I** prep beside, at (by) the side of; gränsande intill adjacent (next) to; om hus etc. next (next door) to; vid sidan om alongside, alongside of **II** adv intill close by; *här ~* close by here; *i huset ~* in the next house, next door
**Bretagne** Brittany
**bretagnisk** adj o. **bretonsk** adj Breton
**brev** s letter
**brevbärare** s postman, amer. mailman
**brevbäring** s postal (mail) delivery
**brevduva** s carrier pigeon
**brevinkast** s letter slit, amer. mail drop
**brevkorg** s letter tray
**brevkort** s frankerat postcard
**brevledes** adv by letter
**brevlåda** s letterbox, amer. mailbox
**brevpapper** s notepaper; papper o. kuvert stationery
**brevporto** s letter postage
**brevpress** s paperweight
**brevskola** s correspondence school

**brevskrivare** s letter-writer, correspondent

**brevtelegram** s letter telegram

**brevvåg** s letter balance

**brevvän** s pen friend; vard. pen pal

**brevväxla** vb itr correspond

**brevväxling** s correspondence

**bricka** s **1** serverings~ tray **2** tekn. washer **3** identitets~ disc; polis~ badge **4** spel~ counter, piece

**bridge** s bridge

**bridgeparti** s game of bridge

**brigad** s brigade

**briljans** s brilliance

**briljant** adj o. s brilliant

**briljera** vb itr show off, shine

**brillor** s pl vard. glasses, specs, goggles

**1 bringa** s breast; speciellt kok. brisket

**2 bringa** vb tr bring; ~ **ned** minska reduce

**brinna** vb itr burn; flamma blaze; **det brinner** i spisen there is a fire...; **det brinner** lyser **i hallen** the light is on in the hall □ ~ **av** om t.ex. skott go off; ~ **ned** om hus etc. be burnt down; ~ **upp** be destroyed by fire; ~ **ut** burn itself out; om brasa go out

**brinnande** adj burning äv. bildl.; i lågor ...in flames; om passion ardent; **ett** ~ **ljus** a lighted candle

**bris** s breeze

**brisera** vb itr burst, explode

**brist** s **1** avsaknad lack; knapphet scarcity, shortage [på i samtliga fall of]; **lida** ~ **på** be short (in want) of; **i** ~ **på bättre** for want of something better **2** bristfällighet deficiency; skavank defect **3** underskott deficit

**brista** vb itr **1** sprängas burst; slitas (brytas) av break äv. om hjärta; ge vika give way; ~ **i gråt** burst into tears; ~ **itu** break (snap) in two; ~ **ut i skratt** burst out laughing **2** fattas fall short

**bristande** adj otillräcklig deficient, insufficient; bristfällig defective, faulty

**bristfällig** adj defective, faulty; otillräcklig insufficient

**bristningsgräns** s breaking-point; fylld **till** ~**en** ...to the limit

**bristsjukdom** s deficiency disease

**brits** s bunk

**britt** s Briton; ~**erna** som nation, lag etc. the British

**brittisk** adj British; **Brittiska öarna** the British Isles

**brittsommar** s Indian summer

**bro** s bridge

**broavgift** s bridge toll

**broccoli** s broccoli

**brodd** s pigg spike

**broder** s brother; **Bröderna Ek** firmanamn Ek Brothers

**brodera** vb tr o. vb itr embroider; ~ **ut** bildl. embroider

**broderfolk** s sister nation

**broderi** s embroidery; **ett** ~ a piece of embroidery

**broderlig** adj brotherly, fraternal

**broderskap** s brotherhood, fraternity

**broderskärlek** s brotherly love

**broiler** s broiler

**brokad** s brocade

**brokig** adj mångfärgad many-coloured, motley; grann gay; neds. gaudy; om t.ex. blandning, samling miscellaneous

**1 broms** s zool. horse fly

**2 broms** s tekn. brake; bildl. check [på on]

**bromsa** vb tr o. vb itr **1** tekn. brake **2** bildl. check

**bromsband** s brake lining

**bromsförmåga** s bil. braking power

**bromskloss** s brake block

**bromsljus** s bil. brake (stop) light

**bromsolja** s brake fluid

**bromspedal** s brake pedal

**bromsskiva** s brake disc

**bromssträcka** s braking distance

**bromsvätska** s brake fluid

**bronkit** s bronchitis

**brons** s bronze

**bronsera** vb tr bronze

**bronsfärgad** adj bronze-coloured

**bronsåldern** s the Bronze Age

**bror** s o. **brorsa** s vard. brother

**brorsdotter** s niece

**brorson** s nephew

**brosch** s brooch

**broschyr** s pamphlet; reklam~ leaflet

**brosk** s cartilage; ämne gristle

**brott** s **1** brutet ställe break; benbrott fracture **2** förbrytelse crime; lindrigare offence [mot i båda fallen against] **3** kränkning av t.ex. lag violation; av kontrakt etc. breach [mot i båda fallen of]

**brottare** s wrestler

**brottas** vb itr wrestle

**brottmål** s criminal case

**brottning** s wrestling

**brottningsmatch** s wrestling match

**brottsbalk** s criminal (penal) code

**brottslig** adj criminal

**brottslighet** s criminality; ~**en ökar** crime is on the increase

**brottsling** s criminal
**brottsoffer** s victim [of the (a) crime]
**brottsplats** s scene of the (a) crime
**brottstycke** s fragment
**brud** s **1** bride **2** sl. bird, speciellt amer. dame, broad
**brudbukett** s wedding bouquet
**brudgum** s bridegroom
**brudklänning** s wedding dress
**brudnäbb** s pojke page; flicka bridesmaid
**brudpar** s bridal couple
**brudslöja** s bridal veil
**brudtärna** s bridesmaid
**bruk** s **1** användning use; av ord usage; sed practice; *för eget* ~ for one's own (personal) use; kutym custom; *komma ur* ~ come (go) out of use (ur modet fashion) **2** av jorden cultivation **3** fabrik factory; järnbruk works (pl. lika); pappersbruk mill
**bruka** vb tr **1** begagna sig av use **2** odla cultivate **3** 'ha för vana' usually; om person äv. be in the habit of ing-form; *han ~r komma* vid 3-tiden he usually (generally) comes...; *han ~de läsa* i timmar he used to (would) read...; *det ~r vara svårt* it is often (is apt to be) difficult
**bruklig** adj customary, usual
**bruksanvisning** s directions pl. for use
**brum** s från insekt samt radio hum
**brumma** vb itr om björn o. bildl. growl; om insekt samt radio hum
**brun** adj brown; solbränd äv. tanned; *~a bönor* maträtt brown beans; för sammansättningar jfr äv. *blå-*
**brunett** s brunette
**brunn** s well; hälsobrunn mineral spring; *dricka* ~ drink (take) the waters
**brunnsort** s health resort, spa
**brunst** s honas heat; hanes rut
**brunstig** adj om hona ...on (in) heat; om hane rutting
**brunsttid** s mating-season
**brunt** s brown; jfr *blått*
**brunögd** adj brown-eyed
**brus** s havets roar; radio. noise; i öronen buzzing
**brusa** vb itr om havet roar; i öronen buzz; om kolsyrad dryck fizz; ~ *upp* om person flare up, lose one's temper
**brushuvud** s hothead
**brutal** adj brutal
**brutalitet** s brutality
**brutto** adv gross
**bruttolön** s gross salary (veckolön wages)
**bruttonationalprodukt** s gross national

product (förk. GNP); i Sverige ung. motsv. gross domestic product (förk. GDP)
**bruttopris** s gross price
**bry I** vb tr, ~ *sin hjärna* (*sitt huvud*) *med ngt* rack one's brains over a th. **II** vb rfl, ~ *sig* care; *han ~r sig inte* vard. he couldn't care less, he [just] doesn't care; ~ *sig om* a) ta notis om pay attention to b) tycka om care for; *jag ~r mig inte om vad* folk säger I don't care what...; ~ *dig inte om det!* don't bother (worry) about it!; ~ *dig inte om att* don't trouble to
**brygd** s konkret brew
**1 brygga** s landnings~ landing-stage, jetty; på båt o. konstgjord tandrad bridge
**2 brygga** vb tr brew; kaffe make
**bryggare** s brewer
**bryggeri** s brewery
**bryggmalen** adj, *bryggmalet kaffe* fine-grind coffee
**1 bryna** vb tr kok. fry...till browned
**2 bryna** vb tr vässa whet, sharpen
**brysk** adj brusque, abrupt
**Bryssel** Brussels
**brysselkål** s Brussels sprouts pl.
**bryta** vb tr o. vb itr break; kol, malm mine; sten quarry; förlovning break off; ~ *ett samtal* tele. disconnect a call; ~ *mot* lag etc. break, violate; ~ *på tyska* speak with a German accent
□ ~ **av** break, break off; ~ *av mot* be in contrast to; ~ **fram** break out; ~ *sig igenom* break (force) one's way through; ~ *sig in i ett hus* break into a house; ~ **loss (lös)** break off (away); ~ **ned** break down; ~ **samman** break down, collapse; ~ **upp** från sällskap break up; ge sig iväg leave, depart; ~ *upp ett lås* break open a lock; ~ **ut** break out; ~ *sig ut ur fängelset* break out of (escape from) prison
**brytning** s gruv. etc. breaking, mining; sten quarrying; skiftning i färg tinge; i uttal accent; oenighet breach, rupture
**bråck** s rupture
**bråd** adj brådskande busy; plötslig sudden, hasty; *en* ~ *död* a sudden death
**brådmogen** adj om person precocious
**brådmogenhet** s precocity
**brådska I** s hurry, haste; *det är ingen* ~ *med det* there's no hurry; *han gör sig* (*har*) *ingen* ~ he is in no hurry; *i ~n* glömde han... in his hurry (haste)... **II** vb itr behöva utföras fort be urgent; skynda sig hurry; *det ~r inte* there is no hurry about it

**brådskande** adj urgent, pressing; på brev etc. urgent; hastig hasty, hurried

**1 bråk** s mat. fraction; *allmänt* ~ vulgar fraction

**2 bråk** s buller noise, row; gräl row, quarrel; krångel trouble, fuss; *ställa till* ~ *om ngt* make (kick up) a row (fuss) about a th.

**bråka** vb itr väsnas be noisy; gräla have a row (quarrel); krångla make (kick up) a fuss (row); *låt bli att* ~*!* skoja don't play about!

**bråkdel** s fraction; ~*en av en sekund* a split second

**bråkig** adj bullersam noisy; oregerlig disorderly, unruly

**bråkmakare** s o. **bråkstake** s som stör noisy person; orosstiftare troublemaker; om barn pest, nuisance

**brås** vb itr dep, ~ *på ngn* take after a p.

**bråte** s skräp rubbish, lumber

**bråttom** adv, ha ~ (*mycket* ~) be in a hurry (a great hurry) [*med* about]; *det är* ~ it can't wait, there's no time to lose; *det är inte* ~ *med det* there's no hurry

**1 bräcka** vb tr **1** bryta break; knäcka crack; ~*s* break; knäckas crack **2** övertrumfa, ~ *ngn* outdo a p.

**2 bräcka** vb tr steka fry

**bräcklig** adj fragile; bildl. frail

**bräcklighet** s fragility, brittleness; bildl. frailty

**bräda** s board

**brädd** s edge, brim

**bräde** s **1** board **2** spel backgammon **3** *sätta allt på ett* ~ stake everything on one throw

**brädgård** s timberyard, amer. lumberyard

**brädsegling** s windsurfing, sailboarding

**bräka** vb itr bleat

**bränna** vb tr o. vb itr burn; sveda scorch, singe; ~*nde hetta* scorching heat; *bli bränd* bildl. get one's fingers burnt; ~ *vid såsen* burn the sauce

**brännare** s burner

**brännas** vb itr burn; om nässlor sting

**brännbar** adj inflammable

**brännblåsa** s blister

**brännboll** s ung. rounders

**bränneri** s distillery

**brännmärka** vb tr brand

**brännpunkt** s focus, focal point båda äv. bildl.

**brännskada** s o. **brännsår** s burn

**brännvidd** s focal distance

**brännvin** s snaps; kryddat aquavit

**brännässla** s stinging nettle

**bränsle** s fuel

**bränslesnål** adj fuel-efficient, se äv. *bensinsnål*

**bräsera** vb tr braise

**brätte** s brim

**bröd** s bread (end. sg.); kaffebröd cakes pl.; bullar buns pl.; *hårt* ~ knäckebröd crispbread

**brödbit** s piece of bread

**brödburk** s breadbin

**brödkaka** s round loaf; hårt bröd round of crispbread

**brödkant** s crust, crust of bread

**brödkavel** s rolling-pin

**brödkniv** s breadknife

**brödraskap** s brotherhood, fraternity

**brödrost** s toaster

**brödskiva** s slice of bread; *en rostad* ~ a slice of toast

**brödskrin** s breadbin

**brödsmulor** s pl breadcrumbs, crumbs

**bröllop** s wedding

**bröllopsdag** s wedding day; årsdag wedding anniversary

**bröllopsresa** s honeymoon, honeymoon trip

**bröst** s breast; barm bosom; byst bust; *ha ont i* ~*et* have a pain in one's chest

**bröstarvinge** s direct heir

**bröstcancer** s breast cancer

**bröstficka** s breastpocket

**bröstkorg** s chest

**bröstsim** s breast stroke

**bröstvårta** s nipple

**B-skatt** s tax not deducted from income at source

**bua** vb itr boo [*åt* at]

**bubbelbad** s bubble bath

**bubbelpool** s whirlpool, Jacuzzi ®

**bubbla** s o. vb itr bubble

**buckla** s o. vb tr dent

**bucklig** adj dented

**bud** s **1** anbud offer; på auktion bid; i kortspel bid, call; *det var hårda* ~ that's tough! **2** budskap message; budbärare messenger; *skicka* ~ *att...* send word that...; *skicka* ~ *efter ngn* send for a p. **3** befallning command; bibl. commandment

**budbil** s delivery service van

**budbärare** s messenger

**buddism** s, ~ el. ~*en* Buddhism

**buddist** s Buddhist

**budget** s budget

**budord** s commandment

**budskap** s message

**buffé** s **1** bord el. disk med förfriskningar buffet; cafeteria cafeteria, refreshment room **2** möbel sideboard
**buffel** s buffalo; drulle boor, lout
**buffert** s buffer
**buga** vb itr o. vb rfl, ~ **sig** bow
**buggning** s vard., placering av dolda mikrofoner bugging
**bugning** s bow
**buk** s belly, abdomen; stor mage paunch
**bukett** s bouquet
**bukhinneinflammation** s peritonitis
**bukt** s på kust bay; större gulf; **få ~ med** manage, master
**bukta** vb itr o. vb rfl, ~ **sig** wind, curve, bend; ~ **ut** bulge
**buktalare** s ventriloquist
**bula** s knöl bump, swelling
**bulevard** s boulevard
**bulgar** s Bulgarian
**Bulgarien** Bulgaria
**bulgarisk** adj Bulgarian
**bulgariska** s **1** kvinna Bulgarian woman **2** språk Bulgarian
**bulimi** s med. bulimia
**bulimiker** s bulimic
**buljong** s clear soup, broth
**buljongtärning** s beef cube
**bulldogg** s bulldog
**bulle** s bun; frukostbröd roll
**buller** s noise, din; stoj racket
**bullersam** adj noisy
**bulletin** s bulletin
**bullra** vb itr make a noise; mullra rumble
**bullrig** adj noisy
**bult** s bolt, pin; gängad screw-bolt
**bulta I** vb tr bearbeta beat; kött pound **II** vb itr knacka knock; dunka pound; om puls throb
**bulvan** s front, dummy
**bumerang** s boomerang äv. bildl.
**bums** adv right away, on the spot
**bunden** adj bound etc., se binda
**bundsförvant** s ally
**bunke** s av metall pan; av porslin bowl
**bunker** s bunker äv. i golf; betongfort pillbox
**bunt** s t.ex. kort packet; sedlar bundle; papper sheaf (pl. sheaves); rädisor etc. bunch; **hela ~en** the whole bunch (lot)
**bunta** vb tr, ~ **ihop** make...up into (tie up...in) bundles
**bur** s cage; för höns coop
**burdus** adj abrupt, brusque, blunt
**burk** s pot; kruka, glasburk äv. jar; bleckburk

tin, speciellt amer. can; ärter **på ~** tinned (canned)...; öl **på ~** canned...
**burköl** s canned beer
**burköppnare** s tin-opener, can-opener
**burlesk** s o. adj burlesque
**Burma** hist. Burma
**burman** s Burmese (pl. lika)
**burmansk** adj Burmese
**burspråk** s bay
**busa** vb itr be up to mischief
**buse** s rå sälle rough, ruffian, hooligan; bråkstake pest, nuisance
**busfrö** s vard. little devil (rascal)
**busig** adj mischievous; bråkig rowdy
**buskage** s shrubbery
**buske** s bush; större shrub
**buskig** adj bushy
**buskis** s vard. slapstick; **rena ~en** a sheer farce
**buskörning** s reckless driving
**1 buss** s tugg- plug, quid
**2 buss** s trafik- bus; turist- coach, amer. bus; **åka ~** go by bus
**busschaufför** s bus driver; turist- coach driver
**bussförbindelse** s bus connection
**busshållplats** s bus stop
**bussig** adj hygglig nice, decent
**busslinje** s bus service (line)
**busvissla** vb itr whistle, catcall
**busvissling** s shrill whistle; ogillande catcall; uppskattande wolf whistle
**busväder** s awful weather
**butelj** s bottle
**butik** s shop, speciellt amer. store
**butiksbiträde** s shop assistant, amer. salesclerk, clerk
**butiksfönster** s shop window
**butiksföreståndare** s shop (store) manager
**butikskedja** s multiple (chain) stores pl.
**butikskontrollant** s shop-walker
**butter** adj sullen, morose [mot to, towards]
**buxbom** s boxwood
**by** s village
**byalag** s local residents' association
**bybo** s villager
**byffé** s se buffé
**bygd** s district, countryside
**bygel** s ögla loop; ring hoop
**bygga** vb tr o. vb itr build; **det bygger** grundar sig **på...** it is founded on...; **kraftigt byggd** om person powerfully built, sturdy □ ~ **in** med väggar wall in; ~ **om** rebuild, alter; ~ **på** öka add to; ~ **till** utvidga enlarge; ~ **ut** enlarge, extend, develop

**bygge** s building under construction

**byggherre** s building proprietor, commissioner of a building; byggmästare builder

**byggkloss** s building (toy) brick

**bygglåda** s box of bricks

**byggmästare** s builder; entreprenör building contractor

**byggnad** s hus building; huset är **under ~** ...under construction, ...being built

**byggnadsarbetare** s building worker

**byggnadsentreprenör** s building contractor

**byggnadsfirma** s building firm

**byggnadslov** s building permit

**byggnadstillstånd** s building permit

**byggsats** s construction kit, do-it-yourself kit

**byig** adj squally, gusty

**bylte** s bundle, pack

**byrå** s **1** möbel chest of drawers **2** kontor office

**byråkrati** s bureaucracy

**byråkratisk** adj bureaucratic

**byrålåda** s drawer

**byst** s bust

**bysthållare** s brassiere

**byta** vb tr skifta change; ömsesidigt exchange; **~ kläder** change one's clothes; **~ plats** flytta sig move; ömsesidigt change places (seats)
□ **~ om** change; **~ till sig ngt** get a th. in exchange; **~ ut** exchange [mot for]

**byte** s **1** utbyte exchange; vid byteshandel barter **2** rov booty; jakt. quarry; rovdjurs prey; tjuvs haul; **bli ett lätt ~ för ngn** fall an easy prey to a p.

**bytesbalans** s hand. balance on current account

**byteshandel** s barter; **idka ~** barter

**bytesrätt** s, **med full ~** goods exchanged if customer not satisfied

**byxben** s trouser leg

**byxdress** s trouser suit, amer. pantsuit

**byxficka** s trouser pocket

**byxgördel** s pantie girdle

**byxkjol** s divided skirt, culottes pl.

**byxor** s pl ytter~, lång~ trousers, amer. äv. pants; fritids~ slacks

**båda** pron both; **~** (**~ två**) **är...** both (both of them) are...; **~ bröderna** both (both the) brothers; **~ delarna** both; **de ~ andra** the two others, the other two; **vi ~ är...** we two are...; **vi är ~...** we are both...

**bådadera** pron both

**både** konj, **~...och** both...and

**båg** s vard. humbug, bluff

**båge** s kroklinje curve; mat., elektr. arc; pilbåge bow; byggn. arch; sybåge, glasögonbåge frame

**bågfil** s hacksaw

**bågformig** adj curved, arched

**bågskytt** s archer

**bågskytte** s archery

**1 bål** s anat. trunk, body

**2 bål** s dryck punch

**3 bål** s eld bonfire; likbål funeral pyre; **brännas på ~** be burnt at the stake

**bålgeting** s hornet

**bår** s sjukbår stretcher, litter; likbår bier

**bård** s border; speciellt på tyg edging

**bårhus** s mortuary, morgue

**bås** s stall; friare compartment

**båt** s boat; **åka ~** go by boat; **ge ngn på ~en** throw a p. over

**båtresa** s sea voyage; kryssning cruise

**bäck** s brook

**bäcken** s **1** anat. pelvis **2** skål o. geogr. basin; säng~ bed-pan **3** mus. cymbals pl.

**bädd** s bed

**bädda** vb tr o. vb itr, o. el. **~ sin säng** make one's bed; **~ ned** put...to bed

**bäddsoffa** s sofa bed, bed settee

**bägare** s cup; pokal goblet

**bägge** pron se **båda**

**bälg** s bellows (pl. lika)

**bälta** s o. **bältdjur** s armadillo (pl. -s)

**bälte** s belt; geogr. zone

**bältros** s med. shingles sg.

**bända** vb tr o. vb itr bryta prize; **~ loss** (**upp**) prize...loose (open)

**bänk** s bench, seat; kyrkbänk pew; skolbänk desk; på teater etc. row; **sista ~en** the back row

**bänkrad** s row

**bär** s berry; för ätbara bär används vanl. namnet på resp. bär

**bära I** vb tr carry; vara klädd i wear; **~ frukt** äv. bildl. bear fruit; **~ ett namn** bear a name; **~ uniform** wear a uniform **II** vb rfl, **~ sig** löna sig pay; **företaget bär sig** the business pays its way
□ **~ hem** carry (bring, take) home; **~ på sig** carry...about (have...on) one; **~ undan** remove; **~ ut** carry (bring, take) out; **~ ut post** deliver the post; **~ sig åt** bete sig behave; gå till väga set about it; **hur bär man sig åt för att** inf.? how does one set about ing-form?, what do you have to do

to inf.?; *hur jag än bär mig åt* whatever I do

**bärare** s carrier; av namn, bår m.m. bearer; stadsbud porter

**bärbar** adj portable

**bärga** vb tr person save, rescue; ~ el. ~ *in* skörd gather in...

**bärgningsbil** s breakdown lorry (van), amer. wrecking car

**bärkasse** s carrier bag

**bärnsten** s amber

**bärsärkagång** s, *go* ~ go berserk, run amok

**bäst I** adj best; *~e vän!* my dear friend!; *det är ~ att du går* you had better go; *det kan hända den ~e* that can happen to anybody **II** adv best; *ni gjorde ~ om ni gick* (*i att gå*) it would be best for you to go; *hålla på som ~ med ngt* be just in the thick (midst) of a th.

**bästa** s, *göra sitt ~* (*allra ~*) do one's best (very best); *för* (*till*) *ngns eget ~* for a p.'s own good

**bästis** s vard. pal, best friend

**bättra I** vb tr improve, improve on; ~ *på* t.ex. målningen touch up **II** vb rfl, ~ *sig* improve

**bättre** adj better; *en ~* fin, god **middag** a good dinner; *ett ~* bra **hotell** a decent hotel; *komma på ~ tankar* think better of it; *så mycket ~* so much the better, all the better

**bättring** s improvement; om hälsa äv. recovery

**bättringsvägen** s, *vara på ~* be on the road to recovery

**bäva** vb itr tremble, shake

**bävan** s dread, fear

**bäver** s beaver

**bävernylon** s ® beaver nylon

**böckling** s smoked Baltic herring, buckling

**bödel** s executioner

**bög** s vard. homofil gay

**Böhmen** Bohemia

**böja I** vb tr **1** kröka bend; bågformigt curve; ~ *knä inför* bow (bend) the knee to **2** gram. inflect **II** vb rfl, ~ *sig* bend down; om saker, krökas bend; ~ *sig över ngn* bend over a p.; ~ *sig ut genom* fönstret lean out of...

**böjelse** s inclination, fancy [*för* for]

**böjning** s **1** bend, curve **2** gram. inflection; av verb conjugation

**böka** vb itr root, grub

**böla** vb itr råma low, moo; ilsket bellow

**böld** s boil; svårare abscess

**böldpest** s bubonic plague

**bölja I** s billow, wave **II** vb itr om hav billow; om folkhop etc. surge; om hår flow

**böljande** adj billowy; om hår wavy

**bömisk** adj Bohemian

**bön** s **1** anhållan request; enträgen appeal **2** relig. prayer

**böna** s bean

**bönfalla** vb tr o. vb itr plead

**böngrodd** s bot. el. kok. bean sprout

**bönhöra** vb tr, ~ *ngn* grant (hear) a p.'s prayer; *han blev bönhörd* he had his request granted

**bönpall** s kneeling-desk

**böra** (*borde bort*) hjälpvb **1** ought to, should; *man bör inte prata* med munnen full you should not (ought not to) talk... **2** uttr. förmodan, *hon bör* (*borde*) *vara 17 år* she must be 17; *han bör vara framme nu* he should be there by now

**börd** s birth; *till ~en* by birth

**börda** s burden, load båda äv. bildl.

**bördig** adj fruktbar fertile

**börja** vb tr o. vb itr begin, start; *det ~r bli mörkt* (*kallt*) it is getting dark (cold); *till att ~ med* to begin (start) with, at first; ~ *om* begin (start) all over again

**början** s beginning, start; *ta sin ~* begin; *i ~* el. *till en ~* at (in) the beginning, at first; *i ~ av sextiotalet* in the early sixties; *med ~* den 1 maj starting...

**börs** s **1** portmonnä purse **2** hand., *på ~en* on the Exchange

**börsnotering** s stock exchange quotation

**bössa** s **1** gevär gun; hagelbössa shotgun; räfflad rifle **2** sparbössa money box

**bösspipa** s gun barrel

**böta I** vb itr pay a fine, be fined; ~ *för ngt* lida pay (suffer) for a th. **II** vb tr, *få ~ 800 kronor* be fined 800 kronor

**böter** s pl fine sg.; *döma ngn till 800 kronors* ~ fine a p. 800 kronor, impose a fine of 800 kronor on a p.; *han slapp undan med ~* he was let off with a fine

**bötesbelopp** s fine

**böteslapp** s för felparkering parking ticket

**bötesstraff** s fine

**bötfälla** vb tr, ~ *ngn* fine a p.

# C

**c** *s* mus. C
**ca** (förk. för *cirka*) ca., approx.
**cabriolet** *s* convertible
**cafeteria** *s* cafeteria
**camouflage** *s* camouflage
**camouflera** *vb tr* camouflage
**campa** *vb itr* camp out, go camping
**campare** *s* camper
**camping** *s* camping
**campingplats** *s* camping ground (site)
**cancer** *s* cancer
**cancerframkallande** *s* ...that causes cancer; med. carcinogenic
**cancertumör** *s* cancer tumour
**cannabis** *s* cannabis
**cape** *s* cape
**cardigan** *s* cardigan
**CD** *s* o. **CD-skiva** *s* CD, compact disc
**CD-spelare** *s* CD (compact disc) player
**ceder** *s* cedar
**celeber** *adj* distinguished, celebrated
**celebritet** *s* celebrity
**celibat** *s* celibacy; *leva i* ~ be a celibate
**cell** *s* cell
**cellist** *s* cellist
**cello** *s* cello (pl. -s)
**cellofan** *s* Cellophane ®
**cellskräck** *s* claustrophobia
**cellstoff** *s* wadding, Cellu-cotton ®
**cellulosa** *s* cellulose; pappersmassa wood pulp
**Celsius, 30 grader** ~ (*30°C*) 30 degrees Celsius (30°C)
**celsiustermometer** *s* Celsius thermometer
**cembalo** *s* harpsichord
**cement** *s* cement
**cendré** *adj* ash-blond
**censor** *s* censor
**censur** *s* censorship
**censurera** *vb tr* censor
**center** *s* centre
**Centerpartiet** *s* polit. the Centre Party
**centigram** *s* centigram, centigramme
**centiliter** *s* centilitre
**centimeter** *s* centimetre
**central I** *s* centre; huvudbangård central station **II** *adj* central; *~t prov* standardized (national) test; *det ~a väsentliga i...* the essential thing about...

**centralantenn** *s* communal aerial (amer. antenna)
**centralförvaltning** *s* central administration
**centralisera** *vb tr* centralize
**centralstation** *s* central station
**centralt** *adv*, *det är* ~ *beläget* it is centrally situated
**centralvärme** *s* central heating
**centrifug** *s* för tvätt spin-drier
**centrifugalkraft** *s* centrifugal force
**centrifugera** *vb tr* tvätt spin-dry
**centrum** *s* centre
**cerat** *s* lipsalve, amer. chapstick
**ceremoni** *s* ceremony
**ceremoniell** *adj* ceremonious
**cerise** *adj* cerise
**certifikat** *s* certificate
**cess** *s* mus. C flat
**champagne** *s* champagne
**champinjon** *s* mushroom
**champion** *s* champion
**champis** *s* vard., champagne champers, bubbly
**chans** *s* chance, opportunity
**chansa** *vb itr* take a chance, chance it
**chansartad** *adj* hazardous, chancy
**charad** *s* charade; *levande ~er* lek charades sg.
**charkuteriaffär** *s* pork-butcher's [shop (amer. store)], provision dealer's, delicatessen
**charkuterivaror** *s pl* cured (cooked) meats and provisions
**charlatan** *s* charlatan, quack
**charm** *s* charm
**charma** *vb tr* charm
**charmant** *adj* delightful, charming; utmärkt excellent
**charmfull** *adj* o. **charmig** *adj* charming
**charmlös** *adj* charmless
**charmör** *s* charmer
**charterflyg** *s* trafik charter flight
**charterresa** *s* charter trip
**chartra** *vb tr* charter
**chassi** *s* chassis (pl. lika)
**chaufför** *s* driver; privat~ chauffeur
**chauvinism** *s*, ~ el. *~en* chauvinism
**chauvinist** *s* chauvinist
**check** *s* cheque, amer. check [*på* visst belopp for]; *betala med* ~ pay by cheque
**checka** *vb tr* o. *vb itr* check; ~ *in* (*ut*) check in (out)
**checkhäfte** *s* cheque book, amer. checkbook

**checklön** s salary paid into one's cheque account

**chef** s head [*för* of]; firmas äv. principal; direktör manager; vard. boss

**chefredaktör** s chief editor

**chevaleresk** adj chivalrous

**cheviot** s serge

**chic** adj chic, stylish

**chiffer** s cipher, code

**Chile** Chile

**chilen** s o. **chilenare** s Chilean

**chilensk** adj Chilean

**chip** s data. chip

**chips** s pl potato crisps (amer. chips)

**chock** s stöt, nervchock shock

**chocka** vb tr shock

**chockera** vb tr shock

**chockskadad** adj, **bli ~** get a shock

**choke** s choke

**choklad** s chocolate; dryck äv. cocoa; **en ask ~** praliner a box of chocolates

**chokladbit** s pralin chocolate

**chokladkaka** s kaka choklad bar of chocolate

**chokladpralin** s chocolate

**chosefri** adj natural, unaffected

**ciceron** s guide

**cider** s cider

**cigarett** s cigarette; vard. fag, cig, ciggy

**cigarettui** s cigarette case

**cigarettmunstycke** s löst cigarette holder

**cigarettpaket** s med innehåll packet of cigarettes

**cigarettpapper** s cigarette paper

**cigarettrök** s cigarette smoke

**cigarettstump** s cigarette end

**cigarettändare** s lighter

**cigarill** s cheroot

**cigarr** s cigar

**cigarrcigarett** s cheroot

**cigarrlåda** s låda cigarrer box of cigars

**cigarrsnoppare** s cigar-cutter

**cigarrstump** s cigar end

**cigarrök** s cigar smoke

**cigarrökare** s cigar-smoker

**cigg** s vard. cig, ciggy

**cikoria** s chicory

**cirka** adv about, roughly

**cirkapris** s hand. recommended retail price

**cirkel** s circle

**cirkelformig** adj o. **cirkelrund** adj circular

**cirkelsåg** s circular saw

**cirkla** vb itr kretsa circle

**cirkulation** s circulation

**cirkulera** vb itr circulate; **låta ~** circulate, send round

**cirkulär** s circular

**cirkus** s circus

**cirkusartist** s circus performer

**cirkusdirektör** s circus manager

**ciss** s mus. C sharp

**cistern** s tank; för vatten cistern

**citadell** s citadel

**citat** s quotation; **~, slut på ~** quote, unquote

**citationstecken** s quotation mark; pl. äv. inverted commas, quotes

**citera** vb tr quote

**citron** s lemon

**citronklyfta** s wedge of lemon; friare piece of lemon

**citronpress** s lemon-squeezer

**citronsaft** s lemon juice (sockrad, för spädning squash)

**city** s affärscentrum centre, business and shopping centre, amer. downtown

**civil** adj civil; motsats militär civilian; **en ~** a civilian; **i det ~a** in civilian life

**civilbefolkning** s civilian population

**civildepartement** s ministry of public administration

**civilekonom** s graduate from a School of Economics; mera allm. economist

**civilförsvar** s civil defence

**civilförvaltning** s civil service

**civilingenjör** s Master of Engineering; mera allm. engineer

**civilisation** s civilization

**civilisera** vb tr civilize

**civilist** s civilian

**civilklädd** adj ...in plain (civilian) clothes

**civilminister** s minister of public administration

**civilmål** s civil case (suit)

**civilrätt** s civil law

**civilstånd** s civil status

**clementin** s clementine

**clinch** s boxn. clinch; **gå i ~** go into a clinch äv. friare

**clips** s pl öronclips earclips

**clown** s clown

**Coca-Cola** s ® Coca-Cola

**cockerspaniel** s cocker spaniel

**cocktailbar** s cocktail lounge

**cognac** s brandy; finare cognac

**collie** s hund collie

**Colombia** Colombia

**colombian** s Colombian

**colombiansk** adj Colombian

**comeback** s reappearance; **göra ~** make a comeback

**ommandosoldat** s commando (pl. -s)
**ontainer** s container; för avfall skip; amer.
Dumpster®
**opyright** s copyright
**ornflakes** s pl cornflakes
**ortison** s cortisone
**owboyfilm** s
**owboyfilm** s cowboy film, Western
**rack** s crack narkotika
**rawl** s crawl
**rawla** vb itr do the crawl
**rescendo** s o. adv crescendo
**upfinal** s cup final
**upmatch** s cup tie
**urling** s curling
**urry** s curry
**vanid** s cyanide
**yankalium** s potassium cyanide
**ykel** s **1** serie cycle **2** fordon bicycle, cycle;
vard. bike
**ykelbana** s väg cycle track
**ykelkedja** s cycle chain
**ykelklämma** s byx~ cycle clip
**ykelpump** s cycle pump
**ykelställ** s cycle stand
**ykeltur** s längre cycling tour; kortare cycle
ride
**ykeltävling** s cycle race
**ykelverkstad** s cycle repair shop
**ykla** vb itr cycle; vard. bike; göra en cykeltur
go cycling
**yklamen** s cyclamen
**yklist** s cyclist
**yklon** s cyclone; lågtryck äv. depression
**yklopöga** s för dykare skindiver's mask
**ylinder** s tekn. cylinder
**ylindrisk** adj cylindrical
**ymbal** s mus., bäcken cymbal
**yniker** s cynic
**ynisk** adj cynical; rå coarse
**ynism** s cynicism
**ypern** Cyprus
**ypress** s cypress
**ypriot** s Cypriot
**ypriotisk** adj Cypriot
**ysta** s cyst

# D

**d** s mus. D
**dabba** vb rfl, ~ sig make a blunder; trampa i
klaveret put one's foot in it
**dadel** s date
**dadelpalm** s date palm
**dag** s **1** day; en ~ el. en vacker ~ one day;
avseende framtid äv. some day, one of these
days (fine days); god ~! good morning
(resp. afternoon, evening)!; vid presentation
how do you do?; vara ~en efter have a
hangover; ~ för ~ day by day, every day;
mannen för ~en the man of the
moment; leva för ~en live for the
moment; i ~ today; i ~ om ett år a year
from today; nu (just) i ~ a) gångna
during the last few days b) kommande
during the next few days; i forna
(gamla) ~ar in days of old; i våra ~ar
in our day, nowadays; om (på) ~en
(~arna) in the daytime, by day; mitt på
ljusa ~en in broad daylight; på gamla
~ar var han... as an old man he was...
**2** dagsljus daylight; se ~ens ljus first see
the light (light of day); bringa (komma)
i ~en bring (come) to light; han är sin
far upp i ~en he's just like (he's the
spitting image of) his father
**dagbarn** s child in the care of a
childminder; ha ~ be a childminder
**dagbarnvårdare** s childminder
**dagbok** s diary; föra ~ keep a diary
**dagdrivare** s idler, loafer
**dagdröm** s daydream
**dagdrömma** vb itr daydream
**dagdrömmare** s daydreamer
**dagg** s dew
**daggdroppe** s dewdrop
**daggmask** s earthworm
**daghem** s day nursery, day-care centre
**daghemsplats** s place in a day nursery
(day-care centre)
**dagis** s vard., se daghem
**daglig** adj daily; i ~t bruk (tal) in
everyday use (speech)
**dagligen** adv daily, every day
**dagmamma** s childminder
**dagordning** s föredragningslista agenda
**dags** adv, hur ~? at what time?, what
time?, when?; det är ~ att gå nu it is

time to go now; *det är så* ~ för sent *nu!* it is a bit late now!

**dagsböter** *s* fine sg. [proportional to one's daily income]

**dagsljus** *s* daylight; *vid* ~ by daylight

**dagsmeja** *s* midday thaw

**dagsnyheter** *s pl* radio. news sg.

**dagspress** *s* daily press

**dagstidning** *s* daily paper, daily

**dagtid** *s* daytime; *studera på* ~ study in the daytime

**dahlia** *s* dahlia

**dakapo I** *s* encore **II** *adv* once more; mus. da capo

**dal** *s* valley

**dala** *vb itr* sink, go down, fall

**Dalarna** Dalarna, Dalecarlia

**dalgång** *s* long valley

**dalkarl** *s* Dalecarlian

**dalkulla** *s* Dalecarlian woman (girl)

**dallra** *vb itr* quiver, tremble

**dallring** *s* quiver, tremble

**dalripa** *s* zool. willow grouse (pl. lika)

**dalta** *vb itr*, ~ *med ngn* pamper a p.

**1 dam** *s* **1** lady; höjdhopp *för* ~*er* ...for women **2** bordsdam [lady] partner **3** kortsp. el. schack. queen

**2 dam** *s* spel, *spela* ~ play draughts (amer. checkers)

**damasker** *s pl* gaiters; herr~ vanl. spats

**damast** *s* damask

**dambinda** *s* sanitary towel (amer. napkin)

**dambyxor** *s pl* under~ knickers, panties; trosor briefs

**damcykel** *s* lady's bicycle (cycle)

**damfrisering** *s* lokal ladies' hairdressing saloon

**damfrisör** *s* ladies' hairdresser

**damfrisörska** *s* ladies' hairdresser

**damkonfektion** *s* women's (ladies') wear

**1 damm** *s* fördämning dam; vattensamling pond; vid kraftverk etc. pool, reservoir

**2 damm** *s* dust

**damma I** *vb tr* dust; ~ *av i ett rum* dust a room; ~ *ned* make...dusty **II** *vb itr* ryka make a lot of dust; *vad det* ~*r!* what a lot of dust there is!

**dammig** *adj* dusty

**dammkorn** *s* speck of dust

**dammoln** *s* cloud of dust

**dammsuga** *vb tr* vacuum

**dammsugare** *s* vacuum cleaner

**dammtrasa** *s* duster

**damrum** *s* ladies' cloakroom (amer. rest room)

**damsadel** *s* side-saddle

**damsingel** *s* tennis women's singles (pl. lika)

**damsko** *s* lady's shoe

**damskräddare** *s* ladies' tailor

**damtidning** *s* ladies' magazine

**damtoalett** *s* lokal ladies' lavatory (cloakroom, amer. rest room); *var är* ~*en?* ofta where is the ladies?

**damunderkläder** *s pl* ladies' underwear sg., lingerie sg.

**damväska** *s* handbag, lady's handbag

**dank** *s*, *slå* ~ idle, loaf about

**Danmark** Denmark

**dans** *s* dance; dansande, danskonst dancing; bal ball; efter supén *blev det* ~ ...they (we etc.) had some dancing; *en* ~ *på rosor* a bed of roses

**dansa** *vb itr* o. *vb tr* dance; skutta trip; ~ *bra (dåligt)* be a good (poor) dancer; ~ *vals* dance (do) the waltz, waltz

**dansare** *s* dancer

**dansbana** *s* [open air] dance floor

**dansband** *s* dance band

**dansgolv** *s* dance floor

**dansk I** *adj* Danish **II** *s* Dane

**danska** *s* **1** kvinna Danish woman **2** språk Danish; för ex. jfr *svenska*

**danskfödd** *adj* Danish-born; för andra sammansättningar jfr *svensk-*

**danslektion** *s* dancing-lesson

**danslokal** *s* dance hall

**dansmusik** *s* dance music

**dansorkester** *s* dance band

**dansör** *s* dancer

**dansös** *s* [female] dancer

**darra** *vb itr* tremble; huttra shiver; skaka shake

**darrig** *adj* svag, dålig shaky

**dass** *s* vard., *gå på* ~ go to the lav (loo, amer. john)

**1 data** *s pl* **1** årtal dates **2** fakta data, facts

**2 data** *s* data. computer; *ligga på* ~ be on computer; *lägga på* ~ put on computer

**databas** *s* data base

**databehandla** *vb tr* computerize

**databehandling** *s* data processing, computerization

**databrott** *s* computer crime

**dataregister** *s* computer file

**dataspel** *s* computer game

**datasättning** *s* computer typesetting

**dataterminal** *s* data (computer) terminal

**datavirus** *s* computer virus

**dataöverföring** *s* data transmission

**datera** *vb tr* o. *vb rfl*, ~ *sig* date

**dativ** s dative; *i* ~ in the dative
**dator** s computer
**datorisera** vb tr computerize
**datorisering** s computerization
**datum** s date
**datummärka** vb tr t. ex. mat open-date
**datummärkning** s t. ex. mat open-dating
**datumparkering** s ung. night parking on
alternate sides of the street
**datumstämpel** s date stamp
**DDT** s bekämpningsmedel DDT
**de** se *den*
**debarkera** vb itr disembark, land
**debatt** s debate; diskussion discussion
**debattera** vb tr o. vb itr debate; diskutera
discuss
**debattinlägg** s, *i ett* ~ *om...* in an article
(a speech etc.) on...
**debattör** s debater
**debetsedel** s income-tax demand note
**debitera** vb tr debit
**debut** s debut, first appearance
**debutera** vb itr make one's debut
**december** s December (förk. Dec.); för ex.
jfr *april* o. *femte*
**decennium** s decade
**decentralisera** vb tr decentralize
**dechiffrera** vb tr decipher; kod decode
**decibel** s decibel
**deciliter** s decilitre
**decimal** s decimal
**decimalbråk** s decimal, decimal fraction
**decimeter** s decimetre
**deckare** s vard. **1** roman detective story
**2** detektiv tec, amer. dick
**dedikation** s dedication
**defekt I** s defect **II** adj defective
**defensiv** s o. adj defensive
**defilera** vb itr, ~ el. ~ *förbi* march (file)
past
**definiera** vb tr define
**definierbar** adj definable
**definition** s definition
**definitiv** adj bestämd definite; oåterkallelig
definitive, final
**deflationistisk** adj deflationary
**deformera** vb tr deform
**defroster** s bil. defroster
**deg** s dough; smördeg paste
**dega** vb itr, *gå* [*omkring*] *och* ~ hang
about doing nothing
**degenerera** vb itr degenerate
**degenererad** adj degenerate
**degig** adj degartad doughy
**degradera** vb tr degrade

**degradering** s degradation
**dekal** s sticker
**deklarant** s som deklarerar inkomst person
making an income-tax return
**deklaration** s **1** declaration, statement **2** på
varuförpackning ingredients, constituents
**3** själv~ income-tax return
**deklarationsblankett** s income-tax return
form
**deklarera** vb tr o. vb itr **1** declare, state
**2** själv~ make one's return of income; tull~
declare; ~ *för* 190 000 kronor return one's
income at...
**dekoder** s decoder
**dekolletage** s décolletage
**dekor** s teat. décor
**dekoration** s decoration; föremål ornament
**dekorativ** adj decorative
**dekoratör** s decorator
**dekorera** vb tr decorate
**dekret** s decree
**del** s **1** part, portion; avdelning section; band
volume; *en* ~ *av befolkningen* part of
the population; *en* ~ (*en hel* ~) *brev
förstördes* some (a great many) letters
were destroyed; *en hel* ~ tror det a great
many people...; *för all* ~*!* ingen orsak!
don't mention it!, that's quite all right!;
*för den* ~*en* as far as that goes, for that
matter; *till en* ~ delvis in part; några some
of them; *till stor* ~ to a large extent
**2** andel share; beskärd del lot; rum *med* ~ *i
kök* ...with use of kitchen; *ta* ~ *i* ngt take
part in a th.; *jag för min* ~ *tror...* for my
part (as for me), I think... **3** kännedom, *få*
~ *av* be informed of (about); *ta* ~ *av
innehållet i* study (acquaint oneself with)
the contents of
**dela I** vb tr särdela divide [*i* into]; dela i lika
delar, dela sinsemellan share; ~ *med 5* divide
by 5; ~ *på vinsten* share the profits; *det
är inget att* ~ *på* it is not worth dividing;
~ *ngns åsikt* share a p.'s view **II** vb rfl, ~
*sig* divide
□ ~ **av** avskilja partition off; ~ **upp** indela
divide (split) up, break up [*i* into];
sinsemellan share [*mellan* among]; om två
between; ~ *upp sig* divide, split; ~ **ut**
distribute, deal (give) out
**delad** adj, *det råder* ~*e meningar*
opinions differ
**delaktig** adj, *vara* ~ *i* a) medverka i beslut etc.
participate in b) i brott etc. be implicated
(mixed up) in

**delaktighet** s medverkan participation; i brott etc. implication [*i* in]
**delegat** s delegate
**delegation** s delegation, mission
**delegera** vb tr delegate
**delfin** s dolphin
**delfinarium** s dolphinarium
**delge** vb tr, ~ *ngn ngt* inform a p. of a th.
**delikat** adj delicate; om mat etc. delicious
**delikatess** s delicacy
**delikatessaffär** s delicatessen
**delning** s division, partition; delande äv. sharing
**delpension** s partial pension
**dels** konj, ~...~... partly...partly...; å ena sidan...å andra sidan... on one hand..., on the other...
**delstat** s federal (constituent) state
**delta** o. **deltaga** vb itr **1** take part; som medarbetare collaborate; närvara be present [*i* at] **2** ~ *i ngns sorg* sympathize with a p. in his sorrow
**delta** s geogr. delta
**deltagande I** *subst adj* medverkande, *de ~* those taking part **II** s **1** taking part; participation; medverkan co-operation; anslutning, t.ex. val~ turn-out **2** medkänsla sympathy
**deltagare** s participator; i t.ex. kurs member; *deltagarna* ofta those taking part; i tävling the competitors
**deltid** s, *arbeta ~* have a part-time job
**deltidsanställd** adj, *vara ~* work part-time
**delvis** adv partially, partly
**delägare** s i firma partner
**dem** pron se den
**demagog** s demagogue
**demagogisk** adj demagogic
**dementera** vb tr deny
**dementi** s denial
**demilitarisera** vb tr demilitarize
**demilitarisering** s demilitarization
**demobilisera** vb tr o. vb itr demobilize
**demobilisering** s demobilization
**demokrat** s democrat
**demokrati** s democracy
**demokratisk** adj democratic
**demolera** vb tr demolish
**demon** s demon, fiend
**demonstrant** s demonstrator
**demonstration** s demonstration
**demonstrationståg** s procession of demonstrators
**demonstrativ** adj demonstrative äv. gram.
**demonstrera** vb tr o. vb itr demonstrate

**demontera** vb tr fabrik, maskin dismantle
**demoralisera** vb tr demoralize
**demoralisering** s demoralization
**den** *(det; de; dem,* vard. *dom; dens; deras)* **I** best art the; ~ *allmänna opinionen* public opinion; *de närvarande* those present **II** pron **1** den, det; de they; dem them; *pengarna? de ligger på bordet* the money? it is on the table; *det regnar* it's raining; *vem är det som knackar?* who is [it] knocking?; *det var mycket folk där* there were many people there; kommer han? *jag hoppas (tror) det* ...I hope (think) so; *det var det, det!* that's that!; *varför frågar du det?* why do you ask? **2** demonstrativt: den, det that; *den (det) där* that, *den (det) här* this; *de där, dem* those; *de här* these; ~ *dåren!* that (the) fool!; *är det här mina handskar? - ja, det är det* are these my gloves? - yes, they are; *se på* ~ mannen*!* look at him! **3** determinativt: den som the person (one) who; sak the one that; vem som helst som anyone that; i ordspråk he who; *saken är att...* the fact is that...; han har en förtjänst, ~ *att vara ärlig* ...that of being honest; *han är inte* ~ *som klagar* he is not one to complain; *allt det som...* everything that...
**denim** s tyg denim
**denimjeans** s pl denims
**denne** *(denna, detta, dessa)* pron den här this (pl. these); den där that (pl. those); syftande på förut nämnd person (nämnda personer) he, she, they; den (de) senare the latter; *jag frågade värden, men ~...* I asked the landlord, but he (the latter)...
**densamme** *(densamma, detsamma, desamma)* pron the same; den, det it; de they; *tack, detsamma!* the same to you!; *det gör detsamma* it doesn't matter; *med detsamma* genast at once
**deodorant** s deodorant
**departement** s ministry, department
**depeschbyrå** s ung. news office and ticket agency
**deponens** s deponent, deponent verb
**deponera** vb tr deposit [*hos* with]
**deportera** vb tr deport
**deportering** s deportation
**deppa** vb itr vard. feel low, have the blues
**deppig** adj, *vara ~* feel low, have the blues
**depraverad** adj depraved
**depression** s depression äv. ekon.
**deprimerad** adj depressed

**deprimerande** *adj* depressing
**deputation** *s* deputation
**depå** *s* depot
**deras** *poss pron* förenat their; självständigt theirs
**desamma** se *densamme*
**desertera** *vb itr* desert
**desertering** *s* desertion
**desertör** *s* deserter
**design** *s* design
**designer** *s* designer, industrial designer
**desillusionerad** *adj* disillusioned
**desinfektion** *s* disinfection
**desinfektionsmedel** *s* disinfectant
**desinficera** *vb tr* disinfect
**desorienterad** *adj* confused, bewildered
**desperado** *s* desperado (pl. -s)
**desperat** *adj* desperate
**desperation** *s* desperation
**despot** *s* despot
**despotisk** *adj* despotic
**1 dess** *s* mus. D flat
**2 dess I** *poss pron* its **II** *adv, innan* ~ before then; *sedan* ~ since then; *till* ~ el. *tills* ~ till then, until then; *till* ~ *att* till, until; ~ *bättre* all (so much) the better; lyckligtvis fortunately; *ju förr* ~ *bättre* the earlier (sooner) the better
**dessa** se *denne*
**dessbättre** *adv* fortunately
**dessemellan** *adv* in between; om tid at times
**dessert** *s* sweet, dessert; vard. afters
**dessertsked** *s* dessertspoon
**dessförinnan** *adv* before then; förut beforehand
**dessutom** *adv* besides; vidare furthermore
**dessvärre** *adv* unfortunately
**destillation** *s* distillation
**destillera** *vb tr* distil
**destination** *s* destination
**desto** *adv,* ~ *bättre* all (so much) the better; lyckligtvis fortunately
**destruktiv** *adj* destructive
**det** se *den*
**detalj** *s* detail; *sälja i* ~ hand. sell retail
**detaljerad** *adj* detailed
**detaljhandel** *s* retail trade
**detaljhandlare** *s* retailer
**detektiv** *s* detective
**detektivroman** *s* detective story
**determinativ** *adj* determinative
**detonation** *s* detonation
**detonera** *vb itr* o. *vb tr* detonate
**detronisera** *vb tr* dethrone

**detsamma** se *densamme*
**detta** se *denne*
**devalvera** *vb tr* devalue
**devalvering** *s* devaluation
**dia** *vb tr* o. *vb itr* om djur, barn suck; ge di suckle
**diabetes** *s* diabetes
**diabetiker** *s* diabetic
**diabild** *s* transparency; ramad slide
**diabolisk** *adj* diabolical
**diagnos** *s* diagnosis (pl. diagnoses); *ställa* ~ make a diagnosis [*på* of]
**diagnostisera** *vb tr* diagnose
**diagnostisk** *adj,* ~*t prov* diagnostic test
**diagonal** *s* o. *adj* diagonal
**diagram** *s* diagram; med siffror chart
**dialekt** *s* dialect
**dialektal** *adj* dialectal
**dialog** *s* dialogue
**diamant** *s* diamond
**diameter** *s* diameter
**diapositiv** *s* transparency; ramat slide
**diarré** *s* diarrhoea
**dieselmotor** *s* diesel engine
**diet** *s* diet; *hålla* ~ be on a diet
**differens** *s* difference
**differentiera** *vb tr* differentiate
**diffus** *adj* diffuse; oskarp blurred
**difteri** *s* diphtheria
**diftong** *s* diphthong
**dig** *pron* se *du*
**diger** *adj* thick, bulky
**digital** *adj* digital
**digna** *vb itr* tyngas ned be weighed down
**dike** *s* ditch, trench
**dikt** *s* poem; *rena* ~*en* påhitt pure fiction
**dikta** *vb tr* o. *vb itr* författa write; skriva vers write poetry
**diktamen** *s* dictation; *ta* ~ *på* ett brev take down...
**diktare** *s* writer; poet poet
**diktator** *s* dictator
**diktatur** *s* dictatorship
**diktera** *vb tr* dictate [*för* to]
**diktning** *s* diktande writing; poesi poetry; produktion literary production
**diktsamling** *s* collection of poems
**dilemma** *s* dilemma
**dilettant** *s* amateur, dilettante
**diligens** *s* stagecoach
**dill** *s* dill
**dilla** *vb itr* vard. babble, talk nonsense
**dimension** *s* dimension
**diminutiv** *s* o. *adj* diminutive
**dimljus** *s* fog light (lamp)

**dimma** *s* fog; lättare mist
**dimmig** *adj* foggy; lättare misty
**dimpa** *vb itr,* ~ *ner* drop down
**dimridå** *s* smoke screen
**din** *(ditt, dina) poss pron* your; självständigt
  yours; ~ *dumbom!* you fool (idiot)!; *D~*
  *tillgivne E.* i brev Yours ever (sincerely),
  E.; *du har gjort ditt* you've done your
  part (bit)
**diné** *s* dinner
**dinera** *vb itr* dine
**dingla** *vb itr* dangle; ~ *med benen* dangle
  one's legs
**diplom** *s* diploma
**diplomat** *s* diplomat
**diplomati** *s* diplomacy
**diplomatisk** *adj* diplomatic
**dipmix** *s* dip mix
**dippa** *vb tr* o. *vb itr* i dipmix dip
**direkt I** *adj* direct; omedelbar immediate
  **II** *adv* directly; omedelbart immediately; raka
  vägen direct; *inte* ~ *rik, men...* not
  exactly rich, but...
**direktförbindelse** *s* med flyg etc. direct
  service
**direktion** *s* styrelse board of directors
**direktiv** *s* instructions pl.
**direktreferat** *s* i radio running commentary
**direktsändning** *s* i radio live broadcast
**direktör** *s* director; *verkställande* ~
  managing director, amer. president *[för* of]
**direktöverföring** *s* direct transmission
**dirigent** *s* conductor
**dirigera** *vb tr* o. *vb itr* direct; mus. conduct;
  ~ *om* trafiken redirect, re-route, divert
**dis** *s* haze
**disciplin** *s* discipline
**disco** *s* vard. disco (pl. -s)
**disharmoni** *s* discord, disharmony
**disharmonisk** *adj* disharmonious
**disig** *adj* hazy
**1 disk** *s* **1** butiksdisk etc. counter; bardisk bar
  **2** data. disk
**2 disk** *s* washing-up äv. konkret
**diska** *vb tr* o. *vb itr,* ~ el. ~ *av* wash up, do
  the washing-up (dishes); ett enda föremål
  wash
**diskant** *s* treble
**diskare** *s* washer-up
**diskborste** *s* washing-up (dish) brush
**diskbråck** *s, ha* ~ have a slipped disc
**diskbänk** *s* kitchen sink, sink
**diskett** *s* data. floppy disk, diskette
**diskho** *s* washing-up sink
**diskjockey** *s* disc jockey; vard. deejay, DJ

**diskmaskin** *s* dishwasher
**diskmedel** *s* flytande washing-up liquid (i
  pulverform powder), detergent
**diskonto** *s* bank~ minimum lending rate
**diskotek** *s* lokal discotheque; vard. disco
**diskplockare** *s* table clearer, waiter's
  assistant, amer. bus boy (girl)
**diskrepans** *s* discrepancy
**diskret** *adj* discreet
**diskretion** *s* discretion
**diskriminera** *vb tr* discriminate; ~ *ngn*
  discriminate aganst a p.
**diskriminering** *s* discrimination [*av*
  against]
**diskställ** *s* i kök plate rack
**disktrasa** *s* dishcloth
**diskus** *s* discus; kastning discus-throwing;
  som sportgren discus
**diskuskastare** *s* discus-thrower
**diskussion** *s* discussion [*om* about]
**diskussionsämne** *s* subject (topic) of (for)
  discussion
**diskutabel** *adj* tvivelaktig questionable
**diskutera** *vb tr* o. *vb itr* discuss
**diskvalificera** *vb tr* disqualify
**diskvalificering** *s* disqualification
**diskvatten** *s* dishwater
**dispens** *s, få* ~ be granted an exemption
**disponent** *s* företagsledare managing director,
  amer. president; souschef manager
**disponera** *vb tr* o. *vb itr* **1** ~ el. ~ *över* ha till
  förfogande have...at one's disposal; ha
  tillgång till have access to **2** planera arrange
**disponerad** *adj, vara* ~ *för* be disposed
  (inclined) to; ha anlag för have a
  predisposition (tendency) towards
**disponibel** *adj* available, disposable
**disposition** *s* **1** *stå (ställa ngt) till ngns* ~
  be (place a th.) at a p.'s disposal **2** av en
  uppsats etc. plan, outline; av stoffet
  disposition, arrangement **3** *~er* åtgärder
  arrangements
**dispyt** *s* dispute; *råka (komma) i* ~ get
  involved in a dispute
**diss** *s* mus. D sharp
**distans** *s* distance
**distansundervisning** *s* distance tuition
**distingerad** *adj* distinguished
**distinkt** *adj* distinct
**distinktion** *s* distinction
**distrahera** *vb tr,* ~ *ngn* distract a p.
**distribuera** *vb tr* distribute
**distribution** *s* distribution
**distributör** *s* distributor
**distrikt** *s* district

**distriktssköterska** s district nurse; som gör hembesök health visitor

**distrå** adj absent-minded

**dit** adv **1** demonstrativt there; ~ *bort* (*ned*) away (down) there; *det är långt* ~ it is a long way there; om tid that's a long time ahead **2** relativt where; *den plats* ~ *han kom* the place he came to

**dithörande** adj ...belonging to it (resp. them); hörande till saken relevant

**ditkomst** s, *vid* ~*en* on my (his etc.) arrival there

**dito** adj o. adv ditto (förk. do.)

**ditresa** s, *på* ~*n* on the journey there

**1 ditt** pron se *din*

**2 ditt** s, ~ *och datt* this and that, all sorts of things

**dittills** adv till (up to) then; så här långt so far

**ditvägen** s, *på* ~ on the (my etc.) way there

**ditåt** adv in that direction, that way; *någonting* ~ something like that

**diva** s diva

**divan** s couch, divan

**diverse** adj various; ~ *saker* äv. odds and ends

**diversearbetare** s casual labourer, odd-job man

**dividera** vb tr divide [*med* by]

**division** s mat. el. mil. division

**djungel** s jungle

**djup I** adj deep; *i de* ~*a leden* among the rank and file; ~ *sorg* profound grief, deep sorrow; *i* ~ *sorg* (*sorgdräkt*) in deep mourning; ~ *tallrik* soup plate **II** s depth; *försvinna i* ~*et* go to the bottom; *gå på* ~*et med* go to the bottom of; *komma ut på* ~*et* get out into deep water

**djupdykning** s deep-sea diving

**djupfrysa** vb tr deep-freeze

**djupfryst** adj, ~*a livsmedel* deep-frozen (frozen) foods

**djupsinne** s profundity, depth of thought

**djupsinnig** adj profound, deep

**djupt** adv deep; mest bildl. deeply, profoundly; ~ *allvarlig* very serious; ~ *urringad* om klänning low-cut; *andas* ~ draw a deep breath; *buga sig* ~ make a low bow; *sova* ~ sleep deeply; *han sov* ~ he was fast asleep

**djur** s animal; större beast; *arbeta som ett* ~ work like a horse

**djurpark** s zoo

**djurplågeri** s cruelty to animals

**djurriket** s the animal kingdom

**djurskyddsförening** s society for the prevention of cruelty to animals

**djurskötare** s på zoo keeper, zoo keeper

**djurvän** s lover of animals

**djäkla** etc., se *jäkla* etc.

**djärv** adj bold; dristig daring

**djärvhet** s boldness, daring

**djävel** s devil; *djävlar!* bugger!, damn!

**djävla** adj o. adv bloody; damned, amer. goddam; *din* ~ *drulle!* you bloody (damned) fool!

**djävlas** vb itr dep be bloody-minded

**djävlig** adj om person bloody nasty, damned nasty [*mot* to]; om sak bloody rotten (awful), damned rotten (awful)

**djävligt** adv svordom bloody, damned

**djävul** s devil

**djävulsk** adj devilish; diabolisk diabolical

**docent** s univ. reader, senior lecturer

**dock** adv o. konj yet, still; emellertid however

**1 docka** s o. vb tr o. vb itr sjö. dock äv. om rymddraket

**2 docka** s leksak doll, barnspr. dolly; marionett puppet; skyltdocka dummy

**dockskåp** s doll's house

**dockvagn** s doll's pram

**doft** s scent, odour

**dofta** vb itr smell; *det* ~*r* (~*r av*) *rosor* there is a scent (smell) of roses

**dogmatisk** adj dogmatic

**doktor** s doctor (förk. Dr.)

**doktorsavhandling** s doctor's thesis (pl. theses)

**doktrin** s doctrine

**dokument** s document

**dokumentation** s documentation

**dokumentera I** vb tr document; bevisa give evidence of **II** vb rfl, ~ *sig som...* establish oneself as...

**dokumentskåp** s filing-cabinet

**dokumentärfilm** s documentary, documentary film

**dold** adj hidden, concealed; ~*a kameran* candid camera

**doldis** s vard. unperson, anonymous public figure

**dolk** s dagger

**dolkstöt** s stab, dagger-thrust

**dollar** s dollar, amer. vard. buck

**dollarsedel** s dollar note (amer. bill)

**1 dom** pron o. best art se *den*

**2 dom** s judgement; i brottmål sentence; jurys utslag verdict; *fällande* (*friande*) ~ verdict of guilty (not guilty); **~en över honom löd på...** he was sentenced to...

**domare** s **1** judge; vid högre rätt justice **2** sport., allmän idrott m.m. judge; tennis m.m. umpire; fotboll, boxn. referee

**domdera** vb itr go on, shout and swear, boss about

**domedag** s doomsday, judgement day

**domherre** s bullfinch

**dominans** s dominance

**dominera** vb tr o. vb itr dominate; spela herre domineer; vara mest framträdande predominate

**domino** s spel dominoes sg.

**domkraft** s jack

**domkyrka** s cathedral

**domna** vb itr, **~** el. **~ av** (**bort**) go numb; min fot **har ~t** ...has gone to sleep

**domprost** s dean

**domptör** s tamer

**domslut** s **1** judgement **2** sport. decision

**domstol** s lawcourt

**domän** s domain, province

**donation** s donation

**donator** s donor

**Donau** the Danube

**donera** vb tr donate, give

**dop** s baptism; barndop christening

**dopa** vb tr sport. dope

**doping** s drug-taking; sport. doping

**dopingprov** s, ett **~** a drug test

**dopklänning** s christening robe

**dopp** s, **ta sig ett ~** have a dip (plunge)

**doppa** vb tr dip; hastigt plunge

**dos** s dose; **en för stor ~** an overdose

**dosa** s box; av bleck tin

**dossier** s dossier

**dotter** s daughter

**dotterbolag** s subsidiary company, subsidiary

**dotterdotter** s granddaughter

**dotterson** s grandson

**dov** adj om smärta dull, aching

**doyen** s doyen

**dra I** vb tr o. vb itr **1** draw; kraftigare pull; hala haul; släpa drag; i schack etc. move; **~ ngn inför rätta** bring a p. up before court; **~...ur led** put...out of joint **2** locka attract; **ett stycke som ~r folk** a play that draws people **3** om te m.m. draw; **låta teet stå och ~** let the tea draw **4** tåga march; gå go, pass; **~ åt skogen** go to blazes; **gå och ~** sysslolöst lounge (hang) about; **det ~r** there is a draught **5** **bilen ~r mycket bensin** the car takes a lot of petrol **II** vb

rfl, **~ sig 1** flytta sig move; **klockan ~r sig** the clock is slow **2** **ligga och ~ sig** soffan be lounging... **3 ~ sig för ngt** (**för att**) be afraid of a th. (of ing-form); **inte ~ sig för ngt** (**för att**) not be afraid of a th. (of ing-form), not hesitate to

□ **~ av** a) klä av take (pull) off b) dra ifrån deduct; **~ av sig** take off; **~ bort** go away; **~ fram** draw (pull) out; bildl. bring up, produce; **~ fram stolen** till fönstret draw up the chair...; **~ för** gardin draw..., pull...across; **~ förbi** go past, pass by; **~ ifrån** a) gardin etc. draw (pull) aside; ta bort take away b) ta (räkna) ifrån deduct c) sport. draw away; **~ igen** dörr etc. shut, close; **~ igenom** läsa igenom go (run) through, start a th.; **~ igång** get...going; **~ ihop** trupper concentrate; **~ ihop sig** contract; sluta sig close; **det ~r ihop sig till regn** it looks like rain; **~ in** a) dra tillbaka, återkalla withdraw; på viss tid suspend; körkort take away (på kort tid suspend) b) inskränka cut down; **~ med sig** innebära mean, involve; **~ på sig** c) t.ex. strumpor put (pull) on d) t.ex. skulder incur; **~ till** t.ex. dörr pull (draw)...to; dra åt hårdare pull...tighter, tighten; **~ till bromsen** apply the brake; **~ till med a)** en svordom, lögn come out with... b) gissa på make a guess at; **~ till sig** attrahera attract; **~ till sig uppmärksamhet** attract attention; **~ tillbaka** withdraw; **~ sig tillbaka** retirera retreat; bildl. retire; **~ upp** draw (pull) up; klocka wind up; **~ sig ur spelet** (**leken**) quit the game, back out; **~ ut** a) t.ex. tand extract b) förlänga draw out, prolong; tänja ut stretch out; strejken **~r ut på tiden** ...is dragging on; **det ~r ut på tiden** it's taking a long time; blir sent it's getting rather late; **~ över tiden** run over the time

**drabba I** vb tr träffa hit, strike; beröra affect; **~s av...** råka ut för meet with...; **II** vb itr, **~ samman** (**ihop**) meet

**drabbning** s slag battle; stridshandling action; friare encounter

**drag** s **1** ryck pull, tug; med stråke, penna etc. stroke; i spel o. bildl. move; **i korta ~** in brief; **i stora ~** in broad outline **2** särdrag, ansiktsdrag feature **3** luftdrag draught, amer. draft; han tömde glaset **i ett ~** ...at a (one) draught (gulp)

**draga** se dra

**dragga** vb itr drag [**efter ngt** for a th.]

**dragig** adj draughty, amer. drafty

**dragkamp** s tug-of-war

**dräglig**

**dragkedja** s zip-fastener; vard. zipper
**dragkärra** s handcart, barrow
**dragning** s **1** lotteri- draw **2** attraktion attraction
**dragningskraft** s power of attraction, attraction
**dragningslista** s lottery prize list
**dragon** s krydda tarragon
**dragplåster** s bildl. drawing-card, draw
**dragspel** s accordion; concertina concertina
**drake** s dragon; leksak kite; *släppa upp en ~ fly* a kite
**drama** s drama; bildl. tragedy
**dramatik** s drama
**dramatisera** vb tr dramatize
**dramatisk** adj dramatic
**drapera** vb tr drape
**draperi** s piece of drapery, drapery
**dras** vb itr, ~ (få ~) *med* sjukdom, bekymmer be afflicted with
**drastisk** adj drastic
**dregla** vb itr dribble
**dressera** vb tr train
**dribbla** vb itr dribble
**dribbling** s dribbling; *en ~* dribble
**dricka** vb tr o. vb itr drink; ~ *te med citron* have (take) lemon in one's tea; *ska vi ~ något?* shall we have something to drink?
**dricks** s tip sg.; *hur mycket skall jag ge i ~?* what tip should I give?
**dricksglas** s glass, drinking-glass, tumbler
**drickspengar** s pl se **dricks**
**dricksvatten** s drinking-water
**drift** s **1** begär, böjelse urge, instinct **2** verksamhet operation, working; igånghållande running; skötsel management; *ta i ~* put into operation (service); *vara billig i ~* be economical, be cheap to run
**driftstörning** s operational disturbance, breakdown in production
**driftsäker** adj dependable, reliable
**1 drill** s mus. trill; om fågel warble
**2 drill** s mil. drill
**1 drilla** vb itr mus. trill; om fågel warble
**2 drilla** vb tr mil. drill
**drink** s drink
**driva I** s snowdrift **II** vb tr o. vb itr drive; om moln, båt drift; maskin operate; bedriva, idka carry on; affär, fabrik run; *gå och ~* ströva loaf about; flanera roam about; ~ *med ngn* skoja pull a p.'s leg; göra narr av make fun of a p.
□ ~ **igenom** bildl. force (carry) through; ~ *sin vilja igenom* have (get) one's own

way; ~ **omkring** drift about; ~ **på** press (urge, push) on; ~ **upp** pris etc. force up
**drivbänk** s hotbed, forcing-bed
**driven** adj skicklig clever, skilled
**drivhus** s hothouse
**drivhuseffekt** s greenhouse effect
**drivkraft** s motive force (power); bildl. driving force
**drivmedel** s fuel
**drog** s drug
**dromedar** s dromedary
**dropp** s droppande drip, dripping; med. drip
**droppa I** vb itr drip; *det ~r från kranen* the tap is dripping (leaking) **II** vb tr drop [*i* into]
**droppe** s drop; *det var ~n som kom bägaren att rinna över* it was the last straw
**dropptorka** vb itr drip-dry
**droska** s cab
**droskägare** s taxi (cab) owner
**drottning** s queen äv. bildl. o. schack.
**drucken** adj drunk; *en ~ man* a drunk, a drunken man
**drulle** s clumsy fool
**drummel** s lout; lymmel rascal
**drunkna** vb itr be (get) drowned; ~ *i...*bildl. be snowed under (swamped) with...; *han ~r!* he's drowning!
**drunkningsolycka** s fatal drowning accident
**druva** s grape
**druvklase** s bunch of grapes; på vinranka cluster of grapes
**druvsocker** s dextrose
**dryck** s drink; tillagad, t.ex. kaffe beverage
**dryckesvisa** s drinking-song
**dryfta** vb tr discuss, talk over
**dryg** adj **1** om person: högfärdig stuck-up **2** om sak: som räcker länge lasting; väl tilltagen ample; rågad heaped; mödosam hard, heavy; *en ~ timme* a good (full) hour
**drygt** adv, ~ *300* fully 300; ~ *hälften av...* a good half of...
**drypa** vb itr drip; ~ *av svett* drip with sweat
**dråp** s manslaughter, homicide
**dråplig** adj really funny; *vara ~* äv. be a real scream
**dråpslag** s deathblow; bildl. vanl. staggering blow
**dråsa** vb itr, ~ el. ~ **ned** come tumbling down; ~ *i vattnet (golvet)* tumble into the water (on to the floor)
**dräglig** adj tolerable

**dräkt** s **1** dress (end. sg.); national~ costume **2** jacka, kjol suit, costume
**drälla I** vb tr spill **II** vb itr **1** gå och ~ slå dank loaf about **2** det dräller av folk på gatorna the streets are teeming with people
**dränera** vb tr drain
**dränering** s drainage
**dräng** s farm hand; hantlangare henchman; sådan herre sådan ~ like master, like man
**dränka** vb tr drown äv. bildl.; översvämma flood; ~ in med olja steep…in oil
**dräpa** vb tr kill
**dräpande** adj slående telling; förintande crushing
**dröja** vb itr **1** be late [med att komma in coming]; söla dawdle; ~ med ngt delay (put off) a th.; svaret har dröjt länge the answer has been a long time coming **2** vänta wait; stanna stop, stay; var god och dröj! i telefon äv. hold on (hold the line), please!; dröj lite (ett tag)! hang on!, wait a moment!; dröj inte länge! don't be long!; det dröjer länge, innan… it will be a long time before…; det dröjde inte länge förrän (innan) han bad mig… it was not long before…
**dröjsmål** s delay
**dröm** s dream
**drömma** vb itr o. vb tr dream
**drömmande** adj dreamy
**drömmare** s dreamer
**drömtårta** s chocolate Swiss roll
**du** pers pron you; dig you
**dubb** s stud äv. bilddubb; knob
**1 dubba** vb tr film dub [till into]
**2 dubba** vb tr däck provide…with studs
**dubbdäck** s studded tyre
**dubbel I** adj double; dubbla antalet double (twice) the number; priserna har stigit till det dubbla prices have doubled **II** s tennis etc. doubles (pl. lika); match doubles match
**dubbelarbetande** adj, ~ kvinnor women who work outside the home
**dubbelarbete** s som görs två gånger duplication of work; två arbeten two jobs
**dubbelfönster** s double-glazed window
**dubbelgångare** s double; vard. look-alike
**dubbelhaka** s double chin
**dubbelknäppt** adj double-breasted
**dubbelliv** s double life
**dubbelmatch** s tennis etc. doubles match
**dubbelmoral** s double standard

**dubbelnamn** s double-barrelled name
**dubbelnatur** s dual (split) personality
**dubbelriktad** adj, ~ trafik two-way traffic
**dubbelrum** s double room
**dubbelslipad** adj om glasögon bifocal
**dubbelspel** s bedrägeri double-dealing, double-crossing; spela ~ play a double game
**dubbelsäng** s double bed
**dubbelt** adv i dubbelt mått doubly; två gånger twice; ~ så gammal som twice as old as; betala (se) ~ pay (see) double
**dubblera** vb tr double; ~ ett tåg run a relief train
**dubblett** s duplicate
**ducka** vb itr o. vb tr duck
**duell** s duel
**duett** s duet
**duga** vb itr do; vara lämplig be suitable (fit); vara god nog be good enough [till, åt, för i samtliga fall for]; det duger inte! that won't do!, that's no good!; visa vad man duger till show what one can do
**dugg** s **1** regn drizzle **2** dyft, inte ett ~ not a thing (bit); inte ett ~ blyg not a bit shy
**dugga** vb itr drizzle
**duggregn** s drizzle
**duglig** adj capable, competent
**duk** s cloth; segelduk, målarduk canvas; på vita ~en on the screen
**1 duka** vb tr o. vb itr, ~ el. ~ bordet lay the table; ett ~t bord a table ready laid; komma till ~t bord have everything laid on (made easy for one); ~ av el. ~ av bordet clear the table; ~ fram (upp) put…on the table
**2 duka** vb itr, ~ under succumb [för to]
**duktig** adj good; skicklig clever, capable [i at]; stor etc. big, large; ansenlig considerable
**dum** adj stupid, foolish; barnspr., 'elak' nasty [mot to]; inte så ~ ganska bra not bad
**dumbom** s fool, idiot; din ~! you fool (idiot)!
**dumburk** s vard., ~en the goggle (idiot) box; amer. the boob tube
**dumhet** s stupidity, foolishness; handling act of folly, blunder; ~er! nonsense!; prata ~er talk nonsense; vad är det här för ~er? what's all this nonsense?
**dumhuvud** s blockhead
**dumma** vb rfl, ~ sig make a fool of oneself; begå en dumhet make a blunder
**dumpa** vb tr priser, avfall dump
**dumskalle** s o. **dumsnut** s vard. blockhead, nitwit

**dun** s down

**dunder** s ljud rumble, thunder; *med ~ och brak* with a crash

**dundra** vb itr thunder; om åska rumble

**dunge** s group of trees; lund grove

**1 dunk** s behållare can

**2 dunk** s bankande thumping; om puls, maskin etc. throb, throbbing; slag, knuff thump

**dunka** vb itr o. vb tr thump äv. om hjärtat; om puls, maskin etc. throb; *~ på pianot* pound on the piano; *~ ngn i ryggen* slap (thump) a p. on the back

**dunkel** adj rätt mörk dusky; mörk, dyster gloomy; svårfattlig, oklar obscure; hemlighetsfull mysterious

**dunkudde** s down pillow

**duns** s thud

**dunsa** vb itr thud

**dunsta** vb itr, *~* el. *~ av* (*bort*) evaporate

**duntäcke** s down quilt, duvet

**dupera** vb tr take in

**duplicera** vb tr duplicate

**duplicering** s duplication

**dur** s mus. major; *gå i ~* be in the major key

**durk** s golv floor; ammunitionsdurk magazine

**durkslag** s colander

**dusch** s shower

**duscha I** vb itr have a shower **II** vb tr give...a shower

**dussin** s dozen (förk. doz.); 100 kr *~et* (*per ~*) ...a dozen

**dussinroman** s cheap novel, potboiler

**dussintals** adj dozens

**dussinvis** adv per dussin by the dozen

**dust** s kamp fight, tussle

**duva** s pigeon; mindre dove; bildl. o. polit. dove

**dvala** s, *ligga i ~* zool. hibernate

**dvs.** (förk. för *det vill säga*) that is to say, that is, i.e.

**dvärg** s dwarf; på cirkus etc. midget

**dy** s mud, sludge

**dyblöt** adj soaking wet

**dyft** s, *inte ett ~* not a bit (thing)

**dygd** s virtue

**dygdig** adj virtuous

**dygn** s day, day and night; *ett* (*två*) *~* twenty-four (forty-eight) hours; *arbeta ~et om* work day and night; *~et runt* round the clock, day and night

**dygnsparkering** s twenty-four hour parking

**dyka** vb itr dive; kortvarigt duck; *~ ned i* dive into; *~ upp* emerge [*ur* out of]

**dykare** s diver

**dykning** s diving; enstaka dive

**dylik** adj ...of that (the) sort, ...like that; *eller* (*och*) *~t* or (and) the like

**dyna** s cushion

**dynamisk** adj dynamic

**dynamit** s dynamite

**dynamo** s dynamo (pl. -s)

**dynasti** s dynasty

**dynga** s dung

**dyr** adj expensive; som kostar mer än det är värt, vanl. dear

**dyrbar** adj dyr costly; dear, expensive; värdefull valuable

**dyrgrip** s article of great value

**dyrk** s skeleton key

**1 dyrka** vb tr, *~ upp* lås pick

**2 dyrka** vb tr tillbedja worship; beundra äv. adore; avguda äv. idolize

**dyrkan** s worship, adoration

**dyrort** s dyr ort locality with a high cost of living

**dysenteri** s dysentery

**dyster** adj gloomy, dismal

**dysterhet** s gloom; gloominess

**då I** adv then, at that time, in those days; i så fall in that case; om så är if so; *~ och ~* now and then; *~ så!* då är det ju bra well, it's all right then!; *vad nu ~?* what's up now?; *det var ~ det!* times have changed since then!; *när* (*vem*) *~?* when (who)? **II** konj **1** om tid when; just som as, just as; medan while; *nu ~* now that; *~ jag var barn* when I was a child **2** eftersom as, seeing that; *~ ju* since

**dåd** s illdåd outrage; bragd deed, feat

**dåförtiden** adv at that time

**dålig** adj **1** bad, poor; sämre sorts inferior; svag, klen weak; *~ sikt* poor visibility; *~ smak* bad taste; *tala ~ svenska* speak poor Swedish; *~a tänder* bad teeth; *~a varor* inferior goods; *det var inte ~t det!* that's not bad!; *~ i engelska* poor at English; *det är ~t med potatis i år* there's a shortage of potatoes this year **2** krasslig unwell; inte riktigt kry out of sorts; illamående sick; *bli ~* be taken ill; *jag känner mig ~* I don't feel well, I feel rotten

**dåligt** adv badly, poorly; *affärerna går ~* business is bad

**dån** s roar, roaring; åskmuller roll, rolling

**dåna** vb itr dundra roar; om åska roll

**dåraktig** adj foolish, silly, idiotic

**dåre** s fool, idiot

**dårhus** s madhouse
**dårskap** s folly
**dåsa** vb itr doze, drowse; ~ **till** doze off
**dåsig** adj drowsy
**dåvarande** adj, ~ **ägaren** till huset the then owner...; **under** ~ **förhållanden** as things were then
**däck** s **1** på båt deck **2** på hjul tyre, amer. tire
**däggdjur** s mammal
**dämma** vb tr, ~ el. ~ **av** (**för, upp**) dam, dam up
**dämpa** vb tr moderate, subdue, check; ~ **en boll** fotb. trap a ball
**dämpad** adj subdued; ~ **musik** soft music
**dänga** vb tr, ~ **till ngn** punch (wallop) a p.
**där** adv there; ~ **bak** at the back; ~ **bakom mig** there behind me; ~ **i huset** in that house; **han** ~ that fellow; ~ **ser du!** there you are!; **det var** ~ **som...** that was where...; hon är så söt ~ **hon sitter** ...sitting there
**däran** adv, **vara illa** ~ be in a bad way (in a fix)
**därav** adv of that (it, those, them etc.); **på grund** ~ for that reason; ~ **följer att...** from that it follows that...; **men** ~ **blev ingenting** but nothing came of it
**därbak** adv at the back there
**därborta** adv over there
**därefter** adv efter detta after that; sedan then, afterwards; i enlighet därmed accordingly; **det blev också** ~ the result was as might be expected
**däremot** adv emellertid however; å andra sidan on the other hand; tvärtom on the contrary
**därframme** adv därborta over there
**därför** adv fördenskull so, therefore; av den orsaken for that (this) reason; ~ **att** because; **det är just** ~ **som...** that's just the reason why...
**därhemma** adv at home
**däri** adv in that; ~ **ligger svårigheten** that is where the difficulty comes in
**däribland** adv among them
**därifrån** adv from there; från denna etc. from that (it, them etc.); **långt** ~ far from it; **ut** ~ out of it; ut ur rummet etc. out of that room etc.; **gå** (**resa**) ~ leave there
**därigenom** adv på så sätt in that way; tack vare detta thanks to that; ~ genom att göra det **kunde han...** by doing so he could...
**därinne** adv in there
**därjämte** adv in addition, besides
**därmed** adv med detta with that; därigenom thereby; ~ **var saken avgjord** that settled the matter; **i samband** ~ in that connection
**därnere** adv down (below) there
**därom** adv about that; **norr** ~ north, to the north of it
**därpå** adv om tid after that, then; på denna (detta, dessa) on it (that, them)
**därtill** adv to it (that, them); **med hänsyn** ~ in view of that; **orsaken** ~ the reason for that; ~ **kommer att han...** moreover (besides), he...
**därunder** adv under it (that, them, there); **och** ~ mindre än detta and less (under, below)
**däruppe** adv up there
**därute** adv out there
**därutöver** adv ytterligare in addition; mer more; 100 kronor **och** ~ ...and upwards
**därvid** adv at that; i det sammanhanget in that connection
**därvidlag** adv i detta avseende in that respect
**dö** vb itr die; **jag är så hungrig så jag kan** ~ I'm dying of hunger; ~ **i** (**av**) **cancer** die of cancer; **en döende** a dying person; ~ **bort** die away (down); ~ **ut** die out
**död I** adj dead; **den** ~**e** the dead man; den avlidne the deceased; **de** ~**a** the dead **II** s death; **ta** ~ **på** kill; slå ihjäl put...to death; utrota exterminate; **ligga för** ~**en** be dying; **vara nära** ~**en** be at death's door; misshandla ngn **till** ~**s** ...to death
**döda** vb tr kill
**dödande** s o. adj killing
**dödfull** adj dead drunk
**dödfödd** adj stillborn
**dödlig** adj mortal; **en** ~ **dos** a lethal dose; **ett** ~**t gift** a deadly poison; **en** ~ **sjukdom** a fatal illness; **en vanlig** ~ an ordinary mortal
**dödlighet** s mortality; dödstal death rate
**dödläge** s deadlock, stalemate
**dödsannons** s i tidning obituary notice; **hans** ~ the announcement of his death
**dödsattest** s o. **dödsbevis** s death certificate
**dödsbo** s, ~**et** the estate of the deceased
**dödsbädd** s deathbed
**dödsdag** s, **hans** ~ the day (årsdagen anniversary) of his death
**dödsdom** s death sentence
**dödsdömd** adj ...sentenced (condemned) to death; **försöket är dödsdömt** the attempt is doomed to failure
**dödsfall** s death

**lödsfara** s, *han var i* ~ he was in danger of his life
**lödsfiende** s mortal enemy
**lödsfälla** s death trap
**lödshjälp** s euthanasia
**lödskalle** s death's-head, skull
**lödskamp** s death struggle
**lödsoffer** s vid olycka victim
**lödsolycka** s fatal accident
**lödsorsak** s cause of death
**lödspatrull** s death squad
**lödsruna** s obituary, obituary notice
**lödsstraff** s capital punishment
**lödsstöt** s deathblow
**lödssynd** s bildl. crime; *de sju ~erna* the Seven Deadly Sins
**lödstrött** adj dead tired
**lödstyst** adj dead silent
**lödstystnad** adj dead silence
**lölja** vb tr conceal, hide; maskera disguise [*för* i samtliga fall from]; *jag har inget att* ~ I have nothing to hide; *hålla sig dold* be hiding, be in hiding
**löma** vb tr o. vb itr **1** judge [*av, efter* by, from]; i brottmål sentence, condemn; *att* ~ *av...* judging from (by)...; *av allt att* ~ to all appearances; ~ *ngn till 500 kronors böter* fine a p. 500 kronor; ~ *ngn till döden* sentence a p. to death; *planen är dömd att misslyckas* the scheme is doomed to failure **2** sport. act as judge; tennis m.m. umpire; fotboll, boxn. referee
**löpa** vb tr baptize; ge namn christen; fartyg name
**lörr** s door; *stå för* ~*en* bildl. be at hand; *visa ngn på* ~*en* show a p. the door
**lörrhandtag** s door handle; runt doorknob
**lörrklocka** s doorbell
**lörrknackare** s hawker, pedlar; tiggare beggar
**lörrmatta** s doormat
**lörrnyckel** s doorkey
**lörrvakt** s doorkeeper, porter
**lörädd** adj o. **dödskraj** adj vard. ...scared stiff
**lösnack** s vard. drivel, crap
**lötrist** adj deadly boring
**löv** adj deaf
**lövstum** adj deaf and dumb; *en* ~ a deaf mute
**lövörat** s, *han slog* ~ *till* he just wouldn't listen [*för* to]

# E

**e** s mus. E
**eau-de-cologne** s eau-de-Cologne
**ebb** s ebb-tide, low tide; ~ *och flod* the tides pl.; *det är* ~ the tide is out
**ebba** vb itr, ~ *ut* bildl. ebb [away], peter out
**ebenholts** s ebony
**ecu** s myntenhet ecu (förk. för European Currency Unit)
**Ecuador** Ecuador
**ecuadorian** s Ecuadorian
**ecuadoriansk** adj Ecuadorian
**ed** s oath; *gå* ~ *på det* take an oath on it, swear to it
**eder** pron se er
**EES** (förk. för *Europeiska ekonomiska samarbetsområdet*) EEA (förk. för European Economic Area)
**effekt** s effect; tekn. el. fys. power
**effektfull** adj striking, effective
**effektförvaring** s left-luggage office, cloakroom
**effektiv** adj om sak effective; om person o. sak efficient
**effektivitet** s effectiveness; efficiency
**efter I** prep **1** after; bakom behind; i riktning mot at; *längs* ~ along; *närmast (näst)* ~ next to **2** för att få tag i for; *gå* ~ läkare etc. go and fetch...; *springa* ~ *flickor* run after girls **3** enligt according to, after; segla ~ *kompass* ...by the compass; ~ *vad han säger* according to him; ~ *vad jag vet* as far as I know **4** från from; *ögonen har han* ~ *sin far* he has got his father's eyes; *spåret* ~ *en räv* the track of (left by) a fox **5** om tid after; alltsedan since; inom in; ~ *hand* småningom gradually, bit by bit; ~ *en stund* in (after) a little while; ~ *att ha slutat skolan* after leaving school; ~ *det att han hade gått* after he went (he had gone); ~ *vad som hänt* after what has happened **II** adv **1** om tid after; *kort* ~ shortly after (afterwards) **2** bakom, kvar behind; jag gick före och *hon kom* ~ ...she came after (behind) me; *vara* ~ på efterkälken *med* be behind with
**efterapa** vb tr imitate, copy
**efterapning** s konkr. imitation; i bedrägligt syfte counterfeit
**efterbliven** adj i utvecklingen backward

**efterdyningar** *s pl* repercussions, consequences; *efterverkningar* after-effects

**efterforska** *vb tr* inquire into, investigate

**efterforskning** *s* undersökning investigation, inquiry

**efterfråga** *vb tr*, den är *~d* (*mycket ~d*) ...in demand (in great demand)

**efterfrågan** *s* förfrågan inquiry; hand. demand [*på* for]

**efterföljande** *adj* following; sedermera följande subsequent

**eftergift** *s* concession

**eftergiven** *adj* indulgent, yielding, compliant [*mot* to, towards]

**eftergymnasial** *adj* post-gymnasium, jfr *gymnasium*

**efterhand** *s, i ~* efter de andra last, after the others; efteråt afterwards

**efterhängsen** *adj* persistent

**efterklok** *adj* ...wise after the event

**efterkontroll** *s* t.ex. medicinsk check-up, follow-up

**efterkrav** *s* cash on delivery (förk. COD); *sända varor mot ~* send goods COD

**efterkrigstiden** *s* the post-war period

**efterkälke** *s, komma* (*hamna*) *på ~en* get behindhand; fall (get left) behind

**efterlevande I** *adj* surviving **II** *s, de ~* the survivors

**efterlikna** *vb tr* imitate

**efterlysa** *vb tr* sända ut signalement på issue a description of; något förkommet advertise the loss of; *vi efterlyser* mera konsekvens i we would like to see (have)...; *han är efterlyst* (*efterlyst av polisen*) he is wanted (wanted by the police)

**efterlysning** *s* som rubrik Wanted el. Wanted by the Police; i radio police message

**efterlämna** *vb tr* leave

**efterlängtad** *adj* much longed-for...

**eftermiddag** *s* afternoon; *kl. 3 ~en* (förk. *e.m.*) at 3 o'clock in the afternoon (förk. at 3 p.m.); *i ~s* this afternoon; *på ~en* in the afternoon

**eftermiddagskaffe** *s* afternoon coffee

**efternamn** *s* surname; *vad heter du i ~?* what is your surname?

**efterräkning** *s, ~ar* obehagliga påföljder unpleasant consequences

**efterrätt** *s* sweet, dessert, vard. afters; amer. dessert

**eftersatt** *adj* försummad neglected

**efterskott** *s, i ~* in arrears; efter leverans after delivery

**efterskrift** *s* postscript

**efterskänka** *vb tr, ~ ngns skuld* remit a p.'s debt

**eftersläntrare** *s* straggler; senkomling latecomer

**eftersläpning** *s* lag, falling behind

**eftersmak** *s* aftertaste; *en obehaglig ~* a bad taste (bad taste in the mouth)

**eftersom** *konj* då ju since; då as, seeing that; *allt ~* efter hand som as

**efterspana** *vb tr* search for; *han är ~d av polisen* he is wanted (wanted by the police)

**efterspaning** *s, ~* el. *~ar* search sg.

**eftersträva** *vb tr* söka åstadkomma aim (try to aim) at; söka skaffa sig try to obtain, strive after

**eftersända** *vb tr* vidarebefordra forward, send on; *eftersändes* på brev please forward

**eftersändning** *s* av brev forwarding

**eftersändningsadress** *s* forwarding address

**eftersökt** *adj, den är mycket ~* it is in great demand

**eftertanke** *s* reflection; övervägande consideration; *utan ~* without due reflection; *vid närmare ~* on second thoughts

**eftertrakta** *vb tr* covet

**eftertryck** *s, ge ~ åt* emphasize, stress; *med ~* emphatically

**eftertrycklig** *adj* emphatic, forcible

**efterträda** *vb tr* succeed

**efterträdare** *s* successor

**eftertänksam** *adj* thoughtful, pensive, meditative

**efterverkningar** *s pl* after-effects

**eftervård** *s* aftercare

**eftervärlden** *s* posterity; *gå till ~* go down to posterity

**efteråt** *adv* afterwards; senare later

**EG** (förk. för *Europeiska gemenskaperna*) EC (förk. för the European Communities)

**egen** *adj* own; *för ~ del* kan jag for my part (own part)...; *med* mina *egna ögon* with my own eyes; *har han egna barn?* has he any children of his own?; *med ~ ingång* with a private (separate) entrance

**egenart** *s* distinctive character, individuality

**egenartad** *adj* peculiar, singular

**egendom** *s* tillhörigheter property; *fast* (*lös*) *~* real (personal) property (estate)

**egendomlig** *adj* strange, peculiar, odd

**egendomlighet** *s* strangeness, peculiarity, oddity

**egenhet** s peculiarity
**egenhändig** adj ~t skriven ...in one's own hand (handwriting); ~ *namnteckning* signature
**egenkär** adj conceited
**egenkärlek** s conceit
**egenmäktig** adj, ~t förfarande taking the law into one's own hands
**egennamn** s proper noun (name)
**egennytta** s self-interest
**egensinnig** adj self-willed; envis obstinate
**egenskap** s quality; utmärkande characteristic; ställning, roll capacity; *järnets ~er* the properties of iron
**egentlig** adj real, actual, true; riktig, äkta proper; *i ~ mening* in a strict sense
**egentligen** adv really; strängt taget strictly speaking
**egenvård** s self care
**egenvärde** s intrinsic value
**egg** s edge, cutting edge
**egga** vb tr, ~ el. ~ *upp* incite; driva på egg...on; ~ *upp* en folkmassa stir up...
**eggande** adj stimulating; ~ *musik* exciting music
**egnahem** s private (owner-occupied) house
**egocentriker** s egocentric
**egocentrisk** adj egocentric
**egoism** s egoism, selfishness
**egoist** s egoist
**egoistisk** adj egoistic, selfish
**Egypten** Egypt
**egyptier** s Egyptian
**egyptisk** adj Egyptian
**egyptiska** s **1** kvinna Egyptian woman **2** fornspråk Egyptian
**ehuru** konj although; om också even if
**eiss** s mus. E sharp
**ej** adv not
**ejder** s eider, eider duck
**ejderdun** s eider, eiderdown
**ek** s oak; för sammansättningar jfr äv. *björk-*
**1 eka** s flat-bottomed rowing-boat
**2 eka** vb itr echo; *det ~r här* there is an echo here
**eker** s spoke
**EKG** se *elektrokardiogram*
**ekipage** s horse and carriage; häst med ryttare horse, horse and rider; bil med förare car, car and driver
**ekipera** vb tr equip, fit out
**ekipering** s utrustning equipment, outfit
**eko** s echo (pl. -es); *ge ~* echo; bildl. resound; *dagens ~* radio. Radio Newsreel

**ekollon** s acorn
**ekologi** s ecology
**ekonom** s economist
**ekonomi** s economy; som läroämne economics sg.; ekonomisk ställning, finanser finances pl.
**ekonomiförpackning** s paket, påse etc. economy-size packet (bag etc.)
**ekonomisk** adj economic, financial; sparsam, besparande economical
**ekorre** s squirrel
**e.Kr.** (förk. för *efter Kristus*) AD (förk. för Anno Domini latin)
**eksem** s eczema
**ekvation** s equation
**ekvator** s, ~n the equator
**elaffär** s electric outfitter's [shop], electricians pl.
**elak** adj speciellt om barn naughty; nasty [*mot* to]; ondskefull evil, wicked; illvillig spiteful, malicious
**elakartad** adj om sjukdom etc. malignant
**elaking** s nasty (spiteful) person; *din ~!* you naughty (nasty) boy (girl etc.)!
**elasticitet** s elasticity
**elastisk** adj elastic
**elavbrott** s power failure
**eld** s fire; *fatta* ~ catch fire; *ge* ~ fire; *sätta (tända)* ~ *på* set fire to, set...on fire; *leka med ~en* bildl. play with fire; *jag får inte* ~ *på veden* the wood won't light; *har du ~?* have you got a light?
**elda** I vb itr heat; tända en eld make a fire; ~ *med ved (olja)* use wood (oil) for heating II vb tr **1** ~ el. ~ *upp* a) värma upp t.ex. rum heat b) bränna upp burn up c) egga rouse, stir; ~ *upp sig* get excited **2** ~ *en brasa* tända light (ha have) a fire
**eldare** s på båt stoker, fireman
**eldfara** s danger (risk) of fire; *vid* ~ in case of fire
**eldfarlig** adj inflammable
**eldfast** adj fireproof
**eldgaffel** s poker
**eldig** adj ardent, passionate
**eldning** s heating; tändning av eld [the] lighting of fires
**eldningsolja** s fuel (heating) oil
**eldsläckare** s apparat fire-extinguisher
**eldstad** s fireplace
**eldsvåda** s fire; *vid* ~ in case of fire
**eldupphör** s cease-fire
**eldvapen** s firearm
**elefant** s elephant
**elefantbete** s elephant's tusk

**elegans** s elegance, smartness
**elegant** adj elegant, smart; **en ~ lösning** a neat solution
**elektricitet** s electricity
**elektrifiera** vb tr electrify
**elektriker** s electrician
**elektrisk** adj electric
**elektrod** s electrode
**elektrokardiogram** s (förk. *EKG*) electrocardiogram (förk. ECG)
**elektron** s electron
**elektronblixt** s electronic flash
**elektronik** s electronics sg.
**elektronisk** adj electronic
**element** s **1** element **2** värmelednings~ radiator; *elektriskt* ~ electric heater
**elementär** adj elementary
**elev** s pupil; vid högre läroanstalter student; i butik, lärling apprentice
**elevråd** s pupils' (resp. students') council
**elfenben** s ivory
**elfirma** s firm of electricians
**elfte** räkn eleventh (förk. 11th); **i ~ timmen** at the eleventh hour; jfr *femte*
**elftedel** s eleventh [part]
**elförbrukning** s consumption of electricity
**elgitarr** s electric guitar
**eliminera** vb tr eliminate
**elit** s élite; **~en av...** the pick of...
**elitserie** s, **~n** the premier (super) league; amer. the major league
**elitspelare** s top-class player
**eljest** adv otherwise; annars så or, or else; i motsatt fall if not
**elkraft** s electric power
**eller** konj or; **varken... ~** neither...nor; **hon röker inte, ~ hur?** she doesn't smoke, does she?; **han röker, ~ hur?** he smokes, doesn't he?; **den är bra, ~ hur?** it's good, isn't it (don't you think)?
**ellips** s **1** geom. ellipse **2** språkv. ellipsis (pl. ellipses)
**elliptisk** adj geom. el. språkv. elliptical
**elmontör** s electrician
**elmätare** s electricity meter
**elpanna** s electric boiler
**elreparatör** s electrician
**elräkning** s electricity bill
**elspis** s electric cooker
**elva I** räkn eleven; jfr *fem* o. sammansättningar **II** s eleven äv. sport.; jfr *femma*
**elvamannalag** s eleven-a-side team
**elverk** s electricity board; för produktion power station
**elvisp** s electric mixer

**elvärme** s electric heating
**elände** s misery; otur, besvär nuisance; **till råga på ~t (allt ~)** to make matters worse
**eländig** adj wretched, miserable; vard., dålig rotten, lousy
**e.m.** (förk. för *eftermiddag*) p.m.
**emalj** s enamel
**emballage** s packing; omslag wrapping
**embargo** s embargo (pl. -es)
**embarkera** vb itr embark
**embryo** s embryo (pl. -s)
**emedan** konj because; eftersom as, since
**emellan** prep o. adv between
**emellanåt** adv occasionally, sometimes
**emellertid** adv however
**emfatisk** adj emphatic
**emigrant** s emigrant
**emigration** s emigration
**emigrera** vb itr emigrate
**emot I** prep against; riktning towards; **mitt ~** opposite **II** adv, **mitt ~** opposite; **inte mig ~** I don't mind
**emotionell** adj emotional
**emotse** se *motse*
**1 en** s bot. juniper
**2 en** adv omkring some, about
**3 en (ett) I** räkn one; **~ och ~ halv timme** an (one) hour and a half; **~ till** another, one more; jfr *fem* o. sammansättningar, *två-* o. *tre-* **II** obest art a; framför vokalljud an; **~ sax** a pair of scissors **III** pron one; **min ~a syster** one of my sisters; **den ~a...den andra** one...the other; **från det ~a till det andra** from one thing to another; **den ~a dagen efter den andra** one day after the other; vi talade om **ett och annat** ...one thing and another; **~ eller annan bok** some book or other; **på ett eller annat sätt** somehow, somehow or other; **vad är du för ~?** who are you?, what sort of person are you?
**ena I** vb tr unite; göra till enhet unify **II** vb rfl, **~ sig** agree [om on, about]
**enaktare** s one-act play
**enarmad** adj, **~ bandit** vard. spelautomat one-armed bandit
**enas** vb itr dep agree; förenas become united
**enastående** adj unique
**enbart** adv uteslutande solely
**enbär** s juniper berry
**encyklopedi** s encyclopedia
**enda (ende)** pron only; **hon är ~ barnet** she is an only child; **den ~** the only (one)

thing; *med ett ~ slag* at a single blow;
*inte en ~ gång* not once; *inte en ~
människa* not a single person; *hans ~
talang* his one talent
**endast** *adv* only
**endera** *(ettdera) pron* av två one (one or
other) of the two; du måste göra *~ delen*
...one thing or the other; *~ dagen* one of
these days
**endiv** *s* chicory, amer. endive
**energi** *s* energy
**energibesparande** *adj* energy-saving
**energiförbrukning** *s* energy consumption
**energikrävande** *adj* ... that requires a great
deal of energy; tekn. energy-intensive
**energikälla** *s* energy source
**energisk** *adj* energetic
**energislukande** *adj* se *energikrävande*
**energisnål** *adj* energy-saving, economical
**enfaldig** *adj* silly, foolish
**enformig** *adj* monotonous; trist drab
**engagemang** *s* **1** anställning engagement
**2** intresse commitment
**engagera** *vb tr* **1** anställa engage **2** *~ sig i*
become involved in; delta i engage in, take
an active part in
**engagerad** *adj* invecklad involved [*i* in];
känslomässigt committed, dedicated [*i* i båda
fallen to]
**engelsk** *adj* English; brittisk ofta British;
*Engelska kanalen* the Channel el. the
English Channel; *~ mil* mile; *~a pund*
pounds sterling
**engelska** *s* **1** kvinna Englishwoman (pl.
Englishwomen) **2** språk English; jfr *svenska 2*
**engelskfientlig** *adj* anti-English,
Anglophobe
**engelskfödd** *adj* English-born; för andra
sammansättningar jfr äv. *svensk-*
**engelsk-svensk** *adj* English-Swedish,
Anglo-Swedish
**engelsman** *s* Englishman (pl. Englishmen);
*engelsmännen* som nation, lag etc. the
English
**England** England; Storbritannien ofta Britain,
Great Britain
**engångsbelopp** *s* single payment, lump
sum
**engångsföreteelse** *s* isolated case
(phenomenon)
**engångsförpackning** *s* disposable
(throwaway) package
**engångsglas** *s* non-returnable bottle
**enhet** *s* **1** odelat helt, samhörighet unity **2** mat.,
sjö. unit

**enhetlig** *adj* uniform
**enhetlighet** *s* uniformity
**enhetstaxa** *s* standard rate
**enhällig** *adj* unanimous
**enig** *adj* unanimous; enad united; *bli*
*(vara) ~* agree [*om* about, on]
**enighet** *s* unity; samförstånd agreement
**enkel** *adj* **1** simple; lätt äv. easy; *bara en*
*vanlig ~ människa* just an ordinary
person **2** inte dubbel single; *en ~ biljett* a
single (amer. one-way) ticket
**enkelhet** *s* simplicity
**enkelknäppt** *adj* single-breasted
**enkelriktad** *adj*, *~ trafik* one-way traffic
**enkelrum** *s* single room
**enkelt** *adv* simply; *helt ~* simply
**enkrona** *s* one-krona piece
**enkät** *s* inquiry, poll; frågeformulär
questionnaire
**enlighet** *s*, *i ~ med* in accordance with
**enligt** *prep* according; *~ lag* by law
**enmansshow** *s* o. **enmansteater** *s* one-man
show äv. friare
**enorm** *adj* enormous, immense
**enplansvilla** *s* one-storeyed house (villa),
bungalow
**enrum** *s*, *tala i ~* speak privately (in
private)
**ens** *adv*, *inte ~* not even; *med ~* all at
once
**ensak** *s*, *det är min ~* that's my business
**ensam** *adj* alone; enstaka solitary;
ensamstående single; enda sole; övergiven
lonely
**ensamhet** *s* solitude; övergivenhet loneliness
**ensamstående** *adj* single
**ensamvarg** *s* lone wolf
**ense** *adj*, *bli (vara) ~* agree
**ensemble** *s* mus. ensemble; teat. cast
**ensidig** *adj* one-sided; *en ~ kost* an
unbalanced diet
**enskild** *adj* privat private; personlig personal;
särskild individual; *den ~e* the individual
**enslig** *adj* solitary, lonely
**enstaka** *adj* enskild separate; sporadisk
occasional; ensam solitary; *någon ~ gång*
once in a while
**enstämmig** *adj* unanimous
**entlediga** *vb tr* dismiss
**entledigande** *s* dismissal
**entonig** *adj* monotonous
**entré** *s* **1** ingång entrance; förrum entrance
hall **2** inträde admission; avgift entrance fee
**3** *göra sin ~* make one's entry
(appearance)

**entréavgift** s entrance fee
**entrecote** s kok. entrecôte
**entreprenör** s contractor; entrepreneur
**enträgen** adj urgent; ihärdig insistent
**enträget** adv urgently, insistently
**entusiasm** s enthusiasm
**entusiasmera** vb tr fill...with enthusiasm
**entusiast** s enthusiast
**entusiastisk** adj enthusiastic [över about];
~ för keen on
**entydig** adj unambiguous, unequivocal
**envar** pron var man everybody; alla och ~
each and everyone
**enveten** adj obstinate, stubborn
**envis** adj obstinate, stubborn; ~ som
synden stubborn as a mule
**envisas** vb itr dep be obstinate, persist
[med att inf. in ing-form]
**envishet** s obstinacy, stubbornness
**enväldshärskare** s autocrat; diktator
dictator
**enväldig** adj autocratic
**epidemi** s epidemic
**epidemisjukhus** s isolation hospital
**epidemisk** adj epidemic
**epilepsi** s epilepsy
**epileptiker** s epileptic
**episod** s episode; intermezzo incident
**epok** s epoch
**epokgörande** adj epoch-making
**er** pron 1 personligt, se ni 2 possessivt your;
självständigt yours; Ers Majestät Your
Majesty; för ex. jfr äv. 1 min
**erbjuda** I vb tr offer; ~ ngn att inf. offer a
p. a chance to inf.; medföra present II vb rfl,
~ sig med inf. offer; yppa sig present itself,
arise
**erbjudande** s offer; få ~ att inf. be offered a
chance to inf.
**erektion** s erection
**erfara** vb tr få veta learn; röna experience
**erfaren** adj experienced, practised; en
gammal ~... a veteran
**erfarenhet** s experience; jag har gjort den
~en att... I have found by experience
that...
**erforderlig** adj requisite, necessary
**erfordra** vb tr require
**erfordras** vb itr dep be required
**erhålla** vb tr receive; skaffa sig obtain
**erhållande** s mottagande receipt
**erinra** vb tr remind; ~ sig remember, recall
**erinran** s påminnelse reminder [om of]
**erkänna** vb tr acknowledge, confess; medge
admit; ~ ett brott confess to a crime; ~

ett misstag acknowledge a mistake; ~
mottagandet av acknowledge the receipt
of
**erkännande** s acknowledgement,
confession; medgivande admission
**erlägga** vb tr pay; ~ betalning make
payment
**erläggande** s, mot ~ av on payment of
**erotik** s sex
**erotisk** adj sexual, erotic
**ersätta** vb tr 1 ~ ngn compensate a p. [för
for]; ~ ngn för hans arbete remunerate a
p. for his work; ~ skadan repair the
damage 2 vara i stället för, byta ut replace
[med by]
**ersättande** s utbytande replacement [med
by]
**ersättare** s substitute
**ersättning** s 1 gottgörelse compensation; för
arbete remuneration; skadestånd damages pl.;
ge ngn ~ för ngt compensate a p. for a
th. 2 utbyte replacement
**ertappa** vb tr catch; ~ ngn med att inf.
catch a p. ing-form
**erövra** vb tr conquer; inta capture; vinna win
**erövrare** s conqueror
**erövring** s conquest; intagande capture
**eskimå** s Eskimo (pl. vanl. -s)
**eskort** s escort
**eskortera** vb tr escort
**espresso** s kaffe espresso coffee, kopp ~
espresso (pl. äv. -s)
**1 ess** s kortsp. ace
**2 ess** s mus. E flat
**esse** s, vara i sitt ~ be in one's element
**essens** s essence
**essä** s essay
**est** s Estonian
**estet** s aesthete
**estetisk** adj aesthetic
**Estland** Estonia
**estländare** s Estonian
**estländsk** adj o. estnisk adj Estonian
**estniska** s 1 kvinna Estonian woman 2 språk
Estonian
**estrad** s platform; musik- bandstand
**etablera** I vb tr inrätta, grunda establish II vb
rfl, ~ sig slå sig ned settle down; ~ sig som
affärsman set up in business
**etablissemang** s establishment
**etanol** s kem. ethanol, ethyl alcohol
**etapp** s stage; sport. lap
**etc.** (förk. för etcetera) etc.
**etikett** s 1 umgängesformer etiquette 2 lapp
label

**Etiopien** Ethiopia
**etiopier** s Ethiopian
**etiopisk** adj Ethiopian
**etisk** adj ethical
**etnisk** adj ethnic
**etsa** vb tr etch; *det har ~t sig fast i mitt minne* it has engraved itself on my memory
**etsning** s etching
**ett** se *3 en*
**etta** s **1** one; ~n el. ~ns *växel* first gear; *komma in som* ~ sport. come in first; jfr *femma 2* vard. one-room flat (apartment)
**ettdera** se *endera*
**etthundra** se *hundra, femhundra* o. sammansättningar
**ettrig** adj hetsig fiery; hetlevrad hot-tempered
**ettårig** adj one-year-old...; växt annual
**ettåring** s om barn one-year-old child; för andra sammansättningar jfr äv. *fem-*
**etui** s case
**etymologi** s etymology
**eukalyptus** s eucalyptus
**Europa** Europe
**europamästare** s European champion
**Europaväg** s European highway
**europé** s European
**europeisk** adj European; ~*a unionen* the European Union
**Eurovision** s TV. Eurovision
**evakuera** vb tr evacuate
**evakuering** s evacuation
**evangelisk** adj evangelical
**evangelium** s gospel
**evenemang** s great event (occasion)
**eventualitet** s eventuality; möjlighet possibility; *för alla ~er* in order to provide against emergencies
**eventuell** adj possible; ~*a fel* any faults that may occur; *våra ~a förluster* our possible losses; our losses, if any; ~*a kostnader* any costs that may arise
**eventuellt** adv possibly; *jag kan* ~ *hjälpa dig* I may be able to help you; *om han* ~ *skulle komma* if he should come
**evig** adj eternal, everlasting; *den ~a staden* Rom the Eternal City; *det var en* ~ *tid sedan...* it is ages since...
**evighet** s eternity; *det är en* ~ *(~er) sedan...* it is ages since...
**evigt** adv eternally, everlastingly; *för* ~ for ever
**evolution** s evolution
**exakt** adj exact
**exalterad** adj uppjagad over-excited

**examen** s **1** själva prövningen examination, exam; *ta (kuggas i)* ~ pass (fail) an examination **2** utbildningsbetyg degree; lärar- etc. certificate
**examinator** s examiner
**examinera** vb tr förhöra examine
**excellens** s, *Ers* ~ Your Excellency
**excentrisk** adj eccentric
**exceptionell** adj exceptional
**exekution** s execution
**exekutionspluton** s firing-squad
**exempel** s example, instance [*på* of]; *till* ~ (förk. *t.ex.*) for example (instance)
**exempelvis** adv for (by way of) example
**exemplar** s av bok etc. copy; av en art specimen
**exemplarisk** adj exemplary
**exemplifiera** vb tr exemplify
**exil** s exile
**existens** s tillvaro existence; utkomst livelihood
**existera** vb itr exist
**exklusiv** adj exclusive
**exklusive** prep excluding, exclusive of
**exkrementer** s pl excrement sg.
**exotisk** adj exotic
**expandera** vb itr expand
**expansion** s expansion
**expediera** vb tr **1** sända send, send off, dispatch; beställning carry out; telefonsamtal put through **2** betjäna serve, attend to
**expediering** s **1** sändning sending, sending off, dispatch; av beställning carrying out; av telefonsamtal putting through **2** ~ *av kunder* serving customers
**expedit** s shop assistant, amer. clerk, salesclerk
**expedition** s **1** lokal office **2** resa, trupp etc. expedition
**experiment** s experiment
**experimentell** adj experimental
**experimentera** vb itr experiment
**expert** s expert [*på* on, in]
**exploatera** vb tr exploit
**exploatering** s exploitation
**explodera** vb itr explode, blow up; om något uppumpat burst
**explosion** s explosion
**explosiv** adj explosive
**expo** s exhibition; vard. expo (pl. -s)
**exponera** vb tr expose äv. foto.
**exponering** s exposure äv. foto.
**exponeringsmätare** s exposure meter
**exponeringstid** s time of exposure, exposure time

**export** *s* utförsel export; varor exports pl.
**exportera** *vb tr* export
**exportvara** *s* export commodity
**exportör** *s* exporter
**express** *adv* express
**expressbrev** *s* express (special delivery) letter
**expressbyrå** *s* removal firm, transport agency, amer. express company; i annonser ofta removals
**expresståg** *s* express, express train
**expropriation** *s* compulsory acquisition, expropriation
**expropriera** *vb tr* compulsorily acquire, expropriate
**extas** *s* ecstasy; *råka i ~* go into ecstasies
**extatisk** *adj* ecstatic
**extensiv** *adj* extensive
**exteriör** *s* exterior
**extern** *adj* external
**extra I** *adj* tilläggs- extra, additional; ovanlig special **II** *adv* extra; ovanligt exceptionally
**extrahera** *vb tr* extract [*ur* from]
**extraknäck** *s* vard., bisyssla job on the side; extraknäckande moonlighting
**extraknäcka** *vb itr* earn money (do a job) on the side, moonlight
**extrakt** *s* extract [*ur* from]
**extrapris** *s*, *det är ~ på...* ...is (are) on special offer (amer. äv. on special)
**extratåg** *s* special (dubblerat relief) train
**extravagans** *s* extravagance
**extravagant** *adj* extravagant
**extrem** *adj* extreme
**extremism** *s* extremism
**extremist** *s* extremist
**extremitet** *s* extremity

# F

**f** *s* mus. F
**fabel** *s* fable
**fabricera** *vb tr* manufacture; hitta på, t.ex. historia make up, fabricate
**fabrik** *s* factory; bruk, verk works (pl. lika); textil~ mill
**fabrikant** *s* tillverkare manufacturer
**fabrikat** *s* **1** vara manufacture, product **2** tillverkning make
**fabrikationsfel** *s* manufacturing defect
**fabriksarbetare** *s* factory hand (worker)
**fabriksny** *adj* ...fresh from the factory
**fabrikstillverkad** *adj* factory-made
**fabriksvara** *s* factory-made article; *fabriksvaror* manufactured goods
**facit** *s* svar key; slutresultat final result
**fack** *s* **1** i hylla etc. compartment, pigeon-hole **2** gren inom industri branch, trade; fackförening trade union
**fackeltåg** *s* torchlight procession
**fackförbund** *s* av fackföreningar vanl. national trade (amer. labor) union
**fackförening** *s* trade union
**fackföreningsrörelse** *s* trade-union movement
**fackidiot** *s* narrow specialist
**fackla** *s* torch
**facklig** *adj*, *~a frågor* trade-union matters
**fackligt** *adv*, *han är ~ organiserad* he belongs to a trade union
**facklitteratur** *s* specialist (technical) literature; motsats skönlitteratur non-fiction
**fackman** *s* professional; sakkunnig expert
**fackspråk** *s* technical language (jargon)
**fackterm** *s* technical term
**fadd** *adj* flat, stale
**fadder** *s* godfather, godmother; friare sponsor
**fader** *s* father; jfr *far*
**faderlig** *adj* fatherly, paternal
**fadersfixerad** *adj*, *vara ~* have a father fixation
**faderskap** *s* fatherhood; jur. paternity
**fadervår** *s* bönen the Lord's Prayer (katolsk Our Father)
**fadäs** *s*, *göra en ~* commit a faux pas, put one's foot in it
**fager** *adj* fair
**faggorna** *s pl*, *vara i ~* be coming (approaching)

**fagott** s bassoon
**fajta** vb itr o. **fajtas** vb itr dep fight
**faktisk** adj actual, real
**faktiskt** adv as a matter of fact, really
**faktor** s factor
**faktum** s fact
**faktura** s invoice
**fakturera** vb tr invoice
**fakultet** s faculty
**falang** s polit. wing
**falk** s falcon, hawk
**fall** s **1** fall **2** förhållande, rättsfall case; *i alla ~* a) i alla händelser in any case, anyhow b) trots det nevertheless, all the same; *i annat ~* otherwise; *i bästa ~* at best; *i så ~* in that case, if so; *i värsta ~* if the worst comes to the worst
**falla I** vb itr fall; *låta förslaget ~* drop the proposal; *dom (utslag) faller idag* judgement will be pronounced (a decision will be reached) today; *det faller av sig självt* it goes without saying; *fallande tendens* downward tendency **II** vb rfl, *det faller sig naturligt [för mig] att...* it comes natural [to me] to...
□ *~ av* fall off; *~ bort* drop (fall) off; *~ igenom* om t.ex. lagförslag be defeated; *~ ihop* fall in (down); bryta samman break down, collapse; *~ in: det föll mig in* it occurred to (struck) me; *det skulle aldrig ~ mig in!* I wouldn't dream of it!; *~ ned* fall (drop) down; *~ omkull* fall over (down); *~ undan* yield, give away [*för* to]
**fallenhet** s begåvning aptitude [*för* for]
**fallfrukt** s koll. windfalls pl.
**fallfärdig** adj ramshackle, tumbledown
**fallgrop** s pitfall
**fallrep** s, *han är på ~et* he's going downhill; ekonomiskt he's on the brink of ruin
**fallskärm** s parachute; *hoppa med (ut i) ~* make a parachute jump
**fallskärmsavtal** s golden parachute
**fallskärmshoppare** s parachute jumper
**fallucka** s trapdoor
**falsett** s mus. falsetto
**falsk** adj false; om check, sedel etc. forged; *~a förhoppningar* vain hopes; *~t pass* forged passport
**falskdeklarant** s tax evader
**falskdeklaration** s falskdeklarerande tax evasion; falsk självdeklaration fraudulent income-tax return
**falskt** adv falsely; mus. out of tune; *spela ~* kortsp. cheat

**falukorv** s lightly smoked boiled sausage
**familj** s family; *~en Brown* the Brown family, the Browns pl.; *bilda ~* marry and settle down
**familjebidrag** s family allowance
**familjedaghem** s registered childminding home, family day nursery
**familjefar** s father (head) of a family
**familjeföretag** s family business
**familjeförhållanden** s pl family circumstances
**familjeförsörjare** s breadwinner
**familjehotell** s kollektivhus block of service flats
**familjekrets** s family circle
**familjemedlem** s member of a family
**familjeplanering** s family planning
**familjerådgivare** s family guidance counsellor
**familjerådgivning** s family guidance (counselling)
**familjär** adj familiar [*mot* with]
**famla** vb itr grope [*efter* for, after]
**famn** s **1** armar arms pl.; fång armful; *stora ~en* a big hug; *ta i ~* embrace, hug **2** mått fathom
**famntag** s embrace, hug
**1 fan** s den Onde the Devil; *fy ~!* hell!; *springa som (av bara) ~* run like hell; *det var som ~!* well, I'll be damned!; *vad (var, vem) ~...?* what (where, who) the devil...?; *det ger jag ~ i* I don't care a damn about that; *tacka ~ för det!* I should bloody (svag. damn) well think so!
**2 fan** s entusiast fan
**fana** s flag, banner
**fanatiker** s fanatic
**fanatisk** adj fanatical
**fanatism** s fanaticism
**fanfar** s fanfare, flourish
**fanskap** s vard., *hela ~et* the whole damned lot
**fantasi** s inbillningsförmåga imagination; inbillning, infall fancy; *rena ~er* påhitt pure inventions
**fantasifoster** s figment of the imagination
**fantasifull** adj imaginative
**fantasilös** adj unimaginative
**fantasipris** s fancy price
**fantasivärld** s world of make-believe (of the imagination)
**fantastisk** adj fantastic
**fantisera** vb itr fantasize [*om* about], dream [*om* of]; *~ ihop* invent
**fantom** s phantom

**far** s father; vard. dad, pa; barnspr. daddy, amer. papa; **~s dag** Father's Day; **han är ~ till A.** he is the father of A.

**1 fara** s danger; risk risk; **det är ~ för krig** there is a danger of war; **det är ingen ~ för det!** there is no fear (danger) of that!; **det är ingen ~ med honom** he's all right, don't worry about him; **vara utom ~** be out of danger; **vid ~** in case of danger; **signalen 'faran över'** the all-clear signal

**2 fara** vb itr go [till to]; avresa leave, set out [till for]; resa, färdas travel; **han lät blicken ~ över...** he ran his eye over...; **han far illa av att** inf. it is bad for him to inf.

□ **~ fram** husera carry (go) on; härja ravage; **~ hårt fram med ngn** give a p. a rough time of it; **~ ifrån** t.ex. sin väska leave...behind; **~ in i** enter, go into; **~ i väg** go off, set out; rusa go (rush) off; **~ omkring (hit och dit)** resa go (travel, köra drive) about; **~ upp** a) rusa upp jump up (to one's feet) b) öppna sig fly open; **~ upp ur sängen** jump out of bed; **~ ut mot ngn** let fly at a p.

**farbror** s uncle, paternal uncle; friare [nice old] gentleman; **~ Johansson** Mr. Johansson; **kan ~ säga...?** can you please tell me...?

**farfar** s grandfather, paternal grandfather; vard. grandpa, granddad; **~s far (mor)** great-grandfather (great-grandmother)

**farföräldrar** s pl, **mina ~** my grandparents [on my father's side]

**farhåga** s fear, apprehension [för about]

**farinsocker** s brown sugar

**farkost** s boat, craft (pl. craft)

**farled** s [navigable] channel, fairway

**farlig** adj dangerous [för for]; riskfylld risky; **den ~a åldern** the critical years; **det är inte så ~t** it is not so bad; det gör ingenting it doesn't matter

**farlighet** s danger

**farm** s farm

**farmaceut** s pharmacist

**farmakolog** s pharmacologist

**farmakologi** s pharmacology

**farmare** s farmer

**farmor** s grandmother, paternal grandmother; vard. grandma, granny; **~s far (mor)** great-grandfather (great-grandmother)

**farozon** s danger zone

**fars** s farce

**farsa** s vard. dad, old man, amer. poppa

**farsartad** adj farcical

**farsot** s epidemic; bildl. äv. plague

**farstu** s entrance hall, vestibule; trappavsats landing

**fart** s speed; takt, tempo pace; **få ~** gather speed; **minska ~en** slow down, reduce speed; **sätta ~** skynda på hurry up; vard. step on it; **av bara ~en** automatically; i hastigheten unintentionally; **i full ~** at full speed; **med en ~ av** 100 km at the rate (speed) of...; hon är jämt **i ~en** ...on the go; tjuvar har varit **i ~en** ...at work; **det är ingen ~ i honom** he's without any go; **sätta ~ i (på) ngn** put some pep into a p.; skynda på make a p. hurry up

**fartbegränsning** s speed limit

**fartblind** adj, **vara ~** fail to adjust to a slower speed

**fartdåre** s vard. speeder, speed merchant

**fartgupp** s o. **farthinder** s speed hump, sleeping policeman

**farthållare** s sport. pacemaker; **automatisk ~** bil. cruise control

**fartkontroll** s trafik. speed check

**fartsyndare** s speeder

**fartyg** s vessel, ship

**farvatten** s område waters pl.

**farväl** interj o. s farewell

**fas** s skede phase

**fasa I** s horror; skräck terror; **krigets fasor** the horrors of war **II** vb itr frukta shudder [för at]; **~ för att** inf. dread ing-form

**fasad** s front, facade

**fasadbelysa** vb tr floodlight

**fasadbelysning** s floodlighting; strålkastare floodlights pl.

**fasan** s pheasant

**fasanhöna** s hen pheasant

**fasansfull** adj förfärlig horrible, terrible

**fasantupp** s cock pheasant

**fascinera** vb tr fascinate

**fascism** s, **~** el. **~en** Fascism

**fascist** s Fascist

**fascistisk** adj Fascist

**fasett** s facet

**fashionabel** adj fashionable

**faslig** adj dreadful; **ett ~t besvär** an awful bother

**fason** s form shape, form; **förlora ~en** om sak lose its shape; **få ~ på ngn** lick a p. into shape; **sätta (få) ~ på ngt** put a th. into shape; **vad är det för ~er?** what do you mean by behaving like that?

**1 fast I** adj **1** firm; fastsatt fixed; ej flyttbar stationary; motsats flytande solid; stadigvarande fixed, permanent; **~**

*anställning* permanent appointment (job); ~ *egendom* real property (estate); *ta ~ form* assume a definite shape; *med ~ hand* with a firm hand; *på ~a land* on dry land; ~ *lön* fixed salary; *ha ~ mark under fötterna* äv. bildl. be on firm ground; ~ *pris* fixed price; ~ *situation* sport. dead-ball situation, set piece **2** *bli ~* fasttagen get caught; *ta (få)* ~ get (catch) hold of **II** *adv* firmly; *vara ~ anställd* be permanently employed; ~ *besluten* firmly resolved, determined

**2 fast** *konj* though, although

**1 fasta** *s, ta ~ på* ngns ord make a mental note of; komma ihåg bear...in mind; ta som utgångspunkt take as one's starting point

**2 fasta I** *s* **1** fastande fasting; *tre dagars ~* a fast of three days **2** *~n* fastlagen Lent **II** *vb itr* fast; *på ~nde mage* on an empty stomach

**faster** *s* aunt, paternal aunt

**fastighet** *s* house (jordagods landed) property; fast egendom real estate

**fastighetsmäklare** *s* estate (house) agent

**fastighetsskatt** *s* tax on real estate

**fastighetsskötare** *s* caretaker

**fastighetsägare** *s* house-owner

**fastlagen** *s* Lent

**fastlagsbulle** se *semla*

**fastlagsris** *s* twigs pl. with coloured feathers [used as a decoration during Lent]

**fastland** *s* mainland; världsdel continent

**fastlåst** *adj* som kört fast deadlocked

**fastna** *vb itr* get caught, catch; klibba stick, get stuck; komma i kläm jam, get wedged; *jag ~de* bestämde mig *för...* I decided on...; ~ *i minnet* stick in the (one's) memory; *han ~de med rocken på en spik* his coat caught on a nail; *min blick ~de på...* my eye was caught by...

**fastslå** *vb tr* konstatera establish [*att* the fact that]; bestämma settle, fix

**fastställa** *vb tr* bestämma appoint, fix; konstatera establish

**fastställande** *s* bestämmande appointment, fixing; konstaterande establishment

**fastvuxen** *adj* firmly (fast) rooted [*vid* to]

**fastän** *konj* though, although

**fat** *s* för mat dish; tefat saucer; tunna barrel; mindre cask; kar vat; *öl från* ~ draught beer

**fatal** *adj* ödesdiger fatal, disastrous

**fatalist** *s* fatalist

**1 fatt** *adj, hur är det ~?* what's the matter?; vard. what's up?

**2 fatt** *adv, få ~ i (på)* get hold of; *ta ~ i* catch hold of

**fatta I** *vb tr* o. *vb itr* **1** gripa catch, grasp; hugga tag i seize, take hold of **2** hysa m.m. conceive, form; ~ *ett beslut* come to a decision; vid möte pass a resolution; ~ *misstankar mot ngn* conceive a suspicion of a p.; ~ *mod* take courage; ~ *tycke för* take a fancy to **3** begripa understand, grasp; *ha lätt (svårt) att ~* be quick (slow) on the uptake **II** *vb rfl*, ~ *sig kort* be brief

**fattas** *vb itr dep* be wanting (lacking); saknas be missing; behövas be needed; *det ~ 80 kronor* i kassan there is 80 kronor short; *klockan ~ tio minuter i sex* it's ten minutes to six; *det ~ (fattades) bara, att jag skulle...!* I wouldn't dream of ing-form!; *det ~ bara (skulle bara ~)!* I should jolly well think so!

**fattig** *adj* poor; behövande needy; *de ~a* the poor; *en ~ stackare* a poor wretch

**fattigdom** *s* poverty

**fattiglapp** *s* vard., *en ~* a down-and-out

**fattning** *s* **1** grepp grip, hold **2** för glödlampa socket, lamp holder; för t.ex. ädelsten setting, mounting **3** behärskning composure; *behålla (förlora) ~en* keep (lose) one's head (vard. cool); *bringa ngn ur ~en* disconcert a p.

**fatöl** *s* draught beer

**favorisera** *vb tr* favour

**favorit** *s* favourite

**favoriträtt** *s* favourite dish

**favorituttryck** *s* favourite expression, pet phrase

**favör** *s* favour; fördel advantage

**fax** *s* fax

**faxa** *vb tr* fax

**f.d.** (förk. för *före detta*) se *före*

**fe** *s* fairy

**feber** *s* fever; bildl. äv. excitement; *hög ~* a high temperature (fever); *få ~* run a temperature

**feberaktig** *adj* feverish äv. bildl.

**feberfri** *adj* ...free from fever

**febertermometer** *s* clinical thermometer

**febrig** *adj* feverish

**febril** *adj* feverish

**februari** *s* February (förk. Feb.); jfr *april* o. *femte*

**federal** *adj* federal

**federation** *s* federation

**feg** *adj* cowardly; *en ~ stackare* a coward
**feghet** *s* cowardice
**fejd** *s* feud
**fel I** *s* fault; defekt defect; misstag mistake,
error; *ett ~ i glaset* a flaw in the glass;
*hela ~et är att...* the whole trouble is
that...; *det är ~ (något ~) på...* there is
something wrong with...; *vara utan ~* äv.
be faultless; *begå (göra) ett ~* make a
mistake (mindre slip), commit a fault (an
error, 'tabbe' a blunder); *vems är ~et?*
whose fault is it (that)? **II** *adj* wrong;
*uppge ~ adress* give the wrong address
**III** *adv* wrong; *gå ~* go the wrong way,
lose one's way; *min klocka går ~* my
watch is wrong; *ha ~* be wrong; *jag har
kommit ~* I've gone wrong; tele. I've got
the wrong number; *slå ~* ej träffa miss,
fail; *ta ~* make a mistake, get it wrong;
*jag tog ~ på honom och A.* I mistook
him for A.; *ta ~ på tiden* make a mistake
about the time
**fela** *vb itr* **1** fattas be wanting [*i* in] **2** begå fel
err; handla orätt do wrong
**feladresserad** *adj* wrongly addressed
**felaktig** *adj* oriktig incorrect; behäftad med fel
faulty, defective; osann false; *~
användning* misapplication
**felaktighet** *s* fel error, fault, mistake
**felande** *adj* som fattas missing, wanting
**felbedömning** *s* miscalculation
**felfri** *adj* faultless, flawless
**felparkerad** *adj,* *stå ~* be wrongly parked
**felparkering** *s* förseelse parking offence
**felringning** *s* wrong number
**felräkning** *s* miscalculation
**felskrivning** *s, en ~* a slip of the pen; med
skrivmaskin a typing error
**felstavad** *adj* wrongly spelt, misspelt
**felstavning** *s* misspelling
**felsteg** *s* slip, false step
**felsägning** *s, en ~* a slip of the tongue
**feltryck** *s* misprint
**felunderrättad** *adj* misinformed
**felöversatt** *adj* mistranslated
**fem** *räkn* fem; *vi ~* the five of us; *vi var ~*
there were five of us; *~ och ~* fem åt gången
five at a time; *vinna med 5-3* win by
(win) 5-3; *kunna ngt på sina ~ fingrar*
have a th. at one's finger-tips; *en ~ sex
gånger* some five or six times; *~ hundra
(tusen)* five hundred (thousand); *tåget
går 5.20* the train leaves at five twenty;
han kom *klockan halv ~* ...at half past

four; *han bor på Storgatan 5* he lives at
5 (No. 5) Storgatan
**femcylindrig** *adj* five-cylinder...; *den är ~*
it has five cylinders
**femdagarsvecka** *s* five-day week
**femföreställning** *s* five-o'clock
performance
**femhundra** *räkn* five hundred; jfr *hundra*
**femhundrade** *räkn* five hundredth
**femhundradel** *s* five hundredth [part]
**femhundratal** *s, ~et* århundrade the sixth
century; *på ~et* in the sixth century
**femhundraårsminne** *s* jubileum
five-hundredth anniversary
**femhörning** *s* pentagon
**feminin** *adj* feminine äv. om man
**femininum** *s* genus the feminine gender
**feminism** *s, ~* el. *~en* feminism
**feminist** *s* feminist
**femkamp** *s* pentathlon
**femkampare** *s* pentathlete
**femkronorsmynt** *s* five-krona piece
**femma** *s* five; *en ~* belopp five kronor; *~n*
a) om hus, buss etc. No. 5, number 5 b) skol.
the fifth class (form); *~n i hjärter* the
five of hearts; *han kom in som (ligger)
~* he came in (he is) fifth; *det var en
annan ~* vard. that's quite another matter
**femrummare** *s* o. **femrumslägenhet** *s*
five-room flat (apartment)
**femsidig** *adj* five-sided
**femsiffrig** *adj* five-figure...
**femsitsig** *adj, bilen är ~* the car seats five
**femslaget** *s, vid ~* on the stroke of five; vid
femtiden at about five
**femtal** *s* five; *ett ~* some (about) five
**femte** *räkn* fifth (förk. 5th); *Gustaf den ~*
Gustaf (Gustavus) the Fifth; *den (det) ~
från slutet* the last but four; *för det ~* in
the fifth place; vid uppräkning fifthly; *den ~
(5) april* adverbial on the fifth of April, on
April 5th; i brevdatering April 5th el. 5th
April; *idag är det den ~* today it is the
fifth; *vart ~ år* every fifth year (five
years)
**femtedel** *s* fifth [part]; *två ~ar* two fifths;
*en ~s sekund* a fifth of a second
**femteplacering** *s, få en ~* come fifth
**femti** se *femtio*
**femtiden** *s, vid ~* at about five (five
o'clock)
**femtielfte** *räkn* vard., *för ~ gången* for the
umpteenth (umptieth) time
**femtilapp** *s* fifty-krona note
**femtio** *räkn* fifty; jfr *fem* o. sammansättningar

**femtiofem** *räkn* fifty-five
**femtiofemte** *räkn* fifty-fifth
**femtionde** *räkn* fiftieth
**femtiotal** *s* fifty; *~et* åren 50-59 the fifties; *på ~et* 1950-talet in the fifties (nineteen-fifties), in the 50's (1950's); *i början* (*i slutet*) *på ~et* in the early (late) fifties
**femtioårig** *adj* fifty-year-old
**femtioåring** *s* fifty-year-old
**femtioårsdag** *s* fiftieth anniversary (födelsedag birthday)
**femtioårsjubileum** *s* fiftieth anniversary
**femtioårsminne** *s* fiftieth anniversary
**femtioårsåldern** *s, en man i ~* a man aged about fifty; *vara i ~* be about fifty
**femtioöring** *s* fifty-öre piece
**femton** *räkn* fifteen; *klockan 15* at 3 o'clock in the afternoon, at 3 p.m.; jfr *fem* o. sammansättningar
**femtonde** *räkn* fifteenth (förk. 15th); jfr *femte*
**femtondel** *s* fifteenth [part], jfr *femtedel*
**femtonhundra** *räkn* fifteen hundred
**femtonhundrafemtio** *räkn* fifteen hundred and fifty
**femtonhundrameterslopp** *s* fifteen-hundred-metre (1500-metre) race
**femtonhundratalet** *s* the sixteenth century; *på ~* in the sixteenth century
**femtonåring** *s* fifteen-year-old
**femtusen** *räkn* five thousand
**femtusende** *räkn* five thousandth
**femtåget** *s* the five-o'clock train
**femvåningshus** *s* i fem plan five-storeyed house
**femväxlad** *adj* om växellåda five-speed...; *den är ~* it has five forward speeds
**femårig** *adj* **1** fem år gammal five-year-old... **2** som varar (varat) i fem år five-year...; avtalet *är ~t* ...is for five years
**femåring** *s* five-year-old
**femårsdag** *s* fifth anniversary (födelsedag birthday)
**femårsjubileum** *s* fifth anniversary
**femårsminne** *s* fifth anniversary
**femårsperiod** *s* five-year period
**femårsplan** *s* five-year plan
**femårsåldern** *s, en pojke i ~* a boy aged about five; *vara i ~* be about five
**fena** *s* fin äv. flyg.; *utan att röra en ~* without moving a limb
**fenomen** *s* phenomenon (pl. phenomena)
**fenomenal** *adj* phenomenal, extraordinary

**ferier** *s pl* holidays; speciellt univ. o., amer. vacation
**ferieskola** *s* summer school
**fernissa** *s* o. *vb tr* varnish
**fertil** *adj* fertile
**fess** *s* mus. F flat
**fest** *s* festival; firande celebration; festlighet festivity; högtidlighet ceremony; festmåltid banquet, feast; bjudning party; *gå på ~* go (go out) to a party
**festa** *vb itr* **1** kalasa feast [*på* on] **2** ~ el. ~ *om* roa sig have a good time; dricka booze
**festföreställning** *s* gala performance
**festival** *s* festival
**festklädd** *adj* festively-dressed...; i aftondräkt ...in evening dress
**festlig** *adj* fest- festival...; storartad grand; komisk comical
**festlighet** *s* festivity
**festmåltid** *s* banquet, feast
**festspel** *s pl* festival sg.
**festtåg** *s* procession
**festvåning** *s* assembly (banqueting) rooms pl.
**fet** *adj* fat; om person äv. stout; *~t hår* greasy hair; *~ mat* (*mjölk*) rich food (milk)
**fetisch** *s* fetish
**fetlagd** *adj* stout
**fetma** *s* fatness; hos person vanl. stoutness
**fett** *s* fat; smörjfett grease; flott lard
**fettbildande** *adj* fattening
**fetthalt** *s* fat content; fettprocent percentage of fat
**fetthaltig** *adj* fatty
**fettisdag** *s, ~en* tisdagen efter fastlagssöndagen Shrove Tuesday
**fettsugning** *s* liposuction
**fia** *s* spel. ludo, amer. ung. pachisi
**fiasko** *s* fiasco (pl. -s el. -es); *göra ~* be a fiasco
**fiber** *s* fibre äv. i kost
**fiberoptik** *s* fibre optics sg.
**fiberrik** *adj*, *~ kost* a diet that is rich in fibre
**ficka** *s* pocket; *stoppa ngt i ~n* put a th. in one's pocket
**fickformat** *s, en* kamera *i ~* a pocket-size...
**fickkniv** *s* pocketknife
**ficklampa** *s* [electric] torch, flashlight
**fickpengar** *s pl* pocket money sg.
**fickstöld** *s, en ~* a case of pocket-picking
**ficktjuv** *s* pickpocket
**fickur** *s* pocket watch
**fiende** *s* enemy [*till* of]
**fiendskap** *s* enmity; *leva i ~* be at enmity

**fientlig** *adj* hostile [*mot* to]; mil. enemy...
**fientlighet** *s* hostility
**fiffa** *vb tr* vard., ~ *upp* smarten up
**fiffel** *s* crooked dealings pl., cheating
**fiffig** *adj* fyndig clever, ingenious, smart
**fiffla** *vb itr* vard. cheat, wangle, fiddle
**fifty-fifty** *adv*, *dela* ~ share (go) fifty-fifty
**figur** *s* figure; individ individual; *göra en slät (ömklig)* ~ cut a poor figure
**figurera** *vb itr* appear, figure
**figursydd** *adj* close-fitting, tailored
**figuråkning** *s* figure-skating
**fik** *s* vard. café
**fika** *s* vard. I *s* kaffe coffee II *vb itr* dricka kaffe have some coffee
**fikon** *s* fig
**fikonlöv** *s* fig leaf
**fiktion** *s* fiction
**fiktiv** *adj* fictitious
**1 fil** *s* rad row; körfält lane
**2 fil** *s* filmjölk sour milk
**3 fil** *s* verktyg file
**fila** *vb tr* o. *vb itr* file
**filé** *s* kok. fillet
**filial** *s* branch
**filialkontor** *s* branch office
**Filippinerna** *pl* the Philippines, the Philippine Islands
**filkörning** *s* traffic-lane driving, driving in traffic lanes
**film** *s* film; på bio äv. picture, movie; *en tecknad* ~ a (an animated) cartoon
**filma** I *vb tr* o. *vb itr* göra film, göra film av film [*ngt* a th.] II **1** *vb itr* medverka i film act in films **2** vard. låtsas sham, fake, pretend
**filmateljé** *s* film studio
**filmatisera** *vb tr* adapt...for the screen
**filmatisering** *s* screen version
**filmcensur** *s* film censorship
**filmduk** *s* screen
**filmfotograf** *s* cameraman
**filmföreställning** *s* film (cinema) performance
**filminspelning** *s* filming, shooting
**filmjölk** *s* sour milk
**filmkamera** *s* film camera
**filmproducent** *s* film producer
**filmregissör** *s* film director
**filmroll** *s* film role
**filmrulle** *s* foto. roll of film
**filmskådespelare** *s* film actor
**filmstjärna** *s* film (movie) star
**filosof** *s* philosopher
**filosofera** *vb itr* philosophize [*över* about]
**filosofi** *s* philosophy

**filosofie** *adj*, ~ *doktor* (förk. *fil. dr*) Doctor of Philosophy (förk. Ph.D. efter namnet); ~ *kandidat* (förk. *fil. kand.*) britt. motsv., ung. Bachelor of Arts (förk. BA); i naturvetenskap Bachelor of Science (förk. B.Sc.) båda efter namnet
**filosofisk** *adj* philosophic, philosophical
**filt** *s* **1** sängfilt blanket **2** tyg felt, felting
**filter** *s* filter; på cigarett filter tip
**filtercigarett** *s* filter-tipped cigarette
**filtpenna** *s* felt pen, marker
**filtrera** *vb tr* filter
**filur** *s*, *en riktig liten* ~ a cunning little devil
**fimp** *s* fag-end
**fimpa** *vb tr* stub out
**fin** *adj* fine; elegant smart; bra äv. very good; ~*a betyg* high marks; *en* ~ *middag* äv. a first-rate dinner; *på ett* ~*t sätt* tactfully; ~*t!* fine!, good!; *göra* ~*t i rummet* tidy up (make things look nice) in the room; *klä sig* ~ dress up; *han är* ~ *på att* inf. he is very good at ing-form
**final** *s* **1** sport. final; *gå (komma) till* ~*en* go (get) to the final (finals) **2** mus. finale
**finalist** *s* finalist
**finansdepartement** *s* ministry of finance
**finanser** *s pl* finances
**finansiell** *adj* financial
**finansiera** *vb tr* finance
**finansman** *s* financier
**finansminister** *s* minister of finance
**finanspolitik** *s* financial policy
**finemang** *interj*, ~*!* fine!, great!
**finess** *s* **1** förfining refinement **2** ~*er* fiffiga detaljer exclusive features
**finfin** *adj* tip-top, splendid; first-rate
**finfördela** *vb tr* pulverisera grind into fine particles, atomize, pulverize
**finger** *s* finger; *ge honom ett* ~ *och han tar hela handen* give him an inch, and he will take a mile; *ha ett* ~ *med i spelet* have a finger in it (in the pie); *han lägger inte fingrarna emellan då det gäller...* he doesn't handle...with kid gloves; *se genom fingrarna med ngt* shut one's eyes to a th.; *slå ngn på fingrarna* bildl. catch a p. out
**fingerad** *adj* fictitious; *fingerat namn* assumed name
**fingeravtryck** *s* fingerprint
**fingerborg** *s* thimble
**fingerfärdig** *adj* dexterous, deft
**fingerfärdighet** *s* dexterity, deftness

**fjäderdräkt**

**fingerspets** *s* o. **fingertopp** *s* fingertip; *ut i* ~*arna* to the (his etc.) fingertips
**fingervante** *s* woollen glove
**fingervisning** *s* hint, pointer
**fingra** *vb itr,* ~ *på* finger; tanklöst fiddle about with
**finhackad** *adj* finely-chopped
**finish** *s* sport. el. tekn. finish
**fink** *s* finch
**finka** *s* vard., arrest clink; i finkan äv. in the cooler (slammer)
**finkamma** *vb tr* bildl. comb out, go over...with a fine-tooth comb
**finklädd** *adj* ...dressed up
**finkänslig** *adj* taktfull tactful, discreet
**finkänslighet** *s* tact, discretion
**Finland** Finland
**finlandssvensk** I *adj* Finland-Swedish, Finno-Swedish II *s* Finland-Swede
**finländare** *s* Finlander, Finn
**finländsk** *adj* Finnish
**finländska** *s* kvinna Finnish woman
**finmalen** *adj* finely ground; om kött finely minced
**finna** I *vb tr* find; inse, märka see; anse think, consider; röna meet with; ~ *för gott* att think fit... II *vb rfl,* ~ *sig vara* find oneself; ~ *sig i* a) tåla stand, put up with b) foga sig i submit to
**finnas** *vb itr dep* vara be; existera exist; påträffas be found; *det finns* there is (resp. are); *finns det* har ni...? have you got...?; *den finns att få* it is to be had; ~ *kvar* a) vara över be left b) inte vara borttagen be still there; ~ *till* exist
**1 finne** *s* Finn
**2 finne** *s* kvissla pimple
**finnig** *adj* pimply
**finsk** *adj* Finnish; *Finska viken* the Gulf of Finland
**finska** *s* **1** kvinna Finnish woman **2** språk Finnish; jfr *svenska*
**finskfödd** *adj* Finnish-born; för andra sammansättningar jfr *svensk-*
**finskuren** *adj* finely cut
**finsmakare** *s* gourmet
**fint** *s* feint; bildl. trick, dodge
**finta** *vb itr* sport. feint; fotb. äv. sell the dummy; ~ *bort ngn* sell a p. the dummy
**fintvätt** *s* tvättande the washing of delicate fabrics; tvättgods delicate fabrics pl.
**finurlig** *adj* slug shrewd; sinnrik clever, ingenious
**fiol** *s* violin; *stå för* ~*erna* bildl. pay the piper

**fiolspelare** *s* violinist
**1 fira** *vb tr* sänka, ~ el. ~ *ned* let down, lower
**2 fira** *vb tr* högtidlighålla celebrate; tillbringa spend; ~ *minnet av* commemorate
**firma** *s* firm
**firmafest** *s* office (staff) party
**firmamärke** *s* trade mark
**firmanamn** *s* style, firm name
**fisk** *s* **1** fish (pl. fish el. fishes); koll. fish (sg. el. pl.) **2 Fiskarna** astrol. Pisces
**fiska** *vb tr* o. *vb itr* fish
**fiskaffär** *s* fishmonger's
**fiskare** *s* fisherman
**fiskbulle** *s* fishball
**fiske** *s* fishing [*av* of]; som näring fishery
**fiskebåt** *s* fishing-boat
**fiskeflotta** *s* fishing-fleet
**fiskegräns** *s* fishing-limits pl.
**fiskekort** *s* fishing-licence, fishing-permit
**fiskeläge** *s* fishing village
**fiskerätt** *s* fishing-rights pl.
**fiskevatten** *s* fishing-grounds pl.
**fiskfilé** *s* fillet of fish
**fiskkrokett** *s* kok. fishcake
**fiskmås** *s* gull, seagull
**fisknät** *s* fishing-net
**fiskpinnar** *s pl* kok. fish fingers (amer. sticks)
**fiskredskap** *s* koll. fishing-tackle
**fiss** *s* mus. F sharp
**fitta** *s* vulg. cunt, pussy
**fix** *adj* **1** fixed; ~ *idé* fixed idea **2** ~ *och färdig* all ready
**fixa** *vb tr* vard. fix
**fixare** *s* vard. fixer
**fixera** *vb tr* fix; betrakta look fixedly at
**fixering** *s* psykol. fixation
**fixstjärna** *s* fixed star
**fixtid** *s* core time (hours pl.)
**fjant** *s* fjäskig person busybody; narr silly fool
**fjantig** *adj* fånig silly; löjlig ridiculous
**fjol** *s, i* ~ last year; *i* ~ *sommar* last summer
**fjolla** *s* silly woman (resp. girl)
**fjollig** *adj* silly, foolish
**fjompig** *adj* larvig silly; sjåpig namby-pamby
**fjord** *s* speciellt i Norge fiord; i Skottland firth
**fjorton** *räkn* fourteen; ~ *dagar* a fortnight; jfr *fem* o. sammansättningar
**fjortonde** *räkn* fourteenth (förk. 14th); *var* ~ *dag* once a fortnight; jfr *femte*
**fjun** *s* koll. down (end. sg.)
**fjäder** *s* **1** feather; prydnads~ plume **2** tekn. spring
**fjäderdräkt** *s* plumage

**fjäderfä** s poultry koll.
**fjädervikt** s sport. featherweight
**fjädrande** adj springy, elastic
**fjädring** s spring system; upphängning suspension
**1 fjäll** s mountain; högfjäll alp, high mountain; för sammansättningar jfr *berg* el. *bergs-*
**2 fjäll** s på fisk etc. scale
**fjälla I** vb tr fisk scale **II** vb itr om person peel
**fjällripa** s zool. ptarmigan
**fjärde** räkn fourth (förk. 4th); jfr *femte*
**fjärdedel** s quarter, fourth [part]; jfr *femtedel*
**fjäril** s butterfly; natt~ moth
**fjärilsim** s butterfly stroke
**fjärran I** adj distant, far-off; *F~ Östern* the Far East **II** adv far; *när och ~* far and near **III** s, *i ~* in the distance
**fjärrkontroll** s remote control; vard. zapper
**fjärrstyrd** adj remote-controlled; *~ robot* guided missile
**fjärrstyrning** s remote control
**fjärrvärme** s district heating
**fjäsk** s kryperi fawning [*för* on]
**fjäska** vb itr, *~ för* krypa för fawn on, crawl to
**f.Kr.** (förk. för *före Kristus*) BC (förk. för *before Christ*)
**flabb** s vard. guffaw, cackle
**flabba** vb itr vard. guffaw, cackle [*åt* at]
**flack** adj flat äv. om kulbana
**flacka** vb itr rove; *~ och fara* be on the move; *~ omkring (omkring i)* roam about
**fladdermus** s bat
**fladdra** vb itr flutter
**flaga I** s flake; hudflaga scale **II** vb itr o. vb rfl, *~ sig* flake, flake off, scale (peel) off
**flagg** s flag
**flagga I** s flag **II** vb itr, *~ på halv stång* fly the flag at half-mast
**flaggdag** s, *allmän ~* official flag-flying day
**flaggskepp** s flagship
**flaggstång** s flagstaff, flagpole
**flagig** adj flaky, scaly
**flagna** vb itr flake [*av* off], scale (peel) off
**flagrant** adj flagrant; friare obvious
**flak** s **1** isflak floe **2** lastbilsflak platform [body]
**flamingo** s flamingo (pl. -s el. -es)
**flamländsk** adj Flemish
**flamma I** s flame äv. om ngns älskade **II** vb itr blaze; *~ upp* äv. bildl. flame up

**flammig** adj om färg patchy
**Flandern** Flanders
**flanell** s flannel
**flanera** vb itr, *vara ute och ~* be out for a stroll
**flanör** s stroller, man-about-town
**flaska** s bottle
**flaskhals** s bottleneck äv. bildl.
**flat** adj flat; *~ tallrik* flat (ordinary) plate
**flatskratt** s guffaw
**flax** s vard. luck; *ha ~* be lucky
**flaxa** vb itr flutter; om vingar flap
**flegmatisk** adj phlegmatic
**flera I** adj (äv. *fler*) more **II** pron åtskilliga several; flera olika various, different; *~ människor* several people; *vi är ~ (~ stycken*) there are several of us
**flerfaldig** adj, *~a* pl. many, numerous; *han är ~ mästare* he has been a champion many times over
**flerfamiljshus** s block of flats, amer. apartment block
**flermotorig** adj multi-engined
**fleromättad** adj polyunsaturated
**flersiffrig** adj, *~t tal* number running into several figures
**flerstegsraket** s multi-stage rocket
**flertal** s **1** *~et* the majority; *~et människor* most people; *ett ~* flera... a number of...  **2** gram. plural
**flesta** adj, *de ~ pojkar* most boys; *de ~ tycker att...* the majority think that...
**flexa** vb itr vard. be on flexitime
**flexibel** adj flexible
**flextid** s flexitime, flextime
**flicka** s girl; flickvän girlfriend
**flickaktig** adj girlish
**flicknamn** s girl's name; tillnamn som ogift maiden name
**flickscout** s guide, amer. girl scout
**flicktycke** s, *ha ~* be popular with the girls
**flickvän** s girlfriend
**flik** s på kuvert flap; hörn av plagg corner
**flimmer** s flicker
**flimra** vb itr flicker; *det ~r för ögonen på mig* everything is swimming before my eyes
**flin** s grin
**flina** vb itr grin [*åt* at]
**flinga** s flake; *flingor* majsflingor cornflakes
**flink** adj, *vara ~ i fingrarna* have deft fingers
**flinta** s flint
**flintskalle** s bald head
**flintskallig** adj bald

**flippa** *vb itr*, ~ *ut* freak out
**flipperautomat** *s* o. **flipperspel** *s* pinball machine
**flisa** *s* skärva chip; sticka splinter
**flit** *s* **1** diligence **2** *med* ~ avsiktligt on purpose
**flitig** *adj* diligent; arbetsam hard-working; om t.ex. biobesökare regular; ofta upprepad frequent
**flock** *s* flock; t.ex. av vargar pack
**flockas** *vb itr dep* flock, flock together [*kring* round]
**flod** *s* **1** river; bildl. flood **2** högvatten high tide; *det är* ~ the tide is in
**flodhäst** *s* hippopotamus
**flodvåg** *s* tidal wave
**flopp** *s* vard. flop
**flor** *s* **1** *s* tyg gauze; slöja veil
**2 flor** *s*, *stå i* ~ blomma be in bloom; blomstra be flourishing
**flora** *s* flora
**florera** *vb itr* be prevalent; blomstra flourish
**florett** *s* foil
**florsocker** *s* icing (amer. confectioners') sugar
**floskler** *s pl* tomt prat empty phrases
**1 flott** *adj* stilig smart; vard. posh; frikostig generous
**2 flott** *s* grease; stekflott dripping; isterflott lard; fett fat
**1 flotta** *s* **1** ett lands navy **2** samling fartyg fleet
**2 flotta** *vb tr*, ~ *ned* med flott make...greasy
**flottbas** *s* naval base
**flotte** *s* raft
**flottfläck** *s* grease spot
**flottig** *adj* greasy
**flottyr** *s* deep (deep-frying) fat
**flottyrkoka** *vb tr* deep-fry, fry...in deep fat
**fluffig** *adj* fluffy
**fluga** *s* **1** fly; *slå två flugor i en smäll* ordspr. kill two birds with one stone **2** mani craze, mania **3** kravatt bow-tie
**flugfiske** *s* fly-fishing
**flugsmälla** *s* fly-swatter
**flugsnappare** *s* fly-catcher
**flugsvamp** *s*, *vanlig* ~ fly agaric
**flugvikt** *s* sport. flyweight
**fluktuera** *vb itr* fluctuate, vary
**flum** *s* vard. woolliness
**flummig** *adj* vard., svamlig woolly, wishy-washy, airy-fairy
**flundra** *s* skrubbflundra flounder
**fluor** *s* grundämne fluorine; *tandkräm med* ~ toothpaste with fluoride

**fly** *vb itr* fly, flee [*för* before]; ta till flykten run away; ~ *ur landet* flee the country
**flyg** *s* **1** flygväsen aviation, flying **2** flygplan plane; koll. planes pl.; *med* ~ by air **3** flygvapen air force
**flyga** *vb itr* o. *vb tr* fly; *jag har aldrig flugit* I have never been up in the air (up in a plane); ~ *i luften* explodera blow up, explode
□ ~ *av* blåsa av fly off; lossna come off suddenly; ~ *på* rusa på fly at, attack; ~ *upp* rusa upp spring up; öppnas fly open
**flyganfall** *s* air raid
**flygare** *s* aviator; pilot pilot; mil. äv. airman
**flygbas** *s* air base
**flygbiljett** *s* air ticket
**flygblad** *s* leaflet
**flygbolag** *s* airline, airline company
**flygel** *s* **1** wing; stänkskärm wing, amer. fender **2** mus. grand, grand piano
**flygfält** *s* airfield
**flygförbindelse** *s* plane connection; flygtrafik air service
**flygkapten** *s* pilot
**flyglarm** *s* air-raid warning (alarm)
**flyglinje** *s* airline, airway
**flygmekaniker** *s* air mechanic
**flygning** *s* **1** flygande flying; *under* ~ while flying **2** flygfärd flight
**flygolycka** *s* air crash; mindre flying accident
**flygpassagerare** *s* air passenger
**flygplan** *s* aeroplane, amer. airplane; aircraft (pl. lika); vard. plane; stort trafikplan airliner
**flygplanskapare** *s* hijacker, skyjacker
**flygplats** *s* airport
**flygpost** *s* airmail
**flygsjuka** *s* airsickness
**flygspaning** *s* air reconnaissance
**flygtid** *s* flying (flight) time
**flygtrafik** *s* air traffic (service)
**flygvapen** *s* air force
**flygvärdinna** *s* air hostess
**1 flykt** *s* flygande flight
**2 flykt** *s* flyende flight; rymning escape; *vild* ~ headlong flight; speciellt mil. rout; *driva på* ~*en* put to flight; speciellt mil. rout
**flyktförsök** *s* attempted escape; *göra ett* ~ make an attempt to escape
**flyktig** *adj* **1** kortvarig fleeting; övergående passing **2** kem. volatile
**flykting** *s* refugee; flyende fugitive
**flyktingläger** *s* refugee camp
**flyktingström** *s* stream of refugees
**flyktväg** *s* escape route

**flyta** *vb itr* float; rinna flow; *det kommer att ~ blod* blood will be shed; *låta pundet ~* let sterling float, float the pound

□ *~ ihop* a) om floder meet b) bli suddig become blurred; *~ in* om t.ex. pengar come in; *~ upp* come (rise) to the surface

**flytande I** *adj* **1** på ytan floating; *hålla det hela ~* keep things going; *hålla sig ~* keep oneself afloat äv. bildl. **2** rinnande flowing; *tala ~ engelska* speak fluent English **3** i vätskeform liquid; ej fast fluid **4** vag vague; *gränserna är ~* the limits are fluid **II** *adv* fluently

**flytning** *s* med. discharge; *~ar* från underlivet the whites

**flytta I** *vb tr* **1** flytta på move **2** förlägga till annan plats transfer; flytta bort remove **3** i spel move **II** *vb itr* byta bostad move; lämna en ort (anställning) leave; om flyttfågel migrate; *~ från (ur)* lämna leave; *~ på* move **III** *vb rfl*, *~ sig* el. *~ på sig* move; maka åt sig make way (room)

□ *~ bort* bära bort carry (take) away; *~ fram* move...forward (up); *~ fram ngt* uppskjuta put off a th.; *~ fram klockan en timme* put the clock on (forward) an hour; *~ ihop* put (move)...together; för att bo ihop go to live together; *de har ~t ihop* they live together; *~ in* move in; *~ om* omplacera move (shift)...about, rearrange; *~ ut* move...out

**flyttbar** *adj* movable; bärbar portable
**flyttbil** *s* furniture (removal) van
**flyttfirma** *s* removal firm
**flyttfågel** *s* bird of passage, migratory bird
**flyttkalas** *s* house-warming party
**flyttning** *s* byte av bostad removal
**flyttningsbetyg** *s* för folkbokföringen certificate of change of address
**flytväst** *s* life jacket
**flå** *vb tr* skin
**flåsa** *vb tr* puff and blow; flämta pant
**fläck** *s* spot; av blod, bläck etc. stain äv. bildl.; *på ~en* genast on the spot; *jag får det inte ur ~en* I can't move it
**fläcka** *vb tr* stain; *~ ned* stain...all over
**fläckborttagningsmedel** *s* spot (stain) remover
**fläckfri** *adj* spotless, stainless äv. bildl.
**fläckig** *adj* smutsig spotted, soiled
**fläckurtagningsmedel** *s* spot (stain) remover
**fläderbär** *s* elderberry
**flädermus** *s* bat

**fläkt** *s* **1** vindpust breeze; *en frisk ~* a breath of fresh air **2** fläktapparat fan
**fläktrem** *s* fan belt
**flämta** *vb itr* andas häftigt pant, puff
**flärd** *s* fåfänga vanity; ytlighet frivolity
**flärdfull** *adj* fåfäng vain
**fläsk** *s* griskött pork; bacon bacon
**fläskfilé** *s* fillet of pork
**fläskig** *adj* flabby, fat, fleshy
**fläskkotlett** *s* pork chop
**fläskläpp** *s*, *ha (få) ~* have (get) a thick lip
**fläskpannkaka** *s* diced pork (bacon) pancake
**fläta I** *s* plait, braid **II** *vb tr* plait, braid
**flöda** *vb itr* flow; ymnigt stream, pour; *~ av...* abound with...
**flöde** *s* flow
**flöjt** *s* flute
**flört** *s* **1** flirtation **2** person flirt
**flörta** *vb itr* flirt äv. bildl.
**flörtig** *adj* flirtatious
**flörtis** *s* vard. flirt
**flöte** *s* float; *bakom ~t* vard. stupid, daft
**f.m.** (förk. för *förmiddag*) a.m.
**FN** (förk. för *Förenta Nationerna*) UN (förk. för United Nations)
**fnask** *s* vard. prostitute, tart, amer. äv. hooker
**fniss** *s* giggle
**fnissa** *vb itr* giggle [*åt* at]
**fnitter** *s, ett ~* a giggle; *massa ~* lots of giggling (tittering)
**fnittra** *vb itr* giggle, titter [*åt* at]
**fnysa** *vb itr* snort; *~ åt* föraktfullt sniff at
**fnysning** *s* snort
**fnöske** *s* tinder
**foajé** *s* foyer; lobby
**fobi** *s* phobia
**1 foder** *s* i kläder lining; *sätta ~ i* line
**2 foder** *s* fodermedel feedstuff; torrt fodder
**1 fodra** *vb tr* sätta foder i line
**2 fodra** *vb tr* mata feed
**fodral** *s* case; av tyg etc. cover; klänning sheath
**1 fog** *s, ha [fullt] ~ för ngt* have every reason for a th.; *det har ~ för sig* it is reasonable
**2 fog** *s* joint, seam
**foga I** *vb tr* förena med fog join [*i, vid* to]; friare, bildl. add, attach [*till* to] **II** *vb rfl*, *~ sig* give in [*efter ngn* to a p.]; *~ sig efter bestämmelserna* comply with the regulations
**fokus** *s* focus
**fokusera** *vb tr* o. *vb itr* focus

**folder** s folder, leaflet [*över* on, about]

**folie** s foil; plastfolie film

**foliepapper** s foil

**folk** s **1** people; *hela ~et* the entire population, the whole nation; *~en i tredje världen* the peoples (nations) of the third world **2** människor people pl.; *mycket ~* many people; *~ säger att...* äv. they say that...

**folkbokföring** s national registration

**folkdans** s folk dance; dansande folk-dancing

**folkdemokrati** s people's democracy

**folkdräkt** s national (peasant) costume

**folkgrupp** s ethnic group

**folkhjälte** s national hero

**folkhälsa** s public health

**folkhögskola** s folk high-school

**folkkär** adj very popular, ...loved by the people

**folklig** adj nationell national; populär popular; folkvänlig affable

**folkmassa** s crowd of people, crowd

**folkmord** s genocide

**folkmängd** s antal invånare population

**folknöje** s popular entertainment (amusement)

**folkomröstning** s popular vote, referendum

**folkpark** s people's amusement park

**Folkpartiet** s ung. the Liberal Party

**folkpartist** s member of the Liberal Party

**folkpension** s state retirement pension

**folkpensionär** s retirement pensioner, senior citizen

**folkräkning** s census [of population]

**folkrörelse** s popular (national) movement

**folksaga** s folk tale, legend

**folksamling** s, *det blev en ~* a crowd of people collected

**folksjukdom** s national (widespread) disease

**folkskygg** adj unsociable, shy

**folkslag** s nation, people

**folktandvård** s national dental service

**folktom** adj deserted

**folktro** s popular belief

**folkvald** adj popularly elected

**folkvandring** s migration

**folkvisa** s folk song, ballad

**folkvälde** s democracy

**f.o.m.** se *från och med* under *från*

**1 fond** s bakgrund background

**2 fond** s kapital fund

**fondbörs** s stock exchange

**fondkuliss** s teat. backcloth

**fonetik** s phonetics sg.

**fonetisk** adj phonetic

**fontän** s fountain

**forcera** vb tr force; påskynda speed up

**fordon** s vehicle

**fordra** vb tr begära, kräva demand; yrka på insist on; göra anspråk på claim; *det ~r mycket tid* it requires (demands) a lot of time

**fordran** s demand [*på ngn* on a p.; *på* el. *på att få* for]; penning~ claim

**fordrande** adj exacting, demanding

**fordras** vb itr dep behövas be needed etc., jfr *behövas*

**fordringar** s pl **1** demands; anspråk claims; vad som erfordras requirements; *ha stora (för stora) ~ på livet* ask a lot (too much) of life **2** penning~ claims, debts

**fordringsägare** s creditor

**forehand** s tennis etc. forehand äv. slag

**forell** s trout (pl. lika)

**form** s **1** form; *förlora ~en* lose its shape; *ta ~* take shape; *vara ur ~ (inte vara i) ~* be out of (not be in) form **2** gjutform mould **3** kok., porslinsform dish, basin; eldfast casserole; bakform baking tin

**forma** vb tr form, shape; *~ sig* form (shape, mould) itself (resp. themselves) [*till* into]

**formalitet** s formality; *en ren ~* only a matter of form (a formality)

**format** s size; om bok format

**formation** s formation

**formbröd** s tin loaf

**formel** s formula (pl. formulae)

**formell** adj formal

**formgivare** s designer

**formgivning** s designing; modell, mönster design

**formlära** s språkv. accidence

**formsak** s matter of form, formality

**formulera** vb tr formulate; avfatta äv. frame

**formulering** s formulation; framing; wording

**formulär** s blankett form

**forn** adj former, earlier; forntida ancient

**fornminne** s relic (monument) of antiquity (of the past)

**forntid** s förhistorisk tid prehistoric times pl.

**forntida** adj ancient

**fors** s rapids pl.

**forsa** vb itr rush; *regnet ~r ned* the rain is coming down in torrents

**forska** *vb itr* search [*efter* for]; vetenskapa do research (research work); ~ *i* investigate

**forskare** *s* lärd scholar; naturvetenskapsman scientist; med speciell uppgift research-worker

**forskning** *s* vetenskaplig research, research work; undersökning investigation

**forsla** *vb tr* transport, convey; ~ *bort* carry away, remove

**fort** *adv* fast; på kort tid quickly; snabbt rapidly; snart soon; *det gick* ~ it was quick work; *gå för* ~ om klocka be fast; *så* ~ el. *så* ~ *som* as soon as

**forta** *vb rfl*, ~ *sig* om klocka gain

**fortbilda** *vb rfl*, ~ *sig* continue one's education (training)

**fortbildning** *s* further education (training)

**fortbildningskurs** *s* continuation course

**fortfarande** *adv* still

**fortgå** *vb itr* go on

**fortgående** *adj* continuing

**fortkörning** *s*, *få böta för* ~ be fined for speeding

**fortplanta** *vb rfl*, ~ *sig* breed, propagate; sprida sig spread

**fortplantning** *s* breeding, propagation; spridning spread

**fortsatt** *adj*, *få* ~ *hjälp* continue to receive help, get further help

**fortskaffningsmedel** *s* means of conveyance, conveyance

**fortskrida** *vb itr* proceed; framskrida advance

**fortsätta** *vb tr* o. *vb itr* continue, go (keep) on; ~ *rakt fram* keep straight on; *han fortsatte sin väg* he went on his way

**fortsättning** *s* continuation; ~ *följer i nästa nummer* to be continued in our next; *god* ~ el. *god* ~ *på det nya året!* ung. A Happy New Year!; *i* ~*en* in future

**fortunaspel** *s* bagatelle

**forward** *s* forward

**fosfat** *s* phosphate

**fosfor** *s* phosphorus

**fossil** *s* o. *adj* fossil

**foster** *s* foetus, speciellt amer. fetus

**fosterbarn** *s* foster-child

**fosterfördrivning** *s* abortion

**fosterhem** *s* foster home

**fosterland** *s* native country

**fosterländsk** *adj* patriotic

**fosterskada** *s* damage to the foetus

**fostra** *vb tr* uppfostra bring up, rear

**fostran** *s* bringing up

**fot** *s* foot (pl. feet); på bord, lampa etc. stand; *sätta sin* ~ set foot [*hos ngn* in a p.'s

house]; *komma på fötter* ekonomiskt get on to one's feet; *försätta på fri* ~ set free; *vara på fri* ~ be at liberty (at large); *stå på god* ~ *med ngn* be on an excellent footing with a p.; *på resande* ~ on the move; *till* ~*s* on foot

**fotbad** *s* footbath

**fotboll** *s* **1** boll football **2** spelet [association] football; vard. el. amer. soccer

**fotbollsmatch** *s* football match

**fotbollsplan** *s* football ground (spelplanen field, pitch); ~*en* vard. the park

**fotbollsspelare** *s* footballer

**fotbroms** *s* footbrake

**fotfäste** *s* foothold, footing

**fotgängare** *s* pedestrian

**fotknöl** *s* ankle

**fotled** *s* ankle joint

**foto** *s* photo (pl. -s)

**fotoaffär** *s* camera shop, photographic dealer's

**fotoalbum** *s* photograph (photo) album

**fotoateljé** *s* photographer's studio

**fotoblixt** *s* flashlight, photoflash

**fotocell** *s* photo-electric cell, photocell

**fotogen** *s* paraffin, amer. kerosene

**fotogenisk** *adj* photogenic

**fotogenlampa** *s* paraffin (amer. kerosene) lamp

**fotograf** *s* photographer

**fotografera** *vb tr* photograph; *låta* ~ *sig* have one's photograph taken

**fotografi** *s* **1** photograph **2** som konst photography

**fotografisk** *adj* photographic

**fotokopia** *s* photocopy

**fotokopiera** *vb tr* photocopy

**fotostatkopia** *s* photocopy

**fotpall** *s* footstool

**fotspår** *s* footprint; *gå i ngns* ~ follow in a p.'s footsteps

**fotsteg** *s* steg step; *höra* ~ hear footsteps

**fotstöd** *s* footrest

**fotsula** *s* sole of a (the) foot

**fotsvett** *s*, *ha* ~ have sweaty feet pl.

**fotvandrare** *s* walker; vard. hiker

**fotvandring** *s* utflykt walking-tour; vard. hike

**fotvård** *s* pedikyr pedicure; med. chiropody

**fotvårdsspecialist** *s* chiropodist

**fotända** *s* på säng footboard

**foxterrier** *s* fox terrier

**foxtrot** *s* foxtrot

**frack** *s* rock tail coat; frackkostym dress suit; vard. tails pl.; *klädd i* ~ in evening dress

**frackmiddag** *s* full-dress (white-tie) dinner

**frackskjorta** *s* dress shirt

**fradga** *s* o. *vb itr* froth, foam

**fragment** *s* fragment

**frakt** *s* **1** last: sjö. freight, cargo; järnvägs~, bil~, flygfrakt goods pl. **2** avgift: sjö. el. flyg. freight; järnvägs~, bilfrakt carriage

**frakta** *vb tr* sjö. freight; med järnväg, bil, flyg carry, convey

**fraktgods** *s* koll., *som ~* järnv. by goods train

**fraktur** *s* med. fracture

**fralla** *s* vard., småfranska roll

**fram** *adv* **1 a)** om rörelse: framåt, vidare on, along, forward; till platsen (målet) there; *jag måste ~!* I must get through!; *kom ~!* a) ur gömställe, led m.m. come out! b) hit come here!; *ta ~* take out; *ända ~* dit all the way there; *ända ~ till...* as far as...; *~ och tillbaka* there and back; av och an to and fro **b)** om läge: framtill forward, in front **2** tid, *längre ~* later on; *~ på hösten* later on in the autumn; *långt ~ på dagen* late in the day; *till långt ~ på natten* until well into the night

**framaxel** *s* front axle

**framben** *s* foreleg

**framdel** *s* front part, front

**framdeles** *adv* längre fram later on; i framtiden in the future

**framemot** *prep*, *~ kvällen* towards evening

**framfusig** *adj* pushing, aggressive

**framför I** *prep* before, in front of; över above, ahead of; *~ allt* above all; *föredra te ~ kaffe* prefer tea to coffee **II** *adv* in front

**framföra** *vb tr* **1** överbringa convey; deliver äv. uttala; lyckönskan, tack proffer; ärende state; *framför min hälsning till...!* give my kind regards to...! **2** uppföra, förevisa present, produce; musik perform

**framförallt** *adv* above all

**framgå** *vb itr* be clear (evident) [*av* from]

**framgång** *s* success; *ha ~* be successful

**framgångsrik** *adj* successful

**framhjul** *s* front wheel

**framhjulsdrift** *s* front-wheel drive

**framhjulsdriven** *adj* bil. front-wheel driven

**framhålla** *vb tr* påpeka point out; betona emphasize, stress

**framhärda** *vb itr* persist, persevere

**framhäva** *vb tr* låta framträda bring out, set off; betona emphasize

**framifrån** *adv* from the front

**framkalla** *vb tr* **1** call (draw) forth,

produce; åstadkomma bring about; förorsaka cause **2** foto. develop

**framkallning** *s* foto. development, developing

**framkomlig** *adj* om väg passable, trafficable; bildl. practicable

**framkomma** *vb itr* bli känt come out

**framkomst** *s* ankomst arrival; *vid ~en* on arrival

**framliden** *adj*, *framlidne...* the late...

**framlägga** *vb tr* t.ex. teori put forward

**framlänges** *adv* forward, forwards; på tåg facing the engine

**frammarsch** *s* advance; *vara på ~* bildl. be gaining ground

**framme** *adv* **1** i förgrunden in front; vid målet there; *han står här ~* he is standing here; *långt ~ i salen* well to the front of the hall; *när är vi ~?* when do we get there? **2** synlig, 'ute' out; till hands ready; *låta ngt ligga ~* leave...about

**framryckning** *s* advance

**framsida** *s* front

**framskriden** *adj* advanced; *tiden är långt ~* it is getting late

**framskärm** *s* på bil front wing (amer. fender)

**framsteg** *s* progress (end. sg.); *göra ~* make progress; *stora ~* great progress

**framstupa** *adv*, *ramla ~* fall flat (flat on one's face)

**framstå** *vb itr* visa sig vara stand (come) out [*som* as]

**framstående** *adj* prominent; högt ansedd eminent, distinguished

**framställa** *vb tr* **1** skildra describe, relate **2** tillverka produce, make

**framställning** *s* **1** beskrivning description, representation **2** förslag proposal [*om* for] **3** tillverkning production

**framstöt** *s* thrust, drive; bildl. energetic move

**framsynt** *adj* far-seeing, far-sighted

**framsynthet** *s* foresight

**framsäte** *s* front seat

**framtand** *s* front tooth

**framtid** *s* future; *för (i) all ~* for all time

**framtida** *adj* future

**framtidsutsikter** *s pl* future prospects

**framtill** *adv* in front, at the front; i främre delen in the front part

**framtoning** *s* image

**framträda** *vb itr* **1** uppträda, visa sig appear; *~ i radio* broadcast on the radio **2** avteckna sig stand out

**framträdande I** s uppträdande appearance
**II** adj viktig prominent, outstanding
**framtung** adj ...heavy at the front
**framvagn** s bils front part of a (resp. the) car
**framåt I** adv ahead; along; vidare onwards;
*fortsätt ~!* keep straight on!; *luta sig ~*
lean forward **II** prep fram emot towards
**III** adj, vara ~ *[av sig]* be very go-ahead
**framåtanda** s, *ha stor ~* be very go-ahead
**framåtskridande** s framsteg progress
**framåtsträvande** adj go-ahead
**framöver** adv, *en lång tid ~* for a long
time ahead (to come)
**franc** s franc
**frank** adj frank, open, straightforward
**frankera** vb tr sätta frimärke på stamp
**Frankrike** France
**frans** s fringe
**fransig** adj trasig frayed
**fransk** adj French
**franska** s **1** French; jfr *svenska 2* **2** se
*franskbröd*
**franskbröd** s vitt bröd white bread; småfranska
roll; långfranska French loaf
**fransman** s Frenchman (pl. Frenchmen);
*fransmännen* som nation, lag etc. the
French
**fransyska** s kvinna Frenchwoman (pl.
Frenchwomen); jfr *svenska 1*
**frapperande** adj striking; förvånande
astonishing
**fras** s phrase äv. mus.
**fraseologi** s phraseology
**frasera** vb tr phrase äv. mus.
**frasig** adj crisp
**fraternisera** vb itr fraternize
**fred** s peace; *jag får aldrig vara i ~* I
never get (have) any peace; *låt mig vara
i ~!* leave me alone (in peace)!
**fredag** s Friday; *~en den 8 maj* adverbiellt
on Friday, May 8th; *förra ~en* last
Friday; *i ~s* last Friday; *i ~s för en vecka
sedan* a week ago last Friday; *i ~s i förra
veckan* last Friday last week; vi träffas *om
(på) ~* ...next Friday; *om (på) ~arna* on
Fridays; *på ~ om åtta dar (om en
vecka)* Friday week
**fredagskväll** s Friday evening (senare
night); *på ~arna* on Friday evenings
(nights)
**fredlig** adj peaceful
**fredlös** adj outlawed; *en ~* an outlaw
**fredsfördrag** s peace treaty
**fredsförhandlingar** s pl peace negotiations
(talks)

**fredsmäklare** s mediator
**fredspipa** s pipe of peace
**fredspris** s, *~et* Nobels the Nobel Peace
Prize
**fredsrörelse** s peace movement
**fredstrevare** s peace-feeler
**fredsvillkor** s pl peace terms
**fredsälskande** adj peace-loving
**freestyle** s kassettbandspelare Walkman ®
**fregatt** s frigate
**frekvens** s frequency äv. radio.
**frekvent** adj frequent, common
**frekventera** vb tr t.ex. nöjeslokal frequent,
patronize
**frenetisk** adj frenzied, frantic
**freon** s ® Freon, CFC (förk. för
chlorofluorocarbon)
**fresia** s bot. freesia
**fresk** s fresco (pl. -es el. -s)
**fresta** vb tr o. vb itr **1** tempt **2** ~ *på* vara
påfrestande be a strain on
**frestelse** s temptation; *falla för en
frestelse (för ~r)* yield to temptation
**fri** adj free; öppen, oskymd open; ~ *idrott*
athletics; *det står dig ~tt att* inf. you are
free (at liberty) to inf.; *vara ~ från
misstankar* be clear of (be above)
suspicion; *i det ~a* in the open (open air)
**1 fria I** vb tr frikänna acquit [*från* of]; *~nde
dom* verdict of acquittal (of not guilty)
**II** vb rfl, ~ *sig från misstankar* clear
oneself of suspicion
**2 fria** vb itr propose [*till ngn* to a p.]
**friare** s suitor
**fribrottning** s all-in wrestling, freestyle
**frid** s peace; lugn tranquillity; *allt är ~ och
fröjd* everything in the garden is lovely
**fridfull** adj peaceful, serene
**fridlysa** vb tr djur, växt etc. place...under
protection, preserve; *fridlyst område*
naturskyddsområde nature reserve
**fridsam** adj peaceable, placid
**frieri** s proposal, offer of marriage
**frige** vb tr släppa lös free, set...free, release
**frigid** adj frigid
**frigiditet** s frigidity
**frigivning** s setting free, release
**frigjord** adj fördomsfri open-minded;
emanciperad emancipated
**frigöra I** vb tr liberate, set...free **II** vb rfl, ~
*sig* free oneself, emancipate oneself
**frigörelse** s befrielse liberation; emancipation
emancipation
**frihandel** s free trade
**frihet** s freedom, liberty; *i ~* at liberty; *ta*

*sig ~en att göra ngt* take the liberty of doing a th.; *ta sig ~er mot ngn (med ngt)* take liberties with a p. (a th.)
**frihetskamp** *s* struggle for liberty
**frihetsstraff** *s* imprisonment
**frihetsälskande** *adj* freedom-loving
**friidrott** *s* athletics sg.
**frikallad** *adj*, *~ från värnplikt* exempt from military service
**frikostig** *adj* generous, liberal
**frikostighet** *s* generosity, liberality
**friktion** *s* friction
**friktionsfri** *adj* frictionless
**frikyrklig** *adj* Free Church...
**frikänna** *vb tr* acquit [*från* of]
**frikännande** *s* acquittal
**friluftsbad** *s* open-air baths (pl. lika)
**friluftsdag** *s* ung. sports day
**friluftsliv** *s* outdoor life
**friluftsområde** *s* open-air recreation area
**friluftsteater** *s* open-air theatre
**frimurare** *s* freemason, mason
**frimärke** *s* stamp
**frimärksalbum** *s* stamp album
**frimärksautomat** *s* stamp machine
**fringis** *s* vard., extra förmån fringe benefit
**fripassagerare** *s* stowaway
**frireligiös** *adj* nonconformist
**frisersalong** *s* hairdresser's (barber's) [shop]
**frisésallat** *s* endive, amer. chicory
**frisim** *s* freestyle
**frisinnad** *adj* liberal, broad-minded
**frisk** *adj* ej sjuk well; end. predikativt healthy; återställd recovered; *~ och kry* hale and hearty; *~a tänder* sound teeth; *~ aptit* a keen appetite; *~ luft* fresh air
**friska** *vb tr*, *~ upp* freshen up; *~ upp sina kunskaper* brush up one's knowledge
**friskintyg** *s* certificate of health
**friskna** *vb itr*, *~ till* recover
**friskskriva** *vb tr* declare...fit
**frisksportare** *s* keep-fit type, health (fitness) freak
**frisläppa** *vb tr* set...free, release
**frispark** *s* sport. free kick
**frispråkig** *adj* outspoken
**frissa** *s* vard. [ladies'] hairdresser
**frist** *s* anstånd respite, grace
**fristad** *s* skyddad ort sanctuary, refuge
**fristil** *s* sport. freestyle
**fristående** *adj* ...that stands by itself, detached
**friställd** *adj* arbetslös redundant
**frisyr** *s* hair style

**frisör** *s* o. **frisörska** *s* hairdresser, barber
**frita** *vb tr* **1** med våld rescue **2** från skyldighet release, exempt; från ansvar relieve
**fritagning** *s* rescue operation
**fritagningsförsök** *s* rescue attempt (bid)
**fritera** *vb tr* deep-fry
**fritid** *s* spare time, leisure; ledig tid time off
**fritidsbåt** *s* pleasure boat
**fritidsgård** *s* youth recreation centre
**fritidshem** *s* after-school recreation centre [for junior schoolchildren]
**fritidshus** *s* holiday (weekend) cottage, summer house
**fritidskläder** *s pl* leisure (casual) wear sg.
**fritidsområde** *s* recreation area (ground)
**fritidssysselsättning** *s* spare-time occupation
**fritis** *s* vard., se *fritidshem*
**frivillig I** *adj* voluntary **II** *subst adj* mil. volunteer
**frivilligt** *adv* voluntarily, of one's own free will
**frivolt** *s* gymn. somersault
**frodas** *vb itr dep* thrive, flourish
**frodig** *adj* luxuriant; om person fat, plump; om kvinna äv. buxom
**from** *adj* gudfruktig pious
**fr.o.m.** se *från och med* under *från*
**fromage** *s* ung. [cold] mousse
**fromhet** *s* piety
**front** *s* front
**frontalkrock** *s* head-on collision
**1 frossa** *s*, *ha ~* have the shivers
**2 frossa** *vb itr*; guzzle; *~ i...* wallow (revel) in...
**frossare** *s* glutton, guzzler
**frossbrytning** *s* fit of shivering
**frosseri** *s* gluttony, guzzling
**frost** *s* frost; rimfrost hoarfrost
**frosta** *vb tr*, *~ av* defrost
**frostbiten** *adj* frostbitten
**frostnatt** *s* frosty night
**frostskadad** *adj* ...damaged by frost
**frotté** *s* terry cloth
**frottéhandduk** *s* terry (Turkish) towel
**frottera** *vb tr* rub
**fru** *s* gift kvinna married woman (lady); hustru wife; *~ Ek* Mrs. Ek; *hur mår ~ Ek?* tilltal how are you, Mrs. Ek?
**frukost** *s* morgonmål breakfast; för ex. jfr *middag 2*
**frukostbord** *s*, *vid ~et* vid frukosten at breakfast
**frukostflingor** *s pl* breakfast cereal sg.
**frukostmiddag** *s* early dinner

**frukt** s fruit
**frukta** vb tr o. vb itr fear, be afraid [ngt of a th., att that]; ~ **för ngns liv** fear for a p.'s life
**fruktaffär** s fruit shop, fruiterer's
**fruktan** s rädsla fear, dread [för of]
**fruktansvärd** adj terrible, dreadful
**fruktbar** adj fertile; givande fruitful
**fruktkniv** s fruit knife
**fruktkräm** s stewed fruit purée [thickened with potato flour]
**fruktlös** adj futile, fruitless
**fruktodling** s fruit-growing; **en** ~ a fruit farm
**fruktsallad** s fruit salad
**fruktsam** adj om kvinna fertile
**fruktträd** s fruit tree
**fruktträdgård** s orchard
**fruntimmer** s neds. female, speciellt amer. dame
**frusen** adj frozen
**frustrerad** adj frustrated
**frys** s freezer
**frysa** vb itr **1** till is freeze; bli frostskadad get frost-bitten **2** om person feel cold, be freezing; **jag ~er om händerna** my hands are cold
　□ ~ **fast** freeze; ~ **in** el. ~ **ned** matvaror freeze, refrigerate; **rören har frusit sönder** the frost has burst the pipes; ~ **till** **(igen)** freeze, freeze over
**frysbox** s freezer, chest freezer
**frysdisk** s frozen-food display, refrigerated counter (cabinet)
**frysfack** s freezing-compartment
**fryspunkt** s freezing-point
**frysrum** s cold-storage room
**frysskåp** s freezer, cabinet freezer
**frystorka** vb tr freeze-dry
**fråga** **I** s question; **vad är det** ~ **om?** a) vad gäller saken? what's it all about? b) vad står på? what's the matter?; **mannen i** ~ the man in question; **han kan komma i** ~ som chef he is a possible choice...; **det** **(han) kan inte komma i** ~ it (he) is out of the question; **sätta i** ~ betvivla question, call...in question; **i** ~ **om** beträffande concerning, with regard to **II** vb tr o. vb itr ask; söka svar i (hos) question; ~ **efter ngn** ask for a p.; ~ **efter en bok** i bokhandeln inquire for a book; ~ **ngn om vägen** ask a p. the way **III** vb rfl, ~ **sig** ask oneself, wonder
**frågeformulär** s questionnaire
**frågesport** s quiz

**frågetecken** s question mark äv. bildl.
**frågvis** adj inquisitive
**från** prep from; **bort** ~ **(ned** ~**)** off; ~ **och** **med** (förk. **fr.o.m.** el. **f.o.m.**) **den 1 maj** as from May 1st; ~ **och med den dagen** var han... from that very day...; ~ **och med** **nu** skall jag from now on...; ~ **och med** **sid. 10** from page 10 on; **börja** ~ **början** begin at the beginning; **gå** ~ **bordet** leave the table; **hr A.** ~ **Stockholm** Mr A. of Stockholm
**frånskild** adj om makar divorced; **en** ~ a divorcee
**frånta** vb tr, ~ **ngn** take...away from a p.; beröva deprive a p. of
**frånvarande** adj absent; **de** ~ those absent; tankspridd absent-minded; upptagen av sina tankar preoccupied
**frånvaro** s absence [av of, från from]
**fräck** adj impudent; vard. cheeky, amer. fresh [mot to]; **det var det ~aste!** vard. what cheek (a nerve)!
**fräckhet** s impudence, insolence; vard. cheek, nerve (samtliga end. sg.); **hans ~er** yttranden his impudent (cheeky) remarks
**fräknar** s pl freckles
**fräknig** adj freckled
**frälsa** vb tr save, redeem
**frälsare** s saviour
**frälsning** s salvation
**Frälsningsarmén** s the Salvation Army
**främja** vb tr promote, further
**främjande** s promotion, furtherance
**främling** s strange [för to]; utlänning foreigner
**främlingslegion** s, ~**en** the Foreign Legion
**främlingspass** s alien's passport
**främmande I** adj obekant strange, unknown, unfamiliar [för to]; utländsk foreign **II** s gäster guests pl., visitors pl., company
**främre** adj front, fore
**främst** adv först first; längst fram in front; om rang foremost; huvudsakligen chiefly; **gå** ~ go first, walk in front; **ligga** ~ i tävling lead
**främsta** (främste) adj förnämsta foremost; viktigaste chief; första first, front
**frän** adj om lukt, smak pungent, acrid; ~ **kritik** biting criticism
**fräsa I** vb itr väsa hiss; brusa fizz; vid stekning sizzle; om katt spit [åt at] **II** vb tr hastigt steka fry, frizzle; ~ **smör** heat butter
**fräsch** adj fresh, fresh-looking; ren clean
**fräscha** vb tr, ~ **upp** freshen up; bildl. refresh, brush up

**fräta** vb tr o. vb itr, ~ el. ~ **på** (**sönder**) ngt om syra etc. corrode; **~nde ämne** corrosive

**frö** s seed

**fröhandel** s butik seed-dealer's

**fröjd** s glädje joy; lust delight

**fröken** s ogift kvinna unmarried woman; ung dam young lady; lärarinna teacher; som titel Miss; **F~!** till uppasserska Waitress!, vard. Miss!; **kan ~ säga mig...** could you please tell me..., Miss; **lilla ~** vard. young lady; **F~ Ur** the speaking clock; **F~ Väder** the telephone weather service, britt. the Weather Phone

**frömjöl** s pollen

**fuchsia** s bot. fuchsia

**fuffens** s hanky-panky; **ha något ~ för sig** be up to mischief

**fukt** s damp; väta moisture

**fukta** vb tr moisten, wet

**fuktig** adj damp; t.ex. om klimat moist; råkall damp; **~a läppar** moist lips

**fuktighet** s dampness; moistness; humidity

**ful** adj ugly; alldaglig plain; amer. äv. homely; **~ fisk** ugly customer; **~ gubbe** dirty old man; **~a ord** bad language sg.; **~ vana** nasty habit; **~ i mun** foul-mouthed

**fuling** s nasty customer

**full** adj **1** full [av, med of]; fylld filled [av with]; **det är ~t** fullsatt we are full up; **hälla** (**slå**) **glaset ~t** fill the glass; **på ~t allvar** quite seriously; **njuta av ngt i ~a drag** enjoy a th. to the full; **~t förtroende** complete confidence; **med ~ rätt** quite rightly; **ha ~ tjänst** i skola be a full-time teacher; **månen är ~** the moon is full **2** onykter ...drunk, drunken...; vard. tipsy, ...tight; **supa sig ~** get drunk

**fullastad** adj fully loaded

**fullbelagd** adj full, ...full up

**fullblod** s thoroughbred

**fullbokad** adj fully booked, ...booked up

**fullborda** vb tr slutföra complete, finish; **ett ~t faktum** an accomplished fact

**fullfjädrad** adj bildl. full-fledged, accomplished

**fullfölja** vb tr slutföra complete, finish; genomföra follow (carry) out

**fullgod** adj perfectly satisfactory; utmärkt perfect

**fullgöra** vb tr perform, discharge, fulfil, carry out, execute

**fullkomlig** adj **1** felfri perfect **2** fullständig complete, entire

**fullkomlighet** s perfection

**fullkomligt** adv perfectly, completely; helt entirely, utterly

**fullkornsbröd** s wholemeal bread

**fullmakt** s bemyndigande authorization; **ge ngn ~ att** inf. authorize a p. to inf.

**fullmåne** s full moon

**fullo** s, **till ~** to the full, fully

**fullpackad** s o. **fullproppad** adj crammed, packed [**med** with]

**fullsatt** adj full, crowded, packed

**fullständig** adj komplett etc. complete, entire, full; total etc. perfect, total

**fullt** adv completely, fully; alldeles quite; **ha ~ upp med arbete** have plenty of work; **arbeta för ~** work like mad; **med radion på ~ för ~** with the radio on at full blast; **inte ~** ett år not quite...

**fulltalig** adj complete; **en ~ publik** a full audience

**fullträff** s direct hit; pjäsen blev **en verklig ~** ...a real (smash) hit

**fullvuxen** adj full-grown; **bli ~** grow up

**fullvärdig** adj, **~ kost** a balanced diet

**fullända** vb tr **1** complete, finish **2** fullkomna perfect; **~d skönhet** perfect beauty

**fulländning** s perfection

**fumla** vb itr fumble [**med** with, at]

**fumlig** adj fumbling

**fundament** s foundation, foundations pl.

**fundamental** adj fundamental, basic

**fundera** vb itr tänka think [**på, över** of, about]; grubbla ponder [**på, över** over]; **~ på** överväga **att** inf. think of (consider) ing-form; **jag skall ~ på saken** I will think the matter over; **jag har ofta ~t över** undrat **varför han...** I have often wondered why he...; **~ ut** think (work) out

**fundering** s, **~ar** tankar thoughts; idéer ideas

**fundersam** adj tankfull thoughtful, meditative

**fungera** vb itr **1** gå riktigt work, function; hissen **~r inte** ...is out of order, ...is not working **2** tjänstgöra act, serve [**som** as]

**funka** vb itr vard. work, function; act [**som** as]; jfr äv. fungera

**funktion** s function; **fylla en ~** serve a purpose; **ur ~** out of order

**funktionär** s official; vid tävling steward

**furir** s corporal; inom flottan leading seaman

**furste** s prince

**furstendöme** s principality

**furstlig** adj princely

**furu** s virke pine, pinewood; **ett bord av ~** a deal table

**fusk** s **1** skol. o. i spel cheating **2** slarvigt arbete botched (bungled, hafsverk scamped) work
**fuska** vb itr skol. o. i spel cheat
**fusklapp** s crib
**fuskverk** s, ett ~ a botched piece of work
**futtig** adj ynklig paltry; lumpen mean
**futurum** s the future tense
**fux** s häst bay, bay horse
**fy** interj oh!; ~ fan! hell!; ~ skäms! shame on you!; till barn naughty, naughty!
**fylla** vb tr **1** fill; stoppa full stuff äv. kok.; det fyller sitt ändamål it serves its purpose; ~ bensintanken fill up the tank, fill up; ~ vin i glasen pour wine into…; hennes ögon fylldes av tårar her eyes filled with tears **2** när fyller du år? when is your birthday?; han fyllde femtio i går he was fifty yesterday
□ ~ i en blankett fill in (up) a form; ~ igen t.ex. hål fill up, stop up; ~ på a) kärl fill el. fill up b) vätska pour el. pour in; ~ på bensin tanka fill up
**fyllbult** s vard. boozer, wino (pl. -s)
**fylleri** s drunkenness
**fyllerist** s drunk
**fyllig** adj **1** om person plump; speciellt om kvinna buxom; om figur, kroppsdel ample, full **2** bildl., om t.ex. framställning full, detailed; om urval etc. rich; om vin full-bodied; om ton, röst rich, mellow
**fyllnadsgods** s bildl. padding
**fyllnadsval** s by-election
**fyllning** s filling äv. tand~; kok. stuffing; i pralin etc. centre
**fyllo** s vard. drunk
**fylltratt** s drunkard; vard. boozer
**fynd** s det funna find; upptäckt discovery; göra ett ~ gott köp make a bargain
**fyndig** adj påhittig, om person inventive; rådig resourceful; slagfärdig witty; om sak ingenious
**fyndpris** s bargain price
**fyr** s fyrtorn lighthouse
**1 fyra** vb itr, ~ av fire, let off, discharge
**2 fyra I** räkn four; mellan ~ ögon in private, privately; på alla ~ on all fours; jfr fem o. sammansättningar **II** s four; ~ns växel fourth gear; jfr femma
**fyrbent** adj four-legged
**fyrcylindrig** adj four-cylinder…
**fyrdubbel** adj fourfold, quadruple
**fyrdubbla** vb tr multiply…by four, quadruple
**fyrfaldig** adj fourfold; ett ~t leve för… four (eng. motsv. three) cheers for…

**fyrfotadjur** s quadruped, four-footed animal
**fyrhjulsdrift** s bil. four-wheel drive
**fyrhändigt** adv mus., spela ~ play a duet (resp. duets)
**fyrkant** s kvadrat square; speciellt geom. quadrangle
**fyrkantig** adj square
**fyrklöver** s four-leaf clover; bildl. quartet
**fyrling** s quadruplet; vard. quad
**fyrop** s pl boos, cries of 'shame!'
**fyrsidig** adj quadrilateral
**fyrsiding** s quadrilateral
**fyrskepp** s lightship
**fyrtaktsmotor** s four-stroke engine
**fyrtio** räkn forty; jfr femtio o. sammansättningar
**fyrtionde** räkn fortieth
**fyrtorn** s lighthouse
**fyrvaktare** s lighthouse-keeper
**fyrverkeri** s, ~ el. ~er fireworks pl.; ett ~ a firework display
**fyrverkeripjäs** s firework
**fysik** s **1** vetenskap physics sg. **2** kroppskonstitution physique, constitution
**fysikalisk** adj physical
**fysiker** s physicist
**fysiolog** s physiologist
**fysionomi** s physiognomy
**fysioterapi** s physiotherapy
**fysioterapist** s physiotherapist
**fysisk** adj physical
**1 få I** hjälpvb **1** få tillåtelse att be allowed (permitted) to; ~r jag gå nu? may (can) I go now?; jag ~r inte glömma det I must not forget it **2** ha tillfälle el. möjlighet att be able to, have an opportunity (a chance) to; vi ~r tala om det senare äv. we can talk about that later; vi ~r väl se we'll see about that; ~ höra, ~ se, ~ veta etc., se resp. verb **3** vara tvungen att have to, have got to; du ~r ta (lov att ta) en större väska you want…, you need…, you must have… **II** vb tr erhålla etc. get, obtain, receive, have; kan jag få lite te? can I have…please?; jag ska be att ~ lite frukt i butik I should like some fruit; vem har du ~tt den av? who gave you that?; vad ~r vi till middag? what's for dinner?; det ska du ~ för! I'll pay you out for that!; där fick han! det var rätt åt honom! serves him right!; ~ förmå ngn att göra ngt make a p. do a th., get a p. to do a th.; ~ ngn i säng get a p. to bed
□ ~ av (av sig) get…off; ~ bort avlägsna remove; ~ ngn fast catch a p.; ~ fram ta fram

get...out [*ur* of]; ~ **för sig** sätta sig i sinnet
get into one's head...; inbilla sig
imagine...; ~ **i** *ngt i...* get a th. into...; ~ **i**
**sig** tvinga i sig get...down; *det skall du* ~
**igen!** I'll pay you back for that!; ~ **ihop**
samla get...together, collect; ~ **in** get...in;
~ *in* ihop *pengar* collect money; ~ **loss**
get...off; få ur get...out; ~ **på** (*på sig*)
get...on; ~ **tillbaka** get...back; ~ **upp**
a) öppna open; lyckas öppna manage to
open; t.ex. lock get...off b) kunna lyfta raise,
lift; få uppburen get...up; ~ *upp farten*
komma i gång get up speed; ~ **ut** get...out
[*ur* of]; t.ex. lön, arv obtain; lösa solve; ~ *ut*
*det mesta möjliga av...* utnyttja make the
most of...; ~ **över** få kvar have (have
got)...left (to spare)

**2 få** *pron* few; *blott* ~ only a few; *inte så* ~
quite a few; *några* ~ a few; *ytterst* ~ very
few

**fåfäng** *adj* **1** flärdfull vain **2** resultatlös vain,
...in vain

**fåfänga** *s* flärd vanity

**fågel** *s* bird; tamfågel, kok. poultry koll.;
*varken* ~ *eller fisk* neither fish, flesh nor
fowl

**fågelbo** *s* bird's nest

**fågelbord** *s* birdtable

**fågelbur** *s* birdcage

**fågelfrö** *s* birdseed

**fågelholk** *s* nesting box

**fågelperspektiv** *s* bird's-eye view

**fågelskrämma** *s* scarecrow

**fågelskådare** *s* birdwatcher

**fågelvägen** *s*, det är en mil ~ ...as the crow
flies

**fåll** *s* sömnad. hem

**1 fålla** *vb tr* sömnad. hem

**2 fålla** *s* inhägnad pen, fold

**fåne** *s* fool, idiot

**fånga I** *s, ta ngn till* ~ take a p. prisoner,
capture a p.; *ta sitt förnuft till* ~ be
sensible (reasonable) **II** *vb tr* catch, take

**fånge** *s* prisoner; straffånge convict

**fången** *adj* fängslad captured, imprisoned,
captive; *hålla* ~ keep...in captivity,
hold...prisoner

**fångenskap** *s* captivity; befria ngn *ur* ~*en*
...from captivity

**fångläger** *s* prison camp; mil. prisoner of
war camp

**fångst** *s* byte catch

**fångvaktare** *s* warder

**fånig** *adj* silly, stupid; löjlig ridiculous

**fåntratt** *s* vard. fool, idiot

**fåordig** *adj* taciturn

**får** *s* sheep (pl. lika); kött mutton

**fåra** *s* o. *vb tr* furrow

**fårkött** *s* mutton

**fårskalle** *s* vard. blockhead

**fårskinn** *s* sheepskin

**fårstek** *s* roast mutton

**fårull** *s* sheep's wool

**fåtal** *s* minority; *endast ett* ~ only a small
number

**fåtalig** *adj, de är* ~*a* they are few (few in
number); *den* ~*a publiken* the small
audience

**fåtölj** *s* armchair, easy chair

**fädernesland** *s* native country

**fägring** *s* poet. beauty

**fähund** *s* lymmel blackguard, rotter

**fäkta** *vb itr* fence; ~ *med armarna*
gesticulate violently

**fäktare** *s* fencer

**fäktning** *s* fencing

**fälg** *s* på hjul rim

**fälla I** *s* trap; *lägga ut en* ~ *för* set a trap
for **II** *vb tr* **1** få att falla fell; speciellt jakt.
bring down; låta falla drop; sänka, t.ex. bom
lower; ~ *ett förslag* defeat a proposal; ~
*tårar* shed tears **2** förlora, t.ex. blad, hår
shed, cast **3** avge, ~ *ett yttrande* make a
remark **4** förklara skyldig convict [*för* of]
**III** *vb itr* om tyg etc. lose its colour, fade;
*färgen fäller* the colour runs

□ ~ **ihop** t.ex. fällstol fold up; ~ **ned** lock
shut; bom, sufflett lower; krage turn down;
paraply put down; ~ **upp** lock open; krage
turn up; paraply put up

**fällkniv** *s* clasp knife, jack knife

**fällstol** *s* folding chair; utan ryggstöd camp
stool; vilstol deckchair

**fält** *s* field

**fältherre** *s* commander, general

**fältkikare** *s* field glasses pl.

**fältkök** *s* field kitchen

**fältmarskalk** *s* field marshal

**fältslag** *s* pitched battle

**fälttåg** *s* campaign

**fältuniform** *s* field uniform, battle dress

**fängelse** *s* prison, gaol, speciellt amer. jail; *få*
*livstids* ~ get a life sentence, be
imprisoned for life; *sitta* (*sätta ngn*) *i* ~
be (put a p.) in prison (gaol)

**fängelsecell** *s* prison cell

**fängelsedirektör** *s* prison governor (amer.
warden)

**fängelsestraff** *s* imprisonment, term of

imprisonment; *avtjäna ett* ~ serve a prison sentence

**fängsla** *vb tr* **1** sätta i fängelse imprison; arrestera arrest **2** tjusa captivate, fascinate; ~*nde* spännande, intressant absorbing, thrilliing

**fängslig** *adj, hålla (ta) i* ~*t förvar* keep in (take into) custody

**fänkål** *s* fennel; krydda fennel seed

**fänrik** *s* inom armén second lieutenant; inom flyget pilot officer; amer., inom armén o. flyget second lieutenant

**färd** *s* resa journey; till sjöss voyage; *vara i full* ~ *med att* inf. be busy ing-form

**färdas** *vb itr dep* travel

**färdig** *adj* avslutad finished, completed, done; klar, beredd ready, prepared [*till* for]; ~ *att användas* ready for use; *få (göra) ngt* ~*t* a) avsluta finish a th. b) iordningställa get a th. ready [*till* for]; *skriva brevet* ~*t* finish writing the letter; *är du* ~ (~ *med arbetet*)*?* have you finished (finished your work)?; *han är alldeles* ~ slut he is done for; *vara* ~ nära *att* inf. be on the point of ing-form

**färdigförpackad** *adj* pre-packed

**färdighet** *s* skicklighet skill, proficiency

**färdigklädd** *adj* dressed

**färdiglagad** *adj,* ~ *mat* ready-cooked food

**färdigställa** *vb tr* prepare, get...ready

**färdigsydd** *adj* konfektionssydd ready-made

**färdigt** *adv, äta (läsa)* ~ finish eating (reading)

**färdledare** *s* guide, leader

**färdskrivare** *s* bil. tachograph, vard. tacho; flyg. flight recorder, vard. black box

**färdtjänst** *s* mobility service, transportation service for old (disabled) persons

**färdväg** *s* route

**färg** *s* colour; målarfärg paint; till färgning dye; nyans shade, tint; kortsp. suit; *få* ~ om ansikte get a colour; *vad är det för* ~ *på (vilken* ~ *har) bilen?* what colour is the car?

**färga** *vb tr* colour; tyg, hår dye; *duken har* ~*t av sig* the dye has come off the cloth

**färgad** *adj* coloured; målad painted; med färgning dyed; *de* ~*e* som grupp the coloured people

**färgband** *s* för skrivmaskin typewriter ribbon

**färgbild** *s* colour picture

**färgblind** *adj* colour-blind

**färgfilm** *s* colour film

**färgfoto** *s* bild colour photo

**färgglad** *adj* richly coloured

**färggrann** *adj* richly coloured, full of colour; neds. gaudy

**färghandel** *s* paint dealer and chemist

**färgklick** *s* bildl. splash of colour

**färglåda** *s* paintbox

**färglägga** *vb tr* colour; foto. tint

**färglös** *adj* colourless

**färgpenna** *s* coloured pencil

**färgskala** *s* range of colours

**färgstark** *adj* colourful

**färgstämd** *adj* colour-matched

**färg-TV** *s* colour television (TV)

**färgäkta** *adj* colour-fast; tvättäkta wash-proof

**färja** *s* ferry; speciellt mindre ferryboat

**färjförbindelse** *s* ferry service

**färre** *komp* fewer

**färs** *s* minced meat; t.ex. på fisk mousse

**färsk** *adj* frisk, ej konserverad fresh; ~*t bröd* fresh (new) bread; ~ *frukt* fresh fruit; ~ *potatis* new potatoes

**färskvaror** *s pl* perishables

**Färöarna** *pl* the Faeroe Islands, the Faeroes

**fästa I** *vb tr* fasten, fix, attach; ~ *blicken på* fix one's eyes on; *vara mycket fäst vid* be very much attached to **II** ~ *sig vid ngn* become attached to a p.; ~ *sig vid ngt* pay attention to a th.

**fäste** *s* **1** stöd, tag hold; fotfäste foothold, footing; *få* ~ get a hold (grip) **2** befästning stronghold äv. bildl.

**fästing** *s* tick

**fästman** *s* fiancé

**fästmö** *s* fiancée

**fästning** *s* fort, fortress

**föda I** *s* food; näring nourishment; uppehälle living; *fast* ~ solid food; *flytande* ~ liquid food **II** *vb tr* **1** give birth to; *han föddes* den 1 mars he was born... **2** alstra breed **3** ge föda åt feed; försörja support, maintain; ~ *upp* djur breed, rear

**född** *adj* born; *Födda* rubrik Births; *hon är* ~ *B.* her maiden name was B.; *när är du* ~*?* when were you born?; *han är* ~ *svensk* he is a Swede by birth

**födelse** *s* birth; *efter (före) Kristi* ~, se *Kristus*

**födelseannons** *s* announcement in the births column

**födelseattest** *s* birth certificate

**födelsedag** *s* birthday

**födelsedatum** *s* date of birth

**födelsekontroll** *s* birth control

**födelsemärke** *s* birthmark

**födelsenummer** s birth registration number

**födelseort** s birthplace; i formulär place of birth

**födoämne** s food (end. sg.); food-stuff

**födsel** s förlossning delivery; födelse birth; **från ~n** from birth

**1 föga** adj o. adv very little; **~ trolig** not very likely, improbable

**2 föga** s, **falla till ~** yield, submit [för to]

**fögderi** s tax collection district

**föl** s foal; unghäst colt; ungsto filly

**följa** vb tr **1** follow; efterträda succeed **2** ledsaga accompany; **~ ngn till tåget** (båten etc.) see a p. off; **jag följer dig en bit på väg** I will come with you part of the way

□ **~ av ngn** see a p. off; **~ efter** follow; **~ med** komma med come (dit go) along [ngn with a p.]; **~ med ngn** äv. accompany a p.; hänga med, han talar så fort att jag inte kan **~ med** ...follow him; **han kan inte ~ med i klassen** he cannot keep up with the rest of the class; **~ upp** follow up

**följaktligen** adv consequently, accordingly

**följande** adj following; **den ~ diskussionen** blev... the discussion that followed...; **på ~ sätt** in the following way

**följas** vb itr dep, **~ åt** go together

**följd** s **1** succession, sequence; **en ~ av olyckor** a series of accidents; **fem år i ~** ...in succession **2** konsekvens consequence; **ha (få) till ~** result in; **ha till ~ att...** have the result that...

**följesedel** s delivery note

**följeslagare** s companion, follower

**följetong** s serial story, serial

**föna** vb tr håret blow-wave, blow-dry

**fönster** s window

**fönsterbleck** s window ledge

**fönsterbräde** s window sill

**fönsterkarm** s window frame

**fönsterlucka** s shutter

**fönsterputsare** s window-cleaner

**fönsterruta** s windowpane

**fönstertittare** s peeping Tom, voyeur

**1 för** s på båt stem, prow

**2 för I** prep **1** for; **ha användning ~** have use for; **det blir inte bättre ~ det** that won't make it any better; **han är lång ~ sin ålder** he is tall for his age; **jag får inte ~ pappa** father won't let me; han får göra vad han vill **~ mig** ...as far as I'm concerned **2** to; **visa ngt ~ ngn** show

a th. to a p.; **~ mig** i mina ögon to me; **blommorna dör ~ mig** my flowers keep dying **3** vid genitivförhållande of; **chef ~** head of; **priset ~** varan the price of...; **tidningen ~ i går** yesterday's paper **4** i tidsuttryck, **~ fem dagar framåt** for the next five days; få men **~ livet** ...for life; **~ ...sedan** ...ago; **~ ett år sedan** a year ago; **~ länge sedan** long ago, se äv. ex. under länge **5** i andra förbindelser, **dölja (gömma)...~ ngn** hide...from a p.; **oroa sig ~ ngn (ngt)** worry about a p. (a th.); **skriva ~ hand** write by hand; jag har köpt det **~ egna pengar** ...with my own money; **ta lektioner ~ ngn** have lessons with a p.; köpa tyg **~ 100 kronor metern** ...at 100 kronor a metre; bli sämre **~ varje dag** el. **~ varje dag som går** ...every day; var och en **~ sig** ...separately; **hålla handen ~ munnen** hold one's hand before one's mouth; ha en hel våning **~ sig själv** ...to oneself; **vara ~ sig själv** ensam be alone **II** konj ty for; **~ att** därför att because; **inte ~ att jag** hört något not that I...; **~ att** på det att so (in order) that; **~ att produktionen skall kunna ökas måste vi...** for production to be increased we must...; vägen var **för (alltför) smal ~ att två bilar skulle kunna mötas** ...too narrow for two cars to pass; han talar bra **~ att vara utlänning** ...for a foreigner **III** adv **1** alltför too; **~ litet** too little **2** gardinen **är ~** fördragen ...is drawn; luckan (regeln) **är ~** ...is to

**föra I** vb tr **1** convey; bära carry; forsla transport; ta med sig: hit bring; dit take; **~ ngn till sjukhus** take a p. to hospital; **~ handen över...** pass one's hand over... **2** leda lead, guide; ledsaga conduct; dit take; hit bring; **~ ett flygplan** fly a plane; **~ förhandlingar** conduct (carry on) negotiations; **~ en politik** pursue a policy **II** vb itr lead; **det skulle ~** oss **för långt** it would carry (take) us too far

□ **~ bort** take (lead, carry)...away (undan off), remove; **~ fram** idé etc. bring up; **~ in** introduce, take (hitåt bring)...in, lead (conduct)...; **~ med sig** carry (take)...along with one; **~ samman** bring...together; **~ upp** skriva upp enter [på on]; **för upp det på mitt konto** put it down to my account; **~ ut** varor export; **~ vidare** skvaller etc. pass on

**förakt** s contempt; **hysa ~ för ngn** feel contempt for a p.

**förakta** *vb tr* ringakta despise, scorn
**föraktfull** *adj* contemptuous, scornful
**föraktlig** *adj* värd förakt contemptible; futtig paltry
**föraning** *s* premonition, presentiment [*om att* that]
**förankra** *vb tr* anchor [*vid* to]; *fast ~d* djupt rotad deeply rooted
**förankring** *s* anchorage äv. bildl.
**föranleda** *vb tr* **1** förorsaka bring about, cause; ge upphov till give rise to **2** förmå, ~ *ngn att* inf. cause (lead) a p. to inf., make a p. inf. utan 'to'
**föranlåten** *adj, känna (se) sig ~ att* feel called upon to
**förarbete** *s* preparatory work (end. sg.)
**förare** *s* av bil etc. driver; av motorcykel etc. rider; av flygplan pilot
**förarga** *vb tr* annoy, provoke
**förargelse** *s* **1** förtret vexation, annoyance **2** anstöt offence; *väcka ~* cause offence
**förargelseväckande** *adj* offensive; scandalous; *~ beteende* disorderly conduct
**förarglig** *adj* förtretlig annoying; retsam irritating, tantalizing
**förarhytt** *s* driver's cab; på tåg driver's compartment; på flygplan cockpit
**förarplats** *s* driver's seat
**1 förband** *s* **1** bandage; kompress etc. dressing; *första ~* first-aid bandage **2** mil. unit; flyg. formation
**2 förband** *s* mus. warm-up band
**förbandslåda** *s* first-aid kit
**förbanna** *vb tr* curse, damn
**förbannad** *adj* cursed; svordom vanl. bloody, damned, confounded; amer. goddamn; *bli ~* vard. get furious [*på* with]
**förbannat** *adv* vard. bloody, damned; svagare confounded
**förbannelse** *s* curse
**förbarma** *vb rfl, ~ sig* take pity; speciellt relig. have mercy [*över* on]
**förbarmande** *s* mercy, pity
**förbaskad** *adj* vard. confounded, damned
**förbehåll** *s* reserve, reservation; inskränkning restriction; villkor condition; *med (under) ~ att...* provided that...
**förbehålla** *vb tr, ~ ngn ngt* reserve a th. for a p.; *~ sig rätten att* inf. reserve the right to inf.
**förbehållen** *adj* reserved [*för* for]
**förbereda I** *vb tr* prepare [*för, på* for] **II** *vb rfl, ~ sig* prepare oneself [*för, på ngt* for

a th.]; göra sig i ordning get ready, get oneself ready [*för, till* for]
**förberedande** *adj* preparatory, preliminary
**förberedelse** *s* preparation
**förbi** *prep adv* past, by
**förbifart** *s, i ~en* in passing
**förbigå** *vb tr* pass...over; strunta i ignore
**förbigående** *s, i ~* in passing
**förbigången** *adj* passed over; *känna sig ~* feel left out
**förbinda I** *vb tr* **1** sår bandage, dress **2** förena join, attach [*med* to]; connect [*med* with, to], combine, associate [*med* with]; *det är förbundet med stor risk* it involves a considerable risk **II** *vb rfl, ~ sig* förplikta sig bind (pledge) oneself
**förbindelse** *s* connection; mellan personer o. mellan stater relations pl.; kärleks~ love affair; *daglig (direkt) ~* daily (direct) service; *diplomatiska ~r* diplomatic relations; *kulturella ~r* äv. cultural intercourse sg.; *tillfälliga [sexuella] ~r* casual sex; *stå i ~ med* a) ha kontakt med be in touch (contact) with b) vara förenad med be connected with; *sätta ngt i ~ med* connect a th. with; *sätta sig (ngn) i ~ med* get in (put a p. in) touch with
**förbise** *vb tr* overlook; avsiktligt disregard
**förbiseende** *s, av (genom ett) ~* through an oversight
**förbistring** *s* confusion
**förbittrad** *adj* bitter; ursinnig furious [*över* about, at; *på* with]
**förbittring** *s* bitterness; ursinne fury
**förbjuda** *vb tr* forbid; om myndighet prohibit
**förbjuden** *adj* forbidden; prohibited; *Rökning ~* No Smoking
**förbli** *vb itr* remain
**förblinda** *vb tr* blind
**förbluffa** *vb tr* amaze, astound
**förblöda** *vb itr* bleed to death
**förbruka** *vb tr* consume, use; göra slut på use up; krafter exhaust; pengar spend
**förbrukare** *s* consumer, user
**förbrukning** *s* consumption
**förbrukningsartikel** *s* article of consumption
**förbrylla** *vb tr* bewilder, confuse
**förbrytare** *s* criminal; grövre felon
**förbrytelse** *s* crime
**förbränna** *vb tr* burn up
**förbränning** *s* burning; fys. combustion
**förbränningsmotor** *s* internal-combustion engine
**förbrödra** *vb rfl, ~ sig* fraternize

**örbud** s prohibition [*mot* of], ban [*mot* on]

**örbund** s mellan stater alliance, union; förening etc. äv. federation

**örbundskapten** s sport. manager

**örbundsrepublik** s federal republic

**örbättra** vb tr improve

**örbättring** s improvement

**ördel** s **1** advantage [*framför* over, *för* to, *med* of]; *dra (ha)* ~ *av* benefit (profit) by **2** tennis advantage; vard. van

**ördela** vb tr distribute; uppdela divide

**ördelaktig** adj advantageous [*för* to]

**ördelardosa** s bil. distributor

**ördelare** s bil. distributor

**ördelarlock** s bil. distributor cap

**ördelning** s distribution; division

**ördjupa I** vb tr deepen **II** vb rfl, ~ *sig i* studier etc. become absorbed in...

**ördom** s, ~ el. ~*ar* prejudice sg.

**ördomsfri** adj unprejudiced

**ördomsfull** adj prejudiced

**ördrag** s avtal treaty

**ördriva** vb tr, ~ *tiden* pass (kill) time

**ördröja** vb tr delay, retard

**ördubbla** vb tr double; öka redouble

**ördubblas** vb itr dep double, redouble

**ördäck** s foredeck

**ördärv** s ruin; undergång destruction

**ördärva** vb tr ruin, destroy; moraliskt corrupt, deprave

**ördärvad** adj ruined; depraved

**ördöma** vb tr condemn

**ördömd** adj damned; svordom äv. confounded

**ördömlig** adj reprehensible, ...to be condemned

**före** s se *skidföre*

**före I** prep **1** before, ahead of; *inte* ~ kl. 7 not before (earlier than)... **2** ~ *detta* (förk. *f.d.*): ~ *detta ambassadör i...* formerly ambassador in...; ~ *detta rektorn vid...* the late headmaster at...; ~ *detta världsmästare* ex-champion **II** adv before; *dagen* ~ the day before; *med fötterna (huvudet)* ~ feet (head) foremost (first); *vara (ligga)* ~ be ahead; *min klocka går* ~ my watch is too fast

**örebild** s prototype [*för, till* of]; mönster pattern, model

**örebrå** vb tr reproach [*för* with]; klandra blame [*för* for]

**örebråelse** s reproach; *få* ~*r* be reproached (blamed)

**örebud** s omen

**förebygga** vb tr förhindra prevent; förekomma forestall

**förebyggande** adj preventive

**förebåda** vb tr varsla om promise; något ont portend, forebode

**föredra** vb tr prefer [*framför* to]

**föredrag** s anförande talk; föreläsning lecture [*över* on]; *hålla* [*ett*] ~ give (deliver) a talk (resp. lecture)

**föredöme** s example

**förefalla** vb itr seem, appear [*ngn* to a p.]

**föregripa** vb tr forestall, anticipate

**föregå** vb tr **1** komma före precede **2** ~ *ngn med gott exempel* set a p. a good example

**föregående** adj previous, preceding

**föregångare** s företrädare predecessor

**förehavande** s, *hans* ~*n* his doings

**förekomma I** vb tr hinna före forestall; anticipate; förebygga prevent; *bättre* ~ *än* ~*s* prevention is better than cure **II** vb itr occur, be met with

**förekommande** adj **1** *i* ~ *fall* där så är lämpligt where appropriate **2** obliging; artig courteous

**förekomst** s occurrence, presence

**föreligga** vb itr exist; finnas tillgänglig be available

**föreläsa** vb itr lecture [*i, över* on]

**föreläsare** s lecturer

**föreläsning** s lecture; *gå på* ~ go to (attend) a lecture; *hålla* ~ *(föreläsningar)* lecture

**föremål** s object

**förena** vb tr unite [*med* to]; sammanföra bring...together; förbinda join, connect; kombinera combine

**förening** s **1** sällskap association, society **2** förbindelse association, union, combination; kem. compound

**föreningslokal** s club (society) premises pl.

**förenkla** vb tr simplify

**förenlig** adj consistent, compatible [*med* with]

**förent** adj, *Förenta nationerna* (förk. *FN*) the United Nations (förk. UN) sg.; *Förenta Staterna* the United States (förk. US) el. the United States of America (förk. USA) sg.

**föresats** s intention

**föreskrift** s, ~ el. ~*er* directions, instructions

**föreskriva** vb tr prescribe

**föreslå** vb tr propose, suggest

**förespråkare** s advocate [*för* for]

# förespå

**förespå** *vb tr* förutsäga predict; profetera prophesy

**förestå I** *vb tr* be the head of, be in charge of **II** *vb itr* be near (överhängande imminent)

**förestående** *adj* stundande approaching; speciellt om något hotande imminent

**föreståndare** *s* manager, director; för institution superintendent, head [*för* i samtliga fall of]

**föreställa I** *vb tr* **1** återge represent **2** presentera introduce **II** *vb rfl*, ~ *sig* tänka sig imagine, visualize, picture

**föreställning** *s* **1** begrepp idea, conception [*om* of] **2** teater~ etc. performance

**föresätta** *vb rfl*, ~ *sig* besluta make up one's mind; sätta sig i sinnet set one's mind [*att* inf. on ing-form]

**företag** *s* undertaking; affärs~ etc. enterprise, business, company, firm

**företagare** *s* industrialist, owner of a business enterprise; arbetsgivare employer

**företagsam** *adj* enterprising

**företagsamhet** *s* enterprising spirit, initiative; *fri* ~ free enterprise

**företagsledare** *s* executive, business executive

**företeelse** *s* phenomenon; *en vanlig* ~ an everyday occurrence

**företräda** *vb tr* representera represent

**företrädare** *s* **1** föregångare predecessor **2** för idé etc. advocate, upholder **3** ombud representative

**företräde** *s* **1** förmånsställning preference, priority [*framför* of]; *lämna* ~ *åt trafik från höger* give way to traffic coming from the right **2** förtjänst advantage [*framför* over]

**företrädesrätt** *s* precedence, priority

**förevändning** *s* pretext; ursäkt excuse [*för* for]; *under* ~ *av* on the pretext of; *under* ~ *att* on the pretext that

**förfader** *s* ancestor, forefather

**förfall** *s* **1** decline, decay **2** förhinder, *laga* ~ valid excuse; *utan giltigt* ~ without a valid reason

**förfalla** *vb itr* **1** fördärvas fall into decay (om byggnad etc. disrepair); om person go downhill **2** bli ogiltig become invalid **3** ~ el. ~ *till betalning* be (fall) due

**förfallen** *adj* fördärvad, vanvårdad decayed, dilapidated

**förfallodag** *s* date of payment, due date

**förfalska** *vb tr* falsify; t.ex. tavla fake; namn, sedlar etc. forge

**förfalskare** *s* forger

**förfalskning** *s* förfalskande faking, forgery; om sak fake, forgery

**förfara** *vb itr* gå till väga proceed [*vid* in]; handla act

**förfarande** *s* procedure

**förfaras** *vb itr dep* be wasted; om god mat äv. go bad

**författa** *vb tr* write, compose

**författare** *s* author, writer [*av, till* of]

**författarinna** *s* authoress, author, woman writer

**författning** *s* statsskick constitution

**författningsenlig** *adj* constitutional

**förfluten** *adj* past; förra last; *ett förflutet som* sjöman a past as a...

**förflytta I** *vb tr* move; omplacera transfer **II** *vb rfl*, ~ *sig* move

**förfoga** *vb itr*, ~ *över* have...at one's disposal

**förfogande** *s*, *ställa ngt till ngns* ~ place a thing at a p.'s disposal

**förfriskning** *s* refreshment

**förfrusen** *adj* frostbitten

**förfrågan** *s* inquiry [*om* about]

**förfärlig** *adj* terrible, frightful, dreadful

**förfölja** *vb tr* pursue, chase; t.ex. folkgrupp persecute

**förföljare** *s* pursuer

**förföljelse** *s* pursuit; om t.ex. folkgrupp persecution [*mot* of]

**förföljelsemani** *s* persecution mania

**förföra** *vb tr* seduce

**förförare** *s* seducer

**förförelse** *s* seduction

**förförisk** *adj* seductive

**förförstärkare** *s* elektr. preamplifier

**förgasare** *s* carburettor

**förgifta** *vb tr* poison

**förgiftning** *s* poisoning

**förgjord** *adj, det är som förgjort!* everything seems to be going wrong!, it's maddening!

**förgrund** *s* foreground; *stå (träda) i ~en* be (come to) the forefront

**förgrymmad** *adj* ursinnig enraged, incensed; svagare indignant [*på* with, *över* at]

**förgylla** *vb tr* gild äv. bildl.

**förgången** *adj* past, ...gone by

**förgätmigej** *s* forget-me-not

**förgäves** *adv* in vain

**förhala** *vb tr* dra ut på delay; ~ *tiden* play for time

**förhand** *s*, t.ex. veta *på* ~ beforehand; t.ex. betala, tacka *på* ~ in advance

**förhandla** *vb itr* negotiate [*om* about]

**örhandlare** *s* negotiator
**örhandling** *s* negotiation
**örhandsvisning** *s* preview
**örhastad** *adj* premature; *dra ~e slutsatser* jump to conclusions
**örhinder** *s, få ~* vara förhindrad att gå (komma etc.) be prevented from going (coming etc.)
**örhindra** *vb tr* prevent [*från att* inf. from ing-form]
**örhoppning** *s* hope; förväntning expectation; *ha* (*hysa*) *~ar om* have hopes of
**örhoppningsfull** *adj* hopeful; lovande promising
**örhoppningsvis** *adv* hopefully
**örhud** *s* foreskin, prepuce
**örhålla** *vb rfl, ~ sig* förbli keep, remain; *så förhåller det sig med den saken* that is how matters stand
**örhållande** *s* **1** state of things, conditions pl.; *~n* omständigheter circumstances; *under alla ~n* in any case **2** relationer relations pl.; inbördes ~ relationship; kärleks~ affair **3** proportion proportion; *i ~ till* in proportion to; i jämförelse med in relation to
**örhårdnad** *s* callus
**örhänge** *s* curtain
**örhöja** *vb tr* heighten, enhance; *förhöjt pris* increased price
**örhör** *s* examination; rättsligt inquiry; skol. test
**örhöra** *vb tr* examine; *~ ngn på läxan* test a p. on the homework
**örinta** *vb tr* annihilate, destroy
**örintelse** *s* annihilation, destruction
**örivra** *vb rfl, ~ sig* get carried away; rush things
**örkasta** *vb tr* reject
**örkastlig** *adj* reprehensible, ...to be condemned
**örklara 1** *vb tr* explain [*för* to]; *det ~r saken* that accounts for it; *~ bort ngt* make excuses for a th. **2** tillkännage declare; uppge state; *~ krig mot* declare war on; *~s skyldig* be found guilty [*till* of]
**örklaring** *s* **1** förtydligande explanation **2** uttalande declaration, statement
**örklarlig** *adj* explicable, explainable; begriplig understandable
**örkläda** *vb tr* disguise [*till* prins as a...]
**örkläde** *s* **1** plagg apron **2** person chaperone; *vara ~ åt* chaperon
**örklädnad** *s* disguise

**förknippa** *vb tr* associate
**förkommen** *adj* missing, lost
**förkorta** *vb tr* shorten; t.ex. ord abbreviate
**förkortning** *s* shortening (end. sg.); t.ex. ord abbreviation
**förkroma** *vb tr* chromium-plate
**förkrossande** *adj* t.ex. nederlag crushing; t.ex. majoritet overwhelming
**förkyld** *adj*, *bli ~* catch cold (a cold)
**förkylning** *s* cold
**förkämpe** *s* advocate, champion [*för* of]
**förkärlek** *s* predilection, partiality [*för* for]
**förköp** *s* advance booking; *köpa i ~* book...in advance
**förköpshäfte** *s* trafik. reduced rate ticket
**förkörsrätt** *s* right of way [*framför* over]
**förlag** *s* bok~ publishing firm, publisher
**förlaga** *s* original
**förlama** *vb tr* paralyse
**förlamning** *s* paralysis
**förleda** *vb tr* lura entice [*till* into]; *~s att tro att...* be deluded into believing that...
**förlegad** *adj* antiquated, obsolete
**förlika** *vb rfl, ~ sig* become reconciled, reconcile oneself [*med* to]; fördra put up [*med* with]
**förlikning** *s* försoning reconciliation; i arbetstvist conciliation; uppgörelse settlement
**förlisa** *vb itr* be lost (shipwrecked)
**förlisning** *s* shipwreck
**förlita** *vb rfl, ~ sig på ngn* trust in a p.
**förljugen** *adj* dishonest, false
**förlopp** *s* händelse~ course of events
**förlora** *vb tr* o. *vb itr* lose; *~ i styrka* (*värde*) lose force (value); *~ på affären* lose on the bargain
**förlorad** *adj* lost; *~e ägg* poached eggs; *ge...~* give...up for lost; *gå ~* be lost [*för* to]
**förlossning** *s* delivery, childbirth
**förlova** *vb rfl, ~ sig* become engaged [*med* to]
**förlovad** *adj* engaged [*med* to]; *Förlovade* rubrik Engagements; *de ~e* the engaged couple
**förlovning** *s* engagement
**förlust** *s* loss; *lida stora* (*svåra*) *~er* sustain heavy losses
**förlåta** *vb tr* forgive; *förlåt!* för något som man gjort sorry!; *förlåt* inledning till fråga excuse (pardon) me
**förlåtelse** *s* forgiveness; *be om ~* ask a p.'s forgiveness
**förlägen** *adj* generad embarrassed; blyg shy

**förlägga** *vb tr* **1** placera locate, place **2** slarva bort mislay **3** böcker publish

**förläggare** *s* bok~ publisher

**förläggning** *s* mil. station, camp

**förlänga** *vb tr* lengthen, prolong; utsträcka extend

**förlängning** *s* prolongation; utsträckning extension

**förlängningssladd** *s* extension flex (amer. cord)

**förlöjliga** *vb tr* ridicule

**förlösa** *vb tr* deliver

**förman** *s* arbetsledare foreman, supervisor

**förmaning** *s* mild warning

**förmedla** *vb tr* mediate, bring about; ~ *ett lån* negotiate a loan; ~ *nyheter* supply news

**förmedling** *s* mediation; agency äv. byrå

**förmenande** *s*, *enligt mitt* ~ in my opinion

**förmera** *adv*, *vara* ~ *än* be superior to

**förmiddag** *s* morning; *kl. 11 på* ~*en* (förk. *f.m.*) at 11 o'clock in the morning (förk. at 11 a.m.); *i* ~*s* this morning; *på* ~*en* during the morning

**förmildra** *vb tr*, ~*nde omständigheter* extenuating circumstances

**förminska** se *minska*

**förminskning** *s* reduction, decrease [*av, i* on, in]; nedskärning cut [*av in*]

**förmoda** *vb tr* anta suppose

**förmodan** *s* supposition; *mot* ~ contrary to expectation

**förmodligen** *adv* presumably

**förmyndare** *s* guardian [*för* of]

**förmyndarsamhälle** *s*, ~*t* the nanny state

**förmå** I *vb tr* o. *vb itr* **1** kunna, orka be able to, be capable of ing-form **2** ~ *ngn att* (*till att*) induce (bring) a p. to II *vb rfl*, ~ *sig till att* bring (induce) oneself to

**förmåga** *s* ability, capability; *ha* (*sakna*) ~ *att* koncentrera sig be able (unable) to…; *över min* ~ beyond my powers

**förmån** *s* fördel advantage; *sociala* ~*er* social benefits; *till* ~ *för* for the benefit of

**förmånlig** *adj* advantageous [*för* to]

**förmögen** *adj* **1** wealthy **2** i stånd capable [*till* of; *att* inf. of ing-form]

**förmögenhet** *s* rikedom fortune; kapital capital

**förmögenhetsskatt** *s* capital (wealth) tax

**förnamn** *s* first name; om kristen äv. Christian name, speciellt amer. given name; *vad heter du i* ~? what is your first etc. name?

**förnedra** *vb tr* degrade; ~ *sig* degrade oneself

**förnedring** *s* degradation

**förneka** *vb tr* ej erkänna deny

**förnimma** *vb tr* uppfatta perceive; känna feel

**förnimmelse** *s* sensation

**förnuft** *s* reason; *sunt* ~ common sense

**förnuftig** *adj* sensible, reasonable

**förnya** *vb tr* renew; upprepa repeat

**förnyelse** *s* renewal; repetition

**förnäm** *adj* distinguished, noble; högdragen superior; förnämlig excellent, fine

**förnämlig** *adj* excellent, fine

**förnämst** *adj* främst foremost; ypperligast finest; viktigast principal, chief

**förnärma** *vb tr* offend

**förnödenheter** *s pl* necessities

**förnöjsam** *adj* contented, …easily pleased

**förolyckas** *vb itr dep* omkomma lose one's life; försvinna be lost; haverera be wrecked; *de förolyckade* the victims of the accident, the casualties

**förolämpa** *vb tr* insult

**förolämpning** *s* insult [*mot* to]

**förord** *s* företal preface, foreword

**förorda** *vb tr* recommend [*hos* to, *till* for]

**förordna** *vb tr* **1** utse appoint **2** bestämma ordain, decree

**förordnande** *s* tjänste~ appointment; *få* ~ *som rektor* be appointed headmaster

**förordning** *s* stadga regulation

**förorena** *vb tr* contaminate, pollute

**förorening** *s* förorenande contamination, pollution; ämne pollutant

**förorsaka** *vb tr* cause

**förort** *s* suburb

**förorätta** *vb tr* wrong, injure; ~*d* injured

**förpacka** *vb tr* pack

**förpackning** *s* package; det att förpacka packaging

**förpassa** *vb tr*, ~ *ngn ur landet* order a p. to leave the country

**förpesta** *vb tr* poison äv. bildl.

**förplikta** *vb tr*, ~ *ngn till att* bind a p. to; *känna sig* ~*d* feel bound

**förpliktelse** *s* åtagande obligation; skyldighet duty

**förpliktiga** *vb tr* se *förplikta*

**förr** *adv* **1** förut before **2** formerly; ~ *i tiden* (*världen*) formerly, in former times **3** tidigare sooner, earlier **4** hellre rather, sooner

**förra** *adj* förutvarande former, earlier; *den förre…den senare* the former…the latter; ~ *veckan* last week

**örresten** adv för övrigt besides, furthermore; vad det anbelangar for that matter

**örrförra** adj, ~ **veckan** the week before last

**örrgår** s, **i** ~ the day before yesterday

**örrycka** vb tr rubba upset; snedvrida disturb

**örryckt** adj tokig crazy, mad

**örrymd** adj om t.ex. fånge escaped

**örråd** s store, stock, supply; lokal storeroom

**örråda** vb tr betray [för to]; ~ **sig** give oneself away

**örrädare** s traitor [mot to]

**örräderi** s treachery [mot to]; lands~ treason; **ett** ~ an act of treachery (treason)

**örrädisk** adj treacherous [mot to]

**örrän** konj before; **inte** ~ först not until (till); **det dröjde inte länge** ~ it was not long before

**örrätt** s first course; **som** (**till**) ~ as a first course (a starter), for starters

**örrätta** vb tr t.ex. dop officiate at; t.ex. auktion conduct; vigseln ~**des av** ...was conducted by

**örrättning** s tjänste~ function, official duty, office

**örsagd** adj timid

**örsaka** vb tr go without, deny oneself

**örsamlas** vb itr dep assemble, gather

**örsamling** s **1** assembly **2** kyrkl. congregation; socken parish

**örse I** vb tr provide, furnish; ~**dd med** om sak vanl. equipped (fitted) with **II** vb rfl, ~ **sig** skaffa sig provide oneself [med with]

**örseelse** s offence

**örsena** vb tr delay; **vara** ~**d** be late

**örsening** s delay

**örsiggå** vb itr take place; pågå go (be going) on

**örsigkommen** adj advanced; tidigt utvecklad precocious

**örsiktig** adj aktsam careful; förtänksam cautious

**örsiktighet** s carefulness; caution

**örsitta** vb tr miss

**örsjunken** adj, ~ **i tankar** lost (absorbed) in thought

**örskingra** vb tr embezzle, misappropriate

**örskingrare** s embezzler

**örskingring** s embezzlement

**örskola** s preschool, kindergarten

**örskoleålder** s preschool age

**förskollärare** s preschool (kindergarten) teacher

**förskott** s advance

**förskottsbetalning** s payment in advance

**förskräcka** vb tr frighten, scare

**förskräckelse** s fright, alarm; **komma undan med blotta** ~**n** escape very lightly

**förskräcklig** adj frightful, dreadful, awful

**förskärare** s carving-knife

**försköna** vb tr beautify

**förslag** s proposal; råd suggestion; plan scheme, project [till for]

**förslummas** vb itr dep become (turn into) a slum

**försmak** s foretaste [av of]

**försmå** vb tr avvisa reject; förakta despise

**försmädlig** adj **1** hånfull sneering **2** annoying

**försnilla** vb tr embezzle

**försommar** s early summer

**försona** vb tr förlika reconcile [med ngn with a p.]; **ett** ~**nde drag** a redeeming feature

**försoning** s förlikning reconciliation

**försonlig** adj conciliatory

**försorg** s, **genom ngns** ~ through the agency of a p.

**försova** vb rfl, ~ **sig** oversleep

**förspel** s mus. o. bildl. prelude; film. short film; vid samlag foreplay

**försprång** s start; försteg lead; **få** ~ **före ngn** get the start of a p.

**först** adv **1** först...och sedan first; först...men at first; **allra** ~ first of all; ~ **och främst** first of all; framför allt above all **2** inte förrän not until, only; ~ **efter en stund** only after a while; **han kommer** ~ **om en vecka** he won't come for another week

**första** (förste) räkn o. adj first (förk. 1st); begynnelse- initial; speciellt i titlar principal, chief, head; **på** ~ **bänk** i sal etc. in the front row; **från** ~ **början** from the very start (beginning); **de** ~ **dagarna**... the first few days...; **i** ~ **hand** in the first place, first; upplysningar **i** ~ **hand** ...at first hand, first hand...; ~ **hjälpen** first aid; ~ **klassens** first-class, first-rate; ~ **sidan** i tidning the front page; **vid** ~ **bästa tillfälle** at the first opportunity; **på** ~ **våningen** bottenvåningen on the ground (amer. first) floor; en trappa upp on the first (amer. second) floor; **förste bäste** the first that comes (resp. came) along; **för det** ~ in the first place, for one thing; vid uppräkning firstly; jfr femte o. andra

**förstad** s suburb

**förstaklassbiljett** *s* first-class ticket
**förstamajdemonstration** *s* May-Day demonstration
**förstatliga** *vb tr* nationalize
**förstatligande** *s* nationalization
**försteg** *s,* **ha ett ~ framför ngn** have an advantage over a p.
**förstklassig** *adj* first-rate; tip-top
**förstnämnd** *adj* first-mentioned
**förstoppning** *s* constipation
**förstora** *vb tr,* ~ el. ~ **upp** enlarge äv. foto.; optiskt, bildl. magnify
**förstoring** *s* foto. enlargement
**förstoringsglas** *s* magnifying glass
**förströ** *vb tr* roa entertain; ~ **sig** amuse oneself
**förströdd** *adj* absent-minded
**förströelse** *s* diversion; nöje äv. amusement
**förstummas** *vb itr dep* become silent; av häpnad be struck dumb
**förstå I** *vb tr* understand; **låta ngn ~ att...** give a p. to understand that...; **å, jag ~r!** oh, I see!; ~ **att** kunna konsten know how to; ~ **mig rätt!** don't get me wrong!; **såvitt jag ~r** as (so) far as I understand (can see); **det ~r jag väl!** of course!; **göra sig ~dd** make oneself understood **II** *vb rfl,* ~ **sig på att** know (understand) how to; ~ **sig på** ngt understand...; kunna know about...; **jag ~r mig inte på henne** I can't make her out
**förståelig** *adj* understandable
**förståelse** *s* understanding; sympati sympathy
**förstående** *adj* understanding, sympathetic
**förstånd** *s* intelligence; vett sense; fattningsförmåga understanding; **tala ~ med ngn** make a p. see reason; **det går över mitt ~** it is beyond me; jag gjorde **efter bästa ~** ...to the best of my judgement
**förståndig** *adj* intelligent; förnuftig sensible; klok wise
**förstås** *adv* of course
**förståsigpåare** *s* expert [**på** on, in]; skämts. pundit
**förstärka** *vb tr* strengthen; utöka reinforce; radio etc. amplify
**förstärkare** *s* ljud- amplifier
**förstärkning** *s* strengthening; reinforcement äv. mil.
**förstöra** *vb tr* destroy; tillintetgöra annihilate; fördärva ruin; ~ **nöjet för ngn** spoil (ruin) a p.'s pleasure; ~ **ögonen genom** läsning ruin one's eyes by...
**förstöras** *vb itr dep* be destroyed (ruined)

**förstörelse** *s* destruction
**försumlig** *adj* negligent, neglectful [**mot** of]
**försumma** *vb tr* vansköta neglect; underlåta leave...undone; missa miss; ~ **att** fail (omit) to
**försummelse** *s* neglect; underlåtenhet omission
**försupen** *adj,* **han är ~** he is a (an) habitual drunkard
**försurning** *s* acidification
**försvaga** *vb tr* weaken
**försvagas** *vb itr dep* grow weak, weaken
**försvar** *s* defence äv. sport. [**av, för** of]; **det svenska ~et** stridskrafterna the Swedish armed forces pl.; försvarsanordningarna the Swedish defences pl.; **ta...i ~** defend (stand up for)...
**försvara I** *vb tr* defend; ta i försvar äv. stand up for **II** *vb rfl,* ~ **sig** defend oneself
**försvarare** *s* defender äv. sport.; försvarsadvokat counsel for the defence
**försvarlig** *adj* **1** försvarbar defensible, justifiable **2** ansenlig considerable
**försvarsadvokat** *s* defence lawyer, counsel for the defence
**försvarsdepartement** *s* ministry of defence
**försvarslös** *adj* defenceless
**försvarsminister** *s* minister of defence
**försvinna** *vb itr* disappear; plötsligt vanish; gradvis fade [away]; **försvinn!** go away!; gå ut! get out!; **värken försvann** the pain passed [off]
**försvinnande** *s* disappearance
**försvunnen** *adj* lost, missing; **den försvunne** the missing person
**försvåra** *vb tr* make...difficult (more difficult); lägga hinder i vägen för obstruct
**försynt** *adj* considerate, tactful, discreet
**försåtlig** *adj* treacherous
**försäga** *vb rfl,* ~ **sig** give oneself away, say too much
**försäkra I** *vb tr* **1** assure [**ngn om ngt** a p. of a th.]; **han ~de att...** he assured me (her etc.) that... **2** ta en försäkring insure [**hos** with] **II** *vb rfl,* ~ **sig om** ngt make sure of...; **låta ~ sig** insure oneself
**försäkran** *s* assurance
**försäkring** *s* liv-, hem- etc. insurance; **teckna ta en ~** take out an insurance policy
**försäkringsbesked** *s* från allmän försäkringskassa social insurance card
**försäkringsbolag** *s* insurance company
**försäkringsbrev** *s* insurance policy
**försäkringskassa** *s,* **allmän ~** expedition ung. regional social insurance office

**försäkringspremie** *s* insurance premium
**försäkringsvillkor** *s pl* terms of insurance
**försäljare** *s* salesman, seller
**försäljning** *s* sale, sales pl.
**försämra** *vb tr* deteriorate
**försämras** *vb itr dep* deteriorate, get worse
**försämring** *s* deterioration, change for the worse
**försändelse** *s* varu~ consignment; post~ item of mail
**försätta** *vb tr* i visst tillstånd put; ~ *i frihet* set free (at liberty)
**försök** *s* **1** ansats attempt; experiment experiment; prov trial **2** i rugby try
**försöka** *vb tr* o. *vb itr* try, attempt, endeavour; *försök inte!* don't try that on me!, don't give me that!
**försöksheat** *s* trial heat
**försökskanin** *s* guinea pig
**försörja I** *vb tr* sörja för provide for; underhålla support, keep; förse supply **II** *vb rfl*, ~ *sig* earn one's living [*genom* by]
**försörjning** *s* support, maintenance; provision; ~ *med livsmedel* food supply
**förtal** *s* slander
**förtala** *vb tr* slander
**förteckning** *s* list [*på, över* of]
**förtid** *s, i* ~ prematurely
**förtidig** *adj* premature; ~ *död* untimely death
**förtidspension** *s* early retirement pension; för invalider disablement pension
**förtiga** *vb tr* keep...secret, conceal [*för ngn* i båda fallen from a p.]
**förtjusande** *adj* charming; härlig delightful; vacker lovely
**förtjusning** *s* glädje delight [*över* at]
**förtjust** *adj* glad delighted [*över* at, *i* with]; *bli* ~ betagen *i* become fond of; *vara* ~ *i* kär i be in love with; tycka om, t.ex. barn, mat be fond of
**förtjäna I** *vb tr* vara värd deserve **II** *vb tr* o. *vb itr* tjäna earn, make
**förtjänst** *s* **1** inkomst earnings pl.; *gå med* ~ run at a profit **2** merit merit; *~er* goda sidor good points; *det är din* ~ *att...* it is thanks to you that...
**förtjänstfull** *adj* meritorious, creditable
**förtjänt** *adj, göra sig* ~ *av* deserve
**förtret** *s* förargelse annoyance, vexation
**förtretlig** *adj* annoying, irritating
**förtroende** *s* confidence [*för* in]
**förtroendeingivande** *adj, vara* ~ inspire confidence
**förtroendeman** *s* representative

**förtroendepost** *s* position of trust
**förtroendevotum** *s* vote of confidence
**förtrogen** *adj, vara* ~ *med* känna till be familiar with
**förtrogenhet** *s* familiarity
**förtrolig** *adj* confidential; intim intimate
**förtrolla** *vb tr* enchant; tjusa fascinate
**förtrollning** *s* enchantment; fascination
**förtryck** *s* oppression; tyranny
**förtrycka** *vb tr* oppress
**förtryckare** *s* oppressor
**förträfflig** *adj* excellent
**förtröstan** *s* trust [*på* in]; tillförsikt confidence
**förtulla** *vb tr* låta tullbehandla clear...through the Customs; betala tull för pay duty on; har ni något *att* ~? ...to declare?
**förtur** *s* o. **förtursrätt** *s* priority [*framför* over]
**förtvivlad** *adj* olycklig extremely unhappy; utom sig ...in despair
**förtvivlan** *s* despair; desperation [*över* i båda fallen at]
**förtydligande** *s* elucidation, clarification
**förtäckt** *adj* veiled; *i ~a ordalag* in a roundabout way
**förtära** *vb tr* consume äv. bildl.; äta eat; dricka drink; *han har inte förtärt någonting* på tre dagar he hasn't had anything to eat or drink...; *farligt att* ~! på flaska etc. vanl. poison!
**förtäring** *s* mat och dryck food and drink, refreshments pl.
**förtöja** *vb tr* o. *vb itr* moor [*vid* to]
**förtöjning** *s* mooring
**förunderlig** *adj, en* ~ *förmåga* an uncanny ability
**förut** *adv* om tid before; förr formerly; tidigare previously
**förutfattad** *adj, ~ mening* prejudice
**förutom** *prep* besides, apart from
**förutsatt** *adj, ~ att* provided, provided that
**förutse** *vb tr* foresee, anticipate; vänta expect
**förutseende I** *adj* far-sighted, far-seeing **II** *s* foresight
**förutspå** *vb tr* förutsäga predict
**förutsäga** *vb tr* predict; speciellt meteor. forecast; förespå prophesy
**förutsägelse** *s* prediction; speciellt meteor. forecast; spådom prophecy
**förutsätta** *vb tr* presuppose; anta presume, assume
**förutsättning** *s* villkor condition [*för* of],

prerequisite [*för* of]; **under ~ att... på**
villkor att on condition that...
**förutvarande** *adj* förre former
**förvalta** *vb tr* t.ex. kassa administer; förestå
manage
**förvaltare** *s* administrator; lantbr. steward
**förvaltning** *s* administration; management;
stats~ public administration
**förvandla** *vb tr* transform, convert [*till* i
båda fallen into]; till något sämre reduce [*till*
to]
**förvandlas** *vb itr dep*, **~ till** övergå till turn
(change) into
**förvandling** *s* transformation
**förvanska** *vb tr* distort
**förvar** *s*, **i gott (säkert) ~** in safe keeping
**förvara** *vb tr* keep
**förvaring** *s* keeping
**förvaringsbox** *s* locker
**förvaringsutrymme** *s* storage space
**förvarna** *vb tr* forewarn
**förvarning** *s*, **utan ~** without notice
(previous warning)
**förveckling** *s* complication
**förverka** *vb tr* forfeit
**förverkliga** *vb tr* realize; t.ex. plan
carry...into effect
**förverkligande** *s* realization
**förvildas** *vb itr dep* become uncivilized; run
wild
**förvilla** *vb tr* vilseleda mislead; förvirra
confuse, bewilder
**förvirra** *vb tr* confuse, bewilder; **göra ngn
~d** confuse a p.
**förvirring** *s* confusion; oreda disorder
**förvisa** *vb tr* expel; **~ ngn ur riket** deport
**förvissa** *vb rfl*, **~ sig om ngt** make sure of
a th.; **~ sig om att...** make sure that...
**förvissad** *adj* övertygad convinced [*om ngt* of
a th., *om att...* that...]
**förvissning** *s* assurance
**förvisso** *adv* certainly
**förvränga** *vb tr* distort
**förvuxen** *adj* overgrown; missbildad
deformed
**förvållande** *s*, **utan eget ~** through no fault
of his (hers etc.)
**förvåna I** *vb tr* surprise, astonish; starkare
amaze **II** *vb rfl*, **~ sig** be surprised
(astonished, starkare amazed); **det är
ingenting att ~ sig över** it is not to be
wondered at
**förvånande** *adj* o. **förvånansvärd** *adj*
surprising, astonishing; starkare amazing

**förvåning** *s* surprise, astonishment; starkare
amazement
**förväg** *s*, **i ~** in advance, beforehand
**förvänta** *vb tr* o. *vb rfl*, **~ sig** expect
**förväntan** *s* expectation [*på* of]; **lyckas
över ~** succeed beyond expectation
**förväntansfull** *adj* expectant
**förväntning** *s* expectation; **ställa stora ~ar
på** expect great things from
**förvärra** *vb tr* make...worse, aggravate
**förvärras** *vb itr dep* grow worse
**förvärv** *s* acquisition
**förvärva** *vb tr* acquire
**förvärvsarbetande** *adj* gainfully employed
**förvärvsarbete** *s* gainful employment; **hon
har ~** she has a paid job outside the
home
**förväxla** *vb tr* mix up, confuse
**förväxling** *s* confusion
**föråldrad** *adj* antiquated; om ord obsolete;
gammalmodig out-of-date
**förädla** *vb tr* **1** ennoble **2** tekn. work up;
speciellt metaller refine [*till* i båda fallen into]
**föräktenskaplig** *adj* premarital
**förälder** *s* parent
**föräldraförening** *s* parents' association
**föräldrahem** *s* parental home, home
**föräldraledighet** *s* parental leave
**föräldralös** *adj* orphan; hon är **~** ...an
orphan
**föräldramöte** *s* skol. parent-teacher (med
enbart föräldrar parents') meeting
**föräldrapenning** *s* parental allowance
**föräldrar** *s pl* parents
**föräldraskap** *s* parenthood
**förälska** *vb rfl*, **~ sig** fall in love [*i* with]
**förälskad** *adj* ...in love; **~e blickar**
amorous glances
**förälskelse** *s* kärlek love [*i* for]; svärmeri
love-affair
**förändra** *vb tr* change [*till* into]; ändra på
alter
**förändras** *vb itr dep* change [*till det bättre*
for the better]; delvis alter
**förändring** *s* change; alteration
**förödande** *adj* devastating
**förödelse** *s* devastation; **anställa stor ~**
make great havoc
**förödmjuka** *vb tr* humiliate
**förödmjukelse** *s* humiliation
**föröka** *vb rfl*, **~ sig** fortplanta sig breed,
propagate, multiply
**förökning** *s* fortplantning propagation
**föröva** *vb tr* commit
**förövare** *s* perpetrator, committer

**fösa** *vb tr* driva drive; skjuta shove, push

# G

**g** *s* mus. G
**gabardin** *s* gaberdine
**gadd** *s* sting
**gadda** *vb rfl,* ~ *ihop sig* gang up [*mot* on]
**gaffel** *s* fork
**gage** *s* fee
**gaggig** *adj, vara* ~ be gaga (senile)
**gagn** *s* nytta use; fördel advantage, benefit
**gagna** *vb tr* o. *vb itr,* ~ *ngn* (*ngt*) be of use
   (advantage) to a p. (a th.); ~ *ngns*
   *intressen* serve a p.'s interests
**gagnlös** *adj* useless, ...of no use
**gala** *vb itr* crow; om gök call
**galaföreställning** *s* gala performance
**galant** *adv* förträffligt splendidly; *det gick* ~
   it went off fine
**galauniform** *s* full-dress uniform
**galax** *s* astron. galaxy
**galen** *adj* **1** mad, crazy [*i* about]; *bli* ~ go
   mad **2** felaktig wrong
**galenskap** *s* vansinne madness; tokighet folly;
   *göra ~er* do crazy things
**galet** *adv* felaktigt wrong
**galge** *s* **1** för avrättning gallows (pl. lika)
   **2** klädhängare clothes-hanger
**galghumor** *s* gallows (macabre) humour
**galjonsfigur** *s* figure-head
**galla** *s* vätska bile, gall båda äv. bildl.; *ösa sin*
   ~ *över* vent one's spleen on
**gallblåsa** *s* gall bladder
**galler** *s* skydds~ grating; i bur, cell m.m. bars
   pl.
**galleri** *s* gallery
**galleria** *s* köpcentrum galleria, arcade,
   shopping mall
**gallfeber** *s, reta* ~ *på ngn* drive a p. mad
**gallra** *vb tr* plantor, träd thin out; ~ *bort* sort
   out
**gallring** *s* thinning out; sorting out
**gallskrik** *s* yell
**gallskrika** *vb itr* yell
**gallsten** *s* gallstone; *ha* ~ have gallstones
**gallsyra** *s* bile acid
**gallupundersökning** *s* Gallup poll
**galning** *s* madman
**galopp** *s* ridn. gallop
**galoppbana** *s* racecourse
**galoppera** *vb itr* gallop
**galosch** *s* galosh, overshoe; bildl., *om inte*
   ~*erna passar* if you don't like it

**galvanisera** *vb tr* galvanize

**gam** *s* vulture

**game** *s* **1** i tennis game; *blankt* ~ love game **2** *vara gammal i ~t* be an old hand

**gamling** *s* old man (person); *~ar* old folks; vard. oldies

**gammal** (jfr *äldre; äldst*) *adj* old; forntida ancient; ej längre färsk stale; *en fem år ~ pojke* a five-year-old boy, a boy of five; *den gamla goda tiden* the good old times (days) pl.

**gammaldags** *adj* old-fashioned

**gammaldans** *s* old-time dance (dansande dancing)

**gammalmodig** *adj* old-fashioned, ...out of fashion

**gammalvals** *s* old-time waltz

**gangster** *s* gangster, mobster

**gangsterliga** *s* gang, mob

**ganska** *adv* tämligen fairly i förbindelse med något positivt; riktigt very, quite; 'rätt så' rather; vard. pretty

**gap** *s* mouth; hål gap äv. bildl. klyfta

**gapa** *vb itr* öppna munnen open one's mouth; glo gape; skrika bawl, shout, yell

**gaphals** *s* vard. loudmouth

**gapskratt** *s* roar of laughter, guffaw

**gapskratta** *vb itr* roar with laughter, guffaw

**garage** *s* garage

**garantera** *vb tr* o. *vb itr* guarantee

**garanti** *s* guarantee [*för att* that]

**gardera I** *vb tr* guard; vid tippning ~ *med* etta cover oneself with... **II** *vb rfl*, ~ *sig* guard oneself; mot förlusten cover oneself

**garderob** *s* **1** wardrobe, amer. closet; kapprum cloakroom **2** kläder wardrobe

**gardin** *s* curtain

**gardinstång** *s* curtain rod

**garn** *s* **1** tråd yarn; ullgarn wool; bomullsgarn cotton **2** nät net

**garnera** *vb tr* **1** kläder etc. trim **2** kok. garnish, decorate

**garnering** *s* **1** på kläder trimming **2** kok. garnish, decoration, topping

**garnison** *s* garrison

**garnnystan** *s* ball of yarn (wool)

**1 garva** *vb tr* tan

**2 garva** *vb itr* vard. laugh; högljutt guffaw

**garvad** *adj* tanned; bildl. hardened; erfaren experienced

**garvsyra** *s* tannic acid, tannin

**1 gas** *s* gas; *ge mer* ~ bil. step on the gas

**2 gas** *s* tyg gauze

**gasbinda** *s* gauze bandage

**gasboll** *s* i tennis pressurized ball

**gasell** *s* gazelle

**gaska** *vb itr* vard., ~ *upp sig* cheer up

**gaskammare** *s* gas chamber

**gaskök** *s* gas ring

**gasmask** *s* gas mask

**gasol** *s* LGP (förk. för liquefied petroleum gas); ® Calor gas

**gasolkök** *s* ® Calor gas stove

**gaspedal** *s* accelerator, accelerator (throttle) pedal

**gass** *s* heat

**gassa** *vb itr* be broiling (broiling hot) **II** *vb rfl*, ~ *sig i solen* bask (starkare broil) in the sun

**gassig** *adj* broiling, broiling hot

**gasspis** *s* gas cooker

**gastkramande** *adj* hair-raising

**gasugn** *s* gas oven

**gasverk** *s* gasworks (pl. lika)

**gata** *s* street; *gammal som ~n* as old as the hills

**gatflicka** *s* street-walker, prostitute

**gathörn** *s* street corner

**gatlykta** *s* street lamp

**gatsten** *s* paving-stone

**gatuarbetare** *s* street repairer

**gatuarbete** *s*, ~ el. *~n* road-work sg.; reparation street repairs pl.

**gatukorsning** *s* crossing

**gatukök** *s* 'street kitchen', hamburger and hot-dog stand

**gatuplan** *s* street level, ground (amer. first) floor

**gatuvåld** *s* street violence

**1 gavel** *s*, *på vid* ~ wide open

**2 gavel** *s* **1** på hus gable **2** se *sänggavel*

**ge I** *vb tr* **1** give; bevilja grant; räcka hand; vid bordet pass; avkasta yield **2** kortsp. deal; *du ~r!* it's your deal! **II** *vb rfl*, ~ *sig* kapitulera surrender, yield; ge tappt give in

□ ~ *sig av* be (set) off; sjappa make off; ~ *bort* som present give; göra sig av med give away; ~ *efter för* yield to, give in to; ~ *ifrån sig* lukt etc. emit, give off; lämna ifrån sig give up, surrender; ~ *igen* give back, return; hämnas retaliate; ~ *sig in på* ett företag embark upon; en diskussion etc. enter into; ~ *sig i väg* leave, set off; ~ *med sig* yield, give in; ~ *sig på* ngn set about...; ~ *till* ett skrik give...; ~ *tillbaka* lämna give back, return; vid växling give a p. change [*på för*]; ~ *upp* give up; ~ *upp ett skrik* give a cry; ~ *ut* pengar spend; böcker etc. publish, issue; ~ *sig ut för att vara...* pretend to be...

**gebit** *s* field, province

**gedigen** *adj* solid; *gedigna kunskaper* sound knowledge sg.

**gegga** *s* o. **geggamoja** *s* vard. goo, gunge, gunk

**geggig** *adj* vard. gooey; lerig mucky

**gehör** *s, efter* ~ by ear; *han vann* ~ *för sina synpunkter* his views met with sympathy

**geist** *s* go, drive

**gejser** *s* geyser

**gelatin** *s* gelatine

**gelé** *s* **1** jelly äv. bildl. **2** hårgelé gel

**gem** *s* pappersklämma paper clip, clip

**gemen** *adj* **1** nedrig mean, dirty, low **2** ~*e man* ordinary people pl.; *i* ~ in general

**gemenhet** *s* egenskap meanness, baseness

**gemensam** *adj* common; förenad joint; *inte ha något* ~*t* have nothing in common; *med* ~*ma krafter* by united efforts

**gemensamt** *adv* jointly

**gemenskap** *s* samhörighet solidarity; gemensamhet community

**gemytlig** *adj* genial, jovial, good-humoured

**gemytlighet** *s* joviality, good humour

**gemål** *s* consort

**gen** *s* arvsanlag gene, factor

**genant** *adj* embarrassing, awkward [*för* for]

**genast** *adv* at once, immediately

**genera** *vb tr* besvära trouble, bother

**generad** *adj* embarrassed [*över* at]

**general** *s* general

**generaldirektör** *s* director-general

**generalförsamling** *s* general assembly

**generalguvernör** *s* governor-general

**generalisera** *vb tr* generalize

**generalkonsul** *s* consul-general

**generalmajor** *s* major-general

**generalrepetition** *s* dress rehearsal [*på* of]

**generalsekreterare** *s* secretary-general

**generalstab** *s* general staff

**generation** *s* generation

**generationsklyfta** *s* generation gap

**generator** *s* generator

**generell** *adj* general

**generositet** *s* generosity, liberality

**generös** *adj* generous, liberal

**Genève** Geneva

**engångare** *s* ghost, spectre

**engäld** *s, i* ~ in return

**eni** *s* genius

**genial** *adj* o. **genialisk** *adj* lysande brilliant; om saker ingenious

**genialitet** *s* snille genius; svagare brilliance

**genitiv** *s* genitive; *i* ~ in the genitive

**genklang** *s* echo; bildl. response, sympathy

**genom** *prep* through; via via, by way of; medelst by, by means of; på grund av through, owing to, thanks to; *kasta ut ngt* ~ *fönstret* throw a th. out of (through) the window; ~ *hans hjälp* by (thanks to) his assistance; ~ *en olyckshändelse* through (owing to) an accident

**genomarbetad** *adj* ...thoroughly gone through, well worked out (planned)

**genomblöt** *adj* wet through, soaking wet

**genombrott** *s* breakthrough; *industrialismens* ~ the industrial revolution; *få sitt* ~ som författare make one's name

**genomdriva** *vb tr* bildl. force (carry) through

**genomdränka** *vb tr* saturate

**genomfart** *s* thoroughfare, passage; ~ *förbjuden* no thoroughfare

**genomfartsled** *s* through route

**genomfrusen** *adj* ...chilled to the bone

**genomföra** *vb tr* carry (out) through

**genomförbar** *adj* practicable

**genomgripande** *adj* sweeping, radical

**genomgå** *vb tr* go through

**genomgående I** *adj* om drag common, general **II** *adv* throughout

**genomgång** *s* **1** survey; snabb run-through, *vid* ~*en av läxan* sade läraren on going through the homework... **2** väg igenom passage

**genomleva** *vb tr* live (go) through, experience

**genomlida** *vb tr* endure, suffer, go through

**genomresa** *s,* ~ *genom Europa* journey through Europe

**genomresevisum** *s* transit visa

**genomskinlig** *adj* transparent

**genomskinlighet** *s* transparency

**genomskåda** *vb tr* see through

**genomskärning** *s* tvärsnitt cross-section; två cm *i* ~ ...in thickness (diameter)

**genomslagskraft** *s* penetration, ability to penetrate

**genomsnitt** *s* average; *i* ~ on average, on an (the) average

**genomstekt** *adj* well-done

**genomträngande** *adj* piercing; om lukt penetrating

**genomtänkt** *adj*, ~ el. *väl* ~ well thought-out

**genomvåt** *adj* ...wet through, soaking wet, drenched [*av* with]

**genre** *s* genre

**genrep** *s* vard. dress rehearsal

**gensvar** *s* genklang response

**gentemot** *prep* emot towards, to; i förhållande till in relation to; i jämförelse med in comparison with

**gentil** *adj* frikostig generous; elegant stylish

**gentleman** *s* gentleman

**genuin** *adj* äkta genuine; verklig real

**genus** *s* gram. gender

**genväg** *s*, *gå* (*ta*) *en* ~ take a short cut

**geografi** *s* geography

**geografisk** *adj* geographical

**geolog** *s* geologist

**geologi** *s* geology

**geometri** *s* geometry

**gepard** *s* cheetah

**geriatri** *s* o. **geriatrik** *s* geriatrics sg.

**gerilla** *s* guerrillas pl.

**gerillakrig** *s* guerrilla war (krigföring warfare)

**gerillasoldat** *s* guerrilla

**geschäft** *s* business; jobberi racket

**gess** *s* mus. G flat

**gest** *s* gesture

**gestalt** *s* figure; i roman character; form shape, form

**gestalta** *vb tr* shape, form

**gestikulera** *vb itr* gesticulate

**get** *s* goat

**geting** *s* wasp

**getingbo** *s* wasp's nest

**getingstick** *s* wasp sting

**getost** *s* goat's-milk cheese

**getto** *s* ghetto

**gevär** *s* rifle; jaktgevär gun

**giffel** *s* kok. croissant

**1 gift** *s* poison; hos ormar etc. venom

**2 gift** *adj* married [*med* to]

**gifta I** *vb tr*, ~ *bort* marry off **II** *vb rfl*, ~ *sig* marry [*med ngn* a p.]; ~ *om sig* get married again

**gifte** *s* marriage

**giftermål** *s* marriage

**giftfri** *adj* non-poisonous

**giftgas** *s* poison gas

**giftig** *adj* poisonous; venomous äv. 'spydig'

**giftighet** *s*, ~*er* i ord spiteful remarks

**giftutsläpp** *s* toxic emission (waste)

**gigantisk** *adj* giant..., gigantic

**gigolo** *s* gigolo (pl. -s)

**gikt** *s* gout

**giljotin** *s* guillotine

**gilla** *vb tr* approve of; tycka bra om like

**gillande** *s* approval

**gillestuga** *s* ung. recreation room

**gillra** *vb tr*, ~ *en fälla* set a trap

**giltig** *adj* valid

**giltighet** *s* validity

**gin** *s* spritdryck gin

**ginseng** *s* ginseng

**ginst** *s* broom

**gips** *s* plaster

**gipsa** *vb tr* med. put...in plaster

**gir** *s* om bil etc. turn, swerve

**gira** *vb itr* om bil etc. turn, swerve; sjö. yaw, sheer

**giraff** *s* giraffe

**girera** *vb tr* överföra transfer

**girig** *adj* snål avaricious, miserly

**girigbuk** *s* miser

**girland** *s* festoon, garland

**giro** *s* se *bankgiro* el. *postgiro*

**giss** *s* mus. G sharp

**gissa I** *vb tr* o. *vb itr* guess **II** *vb rfl*, ~ *sig till* guess

**gissel** *s* scourge

**gisslan** *s* hostage; om flera personer hostages; *de tre i* ~ the three hostages

**gissning** *s* guess, conjecture

**gitarr** *s* guitar

**gitarrist** *s* guitarist

**gitta** *vb itr*, *jag gitter inte* höra på längre I can't be bothered to...

**giv** *s* kortsp. o. bildl. deal

**giva** *vb tr* se *ge*

**givakt** *s*, *stå i* ~ stand at attention

**givande** *adj* profitable; lönande paying

**given** *adj* given; avgjord clear, evident; *det är givet!* of course!; *det är en* ~ *sak* it's a matter of course (a foregone conclusion); *ta för givet att...* take it for granted that...

**givetvis** *adv* of course, naturally

**givmild** *adj* generous, open-handed

**gjuta** *vb tr* tekn. cast; hälla pour

**gjuteri** *s* foundry

**gjutform** *s* mould

**gjutjärn** *s* cast iron

**glacéhandskar** *s pl* kid gloves

**glaciär** *s* glacier

**glad** *adj* happy; nöjd pleased [*över* about, with]; förtjust delighted [*över* with]; ~ *påsk!* Happy Easter!; *en* ~ *överraskning* a pleasant surprise; *jag är* ~ *att* du kom I'm glad (starkare delighted) that...

**gladeligen** *adv* gärna willingly; lätt easily
**gladiolus** *s* gladiolus (pl. gladioli)
**gladlynt** *adj* cheerful; good-humoured
**glamorös** *adj* glamorous
**glans** *s* **1** lustre; siden~ etc. gloss; guld~ glitter; pålagd polish **2** sken brilliance **3** prakt splendour, magnificence; *klara ngt med ~* come out of a th. with flying colours
**glansfull** *adj* brilliant
**glansig** *adj* glossy; glänsande lustrous
**glansis** *s* ung. glassy ice
**glanslös** *adj* lustreless, dull
**glansnummer** *s* star turn
**glansperiod** *s* heyday (end. sg.); *dramats ~* the golden age of drama
**glapp** *adj* loose
**glappa** *vb itr* be loose
**glas** *s* glass; dricksglas utan fot tumbler; glasruta pane, pane of glass
**glasbruk** *s* glassworks (pl. lika)
**glasera** *vb tr* glaze; maträtt ice, frost
**glasfiber** *s* fibreglass
**glasigloo** *s* bottle bank
**glasklar** *adj* ...as clear as glass, limpid
**glasmästare** *s* glazier
**glasruta** *s* pane, pane of glass
**glass** *s* ice cream
**glassförsäljare** *s* ice-cream vendor (seller)
**glasspinne** *s* isglass ice lolly, amer. popsicle
**glasstrut** *s* ice-cream cornet (större cone)
**glasull** *s* glass wool
**glasyr** *s* glazing; kok. icing, frosting
**glasögon** *s pl* spectacles, glasses; skydds~ goggles
**glasögonfodral** *s* spectacle (glasses) case
**glasögonorm** *s* Indian cobra
**glatt** *adv* cheerfully, joyfully
**glatt** *adj* smooth; glänsande glossy, shiny; hal slippery
**gles** *adj* thin; om befolkning sparse; *han har ~t mellan tänderna* he is gap-toothed
**glesbygd** *s* thinly-populated area
**glesna** *vb itr* thin out, get thin (thinner)
**glida** *vb itr* glide, slide; halka slip
**glimma** *vb itr* gleam; glittra glitter
**glimmer** *s* miner. mica
**glimt** *s* gleam, flash; skymt glimpse
**gliring** *s* gibe, sneer, taunt
**glitter** *s* glitter, lustre; julgrans~ tinsel
**glittra** *vb itr* glitter; tindra sparkle
**glittrig** *adj* glittering; prålig glitzy
**glo** *vb itr* stare; dumt gape [*på* at]
**glob** *s* globe
**global** *adj* global

**gloria** *s* halo (pl. -s el. -es)
**glorifiera** *vb tr* glorify
**glosa** *s* ord word
**glosbok** *s* vocabulary
**glugg** *s* hole, aperture
**glukos** *s* glucose
**glupsk** *adj* greedy; om storätare gluttonous
**glupskhet** *s* greed; gluttony
**glycerin** *s* glycerin, glycerine
**glykol** *s* glycol
**glykos** *s* glucose
**glåmig** *adj* pale and washed out
**glåpord** *s* taunt, jeer
**glädja I** *vb tr* give...pleasure [*med att* inf. by ing-form]; delight; *det gläder mig* I am glad (starkare delighted) **II** *vb rfl*, *~ sig* be glad [*åt* el. *över* about]
**glädjande** *adj* trevlig pleasant; tillfredsställande gratifying
**glädje** *s* joy; delight [*över* at]; lycka happiness; *gråta av ~* cry for joy; *han antog mitt förslag med ~* he gladly accepted...
**glädjedag** *s* day of rejoicing
**glädjedödare** *s* killjoy; vard. wet blanket
**glädjeflicka** *s* prostitute, vard. pro (pl. -s), amer. äv. hooker
**glädjekvarter** *s* vard. red-light district
**glädjelös** *adj* joyless; cheerless
**glädjespridare** *s* cheerful soul; 'solstråle' ray of sunshine
**glädjeämne** *s* subject for (of) rejoicing
**gläfsa** *vb itr* yelp, yap [*på* at]
**glänsa** *vb itr* shine, glitter; om t.ex. tårar glisten
**glänsande** *adj* **1** shining, glittering; om t.ex. ögon lustrous **2** utmärkt brilliant, splendid
**glänt** *s*, dörren *står på ~* ...is slightly open (is ajar)
**glänta** *vb itr*, *~ på dörren* open the door slightly
**glätta** *vb tr* smooth; polera polish
**glöd** *s* **1** glödande kol live coal, embers pl. **2** sken glow; hetta heat; stark känsla ardour; lidelse passion
**glöda** *vb itr* glow
**glödande** *adj* glowing; om metall red-hot; om känslor ardent; lidelsefull passionate
**glödga** *vb tr* make...red-hot
**glödhet** *adj* om metall red-hot; friare glowing hot
**glödlampa** *s* electric bulb, bulb
**glögg** *s* vinglögg glogg, mulled wine served with raisins and almonds
**glömma** *vb tr* forget; *~ kvar* leave...behind

**glömsk** adj forgetful; disträ absent-minded
**glömska** s egenskap forgetfulness; *falla i ~* be forgotten, fall into oblivion
**gnabb** s bickering
**gnabbas** vb itr dep bicker
**gnaga** vb itr gnaw; smågnaga nibble [*på ngt* a th., at a th.]
**gnagare** s rodent
**gnata** vb itr nag [*på* at, *över* about]
**gnida** I vb tr o. vb itr rub II vb itr snåla be stingy [*på* with]
**gnidare** s miser, skinflint
**gnidig** adj stingy, miserly
**gnissel** s squeak, squeaking; om dörr creak
**gnissla** vb itr squeak; om dörr etc. creak
**gnista** s spark; av hopp äv. ray
**gnistra** vb itr sparkle [*av* with]
**gno** I vb tr gnugga rub; med borste scrub II vb itr knoga toil, work hard; springa scurry, hurry
**gnola** vb tr o. vb itr hum [*på ngt* a th.]
**gnugga** vb tr rub; *~ sig i ögonen* rub one's eyes
**gnuggbild** s transfer
**gnuggis** s vard., se *gnuggbild*
**gnutta** s tiny bit; droppe drop; nypa pinch
**gny** vb itr dåna roar; gnälla grumble
**gnägga** vb itr neigh; lågt whinny
**gnäll** s jämmer etc. whining, whimpering; knotande grumbling; klagande complaining
**gnälla** vb itr **1** jämra sig whine; yttra missnöje grumble; klaga complain **2** om dörr creak
**gnällig** adj gäll shrill; missnöjd whining
**gobeläng** s tapestry
**god** (jfr *gott*) I adj (jfr *bra*) **1** good; angenäm nice, pleasant; *en ~ vän* a great friend; *en ~* obetonat *vän* (*vän till mig*) a friend of mine; *var så ~!* a) här har ni here you are; ta för er help yourself, please b) ja gärna you are welcome!; naturligtvis by all means!; skämts. be my guest!; *var så ~ och sitt!* sit down, won't you?; *var ~ och stäng dörren!* shut the door, please! **2** ansenlig considerable; *här finns ~ plats* there is plenty of room here II s, det blir *för mycket av det ~a* ...too much of a good thing; *gå i ~ för* guarantee; *gott* a) *det gjorde gott!* kändes skönt that was good!; kom ska du få *något gott att äta* ...something nice to eat; *allt gott* för framtiden all the best b) *ha gott om* tid (äpplen) have plenty of...; *det är* (*finns*) *gott om...* tillräckligt med there is (are) plenty of...; med subst. i sg. there is a great deal of...

**godartad** adj om sjukdom etc. non-malignant, benign
**godbit** s titbit, speciellt amer. tidbit
**goddag** interj good morning (resp. afternoon, evening)
**godhet** s goodness; vänlighet kindness
**godhjärtad** adj kind-hearted
**godis** s vard. sweets pl., amer. candy
**godkänna** vb tr **1** gå med på approve, agree to; om myndighet etc. pass **2** *~ ngn* i examen pass a p.; *ej ~* reject; *bli godkänd* pass
**godkännande** s approval
**godmodig** adj good-natured
**godmorgon** interj good morning
**godnatt** interj good night
**godo** s, göra upp saken *i ~* ...amicably; *jag har* 100 kr *till ~ hos dig* you owe me...; *hålla till ~ med* put up with; *håll till ~!* tag för er! help yourself!
**gods** s **1** koll., varor etc. goods pl.; last, amer. freight; material material **2** lantgods estate
**godsaker** s pl sweets, amer. candy sg.
**godsexpedition** s goods (parcels) office
**godståg** s goods train
**godsvagn** s goods waggon (wagon)
**godsägare** s landed proprietor, landowner
**godta** o. **godtaga** vb tr approve of, approve, accept; förslag agree to
**godtagbar** adj acceptable
**godtrogen** adj gullible, credulous
**godtycke** s **1** *efter eget ~* at one's own discretion **2** egenmäktighet, *rena ~t* pure arbitrariness
**godtycklig** adj arbitrary
**1 golf** s bukt gulf
**2 golf** s spel golf
**golfbana** s golf course
**golfklubb** s golf club
**golfklubba** s golf club
**golfspelare** s golfer
**Golfströmmen** the Gulf Stream
**Goliat** Goliath
**golv** s floor; golvbeläggning flooring
**golvbrunn** s drain
**golvlampa** s standard lamp, floor-lamp
**golvmodell** s floor model
**golvur** s grandfather clock
**gom** s palate
**gomsegel** s soft palate
**gondol** s båt gondola
**gondoljär** s gondolier
**gonggong** s gong
**gonorré** s gonorrhoea
**gorilla** s gorilla äv. om livvakt
**gorma** vb itr brawl, shout and scream

**gosa** *vb itr* cuddle

**gosig** *adj* soft and warm, cuddly

**gosse** *s* boy, lad; kille chap, guy

**gott I** *s* se god **II 3 II** *adv* **1** well; ~ *och väl 50 personer* a good 50 people; *lukta* ~ smell nice (good); *sova* ~ sleep well (soundly); *göra så* ~ *man kan* do one's best; *så* ~ *som ingenting* practically nothing **2** lätt, *det kan jag* ~ *förstå* I can very well understand that **3** gärna, *det kan du* ~ *göra* you can very well do that (so)

**gotta** *vb rfl*, ~ *sig* have a good time; ~ *sig åt ngt* revel in a th.

**gottfinnande** *s*, *efter eget* ~ as you think best

**gottgris** *s* vard., *han är en* ~ he loves sweets (amer. candy), he has a sweet tooth

**gottgöra** *vb tr* **1** ~ ngt: sona, avhjälpa make up for; en förlust make good... **2** ersätta, ~ *ngn för ngt* recompense (betala remunerate) a p. for a th.

**gottgörelse** *s* ersättning recompense; betalning remuneration; skadestånd damages pl.

**gourmand** *s* gourmand

**grabb** *s* pojke boy; kille chap, guy

**graciös** *adj* graceful

**grad** *s* **1** degree; utsträckning extent; *i hög* ~ to a great degree (extent); *i högsta* ~ in the highest degree, extremely; *till den* ~ *blyg att...* shy to such a degree that... **2** måttsenhet degree; *10 ~er kallt (varmt)* 10 degrees centigrade below (above) zero **3** rang rank, grade; *stiga i ~erna* rise in the ranks

**gradera** *vb tr* klassificera grade; tekn. graduate

**gradskiva** *s* protractor

**gradvis I** *adv* by degrees **II** *adj* gradual

**grafik** *s* konst~ graphic art; gravyr engraving

**grafit** *s* graphite

**grahamsmjöl** *s* wholemeal (graham) flour

**gram** *s* gram, gramme

**grammatik** *s* grammar

**grammatikalisk** *adj* grammatical

**grammatisk** *adj* grammatical

**grammofon** *s* gramophone, amer. phonograph

**grammofonskiva** *s* gramophone record (disc), amer. phonograph record (disc)

**gran** *s* spruce; fir; julgran Christmas tree, för sammansättningar jfr äv. *björk*

**1 granat** *s* miner. garnet

**2 granat** *s* mil. shell

**granateld** *s* shell fire

**granatäpple** *s* pomegranate

**granbarr** *s* spruce needle; friare vanl. fir needle

**grand** *s*, *lite* ~ (*grann*) just a little (bit)

**granit** *s* granite

**grankotte** *s* spruce cone, fir cone

**grann** *adj* vacker fine-looking; t.ex. om väder magnificent; brokig gaudy; lysande brilliant

**granne** *s* neighbour

**grannland** *s* neighbouring (adjacent) country

**grannlåt** *s* showy decoration sg.; kläder etc. finery sg.; granna saker showy ornaments pl.

**grannskap** *s* neighbourhood

**granska** *vb tr* undersöka examine; syna scrutinize; kontrollera t.ex. siffror check

**granskare** *s* examiner, inspector

**granskning** *s* undersökning examination; synande scrutiny; kontroll check-up

**grapefrukt** *s* grapefruit

**grassera** *vb itr* om sjukdom etc. be rife (prevalent); starkare rage

**gratifikation** *s* bonus, gratuity

**gratinera** *vb tr* bake...in a gratin dish; ~*d* fisk ...au gratin

**gratis** *adv* for nothing, free

**gratiserbjudande** *s* free offer

**grattis** *s* vard., ~*!* congratulations!

**gratulation** *s* congratulation; *hjärtliga ~er på födelsedagen!* Many Happy Returns of the Day!

**gratulera** *vb tr* congratulate [*till* on]

**gratäng** *s* gratin

**1 grav** *adj* svår, allvarlig serious

**2 grav** *s* **1** för död grave; murad tomb **2** dike trench

**gravad** *adj*, ~ *lax* raw spiced salmon

**gravallvarlig** *adj* solemn, dead serious

**gravera** *vb tr* rista in engrave [*i, på* on]

**graverande** *adj*, ~ *omständigheter* aggravating circumstances

**gravid** *adj* pregnant

**graviditet** *s* pregnancy

**gravlax** *s* raw spiced salmon

**gravplats** *s* begravningsplats burial ground; grav grave, burial place

**gravsten** *s* gravestone, tombstone

**gravsättning** *s* interment

**gravyr** *s* engraving; etsning etching

**gravör** *s* engraver

**gredelin** *adj* lilac, mauve

**grej** *s* vard., sak thing; manick gadget

**greja** vard. **I** *vb tr* fix, manage **II** *vb rfl*, *det ~r sig* that'll be all right

**grek** *s* Greek

**grekisk** *adj* Greek

**grekiska** s **1** språk Greek **2** kvinna Greek woman; jfr *svenska*

**grekisk-ortodox** adj, ~**a kyrkan** the Greek (Eastern) Orthodox Church

**Grekland** Greece

**gren** s **1** branch; med kvistar bough; mindre twig; förgrening ramification; del av tävling event **2** skrev crutch

**grena** vb rfl, ~ **sig** el. ~ **ut sig** branch out, fork

**grensle** adv astride [*över* of]

**grep** s o. **grepe** s pitchfork; gödselgrep manure-fork

**grepp** s grasp [*i, om* of]; hårdare grip; tag hold äv. brottn.; handgrepp manipulation; metod method; **ett klokt** ~ a wise move; **jag får inget** ~ **om det** I can't get the hang of it

**greppa** vb tr vard. grab (take) hold of; komma underfund med get the hang of

**greve** s count; britt. earl

**grevinna** s countess

**griffeltavla** s slate

**grill** s grill; kylargrill grille

**grilla I** vb tr grill **II** vb itr ha grillfest have a barbecue

**grillbar** s grill bar

**grillfest** s barbecue

**grillkorv** s sausage for grilling

**grillspett** s skewer; med kött kebab, shish kebab

**grimas** s grimace, wry face

**grimasera** vb itr make (pull) faces, grimace

**grin** s flin grin; grimas grimace

**grina** vb itr vard., gråta cry; ~ **illa** se *grimasera*

**grind** s gate

**grinig** adj **1** gnällig whining; kinkig, om barn fretful **2** knarrig grumpy; kritisk fault-finding

**gripa I** vb itr tr **1** seize [*i armen* by...]; t.ex. tjuv capture, catch; ~ **ngt** el. ~ **om ngt** grasp (clutch, grip) a th.; ~ **tag i** catch hold of **2** röra touch, move, affect **II** vb itr, ~ **efter ngt** snatch at a th.
□ ~ **sig an** ngt set about...; ~ **in** ingripa intervene; hjälpande step in

**gripande** adj rörande touching, moving

**griptång** s pincers pl.

**gris** s pig äv. om person; kok. pork; **köpa** ~**en i säcken** buy a pig in a poke; **min lilla** ~ my little sweetie

**grisa** vb itr, ~ **ner** make the place in a mess

**griskött** s pork

**gro** vb itr sprout; växa grow

**groda** s **1** zool. frog **2** fel blunder, howler

**grodd** s germ, sprout

**grodfötter** s pl sport. frogman (diving) flippers

**grodman** s frogman

**grodyngel** s tadpole

**grogg** s whisky (konjaksgrogg brandy) and soda, amer. vard. highball

**grogglas** s tomt whisky tumbler

**grogrund** s bildl. breeding ground

**grop** s pit; större hollow; i väg hole; i kind, haka dimple

**gropig** adj ...full of holes; om sjö rough; om väg, luft bumpy

**grosshandel** s wholesale trade (handlande trading)

**grosshandlare** s o. **grossist** s wholesale dealer, wholesaler

**grotesk** adj grotesque

**grotta** s cave; större cavern

**grottekvarn** s treadmill

**grov** adj coarse; obearbetad, ungefärlig rough; tjock thick; ohyfsad äv. rude [*mot* to]; **vara** ~ **i munnen** be foul-mouthed; **ett** ~**t brott** a serious crime; ~**a** ansikts**drag** coarse features; **i** ~**a drag** in rough outline el. outlines; **ett** ~**t fel** a gross (grave) blunder; **en** ~ **lögn** a big (whopping) lie; ~ **röst** gruff (rough) voice; ~ **sjö** heavy sea; ~**t smicker** fulsome flattery; ~**t tyg** rough (coarse) cloth

**grovarbetare** s unskilled labourer

**grovarbete** s heavy work, spadework; grovarbetares unskilled work (labour)

**grovgöra** s heavy work, spadework

**grovkornig** adj **1** oanständig coarse **2** foto. coarse-grain

**grovlek** s degree of coarseness (tjocklek thickness); storlek size

**grovmalen** adj coarsely ground; om kött coarsely minced

**grovtarm** s anat. colon

**grubbel** s brooding

**grubbla** vb itr fundera ponder, brood; bry sin hjärna puzzle one's head [*på, över* about]

**grumlig** adj muddy; om vätska cloudy

**1 grund** s **1** foundation [*till* of]; basis (pl. bases); **lägga** ~**en till** lay the foundation (foundations) of; brinna ner **till** ~**en** ...to the ground **2** i ~ fullständigt entirely; **i** ~**en** el. **i** ~ **och botten** i själ och hjärta at heart (bottom) **3** mark ground **4** skäl reason,

grounds pl. [*till* for]; *på ~ av* on account of; till följd av as a result of
**2 grund I** *adj* shallow **II** *s, gå* (*stå*) *på ~* run (be) aground
**grunda I** *vb tr* **1** found; affär, tidning äv. establish **2** stödja base **3** grundmåla ground, prime **II** *vb rfl, ~ sig* rest [*på* on]
**grundad** *adj* om t.ex. farhåga well-founded
**grundare** *s* skapare founder
**grunddrag** *s* fundamental (essential) feature; *~en av Europas historia* the main outlines of European history
**grundfärg** *s* **1** fys. primary colour **2** mål. first coat, priming
**grundlag** *s* författning constitution
**grundlig** *adj* thorough; ingående close; noggrann careful; genomgripande thorough-going
**grundlägga** *vb tr* lay the foundation of
**grundläggande** *adj* fundamental; basic
**grundläggare** *s* skapare founder
**grundorsak** *s* primary (original) cause
**grundregel** *s* fundamental (basic) rule
**grundskola** *s* 'grundskola', nine-year compulsory school
**grundslag** *s* i tennis ground stroke
**grundtal** *s* cardinal number
**grundtanke** *s* fundamental idea
**grundval** *s* foundation, basis (pl. bases)
**grundvatten** *s* groundwater
**grundämne** *s* element
**grunka** *s* vard., sak thing; manick gadget
**grupp** *s* group; klunga cluster
**grupparbete** *s* teamwork
**gruppera I** *vb tr* group, group...together [*i* into] **II** *vb rfl, ~ sig* group oneself
**grupplivförsäkring** *s* group life insurance
**grupppresa** *s* conducted tour
**gruppterapi** *s* group therapy
**grus** *s* gravel; *spela på ~* tennis play on a clay court, fotboll play on a gravel pitch
**grusa** *vb tr* gravel; t.ex. ngns förhoppningar dash; gäcka frustrate
**grusbana** *s* tennis clay court
**grusplan** *s* fotboll gravel pitch
**grusväg** *s* gravelled road
**1 gruva** *vb rfl, ~ sig för ngt* dread (be dreading) a th.
**2 gruva** *s* mine; kolgruva äv. pit
**gruvarbetare** *s* miner; kol~ äv. collier
**gruvdistrikt** *s* mining district
**gruvdrift** *s* mining
**gruvlig** *adj* dreadful, horrible; vard. awful
**gry** *vb itr* dawn äv. bildl.
**grym** *adj* cruel [*mot* to]

**grymhet** *s* cruelty [*mot* to]; *en ~* an act of cruelty
**grymta** *vb itr* grunt
**grymtning** *s* grunting; *en ~* a grunt
**gryn** *s* korn grain
**gryning** *s* dawn, daybreak
**gryta** *s* pot; av lergods casserole äv. maträtt
**grytbitar** *s pl* stewing steak sg.
**grytlapp** *s* pot-holder, kettle-holder
**grytlock** *s* pot lid
**grå** *adj* grey; amer. gray; för sammansättningar jfr äv. *blå-*
**gråaktig** *adj* greyish, amer. grayish
**gråhårig** *adj* grey-haired, amer. gray-haired
**gråkall** *adj* bleak, chill
**gråna** *vb itr* turn (go) grey (amer. gray); *~d* åldrad grey-headed; om hår grey (amer. gray)
**gråsej** *s* coalfish
**gråsparv** *s* house sparrow
**gråsprängd** *adj* grizzled
**gråt** *s* gråtande crying; tyst äv. weeping; tårar tears pl.
**gråta** *vb tr* o. *vb itr* cry [*efter* for, *för* about]; tyst äv. weep; *~ av glädje* weep (cry) for joy; *~ ut* have a good cry
**gråtfärdig** *adj, vara ~* be on the verge of tears
**gråtmild** *adj* tearful; sentimental sentimental
**grått** *s* grey, amer. gray; jfr *blått*
**grädda** *vb tr* i ugn bake; plättar fry, make
**gräddbakelse** *s* cream cake
**grädde** *s* cream
**gräddfil** *s* **1** sour cream **2** vard., (körfil) VIP lane
**gräddglass** *s* full-cream ice
**gräddkanna** *s* cream jug
**gräddtårta** *s* cream gateau (pl. gateaux), cream cake
**gräl** *s* quarrel; *råka i ~ med ngn* fall out with a p. [*om* over]
**gräla** *vb itr* tvista quarrel; *~ på ngn* scold a p.
**gräll** *adj* glaring
**grälsjuk** *adj* quarrelsome
**gräma I** *vb tr, det grämer mig att* I can't get over the fact that **II** *vb rfl, ~ sig* fret [*över* over]
**gränd** *s* alley, lane
**gräns** *s* geogr. o. ägogräns boundary; statsgräns frontier; gränsområde border, borders pl.; yttersta gräns limit; *allting har en ~* there is a limit to everything; *sätta en ~ för* begränsa set bounds (limits) to; *...ligger vid ~en* ...lies on the border

**gränsa** *vb itr,* ~ *till* border on
**gränsfall** *s* borderline case
**gränsle** *adv* astride [*över* of]
**gränslös** *adj* boundless, limitless
**gränsområde** *s* border district
**gräs** *s* grass
**gräsand** *s* mallard, wild duck
**gräsbevuxen** *adj* grass-covered, grassy
**gräshoppa** *s* grasshopper
**gräsklippare** *s* lawn-mower
**gräslig** *adj* shocking, terrible, awful
**gräslök** *s* kok. chives pl.
**gräsmatta** *s* lawn; vild grassy space
**gräsplan** *s* matta lawn; t.ex. fotb. grass pitch
**gräsrotsnivå** *s* bildl., *på* ~ at grass-roots
  level
**gräsrötter** *s pl* bildl. grass roots
**gräsänka** *s* grass widow
**gräsänkling** *s* grass widower
**gräva I** *vb tr* o. *vb itr* dig [*efter* for]; speciellt
  om djur burrow **II** ~ *fram* dig out äv. bildl.;
  ~ *ned* gömma bury; ~ *ut* excavate
**grävling** *s* badger
**grävmaskin** *s* excavator
**grävskopa** *s* bucket; grävmaskin excavator
**gröda** *s* crops pl.; skörd crop
**grön** *adj* green äv. oerfaren; för
  sammansättningar jfr äv. *blå-*
**grönaktig** *adj* greenish
**grönfoder** *s* green fodder
**gröngöling** *s* **1** fågel green woodpecker
  **2** person greenhorn
**grönkål** *s* kale
**Grönland** Greenland
**grönområde** *s* green open space
**grönsak** *s* vegetable
**grönsaksaffär** *s* greengrocer's
**grönsaksland** *s* plot of vegetables
**grönsallad** *s* växt lettuce; rätt green salad
**grönska I** *s* gräs green; lövverk greenery;
  grönhet greenness **II** *vb itr* vara grön be
  green; bli grön turn green
**grönt** *s* **1** grön färg green; jfr *blått* **2** grönsaker
  green-stuff **3** till prydnad greenery
**gröpa** *vb tr,* ~ *ur* hollow (scoop) out
**gröt** *s* porridge; av t.ex. ris pudding
**grötig** *adj* thick äv. om röst; mushy; oredig
  muddled
**gubbaktig** *adj* ...like an old man; senil
  senile
**gubbe** *s* person old man; *grön (röd)* ~ trafik.
  green (red) man; *min lilla ~!* till barn my
  boy!
**gubbstrutt** *s* vard. old buffer (codger)
**gud** *s* god; *gode Gud!* Good Lord!, Good

heavens!; *för Guds skull!* ...for
  goodness' (God's, Heaven's) sake!
**gudabenådad** *adj* inspired, supremely
  gifted
**gudagåva** *s* divine gift; friare godsend
**gudbarn** *s* godchild
**gudfar** *s* godfather
**gudfruktig** *adj* God-fearing, pious
**gudinna** *s* goddess
**gudmor** *s* godmother
**gudomlig** *adj* divine
**gudsfruktan** *s* fromhet godliness, piety
**gudskelov** *interj,* ~ *att du kom!* thank
  goodness (Heaven) you came!
**gudstjänst** *s* divine service; allmännare
  worship
**guida** *vb tr* guide
**guide** *s* guide
**gul** *adj* yellow; ~*t ljus* trafik. amber light;
  ~*a ärter* split peas; för sammansättningar jfr
  äv. *blå-*
**gula** *s* yolk
**gulaktig** *adj* yellowish
**gulasch** *s* kok. goulash
**gulblek** *adj* sallow
**guld** *s* gold
**guldarmband** *s* gold bracelet
**guldbröllop** *s* golden wedding
**guldfisk** *s* goldfish
**guldgruva** *s* gold mine äv. inkomstkälla
**guldgrävare** *s* gold-digger; guldletare
  prospector
**guldklimp** *s* **1** gold nugget **2** person treasure
**guldkrog** *s* first-class (posh) restaurant
**guldmedalj** *s* gold medal
**guldplomb** *s* gold filling
**guldsmed** *s* goldsmith; juvelerare vanl.
  jeweller
**guldstämpel** *s* gold mark
**guldtacka** *s* gold bar (ingot)
**guldålder** *s* golden age
**gulhyad** *adj* yellow-skinned
**gullig** *adj* vard. sweet, nice, cute
**gullregn** *s* bot. laburnum
**gullstol** *s, bära ngn i* ~ chair a p., carry a
  p. in triumph
**gullviva** *s* cowslip
**gulna** *vb itr* turn yellow
**gulsot** *s* jaundice
**gult** *s* yellow; jfr *blått*
**gumma** *s* old woman; *min lilla ~!* till barn
  ...little (young) lady!
**gummera** *vb tr* gum; ~*d* gummed
**gummi** *s* **1** ämne rubber; klibbig substans gum
  **2** radergummi india rubber; speciellt amer.

eraser **3** kondom French letter, amer. rubber, safe

**gummiplantage** s rubber plantation

**gummislang** s rubber tube (till cykel etc. rubber tyre)

**gummisnodd** s elastic (rubber) band

**gummistövel** s rubber (gum) boot

**gummisula** s rubber sole

**gunga I** s swing **II** vb itr i gunga etc. swing; på gungbräde seesaw; vagga rock; om t.ex. mark totter äv. bildl.; svaja under ngns steg rock

**gungbräde** s seesaw

**gunghäst** s rocking-horse

**gungning** s swinging; vaggning rocking

**gungsele** s Baby-bouncer ®

**gungstol** s rocking-chair

**gunst** s favour; stå högt i ~ hos ngn be in high favour with a p.

**gunstling** s favourite

**gupp** s bump; grop pit, hole

**guppa** vb itr på väg jolt, jog; på vatten bob, bob up and down

**guppig** adj om väg bumpy

**gurgelvatten** s gargle

**gurgla I** vb tr o. vb itr gargle **II** vb rfl, ~ sig gargle

**gurgling** s gargling, gargle

**gurka** s cucumber; liten inläggnings~ gherkin

**gurkmeja** s bot. el. kok. turmeric

**guvernant** s governess

**guvernör** s governor

**gyckel** s skämt fun; upptåg joking, jesting, larking

**gyckla** vb itr skoja joke, jest; ~ med ngn make fun of (poke fun at) a p.

**gycklare** s joker; yrkesmässig o. hist. jester

**gylf** s fly, vard. flies pl.

**gyllene** adj golden; av guld vanl. gold

**gym** s workout gymnasium (pl. gymnasia)

**gymnasial** adj **1** eg., attributivt 'gymnasium', jfr gymnasium **2** omogen puerile

**gymnasieelev** s pupil at a 'gymnasieskola' ('gymnasium'); jfr gymnasium

**gymnasieskola** s continuation school [on the 'gymnasium' level], jfr gymnasium

**gymnasist** s se gymnasieelev

**gymnasium** s 'gymnasium', britt. motsv., ung. sixth form [of a grammar school], amer. motsv., ung. senior high school

**gymnast** s gymnast

**gymnastik** s övningar etc. gymnastics sg.; skol. äv. physical education (förk. PE), physical training (förk. PT), gym; morgon~ etc. exercises pl.

**gymnastikdirektör** s ung. certified gymnastics instructor

**gymnastikdräkt** s gym suit (dams tunic); skolflickas gym slip

**gymnastiklärare** s physical training (vard. gym) master; i idrott games master

**gymnastiksal** s gymnasium; vard. gym

**gymnastisera** vb itr do gymnastics

**gymnastisk** adj gymnastic

**gympa I** s vard., gymnastik gym, PE, PT, jfr gymnastik; gymping aerobics sg. **II** vb itr gymnastisera do gymnastics; göra gymping do an aerobics workout

**gymping** s aerobics sg.

**gynekolog** s gynaecologist

**gynekologisk** adj gynaecological

**gynna** vb tr favour; beskydda patronize; främja further, promote

**gynnare** s **1** benefactor; beskyddare patron **2** skämts. fellow, customer

**gynnsam** adj favourable [för to]

**gyrokompass** s gyrocompass

**gyroskop** s gyroscope

**gyttja** s mud

**gyttjig** adj muddy

**gyttra** vb tr, ~ ihop cluster...together

**gå I** vb itr **1** ta sig fram till fots, promenera walk; med avmätta steg pace; med långa steg stride; jag har varit ute och ~tt I have been out for a walk; ~ till fots walk, go on foot; ~ till besöka go and see, visit **2** fara, leda vanl. go; färdas travel; bege sig av leave; om t.ex. vagn o. maskin run; om väg, dörr lead; bilen har ~tt 5 000 mil the car has done...; klockan ~r rätt (fel) ...is right (wrong); det ~r ett rykte (en sjukdom) there is a rumour (illness) about; tiden ~r time passes (is passing); ~ i (ur) vägen för ngn get into (out of) a p.'s way; ~ med glasögon wear...; ~ i el. ~ omkring i t.ex. trasor, tofflor go about in...; ~ på föreläsningar attend (go to)... **3** avlöpa go off, pass off, turn out; låta sig göra be possible; lyckas succeed; det ~r nog that will be all right; klockan ~r inte att laga it is impossible to repair...; ~r det att laga? can it be repaired?; det gick i alla fall! I (you etc.) managed it, anyhow!; det gick bra för honom i prov etc. he got on (did) well; hur det än ~r whatever happens; hur ~r det med festen? what about...? **4** säljas: gå åt sell; t.ex. på auktion be sold **5** bära sig pay **6** sträcka sig go, extend; nå reach **7** ~ på el. till belöpa sig till amount (come) to; kosta cost **II** vb tr, ~ ed take an oath; ~ *ärenden* have some jobs to do; för inköp go shopping

□ ~ **an** passa, gå för sig do; vara tillåten be allowed; vara möjlig be possible; *det ~r inte an* it won't do; ~ **av** stiga av get off; brista break; om skott go off; ~ **bort** på bjudning go out [*på middag* to dinner]; dö die; försvinna om t.ex. fläck disappear; ~ **efter** om klocka be slow; hämta go and fetch; ~ **emot** stöta emot go (resp. run) against...; ~ rösta **emot** *förslaget* vote against the proposal; *allt ~r mig emot* nothing seems to go right for me; ~ **fram till** go up to; ~ **förbi** passera förbi go past (by); gå om overtake; hoppa över pass over; ~ **före** i ordningsföljd precede; om klocka be fast; ha företräde framför go (rank) before; ~ **ifrån** lämna leave; avlägsna sig get away; glömma kvar leave...behind; ~ **igenom** go through; ~ **ihop** sluta sig close up; förena sig join; passa ihop agree; *få det att* ~ *ihop* ekonomiskt make both ends meet; ~ **in:** ~ *in för* go in for; ~ *in i* klubb etc. join, enter; ~ *in på* t.ex. ämne enter upon; ~ **isär** come apart; om åsikter etc. diverge; ~ **med** göra sällskap go (komma come) along too; ~ *med i* klubb etc. join; ~ *med på* samtycka till agree to; medge agree; ~ **ned** *(ner)* go down, fall; ~ **om** passera pass, go past; ~ **omkull** om firma become (go) bankrupt; ~ **på** a) stiga upp på get on b) fortsätta go on; gå framåt go ahead; skynda på make haste c) om kläder go on; ~ **samman** go together, join; ~ **till** försiggå come about; hända happen; ordnas be arranged (done); ~ **tillbaka** avta decrease; försämras, gå utför deteriorate; ~ **under** om person be ruined; om fartyg go down; ~ **upp** go up; ur säng get up; om himlakropp rise; om pris etc. go up, rise; öppna sig open; om plagg tear; om knut come undone; *det gick upp för mig, att...* it dawned upon me that...; ~ *upp i rök* go up in smoke, open, tear, come undone; ~ *upp i* införlivas med become merged in; ~ *upp mot* el. *emot* kunna mäta sig med come up to; *ingenting ~r upp mot...* there is nothing like...; ~ *upp till* belöpa sig till amount to; ~ **ur** stiga av get out of...; lämna leave; om fläck come out; försvinna disappear; ~ **ut och gå** go out for a walk, take a walk; ~ *ut skolan* leave (genomgå finish) school; gå till ända come to an end, run out; *vad det ~r ut på* what it amounts to; hans tal *gick ut på att...* the drift of his speech was that...; ~ *ut ur*

*rummet* leave the room; låta sin vrede etc. ~ *ut över* vent... upon; ~ **vidare** fortsätta [*i, med* go on with]; ~ **åt** behövas be needed; ta slut be used up; säljas sell; ~ **över** go (run, rise, be) above; överstiga surpass; upphöra pass, cease; granska go (look) over; ~ *över till* go over to, pass to; byta till change to

**gående** *adj, en* ~ a pedestrian; ~ *bord* buffet

**gågata** *s* pedestrian street; område med gågator precinct, mall

**gång** *s* **1** sätt att gå walk; *känna igen ngn på ~en* recognize a p. by his way of walking **2** färd (om fartyg) run, passage; rörelse, verksamhet, om maskin working, running; motorn *har en jämn* ~ ...runs smoothly **3** i o. mellan hus passage; i kyrka o. teat. aisle; i buss gangway, amer. aisle **4** tillfälle, omgång m.m. time; *en* ~ once; om framtid one (some) day; ens even; *en* ~ *i tiden (världen)* förr at one time; *en* ~ *om året (vart tredje år)* once a year (every three years); *en* ~ *till* once more; *det var en* ~ i saga once upon a time there was; *en annan* ~ another time; om framtid some other time; *en och annan* ~ every now and then; *någon* ~ ibland once now and then; *någon* ~ i maj some time...; *för en ~s skull* for once; *med en* ~ all at once; *på en* ~ samtidigt at a (the same) time; plötsligt all at once; *två ~er* twice; *tre ~er* three times; *två ~er två är fyra* twice (two times) two is four

**gångare** *s* sport. walker

**gångbana** *s* pavement, amer. sidewalk

**gångjärn** *s* hinge

**gångsport** *s* walking

**gångstig** *s* path, footpath

**gångtrafikant** *s* pedestrian

**gångtunnel** *s* subway, amer. underpass

**gångväg** *s* public footpath

**gåpåare** *s* pusher, go-getter

**går** *s, i* ~ se *igår*

**gård** *s* **1** yard; bakgård backyard, courtyard; *ett rum åt ~en* a back room **2** bondgård farm; herrgård estate

**gårdag** *s, ~en* yesterday

**gårdsplan** *s* courtyard

**gås** *s* goose (pl. geese); *det är som att slå vatten på en* ~ it's like water off a duck's back; *det går vita gäss* there are white-caps

**gåshud** *s* gooseflesh

**gåsleverpastej** *s* äkta pâté de foie gras

**gåsmarsch** *s, gå i ~* walk in single file
**gåta** *s* riddle, mystery, puzzle
**gåtfull** *adj* mysterious, puzzling
**gåva** *s* gift, present; donation donation
**gåvoskatt** *s* gift tax
**gäcka** *vb tr* frustrate; undgå, förbrylla baffle
**gäckas** *vb itr dep, ~ med* håna mock (scoff) at
**gädda** *s* pike (pl. äv. lika)
**gäl** *s* gill
**gäldenär** *s* debtor
**gäll** *adj* shrill; om färg crude
**gälla** *vb itr o. vb tr* **1** *~ för* räknas som count; vara värd be worth **2** vara giltig be valid; *detta gäller* el. *gäller för* samtliga fall this holds good for… **3** angå concern; *vad gäller saken?* what is it about?; *det gäller liv eller död* it is a matter of life and death; *när det gäller* when it really matters (comes to it)
**gällande** *adj* giltig valid [*för* for]; om lag etc. …in force; rådande current; *göra ~* hävda maintain; *göra sig ~* **a)** hävda sig assert oneself **b)** vara framträdande be in evidence
**gäng** *s* gang; kotteri set
**gänga I** *s* thread; *vara ur gängorna* om person be off colour **II** *vb tr* thread
**gängse** *adj* current; vanlig usual
**gärde** *s* åker field
**gärdsgård** *s* av trä wooden fence
**gärdsmyg** *s* fågel wren
**gärna** *adv* villigt willingly; med nöje gladly, with pleasure; i regel often; *~ det!* by all means!; *inte ~* knappast hardly; *jag skulle bra ~ vilja veta…* I should very much like to know…
**gärning** *s* **1** handling deed, action; *tagen på bar ~* caught red-handed **2** verksamhet work
**gärningsman** *s* perpetrator; svagare culprit
**gäspa** *vb itr* yawn
**gäspning** *s* yawn
**gäst** *s* guest [*i (vid)* at]; på hotell vanl. resident
**gästa** *vb tr* besöka visit
**gästartist** *s* guest artist (star)
**gästfri** *adj* hospitable [*mot* towards, to]
**gästfrihet** *s* hospitality
**gästgivargård** *s* inn
**gästrum** *s* spare bedroom, guest room
**gästspel** *s* teat. special (guest) performance
**göda** *vb tr* fatten, fatten up
**gödkyckling** *s* spring chicken, broiler
**gödningsmedel** *s* fertilizer
**gödsel** *s* manure; konstgödsel fertilizer

**gödsla** *vb tr* manure; konstgödsla fertilize
**gödsling** *s* manuring, fertilizing
**gök** *s* fågel cuckoo
**gömma I** *s* hiding-place **II** *vb tr* dölja hide, hide…away, conceal [*för* from] **III** *vb rfl, ~ sig* hide, hide oneself [*för* from]
**gömställe** *s* hiding-place
**göra I** *vb tr o. vb itr* **1** do; tillverka, skapa make, do; *~ affärer* do business; *~ ett försök* make an attempt; *~ ett mål* score a goal; *~ en paus* pause, have a break; *~ en resa* make a journey; *det gör ingenting!* it doesn't matter!; *gör det något, om…?* will it be all right if…?; *~ sitt bästa* do one's best; *vad gör det?* what does it matter?; *ha att ~ med* have to do with, deal with; *då får du med mig att ~!* then you will catch it from me (will have me to deal with)!; *du har ingenting här att ~!* you have no business to be here!; *det har ingenting med dig att ~!* it's none of your business (nothing to do with you)!; *det är ingenting att ~ åt det* it can't be helped; *~ ngn galen* drive a p. mad; *~ ngn olycklig* make a p. unhappy; *~ saken värre* make matters worse; *~ ngn till kapten* make a p. captain **2** med att-sats: förorsaka make, cause; *det gjorde att bilen stannade* that made the car (caused the car to) stop **3** i stället för förut nämnt verb do; *han reste sig och det gjorde jag också* …and so did I; har du läst läxorna? *- Nej, det har jag inte gjort* …No, I haven't; *regnar det? - Ja, det gör det* is it raining? - Yes, it is **4** utgöra make; två gånger två *gör fyra* …make (makes) four **II** *vb rfl, ~ sig förstådd* make oneself understood; *~ sig besvär att* take the trouble to; *~ sig en förmögenhet* make a fortune

□ *~ av med* **a)** pengar spend **b)** ta livet av kill; *~ sig av med* get rid of; *~ om* på nytt do (make)…over again; upprepa do…again; *~ sig till* göra sig viktig show off; sjåpa sig be affected; *det gör varken till eller från* it makes no difference (no difference either way); *~ undan* ngt get…done; *~ upp* eld etc. make; klara upp, hämnas settle; förslag etc. draw up
**gördel** *s* girdle
**gör-det-själv** *adj* do-it-yourself (förk. DIY)
**görlig** *adj* practicable, feasible; *för att i ~aste mån* inf. in order as far as possible to inf.

**görningen** *s, det är något i* ~ there is something brewing
**göromål** *s* business, work (båda end. sg.)
**gös** *s* fisk pike-perch
**Göteborg** Gothenburg, Göteborg

# H

**h** *s* mus. B
**1 ha I** *hjälpvb* tempusbildande have; *du ~r snart glömt det* you will soon have forgotten it; *det ~de jag aldrig trott* I would (should) never have thought it
**II** *vb tr* **1** have, have got; t.ex. kläder wear; *vilken färg ~r den?* what colour is it?; ~ *rätt (fel)* be right (wrong); *det kan vara bra att* ~ it will come in handy; *vad ~r du här att göra?* what are you doing here?; *vad ska man* ~ *det till?* what's it for?; *nu ~r jag det!* now I've got it! **2** få, erhålla have; *vad vill du ~?* what do you want?; om förtäring what will you have?; *jag skulle vilja ~...,* I want..., please; I should like...; *här ~r du pengarna* here's the money **3** ~ *det bra* gott ställt be well off; ~ *det så bra!* have a good time!; ~ *det trevligt* have a nice time; *hur ~r du det?* how's things?; ~ *ledigt* be free, be off duty; ~ *lätt att* find it easy to
  □ ~ **ngt emot:** *jag ~r inget emot...* I have nothing against...; *~r du något emot att jag röker?* do you mind my smoking?; ~ **för sig** tro, mena think; föreställa sig have an idea; inbilla sig imagine; *vad ~r du för dig* vad gör du? what are you doing?; ~ **kvar** ha över have...left; ännu ha still have; ~ **med** el. ~ **med sig** have with one, bring, bring along; ~ **på sig** vara klädd i have...on, wear; *~r du en penna på dig?* have you got a pencil on you?; *vi ~r bara en dag på oss* we have only one day left; ~ **sönder** t.ex. en vas break; t.ex. en klänning tear
**2 ha** *interj* ha!
**Haag** the Hague
**habegär** *s* acquisitiveness; *~et* the possessive instinct
**1 hack** *s, följa ngn* ~ *i häl* follow hard (close) on a p.'s heels
**2 hack** *s* skåra notch, cut, mark
**1 hacka** *s* vard., *tjäna en* ~ earn a bit of cash
**2 hacka I** *s* spetsig pick, pickaxe **II** *vb tr* i bitar chop; fint mince **III** *vb itr,* ~ *i (på)* hack at; om fågel pick (peck) at; ~ *på* kritisera pick on □ ~ **loss** hack (chop) away; ~ **sönder** cut (break) up
**hackhosta** *s* hacking cough

**ackkyckling** *s, han är allas* ~ they are always picking on him
**ackspett** *s* woodpecker
**affa** *vb tr* vard. nab, cop, nick
**afs** *s* slarv slovenliness
**afsig** *adj* slovenly; om arbete etc. slipshod
**age** *s* **1** beteshage enclosed pasture **2** barnhage play pen **3** *hoppa* ~ play hopscotch
**agel** *s* **1** hail **2** blyhagel shot, small shot
**agelgevär** *s* shotgun
**agelskur** *s* shower of hail, hailstorm
**agla** *vb itr* hail
**agtorn** *s* hawthorn
**aj** *s* shark äv. om person
**haja** *vb itr,* ~ *till* be startled, start
**haja** *vb tr* vard., ~*r du?* do you get it?; *jag ~r inte varför...* it beats me why...
**haka** *s* chin; *tappa ~n* be taken aback
**haka** *vb tr,* ~ *sig fast* cling [*vid* to]; ~ *upp sig* get stuck; ~ *upp sig på småsaker* worry about (get hung up on) trifles
**ake** *s* hook; t.ex. fönsterhake catch; *det finns en* ~ *någonstans* there is a snag (catch) somewhere
**akkors** *s* swastika
**aklapp** *s* bib
**akrem** *s* chin strap
**al** *adj* slippery
**ala** *vb tr* o. *vb itr,* ~ *ned* haul down; lower äv. flagga
**alka I** *s* slipperiness; kör försiktigt *i ~n* ...on the slippery roads **II** *vb itr* slip; slira skid; ~ *omkull* slip
**alkbana** *s* skidpan
**alkig** *adj* slippery
**alkkörning** *s* skidpan driving [practice]
**all** *s* hall
**allick** *s* vard. pimp, ponce
**allon** *s* raspberry
**allucination** *s* hallucination
**allå** *interj* hallo!, hullo!, hello!; ~, ~*!* i högtalare attention, please!
**allåman** *s* radio. o. TV announcer
**alm** *s* straw
**almhatt** *s* straw hat
**almstrå** *s* straw
**almtak** *s* thatched roof
**als** *s* neck; strupe throat; ~ *över huvud* headlong; *han fick ett ben i ~en* he got a bone stuck in his throat; *hög i ~en* high at the neck; *ha ont i ~en* have a sore throat; *falla ngn om ~en* fall on a p.'s

neck; *få ngn (ngt) på ~en* be saddled with a p. (a th.)
**halsa** *vb tr,* ~ *en öl* vard. swig a bottle of beer
**halsband** *s* necklace; för hund collar
**halsbloss** *s, dra* ~ inhale
**halsbrytande** *adj,* ~ *fart* breakneck (hair-raising) speed
**halsbränna** *s* heartburn
**halsduk** *s* scarf; stickad muffler
**halsfluss** *s* tonsillitis
**halsgrop** *s, jag kom med hjärtat i ~en* ...with my heart in my mouth
**halshugga** *vb tr* behead
**halstablett** *s* throat lozenge (pastille)
**halster** *s* gridiron, grill
**halstra** *vb tr* grill
**1 halt** *s* t.ex. sockerhalt, metallhalt content
**2 halt** *s* uppehåll halt
**3 halt** *adj* lame
**halta** *vb itr* limp
**halv** *adj* half; *en och en* ~ *timme* an hour and a half, one and a half hours; *möta ngn på ~a vägen* meet a p. half-way; *klockan* ~ *fem* at half past four, at four-thirty; vard. half four
**halva** *s* **1** hälft half (pl. halves) **2** halvbutelj half-bottle, half a bottle **3** ~*n* andra snapsen ung. the second glass
**halvautomatisk** *adj* semi-automatic
**halvbesatt** *adj* half-filled
**halvblod** *s* människa half-breed, half-caste
**halvbror** *s* half-brother
**halvbutelj** *s* half-bottle, half a bottle
**halvdan** *adj* medelmåttig mediocre
**halvdöd** *adj* half dead [*av* with]
**halvera** *vb tr* halve, divide...into halves
**halvfabrikat** *s* semi-manufactured article
**halvfemtiden** *s, vid* ~ at about half past four (four-thirty)
**halvlek** *s* sport. half
**halvljus** *s, köra på* ~ drive with dipped (amer. dimmed) headlights
**halvmesyr** *s* half-measure
**halvmåne** *s* half moon
**halvofficiell** *adj* semi-official
**halvpension** *s* på pensionat o.d. half board
**halvsova** *vb itr* be half asleep
**halvstor** *adj* medium-sized, medium
**halvstrumpa** *s* short sock, sock
**halvsula** *vb tr* halfsole
**halvsyster** *s* half-sister
**halvsöt** *adj* om vin medium sweet
**halvt** *adv* half

**halvtid** s **1** sport. half-time **2** arbeta ~ (på ~) have a half-time job, be on half-time
**halvtidsanställd** adj, vara ~ be a half-timer
**halvtimme** s, en ~ half an hour
**halvtorr** adj om vin medium dry
**halvvägs** adv half-way, midway
**halvår** s, ett ~ six months
**halvädelsten** s semiprecious stone
**halvö** s peninsula
**halvöppen** adj half open; på glänt ...ajar
**hambo** s Hambo polka; dansa ~ do (dance) the Hambo
**hamburgare** s hamburger
**hammare** s hammer
**hammock** s garden hammock
**hamn** s hamnstad port; anläggningen harbour
**hamna** vb itr land up, land; sluta end up, end
**hamnarbetare** s dock worker, docker
**hamnkvarter** s dock district
**hamnstad** s port
**hampa** s hemp
**hampfrö** s hempseed
**hamra** vb tr o. vb itr hammer, beat
**hamster** s hamster
**hamstra** vb tr o. vb itr hoard
**hamstrare** s hoarder
**han** pers pron he; honom him; ~, honom om djur it
**hand** s hand; ~en på hjärtat, tyckte du om det? honestly,...?; ge ngn en hjälpande ~ lend a p. a hand; ha fria händer have a free hand; ha ~ om be in charge of; skaka ~ shake hands {med ngn with a p.}; ta ~ om take care (charge) of; gjord för ~ handmade, made by hand; i andra ~ in the second place; hyra ut i andra ~ sublet; det får komma i andra ~ it will have to come second (later), we'll (I'll) wait with that; köpa i andra ~ buy second-hand; i första ~ in the first place, first; upplysningar i första ~ ...at first hand, first-hand...; hålla ngn i ~ (handen) hold a p.'s hand; ta ngn i ~ hälsa shake hands with a p.; händerna! hands off (up)!; på egen ~ alone; ha till ~s have handy; denna förklaring ligger nära till ~s ...is a very likely one; ge vid ~en visa indicate, show
**handarbete** s sömnad needlework; broderi embroidery; stickning knitting; ett ~ a piece of needlework (embroidery)
**handbagage** s hand-luggage, hand-baggage

**handbojor** s pl handcuffs
**handbok** s handbook [i of]; manual
**handboll** s handball
**handbroms** s handbrake
**handduk** s towel; kasta in ~en boxn. o. vard. throw in the towel
**handel** s varuhandel trade; handlande trading; i stort commerce; affärer business; speciellt olovlig traffic; driva (idka) ~ med land, person trade with; vara trade (deal) in; vara (finnas) i ~n be on the market
**handelsbalans** s balance of trade
**handelsbojkott** s trade embargo (pl. -es)
**handelsbolag** s trading company
**handelsdepartement** s ministry of commerce
**handelsfartyg** s merchant vessel
**handelsförbindelse** s, ~r trade (commercial) relations
**handelsminister** s minister of commerce
**handelsresande** s sales representative, travelling salesman, commercial traveller
**handelsträdgård** s market garden
**handelsvara** s commodity
**handfallen** adj nonplussed, perplexed, ...at a loss
**handfast** adj om person, bestämd firm; ~a regler definite rules
**handfat** s washbasin, handbasin
**handflata** s palm, palm of the hand
**handfull** s, en ~ jord a handful of...
**handgemäng** s scuffle
**handgjord** adj handmade
**handgranat** s hand grenade
**handgrepp** s manipulation
**handgriplig** adj påtaglig palpable; tydlig obvious
**handgripligheter** s pl, gå till ~ come to blows
**handha** vb tr sköta manage; ha hand om be in charge of
**handikapp** s handicap
**handikappa** vb tr handicap
**handikappad** adj handicapped; invalidiserad äv. disabled
**handla** vb itr **1** göra affärer **a)** driva handel trade, deal, do business [med vara in...; med ngn with a p.] **b)** göra uppköp do one's shopping [hos A. at A.'s]; gå ut och ~ go out shopping; ~ mat buy food **2** bete sig act; göra äv. do; ~ rätt do right, act rightly **3** ~ om **a)** röra sig om be about **b)** gälla be a question of
**handlag** s, ha gott ~ med barn have a good hand with..., know how to handle...

**handlande** *s* handelsman dealer; handelsidkare tradesman; butiksägare shopkeeper

**handled** *s* wrist

**handleda** *vb tr* instruct; vägleda guide; i studier etc. supervise

**handledare** *s* instructor; studie~ etc. supervisor

**handledning** *s* instruction; vägledning guidance; i studier etc. supervision

**handling** *s* **1** agerande action **2** i bok, pjäs etc. story, action; intrig plot [*i* of] **3** urkund document; *lägga ngt till ~arna* put a th. aside

**handlingsfrihet** *s* freedom of action

**handlägga** *vb tr* behandla, bereda deal with, handle

**handlöst** *adv, falla ~* fall headlong

**handpenning** *s* deposit

**handplocka** *vb tr* handpick äv. bildl.

**handskas** *vb itr dep, ~ med* hantera handle; behandla treat

**handske** *s* glove

**handskfack** *s* i bil glove locker (compartment)

**handsknummer** *s* size in gloves

**handskriven** *adj* handwritten, ...written by hand; *ett handskrivet papper* a page of handwriting

**handslag** *s* handshake

**handstil** *s* handwriting

**handsydd** *adj* hand-sewn

**handtag** *s* **1** på dörr, väska etc. handle; runt knob **2** *ge ngn ett ~* hjälp lend a p. a hand

**handvändning** *s, det är gjort i en ~* ...in no time

**handväska** *s* handbag, amer. äv. purse

**hane** *s* **1** hanne male; fågelhane ofta cock **2** *spänna ~n* på gevär cock the trigger

**hangar** *s* hangar

**hangarfartyg** *s* aircraft carrier

**hankatt** *s* male cat, tomcat

**hanne** *s* male; fågelhanne ofta cock

**hans** *poss pron* his; om djur o. sak vanl. its; för ex. jfr *1 min*

**hantel** *s* dumbbell

**hantera** *vb tr* handle; sköta manage

**hantlangare** *s* helper, mate; neds. henchman

**hantverk** *s* handicraft

**hantverkare** *s* craftsman, artisan

**hare** *s* **1** hare; ynkrygg coward **2** (löpning) pacemaker; hundkapplöpning hare, mechanical hare

**harem** *s* harem

**haricots verts** *s pl* French (string) beans

**harkla** *vb itr, ~ sig* clear one's throat

**harkrank** *s* zool. crane fly

**harm** *s* indignation [*över* at]

**harmoni** *s* harmony äv. mus.

**harmoniera** *vb itr* harmonize

**harmonisk** *adj* harmonious; mus. harmonic

**harmynt** *adj* harelipped

**harpa** *s* **1** mus. harp **2** käring old hag

**harts** *s* resin

**harv** *s* harrow

**harva** *vb tr* harrow

**hasa** *vb itr* o. *vb tr* glida slide; dra fötterna efter sig shuffle; *~ ned* slip down

**hasard** *s* gamble; hasardspelande gambling; *det är rena ~en* it is all a matter of chance

**hasardspel** *s* gamble, game of chance; hasardspelande gambling

**hasch** *s* vard. hash

**hasselnöt** *s* hazelnut

**hast** *s* hurry, haste; *i största ~* in great haste

**hastig** *adj* snabb rapid, quick; skyndsam hurried

**hastighet** *s* **1** fart speed; snabbhet rapidity; *högsta tillåtna ~* the speed limit, the maximum speed **2** brådska, *i ~en* glömde han...* in his hurry...

**hastighetsbegränsning** *s* speed limit

**hastighetsmätare** *s* speedometer

**hastigt** *adv* rapidly, quickly, hurriedly; *helt ~* plötsligt all of a sudden

**hat** *s* hatred [*mot* of]; speciellt i motsats till kärlek hate

**hata** *vb tr* hate

**hatfull** *adj* o. **hatisk** *adj* spiteful

**hatt** *s* hat; på tub cap; *hög ~* top (silk) hat

**hattask** *s* hatbox

**hattnummer** *s* size in hats

**hausse** *s* boom, rise in prices

**hav** *s* sea; världshav ocean

**havande** *adj* gravid pregnant

**havandeskap** *s* pregnancy

**haverera** *vb itr* sjö. be wrecked äv. friare; om flygplan, bil etc. crash

**haveri** *s* sjö. shipwreck; flyg~, bil~ etc. crash

**havre** *s* oats pl.

**havregryn** *s* koll. porridge oats pl.

**havregrynsgröt** *s* porridge, oatmeal porridge

**havsabborre** *s* bass fisk

**havsband** *s, i ~et* i yttersta skärgården on the outskirts of the archipelago

**havsbotten** *s* sea (ocean) bed; *på ~* at the bottom of the sea

**havskräfta** s Norway lobster, Dublin Bay prawn; *friterade havskräftor* scampi

**heat** s sport. heat

**hebreisk** adj Hebrew

**hebreiska** s språk Hebrew

**hed** s moor; ljunghed heath

**heder** s honour

**hederlig** adj ärlig honest, decent; hedrande honourable

**hederlighet** s ärlighet, redbarhet honesty

**hedersbetygelse** s mark of honour (respect); *under militära ~r* with military honours

**hedersdoktor** s honorary doctor

**hedersgäst** s guest of honour

**hedersord** s, *på ~!* honestly!, word of honour!

**hederspris** s special prize

**hederssak** s, *det är en ~ för honom* he makes it (regards it as) a point of honour

**hedning** s heathen

**hednisk** adj heathen

**hedra** vb tr honour; *det ~r honom att han...* it does him credit that...

**hej** interj hälsning hallo!, amer. hi!, hi there!; *~ då!* adjö bye-bye!; *~ så länge!* so long!

**heja I** interj sport. come on...!, up...! **II** vb itr, *~ på* a) lag cheer, cheer on b) säga hej åt say hallo to

**hejaklack** s cheering section (supporters pl.)

**hejarop** s cheer

**hejda** vb tr stop; få under kontroll check

**hejdlös** adj uncontrollable; våldsam violent; ofantlig tremendous

**hektar** s hectare; *ett (en) ~* britt. motsv. 2.471 acres

**hektisk** adj hectic

**hekto** s o. **hektogram** s hectogram, hectogramme

**hektoliter** s hectolitre

**hel** adj **1** whole, full, complete; *~a dagen* all day, all the day, the whole (entire) day; *~a tiden* all the time, the whole time; *~a året* throughout the year; vad tycker du om *det ~a?* ...it all?; *på det ~a taget* i stort sett on the whole **2** ej sönder whole; om glas etc. unbroken

**hela** s **1** helbutelj large (full-size) bottle **2** *~n går!* ung. now for the first! **3** *Helan och Halvan* komikerpar Laurel Halvan and Hardy Helan

**helautomatisk** adj fully automatic

**helbutelj** s large (full-size) bottle

**helförsäkring** s, *~ för motorfordon* comprehensive car insurance

**helg** s ledighet holiday, holidays pl.

**helgdag** s holiday

**helgerån** s sacrilege

**helgon** s saint

**helhet** s whole; *i sin ~* ...in full, ...in its entirety

**helhetsintryck** s overall (total) impression

**helhjärtad** adj whole-hearted

**helig** adj holy, sacred; *Erik den ~e* St. Eric

**helikopter** s helicopter

**helinackorderad** adj, vara ~ have full board and lodging

**heller** adv efter negation either; jag hade ingen biljett *och inte han ~* ...and he hadn't either, ...nor had he

**hellinne** s pure linen

**helljus** s, *köra på ~* drive with one's headlights on

**hellre** adv, *jag vill ~* I would rather (sooner); *~ det än* inget rather that than...; *ju förr dess ~* the sooner the better

**hellång** adj full-length

**helnykterist** s teetotaller, total abstainer

**helomvändning** s, *göra en ~* do an about-turn (a U-turn); bildl. do a turnaround, perform a volte-face

**helpension** s full board (board and lodging)

**helsida** s full page

**helsiden** s pure silk

**helsike** s vard., se *helvete*

**Helsingfors** Helsinki

**helskinnad** adj, *komma (slippa) ~ undan* escape unhurt

**helspänn** s, *på ~* om person tense; vard. uptight

**helst** adv, *jag vill (skulle) ~* I would rather; *jag vill allra ~* I want most of all to; *hur som ~* anyhow; *hur mycket (länge) som ~* hur mycket (länge) ni vill as much (as long) as you like; jag betalar *hur mycket (vad) som ~* ...any amount; *ingen som ~ anledning* no reason whatever; *när som ~* any time; när ni vill whenever you like; *vad som ~* anything; vad ni vill anything you like; *var (vart) som ~* anywhere; var (vart) ni vill wherever you like; *vem som ~* anybody; vem ni vill whoever you like; *vilken som ~* a) av två either b) vilken ni vill whichever you like

**helsäker** adj quite sure (certain)

**helt** *adv* äv. *~ och hållet* entirely, completely; alldeles quite; *~ enkelt omöjligt* simply impossible; *~ nyligen* quite recently; *inte förrän ~ nyligen* only recently; *~ om!* about turn (speciellt amer. face)!

**heltid** *s, arbeta på ~* work full-time

**heltidsanställd** *adj, vara ~* be employed full-time

**heltäckande** *adj, ~ matta* wall-to-wall carpet

**heltäckningsmatta** *s* wall-to-wall carpet

**helvete** *s* hell; *ett ~s* oväsen a hell of a...; *dra åt ~* go to hell

**helvetisk** *adj* hellish, infernal

**helylle** *s* all (pure) wool

**hem** *s* home

**hembageri** *s* local baker's [shop]

**hembakad** *adj* o. **hembakt** *adj* home-made

**hembiträde** *s* servant, maid

**hembränning** *s* illicit distilling

**hembygd** *s, ~en* one's native home (district)

**hembygdskunskap** *s* skol., ung. local geography, history and folklore

**hemdator** *s* home computer

**hemfärd** *s* home (homeward) journey

**hemförlova** *vb tr* mil. demobilize

**hemförsäkring** *s* householders' comprehensive insurance

**hemförsäljning** *s* door-to-door selling

**hemgift** *s* dowry

**hemgjord** *adj* home-made

**hemhjälp** *s* home (domestic) help

**hemifrån** *adv* from home; *gå (resa) ~* leave home

**heminredning** *s* interior decoration

**hemkomst** *s* home-coming, return

**hemkonsulent** *s* domestic (home) adviser

**hemkunskap** *s* skol. domestic science, home economics sg.

**hemlagad** *adj, ~ mat* home-made food, home cooking

**hemland** *s* native country

**hemlig** *adj* secret [*för* from]; dold äv. concealed, hidden; *~t nummer* tele. ex-directory (amer. unlisted) number

**hemlighet** *s* secret; *i ~* secretly, in secret

**hemlighetsfull** *adj* mysterious; förtegen secretive

**hemlighålla** *vb tr* keep...secret [*för ngn* from a p.]

**hemligstämplad** *adj* top-secret, classified

**hemlängtan** *s* homesickness; *känna ~* feel homesick

**hemläxa** *s* homework (end. sg.)

**hemlös** *adj* homeless

**hemma** *adv* at home; du kan bo *~ hos oss* ...at our place, ...with us; *~ hos Eks* at the Eks'

**hemmafru** *s* housewife (pl. housewives)

**hemmagjord** *adj* home-made

**hemmaman** *s* house-husband

**hemmaplan** *s* sport. home ground; *spela på ~* play at home

**hemmastadd** *adj* ...at home

**hemmavarande** *adj* ...living at home

**hemorrojder** *s pl* haemorrhoids, piles

**hemort** *s* home district; jur. domicile

**hemresa** *s* home (homeward) journey (till sjöss voyage)

**hemsamarit** *s* home help

**hemsk** *adj* ghastly, terrible; vard. awful

**hemskillnad** *s* judicial separation

**hemskt** *adv* vard., väldigt awfully, frightfully

**hemslöjd** *s* handicraft

**hemspråk** *s* home language

**hemspråkslärare** *s* home-language teacher

**hemstad** *s* home town

**hemställa** *vb tr* o. *vb itr, ~ hos ngn om ngt* anhålla request a th. from a p.

**hemställan** *s* request

**hemsöka** *vb tr* härja: om t.ex. fiende invade; om t.ex. sjukdom afflict; om t.ex. naturkatastrof devastate

**hemtjänst** *s* home-help service

**hemtrakt** *s* home district

**hemtrevlig** *adj* ombonad cosy, snug

**hemvårdare** *s* trained home help

**hemväg** *s* way home; *på ~en* blev jag... on my (the) way home...

**hemvärn** *s* home defence; *~et* the Home Guard

**hemåt** *adv* homeward, homewards

**henne** *pron* se *hon*

**hennes** *poss pron* her; om djur o. sak vanl. its; självständigt hers; för ex. jfr *1 min*

**Hercegovina** Herzegovina

**herde** *s* shepherd

**hermelin** *s* ermine

**heroin** *s* heroin

**heroisk** *adj* heroic

**herr** se *herre 2*

**herravälde** *s* makt domination; styrelse rule [*över* over]; behärskning mastery; kontroll control [*över* of]; *förlora ~t över bilen* lose control of the car

**herrbetjänt** *s* valet stand

**herrcykel** *s* man's cycle (bicycle)

**herrdubbel** *s* tennis men's doubles (pl. lika)

**herre** s **1** gentleman (pl. gentlemen), man (pl. men); *vill min ~ vänta?* would you mind waiting, sir?; *mina herrar!* gentlemen! **2** *herr* titel Mr.; *tycker herr A. det?* i tilltal do you think so, Mr. A.?; *herrarna A. och B.* Mr. A. and Mr. B.; *herr ordförande!* Mr. Chairman!; t.ex. på brev *Herr Bo Ek* Mr. Bo Ek **3** härskare, husbonde master; *herrn i huset* the master of the house; *vara sin egen ~* be one's own master (om kvinna mistress); *vara ~ över situationen* be master of the situation **4** *Herren* the Lord; *~ gud!* vard. Good Heavens (God)!; *i (på) många herrans år* for ages, for donkey's years

**herrekipering** s affär men's outfitter's
**herrelös** adj ownerless
**herrfrisering** s [men's] hairdresser, barber
**herrfrisör** s [men's] hairdresser, barber
**herrgård** s byggnad country house; gods country estate
**herrgårdsvagn** s bil estate car, isht amer. station wagon
**herrkonfektion** s kläder men's ready-made clothing
**herrkostym** s suit, man's suit
**herrsingel** s tennis men's singles (pl. lika)
**herrskap** s **1** äkta makar, *~et Ek* Mr. and Mrs. Ek **2** i tilltal till sällskap av båda könen, *när skall ~et resa?* when are you leaving?; *mitt ~!* ladies and gentlemen!
**herrsko** s man's shoe; *~r* men's shoes
**herrskräddare** s men's tailor
**herrstrumpa** s man's sock
**herrtidning** s men's paper (magazine); med halvnakna (nakna) flickor girlie magazine
**herrtoalett** s men's lavatory; *var är ~en?* ofta where's the gents?
**hertig** s duke
**hertiginna** s duchess
**hes** adj hoarse
**heshet** s hoarseness
**het** adj hot; *en ~ debatt* a heated discussion; *en ~ potatis* vard. a hot potato; *få det ~t om öronen* get into hot water
**heta** vb itr **1** be called (named); *vad heter han?* what is his name?; *allt vad* bröd *heter* everything in the way of...; *vad heter det* ordet etc. *på engelska?* what is that in English? **2** opers., *det heter i lagen...* the law says...; *det heter att han är son till...* he is said to be the son of...
**heterogen** adj heterogeneous
**hets** s förföljelse persecution [*mot* of];

uppviglande agitation [*mot* against]; jäkt bustle, rush and tear
**hetsa** vb tr jäkta rush; egga bait; *~ upp* egga excite, work up; *~ upp sig* get excited
**hetsig** adj häftig, om t.ex. lynne hot; om t.ex. dispyt heated; hetlevrad hot-tempered; lättretad hot-headed
**hetsjakt** s jakt. hunt; jagande hunting; *~ på* agitation against; förföljelse av baiting (persecution) of
**hetsäta** vb itr be a compulsive eater; med. suffer from bulimia
**hetsätning** s compulsive eating; med. bulimia
**hett** adv hotly; *solen brände ~* the sun burnt hot; *det gick ~ till* man slogs things got pretty rough
**hetta** I s heat II vb itr vara het be hot; alstra hetta give heat
**hibiskus** s hibiscus
**hicka** s o. vb itr hiccup, hiccough
**hierarki** s hierarchy
**hi-fi** (förk. för *high-fidelity*) s hi-fi
**himla** vard. I adj awful, terrific II adv awfully, terrifically
**himlakropp** s celestial (heavenly) body
**himmel** s sky; himmelrike heaven; *röra upp ~ och jord* move heaven and earth; solen *stod högt på himlen* ...was high in the sky; *under Italiens ~* under Italian skies
**himmelrike** s heaven, paradise
**himmelsk** adj heavenly; bildl. äv. divine
**hinder** s obstacle [*för* to]; sport.: häck fence, hurdle; *det möter inget ~* there is nothing against it (no objection to that)
**hinderlöpning** s steeplechase
**hindra** vb tr **1** förhindra prevent; avhålla keep, restrain; *det är ingenting som ~r att du...* there is nothing to prevent you from ing-form **2** vara till hinders för hinder, obstruct, impede; *~ trafiken* impede (obstruct) the traffic
**hindu** s Hindu
**hingst** s stallion
**hink** s bucket, pail
**1 hinna** vb tr o. vb itr nå, komma reach, get; ha tid have (få tid find, get) time (the time); komma i tid manage to be in time □ *~ fram* arrive [in time]; *~ med* ett arbete finish (manage to finish)...; *~ med tåget* catch (manage to catch) the train; *~ med att äta* have time to eat; *~ upp* ifatt catch...up
**2 hinna** s tunn film; zool. membrane

**hipp** *adv, det är ~ som happ* it comes to the same thing

**1 hiss** *s* lift, amer. elevator

**2 hiss** *s* mus. B sharp

**hissa** *vb tr* hoist, hoist up

**hisskorg** *s* lift (amer. elevator) cage

**hissna** *vb itr* feel dizzy (giddy); *~nde* höjd, belopp dizzy

**hisstrumma** *s* lift (amer. elevator) shaft (well)

**historia** *s* **1** skildring el. vetenskap history; *gå till historien* go down in history **2** berättelse story; skepparhistoria äv. yarn; *berätta en ~* tell a story **3** sak thing, affair

**historieberättare** *s* story-teller

**historiebok** *s* history book

**historik** *s* history [*över* of]

**historiker** *s* historian

**historisk** *adj* **1** historical **2** märklig historic

**hit** *adv* here; *kom ~ med* boken*!* bring...here!; *~ och dit* here and there, to and fro; *ända ~* as far as this (here); *han kom ~* i går he arrived here...

**hithörande** *adj* ...belonging to it (resp. them); *alla ~* frågor all the relevant...

**hitom** *prep* on this side, on this side of

**hitresa** *s, på ~n* on the journey here

**hitta I** *vb tr* find; t.ex. guld, olja strike; *~ på* a) tänka ut think of, hit on b) dikta ihop make up **II** *vb itr* finna vägen find the way; känna vägen know the way

**hittebarn** *s* foundling

**hittegods** *s* lost property

**hittelön** *s* reward

**hittills** *adv* up to (till) now, hitherto; så här långt so far

**hitåt** *adv* in this direction, this way

**HIV** *s* med. HIV (förk. för *human immunodeficiency virus*) humant immunbristvirus

**HIV-negativ** *s* med. HIV-negative

**HIV-positiv** *s* med. HIV-positive

**hjord** *s* herd; fårhjord o. relig. flock

**hjort** *s* deer (pl. lika); kronhjortshanne stag

**hjortron** *s* cloudberry, dwarf mulberry

**hjul** *s* wheel

**hjula** *vb itr* turn cartwheels

**hjulaxel** *s* på vagn axle-tree

**hjulbent** *adj* bandy-legged, bow-legged

**hjulnav** *s* hub

**hjulspår** *s* wheel track

**hjälm** *s* helmet

**hjälp** *s* help, assistance; understöd support; botemedel remedy [*mot, för* for]; *ge första ~en* vid olycksfall give first aid; *tack för ~en!* thanks for the help!; *komma ngn till ~* come to a p.'s assistance (aid)

**hjälpa** *vb tr* o. *vb itr* help, assist, aid; avhjälpa remedy; be of use; om botemedel be effective (good) [*mot (för)* for]; *det hjälper inte att göra så* it's no use doing that; *det kan inte ~s* it can't be helped; *~ ngn av med rocken (kappan)* help a p. off with his (her) coat; *~ till* help

**hjälpas** *vb itr dep, ~ åt* help one another

**hjälplös** *adj* helpless

**hjälpmedel** *s* aid; botemedel remedy

**hjälpsam** *adj* helpful [*mot* to]

**hjälpstation** *s* first-aid station

**hjälpsökande** *adj* ...seeking relief; *en ~* an applicant for relief

**hjälpverb** *s* auxiliary verb

**hjälte** *s* hero (pl. -es)

**hjältebragd** *s* o. **hjältedåd** *s* heroic deed

**hjältinna** *s* heroine

**hjärna** *s* brain; förstånd o. hjärnsubstans brains pl.; *han har fått det på ~* vard. he has got it on the brain

**hjärnblödning** *s* cerebral haemorrhage

**hjärndöd I** *adj, han är ~* he is brain dead **II** *s* brain death

**hjärnhinneinflammation** *s* meningitis

**hjärnskakning** *s* concussion

**hjärntrust** *s* brains trust, think tank

**hjärntvätt** *s* brainwashing; *en ~* a brainwash

**hjärntvätta** *vb tr* brainwash

**hjärta** *s* heart; saken *ligger mig varmt om ~t* I have...very much at heart; *ha ngt på ~t* have a th. on one's mind; *Alla hjärtans dag* St Valentine's Day

**hjärtattack** *s* heart attack

**hjärter** *s* kortsp. hearts pl.; *en ~* a heart

**hjärterdam** *s* kortsp. the queen of hearts

**hjärterfem** *s* kortsp. the five of hearts

**hjärtesak** *s, det är en ~ för mig* I have it very much at heart

**hjärtinfarkt** *s* heart attack, coronary

**hjärtklappning** *s* palpitation

**hjärtlig** *adj* cordial; starkare hearty; *~a gratulationer på födelsedagen!* Many Happy Returns of the Day!; *~t tack!* thanks very much!

**hjärtlös** *adj* heartless

**hjärtsjuk** *adj* ...suffering from heart-disease

**hjärttrakt** *s, i ~en* in the region of the heart

**hjärttransplantation** *s* heart transplant (transplantering transplantation)

**hjässa** s crown, top of the head
**ho** s trough; tvättho laundry sink
**hobby** s hobby
**hobbyrum** s recreation room, hobby-room
**hockey** s hockey
**hockey-bockey** s sport. hockey-bockey, bandy played on an ice-hockey rink
**hockeyklubba** s hockey stick
**hojta** vb itr shout, yell
**holk** s fågelholk nesting box
**holka** vb tr, ~ **ur** hollow, hollow out; bildl. undermine
**Holland** Holland
**holländare** s Dutchman; **holländarna** som nation, lag etc. the Dutch
**holländsk** adj Dutch
**holländska** s **1** kvinna Dutchwoman **2** språk Dutch; jfr svenska
**holme** s islet
**homofil** s man homo, gay; kvinna lesbian
**homogen** adj homogeneous
**homosexuell** adj homosexual; **en** ~ a homosexual
**hon** pers pron she; **henne** her; ~, **henne** om djur it
**hona** s female
**honkatt** s female cat, she-cat
**honkön** s female sex
**honnör** s hälsning salute
**honom** pron se han
**honorar** s fee
**honung** s honey
**honungskaka** s i bikupa honeycomb
**hop** s skara crowd; hög heap
**hopa I** vb tr heap (pile) up, accumulate **II** vb rfl, ~ **sig** accumulate; ökas increase
**hopfällbar** adj folding..., collapsible
**hopfälld** adj shut-up; om paraply closed
**hopkok** s concoction, mishmash
**1 hopp** s hope; **ha** ~ (**ha gott** ~) **om att** inf. have hopes of ing-form
**2 hopp** s **1** jump, leap; dykning dive **2** sport. jumping; över bock etc. vaulting
**hoppa** vb itr jump, leap, dive; mest om fågel hop
□ ~ **av** jump off; bildl. back out, defect; polit. seek political asylum; ~ **in** som ersättare step in [för ngn in a p.'s place]; ~ **på ngn** fly at a p.; ~ **till** give a jump, start; ~ **över** utelämna skip, leave (miss) out
**hoppas** vb itr o. vb tr dep hope [på for]
**hoppbacke** s ski jump
**hoppborg** s bouncy castle
**hoppfull** adj hopeful
**hoppingivande** adj hopeful

**hopplös** adj hopeless; desperate
**hopprep** s skipping-rope, amer. jump rope; **hoppa** ~ skip, amer. jump rope
**hopslagen** adj om bok closed; om bord etc. folded-up
**hora** s whore
**horisont** s horizon; **det går över min** ~ it is beyond me
**horisontal** adj horizontal
**hormon** s hormone
**horn** s horn
**hornhinna** s cornea
**horoskop** s horoscope
**horribel** adj horrible, awful
**hortensia** s hydrangea
**hos** prep, **arbeta** ~ **ngn** work for a p.; han bor ~ **sin farbror** (~ **oss**) ...at his uncle's (at our) place; jag har varit ~ **doktorn** ...to the doctor; ~ **oss** i vårt land in this (our) country; **jag satt** ~ **honom** i soffan I sat by him...; **det finns något** ~ **henne...** there is something about her...; uttrycket finns ~ **Shakespeare** ...in Shakespeare
**hospitaliserad** adj institutionalized
**hosta I** s cough **II** vb itr cough
**hostdämpande** adj, ~ **medicin** medicine that relieves coughs
**hostmedicin** s cough mixture
**hot** s threat [mot against, om of]
**hota** vb tr o. vb itr threaten
**hotande** adj threatening
**hotell** s hotel; ~ **Svea** the Svea Hotel
**hotelldirektör** s hotel manager
**hotellrum** s hotel room
**hotelse** s threat [mot against]
**hotfull** adj threatening
**1 hov** s på djur hoof
**2 hov** s court; **vid** ~**et** at court
**hovleverantör** s, **kunglig** ~ purveyor to His (Her) Majesty
**hovmästare** s på restaurang head waiter
**hud** s skin; djurhud hide; **få på** ~**en** vard. get it in the neck; få stryk get a hiding
**hudfärgad** adj flesh-coloured
**hudkräm** s skin cream
**hudvård** s skin care
**hugg** s **1** cut; med kniv stab; slag blow, stroke; med tänder bite; **vara på** ~**et** vard. be in great form (in the mood) **2** smärta stab of pain
**hugga** vb tr o. vb itr **1** cut, strike; med kniv stab; klyva i små stycken chop; ~ **sten** cut stone; ~ **ved** chop wood **2** med tänderna bite; ~ **tänderna i ngt** sink one's teeth into a th. **3** gripa catch (seize) hold of [i

t.ex. armen by]; *det är hugget som stucket* it comes to the same thing

☐ ~ **av** cut off; i två bitar chop (cut)...in two; ~ **i** ta i av alla krafter make a real effort; ~ **ned** träd fell (cut down)

**huggorm** *s* viper, adder

**huk** *s, sitta på* ~ squat, sit on one's heels

**huka** *vb rfl,* ~ *sig* crouch, crouch down

**hull** *s* flesh; *lägga på* ~*et* put on flesh; *ha gott* ~ be well filled out; om djur be fat

**huller om buller** *adv* in a mess

**human** *adj* humane; hygglig kind; om pris reasonable

**humanistisk** *adj* humanistic; ~*a fakulteten* the Faculty of Arts

**humanitär** *adj* humanitarian

**humbug** *s* humbug

**humla** *s* bumble-bee

**humle** *s* hops pl.

**hummer** *s* lobster

**humor** *s* humour; sinne för ~ sense of humour

**humorist** *s* humorist

**humoristisk** *adj* humorous

**humör** *s* lynne temper, temperament; sinnesstämning humour; *tappa* ~*et* bli ond lose one's temper; *på dåligt* ~ in a bad temper (mood); *på gott* ~ in a cheerful (good) mood

**hund** *s* dog; jakthund äv. hound

**hundbett** *s* dog bite

**hundkex** *s* dog biscuit

**hundkoja** *s* kennel

**hundpensionat** *s* boarding-kennel

**hundra** *räkn* hundred; *ett* ~ a (one) hundred; *ett tusen ett* ~ a (one) thousand one hundred; *flera* ~ several hundred; *några* ~ a few hundred

**hundrade I** *s* hundred **II** *räkn* hundredth

**hundradel** *s* hundredth [part]; *två* ~*ar* two hundredths; *en* ~*s sekund* a hundredth of a second

**hundrafem** *räkn* a (one) hundred and five

**hundrafemte** *räkn* hundred and fifth

**hundralapp** *s* one-hundred-krona note

**hundraprocentig** *adj* one-hundred-per-cent...

**hundras** *s* breed of dog

**hundratal** *s* hundred; *ett* ~ *människor* some hundred people; räkna...*i* ~ ...by the hundred

**hundratals** *adv,* ~ *människor* hundreds of people

**hundratusen** *räkn* a (one) hundred thousand

**hundraårig** *adj* hundred-year-old..., ...a (one) hundred years old

**hundraåring** *s* centenarian

**hundraårsjubileum** *s* centenary

**hundraårsminne** *s* centenary

**hundskatt** *s* dog tax, britt. motsv. dog licence (amer. license)

**hundutställning** *s* dog show

**hundvalp** *s* pup, puppy

**hunger** *s* hunger [*efter* for]; svält starvation

**hungersnöd** *s* famine

**hungerstrejk** *s* hunger strike

**hungerstrejka** *vb itr* hunger-strike

**hungra** *vb itr* be hungry (starving) [*efter* for]

**hungrig** *adj* hungry; utsvulten starving [*på* for]

**hunsa** *vb tr* o. *vb itr,* ~ el. ~ *med* bully

**hur** *adv* how; ~ *då?* how?; ~ *så?* varför why?; på vilket sätt in what way?; ~ *gammal är han?* how old is he?; ~ *sa?* what did you say?; ~ *skicklig han än är* however clever he may be; ~ *jag än gör* whatever I do

**hurdan** *adj* whatever; ~ *är han?* what's he like?

**hurra I** *interj* hurrah!, hurray! **II** *s* cheer, hurrah **III** *vb itr* hurrah, hurray, cheer; ~ *för ngn* give a p. a cheer; *ingenting att* ~ *för* vard. nothing to write home about

**hurrarop** *s* cheer

**hurtbulle** *s* vard. hearty type, hearty

**hurtig** *adj* rask brisk; pigg lively

**hurts** *s* pedestal

**huruvida** *konj* whether

**hus** *s* **1** house; större building; *gå för fulla* ~ draw crowded houses; *göra rent* ~ *med* make a clean sweep of; *var har du hållit* ~*?* wherever have you been? **2** snigels shell **3** tekn., lagerhus housing

**husbehov** *s, till* ~ for household requirements; någotsånär passably

**husbonde** *s* master

**husdjur** *s* domestic animal

**husesyn** *s, gå* ~ make a tour of inspection [*i* of]

**husgeråd** *s* household utensils pl.

**hushåll** *s* household; husligt arbete housekeeping; *10 personers* ~ a household of 10

**hushålla** *vb itr* **1** keep house **2** vara sparsam economize [*med* on]

**hushållerska** *s* housekeeper

**hushållning** *s* **1** housekeeping **2** sparsamhet economizing; economy

**hushållsarbete** s housework (end. sg.)
**hushållsmaskin** s electrical domestic appliance
**hushållspapper** s kitchen [roll] paper; vi måste köpa ~ ...some kitchen rolls
**hushållspengar** s pl housekeeping money (allowance) sg.
**hushållsrulle** s kitchen roll
**huskur** s household remedy
**huslig** adj domestic; intresserad av hushållsarbete domesticated
**husläkare** s family doctor
**husmanskost** s plain food
**husmor** s housewife (pl. housewives)
**husockupant** s squatter
**husockupation** s squatting
**husrum** s accommodation
**husse** s vard. master
**hustru** s wife
**hustrumisshandel** s wife-battering, wife-beating
**husundersökning** s search
**husvagn** s caravan, amer. trailer
**husvill** adj homeless
**hut** I interj, vet ~! watch it!, none of your cheek! II s, lära ngn veta ~ teach a p. manners
**huttra** vb itr shiver [av with]
**huv** s hood; för skrivmaskin etc. cover; på penna cap
**huva** s hood
**huvud** s head; han har ~et på skaft he has got a good head on his shoulders; hålla ~et kallt keep cool; vard. keep one's cool; dum i ~et stupid; framgången (vinet) steg honom åt ~et success (the wine) went to his head
**huvudansvar** s chief (main) responsibility
**huvudbonad** s headgear
**huvudbry** s, vålla ngn ~ cause a p. a lot of trouble, give a p. a lot of problems
**huvudbyggnad** s main building
**huvuddel** s main (greater) part
**huvuddrag** s essential feature; svensk historia i dess ~ the main outlines of Swedish history
**huvudgata** s main street
**huvudgavel** s på säng headboard
**huvudingång** s main entrance
**huvudkontor** s head office
**huvudkudde** s pillow
**huvudled** s major road
**huvudman** s 1 för ätt head [för of] 2 jur. el. hand. principal
**huvudperson** s litt. chief character

**huvudpunkt** s main (chief) point
**huvudroll** s principal (leading) part
**huvudräkning** s mental arithmetic (calculation)
**huvudrätt** s main course
**huvudsak** s main thing, main question; i ~ on the whole
**huvudsakligen** adv mainly, mostly
**huvudsats** s gram. main clause
**huvudstad** s capital [i of]
**huvudstupa** adv med huvudet före head first; headlong äv. bildl.
**huvudvikt** s, lägga ~en på (vid) ngt lay particular (the main) stress on a th.
**huvudväg** s main road
**huvudvärk** s headache; det är inte min ~ vard. it's not my headache
**huvudända** s på säng headboard
**hux flux** adv all of a sudden
**hy** s complexion; hud skin
**hyacint** s hyacinth
**hyckla** I vb tr pretend, feign II vb itr be hypocritical [inför, för to]
**hycklande** adj hypocritical
**hycklare** s hypocrite
**hyckleri** s hypocrisy
**hydda** s hut; stuga cabin, cottage
**hydraulisk** adj hydraulic
**hyena** s hyena
**hyfs** s good manners pl.
**hyfsa** vb tr, ~ el. ~ till snygga upp trim (tidy) up
**hyfsad** adj om person well-mannered; om sak decent
**hygglig** adj 1 decent, nice 2 skaplig decent; om pris fair, reasonable
**hygien** s hygiene
**hygienisk** adj hygienic
**1 hylla** s shelf; bagagehylla rack
**2 hylla** vb tr gratulera congratulate; hedra pay tribute to
**hyllning** s congratulations pl., tribute [för to]
**hylsa** s case; huv, kapsyl cap
**hylsnyckel** s box spanner
**hynda** s bitch
**hypermodern** adj ultra-modern
**hypernervös** adj extremely nervous
**hypnos** s hypnosis
**hypnotisera** vb tr hypnotize
**hypnotisk** adj hypnotic
**hypnotisör** s hypnotist
**hypotes** s hypothesis (pl. hypotheses)
**hyra** I s för bostad rent; för tillfällig lokal, bil, TV etc. hire II vb tr o. vb itr rent; tillfälligt hire;

**att** ~ rubrik a) rum to let b) lösöre, båt etc. for hire; ~ **ut** a) hus etc. let; för lång tid lease b) lösöre, båt etc. hire out

**yrbil** s rental car

**yresbidrag** s housing (rent) allowance

**yresgäst** s tenant

**yreshus** s block of flats, amer. apartment house

**yreslägenhet** s rented flat (apartment)

**yresnämnd** s rent tribunal

**yresreglering** s rent control

**yresvärd** s landlord

**ysa** vb tr house, accommodate; ge skydd åt shelter

**ysch** interj hush!, shsh!

**yss** s, ha en massa ~ för sig be up to a lot of mischief

**ysteri** s hysteria; anfall hysterics pl.

**ysterisk** adj hysterical; få ett ~t anfall go into hysterics

**ytt** s på båt cabin; i badhus cubicle

**yttplats** s berth

**yvel** s plane

**yvelbänk** s carpenter's bench

**yvelspån** s koll. shavings pl.

**yvla** vb tr plane; ~ **av** plane...smooth

**åg** s, glad i ~en in a happy mood; slå ngt ur ~en dismiss a th. from one's mind

**ågad** adj inclined

**ål** s hole [på in]; i tand cavity; öppning aperture; lucka gap

**åla** s **1** grotta cave, cavern; större djurs o. bildl. den **2** avkrok hole

**ålfot** s arch

**ålfotsinlägg** s arch support

**ålig** adj insjunken hollow

**ålkort** s punched (punch) card

**åll** s **1** riktning direction; på alla ~ everywhere; bildl. on all sides; på annat ~ elsewhere; han gick åt mitt ~ ...my way; de gick åt var sitt ~ ...separate ways; ha ngt på nära ~ ...close at hand **2** smärta stitch

**ålla I** vb tr o. vb itr **1** hold äv. (om mått) rymma; innehålla contain; bibehålla keep; ~ sitt löfte keep (stick to) one's promise; ~ farten keep up the speed; ~ ett föredrag give a lecture; ~ ett tal make a speech; ~ tiden vara punktlig be punctual; affärerna **håller stängt** ...are closed; ~ till höger keep to the right **2** vara slitstark last äv. bildl.; om t.ex. rep, spik hold; inte spricka not break; om is bear **3** ~ på en häst bet on..., back...; ~ på ett lag support... **II** vb rfl, ~ sig **1** i viss ställning hold oneself; förbli, vara keep, keep oneself; förhålla sig keep; förbli remain, stay;

~ sig väl med ngn keep in with...

**2** behärska sig restrain oneself **3** stå sig: om t.ex. matvaror keep; om väderlek hold, last **4** kosta på sig, ~ sig med bil keep a car **5** ~ sig till inte lämna keep (stick) to

□ ~ **av** tycka om be fond of; ~ **efter** övervaka ngn keep a close check on a p.; ~ **fast** hold...fast; ~ **fast vid** stick (hold) to; ~ **för öronen** hold one's hands over one's ears; ~ **i** fast ngt hold a th.; ~ **i sig** fortfara continue; ~ **ihop** a) keep...together b) inte gå sönder hold together c) 'sällskapa' be together; ~ **sig inne** keep indoors; ~ **kvar** få att stanna kvar keep; fasthålla hold; ~ **sig kvar** remain, manage to remain; ~ **med** ngn instämma agree with a p.; ~ **på a)** vara i färd med, ~ **på att skriva** be (sysselsatt med be busy) writing; ~ **på med** ngt be busy with... b) fortsätta go (keep) on; vara last; vara i gång be going on c) vara nära att, ~ **på att** inf. be on the point of ing-form; ~ **till** bo live; vara, hållas be; var håller den till where is it to be found?; ~ **undan** väja keep out of the way [för of]; ~ **sig undan** gömd keep in hiding [för from]; ~ **upp:** ~ **upp dörren för ngn** open the door to a p.; ~ **upp med** upphöra stop, cease [att röka smoking]; ~ **ut** uthärda hold out

**hållare** s holder

**hållbar** adj slitstark etc. durable; om matvara non-perishable **2** som kan försvaras tenable

**hållfast** adj strong, firm

**hållfasthet** s strength, firmness

**hållhake** s, ha en ~ på have a hold on

**hållgång** s vard., det var ~ på festen there was a rave-up...

**hålligångare** s vard. swinger, raver

**hållning** s kropps~ carriage; uppträdande bearing; inställning attitude [mot to, towards]

**hållplats** s för buss etc. stop; järnv. halt

**hålremsa** s punched tape

**håltimme** s skol. gap [between lessons], free period

**hån** s scorn; ett ~ mot an insult to

**håna** vb tr make fun of

**hånfull** adj scornful

**hångla** vb itr neck [med ngn a p.]

**hånle** vb itr smile scornfully

**hånleende** s scornful smile

**hår** s hair

**hårband** s hair-ribbon

**hårborste** s hairbrush

**hårborttagningsmedel** s hair-remover

**hård** adj hard äv. bildl.; sträng severe [mot on,

# hårddisk

towards]; ~ **konkurrens** keen competition; **hårt väder** rough weather; **han satte hårt mot hårt** he gave as good as he got, he took a tough line

**hårddisk** s data. hard disk

**hårdhandskar** s pl, **ta i med ~na** take a tough line [med against]

**hårdhet** s hardness; stränghet severity

**hårdhjärtad** adj hard-hearted

**hårdhudad** adj thick-skinned

**hårdhänt** adj omild rough; sträng heavy-handed [mot with]

**hårding** s vard. tough guy (customer)

**hårdkokt** adj om ägg o. bildl. hard-boiled

**hårdna** vb itr harden, become hard (harder)

**hårdnackad** adj stubborn

**hårdsmält** adj indigestible äv. bildl.

**hårdstekt** adj för mycket stekt ...roasted (i stekpanna fried) too much

**hårdvaluta** s hard currency

**hårdvara** s data. hardware

**hårfrisör** s hairdresser

**hårfrisörska** s hairdresser

**hårfäste** s edge of the scalp

**hårig** adj hairy

**hårklippning** s hair-cutting

**hårklämma** s hair clip (grip)

**hårmousse** s mousse

**hårnål** s hairpin

**hårresande** adj hair-raising

**hårspänne** s hairslide

**hårstrå** s hair

**hårt** adv hard; strängt severely; stadigt tight; fast, tätt firmly; **arbeta ~** work hard; **dra åt ~** tighten very much; **det känns ~** bittert it feels bitter; **ta** ngt **~** bildl. take...very much to heart

**hårtork** s hair-drier

**hårvatten** s hair lotion

**hårväxt** s, **klen ~** a poor growth of hair; **generande ~** superfluous hair

**håv** s bag net; **gå med ~en** bildl. fish for compliments

**håva** vb tr, **~ in** bildl. rake in

**häck** s **1** hedge **2** vid häcklöpning hurdle

**häcklöpare** s hurdler

**häcklöpning** s hurdle race; häcklöpande hurdle-racing

**häda** vb itr blaspheme

**hädelse** s blasphemy

**häfta** vb tr, **~ fast...vid** fasten...on to

**häftapparat** s stapler

**häfte** s liten bok booklet; frimärks~ etc. book

**häftig** adj **1** om sak violent; hetsig hot; intensiv

intense; om person, hetlevrad hot-headed; lättretad quick-tempered **2** vard., jättebra super, smashing

**häftklammer** s staple

**häftstift** s drawing-pin, amer. thumbtack

**häger** s heron

**hägg** s bot. bird cherry

**hägring** s mirage

**häkta** vb tr jur. take...into custody, detain

**häkte** s custody; fängelse gaol, jail

**häl** s på fot o. strumpa heel; **följa ngn tätt i ~arna** follow close on a p.'s heels

**hälare** s receiver of stolen goods, fence

**häleri** s receiving stolen goods

**hälft** s half (pl. halves); **betala ~en var** pay half each, go halves; **~en så stor som** half as large as

**häll** s berghäll flat rock; stenplatta slab; kokplatta hob, top

**hälla** vb tr pour; **~** ngt **i** (**på**) ett kärl pour a th. into...; **~ i vin** (**te**) **i** pour out wine (tea) into; **~ ut** pour out; spilla spill

**hälleflundra** s halibut

**hällregn** s pouring rain

**1 hälsa** s health

**2 hälsa** vb tr o. vb itr **1** välkomna greet; **~ ngn välkommen** welcome a p. **2** säga goddag etc. vid personligt möte, **~ på ngn** say how do you do (mindre formellt say hallo) to a p. **3** skicka hälsning, **~ till ngn** send a p. one's compliments (regards, till närmare bekant love); **~ dem så hjärtligt från mig!** give them my kindest (best) regards (my love)!; **~ din fru!** please remember me (send my love) to your wife!; **han ~r att...** he sends word that...; **vem får jag ~ ifrån?** a) anmäla what name, please? b) i telefon what name am I to give?

□ **~ på ngn** besöka call round on a p.; **~ på** (**komma och ~ på**) **ngn** come round and see a p.

**hälsena** s Achilles' tendon

**hälsning** s greeting; **~ar** som man sänder äv. compliments, regards; till närmare bekant love sg.; **hjärtliga ~ar** i brevslut kindest (best) regards; mer intimt love

**hälsobrunn** s spa

**hälsokontroll** s individuell health check-up

**hälsokost** s health foods pl.

**hälsosam** adj sund healthy; nyttig, t.ex. om föda wholesome

**hälsoskäl** s, **av ~** for reasons of health

**hälsotillstånd** s, **hans ~** the state of his health

**hälsovård** s organisation health service

**älsovårdsnämnd** s public health committee

**ämma** vb tr hejda check; psykol. inhibit; ~ **blodflödet** stop the bleeding

**ämnas** vb tr dep avenge (revenge) oneself [på ngn för ngt on a p. for a th.]

**ämnd** s revenge, vengeance

**ämning** s psykol. inhibition

**ämningslös** adj uninhibited; ohämmad unrestrained

**ämta I** vb tr fetch [ngt åt ngn a p. a th.]; avhämta collect, take away; t.ex. upplysningar get; **komma och** ~ call (come) for; ~ **litet luft** get some air; ~ **in** ta in bring in **II** vb rfl, ~ **sig** recover [efter, från from]

**ända** vb itr happen; förekomma occur; äga rum take place; ~ drabba **ngn** happen to a p.; **det har hänt** en olycka there has been...; **det (sådant) händer så lätt** such things happen; **det kan nog ~ att jag går** I may perhaps go; **det må vara hänt!** all right, then!; kanske maybe!

**ändelse** s occurrence; viktigare event; obetydligare incident; **av en ren ~** by mere accident (chance); **jag såg...av en ~** I happened to see...; **för den ~ att** in case; **i ~ av eldsvåda** in the event of a fire

**ändelseförlopp** s course of events; handling story

**ändelselös** adj uneventful

**ändelserik** adj eventful

**ändig** adj handy

**änföra I** vb tr **1** ~ **till** assign to **2** fascinera captivate, fascinate **II** vb rfl, ~ **sig till** avse have reference to; räknas till belong to

**änförelse** s rapture, enthusiasm

**änga** vb tr o. vb itr **1** hang; **stå och ~** hang about **2** det hänger beror **på...** it depends on...

☐ ~ **av sig** ytterkläderna hang up one's things; ~ **efter ngn** be running after a p.; ~ **sig fast vid** hang on (cling) to; ~ **för** ett skynke hang...in front; ~ **ihop a)** sitta ihop stick together; ha samband hang together **b)** ~ **ihop med** be bound up with; ~ **med** förstå follow; följa (gå) med go along with; ~ **med de andra** keep up with the rest; ~ **med** i svängen be with it, keep up with things; ~ **samman med** be bound up with; ~ **upp** hang up; ~ **upp sig på** fästa sig vid fasten on; bekymra sig över worry (make a fuss) about

**ängare** s i kläder samt galge hanger

**ängbro** s suspension bridge

**hänge** vb rfl, ~ **sig åt** give oneself up to, devote oneself to

**hängig** adj krasslig ...out of sorts

**hängiven** adj devoted; tillgiven äv. affectionate

**hänglås** s padlock

**hängmatta** s hammock

**hängränna** s [rain] gutter

**hängslen** s pl braces, amer. suspenders

**hängsmycke** s pendant

**hängväxt** s hanging plant

**hänseende** s respect; **i tekniskt ~** as regards technique, technically

**hänsyn** s consideration; regard; hänseende äv. respect; **ta ~ till** a) beakta take...into consideration b) bry sig om pay attention to; **av ~ till** av omtanke out of consideration for; **med ~ till** beträffande with regard to; i betraktande av in view of

**hänsynsfull** adj considerate

**hänsynslös** adj ruthless; ansvarslös reckless

**hänsynslöshet** s ruthlessness; ansvarslöshet recklessness

**hänvisa** vb tr refer [till to]

**hänvisning** s reference

**häpen** adj astonished; starkare amazed [över at]

**häpna** vb itr be astonished (starkare amazed)

**häpnad** s astonishment; starkare amazement

**häpnadsväckande** adj amazing, astounding

**här** adv here; där there; ~ **bakom mig** here behind me; ~ **i huset (landet)** in this house (country); **damen ~** this lady; ~ **bor jag** this is where I live; ~ **har du!** var så god! here you are!; ~ **har du boken!** here's the book for you!; ~ **och där (var)** here and there

**härav** adv of (by) this (it, these, them etc.); **på grund ~** for this reason; ~ **följer att...** from this it follows that...

**härbak** adv at the back here

**härborta** adv over here

**härbärge** s husrum shelter, lodging

**härd** s hearth; bildl. centre, seat; speciellt för något dåligt hotbed [för i samtliga fall of]

**härda** vb tr harden [mot to]; ~**d** motståndskraftig hardy; okänslig hardened

**härdig** adj hardy äv. om växt

**härefter** adv in future; efter detta after this (that); från denna tid from now on; efteråt afterwards; härpå then

**härframme** adv härborta over here

**härhemma** *adv* at home; hos mig (oss) in this house; här i landet in this country

**häri** *adv* in this; ~ *ligger svårigheten* this is where the difficulty comes in

**häribland** *adv* among these

**härifrån** *adv* from here; från denna (detta) from this (it, them); *ut* ~ out of it; ut ur rummet etc. out of this room etc.; *ut* ~*!* försvinn get out of here!; *gå (resa)* ~ leave here

**härigenom** *adv* på så sätt in this way; tack vare detta thanks to this; lokalt, genom denna (detta) through this (it, there)

**härinne** *adv* in here (där there)

**härja I** *vb tr* ravage; ödelägga devastate, lay waste; *se ~d ut* look worn and haggard **II** *vb itr*, ~ *i (på, bland)* ravage; väsnas play about, run riot; grassera be prevalent

**härkomst** *s* börd extraction, birth; härstamning descent; ursprung origin

**härlig** *adj* glorious, wonderful; förtjusande lovely; skön delightful; läcker delicious; *~t!* bra fine!

**härma** *vb tr* imitate; förlöjliga mimic; ~ *efter* imitate

**härmapa** *s* vard. copy-cat

**härmed** *adv* med detta with this; härigenom thereby; ~ med dessa ord with these words; ~ *bifogas* enclosed please find; ~ *får jag meddela att...* I hereby wish to inform you that...; *i samband* ~ in this connection

**härnere** *adv* down (below) here (där there)

**härom** *adv* om det about it; staden ligger *norr* ~ ...to the north from here

**häromdagen** *adv* the other day

**häromnatten** *adv* the other night

**häromåret** *adv* a year or two ago

**härovan** *adv* up here, above

**härpå** *adv* om tid after this, then; på denna (detta, dessa) on it (this, them)

**härröra** *vb itr*, ~ *från* ha sitt ursprung i originate from; härstamma från derive from

**härs** *adv*, ~ *och tvärs* in all directions; ~ *och tvärs genom (över)*... all over...

**härska** *vb itr* rule; regera reign; råda prevail, be prevalent; *det ~r* är, råder... there is (are)...

**härskande** *adj* ruling; gängse prevalent

**härskare** *s* ruler; herre master [*över* of]

**härsken** *adj* ej färsk rancid

**härstamma** *vb itr*, ~ *från* vara ättling till be descended from; komma från originate from

**härstamning** *s* descent; ursprung origin

**härtappad** *adj* i Sverige ...bottled in Sweden

**härunder** *adv* under it (this, them, here)

**häruppe** *adv* up here (där there)

**härute** *adv* out here

**härva** *s* skein; virrvarr tangle

**härvid** *adv* at this; i detta sammanhang in this connection

**härvidlag** *adv* i detta avseende in this respect

**häst** *s* **1** horse; *sitta till* ~ be on horseback **2** gymn. horse, vaulting-horse **3** schack. knight **4** *~ar* vard., se ex. under *hästkraft*

**hästhov** *s* **1** horse's hoof **2** blomma coltsfoot (pl. -s)

**hästkapplöpning** *s* horse-race; löpande horse-racing

**hästkastanj** *s* horse chestnut

**hästkraft** *s* horsepower (förk. h.p.) (pl. lika); *en motor på 50 ~er* a fifty horse-power engine

**hästkur** *s* drastic cure

**hästlängd** *s* sport. length

**hästsko** *s* horseshoe

**hästsport** *s* equestrian sports pl.

**hästsvans** *s* horse's tail; frisyr pony-tail

**hätsk** *adj* hatisk spiteful [*mot* towards]

**häva I** *vb tr* **1** lyfta heave **2** upphäva t.ex. blockad raise; annullera annul **II** *vb rfl*, ~ *sig* **1** lyfta sig raise oneself **2** höja och sänka sig heave

**hävd** *s* tradition custom

**hävda I** *vb tr* påstå assert, maintain; göra gällande claim **II** *vb rfl*, ~ *sig* hold one's own; göra sig gällande assert oneself

**häxa** *s* witch

**häxjakt** *s* witch-hunt

**häxmästare** *s* wizard

**hö** *s* hay

**1 höft** *s, på en* ~ på måfå at random; på ett ungefär roughly

**2 höft** *s* hip

**höftben** *s* hipbone

**höfthållare** *s* girdle

**höftled** *s* hipjoint

**1 hög** *s* samling heap; staplad pile [*med, av* of]; *samla pengar på* ~ accumulate money

**2 hög** *adj* **1** high; lång, t.ex. om träd, person tall; stor large; t.ex. om anspråk great; högt uppsatt om person o. rang eminent; om officer high-ranking; *det är* ~ *tid att jag går* it is high time for me to go (that I went); *vid* ~ *ålder* at an advanced age **2** högljudd loud; mus. high

**högaktning** *s* deep respect

**ögaktningsfullt** adv respectfully; *H~* i brev Yours faithfully

**ögavlönad** adj highly-paid

**ögdragen** adj haughty; överlägsen supercilious

**öger I** adj, subst adj o. adv right; *på ~ hand (till ~) ser man...* on your (the) right you see...; *han är min högra hand* he is my right-hand man; *på ~ sida (högra sidan) om* on the right-hand side of; *gå på ~ sida!* keep to the right!; komma *från ~* ...from the right; sitta *till ~ om* ...to the right of **II** s **1** polit., *~n* the Right; som parti the Conservatives pl. **2** boxn., *en rak ~* a straight right

**ögerback** s right back

**ögerhandske** s right-hand glove

**ögerhänt** adj right-handed

**ögerkurva** s right-hand bend

**ögerorienterad** adj, vara ~ be right-wing

**ögerparti** s Conservative (right-wing) party

**ögerregel** s, *tillämpa ~n* give right-of-way to traffic coming from the right

**ögerstyrd** adj right-hand driven

**ögertrafik** s right-hand traffic

**ögervriden** adj, vara ~ be right-wing; *en ~ a right-winger*

**ögform** s, *vara i ~* be in great form

**ögfrekvens** s high frequency

**ögfrekvent** adj, *ordet är ~* the word is very frequent

**ögfärd** s pride [*över* in]; fåfänga vanity; inbilskhet conceit

**ögfärdig** adj proud [*över* of]; vain, conceited [*över* about]; mallig stuck-up

**ögförräderi** s high treason

**öghus** s high-rise building, high-rise

**öginkomsttagare** s high-income earner

**ögintressant** adj highly interesting

**ögklackad** adj high-heeled

**ögklassig** adj high-class

**ögkonjunktur** s boom, time of prosperity

**ögkvarter** s headquarters (sg. el. pl.)

**ögljudd** adj ljudlig loud; högröstad loud-voiced, loud-mouthed

**ögmod** s pride; arrogance

**ögmodern** adj ultramodern

**ögmodig** adj proud [*över* of]; arrogant

**ögmässa** s protestantisk morning service; katolsk high mass

**ögoktanig** adj, *~ bensin* high-octane petrol (amer. gasoline)

**ögre I** adj higher etc., jfr *2 hög;* rang etc.

superior [*än* to]; övre upper **II** adv higher, more highly; *tala ~!* speak louder!, speak up!

**högrest** adj reslig tall

**högröstad** adj loud, loud-voiced

**högskola** s college; universitet university

**högskoleutbildning** s university (college) education

**högsommar** s high summer; *på ~en* in the height of the summer

**högspänn** s, *på ~* in a state of high tension

**högspänning** s high voltage

**högst I** adj highest etc., jfr *2 hög;* *~a domstolen* the Supreme Court [of Judicature]; *på ~a växeln* in top gear; *min ~a önskan* my greatest wish; *det ~a* jag kan betala the most... **II** adv **1** highest, most highly; mest most; när aktierna *står som ~* ...are at their highest; *allra ~ upp* at the very top [*på, i* of] **2** mycket, synnerligen very, most **3** ej mer än, ~ (*allra ~*) *5 personer* 5 people at most (at the very most); det varar ~ *en timme* ...not more than an hour at the most

**högstadium** s, *högstadiet* i grundskolan the senior level (department) of the 'grundskola', se *grundskola*

**högstbjudande** adj, *den ~* the highest bidder

**högsäsong** s, *~en* the height of the season

**högt** adv **1** high; i hög grad, mycket highly; högt upp high up; *älska ngn ~* love a p. dearly **2** om ljud loud; högljutt loudly; ej tyst, ej för sig själv aloud; mus., om ton high

**högtalare** s loudspeaker

**högtid** s festival, feast

**högtidlig** adj allvarlig solemn; ceremoniell grand

**högtidsstund** s really enjoyable occasion, real treat

**högtrafik** s, *vid ~* at peak hours

**högtravande** adj high-flown

**högtryck** s meteor. high pressure; område area of high pressure

**höja I** vb tr raise; öka äv. increase; förbättra improve; främja promote **II** vb rfl, *~ sig* rise; *~ sig över* be superior to

**höjd** s height; kulle äv. hill; abstrakt: speciellt geogr. äv. altitude; nivå level; mus. pitch; *bergets högsta ~* the summit (top) of the mountain; *det är ~en!* that's the limit!; *på sin ~ tio år* ten years at the most

**höjdhopp** s high jump (hoppning jumping)

**höjdhoppare** s high jumper

**höjdpunkt** s climax; huvudattraktion

highlight; kulmen height, culmination, acme

**höjning** s höjande raising, increasing; increase; improvement; ökning rise (amer. raise)

**hök** s hawk äv. polit.

**hölja** vb tr täcka cover; insvepa wrap up; *höljd i dimma (dunkel)* shrouded in fog (mystery)

**hölje** s omhölje envelope; täcke cover, covering; av lådtyp etc. case

**hölster** s pistol~ holster

**höna** s hen; kok. chicken

**höns** s fowl; koll. poultry sg., fowls pl., chickens pl.; kok. chicken

**hönsbuljong** s chicken broth

**hönsbur** s hen coop, coop

**höra I** vb tr o. vb itr, ~ el. *få* ~ hear; få veta äv. learn, be told; uppfatta ofta catch; ta reda på find out; ~ *av ngn att...* learn from (be told by) a p. that...; ~ *på ngn (ngt)* listen to a p. (a th.); *det hörs på honom att...* you can tell by (from) his voice that...; *hör du,* är det sant att... I say..., look here... **II** vb itr **1** ~ *till* belong to; vara en av be one of; vara bland be among; vara tillbehör till go with; *vart hör det här?* var brukar det ligga (stå)? where does this go (belong)? **2** ~ *under* en rubrik etc. come under

□ ~ **av ngn** hear from a p.; *jag låter ~ av mig* nästa vecka you will hear from me...; ~ **efter** ta reda på find out; fråga inquire [*hos* of]; ~ **hemma i** belong to; ~ **hit** höra hemma här belong here; *det hör inte hit* till saken that's got nothing to do with it; ~ **ihop** *(samman)* belong (bruka följas åt go) together; ~ *ihop (samman) med* be connected with; bruka åtfölja go with; ~ **på** listen [*ngn* to a p.; *ngt* to a th.]; *det hör till* anses korrekt it is the proper thing

**hörapparat** s hearing aid

**hörbar** adj audible

**hörglasögon** s pl hearing-aid glasses

**hörhåll** s, *inom (utom)* ~ within (out of) earshot

**hörlurar** s pl headphones, earphones

**hörn** s corner

**hörna** s corner äv. sport.

**hörntand** s canine tooth

**hörsal** s lecture hall

**hörsel** s hearing

**hörselskadad** adj, *vara* ~ have impaired hearing

**hösnuva** s hay fever

**höst** s autumn, amer. fall; ~*en* autumn; ~*en 1994* the (adv. in the) autumn of 1994; [*nu*] *i* ~ this autumn; *i* ~ nästa höst next autumn; *i* ~*as* last autumn; *om (på)* ~*en* (~*arna*) in the autumn

**höstack** s haystack, hayrick

**höstdag** s autumn (höstlik autumnal) day

**höstdagjämning** s autumnal equinox

**höstlik** adj autumnal, autumn-like

**hösttermin** s autumn term, amer. fall semester

**hötorgskonst** s trashy (third-rate) art, kitsch

**hövding** s chief

**hövlig** adj artig polite; belevad courteous [*mot* to]

**I**

**i I** *prep* **1** om rum o. friare **a)** 'inuti', 'inne i', 'inom' in; 'vid' at; *betala ~ kassan* i butik pay at the cashdesk; *promenera ~* hit och dit i *stan* walk about the town; *sitta ~ soffan* sit on the sofa; höra ngt *~ högtalaren* ...over the loudspeaker; *titta ~* kikaren look through...; *göra ett besök ~* resa till... pay a visit to; *falla ~ vattnet* fall into the water; *knacka ~ väggen* knock on the wall; *slå ~ stycken* smash to bits **b)** lokal betydelse m.m., *biskopen ~ A.* the Bishop of A; *den största staden ~ landet* the biggest town in the country **c)** med adjektiv, *hon är fin ~ håret* her hair is nice; *jag är trött ~ armen* my arm is tired **d)** friare, *5 ~ 15 går 3 gånger* 5 into 15 goes 3 times **2** om tid **a)** 'under' in; 'vid' at; 'sista' last; *~ april* in April; *fem minuter ~ fem* five minutes to five; *~ påsk* at Easter; *~ höst* this (nästkommande next) autumn; *~ natt* som är el. som kommer tonight; som var last night **b)** hur länge? for; *~ månader* for months; *nu ~ tio år* for the last (om framtid next) ten years **c)** 'per', *med en fart av* 90 km *~ timmen* at the rate of...an (per) hour **3** 'gjord av', *en staty ~ brons* a statue in bronze; ett bord *~ ek* an oak..., ...made of oak **4** på grund av, *~ brist på* for want of; *dö ~* cancer die of...; *ligga sjuk ~* influensa be down with... **5** i form av, *hur mycket har du ~ fickpengar?* how much pocket money do you get?; *ha* 290 000 *~ lön* have a salary of...; *~ regel* as a rule **6** i vissa uttryck: *~ och för sig* säger uttrycket föga in itself...; *~ och för sig* utgör åldern inget hinder taken by itself...; jag kan göra det *~ och för sig* as a matter of fact...; *~ och med detta nederlag* var allt förlorat with this defeat...; *~ och med att* så snart som as soon as; *du gjorde rätt ~ att hjälpa honom* you were right in helping him **II** *adv*, *en vas med blommor ~* a vase with flowers in it; *vill du hälla (slå) ~ åt mig?* please pour out some for me!

**iakttagare** *s* observer
**iakttagelse** *s* observation
**iakttagelseförmåga** *s* powers pl. of observation
**ibland** *adv* sometimes, now and then

**icing** *s* ishockey icing
**icke** *adv* not; för ex. se *inte*
**icke-angreppspakt** *s* non-aggression pact
**idag** *adv* today; *~ om ett år* a year from today
**ide** *s*, *gå i ~* om djur go into hibernation; *ligga i ~* hibernate
**idé** *s* idea; föreställning äv. notion; *det är ingen ~!* there is no point!, it's no use!; *det är ingen ~ att göra...* it is no good doing...; *hur har du kommit på den ~n?* what put that idea into your head?
**ideal** *s* o. *adj* ideal
**idealisera** *vb tr* idealize
**idealisk** *adj* ideal, perfect
**idealism** *s* idealism
**idealist** *s* idealist
**idealistisk** *adj* idealistic
**idegran** *s* yew, yew tree
**idel** *adj* sheer, pure; *hon var ~ öra* she was all ears
**ideligen** *adv* continually, perpetually
**identifiera** *vb tr* identify
**identifiering** *s* identification
**identisk** *adj* identical
**identitet** *s* identity
**identitetsbricka** *s* identity disc
**identitetshandlingar** *s pl* identification papers
**identitetskort** *s* identity card
**ideologi** *s* ideology
**idiomatisk** *adj* idiomatic
**idiot** *s* idiot
**idiotisk** *adj* idiotic
**idiotsäker** *adj* vard. foolproof
**idissla** *vb itr* ruminate, chew the cud
**idisslare** *s* ruminant
**idka** *vb tr* carry on; utöva practise, go in for
**ID-kort** *s* ID card, ID
**idol** *s* idol; favorit great favourite
**idrott** *s* koll. sports pl., sport; fotboll, tennis etc. games pl.; *allmän (fri) ~* athletics
**idrotta** *vb itr* go in for sport (games)
**idrottsdag** *s* sports day, games day
**idrottsförening** *s* athletic association
**idrottsgren** *s* branch of athletics, sport, type of game
**idrottsledare** *s* sports leader; arrangör sports (för fri idrott athletics) organizer
**idrottsman** *s* sportsman; friidrottsman athlete
**idrottsplats** *s* sports ground (field)
**idrottstävling** *s* athletic contest
**idyll** *s* idyll; plats idyllic spot
**idyllisk** *adj* idyllic

**ifall** *konj* **1** såvida if, in case; antag att supposing **2** huruvida if, whether

**ifatt** *adv*, **hinna** (**köra**) ~ **ngn** catch a p. up

**ifjol** *adv* last year

**ifrågasätta** *vb tr* question, call...in question

**ifrågavarande** *adj*, ~ *fall* the case in question

**ifrån I** *prep* se *från; köra* etc. ~ ngn (ngt) bort ifrån drive etc. away from...; *vara* ~ utom *sig* be beside oneself [*av* with] **II** *adv* borta away; *kan du gå* ~ en stund? can you get away...?

**igelkott** *s* hedgehog

**igen** *adv* **1** ånyo again; *om* ~ en gång till once more **2** tillbaka, åter back **3** tillsluten shut, closed

**igenkännlig** *adj* recognizable [*för* to]

**igenom I** *prep* through, se äv. *genom; hela dagen* ~ throughout the day **II** *adv* through

**igloo** *s* **1** igloo **2** för flaskor bottle bank

**ignorera** *vb tr* ignore, take no notice of

**igång** *adv* se *gång 1*

**igångsättning** *s* start, starting up

**igår** *adv* yesterday; ~ *kväll* yesterday evening; ~ *morse* yesterday morning

**ihjäl** *adv* to death; *skjuta* ~ *ngn* äv. shoot a p. dead; *svälta* ~ die of hunger (starvation)

**ihop** *adv* tillsammans together, se vid. förb. som *fälla* (*krympa*) ~ etc.

**ihåg** *adv*, *komma* ~ remember, recollect; lägga på minnet bear...in mind

**ihålig** *adj* hollow, empty

**ihållande** *adj* om t.ex. applåder prolonged; om t.ex. regn continuous

**ihärdig** *adj* om person persevering

**ikapp** *adv* **1** i tävlan, cykla (*segla* m.fl.) ~ have a cycling (sailing m.fl.) race; *springa* ~ *med ngn* race a p. **2** hinna (*köra*) ~ *ngn* komma närmare catch a p. up

**ikväll** *adv* this evening, tonight

**i-land** *s* industrialized country

**ilgods** *s* koll. express goods pl.; *som* ~ by express

**ilgodsexpedition** *s* express office

**illa** *adv* badly; *inte* ~! not bad!; *det kan gå* ~ *för dig* you may get into trouble; *göra* ~ do wrong; *göra ngn* ~ hurt a p.; *det luktar* (*smakar*) ~ it smells (tastes) nasty (bad); *må* ~ ha kväljningar feel (be) sick; *det ser* ~ *ut* it looks bad; *hon ser inte* ~ *ut* she is not bad-looking; *ta* ~

**upp** take offence; *ta inte* ~ *upp!* don't be offended!; *tala* ~ *om ngn* run down a p.; *vara* ~ *ute* i knipa be in trouble, be in a bad fix; *om det vill sig* ~ blir du... if things are against you...

**illaluktande** *adj* nasty-smelling; starkare evil-smelling

**illamående I** *s* indisposition; feeling of sickness **II** *adj*, *känna sig* ~ känna kväljningar feel sick, amer. feel sick at (to, in) one's stomach

**illasinnad** *adj* om person ill-disposed; om handling malicious

**illavarslande** *adj* ominous, sinister

**illdåd** *s* outrage

**illegal** *adj* illegal

**illegitim** *adj* illegitimate

**illojal** *adj* disloyal; ~ *konkurrens* unfair competition

**illusion** *s* illusion; villfarelse delusion

**illustration** *s* illustration

**illustratör** *s* illustrator

**illustrera** *vb tr* illustrate

**illvilja** *s* spite

**illvillig** *adj* spiteful, nasty, malicious

**ilmarsch** *s* forced march

**ilsamtal** *s* i telefon priority (express) call

**ilska** *s* anger, rage

**ilsken** *adj* angry, speciellt amer. mad; om djur savage, fierce

**ilskna** *vb itr*, ~ *till* fly into a temper (rage)

**imitation** *s* imitation

**imitatör** *s* imitator; varietéartist etc. mimic

**imitera** *vb tr* imitate

**imma** *s* mist, steam

**immig** *adj* misty, steamy

**immigrant** *s* immigrant

**immigration** *s* immigration

**immigrera** *vb itr* immigrate [*till* into]

**immun** *adj* immune

**immunbrist** *s* med. immunodeficiency

**immunitet** *s* immunity

**imorgon** *adv* tomorrow

**imorse** *adv* this morning

**imperativ** *s* gram., *i* ~ in the imperative

**imperfekt** *s* the past tense, the preterite

**imperialism** *s*, ~ el. ~*en* imperialism

**imperium** *s* empire

**imponera** *vb itr* impress [*på ngn* a p.]

**imponerande** *adj* impressive, striking

**impopulär** *adj* unpopular [*hos, bland* with]

**import** *s* import; varor imports pl.

**importera** *vb tr* import [*till* into]

**importör** *s* importer

**impotens** *s* impotence

**infalla**

**impotent** *adj* impotent
**impregnera** *vb tr* impregnate; göra vattentät
waterproof; **~d** waterproof
**impressario** *s* impresario (pl. -s)
**improduktiv** *adj* unproductive
**improvisation** *s* improvisation; vard.
ad-libbing
**improvisera** *vb itr* o. *vb tr* improvise; vard.
ad-lib; **ett ~t tal** an off-the-cuff speech
**impuls** *s* impulse
**impulsiv** *adj* impulsive
**impulsköp** *s*, **ett ~** an impulse buy; **göra
ett ~** buy on the impulse
**in** *adv* in; in i huset etc. inside, indoors; **~ i**
into
**inackordera** *vb tr* board and lodge
**inackordering** *s* board and lodging
**inaktiv** *adj* inactive
**inaktuell** *adj* förlegad out of date; ej aktuell
just nu ...no longer in question
**inalles** *adv*, **~** 500 kr ...in all, ...altogether
**inandas** *vb tr dep* breathe in, inhale
**inandning** *s* breathing in, inhalation; **en
djup ~** a deep breath
**inarbetad** *adj*, **en ~ firma** an established
firm; **~ tid** compensatory leave for
overtime
**inbegripa** *vb tr* innefatta comprise, include
**inberäkna** *vb tr* include
**inbetala** *vb tr* pay in; **~ ett belopp på** ett
konto etc. pay an amount into...
**inbetalning** *s* payment; avbetalning part
payment, instalment
**inbetalningskort** *s* paying-in form
**inbilla** *vb rfl*, **~ sig** imagine, fancy
**inbillad** *adj* imagined; om t.ex. sjukdom
imaginary
**inbillning** *s* imagination
**inbillningsförmåga** *s* imagination,
imaginative power (faculty)
**inbiten** *adj* t.ex. om ungkarl confirmed; t.ex.
om vana inveterate
**inbjuda** *vb tr* invite
**inbjudan** *s* invitation
**inbjudande** *adj* inviting; lockande tempting
**inbjudning** *s* invitation
**inbjudningskort** *s* invitation card
**inblandad** *adj*, **bli ~** get mixed up, get
involved [i in]
**inblandning** *s* interference
**inblick** *s* insight [i into]
**inbringa** *vb tr* yield, bring in
**inbringande** *adj* profitable
**inbrott** *s* **1** burglary; **göra ~ i** burgle;

speciellt på dagen break into **2 vid dagens ~**
at daybreak
**inbrottstjuv** *s* burglar; speciellt på dagen
housebreaker
**inbunden** *adj* **1** om bok bound **2** om person
reserved; vard. uptight
**inbyggd** *adj* om högtalare, badkar built-in
**inbytesbil** *s* trade-in car
**inbördes I** *adj* ömsesidig mutual; **~
testamente** joint will **II** *adv* mutually
**inbördeskrig** *s* civil war
**incest** *s* incest
**incitament** *s* incentive
**indela** *vb tr* divide, divide up; klassificera
classify [i into]
**indelning** *s* division, classification
**index** *s* index [över of]
**indexreglera** *vb tr* tie...to the cost-of-living
index
**indexreglerad** *adj* index-tied, index-bound
**indian** *s* American Indian, Indian
**Indien** India
**indier** *s* Indian
**indignation** *s* indignation
**indignerad** *adj* indignant [över at]
**indikation** *s* indication [om, på of]
**indikativ** *s*, **i ~** in the indicative
**indirekt I** *adj* indirect **II** *adv* indirectly
**indisk** *adj* Indian; **Indiska oceanen** the
Indian Ocean
**indiskret** *adj* indiscreet
**individ** *s* individual; vard., 'kurre' äv.
specimen
**individuell** *adj* individual
**Indokina** Indo-China
**indoktrinera** *vb tr* indoctrinate
**indoktrinering** *s* indoctrination
**indones** *s* Indonesian
**Indonesien** Indonesia
**indonesisk** *adj* Indonesian
**industri** *s* industry
**industrialisera** *vb tr* industrialize
**industrialism** *s*, **~** el. **~en** industrialism
**industriarbetare** *s* industrial worker
**industriland** *s* industrialized country
**industriområde** *s* industrial area (district)
**industrisemester** *s* general industrial
holiday
**ineffektiv** *adj* om person o. sak inefficient;
mest om sak ineffective
**inemot** *prep* framemot towards; nästan close
on, nearly, almost
**inexakt** *adj* inexact, inaccurate
**infall** *s* påhitt, idé idea; nyck fancy
**infalla** *vb itr* inträffa fall [på en tisdag on...]

**infanteri** *s* infantry
**infanterist** *s* infantryman
**infart** *s* infartsled approach; privat uppfartsväg drive, driveway; *förbjuden* ~ trafik. no entry
**infektera** *vb tr* infect
**infektion** *s* infection
**infernalisk** *adj* infernal
**inferno** *s* inferno (pl. -s)
**infiltrera** *vb tr* infiltrate
**infinitiv** *s*, ~ el. ~*en* the infinitive
**infinna** *vb rfl*, ~ *sig* visa sig appear; ~ *sig vid* attend
**inflammation** *s* inflammation
**inflammera** *vb tr* inflame
**inflation** *s* inflation
**inflationistisk** *adj* inflationary
**influensa** *s* influenza; vard. the flu el. flu
**influera** *vb tr* influence
**inflytande** *s* influence [*på* on]
**inflytelserik** *adj* influential
**inflyttning** *s* moving in
**information** *s* information (end. sg.)
**informell** *adj* informal
**informera** *vb tr* inform [*om* of]
**infraröd** *adj* o. **infrarött** *s* infra-red
**infravärme** *s* infra-red heat
**infria** *vb tr* förhoppning, löfte fulfil
**infånga** *vb tr* catch; rymling etc. äv. capture
**infödd** *adj* native
**inföding** *s* native
**inför** *prep* **1** i rumsbetydelse o. friare before; i närvaro av in the presence of; *stå* ~ ett svårt problem be brought up against... **2** i tidsbetydelse o. friare: omedelbart före on the eve of [*vid* at]; ~ *julen* with Christmas at hand (approaching)
**införa** *vb tr* introduce; importera import
**införstådd** *adj*, *vara* ~ *med* be in agreement with, accept
**ingalunda** *adv* by no means; inte alls not at all
**inge** *vb tr* ingjuta inspire; ~ *ngn* mod, förtroende inspire a p. with...
**ingefära** *s* ginger
**ingen** *(intet* el. *inget, inga) pron* **1** no; *det kom inga brev i dag* there were no (weren't any) letters today; ~ *dum idé!* not a bad idea! **2** självständigt om person, *ingen, inga* nobody, no one (båda sg.); neutralt, *intet, inget* nothing; jag sökte men *hittade inga* ...found none, ...did not find any (one); ~ *av dem har* kommit tillbaka none of them have (has)...; av två neither of them has... **3** ~ *annan* ~ annan

människa nobody (no one) else; ~ *annan* bok no other...
**ingendera** *(ingetdera) pron* a) av två neither b) av flera än två none
**ingenjör** *s* engineer
**ingenmansland** *s* no-man's land
**ingenstans** *adv* nowhere
**ingenting** *pron* nothing; ~ *nytt* nothing new; inga nyheter no news; ~ *av detta* none of this; *det är* ~ *att ha* it is not worth having
**ingravera** *vb tr* engrave
**ingrediens** *s* ingredient
**ingrepp** *s* **1** med. operation **2** intrång encroachment; ingripande interference
**ingripa** *vb itr* intervene [*i* in]; hjälpande step in
**ingripande** *s* inskridande intervention; inblandning interference
**ingå** *vb itr* höra till, ~ *i* be (form) part of; inbegripas i be included in
**ingående** *adj* grundlig thorough, detailed
**ingång** *s* entrance
**inhalera** *vb tr* inhale
**inhemsk** *adj* domestic, home...
**inhämta** *vb tr* få veta, lära pick up, learn; ~ *kunskaper i* acquire knowledge of
**inifrån** *prep adv* from inside (within)
**initial** *s* initial
**initiativ** *s* initiative
**initierad** *adj* well-informed [*i* on]; initiated [*i* in, into]
**injektion** *s* injection
**injicera** *vb tr* inject
**inkalla** *vb tr* mil. call up, amer. draft
**inkallelse** *s* **1** summons **2** mil., inkallande calling up, amer. drafting; order call-up, amer. draft call
**inkallelseorder** *s* calling-up (amer. induction) papers pl.
**inkassera** *vb tr* collect; få receive; lösa in cash
**inkast** *s* **1** i bollspel throw-in; *göra ett* ~ take a throw-in **2** för mynt etc. slot
**inkludera** *vb tr* include, comprise
**inklusive** *prep* including, inclusive of
**inkommande** *adj* om brev, fartyg incoming
**inkompetens** *s* oduglighet incompetence; obehörighet lack of qualifications
**inkompetent** *adj* oduglig incompetent; ej kvalificerad unqualified
**inkomst** *s* **1** persons regelbundna income [*av, på* from]; *jag har höga* ~*er* I have a high income **2** ~ el. ~*er* intäkter receipts [*av*

from], takings [*av* from], proceeds [*av* of], samtliga pl.

**inkomstskatt** *s* income tax

**inkomsttagare** *s* wage-earner

**inkonsekvent** *adj* inconsistent

**inkorporera** *vb tr* incorporate [*i, med* in el. into]

**inkräkta** *vb itr* trespass, intrude [*på* on]

**inkräktare** *s* trespasser, intruder; i ett land invader [*i* of]

**inkvartera** *vb tr* accommodate [*hos* with]

**inkvartering** *s* accommodation

**inköp** *s* purchase; *det kostar* 500 kr *i* ~ the cost price is...

**inköpa** *vb tr* köpa purchase, buy

**inköpspris** *s* cost (purchase) price

**inkörning** *s* av bil, motor running-in

**inlagd** *adj* **1** kok. pickled; ~ *sill* pickled herring **2** ~ *på sjukhus* admitted (sent) to hospital; jfr *lägga in* under *lägga*

**inland** *s* **1** motsats kustland interior **2** *i in- och utlandet* at home and abroad

**inleda** *vb tr* börja begin; t.ex. debatt, samtal open

**inledande** *adj* introductory, opening, preliminary, initial

**inledning** *s* början beginning, opening; förord introduction

**inlåta** *vb rfl*, ~ *sig i* (*på*) a) t.ex. diskussion enter into... b) t.ex. affärer embark on... c) t.ex. samtal, politik engage in...

**inlägg** *s* **1** något inlagt insertion **2** i diskussion etc. contribution [*av ngn* from a p., *i* to]

**inlärning** *s* learning; utantill memorizing

**innan I** *konj prep* before; ~ *dess* before that (this) **II** *adv* dessförinnan before

**innanför** *prep* inside, within; bakom t.ex. disken behind

**inne I** *adv* **1** om rum in; inomhus indoors; ~ *i* t.ex. huset inside, in; *längst* ~ *i* garderoben at the back of... **2** om tid, *nu är tiden* ~ *att* inf. now the time has come to inf. **II** *adj*, *det är* ~ vard., på modet it's with it, it's the in-thing

**innebandy** *s* sport. indoor bandy

**innebära** *vb tr* betyda imply, mean; föra med sig involve

**innebörd** *s* meaning [*av, i* of]

**innefatta** *vb tr* innesluta i sig contain; inbegripa include; bestå av consist of

**inneha** *vb tr* hold, possess

**innehavare** *s* holder; ägare owner; t.ex. av rörelse proprietor

**innehåll** *s* contents pl.; innebörd content

**innehålla** *vb tr* contain

**innerskär** *s* sport., *åka* ~ do the inner edge

**innerst** *adv*, ~ *inne* a) farthest in b) i grund och botten at heart, deep down

**innersta** *adj* innermost; *hans* ~ *tankar* his inmost thoughts

**innerstad** *s* inner city; *i* ~*en* in the centre

**innersula** *s* insole

**innesluta** *vb tr* enclose

**innestående** *adj* insatt på bankkonto on deposit

**innevarande** *adj* om tid present

**innovation** *s* innovation

**inofficiell** *adj* unofficial

**inom** *prep* within; inside; ~ *ett år* in (within) a year; ~ *kort* in a short time, shortly

**inomhus** *adv* indoors

**inomhusantenn** *s* indoor aerial (amer. antenna)

**inomhusbana** *s* för tennis covered court; för ishockey indoor rink; för idrott indoor track

**inomhusfotboll** *s* indoor football

**inomhustennis** *s* indoor tennis

**inordna** *vb tr* inrangera arrange, range

**inpå** *prep* close to; *till långt* ~ *natten* until far into...

**inre** *adj* inner; invärtes, intern internal; invändig interior; om mått inside; ett lands ~ *angelägenheter* internal affairs

**inreda** *vb tr* fit up, equip [*till* as]; decorate; med möbler furnish

**inredning** *s* **1** inredande fitting-up, equipment, decoration, furnishing **2** konkret fittings pl.; väggfast fixtures pl.

**inredningsarkitekt** *s* interior designer (decorator)

**inregistrerad** *adj*, *inregistrerat varumärke* registered trademark

**inresetillstånd** *s* entry permit

**inrikes I** *adj* inländsk domestic, home, inland **II** *adv* in (within) the country

**inrikesdepartement** *s* ministry (amer. department) of the interior; ~*et* britt. the Home Office

**inrikesflyg** *s*, ~*et* the domestic airlines pl.

**inrikesminister** *s* minister (amer. secretary) of the interior; ~*n* britt. the Home Secretary

**inrikespolitik** *s* domestic politics pl. (resp. policy)

**inrikespolitisk** *adj*, *en* ~ *debatt* a debate on domestic policy; ~*a frågor* questions relating to domestic policy

**inriktad** *adj*, *vara* ~ *på att* inf. a) sikta mot

aim at ing-form b) koncentrera sig på concentrate on ing-form

**inrotad** *adj* deep-rooted

**inrätta** *vb tr* **1** grunda establish, set up **2** anordna arrange

**insamling** *s* collection; penning~ subscription

**insats** *s* **1** i spel etc. stakes pl.; kontant~ deposit **2** prestation achievement; bidrag contribution; idrotts~ performance

**insatslägenhet** *s* ung. cooperative [building society] flat (apartment)

**inse** *vb tr* see, realize

**insekt** *s* insect

**insektsmedel** *s* insecticide

**insida** *s* inside, inner side; 'inre' interior

**insikt** *s* **1** inblick insight; kännedom knowledge [*i, om* of] **2** ~*er* kunskaper knowledge sg. [*i* of]

**insinuera** *vb tr* o. *vb itr* insinuate

**insistera** *vb itr* insist

**insjukna** *vb itr* fall ill, be taken ill [*i* with]

**insjö** *s* lake

**inskrida** *vb itr* step in, intervene

**inskrivare** *s* data. keyboarder

**inskrivning** *s* i skola, kår etc. enrolment, registration

**inskränka I** *vb tr* begränsa restrict, limit; minska reduce, cut down (back), cut **II** *vb rfl*, ~ *sig till* nöja sig med confine (restrict) oneself to

**inskränkning** *s* restriction, limitation, reduction

**inskränkt** *adj* restricted, limited; om person narrow, limited

**inslag** *s* element; del, 'nummer' äv. feature; tillsats contribution

**inspark** *s* fotb. goalkick

**inspektera** *vb tr* inspect

**inspektion** *s* inspection

**inspektör** *s* inspector; kontrollör supervisor

**inspelning** *s* recording; film~ production

**inspelningshuvud** *s* på bandspelare recording head

**inspiration** *s* inspiration

**inspirera** *vb tr* inspire

**insprutning** *s* injection

**installation** *s* installation

**installera I** *vb tr* install **II** *vb rfl*, ~ *sig* install oneself

**instans** *s* jur. instance; myndighet authority

**instinkt** *s* instinct

**instinktiv** *adj* instinctive

**institut** *s* institute; t.ex. bank~ institution

**institution** *s* institution äv. samhällsinstitution;

*engelska* ~*en* vid univ. the English Department

**instruera** *vb tr*, ~ *ngn i ngt* teach a p. a th.; ~ *ngn* ge föreskrifter *att* inf. instruct a p. to inf.

**instruktion** *s* instruction; ~ el. ~*er* instructions; anvisning directions (båda pl.)

**instruktionsbok** *s* instruction book, manual

**instruktiv** *adj* instructive

**instruktör** *s* instructor

**instrument** *s* instrument

**instrumentbräda** *s* på bil dashboard, fascia

**inställa I** *vb tr* upphöra med stop, discontinue, suspend; inhibera cancel **II** *vb rfl*, ~ *sig* speciellt vid domstol appear

**inställbar** *adj* adjustable

**inställd** *adj*, *vara* ~ beredd *på ngt* be prepared for a th.

**inställning** *s* **1** reglering adjustment **2** attityd attitude, outlook

**inställsam** *adj* ingratiating; krypande cringing

**instämma** *vb itr* agree

**instängd** *adj* **1** ...shut (inlåst locked) up, shut-in **2** om luft stuffy, close

**insyltad** *adj* vard., ~ *i* mixed up in

**insändare** *s* debattinlägg letter to the press (till viss tidning editor)

**insättning** *s* i bank insatt belopp deposit

**inta** o. **intaga** *vb tr* **1** plats m.m. take a) försätta sig i, t.ex. liggande ställning place oneself in b) ha, t.ex. en ledande ställning occupy, hold, have c) t.ex. ståndpunkt take up **2** erövra take, capture **3** måltid etc. have, eat **4** betaga, fängsla captivate

**intagande** *adj* captivating, attractive, engaging

**intagen** *s* se *ta in* under *ta*

**intagning** *s* taking in; på t.ex. sjukhus admission

**intakt** *adj* intact

**inte** *adv* not; ~ *det?* verkligen! no?, really?; ~ *en enda gång* not once; *jag har* ~ *tid* I have no time; *jag vet* ~ I don't know; hon är förtjusande, ~ *sant?* ...isn't she?; ~ *bättre (sämre) för det* no better (worse) for that

**integrera** *vb tr* integrate

**integritet** *s* integrity

**intellekt** *s* intellect

**intellektuell** *adj* intellectual

**intelligens** *s* egenskap intelligence

**intelligent** *adj* intelligent, clever

**intensifiera** *vb tr* intensify

**intensitet** *s* intensity
**intensiv** *adj* intense; koncentrerad intensive
**intensivvård** *s* intensive care
**intention** *s* intention
**interiör** *s* det inre interior
**interjektion** *s* gram. interjection
**intermezzo** *s* intermezzo; t.ex. vid en gräns incident (pl. vanl. -s)
**intern I** *adj* internal; ~ TV closed-circuit TV **II** *s* på anstalt inmate; i fångläger internee
**internationell** *adj* international
**internatskola** *s* boarding school
**internera** *vb tr* i fångläger intern; på anstalt detain [*i, på* in]
**internering** *s* internment; på anstalt detention
**interrogativ** *adj* interrogative
**interurbansamtal** *s* long-distance call
**intervall** *s* interval
**intervenera** *vb itr* intervene
**intervention** *s* intervention
**intervju** *s* interview
**intervjua** *vb tr* interview
**intet** *obest pron* litt. nothing
**intetsägande** *adj* om fraser etc.; tom empty; meningslös meaningless
**intill I** *prep* **1** om rum: fram till up to; *alldeles* ~ rummet quite close to... **2** om tid until **3** om mått etc. up to **II** *adv, i rummet* ~ in the adjoining room; vi bor *alldeles* ~ ...next door
**intim** *adj* intimate
**intimitet** *s* intimacy
**intolerans** *s* intolerance
**intolerant** *adj* intolerant
**intonation** *s* intonation
**intransitiv** *adj* intransitive
**intressant** *adj* interesting
**intresse** *s* interest
**intressera I** *vb tr* interest [*ngn för ngt* a p. in a th.]; *det ~r mig mycket (inte)* äv. it is of great (no) interest to me **II** *vb rfl,* ~ *sig för* take an interest in, be interested in
**intresserad** *adj* interested [*av* in]
**intressesfär** *s* sphere of interest
**intrig** *s* intrigue; plot äv. i roman, drama
**intrigera** *vb itr* intrigue
**intrigmakare** *s* intriguer, schemer
**intrikat** *adj* intricate
**introducera** *vb tr* introduce [*hos* to]
**introduktion** *s* introduction
**introduktionserbjudande** *s* trial offer
**intryck** *s* impression

**intrång** *s* encroachment, trespass; *göra* ~ *på (i)* encroach (trespass) on (in)
**inträda** *vb itr* inträffa set in; börja commence, begin; uppstå arise
**inträde** *s* **1** entrance; friare entry; tillträde admission; *göra sitt* ~ *i* enter **2** avgift entrance-fee
**inträdesavgift** *s* entrance fee
**inträdesbiljett** *s* admission ticket
**inträffa** *vb itr* hända happen; infalla occur, fall
**intuition** *s* intuition
**intuitiv** *adj* intuitive
**intyg** *s* certificate; av privatperson, utförligare testimonial
**intyga** *vb tr, härmed ~s att...* this is to certify that...
**intåg** *s* entry
**intäkt** *s,* ~*er* proceeds, takings, receipts
**inunder** *adv prep* underneath, beneath, below
**inuti** *adv prep* inside
**invadera** *vb tr* invade
**invalid** *s* disabled person
**invalidiserad** *adj* disabled
**invaliditet** *s* disablement, disability
**invandra** *vb itr* immigrera immigrate [*i, till* into, to]
**invandrare** *s* immigrant
**invandrarspråk** *s* immigrant language
**invandrarverk** *s, Statens* ~ the Swedish Immigration Board
**invandring** *s* immigration
**invasion** *s* invasion
**inveckla** *vb tr,* ~*s (bli ~d) i ngt* get involved (mixed up) in a th.
**invecklad** *adj* komplicerad complicated
**inventarier** *s pl* effects, movables
**inventarium** *s* inventory
**inventering** *s* inventory; lager~ stock-taking
**inverka** *vb itr* have an effect (influence) [*på ngt* on a th.]
**inverkan** *s* effect, influence
**investera** *vb tr* invest
**investering** *s* investment
**invid I** *prep* by; utefter alongside; nära close to **II** *adv* close (near) by
**inviga** *vb tr* **1** byggnad etc. inaugurate **2** ~ *ngn i ngt* göra förtrogen med ngt initiate a p. into a th.; ~ *ngn i en hemlighet* let (take) a p. into a secret
**invigning** *s* inauguration
**invit** *s* inbjudan invitation; vink hint
**invånare** *s* inhabitant
**invända** *vb tr, jag invände att...* I

objected that...; *jag har inget att ~ mot det* I have no objections to it
**invändig** *adj* internal; om ficka etc. inside
**invändigt** *adv* internally; i det inre in the interior; på insidan on the inside
**invändning** *s* objection [*mot* to, against]; *göra ~ar mot* raise objections to
**invärtes** *adj* om sjukdom, bruk etc. internal
**inåt** I *prep* towards, the interior of II *adv* inwards; gå *längre ~* ...further in
**inåtvänd** *adj* ...turned inwards; om person introvert; *en ~ person* an introvert
**inälvor** *s pl* bowels; djurs entrails
**Irak** Iraq
**irakier** *s* Iraqi
**irakisk** *adj* Iraqi
**Iran** Iran
**iranier** *s* Iranian
**iransk** *adj* Iranian
**iris** *s* anat. el. bot. iris
**Irland** Ireland
**irländare** *s* Irishman (pl. Irishmen); *irländarna* som nation, lag etc. the Irish
**irländsk** *adj* Irish
**irländska** *s* **1** kvinna Irishwoman (pl. Irishwomen) **2** språk Irish
**ironi** *s* irony; hån sarcasm
**ironisera** *vb itr*, *~ över* speak ironically of, make ironical remarks about
**ironisk** *adj* ironic, ironical; hånfull sarcastic
**irra** *vb itr*, *~* el. *~ omkring* wander about
**irrationell** *adj* irrational
**irritation** *s* irritation
**irritera** *vb tr* irritate, annoy
**is** *s* ice; *ha ~ i magen* keep a cool head; *lägga ngt på ~* äv. bildl. put a th. on ice; *whisky med ~* whisky on the rocks
**isande** *adj* icy
**isbana** *s* ice rink
**isbelagd** *adj* icy, ice-covered
**isberg** *s* iceberg
**isbergssallad** *s* iceberg lettuce
**isbit** *s* piece (lump, bit) of ice
**isbjörn** *s* polar bear
**isblåsa** *s* ice pack
**isbrytare** *s* ice-breaker
**ischias** *s* sciatica
**isdubb** *s* ice prod
**isflak** *s* ice floe
**isfri** *adj* ice-free
**isglass** *s* pinne ice lolly, amer. popsicle
**ishall** *s* indoor ice rink, ice-skating hall
**ishav** *s*, *Norra* (*Södra*) *~et* the Arctic (Antarctic) Ocean
**ishockey** *s* ice hockey

**ishockeyklubba** *s* ice-hockey stick
**isig** *adj* icy
**iskall** *adj* ...as cold as ice, ice-cold; isande icy
**iskub** *s* ice cube
**iskyla** *s* icy cold; bildl. iciness
**islam** *s* Islam
**islamisk** *adj* Islamic
**Island** Iceland
**islossning** *s* break-up of the ice; bildl. thaw
**isländsk** *adj* Icelandic
**isländska** *s* **1** kvinna Icelandic woman **2** språk Icelandic
**islänning** *s* Icelander
**isolera** *vb tr* **1** isolate **2** tekn. insulate
**isolering** *s* **1** isolation **2** tekn. insulation
**Israel** Israel
**israel** *s* person Israeli
**israelier** *s* Israeli
**israelisk** *adj* Israeli
**istapp** *s* icicle
**ister** *s* lard
**isterbuk** *s* potbelly
**isär** *adv* apart
**Italien** Italy
**italienare** *s* Italian
**italiensk** *adj* Italian
**italienska** *s* **1** kvinna Italian woman **2** språk Italian; jfr *svenska*
**italienskfödd** *adj* Italian-born; för andra sammansättningar jfr äv. *svensk-*
**itu** *adv* i två delar in two, in half; sönder, *gå* (*vara*) *~* go to (be in) pieces
**iver** *s* eagerness
**ivrig** *adj* eager, keen
**iväg** *adv* off, away
**iögonenfallande** *adj* conspicuous; slående striking

# J

**ja** *interj* yes; ~ *då!* oh yes!; ~ ~ *mänsan!* you bet!, not half!, speciellt amer. sure thing!

**jack** *s* tele. socket, jack

**jacka** *s* jacket

**jackett** *s* morning coat, cut-away

**jag** *pers pron* I; *mig* me; *det är* ~ it's me, i telefon speaking; *han tog mig i armen* he took my arm; *en vän till mig* a friend of mine; *kom hem till mig!* come round to my place!; *jag var utom mig* I was beside myself

**jaga** *vb tr* hunt; med gevär shoot; 'förfölja' chase; *vara ute och* ~ be out hunting; ~ *efter* lyckan run after (pursue)...; ~ *bort* drive away

**jagare** *s* krigsfartyg destroyer

**jaguar** *s* jaguar

**jaha** *interj* well; bekräftande yes; jaså oh I see

**jaka** *vb itr* say 'yes' [*till* to]

**jakande I** *adj* affirmative **II** *adv* affirmatively; *svara* ~ reply in the affirmative

**1 jakt** *s* båt yacht

**2 jakt** *s* jagande hunting, shooting; jaktparti hunt, resp. shoot; ~*en efter* mördaren the hunt for...; *vara på* ~ *efter* be hunting for, be on the hunt for

**jaktflygplan** *s* fighter

**jaktgevär** *s* sporting gun; hagelgevär shotgun

**jaktplan** *s* fighter

**jalusi** *s* spjälgardin Venetian blind

**jama** *vb itr* miaow, mew

**Jamaica** Jamaica

**jamaican** *s* Jamaican

**jamaicansk** *adj* Jamaican

**januari** *s* January (förk. Jan.); jfr *april* o. *femte*

**Japan** Japan

**japan** *s* Japanese (pl. lika)

**japansk** *adj* Japanese

**japanska** *s* **1** kvinna Japanese woman **2** språk Japanese; jfr *svenska*

**jargong** *s* jargon; snack, svada jabber

**jaröst** *s* vote in favour, aye

**jasmin** *s* jasmine

**jaså** *interj* oh!, indeed!, is that so?, really?

**javisst** *interj* certainly, of course

**jazz** *s* jazz; *dansa* ~ dance to jazz

**jazzballett** *s* jazz ballet

**jazzband** *s* jazz band

**jeans** *s pl* jeans

**jeep** *s* jeep

**jersey** *s* tyg jersey

**Jesusbarnet** *s* the Infant (the Child) Jesus

**jetdrift** *s* jet propulsion

**jetmotor** *s* jet engine

**jetplan** *s* jet plane, jet

**jfr** (förk. för *jämför*) compare (förk. cf.)

**jippo** *s* reklamjippo publicity stunt; allsköns ~*n* ballyhoo sg.

**jiujitsu** *s* ju-jitsu, jiu-jitsu

**JO** se *justitieombudsman*

**jo** *interj* svar på nekande fråga why[, yes]; ~ *då!* oh yes!

**jobb** *s* job, work (end. sg.); *jag har haft mycket* ~ *med* (*med att* inf.) I've had a lot of work with (it was quite a job to inf.)

**jobba** *vb itr* **1** vard., arbeta work **2** spekulera speculate

**jobbare** *s* **1** vard. worker **2** speculator

**jobberi** *s* börs speculation

**jobbig** *adj*, *det är* ~*t* it's tough (hard) work; *han är* ~ he's trying (tiresome)

**jockej** *s* o. **jockey** *s* jockey

**jod** *s* iodine

**joddla** *vb itr* yodel

**jogga** *vb itr* jog

**joggare** *s* jogger

**joggning** *s* jogging

**joggningsskor** *s pl* jogging shoes

**Johan** kunganamn John

**Johannes** påvenamn John; *Johannes döparen* St. John the Baptist

**joker** *s* joker; ~ *i leken* the joker in the pack

**jolle** *s* liten roddbåt el. segeljolle dinghy

**joller** *s* babble; jollrande babbling

**jollra** *vb itr* babble

**jonglera** *vb itr* juggle

**jonglör** *s* juggler

**jord** *s* **1** jordklot earth; *resa runt* ~*en* go round the world **2** mark ground; jordmån soil; mylla earth; stoft dust; *gå under* ~*en* bildl. go underground **3** område land; *ett stycke* ~ a piece of land

**jorda** *vb tr* **1** begrava bury **2** elektr. earth, amer. ground; ~*d* kontakt earthed, amer. grounded; ~*d ledning* earth (amer. ground) lead

**Jordanien** Jordan

**jordanier** *s* Jordanian

**jordansk** *adj* Jordanian

**jordbruk** *s* agriculture, farming

**jordbrukare** *s* farmer

**jordbruksdepartement** s ministry of agriculture
**jordbruksminister** s minister of agriculture
**jordbunden** adj earth-bound
**jordbävning** s earthquake
**jordfästning** s funeral service
**jordglob** s globe
**jordgubbe** s strawberry
**jordgubbssylt** s strawberry jam
**jordisk** adj earthly, terrestrial; världslig worldly
**jordklot** s earth; ~et äv. the globe
**jordledning** s radio. earth (amer. ground) lead
**jordmån** s soil äv. bildl.
**jordnära** adj earthy
**jordnöt** s peanut
**jordskalv** s earthquake
**jordskred** s landslide äv. polit.
**jordskredseger** s landslide victory
**jordyta** s markyta surface of the ground; på ~n jordens yta on the earth's surface
**jordärtskocka** s Jerusalem artichoke
**jour** s, ha ~ el. ha ~en be on duty
**jourhavande** adj ...on duty, ...in charge; om besökande läkare doctor on call
**journal** s **1** dagbok, tidning journal **2** film. news-reel
**journalist** s journalist
**journalistik** s journalism
**jourtjänst** s läkares emergency (on-call) duty; t.ex. låssmeds emergency (round-the-clock) service
**jovialisk** adj jovial, genial
**jox** s vard. stuff, rubbish
**ju I** adv naturligtvis of course; visserligen it is true; som bekant as we know; där är han ~! why, there he is!; jag har ~ sagt det flera gånger I have said so..., haven't I?; I told you so..., didn't I? **II** konj, ~ förr dess (desto) bättre the sooner the better
**jubel** s hänförelse enthusiasm; glädjerop shouts pl. of joy [över at]
**jubilar** s person celebrating a special anniversary
**jubileum** s anniversary
**jubla** vb itr högljutt shout with joy; inom sig rejoice
**jude** s Jew
**judehat** s hatred of the Jews
**judekvarter** s Jewish quarter
**judendom** s, ~ el. ~en Judaism
**judinna** s Jewess
**judisk** adj Jewish
**judo** s judo

**jugoslav** s Yugoslav
**Jugoslavien** hist. Yugoslavia
**jugoslavisk** adj Yugoslav, Yugoslavian
**juice** s fruit juice
**jul** s Christmas (förk. Xmas); god ~! A Merry Christmas!; i ~as last Christmas; på (om) ~en at Christmas (Christmas-time); få ngt färdigt till ~ ...by Christmas
**jula** vb itr tillbringa julen spend Christmas
**julafton** s Christmas Eve
**julbok** s Christmas book; som julklapp book for Christmas
**juldag** s, ~ el. ~en Christmas Day
**julfirande** s, ~t the celebration of Christmas
**julgran** s Christmas tree
**julgransplundring** s children's party after Christmas [at which the Christmas tree is stripped of its decorations]
**julgransprydnader** s pl Christmas tree decorations
**julhelg** s Christmas; under ~en during Christmas (ledigheten the Christmas holidays)
**juli** s July; jfr april o. femte
**julklapp** s Christmas present; vad gav du honom i ~? ...for Christmas?
**jullov** s Christmas holidays pl.
**julmust** s [type of] root beer [drunk at Christmas]
**julotta** s early church service on Christmas Day
**julskinka** s Christmas ham
**julstjärna** s bot. poinsettia
**julsång** s Christmas carol
**jultomte** s, ~ el. ~n Father Christmas, Santa Claus
**jumbo** s, komma (bli) ~ come (be) last
**jumbojet** s jumbo jet
**jumbopris** s booby prize
**jumper** s jumper
**jungfru** s ungmö maid, maiden; kysk kvinna virgin; Jungfrun astrol. Virgo; J~ Maria the Virgin Mary
**jungfruresa** s maiden voyage
**juni** s June; jfr april o. femte
**junior** adj o. s junior
**junta** s polit. junta
**Jupiter** astron. el. myt. Jupiter
**juridik** s law
**juridisk** adj legal
**jurist** s **1** praktiserande lawyer; rättslärd jurist **2** juris studerande law student
**jury** s jury

**1 just** *adv* just; precis exactly; *ja, ~ han!* yes, him!, the very man!; varför välja ~ *honom?* ...him of all people?; ~ *det!* that's right!

**2 just I** *adj* rättvis fair; korrekt correct; i sin ordning all right, in order **II** *adv* fairly; correctly

**justera** *vb tr* **1** adjust, regulate, set...right **2** sport. injure

**justering** *s* **1** adjusting, regulating **2** sport. injury

**justitiedepartement** *s* ministry of justice

**justitieminister** *s* minister of justice

**justitieombudsman** *s, ~nen* (förk. *JO*) the [Swedish] Parliamentary Ombudsman

**juvel** *s* jewel äv. bildl.; ädelsten gem

**juvelerare** *s* jeweller

**juvelskrin** *s* jewel case

**juver** *s* udder

**jycke** *s* hund dog; vard. pooch

**Jylland** Jutland

**jägare** *s* hunter

**jäkel** *s* devil; *jäklar!* damn!, damn it!, confound it!

**jäkla I** *adj* blasted, darned; starkare damned **II** *adv* damned, confoundedly

**jäklig** *adj* om person damn (damned) nasty [*mot* to]; om sak vanl. damn (damned) rotten

**jäkt** *s* brådska hurry; fläng bustle, hustle; *storstadens ~* the rush and tear of the city

**jäkta I** *vb itr* be always on the move (go); *~ inte!* don't rush!; ta det lugnt take it easy! **II** *vb tr, ~ mig inte!* don't rush me!

**jäktig** *adj* terribly busy, hectic

**jäktigt** *adv, ha det ~* have a terribly busy time of it

**jämbördig** *adj* **1** jämgod ...equal in merit [*med* to], ...in the same class [*med* as] **2** av lika god börd ...equal in birth; bli behandlad *som ~ (en ~)* ...as an equal

**jämföra** *vb tr* compare [*med* vid jämförelse with, vid liknelse to]; *jämför* (förk. *jfr*) compare (förk. cf)

**jämförbar** *adj* comparable

**jämförelse** *s* comparison

**jämförelsevis** *adv* comparatively

**jämförlig** *adj* comparable

**jämgammal** *adj* ...of the same age

**jämgod** *adj* se *jämngod*

**jämka** *vb tr* o. *vb itr* **1** ~ el. ~ *på* flytta move, shift; ~ *på* justera adjust **2 a)** avpassa adapt [*efter* to]; modifiera modify **b)** slå av på, ~ *något på* priset knock something off...

**c)** medla etc., ~ *mellan* två parter mediate between...

**jämlik** *adj* equal

**jämlike** *s* equal

**jämlikhet** *s* equality

**jämmer** *s* jämrande groaning, moaning; elände misery

**jämmerrop** *s* wailing; *ett ~* a wail

**jämn** *adj* **1** utan ojämnheter even; plan level; slät smooth **2** regelbunden even, regular; likformig uniform; konstant constant; kontinuerlig continuous; *hålla ~a steg med* keep in step with; bildl. keep pace (level, up) with **3** *ha ~a pengar* have the exact change; *det är ~t!* t.ex. till en kypare never mind the change!

**jämna** *vb tr* level, make...level (even, smooth); klippa jämn, 'putsa' trim; bildl., t.ex. vägen för ngn smooth; ~ *till (ut)* level, make...level; jfr *utjämna*

**jämnan** *s, för ~* all the time

**jämngod** *adj, vara ~a* be equal to one another; *vara ~ med* be just as good as

**jämnhög** *adj* equally high (resp. tall); lika hög överallt of a uniform height

**jämnhöjd** *s, i ~ med* on a level with

**jämnmod** *s* equanimity

**jämnstor** *adj* lika stor överallt ...of a uniform size; *vara ~a* be equal in size

**jämnstruken** *adj* medelmåttig mediocre; om betyg uniformly low

**jämnt** *adv* **1** even, evenly, level, smoothly, regularly etc. (jfr *jämn*); *dela ~* divide equally; *inte dra ~* vara oense not get on well together **2** precis exactly

**jämnårig** *adj* ...of the same age [*med* as]; *mina ~a* persons of my own age

**jämra** *vb rfl, ~ sig* kvida wail, moan; stöna groan; gnälla whine; klaga complain [*över* i samtliga fall about]

**jämsides** *adv* side by side; sport. neck and neck [*med* with]; abreast [*med* of]

**jämspelt** *adj* evenly matched

**jämstor** se *jämnstor*

**jämställa** *vb tr* place...side by side (on a level, on an equality) [*med* with]

**jämställd** *adj, vara ~ med* be on an equal footing (a par) with

**jämställdhet** *s* **1** mellan könen sex equality **2** parity; *det råder ~ mellan dem* they are on an equal footing

**jämt** *adv* alltid always; ~ el. ~ *och ständigt* for ever; oupphörligt incessantly; gång på gång constantly

**jämte** *prep* tillika med in addition to, together with; inklusive including
**jämvikt** *s* balance; *vara i ~* äv. bildl. be balanced (well-balanced)
**jämväl** *adv* likewise; även also
**jänta** *s* dial. lass
**järn** *s* iron
**järnaffär** *s* ironmonger's, amer. hardware store
**järnek** *s* holly
**järngrepp** *s* iron grip
**järnhandel** *s* ironmonger's, amer. hardware store
**järnhård** *adj* ...as hard as iron
**järnmalm** *s* iron ore
**järnnätter** *s pl* frosty nights
**järnridå** *s* teat. safety curtain; polit. iron curtain
**järnvilja** *s* iron will
**järnväg** *s* railway, amer. vanl. railroad; *resa med ~* go by rail
**järnvägslinje** *s* railway line
**järnvägsolycka** *s* railway accident
**järnvägsspår** *s* railway track
**järnvägsstation** *s* railway station, amer. railroad station
**järnvägsvagn** *s* railway carriage, amer. railroad car; godsvagn railway truck (wagon)
**järnvägsövergång** *s* railway crossing; plankorsning level (amer. grade) crossing
**järpe** *s* zool. hazel hen, hazel grouse (pl. lika)
**jäsa** *vb itr* ferment; *låta* degen *~* allow...to rise
**jäsning** *s* fermentation; bildl. ferment
**jäst** *s* yeast
**jätte** *s* giant
**jättebillig** *adj* dirt-cheap, terrifically cheap
**jättebra** *adj* terrific
**jättefin** *adj* first-rate, smashing
**jättegod** *adj* terrifically good
**jättehög** *adj* enormously high (om t.ex. träd tall)
**jättelik** *adj* gigantic, colossal, immense
**jättesteg** *s* giant stride
**jättestor** *adj* gigantic, colossal
**jävig** *adj* om vittne etc. challengeable; ej behörig disqualified
**jävla** etc., se **djävla** etc.
**jökel** *s* glacier
**jösses** *interj*, *~!* well, I'm blowed!, Good God!

# K

**kabaré** *s* underhållning cabaret
**kabel** *s* cable
**kabeljo** *s* dried cod; långa dried ling
**kabeltelegram** *s* cablegram
**kabel-TV** *s* cable television (TV)
**kabin** *s* passagerares cabin
**kabinett** *s* skåp, regering cabinet
**kabinväska** *s* flyg., ung. carry-on case (bag)
**kackerlacka** *s* cockroach
**kackla** *vb itr* cackle
**kadaver** *s* carcass; ruttnande as carrion
**kadett** *s* cadet
**kadmium** *s* cadmium
**kafé** *s* café; på hotell etc. coffee room
**kaffe** *s* coffee; *två ~!* two coffees, please!; *~ utan grädde* black coffee
**kaffebryggare** *s* coffee percolator (machine)
**kaffebröd** *s* koll. buns and cakes pl.
**kaffeböna** *s* coffee bean
**kaffedags** *s* coffee time, time for coffee
**kaffegrädde** *s* coffee cream
**kaffekanna** *s* coffee pot
**kaffekopp** *s* coffee cup; kopp kaffe cup of coffee
**kaffekvarn** *s* coffee mill, coffee-grinder
**kaffepanna** *s* coffee kettle
**kaffepaus** *s* o. **kafferast** *s* coffee break
**kafferep** *s* coffee party
**kaffeservis** *s* coffee service
**kaj** *s* quay; lossningsplats wharf
**kaja** *s* jackdaw
**kajuta** *s* cabin
**kaka** *s* cake äv. tårta, sockerkaka etc.; småkaka biscuit, amer. cookie; finare bakverk pastry
**kakao** *s* pulver, dryck cocoa
**kakaoböna** *s* cocoa bean
**kakel** *s* platta tile; koll. tiles pl.
**kakelugn** *s* tiled stove
**kakfat** *s* cake dish
**kakform** *s* baking-tin, cake-tin
**kaki** *s* färg o. tyg khaki
**kakmix** *s* [ready-made] cake mix
**kaktus** *s* cactus
**kal** *adj* bare; skallig bald
**kalabalik** *s* uproar, tumult; rörig situation mix-up
**kalas** *s* fest party; måltid feast; *betala ~et* bildl. pay for the whole show, foot the bill
**kalasa** *vb itr* feast [*på* on]

**kalaskula** s vard. potbelly, paunch
**kalcium** s calcium
**kalender** s calendar; almanacka diary
**kalhygge** s clear-felled (clear-cut) area
**kaliber** s calibre
**Kalifornien** California
**kalifornisk** adj Californian
**kalium** s potassium
**kalk** s kem. lime; bergart limestone; *släckt ~* slaked lime
**kalkera** vb tr trace
**kalkerpapper** s genomskinligt tracing-paper
**kalkon** s turkey
**kalkonfilm** s turkey [film (movie)]
**kalksten** s bergart limestone
**kalkyl** s calculation
**kalkylator** s räkneapparat calculator
**kalkylera** vb tr o. vb itr calculate, estimate
**1 kall** adj cold; sval cool; kylig chilly; *jag är ~ om fötterna* my feet are cold
**2 kall** s levnadskall vocation, calling; livsuppgift mission in life
**kalla I** vb tr benämna call; *~ ngn för lögnare* call a p. a liar **II** vb tr o. vb itr, *~ el. ~ på* tillkalla send for, call; officiellt summon; *~ in* a) inbeordra summon b) mil. call up, speciellt amer. draft
**kallbad** s ute bathe
**kallblodig** adj cold-blooded; lugn cool; oberörd indifferent; *ett ~t mord* a murder in cold blood
**kallbrand** s gangrene
**kalldusch** s eg. cold shower; *det kom som en ~* bildl. it was a real let-down (a nasty surprise)
**Kalle Anka** seriefigur Donald Duck
**kallelse** s, *~ till* möte notice (summons) to attend...
**kallfront** s meteor. cold front
**kallna** vb itr get cold; cool
**kallprat** s small talk
**kallsinnig** adj kall; likgiltig indifferent
**kallskuren** adj, *kallskuret* ung. cold buffet dishes pl.
**kallskänka** s cold-buffet manageress
**kallsup** s, *jag fick en ~* I swallowed a lot of cold water
**kallsvett** s cold sweat (perspiration)
**kallt** adv coldly; oberört coolly
**kalops** s ung. Swedish beef stew
**kalori** s calorie
**kalorifattig** adj ...with a low calorie value, low-calorie...
**kaloririk** adj ...with a high calorie value, high-calorie...

**kalsonger** s pl underpants, pants
**kalufs** s forelock; tjock mane
**kalv** s **1** djur calf (pl. calves) **2** kött veal **3** läder calf-leather
**kalva** vb itr calve
**kalvbräss** s sweetbread
**kalvfilé** s fillet of veal
**kalvkotlett** s veal chop (benfri cutlet)
**kalvkött** s veal
**kalvskinn** s calf leather
**kalvstek** s maträtt roast veal
**kam** s comb; på tupp crest
**kamaxel** s bil., *överliggande ~* overhead camshaft
**Kambodja** Cambodia
**kambodjan** s Cambodian
**kambodjansk** adj Cambodian
**kamé** s cameo (pl. -s)
**kamel** s camel; enpucklig dromedary
**kameleont** s chameleon äv. bildl.
**kamelia** s camellia
**kamera** s camera
**kamerahus** s camera body
**kameraobjektiv** s camera lens
**kamgarnstyg** s worsted
**kamin** s stove; el-, fotogen- heater
**kamma** vb tr, *~ sig (håret)* comb one's hair
**kammare** s rum chamber
**kammarmusik** s chamber music
**kamomill** s camomile
**kamomillte** s camomile tea
**kamp** s strid fight, battle; möda struggle [*om, för* for]
**kampanj** s campaign
**kampsport** s martial art
**kamrat** s companion; comrade; arbets- fellow-worker; vän friend
**kamratanda** s, *god ~* a spirit of comradeship
**kamratlig** adj friendly
**kamratskap** s comradeship
**kamrer** s räkenskapsförare [i chefsställning senior] accountant; chef för bankavdelning bank manager
**kan** se kunna
**kana I** s slide; *åka ~* slide **II** vb itr slide
**Kanada** Canada
**kanadensare** s Canadian
**kanadensisk** adj Canadian
**kanal** s geogr. el. TV. el. bildl. channel; konstgjord canal; *Engelska ~en* the Channel
**kanalisera** vb tr canalize
**kanalje** s rascal; skurk scoundrel

**kanalväljare** s TV. channel selector
**kanariefågel** s canary
**Kanarieöarna** pl the Canary Islands, the Canaries
**kandelaber** s candelabra
**kanderad** adj candied
**kandidat** s sökande candidate [till for]; uppsatt nominee
**kanel** s cinnamon
**kanfas** s canvas
**kanhända** adv perhaps, maybe
**kanin** s rabbit; barnspr. bunny
**kanna** s kaffe~, te~ pot; grädd~ jug; trädgårds~ etc. can
**kannibal** s cannibal
**kannibalism** s cannibalism
**1 kanon** s mil. gun; åld. cannon
**2 kanon** s mus. canon, round
**kanot** s canoe
**kanske** adv perhaps, maybe; jag ~ träffar honom i kväll I may (might) meet…
**kansler** s chancellor
**kant** s edge; bård etc. border; hålla sig på sin ~ keep oneself to oneself; komma på ~ med ngn fall out with a p.
**kantarell** s chanterelle
**kantra** vb itr **1** sjö. capsize **2** om vind veer
**kantsten** s kerbstone, speciellt amer. curbstone
**kantstött** adj om porslin, glas chipped
**kanvas** s canvas
**kanyl** s injektionsnål injection needle
**kaos** s chaos
**kaotisk** adj chaotic
**1 kap** s udde cape
**2 kap** s fångst capture
**1 kapa** vb tr ta capture; t.ex. flygplan hijack
**2 kapa** vb tr hugga, skära av cut away; lina cut
**kapabel** adj able [till to]; capable [till of]
**kapacitet** s capacity; han är en stor ~ he is a person of great ability
**kapare** s flyg. hijacker
**kapell** s **1** kyrka, sido~ chapel **2** mus. orchestra **3** överdrag cover
**kapellmästare** s conductor
**kapital** s o. adj capital
**kapitalism** s, ~ el. ~en capitalism
**kapitalist** s capitalist
**kapitalvaror** s pl capital goods
**kapitel** s chapter; ämne topic, subject
**kapitulation** s surrender, capitulation
**kapitulera** vb itr surrender, capitulate
**kapning** s hijacking; en ~ a hijack
**kappa** s **1** coat; vända ~n efter vinden be a turn-coat (a time-server) **2** på gardin pelmet
**kapplöpning** s race; kapplöpande racing [efter for]; häst~ horse-race; löpande horse-racing; en ~ med tiden a race against time
**kapplöpningsbana** s racetrack; häst~ racecourse
**kapplöpningshäst** s racehorse
**kapprodd** s boat race
**kapprum** s cloakroom
**kapprustning** s arms race
**kappsegling** s sailing-race; kappseglande sailing-boat racing, yacht-racing
**kaprifol** s honeysuckle
**kapris** s krydda capers pl.
**kapsejsa** vb itr capsize; välta turn over
**kapsel** s capsule
**kapsyl** s på t.ex. vinbutelj cap; på t.ex. ölflaska top; skruv~ screw cap
**kapsylöppnare** s bottle-opener
**kapten** s sjö., mil. el. sport. captain
**kapuschong** s hood
**kaputt** adj ruined, …done for; om sak broken
**kar** s tub; större vat; badkar bath tub, bath
**karaff** s carafe; med propp decanter
**karakterisera** vb tr characterize; vara betecknande för be characteristic of
**karakteristik** s characterization
**karakteristisk** adj characteristic, typical [för of]
**karaktär** s character; beskaffenhet nature, quality; läggning disposition; viljestyrka willpower
**karaktärsdrag** s characteristic, trait of character
**karaktärslös** adj …lacking in character
**karamell** s sweet, amer. candy
**karantän** s quarantine
**karat** s carat; 18 ~s guld 18-carat gold
**karate** s sport. karate
**karateslag** s karate chop
**karavan** s caravan; bil~ motorcade
**karbad** s bath; varmt hot bath
**karbonpapper** s carbon paper, carbon
**karda I** s card; för ull äv. carding-comb **II** vb tr card **III** vb itr om katt knead
**kardanaxel** s propeller (drive) shaft
**kardborre** s bot. burr
**kardborrknäppning** s ® Velcro [fastening]
**kardemumma** s cardamom
**kardinal** s cardinal
**kardinalfel** s cardinal error
**kardiogram** s cardiogram

**katapult**

**karensdag** *s,* ~ar qualifying (waiting)
period [before benefit may be claimed]
**karg** *adj* om jord, landskap barren, bare; ~ på
*ord* sparing of words
**Karibiska havet** the Caribbean Sea, the
Caribbean
**karies** *s* caries, decay
**karikatyr** *s* caricature; politisk skämtteckning
cartoon
**karikatyrtecknare** *s* caricaturist; politisk
skämttecknare cartoonist
**karl** *s* man (pl. men), fellow, chap
**karlakarl** *s, en* ~ a real man
**karlaktig** *adj* manly; om kvinna mannish
**Karl Alfred** seriefigur Popeye
**Karlavagnen** the Plough, amer. äv. (vard.) the
Big Dipper
**karlgöra** *s, ett* ~ a man's job
**karljohanssvamp** *s* cep
**karm** *s* **1** armstöd arm **2** dörr-, fönsterkarm
frame
**karmstol** *s* armchair
**karneval** *s* carnival
**kaross** *s* vagn coach
**karosseri** *s* body, coachwork
**karott** *s* fat deep dish
**karp** *s* carp (pl. lika)
**Karpaterna** *pl* the Carpathians
**karriär** *s* career
**karriärist** *s* careerist
**kart** *s* unripe fruit
**karta** *s* geogr. map [över of]
**kartblad** *s* map sheet
**kartbok** *s* atlas
**kartell** *s* cartel
**kartlägga** *vb tr* map; bildl. map out
**kartläsning** *s* map-reading
**kartong** *s* papp cardboard; pappask carton
**kartotek** *s* kortregister card index (register)
**karusell** *s* merry-go-round, roundabout
**karva** *vb tr* o. *vb itr* tälja whittle [i, på at];
skära carve, cut
**kasern** *s* barracks (pl. lika)
**kasino** *s* casino (pl. -s)
**kask** *s* hjälm helmet
**kaskad** *s* cascade
**kaskoförsäkring** *s* bil. insurance against
material damage to a (resp. one's) motor
vehicle
**kasperteater** *s* ung. Punch and Judy show
**Kaspiska havet** the Caspian Sea
**kass** *adj* vard. useless, worthless, no good
**kassa** *s* **1** pengar money, funds pl. **2** kontor
cashier's office; där man betalar cashdesk; på

varuhus, snabbköp cashpoint; på postkontor
counter; biljettkassa box office
**kassaapparat** *s* cash register
**kassabehållning** *s* cash in hand
**kassabok** *s* cashbook
**kassafack** *s* safe-deposit box
**kassakvitto** *s* cash receipt, receipt
**kassarabatt** *s* cash discount
**kassaskrin** *s* cashbox
**kassaskåp** *s* safe
**kassavalv** *s* strong room
**kasse** *s* **1** av plast el. papper carrier bag, amer.
paper [shopping] bag; av nät string bag
**2** vard. målbur goal
**1 kassera** *vb tr* scrap; underkänna reject
**2 kassera** *vb tr,* ~ *in* collect; lösa in cash
**kassett** *s* musik-, TV~ etc. cassette
**kassettbandspelare** *s* cassette recorder
**kassettdäck** *s* cassette deck
**kassettradio** *s* cassette radio
**kassör** *s* cashier; i förening etc. treasurer
**kassörska** *s* cashier
**1 kast** *s* throw; med metspö etc. cast; stå sitt
~ take the consequences; ge sig i ~ med
tackle
**2 kast** *s* klass i t.ex. Indien caste
**kasta I** *vb tr* throw; häftigt fling; lätt toss;
vräka hurl; speciellt bildl. samt vid fiske cast
**II** *vb rfl,* ~ *sig* throw oneself; ~ *sig i* en bil
jump into...; ~ *sig i* vattnet plunge into...
□ ~ *av* throw (vårdslöst fling) off; ~ *av*
*sig* throw off; ~ *bort* throw away; tid
waste; det skulle vara bortkastad tid
(bortkastat arbete) att ...time (work)
thrown away to; ~ *ned några rader* jot down
a few words; ~ *om* ändra riktning (ordningen
på), om vinden veer round; t.ex. två rader
transpose; ~ *omkull* throw (knock) down
(over); ~ *på sig kläderna* fling one's clothes
on; ~ *upp* kräkas vomit; ~ *ut* throw
(fling)...out [genom t.ex. fönster of]; ~ *ut*
*pengar på* waste one's money on; ~ *sig*
*över* ngn, ngt fall upon...
**kastanj** *s* äkta chestnut; häst~ horse chestnut
**kastanjetter** *s pl* castanets
**kastrera** *vb tr* castrate
**kastrull** *s* saucepan
**kastspö** *s* casting rod
**kasus** *s* gram. case
**katalog** *s* catalogue [över of]; telefon~
directory
**katalogisera** *vb tr* catalogue
**katalysator** *s* kem. catalyst, catalyser; i bil
catalytic converter
**katapult** *s* catapult

**katapultstol** s ejection seat
**katarakt** s cataract
**katarr** s catarrh
**katastrof** s catastrophe; t.ex. tåg~, flyg~ disaster
**katastrofal** adj catastrophic, disastrous
**katbil** s bil med katalysator cat car
**kateder** s lärares teacher's desk
**katedral** s cathedral
**kategori** s category; klass class
**kategorisk** adj categorical; tvärsäker dogmatic
**katod** s cathode
**katolicism** s, ~ el. ~**en** Catholicism
**katolik** s Catholic
**katolsk** adj Catholic
**katrinplommon** s prune
**katt** s cat; vard. puss, pussycat; *leka ~ och råtta med ngn* play a cat-and-mouse game with a p.; *det vete ~en* blowed if I know; *det ger jag ~en i* I don't care a damn about that; *du kan ge dig ~en på det* you bet your life
**Kattegatt** the Kattegat
**kattlik** adj cat-like, feline
**kattunge** s kitten
**kattutställning** s cat show
**kaukasisk** adj Caucasian
**Kaukasus** the Caucasus
**kautschuk** s radergummi india rubber, rubber; speciellt amer. eraser
**kavaj** s jacket
**kavajkostym** s lounge suit
**kavaljer** s bords~, dans~ partner
**kavalkad** s cavalcade
**kavalleri** s cavalry
**kavallerist** s cavalryman
**kavat** adj käck plucky; morsk cocky
**kaviar** s caviare, caviar
**kavla** vb tr roll □ ~ **ned** strumpa roll down; ärm unroll; ~ **upp** roll up; ~ **ut** deg roll out
**kavle** s brödkavle rolling-pin
**kavring** s dark rye bread
**kaxig** adj morsk cocky; kavat plucky
**Kazachstan** Kazakhstan
**kebab** s kok. kebab
**kedja I** s chain äv. bildl. **II** vb tr chain [vid to]
**kedjebrev** s chain letter
**kedjebutik** s chain store
**kedjehus** s terraced (row) house [linked by a garage to the adjacent houses]
**kedjeröka** vb itr chain-smoke
**kedjerökare** s chain-smoker
**kejsardöme** s empire

**kejsare** s emperor
**kejsarinna** s empress
**kejsarsnitt** s med. Caesarean section
**kela** vb itr, ~ **med** smeka pet, fondle
**kelgris** s pet; favorit favourite
**kelig** adj cuddly, affectionate
**kelt** s Celt
**keltisk** adj Celtic
**keltiska** s språk Celtic
**kemi** s chemistry
**kemikalier** s pl chemicals
**kemisk** adj chemical; ~ **tvätt** dry-cleaning
**kemist** s chemist
**kemtvätt** s dry-cleaning; tvätteri dry-cleaner's
**kemtvätta** vb tr dry-clean
**kennel** s kennels pl.
**keps** s peaked cap, cap
**keramik** s ceramics sg.; alster pottery
**keramisk** adj ceramic
**kerub** s änglabarn cherub
**keso** s ® cottage cheese
**ketchup** s ketchup
**kex** s biscuit, amer. cracker
**KFUK** the YWCA (förk. för Young Women's Christian Association)
**KFUM** the YMCA (förk. för Young Men's Christian Association)
**kidnappa** vb tr kidnap
**kika** vb itr peep [på at]
**kikare** s binoculars pl.; tubkikare telescope
**kikhosta** s whooping cough
**kikna** vb itr choke with coughing; ~ **av skratt** choke with laughter
**kil** s wedge; sömnad. gusset
**1 kila** vb tr med kil wedge; ~ **fast** wedge
**2 kila** vb itr skynda hurry; *nu ~r jag!* now I'll be off!; ~ **hem** be off home; ~ **över** gatan pop over...
**kille** s pojke boy; karl fellow, guy
**killing** s kid
**kilo** s kilo (pl. -s); *ett ~* britt. motsv., ung. 2.2 pounds (förk. lb el. lbs)
**kilogram** s kilogram, kilogramme
**kilometer** s kilometre; *en ~* britt. motsv., ung. 0.62 miles
**kilowatt** s kilowatt
**kilt** s kilt
**kimono** s kimono (pl. -s)
**Kina** China
**kina** s farmakol. quinine
**kinaschack** s sällskapsspel Chinese chequers (amer. checkers) sg.
**kind** s cheek
**kindben** s o. **kindkota** s cheekbone

**klara**

**kindtand** s molar
**kines** s Chinese (pl. lika)
**kinesisk** adj Chinese
**kinesiska** s **1** kvinna Chinese woman **2** språk Chinese; jfr *svenska*
**kinin** s quinine
**kinkig** adj **1** om person: fordrande exacting; petnoga particular **2** om sak: besvärlig difficult; brydsam awkward; ömtålig ticklish, delicate
**kiosk** s kiosk; tidnings~ newsstand
**kippa** vb itr, ~ *efter andan* gasp for breath
**kir** s kir slags drink
**kiropraktor** s chiropractor
**kirurg** s surgeon
**kirurgi** s surgery
**kirurgisk** adj surgical
**kisa** vb itr med ögonen peer
**kiss** s vard. wee-wee; vulg. pee
**kissa** vb itr vard. wee-wee, do a wee-wee; vulg. have (do) a pee
**kisse** s o. **kissekatt** s o. **kissemiss** s vard. pussy, pussycat
**kissnödig** adj vard., *jag är* ~ I've got to do a wee-wee (vulg. pee)
**kista** s möbel chest; likkista coffin
**kitslig** adj småaktig petty; överdrivet kritisk censorious; lättstött touchy
**kitt** s cement; fönsterkitt putty
**kitta** vb tr cement; med fönsterkitt putty
**kittel** s stewpan; större cauldron; grytliknande pot; speciellt te~ kettle
**kittla** vb tr o. vb itr tickle
**kittlare** s klitoris clitoris, vard. clit
**kittlig** adj ticklish
**kiv** s quarrel; kivande quarrelling [*om* about]; *på pin* ~ out of pure cussedness, just to tease
**kivas** vb itr dep gräla quarrel
**kiwi** s o. **kiwifrukt** s kiwi fruit
**kjol** s skirt
**kjollinning** s waistband
**kk** vard. (förk. för *konkurs*), *gå i* (*göra*) ~ go bankrupt
**klabb** s, *hela* ~*et* the whole lot
**klack** s på sko heel
**klacka** vb tr heel
**klackning** s heeling
**klackring** s signet ring
**klackspark** s fotb. back-heel; *ta ngt* (*det hela*) *med en* ~ take a th. as it comes (things as they come)
**1 kladd** s utkast rough copy (koncept draft)
**2 kladd** s kludd daub; klotter scribble
**kladda** vb itr **1** kludda, måla daub; klottra scribble; ~ *ner* soil; med bläck smudge…all over; ~ *ner sig* make a mess all over oneself **2** tafsa, ~ *på ngn* paw (grope) a p.
**kladdblock** s scratch pad
**kladdig** adj klibbig sticky; nedkladdad smeary; ~t skriven scribbly
**klaff** s flap; på bord äv. leaf (pl. leaves)
**klaffa** vb itr stämma tally; fungera work
**klaffbord** s folding table
**klaga** vb itr **1** beklaga sig complain [*över* about, of; *för, hos* to]; knota grumble [*över* at, over]; högljutt lament **2** inkomma med klagomål lodge a complaint
**klagan** s klagomål complaint [*över* about]; knot grumbling; veklagan lament; högljudd wail, wailing
**klagomål** s complaint; *anföra* (*framföra*) ~ *hos ngn mot ngt* lodge a complaint about a th. with a p.
**klagosång** s lament
**klammer** s **1** hakparentes square bracket **2** häft~ staple
**klampa** vb itr gå tungt tramp
**klamra** vb rfl, ~ *sig fast vid* cling firmly to
**klamydia** s med. chlamydia
**klan** s clan
**klander** s blame; kritik criticism
**klandra** vb tr blame, censure, criticize
**klang** s ring; ljud sound; av glas clink; av klockor ringing
**klanta** vb rfl, ~ *sig* make a mess of things
**klantig** adj vard. clumsy; dum stupid
**klantskalle** s vard. blockhead; clumsy fool
**klapp** s smeksam pat; lätt slag tap
**klappa** vb tr o. vb itr ge en klapp pat, tap; smeka stroke; knacka knock; om hjärta beat; ~ *i händerna* clap one's hands
**klappjakt** s bildl. witch-hunt [*på* for]
**klappra** vb itr clatter; om tänder chatter
**klappstol** s folding chair
**klar** adj **1** clear; om t.ex. färg, solsken bright; tydlig plain; märkbar distinct; *få* ~*t för sig, hur…* realize how…; *ha* ~*t för sig,* vad… be clear about (as to)…; *komma* (*vara*) *på det* ~*a med* ngt realize… **2** färdig ready; ~*t…* tele. you are through to…; ~*a, färdiga, gå!* ready, steady, go!; *det är* ~*t* fixat nu it's OK now; *är du* ~ *med arbetet?* have you finished your work?
**klara I** vb tr **1** göra klar clarify; strupen clear **2** reda upp settle, arrange; lyckas med cope with; lösa, t.ex. problem solve; få…gjord get…done; gå i land med manage; ~ *sin examen* pass one's exam; ~ *av* ordna clear off; skuld, räkning äv. settle; bli kvitt get rid

of; ~ *upp* reda upp clear up **II** *vb rfl,* ~ *sig* manage, get on (by); bli godkänd i examen pass; rädda sig get off, escape; vid sjukdom pull through; ~ *sig bra i skolan* do well at school; ~ *sig själv* manage by oneself; ekonomiskt fend for oneself

**klargöra** *vb tr* förklara etc. make...clear, demonstrate [*för ngn* to a p.], clarify; ~ *för ngn att...* make it clear to a p. that...

**klarhet** *s* clarity; *bringa* ~ *i ngt* throw (shed) light on a th.; *få* ~ *i* ngt get a clear idea of...

**klarinett** *s* clarinet

**klarinettist** *s* clarinettist

**klarlägga** *vb tr* make...clear, clarify, demonstrate

**klarna** *vb itr* om himlen clear; om vädret clear up; ljusna brighten up äv. bildl.; bli klarare, om läge become clearer

**klarsignal** *s, få* ~ get the green light (the go-ahead)

**klarsynt** *adj* clear-sighted

**klart** *adv* clearly, brightly, plainly; avgjort decidedly; t.ex. fientlig openly

**klartecken** *s* bildl., *få* (*ge ngn*) ~ get (give a p.) the green light (the OK)

**klarvaken** *adj* wide awake

**klase** *s* fastsittande cluster; lös bunch

**klass** *s* class; skol., avdelning class, form, amer. (i båda fallen) grade; klassrum classroom; rang grade, order; *ett första ~ens hotell* a first-class hotel

**klassamhälle** *s* class society

**klassföreståndare** *s* form master

**klassicism** *s,* ~ el. *~en* classicism

**klassificera** *vb tr* classify

**klassiker** *s* classic

**klassisk** *adj* antik o. om t.ex. musik classical; tidlös classic

**klasskamp** *s* class struggle

**klasskamrat** *s* classmate

**klasskillnad** *s* class distinction

**klassmedveten** *adj* class-conscious

**klassrum** *s* classroom

**klatschig** *adj* effektful striking; flott smart

**klaustrofobi** *s* claustrophobia

**klausul** *s* clause

**klaver** *s, trampa i ~et* put one's foot in it, drop a brick

**klaviatur** *s* mus. keyboard

**klen** *adj* sjuklig etc. feeble; ömtålig delicate; bräcklig frail [*till hälsan* in health]; underhaltig, skral poor

**klenod** *s* dyrgrip priceless article, treasure; släktklenod heirloom

**klenät** *s* kok., ung. cruller

**kleptoman** *s* kleptomaniac

**kleptomani** *s* kleptomania

**kleta I** *vb itr* mess about, make a mess **II** *vb tr,* ~ *ner* mess up

**kletig** *adj* gooey, mucky, sticky

**kli** *s* bran

**klia I** *vb itr* itch **II** *vb tr* scratch **III** *vb rfl,* ~ *sig* scratch oneself; ~ *sig i huvudet* scratch one's head

**klibba** *vb itr* vara klibbig be sticky; fastna stick, cling [*på, vid* to]

**klibbig** *adj* sticky

**kliché** *s* sliten fras cliché

**1 klick** *s* lump; mindre smörklick knob

**2 klick** *s* kotteri clique, set

**klicka** *vb itr* 'strejka' go wrong; misslyckas fail; om skjutvapen misfire

**klient** *s* client

**klientel** *s* kundkrets clientele, clients pl.

**klimakterium** *s* climacteric

**klimat** *s* climate

**klimatförhållanden** *s pl* climatic conditions

**klimax** *s* climax

**klimp** *s* lump; guldklimp nugget; kok., ung. dumpling

**klimpig** *adj* lumpy

**1 klinga** *s* blade

**2 klinga** *vb itr* ring; ljuda, låta sound; om mynt jingle; om glas tinkle; vid skålande clink

**klinik** *s* clinic

**klipp** *s* **1** med sax snip; filmklipp cut; tidningsklipp cutting, clipping **2** bra köp good bargain; smart affär smart (big) deal

**1 klippa I** *vb tr* cut; gräs mow; biljett clip; putsa, t.ex. skägg, häck trim; ~ *till* mönster etc. cut out; ~ *till ngn* land (give) a p. one **II** *vb rfl,* ~ *sig* få håret klippt have one's hair cut

**2 klippa** *s* berg rock; brant havsklippa cliff

**klippdocka** *s* cut-out [doll]

**klippig** *adj* rocky; *Klippiga bergen* the Rocky Mountains, the Rockies

**klippkort** *s* punch-ticket

**klippning** *s* klippande cutting etc. (jfr *1 klippa*); av håret hair-cutting

**klipsk** *adj* snarfyndig quick-witted; förslagen crafty

**klirra** *vb itr* jingle; om glas clink; om metall ring

**klister** *s* paste; lim glue; *råka i klistret* get into trouble (a mess)

**klistra** *vb tr* paste, stick; ~ *fast ngt på ngt* paste (stick) a th. on to a th.; *sitta som* *fastklistrad* (*~d*) *vid* TV:n be glued to…; *~ igen* stick down

**klitoris** *s* clitoris, vard. clit

**kliva** *vb itr* med långa steg stride; stiga step; klättra climb; trampa tread; *~ i* bil climb (båt step) into

**klo** *s* claw; på gaffel, grep prong

**kloak** *s* sewer

**klocka** *s* **1** att ringa med bell **2** fick~, armbands~ watch; vägg~ etc. clock; *hur mycket* (*vad*) *är ~n?* what's the time?; *~n är ett* (*halv ett*) it is one o'clock (half past twelve); *~n är fem minuter över ett* (*i ett*) it is five minutes past one (to one); *~n är* (*börjar bli*) *mycket* it is (is getting) late

**klockarmband** *s* av läder watchstrap; av metall watch bracelet

**klockradio** *s* clock radio

**klok** *adj* förståndig wise; förnuftig sensible; intelligent intelligent; *jag blir inte ~ på honom* (*detta*) I cannot make him (it) out; *han är inte riktigt ~* vard. he's not all there, he's nuts (crackers)

**klokhet** *s* förstånd wisdom; förnuft sense; intelligens intelligence

**klor** *s* chlorine

**klorera** *vb tr* chlorinate

**kloroform** *s* chloroform

**klorofyll** *s* chlorophyll

**klosett** *s* toilet

**kloss** *s* träklump block

**kloster** *s* monastery; nunne~ convent, nunnery

**klosterkyrka** *s* abbey

**klot** *s* kula ball; glob globe

**klotter** *s* scrawl, scribble; offentligt graffiti pl.

**klottra** *vb itr* o. *vb tr* scrawl, scribble

**klubb** *s* club

**klubba** *s* club; slickepinne lolly, lollipop

**klubbjacka** *s* blazer

**klucka** *vb itr* **1** om höns etc. cluck **2** om vätska gurgle; om vågor lap

**kludda** *vb itr* o. *vb tr, ~ i* boken daub…; *~ ner* smudge

**klump** *s* lump; jord~ clod; klunga clump

**klumpeduns** *s* clumsy lout, bungler

**klumpig** *adj* clumsy; tafatt äv. awkward

**klunga** *s* grupp group; skock bunch

**klunk** *s* gulp, draught; *en ~* kaffe a drink of…

**klurig** *adj* om person artful; fiffig ingenious, clever

**kluven** *adj* split, cloven

**klyfta** *s* **1** bergs~ cleft; bred o. djup chasm, gap äv. bildl. **2** apelsin~ segment; i dagligt tal piece; ägg~, äpple~ etc. slice; vitlöks~ clove

**klyftig** *adj* clever, smart, shrewd

**klyka** *s* grenklyka fork; årklyka rowlock, amer. oarlock

**klyscha** *s* fras hackneyed phrase, cliché

**klyva I** *vb tr* split, cleave; skära itu cut…in two; dela divide up **II** *vb rfl*, *~ sig* split

**klä** *vb tr* **1** ge stryk thrash, beat **2** pungslå fleece, cheat

**klåda** *s* itching; retning irritation

**klåfingrig** *adj*, *vara ~* be unable to let things alone

**klåpare** *s* bungler, botcher [*i* at]

**klä I** *vb tr* **1** dress; förse med kläder clothe; *~ julgranen* decorate the Christmas tree **2** passa suit; *det ~r dig* äv. it becomes you **II** *vb rfl*, *~ sig* dress; *~ sig själv* dress oneself; *~ sig fin* dress up

☐ *~ av ngn* undress a p.; *~ av sig* undress; *~ om* möbler re-cover; *~ om* (*om sig*) change; *~ på sig* dress; *~ ut sig* dress oneself up [*till* as]; *~ över* möbler etc. cover

**kläcka** *vb tr* hatch; *~ ur sig* come out with

**kläda** se *klä*

**klädborste** *s* clothes brush

**klädd** *adj* dressed; *hur ska jag vara ~?* what am I to wear?

**klädedräkt** *s* costume; klädsel dress (end. sg.)

**kläder** *s pl* clothes; klädsel clothing, dress (båda end. sg.); *jag skulle inte vilja vara i hans ~* I wouldn't like to be in his shoes

**klädesplagg** *s* article of clothing

**klädhängare** *s* galge clothes hanger, hanger; krok coat peg, peg

**klädnypa** *s* clothes peg, amer. clothespin

**klädsam** *adj* becoming [*för* to]

**klädsel** *s* sätt att klä sig dress; överdrag covering; i bil upholstery

**klädskåp** *s* wardrobe

**klädstreck** *s* clothes line

**kläm** *s* **1** *få fingret i ~* get one's finger caught; *komma i ~* get jammed; *råka i ~* get into a mess (fix) **2** kraft, energi force, vigour; fart etc. go, dash

**klämflaska** *s* squeeze bottle

**klämma I** *s* **1** för papper etc. clip **2** *råka i ~* get into a mess (fix) **II** *vb tr* o. *vb itr* squeeze; om sko pinch; *jag har klämt mig i fingret* I have squeezed my finger

☐ *~ fast* fästa fix, fasten; *~ ut ngt ur…* squeeze a th. out of…; *~ åt* clamp down on

**klämmig** *adj* om person …full of go (fun)

**klämta** *vb itr* toll [*i klockan* the bell]

**klänga I** *vb itr* klättra climb; cling **II** *vb rfl*, ~ *sig fast vid* cling tight on to
**klängros** *s* climbing rose, rambler
**klängväxt** *s* climber, climbing plant
**klänning** *s* dress; för kvällsbruk gown
**kläpp** *s* i ringklocka tongue, clapper
**klätterjärn** *s* climbing-irons pl.
**klätterställning** *s* för barn climbing frame, jungle gym
**klättra** *vb itr* climb; ~ *ned* climb down; ~ *upp i trädet* climb (climb up) the tree
**klösa** *vb tr* scratch
**klöver** *s* **1** bot. clover **2** kortsp. clubs pl.; *en* ~ a club
**klöverdam** *s* the queen of clubs
**klöverfem** *s* the five of clubs
**knacka** *vb tr* o. *vb itr* knock; hårt rap; lätt tap; om motor knock; på skrivmaskin tap; ~ *på* dörren knock etc. at...; *det ~r* there's a knock; ~ *sönder* break...to pieces
**knagglig** *adj* om väg etc. rough, bumpy; *på* ~ *engelska* in broken English
**knaka** *vb itr* creak
**knall** *s* bang; åskknall crash; korks pop
**1 knalla** *vb itr* smälla bang; crash; om kork pop
**2 knalla** *vb itr*, *det ~r och går* I'm jogging along (managing)
**knalleffekt** *s* sensation, sensational effect
**knallhatt** *s* tänd- percussion cap
**knallröd** *adj* bright (vivid) red
**1 knapp** *s* **1** button **2** knopp knob
**2 knapp** *adj* scanty; om t.ex. seger narrow; kortfattad brief; *med* ~ *nöd räddade han sig från att drunkna* he narrowly escaped drowning; *han kom (hann, slapp) undan med* ~ *nöd* he had a narrow escape, he escaped by the skin of his teeth; *om en* ~ *timme* in less than an (one) hour
**knappa** *vb tr*, ~ *in på* skära ned reduce, cut down
**knappast** *adv* se *knappt 2*
**knapphet** *s* scantiness, briefness; om seger narrowness; brist shortage [*på* of]
**knapphål** *s* buttonhole
**knapphändig** *adj* scanty; kortfattad brief
**knappnål** *s* pin
**knappnålshuvud** *s* pinhead
**knappsats** *s* keypad
**knappt** *adv* **1** otillräckligt scantily; om t.ex. seger narrowly; kortfattat briefly; snålt sparingly; *vinna* ~ win by a narrow margin **2** knappast hardly, scarcely; nätt och

jämnt barely; ~...*förrän* hardly (scarcely)...when, no sooner...than
**knapptelefon** *s* push-button (press-button) telephone, keyphone
**knapra** *vb itr* nibble [*på ngt* [at] a th.]
**knaprig** *adj* crisp
**knark** *s* dope
**knarka** *vb itr* take drugs (dope), be a drug addict
**knarkare** *s* drug addict; vard. junkie
**knarra** *vb itr* om t.ex. trappa creak; om skor äv. squeak; om snö crunch
**knasig** *adj* vard. daft, potty; *han är* ~ äv. he's nuts
**knaster** *s* crackle
**knastra** *vb itr* crackle; om grus crunch
**knatte** *s* little fellow (lad)
**knattra** *vb itr* rattle; om t.ex. skrivmaskin clatter
**knega** *vb itr* sträva, slita toil; slava drudge
**knekt** *s* kortsp. jack, knave
**knep** *s* trick; list stratagem, ruse
**knepig** *adj* slug artful; besvärlig tricky
**knipa I** *s* straits pl.; *råka i* ~ get into a fix (jam) **II** *vb tr* nypa pinch; ~ *ihop läpparna* compress one's lips; ~ *ihop ögonen* screw up one's eyes **III** *vb itr*, *om det kniper* bildl. at a pinch
**knippa** *s* o. **knippe** *s* rädisor, blommor etc. bunch
**knipsa** *vb tr*, ~ *av* clip (snip) off
**knipslug** *adj* shrewd; listig crafty, sly
**kniptång** *s* pincers pl.
**kniv** *s* knife; rakkniv razor
**knivblad** *s* blade of a (resp. the) knife
**knivhot** *s*, *under* ~ at knifepoint
**knivhugg** *s* stab
**knivskaft** *s* handle of a (resp. the) knife
**knivskarp** *adj* ...sharp as a razor
**knocka** *vb tr* knock out
**knockout** *s* knock-out
**knoga** *vb itr* arbeta plod; med studier grind away
**knoge** *s* knuckle
**knogjärn** *s* knuckle-duster
**knop** *s* sjö. knot
**knopp** *s* **1** bot. bud; *skjuta* ~ bud **2** knapp, kula knob **3** vard., huvud nob, nut
**knorra** *vb itr* grumble [*över* at]
**knot** *s* grumbling [*över* at]
**1 knota** *vb itr* grumble [*över* at]
**2 knota** *s* ben bone
**knotig** *adj* bony, scraggy; om träd knotty
**knott** *s* gnat; koll. gnats
**knottrig** *adj* om hud rough

**knubbig** *adj* plump; om barn äv. chubby
**knuff** *s* push, shove; med armbågen nudge
**knuffa** *vb tr* push, shove; med armbågen nudge; ~ *sig fram* elbow one's way along; ~ *till* push (knock, bump) into
**knuffas** *vb itr dep*, ~ *inte!* don't push (shove)!
**knull** *s* vulg. fuck
**knulla** *vb tr* o. *vb itr* vulg. fuck
**knussla** *vb itr* be stingy
**knusslig** *adj* stingy, mean
**knut** *s* **1** knot **2** husknut corner
**knutpunkt** *s* centre; järnv. junction
**knyck** *s* ryck jerk; svagare twitch
**knycka I** *vb itr* rycka jerk; svagare twitch **II** *vb tr* stjäla pinch
**knyckla** *vb tr*, ~ *ihop* crumple up
**knyst** *s*, *inte ett* ~ inte ett ljud not the least sound; *inte säga ett* ~ not breathe a word [*om* about]
**knysta** *vb itr*, *utan att* ~ without breathing a word, without murmuring
**knyta** *vb tr* **1** tie **2** ~ *näven* clench (hotfullt shake) one's fist [*åt, mot* at] **3** bildl., ~ *förbindelser* establish connections; ~ *fast* tie, fasten [*vid, på* to]; ~ *till* säck etc. tie up; ~ *upp* lossa untie
**knyte** *s* bundle [*med* of]
**knytkalas** *s* Dutch treat
**knytnäve** *s* fist
**knåda** *vb tr* knead äv. massera
**knåpa** *vb itr* pyssla potter about [*med* at]
**knä** *s* knee; sköte lap; sitta *i* ~*t på ngn* …on a p.'s knee, …on (in) a p.'s lap; *falla (kasta sig) på* ~ *för*… fall on one's knees before…; *ligga på* ~ be kneeling
**knäbyxor** *s pl* short trousers; till folkdräkt etc. breeches
**knäböja** *vb itr* bend the knee, kneel
**knäck** *s* **1** spricka crack; hårt slag blow; *den tog* ~*en på mig* it nearly killed me **2** karamell toffee, amer. taffy
**knäcka** *vb tr* **1** spräcka crack; bryta av break **2** person break, ruin
**knäckebröd** *s* crispbread
**knähund** *s* lapdog
**knäled** *s* knee joint
**1 knäpp** *s* **1** ljud click; knyst sound; smäll snap; med fingrarna flick **2** köldknäpp spell
**2 knäpp** *adj* vard. tokig nuts, screwy
**1 knäppa** *vb itr*, ~ *med fingrarna* hörbart snap one's fingers; ~ *på* sträng pluck, twang
**2 knäppa** *vb tr* **1** med knapp button; ~ *igen (ihop, till)* t.ex. rocken button up; ~ *upp*

t.ex. rocken unbutton; knappen undo **2** ~ [*ihop*] *händerna* clasp one's hands **3** ~ *av (på)* t.ex. ljuset, radion switch off (on)…
**knäppis** o. **knäppskalle** *s* vard. nutcase, crackpot
**knäskydd** *s* kneepad, knee-protector
**knäskål** *s* kneecap
**knäsvag** *adj* darrig shaky, …weak in the knees
**knäveck** *s* hollow of the knee
**knöl** *s* **1** ojämnhet bump; upphöjning boss, knob; svulst tumour; på träd knob; på rot tuber **2** vard. bastard, speciellt amer. son-of-a-bitch; svagare swine
**knölaktig** *adj* swinish; *en* ~ *karl* a bastard (son-of-a-bitch)
**knölig** *adj* ojämn: om t.ex. väg bumpy; om madrass etc. lumpy; om t.ex. finger, träd knobby, knotty
**ko** *s* cow
**koagulera** *vb itr* coagulate, clot
**koalition** *s* coalition
**kobent** *adj* knock-kneed
**kobra** *s* cobra
**kock** *s* cook
**kod** *s* code; *knäcka en* ~ break a code
**koda** *vb tr* code
**kodein** *s* codeine
**koffein** *s* caffeine
**koffert** *s* resväska trunk
**kofot** *s* bräckjärn crowbar; kort inbrottsverktyg jemmy, amer. jimmy
**kofta** *s* stickad cardigan; grövre jacket
**kofångare** *s* på bil bumper
**kohandel** *s* polit. horse-trading
**koj** *s* sjö. hammock; *gå (krypa) till* ~*s* turn in
**koja** *s* cabin, hut; usel hovel
**kok** *s*, *ett* ~ *stryk* a hiding (thrashing)
**koka I** *vb tr* ngt i vätska boil; i kort spad stew; laga till, t.ex. kaffe, soppa make **II** *vb itr* boil □ ~ *ihop* t.ex. en historia concoct; ~ *över* boil over
**kokain** *s* cocaine
**kokbok** *s* cookery book, speciellt amer. cookbook
**kokerska** *s* cook, female (woman) cook
**kokett I** *adj* coquettish **II** *s* coquette
**kokettera** *vb itr* coquet
**kokhet** *adj* boiling (piping) hot
**kokkonst** *s* cookery, culinary art
**kokkärl** *s* cooking utensil
**kokmalen** *adj*, *kokmalet kaffe* coarse-grind coffee
**kokosfett** *s* coconut butter (oil)

**kokosflingor** *s pl* desiccated coconut sg.
**kokosnöt** *s* coconut
**kokospalm** *s* coconut palm
**kokplatta** *s* hotplate
**kokpunkt** *s, på ~en* at the boiling-point;
*nå ~en* reach boiling-point äv. bildl.
**koks** *s* coke
**koksalt** *s* common salt
**kokvrå** *s* kitchenette
**kol** *s* **1** bränsle: stenkol coal; träkol charcoal
**2** kem. carbon
**kola** *s* hård toffee; mjuk caramel
**koldioxid** *s* carbon dioxide
**kolera** *s* cholera
**kolesterol** *s* cholesterol
**kolgruva** *s* coalmine; stor colliery
**kolgruvearbetare** *s* collier, coal-miner
**kolhydrat** *s* carbohydrate
**kolibri** *s* humming-bird
**kolik** *s* colic
**kolja** *s* haddock
**koll** *s* check; *göra en extra ~* check
specially, double-check
**kolla** *vb tr* vard. check; *~* el. *~ in* sl. titta på
look at; *~ upp ngt* check up on a th.
**kollaps** *s* collapse
**kollapsa** *vb itr* collapse
**kollationera** *vb tr* motläsa collate; jämföra
compare; räkenskaper check
**kollega** *s* yrkesbroder colleague; *mina
kolleger* på kontoret my fellow-workers
**kollegieblock** *s* note pad (block)
**kollegium** *s* **1** lärarkår teaching staff
**2** sammanträde staff (teachers') meeting
**kollekt** *s* collection
**kollektion** *s* collection äv. om modekläder
**kollektiv** *adj* o. *s* collective äv. gram.
**kollektivansluta** *vb tr* grupp affiliate...as a
body
**kollektivavtal** *s* collective agreement
**kollektivhus** *s* block of service flats
**kollektivtrafik** *s* public transport
**kolli** *s* package
**kollidera** *vb itr* collide; om t.ex. TV-program
clash
**kollision** *s* collision; om t.ex. TV-program
clash
**kolmörk** *adj* pitch-dark
**kolon** *s* **1** skiljetecken colon **2** med. colon
**koloni** *s* colony
**kolonial** *adj* colonial
**kolonisera** *vb tr* colonize
**koloniträdgård** *s* allotment garden
**kolonn** *s* column
**koloratur** *s* mus. coloratura

**koloss** *s* colossus
**kolossal** *adj* colossal, enormous,
tremendous
**koloxid** *s* carbon monoxide
**koloxidförgiftning** *s* carbon monoxide
poisoning
**kolsvart** *adj* coal-black, jet-black
**kolsyra** *s* **1** syra carbonic acid **2** gas carbon
dioxide
**kolsyrad** *adj, kolsyrat vatten* aerated
water
**koltablett** *s* charcoal tablet
**koltrast** *s* blackbird
**kolugn** *adj* cool as a cucumber
**kolumn** *s* column
**kolv** *s* **1** i motor etc. piston **2** på gevär butt **3** i
lås bolt **4** glaskolv flask
**koma** *s* med. coma
**kombi** *s* estate car, speciellt amer. station
wagon
**kombination** *s* combination
**kombinera** *vb tr* combine
**komedi** *s* comedy
**komedienn** *s* comedienne
**komet** *s* comet
**komfort** *s* comfort
**komfortabel** *adj* comfortable
**komik** *s* comedy
**komiker** *s* comedian; skådespelare comic
actor
**komisk** *adj* rolig comic; skrattretande comical
**1 komma** *s* skiljetecken comma; i decimalbråk
point
**2 komma I** *vb itr* **1 a)** come; hinna, hamna
get; *jag kommer inte på festen* I'm not
going to the party; *hur långt kom vi* i
läseboken *sist?* how far did we get...last
time?; *när hans tur kom* when it came
to (was) his turn; *vart vill du ~?* vad syftar
du på? what are you driving at?; *kom inte
och säg, att...* don't say that...; *~
springande* come running along **b)** med
obetonad prep., *~ av* bero på be due to; *~
från* en fin familj come of...; *~ i säng* get
to bed; *~ i tid* be (hit come, dit get there)
in time; *~ med* **a)** ha med sig bring **b)** lögner
come out with, tell **c)** ursäkter make; *vad
har du att ~ med?* säga what have you
got to say (erbjuda offer)?; *det kommer
på ett ut* it comes to the same thing; *när
jag kommer till* Lund when I get (till dig
come) to...; *avseende slutmål* when I
reach...; *jag kommer kanske till* London
inom kort I may be coming (reser be going)
to...; *~ till* uppgörelse come to **2** *~ att* inf.

# kompensation

**a)** uttr. framtid: *kommer att* inf. will (ibl. i första person shall); småningom come to inf. **b)** råka happen to inf.; *jag kom att tänka på* att jag... it occurred to me... **II** *vb tr* få, föranleda, ~ *ngn att göra ngt* make a p. do a th. **III** *vb rfl*, ~ *sig* hända etc. come about, happen; *hur kom det sig att* han...? how is it (did it come about) that...?

□ ~ **av sig** stop short; tappa tråden lose the thread; ~ **bort** gå förlorad get (be) lost; ~ **efter** följa efter follow; komma senare come afterwards; bli efter fall behind; ~ **emellan a)** *fingrarna kom emellan* my etc. fingers got caught **b)** bildl. intervene; ~ **emot** stöta emot go (snabbare run, häftigare knock) against (into)...; ~ **fram a)** stiga fram: hit come (dit go) up; ur gömställe come out [*ur* of] **b)** ~ vidare get on (igenom through, förbi past); på telefon get through c) hinna (nå) fram get there (hit here); anlända arrive **d)** bli känd, komma ut come out; ~ **före ngn** get there (hit here) before a p.; ~ **ifrån** get away; bli ledig get off; ~ *igen* återkomma return; ännu en gång come again; *kom igen!* kom an come on!; ~ **in** come in, enter; lyckas ~ in get in; ~ **in i** come (hamna get) into; ~ **in på a)** sjukhus etc. be admitted to **b)** samtalsämne get on to; ~ **iväg** get off (away, started); ~ **loss** get away; ~ **med:** ~ *med ngn* följa come (dit go) along with a p., join in; ~ *med i* klubb etc. join; hinna med tåg (båt) catch...; ~ **omkring:** *när allt kommer omkring* after all; ~ **på a)** stiga på get (resp. come) on **b)** erinra sig think of **c)** upptäcka find out, discover **d)** hitta på hit on, think of; ~ **till** uppstå arise, come about; grundas be established; tilläggas be added; *dessutom kommer* moms ~ in addition there will be...; ~ **tillbaka** return, come (go resp. get) back; *jag kommer snart tillbaka!* I'll soon be back!; ~ **undan** undkomma escape; ~ **upp** come up; dit upp go up; stiga upp get up; ~ **upp i en hastighet av...** reach a speed of...; ~ **ut a)** come (dit go) out [*ur* of] **b)** om bok etc. come out, be published; ~ **åt** nå reach; röra vid touch; ~ **över** come (dit go, lyckas ~ get) over (tvärs över, t.ex. flod across); få tag i get hold of; hitta find; övervinna, t.ex. förlust get over

**kommande** *adj* coming, ...to come
**kommando** *s* command; *ta ~t över* take command of
**kommandosoldat** *s* commando (pl. -s el. -es)

**kommendera** *vb tr* command
**kommentar** *s* **1** *~er* skriftliga notes; muntliga comments [*till* on]; *inga ~er!* el. *ingen ~* no comment! **2** utläggning commentary [*till* on]
**kommentator** *s* commentator
**kommentera** *vb tr* comment on; förse med noter annotate
**kommers** *s* business; *det var livlig ~ på* torget there was a brisk trade...
**kommersialisera** *vb tr* commercialize
**kommersiell** *adj* commercial
**komminister** *s* ung. assistant vicar
**kommissarie** *s* polis~ superintendent, lägre inspector; amer. captain, lägre lieutenant
**kommission** *s* commission
**kommitté** *s* committee
**kommun** *s* stads~ municipality; lands~ rural district; myndigheterna local authority
**kommunal** *adj* local government...; ~ *vuxenutbildning* [municipal el.local]adult education; *åka ~t* go by public transport
**kommunalskatt** *s* ung. local taxes pl.
**kommunalval** *s* local government election
**kommunfullmäktig** *s* ung. local government councillor
**kommunfullmäktige** *s* ung. local government council
**kommunicera** *vb tr* o. *vb itr* communicate
**kommunikation** *s* communication
**kommunikationsdepartement** *s* ministry of transport and communications
**kommunikationsmedel** *s* means (pl. lika) of communication
**kommunikationsminister** *s* minister of transport and communications
**kommuniké** *s* communiqué, bulletin
**kommunism** *s*, ~ el. *~en* Communism
**kommunist** *s* Communist
**kommunistisk** *adj* Communist
**komp** *s* vard. accompaniment, comp
**kompa** *vb tr* vard. accompany, comp
**kompakt** *adj* compact
**kompani** *s* company
**kompanjon** *s* partner
**kompanjonskap** *s* partnership
**komparation** *s* comparison
**komparativ I** *s* gram. the comparative; *i ~* in the comparative **II** *adj* comparative
**komparera** *vb tr* compare
**kompass** *s* compass
**kompassnål** *s* compass needle
**kompendium** *s* compendium
**kompensation** *s* compensation

**kompensera** vb tr compensate; uppväga compensate for

**kompetens** s competence; kvalifikationer qualifications pl.

**kompetent** adj competent

**kompis** s vard. pal, mate, amer. buddy

**komplement** s complement

**komplett I** adj complete **II** adv alldeles completely, absolutely

**komplettera** vb tr complete; göra fullständigare äv. supplement; ~nde tilläggs- supplementary

**komplettering** s kompletterande completion; tillägg complementary addition; utvidgning amplification

**komplex** s **1** psykol. complex **2** hus block

**komplicera** vb tr complicate

**komplikation** s complication

**komplimang** s compliment

**komplimentera** vb tr compliment [för on]

**komplott** s plot; vara i ~ med ngn be in conspiracy with a p.

**komponent** s component

**komponera** vb tr mus. compose; friare put together

**komposition** s composition

**kompositör** s composer

**kompost** s compost

**kompott** s compote [på of]; frukt~ stewed fruit

**kompress** s compress

**komprimera** vb tr compress

**kompromettera** vb tr compromise

**kompromiss** s compromise

**kompromissa** vb itr compromise [om about]

**komvux** (förk. för kommunal vuxenutbildning) se under kommunal

**kon** s cone

**koncentrat** s concentrate

**koncentration** s concentration

**koncentrationsförmåga** s power of concentration

**koncentrationsläger** s concentration camp

**koncentrera I** vb tr concentrate [på on] **II** vb rfl, ~ sig concentrate [på on]

**koncept** s draft [till of]; tappa ~erna fattningen become all confused

**koncern** s combine, group of companies

**koncis** adj concise

**kondensera** vb tr condense

**kondensvatten** s condensation water

**1 kondis** s vard., se konditori

**2 kondis** s vard., se kondition

**kondition** s kropps~ condition, fitness; jag har (är i) bra ~ I'm in good shape, I'm very fit; jag har (är i ) dålig ~ I'm in bad shape, I'm not very fit

**konditionalis** s gram. the conditional

**konditor** s pastrycook, confectioner

**konditori** s servering café; butik confectioner's

**kondoleans** s condolences pl.

**kondom** s sheath, condom; vard. French letter, amer. safe, rubber

**konduktör** s buss~ conductor; järnvägs~ guard, amer. conductor

**konfekt** s choklad~ chocolates pl.; karameller sweets pl., amer. candy, candies pl.; blandad chocolates and sweets pl.

**konfektion** s kläder ready-made clothing

**konfektionssydd** adj ready-made

**konferencier** s compère, Master of Ceremonies (förk. MC)

**konferens** s conference; sammanträde meeting

**konferera** vb itr confer [om about, as to]; diskutera äv. discuss the matter

**konfetti** s confetti

**konfidentiell** adj confidential

**konfirmand** s candidate for confirmation

**konfirmation** s confirmation

**konfirmera** vb tr confirm

**konfiskation** s confiscation

**konfiskera** vb tr confiscate

**konfiskering** s confiscation

**konflikt** s conflict

**konfrontation** s confrontation; för identifiering identification parade, line-up

**konfrontera** vb tr, ~ ngn med... confront a p. with...

**konfundera** vb tr confuse

**konfys** adj confused, bewildered

**Kongo** floden the Congo

**Kongoles** s Congolese (pl. lika)

**kongolesisk** adj Congolese

**kongress** s conference; större congress; ~en i USA Congress

**konjak** s brandy; äkta cognac

**konjugation** s conjugation

**konjugera** vb tr conjugate

**konjunktion** s conjunction

**konjunktiv** s gram., ~ el. ~en the subjunctive

**konjunktur** s ~läge state of the market; ~utsikter trade outlook

**konkav** adj concave

**konkret** adj concrete

**konkretisera** vb tr make...concrete

**konkurrens** s competition

**konkurrenskraftig** adj competitive

**konkurrent** *s* competitor [*om* for]
**konkurrera** *vb itr* compete [*om* for]
**konkurs** *s* bankruptcy; *gå i (göra)* ~ go (become) bankrupt
**konnässör** *s* connoisseur [*på* of, in]
**konsekutiv** *adj* consecutive
**konsekvens** *s* överensstämmelse consistency; påföljd consequence
**konsekvent I** *adj* consistent **II** *adv* consistently; genomgående throughout
**konselj** *s* cabinet meeting; ~*en* statsrådsmedlemmarna the Cabinet
**konsert** *s* **1** concert; av solist recital **2** musikstycke concerto (pl. -s)
**konsertera** *vb itr* give a concert (resp. concerts)
**konsertflygel** *s* concert grand
**konsertförening** *s* concert society
**konserthus** *s* concert hall
**konsertmästare** *s* leader of an (resp. the) orchestra, amer. concertmaster
**konserv** *s*, ~*er* tinned (speciellt amer. canned) goods
**konservatism** *s*, ~ el. ~*en* conservatism
**konservativ** *adj* conservative
**konservburk** *s* tin, can
**konservera** *vb tr* preserve äv. kok.
**konservering** *s* preservation
**konserveringsmedel** *s* preservative
**konservöppnare** *s* tin-opener, can-opener
**konsistens** *s* consistency
**konsol** *s* bracket
**konsolidera** *vb tr* consolidate
**konsonant** *s* consonant
**konspiration** *s* conspiracy, plot
**konspiratör** *s* conspirator, plotter
**konspirera** *vb itr* conspire, plot
**konst** *s* **1** art; konstverk (koll.) art, works pl. of art; ~*en att* inf. the art of ing-form; *det är ingen* ~*!* that's easy!; *han kan* ~*en att* inf. he knows how to inf. **2** *göra* ~*er* konststycken do tricks (om akrobat stunts)
**konstant** *adj* constant
**konstatera** *vb tr* fastställa establish; bekräfta certify; iakttaga notice; lägga märke till note, see; utröna find; påvisa show
**konstbevattna** *vb tr* irrigate
**konstellation** *s* constellation
**konstfiber** *s* synthetic (artificial) fibre
**konstföremål** *s* object of art
**konstgalleri** *s* art gallery
**konstgjord** *adj* artificial
**konsthantverk** *s* handicraft
**konstig** *adj* odd, strange, queer
**konstis** *s* artificial ice

**konstitution** *s* constitution
**konstlad** *adj* affekterad affected; onaturlig laboured
**konstläder** *s* artificial (imitation) leather, leatherette
**konstnär** *s* artist
**konstnärlig** *adj* artistic
**konstra** *vb itr* **1** krångla be awkward; ~ *med* tamper with **2** göra invecklad, ~ *till allting* make a big business of everything (of things)
**konstruera** *vb tr* construct; verbet ~*s med ackusativ* ...takes the accusative
**konstruktion** *s* construction; uppfinning invention
**konstruktiv** *adj* constructive
**konstsamlare** *s* art collector
**konstsamling** *s* art collection
**konstsiden** *s* o. **konstsilke** *s* rayon, artificial silk
**konstsim** *s* synchronized swimming, vard. synchro
**konststycke** *s* trick; *något av ett* ~ something of a feat
**konstutställning** *s* art exhibition
**konstverk** *s* work of art
**konståkare** *s* figure-skater
**konståkning** *s* figure-skating
**konstälskare** *s* art-lover
**konsul** *s* consul
**konsulat** *s* consulate
**konsulent** *s* consultant, adviser
**konsult** *s* consultant, adviser
**konsultation** *s* consultation
**konsultera** *vb tr* consult
**konsum** *s* förening co-operative society; förening o. butik co-op
**konsumbutik** *s* co-operative store (shop); vard. co-op
**konsument** *s* consumer
**konsumentprisindex** *s* retail (amer. consumer) price index
**konsumentupplysning** *s* consumer guidance
**konsumera** *vb tr* consume
**konsumtion** *s* consumption
**konsumtionsvaror** *s pl* consumer goods
**kontakt** *s* **1** contact; *komma i* ~ *med* get into contact (touch) with **2** strömbrytare switch; stickpropp plug; vägguttag point, amer. outlet
**kontakta** *vb tr* contact
**kontaktlim** *s* impact adhesive
**kontaktlinser** *s pl* contact lenses
**kontaktsvårigheter** *s pl* difficulty sg. in

making contacts with people (in mixing with others)

**kontant I** *adj* cash; ~ *betalning* cash payment; *mot ~ betalning* for cash **II** *adv*, *betala* bilen ~ pay cash for...

**kontanter** *s pl* ready money sg.; *i ~* cash in hand

**kontantpris** *s* cash price

**kontemplativ** *adj* contemplative

**kontenta** *s*, *~n av...* the gist of...

**kontinent** *s* continent

**kontinental** *adj* continental

**kontinuerlig** *adj* continuous

**kontinuitet** *s* continuity

**konto** *s* account; löpande räkning current account; *skriv (sätt) upp det på mitt ~!* put it down to my account!

**kontokort** *s* credit card

**kontor** *s* office

**kontorist** *s* clerk; *hon (han) är ~* she (he) works in an office

**kontorsanställd** *subst adj* office employee

**kontorsmateriel** *s* office supplies pl.

**kontorspersonal** *s* office (clerical) staff

**kontorstid** *s* office hours pl.

**kontoutdrag** *s* statement of account

**kontrabas** *s* contrabass; basfiol double bass

**kontrahent** *s* contracting party

**kontrakt** *s* contract; överenskommelse agreement

**kontrast** *s* contrast [*mot, till* to]

**kontrastera** *vb itr* contrast [*mot* with]

**kontrastverkan** *s* contrasting effect

**kontring** *s* sport. breakaway; boxn. counter, counterblow; *på ~* i lagspel on the break

**kontroll** *s* check, check-up [*av, över* on]; full behärskning, tillsyn control [*över* of]

**kontrollampa** *s* pilot (warning) lamp

**kontrollant** *s* supervisor, inspector

**kontrollbesiktning** *s* av fordon vehicle test; motsvaras i Storbr. av MOT (förk. för Ministry of Transport) test

**kontrollera** *vb tr* **1** granska check; pröva, undersöka test; övervaka supervise **2** behärska control

**kontrollstämpel** *s* på silver etc. hallmark

**kontrollör** *s* controller

**kontrovers** *s* controversy

**kontroversiell** *adj* controversial

**kontur** *s* outline, contour

**konung** *s* king

**konvalescens** *s* convalescence

**konvalescent** *s* convalescent, convalescent patient

**konvalescenthem** *s* convalescent home

**konvalje** *s* lily of the valley (pl. lilies of the valley)

**konvenans** *s*, *~en* convention; *bryta mot ~en* commit a breach of etiquette

**konvention** *s* convention

**konventionell** *adj* conventional

**konversation** *s* conversation

**konversera** *vb itr* o. *vb tr* converse [*om* about, on]

**konvex** *adj* convex

**konvoj** *s* convoy

**kooperation** *s* co-operation

**kooperativ** *adj* co-operative

**koordination** *s* co-ordination

**koordinera** *vb tr* co-ordinate

**kopia** *s* copy; avskrift transcript; foto. print

**kopiator** *s* [photo]copier

**kopiera** *vb tr* copy; skriva av transcribe; foto. print

**kopieringsapparat** *s* photocopier

**kopp** *s* cup; som mått äv. cupful

**koppar** *s* copper

**koppel** *s* hund~ leash; grupp hundar pack of hounds

**koppla** *vb tr* couple, couple up; radio., tele. connect

□ *~* **av** vila relax; *~* **in** ansluta, t.ex. apparat plug in; anlita call in; *~* **på** elektr. switch (turn) on; *~* **upp** elektr. link up, connect; *~* **ur** a) elektr. disconnect b) bil. declutch

**koppleri** *s* procuring, pimping

**koppling** *s* kopplande coupling, connecting; förbindelse connection; bil. clutch

**kopplingspedal** *s* clutch pedal, clutch

**kopplingsschema** *s* wiring-diagram

**kora** *vb tr* choose, select [*till* as]

**korall** *s* coral

**koran** *s*, *Koranen* the Koran

**korean** *s* Korean

**koreansk** *adj* Korean

**koreograf** *s* choreographer

**koreografi** *s* choreography

**korg** *s* basket

**korgboll** *s* basketball

**korgmöbler** *s pl* wicker furniture sg.

**korgosse** *s* choirboy

**korint** *s* currant

**kork** *s* cork; *dra ~en ur* flaskan uncork...

**korka** *vb tr* cork; *~ igen (till)* cork

**korkad** *adj* vard., dum stupid

**korkmatta** *s* linoleum

**korkskruv** *s* corkscrew

**korn** *s* **1** sädeskorn grain; *ett ~ av sanning* a grain of truth **2** sädesslag barley

**kornblixt** s sheet lightning; *en ~* a flash of sheet lightning

**kornett** s cornet

**korp** s fågel raven

**korpidrott** s inter-company athletics (sport)

**korporation** s corporate body

**korpral** s corporal

**korpulent** adj stout, corpulent

**korrekt** adj correct; felfri faultless

**korrektur** s proofs pl.

**korrekturläsa** vb tr proofread

**korrespondensinstitut** s correspondence school

**korrespondensundervisning** s postal tuition

**korrespondent** s correspondent

**korrespondera** vb itr correspond

**korridor** s corridor

**korrigera** vb tr correct; revidera revise

**korrosion** s corrosion

**korrugerad** adj, *~ järnplåt* corrugated iron

**korrumpera** vb tr corrupt

**korruption** s corruption, graft

**kors I** s cross; mus. sharp; *lägga armarna* (*benen*) *i ~* cross one's arms (legs); *sitta med armarna* (*händerna*) *i ~* bildl. twiddle one's thumbs, sit doing nothing **II** adv, *~ och tvärs* åt alla håll in all directions

**korsa** vb tr cross; två arter äv. cross-breed; skära intersect; *~ gatan* cross the street; *~ ngns planer* cross (thwart) a p.'s plans; *~ över* cross out, strike through

**korsband** s, sända *som ~* trycksaker ...as printed matter

**korsdrag** s draught, amer. draft

**korseld** s crossfire

**korsett** s corset

**korsfästa** vb tr crucify

**korsfästelse** s crucifixion

**korsförhör** s cross-examination

**Korsika** Corsica

**korsikan** s o. **korsikanare** s Corsican

**korsikansk** adj Corsican

**korslagd** adj crossed; *med ~a armar* with folded arms; sitta *med ~a ben* ...cross-legged

**korsning** s crossing; av två arter äv. crossbreeding; hybrid crossbreed

**korsord** s crossword, crossword puzzle

**korsrygg** s, *~en* the small of the back

**korsstygn** s cross-stitch

**korstecken** s, *göra korstecknet* make the sign of the cross

**korståg** s crusade

**1 kort** s **1** spelkort, vykort etc. card; *sköta* (*spela*) *sina ~ väl* play one's cards well **2** foto photo (pl. -s), picture

**2 kort I** adj short; *med ~a mellanrum* at short (brief) intervals; stanna bara *en ~ stund* ...for a little while; *en ~ tid därefter* shortly afterwards; *göra ~are* shorten; förkorta abbreviate **II** adv shortly, briefly; *för att fatta mig ~* to be brief; *~ sagt* in short, in brief

**korta** vb tr shorten

**kortautomat** s på bensinstation credit-card fuel pump

**kortbrev** s letter card

**kortbyxor** s pl shorts

**kortdistanslöpare** s short-distance runner, sprinter

**kortfattad** adj brief, short

**korthet** s shortness; *i ~* briefly

**korthårig** adj short-haired

**kortklippt** adj om person, *vara ~* have one's hair cut short

**kortlek** s pack of cards

**kortlivad** adj short-lived

**kortregister** s card index [*över* of]

**kortsida** s short side

**kortsiktig** adj short-term...

**kortslutning** s short circuit

**kortspel** s **1** spelande playing cards **2** enstaka spel card-game

**kortspelare** s card-player

**kortsynt** adj short-sighted

**korttelefon** s cardphone

**kortvarig** adj ...of short duration, short

**kortvåg** s short wave

**kortväxt** adj short

**kortärmad** adj short-sleeved

**korv** s sausage; *varm ~* hot dog (koll. dogs pl.)

**korva** vb rfl, *~ sig* om strumpa be sagging, ständigt sag

**korvgubbe** s hot-dog man

**korvstånd** s hot-dog stand

**kos** s, *gå* (*springa*) *sin ~* go (run) away

**kosack** s Cossack

**koscher** adj kosher

**kosing** s vard. dough sg., bread sg.

**kosmetika** s pl cosmetics, make-up sg.

**kosmetisk** adj cosmetic

**kosmonaut** s cosmonaut

**kosmos** s världsalltet the cosmos

**kossa** s **1** barnspr. moo-cow **2** neds. om kvinna cow, bitch

**kost** s fare; *~ och logi* board and lodging

**kosta** vb tr o. vb itr cost; ~ **vad det ~ vill** no matter what the cost, money is no object; ~ **på** lägga ut, offra spend [på ngn (ngt) on a p. (a th.)]; ~ **på sig ngt** treat oneself to a th.

**kostbar** adj dyrbar costly; värdefull precious

**kostfiber** s roughage

**kostnad** s, ~ el. ~**er** cost sg.; utgifter expense sg., expenses pl.

**kostnadsfri** adj ...free of cost (avgiftsfri of charge)

**kostsam** adj costly, expensive, dear

**kostvanor** s pl eating habits

**kostym** s **1** suit **2** teater~ costume; maskerad~ fancy dress

**kostymbal** s fancy-dress (costume) ball

**kota** s ryggkota vertebra (pl. vertebrae)

**kotknackare** s vard. bone-setter, chiropractor

**kotlett** s chop; benfri cutlet

**kotte** s **1** cone **2** inte en ~ not a soul

**kotteri** s coterie, set; neds. clique

**kovändning** s, **göra en** ~ do a turnabout (turnround, amer. turnaround), perform a volte-face

**koögd** adj cow-eyed

**kpist** s sub-machine-gun

**krabat** s, **din lilla** ~**!** you little beggar (monkey, rascal)!

**krabba** s crab

**krafs** s skräp trash; krimskrams knick-knacks pl.

**krafsa** vb tr o. vb itr scratch; ~ **ned** jot (scribble) down

**kraft** s **1** force; drivkraft etc.; äv. elektr. power; ~**erna svek honom, hans ~er avtog** his strength failed; **pröva sina ~er på** try one's strength on; ge sig i kast med grapple with; **av alla ~er** så mycket man orkar with all one's might, for all one is worth **2** man man; kvinna woman; arbetare worker; **vara den drivande ~en** be the driving force; firman har förvärvat **nya ~er** ...new people **3** **träda i** ~ come into force (effect); **i ~ av** by virtue of

**kraftanläggning** s power plant (station)

**kraftansträngning** s, **göra en** ~ make a real effort

**kraftig** adj **1** kraftfull powerful; våldsam violent, hard; **en** ~ **dos** a strong dose **2** stor, avsevärd great, considerable **3** stor till växten big; stadigt byggd sturdy, robust; tjock, tung heavy äv. t.ex. om tyg

**kraftledning** s power (transmission) line

**kraftlös** adj svag, klen weak, feeble

**kraftmätning** s trial of strength; friare showdown; tävlan contest

**kraftverk** s power station

**krage** s collar

**kragstövel** s top boot

**krake** s stackare wretch; ynkrygg coward

**kram** s hug; smeksam cuddle; i brevslut love

**krama** vb tr **1** trycka, pressa squeeze **2** omfamna hug, embrace; smeksamt cuddle

**kramgo** adj cuddly

**kramp** s i ben, fot etc. cramp

**krampaktig** adj spasmodic; ~**t försök** desperate attempt

**krampanfall** s attack of cramp, spasm

**kramsnö** s wet (packed) snow

**kran** s vattenkran tap, speciellt amer. faucet; lyft~ crane

**krans** s blomster~, äv. vid begravning wreath; ring, krets ring äv. bakverk

**kranvatten** s tap water

**kras** s, **gå i** ~ go to (starkare fly into) pieces

**krasch** s crash, smash

**krascha** vb tr o. vb itr crash, smash; itr. bildl. go to pieces

**kraschlanda** vb itr crash-land

**kraschlandning** s crash-landing

**krass** adj materialistic, self-interested; **den ~a verkligheten** harsh reality

**krasse** s blomster~ nasturtium, Indian cress; krydd~ garden cress

**krasslig** adj seedy, out of sorts

**krater** s crater

**kratta** **I** s redskap rake **II** vb tr rake

**krav** s demand; anspråk claim

**kravaller** s pl riots, disturbances

**kravatt** s necktie, tie

**kravbrev** s demand note; påminnelse reminder

**kravla** vb itr crawl; ~ **sig upp på** crawl up on to

**kraxa** vb itr croak

**kreativ** adj creative

**kreatur** s farm animal; ~ pl., nötkreatur cattle

**kredit** s credit; **köpa på** ~ buy on credit

**kreditera** vb tr credit

**kreditkort** s credit card

**kreditåtstramning** s credit squeeze

**krematorium** s crematorium

**kremera** vb tr cremate

**kremering** s cremation

**Kreml** the Kremlin

**kremla** s russula

**kreti och pleti** s every Tom, Dick and Harry sg.

**kretong** s cretonne

**krets** s circle; ring ring; strömkrets circuit; *känd i vida ~ar* widely known

**kretsa** vb itr circle

**kretslopp** s t.ex. blodets circulation; t.ex. jordens revolution

**krevera** vb itr explode, burst

**kricket** s cricket

**kricketspelare** s cricketer

**krig** s war; krigföring warfare; *föra ~ mot* make (wage) war on

**kriga** vb itr war, make war [*mot* on, against]

**krigare** s soldier; litt. el. åld. warrior

**krigförande** adj, ~ *makt* belligerent

**krigföring** s warfare

**krigisk** adj warlike, martial

**krigsfara** s danger of war

**krigsfartyg** s warship, man-of-war (pl. men-of-war)

**krigsfånge** s prisoner of war (förk. POW)

**krigsförklaring** s declaration of war

**krigskorrespondent** s war correspondent

**krigsmakt** s, ~en the armed (fighting) forces pl.

**krigsrisk** s danger (risk) of war

**krigsrätt** s domstol court-martial (pl. äv. courts-martial); *ställas inför ~* be court-martialled

**krigsskådeplats** s theatre of war

**krigsstig** s, *på ~en* on the warpath äv. bildl.

**krigstid** s, *i ~* in wartime

**krigstillstånd** s state of war

**krigsutbrott** s outbreak of war

**Krim** the Crimea

**kriminal** s, ~en the criminal police

**kriminalare** s detective

**kriminalitet** s crime

**kriminalkommissarie** s detective superintendent (lägre inspector)

**kriminalpolis** s, ~en the criminal police

**kriminalvård** s treatment of offenders

**kriminell** adj criminal

**krimskrams** s knick-knacks pl.

**kring** prep **1** runt om round, speciellt amer. around; omkring, i fråga om tid about, round about; *mystiken ~* försvinnandet the mystery surrounding... **2** om, angående about, concerning

**kringfartsled** s trafik. ring road, amer. beltway

**kringgå** vb tr lagen, reglerna evade, circumvent, get round

**kringla** s kok. pretzel; vete~ twist bun

**kringliggande** adj omgivande surrounding

**kringresande** adj travelling, touring

**kringspridd** adj o. **kringströdd** adj ...scattered about

**krinolin** s crinoline

**kris** s crisis (pl. crises)

**krisdrabbad** adj ...hit by a crisis (depression depression); om t.ex. område depressed

**krispaket** s austerity package

**kristall** s crystal; glas äv. cut glass

**kristallisera** vb tr o. vb itr crystallize [*till* into]

**kristallklar** adj crystal-clear

**kristallkrona** s cut-glass chandelier

**kristen** adj o. subst adj Christian

**kristendom** s, ~ el. ~en Christianity

**kristendomskunskap** s skol. religion; bibelkunskap scripture

**kristenhet** s, ~ el. ~en Christendom

**kristid** s time of crisis

**Kristi Himmelsfärdsdag** Ascension Day

**kristlig** adj kristen Christian

**Kristus** Christ; *efter ~* (förk. e.Kr.) AD; *före ~* (förk. f.Kr.) BC

**krita** s **1** chalk; färgkrita crayon **2** *ta på ~* buy on tick; *när det kommer till ~n* when it comes to it

**kriterium** s criterion (pl. criteria) [*på* of]

**kritik** s bedömning, klander criticism; recension review; kort notice; ~en kritikerna the critics, the reviewers (båda pl.); *under all ~* beneath contempt

**kritiker** s critic; recensent reviewer

**kritisera** vb tr klandra criticize, find fault with

**kritisk** adj critical [*mot* of]

**kritvit** adj ...white as chalk

**kroat** s Croat

**Kroatien** Croatia

**kroatisk** adj Croatian

**krock** s bilkrock etc. collision, crash

**krocka** vb itr om bil etc., ~ *med ngt* collide with a th., crash into a th.

**krocket** s croquet

**krocketklubba** s croquet mallet

**krockkudde** bil. airbag, crashbag

**krog** s restaurant; värdshus inn

**krok** s hook; *nappa på ~en* swallow the bait

**krokben** s, *sätta ~ för ngn* trip a p. up

**krokett** s kok. croquette

**krokig** adj crooked; i båge curved; böjd bent

**krokna** vb itr bend, become crooked (bent); vard. tappa orken fold up

**krokodil** s crocodile

**krokryggig** adj, *gå (vara) ~* walk with (have) a stoop

**krokus** *s* crocus
**krom** *s* chromium
**kromosom** *s* chromosome
**krona** *s* **1** crown; ~ *eller klave* heads or tails; *sätta ~n på verket* supply the finishing touch **2** svenskt mynt [Swedish] krona (pl. kronor), (förk. SKr, SEK)
**kronblad** *s* petal
**kronhjort** *s* red deer
**kronisk** *adj* chronic
**kronologisk** *adj* chronological
**kronprins** *s* crown prince
**kronprinsessa** *s* crown princess
**kronärtskocka** *s* artichoke, globe artichoke
**kropp** *s* body
**kroppkaka** *s* potato dumpling stuffed with chopped pork
**kroppsarbete** *s* manual labour (work)
**kroppsbyggnad** *s* build
**kroppsdel** *s* part of the body
**kroppslig** *adj* bodily, physical
**kroppslukt** *s* body odour (förk. BO)
**kroppsnära** *adj* body-hugging, figure-hugging
**kroppsställning** *s* posture
**kroppstemperatur** *s* body temperature
**kroppsvisitation** *s* [personal] search; vard. frisk; visitering frisking
**kroppsvisitera** *vb tr* search; vard. frisk
**kroppsvärme** *s* heat of the body
**kroppsövningar** *s pl* physical exercises
**krossa** *vb tr* crush; slå sönder break, shatter
**krubba** *s* manger, crib; jul~ crib
**krucifix** *s* crucifix
**kruka** *s* blomkruka pot; vard., om person coward
**krukväxt** *s* potted plant
**krullig** *adj* curly; tätare frizzy
**krumbukt** *s, utan ~er* straight out
**krumelur** *s* snirkel flourish
**krupp** *s* med. croup
**krus** *s* kärl jar; med handtag jug, pitcher
**krusa I** *vb tr,* ~ *sig* curl, crisp; om vattenyta ripple **II** *vb tr* o. *vb itr* stand on ceremony; ~ *ngn* el. ~ *för ngn* make a fuss of a p.; ställa sig in hos make up to a p., chat up a p.
**krusbär** *s* gooseberry
**krusiduller** *s pl* i skrift flourishes; mera allmänt frills
**krusig** *adj* curly; speciellt bot. curled; om vattenyta rippled
**kruskål** *s* kale
**krustad** *s* croustade
**krut** *s* gun powder

**krutdurk** *s* powder magazine; *sitta på en* ~ vard. sit on top of a volcano
**krutgubbe** *s* tough old boy
**krux** *s* crux
**kry** *adj* ...well, fit
**krya** *vb* rfl, ~ *på sig* get better, recover; ~ *på dig!* try to get better!
**krycka** *s* crutch; handtag på käpp etc. handle, crook
**krydda I** *s* spice äv. bildl.; t.ex. peppar, salt seasoning, flavouring; bords~ condiment **II** *vb tr* speciellt med salt o. peppar season; speciellt med andra kryddor spice äv. bildl.
**kryddhylla** *s* spice-rack
**kryddnejlika** *s* clove
**kryddost** *s* seed-spiced (clove-spiced) cheese
**kryddpeppar** *s* allspice
**kryddväxt** *s* aromatic plant; speciellt exotisk spice
**krylla** *vb itr, det ~de av myror* the place was crawling with ants; *det ~de av folk* the place was swarming with people
**krympa** *vb tr* o. *vb itr* shrink; ~ *ihop* shrink
**krympfri** *adj* unshrinkable; krympfribehandlad pre-shrunk
**krympling** *s* cripple
**krympmån** *s, beräkna* ~ allow for shrinkage
**kryp** *s* creepy-crawly; om pers.: neds. creep; smeksamt om barn little mite
**krypa** *vb itr* crawl; speciellt tyst creep; ~ *för ngn* bildl. cringe to a p.; ~ *i säng (till kojs)* go to bed; ~ *ihop* t.ex. i soffan huddle up; *sitta hopkrupen* sit huddled up
**krypbyxor** *s pl* crawlers, amer. creepers
**krypfil** *s* slow-traffic (amer. creeper) lane
**kryphål** *s* bildl. loophole
**krypin** *s* gömställe, hål nest; lya den
**krypköra** *vb itr* edge along
**krypskytt** *s* mil. sniper
**kryptisk** *adj* cryptic
**krysantemum** *s* chrysanthemum
**kryss** *s* kors cross; på tipskupong draw
**kryssa** *vb itr* **1** sjö., gå mot vinden sail to windward; segla omkring cruise **2** ~ *för* markera mark with a cross
**kryssare** *s* cruiser
**kryssning** *s* långfärd cruise
**krysta** *vb itr* vid avföring strain; vid förlossning bear down
**krystad** *adj* sökt strained, laboured
**kråka** *s* **1** fågel crow **2** märke tick
**kråkfötter** *s pl* bildl. scrawl sg.

**kråkslott** s old dilapidated mansion

**krångel** s trouble, fuss; *det är något ~ med motorn* there is something wrong with the engine

**krångla** vb itr **1** ställa till krångel make a fuss (difficulties); förorsaka besvär give trouble; ~ *till* röra till make a mess of; göra invecklad complicate **2** 'klicka' go wrong; magen (motorn) ~*r* there is something wrong with...

**krånglig** adj svår difficult; invecklad complicated; besvärlig troublesome; kinkig awkward; dålig, t.ex. om mage weak

**kräfta** s **1** zool. crayfish **2** *Kräftan* astrol. Cancer

**kräftskiva** s crayfish party

**kräk** s stackare poor thing, wretch; knöl brute

**kräkas I** vb itr dep vomit, be sick **II** vb tr, ~ *blod* vomit blood

**kräla** vb itr krypa crawl; ~ *i stoftet* bildl. grovel [*för* to]

**kräldjur** s reptile

**kräm** s cream

**krämpa** s ailment

**kränga I** vb tr dra, t.ex. tröja över huvudet force; ~ *av sig* pull off **II** vb itr sjö. heel over; slänga, om bil, flygplan etc. sway

**krängning** s heeling, swaying

**kränka** vb tr bryta mot violate; inkräkta på infringe; förolämpa offend; såra injure

**kränkande** adj förolämpande insulting

**kränkning** s violation; av t.ex. rättigheter infringement; förolämpning offence

**kräpp** s crepe

**kräppnylon** s stretch nylon

**kräsen** adj fastidious, particular

**kräva** vb tr demand, call for; ta i anspråk, t.ex. tid take; ~ *ngn på betalning* demand payment from a p.; *olyckan krävde tre liv* the accident claimed the lives of three people

**krävande** adj om arbete etc. exacting; svår arduous, heavy; påfrestande, t.ex. om tid trying

**krögare** s källarmästare restaurant-keeper, restaurateur

**krök** s bend; av väg äv. curve

**kröka I** vb tr bend; i båge äv. curve; t.ex. ryggen bend **II** vb itr bend

**kröka** vb itr vard., supa booze

**kröken** s vard. booze, liquor; *spola ~* go on the wagon

**krön** s bergskrön etc. crest; högsta del top

**kröna** vb tr crown

**krönika** s chronicle; artikel över visst ämne column

**kröning** s kunga~ etc. coronation

**kub** s cube

**Kuba** Cuba

**kuban** s Cuban

**kubansk** adj Cuban

**kubik** s, *5 i ~* the cube of 5

**kubikmeter** s cubic metre

**kuckeliku** interj cock-a-doodle-doo!

**kudde** s cushion; huvudkudde pillow

**kugga** vb tr vard., i tentamen plough, amer. flunk

**kugge** s cog äv. bildl.

**kuggfråga** s catch (tricky) question

**kugghjul** s gearwheel, cogwheel, tooth wheel

**kuk** s vulg. prick, cock

**kukeliku** interj cock-a-doodle-doo!

**kul** adj vard., trevlig nice; roande amusing

**kula** s **1** ball; gevärs~ bullet; bröd~, pappers~ etc. pellet; leksak marble; *spela ~* play marbles **2** sport., *stöta ~* put the shot **3** *börja på ny* ~ start afresh

**kulen** adj om dag raw and chilly, bleak

**kulinarisk** adj culinary

**kuling** s gale; *frisk ~* strong breeze

**kuliss** s teat., vägg sidescene; sättstycke set piece; bildl. front; *bakom ~erna* behind the scenes; *i ~en (~erna)* in the wings

**kull** s av däggdjur litter; av fåglar brood; friare batch

**kullager** s ball bearing

**kulle** s hill; liten hillock, mound

**kullerbytta** s somersault; fall fall

**kullersten** s cobblestone, cobble

**kullkasta** vb tr t.ex. ngns planer upset

**kulmen** s culmination; höjdpunkt climax

**kulminera** vb itr culminate [*i* in]; reach one's climax (statistiskt peak)

**kulpenna** s o. **kulspetspenna** s ball (ballpoint) pen, ballpoint

**kulspruta** s machine gun

**kulsprutepistol** s sub-machine-gun

**kulstötning** s putting the shot

**kult** s cult

**kultiverad** adj t.ex. om smak, språk cultured, refined, cultivated

**kultur** s civilisation civilization; bildning culture; jordbruk cultivation; bakterie~ culture

**kulturchock** s culture shock

**kulturell** adj cultural

**kulturkrock** s cultural clash

**kultursida** s i tidning cultural page

**kulör** *s* colour; *schattering* shade
**kulört** *adj* coloured; **~ lykta** papperslykta Chinese lantern
**kummel** *s* fisk hake
**kummin** *s* caraway
**kumpan** *s* kamrat companion; medbrottsling accomplice
**kund** *s* customer; mera formellt client
**kunde** se *kunna*
**kundkrets** *s* customers pl., clientele
**kundvänlig** *adj* customer-friendly
**kung** *s* king
**kungafamilj** *s* royal family
**kungapar** *s* royal couple
**kunglig** *adj* royal
**kunglighet** *s* royalty; person royal personage
**kungsörn** *s* golden eagle
**kungöra** *vb tr* announce, proclaim
**kungörelse** *s* announcement, proclamation
**kunna I** *hjälpvb (kan* resp. *kunde)* **1** can (resp. could); *jag skall göra så gott jag kan* I will do my best; *han kan köra bil* förstår sig på att he knows how to drive a car; är i stånd att he is capable of driving a car; *det kan inte vara sant* that can't be true; *jag kan inte komma imorgon* I can't (shan't be able to) come tomorrow **2** may (resp. might) **a)** 'kan kanske', *du kunde ha förkylt dig* you might have caught a cold; *det kan (kunde)* tänkas *vara sant* it may (might) be true; *det är så man kan bli galen* it's enough to make one go mad **b)** uttr. tillåtelse etc., 'får', *kan (kunde) jag få* lite mera te? may (can, might, could) I have…, please? **c)** 'må' samt i förbindelse med 'gärna', *du kan lika gärna* göra det själv you may as well… **d)** i avsiktsbisatser, hon låste dörren *så att ingen kunde komma in* …so that no one might (could) come in **3** speciella fall, *vem kan det vara?* who can it be?; *vad kan klockan vara?* I wonder what the time is?; *hur kan det komma sig att…?* how is (comes) it that…?; brukar, *sådant kan ofta hända* such things will often happen…; *barn kan vara mycket prövande* children can be very trying **II** *vb tr* know; **~ läxan** skol. know one's homework; *han kan bilar* he knows all about cars; *han kan flera språk* he knows (kan tala can speak) several languages
**kunnande** *s* knowledge; skicklighet skill
**kunnig** *adj* well-informed [*i* on]; skicklig clever, skilled [*i* at]

**kunnighet** *s* kunskaper knowledge [*i* of]; skicklighet skill [*i* at]
**kunskap** *s* knowledge (end. sg.) [*i, om* of]; **~er i** knowledge of…
**kunskapstörst** *s* thirst for knowledge
**kupa** *s* shade
**kupé** *s* **1** järnv. compartment **2** fordon coupé
**kupera** *vb tr* stubba dock; kortsp. cut
**kuperad** *adj* kullig hilly
**kuplett** *s* revue (comic) song
**kupol** *s* dome
**kupong** *s* coupon
**kupp** *s* polit. coup; stöld robbery, haul, raid; *göra en ~* stage a coup; förkyla sig *på ~en* …as a result; till råga på allt …on top of it
**kuppförsök** *s* attempted coup (rån robbery)
**kur** *s* med. cure äv. bildl.
**kura** *vb itr,* **~ ihop sig** huddle oneself up; *sitta och ~* ha tråkigt mope
**kurator** *s* social~ welfare officer; skol~ school welfare officer; sjukhus~ almoner
**kurera** *vb tr* cure [*från* of]
**kuriositet** *s* curiosity
**kurir** *s* courier
**kurort** *s* health resort; brunnsort spa
**kurra** *vb itr,* **det ~r i magen på mig** my stomach is rumbling
**kurragömma** *s,* **leka ~** play hide-and-seek
**kurre** *s* om person fellow, chap, speciellt amer. guy
**kurs** *s* **1** course; *hålla ~ på (mot)* steer (head) for **2** hand. rate [*på* for]; *stå högt i ~* be at a premium (bildl. in great favour) [*hos* with] **3** skol. el. univ. course; *gå på (gå en) ~ i…* attend a course in…
**kursdeltagare** *s* course member
**kursfall** *s* hand. fall (decline) in prices (rates)
**kursiv** *s* italics pl.
**kursivera** *vb tr* italicize
**kursivläsning** *s* oförberedd reading without preparation; flyktig rapid reading
**kursivt** *adv,* **läsa ~** read without preparation (flyktigt rapidly)
**kurva** *s* curve; vägkrök äv. bend; diagram graph
**kurvig** *adj* om kvinna curvaceous; om väg curved
**kusin** *s* cousin
**kusk** *s* driver
**kuslig** *adj* uncanny, awful
**kust** *s* coast; strand shore
**kustartilleri** *s* coast artillery
**kustbevakning** *s,* **~en** the coast guard
**kuta** *vb itr* vard. **~ i väg** trot (dart) away

**kutryggig** *adj*, *vara* ~ have a stoop
**kutter** *s* segel~ cutter; fiske~ vessel
**kuttra** *vb itr* coo äv. bildl.
**kutym** *s* usage, custom, practice; *det är ~ att* it is customary to
**kuva** *vb tr* subdue; undertrycka repress
**kuvert** *s* **1** brev~ envelope **2** bords~ cover
**kuvertavgift** *s* cover charge
**kuvertbröd** *s* roll, French roll
**kuvös** *s* incubator
**kvacksalvare** *s* quack, quack doctor; fuskare dabbler
**kvadda** *vb tr* krossa smash
**kvadrat** *s* square; *2 meter i* ~ 2 metres square
**kvadratmeter** *s* square metre
**1 kval** *s* lidande suffering; pina torment
**2 kval** *s* sport., omgång qualifying round; match qualifying match
**kvala** *vb itr* sport. qualify; ~ *in till* qualify for
**kvalificera** *vb tr* o. *vb rfl*, ~ *sig* qualify [*till*, *för* for]
**kvalificerad** *adj* qualified; om arbetskraft skilled
**kvalificering** *s* qualifying, qualification
**kvalifikation** *s* qualification
**kvalitativ** *adj* qualitative
**kvalitet** *s* quality
**kvalitetsvara** *s* quality product
**kvalmatch** *s* qualifying match
**kvalmig** *adj* kvav close, stifling
**kvantitativ** *adj* quantitative
**kvantitet** *s* quantity
**kvar** *adv* på samma plats som förut still there (resp. here); lämnad left, left behind; *bli (finnas, stanna, vara)* ~ äv. remain; *ha* ~ behålla keep; *har vi långt* ~? av vägen are we far off?; *låta ngt ligga (stå)* ~ *där* leave...there
**kvarbliven** *adj*, **kvarblivna** biljetter ...remaining (left) over
**kvarglömd** *adj* ...left behind; ~*a effekter* lost property
**kvark** *s* surmjölksost curd cheese, cottage cheese
**kvarleva** *s* remnant; från det förflutna relic; *hans jordiska kvarlevor* his mortal remains
**kvarlevande** *adj* surviving; *de* ~ the survivors
**kvarliggande** *adj* ...left about (around); ej avhämtad unclaimed
**kvarlåtenskap** *s*, *hans* ~ uppgår till... the property left behind him...

**kvarn** *s* mill
**kvarnsten** *s* millstone; *en* ~ *om halsen på ngn (om ngns hals)* a millstone round a p.'s neck
**kvarskatt** *s* tax arrears pl., back tax
**kvarstå** *vb itr* remain
**kvart** *s* **1** fjärdedel quarter; *en (ett)* ~*s...* a quarter of a (an)... **2** kvarts timme quarter of an hour; *klockan är en* ~ *över (i) två* it's a quarter past (to) two
**kvartal** *s* quarter
**kvarter** *s* **1** hus~ block; område district; konstnärs~ etc. quarter **2** mån~ quarter
**kvartett** *s* quartet äv. mus.
**kvarts** *s* miner. quartz
**kvartsfinal** *s* sport. quarter-final
**kvartslampa** *s* ultraviolet lamp, sunlamp
**kvartssekel** *s* quarter of a century
**kvartsur** *s* quartz watch (på vägg clock)
**kvast** *s* broom; *nya* ~*ar sopar bäst* new brooms sweep clean
**kvav** *adj* close; instängd stuffy; tryckande oppressive, sultry
**kverulant** *s* grumbler
**kverulera** *vb itr* make a fuss, grumble
**kvick** *adj* **1** snabb quick **2** vitsig witty; smart
**kvickhet** *s* **1** snabbhet quickness **2** spiritualitet wit **3** kvickt uttryck witticism, joke
**kvickna** *vb itr*, ~ *till* revive, come to (round)
**kvicksilver** *s* mercury
**kvicktänkt** *adj* quick-witted, ready-witted
**kviga** *s* heifer
**kvinna** *s* woman (pl. women)
**kvinnlig** *adj* av ~t kön female; typisk för en kvinna feminine; ~ *av sig* womanly; ~ *läkare* woman doctor; ~ *rösträtt* women's suffrage
**kvinnoklinik** *s* women's clinic
**kvinnoläkare** *s* specialist in women's diseases, gynaecologist
**kvinnosakskvinna** *s* feminist; vard. women's libber
**kvinnosjukdom** *s* woman's disease (pl. women's diseases)
**kvinnotjusare** *s* lady-killer
**kvintett** *s* quintet äv. mus.
**kvissla** *s* pimple, spot
**kvist** *s* på träd etc. twig
**kvitt** *adj* **1** *vara* ~ be quits **2** *bli* ~ *ngn (ngt)* bli fri från get rid (quit) of a p. (a th.)
**kvitta** *vb tr* set off [*med*, *mot* against]; *det* ~*r* it's all one (the same)
**kvitten** *s* bot. quince

**kvittens** *s* receipt
**kvitter** *s* chirp; kvittrande chirping
**kvittera** *vb tr* o. *vb itr* räkning receipt; skriva under sign; sport. equalize; **~s** på räkning received with thanks; **~ ut** sign for; på posten collect
**kvitto** *s* receipt [på for]
**kvittra** *vb itr* chirp
**kvot** *s* quota; vid division quotient
**kvotera** *vb tr* fördela i kvoter allocate...by quotas
**kväkare** *s* Quaker
**kvälja** *vb tr, det kväljer mig* it makes me feel sick
**kväljande** *adj* sickening
**kväll** *s* afton evening; senare night; *god ~!* good evening (vid avsked äv. night)!; *i ~* this evening, tonight; *om* el. *på ~en* (*~arna*) in the evening (evenings); *kl. 10 på ~en* at 10 o'clock in the evening (at night)
**kvällsmat** *s* supper
**kvällsnyheter** *s pl* i radio late news
**kvällstidning** *s* evening paper
**kvällsöppen** *adj, ha kvällsöppet* be open in the evening
**kväva** *vb tr* choke; av syrebrist el. rök vanl. suffocate; med t.ex. kudde smother; bildl., opposition suppress; revolt quell; *vara nära att ~s* be almost choking [av with]
**kväve** *s* nitrogen
**kyckling** *s* chicken
**kyffe** *s* poky hole; ruckel hovel
**kyl** *s* kylskåp fridge; **~ och frys** fridge-freezer
**kyla I** *s* **1** cold; svalka chilliness **2** bildl. coldness **II** *vb tr*, **~ av** cool down, chill
**kylare** *s* på bil radiator
**kylarvätska** *s* antifreeze, antifreeze mixture
**kyldisk** *s* refrigerated display counter (cabinet)
**kylhus** *s* cold store
**kylig** *adj* cool; starkare cold
**kylknöl** *s* chilblain
**kylskada** *s* frostbite
**kylskåp** *s* refrigerator; vard. fridge
**kylväska** *s* cool bag (box)
**kypare** *s* waiter
**kyrka** *s* church; *gå i ~n* go to (attend) church
**kyrkbröllop** *s* church wedding
**kyrkbänk** *s* pew
**kyrkklocka** *s* **1** church bell **2** ur church clock

**kyrklig** *adj*, **~ begravning** Christian burial; **~ vigsel** church wedding
**kyrkoadjunkt** *s* curate
**kyrkobesökare** *s* regelbunden churchgoer
**kyrkobok** *s* parish register
**kyrkobokföring** *s* parish registration
**kyrkogård** *s* cemetery; kring kyrka churchyard
**kyrkoherde** *s* vicar, rector; katol. parish priest
**kyrkvaktmästare** *s* verger
**kysk** *adj* chaste äv. bildl.
**kyskhet** *s* chastity
**kyss** *s* kiss
**kyssa** *vb tr* kiss
**kyssas** *vb itr dep* kiss
**kåda** *s* resin
**kåk** *s* **1** ruckel ramshackle house; vard. house, building **2** på ~en vard. in clink (the slammer)
**kål** *s* **1** cabbage **2** bildl., *göra (ta) ~ på* nearly kill
**kåldolma** *s* ung. stuffed cabbage roll
**kålhuvud** *s* head of cabbage, cabbage
**kålrot** *s* swede, Swedish turnip
**kånka** *vb itr*, **~ på ngt** lug a th.
**kåpa** *s* **1** munkkåpa cowl **2** tekn., skyddskåpa cover; rökhuv hood
**kår** *s* body; mil. el. dipl. corps (pl. lika)
**kåre** *s* vindil breeze; *det går kalla kårar efter ryggen på mig* a cold shiver runs down my back
**kåsera** *vb tr* muntligt ung. give a talk; skriftligt write a light article [om, över on]
**kåseri** *s* causerie
**kåsör** *s* i tidning columnist
**kåt** *adj* vard. randy, horny
**käbbel** *s* bickering, nagging
**käbbla** *vb itr* bicker; gnata nag; **~ emot** answer back
**käck** *adj* ...full of go; om klädesplagg smart
**käft** *s*, **~** el. **~ar** jaws pl.; *håll ~ (~en)!* shut up!; *slå ngn på ~en* give a p. one on the jaw
**käfta** *vb itr*, **~ emot** answer back
**kägelbana** *s* skittle alley
**kägla** *s* **1** cone **2** i kägelspel skittle
**käk** *s* vard., mat grub, nosh
**käka** vard. **I** *vb itr* have some grub **II** *vb tr*, **~ middag** have dinner
**käkben** *s* jawbone
**käke** *s* jaw
**kälkbacke** *s* toboggan-run
**kälke** *s* toboggan, sledge
**kälkåkning** *s* tobogganing, sledging

**källa** s flods source; **varma källor** hot springs; **från säker ~** from a reliable source

**källare** s förvaringslokal cellar; källarvåning basement

**källarmästare** s restaurant-keeper, restaurateur

**källarvalv** s cellar vault

**källarvåning** s basement

**källskatt** s tax at the source

**källvatten** s spring water

**kämpa** vb itr slåss fight; brottas struggle; **~ emot** bjuda motstånd offer resistance

**kämpe** s 1 stridsman warrior 2 förkämpe champion [för of]

**kämpig** adj, **ha det ~t** have a tough time

**känd** adj known; väl~ well known; ryktbar famous; välbekant familiar [för ngn to a p.]; det är **en allmänt ~ sak** äv. ...a fact familiar to all

**kändis** s vard. celebrity, celeb, well-known personality

**känga** s boot, amer. shoe; **ge ngn en ~** have a dig at a p.

**känguru** s kangaroo (pl. -s)

**känn** s, **ha** ngt **på ~** feel...instinctively

**känna I** vb tr o. vb itr 1 feel; pröva try and see; **~ avund (besvikelse)** be el. feel envious (disappointed); **~ en svag doft** notice a faint scent; **~ gaslukt** smell gas; **känn efter om** kniven är vass see whether... 2 känna till, vara bekant med know; **~ ngn till namnet (utseendet)** know a p. by name (sight); **lära ~ ngn** get to know a p. **II** vb rfl, **~ sig** feel; **~ sig kry (trött)** feel well (tired)

□ **~ av** märka feel; **~ efter** i sina fickor search (feel) one's pockets; **~ efter om** dörren är låst see if...; **~ igen** recognize; **~ på sig** att... have a (the) feeling...; **~ till** know (have heard) of

**kännare** s konst~ etc. connoisseur; expert expert

**kännas** vb itr dep 1 feel; **det känns inte** I (you etc.) don't feel it; **hur känns det?** how do you feel?; **det känns på lukten** att... you can tell by the smell... 2 **~ vid** erkänna, t.ex. misstag, barn acknowledge

**kännbar** adj ...that makes (resp. made) itself felt; förnimbar perceptible; märkbar noticeable; avsevärd considerable; svår severe

**kännedom** s kunskap knowledge [om of]; bekantskap acquaintance [om with]; **få ~**

**om (om att)** receive information about (that)

**kännemärke** s o. **kännetecken** s igenkänningstecken mark, distinctive mark; utmärkande egenskap characteristic [på of]

**känneteckna** vb tr characterize, mark

**känning** s 1 kontakt touch 2 smärtsam förnimmelse sensation of pain; **få ~ av inflationen** be affected by the inflation 3 förkänsla presentiment

**känsel** s sinne feeling

**känsla** s feeling; sinnesförnimmelse sensation; sinne sense; stark (djup) ~ emotion

**känslig** adj sensitive [för to]; mottaglig susceptible; lättrörd emotional; ömtålig delicate

**känsloladdad** adj emotionally charged

**känsloliv** s emotional life

**känslomässig** adj emotional

**känslosam** adj emotional; sentimental sentimental

**käpp** s stick; tunn, äv. rotting cane; stång rod; **sätta en ~ i hjulet** throw a spanner into the works

**käpphäst** s hobby-horse

**kär** adj 1 avhållen dear [för to]; älskad beloved [för by]; **Käre Herr Ek!** i brev Dear Mr. Ek; **~a vänner!** my dear friends! 2 förälskad in love [i with]; **bli ~ i** fall in love with

**kärande** s plaintiff; i brottmål prosecutor

**käring** s old woman

**kärkommen** adj welcome

**kärl** s vessel; förvaringskärl container

**kärlek** s love [till of, for]

**kärleksaffär** s love affair, romance

**kärleksfull** adj älskande loving, affectionate

**kärleksförhållande** s love affair

**kärleksförklaring** s declaration of love

**kärlekshistoria** s 1 berättelse love story 2 kärleksaffär love affair

**kärleksliv** s love life

**kärna** s fruktkärna i äpple, citrusfrukt pip; i melon, druva seed; i stenfrukt stone; i nöt kernel; **~n** det väsentliga the essence [i of]

**kärnavfall** s nuclear waste

**kärnbränsle** s nuclear fuel

**kärnfrisk** adj om person thoroughly healthy, fit as a fiddle

**kärnfysik** s nuclear physics sg.

**kärnhus** s core

**kärnklyvning** s nuclear fission

**kärnkraft** s nuclear power

**kärnkraftverk** s nuclear power station (plant)

**kärnladdning** s nuclear charge
**kärnmjölk** s buttermilk
**kärnreaktor** s nuclear reactor
**kärnvapen** s nuclear weapon
**kärnvapenförbud** s ban on nuclear weapons, nuclear ban
**kärnvapenprov** s nuclear test
**kärr** s marsh; myr swamp, fen
**kärra** s cart; skottkärra barrow
**kärv** adj harsh; ~a tider hard times
**kärva** vb itr om motor bind
**kärve** s sheaf (pl. sheaves)
**kätting** s chain; ankar~ äv. cable
**kö** s **1** queue, file; bilda ~ form a queue **2** biljard~ cue
**köa** vb itr queue, queue up
**köbricka** s queue number (check)
**kök** s **1** kitchen **2** kokkonst cuisine
**köksa** s assistant female cook
**köksavfall** s kitchen refuse, garbage
**köksfläkt** s se spisfläkt
**köksingång** s kitchen (back) entrance
**köksmästare** s chef
**köksträdgård** s kitchen garden
**köksväxt** s, ~er grönsaker vegetables; kryddväxter pot herbs, sweet herbs
**köl** s keel
**kölapp** s queue ticket
**köld** s cold; frost frost; kall väderlek cold weather
**köldgrad** s degree of frost
**köldknäpp** s cold spell
**Köln** Cologne
**kön** s sex
**könsdelar** s pl, yttre ~ genitals, private parts
**könsdiskriminering** s sex discrimination, sexism
**könsdrift** s sex (sexual) instinct
**könsmogen** adj sexually mature
**könsorgan** s sexual organ
**könsrollsdebatt** s debate on the role of the sexes
**könssjukdom** s venereal disease
**könsumgänge** s sexual intercourse
**köp** s purchase; göra ett gott ~ make a good bargain; ta varor på öppet ~ ...on a sale-or-return basis; till på ~et dessutom ...in addition
**köpa** vb tr buy, purchase [av ngn from a p.]
    □ ~ in buy in; ~ in sig i buy one's way into; ~ upp buy up; ~ upp sina pengar spend all one's money
**köpare** s buyer, purchaser

**köpeavtal** s o. **köpekontrakt** s contract of sale
**Köpenhamn** Copenhagen
**köpeskilling** s o. **köpesumma** s purchase sum
**köping** s market town
**köpkort** s credit card
**köpkraft** s purchasing (spending) power
**köpman** s handlande tradesman; grosshandlare merchant
**köpslå** vb itr bargain; kompromissa compromise
**köptvång** s, utan ~ with no obligation to purchase
**1 kör** s sångkör choir; t.ex. i opera chorus
**2 kör** s, i ett ~ without stopping
**köra I** vb tr **1** drive; motorcykel ride; forsla take; tyngre gods carry, transport **2** stöta, sticka, stoppa run, thrust **3** ~ visa en film show a film; filmen har körts tre veckor ...has run three weeks **4** data. run **5** jaga, mota ~ ngn på dörren turn a p. out **II** vb itr **1** drive; på cykel (motorcykel) ride; åka go, ride; färdas travel; om bil, tåg etc. run, go; bilen körde rakt på... the car ran straight into...; ~ mot rött (rött ljus) jump the traffic lights **2** kuggas i tentamen be ploughed (amer. flunked)
    □ ~ bort drive away; forsla undan take away; driva bort drive (send)...away (off), pack...off.; ~ fast get stuck äv. bildl.; ~ fram bilen till dörren drive the car up to...; bilen körde fram till trappan the car drove up to...; ~ ifatt catch up with; ~ igång med vard., starta go ahead with; ~ ihjäl ngn run over a p. and kill him (her); ~ ihop kollidera run into one another; ~ ihop med run into, collide with; ~ in en ny bil run in; ~ om passera overtake, pass; ~ omkring itr. drive (resp. ride) round; ~ omkull ngn knock a p. down; ~ på ngn kollidera med run into a p.; kör till!! all right! O.K!; ~ upp för körkort take one's driving test; ~ ut ngn turn a p. out; ~ över ngn run over a p.; vard., ej ta hänsyn till steamroller
**körbana** s på gata road, roadway
**körfält** s lane, traffic lane
**körhastighet** s speed
**körkort** s driving (driver's) licence
**körriktning** s direction
**körriktningsvisare** s indicator
**körsbär** s cherry
**körsbärslikör** s cherry brandy
**körsbärstomat** s cherry tomato
**körsbärsträd** s cherry tree, cherry

585

**körskola** *s* driving school
**körsnär** *s* furrier
**körtel** *s* gland
**körvel** *s* bot. chervil
**kött** *s* flesh äv. bildl.; slaktat meat; *mitt eget*
~ *och blod* my own flesh and blood
**köttaffär** *s* butik butcher's
**köttbit** *s* piece of meat
**köttbulle** *s* meat-ball
**köttfärs** *s* råvara minced meat; rätt meat loaf
**köttfärslimpa** *s* meat loaf
**köttgryta** *s* kärl stewpot; rätt hotpot, steak
casserole
**köttig** *adj* fleshy
**köttkvarn** *s* mincer, meat-mincer
**köttskiva** *s* slice of meat
**köttsoppa** *s* broth, meat broth
**köttspad** *s* stock, gravy

# L

**1 labb** *s* vard., hand paw; näve fist
**2 labb** *s* vard. (förk. för *laboratorium*) lab
**labil** *adj* unstable
**laboratorium** *s* laboratory
**laborera** *vb itr,* ~ *med* t.ex. en teori work
(go) on; experimentera med experiment with
**labyrint** *s* labyrinth, maze
**lack** *s* **1** sigillack sealing-wax; lacksigill seal
**2** fernissa lacquer, varnish **3** lackläder patent
leather
**lacka** *vb tr* seal...with sealing-wax
**lackera** *vb tr* lacquer; naglar samt trä etc.
varnish; ~ *om en bil* have a car repainted
**lackering** *s* det att lackera varnishing,
lacquering; den lackerade ytan varnish,
lacquer; bil~, konkret paintwork
**lackfärg** *s* enamel paint, lacquer
**lackmus** *s* litmus
**lacknafta** *s* white spirit
**lada** *s* barn
**ladda** *vb tr* fylla load; skjutvapen äv. charge;
elektr. charge; ~ *om* reload; elektr.
recharge; ~ *batterierna* bildl. recharge
one's batteries
**laddning** *s* charge; det att ladda loading,
charging
**laddningsapparat** *s* charger
**ladugård** *s* cowhouse, cowshed
**1 lag** *s* **1** sport. o. arbetslag team; sport. äv.
side; *ha ett ord med i* ~*et* have a voice (a
say) in the matter; *över* ~ genomgående
without exception, all along the line **2** *i*
*kortaste* ~*et* rather (a bit) short; 100
kronor *är i mesta* (*minsta*) ~*et* ...is
pretty much (precious little); *i senaste*
~*et* only just in time; *vid det här* ~*et* by
now
**2 lag** *s* law; antagen av statsmakterna act; det är
*i* ~ *förbjudet* ...prohibited by law
**1 laga** *adj* lagenlig legal; *vinna* ~ *kraft* gain
legal force
**2 laga I** *vb tr* **1** ~ el. ~ *till* make; genom
stekning etc. äv. cook; t.ex. måltid prepare; ~
*mat* cook; ~ *maten* do the cooking; *äta*
~*d mat* eat cooked food **2** reparera repair,
mend; stoppa darn; lappa patch, patch up;
tänder fill **II** *vb itr,* ~ (~ *så*) *att...* se till see
(see to it) that...; ställa om arrange
(manage) it so that...
**laganda** *s* team spirit

**lagarbete** *s* teamwork
**lagbrott** *s* breach of the law
**lagbrytare** *s* law-breaker
**lagenlig** *adj* ...according to law
**1 lager** *s* **1** förråd stock [*av, i* of]; lokal storeroom, magasin warehouse; *ha...på* ~ have...in stock (on hand) **2** skikt layer; av färg äv. coat
**2 lager** *s* bot. laurel; *vila på sina lagrar* rest on one's laurels
**3 lager** *s* öl lager
**lagerblad** *s* o. **lagerbärsblad** *s* bay leaf
**lagerkrans** *s* som utmärkelsetecken laurel wreath
**lagerlokal** *s* storeroom; magasin warehouse
**lageröl** *s* lager, lager beer
**lagförslag** *s* bill, proposed bill
**lagkamrat** *s* team-mate
**lagledare** *s* sport. manager of a (resp. the) team
**laglig** *adj* laga legal; erkänd av lagen, t.ex. regering lawful
**laglydig** *adj* law-abiding
**lagning** *s* **1** kok. making; genom stekning etc. cooking **2** reparation repair, mend; stoppning darn; av tänder filling
**lagom I** *adv* nog just enough; det är *alldeles* (*just*) ~ *saltad* ...salted just right; *komma precis* ~ i tid be just in time; lägligt come at the right moment **II** *adj, på* ~ *avstånd* at just the right distance; *är det här* ~? is this enough (about right)?; räcker det? will this do?; skon *är* ~ (*precis* ~) *åt mig* ...fits me (fits me exactly) **III** *s*, ~ *är bäst* everything in moderation
**lagra** *vb tr* förvara store; för förbättring: om t.ex. vin leave...to mature; om t.ex. ost leave...to ripen
**lagrad** *adj* om t.ex. vin matured; om t.ex. ost ripe
**lagsport** *s* team game
**lagstadgad** *adj* statutory, ...fixed by law
**lagstiftande** *adj* legislative
**lagstiftning** *s* legislation
**lagtävling** *s* team competition
**lagun** *s* lagoon
**lagård** *s* cowhouse, cowshed
**lakan** *s* sheet
**lake** *s* burbot
**lakej** *s* lackey äv. bildl.
**lakrits** *s* liquorice, speciellt amer. licorice
**lam** *adj* paralysed; föga övertygande lame; svag feeble
**lamm** *s* lamb
**lammkött** *s* kok. lamb

**lammstek** *s* roast lamb
**lampa** *s* lamp; glödlampa bulb
**lampskärm** *s* lampshade
**lamslå** *vb tr* paralyse; *lamslagen av skräck* paralysed with fear
**land** *s* **1** country; i högre stil land **2** fastland land; strand shore; *se* (*veta*) *hur* ~*et ligger* bildl. see how the land lies; *i* ~ t.ex. gå, vara ashore, on shore; på landbacken on land; *gå* (*stiga*) *i* ~ go ashore; *gå i* ~ *med* bildl. manage, cope with; *till* ~*s och till sjöss* t.ex. färdas by sea and land **3** jord land; trädgårdsland plot; med t.ex. grönsaker patch **4** landsbygd, *bo* (*fara ut*) *på* ~*et* live in (go into) the country
**landa** *vb itr* land
**landbacke** *s, på* ~*n* on land (shore)
**landgång** *s* **1** sjö. gangway, gangplank **2** smörgås long open sandwich
**landkrabba** *s* vard. landlubber
**landning** *s* flyg. landing, touchdown
**landningsbana** *s* runway
**landremsa** *s* strip of land
**landsbygd** *s* country, countryside
**landsflykt** *s* exile
**landsflyktig** *adj* ...in exile
**landsflykting** *s* exile
**landsförvisa** *vb tr* exile, expatriate
**landshövding** *s* ung. county governor [*i* of]
**landskamp** *s* international, international match
**landskap** *s* **1** provins province **2** natur o. tavla landscape; sceneri scenery
**landslag** *s* sport. international team
**landsman** *s* fellow-countryman; *vad är han för* ~? what is his nationality?
**landsmål** *s* dialect
**landsomfattande** *adj* nationwide
**Landsorganisationen,** ~ *i Sverige* (förk. *LO*) the Swedish Trade Union Confederation
**landsort** *s,* ~*en* the provinces pl.
**landsortsbo** *s* provincial
**landssorg** *s* national mourning
**landstiga** *vb itr* land
**landstigning** *s* landing
**landsting** *s* ung. county council
**landstingsman** *s* ung. county councillor
**landställe** *s* country house, place in the country
**landsväg** *s* main road
**landsända** *s* part of a (resp. the) country
**landsätta** *vb tr* land; från fartyg äv. disembark
**landsättning** *s* landing, disembarkation

**langa I** vb tr räcka från hand till hand pass...from hand to hand; skicka hand; kasta chuck **II** vb tr o. vb itr, ~ el. ~ **sprit** bootleg, bootleg liquor; ~ **narkotika** push drugs

**langare** s sprit~ bootlegger; knark~ drug (dope) pusher

**lanolin** s lanolin

**lans** s lance

**lansera** vb tr introduce; t.ex. mode, idé start, launch

**lantarbetare** s farm worker, agricultural labourer

**lantbo** s rustic; ~r vanl. country people

**lantbruk** s **1** agriculture; arbete farming **2** ställe farm

**lantbrukare** s farmer

**lantbröd** s ung. farmhouse bread; ett ~ a farmhouse loaf

**lantegendom** s estate

**lanterna** s sjö. light; flyg. navigation (position) light

**lantgård** s farm

**lantis** s vard. country bumpkin, yokel

**lantlig** adj rural; landsortsmässig provincial

**lantmätare** s surveyor, land surveyor

**lantställe** s country house, place in the country

**lapa** vb tr o. vb itr om djur lap

**L lapp** s same Lapp, Laplander

**lapp** s till lagning patch; papperslapp piece (slip) of paper

**lappa** vb tr patch; laga mend; ~ **ihop** patch up, repair

**Lappland** Lapland

**lapplisa** s [female] traffic warden; vard. meter maid

**lappländsk** adj Lapland..., Laplandish

**larm** s **1** oväsen noise **2** alarm alarm; larmsignal alert; slå ~ sound the alarm; varna warn; protestera raise an outcry

**larma I** vb itr make a noise (din) **II** vb tr alarmera call

**larmrapport** s alarming report, scare

**larv** s zool. larva (pl. larvae); av t.ex. mal caterpillar; av t.ex. skalbagge grub; av fluga maggot

**larv** s vard. rubbish, nonsense; dumt uppträdande silliness

**larva** vb rfl, ~ **sig** vard., prata dumheter talk rubbish; vara dum be silly; bråka play about

**larvfötter** s pl caterpillars, caterpillar treads

**larvig** adj vard. silly

**lasarett** s hospital, general hospital

**laser** s laser

**laserskrivare** s laser printer

**laserstråle** s laser beam

**lass** s last load; lastad vagn loaded cart; ett ~ billass kol a lorry-load (truck-load) of coal

**lassa** vb tr load; ~ allt arbetet på ngn load...on to a p.

**lasso** s, kasta ~ throw the (a) lasso

**1 last** s **1** skeppslast cargo (pl. -es el. -s), freight; börda load; med full ~ with a full load **2** lägga ngn ngt till ~ lay a th. to a p.'s charge

**2 last** s fel etc. vice

**1 lasta** vb tr o. vb itr load; ta ombord take in; ta in last take in cargo; ~ av unload; ~ på load [på on, to]; ~ ur unload

**2 lasta** vb tr klandra blame [för for]

**lastbar** adj vicious, depraved

**lastbil** s lorry, tyngre truck; amer. truck

**lastgammal** adj extremely old, ancient

**lastning** s loading

**lat** adj lazy

**lata** vb rfl, ~ **sig** be lazy; slöa laze, idle

**latin** s Latin; jfr svenska 2

**Latinamerika** Latin America

**latinsk** adj Latin

**latitud** s latitude äv. bildl.

**latmask** s lätting lazybones (pl. lika)

**latsida** s, ligga på ~n be idle

**lava** s lava

**lavemang** s enema

**lavendel** s lavender

**lavin** s avalanche

**lavinartad** adj ...like an avalanche, ...like wildfire

**lax** s salmon (pl. lika)

**laxera** vb itr take a laxative

**laxermedel** s laxative

**laxöring** s salmon-trout (pl. lika)

**le** vb itr smile [åt at]; ~ **mot** smile at (bildl. on)

**leasa** vb tr lease

**leasing** s leasing

**1 led** s way; rutt route; riktning direction, way

**2 led** s anat. el. tekn. joint; ur ~ out of joint

**3 led 1** länk link; stadium stage **2** mil. el. gymn.: personer bakom varandra file; rad line, row; sluta ~en close ranks äv. bildl. **3** släktled generation

**4 led** adj **1** trött, vara ~ **på** be tired (weary, sick) of **2** stygg nasty [mot to]

**1 leda** s weariness [vid of]; trötthet boredom; avsmak disgust, loathing; höra ngt till ~ ...till one is sick of it

**2 leda I** *vb tr* lead; t.ex. undersökning, förhör conduct; förestå manage; ha hand om be in charge of; vägleda guide; rikta, t.ex. tankar direct; fys. el. elektr. conduct; transportera, t.ex. vatten convey **II** *vb itr* lead äv. sport.

**ledamot** *s* member

**ledande** *adj* leading; om t.ex. princip guiding; *de* ~ those in a leading position

**ledare** *s* **1** leader, head **2** i tidning leader, editorial **3** fys. conductor

**ledarskap** *s* leadership

**ledband** *s* **1** anat. ligament **2** *gå i* ~ be tied to a p.'s apron strings

**ledbuss** *s* articulated bus

**ledgångsreumatism** *s* rheumatoid arthritis

**ledig** *adj* **1** free; sysslolös unoccupied; om tid free; *på ~a stunder* in my (his etc.) spare (leisure) time; *bli* ~ *från arbetet* get off work (duty); *göra sig* ~ take time off; *ha (få)* ~*t från skolan* have (be given) a holiday from school; *hon är* ~ *(har ~t) i dag* she has today off; har sin lediga dag she has her day off today **2** obesatt vacant; om t.ex. sittplats vanl. unoccupied; ej upptagen om t.ex. taxi ...not engaged; disponibel spare; att tillgå available; som skylt på taxi for hire; på t.ex. toalett vacant; *~a platser* tjänster vacancies; *är bilen ~?* till taxichauffören are you engaged (free)?; *är den här platsen ~?* el. *är det ~t här?* is this seat taken? **3** otvungen easy; bekväm, om t.ex. kläder comfortable, loose-fitting; *~a!* mil. stand easy!

**ledigförklara** *vb tr* announce...as vacant

**ledighet** *s* ledig tid leisure, time off; semester holiday

**ledigt** *adv* **1** *ha (få)* ~ se ex. under *ledig 1* **2** med lätthet easily; obehindrat, t.ex. röra sig ~ freely; *röra sig* ~ otvunget move with ease; *sitta* ~ om kläder fit comfortably

**ledning** *s* **1** skötsel etc. management; ledarskap leadership; väg~ guidance; *ta ~en* take the lead; ta befälet take over command; *under* ~ *av* a) under the guidance of b) mus. conducted by **2** om person, *~en* inom företag the management **3** elektr., tråd wire; grövre cable; kraft~ o., tele. line; rör pipe

**ledsaga** *vb tr* accompany; beskyddande escort

**ledsam** *adj* sorglig sad, boring, tedious; tråkig dull

**ledsen** *adj* sorgsen sad; besviken disappointed [*över* at]; sårad hurt [*över* about]; *jag är* ~ *att jag gjorde det* I am sorry I did it; *jag blir inte* ~ *om* I don't mind if...; *var*

*inte* ~ bekymrad *för det!* don't worry about that!

**ledsna** *vb itr* grow (get) tired [*på* of]

**ledstång** *s* handrail

**ledtråd** *s* clue [*till* to]

**leende I** *adj* smiling **II** *s* smile

**legal** *adj* legal

**legalisera** *vb tr* legalize

**legation** *s* legation

**legend** *s* legend

**legendarisk** *adj* legendary

**legera** *vb tr* alloy

**legering** *s* alloy

**legitim** *adj* legitimate

**legitimation** *s* styrkande av identitet identification; kort identity card

**legitimationskort** *s* identity card

**legitimera I** *vb tr* **1** göra laglig legitimate **2** *~d* läkare registered (fully qualified)... **II** *vb rfl*, ~ *sig* prove one's identity

**legymer** *s pl* vegetables

**leja** *vb tr* hire; anställa take on

**lejd** *s*, *ge ngn fri* ~ grant a p. safe-conduct

**lejon** *s* **1** lion **2** *Lejonet* astrol. Leo

**lejongap** *s* snapdragon

**lejoninna** *s* lioness

**lejonkula** *s* lion's den

**lejonunge** *s* young lion, lion cub

**lek** *s* **1** ordnad game; lekande play; *på* ~ for fun; *vara ur ~en* be out of the running **2** fiskars spawning; fåglars pairing, mating **3** kortlek pack

**leka** *vb tr* o. *vb itr* play; *han (det) är inte att* ~ *med* he (it) is not to be trifled with

**lekande** *adv, det går (är)* ~ *lätt* it's as easy as anything (as pie)

**lekfull** *adj* playful

**lekkamrat** *s* playmate, playfellow

**lekman** *s* layman

**lekplats** *s* playground

**leksak** *s* toy, plaything

**leksaksaffär** *s* toyshop

**lekskola** *s* förr nursery school, kindergarten

**lekstuga** *s* barns playhouse

**lektion** *s* lesson äv. bildl.

**lektor** *s* 'lektor', lecturer [*i* in]; skol. ung. senior master (kvinnlig mistress)

**lektyr** *s* reading; konkret something to read, reading matter

**lem** *s* limb; manslem male organ

**lemlästa** *vb tr* maim; göra till invalid cripple

**len** *adj* mjuk soft; slät smooth

**leopard** *s* leopard

**lera** *s* clay; sandblandad loam

**lergods** *s* earthenware, pottery

**lerig** *adj* muddy
**lerjord** *s* clay soil
**lesbisk** *adj* lesbian
**leta** *vb itr* look, ihärdigt search [*efter* i båda fallen for]
□ ~ **fram** hunt out [*ur* from]; ~ *sig fram* find one's way; ~ **igenom** t.ex. rum search, search through; ~ **reda (rätt) på** try (lyckas manage to) find
**lett** *s* Latvian
**lettisk** *adj* Latvian
**lettiska** *s* **1** kvinna Latvian woman **2** språk Latvian
**Lettland** Latvia
**leukemi** *s* leukaemia
**leva** *vb itr* o. *vb tr* live; vara i livet be alive; *leve Konungen!* long live the King!; ~ tillbringa *sitt liv* spend one's life; ~ *ett* anständigt *liv* live a decent life; ~ *av (på)* ngt live on...; ~ *sig in i* ngns känslor enter into...; ~ *kvar* live on, survive
**levande** *adj* living; som motsats till död (äv. bildl.): predikativt alive; attributivt living; livfull lively, vivid; *i ~ livet* in real (actual) life; ~ *ljus* pl. candles
**leve** *s* cheer; *utbringa ett [fyrfaldigt] ~ för* give (föreslå call for) four (britt. motsv. three) cheers for
**levebröd** *s* livelihood, living; yrke job
**lever** *s* liver
**leverans** *s* delivery
**leverantör** *s* supplier; stor~ contractor
**leverera** *vb tr* tillhandahålla supply, provide [*ngt till ngn* a p. with a th.]; sända deliver
**leverfläck** *s* mole
**leverne** *s* liv life; *bättra sitt ~* mend one's ways
**leverop** *s* cheer
**leverpastej** *s* liver paste
**levnad** *s* life
**levnadsbana** *s* career
**levnadsglad** *adj* ...full of vitality (zest)
**levnadskostnader** *s pl* cost sg. of living
**levnadsstandard** *s* standard of living
**lexikon** *s* dictionary
**libanes** *s* Lebanese (pl. lika)
**libanesisk** *adj* Lebanese
**Libanon** Lebanon
**liberal** *adj* liberal
**liberalism** *s*, ~ el. ~*en* liberalism
**libretto** *s* libretto (pl. libretti el. librettos)
**Libyen** Libya
**libyer** *s* Libyan
**libysk** *adj* Libyan

**licens** *s* licence
**licensavgift** *s* licence fee
**lida I** *vb itr* suffer [*av* from]; ~ *av* ha anlag för (t.ex. svindel) be subject to; *jag lider* pinas *av det* it makes me suffer; *få ~ för ngt* have to suffer (pay) for a th. **II** *vb tr* plågas av suffer
**lidande I** *adj* suffering [*av* from]; *bli ~ på ngt* om person be the sufferer (loser) by a th. **II** *s* suffering
**lidelse** *s* passion
**lidelsefull** *adj* passionate
**liderlig** *adj* om person lecherous, lewd
**lie** *s* scythe
**liera** *vb rfl*, ~ *sig* ally oneself [*med* with]
**lierad** *adj* connected
**lift** *s* **1** skidlift etc. lift **2** *få ~* get a lift
**lifta** *vb itr* hitch-hike
**liftare** *s* hitch-hiker
**liga** *s* tjuvliga etc. gang; fotbollsliga etc. league
**ligament** *s* anat. ligament
**ligga** *vb itr* **1** lie; vila be lying down; vara sängliggande be in bed; sova, ha sin sovplats sleep; vara, befinna sig be; vara belägen be, be situated (located), stand; vistas stay; ~ *först (sist)* i tävling lead (be last); ~ *lågt* lie low, keep out of the way, keep a low profile; ~ *sjuk* be ill in bed; huset *ligger nära stationen* ...is close to the station; *var ska* knivarna ~? where do...go?; ~ *och läsa* lie reading; i sängen read in bed; ~ *och sova* be sleeping; *det ligger i släkten* it runs in the family; ~ ha samlag *med* sleep with; *huset ligger mellan* två sjöar the house lies (is situated) between...; ~ vetta *mot...* face...; ~ *på sjukhus* be in hospital; staden *ligger vid floden (kusten)* ...stands on the river (is on the coast); rummet *ligger åt (mot) gatan* ...overlooks the street **2** om fågelhona, ~ *på ägg* sit on her eggs; ~ *och ruva* be brooding
□ ~ **efter** be behind with; *låt inte* pengarna ~ **framme** don't leave...lying about; ~ **kvar** *i sängen* remain in bed; ~ *kvar [över natten]* stay the night; ~ **nere** om t.ex. arbete be at a standstill; ~ *bra (illa)* **till** om t.ex. hus be well (badly) situated; i t.ex. tävling be well (badly) placed; ~ *bra till för...*passa suit...well; ta reda på *hur saken ligger till* ...how matters stand; *som det nu ligger till* as (the way) things are now; ~ *under med ett mål* trail by one goal; ~ *ute med* ha lånat ut *pengar* have money

# liggande

owing to one; ~ **över** övernatta stay overnight (the night)
**liggande** adj lying; vågrät horizontal; **bli ~** om sak, ligga kvar remain; bli kvarlämnad be left; inte göras färdig remain undone
**liggare** s bok register [för of]
**liggsår** s bedsore
**liggunderlag** s ground sheet
**liggvagn** s **1** järnv. couchette **2** barnvagn pram, amer. baby carriage
**ligist** s hooligan, amer. äv. hoodlum
**liguster** s privet
**1 lik** s corpse, dead body
**2 lik** adj like; de är **mycket ~a** (**~a varandra**) ...very much alike; **hon är ~ honom till utseendet** she is like him in appearance (looks); **här är allt sig ~t** everything is just the same as ever here; **det är just ~t honom!** it is just like him!
**lika I** adj av samma värde etc. equal; om t.ex. antal even; samma, likadan the same; 2 plus 2 **är ~ med 4** ...make (makes) 4; **fem ~** i spel five all **II** adv **1** vid verb likadant in the same way (manner); i lika delar equally **2** vid adj. o. adv.: as, just as; i lika grad equally; **~ bra som jag** as good as me; **han är ~ gammal som jag** he is my age, he is as old as me; **vi är ~ gamla** we are the same age (just as old)
**likaberättigad** adj, **vara ~** have equal rights [med with]
**likadan** adj similar [som to], ...of the same kind [som as]; alldeles lika the same
**likadant** adv in the same way; **göra ~** do the same
**likartad** adj liknande similar [med to]
**likasinnad** adj like-minded
**likaså** adv likaledes likewise; också also
**like** s equal; **en** prakt **utan ~** an unparalleled...
**likgiltig** adj indifferent [för ngt to a th.]; **det är mig ~t** vad du gör it is all the same to me...
**likhet** s speciellt till utseende resemblance; till art similarity [med to]; jämlikhet equality; **i ~ med** liksom like; i överensstämmelse med in conformity with
**likhetstecken** s equals sign, equal-sign
**likkista** s coffin
**likna I** vb itr vara lik be like, resemble [ngn a p.; ngn till utseendet in looks]; se ut som look like **II** vb tr, **~ vid** compare to
**liknande** adj likartad similar; dylik ...like that (this)
**liknelse** s jämförelse simile; bibl. parable

**liksom I** konj, **han är målare ~ jag** he is a painter, like me (just as I am) **II** adv så att säga so to speak, somehow, sort of
**likström** s direct current, DC
**likställd** adj, **vara ~ med** be on an equality (a par) with
**liktorn** s corn
**liktydig** adj synonym synonymous; **vara ~ med** be tantamount to
**liktåg** s funeral procession
**likvagn** s hearse
**likvid I** s payment **II** adj tillgänglig, **~a medel** liquid capital sg.
**likvidera** vb tr liquidate
**likvidering** s liquidation
**likväl** adv ändå yet, still, nevertheless
**likvärdig** adj equivalent [med to]
**likör** s liqueur
**lila** s o. adj lilac, mauve; mörklila purple; violett violet; jfr **blått**; för sammansättningar jfr **blå-**
**lilja** s lily
**liljekonvalje** s lily of the valley (pl. lilies of the valley)
**lilla** adj se liten
**lillasyster** s little (young, kid) sister
**lillebror** s little (young, kid) brother
**lilleputt** s Lilliputian; friare miniature
**lillfinger** s little finger, speciellt amer. äv. pinkie
**lillgammal** adj brådmogen precocious; **ett ~t barn** äv. an old-fashioned child
**lilltå** s little toe
**lim** s glue
**limma** vb tr glue
**limousine** s limousine; vard. limo (pl. -s)
**limpa** s **1** avlång bulle loaf (pl. loaves); brödsort av rågmjöl rye bread **2 en ~** cigaretter a carton of...
**lin** s flax
**lina** s rope; smäckrare cord; stållina wire; **visa sig på styva ~n** show one's paces; briljera show off
**linbana** s häng~ aerial ropeway; skidlift ski-lift
**lind** s lime tree
**linda** vb tr vira wind; svepa wrap; binda tie □**~ in** wrap up; **~ om** halsen muffle...; **~** svepa **om sig ngt** wrap oneself up in a th.
**lindansare** s tightrope walker
**lindra** vb tr nöd, smärta relieve; verka lugnande soothe
**lindrig** adj mild mild äv. om sjukdom; lätt light; obetydlig slight
**lindring** s av smärta, nöd etc. relief; av straff reduction [i of]

**lingon** s lingonberry, red whortleberry; *inte värt ett ruttet ~* vard. not worth a bean (damn)

**lingonsylt** s lingonberry (red whortleberry) jam

**lingvistik** s linguistics sg.

**liniment** s liniment, embrocation, rubbing lotion

**linjal** s ruler; tekn. rule

**linje** s line; *~ 5* trafik. number 5; *bussarna på ~ 5* ...on route number 5; *över hela ~n* bildl. all along the line, throughout

**linjedomare** s linesman

**linjera** vb tr rule

**linka** vb itr limp, hobble

**linne** s **1** tyg o. linneförråd linen **2** plagg vest, nightdress

**linneskåp** s linen cupboard (amer. closet)

**linning** s band

**linoleum** s linoleum

**linolja** s linseed oil

**lins** s **1** optisk o. i öga lens **2** bot. lentil

**lintott** s vard. person towhead

**lipa** vb itr vard. **1** gråta blubber, blub **2** *~ åt ngn* räcka ut tungan stick one's tongue out at a p.

**lir** s vard. spel play

**lira** vb tr o. vb itr vard. spela play

**lirka** vb itr, *~ med ngn* coax a p.

**lismare** s fawner

**Lissabon** Lisbon

**1 list** s listighet cunning; knep trick

**2 list** s **1** kantlist strip **2** bård border, edging

**1 lista** s förteckning list [*på, över* of]

**2 lista** vb tr, *~ ur ngn ngt* worm a th. out of a p.; *~ fundera ut* find out

**listig** adj cunning, sly; förslagen smart

**lita** vb itr, *~ på* förlita sig på depend on; ha förtroende för trust

**Litauen** Lithuania

**litauer** s Lithuanian

**litauisk** adj Lithuanian

**litauiska** s **1** kvinna Lithuanian woman **2** språk Lithuanian

**lite** se *litet II*

**liten** *(litet, lille, lilla, små)* **I** adj small; little; ytterst liten tiny, minute; kort short; tacksam för *minsta lilla bidrag* ...the least little contribution; *lilla du!* my dear!; *din lilla (lille) dumbom!* you little fool!; *ett litet sött (sött litet) hus* a pretty little house **II** subst adj, *stackars ~!* poor little thing!; *redan som ~* even as a child

**liter** s litre

**litet I** adj se *liten I* **II** *(lite)* subst adj o. adv

**1** föga little; få few; *inte så ~* få *fel* not a few faults; *rätt ~ folk* rather few people; *det vill inte säga så ~!* that's saying a great deal! **2** något, en smula a little; *~ bröd* some (a little) bread; vill du ha *~ jordgubbar?* ...some (a few) strawberries?; *~ upplysningar* some (a little) information; *~ av varje* a little (a bit) of everything

**litografi** s metod lithography; *en ~* a lithograph

**litteratur** s literature

**litteraturhistoria** s [vanl. the] history of literature

**litterär** adj literary

**liv** s **1** life; livstid lifetime; *ge ~ åt* t.ex. rummet give life to; *ta ~et av ngn (sig)* take a p.'s (one's) life; *springa för ~et (brinnande el. glatta ~et)* run for all one's worth; *för mitt ~ kan jag inte* begripa I can't for the life of me...; *i hela mitt ~* all my life; *är (har du) dina föräldrar i ~et?* are your parents living (alive)?; *trött på ~et* tired of living (life); *vara vid ~* be alive **2** *komma ngn inpå ~et* lära känna ngn get to know a p. intimately **3** midja waist äv. på plagg; *vara smal om ~et* have a small (slender) waist **4** klänningsliv etc. bodice **5** oväsen row, noise; bråk fuss

**liva** vb tr, *~ upp* liven up

**livad** adj munter merry; uppsluppen hilarious

**livboj** s lifebuoy

**livbåt** s lifeboat

**livbälte** s lifebelt

**livfull** adj ...full of life; livlig lively; om skildring vivid

**livförsäkring** s life insurance

**livlig** adj lively; om skildring etc. vivid; om efterfrågan keen; om intresse great, keen; om trafik heavy

**livlös** adj lifeless; uttryckslös expressionless

**livmoder** s womb, uterus (pl. uteri)

**livrem** s belt, waist belt

**livräddning** s life-saving

**livränta** s life annuity

**livsfara** s danger of life; *han svävar i ~* his life is in danger

**livsfarlig** adj highly dangerous; dödlig fatal

**livsföring** s way of life

**livshotande** adj skada etc. grave; dödlig fatal

**livslängd** s om person length of life; om sak life

**livsmedel** s pl provisions

**livsmedelsaffär** s provision shop

**livsmedelskedja** *s* chain of food stores, grocery chain
**livsmedelstillsats** *s* food additive
**livsstil** *s* life style
**livstecken** *s* sign of life
**livstid** *s* life, lifetime
**livsvillkor** *s* vital necessity
**livsåskådning** *s* outlook on life
**livvakt** *s* bodyguard
**ljud** *s* sound; klang (om instrument) tone
**ljuda** *vb itr* låta sound; höras be heard
**ljudband** *s* tape
**ljudbildband** *s* sound filmstrip
**ljuddämpare** *s* silencer på bil o. vapen; amer. muffler på bil
**ljudförstärkare** *s* amplifier
**ljudisolera** *vb tr* soundproof
**ljudisolerad** *adj* soundproof
**ljudkassett** *s* audio cassette
**ljudlös** *adj* soundless
**ljudradio** *s* sound broadcasting
**ljudskrift** *s* sound notation, phonetic transcription
**ljudstyrka** *s* volume of sound
**ljudvåg** *s* soundwave
**ljug** *s* vard., *det är bara ~* it's just a pack of lies
**ljuga** *vb itr* lie [*för ngn* to a p.]; tell a lie (lies)
**ljum** *adj* lukewarm, tepid
**ljumske** *s* groin
**ljung** *s* heather
**ljungpipare** *s* fågel golden plover
**ljus I** *s* light; stearinljus candle; *föra ngn bakom ~et* take a p. in; *leta efter ngt med ~ och lykta* search high and low for a th. **II** *adj* light; om dag, klangfärg clear; om hy, hår fair; om öl pale; *mitt på ~a dagen* in broad daylight
**ljusblå** *adj* light (pale) blue
**ljusglimt** *s* gleam of light; bildl. ray of hope
**ljushuvud** *s*, *han är inget ~* he's not very bright
**ljushårig** *adj* fair, fair-haired, blond (om kvinna blonde)
**ljuskrona** *s* chandelier
**ljusmanschett** *s* candle ring
**ljusna** *vb itr* get (grow) light; om utsikter get brighter
**ljusning** *s* förbättring change for the better
**ljusomkopplare** *s* bil. dipswitch, amer. dimmer
**ljuspunkt** *s* bildl. bright spot
**ljusstake** *s* candlestick
**ljusår** *s* light year äv. bildl.

**ljusäkta** *adj* ...that will not fade, ...resistant to light
**ljuv** *adj* sweet; förtjusande delightful
**ljuvlig** *adj* delightful, lovely; utsökt exquisite
**LO** se *Landsorganisationen*
**lobelia** *s* bot. lobelia
**1 lock** *s* hårlock curl; längre lock, lock of hair
**2 lock** *s* på kokkärl, låda etc. lid
**locka** *vb tr* o. *vb itr*, *~* förleda *ngn till att* inf. entice a p. into ing-form; kalla etc. call; fresta tempt; *det låter inte vidare ~nde* it doesn't sound very tempting; *~ till sig ngn* entice a p. to come to one; *~ ur ngn ngt* draw a th. out of a p.
**lockbete** *s* bait äv. bildl.
**lockelse** *s* enticement [*för* to]; frestelse lure; temptation [*till* to]
**lockig** *adj* curly
**lockout** *s* lockout
**lockouta** *vb tr* lock out
**lockpris** *s* specially reduced price
**lodare** *s* layabout; luffare tramp
**lodis** *s* vard., se *lodare*
**lodjur** *s* lynx
**lodrät** *adj* vertical; *~a ord* i korsord clues down
**1 loge** *s* i lada barn
**2 loge** *s* teat. box; klädloge dressing-room
**loggbok** *s* logbook
**logi** *s* accommodation, lodging
**logik** *s* logic
**logisk** *adj* logical
**loj** *adj* om person indolent; slö apathetic
**lojal** *adj* loyal [*mot* to]
**lojalitet** *s* loyalty
**lok** *s* engine
**lokal I** *s* premises pl.; rum room **II** *adj* local
**lokalbedövning** *s* local anaesthesia
**lokalisera** *vb tr* locate [*i, till* in]; begränsa localize
**lokalkännedom** *s*, *ha god ~* know a place (locality) well
**lokalradio** *s* local radio
**lokalsamtal** *s* tele. local call
**lokalsinne** *s*, *ha dåligt ~* have no sense of direction
**lokaltrafik** *s* järnv. suburban services pl.
**lokaltåg** *s* local (suburban) train
**lokalvårdare** *s* cleaner
**lokatt** *s* se *lodjur*
**lokförare** *s* engine-driver
**lokomotiv** *s* engine, railway engine
**londonbo** *s* Londoner
**longitud** *s* longitude
**lopp** *s* löpning run; tävling race; *~et är kört*

it's all over, we've had it; *dött* ~ dead heat; *i det långa ~et* in the long run; *inom ~et av* within; *under dagens ~* during the day

**loppa** *s* flea; *leva ~n* live it up

**loppmarknad** *s* second-hand market

**loppspel** *s* tiddlywinks sg.

**lort** *s* smuts dirt; starkare filth

**lortig** *adj* dirty; starkare filthy

**loss** *adv* loose; *riva ~* tear off; *skruva ~* unscrew

**lossa** *vb tr* **1** lösgöra loose; *~ på* band (knut) untie, undo; göra lösare loosen **2** urlasta unload **3** avlossa (skott) fire

**lossna** *vb itr* come loose; come off; om t.ex. knut come undone (om ngt limmat unstuck); om tänder get loose

**lots** *s* pilot

**lotsa** *vb tr* pilot; vägleda guide

**lott** *s* del, öde lot; andel share; jordlott allotment, plot; lottsedel lottery ticket; *dra ~ om ngt* draw (cast) lots for a th.; *falla (komma) på ngns ~* fall to a p.'s lot

**1 lotta** *s* member of the Women's Services

**2 lotta** *vb itr, ~ om ngt* draw lots for a th.

**lottad** *adj, de sämst ~e* those who are worst off

**lottdragning** *s* [vanl. the] drawing of lots

**lotteri** *s* lottery

**lottlös** *adj, bli ~* be left without any share

**lottning** *s, avgöra ngt genom ~* decide a th. by drawing lots

**lottsedel** *s* lottery ticket

**lov** *s* **1** ledighet holiday; ferier holidays pl.; *få ~* get a day etc. off **2** tillåtelse permission; *får jag ~?* may I?; vid uppbjudning may I have the pleasure (the pleasure of this dance)?; *får det ~ att vara* en cigarr? may I offer you...?; *be ngn om ~ att få göra ngt* ask a p.'s permission to do a th. **3** *få ~* vara tvungen *att* have to, must **4** beröm praise; *Gud ske ~!* thank God!

**lova** *vb tr* promise; *jo, det vill jag ~!* vard.; I'll say!

**lovande** *adj* promising

**lovdag** *s* holiday

**lovlig** *adj* tillåten permissible; *~ tid* jakt. the open season

**lovord** *s* praise

**lovorda** *vb tr* o. **lovprisa** *vb tr* praise

**LP-skiva** *s* LP (pl. LPs)

**lucka** *s* **1** ugnslucka etc. door; fönsterlucka shutter; taklucka o. sjö. hatch **2** öppning hole, opening; expeditionslucka counter **3** tomrum gap

**luckra** *vb tr* loosen, break up

**ludd** *s* fjun fluff; dun down; på tyg nap

**luddig** *adj* fjunig fluffy; dunig downy; bildl., oklar woolly

**luden** *adj* hairy, shaggy; bot. downy

**luffa** *vb itr* vara på luffen tramp

**luffare** *s* tramp

**luffarschack** *s* noughts and crosses sg.

**luft** *s* air; *behandla ngn som ~* treat a p. as if he (she etc.) did not exist; *det ligger i ~en* it's in the air

**lufta** *vb tr* air

**luftbevakning** *s* aircraft warning service

**luftbro** *s* airlift

**luftdrag** *s* draught, amer. draft

**luftfart** *s* air traffic

**luftfuktighet** *s* humidity

**luftförorening** *s* air pollution (ämne pollutant)

**luftförsvar** *s* air defence

**luftgrop** *s* air pocket

**luftig** *adj* airy; lätt, porös light

**luftkonditionering** *s* air-conditioning

**luftkudde** *s* bil. airbag

**luftlandsätta** *vb tr* mil. airdrop

**luftlandsättning** *s* mil. airdrop

**luftmadrass** *s* air bed (mattress)

**luftombyte** *s* change of air (climate)

**luftpost** *s* airmail

**luftrörskatarr** *s* anat. bronchitis

**luftstrupe** *s* windpipe

**luftström** *s* air current

**lufttrumma** *s* ventilating (air) shaft

**lufttryck** *s* meteor. atmospheric (air) pressure

**lufttät** *adj* airtight

**luftvärn** *s* anti-aircraft (förk. AA) defence (defences pl.)

**lugg** *s* hår fringe

**lugga** *vb tr, ~ ngn* pull a p.'s hair

**luggsliten** *adj* threadbare

**lugn I** *s* calm; ro peace; ordning order; fattning composure; *i ~ och ro* in peace and quiet **II** *adj* calm; stilla quiet; fridfull peaceful; ej orolig easy in one's mind; ej upprörd calm; fattad composed; *du kan vara ~ för att han klarar det* don't worry, he'll manage it; *med ~t samvete* with an easy conscience

**lugna I** *vb tr* calm, quiet; småbarn soothe; inge tillförsikt reassure **II** *vb rfl, ~ sig* calm down; *~ dig!* äv. don't get excited!, take it easy!

**lugnande** *adj* om nyhet etc. reassuring; om

verkan etc. soothing; ~ **medel** sedative, tranquillizer

**lugnt** adv calmly, quietly, peacefully; **ta det ~!** take it easy!

**lukt** s smell, odour; behaglig scent

**lukta** vb tr o. vb itr smell [på ngt at a th.]

**luktfri** adj odourless

**luktsalt** s smelling salts pl.

**luktsinne** s sense of smell

**luktärt** s sweet pea

**lummig** adj woody; lövrik leafy; skuggande shady

**lump** s **1** trasor rags pl.; skräp junk **2** ligga i ~en vard. do one's military service

**lumpbod** s junk shop

**lumpen** adj småsint mean; tarvlig shabby

**lunch** s lunch; formellt luncheon; äta fisk till ~ have...for lunch

**lunchkupong** s luncheon voucher

**lunchrast** s lunch hour

**lunchrum** s dining-room, lunchroom; självservering canteen

**lund** s grove

**lunga** s lung äv. bildl.

**lungcancer** s lung cancer

**lunginflammation** s pneumonia

**lungsäcksinflammation** s pleurisy

**lunka** vb itr jog (trot) along

**lupin** s bot. lupin

**1 lur** s **1** horn horn **2** tele. receiver; radio. earphone

**2 lur** s bakhåll, ligga på ~ lie in wait, lurk

**lura I** vb itr ligga på lur lie in wait [på ngn for a p.] **II** vb tr 'skoja' take...in; bedraga deceive; speciellt på pengar cheat, swindle [på i båda fallen out of]; ~ ngn att inf. fool a p. into ing-form
□ ~ av ngn ngt genom bedrägeri cheat a p. out of a th.; ~ på ngn få ngn att köpa ngt trick a p. into buying a th.; ~ till (åt) sig secure...by trickery

**lurifax** s sly dog

**lurpassa** vb itr, ~ på ngn lie in wait for

**lurvig** adj om hår rough; om hund shaggy

**lus** s louse (pl. lice)

**lusläsa** vb tr read through thoroughly

**lussekatt** s saffron bun [eaten on Lucia Day 13th December]

**lust** s böjelse, håg inclination; åtrå desire; jag har ~ att gå dit I feel like going there

**lusta** s lust, desire

**lustbetonad** adj pleasurable

**lustgas** s laughing gas

**lustgård** s, Edens ~ the Garden of Eden

**lustig** adj funny, comic, comical; konstig odd; göra sig ~ över make fun of

**lustighet** s, säga en ~ say an amusing thing; vitsa crack a joke

**lustigkurre** s joker, character

**lustjakt** s yacht

**1 lut** s, ställa ngt på ~ stand a th. slantwise

**2 lut** s tvättlut lye

**1 luta** s mus. lute

**2 luta I** vb itr **1** lean; slutta slope; vila, stöda recline, rest **2** vard., det ~r nog dităt it looks like it **II** vb tr lean [mot against] **III** vb rfl, ~ sig bakåt (fram el. framåt) lean back (forward); ~ sig ut genom fönstret lean out of the window; ~ sig ned bend down

**lutad** adj leaning; framåtlutad ...leaning forward

**lutande** adj leaning; om t.ex. tak, handstil sloping

**luteran** s Lutheran

**lutersk** adj Lutheran

**lutfisk** s stockfish; maträtt boiled ling

**luv** s, komma (råka) i ~en på varandra fly at each other (each other's throats)

**luva** s cap, woollen cap

**Luxemburg** Luxembourg

**luxemburgare** s Luxembourger

**luxuös** adj luxurious

**lya** s lair, hovel; den äv. rum

**lycka** s happiness; tur luck; ~ till! good luck!; göra ~ ha framgång be a success

**lyckad** adj successful; vara mycket ~ be a great success

**lyckas** vb itr dep succeed [i att inf. in ing-form]; om person äv. manage; jag lyckades göra det I managed to do it, I succeeded in doing it

**lycklig** adj glad happy [över about, at]; gynnad av lyckan fortunate; tursam lucky; framgångsrik successful; ~ resa! pleasant journey!

**lyckligtvis** adv luckily, fortunately

**lyckokast** s unexpected success, real hit

**lyckosam** adj fortunate; framgångsrik successful

**lycksalig** adj really happy, blissful

**lycksökare** s adventurer; opportunist opportunist

**lyckt** adj, inför (inom, bakom) ~a dörrar behind closed doors

**lyckträff** s stroke of luck

**lyckönska** vb tr congratulate [till on]

**lyckönskning** s congratulation

**1 lyda I** *vb tr* hörsamma obey; t.ex. någons råd take, follow **II** *vb itr*, **~ under** sortera under come (belong) under
**2 lyda** *vb itr* ha viss lydelse run, read
**lydelse** *s* ordalydelse wording
**lydig** *adj* obedient [*mot* to]
**lydnad** *s* obedience
**lyft** *s* vard., framsteg boost, big step forward
**lyfta I** *vb tr* lift; höja, t.ex. armen, huvudet raise; **~ ankar** (**ankaret**) weigh anchor; **~ bort** (**undan**) take away; uppbära, t.ex. lön draw, earn **II** *vb itr* **1** om flygplan take off **2 ~ på hatten** raise one's hat; **~ på luren** lift the receiver
**lyftkran** *s* crane, lifting crane
**lyftning** *s* bildl., [*högre*] **~** elevation, inspiration; själslig äv. exaltation
**lyhörd** *adj* **1** om öra, sinne keen, sharp; om person ...with (that has) a keen (sharp) ear **2** om rum etc., **det är lyhört i det här rummet** this room is not soundproof
**lykta** *s* lantern; gat~, billykta lamp
**lyktstolpe** *s* lamppost
**lymfa** *s* anat. lymph
**lymmel** *s* scoundrel
**lyncha** *vb tr* lynch
**lynchning** *s* lynching
**lynne** *s* läggning temperament; sinnelag disposition
**lyra** *s* bollkast throw; med slagträ hit; **en hög ~** a high ball
**lyrik** *s* lyric poetry; dikter lyrics pl.
**lyriker** *s* lyric poet
**lysa** *vb itr* o. *vb tr* **1** skina shine; glänsa gleam; om t.ex. stjärnor äv. glitter, twinkle; **~ igenom** om solen shine (om färg show) through **2** **det har lyst för dem** (**paret**) the banns have been published for them (the couple)
**lysande** *adj* shining; klar bright; bildl. brilliant; om framgång dazzling
**lyse** *s* light
**lysmask** *s* glow-worm
**lysning** *s* [vanl. the] banns pl.; **ta ut ~** ask to have the banns published
**lysningspresent** *s* ung. wedding present
**lysrör** *s* fluorescent lamp, strip light
**lysrörsbelysning** *s* fluorescent (strip) lighting
**lyssna** *vb itr* listen [*efter* for; *på, till* to]
**lyssnare** *s* listener
**lysten** *adj* desirous [*efter* of]; glupsk greedy
**lyster** *s* glans lustre
**lyte** *s* kroppsfel bodily defect, disability; missbildning deformity

**lyx** *s* o. **lyxartikel** *s* luxury
**lyxig** *adj* luxurious
**lyxkrog** *s* first-class restaurant
**låda** *s* box; större case; draglåda drawer
**låg** (jfr *lägre I, lägst I*) *adj* low; **~a böter** a small fine
**låga** *s* flame; starkare blaze; på gasspis burner; **gå upp** (**stå**) **i lågor** go up (be) in flames
**lågavlönad** *adj* low-paid
**låginkomsttagare** *s* low-income earner
**lågkonjunktur** *s* recession, depression
**låglönegrupp** *s* low-wage group
**lågmäld** *adj* quiet
**lågoktanig** *adj*, **~ bensin** low-octane petrol (amer. gasoline)
**lågprisvaruhus** *s* discount store
**lågsint** *adj* base, mean
**lågsko** *s* shoe
**lågstadium** *s*, **lågstadiet** i grundskolan the junior level (department) of the 'grundskola'; se *grundskola*
**lågt** *adv* low; **ligga ~** se *ligga 1*; staden **ligger ~** ...stands on low ground; solen (termometern) **står ~** ...is low
**lågtflygande** *adj* low-flying
**lågtrafik** *s*, **vid ~** at off-peak hours
**lågtryck** *s* meteor. depression; område area of low pressure
**lån** *s* loan; **ge ngn ett ~** lend a p. money
**låna** *vb tr* **1** få till låns borrow [*av* from]; **får jag ~** din telefon*?* may I use...? **2** låna ut lend [*åt* to]; **~ bort** (**ut**) lend; boken **är utlånad** från bibliotek ...is out on loan
**låneansökan** *s* loan application
**lånebibliotek** *s* lending-library
**lång** (jfr *längre I, längst I*) *adj* **1** long; **det tar inte ~ tid att** it won't take long to; det tar **tre gånger så ~ tid** ...three times as long **2** om person, reslig tall
**långbyxor** *s pl* long trousers
**långdistanslöpare** *s* long-distance runner
**långdragen** *adj* långvarig protracted, lengthy; långtråkig tedious
**långfilm** *s* long (feature) film
**långfinger** *s* middle finger
**långfranska** *s* white French loaf
**långfredag** *s* Good Friday
**långgrund** *adj* shallow
**långhårig** *adj* long-haired
**långpromenad** *s* long walk
**långrandig** *adj* bildl. long-winded
**långsam** *adj* slow; gradvis gradual
**långsamhet** *s* slowness
**långsiktig** *adj* long-term...

**långsint** *adj*, *han är* ~ he doesn't forget things easily

**långsmal** *adj* long and narrow

**långsynt** *adj* long-sighted

**långsökt** *adj* far-fetched

**långt** *adv* om avstånd far; a long way (distance); om tid long; *gå* ~ walk a long way; i livet go far; *det går för* ~ bildl. that is going too far; huset är ~ *ifrån färdigt* ...far from completed; *det är* ~ *till jul* it is a long time to Christmas; *det är inte* ~ *till jul* Christmas is not far off

**långtidsparkering** *s* long-stay (long-term) parking (område car park)

**långtidsprognos** *s* long-range forecast

**långtradarchaufför** *s* truck-driver, amer. äv. teamster

**långtradare** *s* lastbil long-distance lorry (truck)

**långtradarkafé** *s* transport café, amer. truck stop

**långtråkig** *adj* boring

**långtur** *s* long tour (trip)

**långvarig** *adj* long; långt utdragen prolonged

**långvåg** *s* long wave

**långvård** *s* long-term medical treatment

**långärmad** *adj* long-sleeved

**lånord** *s* loan word

**låntagare** *s* borrower

**1 lår** *s* large box; packlår packing-case

**2 lår** *s* anat. thigh; kok. leg

**lårben** *s* thighbone

**lås** *s* lock; hänglås padlock; på väska, armband etc. clasp; dörren *gick i* ~ ...locked itself; *inom* ~ *och bom* under lock and key

**låsa** *vb tr* lock; med hänglås padlock; väska, armband etc. clasp; ~ *in* lock...up; ~ *upp* unlock

**låssmed** *s* locksmith

**låt** *s* melodi tune; visa song

**1 låta** *vb itr* ljuda, verka sound [*som* like]; *hur låter melodin?* how does the melody go?; *så ska det* ~*!* bildl. that's the spirit!, now you're talking!

**2 låta** *hjälpvb*, ~ *ngn* göra ngt a) inte hindra let a p....; tillåta allow a p. to... b) se till att get a p. to...; förmå make a p....; ~ *göra ngt* se till att ngt blir gjort have (get) a th. done; *låt oss göra det!* let's do it!; ~ *ngn förstå* att give a p. to understand...; ~ dörren *stå öppen* leave...open; ~ *ngt* (*ngn*) *vara* leave (let) a th. (a p.) alone

**låtsa** *vb tr* o. *vb itr* se *låtsas*

**låtsas** *vb tr* o. *vb itr* pretend [*att*, *som om* that]; *han låtsades inte om att...* he

didn't show that...; *inte* ~ bry sig *om* ngn (ngt) take no notice of...

**lä** *s* lee; skydd mot vinden shelter; *där ligger du i* ~ that (he, she) puts you in the shade, doesn't it?

**läcka I** *s* leak äv. bildl. **II** *vb itr* o. *vb tr*, ~ *information* leak information

**läcker** *adj* delicious

**läckerhet** *s*, *en* ~ a delicacy

**läder** *s* leather; *en sko av* ~ a leather shoe

**läge** *s* situation, position; tillstånd state

**lägenhet** *s* våning flat, amer. apartment

**läger** *s* tältläger etc. camp; *slå* ~ pitch a camp

**lägerplats** *s* camping-ground

**lägga I** *vb tr* placera put, place; i liggande ställning lay; ~ *ngn* till sängs put a p. to bed; låta ~ *håret* have one's hair set; ~ *ägg* lay eggs; ~ *en duk på* bordet lay a cloth on... **II** *vb rfl* **1** ~ *sig* lie down; gå till sängs go to bed; placera sig place oneself **2** avta, om t.ex. storm abate, subside; gå över pass off

□ ~ *av* put aside; *avlagda kläder* cast-off clothes; *lägg av!* vard. lay off!, stop it!, pack it up!; ~ *fram* put forward; ~ *i ettan* (ettans växel) put the car in first (in first gear); ~ *sig i* bildl. interfere; ~ *ifrån sig* put down [*på* bordet on...]; undan put away; lämna kvar leave, leave...behind; ~ *ihop* a) vika ihop fold, fold up b) addera ihop add up; ~ *in a)* stoppa etc. in put...in; slå in wrap up; ~ *in sig på* sjukhus go into... **b)** konservera preserve; på glas bottle; ~ *ned* a) packa ned pack b) upphöra med, t.ex. verksamhet discontinue; inställa, t.ex. drift shut down; stänga, t.ex. fabrik close down c) offra, t.ex. pengar, tid spend; ~ *om* ändra change, alter, omorganisera reorganize; förbinda bandage, sår dress; ~ *på* put on; t.ex. förband apply; posta post; ~ *på* el. ~ *på luren* tele. hang up, ring off; ~ *till* tillfoga add; bidra med contribute; ~ *sig till med* t.ex. glasögon begin to wear; t.ex. skägg grow; ~ *undan* ~ bort, reservera put aside; spara put away; ~ *upp* a) kok. dish up b) sömnad. shorten c) t.ex. arbete organize, plan; ~ *ut* pengar spend, lay out; *han har lagt ut* blivit tjockare he has put on weight (filled out)

**läggdags** *adv* time for bed, bedtime

**läggning** *s* karaktär disposition; fallenhet bent

**läggningsvätska** *s* setting lotion

**läglig** *adj* timely; passande convenient, ...at the right time

**lärobok**

**lägre I** *adj* lower etc., jfr *låg;* i rang etc. inferior [*än* to] **II** *adv* lower
**lägst I** *adj* lowest etc., jfr *låg* **II** *adv* lowest
**lägstbjudande** *adj, den* ~ the lowest bidder
**läka** *vb tr* o. *vb itr* heal
**läkarbehandling** *s* medical treatment
**läkare** *s* doctor, physician; *allmänt praktiserande* ~ general practitioner
**läkarhjälp** *s, tillkalla* ~ call for a doctor
**läkarhus** *s* medical centre
**läkarintyg** *s* doctor's certificate
**läkarrecept** *s* prescription
**läkarundersökning** *s* medical examination
**läkarvård** *s* medical treatment
**läkas** *vb itr dep* heal
**läkemedel** *s* medicine, drug
**läktare** *s* inomhus gallery; åskådar~ stand, grandstand
**läktarvåld** *s* violence on the terraces, [football] hooliganism
**lämna** *vb tr* **1** leave; överge abandon; ge upp give up **2** ge give; låta ngn få äv. let...have; överräcka hand; t.ex. förklaring äv. offer; t.ex. anbud äv. make; t.ex. upplysningar äv. provide; t.ex. hjälp äv. afford; avlämna deliver; överlämna hand...over; avkasta, inbringa yield □ ~ *ifrån sig* ge ifrån sig hand over; ~ *in* hand (skicka send) in; skrivelse give in; till förvaring leave; ~ *kvar* ngt leave...; oavsiktligt leave...behind; ~ *tillbaka* return; ~ *ut* t.ex. paket hand out; t.ex. varor deliver; dela ut distribute
**lämpa** *vb rfl,* ~ *sig* passa be convenient; ~ *sig för* ngt be suited for...
**lämpad** *adj* suitable, appropriate
**lämplig** *adj* passande suitable; t.ex. behandling äv. appropriate, fitting; läglig convenient
**län** *s* 'län', administrative province; britt. motsv. county
**länga** *s* rad range, row
**längd** *s* length; kroppslängd, höjd height; brödlängd flat long-shaped bun; *i ~en* in the end (long run)
**längdhopp** *s* long jump (hoppning jumping)
**längdhoppare** *s* long jumper
**längdriktning** *s, i ~en* lengthways
**länge** *adv* long, for a long time; *sova* ~ sleep late; *på* ~ for a long time; *än (ännu) så* ~ har ingenting hänt so far...; *så* ~ *som* konj. as long as; *för* ~ *sedan* a long time ago; middagen *är färdig för* ~ *sedan* ...has been ready for a long time; *det var* ~ *sedan (sen)!* we haven't met for a long time!

**längre I** *adj* longer etc., jfr *lång 1-2; en* ~ ganska lång *promenad* a longish (rather long) walk; jag kan inte stanna *någon* ~ *tid* ...for very long **II** *adv* further, farther; endast om avstånd; om tid longer; *du älskar mig inte* ~ you don't love me any more (longer); ~ *fram* om tid later on
**längs** *prep adv,* ~ el. ~ *efter* along, alongside
**längst I** *adj* longest etc., jfr *lång 1-2; i det* ~*a* as long as possible; in i det sista to the very last **II** *adv* om rum furthest, farthest endast om avstånd; ända right; om tid longest; ~ *fram* at the very front
**längta** *vb itr* long; starkare yearn [*efter* ngt for a th.; *efter att* inf. to inf.]; ~ *efter* sakna miss; ~ *hem* long for home, be homesick
**längtan** *s* longing; starkare yearning [*efter, till* for]
**längtansfull** *adj* longing; starkare yearning
**länk** *s* **1** led link **2** kedja chain
**länsa** *vb tr* tömma empty [*på* of]
**länsstyrelsen** *s* the county administrative board
**länstol** *s* armchair, easy chair
**läpp** *s* lip
**läppja** *vb itr,* ~ *på* dryck sip, sip at
**läppstift** *s* lipstick
**lär** *hjälpvb* **1** sägs etc., *han* ~ *sjunga bra* they say he sings well, he is said to sing well **2** torde, *det* ~ (~ *inte*) inf. it is likely (not likely) to inf.
**lära I** *s* vetenskapsgren science; lärosats doctrine; tro faith **II** *vb tr* **1** undervisa teach, instruct **2** ~ sig learn **III** *vb rfl,* ~ *sig* learn; snabbt pick up [*ngt av ngn* i båda fallen a th. from a p.]; *få* ~ *sig* learn; undervisas be taught □ ~ *om* relearn
**läraktig** *adj* ...ready (willing) to learn
**lärare** *s* teacher [*i* ett ämne of, in]; sport. etc. instructor
**lärarhögskola** *s* school (institute) of education; mindre teacher's training college
**lärarinna** *s* teacher, woman teacher
**lärarvikarie** *s* supply (substitute) teacher
**lärd** *adj* learned
**lärjunge** *s* pupil [*i* en skola at]; bibl. o. friare disciple [*till ngn* of a p.]
**lärka** *s* lark, sky lark
**lärkträd** *s* larch, larch tree
**lärling** *s* apprentice
**läroanstalt** *s* educational institution
**lärobok** *s* textbook; skolbok äv. school-book; ~ *i geografi* geography textbook

**läromedel** *s pl* textbooks and teaching aids

**läroplan** *s* curriculum (pl. cirricula)

**lärorik** *adj* instructive

**läroämne** *s* subject

**läsa** *vb tr* o. *vb itr* **1** read; t.ex. bön say; ~ *ngt för ngn* read a th. to a p. **2** studera study; ~ engelska *för ngn* ta lektioner take lessons in...with a p.; ~ *sina läxor* prepare (do) one's homework **3** undervisa, ~ engelska *med ngn* ge lektioner give a p. lessons in...

□ ~ **igenom ngt** read a th. through; ~ **in** en kurs, en roll learn; ~ **på** läxa etc. prepare; ~ **upp** read, read out

**läsare** *s* reader

**läsbar** *adj* readable

**läsebok** *s* reader

**läsecirkel** *s* book club

**läsekrets** *s* circle of readers, public

**läsida** *s* lee side; *på ~n* on the leeward

**läsk** *s* vard. soft drink; lemonad lemonade

**läska** *vb tr* **1** ~ *sin törst* quench one's thirst; *en ~nde dryck* a refreshing drink **2** med läskpapper blot

**läskedryck** *s* soft drink; lemonad lemonade

**läskig** *adj* vard. horrible, nasty, horrid

**läskpapper** *s* blotting-paper

**läskunnig** *adj* ...able to read

**läslig** *adj* möjlig att läsa legible; tydbar decipherable

**läsning** *s* reading

**läspa** *vb itr* lisp

**läspenna** *s* data pen

**läspning** *s* lisping; *en ~* a lisp

**läsvärd** *adj* readable, ...worth reading

**läsår** *s* skol. school year

**läte** *s* sound; djurs call, cry

**lätt I** *adj* **1** ej tung light äv. friare; *en ~ förkylning* a slight cold; *med ~ hand* lightly; varsamt gently **2** ej svår easy, simple; *inte ha det ~* not have an easy time of it; *han har ~ för* språk he has a gift for...; *hon har ~ för att gråta* she cries easily **II** *adv* **1** ej tungt light; lindrigt slightly, gently; litet somewhat; *ta ngt ~* el. *ta ~ på ngt* take a th. lightly; bagatellisera make light of a th. **2** ej svårt easily; vard. easy; *man blir ~ trött*, om one gets easily (is apt to get) tired,...

**lätta I** *vb tr* **1** göra lättare lighten; bildl. ease, relieve; ~ *sitt hjärta för ngn* unburden one's mind to a p.; *känna sig ~d* feel relieved; ~ *upp* stämning etc. relieve; humör liven up **2** ~ *ankar* weigh anchor **II** *vb itr*

**1** bli lättare become (get) lighter; bildl. ease **2** om dimma lift

**lättantändlig** *adj* inflammable

**lättfattlig** *adj* easily comprehensible; ...easy to understand

**lätthanterlig** *adj* ...easy to handle (manage)

**lätthet** *s* ringa tyngd lightness; ringa svårighet easiness, simplicity

**lättja** *s* laziness, idleness

**lättjefull** *adj* lazy

**lättklädd** *adj* tunnklädd thinly (lightly) dressed

**lättlurad** *adj* gullible, ...easily taken in

**lättläst** *adj* om handstil very legible; om bok etc. very readable

**lättmetall** *s* light metal, aluminium, amer. aluminum

**lättmetallfälgar** *s pl* alloy wheels (rims)

**lättmjölk** *s* low-fat milk

**lättnad** *s* relief; mildring relaxation; lindring easing-off

**lättrogen** *adj* credulous; lättlurad gullible

**lättsinnig** *adj* thoughtless; ansvarslös irresponsible

**lättskrämd** *adj, vara ~* be easily scared

**lättskött** *adj* ...easy to handle

**lättsmält** *adj* om mat easily digested; om bok very readable

**lättsåld** *adj* ...easy to sell

**lättsövd** *adj, vara ~* be a light sleeper

**lättvikt** *s* o. **lättviktare** *s* sport. lightweight

**lättvin** *s* light wine

**lättöl** *s* low-alcohol beer (vard. förk. lab)

**läxa I** *s* **1** hemläxa homework (end. sg.); *många läxor* a lot of homework **2** *ge ngn en ~* tillrättavisning teach a p. a lesson **II** *vb tr, ~ upp ngn* tell a p. off

**löda** *vb tr* solder; ~ *fast* solder...on

**lödder** *s* lather; fradga foam, froth

**löfte** *s* promise

**lögn** *s* lie, falsehood

**lögnaktig** *adj* lying

**lögnare** *s* liar

**löjeväckande** *adj* ridiculous

**löjlig** *adj* ridiculous; orimlig absurd

**löjrom** *s* whitefish roe

**löjtnant** *s* lieutenant; inom flottan sub-lieutenant

**löjtnantshjärta** *s* bot. bleeding heart

**lök** *s* kok. onion; blomsterlök bulb

**lömsk** *adj* illistig sly; förrädisk treacherous

**lön** *s* avlöning: speciellt veckolön wages pl.; speciellt månadslön salary; mera allm. pay (end. sg.)

**löna** *vb rfl,* ~ *sig* pay; *det ~r sig inte att* inf. tjänar ingenting till it's no use (no good) ing-form

**lönande** *adj* profitable

**löneförhandlingar** *s pl* wage (resp. salary) negotiations, jfr *lön*

**löneförhöjning** *s* rise, rise in wages (resp. salary), jfr *lön*

**löneförmån** *s* benefit attaching to one's salary (veckolön wages)

**löneglidning** *s* wage drift

**lönekontor** *s* salaries department, pay office

**löneskatt** *s* payroll tax

**lönestopp** *s* wage freeze

**lönlös** *adj* gagnlös useless, futile

**lönn** *s* bot. maple

**lönndörr** *s* secret (hidden) door

**lönnmördare** *s* assassin

**lönsam** *adj* profitable

**lönsamhet** *s* profitability

**lönt** *adj, det är inte* ~ *att försöka* it is no use trying

**löntagare** *s* wage-earner, salary-earner, jfr *lön*

**löntagarfond** *s* employee fund, wage-earners' investment fund

**löpa I** *vb itr* o. *vb tr* run; sträcka sig äv. extend; ~ *ut* om avtal, tid etc. run out, expire **II** *vb itr* om hona be on (in) heat

**löpande** *adj,* ~ *utgifter* running (current) expenses; ~ *band* se *band 1 b*

**löparbana** *s* track, running track

**löpare** *s* **1** sport. runner **2** schack. bishop **3** duk runner

**löpe** *s* rennet

**löpeld** *s, som en* ~ like wildfire

**löpning** *s* sport. running; lopp run; tävling race

**löpsedel** *s* placard

**lördag** *s* Saturday; jfr *fredag* med ex.

**lördagskväll** *s* Saturday evening (senare night); *på ~arna* on Saturday evenings (nights)

**lös I** *adj* **1** loose; löstagbar detachable; separat separate, single; *en* ~ *hund* a dog off the leash, a stray dog; *gå* ~ fri be at large; *vara* ~ hålla på att lossna be coming off; ha lossnat be (have come) off (loose); *elden är* ~ a fire has broken out; som utrop fire, fire! **2** ej hård el. fast loose; mjuk äv. soft **3** om ammunition etc. blank; om rykte etc. baseless, groundless; *på ~a grunder* on flimsy grounds; köpa en vara *i* ~ *vikt*

...loose **II** *adv, gå* ~ *på* angripa *ngn* (*ngt*) attack a p. (th.)

**lösa I** *vb tr* **1** ~ el. ~ *upp* loosen; knut etc. äv. undo, untie **2** upplösa, ~ el. ~ *upp* i vätska dissolve **3** klara upp solve; konflikt etc. settle **4** betala biljett etc. pay for; köpa buy; ~ *in* check (om bank) pay; ~ *ut* ngt *på posten* get...out at the post office **II** *vb rfl,* ~ *sig* i vätska dissolve; ~ *sig själv* om fråga etc. solve itself

**lösaktig** *adj* loose, dissolute

**lösegendom** *s* personal property

**lösen** *s* **1** lösepenning ransom; post. surcharge **2** paroll watchword

**lösensumma** *s* ransom

**lösgöra** *vb tr* lösa, släppa lös set...free; befria release

**löshår** *s* false hair

**löskokt** *adj* soft-boiled

**löskrage** *s* loose collar

**löslig** *adj* i vätska soluble, dissolvable; om problem etc. solvable; lös loose

**lösning** *s* **1** av problem etc. solution [*av, på* of] **2** vätska solution

**lösningsmedel** *s* solvent

**lösnummer** *s* single copy

**lösryckt** *adj* fristående, om ord etc. disconnected

**löst** *adv* loosely; lätt lightly

**löstagbar** *adj* detachable

**löstand** *s* false tooth

**lösöre** *s* personal property

**löv** *s* leaf (pl. leaves)

**lövkoja** *s* bot. stock

**lövskog** *s* deciduous forest

**lövsångare** *s* fågel willow warbler

# M

**mack** *s* vard. petrol (amer. gas) station
**macka** *s* vard., se *smörgås 1*
**madeira** *s* vin Madeira
**madonna** *s* Madonna
**madonnabild** *s* picture of the Madonna
**madrass** *s* mattress
**madrassera** *vb tr* pad; *~d cell* padded cell
**maffia** *s* Mafia, Maffia äv. bildl.
**magasin** *s* **1** förrådshus storehouse; lager o. möbel warehouse **2** tidskrift magazine
**magasinera** *vb tr* store
**magasinsprogram** *s* TV. magazine
**magblödning** *s* gastric haemorrhage
**magcancer** *s* stomach cancer
**magdans** *s* belly dance
**mage** *s* stomach; vard. tummy äv. barnspr.; *ha dålig ~* have a weak stomach; *ha ont* smärtor *i ~n* have a stomach ache (vard. belly ache); *vara hård (trög) i ~n* be constipated; *vara lös i ~n* have diarrhoea
**mager** *adj* ej fet lean; om person, kroppsdelar thin; *~* halvfet *ost* low-fat cheese
**maggrop** *s* pit of the stomach
**magi** *s* magic
**maginfluensa** *s* gastric influenza (flu)
**magisk** *adj* magic
**magister** *s* lärare schoolmaster
**magkatarr** *s* gastric catarrh, gastritis
**magknip** *s* stomach ache; vard. belly ache
**magnat** *s* magnate, tycoon
**magnesium** *s* magnesium
**magnet** *s* magnet
**magnetisera** *vb tr* magnetize
**magnetisk** *adj* magnetic
**magnetism** *s* magnetism
**magnifik** *adj* magnificent, splendid
**magnolia** *s* magnolia
**magplask** *s* belly flop; bildl. fiasco
**magra** *vb itr* become (grow) thin (thinner); banta slim
**magsaft** *s* gastric juice
**magstark** *adj, det var ~t!* vard. that's a bit thick!
**magsår** *s* gastric ulcer
**magsäck** *s* stomach
**mahogny** *s* mahogany
**maj** *s* May; jfr *april* o. *femte*
**majestät** *s* majesty; *Ers (Eders) ~* Your Majesty
**majonnäs** *s* mayonnaise

**major** *s* major
**majoritet** *s* majority
**majs** *s* maize, amer. corn
**majsflingor** *s pl* cornflakes
**majskolv** *s* corncob; *~ar* som maträtt corn on the cob sg.
**majstång** *s* maypole
**mak** *s*, gå *i sakta ~* ...at a leisurely pace
**1 maka** *s* wife
**2 maka** *vb tr* o. *vb itr*, *~ ngt* flytta move a th.; *~ på ngt* flytta undan remove a th.; *~ (~ på) sig* move
**makaber** *adj* macabre; om detaljer äv. lurid
**makadam** *s* macadam
**makalös** *adj* matchless; ojämförlig incomparable
**makaroner** *s pl* koll. macaroni sg.
**make** *s* **1** *~n till den här handsken* the other glove [of this pair] **2** i äktenskap, *~ (äkta ~)* husband; *äkta makar* husband and wife **3** motstycke match, equal; *jag har aldrig hört (sett) på ~n!* well, I never!
**Makedonien** Macedonia; hist. Macedon
**makedonier** *s* Makedonian
**makedonsk** *adj* Macedonian
**maklig** *adj* bekväm easy-going; långsam slow, leisurely
**makrill** *s* mackerel
**makt** *s* power äv. stat; våld force; *ha ~en* be in power; *sätta ~ bakom ordet* back up one's words by force; *det står inte i min ~ att* inf. it is not in my power to inf.; *med all ~* with all one's might; *sitta vid ~en* be in power
**maktbalans** *s* balance of power
**maktgalen** *adj* power-mad
**makthavande** *subst adj, de ~* those in power
**makthavare** *s* person (pl. people) in power
**maktlysten** *adj* power-seeking
**maktlystnad** *s* lust for power
**maktlös** *adj* powerless
**maktmedel** *s pl* forcible means; *använda ~* use force
**maktmissbruk** *s* abuse of power
**mal** *s* insekt moth
**mala** *vb tr* o. *vb itr* t.ex. kaffe grind [*till* into]; kött mince
**malaria** *s* malaria
**mall** *s* mönster pattern äv. ritmall
**mallig** *adj* stuck-up, cocky, snooty
**Mallorca** Majorca
**malm** *s* miner. ore; bruten rock
**malpåse** *s* mothproof bag; *lägga i ~* bildl. put... in mothballs

**malt** *s* malt
**Malta** Malta; *ris à la* ~ kok. cold creamed rice
**maltdryck** *s* malt liquor
**Malteser** *s* Maltese (pl. lika)
**malva** *s* mallow; färg mauve
**maläten** *adj* moth-eaten; luggsliten shabby
**malör** *s* mishap, misfortune
**mamelucker** *s pl* damunderbyxor directoire knickers, pantalettes
**mamma** *s* mother [*till* of], jfr *mor*; vard. ma, mum, amer. mom; barnspr. mummy, amer. mammy; *leka ~, pappa, barn* play mothers and fathers
**mammakläder** *s pl* maternity wear sg.
**mammaklänning** *s* maternity dress
**mammaledig** *adj, vara* ~ be on maternal leave
**mammaledighet** *s* maternal leave
**1 man** *s* hästman etc. mane
**2 man** *s* **1** man (pl. men); besättningsman, arbetare hand; *hans närmaste* ~ his right-hand man; *tredje* ~ jur. third party; *per* ~ per person (head, man) **2** make husband
**3 man** *obest pron* den talande inbegripen one; 'vi' we; speciellt i talspråk, anvisningar etc. you; 'folk' people; 'de' they; *förr trodde* ~ *att* jorden var platt people used to think (it was formerly thought) that...; ~ *påstår att...* it is said (they say) that...
**mana** *vb tr* uppmana exhort; egga incite; uppfordra call upon
**manager** *s* manager; teat. publicity agent
**manchester** *s* o. **manchestersammet** *s* corduroy
**mandarin** *s* **1** frukt tangerine, mandarin **2** kinesisk ämbetsman mandarin
**mandat** *s* uppdrag commission; fullmakt mandate; riksdags~ (säte) seat
**mandel** *s* almond; anat. tonsil
**mandelmassa** *s* almond paste, marzipan
**mandelspån** *s* almond flakes pl.
**mandolin** *s* mandolin, mandoline
**mandom** *s* manhood
**maner** *s* manner; stil style; tillgjordhet mannerism
**manet** *s* jellyfish
**mangan** *s* manganese
**mangel** *s* mangle
**mangla** *vb tr* tvätt etc. mangle; utan objekt do the mangling
**mango** *s* frukt mango (pl. -es el. -s)
**mangrant** *adv* in full numbers
**mani** *s* mania, craze [*på* for]

**manick** *s* vard. gadget
**manifest** *s* manifesto (pl. -s)
**manifestation** *s* manifestation
**manifestera** *vb tr,* ~ *sig* ta sig uttryck manifest itself
**manikyr** *s* manicure
**manikyrera** *vb tr* manicure
**maning** *s* upp~ exhortation; vädjan appeal
**manipulation** *s* manipulation; *bedrägliga* ~*er* fraudulent manipulation sg., juggling sg.
**manipulera** *vb tr* o. *vb itr,* ~ el. ~ *med* manipulate
**manke** *s, lägga* ~*n till* put one's back into it
**mankön** *s* male sex
**manlig** *adj* av mankön male; typisk för en man masculine, male; speciellt om goda egenskaper manly
**mannagryn** *s* koll. semolina sg.
**mannaminne** *s, i* ~ within living memory
**mannekäng** *s* person model
**mannekänga** *vb itr* model
**mannekänguppvisning** *s* fashion show (parade)
**manschauvinist** *s* male chauvinist
**manschett** *s* cuff; *darra på* ~*en* bildl. shake in one's shoes
**manschettknapp** *s* cuff link
**mansgris** *s* vard., *mullig* ~ male chauvinist pig
**manskap** *s* koll. men pl.; sjö. crew
**manslem** *s* penis, male organ
**manssamhälle** *s* male-dominated society
**mansålder** *s* generation
**mantalsskriva** *vb tr, mantalsskriven i* Stockholm registered (domiciled) in...
**mantalsskrivning** *s* residential registration [for census purposes]
**manuell** *adj* manual
**manus** *s* o. **manuskript** *s* manuscript (förk. MS); film~ script
**manöver** *s* manœuvre
**manövrera** *vb tr* o. *vb itr* manœuvre; sköta handle, manage
**mapp** *s* för brev etc. folder; pärm file
**maratonlopp** *s* marathon, marathon race
**mardröm** *s* nightmare, bad dream
**margarin** *s* margarine
**marginal** *s* margin
**marginalanteckning** *s* marginal note
**marginalskatt** *s* marginal tax (rate of tax)
**Maria** drottningnamn o. bibl. Mary
**Marie Bebådelsedag** Annunciation (Lady) Day 25 mars

**marig** *adj* vard. awkward, tricky

**marijuana** *s* marijuana

**marin** *s* mil. navy; *Marinen* i Sverige the Swedish Naval Forces pl.

**marinad** *s* kok. marinade

**marinblå** *adj* navy blue

**marinera** *vb tr* marinade

**marionett** *s* marionette, puppet

**marionetteater** *s* puppet theatre

**1 mark** *s* jordyta ground; jordmån soil; markområde land; *ta ~* land; *jämna med ~en* raze to the ground; *på svensk ~* on Swedish soil

**2 mark** *s* mynt mark

**3 mark** *s* spelmark counter

**markant** *adj* påfallande marked, pronounced

**markera** *vb tr* mark äv. sport.; ange indicate; poängtera emphasize, stress

**markerad** *adj* marked; utpräglad pronounced

**markis** *s* solskydd awning, sunblind

**marknad** *s* **1** mässa fair **2** hand. market

**marknadsföra** *vb tr* market

**marknadsföring** *s* marketing

**markpersonal** *s* flyg. ground staff

**marmelad** *s* jam; av citrusfrukter marmalade

**marmor** *s* marble

**marmorera** *vb tr* marble

**marmorskiva** *s*, bord *med ~* marble-topped...

**marockan** *s* Moroccan

**marockansk** *adj* Moroccan

**Marocko** Morocco

**Mars** astron. el. myt. Mars

**mars** *s* månaden March (förk. Mar.); jfr *april* o. *femte*

**marsch** *s* march äv. mus.

**marschall** *s* ung. pitch torch, link

**marschera** *vb itr* march; *~ iväg* march off

**marschfart** *s* bil. etc. cruising speed

**marsipan** *s* marzipan

**marskalk** *s* **1** mil. marshal **2** vid bröllop 'marshal', male attendant of the bride and bridegroom

**marsvin** *s* guinea pig

**martyr** *s* martyr

**marxism** *s*, ~ el. *~en* Marxism

**marxist** *s* Marxist

**marxistisk** *adj* Marxist

**maräng** *s* meringue

**mascara** *s* mascara

**1 mask** *s* zool. worm; i kött, ost maggot

**2 mask** *s* ansiktsmask mask; *han höll ~en* he did not give the show away (höll sig för skratt kept a straight face)

**1 maska** *s* mesh; vid stickning stitch; i strumpa ladder, run

**2 maska** *vb itr* go slow; friare, el. sport. play for time, waste time

**maskera** *vb tr* mask

**maskerad** *s* fancy-dress ball

**maskeraddräkt** *s* fancy dress

**maskin** *s* machine; motor, ång~ etc. engine; *~er* ~anläggning machinery, plant (båda sg.); *för full ~* sjö. at full speed; *arbeta för full ~* work full steam; *skriva (skriva på) ~* type

**maskinell** *adj* mechanical; *~ utrustning* machinery

**maskineri** *s* machinery äv. bildl.; mechanism

**maskinist** *s* engine-man; i fastighet boiler-man; sjö. engineer

**maskinskrivning** *s* typing

**maskinskötare** *s* machine-minder

**maskning** *s* going slow; friare o. sport. playing for time, wasting time

**maskopi** *s*, *de står i ~ med varandra* they are working together

**maskot** *s* mascot

**maskros** *s* dandelion

**maskulin** *adj* masculine äv. om kvinna

**maskulinum** *s* genus the masculine gender

**maskäten** *adj* worm-eaten

**masonit** *s* ® masonite

**massa** *s* mass; pappersmassa etc. pulp; *en ~ (hel ~)* mängd a (quite a) lot; *massor av (med)* böcker (öl) lots of...

**massage** *s* massage

**massageapparat** *s* massage apparatus; stav vibrator

**massaker** *s* massacre

**massakrera** *vb tr* massacre

**massera** *vb tr* massage

**massiv** *adj* solid, massive

**masskorsband** *s*, sända *som ~* ...as bulk mail

**massmedium** *s* mass medium (pl. media)

**massmord** *s* wholesale (mass) murder

**masstillverka** *vb tr* mass-produce

**masstillverkning** *s* mass production

**massvis** *adv*, *~ av (med)* lots (tons) of...

**massör** *s* masseur

**massös** *s* masseuse

**mast** *s* mast; flaggmast pole

**mastig** *adj* om mat solid, heavy; om program heavy

**mat** *s* food; måltid meal; *en bit ~* something (a bite) to eat, a snack; *~en är färdig* dinner is ready; *efter ~en* måltiderna after meals

**mata** *vb tr* feed
**matador** *s* matador
**matarbuss** *s* feeder bus
**matberedare** *s* food processor
**matbestick** *s* se *bestick*
**matbord** *s* dining-table
**matbröd** *s* bread
**match** *s* match; tävling competition
**matcha** *vb tr* o. *vb itr* om färg, plagg match
**matchboll** *s* match point
**matdags** *adv, det är ~* it is time to eat
**matematik** *s* mathematics sg.
**matematiker** *s* mathematician
**matematisk** *adj* mathematical
**material** *s* material; rå~ etc. materials pl.
**materialism** *s,* ~ el. *~en* materialism
**materialist** *s* materialist
**materialistisk** *adj* materialistic
**materiel** *s* t.ex. elektrisk equipment; t.ex. skriv~ materials pl.
**materiell** *adj* material
**matfett** *s* cooking fat
**matförgiftning** *s* food poisoning
**matiné** *s* matinée, afternoon performance
**matjessill** *s* sweet pickled herring
**matjord** *s* mylla earth, soil
**matkupong** *s* voucher
**matkällare** *s* food cellar
**matlagning** *s* cooking; *vara duktig i ~* be a good cook
**matlust** *s* appetite
**matnyttig** *adj* **1** ...suitable as food; ätlig edible **2** t.ex. om kunskaper useful
**matolja** *s* cooking oil
**matrecept** *s* recipe
**matrester** *s pl* leavings, scraps; i tänder food particles
**matrona** *s* matron, matronly woman
**matros** *s* seaman; motsats till lätt~ able seaman; friare sailor
**matrum** *s* dining-room
**maträtt** *s* dish; del av meny course
**matsal** *s* dining-room; större dining-hall; på fabrik etc. canteen
**matsedel** *s* menu, bill of fare
**matsilver** *s* table silver
**matsked** *s* tablespoon; *en ~ smör* a tablespoonful of butter
**matsmältning** *s* digestion
**matsmältningsbesvär** *s* indigestion
**matstrupe** *s* gullet
**matställe** *s* restaurant, eating-place
**matsäck** *s* lunch~ packed lunch; smörgåsar sandwiches pl.

**1 matt** *adj* **1** kraftlös faint; svag, klen weak, feeble **2** ej blank matt; glanslös dull
**2 matt** *adj, schack och ~!* checkmate!
**1 matta** *s* mjuk matta carpet; mindre rug; dörrmatta mat
**2 matta** *vb tr* göra svag make...feel weak
**mattas** *vb itr dep* become weak (weaker) etc.; om färg, glans fade; om t.ex. intresse flag
**1 matte** *s* vard., motsats 'husse' mistress
**2 matte** *s* vard., matematik maths, amer. math
**matthet** *s* faintness, weakness
**matvanor** *s pl* eating habits
**matvaror** *s pl* provisions, eatables
**matvaruaffär** *s* provision shop
**matvrak** *s* glutton
**matvrå** *s* dining alcove
**matvägrare** *s* barn child who refuses to eat
**matäpple** *s* cooking apple
**mausoleum** *s* mausoleum
**max** *s* vard., se *maximum; till ~* as much as possible, to the maximum extent, vard. to the max
**maxa** *vb tr* vard., se *maximera*
**maxim** *s* maxim
**maximal** *adj* maximum
**maximalt** *adv* maximally
**maximera** *vb tr* limit, put an upper limit to
**maximibelopp** *s* maximum amount
**maximihastighet** *s* maximum (top) speed
**maximum** *s* maximum (pl. äv. maxima)
**mazurka** *s* mus. mazurka
**1 med** *s* på kälke etc. runner; på gungstol rocker
**2 med I** *prep* **1** with; *ordet börjar ~ a* the word begins with an a; *hon har två barn ~ sin förste man* she has two children by...; *tala ~ ngn* speak to (with) a p.; *en korg ~ frukt* a basket of fruit; *en plånbok ~* 100 kr. a wallet containing...; en kommitté *~ fem medlemmar* ...consisting of five members **2** uttr. sätt: *skrivet ~ blyerts* written in pencil; *~ en hastighet av* 60 km at a speed (rate) of...; *~ fem minuters mellanrum* at intervals of five minutes; *~ andra ord* in other words; *~ hög röst* in a loud voice; *betala ~ check* pay by cheque; *~ järnväg* by railway; *~ post* by post; vad menar du *~ det?* ...by that?; *höja ~* 10% raise by...; *vinna ~ 2-1* win (win by) 2-1 'och' and; *~ flera* (förk. *m.fl.*) and others; *~ mera* (förk. *m.m.*) etcetera (förk. etc.), and so on; och andra saker and other things **4** 'beträffande': *nöjd ~* content with; *noga ~* particular about (as to); *ha plats (tid) ~* have room (time) for; *det*

*bästa* ~ *det* the best thing about it; *så var det* ~ *det!* so much for that!; *det är ingen fara* ~ *honom* he's all right; *det är gott* ~ en kopp te it's nice to have...; jag tycker om... I do like...; *vad är det för roligt* ~ *det?* what's so funny about that? **5** i vissa uttryck: ~ *en gång* el. ~ *ens* all at once; ~ *åren* blev han over the years...; ett möte skall hållas ~ *början kl.18* ...commencing at 6 p.m.; *hit* ~ pengarna! hand over...!; *adjö* ~ *dig!* bye-bye!, so long!; *tyst* ~ *dig!* be quiet! II *adv* också too, as well; han är trött på det *och det är jag* ~ ...and so am I
**medalj** *s* medal
**medaljör** *s* medallist
**medan** *konj* while
**medansvarig** *adj*, *vara* ~ share the responsibility [*för* for]
**medarbetare** *s* medhjälpare collaborator; *från vår utsände* ~ from our special correspondent
**medbestämmanderätt** *s* voice, right to be consulted
**medborgare** *s* citizen
**medborgarskap** *s* citizenship
**medborgerlig** *adj*, ~*a rättigheter* civil rights
**medbrottsling** *s* accomplice
**meddela** *vb tr*, ~ *ngn* inform a p. [*ngt* of a th.]; ge besked let a p. know; *från London* ~*s att* it is reported from London that
**meddelande** *s* budskap message; underrättelse information, news; tillkännagivande announcement; nyhets~ report; *ett* ~ underrättelse a piece of information (news); *få* ~ *om* be informed of
**medel** *s* **1** sätt, metod means (pl. lika); botemedel remedy [*mot* for] **2** ~ pl. pengar money sg., funds
**medeldistanslöpare** *s* middle-distance runner
**medelhastighet** *s* average speed
**Medelhavet** the Mediterranean [Sea]
**medelklass** *s*, ~*en* the middle classes pl.
**medellivslängd** *s* average length of life
**medellängd** *s* average length (persons height)
**medelmåtta** *s* **1** *över* (*under*) ~*n* above (below) the average **2** om person mediocrity
**medelmåttig** *adj* mediocre
**medelpunkt** *s* centre, focus
**medelst** *prep* by, by means of

**medelstor** *adj* medium, medium-sized, middle-sized
**medelstorlek** *s* medium size
**medelsvensson** *s* the (resp. an) average Swede
**medeltal** *s*, *i* ~ on an (the) average, on average
**medeltemperatur** *s* mean temperature
**medeltid** *s* hist., ~*en* the Middle Ages pl.
**medelålder** *s*, *en man i* ~*n* el. *en* ~*s man* a middle-aged man
**medfaren** *adj*, *illa* ~ om t.ex. bok, bil ...badly knocked about
**medfödd** *adj* congenital [*hos* in]; om talang etc. native, inborn
**medfölja** *vb tr* o. *vb itr*, ~ *ngt* bifogas be enclosed with a th.; räkning *medföljer* ...is enclosed
**medföra** *vb tr* **1** om person carry (take, hitåt bring)...along with one; om tåg, båt: passagerare convey, take; post etc. carry **2** ha till följd involve; vålla bring about; leda till lead to
**medge** *vb tr* **1** erkänna admit **2** tillåta allow, permit **3** bevilja grant
**medgivande** *s* **1** erkännande admission; eftergift concession **2** tillåtelse permission; samtycke consent
**medgörlig** *adj* reasonable, ...easy to get on with
**medhjälpare** *s* assistant, helper
**medhåll** *s* stöd support; *få* ~ *hos* be supported by
**medicin** *s* medicine; *få smaka sin egen* ~ get a taste of one's own medicine
**medicinera** *vb itr* take medicine el. medicines
**medicinsk** *adj* medical
**medikament** *s* medicine, medicament
**medinflytande** *s* participation; *ha* ~ *över* have a voice in
**meditation** *s* meditation
**meditera** *vb itr* meditate
**medium** *s* medium
**medkänsla** *s* sympathy
**medla** *vb itr* mediate; som skiljedomare arbitrate
**medlare** *s* mediator; skiljedomare arbitrator
**medlem** *s* member
**medlemsavgift** *s* membership fee
**medlemskap** *s* membership [*i* of]
**medlemskort** *s* membership card
**medlidande** *s* pity, compassion; medkänsla sympathy

**medling** *s* mediation; skiljedom arbitration; uppgörelse settlement
**medmänniska** *s* fellow-creature
**medmänsklig** *adj* brotherly, human
**medpassagerare** *s* fellow-passenger
**medryckande** *adj* captivating; tändande stirring
**medsols** *adv* clockwise
**medspelare** *s* sport. el. kortsp. partner; i lagsport fellow-player; teat. etc. co-actor; *en av medspelarna* sport. one of the other players
**medtagen** *adj* utmattad exhausted
**medtävlare** *s* competitor (äv. sport.), rival [*om* for]
**medurs** *adv* clockwise
**medverka** *vb itr* bidraga contribute [*i* t.ex. tidning to; *till* to]; delta take part; hjälpa till assist [*i (vid), till* in]
**medverkan** *s* bistånd assistance; deltagande participation
**medvetande** *s* consciousness [*om* of]
**medveten** *adj* conscious, aware [*om* of]
**medvetslös** *adj* unconscious
**medvind** *s, segla i* ~ have the wind behind one; bildl. be doing well
**medvurst** *s* German sausage [of a salami type]
**megabyte** *s* data. megabyte
**megafon** *s* megaphone
**megahertz** *s* megahertz
**megaton** *s* megaton
**megawatt** *s* megawatt
**meja** *vb tr* mow; säd cut, reap; ~ *ned* folk mow down...
**mejeri** *s* dairy
**mejram** *s* marjoram
**mejsel** *s* chisel; skruv~ screwdriver
**mejsla** *vb tr* chisel
**meka** *vb itr* vard., ~ *med* bilen (mopeden) do repair work on...; mixtra med tinker about with...
**mekanik** *s* lära mechanics sg.
**mekaniker** *s* mechanic
**mekanisera** *vb tr* mechanize
**mekanisk** *adj* mechanical
**mekanism** *s* mechanism
**melankoli** *s* melancholy
**melankolisk** *adj* melancholy
**mellan** *prep* ~ två between; ~ flera, 'bland' among; där var *~ femtio och sextio personer* ...some fifty or sixty people
**mellanakt** *s* interval, amer. intermission
**Mellaneuropa** Central Europe
**mellaneuropeisk** *adj* Central European

**mellangärde** *s* diaphragm, midriff
**mellanhand** *s* medlare intermediary; hand. middleman; gå genom flera *mellanhänder* ...middlemen's hands
**mellanhavande** *s* räkning outstanding account; tvist difference; *~n* affärer dealings
**mellanlanda** *vb itr* make an intermediate landing
**mellanlandning** *s* intermediate landing; *flyga utan* ~ fly non-stop
**mellanmål** *s* snack [between meals]
**mellanrum** *s* intervall interval; avstånd space; lucka gap
**mellanskillnad** *s* difference
**mellanstadium** *s, mellanstadiet* i grundskolan the intermediate level (department) of the 'grundskola', se *grundskola*
**mellanstorlek** *s* medium size
**mellantid** *s* interval; *under ~en* in the meantime, meanwhile
**mellanting** *s, ett* ~ *mellan...* something between...
**mellanvikt** *s* o. **mellanviktare** *s* sport. middleweight
**mellanvåg** *s* radio. medium wave
**mellanöl** *s* medium-strong beer
**Mellanöstern** the Middle East
**mellerst** *adv* in the middle
**mellersta** *adj* middle, central; ~ *Sverige* Central Sweden
**melodi** *s* melody, tune
**melodifestival** *s, ~en* i TV the Eurovision Song Contest
**melodisk** *adj* melodious
**melodramatisk** *adj* melodramatic
**melon** *s* melon
**melonskiva** *s* slice of melon
**memoarer** *s pl* memoirs
**memorandum** *s* memorandum (pl. vanl. memoranda)
**1 men I** *konj* but **II** *s* hake snag
**2 men** *s* skada harm, injury
**mena** *vb tr* o. *vb itr* **1** åsyfta mean [*med* by]; *det ~r du väl inte!* you don't say! **2** anse think [*om* of]
**menande** *adj* meaning, significant
**mened** *s, begå* ~ commit perjury
**menig** *subst adj* mil. private
**mening** *s* **1** åsikt opinion; *säga sin* ~ *rent ut* speak one's mind **2** avsikt intention; syfte purpose; *det var inte ~en* ursäkt I didn't mean to; *vad är ~en med det här?* vad är det bra för what is the idea of this?; vad vill det här säga what is all this

about? **3** innebörd sense; betydelse meaning; *det är ingen ~ med att* inf. there is no point in ing-form **4** gram., sats sentence

**meningsfull** *adj* meaningful, purposeful

**meningslös** *adj* meaningless; oförnuftig senseless

**meningsutbyte** *s* exchange of views

**menisk** *s* anat. meniscus

**menlös** *adj* harmless; intetsägande vapid

**mens** *s* vard. o. **menstruation** *s* period, menstruation; *ha ~* have one's period

**mental** *adj* mental

**mentalitet** *s* mentality

**mentalsjuk** *adj* mentally deranged (ill)

**mentalsjukdom** *s* mental disease

**mentalsjukhus** *s* mental hospital

**mentol** *s* menthol

**menuett** *s* minuet

**meny** *s* menu

**mer** o. **mera** *adj* o. *adv* more; ytterligare further; *någon ~ gång* ...another time; mera ...any more; *jag träffade honom aldrig ~* I never saw him again; *ingen ~ än han* såg det no one besides (except) him...; *var det någon ~ som såg det?* did anybody else see it?; han vet *mer än väl* ...perfectly well

**meridian** *s* meridian

**merit** *s* kvalifikation qualification; förtjänst merit

**meritera I** *vb tr* qualify **II** *vb rfl, ~ sig* qualify, qualify oneself

**merkantil** *adj* commercial

**Merkurius** astron. el. myt. Mercury

**mersmak** *s, det ger ~* it whets the appetite (makes you want more)

**mervärdesskatt** *s* value-added tax, VAT

**1 mes** *s* zool. titmouse (pl. titmice)

**2 mes** *s* stackare namby-pamby, softy, wimp

**mesig** *adj* vard. namby-pamby, wimpish

**mesost** *s* whey-cheese

**Messias** Messiah

**mest I** *adj* o. *subst adj* most, the most; 'mer än hälften av' most; det upptar *den ~a tiden* ...most of the time; *det ~a av* arvet the greater part of...; *det ~a av vad som* görs most of what...; *det ~a (allra ~a)* jag kan göra the most (very most)... **II** *adv* **1** most, the most; *~ beundrad är hon* för sin skönhet she is most admired...; *hon är ~ beundrad* av dem she is the most admired...; *en av våra ~ kända* författare one of our best-known (most well-known)... **2** för det mesta mostly, mainly; *han fick ~* huvudsakligen *pengar* he

got chiefly money; *som pojkar är ~* just as boys generally are

**mestadels** *adv* mostly; till största delen for the most part; i de flesta fall in most cases

**meta I** *vb tr* angle for **II** *vb itr* angle, fish

**metall** *s* metal

**metallarbetare** *s* o. **metallare** *s* vard. metal-worker

**metallisk** *adj* metallic

**meteorolog** *s* meteorologist; vard. t.ex. i TV weatherman, weather forecaster

**meteorologi** *s* meteorology

**meteorologisk** *adj* meteorological

**meter** *s* metre, amer. meter

**metersystem** *s, ~et* the metric system

**metervara** *s,* tyget *finns i ~* ...is sold by the metre

**metervis** *adv* per meter by the metre

**metod** *s* method

**metodik** *s* metodlära methodology; metoder methods pl.

**metodisk** *adj* methodical

**metodist** *s* Methodist

**metrev** *s* fishing-line, line

**metrik** *s* prosody

**metrisk** *adj* prosodic; rytmisk metrical

**metronom** *s* metronome

**metspö** *s* fishing-rod, rod

**Mexico** Mexico

**mexikan** *s* o. **mexikanare** *s* Mexican

**mexikansk** *adj* Mexican; *Mexikanska bukten* the Gulf of Mexico

**m.fl.** (förk. för *med flera*) and others

**mick** *s* vard., mikrofon mike

**middag** *s* **1** tid noon, midday; *god ~!* good afternoon!; *i går ~* yesterday at noon **2** måltid dinner; *sova ~* have an afternoon nap (a siesta); *äta ~ ute* borta äv. dine out; *äta* fisk *till ~* have...for dinner

**middagsbjudning** *s* dinner party

**middagsbord** *s* dinner table

**middagstid** *s, vid ~ (middagstiden)* a) at dinner-time b) vid 12-tiden at noon

**midja** *s* waist; markerad waistline

**midjeväska** *s* belt bag, vard. bum bag, amer. vard. fanny pack

**midnatt** *s* midnight

**midnattssolen** *s* the midnight sun

**midsommar** *s* midsummer; som helg Midsummer; jfr *jul*

**midsommarafton** *s* Midsummer Eve

**midsommardag** *s* Midsummer Day

**midsommarstång** *s* maypole

**midvinter** *s* midwinter

**mig** *pron* se *jag*

**nigrän** *s* migraine
**nikrofilm** *s* microfilm
**nikrofon** *s* microphone; vard. mike
**nikroskop** *s* microscope
**nikrovågshuvud** *s* TV. LNB (förk. för *low-noise block converter*)
**nikrovågsugn** *s* microwave oven
**nil** *s*, *en* ~ ten kilometres, britt. motsv., ung. six miles; **engelsk** ~ mile
**Milano** Milan
**nild** *adj* mild; t.ex. om färg, regn soft; lindrig, t.ex. om straff light; t.ex. om röst, sätt gentle; ~*a makter (tid)!, du ~e!* Good gracious!
**nilis** *s* militia
**nilitant** *adj* militant
**nilitarism** *s* militarism
**nilitär I** *s* **1** soldat serviceman; speciellt i armén soldier; *en hög* ~ a high-ranking officer; *bli* ~ join the armed forces **2** koll., ~*en* the military pl., the army **II** *adj* military
**nilitärbas** *s* military base
**nilitärtjänst** *s* military service
**niljard** *s* billion
**miljon** *s* million
**niljonaffär** *s* transaction involving (amounting to) millions (resp. a million)
**niljondel** *s* millionth; jfr *femtedel*
**niljontals** *adv*, ~ *människor* millions of people
**niljonär** *s* millionaire
**miljö** *s* yttre förhållanden environment; omgivning surroundings pl.
**niljöaktivist** *s* environmentalist; vard. neds. ecofreak
**niljöbrott** *s* environmental crime
**niljöfarlig** ...harmful to the environment, ecologically harmful
**niljöförstöring** *s* environmental pollution
**niljöombyte** *s* change of environment (surroundings)
**niljöskadad** *adj* ...harmed by one's environment; missanpassad maladjusted
**niljövård** *s* environmental control
**niljövänlig** *adj* environment-friendly, ecofriendly
**nillibar** *s* millibar
**nilligram** *s* milligram, milligramme
**nilliliter** *s* millilitre
**nillimeter** *s* millimetre
**nilstolpe** *s* milestone äv. bildl.
**nima** *vb itr* mime
**nimik** *s* facial expressions pl.
**nimosa** *s* mimosa
**L min** *(mitt, mina) pron* my; självständigt

mine; *Mina damer och herrar!* Ladies and Gentlemen!; *jag har gjort mitt* I have done my part (bit); *jag och de ~a* me and my family (my people)
**2 min** *s* ansiktsuttryck expression; uppsyn air; utseende look; *göra ~er* grimasera make (pull) faces [*åt ngn* at a p.]; *hålla god ~ i elakt spel* grin and bear it
**mina** *s* mine
**mindervärdig** *adj* inferior
**mindervärdighet** *s* inferiority
**mindervärdighetskomplex** *s* inferiority complex
**minderårig** *adj* omyndig ...under age; ~*a* juveniles
**mindre I** *adj* smaller; kortare shorter; ringare less; obetydlig slight; *Mindre Asien* Asia Minor; *av* ~ *betydelse* of less (minor) importance; det kostar *en* ~ liten *förmögenhet* ...a small fortune **II** *subst adj* o. *adv* motsats: 'mera' less; *där var* ~ *färre bilar* än här there were fewer cars...; *ingen* ~ *än* statsministern no less a person than...; det är ~ *troligt* ...not very likely
**minera** *vb tr* mine
**mineral** *s* mineral
**mineralhalt** *s* mineral content
**mineralriket** *s* the mineral kingdom
**mineralvatten** *s* mineral water
**miniatyr** *s* miniature
**miniatyrformat** *s*, *i* ~ in miniature
**minigolf** *s* miniature golf
**minimal** *adj* extremely small, minimal
**minimibelopp** *s* minimum amount
**minimum** *s* minimum (pl. äv. minima)
**minior** *s* o. **miniorscout** *s* flicka Brownie, Brownie Guide; pojke Cub, Cub Scout
**miniräknare** *s* minicalculator, pocket calculator
**minister** *s* minister
**ministär** *s* ministry; cabinet
**mink** *s* mink
**minkpäls** *s* mink coat
**minnas** *vb tr dep* remember; recollect, recall; *om jag minns rätt (inte minns fel)* if I remember rightly
**minne** *s* **1** memory äv. dators; hågkomst recollection; ~*n* memoarer memoirs; *jag har inget* ~ *av att jag gjorde det* I can't remember doing it; *ha (hålla)* ngt *i ~t* keep (bear)...in mind; *lägga...på ~t* komma ihåg remember...; *till* ~ *(minnet) av* in memory (remembrance) of **2** souvenir souvenir, keepsake

**minnesanteckning** *s* memorandum (pl.
vanl, memoranda)
**minnesbeta** *s, ge ngn en* ~ teach a p. a
lesson that he (she etc.) won't forget
**minnesförlust** *s* loss of memory
**minnesgåva** *s* souvenir, keepsake
**minneslista** *s* memorandum (pl. vanl.
memoranda), check (till inköp shopping) list
**minnesmärke** *s* **1** minnesvård memorial,
monument [*över* to] **2** från det förgångna
relic, ancient monument
**minnesvärd** *adj* memorable [*för* to]
**Minorca** Menorca
**minoritet** *s* minority
**minoritetsparti** *s* minority party
**minsann** *adv* sannerligen certainly, indeed
**minska I** *vb tr* reduce [*med* by]; skära ned
cut down; förminska decrease; sänka lower
**II** *vb itr* decrease, lessen, diminish; sjunka
decline; ~ 5 kilo *i vikt* go down...in
weight
**minskas** *vb itr dep* se *minska II*
**minskning** *s* reduction, decrease [*av, i* of,
in]; nedskärning cut [*av* in]
**minst I** *adj* **1** motsats 'störst' smallest; kortast
shortest; obetydligast slightest **2** motsats 'mest'
least, the least; motsats 'flest' fewest, the
fewest; *han fick* ~ he got least (the least);
*där det finns* ~ (~ *med*) bilar where there
are fewest... **3** *det ~a du kan göra är
att*... the least you can (could) do is to...;
jag begrep inte *det ~a* ...a thing **II** *adv* least;
åtminstone at least; *när man* ~ väntar det
when you least...; ~ *sagt* to say the least
**minsvepning** *s* minesweeping
**minsökare** *s* mine detector
**minus I** *s* minus; underskott deficit [*på* of]
**II** *adv* minus; med avdrag av less
**minusgrad** *s* degree below zero
**minustecken** *s* minus sign
**minut** *s* minute
**minuthandel** *s* retail trade
**minutiös** *adj* meticulous; detaljerad minute,
elaborate
**minutvisare** *s* minute hand
**mirakel** *s* miracle
**mirakulös** *adj* miraculous
**misch-masch** *s* mishmash
**miserabel** *adj* miserable, wretched
**miss** *s* misslyckande miss
**missa** *vb tr* o. *vb itr* miss
**missanpassad** *adj* maladjusted
**missbelåten** *adj* dissatisfied, displeased
**missbelåtenhet** *s* dissatisfaction,
displeasure

**missbildad** *adj* malformed, misshapen
**missbildning** *s* malformation; lyte
deformity
**missbruk** *s* abuse
**missbruka** *vb tr* abuse; alkohol, narkotika be
addicted to
**missbrukare** *s* av alkohol person who is
addicted to alcohol, over-indulger in
alcohol; av narkotika drug addict
**missfall** *s, få* ~ have a miscarriage
**missfoster** *s* abortion
**missfärga** *vb tr* discolour, stain
**missförhållande** *s,* ~ el. *~n* unsatisfactory
state of things sg., bad conditions pl.;
sociala *~n* ...evils
**missförstå** *vb tr* misunderstand
**missförstånd** *s* misunderstanding
**missgynna** *vb tr* treat...unfairly, be unfair
to
**misshandel** *s* maltreatment; *utsätta för* ~
maltreat, assault, batter
**misshandla** *vb tr* maltreat; kroppsligt äv.
handle...roughly, assault; om t.ex. barn,
kvinnor äv. batter, knock...about
**mission** *s* mission
**missionär** *s* missionary
**missklädsam** *adj* unbecoming
**missköta** *vb tr* mismanage; försumma
neglect
**missleda** *vb tr* mislead
**misslyckad** *adj* unsuccessful; *vara* ~ be a
failure
**misslyckande** *s* failure; fiasko fiasco (pl. ~s)
**misslyckas** *vb itr dep* fail [*med* in; *med att*
inf. to inf.]
**missmodig** *adj* downhearted, dejected
**missnöjd** *adj* dissatisfied, displeased;
stadigvarande discontented
**missnöje** *s* dissatisfaction, displeasure;
stadigvarande discontent [*över* at]; ogillande
disapproval [*med* of]
**missräkning** *s* disappointment [*över* at]
**missta** *vb rfl,* ~ *sig* make a mistake; *om
jag inte ~r mig* if I'm not mistaken; ~
*sig på* misjudge
**misstag** *s* mistake, error; förbiseende
oversight; *av* ~ by mistake
**misstanke** *s* suspicion; *hysa misstankar
mot* suspect; *väcka misstankar* arouse
suspicion
**misstolka** *vb tr* misinterpret
**misstro** *vb tr* distrust; tvivla på doubt
**misstroende** *s* distrust [*till, mot* of]
**misstroendevotum** *s, ställa* ~ move a vote
of no confidence

**misstrogen** adj distrustful
**misströsta** vb itr despair [om of]
**misstycka** vb itr o. vb tr, **om du inte misstycker** if you don't mind
**misstänka** vb tr suspect [för of]
**misstänksam** adj suspicious [mot of]
**misstänksamhet** s suspicion; egenskap suspiciousness
**misstänkt** adj **1** suspected [för of]; **en ~** a suspect **2** tvivelaktig suspicious
**missunna** vb tr grudge, begrudge; avundas envy
**missuppfatta** vb tr misunderstand
**missuppfattning** s misunderstanding
**missvisande** adj misleading, deceptive
**missämja** s dissension, discord, bad feeling
**missöde** s mishap; **tekniskt ~** technical hitch; **genom ett ~** en olycklig slump by mischance
**mist** s mist; tjocka fog
**mista** vb tr lose; undvara do without
**miste** adv wrong; **ta ~** make a mistake; **gå ~ om** miss
**mistel** s mistletoe
**misär** s nöd extreme poverty, destitution
**mitella** s sling
**. mitt** pron se 1 min
**2 mitt I** s middle; centrum centre **II** adv, **~ emellan** half-way between; **~ emot** just opposite; **~ framför (för)** just in front [ngt of a th.]; **~ för ögonen på ngn** right before a p.s eyes; **~ i** in the middle (very middle) [ngt of a th.]; among; **~ ibland oss** in our midst; dela ngt **~ itu** ...into two equal parts, ...in half; **~ på (under, uppe i)** in the middle of; **~ över** gatan straight across...
**mitterst** adv in the middle (centre) [i of]
**mittersta** adj, **~** el. **den ~** raden the middle...
**mittfältare** s sport. midfielder
**mittpunkt** s centre
**mix** s kok. mix
**mixer** s kok. el. radio. mixer
**mixtra** vb itr, **~ med** knåpa potter (tinker) with
**mjuk** adj soft; t.ex. om handlag gentle; mör tender; smidig lithe, flexible
**mjuka** vb tr, **~ upp** göra mjuk make...soft, soften; **~ upp** t.ex. sina muskler limber up
**mjukglass** s soft ice cream
**mjuklanda** vb itr make a soft landing
**mjukna** vb itr soften, become (grow) soft
**mjukost** s soft cheese

**mjukplast** s non-rigid plastic
**mjukvara** s data. software
**mjäkig** adj sloppy, sentimental; om t.ex. pojke namby-pamby
**mjäll** s i håret dandruff, scurf
**mjälte** s spleen
**mjöl** s vetemjöl flour
**mjölig** adj floury; **~ potatis** mealy potatoes
**mjölk** s milk
**mjölka** vb tr milk
**mjölkaffär** s dairy
**mjölkaktig** adj milky
**mjölkdroppe** s drop of milk
**mjölke** s fisk~ milt, soft roe
**mjölkflaska** s av glas: milk bottle; flaska mjölk bottle of milk
**mjölkpaket** s milk carton; paket mjölk carton of milk
**mjölktand** s milk tooth
**mjölnare** s miller
**m.m.** (förk. för med mera) and so on; och andra saker and other things
**mobb** s mob
**mobba** vb tr bully, harass, gang up on
**mobbning** s mobbing, bullying, persecution; **~ av** äv. ganging up on...
**mobilisera** vb tr o. vb itr mobilize
**mobilisering** s mobilization
**mobiltelefon** s mobile telephone, cellphone
**mocka** s **1** kaffe mocha **2** skinn suède
**mockajacka** s suède jacket
**mockasin** s moccasin
**mod** s courage; vard. bottle; **förlora ~et** lose heart, be discouraged; **känna sig väl till ~s** feel at ease; **vara vid gott ~** be in good heart (spirits)
**modd** s slush
**mode** s fashion; 'fluga' rage, craze; **en** målare **på ~t** a fashionable...; **komma på ~t** become the fashion, become fashionable; **komma ur ~t** go out of fashion, become unfashionable
**modedocka** s bildl. fashion plate
**modefluga** s passing fashion
**modehus** s fashion house
**modell** s model; **sitta (stå) ~** pose
**1 modellera** s modelling clay; plastiskt material plasticine
**2 modellera** vb tr model
**modellklänning** s model dress (gown)
**modemedveten** adj fashion-conscious
**moder** s mother; **M~ jord** Mother Earth; jfr mor
**moderat I** adj måttlig moderate; skälig

reasonable; polit. Conservative **II** s, **~erna** the Moderate (Swedish Conservative) Party

**moderation** s moderation, restraint

**moderbolag** s parent company

**moderkaka** s placenta

**moderlig** adj motherly; som tillkommer en mor maternal

**moderlighet** s motherliness

**modern** adj nutida modern, contemporary; tidsenlig up to date; på modet fashionable; ~ **lägenhet** flat (apartment) with modern conveniences (with mod cons)

**modernisera** vb tr modernize

**modersfixerad** adj, vara ~ have a mother fixation

**modersfixering** s mother fixation

**moderskap** s motherhood, maternity

**moderskapspenning** s maternity allowance

**moderskärlek** s maternal (a mother's) love

**modersmjölk** s mother's (breast) milk

**modersmål** s mother tongue

**modeskapare** s stylist

**modetidning** s fashion paper

**modfälld** adj discouraged, disheartened

**modifiera** vb tr modify

**modifikation** s modification

**modig** adj courageous, plucky, brave

**modist** s milliner, modiste

**modul** s module

**modulera** vb tr modulate

**mogen** adj ripe; speciellt bildl. mature; **vid ~ ålder** at a mature age; ~ **för** ripe (ready) for

**mogna** vb itr ripen; bildl. mature

**mognad** s ripeness; speciellt bildl. maturity

**mojna** vb itr lull, slacken

**mojäng** s vard. gadget

**Moldavien** Moldavia

**molekyl** s molecule

**moll** s mus. minor; **gå i ~** be in the minor key

**moln** s cloud

**molnfri** adj cloudless

**molnig** adj cloudy, overcast

**molntäcke** s, **lättande ~** decreasing cloud

**moment** s faktor element, factor; punkt point, item; stadium stage; i lagtext clause

**momentan** adj momentary

**moms** s VAT, jfr mervärdesskatt

**monark** s monarch

**monarki** s monarchy

**mongol** s Mongol, Mongolian

**Mongoliet** Mongolia

**mongolisk** adj Mongolian

**monitor** s monitor

**monogam** adj monogamous

**monogami** s monogamy

**monogram** s monogram

**monokel** s monocle

**monolog** s monologue, soliloquy

**Monopol** ® s sällskapsspel Monopoly

**monopol** s **1** monopoly **2** M~ ® sällskapsspel Monopoly

**monopolisera** vb tr monopolize

**monoton** adj monotonous

**monster** s o. **monstrum** s monster

**monsun** s monsoon

**Montenegro** Montenegro

**monter** s showcase, display case; utställningsutrymme stand

**montera** vb tr mount; t.ex. bil, radio assemble; ~ **ned** dismantle, dismount

**montering** s mounting; t.ex. bil, radio assembly

**monteringsfärdig** adj prefabricated

**montör** s fitter; t.ex. bil-, radio~ assembler

**monument** s monument

**monumental** adj monumental

**moped** s moped

**mopedist** s mopedist, moped rider

**mopp** s mop

**moppa** vb tr mop

**moppe** s vard. moped moped

**mops** s pug, pug dog

**mor** s mother, jfr äv. mamma; **~s dag** Mother's Day; **bli ~** become a mother; **hon är ~ till A.** she is the mother of A.

**moral** s etik ethics sg.; moraluppfattning morality (end. sg.); seder morals pl.; anda, speciellt stridsmoral morale (end. sg.)

**moralisera** vb itr moralize [över on]

**moralisk** adj moral; etisk ethical

**moralism** s, ~ el. **~en** moralism

**morbror** s uncle, maternal uncle

**mord** s murder [på of]

**mordbrand** s arson; **anstifta ~** commit arson

**mordförsök** s attempted murder

**morfar** s grandfather, maternal grandfather; vard. grandpa, granddad; **~s far (mor)** great-grandfather (great-grandmother)

**morfin** s morphine

**morfinist** s morphine addict, morphinist

**morföräldrar** s pl, **mina ~** my grandparents [on my mother's side]

**morgon** s motsats 'kväll' morning; gryning dawn; **i ~** tomorrow; jfr äv. ex. under kväll

**morgondag** s, **~en** tomorrow

**morgonkaffe** *s* early morning coffee

**morgonluft** *s* morning air; börja *vädra* ~
bildl. begin to see one's chance

**morgonrock** *s* dressing gown

**morgonstund** *s*, ~ *har guld i mund* the
early bird catches the worm

**morgontidning** *s* morning paper

**morkulla** *s* fågel woodcock

**mormon** *s* Mormon

**mormonsk** *adj* Mormon

**mormor** *s* grandmother, maternal
grandmother; vard. grandma, granny; ~*s*
*far* (*mor*) great-grandfather
(great-grandmother)

**morot** *s* carrot äv. bildl.

**morra** *vb itr* growl, snarl [*åt* at]

**morrhår** *s pl* whiskers

**morsa** *s* vard. mum, ma, amer. mom

**morse** *s*, *i* ~ this morning; *i går* ~
yesterday morning

**morsealfabet** *s* Morse alphabet (code)

**morsgris** *s* vard. kelgris mother's darling

**morsk** *adj* kavat self-assured; kaxig cocky,
stuck-up

**mortel** *s* mortar

**mortelstöt** *s* pestle

**mos** *s* kok. mash; av äpplen sauce

**mosa I** *vb tr*, ~ el. ~ *sönder* reduce...to
pulp; tillintetgöra crush (sport. beat)
completely **II** *vb rfl*, ~ *sig* pulp

**mosaik** *s* mosaic

**mosaisk** *adj* relig. Mosaic

**mosig** *adj* mosad pulpy

**moské** *s* mosque

**moskit** *s* mosquito

**moskovit** *s* Muscovite

**Moskva** Moscow

**mossa** *s* moss

**moster** *s* aunt, maternal aunt

**mot** *prep* i riktning mot towards; *gränsen* ~
*Finland* the Finnish border; hålla upp ~
*ljuset* ...to the light; *rusa* ~ *dörren* dash
to the door; *skjuta* ~ shoot at; i fråga om
inställning: to, towards; *vänlig* (*grym*) ~
kind (cruel) to; för att beteckna motstånd,
kontrast, motsvarighet against, for; tabletter ~
*huvudvärk* ...for a headache
(headaches); göra ngt ~ *betalning* ...for
money; ~ *kvitto* against a receipt

**nota** *vb tr*, ~ *vägen för ngn* (*ngt*) bar
(block) the way for a p. (a th.)

**motanfall** *s* o. **motangrepp** *s* counter-attack

**motarbeta** *vb tr* sätta sig upp mot oppose;
motverka counteract; bekämpa combat

**motbjudande** *adj* repugnant, repulsive [*för*
to]

**motell** *s* motel

**motgift** *s* antidote [*mot* against, for, to]

**motgång** *s* misfortune; bakslag reverse,
setback

**motion** *s* **1** kroppsrörelse exercise **2** förslag
motion; lagförslag bill [*i* on; *om* for]

**motionera I** *vb tr* give...exercise **II** *vb itr*
take exercise

**motionscykel** *s* cycle exerciser

**motionsgymnastik** *s* keep-fit exercises pl.

**motiv** *s* bevekelsegrund motive [*för*, *till* for,
of]; skäl reason [*för* for]

**motivation** *s* motivation [*för* of]

**motivera** *vb tr* **1** utgöra skäl för give cause
for; rättfärdiga justify, explain; ange skäl för
state one's reasons for **2** skapa lust för
motivate

**motivering** *s* berättigande justification,
explanation [*för* of, for]; angivande av skäl
statement of one's reasons

**motkandidat** *s* rival candidate

**motocross** *s* moto-cross, scramble

**motoffensiv** *s* counter-offensive

**motor** *s* förbrännings~ engine; elektrisk motor

**motorbåt** *s* motorboat

**motorcykel** *s* motor cycle; vard. motorbike

**motorcyklist** *s* motor cyclist

**motordriven** *adj* motor-driven

**motorfartyg** *s* motor ship (förk. MS)

**motorfel** *s*, *få* ~ get engine trouble

**motorfordon** *s* motor vehicle

**motorfordonsförsäkring** *s* motor vehicle
insurance

**motorförare** *s* motorist, driver

**motorgräsklippare** *s* power lawn-mower

**motorhuv** *s* bonnet, amer. hood

**motorism** *s* motorism, motoring

**motorstopp** *s* engine failure; jag fick ~ the
(my) car stalled

**motorstyrka** *s* engine power

**motorsåg** *s* power saw

**motortrafikled** *s* ung. main arterial road,
major road

**motortävling** *s* motor race

**motorväg** *s* motorway, amer. expressway,
freeway

**motorvärmare** *s* engine pre-heater

**motpart** *s* opponent; ~*en* the other side
(party)

**motprestation** *s* service in return

**motsats** *s* opposite, contrary [*mot*, *till* of];
påstå *raka* ~*en* ...quite (just) the
opposite; *stå i skarp* ~ *till ngt* form a

sharp contrast to a th.; *i ~ till mig* är han... unlike me...

**motsatt** *adj* opposite, contrary; *det ~a könet* the opposite sex; *~a åsikter* opposed views

**motse** *vb tr* se fram emot look forward to; förutse expect

**motsida** *s, ~n* the opposite (sport. opposing) side

**motsols** *adv* anti-clockwise

**motspelare** *s* sport. opponent

**motstridig** *adj* conflicting, contradictory

**motstycke** *s* counterpart

**motstå** *vb tr* resist, withstand

**motstående** *adj* opposite

**motstånd** *s* resistance, opposition; *göra ~ mot* offer resistance to

**motståndare** *s* opponent, adversary

**motståndskraft** *s* resistance, power of resistance [*mot* to]

**motståndskraftig** *adj* resistant [*mot* to]

**motsvara** *vb tr* correspond to; t.ex. beskrivningen answer, answer to; t.ex. krav fulfil, come up to; vara likvärdig med be equivalent to

**motsvarande** *adj* corresponding; jämgod equivalent

**motsvarighet** *s* överensstämmelse correspondence; motstycke counterpart [*till* to, of], opposite number

**motsäga** *vb tr* contradict

**motsägande** *adj* contradictory

**motsägelse** *s* contradiction

**motsätta** *vb rfl, ~ sig* oppose

**motsättning** *s* opposition; fientligt förhållande antagonism; *stå i ~ mot (till)* be in contrast to

**mottaga** *vb tr* receive

**mottagande** *s* reception; speciellt hand. receipt

**mottagare** *s* person o. apparat receiver

**mottaglig** *adj* susceptible [*för* to]

**mottagning** *s* reception; doktorn har *~ varje dag* ...surgery (consulting) hours every day; rektorn *har ~ 10-12* ...receives visitors 10-12

**mottagningsrum** *s* läkares consulting-room, surgery

**mottagningstid** *s* time for receiving visitors; läkares surgery hours

**motto** *s* motto (pl. -es el. -s)

**moturs** *adv* anti-clockwise

**motverka** *vb tr* motarbeta counteract; hindra obstruct

**motvikt** *s* counterbalance, counterweight

**motvilja** *s* olust dislike [*mot* of, for]

**motvillig** *adj* reluctant

**motvillighet** *s* reluctance

**motvind** *s, segla i ~* sail against the wind; bildl. be doing badly, be under the weather

**motåtgärd** *s* countermeasure

**mountainbike** *s* mountainbike

**mousse** *s* **1** kok. mousse **2** hårmousse mousse

**moussera** *vb itr* sparkle; *~nde vin* sparkling wine

**1 mucka** *vb tr* vard., *~ gräl* pick a quarrel

**2 mucka** *vb itr* vard. mil. be demobbed

**muffins** *s* ung. queen (fairy) cake, amer. muffin

**mugg** *s* mug, cup

**Muhammed** Mohammed

**muhammedan** *s* Mohammedan

**mula** *s* mule

**mulatt** *s* mulatto (pl. -s el. ~es)

**mule** *s* muzzle

**mulen** *adj* overcast, cloudy

**mullbär** *s* mulberry

**mullig** *adj* plump

**mullra** *vb itr* rumble, roll

**mullvad** *s* mole äv. bildl.

**mulna** *vb itr* cloud over, become overcast

**mul- och klövsjuka** *s* foot-and-mouth disease

**multilateral** *adj* multilateral

**multinationell** *adj* multinational

**multiplicera** *vb tr* multiply [*med* by]

**multiplikationstabell** *s* multiplication table

**multna** *vb itr* moulder, rot

**mumie** *s* mummy

**mumla** *vb tr* o. *vb itr* mumble; muttra mutter

**mums** vard. **I** *interj, ~!* yum-yum! **II** *s, det smakar ~* it's yummy

**mumsa** *vb itr* vard. munch; *~ på ngt* el. *~ i sig ngt* munch a th.

**mumsig** *adj* vard. delicious, yummy

**mun** *s* mouth; *hålla ~* keep quiet; vard. shut up; *vara stor i ~* talk big; *prata bredvid ~* (*munnen*) let the cat out of the bag; *tala i ~nen på varandra* speak at the same time

**mungiga** *s* jew's-harp

**mungipa** *s* corner of one's mouth

**munk** *s* **1** person monk **2** bakverk doughnut

**munkavle** *s* o. **munkorg** *s* muzzle; *sätta ~ på* muzzle

**munläder** *s, ha gott ~* have the gift of the gab

**mun-mot-munmetoden** s the mouth-to-mouth method, the kiss of life

**munsbit** s mouthful

**munspel** s mouth organ

**munstycke** s mouthpiece; på cigarett tip

**munter** adj merry; glättig cheerful

**muntlig** adj oral; om t.ex. överenskommelse verbal

**muntra** vb tr, ~ **upp** cheer...up

**munvatten** s mouthwash

**mur** s wall

**mura** vb tr bygga (av tegel) build...of brick; ~ en brunn med cement wall...; ~ **igen** (**till**) wall up; med tegel brick up

**murare** s tegel~ bricklayer; speciellt sten~ mason

**murbruk** s mortar

**murgröna** s ivy

**murken** adj decayed; starkare rotted

**murkla** s morel

**mus** s mouse (pl. mice)

**muselman** s Muslim

**museum** s museum; för konst äv. gallery

**musik** s music

**musikal** s musical

**musikalisk** adj musical

**musikant** s musician, music-maker

**musikbänk** s hi-fi unit

**musiker** s musician

**musikkår** s band, orchestra

**musikstycke** s piece of music

**musikverk** s musical composition (work)

**musiköra** s musical ear

**muskel** s muscle

**muskelknutte** s vard. muscle-man, man mountain

**muskelsträckning** s, **få en** ~ get a sprained muscle

**muskelstärkare** s spring exerciser

**muskot** s nutmeg

**muskotblomma** s krydda mace

**muskulatur** s muscles pl.

**muskulös** adj muscular

**muslim** s Muslim

**muslimsk** adj Muslim

**muslin** s muslin

**Musse Pigg** seriefigur Mickey Mouse

**mussla** s mussel

**must** s av äpplen juice

**mustasch** s moustache

**mustig** adj **1** kraftig, närande rich **2** bildl., om t.ex. historia racy, juicy

**muta** vb tr bribe

**mutor** s pl bribes

**mutter** s tekn. nut

**muttra** vb itr mutter

**mycken** (mycket; myckna) adj i omedelbar anslutning till följande subst.: a) much; framför eng. subst. i pl. many b) en hel del a great (good) deal of; framför eng. subst. i pl. a great many; fullt med plenty; efter ~ **diskussion** (**mycket diskuterande**) ...a great deal of discussion; **det var mycket folk** på mötet there were many (a lot of) people...; **vara till** ~ **nytta** be of great use

**mycket** adv utan anslutning till följande subst. **1** följt av adj. o. adv. very, very much; starkare most; **de är** ~ **lika** (**rädda**) they are very (very much) alike (afraid); **den är för** ~ **kokt** (**stekt**) it has boiled (fried) too long; det är ~ **möjligt** ...quite possible **2** med komparativ much; **så** ~ **bättre** all (so much) the better; ~ **färre** fel far fewer... **3** i övriga fall, **det görs** ~ för barnen much is done...; **hon är** ~ **över** femtio she is well over...; **det är** ~ **hans fel** it is to a great extent his fault; **jag beklagar** ~ att I very much regret...; boken innehåller ~ **av intresse** ...much that is interesting; **en gång för** ~ once too often; **koka** ngt **för** ~ ...too long; **hur** ~ fick han how much...?; **hur** ~ **jag än** försöker however much...; **lika** ~ as much; **lika** ~ **till** as much again; **så** ~ **fick jag inte** I didn't get as much as that; **det gör inte så** ~ om han går it doesn't matter very much...; **inte så** ~ **som** ett öre not so much as...; **utan att så** ~ **som svara** without even answering

**mygel** s wangling, fiddling, wire-pulling, jfr mygla

**mygga** s stick~ mosquito (pl. -es el. -s); knott gnat, midge

**myggbett** s mosquito bite

**mygla** vb itr fiffla wangle, fiddle; gå bakvägar, intrigera äv. use underhand means, pull wires

**myglare** s wangler, fiddler, wire-puller

**mylla** s mould, earth

**myller** s swarm, crowd, throng

**myllra** vb itr swarm [av with]

**München** Munich

**myndig** adj **1** bli ~ come of age; ~ **ålder** majority **2** befallande authoritative

**myndighet** s **1** myndig ålder majority, full age **2** uppträda **med** ~ ...with authority **3** makt authority **4** ~**erna** the authorities

**myndighetsperson** s person in authority

**mynna** vb itr, ~ **i** el. ~ **ut i** a) om flod etc. fall

into; om gata etc. lead to b) bildl. end in; ~
**ut i intet** come to nothing
**mynning** s mouth; på vapen muzzle
**mynt** s coin; **utländskt** ~ foreign currency;
**slå ~ av** bildl. make capital out of
**mynta** s mint
**myntinkast** s på automat slot
**myr** s bog, swamp
**myra** s ant
**myrstack** s ant-hill
**myrten** s myrtle
**mysa** vb itr smile contentedly
**mysig** adj vard., trivsam nice and cosy,
groovy; om person sweet, nice
**mysk** s musk
**myskoxe** s musk ox
**mysli** s o. **müsli** s muesli
**mysterium** s mystery
**mystiker** s mystic
**mystisk** adj gåtfull mysterious; relig. mystic
**myt** s myth [om of]
**myteri** s mutiny; **göra** ~ mutiny
**mytologi** s mythology
**1 må** vb itr känna sig be, feel; **hur ~r du?**
how are you?; ~ **så gott!** keep well!
**2 må** hjälpvb, **vad som än** ~ **hända**
whatever may happen; det var vackert ~ **du**
**tro!** ...I can tell you!; **det** ~ **vara hänt!**
all right!
**måfå** s, **på** ~ at random
**måg** s son-in-law (pl. sons-in-law)
**måhända** adv maybe
**1 mål** s, **har du inte** ~ **i mun?** haven't you
got a tongue in your head?; **sväva på ~et**
hum and haw, be evasive
**2 mål** s jur. case
**3 mål** s måltid meal; **ett** ~ **mat** a meal
**4 mål** s **1 a)** vid skjutning mark; skottavla o.
bombmål target **b)** i bollspel goal; **göra ett** ~
score a goal **c)** vid kapplöpning etc. finish;
speciellt vid hästkapplöpning winning-post;
**komma (gå) i** ~ come in **2** bildl. goal;
syfte aim, purpose; **skjuta över ~et**
overshoot the mark
**måla I** vb tr o. vb itr paint; bildl. äv. depict
**II** vb rfl, ~ **sig** sminka sig make (make
oneself) up
**målande** adj om stil, skildring graphic, vivid
**målare** s painter
**målarfärg** s paint
**målbrott** s, **han är i ~et** his voice is
breaking
**målbur** s goal
**måleri** s painting
**målföre** s voice; **återfå ~t** find one's voice

**målinriktad** adj se målmedveten
**mållinje** s sport. finishing-line; fotb. goal-line
**mållös** adj stum speechless [av with]
**målmedveten** adj purposeful,
single-minded
**målmedvetenhet** s purposefulness
**målning** s painting; färg paint
**målskillnad** s goal difference
**målskjutning** s target-shooting
**målsman** s **1** förmyndare guardian; förälder
parent **2** förespråkare advocate [för of]
**målsnöre** s finishing-tape
**målstolpe** s goalpost
**målsättning** s aim, purpose, goal
**måltavla** s target
**måltid** s meal
**målvakt** s goalkeeper; vard. goalie
**1 mån** s, **i någon** ~ to some extent, to a
certain degree
**2 mån** adj, ~ **om** angelägen om anxious
about; aktsam med careful of; noga med
particular about
**månad** s month; jfr 2 vecka ex.; 20 000 kr i
**~en (per ~)** ...a (per) month
**månadshyra** s monthly rent
**månadsskifte** s turn of the month
**månadssten** s birthstone
**månadsvis** adv monthly, by the month
**månatlig** adj monthly
**månatligen** adv monthly
**måndag** s Monday; jfr fredag med ex.
**måndagskväll** s Monday evening (senare
night); **på ~arna** on Monday evenings
(nights)
**månde** hjälpvb, **vad** ~ **detta betyda?** what
can this mean?
**måne** s moon
**månförmörkelse** s eclipse of the moon
**många** obest pron many; ~ anser att many (a
great number of, a lot of) people...;
**ganska (rätt)** ~ quite a number, quite a
lot; **så** ~ **brev!** what a lot of letters!
**mångdubbel** adj, **mångdubbla värdet**
many times the value
**mångfald** s stort antal, **en** ~ t.ex. plikter a great
number of
**mångfaldig** adj manifold; skiftande diverse,
varied
**mångfaldiga** vb tr multiply
**månggifte** s polygamy
**mångmiljonär** s multimillionaire
**mångsidig** adj many-sided; all-round
**mångtydig** adj tvetydig ambiguous
**mångårig** adj ...of many years,
long-standing...

**månlandning** *s* moon-landing
**månlandskap** *s* lunar landscape
**månresa** *s* trip to the moon
**månsken** *s* moonlight
**mård** *s* marten
**mås** *s* gull
**måste** *hjälpvb, han* ~ a) he must; *angivande 'yttre tvång'* he has (resp. will have) to, he is (resp. will be) obliged to b) *var tvungen att* he had to, he was obliged to; *han har måst betala* he has had to (been obliged to)...; *jag* ~ *kan inte låta bli att skratta* I can't help laughing
**mått** *s* measure [*på* of]; ~*et är rågat!* I've had enough of it!; *hålla* ~*et* come up to expectations; *inge ett visst* ~ *av respekt* ...a certain amount of respect; *ta* ~ *på ngn till en kostym* take a p.'s measurements...; *av stora* ~ *bildl.* of great proportions; *gjord efter* ~ made to measure; *efter våra* ~ by our standards
**måtta** *s* moderation; *det är ingen* ~ *på vad han fordrar* there is no limit to...; *med* ~ moderately
**måttband** *s* measuring-tape
**måttbeställd** *adj* ...made to measure, *amer.* custom-made
**måtte** *hjälpvb,* ~ *du aldrig ångra det!* may you never regret it!; *han* ~ *vara sjuk eftersom...* he must be ill...; *han* ~ *inte ha hört det* he cannot have heard it
**måttenhet** *s* unit of measurement
**måttfull** *adj* moderate; *sansad* sober
**måttlig** *adj* moderate
**måttstock** *s* measure, standard
**måttsystem** *s* system of measurement
**mäkla** *vb tr o. vb itr* medla mediate
**mäklare** *s* hand. broker
**mäktig** *adj* **1** powerful; *väldig* tremendous, huge **2** *om föda* heavy
**mängd** *s* **1** *kvantum* quantity, amount; *antal* number; *mat.* set; *i riklig* ~ in abundance **2** ~*en* folket, massan the crowd
**människa** *s* man (pl. men); *person* person; *mänsklig varelse* human being; ~*n i allmänhet* man; *människor* folk people; *människorna* mänskligheten mankind *sg.*; *alla människor* everybody *sg.*; *ingen* ~ nobody; *någon* ~ somebody, anybody; *en gammal* ~ an old person; *gamla människor* old people; *hur är han* (hon) *som* ~? ...as a person?
**människokärlek** *s* humanity, love of mankind; *kristlig* ~ charity
**människoliv** *s* life, human life

**människonatur** *s,* ~ *el.* ~*en* human nature
**människosläkte** *s,* ~*t* the human race, mankind
**människovän** *s* humanitarian
**människovänlig** *adj* humanitarian, humane
**människovärdig** *adj* ...fit for human beings
**mänsklig** *adj* human; *human* humane
**mänsklighet** *s* **1** ~*en* människosläktet mankind **2** *humanitet* humaneness
**märg** *s* **1** *benmärg* marrow **2** *bot.* pith
**märka** *vb tr* **1** mark; *märkt med rött* marked in red **2** *lägga märke till* notice, observe; *märk att...* note that...; *skillnaden märks knappt* ...is hardly noticeable
**märkbar** *adj* noticeable; *uppenbar* obvious
**märke** *s* **1** mark; *spår* trace; *fabrikat:* t.ex. bils make; t.ex. kaffe~, tobaks~ brand; klubb~ etc. badge; *ha* ~*n efter* misshandel show marks of...; *sätta* ~ *för* put a mark against **2** *lägga* ~ *till* notice
**märkesjeans** *s pl* designer jeans
**märkesnamn** *s* proprietary (brand) name
**märkesvaror** *s pl* proprietary (branded) products (goods kollektivt)
**märklig** *adj* remarkable; *egendomlig* strange, odd; *det var* ~*t!* how extraordinary!
**märkpenna** *s* marker
**märkvärdig** *adj* egendomlig strange; *anmärkningsvärd* remarkable; *göra sig* ~ *viktig* make oneself important
**mäss** *s* mess; *lokal äv.* messroom
**mässa** *s* **1** *kyrkl.* mass; *gå i* ~*n* attend Mass **2** *utställning* fair, exhibition
**mässing** *s* brass
**mässingsinstrument** *s* brass instrument
**mässling** *s* measles
**mästare** *s* master; *sport.* champion
**mästarinna** *s* [woman] champion
**mästerlig** *adj* masterly
**mästerligt** *adv* in a masterly way
**mästerskap** *s* championship
**mästerstycke** *s o.* **mästerverk** *s* masterpiece
**mäta I** *vb tr o. vb itr* measure **II** *vb rfl,* ~ *sig, han kan inte* ~ *sig med...* he cannot match...
**mätare** *s* meter; *mätinstrument* gauge
**mätarställning** *s* meter indication (reading)
**mätbar** *adj* measurable
**mätinstrument** *s* measuring instrument
**mätning** *s* mätande measuring; *göra* ~*ar* take (make) measurements

**mätt** *adj*, *jag är ~* ,*tack* I simply couldn't eat another thing; I've had enough, thanks; *äta sig* (*bli*) *~* have enough to eat, satisfy one's hunger; *han kunde inte se sig ~ på det* he never tired of looking at it

**mätta** *vb tr* **1** satisfy; *frukt ~r inte* fruit does not fill you **2** kem. o. friare saturate

**mättad** *adj* kem. o. friare saturated

**mö** *s* flicka maid, maiden

**möbel** *s* enstaka piece of furniture; *möbler* furniture sg.

**möbeltyg** *s* furnishing fabric

**möblemang** *s* furniture (end. sg.); *ett ~* a suite of furniture

**möblera** *vb tr* förse med möbler furnish; ordna möblerna i arrange the furniture in

**möblering** *s* furnishing

**möda** *s* besvär pains pl., trouble; *göra sig ~* take pains (trouble); *endast med ~* kunde han only with difficulty...

**mödom** *s* virginity

**mödomshinna** *s* hymen, maidenhead

**mödosam** *adj* laborious, difficult

**mödrahem** *s* maternity home

**mödravård** *s* maternity welfare

**mödravårdscentral** *s* antenatal clinic

**mögel** *s* mould; på papper etc. mildew

**mögla** *vb itr* go (get) mouldy (mildewy)

**möglig** *adj* mouldy; om papper etc. mildewy

**möhippa** *s* ung. hen party for a bride-to-be, speciellt amer. shower

**möjlig** *adj* possible; tänkbar conceivable; *i ~aste mån* as far as possible

**möjligen** *adv* possibly; kanhända perhaps; *kan man ~* träffa... is it possible, I wonder, to...; *har du ~* en tia på dig?* do you happen to have...?

**möjliggöra** *vb tr* make (render)...possible

**möjlighet** *s* possibility; chans chance; utsikt prospect [*till* i samtliga fall of]

**mönster** *s* pattern

**mönstergill** *adj* model end. attributivt; ideal; om t.ex. uppförande exemplary

**mönstra** *vb tr* **1** förse med mönster pattern **2** granska inspect, scrutinize **3** inräkna muster **4** sjö., anställa på fartyg sign (take)...on

**mönstring** *s* **1** granskning inspection, scrutiny **2** mil. enlistment

**mör** *adj* om kött, frukt tender; om skorpor etc. crisp

**möra** *vb tr*, *~ kött* tenderize meat

**mörbulta** *vb tr* beat...black and blue; *alldeles ~d* efter matchen aching all over...

**mörda** *vb tr* murder; utan objekt commit a murder (murders); speciellt bildl. kill

**mördande** *adj* friare murderous; om t.ex. blick withering

**mördare** *s* murderer

**mördeg** *s* shortcrust pastry

**mörk** *adj* dark; dyster sombre, gloomy; *~ choklad* plain chocolate; *~ kostym* dark lounge suit; *det ser ~t ut* bildl. things look bad

**mörkblå** *adj* dark blue

**mörker** *s* dark, darkness; *efter mörkrets inbrott* after dark; *famla i mörkret* grope in the dark

**mörkertal** *s* number of unrecorded cases, hidden statistics sg.

**mörklagd** *adj* om person dark, dark-haired

**mörklägga** *vb tr* black out

**mörkläggning** *s* blackout

**mörkna** *vb itr* get dark; *det ~r* it's getting dark

**mörkrostad** *adj*, *mörkrostat kaffe* dark roast coffee

**mörkrädd** *adj*, *vara ~* be afraid of the dark

**mörkögd** *adj* dark-eyed

**mört** *s* roach; *pigg som en ~* fit as a fiddle

**mössa** *s* cap

**mösskärm** *s* cap peak

**möta** *vb tr* meet; råka på come across; speciellt röna meet with

**mötande** *adj* t.ex. person ...that one meets; t.ex. trafik oncoming...

**mötas** *vb itr dep* meet

**möte** *s* meeting; avtalat appointment; konferens conference; *stämma ~ med* make an appointment with, arrange to meet

**möteslokal** *s* mötesplats meeting place; samlingsrum assembly (conference) room (rooms pl.)

# N

**nackdel** *s* disadvantage, drawback
**nacke** *s* back of the (one's) head; *bryta*
~*n* el. ~*n av sig* break one's neck
**nackstöd** *s* i bil headrest
**nafs** *s, i (på) ett* ~ vard. in a flash (jiffy)
**nafsa** *vb tr* o. *vb itr* snap [*efter* at]
**nafta** *s* naphtha
**nagel** *s* nail; *bita på naglarna* bite one's
nails
**nagelband** *s* cuticle
**nagelborste** *s* nail brush
**nagellack** *s* nail varnish, nail polish, nail
enamel
**nagelsax** *s* nail scissors pl.
**nagga I** *vb tr,* ~ *i kanten* göra hack i notch,
nick; bildl., t.ex. kapital eat into, nibble at
**II** *vb itr,* ~ gnaga *på ngt* gnaw (nibble)
a th. (at a th.)
**naggande** *adv, liten men* ~ *god* there isn't
much of it (him, her etc.) but what there
is, is good
**nagla** *vb tr,* ~ *fast* nail...on [*vid* to]
**naiv** *adj* naive
**naivitet** *s* naiveté
**naken** *adj* naked äv. bildl.; speciellt konst. nude
**nakenbadare** *s* nude bather; vard.
skinny-dipper
**nalkas** *vb itr dep* approach
**nalle** *s* leksak o. barnspr. teddy bear, teddy;
*Nalle Puh* Winnie-the-Pooh
**namn** *s* name [*på* of]; *ha gott* ~ *om sig*
have a good name (reputation); *skapa
(göra) sig ett* ~ make a name for
oneself; *vad (varför) i Guds (herrans,
fridens)* ~...? what (why) on earth...?; *i
sanningens* ~ to tell the truth; känna ngn
bara *till* ~*et* ...by name; *en man vid* ~ *Bo*
a man called (named) Bo, a man by (of)
the name of Bo; kalla ngn *vid* ~ ...by his
(her etc.) name
**namnbyte** *s* change of name
**namne** *s* namesake
**namnge** *vb tr* name
**namninsamling** *s* list of signatures
**namnsdag** *s* name day
**namnteckning** *s* signature
**napalm** *s* napalm
**1 napp** *s* dinapp teat, speciellt amer. nipple;
tröst dummy, comforter, amer. pacifier

**2 napp** *s* fiske bite; svagare o. bildl. nibble [*på*
at]
**1 nappa** *vb tr* o. *vb itr* om fisk bite; svagare o.
bildl. nibble [*på* at]; *det ~de han på
genast* he jumped at it at once
**2 nappa** *s* skinnsort nappa
**nappatag** *s* tussle, set-to
**nappflaska** *s* feeding (baby's) bottle
**narciss** *s* narcissus (pl. narcissi)
**narig** *adj* om hud chapped, rough
**narkoman** *s* drug addict; vard. junkie
**narkos** *s* narcosis (pl. narcoses); *ge ngn* ~
administer an anaesthetic to a p.
**narkotika** *s pl* narcotics; vard. drugs
**narkotikahandel** *s* drug traffic
**narkotikahandlare** *s* drug trafficker
(dealer)
**narkotikahund** *s* sniffer dog
**narkotikalangare** *s* drug (dope) pusher
**narkotikamissbruk** *s* drug abuse
**narkotikamissbrukare** *s* drug addict
**narkotisk** *adj* narcotic; ~*a medel* narcotics
**narr** *s* fool; *göra* ~ *av ngn* make fun of
a p.
**nasal** *adj* nasal
**nasalljud** *s* nasal, nasal sound
**nasse** *s* barnspr. piggy, piglet
**nation** *s* nation
**nationaldag** *s* national day (holiday)
**nationaldräkt** *s* national (peasant) costume
**nationalekonom** *s* economist
**nationalekonomi** *s* economics sg.
**nationalism** *s* nationalism
**nationalitet** *s* nationality
**nationalmuseum** *s* national museum; för
konst national gallery
**nationalsång** *s* national anthem
**nativitet** *s* birthrate
**natrium** *s* sodium
**natt** *s* night; *god* ~*!* good night!; ~*en till
söndagen* kom han ...on Saturday night; *i*
~ a) last night b) kommande tonight c) nu i
natt this night; *i går* ~ yesterday night;
*om (på)* ~*en (nätterna)* at (by) night;
*stanna över* ~*en* stay overnight (the
night)
**nattaxa** *s* på buss etc. night-service fare
**nattdräkt** *s* nightwear; *i* ~ in nightwear
**nattduksbord** *s* bedside table
**nattetid** *adv* at (by) night, in the night
**nattfack** *s* night safe (amer. depository)
**nattflyg** *s* trafik night-flights pl.; plan night
plane
**nattfrost** *s* night frost
**nattklubb** *s* nightclub

**nattkärl** *s* chamber pot
**nattlig** *adj* nocturnal; var natt nightly
**nattlinne** *s* nightdress, nightgown; vard. nightie
**nattlogi** *s* husrum accommodation for the night
**nattmangling** *s* all-night negotiations pl.
**nattparkering** *s* night (overnight) parking
**nattportier** *s* night porter
**nattradio** *s* all-night radio
**nattrafik** *s* night services pl.
**nattrock** *s* dressing-gown
**nattskift** *s* night shift
**nattskjorta** *s* nightshirt
**nattsköterska** *s* night nurse
**nattuggla** *s* person night owl, nightbird
**nattvak** *s* late hours pl.
**nattvakt** *s* **1** person night watchman **2** tjänstgöring night watch
**nattvard** *s*, **~en** the Holy Communion
**nattåg** *s* night train
**natur** *s* nature; läggning disposition; karaktär character; natursceneri etc. scenery, natural scenery; **~en** som skapande kraft etc. nature; komma ut *i* **~en** ...into the country (countryside); *en vacker* **~** omgivning beautiful scenery; *det ligger i sakens* **~** it is in the nature of things; *ute i* **~en** out of doors
**natura** *s*, *in* **~** in kind
**naturaförmåner** *s pl* emoluments; vard. perks
**naturalisera** *vb tr* naturalize
**naturalistisk** *adj* naturalistic
**naturbarn** *s* child of nature
**naturbegåvning** *s*, *vara en* **~** be a person of natural talents
**naturbehov** *s*, *förrätta sina* **~** relieve oneself
**naturgas** *s* natural gas
**naturkunskap** *s* skol. science
**naturlag** *s* natural law, law of nature
**naturlig** *adj* natural; *ett* porträtt *i* **~** *storlek* a life-size...
**naturligtvis** *adv* of course, naturally
**naturreservat** *s* nature reserve (preserve)
**naturskön** *adj* ...of great natural beauty
**naturtillgång** *s* natural asset; **~ar** äv. natural resources
**naturtrogen** *adj* ...true to life, lifelike
**naturvetare** *s* scientist
**naturvetenskap** *s* science
**naturvetenskaplig** *adj* scientific
**naturvård** *s* nature conservation
**nautisk** *adj* nautical

**nav** *s* hub; propellernav boss
**navel** *s* navel
**navelsträng** *s* navel string; vetensk. umbilical cord
**navigation** *s* navigation
**navigera** *vb tr* o. *vb itr* navigate
**nazism** *s*, **~** el. **~en** Nazism
**nazist** *s* Nazi
**nazistisk** *adj* Nazi
**Neapel** Naples
**neapolitansk** *adj* Neapolitan
**necessär** *s* toilet bag (case)
**ned** *adv* down; nedför trappan downstairs; **~** (*längst* **~**) *på* sidan at the bottom (very bottom) of...
**nedan** *adv* below
**nedanför** I *prep* below II *adv* below, down below
**nedanstående** *adj* nedan angiven etc. the...below
**nedbantad** *adj*, **~** *budget* reduced budget
**nedbringa** *vb tr* minska reduce
**nedbruten** *adj*, *vara* **~** bildl. be broken down
**nederbörd** *s* regn rainfall; snö snowfall; *riklig* **~** heavy rainfall (resp. snowfall)
**nederlag** *s* defeat
**nederländare** *s* Netherlander, Dutchman
**Nederländerna** *pl* the Netherlands
**nederländsk** *adj* vanl. Dutch
**nederst** *adv* at the bottom [*i*, *på*, *vid* of]
**nedersta** *adj*, **~** (*den* **~**) hyllan the lowest (bottom)...; **~** *våningen* the ground (amer. first) floor
**nedfall** *s* fall-out
**nedfrysning** *s* refrigeration
**nedfällbar** *adj*, **~** *sits* tip-up seat
**nedför** I *prep* down II *adv* downwards
**nedförsbacke** *s* downhill slope, descent
**nedgång** *s* **1** till källare, tunnelbana etc. way down **2** om himlakroppar setting; tillbakagång om pris decline; minskning decrease; *solens* **~** sunset
**nedifrån** *adv* from below (underneath)
**nedisad** *adj* ...covered with ice, iced up
**nedkomma** *vb itr*, **~** *med* en son give birth to...
**nedkomst** *s* förlossning delivery, confinement
**nedlåta** *vb rfl*, **~** *sig* condescend; förnedra sig stoop
**nedlåtande** *adj* condescending, patronizing
**nedlägga** *vb tr* se *lägga ned* under *lägga*

**nedläggelse** *s* o. **nedläggning** *s* inställelse shutting-down, closing-down

**nedre** *adj* lower

**nedrusta** *vb itr* disarm; begränsa reduce armaments

**nedrustning** *s* disarmament; begränsningar arms limitations pl.

**nedräkning** *s* vid t.ex. start count-down

**nedsatt** *adj* om t.ex. hörsel impaired; ~ **pris** reduced price

**nedslag** *s* **1** på skrivmaskin stroke; *200 ~ i minuten* 200 letters… **2** blixtnedslag stroke of lightning; mil., projektils impact; sport., vid hopp etc. landing

**nedslående** *adj* bildl. disheartening, depressing

**nedsläpp** *s* ishockey face-off; *göra ~* face off

**nedsmutsad** *adj* very dirty; om luft, vatten etc. polluted, contaminated

**nedsmutsning** *s* om luft etc. pollution, contamination

**nedstämd** *adj* depressed, low-spirited

**nedsättande** *adj* disparaging

**nedsättning** *s* lowering; minskning reduction

**nedsövd** *adj* …under an anaesthetic

**nedtill** *adv* at the foot (bottom) [*på* of]; därnere below, down below

**nedtrappning** *s* de-escalation

**nedåt I** *prep* down; längs down along **II** *adv* downwards; *~ böj!* gymn. downward bend!

**nedåtgående I** *s*, *vara i ~* om konjunkturer etc. be on the downgrade **II** *s* om pris falling

**nedärvd** *adj* hereditary

**negation** *s* negation

**negativ I** *adj* negative **II** *s* foto. negative

**neger** *s* black, Negro (pl. -es)

**negera** *vb tr* negate

**negerande** *adj* negative

**negligé** *s* negligee

**negligera** *vb tr* neglect; strunta i ignore

**negress** *s* black woman, Negress, Negro (pl. -es)

**nej I** *interj* no; *~ då!* visst inte oh, no!, not at all!; *~, vilken överraskning!* well, what a surprise!; *~ men se…!* why…! **II** *s* no; avslag refusal; *tacka ~ till ngt* decline a th. with thanks

**nejlika** *s* **1** bot.: stor carnation; enklare pink **2** krydda clove

**nejröst** *s* no

**neka I** *vb itr* deny **II** *vb tr* vägra refuse; *~ ngn tillträde* refuse a p. admittance

**nekande** *adj* negative; *ett ~ svar* a refusal

**nektarin** *s* nectarine

**neon** *s* neon

**neonljus** *s* neon light

**neonskylt** *s* neon sign

**Neptunus** astron. el. myt. Neptune

**ner** *adv* o. sammansättningar, se *ned* etc.

**nere I** *adv* down **II** *adj* deprimerad down, depressed

**nerv** *s* nerve; *han går mig på ~erna* he gets on my nerves

**nervig** vard., nervös nervous

**nervlugnande** *adj*, *~ medel* tranquillizer

**nervositet** *s* nervousness

**nervpress** *s* nervous strain

**nervpåfrestande** *adj* nerve-racking

**nervsammanbrott** *s* nervous breakdown

**nervvrak** *s* nervous wreck

**nervös** *adj* nervous; orolig uneasy; *~ el. ~ av sig* highly-strung; neurotisk neurotic

**netto** *adv* net; *betala ~ kontant* pay net cash

**nettolön** *s* net wages (månadslön salary), take-home pay

**nettovinst** *s* net profit

**neuros** *s* neurosis (pl. neuroses)

**neurotisk** *adj* neurotic

**neutral** *adj* neutral

**neutralisera** *vb tr* neutralize äv. bildl.

**neutralitet** *s* neutrality

**neutron** *s* neutron

**neutrum** *s* neuter; *i ~* in the neuter

**ni** *pers pron* you; *er* you; refl. yourself (pl. yourselves)

**nia** *s* nine; jfr *femma*

**nick** *s* **1** nod **2** sport. header

**nicka** *vb itr* o. *vb tr* **1** nod [*åt, till ngn* at, to a p.] **2** sport. head

**nickel** *s* nickel

**nidingsdåd** *s* outrage

**niga** *vb itr* curtsy, curtsey [*för ngn* to a p.]

**nigning** *s* curtsying, curtseying; *en ~* a curtsy (curtsey)

**nikotin** *s* nicotine

**nikotinförgiftning** *s* nicotine poisoning

**Nilen** the Nile

**nio** *räkn* nine; jfr *fem* o. sammansättningar

**nionde** *räkn* ninth (förk. 9th); jfr *femte*

**niondel** *s* ninth [part]; jfr *femtedel*

**nisch** *s* niche

**1 nit** *s* iver zeal; starkare ardour

**2 nit** *s* lott o. bildl. blank

**3 nit** *s* tekn. rivet

**nita** *vb tr*, *~ el. ~ fast* rivet

**nitisk** *adj* ivrig zealous; starkare ardent

**nitti** se *nittio*

**nittio** *räkn* ninety; jfr *femtio*
**nittionde** *räkn* ninetieth
**nitton** *räkn* nineteen; jfr *fem* o.
sammansättningar
**nittonde** *räkn* nineteenth (förk. 19th); jfr
*femte*
**nittonhundranittiotalet** *s* the nineteen
nineties pl.; *på* ~ in the nineteen nineties
**nittonhundratalet** *s* the twentieth century;
jfr *femtonhundratalet*
**nivå** *s* level, standard
**njure** *s* kidney
**njursten** *s* stone in the kidney (kidneys)
**njuta** I *vb tr* enjoy II *vb itr* enjoy oneself
**njutbar** *adj* enjoyable
**njutning** *s* pleasure; starkare delight
**Noa** o. **Noak** Noah; *~s ark* Noah's ark
**nobba** *vb tr* vard. say no to, turn down,
decline
**nobben** *s* vard., *få* ~ be turned down
**nobelpris** *s* Nobel Prize [*i* litteratur for…]
**nobelpristagare** *s* Nobel Prize winner
**nog** *adv* **1** tillräckligt enough, sufficiently;
*han var fräck* ~ *att* inf. he had the cheek
(impudence) to inf.; *stor* ~ el. ~ *stor* large
enough, sufficiently large; *inte* ~ *med att
han vägrade, han t.o.m…* not only did
he refuse, he even… **2** *konstigt* ~ *kom
hon sent* funnily enough she came late
**3** förmodligen probably; helt säkert certainly;
*han är* ~ *snart här* I expect he will soon
be here; *de kommer* ~*!* helt säkert äv.
they'll come all right!
**noga** I *adv* precis precisely, exactly; ingående
closely; omsorgsfullt carefully; *akta sig* ~
*för att* inf. take great care not to inf.; *jag
vet inte så* ~, hur (när)… I don't know
exactly… II *adj* noggrann careful; kinkig
particular; fordrande exacting [*med ngt* i
samtliga fall about a th.]
**noggrann** *adj* omsorgsfull careful [*med*
about]; exakt accurate; ingående close
**nogräknad** *adj* particular [*med* about]
**noll** *räkn* nought, amer. naught; på instrument
zero; speciellt i telefonnummer 0, uttalas [əʊ]
sport. nil; tennis love; *det är* ~ *grader*
Celsius the thermometer is at zero
(freezing-point)
**nolla** *s* nought, amer. naught; *en* ~ om person
a nobody (nonentity); *hålla* ~*n* sport.
keep a clean sheet
**nollpunkt** *s* zero [point]; *~en* absolute
zero; *stå på* ~*en* äv. bildl. be at zero
**nollställa** *vb tr* mätare etc. set…to zero, reset
**nollsummespel** *s* zero-sum game

**nolltaxa** *s* i kollektivtrafik free travel
**nolltaxerare** *s* vard. taxpayer who pays no
income-tax due to deductions that
exceed tax on income
**nolltid** *s*, *på* ~ vard. in no time
**nolläge** *s* zero (neutral) position
**nominativ** *s* nominative; *i* ~ in the
nominative
**nominera** *vb tr* nominate
**nonchalans** *s* nonchalance; försumlighet
negligence; likgiltighet indifference;
vårdslöshet carelessness
**nonchalant** *adj* nonchalant; försumlig
negligent; likgiltig indifferent; vårdslös
careless
**nonchalera** *vb tr* pay no attention to;
försumma neglect
**nonsens** *s* nonsense, rubbish, bosh
**nonstop** *adj* non-stop
**nord** *s* o. *adv* north [*om* of]
**Nordafrika** som enhet North (norra Afrika
Northern) Africa
**nordafrikansk** *adj* North-African
**Nordamerika** North America
**nordamerikansk** *adj* North-American
**nordan** *s* o. **nordanvind** *s* north wind
**nordbo** *s* Northerner; skandinav
Scandinavian
**Norden** Skandinavien the Scandinavian (mer
officiellt Nordic) countries pl., Scandinavia
**Nordeuropa** the north of Europe,
Northern Europe
**Nordirland** Northern Ireland
**nordisk** *adj* northern; skandinavisk
Scandinavian; mer officiellt Nordic
**nordkust** *s* north coast
**nordlig** *adj* från el. mot norr, om t.ex. vind,
riktning, läge northerly; om vind äv. north; i
norr northern
**nordligare** I *adj* more northerly II *adv*
farther north
**nordligast** I *adj* northernmost II *adv*
farthest north
**nordost** I *s* väderstreck the north-east II *adv*
north-east [*om* of]
**nordostlig** *adj* north-east, north-eastern,
north-easterly
**nordpol** *s*, *~en* the North Pole
**nordsida** *s* north side
**Nordsjön** the North Sea
**Nordsverige** the north of Sweden,
Northern Sweden
**nordväst** I *s* väderstreck the north-west II *adv*
north-west [*om* of]

**nordvästlig** *adj* north-west, north-western, north-westerly
**nordvästra** *adj* the north-west (north-western)
**Norge** Norway
**norm** *s* måttstock standard; rättesnöre norm; regel rule
**normal** *adj* normal
**normalisera** *vb tr* normalize
**normalstorlek** *s* normal (standard) size
**norr** *I s* väderstreck the north; ett rum *mot (åt)* ~ ...to the north, ...facing north *II adv* north, to the north [*om* of]
**norra** *adj* t.ex. sidan the north; t.ex. delen the northern; ~ *halvklotet* the Northern hemisphere; ~ *Sverige* the north of Sweden, Northern Sweden
**norrifrån** *adv* from the north
**norrläge** *s*, hus *med* ~ ...facing north
**norrländsk** *adj* Norrland, ...of Norrland
**norrlänning** *s* Norrlander
**norrman** *s* Norwegian
**norrsken** *s* northern lights pl.
**norrstreck** *s* på kompass North point
**norrut** *adv* åt norr northward, northwards; i norr in the north, out north; *resa* ~ go (travel) north
**norsk** *adj* Norwegian
**norska** *s* **1** kvinna Norwegian woman **2** språk Norwegian; jfr *svenska*
**norskfödd** *adj* Norwegian-born; för andra sammansättningar, jfr äv. *svensk-*
**nos** *s* **1** zool. o. vard., 'näsa' nose; om häst, nötkreatur muzzle **2** tekn., spets nose
**nosa** *vb itr* sniff, smell [*på ngt* at a th.]
**noshörning** *s* rhinoceros; vard. rhino (pl. -s)
**nostalgisk** *adj* nostalgic
**not** *s* nottecken, anmärkning note; ~*er* nothäfte music sg.; *vara med på* ~*erna* understand what the thing is all about, catch on
**nota** *s* **1** räkning bill; speciellt hand. account **2** lista list [*på* of]
**notera** *vb tr* anteckna note (take) down; uppge pris på quote; sport. o. friare: seger record
**notis** *s* **1** meddelande etc. notice; i tidning news-item; tillkännagivande announcement **2** *inte ta* ~ *om* take no notice of
**notorisk** *adj* notorious
**notställ** *s* music stand
**nottecken** *s* mus. note
**notvärde** *s* mus. time value
**notväxling** *s* polit. exchange of notes

**nougat** *s* choklad~ soft chocolate nougat; fransk nougat nougat
**novell** *s* short story
**novellsamling** *s* collection of short stories
**november** *s* November (förk. Nov.); jfr *april* o. *femte*
**novis** *s* novice
**nu** *adv* now; ~ *genast* at once; ~ *gällande* priser ruling...; ~ *då (när)* now that; ~ *på* söndag this (this coming)...; ~ *är det snart jul* Christmas will soon be here; ~ *kommer han!* here he comes!; ~ *ringer det!* there goes the bell!
**nubb** *s* tack; koll. tacks pl.
**nubbe** *s* snaps (pl. lika)
**nucka** *s*, *gammal* ~ old spinster
**nudda** *vb tr* o. *vb itr*, ~ *vid* brush against; skrapa lätt graze
**nudel** *s* noodle
**nudism** *s* nudism
**nudist** *s* nudist
**nuförtiden** *adv* nowadays, these days
**nukleär** *adj* nuclear
**numera** *adv* nu now; nuförtiden nowadays
**numerus** *s* gram. number
**nummer** *s* number; om tidningsupplaga issue; på sko etc. size; i program item; varieté turn
**nummerlapp** *s* kölapp queue ticket
**nummerordning** *s* numerical order
**nummerplåt** *s* number (amer. vanl. license) plate
**nummerskiva** *s* tele. dial
**nummerupplysningen** *s* tele. directory enquiries pl. (amer. assistance)
**numrera** *vb tr* number; ~*d plats* reserved seat
**numrering** *s* numbering
**nunna** *s* nun
**nunnekloster** *s* convent, nunnery
**nutid** *s*, ~*en* the present times pl.; ~*ens* ...of today, today's
**nutida** *adj* ...of today, today's; modern modern; tidsenlig up-to-date
**nutria** *s* nutria
**nuvarande** *adj* present; dagens ...of today; *i* ~ *stund* at the present moment
**ny** *adj* new; hittills okänd novel; färsk fresh; nyligen inträffad recent; *en* ~ en annan another, another one; *ett* ~*tt pappersark* a fresh sheet of paper; *den* ~*a generationen* the rising generation; *en* ~ Hitler a second...; *det* ~*a i* what is new about (in); *på* ~*tt* once more
**nyanlagd** *adj* recently-built, newly-built;

*den är* ~ it has been recently (newly) built

**nyans** s shade, nuance

**nyansera** vb tr avtona shade off; variera vary, nuance

**Nya Zeeland** New Zealand

**nybakad** adj om bröd etc. fresh

**nybildad** adj recently-formed

**nybliven** adj, *en* ~ *mor* a woman who has recently become a mother

**nybyggare** s settler

**nybyggd** adj recently-built, newly-built

**nybygge** s hus under byggnad house under construction; färdigt bygge new building

**nybörjare** s beginner [*i* at]

**nyck** s idé fancy; infall whim

**nyckel** s key

**nyckelbarn** s latchkey child

**nyckelben** s collar bone

**nyckelfigur** s key figure

**nyckelhål** s keyhole

**nyckelknippa** s bunch of keys

**nyckelpiga** s ladybird, amer. ladybug

**nyckelposition** s key position

**nyckelring** s key ring

**nyckelroll** s key role (part)

**nyckfull** adj capricious; godtycklig arbitrary

**nyfascism** s, ~ el. ~*en* neo-Fascism

**nyfiken** adj curious [*på* about]; vard. nosy, nosey

**nyfikenhet** s curiosity; *väcka ngns* ~ arouse a p.'s curiosity; *av ren* ~ out of sheer curiosity

**nyfödd** adj new-born

**nyförvärv** s new (recent) acquisition; om t.ex. fotbollsspelare new signing

**nygift** adj newly-married

**nyhet** s **1** något nytt, ny sak novelty; förändring innovation **2** underrättelse, ~ el. ~*er* news sg.; *en* ~ a piece of news; *inga* ~*er är goda* ~*er* no news is good news

**nyhetsbyrå** s news agency

**nyhetsförmedling** s news distribution, news service

**nyhetssammandrag** s news summary

**nyhetsutsändning** s radio. el. TV. newscast

**nyklippt** adj om hår ...that has (had etc.) just been cut; *jag är* ~ I have just had my hair cut

**nykomling** s newcomer

**nykter** adj sober äv. 'sansad'

**nykterhet** s sobriety, soberness

**nykterist** s teetotaller

**nyktra** vb itr, ~ *till* become sober

**nylagad** adj om mat freshly-made...

**nyligen** adv recently

**nylon** s nylon

**nylonstrumpa** s nylon stocking

**nymf** s nymph

**nymodig** adj modern; neds. new-fangled

**nymålad** adj freshly-painted, newly-painted; *Nymålat!* Wet Paint!

**nymåne** s new moon

**nynazism** s, ~ el. ~*en* neo-Nazism

**nynna** vb tr o. vb itr hum [*ngt* el. *på ngt* a th.]

**nyp** s pinch

**nypa** I s **1** hålla ngt *i* ~*n* ...in one's hand **2** *en* ~ smula, t.ex. mjöl a pinch of...; frisk luft a breath of...; *med en* ~ *salt* bildl. with a pinch (grain) of salt II vb tr pinch, nip

**nypermanentad** adj, *jag är* ~ I have just had a perm

**nypon** s frukt rose hip; buske dogrose

**nyponsoppa** s rose-hip soup

**nypremiär** s revival; *ha* ~ om pjäs be revived

**nys** s, *få* ~ *om* get wind of

**nysa** vb itr, ~ el. ~ *till* sneeze

**nysilver** s electroplated nickel silver (förk. EPNS); *av* ~ electroplated...

**nysning** s sneezing; *en* ~ a sneeze

**nysnö** s newly-fallen snow

**nyspulver** s sneezing powder

**nyss** adv, *han anlände* ~ he arrived just now; *han har* (*hade*) ~ *anlänt* he has (had) just arrived

**nystan** s ball

**nystartad** adj recently-started

**nytta** s use, good; fördel advantage; *dra* ~ *av* ngt benefit (profit) by...; *göra någon* ~ uträtta ngt get something done; hjälpa be of help; medicinen *gör* ~ ...does some good; *vara ngn till stor* ~ be of great use to a p.

**nyttig** adj useful; till nytta ...of use; hälsosam good

**nyttolast** s maximum load, payload

**nyttotrafik** s commercial traffic

**nyutkommen** adj, *en* ~ bok a recent...

**nyval** s new election

**nyvärdesförsäkring** s replacement value insurance

**nyzeeländare** s New Zealander

**nyår** s new year; som helg New Year

**nyårsafton** s New Year's Eve

**nyårsdag** s New Year's Day

**nyårslöfte** s New Year resolution

**nyårsvaka** s, *hålla* ~ see the New Year in

**1 nå** interj well!

**2 nå** *vb tr* o. *vb itr* reach; *jag kan ~s per telefon (på nummer...)* I can be reached by phone (you will find me at number...)

**nåd** *s* **1** *få ~* be pardoned; om dödsdömd be reprieved **2** titel, *Ers ~* Your Grace

**nådeansökan** *s* petition for mercy

**nådestöt** *s, ge ngn ~en* put a p. out of his misery

**någon** *(något, några) pron* **a)** 'en viss' some, somebody, someone; 'en (ett)' one, a, an; 'ett visst' some, something; 'somliga', 'några stycken' some **b)** 'någon (något, några) alls' any, anybody, anyone, anything; 'en (ett)' a, an, one **c)** någon (något), av två either; *har du ~ en cigarett?* have you a cigarette?; *-Ja, jag tror jag har ~ här* -Yes, I think I have one here; varje kväll är det dans på *något av de större hotellen* ...one (one or other) of the big hotels; därmed har beviset förlorat *något* någon del *av sin kraft* ...some of its force; *har ~ av pojkarna* gått? have any of the boys...?; *om ~ söker mig* if anybody (någon viss person somebody) calls; *om man inte har något att säga* if you haven't got anything to say; *jag har något viktigt att göra* I have something important to do; *några* cigaretter *hade han inte* he hadn't got any...; *för några få dagar sedan* a few days ago; *några av pojkarna kunde simma* some of the boys could swim

**någondera** *(någotdera) pron* av två either; *från ~ sidan* from either side; *~ av er* måste ha sagt det one of you...

**någonsin** *adv* ever; *aldrig ~* never

**någonstans** *adv* somewhere resp. anywhere; *var ~?* where?, whereabouts?

**någonting** *pron* oftast something resp. anything (jfr *någon*)

**någorlunda** **I** *adv* fairly **II** *adj* fairly good

**något** **I** *pron*, se *någon* **II** *adv* en smula somewhat, a little, a bit; lätt slightly; ganska rather

**nål** *s* needle; på grammofon stylus; hårnål, knappnål pin; *sitta som på ~ar* be on pins and needles

**nåla** *vb tr, ~ fast ngt* pin a th. on [*på, vid* to]

**nåldyna** *s* pincushion

**nålsöga** *s* eye of a (resp. the) needle

**nåväl** *interj* nå well!; då så all right!

**näbb** *s* bill, beak; *försvara sig med ~ar och klor* defend oneself tooth and nail

**näbbmus** *s* shrewmouse (pl. shrewmice)

**näck** *adj* vard., naken naked, nude

**näckros** *s* water lily

**näktergal** *s* thrush nightingale; sydnäktergal nightingale

**nämligen** *adv* **1** ty for; eftersom since; emedan as; ser ni you see; *det är ~ så (saken är ~ den), att...* the fact is that... **2** framför uppräkning el. som upplysning namely; bara en man ansågs lämplig, *~ X* ..., and that was X

**nämna** *vb tr* omnämna mention; uppge state

**nämnare** *s* mat. denominator

**nämnd** *s* utskott committee

**nämndeman** *s* ung. lay assessor

**nämnvärd** *adj, ingen ~* förbättring no...to speak of

**näpen** *adj* nice, pretty, sweet

**näppeligen** *adv* hardly, scarcely

**1 när** **I** *konj* om tid when **II** *adv* when; hur dags at what time

**2 när** *adv, han är inte på långt ~ så lång* som jag he is nowhere near as tall...; alla var närvarande *så ~ som på två* ...but two; *så ~* nästan almost

**1 nära** **I** *adj* near, close; *i (inom) en ~ framtid* in the near (immediate) future **II** *adv* o. *prep*, hon var *~ döden* ...near death; *hon har ~ till tårar* she is easily moved to tears; *stå någon ~* be very near (close) to a p.; *jag var ~ att falla* I nearly (almost) fell

**2 nära** *vb tr* **1** nourish, feed; underhålla support, nourish; underblåsa foment **2** hysa cherish, entertain

**närande** *adj* nourishing

**närbelägen** *adj* nearby, ...near (close) by

**närbesläktad** *adj* ...closely related

**närbild** *s* close-up

**närbutik** *s* local shop (store), speciellt amer. convenience store

**närgången** *adj* impertinent; *vara ~ mot* take liberties with; göra sexuella närmanden mot make a pass at

**närhelst** *konj* whenever

**närhet** *s* **1** grannskap neighbourhood, vicinity **2** nearness

**närig** *adj* snål stingy; girig grasping

**näring** *s* föda nourishment, food; *ge ~ åt* t.ex. ett rykte lend support to

**näringsfrihet** *s* freedom of trade

**näringsgren** *s* branch of business, industry

**näringsliv** *s* trade and industry, industry

**näringsrik** *adj* nutritious, ...of high food value

**näringsvärde** *s* nutritive (food) value

**näringsämne** *s* nutritive substance

**närliggande** *adj* **1** nearby, ...near (close)

by **2** bildl., **en ~** lösning a...that lies near at hand, an obvious...

**närma I** *vb tr* bring...nearer (closer) **II** *vb rfl*, **~ sig** approach; gränsa till border on; **~ sig 40 år** be getting on for forty; filmen **~r sig slutet** ...is drawing to an end

**närmande** *s*, **~n** advances

**närmare** (jfr *nära*) **I** *adj* nearer, closer; ytterligare further; **vid ~ granskning** on close examination; **~** ingående **kännedom om** an intimate knowledge of **II** *adv* nearer, closer; t.ex. granska more closely; **~ bestämt** more exactly, to be precise; jag har **tänkt ~ på saken** ...thought the matter over **III** *prep* nearer, closer (nearer) to; inemot close on; nästan nearly

**närmast I** *adj* nearest; omedelbar immediate; om t.ex. vän closest; närmast i ordningen next; **under de ~e** (**de två ~e**) dagarna during the next few (two)...; **inom den ~e framtiden** in the immediate (near) future; **hans ~e släktingar** his nearest relations; **i det ~e** almost **II** *adv* **1** nearest, closest; t.ex. närmast berörd most closely; närmast i ordningen next; **tiden ~** omedelbart **före** kriget the time immediately before...; **var och en är sig själv ~** every man for himself; **den ~ sörjande** the chief mourner **2** först och främst first of all, in the first place **III** *prep* nearest, closest (nearest, next) to

**närradio** *s* community radio

**närstående** *adj* close, intimate

**närsynt** *adj* short-sighted

**närsynthet** *s* short-sightedness

**närtrafik** *s* local services pl.

**närvara** *vb itr*, **~ vid** be present at, attend

**närvarande** *adj* **1** tillstädes present; **de ~** those present **2** nuvarande present; **för ~** for the present (time being)

**närvaro** *s* presence; **i gästernas ~** before the guests

**näs** *s* landremsa isthmus; udde foreland

**näsa** *s* nose; **ha ~ för** have a nose for; **räcka lång ~ åt** cock a snook at; **sätta ~n i vädret** put on airs; **tala i ~n** talk through one's nose; **dra ngn vid ~n** take a p. in; **gå dit ~n pekar** follow one's nose

**näsblod** *s*, **jag blöder ~** my nose is bleeding

**näsborre** *s* nostril

**näsbränna** *s* vard., **få sig en ~** get a telling-off

**näsduk** *s* handkerchief

**nässelfeber** *s* nettle-rash

**nässla** *s* nettle

**näst I** *adv* next; **den ~ bästa** the second best; **den ~ sista** the last but one **II** *prep* after, next to

**nästa** *adj* next; **~ dag** nu följande next day; påföljande the next (following) day

**nästan** *adv* almost; praktiskt taget practically; **~ aldrig** hardly ever; **~ ingenting** hardly anything

**näste** *s* nest äv. bildl.

**nästla** *vb rfl*, **~ sig in hos ngn** ingratiate oneself with a p.

**näsvis** *adj* cheeky, saucy, impertinent

**nät** *s* net; spindels web; nätverk network; elektr. mains pl.

**nätansluten** *adj* elektr. mains-operated

**näthinna** *s* anat. retina

**nätt I** *adj* söt pretty; prydlig neat; **en ~ summa** a tidy sum **II** *adv* prettily, neatly; **~ och jämnt** only just

**nätverk** *s* network

**näve** *s* fist; **slå ~n i bordet** bang one's fist on the table

**nöd** *s* nödställd belägenhet distress; behov need; svagare want; nödvändighet necessity; **det går ingen ~ på honom** he has nothing to complain of; **i ~ och lust** for better or for worse; **med ~ och näppe** narrowly; **han kom undan med ~ och näppe** he had a narrow escape

**nödbedd** *adj*, **vara ~** need pressing

**nödbroms** *s* emergency brake

**nödfall** *s*, **i ~** if necessary

**nödgas** *vb itr dep* be compelled to inf., have to inf.

**nödig** *adj* nödvändig necessary

**nödlanda** *vb itr* make an emergency landing

**nödlandning** *s* emergency landing

**nödläge** *s* distress

**nödlögn** *s* white lie

**nödlösning** *s* emergency (tillfällig temporary) solution

**nödrop** *s* cry of distress; signal distress signal

**nödsakad** *adj*, **se sig ~ att** inf. find oneself compelled to inf.

**nödsignal** *s* distress signal; per radio SOS

**nödutgång** *s* emergency exit

**nödvändig** *adj* necessary; oumbärlig essential

**nödvändiggöra** *vb tr* necessitate

**nödvändighet** *s* necessity

**nödvändigtvis** *adv* necessarily

**nöja** *vb rfl*, **~ sig med** be satisfied

(content) with; *han nöjde sig med* inskränkte sig till *en kort kommentar* he confined himself to a short comment

**nöjd** *adj* tillfredsställd satisfied, content; belåten pleased

**nöje** *s* **1** glädje pleasure, delight, joy; *jag har ~t att känna...* I have the pleasure of knowing...; *för ~s skull* for fun **2** förströelse amusement

**nöjesbransch** *s*, *~en* show business; vard. show-biz

**nöjesfält** *s* amusement park

**nöjesliv** *s* underhållning entertainments, amusements; liv av nöjen life of pleasure

**nöjeslysten** *adj* ...fond of amusement (pleasure)

**nöjesläsning** *s* light reading

**nöjesresa** *s* pleasure trip

**nöjesskatt** *s* entertainment tax

**nöt** *s* bot. nut

**nöta** *vb tr* o. *vb itr*, *~* el. *~ på* wear; kläder wear out; *tyget tål att ~ på* the cloth will stand wear; *~ av (ut)* wear off (out)

**nöthårsmatta** *s* cowhair carpet (mindre mat)

**nötknäppare** *s* nutcrackers pl.; *en ~* a pair of nutcrackers

**nötkreatur** *s pl* cattle; *fem ~* five head of cattle

**nötkött** *s* beef

**nötskal** *s* nutshell

**nötskrika** *s* fågel jay

**nött** *adj* worn; bildl. hackneyed

**nötväcka** *s* fågel nuthatch

# O

**oaktat** *prep* notwithstanding

**oaktsam** *adj* careless

**oanad** *adj* unsuspected, unthought of

**oangenäm** *adj* unpleasant, disagreeable

**oansenlig** *adj* insignificant; om t.ex. lön modest; om utseende plain

**oanständig** *adj* indecent

**oanständighet** *s* indecency

**oansvarig** *adj* irresponsible

**oanträffbar** *adj* unavailable; *har har varit ~* hela dagen I (we etc.) have been unable to get hold of him...

**oanvänd** *adj* unused

**oanvändbar** *adj* useless

**oaptitlig** *adj* unappetizing

**oartig** *adj* impolite

**oas** *s* oasis (pl. oases)

**oavbruten** *adj* uninterrupted, continuous

**oavgjord** *adj* undecided; *en ~ match* a draw

**oavgjort** *adv*, *sluta ~* end in a draw; *spela ~* draw

**oavhängig** *adj* independent

**oavsett** *prep* oberoende av irrespective of; frånsett apart from; *~ om han kommer eller inte* whether he comes or not

**oavsiktlig** *adj* unintentional

**obalans** *s* lack of balance; *komma i ~* get out of balance

**obalanserad** *adj* unbalanced

**obarmhärtig** *adj* merciless; skoningslös relentless

**obducera** *vb tr* perform a postmortem (an autopsy) on

**obduktion** *s* postmortem, autopsy

**obeaktad** *adj* unnoticed; *lämna ~* disregard

**obebodd** *adj* uninhabited

**obeboelig** *adj* uninhabitable

**obefintlig** *adj* om sak non-existent

**obefogad** *adj* unwarranted; grundlös unfounded

**obefolkad** *adj* uninhabited

**obegagnad** *adj* unused; *så gott som ~* as good as new

**obegriplig** *adj* incomprehensible; otydbar unintelligible

**obegränsad** *adj* unlimited

**obegåvad** *adj* unintelligent

**obehag** s olust discomfort; besvär trouble; *känna ~* feel ill at ease

**obehaglig** adj disagreeable, unpleasant; otrevlig nasty

**obehärskad** adj uncontrolled; om person ...lacking in self-control

**obehörig** adj unauthorized; som saknar kompetens unqualified; *~a äga ej tillträde* no admittance

**obekant I** adj **1** okänd unknown [*för* to] **2** med ngn (ngt) unacquainted, unfamiliar [*med* with] **II** subst adj person stranger

**obekräftad** adj unconfirmed

**obekväm** adj uncomfortable; oläglig inconvenient

**obemannad** adj om t.ex. raket unmanned; om fyr, järnvägsstation etc. unattended

**obemärkt** adj unnoticed; ringa humble

**obenägen** adj ohågad disinclined [*för* for]; ovillig unwilling

**oberoende I** s independence **II** adj independent [*av* of]

**oberäknelig** adj unpredictable

**oberättigad** adj unjustified, groundless

**oberörd** adj bildl. unmoved, unaffected [*av* by]; likgiltig indifferent [*av* to]; *det lämnade mig ~* it did not affect me, it left me cold

**obesegrad** adj unconquered; speciellt sport. undefeated

**obeskrivbar** adj o. **obeskrivlig** adj indescribable

**obeslutsam** adj irresolute

**obestridlig** adj indisputable

**obestämd** adj indefinite; obeslutsam indecisive; oklar vague; *uppskjuta ngt på ~ tid* postpone a th. indefinitely; *~ artikel* gram. indefinite article

**obeständig** adj ostadig inconstant; ombytlig changeable; *lyckan är ~* fortune is fickle

**obesvarad** adj unanswered; om hälsning unreturned; *~ kärlek* unrequited love

**obesvärad** adj ostörd undisturbed; av t.ex. för mycket kläder unhampered; otvungen, ledig easy, free and easy

**obetald** adj unpaid

**obetingad** adj ovillkorlig unconditional; *~ reflex* unconditioned reflex

**obetonad** adj unstressed

**obetydlig** adj insignificant, trifling; ringa slight

**obetänksam** adj thoughtless, inconsiderate

**obevakad** adj unguarded; *~ järnvägsövergång* open (unguarded) level crossing

**obeväpnad** adj unarmed

**obildad** adj uneducated, uncultured

**objekt** s object äv. gram.

**objektiv I** s kamera~ etc. lens **II** adj objective

**objuden** adj uninvited, unasked

**oblekt** adj unbleached

**obligation** s hand. bond

**obligatorisk** adj compulsory

**oblodig** adj om statskupp etc. bloodless

**oblyg** adj shameless, immodest, impudent

**oboe** s oboe

**obotlig** adj incurable; om skada irreparable

**obs.** (förk. för *observera*) Note, NB

**obscen** adj obscene

**obscenitet** s obscenity

**observant** adj observant

**observation** s observation

**observatorium** s observatory

**observatör** s observer

**observera** vb tr observe, note

**obstruktion** s sport. el. polit. obstruction

**obäddad** adj om säng unmade

**oböjlig** adj inflexible; gram. indeclinable

**obönhörlig** adj inexorable, implacable

**ocean** s ocean, sea

**ocensurerad** adj uncensored

**och** konj and; *~ så vidare* (förk. *osv.*) and so on, et cetera (förk. etc.); *han satt ~ läste en bok* he was (sat) reading a book

**ociviliserad** adj uncivilized

**ocker** s usury; med varor profiteering

**ockerpris** s exorbitant price

**ockerränta** s extortionate interest

**ockrare** s usurer, money-lender

**också** adv also, ...too, ...as well

**ockupant** s occupant, occupier; hus~ äv. squatter

**ockupation** s occupation

**ockupationsmakt** s occupying power

**ockupationsstyrkor** s pl occupation forces

**ockupera** vb tr occupy

**o.d.** (förk. för *och dylikt*) and the like

**odaterad** adj undated

**odds** s odds pl.

**odefinierbar** adj indefinable

**odelad** adj undivided; om bifall unqualified

**odemokratisk** adj undemocratic

**odiplomatisk** adj undiplomatic

**odisciplinerad** adj undisciplined

**odiskutabel** adj indisputable

**odjur** s monster

**odla** vb tr bruka cultivate; frambringa grow, raise; *~de pärlor* culture (cultured) pearls

**odlare** s cultivator, grower, planter

**odling** s odlande cultivation; av t.ex. grönsaker growing; område plantation

**odryg** adj uneconomical

**odräglig** adj olidlig unbearable

**oduglig** adj incompetent, unqualified [till for], incapable [till t.ex. arbete of]; om sak useless

**odåga** s good-for-nothing

**ododlig** adj immortal

**ododlighet** s immortality

**odör** s bad (nasty) smell (odour)

**oegentlig** adj oriktig, olämplig improper, irregular

**oegentligheter** s pl irregularities

**oekonomisk** adj uneconomical

**oemotståndlig** adj irresistible

**oemottaglig** adj insusceptible [för to]; för smitta äv. immune

**oenig** adj divided; oense ...in disagreement

**oenighet** s disagreement; brist på samförstånd dissension

**oense** adj, bli ~ disagree; osams fall out [med with]; vara ~ disagree [om about]

**oerfaren** adj inexperienced, unpractised [i in]

**oerhörd** adj enorm enormous, tremendous

**oersättlig** adj irreplaceable

**ofantlig** adj enormous, tremendous

**ofarlig** adj ...not dangerous, harmless

**ofattbar** adj incomprehensible, inconceivable [för to]

**ofelbar** adj felfri infallible

**offentliganställd** s public employee; statstjänsteman civil servant

**offensiv** s o. adj offensive

**offentlig** adj public; officiell official

**offentliggöra** vb tr announce, make...public

**offentlighet** s publicity; ~en allmänheten the public (general public)

**offer** s uppoffring sacrifice äv. relig.; byte, rov victim, prey; i krig, olyckshändelse victim, casualty

**offert** s hand. offer [på vid försäljning of, vid köp for]; lämna en ~ make (submit) an offer

**officer** s officer [i in; vid of]

**officiell** adj official

**offra** I vb tr uppoffra sacrifice äv. relig.; satsa spend; ägna devote [på to]; ~ sitt liv give (lay down) one's life II vb rfl, ~ sig sacrifice oneself [för for]

**offside** s o. adj o. adv sport. offside

**ofog** s mischief; oskick nuisance

**oframkomlig** adj om väg impassable

**ofrankerad** s om brev unstamped

**ofreda** vb tr antasta molest

**ofrivillig** adj involuntary

**ofruktbar** adj om t.ex. jord barren, sterile

**ofrånkomlig** adj oundviklig inevitable

**ofta** adv often; allt som ~st every now and then

**ofullbordad** adj unfinished, uncompleted

**ofullkomlig** adj imperfect

**ofullständig** adj incomplete

**ofärgad** adj om t.ex. glas uncoloured; om tyg undyed; om skokräm neutral

**oförarglig** adj harmless, inoffensive

**oförberedd** adj unprepared

**oförbätterlig** adj incorrigible

**ofördelaktig** adj disadvantageous; om utseende unprepossessing

**oförenlig** adj incompatible; om t.ex. åsikter irreconcilable

**oföretagsam** adj unenterprising

**oförglömlig** adj unforgettable

**oförhappandes** adv av en slump accidentally, by chance

**oförklarlig** adj inexplicable, unaccountable

**oförlåtlig** adj unforgivable

**oförmåga** s inability, incapability

**oförrättad** adj, med oförrättat ärende without having achieved anything, empty-handed

**oförsiktig** adj incautious; vårdslös careless

**oförskämd** adj insolent, impudent

**oförskämdhet** s insolence; en ~ an impertinence

**oförsonlig** adj irreconcilable, implacable

**oförståndig** adj oklok unwise; dum foolish

**oförsvarlig** adj indefensible, inexcusable

**oförtjänt** adj undeserved

**oförutsedd** adj unforeseen, unexpected

**oförändrad** adj unchanged, unaltered

**ogenerad** adj free and easy; oberörd unconcerned

**ogenomförbar** adj impracticable, unworkable, unrealizable

**ogenomskinlig** adj opaque

**ogift** adj unmarried, single

**ogilla** vb tr 1 disapprove of, dislike 2 jur.: avslå disallow; upphäva overrule; t.ex. besvär, talan dismiss

**ogillande** I s disapproval, rejection II adj disapproving

**ogiltig** adj invalid

**ogin** adj disobliging

**ogrundad** adj unfounded

**ogräs** s weeds pl.; ett ~ a weed; rensa ~ weed

**ogräsmedel** *s* weed-killer
**ogynnsam** *adj* unfavourable [*för* for]
**ogärna** *adv* motvilligt unwillingly, reluctantly
**ogästvänlig** *adj* inhospitable
**ohanterlig** *adj* om sak unwieldy
**ohederlig** *adj* dishonest
**ohotad** *adj* unthreatened; sport. o.d. unchallenged
**ohyfsad** *adj* ill-mannered; ohövlig impolite; om ngns yttre untidy
**ohygglig** *adj* förfärlig dreadful, frightful
**ohygienisk** *adj* unhygienic
**ohyra** *s* vermin pl.
**ohållbar** *adj* om ståndpunkt etc. untenable; om situation precarious; ogrundad baseless
**ohälsosam** *adj* unhealthy; om föda unwholesome
**ohämmad** *adj* unrestrained; utan hämningar uninhibited
**ohörbar** *adj* inaudible
**ohövlig** *adj* impolite
**oigenkännlig** *adj* unrecognizable
**oinskränkt** *adj* om frihet unrestricted
**ointaglig** *adj* mil. impregnable
**ointressant** *adj* uninteresting
**ointresserad** *adj* uninterested [*av* in]
**oinvigd** *adj* uninitiated [*i* in]
**oj** *interj*, ~*!* oh!, oh dear!; vid smärta ow!
**ojust** I *adj* oriktig incorrect; orättvis unfair II *adv* incorrectly; *spela* ~ commit a foul
**ojämförlig** *adj* incomparable
**ojämn** *adj* uneven; skrovlig rough; oregelbunden irregular; växlande variable; om tal, udda odd, uneven; ~ *kamp* unequal struggle; ~ *väg* rough (bumpy) road
**ok** *s* yoke äv. bildl.
**okammad** *adj* dishevelled
**oklanderlig** *adj* irreproachable; felfri faultless
**oklar** *adj* **1** indistinct; om ljus, sikt, färg dim **2** otydlig unclear, indistinct
**oklok** *adj* unwise, imprudent
**oknäppt** *adj* om plagg unbuttoned; knappen *är* ~ ...is not done up
**okomplicerad** *adj* simple, uncomplicated
**okonstlad** *adj* oförställd unaffected
**okonventionell** *adj* unconventional
**okritisk** *adj* uncritical
**okryddad** *adj* unseasoned
**oktan** *s* octane
**oktantal** *s* octane rating (number); *bensin med högt* ~ high octane petrol
**oktav** *s* mus. octave

**oktober** *s* October (förk. Oct.); jfr *april* o. *femte*
**okultiverad** *adj* uncultivated; ohyfsad unpolished
**okunnig** *adj* **1** ovetande ignorant; omedveten unaware, unconscious; oupplyst uninformed [*om* i samtliga fall of; *om att...* that...] **2** olärd ignorant [*i* of]
**okunnighet** *s* ignorance
**okuvlig** *adj* indomitable
**okynne** *s* mischievousness, mischief
**okynnig** *adj* mischievous
**okänd** *adj* unknown; obekant unfamiliar; främmande strange [*för* i samtliga fall to]
**okänslig** *adj* insensitive
**olag** *s*, *i* ~ out of order
**olaga** *adj* o. **olaglig** *adj* unlawful, illegal
**oldboy** *s* sport. veteran
**olidlig** *adj* insufferable
**olik** *adj* unlike
**olika** I *adj* different; skiftande varying; växlande various; *smaken är* ~ tastes differ; *det är* ~ varierar it varies II *adv* differently, in different ways
**olikartad** *adj* dissimilar, different
**olikhet** *s* unlikeness; skillnad difference
**oliktänkande** *subst adj*, *en* ~ a dissident
**olinjerad** *adj* unruled
**oliv** *s* olive
**olivolja** *s* olive oil
**olja** I *s* oil; *gjuta* ~ *på vågorna* bildl. pour oil on troubled waters II *vb tr* oil
**oljeblandad** *adj* ...containing (mixed with) oil
**oljeborrning** *s* drilling for oil
**oljeborrplattform** *s* oil rig
**oljebyte** *s* oil change
**oljebälte** *s* på vattnet [long] oilslick
**oljeeldning** *s* oil-heating
**oljefat** *s* oil drum
**oljefläck** *s* på vattenyta oilslick
**oljefärg** *s* oil colour
**oljekanna** *s* oilcan
**oljeledning** *s* pipeline
**oljemålning** *s* oil painting
**oljemätare** *s* oil gauge
**oljepanna** *s* oil-fired boiler
**oljeraffinaderi** *s* oil refinery
**oljetank** *s* oil tank (cistern)
**oljetanker** *s* oil tanker
**oljeutsläpp** *s* discharge (dumping) of oil
**oljud** *s* noise
**olle** *s* tröja [thick] sweater
**ollon** *s* acorn
**ologisk** *adj* illogical

                                          **omgivning**

**olovlig** *adj* unlawful; förbjuden forbidden

**olust** *s* obehag uneasiness; missnöje dissatisfaction; motvilja dislike, distaste

**olustig** *adj* ur humör ...out of spirits; obehaglig unpleasant

**olycka** *s* **1** misfortune; otur bad luck; motgång trouble; bedrövelse unhappiness; elände misery **2** missöde mishap; olyckshändelse accident; katastrof disaster; *en ~ kommer sällan ensam* it never rains but it pours; *en ~ händer så lätt* accidents will happen **3** om person wretch

**olycklig** *adj* betryckt unhappy [*över* about]; eländig miserable; drabbad av otur unfortunate, unlucky; beklaglig unfortunate

**olycksbådande** *adj* ominous

**olycksfall** *s* accident, casualty

**olycksfallsförsäkring** *s* accident insurance

**olycksfågel** *s* unlucky creature (person), person dogged by bad luck

**olyckshändelse** *s* accident; lindrigare mishap

**olycksplats** *s*, *~en* the scene of the accident

**olydig** *adj* disobedient [*mot* to]

**olydnad** *s* disobedience

**olympiad** *s* Olympiad

**olympisk** *adj*, *de ~a spelen* the Olympic Games

**olåst** *adj* unlocked

**olägenhet** *s* besvär inconvenience; nackdel drawback

**oläglig** *adj* olämplig inconvenient

**olämplig** *adj* unsuitable, unfit; oläglig inconvenient

**oländig** *adj*, *~ terräng* rough (rugged) ground

**oläsbar** *adj* o. **oläslig** *adj* om handstil etc. illegible; om bok unreadable

**olöslig** *adj* kem. o. bildl. insoluble

**1 om** *konj* if; *~ så är* if so; *~ inte* if not, unless

**2 om** I *prep* **1** 'omkring' round, speciellt amer. around; ha en halsduk *~ halsen* ...round one's neck; *jag är kall ~ händerna* my hands are cold **2** om läge of; *norr ~...* north of... **3** om tid, *~ dagen* (*dagarna*) in the daytime, by day; två gånger *~ dagen* ...a day; *~ fredagar* on Fridays; *~ morgnarna* in the morning; *året ~* all the year round; inom, *~ ett år* in a year (a year's time); *i dag ~ sex veckor* six weeks from today **4** 'angående' etc. about,

of; *historien ~* the story about (of); 'över' (ämne etc.) on; *föreläsa ~* lecture on; 'på', om antal, en grupp *~ 40 personer* ...of 40 people II *adv* **1** 'omkring', en bok *med papper ~* ...wrapped in paper; *helt (höger) ~!* about (right) turn! **2** 'på nytt', *måla ~* en vägg repaint...; *många gånger ~* many times over; *göra ~* re-make

**omaka** *adj* odd..., om t.ex. äkta par ill-matched

**omanlig** *adj* unmanly

**omarbeta** *vb tr* revise

**omarbetning** *s* revision; för scenen, filmen adaptation

**ombesörja** *vb tr* attend to, take care of

**ombilda** *vb tr* omskapa transform; omorganisera reorganize

**ombonad** *adj* om bostad etc. cosy, snug

**ombord** *adv* on board, aboard

**ombud** *s* representative

**ombudsman** *s* representant representative

**ombyggnad** *s*, huset *är under ~* ...is being rebuilt

**ombyte** *s* change; utbyte exchange; *~ förnöjer* variety is the spice of life

**ombytlig** *adj* changeable

**omdebatterad** *adj* debated; omstridd controversial

**omdirigera** *vb tr* trafiken redirect, re-route

**omdöme** *s* omdömesförmåga judgement; åsikt opinion

**omdömeslös** *adj* om person ...lacking in judgement

**omedelbar** *adj* immediate, direct

**omedgörlig** *adj* unreasonable, unco-operative

**omedveten** *adj* unconscious [*om* of]

**omelett** *s* omelette, omelet

**omfamna** *vb tr* embrace

**omfamning** *s* embrace

**omfatta** *vb tr* täcka cover; kartan *~r hela staden* ...covers the whole town

**omfattande** *adj* vidsträckt extensive, wide; far-reaching

**omfattning** *s* extent; utsträckning range

**omfång** *s* storlek size; omfattning extent

**omfångsrik** *adj* extensive

**omfördela** *vb tr* redistribute

**omförhandla** *vb tr* renegotiate

**omförhandling** *s* renegotiation

**omge** *vb tr* surround

**omgift** *adj* remarried

**omgivning** *s*, *~* el. *~ar* t.ex. en stads surroundings pl.; trakt neighbourhood; miljö environment

**omgående I** *adj,* **per ~** promptly, immediately **II** *adv* promptly, immediately

**omgång** *s* **1** uppsättning set; hop batch **2** sport. etc. round; tur turn; gång time; *i ~ar* efter varandra by (in) turns; *i två ~ar* on two separate occasions; betala i *två ~ar* in two instalments

**omhänderta** *vb tr* take care of, look after

**omild** *adj* om behandling harsh; om kritik severe

**omintetgöra** *vb tr* plan, förhoppningar etc. frustrate, thwart; planerna *omintetgjordes* ...were brought to nothing

**omisskännlig** *adj* unmistakable

**omistlig** *adj* indispensable

**omkastning** *s* sudden change; av ordningen inversion; i åsikter, politik reversal

**omklädningshytt** *s* dressing (changing) cubicle

**omklädningsrum** *s* dressing-room, changing-room

**omkomma** *vb itr* be killed, die; *de omkomna* the victims, those killed

**omkostnader** *s pl* costs; utgifter expenses

**omkrets** *s* circumference

**omkring I** *prep* round, about, speciellt amer. around; *runt ~* around, round about **II** *adv* **1** round, around; hit och dit about; *runt ~* all round (around); *när allt kommer ~* after all, when all is said and done **2** ungefär about

**omkull** *adv* down, over

**omkörning** *s* overtaking; *han gjorde en snabb ~* he overtook rapidly

**omkörningsfil** *s* fast (overtaking, amer. passing) lane

**omlopp** *s* circulation; astron. revolution; en del rykten *är i ~* ...are going about

**omloppsbana** *s* astron. orbit

**omläggning** *s* om ändring change, alteration; omorganisering reorganization, change-over; av trafik diversion

**omnämna** *vb tr* mention [*för ngn* to a p.]

**omodern** *adj* out of date, unfashionable; om bostad ...without modern conveniences

**omogen** *adj* unripe; om person immature

**omoralisk** *adj* immoral

**omorganisera** *vb tr* reorganize

**omotiverad** *adj* **1** unjustified, unwarranted **2** utan motivation unmotivated

**omplacera** *vb tr* tjänsteman etc. transfer...to another post; pengar re-invest

**omplacering** *s* av tjänsteman etc. transfer; av pengar investment

**ompröva** *vb tr* reconsider, re-examine

**omprövning** *s* reconsideration; *ta ngt under ~* reconsider a th.

**omringa** *vb tr* surround

**område** *s* **1** geogr. territory; mindre district, area; trakt region **2** fack etc. field

**omröstning** *s* vote, voting

**omsider** *adv* at last; *sent ~* at long last

**omskola** *vb tr* retrain

**omskolning** *s* retraining

**omskära** *vb tr* circumcise

**omslag** *s* **1** för bok etc. cover; för paket wrapper **2** förändring change

**omslagsflicka** *s* cover girl

**omslagspapper** *s* wrapping (brown) paper

**omsluta** *vb tr* omge surround, enclose, encircle

**omsorg** *s* **1** omvårdnad care [*om* of, om person äv. for] **2** noggrannhet care; omtanke attention; besvär trouble

**omsorgsfull** *adj* careful; grundlig thorough

**omspel** *s* sport. replay; play-off

**omstridd** *adj* disputed

**omständighet** *s* circumstance; *vara i goda (dåliga)* ekonomiska *~er* be well (badly) off

**omständlig** *adj* detailed; långrandig long-winded

**omstörtande** *adj,* **~ verksamhet** subversive activity

**omsvep** *s,* säga ngt *utan ~* ...straight out

**omsvängning** *s* sudden change

**omsätta** *vb tr* **1** omvandla convert; **~ i pengar** turn into cash **2** hand., sälja sell; växel etc. renew

**omsättning** *s* hand. turnover, sales pl.; växels renewal

**omtala** *vb tr* meddela report; omnämna mention; *mycket ~d* much discussed

**omtanke** *s* omsorg care [*om* for]; omtänksamhet consideration

**omtumlad** *adj* dazed, ...in a daze

**omtyckt** *adj* popular [*av* with]; *illa ~* unpopular

**omtänksam** *adj* considerate [*mot* to, towards]

**omtänksamhet** *s* consideration

**omusikalisk** *adj* unmusical

**omutlig** *adj* incorruptible

**omval** *s* re-election

**omvandla** *vb tr* transform, change

**omvandling** *s* transformation, change

**omvårdnad** *s* care, nursing

**omväg** *s* detour, roundabout way; *ta en ~* make a detour

**omvälja** *vb tr* re-elect
**omvänd** *adj* **1** omkastad inverted, reversed **2** relig. el. friare converted
**omvända** *vb tr* relig. convert
**omvändelse** *s* conversion
**omvänt** *adv* inversely
**omvärdering** *s* revaluation, reassessment
**omvärld** *s*, **~en** el. **ens ~** the world around
**omväxlande** *adj* t.ex. program varied; alternerande alternate
**omväxling** *s* variety, variation; *för ~s skull* for a change
**omyndig** *adj* minderårig ...under age; *en ~* a minor
**omåttlig** *adj* immoderate, excessive, exorbitant
**omänsklig** *adj* inhuman
**omärklig** *adj* unnoticeable, imperceptible
**omöblerad** *adj* unfurnished
**omöjlig** *adj* impossible
**omöjlighet** *s* impossibility
**onanera** *vb itr* masturbate
**onani** *s* masturbation
**onaturlig** *adj* unnatural
**ond** *adj* o. *subst adj* **1** moraliskt evil, wicked; *~ cirkel* vicious circle **2** arg angry, amer. mad [*på* with; *över* about] **3** ont a) *roten till allt ont* the root of all evil; *intet ont anande* unsuspectingly; *det är inget ont i det* there is no harm in that; *jag har inget ont gjort* I have done no wrong b) värk pain, ache; *göra ont* hurt; *ha ont* be in pain, suffer; *ha ont (mycket ont) i huvudet* have a headache (a bad headache) c) *det är ont om* smör ...is scarce, there is a shortage of...; *ha ont om...* be short of...
**ondska** *s* evil, wickedness; elakhet malice, spite
**ondskefull** *adj* wicked; elak spiteful, malicious
**onekligen** *adv* undeniably, certainly
**onkel** *s* uncle
**onormal** *adj* abnormal
**onsdag** *s* Wednesday; jfr *fredag* med ex.
**onsdagskväll** *s* Wednesday evening (senare night); *på ~arna* on Wednesday evenings (nights)
**ont** se *ond 3*
**onyanserad** *adj* ...without nuances
**onyttig** *adj* oduglig useless, ...of no use
**onyx** *s* onyx
**onåd** *s* disfavour, disgrace
**onödan** *s*, *i ~* unnecessarily, without cause
**onödig** *adj* unnecessary, needless

**oordnad** *adj* i oordning disordered, disorderly; om förhållanden unsettled
**oordning** *s* disorder; *råka i ~* become disarranged
**oorganiserad** *adj* unorganized; *~ arbetskraft* non-union labour
**opal** *s* opal
**opartisk** *adj* impartial; neutral neutral
**opassande** *adj* improper, unbecoming
**opedagogisk** *adj* unpedagogical
**opera** *s* opera; byggnad opera house; *gå på ~n* go to the opera
**operasångare** *s* opera singer
**operation** *s* operation
**operationsbord** *s* operating table
**operationssal** *s* operating theatre
**operera I** *vb itr* operate **II** *vb tr* operate on; *~ bort* remove
**operett** *s* klassisk operetta, light opera; mera modern musical comedy
**opersonlig** *adj* impersonal
**opinion** *s* opinion; *den allmänna ~en* public opinion
**opinionsmöte** *s* public meeting
**opinionssiffror** *s pl*, *dåliga ~* poor poll ratings
**opinionsstorm** *s* storm of opinion
**opinionsundersökning** *s* opinion poll
**opium** *s* opium
**opponera** *vb rfl*, *~ sig* object [*mot* to]
**opportunist** *s* opportunist
**opportunistisk** *adj* opportunist
**opposition** *s* opposition; *~en* polit. the Opposition
**oppositionsledare** *s* leader of the Opposition
**opraktisk** *adj* unpractical, impractical
**oproportionerlig** *adj* disproportionate
**oprövad** *adj* untried
**opsykologisk** *adj* unpsychological
**optik** *s* optics
**optiker** *s* optician; affär optician's
**optimism** *s* optimism
**optimist** *s* optimist
**optimistisk** *adj* optimistic
**optisk** *adj* optical; *~ affär* optician's
**opus** *s* work, production; mus. opus
**opåkallad** *adj* uncalled for
**opålitlig** *adj* unreliable, untrustworthy
**orakad** *adj* unshaved, unshaven
**orakel** *s* oracle
**orange** *s* o. *adj* orange; jfr *blått*
**orangutang** *s* orang-outang
**oratorium** *s* mus. oratorio (pl. -s)
**ord** *s* word; *~ och inga visor* plain

speaking; **begära ~et** ask permission to speak; **få ~et** be called upon to speak; **hålla** (**stå vid**) **sitt ~** keep one's word; **innan jag visste ~et av** before I knew where I was; **i ~ och handling** in word and deed; **med ett ~** in a (one) word; **ta till ~a** begin to speak

**ordagrann** adj literal

**ordalag** s, **i allmänna ~** in general terms

**ordblind** adj word-blind

**ordbok** s dictionary

**orden** s samfund order; ordenstecken decoration, order

**ordentlig** adj **1** orderly, methodical; noggrann careful; prydlig neat; proper tidy; välskött well-kept **2** riktig proper; rejäl real; grundlig thorough; jag har fått **en ~ förkylning** ...a terrible cold; **ett ~t mål mat** a square meal

**ordentligt** adv in an orderly (a methodical, a careful) manner; **uppför dig ~!** behave yourself!; **bli ~ våt** get thoroughly wet

**order** s **1** befallning order, command; **få ~ om att** be ordered (instructed) to; **ge ~ om ngt** order a th.; **lyda ~** obey orders; **på ~ av** by order of **2** hand. order [**på** for]

**ordföljd** s, **rak** (**omvänd**) **~** normal (inverted) word order

**ordförande** s vid sammanträde chairman, chairperson; i förening äv. president [**i** of]

**ordförandeskap** s chairmanship; i förening äv. presidency

**ordförklaring** s explanation (definition) of a word

**ordförråd** s vocabulary

**ordinarie** adj om tur etc. regular; om tjänst permanent

**ordination** s med. prescription

**ordinera** vb tr med. prescribe

**ordinär** adj ordinary, common

**ordklass** s part of speech

**ordlek** s pun

**ordlista** s glossary, vocabulary

**ordna** I vb tr o. vb itr ställa i ordning arrange, fix; sina affärer settle; skaffa get, find; ta hand om see to; t.ex. tävlingar organize II vb rfl, **det ~r sig nog!** that (it) will be all right, don't you worry!, things will sort themselves out
  □ **~ om** ändra rearrange; ombestyra arrange; **~ upp** reda ut settle

**ordning** s **1** order; ordentlighet orderliness; snygghet tidiness; metod method; **den allmänna ~en** law and order; **jag får ingen ~ på det här** I can't get this

straight; **hålla ~ på...** keep...in order; det är **helt i sin ~** ...quite in order; **i vanlig ~** as usual; **göra i ~** ngt get...ready (in order); **göra sig i ~** get ready; **ställa i ~** get (put)...in order **2** följd order, sequence

**ordningsföljd** s order, sequence, succession

**ordningsmakt** s, **~en** the police pl.

**ordningsman** s i skolklass monitor

**ordningssinne** s feeling for order

**ordningstal** s ordinal number

**ordningsvakt** s t.ex. i tunnelbanan ung. patrolman

**ordrik** adj, **språket är ~t** ...has a large vocabulary

**ordspråk** s proverb

**ordval** s choice of words

**ordväxling** s dispute

**orealistisk** adj unrealistic

**oreda** s oordning disorder, confusion; röra muddle

**oregano** s oregano

**oregelbunden** adj irregular

**orena** vb tr contaminate, pollute, defile

**oresonlig** adj unreasonable; envis stubborn

**organ** s organ; språkrör mouthpiece; tidning newspaper

**organdi** s tyg organdie

**organisation** s organization

**organisatör** s organizer

**organisera** vb tr organize

**organism** s organism

**orgasm** s orgasm

**orgel** s organ

**orgie** s orgy

**oriental** s Oriental

**orientalisk** adj oriental

**Orienten** the Orient, the East

**orientera** I vb tr orientate; informera inform II vb rfl, **~ sig** orientate oneself, take one's bearings [**efter** kartan by, from...]

**orienterare** s sport. orienteer

**orientering** s orientation; information information; sport. orienteering

**orienteringsämne** s skol. general subject

**original** s **1** original **2** person eccentric **3** maskinskrivet huvudexemplar top copy

**originalitet** s originality

**originell** adj ursprunglig original; säregen eccentric, queer

**oriktig** adj incorrect; orätt wrong

**orimlig** adj absurd; oskälig unreasonable

**orka** vb tr o. vb itr, jag, du etc. **~r** (**~de**) ...can (could); **nu ~r jag inte** hålla på **längre** I cannot (can't) go on any longer;

*jag ~r inte mer* t.ex. mat I cannot (can't) manage any more; *att du bara ~r!* how can you manage?

**orkan** *s* hurricane

**orkester** *s* orchestra

**orkesterledare** *s* bandleader

**orkestrera** *vb tr* orchestrate

**orkidé** *s* orchid

**orlon** *s* ® Orlon

**orm** *s* snake

**ormbunke** *s* fern

**ormtjusare** *s* snake-charmer

**ornament** *s* ornament, decoration

**ornitolog** *s* ornithologist

**oro** *s* anxiety, uneasiness [*för, över* about]; speciellt politisk o. social unrest

**oroa I** *vb tr* göra ängslig make...anxious (uneasy); bekymra worry, trouble **II** *vb rfl*, *~ sig för* be anxious about, worry about (over)

**orolig** *adj* ängslig anxious, uneasy; unsettled, unquiet; rastlös, bråkig restless

**orolighet** *s*, *~er* disturbances

**oroshärd** *s* trouble spot

**orosmoln** *s*, *~en hopar sig* the storm clouds are gathering

**oroväckande** *adj* alarming

**orre** *s* fågel black grouse (pl. lika)

**orsak** *s* cause [*till* for]; *ingen ~!* not at all!, amer. you're welcome!; *av denna ~* for that reason

**orsaka** *vb tr* cause

**ort** *s* plats place; trakt district

**ortodox** *adj* orthodox

**ortopedisk** *adj* orthopaedic, speciellt amer. orthopedic

**orubbad** *adj* unmoved; om t.ex. förtroende unshaken

**orutinerad** *adj* inexperienced

**oråd** *s*, *ana ~* suspect mischief; vard. smell a rat

**oräknelig** *adj* innumerable

**orättvis** *adj* unjust, unfair [*mot* to]

**orättvisa** *s* unfairness (end. sg.), injustice

**orörd** *adj* untouched; kvar unmoved

**orörlig** *adj* immobile; utan att röra sig motionless

**os** *s* smell, unpleasant smell

**osa** *vb itr* smoke; ryka reek; *det ~r bränt* there is a smell of burning

**o.s.a.** (förk. för om svar anhålles) please reply, RSVP (förk. för répondez s'il vous plaît franska)

**osagd** *adj* unsaid, unspoken; *det låter jag vara osagt* I would not like to say

**osaklig** *adj* ...not to the point, irrelevant

**osammanhängande** *adj* incoherent, disconnected

**osams** *adj*, *bli ~* quarrel, fall out

**osann** *adj* untrue, false

**osanning** *s* falsehood; *tala ~* tell lies (a lie)

**osannolik** *adj* unlikely, improbable

**osjälvisk** *adj* unselfish, selfless

**osjälvständig** *adj* ...lacking in independence, unoriginal

**oskadd** *adj* unhurt, unharmed; om sak undamaged, intact; *han återvände ~* he returned safe and sound

**oskadliggöra** *vb tr* render...harmless

**oskarp** *adj* slö blunt; suddig blurred, unsharp

**oskick** *s* ovana bad habit

**oskiljaktig** *adj* inseparable

**oskuld** *s* **1** innocence; kyskhet chastity, virginity **2** jungfru virgin; oskuldsfull person innocent

**oskyddad** *adj* unprotected; för väder o. vind unsheltered

**oskyldig** *adj* innocent, ...not guilty [*till* of]; oförarglig inoffensive

**oskälig** *adj* unreasonable; om pris etc. excessive

**oslagbar** *adj* unbeatable

**oslipad** *adj* om ädelsten o. glas uncut; om ädelsten äv. unpolished; om kniv dull; bildl. unpolished

**osläckt** *adj* unextinguished, unquenched; *~ kalk* quicklime, unslaked lime

**osmaklig** *adj* unappetizing, distasteful; starkare disgusting

**osockrad** *adj* unsweetened

**osportslig** *adj* unsporting

**OSS** (förk. för *Oberoende staters samvälde*) CIS (förk. för Commonwealth of Independent States)

**oss** *pron* se *vi*

**1 ost** *s* o. *adv* east; jfr *öster*

**2 ost** *s* cheese; *lyckans ~* lucky dog (beggar)

**ostadig** *adj* unsteady, unstable; *~t väder* changeable weather

**osthyvel** *s* cheese slicer

**Ostindien** the East Indies pl.

**ostkaka** *s* Swedish cheese (curd) cake

**ostkant** *s* cheese rind

**ostkust** *s* east coast

**ostlig** *adj* east, easterly; eastern; jfr *nordlig*

**ostraffad** *adj* unpunished

**ostron** *s* oyster

**ostädad** *adj* untidy

**ostämd** *adj* mus. untuned

**osund** *adj* unhealthy; om föda unwholesome; om t.ex. metoder unsound

**osv.** (förk. för *och så vidare*) etc.

**osympatisk** *adj* unpleasant, disagreeable

**osynlig** *adj* invisible

**osäker** *adj* uncertain [*på, om* of]; otrygg insecure; riskfull unsafe; *känna sig ~* bortkommen feel unsure; isen *är ~* ...is not safe

**otacksam** *adj* speciellt person ungrateful [*mot* to, towards]; *~ uppgift* thankless task

**otacksamhet** *s* ingratitude, ungratefulness

**otakt** *s, gå i ~* walk out of step; spela *i ~* ...out of time

**otal** *s, ett ~* a vast number of, countless

**otalig** *adj* innumerable, countless

**otalt** *adj, ha ngt ~ med ngn* have a score to settle (a bone to pick) with a p.

**otillfredsställande** *adj* unsatisfactory

**otillfredsställd** *adj* unsatisfied

**otillgänglig** *adj* inaccessible [*för* to], unapproachable [*för* by]

**otillräcklig** *adj* om kvantitet insufficient; om kvalitet inadequate

**otippad** *adj, en ~ segrare* an unbacked winner

**otjänst** *s, göra ngn en ~* do a p. a bad turn (a disservice)

**otrevlig** *adj* disagreeable, unpleasant

**otrogen** *adj* t.ex. i äktenskap unfaithful; svekfull faithless [*mot* to]

**otrolig** *adj* incredible, unbelievable

**otränad** *adj* untrained, ...out of training

**otta** *s, i ~n* early in the morning

**otur** *s* bad luck; *ha ~* be unlucky

**otvivelaktigt** *adv* undoubtedly; no doubt

**otvungen** *adj* free and easy, natural

**otydlig** *adj* indistinct

**otålig** *adj* impatient [*på* with; *över* at]

**otålighet** *s* impatience

**otäck** *adj* nasty [*mot* to]; ryslig horrible, awful

**otäcking** *s* vard. rascal, devil

**otämd** *adj* untamed

**otänkbar** *adj* inconceivable, unthinkable, unimaginable

**oumbärlig** *adj* indispensable

**oundgänglig** *adj* necessary; oumbärlig indispensable

**oundviklig** *adj* unavoidable; som ej kan undgås inevitable

**oupphörlig** *adj* incessant, continuous, perpetual

**ouppmärksam** *adj* inattentive

**outgrundlig** *adj* inscrutable

**outhärdlig** *adj* unbearable

**outsider** *s* sport. etc. outsider

**outspädd** *adj* undiluted

**outtröttlig** *adj* indefatigable; om energi etc. tireless

**outtömlig** *adj* inexhaustible

**oval** *s o. adj* oval

**1 ovan I** *prep* above, over **II** *adv* above; *här ~* above; *som ~* as above

**2 ovan** *adj* ej van unaccustomed, unused [*vid* to]; oövad unpractised, untrained; oerfaren inexperienced

**ovana** *s* **1** brist på vana unfamiliarity [*vid* with] **2** ful vana bad habit

**ovanför** *prep adv* above

**ovanifrån** *adv* from above

**ovanlig** *adj* unusual; sällsynt uncommon, rare, infrequent

**ovannämnd** *adj* above-mentioned

**ovanpå I** *prep* on top of **II** *adv* on top

**ovanstående** *adj, ~ lista* the above...

**ovarsam** *adj* vårdslös careless

**ovation** *s* ovation

**overall** *s* boiler suit; för småbarn zipsuit; skid~ ski suit; jogging~ jogging-suit; tränings- track suit

**overklig** *adj* unreal

**overksam** *adj* **1** sysslolös idle, inactive **2** ineffective

**ovetenskaplig** *adj* unscientific

**ovett** *s* scolding; otidigheter abuse; *få ~* get a scolding

**ovidkommande** *adj* irrelevant [*för* to]

**ovilja** *s* agg animosity; starkare aversion [*mot* to]

**ovillig** *adj* ej villig unwilling; ohågad reluctant

**ovillkorlig** *adj* unconditional

**ovillkorligen** *adv* absolutely

**oviss** *adj* uncertain; tveksam doubtful

**ovisshet** *s* uncertainty, doubt; *i ~* uncertain, in a state of uncertainty

**ovårdad** *adj* om klädsel etc. dishevelled; om person slovenly; om språk careless, substandard

**oväder** *s* storm

**ovälkommen** *adj* unwelcome

**ovän** *s* enemy; *vara ~ med ngn* be on bad terms with a p.

**ovänlig** *adj* unkind; ej vänskaplig unfriendly

**oväntad** *adj* unexpected

**ovärderlig** *adj* invaluable [*för* to]

**ovärdig** *adj* unworthy; skamlig shameful

**oväsen** *s* noise; *föra ~* make a noise

**oväsentlig** *adj* unessential, inessential; *oviktig* unimportant [*för* to]
**oxbringa** *s* kok. brisket of beef
**oxe** *s* **1** ox (pl. oxen); kok. beef **2** *Oxen* astrol. Taurus
**oxfilé** *s* fillet of beef
**oxkött** *s* beef
**oxstek** *s* roast beef
**oxsvanssoppa** *s* oxtail soup
**ozon** *s* ozone
**ozonskikt** *s*, *~et* the ozone layer, the ozonosphere
**oåterkallelig** *adj* irrevocable
**oåtkomlig** *adj* inaccessible [*för* to]; *förvaras ~ för barn* to be kept out of children's reach
**oäkta** *adj* falsk false; imiterad imitation...
**oändlig** *adj* infinite, endless, interminable; fortsätta *i det ~a* ...for ever and ever
**oärlig** *adj* dishonest [*mot* to, towards]
**oätbar** *adj* uneatable
**oätlig** *adj* om t.ex. svamp inedible
**oäven** *adj*, *inte ~* fairly good, ...not bad
**oöm** *adj* om sak durable, hard-wearing; om person robust
**oöverlagd** *adj* rash; ej planlagd unpremeditated
**oöverskådlig** *adj* om följder etc. incalculable; om tid indefinite
**oöverstiglig** *adj* insurmountable
**oöversättlig** *adj* untranslatable
**oöverträffad** *adj* unsurpassed [*i fråga om* for]

# P

**p** *s*, *sätta ~ för...* put a stop to...
**pacemaker** *s* med. el. sport. pacemaker
**pacificera** *vb tr* pacify
**pacifism** *s*, *~ el. ~en* pacifism
**pacifist** *s* pacifist
**pack** *s* slödder rabble, riff-raff
**packa** *vb tr* pack, pack up; *~t med folk* packed (crowded) with people □ *~ ihop sig* tränga ihop sig crowd; *~ in* pack up, put in; *~ ner* pack up; *~ upp* unpack
**packad** *adj* vard., berusad tight, tipsy
**packe** *s* pack, package; bunt bundle
**packis** *s* pack ice
**packlår** *s* packing-case
**packning** *s* **1** packing; konkret pack; bagage luggage, bagage **2** tekn. gasket; till kran etc. washer
**padda** *s* toad
**paddel** *s* paddle
**paddla** *vb itr* paddle
**paff** *adj*, *jag blev alldeles ~* I was quite taken aback
**paginera** *vb tr* paginate, page
**pagod** *s* pagoda
**pain riche** *s* French stick loaf
**paj** *s* pie; utan deglock tart
**paja I** *vb itr* vard., *~ el. ~ ihop* break down, collapse, go to pieces **II** *vb tr* ruin
**pajas** *s* clown
**paket** *s* parcel; litet packet; större samt bildl. package; *ett ~ cigaretter* a packet (amer. a pack) of cigarettes
**paketavtal** *s* enhetsavtal package deal
**paketcykel** *s* carrier cycle
**paketera** *vb tr* packet
**pakethållare** *s* carrier, luggage carrier
**paketresa** *s* package tour
**Pakistan** Pakistan
**pakistanare** *s* Pakistani
**pakistansk** *adj* Pakistani
**pakt** *s* pact, treaty
**palats** *s* palace
**Palestina** Palestine
**palestinier** *s* Palestinian
**palestinsk** *adj* Palestinian
**palett** *s* konst. palette, pallet
**paljett** *s* spangle
**pall** *s* möbel stool; fotstöd footstool
**palla** *vb tr* stötta, *~ upp* chock (block) up
**palm** *s* palm

**palmblad** s palm leaf
**palmsöndag** s Palm Sunday
**palsternacka** s parsnip
**paltbröd** s blood bread
**paltor** s pl rags, duds
**pamp** s bigwig, VIP (förk. för Very Important Person)
**pampig** adj vard. magnificent, grand
**Panamakanalen** the Panama Canal
**panamerikansk** adj Pan-American
**panda** s panda
**panel** s panel, panelling (end. sg.)
**panera** vb tr breadcrumb, coat...with egg and breadcrumbs
**pang** interj bang!, crack!, pop!
**panga** vb tr vard. smash
**pangsuccé** s vard. roaring success, smash hit
**panik** s panic
**panikslagen** adj panic-stricken
**pank** adj vard., **vara ~** be broke
**1 panna** s kok. pan; kaffepanna kettle; värmepanna furnace; ångpanna boiler
**2 panna** s anat. forehead
**pannbiff** s ung. hamburger
**pannkaka** s pancake; *det blev ~ av alltihop* it fell flat; *göra ~ av ngt* make a mess of a th., muck up a th.
**pannrum** s boiler room
**panorama** s panorama
**panorera** vb itr pan
**pansar** s armour (end. sg.)
**pansarplåt** s armour-plate
**pant** s pledge, pawn; i lek forfeit; *betala ~* för t.ex. tomglas pay a deposit
**pantbank** s pawnshop
**panter** s panther
**pantkvitto** s pawn ticket
**pantomim** s pantomime, dumb show
**pantsätta** vb tr i bank pawn
**papegoja** s parrot
**papiljott** s curler
**papp** s pasteboard; kartong cardboard
**pappa** s **1** father [*till* of]; vard. dad, pa; barnspr. daddy, amer. papa; jfr *far* **2 ~ långben** daddy-long-legs
**pappaledig** adj, **vara ~** be on paternal leave
**pappaledighet** s paternal leave
**papper** s paper; brevpapper stationery; omslagspapper wrapping paper; *ett ~* a piece of paper; *några ~ ark* some sheets of paper
**pappersarbete** s paperwork
**pappersark** s sheet of paper

**pappersavfall** s waste paper
**pappersbruk** s paper mill
**pappersexercis** s red tape
**pappershandel** s stationer's
**papperskasse** s paper carrier [bag], amer. paper [shopping] bag
**papperskniv** s paper knife, paper-cutter
**papperskorg** s waste-paper basket, amer. wastebasket; utomhus litterbin
**papperslapp** s slip of paper
**pappersmassa** s paper pulp
**papperspåse** s paper bag
**pappersservett** s paper napkin
**pappkartong** s cardboard box
**paprika** s grönsak pepper, sweet pepper; krydda paprika
**par** s **1** sammanhörande pair; två stycken couple; *ett ~* handskar (byxor) a pair of...; *ett gift ~* a married couple **2** *ett ~ några...* a couple of..., two or three...; *om ett ~ dagar* in a day or two, in a few days
**para I** vb tr **1** *~ ihop* match, pair, pair...together **2** djur mate **II** vb rfl, *~ sig* mate
**parabol** s o. **parabolantenn** s TV. vanl. satellite dish
**parad** s parade
**paradera** vb itr parade
**paradis** s paradise
**paradisdräkt** s, *i ~* in one's birthday suit
**paradoxal** adj paradoxical
**paraduniform** s full dress uniform
**paragraf** s section; jur. paragraph
**Paraguay** Paraguay
**paraguayare** s Paraguayan
**paraguaysk** adj Paraguayan
**parallell** s o. adj parallel
**paralysera** vb tr paralyse
**paramilitär** adj o. s paramilitary
**paranoid** adj paranoid
**paranoiker** s paranoiac, paranoid
**parant** adj elegant elegant; flott chic
**paranöt** s brazil nut, brazil
**paraply** s umbrella
**paraplyvagn** s buggy, baby buggy
**parasit** s parasite
**parasitera** vb itr sponge [*på* on]
**parasoll** s parasol, sunshade
**paratyfus** s paratyphoid fever, paratyphoid
**pardon** s, *utan ~* without mercy
**parentes** s parenthesis (pl. parentheses), brackets pl.
**parera** vb tr parry; avvärja fend off
**parfym** s perfume; billigare scent
**parfymaffär** s perfumery [shop]

**parfymera** *vb tr* perfume, scent
**parisare** *s* person Parisian
**parisisk** *adj* Parisian
**park** *s* park
**parkera** *vb tr* o. *vb itr* park
**parkering** *s* parking; plats parking place
**parkeringsautomat** *s* parking meter
**parkeringsböter** *s pl, få* ~ get a parking fine
**parkeringsförbud** *s, det är* ~ parking is prohibited
**parkeringshus** *s* multistorey car park
**parkeringslapp** *s* parking ticket
**parkeringsljus** *s* parking light
**parkeringsmätare** *s* parking meter
**parkeringsplats** *s* parking place; område car park, amer. parking lot; rastplats vid landsväg lay-by
**parkeringsvakt** *s* för parkeringsmätare traffic warden; vid parkeringsplats car-park attendant
**parkett** *s* **1** teat. stalls pl.; *främre* ~ orchestra stalls; *bakre* ~ pit **2** golv parquet flooring
**parkettgolv** *s* parquet floor
**parlament** *s* parliament
**parlamentarisk** *adj* parliamentary
**parlör** *s* phrase book
**parmesanost** *s* Parmesan
**parning** *s* mating
**parningslek** *s* mating dance
**parningstid** *s* mating season
**parodi** *s* parody [*på* of]
**parodiera** *vb tr* parody, mimic
**paroll** *s* watchword, slogan
**part** *s* del portion, share; jur. party
**parti** *s* **1** del part äv. mus.; avdelning section; av bok passage **2** hand., kvantitet lot; varusändning consignment, **3** polit. party **4** spelparti game **5** gifte match **6** *ta ngns* ~ take a p.'s part (side)
**partiell** *adj* partial
**partikel** *s* particle
**partikongress** *s* party conference
**partiledare** *s* party leader
**partipolitik** *s* party politics (sg. el. pl.)
**partipolitisk** *adj* party-political
**partisan** *s* partisan
**partisk** *adj* partial, biased, one-sided
**partiskhet** *s* partiality, bias, one-sidedness
**partitur** *s* mus. score
**partner** *s* partner
**party** *s* party
**parvis** *adv* in pairs (couples)
**pass** *s* **1** passage pass **2** legitimation passport

**3** tjänstgöring duty; *vem har* ~*et i kväll?* who is on duty tonight? **4** *så* ~ *mycket* så mycket as much as this; *så* ~ till den grad *stor att...* so big that...; *komma väl (bra) till* ~ come in handy
**passa I** *vb tr* o. *vb itr* **1** ge akt på attend; se efter see to, look after; betjäna wait upon; ~ *telefonen* answer the telephone; ~ *tiden* be punctual; ~ *på* utnyttja *tillfället* take the chance (opportunity); ~ *tåget* be in time for the train **2** vara lagom, lämpa sig etc. fit, suit; vara lämplig be fit [*till* for], be suitable [*till* for; *för* to]; vara läglig be convenient [*för ngn* to a p.]; möbeln ~*r inte här* ...is out of place here; *det* ~*r mig utmärkt* it suits me excellently; *de* ~*r för varandra* they are suited to each other **3** vara klädsam suit, become **4** kortsp. el. sport. pass **II** *vb rfl,* ~ *sig* **1** lämpa sig be convenient; *när det* ~*r sig* when it is convenient **2** anstå be becoming, be fitting **3** se upp look out
□ ~ **ihop** fit, fit together; ~ *ihop* om personer suit each other; ~ *ihop med* ngt match...; ~ **in** a) tr. fit...in (into) b) itr. fit, fit in; ~ *på* look out; ~ *på medan...* take the opportunity while...; ~ **upp** betjäna attend; vid bordet wait [*på ngn, ngn* on a p.]; *pass upp!* look out!
**passadvind** *s* trade wind
**passage** *s* passage
**passagerare** *s* passenger
**passande** *adj* lämplig suitable; fit; läglig convenient [*till* i samtliga fall for]; riktig, rätt appropriate, proper
**passare** *s* compasses pl.; *en* ~ a pair of compasses
**passbyrå** *s* passport office
**passera** *vb tr* o. *vb itr* pass; överskrida cross; sport. overtake; ~ *förbi* pass by
**passersedel** *s* pass
**passform** *s* om kläder etc. fit
**passfoto** *s* passport photo
**passion** *s* passion
**passionerad** *adj* entusiastisk keen, ardent; ~ *kärlek* passionate love
**passionerat** *adv* passionately
**passiv I** *adj* passive; ~ *rökning* passive smoking **II** *s* gram. the passive, the passive voice
**passkontroll** *s* examination of passports; kontor passport office
**passkontrollant** *s* passport official, immigration officer
**passning** *s* **1** eftersyn attention **2** sport. pass

**pasta** s kok. pasta
**pastej** s pie; liten patty
**pastell** s pastel
**pastellmålning** s pastel
**pastill** s pastille, lozenge
**pastor** s frikyrklig pastor; ~ **Bo Ek** the Rev. Bo Ek
**pastorsexpedition** s ung. parish registrar's office
**pastorsämbete** s parish authority
**paté** s pâté
**patent** s patent [på for]
**patentlås** s safety (yale) lock
**patentlösning** s patent (ready-made) solution, panacea
**patetisk** adj högtravande highflown; lidelsefull passionate; gripande pathetic
**patiens** s patience, amer. solitaire; **lägga ~** play patience
**patient** s patient
**patolog** s pathologist
**patologi** s pathology
**patologisk** adj pathological
**patos** s lidelse passion, devotion; falskt ~ pathos
**patriark** s patriarch
**patriarkalisk** adj patriarchal
**patriot** s patriot
**patriotisk** adj patriotic
**patron** s för skjutvapen cartridge; för t.ex. kulpenna refill
**patronhylsa** s cartridge case
**patrull** s patrol
**patrullera** vb tr o. vb itr patrol
**paus** s **1** pause; uppehåll break; teat., radio. interval **2** mus. rest
**paviljong** s pavilion
**PC** s persondator PC, personal computer
**pedagog** s educationist; lärare pedagogue
**pedagogik** s pedagogy
**pedagogisk** adj pedagogical; uppfostrande educational
**pedal** s pedal
**pedant** s pedant; friare meticulous person, perfectionist; vard. nitpicker
**pedanteri** s pedantry; friare meticulousness, perfectionism; vard. nitpicking
**pedantisk** adj pedantic; friare meticulous; vard. nitpicking
**pediatrik** s paediatrics sg., speciellt amer. pediatrics sg.
**pedikyr** s pedicure
**pejla** vb tr o. vb itr **1** take a bearing of; flyg., med radio locate **2** loda sound; ~ **läget** (stämningen) bildl. see how the land lies;

~ **läget** (stämningen) hos (bland) sound, sound out
**peka** vb itr point [på at, to]
**pekfinger** s forefinger, index finger
**pekines** s hund pekinese (pl. lika)
**pekoral** s pretentious (high-flown) trash
**pekpinne** s pointer
**pelare** s pillar; kolonn column
**pelargon** s bot. geranium
**pelargång** s colonnade; arkad arcade
**pelikan** s pelican
**pendang** s counterpart
**pendel** s pendulum
**pendeltrafik** s commuter (shuttle) service
**pendeltåg** s commuter train
**pendla** vb itr swing, oscillate; t.ex. om förortsbo commute
**pendlare** s commuter
**pendling** s svängning oscillation
**pendyl** s ornamental clock
**penetrera** vb tr penetrate
**peng** s slant coin, little sum of money; se äv. **pengar**
**pengar** s pl koll. money sg.; **kontanta** (**reda**) ~ cash, ready money; **förtjäna** (**göra**) **stora** ~ make (earn) big money; **vara utan** ~ äv. be penniless (out of cash)
**penibel** adj awkward
**penicillin** s penicillin
**penis** s penis
**penna** s pen; blyertspenna pencil
**pennalism** s bullying
**penningbekymmer** s pl financial worries
**penningbrist** s shortage (lack) of money
**penninglott** s state lottery ticket
**penninglotteri** s state lottery
**penningplacering** s investment
**penningsumma** s sum of money
**penningvärde** s money value
**pennkniv** s penknife
**pennskaftsfattning** s i bordtennis penholder grip
**pennvässare** s pencil-sharpener
**pensé** s pansy
**pensel** s brush
**pension** s **1** underhåll pension; **få** (**avgå med**) ~ get (retire on) a pension **2** flickpension girls' boarding school
**pensionat** s boarding house; mindre hotell private hotel
**pensionera** vb tr pension, grant a pension to; ~**d** pensioned, retired
**pensionering** s pensioning; **till sin ~ var han...** up to his retirement he was...

**pensionsförsäkring** s retirement annuity (pension insurance)

**pensionsålder** s pensionable (retirement) age

**pensionär** s pensioner, retirement pensioner, senior citizen

**pensla** vb tr, ~ med ägg brush with beaten egg; ~ ett sår med jod paint a wound...

**pentry** s kokvrå kitchenette; sjö. el. flyg. galley

**peppar** s pepper; ~, ~! touch wood!, amer. knock on wood!; dra dit ~n växer! go to blazes!

**pepparkaka** s gingerbread biscuit; mjuk ~ gingerbread cake

**pepparkorn** s peppercorn

**pepparkvarn** s pepper mill

**pepparmint** s smakämne peppermint

**pepparmynta** s växt peppermint

**pepparrot** s horseradish

**peppra** vb tr o. vb itr pepper [ngt el. på ngt a th.]

**per** prep **1** med by; ~ brev (post) by letter (post) **2** ~ månad a (per) month; månadsvis by the month; ~ gång varje gång every (each) time; åt gången at a time

**perenn** adj perennial

**perfekt I** adj perfect **II** s the perfect tense; ~ particip past (perfect) participle

**perfektionist** s perfectionist

**perforera** vb tr perforate

**perforering** s perforation

**periferi** s **1** cirkels circumference **2** ytterområde periphery

**period** s period

**periodisk** adj periodic; ~ tidskrift periodical

**periodsupare** s periodical drinker

**periodvis** adv periodically

**periskop** s periscope

**permanent I** adj permanent **II** s perm

**permanenta** vb tr hår perm; låta ~ sig have a perm

**permission** s leave of absence; ha ~ be on leave

**permittera** vb tr **1** mil. grant leave to **2** friställa dismiss temporarily

**perplex** adj perplexed

**perrong** s platform

**persedel** s mil. item of equipment; persedlar utrustning equipment, kit (båda sg.)

**perser** s Persian äv. katt

**persian** s Persian lamb

**Persien** Persia

**persienn** s Venetian blind

**persika** s peach

**persilja** s parsley

**persisk** adj Persian

**persiska** s **1** kvinna Persian woman **2** språk Persian

**person** s person; framstående personage; ~er vanl. people; ~erna teat. the cast sg.; i egen hög ~ in person

**personal** s staff; speciellt mil. personnel; ha för liten ~ be understaffed; höra till ~en be on the staff

**personalavdelning** s personal (staff) department

**personalchef** s personnel manager (director, officer)

**personalfest** s staff (på firma o.d. office) party

**personbevis** s birth certificate

**personbil** s private car

**personbästa** s sport. personal best

**persondator** s personal computer (förk. PC)

**personifiera** vb tr personify

**personkult** s cult of personality

**personlig** adj personal, individual; ~t på brev private; ringa ett ~t samtal make a personal call; för min ~a del for my part; ~t pronomen personal pronoun

**personligen** adv personally

**personlighet** s personality; person personage, figure; han är en ~ he has personality

**personnamn** s personal name

**personnummer** s personal code number

**personsökare** s [radio] pager, bleeper

**persontåg** s motsats godståg passenger train; motsats snälltåg ordinary (slow) train

**perspektiv** s perspective; ~en utsikterna the prospects

**perspektivfönster** s picture window

**Peru** Peru

**peruan** s Peruvian

**peruansk** adj Peruvian

**peruk** s wig

**perukmakare** s wigmaker

**pervers** adj perverted

**perversitet** s pervertedness (end. sg.), sexual perversion

**pessar** s diaphragm, pessary

**pessimism** s pessimism

**pessimist** s pessimist

**pessimistisk** adj pessimistic

**pest** s plague

**peta** vb tr o. vb itr pick, poke; ~ naglarna

clean one's nails; ~ (~ *sig i*) *näsan* pick one's nose; ~ *på ngt* pick (poke) at a th.

**petig** *adj* pedantisk finicky, finical

**petitess** *s* trifle

**petition** *s* petition [*om* for]

**petunia** *s* petunia

**p.g.a.** (förk. för *på grund av*) on account of

**P-hus** *s* se *parkeringshus*

**pH-värde** *s* pH value

**pianist** *s* pianist, piano-player

**piano** *s* piano (pl. -s); *spela* ~ play the piano

**pianola** *s* pianola, player-piano

**pianostol** *s* piano stool

**pianostämmare** *s* piano-tuner

**pianotråd** *s* piano wire

**picknick** *s* picnic

**pickolo** *s* pageboy, page, amer. bellboy

**pickup** *s* på skivspelare samt liten varubil pick-up

**pickupnål** *s* stylus

**piedestal** *s* pedestal

**piff** *s* zest; *sätta* ~ *på maten* give a relish to the food; *sätta* ~ *på ngt* add a little extra touch to a th.

**piffa** *vb tr*, ~ *upp* smarten up

**piffig** *adj* chic, smart; *en* ~ *maträtt* a tasty dish

**piga** *s* maid

**1 pigg** *s* spike; spets point

**2 pigg** *adj* **1** brisk, spry; vaken alert; ~*a ögon* lively eyes; *känna sig* ~ feel fit **2** *vara* ~ *på ngt* be keen on a th.

**pigga** *vb tr*, ~ *upp* buck up; muntra upp cheer up

**piggna** *vb itr*, ~ *till* come round

**piggsvin** *s* porcupine

**piggvar** *s* turbot

**pigment** *s* pigment

**pik** *s* spydighet dig, taunt; *ge ngn en* ~ make a sly dig at a p.

**pika** *vb tr* taunt

**pikant** *adj* piquant; kryddad äv. spicy

**piket** *s* **1** polisstyrka police (riot, flying) squad **2** polisbil police van, amer. patrol wagon

**1 pil** *s* träd willow

**2 pil** *s* för pilbåge arrow; för pilkastning dart; *kasta* ~ play darts

**pilbåge** *s* bow

**pilgrim** *s* pilgrim

**pilgrimsfärd** *s*, *göra en* ~ go on a pilgrimage

**pilkastning** *s* spel darts sg.

**pilla** *vb itr*, ~ knåpa *med ngt* potter at a th.

**piller** *s* pill

**pillerburk** *s* pillbox äv. damhatt

**pillesnopp** *s* barnspr. willy

**pilot** *s* pilot

**pilsner** *s* ung. lager

**1 pimpla** *vb tr* o. *vb itr* dricka tipple

**2 pimpla** *vb tr* o. *vb itr* fiske. jig [*ngt* for a th.]

**pimpsten** *s* pumice, pumice stone

**pina I** *s* pain, torment, suffering **II** *vb tr* torment, torture

**pinal** *s* sak thing

**pincené** *s* eyeglasses pl.; *en* ~ a pair of eyeglasses

**pincett** *s* tweezers pl.

**pingis** *s* vard. ping-pong

**pingla** *vb itr* tinkle, jingle

**pingst** *s*, ~ el. ~*en* Whitsun, jfr *jul*

**pingstafton** *s* Whitsun Eve

**pingstdag** *s* Whit Sunday

**pingsthelg** *s*, ~*en* Whitsun

**pingstlilja** *s* narcissus

**pingströrelse** *s*, ~*n* the Pentecostal Movement

**pingstvän** *s* Pentecostalist

**pingvin** *s* penguin

**pinje** *s* pine

**pinne** *s* peg; för fåglar perch; vedpinne stick

**pinnhål** *s*, *komma ett par* ~ *högre* rise a step or two

**pinnstol** *s* railback chair

**pinsam** *adj* painful; besvärande awkward

**pinuppa** *s* vard. pin-up

**pion** *s* peony

**pionjär** *s* pioneer

**1 pip I** *s* ljud peep, cheep; råttas squeak **II** *interj* peep!

**2 pip** *s* på kärl spout

**1 pipa** *vb itr* om fågel chirp, cheep; om råtta squeak; om vinden whistle

**2 pipa** *s* pipe; visselpipa whistle; *röka* ~ smoke a pipe; *gå åt* ~*n* go to pot

**piphuvud** *s* pipe bowl

**pipig** *adj* om röst squeaky

**pippi** *s* **1** barnspr., fågel birdie, dickey bird **2** *ha* ~ *på* vard. have a 'thing' about (a mania for)

**piprensare** *s* pipe-cleaner

**pipskaft** *s* pipe stem

**pipskägg** *s* pointed beard

**pipställ** *s* pipe rack

**pir** *s* pier; mindre äv. jetty

**pirat** *s* pirate

**piratsändare** *s* pirate transmitter

**pirog** *s* pastej Russian pasty; *~er* vanl. piroshki

**pirra** *vb itr, det ~r i magen på mig* I have butterflies in my stomach

**pirrig** *adj* jittery; enerverande nerve-racking

**piruett** *s* pirouette

**pisk** *s* whipping; *få ~* be whipped

**piska I** *s* whip **II** *vb tr* o. *vb itr* whip; starkare lash; prygla äv. flog; mattor beat; *~ upp en stämning av...* whip up an atmosphere of...

**piskrapp** *s* lash, cut with a whip

**pisksnärt** *s* piskslag crack

**pissa** *vb itr* vulg. piss; mindre vulg. pee, piddle

**pissoar** *s* urinal

**pist** *s* skidbana piste

**pistol** *s* pistol; vard. gun

**pistong** *s* tekn. piston

**pitt** *s* vulg. cock, prick

**pittoresk** *adj* picturesque

**pizza** *s* pizza

**pizzeria** *s* pizzeria

**pjoller** *s* babble; struntprat drivel

**pjoska** *vb itr, ~ med ngn* coddle (pamper) a p.

**pjoskig** *adj* namby-pamby

**pjäs** *s* **1** teat. play **2** föremål o. mil. piece **3** schack. man (pl. men)

**pjäxa** *s* skiing-boot

**placera I** *vb tr* **1** place; gäster seat **2** *~ pengar* invest money **II** *vb rfl, ~ sig* sätta sig seat oneself; *~ sig som etta* sport. come first; *inte bli ~d* not be placed □ *~ om* möbler etc. rearrange, shift about; tjänsteman etc. transfer...to another post; pengar re-invest; *~ ut* sätta ut set out

**placering** *s* placing; om pengar investment

**plack** *s* på tänder plaque

**pladask** *adv, falla ~* come down flop

**pladder** *s* babble, prattle

**pladdra** *vb itr* babble, prattle

**plagg** *s* garment, article of clothing

**plagiat** *s* plagiarism; *ett ~* a piece (an act) of plagiarism

**plagiera** *vb tr* plagiarize

**1 plakat** *s* bill; större placard, poster

**2 plakat** *adj* vard. dead drunk

**1 plan** *(-en -er)* *s* **1** öppen plats open space, piece of ground; liten, t.ex. framför hus, äv. area; bollplan etc. ground, field; tennisplan court **2** planritning plan [*till* for, of] **3** planering etc. plan [*på* for]; *ha ~er på ngt* (*på att* inf.) plan a th. (to inf.); *hysa ~er mot* have designs on

**2 plan** *(-et -)* *s* **1** planyta plane; nivå äv. level; *ligga i samma ~ som* be on the same level as; *i två ~* in two planes **2** flygplan plane

**3 plan** *adj* plane, level; *~ yta* plane surface

**planenlig** *adj* ...according to plan

**planera** *vb tr* planlägga plan, design, project; *~* göra förberedelser *för* make preparations for

**planeringskalender** *s* engagement diary, planner

**planet** *s* planet

**planetsystem** *s* planetary system

**plank** *s* staket fence; kring bygge etc. hoarding

**planka** *s* plank; av furu el. gran deal

**plankstek** *s* planked steak

**planlägga** *vb tr* plan; *planlagt mord* premeditated murder

**planläggning** *s* planning, design

**plansch** *s* plate, illustration; väggplansch wall chart

**planta** *s* plant

**plantage** *s* plantation

**plantera** *vb tr* plant; *~ om* transplant; krukväxt repot

**plantering** *s* konkret plantation; anläggning park, garden

**plantskola** *s* nursery

**plask** *s* splash

**plaska** *vb itr* splash

**plaskdamm** *s* paddling pool (pond)

**plast** *s* plastic

**plastbehandlad** *adj* plastic-coated

**plastfolie** *s* clingwrap, clingfilm

**plastkasse** *s* plastic carrier [bag], amer. plastic [shopping] bag

**plastpåse** *s* plastic bag

**plastvaror** *s pl* plastic goods

**platan** *s* plane tree

**platina** *s* platinum

**platonsk** *adj* Platonic; *~ kärlek* Platonic love

**plats** *s* **1** place; 'ort och ställe' spot; sittplats, mandat seat; utrymme space; tillräcklig plats room; *beställa ~* t.ex. på bilfärja book a passage; *få en bra ~* sittplats get a good seat; *få ~ med* find room for; hotellet *har ~ för 100 gäster* ...has accommodation for 100 guests; *lämna ~ för* make room for; *ta (ta upp) stor ~* take up a great deal of space (room); *tag ~!* järnv. take your seats, please!; *bo på ~en* live on the spot; *ställa ngt på sin ~* put a th. where it belongs; *sätta ngn på ~* vard. take a p. down a peg, put a p. in his (her) place

**2** anställning situation, job; befattning post, position; *få ~* get a job [*hos* with]; *söka ~* look for a job
**platsannons** *s* advertisement in the situations-vacant column
**platsansökan** *s* application for a situation etc., jfr *plats 2*
**platsbiljett** *s* seat reservation
**platt I** *adj* flat **II** *adv* flatly
**platta I** *s* plate, rund disc; grammofon~ record, disc **II** *vb tr*, *~ till* (*ut*) flatten, flatten out; *~ till ngn* squash a p.
**plattform** *s* platform
**plattfotad** *adj* flat-footed
**plattityd** *s* platitude
**platå** *s* plateau
**plenum** *s* plenary meeting (session)
**Plexiglas** ® *s* Perspex ®
**plikt** *s* skyldighet duty [*mot* towards]
**pliktkänsla** *s* sense of duty
**pliktskyldig** *adj* dutiful
**plikttrogen** *adj* faithful, dutiful, loyal
**plint** *s* **1** byggn. plinth **2** gymn. box
**plita** *vb itr* skriva write busily; *~ ihop* put...together with a great effort
**plock** *s* småplock odds and ends pl.
**plocka** *vb tr* o. *vb itr* pick; samla gather; *~ en fågel* (*ögonbrynen*) pluck a fowl (one's eyebrows); *~* t.ex. äpplen pick... □ *~ bort* remove, take away; *~ fram* take out; *~ ihop* gather...together, collect; *~ ner* take down; *~ sönder* pick (take)...to pieces; *~ upp* pick up; ur låda take out; *~ åt sig* grab
**plog** *s* plough, amer. plow
**ploga** *vb tr* o. *vb itr*, *~ vägen* clear the road of snow
**plomb** *s* **1** tandfyllning filling **2** försegling seal
**plombera** *vb tr* **1** tand fill **2** försegla seal
**plommon** *s* plum
**plommonstop** *s* bowler, amer. derby
**plommonträd** *s* plum tree
**plottra** *vb itr* småsyssla potter about; *~ bort* fritter away
**plottrig** *adj* messy, muddled, confused
**plugg** *s* **1** tapp plug, stopper; i tunna tap, bung **2** vard., pluggande swotting, cramming; skola school
**plugga I** *vb tr*, *~ igen* plug up **II** *vb tr* o. *vb itr* vard., pluggläsa swot, grind
**plugghäst** *s* swot, swotter, crammer
**1 plump** *adj* coarse, rude, rough
**2 plump** *s* blot
**plumpudding** *s* Christmas pudding
**plundra** *vb tr* utplundra plunder; råna rob, loot [*på* of]

**plundring** *s* plunder, plundering, robbing, looting
**plural** *s* the plural; *stå i ~* be in the plural; *första person ~* first person plural
**pluralform** *s* plural form
**pluralis** se *plural*
**pluraländelse** *s* plural ending
**plus** *s* o. *adv* plus
**plusgrad** *s* degree above zero
**pluskvamperfekt** *s* the pluperfect (pluperfect tense)
**plustecken** *s* plus sign
**Pluto** astron. el. myt. Pluto, äv. seriefigur
**plutokrat** *s* plutocrat
**pluton** *s* platoon
**plutonium** *s* plutonium
**plutt** *s* vard., barn tiny tot; småväxt person little shrimp
**plym** *s* plume
**plymå** *s* cushion
**plysch** *s* plush
**plåga I** *s* smärta pain; pina torment; plågoris nuisance **II** *vb tr* pina torment; starkare torture; *~ livet ur ngn* worry (plague) the life out of a p.
**plågas** *vb itr dep* suffer, suffer pain
**plågoris** *s* scourge; svagare pest, nuisance
**plågsam** *adj* painful
**plån** *s* på tändsticksask striking surface
**plånbok** *s* wallet
**plåster** *s* plaster; *som ~ på såret* to make up for it, as a consolation
**plåstra** *vb itr*, *~ ihop* patch...up äv. bildl.; *~ om* sår dress
**plåt** *s* **1** koll. sheet-metal, metal **2** skiva plate äv. foto.
**plåta** *vb tr* vard. take a snapshot (picture) of
**plåtburk** *s* tin, can, amer. can
**plåtskada** *s*, *~* el. *plåtskador* på bil damage to the bodywork (coachwork)
**plåtslagare** *s* sheet-metal worker
**plåttak** *s* tin (plated) roof
**pläd** *s* filt rug
**plädera** *vb itr* plead
**pläter** *s* silver på koppar [Sheffield] plate
**plätera** *vb tr* plate
**plätt** *s* kok. small pancake
**plöja** *vb tr* plough, amer. plow
**plöjning** *s* ploughing, amer. plowing
**plös** *s* på sko tongue
**plötslig** *adj* sudden, abrupt
**plötsligt** *adv* suddenly, abruptly, all of a sudden
**P.M.** *s* memo (pl. -s)

**poplin**

**pneumatisk** *adj* pneumatic
**pocketbok** *s* paperback
**podium** *s* platform; för talare rostrum; för dirigent podium
**poem** *s* poem
**poesi** *s* poetry
**poet** *s* poet
**poetisk** *adj* poetic, poetical
**pointer** *s* hund pointer
**pojkaktig** *adj* boyish
**pojke** *s* boy, lad; friare fellow, chap
**pojklymmel** *s* young rascal (scamp)
**pojknamn** *s* boy's name
**pojkstreck** *s* boyish (schoolboy) prank, lark
**pojkvasker** *s* vard. little fellow; större stripling
**pojkvän** *s* boyfriend
**pokal** *s* speciellt pris cup; för dryck goblet
**poker** *s* poker
**pokeransikte** *s* poker-face
**pokulera** *vb itr*, *de satt och ~de* they sat drinking together
**pol** *s* pole
**polack** *s* Pole
**polar** *adj* polar
**polare** *s* vard. pal, mate
**polarisation** *s* polarization
**polarisera** *vb tr* o. *vb itr* polarize
**polaritet** *s* polarity
**polcirkel** *s* polar circle; *norra (södra) ~n* the Arctic (Antarctic) circle
**polemik** *s* polemic, controversy
**polemisera** *vb itr* carry on a controversy
**Polen** Poland
**polera** *vb tr* polish
**polermedel** *s* polish
**policy** *s* policy
**poliklinik** *s* out-patients' department (clinic)
**polio** *s* polio
**polioskadad** *adj*, *han är ~* he has polio (is a polio victim)
**polis** *s* **1** myndighet o. koll. police pl. **2** polisman policeman, police officer, amer. vanl. patrolman; *en kvinnlig ~* a policewoman
**polisanmälan** *s* report to the police; *göra ~ om ngt* report a th. to the police
**polisassistent** *s* senior police constable
**polisbil** *s* patrol car
**polisbricka** *s* policeman's badge
**polisdistrikt** *s* police district, amer. precinct
**polisförhör** *s* police interrogation
**polishund** *s* police dog
**poliskommissarie** *s* police superintendent;

lägre chief inspector, amer. captain; lägre lieutenant
**poliskår** *s* police force
**polisman** se *polis* 2
**polismästare** *s* police commissioner
**polisonger** *s pl* sidewhiskers, speciellt amer. sideburns
**polispiket** *s* riot (flying) squad; bil police van, amer. patrol wagon
**polisrazzia** *s* police raid
**polisspärr** *s* kedja police cordon; vägspärr road-block
**polisstat** *s* police state
**polisstation** *s* police station
**polisundersökning** *s* o. **polisutredning** *s* police investigation
**politbyrå** *s* politburo (pl. ~s)
**politik** *s* politics (sg. el. pl.); handlingssätt policy
**politiker** *s* politician
**politisk** *adj* political
**polka** *s* polka
**polkagris** *s* peppermint rock, amer. rock candy
**pollen** *s* pollen
**pollett** *s* check, counter; gas- disc
**pollettera** *vb tr*, *~ bagaget* have one's luggage (baggage) labelled (registered), amer. check one's baggage
**pollettering** *s* registering, registration, amer. checking
**polo** *s* polo
**polokrage** *s* polo neck, turtle neck
**polonäs** *s* polonaise
**polotröja** *s* polo neck (turtle neck) sweater
**polsk** *adj* Polish
**polska** *s* **1** kvinna Polish woman **2** språk Polish; jfr *svenska*
**Polstjärnan** *s* the pole star (North Star)
**polyester** *s* polyester
**polyné** *s* kok. macaroon
**polyp** *s*, *~er i näsan* adenoids
**pomerans** *s* Seville (bitter) orange
**pommes frites** *s pl* chips, French fried potatoes, French fries
**pomp** *s* o. **pompa** *s* pomp
**pondus** *s* authority; värdighet dignity
**ponera** *vb tr* suppose
**ponny** *s* pony
**ponton** *s* pontoon
**pontonbro** *s* pontoon bridge
**popartist** *s* vard. pop artiste
**popcorn** *s* popcorn
**popgrupp** *s* pop group
**poplin** *s* poplin

**popmusik** *s* pop music
**poppel** *s* poplar
**popsångare** *s* pop singer
**popularisera** *vb tr* popularize
**popularitet** *s* popularity
**populär** *adj* popular [*bland* with]
**populärvetenskap** *s* popular science
**por** *s* pore
**porla** *vb itr* murmur, ripple, purl
**pormask** *s* blackhead
**pornografi** *s* pornography
**pornografisk** *adj* pornographic
**porr** *s* vard. porno, porn
**porrfilm** *s* porno film (movie)
**porrtidning** *s* porno magazine
**porslin** *s* china; äkta ~ porcelain
**porslinstallrik** *s* china plate
**port** *s* ytterdörr streetdoor, front door;
  inkörsport gate; portgång gateway
**portabel** *adj* portable
**porter** *s* stout; svagare porter
**portfölj** *s* briefcase; *minister utan ~*
  minister without portfolio
**portföljdator** *s* laptop [computer]
**portförbjuda** *vb tr*, ~ *ngn* refuse a p.
  admittance
**portgång** *s* gateway, doorway
**portier** *s* receptionist, reception clerk;
  vaktmästare hall porter
**portion** *s* portion; *i små ~er* bildl. in small
  doses
**portionera** *vb tr*, ~ el. ~ *ut* portion, portion
  (ration) out
**portionsvis** *adv* in portions
**portkod** *s* entry (security) code [number]
**portmonnä** *s* purse
**portnyckel** *s* latchkey, front-door key
**porto** *s* postage
**portofri** *adj* post-free, ...free of postage
**portofritt** *adv* post-free, ...free of postage
**portohöjning** *s* increase in postal rates
**porträtt** *s* portrait; speciellt foto picture
**porträttera** *vb tr* portray
**porträttlik** *adj* lifelike
**porträttmålare** *s* portrait painter
**porttelefon** *s* entryphone, house phone
**Portugal** Portugal
**portugis** *s* Portuguese (pl. lika)
**portugisisk** *adj* Portuguese
**portugisiska** *s* **1** kvinna Portuguese woman
  **2** språk Portuguese; jfr *svenska*
**portvakt** *s* dörrvakt porter; i hyreshus
  caretaker
**portvin** *s* port, port wine
**porös** *adj* porous; svampaktig spongy

**pose** *s* pose, attitude
**posera** *vb itr* pose
**position** *s* position
**1 positiv I** *adj* positive; ~*t svar* affirmative
  answer, answer in the affirmative **II** *s* gram.
  the positive
**2 positiv** *s* mus. barrel organ
**positivhalare** *s* o. **positivspelare** *s*
  organ-grinder
**possessiv** *adj* possessive äv. gram.
**post** *s* **1** brevpost etc. post, mail;
  *sända...med (per)* ~ post..., mail...,
  send...by post (mail) **2** postkontor
  post-office; *Posten* postverket the Post
  Office **3** hand., i bokföring etc. item, entry;
  belopp amount; varuparti lot **4** vaktpost sentry
  **5** befattning post, appointment
**posta** *vb tr* post, mail
**postadress** *s* postal address
**postanstalt** *s* post office
**postanvisning** *s* money order; *hämta*
  *pengar på en* ~ cash a money order
**postbox** *s* post-office box
**poste restante** *adv* poste restante
**postexpedition** *s* post office; mindre branch
  post office
**postexpeditör** *s* post-office clerk
**postfack** *s* post-office box
**postförbindelse** *s* postal communication
**postförskott** *s* cash (amer. collect) on
  delivery (förk. COD); *sända ngt mot* ~
  send a th. COD
**postgiro** *s* postal giro service (konto
  account)
**postiljon** *s* sorting clerk; brevbärare postman,
  amer. mailman
**postisch** *s* hairpiece, postiche
**postkontor** *s* post office
**postkort** *s* postcard
**postkupp** *s* rån post-office (mail) robbery
**postlucka** *s* post-office counter
**postlåda** *s* letterbox, amer. mailbox
**postmästare** *s* postmaster
**postnummer** *s* postcode, amer. ZIP code
**postorderfirma** *s* mail-order firm
**postpaket** *s* postal parcel; *som* ~ by parcel
  post
**poströst** *s* postal vote
**postskriptum** *s* postscript
**postsparbanksbok** *s* post-office
  savings-bank book
**poststämpel** *s* postmark
**posttaxa** *s* postage rate
**posttjänsteman** *s* post-office employee
**posttur** *s* hämtning collection; leverans till

adressaten post delivery; *med första ~en* by the first post
**Postverket** the Post Office Administration; i Storbr. the [General] Post Office
**postväsen** s postal services pl.
**potatis** s potato; koll. potatoes pl.; *färsk ~* new potatoes
**potatisbulle** s potato cake
**potatischips** s pl potato crisps (amer. chips)
**potatiskrokett** s potato cake
**potatismjöl** s potato flour
**potatismos** s creamed (vanl. utan tillsats mashed) potatoes pl.
**potatispress** s ricer
**potatissallad** s potato salad
**potatisskal** s potato peel (avskalade peelings)
**potatisskalare** s redskap potato-peeler
**potens** s fysiol. potency; mat. power
**potentat** s potentate
**potentiell** adj potential
**potpurri** s potpourri
**pott** s pot, pool
**potta** s nattkärl chamber pot
**poäng** s **1** point; skol., betygspoäng mark, amer. grade; *segra på ~* win on points **2** slutkläm, mening point; *fatta (missa) ~en i* en historia see (miss) the point of...
**poängberäkning** s sport. etc. scoring
**poängställning** s score
**poängtera** vb tr emphasize, point out
**p-piller** s contraceptive (birth) pill; *sluta med ~* give up the Pill; *ta (äta) ~* be on the Pill
**p-plats** se *parkeringsplats*
**PR** s PR, public relations pl.; reklam publicity
**pracka** vb tr, *~ på ngn ngt* fob a th. off on a p., thrust a th. down a p.'s throat
**Prag** Prague
**prakt** s splendour, magnificence
**praktexemplar** s magnificent specimen; real beauty
**praktfull** adj splendid, magnificent; prunkande gorgeous
**praktik** s practice; *sakna ~ i (på)...* lack experience in (of)...; *i ~en* in practice
**praktikant** s trainee
**praktisera** vb tr o. vb itr practise; *allmänt ~nde läkare* general practitioner
**praktisk** adj practical; lätthanterlig handy
**praktiskt** adv practically; *~ taget* practically

**pralin** s chocolate; med krämfyllning chocolate cream
**prao** s (förk. för *praktisk arbetslivsorientering*) skol. practical occupational experience (guidance)
**prassel** s rustle, rustling
**prassla** vb itr rustle
**prat** s samspråk talk, chat; pladder chatter; skvaller gossip; *~!* el. *sånt ~!* nonsense!; *löst (tomt) ~* idle talk
**prata** vb itr o. vb tr talk, chat; skvallra gossip; *~ omkull ngn* talk a p. down
**pratbubbla** s i serieruta balloon
**pratig** adj talkative, chatty
**pratkvarn** s chatterbox
**pratmakare** s great talker, chatterbox
**pratsam** adj o. **pratsjuk** adj talkative, chatty
**pratstund** s chat
**praxis** s practice, custom
**precis I** adj precise, exact **II** adv exactly, precisely, just; *komma ~* be punctual; *kom ~ klockan 8* ...at eight (eight o'clock) sharp
**precisera** vb tr villkor etc. specify; uttrycka klart define exactly; *närmare ~t* to be precise
**precision** s precision
**predika** vb tr o. vb itr preach [*över* on]
**predikan** s sermon [*över* on]
**predikant** s preacher
**predikat** s predicate
**predikatsfyllnad** s complement
**predikstol** s pulpit
**prefix** s prefix
**prejudikat** s precedent
**prekär** adj precarious, insecure
**preliminär** adj preliminary
**preliminärskatt** s preliminary tax
**preludium** s mus. prelude
**premie** s försäkringsavgift premium; extra utdelning bonus; pris prize
**premieobligation** s premium bond
**premiera** vb tr prisbelöna award prizes (a prize) to; belöna reward
**premiss** s förutsättning condition; filos. premise
**premiär** s teat. first (opening) night (performance)
**premiärminister** s prime minister, premier
**prenumerant** s subscriber
**prenumeration** s subscription
**prenumerera** vb itr, *~ på* subscribe to, take in
**preparat** s preparation

**preparera** *vb tr* prepare
**preposition** *s* preposition
**presenning** *s* tarpaulin
**presens** *s* the present tense, the present; ~ **particip** the present participle
**present** *s* present, gift
**presentation** *s* introduction [*för* to]
**presentera** *vb tr* **1** föreställa introduce [*för, i* to]; ~ *sig* introduce oneself **2** framlägga, förete present
**presentkort** *s* gift voucher
**president** *s* president [*i* of]
**presidentperiod** *s* presidency
**presidentval** *s* presidential election
**presidera** *vb itr* preside [*vid* at]
**preskribera** *vb tr* jur., **brottet är ~t** the period for prosecution has expired
**press** *s* **1** tidningspress, redskap etc. press **2** påtryckning pressure; påfrestning strain; *utöva ~ på ngn* bring pressure to bear on a p.
**pressa** *vb tr* press; krama squeeze; ~ *ett pris* force a price down; ~ *potatis* rice potatoes □ ~ **fram** en bekännelse extort... [*ur* from]; ~ **ihop** compress, squeeze...together; ~ **upp** t.ex. priser force up; ~ **ut ngt ur** press a th. out of; ~ *ut pengar av ngn* blackmail a p.
**pressande** *adj* t.ex. värme oppressive; t.ex. arbete arduous
**pressbyrå** *s* press agency
**presscensur** *s* press censorship
**pressfotograf** *s* press photographer
**pressklipp** *s* press cutting (clipping)
**presskonferens** *s* press conference
**pressveck** *s* crease
**prestation** *s* arbets~, sport~ performance; bedrift achievement, feat
**prestationsförmåga** *s* capacity, performance
**prestera** *vb tr* perform, accomplish, achieve
**prestige** *s* prestige
**prestigebetonad** *adj* o. **prestigefylld** *adj* prestigious
**pretendent** *s* pretender [*på, till* to]
**pretention** *s* pretension
**pretentiös** *adj* pretentious
**preteritum** *s* gram. the preterite
**preussare** *s* Prussian
**Preussen** Prussia
**preussisk** *adj* Prussian
**preventiv** *adj* o. *s* preventive
**preventivmedel** *s* contraceptive

**preventivpiller** *s* contraceptive (birth) pill; se äv. *p-piller*
**prick** *s* **1** punkt dot; fläck speck; på tyg etc. spot; på måltavla bull's eye; *träffa mitt i ~* bildl. hit the mark; *sätta ~en över i* bildl. add the finishing touch; *på ~en* to a T, exactly **2** straffpoäng penalty point **3** person, *en hygglig ~* a decent fellow
**pricka** *vb tr* **1** t.ex. linje dot; med nål etc. prick **2** träffa hit **3** ge en prickning censure □ ~ **av** tick (check)...off; ~ **för** tick off, mark
**prickig** *adj* spotted, spotty
**prickning** *s* bildl. reproof
**prickskytt** *s* sharp-shooter
**prima** *adj* first-class, first-rate
**primadonna** *s* prima donna; på talscen leading lady
**primitiv** *adj* primitive
**primula** *s* primula; vard. primrose
**primuskök** *s* ® Primus, Primus stove
**primär** *adj* primary
**primör** *s* early vegetable (fruit)
**princip** *s* principle; *av ~* on principle; en man *med ~er* ...of principle
**principfast** *adj* firm
**principfråga** *s* question (matter) of principle
**principiell** *adj*, *av ~a skäl* on grounds of principle
**prins** *s* prince
**prinsessa** *s* princess
**prinskorv** *s* ung. chipolata sausage
**prioritera** *vb tr* give priority to
**prioritet** *s* priority
**pris** *s* **1** price; *hålla för höga ~er* charge too much; *falla i ~* fall in price; *till nedsatt ~* at a reduced price; *till ~et av* at the cost of; *till varje ~* at all costs, at any price **2** belöning prize; *få första ~et* be awarded the first prize; *ta ~et* be easily first (best); vard. take the cake (biscuit) **3** beröm praise
**prisa** *vb tr* praise; ~ *sig lycklig* count oneself lucky
**prisbelöna** *vb tr* award a prize (prizes) to; *prisbelönt roman* prize novel
**prishöjning** *s* rise (increase) in prices (the price)
**prisklass** *s* price range (class)
**priskontroll** *s* price control
**priskrig** *s* price war
**prislapp** *s* price ticket (tag)
**prislista** *s* hand. price list; sport. prize list
**prisläge** *s* price range (level); *i alla ~n* at all prices

**prismedveten** *adj* price-conscious
**prisnedsättning** *s* price reduction
**prispall** *s* winners' stand, rostrum
**prispengar** *s pl* prize money sg.
**prisras** *s* collapse (sudden fall) in prices
**prisskillnad** *s* difference in (of) price (prices)
**prisstopp** *s* price freeze; *införa ~* freeze prices
**prissumma** *s* prize money
**prissänkning** *s* price reduction
**prissätta** *vb tr* fix the price (prices) of, price
**prissättning** *s* price-fixing, pricing
**pristagare** *s* prizewinner
**prisuppgift** *s* quotation [*på* for]; *lämna ~ på* state (give) the price of
**prisutdelning** *s* distribution of prizes
**prisutveckling** *s* price trend
**privat I** *adj* private, personal; *i det ~a* in private life **II** *adv* privately, in private
**privatanställd** *adj*, *~ person* person in private employment
**privatbil** *s* private car
**privatbilist** *s* private motorist
**privatbruk** *s, för ~* for private (personal) use
**privatisera** *vb tr* privatize, put under private ownership
**privatlektion** *s* private lesson
**privatliv** *s* private life
**privatperson** *s* private person; *som ~ är han* in private (private life)...
**privatsekreterare** *s* private secretary
**privatägd** *adj* privately-owned
**privilegiera** *vb tr* privilege
**privilegium** *s* privilege
**PR-man** *s* PR (public-relations) officer
**problem** *s* problem
**problematisk** *adj* problematic, complicated
**problembarn** *s* problem child
**procedur** *s* procedure
**procent** *s* per cent; tal percentage; *få ~ på* omsättningen get a percentage on...
**procentare** *s* vard. money-lender, loan-shark
**procentsats** *s* rate per cent, percentage
**procentuell** *adj* percentage...
**process** *s* **1** förlopp process, operation **2** jur. lawsuit, action, case; *göra ~en kort med ngn* make short work of a p.
**procession** *s* procession
**producent** *s* producer; odlare grower
**producera** *vb tr* produce; odla äv. grow

**produkt** *s* product
**produktion** *s* production; speciellt lantbr. produce
**produktiv** *adj* productive; om t.ex. författare prolific
**produktivitet** *s* productivity
**professionell** *adj* professional
**professor** *s* professor [*i* of; *vid* at, in]
**professur** *s* professorship, chair
**profet** *s* prophet
**profetera** *vb tr* o. *vb itr* prophesy
**profetia** *s* prophecy
**proffs** *s* pro (pl. pros)
**proffsboxare** *s* professional boxer
**proffsig** *adj* vard. professional
**profil** *s* profile; personlighet personality; avbilda *i ~* ...in profile (side-face)
**profit** *s* profit
**profitera** *vb itr* förtjäna profit, benefit [*på* by]; utnyttja take advantage [*på* of]
**profitör** *s* profiteer
**profylax** *s* prophylaxis, preventive medicine
**prognos** *s* ekon. el. meteor. forecast
**prognoskarta** *s* weather chart
**program** *s* programme; data. program
**programenlig** *adj* ...according to programme
**programledare** *s* konferencier compère
**programmera** *vb tr* programme; data. program
**programmering** *s* programming
**programpunkt** *s* item on a (the) programme
**programväljare** *s* t.ex. på tvättmaskin programme selector (control)
**progressiv** *adj* progressive; *~ form* gram. progressive (continuous) form (tense)
**projekt** *s* project, plan, scheme
**projektil** *s* projectile, missile
**projektor** *s* projector
**proklamation** *s* proclamation
**proklamera** *vb tr* proclaim
**proletariat** *s* proletariat
**proletär** *s* o. *adj* proletarian
**prolog** *s* prologue [*till* to]
**promemoria** *s* memorandum (pl. vanl. memoranda)
**promenad** *s* **1** spatsertur walk; flanerande stroll; *ta en ~* go for a walk **2** plats promenade
**promenadsko** *s* walking-shoe
**promenera** *vb itr* take a walk (stroll), stroll; promenade; *gå ut och ~ med*

hunden take...out for a walk; ~ *omkring* stroll about

**promille** *(pro mille)* **I** *adv* per thousand (mille, mil) **II** *s, hög* ~ av alkohol ung. high percentage of alcohol

**prominent** *adj* prominent

**promotor** *s* företags~ o. sport. promotor

**pronomen** *s* pronoun

**propaganda** *s* propaganda

**propagera** *vb itr* make (carry on) propaganda [*för* for]

**propeller** *s* propeller

**propellerblad** *s* propeller blade

**proper** *adj* snygg tidy, neat; ren clean; *en ~ flicka* a decent (nice) girl

**proportion** *s* proportion; *ha sinne för ~er* have a sense of proportion; *inte alls stå i ~ till...* be out of all proportion to...

**proportionell** *adj* proportional, proportionate [*mot* to]

**proportionerlig** *adj* proportionate; symmetrical

**proposition** *s* lagförslag government bill; *framlägga en ~* bring in (introduce, present) a bill

**propp** *s* stopper; för tvättställ, tapp plug; elektr. fuse, fuse plug; blodpropp clot; av öronvax lump of wax; *en ~ har gått* a fuse has blown

**proppa** *vb tr, ~...full* cram, stuff; *~ i ngn* mat cram...into a p.; *~ i sig* gorge oneself [*ngt* with a th.]; *~ igen* ett hål stop up, plug up

**proppfull** *adj* crammed, packed [*med* with]

**proppmätt** *adj, äta sig ~* gorge oneself [*på* with]; *vara ~* vard. be full up

**propå** *s* proposal

**prosa** *s* prose; *på ~* in prose

**prosaisk** *adj* prosaic, unimaginative

**prosit** *interj, ~!* [God] bless you!, God bless!

**prospekt** *s* reklamtryck prospectus; för hotell etc. brochure

**prost** *s* dean

**prostata** *s* prostate, prostate gland

**prostituerad** *adj* prostitute; *en ~* a prostitute

**prostitution** *s* prostitution

**protegé** *s* protégé

**protein** *s* protein

**protektionism** *s* protectionism

**protes** *s* arm, ben etc. artificial arm (leg etc.); tandprotes denture, dental plate

**protest** *s* protest; *inlägga ~* lodge a protest

**protestant** *s* Protestant

**protestantisk** *adj* Protestant

**protestera** *vb itr* o. *vb tr* protest [*mot* against], object [*mot* to]

**protestmöte** *s* protest meeting

**protokoll** *s, föra ~ vid* ett sammanträde keep the minutes of...

**prototyp** *s* prototype

**prov** *s* **1** test; prövning trial; examensprov examination; *bestå ~et* stand the test; anställa ngn *på ~* ...on trial; *sätta på ~* put to the test; *ta* i en vara *på ~* take...on approval **2** bevis proof **3** varuprov sample; av tyg etc. pattern; provexemplar specimen

**prova** *vb tr* o. *vb itr* test; pröva på, provköra etc. try; grundligt try out; kläder try on; *~ av* test; provsmaka sample, taste; *~ ut* t.ex. glasögon, hatt try out

**provdocka** *s* tailor's dummy

**provhytt** *s* fitting cubicle (större room)

**proviant** *s* provisions pl., supplies pl.

**provins** *s* province

**provinsiell** *adj* provincial

**provision** *s* commission

**provisorisk** *adj* tillfällig temporary; *~ regering* provisional government

**provisorium** *s* provisional arrangement, makeshift

**provkollektion** *s* collection of samples

**provkörning** *s* av bil etc. trial run; på väg road test

**provocera** *vb tr* provoke; *~nde* provocative

**provokation** *s* provocation

**provokativ** *adj* provocative

**provrum** *s* att prova kläder i fitting-room

**provrör** *s* test tube

**provrörsbarn** *s* test-tube child

**provsmaka** *vb tr* taste, sample

**provstopp** *s* för kärnvapen nuclear test ban

**prunka** *vb itr* make a fine show

**pruta** *vb itr* om köpare haggle; köpslå bargain; om säljare reduce the price; *~ på* en vara haggle over the price of...

**prutt** *s* vulg. fart

**prutta** *vb itr* vulg. fart, let off

**pryd** *adj* prudish

**pryda** *vb tr* smycka adorn; dekorera decorate; *den pryder sin plats* it is decorative

**pryderi** *s* prudishness, prudery

**prydlig** *adj* neat, trim

**prydnad** *s* decoration; prydnadssak o. bildl. ornament

**prydnadssak** *s* ornament

**prydnadsväxt** *s* ornamental plant

**prygel** *s* flogging

**punktlighet**

**prygla** *vb tr* flog
**pryl** *s* vard. thing, gadget
**prål** *s* ostentation; grannlåt finery
**prålig** *adj* gaudy
**pråm** *s* barge; hamnpråm lighter
**prägel** *s* avtryck impression; på mynt o. bildl. stamp; drag touch; karaktär character; *sätta sin ~ på* leave (set) one's mark on
**prägla** *vb tr* mynta coin, mint; stämpla stamp; känneteckna characterize, mark
**präktig** *adj* utmärkt fine, splendid, grand; stadig stout; tjock thick; *en ~ förkylning* a proper cold
**pränta** *vb tr* write...carefully; texta print
**prärie** *s* prairie
**präst** *s* clergyman; speciellt katol. samt icke-kristen priest; frikyrklig minister; *kvinnliga ~er* women priests
**prästgård** *s* vicarage, rectory
**prästkrage** *s* bot. oxeye daisy
**pröjsa** *vb itr* o. *vb tr* vard. pay
**pröva** I *vb tr* try, try out; undersöka test; granska examine; *~ ngns tålamod* try a p.'s patience II *vb rfl, ~ sig fram* feel one's way
**prövning** *s* **1** prov, undersökning test, trial, examination; t.ex. av fullmakt investigation **2** lidande trial, affliction
**P.S.** *s* (förk. för *post scriptum*) PS
**psalm** *s* i psalmboken hymn; i Psaltaren psalm
**psalmbok** *s* hymn book
**psaltare** *s*, *~n* i Bibeln Psalms pl., the Book of Psalms
**pseudonym** *s* pseudonym, pen name
**P-skiva** *s* parking disc (amer. disk)
**psyka** *vb tr* vard. psych, psych out
**psyke** *s* mentality, psyche
**psykedelisk** *adj* psychedelic
**psykiater** *s* psychiatrist
**psykiatri** *s* psychiatry
**psykiatrisk** *adj* psychiatric
**psykisk** *adj* mental
**psykoanalys** *s* psychoanalysis
**psykolog** *s* psychologist
**psykologi** *s* psychology
**psykologisk** *adj* psychological
**psykopat** *s* psychopath
**psykos** *s* psychosis (pl. psychoses)
**pub** *s* pub
**pubertet** *s* puberty
**publicera** *vb tr* publish
**publicitet** *s* publicity
**publik** *s* auditorium audience; åskådare spectators pl.; läsekrets äv. readers pl.; antal besökare attendance

**publikation** *s* publication
**publikdragande** *adj* popular, attractive
**publikfriande** *adj* ...that plays (play) to the gallery, crowd-pleasing
**publiksuccé** *s* hit, success; bok best seller
**puck** *s* i ishockey puck
**puckel** *s* hump, hunch
**puckelpist** *s* skidsport. mogul
**puckelrygg** *s* hunchback
**puckelryggig** *adj* hunchbacked
**pudding** *s* kok. pudding
**pudel** *s* poodle
**puder** *s* powder
**puderdosa** *s* compact
**pudra** I *vb tr* powder; med socker etc. dust II *vb rfl, ~ sig* powder oneself
**puff** *s* knuff push; lätt med armbågen nudge
**puffa** *vb tr* knuffa push; lätt med armbågen nudge
**puka** *s* kettle-drum; *pukor* i orkester timpani
**pulka** *s* pulka, little sledge
**pullover** *s* pullover
**pulpet** *s* desk
**puls** *s* pulse; *ta ~en på ngn* med. feel a p.'s pulse; *känna ngn på ~en* sound a p. out
**pulsa** *vb itr* trudge, plod [*i* snön through...]
**pulsera** *vb itr* beat, throb, pulsate, pulse
**pulsåder** *s* artery
**pulver** *s* powder
**pulverisera** *vb tr* pulverize
**puma** *s* puma
**pump** *s* pump
**1 pumpa** *vb tr* pump; *~ däcken* blow up the tyres
**2 pumpa** *s* bot. pumpkin; amer. squash
**pumps** *s pl* court shoes, amer. pumps
**pund** *s* **1** myntenhet pound (förk. £) **2** vikt pound (förk. lb., pl. lb. el. lbs.)
**pundsedel** *s* pound note
**pung** *s* påse pouch; börs purse; anat. scrotum
**punga** *vb itr, ~ ut med* fork out, cough up
**pungdjur** *s* marsupial
**pungslå** *vb tr, ~ ngn* fleece a p.
**punkt** *s* point; skiljetecken full stop, amer. period; sak, fråga point, matter; i kontrakt, 'nummer' på program etc. item; *sätta ~ för ngt* bildl. put a stop to a th.; *låt mig tala till ~!* let me finish!
**punktera** *vb tr* sticka hål på puncture
**punktering** *s, få ~* have a puncture (vard. a flat tyre)
**punktlig** *adj* punctual
**punktlighet** *s* punctuality

**punktmarkering** s sport. man-to-man marking
**punktskrift** s blindskrift braille
**punktstrejk** s selective strike
**punsch** s Swedish (arrack) punch
**pupill** s anat. pupil
**puré** s purée
**puritan** s puritan
**purjo** s o. **purjolök** s leek
**purken** adj vard. sulky, sullen
**purpur** s purple
**purpurröd** adj blåröd purple; högröd crimson
**1 puss** s pöl puddle, pool
**2 puss** s kyss kiss
**pussa** vb tr o. **pussas** vb itr kiss
**pussel** s puzzle; läggspel jigsaw puzzle, jigsaw; **lägga ~** do a jigsaw puzzle
**pussla** vb itr, **~ ihop** put together
**pust** s vindpust breath of air
**pusta** vb itr flåsa puff; **~ ut** hämta andan take breath; ta en paus take a breather
**puta** vb itr, **~ med munnen** pout; **~ ut** om kläder etc. bulge, stick out
**puts** s **1** rappning plaster **2** putsmedel polish
**putsa** vb tr **1** rengöra clean; polera polish; klippa ren trim; **~ ett rekord** better a record **2** rappa plaster
**putsmedel** s polish
**putsning** s **1** cleaning, polishing; **en ~** a clean, a polish **2** rappning plastering; konkret plaster
**putt** s golf. putt
**putta** vb tr vard., **~ till ngt** give a thing a push
**puttra** vb itr kok. simmer; bubbla bubble
**pygmé** s pygmy
**pyjamas** s pyjamas pl., amer. pajamas pl.; **en ~** a pair of pyjamas
**pynt** s finery; t.ex. julpynt decorations pl.
**pynta** vb tr o. vb itr smycka decorate; göra fint smarten things up
**pyra** vb itr smoulder äv. bildl.
**pyramid** s pyramid
**pyre** s mite, tiny tot
**Pyrenéerna** pl the Pyrenees
**pyreneisk** adj, **Pyreneiska halvön** the Iberian Peninsula
**pyroman** s pyromaniac
**pys** s little chap (boy)
**pyssla** vb itr busy oneself; **gå och ~** potter about; **~ om** nurse
**pysslig** adj handy
**pytonorm** s python
**pyts** s bucket; färgpyts pot
**pytteliten** adj tiny, teeny

**pyttipanna** s hash of fried diced meat, onions, and potatoes
**på I** prep **1** om rum on; 'inom' samt framför namn på större ö vanl. in; 'vid' at; om riktning to, into, on to; **~ Hamngatan** in (amer. on) Hamngatan; **~ Hamngatan 25** at 25 Hamngatan; **~ himlen** in the sky; **bo ~ hotell** stay at a hotel; **~ landet** in the country; **han hade inga pengar ~ sig** he had no money on (about) him; **~ sjön** till havs at sea; köpa ngt **~ torget** ...in the market; **göra ett besök ~...** pay a visit to...; **gå ~ bio** go to the cinema; den går **på ~** at the cinema; **handeln ~ utlandet** trade with foreign countries; **knacka ~ dörren** knock at the door; **stiga upp ~ tåget** get into (on to) the train; **fara (fara ut) ~ landet** go into the country **2** om tid, de är födda **~ samma dag** ...on the same day; **~ samma gång** at the same time; **~ hösten** in the autumn; **~ fredag morgon** on Friday morning; **i dag ~ morgonen** this morning; **~ 1900-talet** in the 20th century; **~ fritiden** in ones leisure time; **vi har en vecka ~ oss** we've got a week; **vi har till lördag ~ oss** we've got till Saturday **3** vid ordningsföljd after; **gång ~ gång** time after time **4** 'per' in; **det går** 100 pence **~ ett pund** there are...in a pound **5** i prep. attribut of; 'lydande på' for; **en check ~** 500 kr a cheque for...; **en flicka ~ femton år** a girl of fifteen; en gädda **~ fem kilo** ...weighing five kilos; **en sedel ~ fem pund** a five-pound note **6** andra uttryck, **~ engelska** in English; säga ngt **~ skoj** ...for a joke; **arbeta ~** ngt work at...; **ringa ~ sköterskan** ring for the nurse; **jag märkte ~ hennes ögon att...** I could tell by her eyes that...; **blind ~ ena ögat** blind in one eye **II** adv, **en burk med lock ~** a pot with a lid on it; **han rodde ~** he rowed on, he went on rowing
**påbrå** s, **ha gott ~** come of good stock
**påbud** s decree
**påbörja** vb tr begin; **ett ~t arbete** a job already begun
**pådrag** s, maskinen gick **med fullt ~** ...at full speed; polisen arbetar **med fullt ~** ...in full force
**påfallande I** adj striking **II** adv strikingly
**påflugen** adj pushing
**påfrestande** adj trying
**påfrestning** s strain, stress

**påfyllning** s påfyllande filling up; en portion till another helping; en kopp till another cup
**påfågel** s peacock speciellt tupp; höna peahen
**påföljd** s consequence
**påföra** vb tr, ~ ngn skatt levy tax on a p.
**pågå** vb itr go (be going) on; fortsätta continue; vara last
**pågående** adj, ~ form gram. progressive (continuous) form (tense); under ~ föreställning while the performance is in progress
**påhitt** s idé idea; knep invention; lögn invention
**påhittig** adj ingenious
**påhopp** s attack
**påk** s thick stick, cudgel
**påkalla** vb tr kräva call for, claim, demand; ~ ngns uppmärksamhet attract a p.'s attention
**påklädd** adj dressed
**påkostad** adj expensive
**påkörd** adj, bli ~ be run into; omkullkörd be knocked down
**pålaga** s tax, duty
**påle** s pole, post; mindre pale, stake
**pålitlig** adj reliable, trustworthy
**pålitlighet** s reliability, trustworthiness
**pålägg** s **1** smörgåsmat: skinka, ost etc. ham, cheese etc. **2** tillägg extra (additional) charge; höjning increase
**påläggskalv** s framtidsman coming young man
**påminna** vb tr o. vb itr, ~ ngn om ngt få att minnas remind a p. of a th.; fästa uppmärksamheten på call a p.'s attention to a th.; han påminner om sin bror he resembles his brother, he reminds one of his brother; påminn mig om att jag skall inf. remind me to inf.
**påminnelse** s reminder [om of]
**påpasslig** adj attentive; 'vaken' alert; vara ~ gripa tillfället seize the opportunity
**påpeka** vb tr point out
**påpekande** s anmärkning remark; påminnelse reminder
**påringning** s tele. phone call
**påse** s bag
**påseende** s granskning inspection, examination; sända varor, böcker till ~ send...on approval; vid första ~t at the first glance
**påsig** adj baggy; ~a kinder puffy cheeks
**påsk** s Easter; glad ~! Happy Easter!; jfr jul
**påskafton** s Easter Eve

**påskdag** s Easter Day (Sunday)
**påskhelg** s, ~en Easter
**påskina** vb tr, låta ~ antyda intimate, hint
**påskkäring** s liten flicka 'Easter witch', young girl dressed up as a witch who goes from door to door at Easter
**påsklilja** s daffodil
**påsklov** s Easter holidays pl.
**påskrift** s text, t.ex. på etikett inscription; etikett, t.ex. på flaska label; underskrift signature
**påskris** s se fastlagsris
**påskynda** vb tr hasten, speed up; t.ex. förloppet accelerate
**påskägg** s Easter egg
**påslag** s på lön increase, rise
**påslakan** s quilt (duvet) cover
**påssjuka** s mumps sg.
**påstigning** s boarding, entering
**påstridig** adj obstinate, stubborn
**påstå** vb tr say; uppge state; hävda assert; vidhålla maintain; det ~s they say, it is said; han ~r sig kunna inf. he claims he is able to inf.
**påstådd** adj alleged
**påstående** s uppgift statement; hävdande assertion
**påstötning** s påminnelse reminder
**påta** vb itr peta, gräva poke about
**påtaglig** adj obvious; märkbar marked
**påtryckning** s pressure; utöva ~ar på ngn bring pressure to bear (put pressure) on a p.
**påtryckningsgrupp** s pressure group
**påträffa** vb tr se träffa på under träffa 1
**påträngande** adj om person pushing; om t.ex. behov, fara urgent, instant
**påtvinga** vb tr, ~ ngn ngt force a th. on a p.
**påtår** s second (another) cup
**påtänkt** adj contemplated
**påve** s pope
**påverka** vb tr influence, affect
**påverkan** s influence, effect
**påvisa** vb tr påpeka point out; bevisa prove
**påökt** s, få ~ på lönen get a rise in pay
**päls** s på djur fur, coat; plagg fur coat, fur; ge ngn på ~en stryk give a p. a hiding
**pälsa** vb tr, ~ på sig ordentligt wrap oneself up well
**pälsfodrad** adj fur-lined
**pälsmössa** s fur cap
**pälsvaror** s pl furs
**pälsverk** s fur; koll. furs pl.
**pärla** s pearl; av glas etc. bead; droppe, t.ex. av

dagg drop; bildl., om t.ex. konstverk o. person
gem; *äkta pärlor* real pearls; *imiterade pärlor* imitation pearls; *odlade pärlor* culture (cultured) pearls
**pärlband** s string of pearls (av glas etc. beads)
**pärlemor** s mother-of-pearl
**pärlhalsband** s pearl necklace
**pärlhyacint** s grape hyacinth
**pärm** s bokpärm cover; samlingspärm file; för lösa blad binder; mapp folder
**päron** s pear
**päronformig** adj pear-shaped
**päronträd** s pear tree, pear
**pärs** s prövning ordeal
**pöbel** s mob
**pöl** s vattenpöl, blodpöl etc. pool; smutsig vattenpöl puddle
**pölsa** s hash of offal and grain
**pösa** vb itr svälla swell, swell up; jäsa rise
**pösig** adj puffy

# Q

**quatre mains** adv mus., *spela à ~* play a duet (resp. duets)
**quenell** s kok. quenelle
**quiche** s kok. quiche
**quilta** vb tr sömnad. quilt
**quisling** s quisling

# R

**rabalder** s uppståndelse commotion; oväsen uproar; tumult disorder

**rabarber** s rhubarb

**1 rabatt** s flower bed; kant~ flower border

**2 rabatt** s hand. discount; nedsättning reduction; *lämna 20% ~* allow a 20% discount [*på priset* off the price]

**rabattkort** s reduced rate ticket

**rabattkupong** s o. **rabattmärke** s discount coupon

**rabbin** s rabbi

**rabbla** vb tr, ~ el. ~ *upp* rattle (reel) off

**rabies** s rabies

**racer** s racer; bil (båt etc.) äv. racing car (boat etc.)

**racerförare** s racing driver

**rackare** s rascal; skälm rogue

**rackartyg** s mischief

**rackarunge** s young rascal

**racket** s racket; bordtennis~ bat

**rad** s **1** räcka, led row; serie series (pl. lika); antal number; *tre dagar i ~* three days running (in succession); *en ~ frågor* a number of questions **2** i skrift line; *börja på ny ~* nytt stycke start a fresh paragraph; *skriv ett par ~er till mig* write me a line **3** teat., *på första ~en* in the dress circle; *andra ~en* the upper circle; *tredje ~en* the gallery

**rada** vb tr, ~ *upp* ställa i rad (rader) put...in a row (resp. in rows); räkna upp cite, enumerate

**radar** s radar

**radarskärm** s radar screen

**radera** vb tr, ~ el. ~ *bort* (*ut*) sudda ut erase, rub out; ~ *ut* utplåna, t.ex. stad raze

**radergummi** s rubber, india rubber, amer. o. för bläck eraser

**raderhuvud** s på bandspelare erasing head

**radhus** s terrace (terraced) house, amer. row house

**radialdäck** s radial tyre (amer. tire)

**radiator** s radiator

**radie** s radius (pl. radii)

**radikal I** adj radical; grundlig thorough **II** s person radical

**radio** s **1** radio; rundradio broadcasting; *Sveriges R~* the Swedish Broadcasting Corporation; *höra ngt i ~* hear a th. on the radio; *sända i ~* broadcast; *höra*

(*lyssna*) *på ~* listen in **2** radiomottagare radio, radio set, receiver

**radioaktiv** adj radioactive; ~ *strålning* nuclear radiation; ~*t avfall* radioactive waste; ~*t nedfall* fall-out

**radioaktivitet** s radioactivity

**radioantenn** s aerial, amer. vanl. antenna

**radioapparat** s radio, radio set, receiver

**radiobil** s **1** polisbil radio patrol car **2** på nöjesfält dodgem bumper car **3** för radioinspelning recording van, mobile unit

**radiolicens** s radio licence

**radiolyssnare** s radio listener

**radiomottagare** s radio, radio set, receiver

**radioprogram** s radio programme

**radiostation** s radio station

**radiostyrd** adj radio-controlled

**radiosändare** s apparat radio transmitter; sändarstation radio station

**radiotelegrafist** s radio operator

**radioterapi** s radiotherapy

**radioutsändning** s broadcast

**radium** s radium

**radon** s radon

**radskrivare** s data. line printer

**raffig** adj vard. stunning, very smart

**raffinaderi** s refinery

**raffinera** vb tr refine

**raffinerad** adj refined; elegant elegant

**rafflande** adj nervkittlande thrilling

**rafsa** vb itr, ~ *ihop* sina saker scramble...together; ~ *ihop* ett brev scribble down...

**ragata** s bitch; litt. vixen

**raggmunk** s kok. ung. potato pancake

**raggsocka** s ung. thick oversock (skiing-sock)

**ragla** vb itr stagger, reel

**ragu** s kok. ragout

**raid** s raid [*mot on*]

**rak** adj straight; upprätt erect, upright; *på ~ arm* offhand, straight off

**raka** vb tr shave; ~ *sig* shave

**rakapparat** s elektrisk shaver, electric razor

**rakblad** s razor blade

**rakborste** s shaving-brush

**raket** s rocket; *fara i väg som en ~* be off like lightning

**raketdriven** adj rocket-propelled

**raketvapen** s missile, rocket missile

**rakhyvel** s safety razor

**rakitis** s rickets sg.

**rakkniv** s razor

**rakkräm** s shaving cream

**raklång** adj, falla ~ fall flat; ligga ~ lie stretched out (full length)
**raksträcka** s straight, straight stretch äv. sport.; amer. äv. straightaway
**rakt** adv rätt straight, right, direct; alldeles quite; starkare absolutely; helt enkelt simply; gå ~ fram ...straight on; han gick ~ på sak he came straight to the point
**raktvål** s shaving soap
**rakvatten** s aftershave [lotion]
**rallare** s navvy
**rally** s bil~ motor rally, rally
**ram** s infattning frame; scope, framework; sätta inom glas och ~ frame
**rama** vb tr, ~ in frame
**ramaskri** s outcry
**ramla** vb itr falla fall, tumble; ~ av fall off
**ramp** s 1 sluttande uppfart ramp 2 teat.: golvramp footlights pl.; takramp stage lights pl. 3 avskjutningsramp launching pad
**rampfeber** s stage fright
**rampljus** s belysning footlights pl.; stå i ~et bildl. be in the limelight
**ramponera** vb tr damage; förstöra wreck
**ramsa** s jingle, string of words (names); barnramsa nursery rhyme
**ranch** s ranch
**rand** s streck etc. stripe; kant edge; brädd brim, brink; ränderna går aldrig ur a leopard cannot change its spots
**randig** adj striped; om fläsk streaky
**rang** s rank; företrädesrätt precedence; en konstnär av första ~ a first-rate artist
**ranka** vb tr rangordna rank
**rankningslista** s ranking list
**rannsaka** vb tr search, examine; jur. try
**rannsakan** s o. **rannsakning** s search; jur. trial
**ranson** s ration
**ransonera** vb tr ration
**ransonering** s rationing
**ranunkel** s buttercup
**rapa** vb itr belch
**rapning** s belch
**1 rapp** s slag blow; snärt lash; starkare stroke
**2 rapp** adj quick; flink nimble
**rappa** vb tr kalkslå plaster
**rapphöna** s o. **rapphöns** s partridge
**rapport** s report; redogörelse account; avlägga ~ om ngt report on a th.
**rapportera** vb tr report [om on]
**raps** s rape
**rapsodi** s rhapsody
**rar** adj snäll nice; vänlig kind; söt sweet
**raring** s darling, love, honey

**raritet** s rarity
**1 ras** s race; om djur breed; stam stock
**2 ras** s landslide; av byggnad collapse
**rasa** vb itr 1 störta, ~ el. ~ ned fall down; störta ihop collapse; störta in cave in 2 om vind etc. rage
**rasande** adj furious
**rasblandning** s mixture of races (av djur breeds)
**rasdiskriminering** s racial discrimination
**rasera** vb tr riva ned demolish; förstöra destroy; jämna med marken raze, lay...in ruins; bildl., t.ex. tullmurar abolish
**raseri** s fury, frenzy; vrede rage; stormens raging
**raseriutbrott** s fit of rage
**rasfördom** s racial prejudice
**rasförföljelse** s racial persecution
**rashat** s racial (race) hatred
**rashund** s pedigree dog
**rashäst** s thoroughbred
**rasism** s racialism, racism
**rasist** s racialist, racist
**rask** adj snabb quick, fast
**raska** vb itr, ~ på hurry, hurry up
**raskatt** s pedigree cat
**rasp** s verktyg o. ljud rasp
**raspolitik** s racial (race) policy
**rassla** vb itr skramla rattle; slamra clatter; prassla rustle
**rast** s paus break; frukostrast break, break for lunch
**rasta I** vb tr motionera exercise; ~ hunden air the dog **II** vb itr ta rast have a break, rest
**rastlös** adj restless
**rastplats** s o. **rastställe** s vid vägen för bilister lay-by
**rata** vb tr reject
**ratificera** vb tr ratify
**ratificering** s ratification
**rationalisera** vb tr rationalize
**rationalisering** s rationalization
**rationell** adj rational
**ratt** s wheel; bil., sjö. etc. äv. steering-wheel; på TV, radio etc. knob
**rattfull** adj, föraren var ~ ...drove while under the influence of drink
**rattfylleri** s drink-driving
**rattfyllerist** s drink-driver
**rattlås** s steering lock
**rattstång** s steering-column
**ravin** s ravine
**rayon** s textil. rayon
**razzia** s raid

**rea** vard., se *realisation, realisera*

**reagera** *vb itr* react [*för, på* to]

**reaktion** *s* reaction

**reaktionsförmåga** *s* ability to react

**reaktionär** *adj* o. *s* reactionary

**reaktor** *s* nuclear reactor, reactor

**realinkomst** *s* real income

**realisation** *s* sale, bargain sale

**realisationsvinst** *s* capital gain

**realisera** I *vb tr* **1** sälja till nedsatt pris sell off **2** förverkliga realize, carry out II *vb itr* hold (have) sales

**realism** *s* realism

**realistisk** *adj* realistic

**realitet** *s* reality

**reallön** *s* real wages pl.

**realvärde** *s* real value

**rebell** *s* rebel

**rebus** *s* picture puzzle

**recensent** *s* critic, reviewer

**recensera** *vb tr* review

**recension** *s* review

**recept** *s* **1** med. prescription **2** kok. o. bildl. recipe [*på* for]

**receptbelagd** *adj* …obtainable only on a doctor's prescription

**receptfri** *adj* …obtainable without a doctor's prescription

**reception** *s* **1** mottagning reception **2** på hotell reception desk

**recettmatch** *s* sport. benefit (testimonial) match

**reciprok** *adj* reciprocal

**reda** I *s* ordning order; *få ~ på* få veta find out, get to know; *ha ~ på ngt* know a th.; *hålla ~ på* hålla uppsikt över look after; hålla sig à jour med keep up with; *ta ~ på* a) utforska find out b) ta hand om see to II *adj*, *~ pengar* ready money, hard cash III *vb tr* ordna, t.ex. bo, måltid prepare; *~ upp* lösa upp unravel; *~ ut* klarlägga explain

**redaktion** *s* personal editorial staff; editors pl.

**redaktör** *s* editor

**redan** *adv* already; så tidigt som as early as; till och med even; *~ då jag kom in* märkte jag… the moment I entered…; *~ följande dag* the very next day; *~ som barn* while still a child, even as a child

**redare** *s* shipowner

**rede** *s* bo nest

**rederi** *s* företag shipping company

**redig** *adj* klar clear; tydlig plain

**redigera** *vb tr* edit; avfatta write

**redlöst** *adv*, *~ berusad* blind drunk

**redning** *s* kok. thickening

**redo** *adj* färdig ready; beredd prepared

**redogöra** *vb itr*, *~ för ngt* account for a th., describe (give an account of) a th.

**redogörelse** *s* account [*för* of]; report [*för* on]

**redovisa** *vb tr* o. *vb itr*, *~ ngt* el. *~ för ngt* account for a th.

**redovisning** *s* account

**redskap** *s* verktyg tool; speciellt hushålls~ utensil; koll. equipment

**reducera** *vb tr* reduce; förminska diminish; sänka t.ex. priser cut, lower

**reducering** *s* reduction

**reduceringsmål** *s* sport., *få ett ~* pull one back

**reduktion** *s* reduction; sänkning av t.ex. priser cut

**reell** *adj* verklig real; faktisk äv. actual

**referat** *s* redogörelse account, report; översikt review; i radio commentary

**referendum** *s* referendum (pl. äv. referenda)

**referens** *s* reference

**referensram** *s* frame of reference

**referera** I *vb tr*, *~ ngt* report a th.; *~ en match* sport. commentate on (cover) a match II *vb itr*, *~ till* ngn (ngt) refer to…

**reflektera** I *vb tr* reflect II *vb itr* fundera reflect [*över ngt* on a th.]; tänka think [*över ngt* about a th.]; *~ på att* sluta think of leaving

**reflex** *s* reflex; återspegling reflection

**reflexanordning** *s* på fordon rear reflector

**reflexband** *s* luminous tape

**reflexbricka** *s* luminous (reflector) tag (disc)

**reflexion** *s* **1** fys. reflection **2** begrundan reflection; anmärkning observation

**reflexiv** *adj* gram. reflexive

**reflexrörelse** *s* reflex movement, reflex

**reform** *s* reform; nydaning reorganization

**reformera** *vb tr* reform; nydana reorganize

**refräng** *s* refrain, chorus

**refug** *s* trafik. traffic island, refuge

**refusera** *vb tr* förkasta reject, turn down

**regatta** *s* regatta

**1 regel** *s* på dörr bolt

**2 regel** *s* rule; föreskrift regulation; *i (som) ~* as a rule

**regelbunden** *adj* o. **regelmässig** *adj* regular; ordnad settled

**regelrätt** *adj* regular; enligt reglerna …according to rule (the rules)

**regelvidrig** *adj* …against the rules

**regemente** *s* mil. regiment

**regera** *vb tr* o. *vb itr* härska rule; styra
govern; vara kung etc. reign
**regering** *s* government; styrelse rule; monarks
regeringstid reign
**regeringschef** *s* head of government
**regeringskris** *s* government crisis
**regeringsparti** *s* government party
**regeringsställning** *s*, *i* ~ in power (office)
**regeringstid** *s* monarks reign
**regi** *s* **1** teat., *i B:s* ~ produced (directed)
by B **2** ledning, *i egen (privat)* ~ under
private management; *i universitetets
regi* arranged (conducted) by the
university
**regim** *s* regime; ledning management
**region** *s* region
**regional** *adj* regional
**regissera** *vb tr* teat. el. film. direct; britt. teat.
äv. produce
**regissör** *s* teat. el. film. director; britt.äv.
producer
**register** *s* register; förteckning list; i bok index
**registrera** *vb tr* register
**registrering** *s* registration
**registreringsbevis** *s* för motorfordon
certificate of registration
**registreringsnummer** *s* registration
number
**registreringsskylt** *s* number (amer. license)
plate
**regla** *vb tr* med regel bolt; låsa lock
**reglage** *s* regulator; spak lever
**reglemente** *s* regulations pl.
**reglera** *vb tr* regulate; justera adjust; fastställa
fix; göra upp, t.ex. arbetstvist settle; *~d
arbetstid* regulated working hours
**reglering** *s* **1** reglerande regulating,
regulation; justerande adjustment;
fastställande fixing; uppgörelse settlement
**2** menstruation period, menstruation
**regn** *s* rain; *det ser ut att bli* ~ it looks like
rain
**regna** *vb itr* rain; *låtsas som om det ~r*
take no notice
**regnblandad** *adj*, ~ *snö* sleet
**regnbåge** *s* rainbow
**regndroppe** *s* raindrop
**regnig** *adj* rainy
**regnkappa** *s* raincoat
**regnmätare** *s* rain gauge
**regnområde** *s* area of rain
**regnskog** *s* rain forest
**regnskur** *s* shower, shower of rain; häftig
downpour
**regnställ** *s* rainsuit

**regntät** *adj* raintight
**regnväder** *s* rainy weather
**reguljär** *adj* regular
**rehabilitera** *vb tr* rehabilitate
**rejäl** *adj* **1** pålitlig reliable; redbar honest **2** *en
~ förkylning* a nasty cold; *en ~
prissänkning* a substantial reduction
**rek** *s* brev registered letter
**reklam** *s* annonsering etc. advertising,
publicity (båda end. sg.); konkret
advertisement; *göra* ~ advertise [*för ngt*
a th.]
**reklamation** *s* klagomål complaint;
ersättningsanspråk claim
**reklambyrå** *s* advertising agency
**reklamera** *vb tr* klaga på make a complaint
about; kräva ersättning för put in a claim for
**reklamerbjudande** *s* special offer
**reklamfilm** *s* advertising film
**reklamkampanj** *s* advertising campaign
**reklampris** *s* bargain price
**reklam-TV** *s* commercial television
**rekommendation** *s* **1** anbefallning
recommendation **2** post. registration
**rekommendera** *vb tr* **1** anbefalla recommend
**2** post., *~t brev* registered letter, amer.
certified mail
**rekonstruera** *vb tr* reconstruct
**rekord** *s* record; *slå* ~ *i* ngt beat (break)
the...record; *sätta* ~ set up a record
**rekordartad** *adj* record...; oöverträffad
unprecedented
**rekordförsök** *s* attempt at the (resp. a)
record
**rekordhållare** *s* record-holder
**rekordhög** *adj*, *~a priser* record (sky-high)
prices
**rekordpublik** *s* record crowd (på teater o.d.
audience)
**rekordtid** *s* record time
**rekreation** *s* recreation; vila rest
**rekryt** *s* recruit; värnpliktig conscript
**rekrytera** *vb tr* recruit
**rekrytering** *s* recruitment
**rektangel** *s* rectangle
**rektangulär** *adj* rectangular
**rektor** *s* vid skola headmaster; kvinnlig
headmistress; vid institut o. fackhögskolor
principal, director; vid högskola rector
**rektorsexpedition** *s* headmaster's study
**rekviem** *s* requiem
**rekvirera** *vb tr* beställa order; skicka efter send
for; begära ask for
**rekvisita** *s* teat. el. film. properties pl.
**rekvisition** *s* beställning order

**relatera** *vb tr* relate, give an account of
**relation** *s* **1** redogörelse account, report
**2** förhållande relation; intimare, mellan personer
relationship; *stå i ~ till* be related to
**relativ** *adj* relative äv. gram.
**relativt** *adv* relatively
**relevans** *s* relevance
**relevant** *adj* relevant [*för* to]
**relief** *s* relief
**religion** *s* religion; tro faith
**religionskunskap** *s* skol. religion
**religiös** *adj* religious
**relik** *s* relic
**reling** *s* sjö. gunwale
**relä** *s* relay
**rem** *s* strap; livrem belt; drivrem belt
**remi** *s* schack draw
**remiss** *s* **1** parl., *sända på ~ till...* refer
to...for consideration **2** med. referral,
letter of introduction; sjukhus~ note of
admission
**remissdebatt** *s* full-dress debate on the
budget and the Government's policy
**remittera** *vb tr* refer
**remsa** *s* strip; strimla ribbon; telegraf~ tape
**1 ren** *s* dikesren ditch bank; landsvägsren
verge, speciellt amer. shoulder
**2 ren** *s* zool. reindeer (pl. lika)
**3 ren** *adj* clean; oblandad pure; outspädd
neat; bildl. pure; förstärkande äv. mere,
sheer; *~ choklad* ordinary chocolate; *en
~ förlust* a dead loss; det är *~a (~a rama)
lögnen* ...a downright (sheer) lie; *ett ~t
samvete* a clear conscience; *~a
sanningen* the plain (absolute) truth; *en
~ slump* a mere chance; *~t spel* fair play;
*~ vinst* net (clear) profit; *göra ~t* städa etc.
clean up
**rena** *vb tr* clean; vätska o. bildl. purify
**rendera** *vb tr* t.ex. obehag cause; t.ex. åtal
bring
**rendezvous** *s* rendezvous (pl. lika); träff date
**rengöra** *vb tr* clean; tvätta wash; golv scrub
**rengöring** *s* cleaning, washing, scrubbing
**rengöringskräm** *s* för ansiktet cold cream,
cleansing cream
**rengöringsmedel** *s* cleaning agent, cleanser
**renhet** *s* cleanness; om t.ex. vatten, luft purity
äv. bildl.
**renhållning** *s* cleaning; sophämtning refuse
(amer. garbage) collection
**renhållningsarbetare** *s* refuse (amer.
garbage) collector
**renhållningsverk** *s* public cleansing
department

**renhårig** *adj* ärlig honest
**rening** *s* cleaning; kem. o. bildl. purification
**renkött** *s* reindeer meat
**renlig** *adj* cleanly
**renodla** *vb tr* cultivate; förfina refine; *~d*
pure; bildl. absolute, downright
**renommé** *s* reputation, repute; *ha gott
(dåligt) ~* have a good (bad) reputation
(name)
**renovera** *vb tr* renovate
**renovering** *s* renovation
**rensa** *vb tr* rengöra clean; fågel draw; bär
pick; magen o. bildl. purge; *~ luften* bildl.
clear the air; *~ el. ~ bort ogräs* weed; *~
bort* remove; *~ ut* bildl. weed out
**rent** *adv* **1** cleanly; *tala ~* talk properly
**2** alldeles quite, completely; *~ av* faktiskt
actually; till och med even; det är *~ av en
skandal* ...a downright scandal; *~ ut*
plainly, outright; *~ ut sagt* to use plain
language
**rentvå** *vb tr* bildl. clear [*från* of]
**renässans** *s* **1** renaissance; förnyelse revival
**2** *~en* hist. the Renaissance
**reorganisera** *vb tr* reorganize
**rep** *s* rope; lina cord; *hoppa ~* skip, amer.
jump rope
**repa I** *s* scratch **II** *vb tr* rispa scratch **III** *vb
rfl*, *~ sig* ta upp sig improve; tillfriskna
recover [*efter* from]
**reparation** *s* repair, repairs pl.; lagning
mending
**reparationsverkstad** *s* repair workshop; för
bilar ofta garage
**reparatör** *s* repairer, repairman
**reparera** *vb tr* repair; laga mend, amer. äv.
fix
**repertoar** *s* repertoire; spelplan programme
**repetera** *vb tr* upprepa repeat; skol. revise;
teat., öva in rehearse
**repetition** *s* upprepning repetition; skol.
revision; teat. rehearsal
**repetitionskurs** *s* refresher course
**repetitionsövning** *s* mil. military refresher
course
**repig** *adj* scratched
**replik** *s* reply, answer; teat. line
**replikera** *vb tr* reply, answer
**repmånad** *s* mil., *göra ~* do one's military
refresher course
**reportage** *s* i tidning etc. report; i radio
commentary; i TV ung. live transmission;
bearbetat, i radio o. TV documentary
**reportagefilm** *s* documentary
**reporter** *s* reporter

**representant** *s* representative [*för* of]; parl. member, deputy

**representanthuset** *s* the House of Representatives

**representation** *s* **1** polit. etc. representation **2** värdskap entertainment

**representationskostnader** *s pl* entertainment expenses

**representativ** *adj* representative; typisk typical; stilig, värdig distinguished

**representera I** *vb tr* företräda, motsvara represent **II** *vb itr* utöva värdskap entertain

**repressalier** *s pl* reprisals

**reprimand** *s* reprimand; svagare rebuke

**repris** *s* av pjäs o. film revival; av radio- o. TV-program repeat; sport. (TV) i slowmotion action replay; *programmet ges i ~* nästa vecka there will be a repeat of the programme...

**reproducera** *vb tr* reproduce

**reproduktion** *s* reproduction

**reptil** *s* reptile

**republik** *s* republic

**republikan** *s* republican

**republikansk** *adj* republican

**repövning** *s* mil. military refresher course

**1 resa I** *s* speciellt till lands journey; till sjöss voyage; överresa crossing; vard., om alla slags resor trip; med bil ride, trip; med flyg flight; *resor* speciellt längre travels; *enkel ~ kostar* 90 kr the single fare is...; *lycklig ~!* pleasant journey!, bon voyage! **II** *vb itr* färdas travel, journey; med ortsbestämning vanl. go [*till* to]; avresa leave, depart [*till* for]; *~ över* Atlanten cross... □ *~* **bort** go away [*från* from]; *han är bortrest* he has gone away; *~* **förbi** go past (by); passera pass; *~* **igenom** pass through

**2 resa I** *vb tr, ~* el. *~ upp* sätta upp raise; *~ ett tält* pitch a tent; *~ på sig* get (stand) up **II** *vb rfl, ~ sig* stiga upp rise, get (stand) up, get on one's feet; *~ sig* el. *~ sig upp i sängen* sit up in bed; om håret stand on end

**resande** *s* **1** det att resa travel, travelling **2** resenär traveller; passagerare passenger

**resebroschyr** *s* travel (holiday) brochure

**resebyrå** *s* travel agency

**resecheck** *s* traveller's cheque (amer. check)

**reseda** *s* mignonette

**reseersättning** *s* compensation for travelling expenses

**reseeffekter** *s pl* luggage, baggage (båda sg.)

**reseförsäkring** *s* travel insurance

**resehandbok** *s* guide

**resekostnad** *s, ~er* cost sg. of travelling, travelling expenses pl.

**reseledare** *s* guide, tour leader, courier

**resenär** *s* traveller; passagerare passenger

**reseradio** *s* portable radio

**reserv** *s* reserve

**reservat** *s* reserve, national park

**reservation** *s* **1** protest protest **2** reservation; *med en viss ~* with a certain reservation; *med ~ för* fel barring (allowing for)...

**reservdel** *s* spare part

**reservdäck** *s* för bil etc. spare tyre (amer. tire)

**reservera** *vb tr* reserve; hålla i reserv keep...in reserve; förhandsbeställa book; belägga (plats) take

**reserverad** *adj* reserved

**reservnyckel** *s* spare key

**reservoar** *s* reservoir; cistern cistern

**reservoarpenna** *s* fountain pen

**reservutgång** *s* emergency exit (door)

**reseskildring** *s* bok travel book

**reseskrivmaskin** *s* portable typewriter

**reseur** *s* travel alarm clock

**resfeber** *s, ha ~* be nervous (excited) before a journey

**resgods** *s* luggage, baggage

**resgodsexpedition** *s* luggage (baggage) office

**resgodsförsäkring** *s* luggage (baggage) insurance

**resgodsförvaring** *s* o. **resgodsinlämning** *s* konkret left-luggage office, cloakroom, amer. checkroom

**residens** *s* residence; säte seat

**resignation** *s* resignation

**resignera** *vb itr* foga sig resign oneself [*inför* to]

**resignerad** *adj* resigned

**reslig** *adj* tall; lång o. ståtlig stately

**resning** *s* **1** uppresande raising **2** höjd elevation **3** uppror rising, revolt **4** jur. new trial

**resolut** *adj* beslutsam resolute, determined

**resolution** *s* resolution [*om ngt* on a th.]

**reson** *s* reason; *ta ~* listen to reason

**resonans** *s* resonance

**resonemang** *s* diskussion discussion; samtal talk, conversation; tankegång reasoning, argument, line of argument

**resonera** *vb itr* discuss, talk; argumentera reason, argue

**resonlig** *adj* reasonable

**respekt** *s* respect; aktning esteem

**respektabel** *adj* respectable; anständig decent

**respektera** *vb tr* respect

**respektingivande** *adj* ...that commands respect; imponerande imposing

**respektive I** *adj* respective **II** *adv* respectively; *de kostar ~ 30 och 40 kronor (30 ~ 40 kronor)* ...30 and 40 kronor respectively

**respektlös** *adj* disrespectful

**respirator** *s* respirator

**respons** *s* response

**resrutt** *s* route

**ressällskap** *s* **1** *få (göra) ~ till* Rom travel together to... **2** person travelling companion; grupp party of tourists

**rest** *s* remainder, rest; surplus; kvarleva remnant; *~er* av mat leftovers; *för ~en* för övrigt besides, furthermore; för den delen for that matter

**restaurang** *s* restaurant

**restaurangvagn** *s* dining-car, diner, restaurant-car

**restaurera** *vb tr* restore

**restaurering** *s* restoration

**restera** *vb itr* remain

**resterande** *adj* remaining

**restid** *s* åtgående tid travelling time

**restlager** *s* surplus stock

**restriktion** *s* restriction

**restriktiv** *adj* restrictive

**restskatt** *s* unpaid tax arrears pl., back tax

**resultat** *s* result; utgång, utfall outcome

**resultatlös** *adj* fruktlös fruitless, futile

**resultera** *vb itr* result [*i* in]

**resumé** *s* résumé

**resurs** *s* resource; *~er* penningmedel means

**resväska** *s* suitcase

**resår** *s* **1** spiralfjäder coil spring **2** gummiband elastic

**resårband** *s* elastic; *ett ~* a piece of elastic

**resårbotten** *s* sprung bed

**resårmadrass** *s* spring interior mattress

**reta** *vb tr* **1** framkalla retning irritate; stimulera stimulate; *~ aptiten* whet the appetite **2** förarga, *~* el. *~ upp* irritate, annoy

**retas** *vb itr dep* tease

**retfull** *adj* irritating, annoying

**rethosta** *s* dry (nervous) cough

**retirera** *vb itr* retreat, retire, withdraw

**retlig** *adj* lättretad irritable; lättstött touchy

**retorik** *s* rhetoric

**retorisk** *adj* rhetorical

**retroaktiv** *adj* retrospective, retroactive

**reträtt** *s* mil. o. bildl. retreat; *slå till ~* retreat

**retsam** *adj* irritating, annoying

**retsticka** *s* tease

**retur** *s* **1** tur och *~* se under *2 tur* 2 **2** *~ avsändaren* return to sender; *vara på ~* i avtagande be decreasing (on the decline) **3** sport., returmatch return match (game); returboll i tennis etc. return

**returbiljett** *s* return (amer. round-trip) ticket

**returglas** *s* returnable bottle

**returmatch** *s* return match

**returnera** *vb tr* return, send back

**returpapper** *s* waste paper [for recycling]

**retuschera** *vb tr* retouch

**reumatiker** *s* rheumatic

**reumatisk** *adj* rheumatic

**reumatism** *s* rheumatism

**1 rev** *s* fiske. fishing-line

**2 rev** *s* sandrev, klipprev reef

**1 reva** *s* ranka tendril; utlöpare runner

**2 reva** *s* rämna tear, rent, rip

**3 reva** *vb tr* sjö. reef

**revalvera** *vb tr* revalue

**revalvering** *s* revaluation

**revansch** *s* revenge

**revben** *s* rib

**revbensspjäll** *s* kok. spareribs pl.

**revelj** *s* mil. reveille

**revers** *s* hand. promissory note

**revidera** *vb tr* revise; räkenskaper audit; priser readjust

**revir** *s* jaktområde preserves pl.; djurs territory

**revision** *s* revision; av räkenskaper audit

**revisionsbyrå** *s* firm of accountants

**revisor** *s* auditor; *auktoriserad ~* chartered (certified) accountant, amer. certified public acccountant

**revolt** *s* revolt

**revoltera** *vb itr* revolt

**revolution** *s* revolution

**revolutionera** *vb tr* revolutionize; *~nde* epokgörande revolutionary

**revolutionär** *adj* o. *s* revolutionary

**revolver** *s* revolver, gun

**revorm** *s* med. ringworm

**revy** *s* review; teat. revue, show

**revär** *s* stripe

**Rhen** the Rhine

**rhododendron** *s* rhododendron

**Rhodos** Rhodes

**ribba** *s* lath; vid höjdhopp bar

**ribbstickad** *adj* rib-knitted

**ribbstol** *s* wall bars pl.

**ricinolja** s castor oil
**rida** vb itr o. vb tr ride
**ridande** adj, ~ **polis** mounted police
**ridbyxor** s pl riding-breeches
**riddare** s knight
**riddarsporre** s bot. delphinium
**ridhjälm** s riding helmet
**ridhus** s riding school
**ridhäst** s saddle (riding) horse
**ridning** s riding
**ridskola** s riding school
**ridsport** s riding
**ridspö** s riding-whip, horsewhip
**ridstövel** s riding-boot
**ridtur** s ride
**ridå** s curtain äv. bildl.
**rigg** s sjö. rigging, tackling
**rigid** adj rigid
**rigorös** adj rigorous, strict, severe
**rik** adj rich; mycket förmögen äv. wealthy; om
jordmån, fantasi fertile; ~ **på** rich in, full of;
**bli** ~ get rich, make money; **de ~a** the
rich
**rike** s stat state, country, realm; kungadöme,
o. relig. kingdom; kejsardöme empire;
**Sveriges** ~ the Kingdom of Sweden
**rikedom** s **1** förmögenhet wealth (end. sg.),
fortune, riches pl. **2** abstrakt richness [på
in], wealth [på of]; ymnighet abundance
**riklig** adj abundant, ample; rik rich; ~t
**med** mat plenty of...
**riksbank** s, **Sveriges R~** el. **Riksbanken**
the Bank of Sweden
**riksdag** s, ~**en** el. **Sveriges Riksdag** the
Riksdag, the Swedish Parliament
**riksdagshus** s, ~**et** the Riksdag
(Parliament) building
**riksdagsledamot** s o. **riksdagsman** s
member of the Riksdag, member of
parliament
**riksdagsval** s general election
**riksgräns** s frontier, border
**rikssamtal** s long-distance (national) call
**Riksskatteverket** s the National
[Swedish] Tax Board
**riksspråk** s standard language; **det
svenska** ~**et** Standard Swedish
**rikssvenska** s Standard Swedish
**riksväg** s main (arterial) road
**riksåklagare** s Prosecutor-General, Chief
Public Prosecutor
**rikta I** vb tr vända åt visst håll direct; vapen etc.
aim, level, point [mot i samtliga fall at]; räta
straighten; ~ **in** t.ex. kikare etc. train [mot
on] **II** vb rfl, ~ **sig** vända sig address

oneself; om bok etc. be intended [till for];
om kritik be directed [mot against]
**riktig** adj rätt right, proper; felfri correct;
berättigad justified; förstärkande: äkta real,
regular; ordentlig proper; **det är inte** ~**t
mot honom** it is not fair on him; de slogs
**på** ~**t** på allvar ...in earnest
**riktigt** adv korrekt correctly; verkligen really;
alldeles, ganska quite; ordentligt properly;
mycket very; **jag mår inte** ~ **bra** I am not
feeling quite well; saken är **inte** ~ **skött**
...not properly handled; det är ~ **synd** ...a
real (really a) pity; **göra en sak** ~ do a
thing right
**riktlinje** s bildl., **dra upp** ~**rna för ngt** lay
down the general outlines for a th.
**riktmärke** s aim, objective [för of]
**riktning** s **1** direction; **i** ~ **mot...** in the
direction of... **2** direction; linje line, lines
pl.; vändning turn; rörelse movement
**riktnummer** s tele. dialling (amer. area) code
**riktpunkt** s objective, aim [för of]
**rim** s rhyme
**rimfrost** s hoarfrost, rime, white frost
**rimlig** adj skälig reasonable; sannolik
probable
**rimligen** adv o. **rimligtvis** adv reasonably;
sannolikt quite likely
**1 rimma** vb itr rhyme [på with, to]; stämma
agree, tally
**2 rimma** vb tr kok. salt...lightly
**ring** s ring; på bil etc. tyre, amer. tire; kring
solen o. månen halo (pl. -s el. -es); sport. ring
**1 ringa** adj liten small, slight; obetydlig
trifling; **av** ~ **intresse** of little interest;
**inte det** ~**ste tvivel** not the slightest
doubt; **inte det** ~**ste** inte alls not in the
least
**2 ringa** vb tr o. vb itr ring; klämta toll; ~ **ett
samtal** make a phone-call; ~ **på** (i)
**klockan** ring the bell
□ ~ **på hos ngn** ring a p.'s doorbell; ~ **upp**
ngn ring (call) a p. up
**ringakta** vb tr person despise; sak disregard
**ringaktning** s contempt, disregard
**ringblomma** s marigold
**ringfinger** s ring finger
**ringhörna** s corner of a (resp. the) ring
**ringklocka** s bell; dörrklocka doorbell
**ringla** vb itr o. vb rfl, ~ **sig** om t.ex. väg, kö
wind; om hår, rök curl
**ringled** s trafik., se **kringfartsled**
**ringlek** s ring game
**ringning** s ringing
**ringtryck** s bil. tyre (amer. tire) pressure

**rinna** *vb itr* run; flyta äv. flow; strömma äv. stream

   □ ~ **bort** run away; ~ **i väg** om tid slip away; ~ **ut:** *floden rinner ut i* havet the river flows into...; ~ *ut i sanden* bildl. come to nothing; ~ **över** flow (run) over

**ripa** *s* grouse (pl. lika)

**1 ris** *s* sädesslag rice

**2 ris** *s* **1** kvistar twigs pl. **2** till aga rod

**risgryn** *s* koll. rice; *ett* ~ a grain of rice

**risgrynsgröt** *s* [boiled] rice pudding

**risig** *adj* **1** snårig scrubby, ...full of dry twigs **2** vard., förfallen tumbledown, ramshackle; ovårdad, sjabbig shabby; *känna sig* ~ feel lousy

**risk** *s* risk [*för* of]; *på egen* ~ at one's own risk; *löpa ~en att* inf. run the risk of ing-form

**riskabel** *adj* risky; farlig dangerous

**riskera** *vb tr* risk; ~ *att falla* risk falling

**riskfylld** *adj* risky; farlig dangerous

**risotto** *s* kok. risotto (pl. ~s)

**rispa I** *s* scratch; i tyg rent **II** *vb tr* scratch

**rista** *vb tr* skära carve, cut; ~ *in* med nål etc. engrave [*i* on]

**rit** *s* rite

**rita** *vb tr* draw; göra ritning till design; ~ *av* draw; kopiera copy; ~ *upp* (*ut*) draw

**ritare** *s* draughtsman

**ritning** *s* drawing; byggn. äv. design

**ritt** *s* ride, riding-tour

**ritual** *s* ritual

**riva** *vb tr* **1** klösa scratch; om rovdjur claw; med rivjärn grate; slita tear **2** t.ex. hus pull down

   □ ~ **av a)** tear (rip, strip) off; ~ *av ett blad på* almanackan tear a leaf off... **b)** vard., ~ *av* en låt tear off...; ~ **loss (lös)** tear (rip) off; ~ **ned** tear down; ~ **omkull** knock down; ~ **sönder** tear; ~ **upp** öppna tear (rip) open; gata etc. take up; ~ *upp ett beslut* cancel (go back on) a decision

**rival** *s* rival [*om* of]

**rivalisera** *vb itr*, ~ *med ngn om ngt* compete with a p. for a th.

**rivalitet** *s* rivalry

**Rivieran** the Riviera

**rivig** *adj* **1** med schwung swinging, lively **2** om person ...full of go

**rivjärn** *s* grater

**rivning** *s* rasering demolition, pulling down

**rivningshus** *s* house to be demolished

**rivstart** *s* flying start, bildl. äv. jumpstart; *starta med en* ~ tear away (off), jumpstart äv. bildl.

**rivstarta** *vb itr* tear away (off); bildl. make a flying start

**rivöppnare** *s* ring-opener, pop-top, pull-tab

**1 ro** *s* vila rest; frid peace; stillhet stillness; *jag får ingen* ~ *för honom* he gives me no peace; *slå sig till* ~ make oneself comfortable; dra sig tillbaka settle down

**2 ro** *vb tr* o. *vb itr* row

**roa I** *vb tr* amuse; underhålla entertain; *vara ~d av att dansa* like (enjoy) dancing **II** *vb rfl*, ~ *sig* amuse oneself

**robbert** *s* kortsp. rubber

**robot** *s* människa robot; mil. guided missile

**robotbas** *s* guided missile base

**robotvapen** *s* guided missile

**robust** *adj* robust, sturdy

**1 rock** *s* coat; *vara för kort i ~en* be too short, ej duga not be up to the mark (job)

**2 rock** *s* mus. rock, rock music

**rocka** *s* fisk ray; speciellt ätlig skate

**rockficka** *s* coat pocket

**rockhängare** *s* galge coat-hanger; krok coat-hook; i rock tab

**rockmusik** *s* rock, rock music

**rockvaktmästare** *s* cloak-room attendant

**rococo** *s*, ~*n* the Rococo period

**rodd** *s* rowing

**roddare** *s* oarsman, rower

**roddbåt** *s* rowing (row) boat

**roddsport** *s* rowing

**roddtur** *s* row, pull

**roddtävling** *s* rowing-match

**rodel** *s* sport. toboggan; sportgren tobogganing

**roder** *s* roderblad rudder; hela styrinrättningen helm; *lyda* ~ answer the helm

**rodna** *vb itr* turn red, redden; om person, av blygsel etc. blush; av t.ex. ilska flush [*av* with]

**rodnad** *s* hos sak redness (end. sg.); hos person blush, flush

**rododendron** *s* rhododendron

**roffa** *vb tr* rob [*ngt från ngn* a p. of a th.]; ~ *åt sig* grab

**rofferi** *s* robbery

**rojalism** *s* royalism

**rojalist** *s* royalist

**rojalistisk** *adj* royalist, royalistic

**rokoko** *s* rococo; ~*n* the Rococo period

**rolig** *adj* skojig funny; trevlig nice, pleasant; roande amusing; *det var ~t att få träffa dig* it was nice to meet you; *det var ~t att höra* I am glad to hear it; *så ~t!* how nice!; så skojigt what fun!

**rolighetsminister** s funny man, joker, wag
**roligt** adv amusingly; **ha ~t** enjoy oneself, have fun
**roll** s part, role; **~erna är ombytta** the tables are turned; **det spelar ingen ~** it does not matter; **det har spelat ut sin ~** it has had its day
**rollator** s walking frame, walker
**rollista** s cast
**rollspel** s role play; ~ande role-playing
**Rom** Rome
**1 rom** s fiskrom roe äv. som maträtt; spawn
**2 rom** s dryck rum
**roman** s bok novel
**romanförfattare** s novelist
**romans** s romance
**romantik** s romance
**romantisera** vb tr romanticize
**romantisk** adj romantic
**romare** s Roman
**romarriket** s the Roman Empire
**romersk** adj Roman
**romersk-katolsk** adj Roman Catholic
**rond** s round; vakts äv. beat
**rondell** s trafik. roundabout, amer. traffic circle
**rop** s call, cry; högre shout; **~ på** hjälp call (cry) for...
**ropa** vb tr o. vb itr call, call out, cry; högre shout; **~ efter ngn** call out after a p., call out to (tillkalla call) a p.; **~ på hjälp** call for help
□ **~ an** call; tele. call up; **~ ngn till sig** call a p.; **~ upp** namn read out, call over; **~ ut** meddela call out, announce
**ros** s bot. rose
**rosa** s o. adj rose, pink
**rosenbuske** s rosebush
**rosenkindad** adj rosy-cheeked
**rosenknopp** s rosebud
**rosenrasande** adj furious
**rosenröd** adj rosy, rose-red; **se allt i rosenrött** see everything through rose-coloured spectacles
**rosenträ** s rosewood
**rosenvatten** s rosewater
**rosett** s prydnad, knuten bow; rosformig rosette
**rosig** adj rosy, rose-coloured
**rosmarin** s rosemary
**rossla** vb itr wheeze, rattle
**rossling** s wheeze, rattle
**rost** s på järn o. växter rust
**1 rosta** vb itr rust, get rusty; **~ sönder** rust away

**2 rosta** vb tr roast; bröd toast; **~t bröd** toast; **en ~d brödskiva** a slice of toast
**rostbiff** s roast beef
**rostfri** adj rustless; om stål stainless
**rostig** adj rusty
**rostskydd** s rust protection; medel rust preventive
**rostskyddsmedel** s rust preventive, anti-rust agent
**rot** s root; bildl. äv. origin; **slå ~** take root
**rota** vb itr root, poke; **~ i en byrålåda** poke about in a drawer
**rotation** s rotation, revolution
**rotel** s department; inom polisen squad, division
**rotera** vb itr rotate, revolve, turn
**rotfrukt** s root vegetable
**rotfyllning** s av tand root filling
**rotfäste** s, **få ~** take root, get a roothold
**rotmos** s mashed turnips pl.
**rotselleri** s celeriac
**rotting** s cane
**rotvälska** s double Dutch
**roulett** s roulette
**rov** s prey; byte booty, loot
**rova** s bot. turnip äv. vard. om fickur
**rovdjur** s predatory animal, beast of prey
**rovfågel** s bird of prey
**rovgirig** adj rapacious, ravenous
**rubb** s, **~ och stubb** the whole lot
**rubba** vb tr flytta på move, dislodge; bringa i oordning disturb, upset; ngns förtroende etc. shake; **~ ngns planer** upset a p.'s plans
**rubbad** adj förryckt crazy
**rubbning** s störning disturbance
**rubel** s rouble
**rubin** s ruby
**rubinröd** adj ruby-red, ruby
**rubricera** vb tr förse med rubrik headline; beteckna classify
**rubrik** s i tidning headline; t.ex. i brev o. över kapitel heading
**rucka** vb tr en klocka regulate, adjust; **~ på** beslut change, modify; en sten move
**ruckel** s kyffe hovel, ramshackle house
**ruckning** s regulation, adjustment
**rudiment** s rudiment
**rudimentär** adj rudimentary
**ruff** s sport. foul
**ruffa** vb itr sport. foul
**ruffel** s, **~ och båg** vard. monkey business, hanky-panky, fiddling
**ruffig** adj **1** sport. rough, foul **2** sjaskig shabby; fallfärdig dilapidated

**rufsa** *vb tr*, ~ (~ *till*) *ngn i håret* ruffle a p.'s hair

**rufsig** *adj* ruffled, dishevelled

**ruggig** *adj* se *ruskig*

**ruin** *s* ruin

**ruinera** *vb tr* ruin

**ruinerad** *adj* ruined, bankrupt

**rulad** *s* kok. roulade, roll

**rulett** *s* roulette

**rulla I** *vb tr* o. *vb itr* roll **II** *vb rfl*, ~ *sig* roll; om blad etc. curl
□ ~ **igång** en bil jumpstart; ~ **ihop** roll up; ~ **in** vagn etc. wheel in; ~ **ned** gardin etc. pull down; ~ **upp** ngt hoprullat unroll; gardin pull up

**rullbord** *s* serving trolley

**rullbälte** *s* inertia-reel [seat-belt]

**rulle** *s* roll; trådrulle, filmrulle samt på metspö reel; *det är full* ~ it's going like a house on fire; på fest the party is in full swing

**rullgardin** *s* blind, amer. window shade, shade

**rullkrage** *s* polo neck

**rullskridsko** *s* roller-skate

**rullstol** *s* wheelchair, bath chair

**rulltrappa** *s* escalator, moving staircase

**rulltårta** *s* jam (av choklad och med smörkräm) Swiss roll, amer. jelly ( resp. chocolate) roll

**rum** *s* **1** room; uthyrningsrum lodgings pl.; logi accommodation (end. sg.); *möblerade* ~ i annons äv. furnished apartments; ~ *att hyra* rubrik äv. apartments to let **2** utrymme room; *få* ~ *med* find room for; *lämna* ~ *för ngt* make room for a th.; *ta för stort* ~ take up too much room (space); *komma i första* ~*met* come first; *äga* ~ take place

**rumba** *s* rumba; *dansa* ~ do (dance) the rumba

**rumla** *vb itr*, ~ el. ~ *om* be on the spree

**rumpa** *s* vard., stuss backside, behind

**rumsadverb** *s* adverb of place

**rumsförmedling** *s* för hotellrum etc. agency for hotel accommodation; för uthyrningsrum accommodation agency

**rumskamrat** *s* roommate

**rumsren** *adj* house-trained, speciellt amer. housebroken; bildl. regelrätt, just ...on the level

**rumstemperatur** *s* room temperature

**rumän** *s* Romanian

**Rumänien** Romania

**rumänsk** *adj* Romanian

**rumänska** *s* **1** kvinna Romanian woman **2** språk Romanian

**runa** *s* rune

**runalfabet** *s* runic alphabet

**rund I** *adj* round; knubbig plump; ~*a ord* sexord four-letter words; *i runt tal* in round numbers **II** *s* ring, circle

**runda I** *vb tr* **1** göra rund round; ~ *av* round off **2** fara (gå) runt round **II** *s*, *gå en* ~ *i parken* take a stroll round...

**rundkindad** *adj* round-cheeked

**rundlagd** *adj* plump

**rundresa** *s* circular tour

**rundtur** *s* sightseeing tour

**rundvandring** *s*, *en* ~ *i staden* a tour of (a walk round) the town

**runsten** *s* rune stone

**runt I** *adv* round; *låta ngt gå* ~ vid bordet pass a th. round **II** *prep* round; ~ *hörnet* round the corner; *året* ~ all the year round

**runtom I** *adv* round about, around; ~ *i landet* all over the country **II** *prep* round, all round

**rus** *s* intoxication; *sova* ~*et av sig* sleep it off (oneself sober); *gå i ett ständigt* ~ be in a constant state of intoxication; *i ett* ~ *av lycka* transported with joy

**rusa I** *vb itr* rush, dash **II** *vb tr*, ~ *en motor* race an engine
□ ~ **efter** hämta rush for; ~ **fram till** rush (dash) up to; ~ **förbi** rush (dash) past; ~ **i väg** rush (dash) off; ~ **upp** start up, spring to one's feet; ~ **upp ur sängen** spring out of bed

**rusdryck** *s* intoxicant

**rush** *s* rush [*efter* for]

**rusig** *adj* intoxicated [*av* with, by]

**ruska** *vb tr* o. *vb itr* shake; ~ *på huvudet* shake one's head

**ruskig** *adj* om väder nasty; motbjudande disgusting; hemsk horrible

**ruskväder** *s* nasty (foul, awful) weather

**rusning** *s* rush [*efter* for]

**rusningstid** *s* rush-hour, rush-hours pl.

**rusningstrafik** *s* rush-hour traffic

**russin** *s* raisin

**russinkaka** *s* plum cake

**rusta I** *vb tr* mil. arm; utrusta equip; speciellt fartyg fit out **II** *vb itr* prepare [*till (för)* for]; mil. arm; ~ *upp* reparera repair, do up

**rustik** *s* rustic

**rustning** *s*, *en* ~ pansar a suit of armour; *i full* ~ in full armour

**ruta** *s* **1** fyrkant square; på TV-apparat screen **2** i fönster etc. pane

**rutad** *adj*, *rutat papper* squared paper

**ruter** s kortsp. diamonds pl.; *en* ~ a diamond
**ruterdam** s the queen of diamonds
**ruterfem** s the five of diamonds
**rutig** adj checked, check...
**rutin** s experience; vana, slentrian routine
**rutinerad** adj experienced
**rutinmässig** adj routine...; *det är ~t* it is a matter of routine
**rutscha** vb itr slide, glide
**rutschbana** s o. **rutschkana** s på lekplats slide; på nöjesfält spiralformig helter-skelter; vatten chute, water chute
**rutt** s route; trafiklinje service
**rutten** adj rotten
**ruttna** vb itr rot, putrefy
**ruva** vb itr sit, brood; grubbla brood
**rya** s o. **ryamatta** s rya rug, type of long-pile rug
**ryck** s knyck jerk; dragning tug, pull
**rycka I** vb tr o. vb itr dra pull, tug; häftigare jerk, twitch; slita tear; ~ *på axlarna åt ngt* shrug one's shoulders at a th. **II** vb itr, ~ *närmare* om t.ex. fienden close in; ~ *till ngns undsättning* rush to a p.'s help □ ~ *bort* tear etc. (om döden snatch) away; ~ *fram* mil. advance; ~ *in* mil., till tjänstgöring join up; ~ *in i* ett land march into...; ~ *in i ngns ställe* take a p.'s place; ~ *loss (lös)* ngt pull (jerk)...loose; ~ *till* start, give a start; ~ *till sig* snatch; ~ *upp sig* pull oneself together; ~ *ut* om brandkår etc. turn out
**ryckig** adj knyckig jerky
**ryckning** s ryck pull, tug; sprittning twitch
**ryckvis** adv i ryck by fits and starts
**rygg** s back; *vända ngn ~en* turn one's back to (bildl. on) a p.; *gå bakom ~en på ngn* do things behind a p.'s back; *hålla ngn om ~en* bildl. support a p., back a p. up
**rygga** vb itr shrink back, flinch [*för* from]
**ryggfena** s zool. dorsal fin
**ryggmärg** s spinal marrow (cord)
**ryggrad** s backbone äv. bildl.; anat. spine
**ryggradsdjur** s vertebrate
**ryggradslös** adj om person spineless, ...without backbone; *~a djur* invertebrates
**ryggsim** s backstroke
**ryggskott** s lumbago
**ryggstöd** s support for the back; på stol back
**ryggsäck** s rucksack
**ryggtavla** s back
**ryggvärk** s backache

**ryka** vb itr smoke; *det ryker ur skorstenen* the chimney is smoking
**rykta** vb tr häst dress, groom
**ryktas** opers dep, *det ~ att...* it is rumoured that...
**ryktbar** adj renowned, famous
**ryktbarhet** s renown, fame
**rykte** s **1** kringlöpande nyhet rumour, report [*om* of]; *~t går att...* there is a rumour that... **2** allmänt omdöme om ngn (ngt) reputation; *ha gott* ~ have a good reputation; *ha* ~ *om sig att vara...* have the reputation of being...
**ryktessmidare** s o. **ryktespridare** s rumour-monger
**rymd** s **1** världsrymd space; *yttre ~en* outer space **2** rymdinnehåll capacity
**rymddräkt** s spacesuit
**rymdfarare** s space traveller
**rymdfarkost** s spacecraft (pl. lika)
**rymdflygning** s space flight
**rymdfärd** s space flight, space journey
**rymdkapsel** s space capsule
**rymdmått** s cubic measure
**rymdpilot** s space pilot
**rymdraket** s space rocket
**rymdstation** s spacestation
**rymdvarelse** s extraterrestial (förk. ET), alien
**rymdålder** s, *~n* the space age
**rymlig** adj spacious, roomy
**rymling** s fugitive, runaway, escapee
**rymma I** vb itr fly run away; om fånge etc. escape **II** vb tr kunna innehålla hold; ha plats för have room for; innefatta contain
**rymmas** vb itr dep, *de ryms i salen* there is room for them in the hall; *den ryms i fickan* it goes into the pocket
**rymning** s ur fängelse etc. escape
**rynka I** s i huden wrinkle, line; på kläder crease **II** vb tr o. vb itr, ~ *pannan* wrinkle one's forehead; ögonbrynen knit one's brows; speciellt ogillande frown; ~ *på näsan åt* turn up one's nose at **III** vb rfl, ~ *sig* om tyg crease
**rynkig** adj **1** om hud wrinkled **2** skrynklig creased
**rysa** vb itr av köld shiver; av fasa etc. shudder [*av* with]
**rysare** s thriller
**rysk** adj Russian
**ryska I** s **1** kvinna Russian woman **2** språk Russian; jfr *svenska*
**ryskfientlig** adj anti-Russian

**ryskfödd** *adj* Russian-born; för andra sammansättningar jfr äv. *svensk-*
**ryslig** *adj* dreadful, horrible, awful
**ryslighet** *s*, *~er* horrors
**rysning** *s* shiver, shudder
**ryss** *s* Russian
**Ryssland** Russia
**ryssländsk** *adj* Russian
**ryta** *vb itr* o. *vb tr* roar [*åt* at]
**rytande** *s*, *ett* ~ a roar
**rytm** *s* rhythm
**rytmisk** *adj* rhythmic, rhythmical
**ryttare** *s* rider, horseman
**ryttartävling** *s* horse-riding competition
**1 rå** *adj* **1** ej kokt el. stekt raw **2** om t.ex. silke raw; om t.ex. olja crude **3** om t.ex. skämt coarse; *den ~a styrkan* brute force
**2 rå** *vb rfl*, ~ *sig själv* be one's own master □ ~ *för: jag ~r inte för det* I cannot help it; ~ *om* äga own; ~ *på* be stronger than; *jag ~r inte på honom* I can't manage him
**råbarkad** *adj* coarse, crude, boorish
**råbiff** *s* scraped raw beef with a raw egg yolk; ung. steak tartare
**råd** *s* **1** advice (end. sg.); *ett ~* (*gott ~*) a piece of advice (good advice); *lyda ngns ~* take a p.'s advice; *fråga ngn till ~s* ask a p.'s advice **2** medel means; utväg way out; *det blir väl ingen annan ~* there will be no alternative; *han vet alltid ~* he is never at a loss **3** pengar, *jag har inte ~ till ~ (med) det* I can't afford it **4** rådsförsamling council
**råda I** *vb tr* ge råd advise; *vad råder du mig till?* what do you advise me to do? **II** *vb itr* **1** ha makten rule; disponera dispose [*över* of]; *om jag fick ~* if I had my way; omständigheter *som jag inte råder över* ...over which I have no control **2** förhärska prevail; *det råder* there is (resp. are)...
**rådande** *adj* prevailing, current; förhärskande predominant; *under ~ förhållanden* in the existing (present) circumstances; *den ~* (nuvarande) regimen the present...
**rådfråga** *vb tr* consult
**rådfrågning** *s* consultation
**rådgivare** *s* adviser
**rådgivning** *s* advice
**rådgivningsbyrå** *s* advice (information) bureau
**rådgöra** *vb itr*, ~ *med* consult (confer) with
**rådhus** *s* town (city) hall
**rådig** *adj* resolute; fyndig resourceful

**rådjur** *s* roe deer (pl. lika)
**rådlig** *adj* advisable; klok wise
**rådman** *s* jur. member of a municipal court
**rådslag** *s* deliberation, consultation
**rådvill** *adj* villrådig perplexed, ...at a loss
**råg** *s* rye
**råga I** *vb tr* heap, pile up **II** *s*, *till ~ på allt* to crown it all, on top of it all
**rågbröd** *s* rye bread
**råge** *s* full (good) measure
**rågmjöl** *s* rye flour
**rågsikt** *s* sifted rye flour
**rågummi** *s* raw rubber; till sko crêpe rubber
**1 råka** *s* zool. rook
**2 råka I** *vb tr* träffa meet; stöta ihop med run (come) across **II** *vb itr* **1** händelsevis komma att happen to; *han ~de falla* he happened to fall **2** komma, ~ *i fara* get into danger; *bilen ~de i sladdning* ...started skidding; ~ *i händerna på* fall into the hands of □ ~ *på ngn* come (run) across a p.; ~ *ut*: ~ *illa ut* get into trouble; ~ *ut för* bedragare fall into the hands of...; *jag har ~t ut för honom* tidigare I have come up against him...; ~ *ut för en olycka* meet with...
**råkas** *vb itr dep* meet
**råkost** *s* raw (uncooked) vegetables and fruit
**råma** *vb itr* moo; starkare bellow
**1 rån** *s* bakverk wafer
**2 rån** *s* robbery
**råna** *vb tr* rob; ~ *ngn på ngt* rob a p. of a th.
**rånare** *s* robber
**rånförsök** *s* attempted robbery
**rånkupp** *s* robbery
**rånmord** *s* murder with robbery
**råolja** *s* crude oil
**råris** *s* unpolished (rough) rice
**råsiden** *s* raw silk
**råtta** *s* rat; liten mouse (pl. mice)
**råttfälla** *s* mousetrap, rat-trap
**råttgift** *s* rat poison
**råvara** *s* raw material
**räcka I** *vb tr* **1** överräcka hand; *vill du ~ mig saltet* please pass me the salt; ~ *ngn handen* give a p. one's hand; ~ *varandra handen* shake hands **2** nå reach **II** *vb itr* **1** förslå be enough (sufficient), suffice [*för, till* for] **2** vara, hålla på last **3** nå reach, extend, stretch □ ~ *fram* hold (stretch) out; bilvägen *räcker inte ända fram* ...does not go all the way; *få det att ~ till* make it do; ~ *upp*

*handen* put up one's hand; *han räcker inte upp till* bordskanten he does not reach (come) up to...; ~ **ut** *handen efter ngt* reach out for a th.

**räcke** *s* på t.ex. balkong rail; på trappa: inomhus banisters pl.; utomhus railing

**räckhåll** *s, inom* ~ (~ *för ngn*) within reach (a p.'s reach)

**räckvidd** *s* reach, range

**räd** *s* raid [*mot* on]

**rädd** *adj* afraid (end. predikativt) [*för* of; *för att* to]; skrämd frightened, scared [*för* of]; alarmed; ~ *av sig* timid; *vara* ~ *om* aktsam om be careful with; t.ex. sina kläder take care of; *var* ~ *om dig!* take care of yourself!

**rädda** *vb tr* save; ur överhängande fara rescue [*från, ur, undan* from]; bevara preserve [*åt* for]; ~ *livet på ngn* save a p.'s life; hans liv *stod inte att* ~ ...was beyond saving

**räddare** *s* rescuer; befriare deliverer

**räddhågad** *adj* timid

**räddning** *s* rescue; räddande saving, rescuing

**räddningsaktion** *s* rescue action

**räddningsbåt** *s* lifeboat

**räddningskår** *s* rescue (salvage) corps; bil. breakdown service

**räddningsmanskap** *s* rescue party

**rädisa** *s* radish

**rädsla** *s* fear, dread [*för* of]

**räffla** *s* o. *vb tr* groove

**räfsa I** *s* rake **II** *vb tr* rake [*ihop* together]

**räka** *s* liten, tångräka shrimp; större prawn

**räkel** *s, en lång* ~ a lanky fellow

**räkenskap** *s, föra* ~*er* keep accounts

**räkenskapsår** *s* financial year

**räkna** *vb tr* o. *vb itr* **1** count, reckon; beräkna calculate; hans dagar *är* ~*de* ...are numbered; ~*s som* omodern be regarded as...; ~ *med ngt* vänta sig expect a th.; ta med i beräkningen allow for a th.; påräkna count (reckon, calculate) on a th.; en motståndare *att* ~ *med* ...to be reckoned with; ~*t i pund* in pounds; *i pengar* ~*t* in terms of money **2** mat. do arithmetic (sums); ~ *ett tal* do a sum **3** uppgå till number

□ ~ *efter: jag måste* ~ *efter* I must work it out; ~ **ifrån** dra av deduct; frånse leave...out of account; ~ **ihop** t.ex. pengar count up; en summa add up; ~ **med** count, count in, include; ~ **upp** nämna i ordning enumerate; pengar count out; ~ **ut** beräkna calculate, work out; fundera ut figure out;

förstå make out; boxn. count out; ~ *ut ett tal* do a sum

**räknas** *vb itr dep, han (det)* ~ *inte* he (that) does not count

**räknedosa** *s* minicalculator

**räknemaskin** *s* calculating machine, calculator

**räkneord** *s* numeral

**räknesticka** *s* slide-rule

**räknetal** *s* sum

**räkneverk** *s* counter

**räkning** *s* räknande counting; beräkning calculation; mat. arithmetic; nota bill; konto account; *en* ~ *på* 500 kr. a bill for...; *föra* ~ *över ngt* keep an account of a th.; *gå ner för* ~ boxn. o. bildl. take the count; *hålla* ~ *på ngt* keep count of a th.; *tappa* el. *tappa bort* ~*en* lose count; behålla ngt *för egen* ~ ...for oneself; *för ngns* ~ on a p.'s account (behalf); platsen hålls *för hans* ~ ...for him; *ett streck i* ~*en* an unforeseen obstacle; *ta ngt med i* ~*en* take a th. into account; *vara ur* ~*en* be out of the running

**räls** *s* rail

**rälsbuss** *s* railbus

**rämna I** *s* crack **II** *vb itr* crack, split

**1 ränna** *s* groove; avloppsränna drain; farled channel

**2 ränna** *vb itr* run; ~ *omkring (ute)* om kvällarna run about...

**rännsten** *s* gutter

**rännstensunge** *s* guttersnipe

**ränsel** *s* knapsack, rucksack

**ränta** *s* interest (end. sg.); ~ *på* ~ compound interest; *ta 15% i* ~ charge 15% interest; *mot* ~ at interest

**räntabel** *adj* interest-bearing; vinstgivande profitable

**ränteavdrag** *s* deduction of interest, tax-relief on interest

**räntefri** *adj* ...free of interest

**räntehöjning** *s* increase in the rate of interest

**ränteinkomst** *s* income from interest

**räntesats** *s* rate of interest

**räntesänkning** *s* reduction in the rate of interest

**rät** *adj* right; om linje straight; ~ *vinkel* right angle; *2* ~*a* i stickning 2 plain

**räta** *vb tr* o. *vb itr*, ~ el. ~ *ut* straighten, straighten out; ~ *på benen* stretch one's legs; ~ *ut sig* om sak become straight

**rätsida** *s* right side, face

**1 rätt** *s* maträtt dish; del av måltid course; *dagens ~* på matsedel today's special

**2 rätt** *s* **1** rättighet right; rättvisa justice; *ge ngn ~* admit that a p. is right; *kontraktet ger honom ~ till...* the contract entitles him to...; *du gjorde ~ som vägrade* you were right to refuse; *göra ~ för sig* göra nytta do one's share; betala för sig pay one's way; *ha ~* be right [*i ngt* about a th.]; *ha ~ till ngt* have a right to a th.; *komma till sin ~* do oneself justice; ta sig bra ut show to advantage; *han är i sin fulla ~* he is quite within his rights; *med ~ eller orätt* rightly or wrongly; *med all (full) ~* with perfect justice **2** rättsvetenskap law **3** domstol court, court of law

**3 rätt I** *adj* riktig right, correct; rättmätig rightful; sann, verklig true, real; *~ skall vara ~* fair is fair; *det är inte mer än ~* it's only fair; *det är ~ åt honom!* serves him right!; *göra det ~a* do what is right, do the right thing; *i ordets ~a bemärkelse* in the proper sense of the word **II** *adv* **1** korrekt rightly, correctly; *eller ~are sagt* or rather; *går din klocka ~?* is your watch right?; *höra ~* hear right; *räkna ~* antal count right; räknetal do it right; *stava ~* spell correctly **2** förstärkande quite; ganska fairly, pretty, rather; *jag tycker ~ bra om henne* I quite like her **3** rakt straight, direct, right

**rätta I** *s* **1** *med ~* rightly, justly; *finna sig till ~* settle down, find one's way about; *komma till ~* be found; *komma till ~ med* manage, handle; t.ex. problem cope with; t.ex. svårigheter overcome; *sätta sig till ~* settle oneself; *tala ngn till ~* bring a p. to reason; *visa ngn till ~* show a p. the way **2** jur., *inför ~* in court, before court; *dra ngt inför ~* bring (take) a th. to court; *stå inför ~* be on trial, stand trial; *ställas inför ~* be put on trial **II** *vb tr* o. *vb itr* **1** korrigera correct, put...right; *~ en skrivning* mark a paper; *~ till* t.ex. fel put...right, correct; missförhållande etc. remedy **2** avpassa adjust [*efter* to] **III** *vb rfl*, *~ sig till* correct oneself **2** *~ sig efter* t.ex. ngns önskningar comply with; beslut etc. abide by, go by; andra människor, omständigheterna adapt oneself to

**rättegång** *s* rannsakning trial; process legal proceedings pl.; speciellt civilmål lawsuit

**rättelse** *s* correction

**rättesnöre** *s, tjäna till ~ för ngn* serve as a guide to a p.

**rättfram** *adj* straightforward, frank

**rättfärdig** *adj* just, righteous

**rättfärdiga** *vb tr* justify

**rättighet** *s* right; befogenhet authority; jfr *spriträttigheter*

**rättika** *s* black radish

**rättmätig** *adj* om t.ex. arvinge rightful, lawful; om krav etc. legitimate

**rättning** *s* korrigering correcting; av skrivningar äv. marking

**rättrogen** *adj* faithful; friare orthodox

**rättsfall** *s* legal case

**rättshjälp** *s* legal aid

**rättsinnad** *adj* o. **rättsinnig** *adj* right-minded

**rättskrivning** *s* spelling, orthography

**rättslig** *adj* laglig legal; *på ~ väg* by legal means

**rättslärd** *adj* ...learned in the law; *en ~* a jurist

**rättslös** *adj* om pers. ...without legal rights

**rättsmedicin** *s* forensic medicine

**rättspsykiater** *s* forensic psychiatrist

**rättssal** *s* court, courtroom

**rättssamhälle** *s* community governed by law (founded on the rule of law)

**rättsskydd** *s* legal protection

**rättstavning** *s* spelling, orthography

**rättsväsen** *s* judicial system

**rättvis** *adj* just [*mot* to]; skälig fair; opartisk impartial

**rättvisa** *s* justice; skälighet fairness; opartiskhet impartiality; *~n* lag o. rätt justice; *göra ~ åt ngt* do justice to a th.

**rättvisekrav** *s, det är ett ~ att...* it's only fair that..., justice demands that...

**rättvänd** *adj* ...turned right way round (right side up)

**rättänkande** *adj* right-minded

**rätvinklig** *adj* right-angled

**räv** *s* fox

**rävhona** *s* vixen, she-fox

**rävjakt** *s* fox-hunting

**rävspel** *s* intriguing, intrigues pl.

**rävunge** *s* fox cub

**röd** *adj* red; högröd scarlet; *~a armén* the Red Army; *Röda havet* the Red Sea; *~a hund* German measles; *Röda korset* the Red Cross; *i dag ~ i morgon död* here today, gone tomorrow; *se rött* see red; för sammansättningar jfr äv. *blå-*

**rödaktig** *adj* reddish, ruddy

**rödbeta** *s* beetroot, amer. beet

**rödblommig** *adj* om person florid; om t.ex. hy äv. rosy, ruddy

**rödbrun** adj russet
**rödbrusig** adj red-faced...
**rödhake** s fågel robin, robin redbreast
**rödhårig** adj red-haired
**röding** s fisk char
**rödkindad** adj red-cheeked, rosy-cheeked
**rödkål** s red cabbage
**Rödluvan** Little Red Riding Hood
**rödlök** s red onion
**rödnäst** adj red-nosed
**rödsprit** s förr methylated spirit[s]; vard. meths pl.
**rödspätta** s plaice (pl. lika)
**rödvin** s red wine
**rödögd** adj red-eyed
**1 röja** vb tr förråda betray, give away; yppa reveal; avslöja expose; visa show
**2 röja** vb tr skog clear; ~ **mark** clear land; ~ **väg för** clear (pave) the way for; ~ **ngn ur vägen** remove a p.; ~ **undan** t.ex. hinder clear away; person, hinder remove
**röjning** s clearing
**rök** s smoke; **gå upp i** ~ go up in smoke
**röka** vb itr o. vb tr smoke
**rökare** s smoker; **icke** ~ non-smoker
**rökbomb** s smoke-bomb
**rökelse** s incense
**rökfri** adj smokeless
**rökförbud** s, **det är** ~ smoking is prohibited
**rökig** adj smoky
**rökkupé** s smoking-compartment, smoker
**rökning** s smoking; ~ **förbjuden** no smoking
**rökpipa** s pipe, tobacco pipe
**rökrum** s smoking-room
**röksvamp** s puffball
**rön** s iakttagelse observation; upptäckt discovery
**röna** vb tr meet with, experience
**rönn** s mountain ash; speciellt i Skottland rowan
**rönnbär** s rowanberry
**röntga** vb tr X-ray
**röntgenbehandling** s X-ray treatment
**röntgenbild** s X-ray picture
**röntgenfotografera** vb tr X-ray
**röntgenstrålar** s pl X-rays
**rör** s **1** ledningsrör pipe; mest tekn. tube **2** i radio el. TV valve, amer. tube
**röra I** s mess; virrvarr mix-up; oreda muddle; **vara en enda** ~ be all in a mess **II** vb tr **1** sätta i rörelse move, stir; **inte** ~ **ett finger** not stir a finger **2** vidröra touch; angå concern; **det rör mig inte i ryggen** I

couldn't care less; ~ **ngn till tårar** move a p. to tears **III** vb itr, ~ **i gröten** stir the porridge; ~ **på benen** stretch one's legs; **han rörde på huvudet** he moved his head; ~ **på sig** move; motionera get some exercise **IV** vb rfl, ~ **sig a)** move; motionera get exercise; **rör dig inte!** don't move!; ~ **sig fritt** move about freely **b) han har mycket pengar att ~ sig med** he has a lot of money at his disposal; **det rör sig om din framtid** it concerns your future; **det rör sig om** stora summor ...are involved; **vad rör det sig om?** what is it about?

☐ ~ **ihop** kok. etc. mix; bildl. mix up; ~ **om: om** ~ [i] kok. stir; ~ **om i** byrålådan poke about in...
**rörande I** adj touching, moving **II** prep angående concerning, regarding
**rörd** adj gripen moved, touched
**rörelse** s **1** motsats vila motion; av levande varelse movement; **sätta fantasin i** ~ stir the imagination; **sätta sig i** ~ begin to move **2** politisk etc. movement **3** affärs~ business, enterprise
**rörelsefrihet** s freedom of movement
**rörelseförmåga** s ability to move
**rörelsehindrad** adj disabled
**rörelsekapital** s working capital
**rörig** adj messy; **vad här är ~t!** what a mess!
**rörledning** s pipeline
**rörledningsfirma** s plumbing firm
**rörlig** adj flyttbar movable; om priser, ränta flexible; ~**t kapital** working capital
**rörläggare** s o. **rörmokare** s plumber
**rörsocker** s cane sugar
**röst** s **1** stämma voice; **med hög (låg)** ~ in a loud (low) voice **2** polit. vote; **lägga ned sin** ~ abstain from voting
**rösta** vb itr vote; ~ **om ngt** vote on a th.; **på ngn** vote for a p.
**röstberättigad** adj ...entitled to vote
**röstfiske** s vote-catching
**röstkort** s voting card
**röstlängd** s electoral register
**rösträkning** s rösträknande counting of votes; **en** ~ a count (count of votes)
**rösträtt** s ngns right to vote
**röstsedel** s voting-paper, ballot paper
**röta** s rot, putrefaction; förmultning decay
**rött** s red; jfr **blått**
**röv** s vulg. arse, amer. ass
**röva** vb tr rob [ngt från ngn a p. of a th.]
**rövare** s robber; **leva** ~ raise hell

# S

**sabba** *vb tr* vard. ruin, spoil, muck up; ~ *alltihop* äv. throw a spanner in (into) the works

**sabbat** *s* Sabbath

**sabbatsår** *s* sabbatical, sabbatical year

**sabel** *s* sabre

**sabla** *adj* o. *adv* blasted, damned

**sabotage** *s* sabotage

**sabotera** *vb tr* o. *vb itr* sabotage

**sabotör** *s* saboteur

**Sachsen** Saxony

**sacka** *vb itr*, ~ *efter* lag (drop) behind

**sackarin** *s* saccharin

**sadel** *s* saddle; *sitta säkert i ~n* bildl. be (sit) firmly in the saddle

**sadelmakare** *s* saddler

**sadism** *s* sadism

**sadist** *s* sadist

**sadistisk** *adj* sadistic

**sadla I** *vb tr* saddle **II** *vb itr*, ~ *om* byta yrke change one's profession (trade)

**safari** *s* safari

**saffran** *s* saffron

**saffransbröd** *s* saffron-flavoured bread

**safir** *s* sapphire

**saft** *s* natursaft juice; kokt med socker fruit-syrup; apelsinsaft orange juice; *pressa (krama) ~en ur en citron* squeeze a lemon

**saftig** *adj* juicy

**saga** *s* fairy tale (story); fornnordisk saga; myt. myth; *berätta en ~ för mig!* tell me a story!

**sagesman** *s* informant

**sagobok** *s* book of fairy tales (stories), story book

**sagoland** *s* fairyland, wonderland

**sagolik** *adj* fabulous; fantastisk t.ex. om tur fantastic; *en ~ röra* an incredible mess

**Sahara** the Sahara

**sak** *s* **1** thing, object **2** omständighet etc. thing; angelägenhet matter, business (end. sg.); ~ *att kämpa för* cause; rättsfall case; *en ~* 'någonting' something; *~er och ting* things; *~en är den att han...* the fact is that he...; *~en är klar!* that settles it!; *vad gäller ~en?* what's it about?; *göra gemensam ~ med ngn* make common cause with a p.; *jag ska säga dig en ~* I tell you what; do you know what; *jag* *skall tänka på (över)* *~en* I'll think it (the matter) over; *det är en annan ~ med dig* it's different with you; *det är min (inte min)* ~ that's my (none of my) business; *det är din ~ att göra det* it is up to you to do it; *~ samma* no matter; never mind; *det är en självklar ~* it is a matter of course; *han har rätt i ~* essentially he is right; *så var det med den ~en!* and that's that!; *han är säker på sin ~* he is sure of his point; *till ~en!* let us come to the point!

**sakfråga** *s*, *själva ~n* the point at issue
**sakförare** *s* solicitor, lawyer
**sakkunnig** *adj* expert, competent
**sakkunskap** *s* expert knowledge
**saklig** *adj* matter-of-fact; objektiv objective
**sakna** *vb tr* **1** inte ha, vara utan lack, be without; behöva want, be in want of; lida brist på be wanting (lacking) in; *ryktet ~r grund* the rumour is without foundation; *huset ~r hiss* there is no lift in the house; *han ~r humor* he has no sense of humour; verbet *~r infinitiv* ...has no (lacks no) infinitive **2** inte kunna hitta, *jag ~r mina nycklar* I have lost my keys **3** märka frånvaron av miss
**saknad I** *adj* missed; borta missing; *~e* subst. adj. persons missing **II** *s*, *~ efter ngn* regret at a p.'s loss
**saknas** *vb itr dep* vara borta be missing
**sakrament** *s* sacrament
**sakristia** *s* vestry
**sakta I** *adj* långsam slow; varsam gentle; dämpad, tyst soft; *i ~ mak* at an easy pace **II** *adv* långsamt slowly; varsamt gently; *~ i backarna!* take it easy!; *gå för ~* om urverk be slow **III** *vb tr* o. *vb itr*, *~ av (ned)* el. *~ farten* slow down **IV** *vb rfl*, klockan *~r sig* ...is losing (is losing time)
**sal** *s* hall; matsal dining-room; salong drawing-room
**salami** *s* salami
**saldo** *s* balance; *ingående ~* balance brought forward; *utgående ~* balance carried forward
**salig** *adj* blessed; vard., lycklig very happy; *min ~ far* om avliden my poor father; *~ i åminnelse* of blessed memory
**saliv** *s* saliva
**sallad** *s* **1** bot. lettuce **2** maträtt salad
**salladsbestick** *s, ett ~* a pair of salad servers
**salladsblad** *s* lettuce leaf
**salladsdressing** *s* salad dressing

**salladshuvud** *s* lettuce
**salong** *s* **1** i hem drawing-room, amer. parlor; finare lounge **2** publiken på teater o.d. audience **3** utställning exhibition
**salt** *s* o. *adj* salt
**salta** *vb tr* salt; *en ~d räkning* a stiff bill; *~ in (ned)* lägga i saltlake brine
**saltgurka** *s* pickled gherkin
**salthalt** *s* salt content
**saltkar** *s* för bordet saltcellars
**saltomortal** *s* somersault
**saltsjö** *s* insjö salt lake
**saltströare** *s* saltcellars, amer. äv. saltshaker
**saltsyra** *s* hydrochloric acid
**saltvatten** *s* salt water
**salu** *s, till ~* on (for) sale
**salubjuda** *vb tr* o. **saluföra** *vb tr* offer...for sale
**saluhall** *s* market hall
**salustånd** *s* stall; speciellt på marknad booth; på mässa stand
**salut** *s* salute
**salutera** *s* salute
**salutorg** *s* market place
**1 salva** *s* skott~ etc. samt bildl. volley
**2 salva** *s* till smörjning ointment
**salvia** *s* sage
**samarbeta** *vb itr* co-operate, work together; speciellt i litterärt arbete o. polit. collaborate
**samarbete** *s* co-operation; collaboration, jfr *samarbeta*
**samarbetsvillig** *adj* co-operative
**samba** *s* samba; *dansa ~* do (dance) the samba
**samband** *s* connection; *stå i ~ med* have (bear) a relation to
**sambeskattning** *s* joint taxation
**sambo** *s* live-in; mera formellt cohabiter, cohabitee
**same** *s* Lapp, Laplander
**samexistens** *s* coexistence
**samfund** *s* society, association
**samfälld** *adj* joint; enhällig unanimous
**samfärdsel** *s* communications pl.; trafik traffic
**samfärdsmedel** *s* means (pl. lika) of transport
**samförstånd** *s* mutual understanding, understanding; enighet agreement
**samhälle** *s, ~* el. *~t* society; ort place
**samhällelig** *adj* social
**samhällsanda** *s* public spirit; *god ~* äv. good citizenship

                      **sammanträde**

**‌amhällsdebatt** *s* public discussion of social problems

**‌amhällsfarlig** *adj, vara* ~ be a public danger

**‌amhällsfientlig** *adj* anti-social

**‌amhällsgrupp** *s* social group

**‌amhällsklass** *s* social class, class of society

**‌amhällskunskap** *s* civics sg.

**‌amhällslära** *s* sociology

**‌amhällsskick** *s* social structure, type of society

**‌amhällsställning** *s* social position

**‌amhällstillvänd** *adj* social-minded

**‌amhällstjänst** *s* community service

**‌amhörighet** *s* solidarity; själsfrändskap affinity

**‌amisk** *adj* Lapp

**‌amklang** *s* accord, harmony; *stå i* ~ *med* be in harmony with

**‌amkväm** *s* social gathering

**‌amla I** *vb tr,* ~ *ihop* gather; planmässigt collect; få ihop get together; ~ på hög amass, accumulate; förena, ena unite, unify; ~ *frimärken* collect stamps; ~ *en förmögenhet* amass a fortune **II** *vb itr,* ~ *på* ngt collect...; ~ *till* ngt a) spara save up for... b) lägga ihop club together for... **III** *vb rfl,* ~ *sig* a) se *samlas* b) collect (compose) oneself; koncentrera sig concentrate

**‌amlad** *adj* collected äv. 'sansad'; församlad assembled, total; *Strindbergs ~e skrifter* the collected (complete) works of Strindberg

**‌amlag** *s* sexual intercourse; speciellt med. coitus

**‌amlare** *s* collector

**‌amlas** *vb itr dep* om personer gather, get (come) together; församlas assemble; träffas meet; hopas collect

**‌amlevnad** *s* mellan människor social life, living together; *fredlig* ~ mellan nationer o. grupper peaceful coexistence

**‌amling** *s* av personer gathering; grupp group; av t.ex. böcker, mynt collection; *hela ~en* the whole lot

**‌amlingslokal** *s* meeting-place; samlingssal assembly hall

**‌amlingsplats** *s* meeting-place

**‌amlingspunkt** *s* meeting-point, rallying-point

**‌amlingsregering** *s* coalition government

**‌amlingssal** *s* assembly hall

**samliv** *s* life together; äktenskapligt married life

**samma** *(samme) adj* the same [*som* as]; likadan similar [*som* to]; ~ *dag han for* the day he left; *sak* ~ no matter; de är i ~ *ålder* ...the same age; *på* ~ *gång* at the same time; *på* ~ *sätt* in the same way

**samman** *adv* together

**sammanbiten** *adj* resolute

**sammanblandning** *s* förväxling confusion, mixing up; blandning mixing; konkret mixture, blend

**sammanbo** *vb itr* live together, live in; mera formellt cohabit

**sammanbrott** *s* collapse, breakdown; *få ett* ~ collapse, break down

**sammandrabbning** *s* encounter, clash

**sammandrag** *s* summary; *här är nyheterna i* ~ here is the news summary

**sammanfalla** *vb itr* coincide

**sammanfatta** *vb tr* sum up, summarize

**sammanfattning** *s* summary

**sammanfattningsvis** *adv* to sum up

**sammanföra** *vb tr* bring...together

**sammanhang** *s* samband connection; i text context

**sammanhållning** *s* solidarity; enighet unity

**sammanhängande** *adj* connected; utan avbrott continuous

**sammankalla** *vb tr* summon, assemble

**sammankomst** *s* meeting, gathering; vard. get-together

**sammanlagd** *adj* total total; *deras ~a inkomster* their incomes taken together

**sammanlagt** *adv* in all

**sammansatt** *adj* om t.ex. ord compound; av olika beståndsdelar composite; *vara* ~ *av* bestå av be composed of

**sammanslagning** *s* union; fusion merger, fusion

**sammanslutning** *s* förening association, society; polit. union, federation

**sammanställa** *vb tr* put together, compile

**sammanställning** *s* putting together; av t.ex. antologi, register compilation

**sammanstötning** *s* kollision collision; strid clash

**sammansvärjning** *s* conspiracy, plot

**sammansättning** *s* **1** det sätt varpå ngt är sammansatt composition; struktur structure; kombination combination **2** ord som består av två el. flera ord compound

**sammanträda** *vb itr* meet, assemble

**sammanträde** *s* meeting, committee meeting

**sammanträffa** *vb itr* råkas meet

**sammanträffande** *s* **1** möte meeting **2** ~ av omständigheter coincidence

**sammet** *s* velvet

**sammetsklänning** *s* velvet dress

**sammetslen** *adj* velvety

**samordna** *vb tr* co-ordinate

**samråd** *s* consultation

**samråda** *vb itr* consult each other; ~ *med ngn* consult a p.

**samröre** *s* dealings pl., collaboration; *ha* ~ *med* have dealings with

**sams** *adj, vara* ~ a) vänner be friends, be on good terms b) eniga be agreed [*om ngt* on (about) a th.]

**samsas** *vb itr dep* **1** enas agree [*om ngt* on (about) a th.] **2** ~ *om* t.ex. utrymmet share

**samspel** *s* mus., teat. ensemble; sport. teamwork; bildl. interplay

**samspråk** *s* talk, conversation; *komma i* ~ *med varandra* start talking (chatting) with each other

**samspråka** *vb itr* talk, converse; förtroligt chat

**samstämmig** *adj* enhällig unanimous

**samsända** *vb tr* radio. el. TV. broadcast (transmit) simultaneously

**samsändning** *s* radio. el. TV. joint broadcast (transmission)

**samt** *adv* and, and also; tillsammans med together (along) with

**samtal** *s* conversation, talk; tele. call

**samtala** *vb itr* talk, converse [*om* about]

**samtalsämne** *s* topic, topic of conversation; *byta* ~ change the subject

**samtid** *s*, ~*en* vår tid our age (time)

**samtida** *adj* o. *subst adj* contemporary; *våra* ~ our contemporaries

**samtidig** *adj* i samma ögonblick simultaneous

**samtidigt** *adv* på samma gång at the same time; i samma ögonblick simultaneously

**samtliga** *adj*, ~ passagerare all the...; ~ *var där* all of them (us etc.) were there

**samtycka** *vb itr* consent, assent, agree [*till* i samtliga fall to]

**samtycke** *s* consent; gillande approval

**samvaro** *s* being together; tid tillsammans time together; umgänge relations pl.; *under vår sista* ~ when we were last together

**samverka** *vb itr* co-operate

**samverkan** *s* co-operation

**samvete** *s* conscience; *ha dåligt* ~ *för ngt* have a bad (guilty) conscience about a th.; *ha gott* (*rent*) ~ have a clear conscience

**samvetsgrann** *adj* conscientious; ängsligt ~ scrupulous

**samvetskval** *s pl* pangs of conscience, remorse sg.

**samvetslös** *adj* ...without any conscience, unscrupulous

**samvetsöm** *adj*, ~ värnpliktig conscientious objector

**samvälde** *s*, *Brittiska* ~*t* the Commonwealth

**samåka** *vb itr* car-pool; *vi samåker till jobbet* we share one car to work

**samåkning** *s* car-pooling

**sanatorium** *s* sanatorium, amer. sanitarium

**sand** *s* sand; till vägar grit

**sanda** *vb tr* mot halka grit

**sandal** *s* sandal

**sandbil** *s* gritting truck; vard. gritter, amer. sandtruck

**sandig** *adj* sandy

**sandkorn** *s* grain of sand

**sandlåda** *s* att leka i sandpit, amer. sand-box

**sandpapper** *s* sandpaper; *ett* ~ a piece of sandpaper

**sandpappra** *vb tr* sandpaper

**sandslott** *s* barns sandcastle

**sandstrand** *s* beach, sandy beach

**sandsäck** *s* sandbag

**sandwich** *s* o. **sandvikare** *s* vard., ung. canapé

**sanera** *vb tr* **1** befria från skadliga ämnen decontaminate; från olja disperse **2** t.ex. stadsdel clear...of slums; t.ex. fastighet renovate; riva pull down **3** bildl. reconstruct, reorganize; t.ex. videomarknaden clean up; t.ex. finanser put...on a sound basis

**sanering** *s* **1** det att befria från skadliga ämnen decontamination; oljesanering dispersal **2** av t.ex. stadsdel slum clearance; av t.ex. fastighet renovation; rivning pulling down **3** bildl. reconstruction, reorganization; av t.ex. videomarknaden cleaning-up; finanser etc. putting...on a sound basis

**sang** *s* kortsp. no trumps; *en* (*två*) ~ one (two) no-trumps

**sanitetsbinda** *s* sanitary towel (amer. napkin)

**sanitetsvaror** *s pl* sanitary articles

**sanitär** *adj* sanitary; *vara* (*utgöra*) *en* ~ *olägenhet* be a private nuisance

**sank I** *s*, *borra* (*skjuta*)...*i* ~ sink **II** *adj* sumpig, vattensjuk swampy, in marshy, water-logged

**sankt** *adj* saint (förk. St.)

**sanktbernhardshund** *s* St. Bernard [dog]

**sanktion** *s* sanction; *tillgripa ~er* straffåtgärder resort to sanctions

**sanktionera** *vb tr* sanction

**sann** *adj* true [*mot* to]; *inte sant?* wasn't it?, don't you think so?; *så sant jag lever!* as sure as I live

**sanna** *vb tr, ~ mina ord!* mark my words!

**sannerligen** *adv* indeed, really; förvisso certainly

**sanning** *s* truth; *tala ~* tell (speak) the truth; *~en att säga* var jag... to tell the truth...; *säga ngn ett ~ens ord (några beska sanningar)* tell a p. a few home truths

**sanningsenlig** *adj* truthful; sann true

**sannolik** *adj* probable, likely

**sannolikhet** *s* probability, likelihood; *med all ~* in all probability

**sannolikt** *adv* probably, very likely

**sannspådd** *adj, han blev ~* his predictions came true

**sans** *s* medvetande, *förlora ~en* lose consciousness; *komma till ~* come round

**sansad** *adj* sober, sober-minded, level-headed; vettig sensible; modererad moderate; *lugn och ~* calm and collected

**sard** *s* o. **sardinare** *s* Sardinian

**sardell** *s* anchovy

**sardin** *s* sardine

**sardinburk** *s* burk sardiner tin of sardines

**Sardinien** Sardinia

**sardinsk** *adj* o. **sardisk** *adj* Sardinian

**sarg** *s, ~en* i ishockey the sideboards pl.

**sarga** *vb tr* såra wound; illa tilltyga mangle

**sarkasm** *s* sarcasm

**sarkastisk** *adj* sarcastic

**satan** *s* **1** den onde Satan, the Devil **2** i kraftuttryck, *ett ~s oväsen* a (the) devil of a row

**satellit** *s* satellite äv. TV.

**satellitprogram** *s* TV. satellite programme

**satellitstat** *s* satellite state

**satellitsändning** *s, en ~* a satellite broadcast

**satir** *s* satire [*över* on, upon]

**satiriker** *s* satirist

**satirisera** *vb itr, ~ över* satirize

**satirisk** *adj* satirical

**sats** *s* **1** språkv. sentence; om t.ex. huvudsats el. bisats vanl. clause **2** ansats take-off; *ta ~* vid hoppning take a run **3** mus. movement **4** uppsättning set **5** kok. batch

**satsa I** *vb tr* stake; riskera venture; investera

**invest II** *vb itr* i spel make one's stake (stakes); *~ på* hålla på bet on

**satsdel** *s, ta ut ~arna* [*i en mening*] analyse a sentence

**satsning** *s* inriktning concentration; försök bid; *en djärv ~* a bold venture

**satt** *adj* stocky, square-built

**sattyg** *s* vard. mischief

**Saturnus** astron. el. myt. Saturn

**satäng** *s* satin

**Saudi-Arabien** Saudi Arabia

**saudiarabisk** *adj* Saudi Arabian

**saudier** *s* Saudi

**sav** *s* sap

**savann** *s* savannah

**sax** *s* scissors pl.; större shears pl.; *en ~* a pair of scissors (shears)

**saxofon** *s* saxophone; vard. sax

**saxofonist** *s* saxophonist

**scarf** *s* scarf (pl. scarves)

**scen** *s* på teater stage; del av akt scene; *~en* teatern the stage, the theatre; *ställa till en ~* make a scene

**scenarbetare** *s* stage hand, scene-shifter

**scenario** *s* scenario (pl. -s)

**schablon** *s* mönster pattern, model

**schablonavdrag** *s* i självdeklaration standard (general) deduction

**schablonmässig** *adj* stereotyped; conventional, mechanical

**schack** *s* spel chess; *hålla...i ~* keep...in check

**schackbräde** *s* chessboard

**schackdrag** *s* move äv. bildl.

**schackmatt** *adj* checkmate

**schackparti** *s* game of chess

**schackpjäs** *s* chessman

**schackspelare** *s* chessplayer

**schakt** *s* tekn. el. gruv. shaft

**schakta** *vb tr* excavate; t.ex. lös jord remove

**schalottenlök** *s* shallot

**schampo** *s* shampoo (pl. -s)

**schamponera** *vb tr* shampoo, give...a shampoo

**schamponering** *s* shampoo (pl. -s)

**scharlakansfeber** *s* scarlet fever, scarlatina

**scharlakansröd** *adj* scarlet

**schattering** *s* nyans shade

**schatull** *s* casket

**schejk** *s* sheik, sheikh

**schema** *s* t.ex. arbets~ schedule; t.ex. färg~ scheme; skol. timetable, amer. schedule; *lägga ett ~* make a timetable (amer. schedule)

**schematisk** *adj* schematic; *en ~ framställning* an outline

**schimpans** *s* chimpanzee

**schism** *s* schism, split

**schizofren** *s* o. *adj* schizophrenic

**schizofreni** *s* schizophrenia

**schlager** *s* hit, song hit, popular song

**schlager-EM** *s* i TV the Eurovision Song Contest

**schlagerfestival** *s* hit-song contest (festival)

**schlagersångare** *s* popular singer

**schwartzwaldtårta** *s* Black Forest gateau

**Schwarzwald** the Black Forest

**Schweiz** Switzerland

**schweizare** *s* Swiss (pl. lika)

**schweizerfranc** *s* Swiss franc

**schweizerost** *s* Swiss cheese; emmentaler Emmenthal

**schweizisk** *adj* Swiss

**schvung** *s* fart, kläm go, dash, pep

**schysst** *adj* o. *adv* vard. OK, fine; rättvis fair, decent

**schäfer** *s* Alsatian

**scout** *s* scout; flick~ guide, amer. girl scout

**scripta** *s* vard. script (continuity) girl

**se** *vb tr* o. *vb itr* see; titta look; *jo, ~r du...* well, you see...; *hur man än ~r det* whatever way you look at it; *jag ~r det som* min plikt I regard it as...; *jag tål inte ~ honom* I can't stand the sight of him; *få* råka ~ see, catch sight of; *där ~r du!* there you are!; *i stort ~tt* på det hela taget on the whole; i allmänhet generally speaking; ~ *på* (obetonat) titta på look at; ta en titt på have a look at; uppmärksamt watch; *hur ~r du på saken?* what is your view of the matter?; ~ *allvarligt på saken* take a serious view of the matter; *jag ~r på dig att...* I can tell by your face that...; ~ *sig i spegeln* look at oneself in the mirror □ ~ *efter* ta reda på see [*om* if]; leta look; övervaka look after; ~ *fram emot* (mot) look forward to; ~ *sig för* look out, take care; ~ *igenom* look through; ~ *ned på* bildl. look down on; ~ *sig om* vända sig look around; ~ *sig om efter* söka look about for; ~ *sig om efter* (*omkring*) *i världen* see the world; ~ *på* look on; iaktta watch; *~r man på!* well, well!, I say!; ~ *till* övervaka look after, see to; ~ *till att* ngt görs see (see to it) that...; ~ *upp* a) titta upp look up [*från* from] b) akta sig look (watch) out [*för* for]; vara försiktig take care, be careful; ~ *upp för steget!* mind...!; ~ *upp till* beundra look

up to; ~ *ut* a) titta ut look out b) ha visst utseende look [*som* like]; ~ *ut att* inf. look like ing-form; verka seem to inf.; *han ~r bra ut* he is good-looking; *hur ~r han ut?* what does he look like?; *hur ~r det ut i rummet?* what is...like?; *så du ~r ut!* what a state you are in!; *det ~r så* (*inte bättre*) *ut* it looks (seems very much) like it; *det ~r ut att bli regn* (*en vacker dag*) it looks like rain (like being a fine day); ~ *ut* [*åt sig*] välja choose (pick out); ~ *över* se igenom look over

**seans** *s* seance

**sebra** *s* zebra

**sed** *s* bruk custom; praxis practice; sedvana usage; *~er och bruk* manners and customs

**sedan** I *adv* **1** därpå then; senare later; efteråt afterwards; ~ *har jag inte sett henne* I haven't seen her since (after that); *det är ett år ~ nu* it is a year ago now **2** vard., än *sen då?* iron. so what? II *prep* alltsedan: vid uttryck för tidpunkt since; vid uttryck för tidslängd for; ~ *dess* since then; *hon är* (*har varit*) *sjuk ~ i går* (*ett år*) she has been ill since yesterday (for a year) III *konj* alltsedan since; efter det att after; när when; ~ (*ända ~*) *jag kom hit* since (ever since) I came here; *det var först ~ jag hade sett den som...* it was not until I had seen it that...

**sedel** *s* banksedel banknote, note, amer. bill

**sedelautomat** *s* cash-operated fuel pump

**sedelbunt** *s* bundle of banknotes (notes)

**sedermera** *adv* later on; afterwards

**sedlighet** *s* morality

**sedlighetsbrott** *s* sexual offence

**sedlighetsrotel** *s*, *~n* the vice squad

**sedvanlig** *adj* customary; vanlig usual; vedertagen accepted

**sedvänja** *s* custom; praxis practice

**seedad** *adj* sport. seeded

**seg** *adj* tough; envis stubborn

**segdragen** *adj* long drawn-out, protracted

**segel** *s* sail; *hissa ~* (*seglen*) hoist sail (the sails)

**segelbåt** *s* sailing-boat; större yacht

**segelflygning** *s* **1** flygning sailplaning, gliding **2** färd sailplane (gliding) flight

**segelflygplan** *s* sailplane, glider

**seger** *s* victory; sport. äv. win; besegrande conquest

**segerherre** *s* victor

**segerrik** *adj* victorious

**segertåg** *s* triumphal procession

**seghet** s toughness; envishet stubbornness

**segla** vb itr o. vb tr sail

**seglare** s person yachtsman

**seglats** s segeltur sailing tour (trip); längre sjöresa voyage

**segling** s **1** seglande sailing; sport~ äv. yachting **2** segeltur sailing tour

**seglivad** adj, **vara ~** bildl. tough, hard to get rid of

**segna** vb itr, **~ till marken** sink to the ground; **~ död ned** drop down dead

**segra** vb itr win; vinna seger be victorious; triumph; **~ eller dö** conquer or die; **~ över** besegra conquer; övervinna overcome

**segrare** s victor; i tävling winner

**segrarpall** s winner's (resp. winners') stand, rostrum

**segregation** s segregation

**segregera** vb tr segregate

**segsliten** adj utdragen long drawn-out

**seismograf** s seismograph

**sejdel** s tankard; utan lock mug

**sekatör** s pruning shears pl., secateurs pl.; **en ~** a pair of pruning shears (secateurs)

**sekel** s century

**sekelskifte** s, **vid ~t** at the turn of the century

**sekret** s fysiol. secretion

**sekretariat** s secretariat

**sekreterare** s secretary

**sekretess** s secrecy

**sekretär** s bureau

**sekt** s sect

**sektion** s section

**sektor** s sector; **den statliga ~n** the public sector

**sekund** s second

**sekunda** adj sämre second-rate, inferior

**sekundvisare** s second-hand

**sekundär** adj secondary

**sekvens** s sequence

**sele** s harness; barnsele reins pl.

**selen** s kem. selenium

**selleri** s celery; rot~ celeriac

**semafor** s semaphore

**semester** s holiday, holidays pl., vacation

**semesterersättning** s holiday compensation

**semesterfirare** s holiday-maker

**semesterort** s holiday resort

**semesterparadis** s vard. ideal holiday resort

**semestra** vb itr ha semester be on holiday; tillbringa semestern spend one's holiday

**semifinal** s semifinal

**semikolon** s semicolon

**seminarium** s univ. seminar

**semitisk** adj Semitic

**semla** s cream bun with almond paste [eaten during Lent]

**1 sen** adv prep konj se sedan

**2 sen** adj **1** motsats tidig late; **för ~ ankomst** late arrival; **det börjar bli ~t** it is getting late **2 inte vara ~ att** inf. not be slow to inf.

**sena** s sinew; anat. äv. tendon; på tennisracket string

**senap** s mustard

**senare I** adj later; motsats förra latter; subsequent; kommande future; **det blir en ~ fråga** that will be a question for later on; **på ~ år** de här åren in the last few years **II** adv later; längre fram later on

**senast I** adj latest; sist i ordning last; **de ~e veckorna** the last few weeks **II** adv latest; motsats först last; jag såg honom **~ igår** ...only yesterday; **~ (allra ~)** i morgon ...at the latest (the very latest); du ska vara hemma **senast kl. 4** ...by 4 o'clock at the latest

**senat** s senate

**senator** s senator

**senig** adj sinewy; om kött äv. stringy

**senil** adj senile

**senilitet** s senility

**senior I** adj senior **II** s sport. senior

**sensation** s sensation

**sensationell** adj sensational

**sensitivitetsträning** s sensitivity training

**sensmoral** s, **~en är...** the moral is...

**sensuell** adj sensual

**sent** adv late; **gå och lägga sig ~** som vana keep late hours; **komma för ~ till...** a) inte passa tiden be late for... b) gå miste om be too late for...

**sentida** adj ...of our days

**sentimental** adj sentimental

**separat I** adj separate; särskild special **II** adv separately

**separatfred** s separate peace

**separation** s separation

**separera** vb tr o. vb itr separate

**september** s September (förk. Sept.); jfr **april** o. **femte**

**Serbien** Serbia

**serbisk** adj Serbian

**serbokroatiska** s språk Serbo-Croatian

**serenad** s serenade

**sergeant** s sergeant

**serie** s **1** series (pl. lika); i radio el. TV etc. series; följetong serial; följd, svit sequence;

sport. league **2** tecknad ~ comic strip, cartoon
**seriefigur** *s* character in a comic strip
**seriekrock** *s* multiple collision
**serietidning** *s* med tecknade serier comic, comic paper
**serietillverkad** *adj* mass-produced
**serietillverkning** *s* serial (mass) production
**seriös** *adj* serious; högtidlig solemn
**serum** *s* serum
**serva** *vb tr* o. *vb itr* sport. serve; *vem ~r?* whose serve (service) is it?
**serve** *s* serve, service
**serveess** *s* tennis ace
**servegame** *s* sport. service game
**servegenombrott** *s* sport. [service] breakthrough
**servera I** *vb tr* serve; hälla i pour out; *~ sig själv* help oneself; *middagen är ~d* el. *det är ~t* dinner is served (ready) **II** *vb itr* serve (wait) at table
**serveretur** *s* sport. service return
**servering** *s* **1** betjäning service; uppassning waiting **2** lokal restaurant; på järnvägsstation etc. refreshment room, buffet
**serveringsavgift** *s* service charge
**servett** *s* napkin, serviette
**service** *s* service
**servicebox** *s* night safe (amer. depository)
**servicehus** *s* block of service flats (apartments) [for the elderly or disabled]
**servicestation** *s* service station
**serviceyrke** *s* service occupation
**servis** *s* porslin etc. service, set
**servitris** *s* waitress
**servitör** *s* waiter
**servobroms** *s* servo (power) brake
**ses** *vb itr dep* råkas meet, see each other; *vi ~!* see you later!
**session** *s* session; friare meeting
**set** *s* set äv. i tennis; i bordtennis o. badminton game
**setboll** *s* set point; i bordtennis o. badminton game ball
**setter** *s* hund setter
**Sevilla** Seville
**sevärd** *adj, den är ~* it's worth seeing
**sevärdhet** *s, ~erna i staden* the sights of the town; *det är en verklig ~* it's really worth seeing
**1 sex** *räkn* six; jfr *fem* o. sammansättningar
**2 sex** *s* det sexuella sex
**sexa** *s* **1** six; jfr *femma* **2** måltid light supper
**sexcylindrig** *adj* six-cylinder...
**sexig** *adj* sexy

**sexism** *s* sexism
**sexist** *s* sexist
**sexliv** *s* sex life
**sextio** *räkn* sixty; jfr *femtio* o. sammansättningar
**sextionde** *räkn* sixtieth
**sextiowattslampa** *s* sixty-watt bulb
**sexton** *räkn* sixteen; jfr *femton* o. sammansättningar
**sextonde** *räkn* sixteenth (förk. 16th); jfr *femte*
**sextondelsnot** *s* mus. semiquaver, amer. sixteenth-note
**sexualdrift** *s* sex (sexual) urge
**sexualförbrytare** *s* sexual offender
**sexualitet** *s* sexuality
**sexualliv** *s* sex life
**sexualundervisning** *s* sex instruction
**sexuell** *adj* sexual, sex...
**sfinx** *s* sphinx
**sfär** *s* sphere
**sheriff** *s* sheriff
**sherry** *s* sherry
**shoppa** *vb itr* shop; *gå och ~* go shopping
**shoppingvagn** *s* shopping trolley, cart
**shoppingväska** *s* shopping bag
**shorts** *s pl* shorts
**show** *s* show
**si** *adv*, det görs *än ~, än så* ...now this way, now that; *det är lite ~ och så med hans kunskaper i...* his knowledge of...isn't up to much (is rather so-so)
**sia** *vb tr* o. *vb itr* prophesy [*om* of]
**Siames** *s* katt Siamese (pl. lika)
**siamesisk** *adj* Siamese
**Sibirien** Siberia
**sibirisk** *adj* Siberian
**siciliansk** *adj* Sicilian
**Sicilien** Sicily
**sicksack** *s, i ~* in a zigzag, zigzag
**sida** *s* **1** side; *~ vid ~* side by side; det är *hans starka ~* ...his strong point; *byta ~* i bollspel change ends; *han har sina goda sidor* he has his good points; *ställa sig på ngns ~* bildl. side (take sides) with a p.; han förtjänar lite *vid ~n om* ...on the side; *å ena ~n...å andra ~n* on one (the one) hand...on the other; *lägga ngt åt ~n* put...aside (away); bildl. put...on one side; *gå åt ~n* step aside; *gå åt ~n för* ngn make room for... **2** i bok page; *se ~n* (förk. *sid.*) **5** see page (förk. p.) 5
**sidbyte** *s* sport. change of ends
**siden** *s* silk
**sidfläsk** *s* rökt el. saltat bacon

**sidled** *s, i* ~ sideways, laterally
**sidlinje** *s* i tennis sideline; i fotboll touchline
**sidospår** *s* sidetrack
**sidvind** *s* side wind
**siesta** *s* siesta; *ta* ~ take a siesta
**siffertips** *s* correct score forecast
**siffra** *s* figure; konkret äv. numeral; enstaka i flersiffrigt tal digit; antal number; *romerska siffror* Roman numerals; skriva *med siffror* …in figures
**sifon** *s* siphon
**sig** *pron,* ~ el. ~ *själv* maskulin himself; feminin herself; neutrum itself; pl. themselves; 'man' oneself; *man måste försvara* ~ one must defend oneself; *hon hade inga pengar på* ~ she hadn't any money about her; *han tvättade* ~ *om händerna* he washed his hands; *hon sade* ~ *vara nöjd* she said she was satisfied; *känna* ~ *trött* feel tired; *lära* ~ learn; *rädd av* ~ timid, inclined to be timid; han hade *ingenting på* ~ …nothing on; *gå hem till* ~ go home
**sightseeing** *s* sightseeing; *vara ute på* ~ (*en* ~) be out sightseeing (on a sightseeing tour)
**sigill** *s* seal
**sigillring** *s* seal ring
**signal** *s* signal; ringning ring; *ge* ~ make a signal; med signalhorn sound the horn; *slå en* ~ (*en* ~ *till ngn*) ringa upp give a p. a ring
**signalement** *s* description [*på* of]
**signalera** *vb tr* o. *vb itr* signal
**signatur** *s* signature; författarnamn pseudonym
**signaturmelodi** *s* signature tune
**signera** *vb tr* sign
**signifikativ** *adj* typisk typical; betydelsefull significant
**sik** *s* whitefish
**1 sikt** *s* såll sieve
**2 sikt** *s* **1** visibility; *ha fri* ~ have a clear view **2** tidrymd, *på lång* ~ on a (the) long view
**1 sikta** *vb tr* sålla sift, pass…through a sieve; t.ex. grus screen; i kvarn bolt
**2 sikta I** *vb tr* sight **II** *vb itr* aim [*på* (*mot, till*) at]
**sikte** *s* sight äv. på skjutvapen; *ta* ~ *på* aim at
**siktförbättring** *s* improved visibility
**siktförsämring** *s* reduced visibility
**sil** *s* **1** strainer; durkslag colander **2** sl., narkotikados shot
**sila I** *vb tr* strain **II** *vb itr* om t.ex. vatten, sand

trickle; om ljus filter; *regnet* ~*r ned* it is steadily pouring down
**silhuett** *s* silhouette
**silikon** *s* silicone
**silikonbehandlad** *adj* silicone-treated
**silikos** *s* silicosis
**silke** *s* silk
**silkesgarn** *s* silk yarn
**silkeslen** *adj* silky
**silkesmask** *s* silkworm
**silkespapper** *s* tissue paper
**silkesvantar** *s pl, behandla ngn med* ~ treat (handle) a p. with kid gloves
**sill** *s* herring; *inlagd* ~ pickled herring
**silver** *s* silver
**silverbröllop** *s* silver wedding
**silvergran** *s* silver fir
**silvermedalj** *s* silver medal
**silverputs** *s* silver polish
**silversmed** *s* silversmith
**silverstämpel** *s* silver mark
**simbassäng** *s* swimming-pool; inomhus swimming-bath
**simbyxor** *s pl* trunks, swimming trunks
**simdyna** *s* swimming float
**simfenor** *s pl* sport. flippers
**simhall** *s* swimming baths (pl. lika)
**simkunnig** *adj, han är* ~ he can swim
**simlärare** *s* swimming teacher (instructor)
**simma** *vb itr* swim; ~ *bra* be a good swimmer
**simmare** *s* swimmer
**simning** *s* swimming
**simpel** *adj* common, ordinary; enkel simple; lumpen mean; tarvlig vulgar
**simsalabim** *interj* hey presto
**simskola** *s* swimming school
**Simson** bildl. Samson
**simsport** *s* swimming
**simtag** *s* swimming stroke; *ta ett* ~ swim a stroke
**simulera I** *vb tr* sham, simulate **II** *vb itr* spela sjuk sham illness, malinger
**simultantolkning** *s* simultaneous interpretation (translation)
**sin** *(sitt, sina) poss pron* a) his; her; its; syftande på flera ägare their; med syftning på 'one' one's b) självständigt: his; hers; its; theirs; one's own; *på* ~*a ställen* (*håll*) in places, here and there; *på* ~ *tid* förr formerly; *någon har glömt kvar* ~ *väska* somebody has forgotten his (vard. their) bag
**sina** *vb itr* go dry; om t.ex. förråd give out,

run short; *aldrig ~nde* ström
never-ceasing...
**singel** *s* **1** tennis etc. singles (pl. lika); match
singles match **2** grammofonskiva single
**singelolycka** *s* one-car accident
**singla** *vb tr* kasta toss; *~ slant om* toss for;
*ska vi ~ slant?* let's toss up!
**singular** *s* the singular; *stå i ~* be in the
singular; *första personen ~* first person
singular
**singularform** *s* singular form
**singularis** se *singular*
**sinnad** *adj* lagd minded; inriktad disposed;
*fientligt (vänskapligt) ~ nation* hostile
(friendly)...
**sinne** *s* **1** fysiol. sense; *vara från (vid) sina
~n* be out of one's (in one's right) mind
(senses); *vid sina ~ns fulla bruk* in full
possession of all one's senses (faculties)
**2** själ, håg mind; hjärta heart; sinnelag
disposition, nature; *ett glatt ~* a cheerful
disposition; *ha ~ för* have a sense of,
have a feeling for; ha blick för have an eye
for; förstå sig på have an instinct for; man
vet inte vad han *har i ~t* ...is up to; *sätta
sig i ~t att* inf. set one's mind on ing-form;
*vara glad (lätt) till ~s* be in a happy
mood (be light at heart)
**sinnelag** *s* disposition, temperament
**sinnesförvirrad** *adj* mentally deranged
**sinnesförvirring** *s* mental derangement
**sinnesintryck** *s* sense impression
**sinnesnärvaro** *s* presence of mind
**sinnesrubbad** *adj* **1** mentalt sjuk mentally
disordered **2** vard. crazy
**sinnesrörelse** *s* emotion
**sinnessjuk** se *mentalsjuk*
**sinnesstämning** *s* frame (state) of mind,
mood
**sinnlig** *adj* sensuell sensual; köttslig carnal
**sinnrik** *adj* ingenious
**sinom** *pron, i ~ tid* in due course
**sinsemellan** *adv* between (om flera äv.
among) themselves
**sionism** *s* Zionism
**sippa** *s* wild anemone, windflower
**sippra** *vb itr* trickle; droppvis tränga ooze; *~
ut* trickle (ooze, läcka leak) out
**sirap** *s* treacle, syrup, amer. molasses
**siren** *s* myt. siren äv. larmapparat
**sirlig** *adj* prydlig elegant, graceful
**sist** *adv* last; *ligga ~* i tävling be last; *~ i
boken, kön* at the end of...; *~ men inte
minst* last but not least; det har hänt mycket

*sedan ~* ...since the last time; *till ~* till slut
finally, in the end; avslutningsvis lastly
**sista** *(siste) adj* last; bakerst äv. back; senaste
latest; slutlig final; *på ~ bänk* i sal etc. in
the back row; *~ delen* the last (av två the
latter) part; *de ~ (de två ~) dagarna* the
last few (the last two) days; *~ gången* the
last time; förra gången last time; *lägga ~
handen vid...* put the finishing touches
to...; *i ~ hand* last, last of all; det är *~
modet* ...the latest fashion; *~ sidan* i
tidning the back page; *in i det ~* to the
very last
**sistnämnda** *adj* last-mentioned
**sistone** *s, på ~* lately
**sisu** *s* never-say-die attitude, bulldog spirit
**sits** *s* seat; på stol äv. bottom
**sitt** *pron* se *sin*
**sitta** *vb itr* **1** sit; sitta ned sit down; vara,
befinna sig be; *var så god och sitt!* sit
down, please!; *~ hemma* be (stanna stay)
at home; *~ och läsa* sit reading; hålla på att
be reading; *~ i fängelse* be in prison;
*han sitter i telefon* he is engaged on the
phone **2** om sak be; ha sin plats be placed;
hänga hang; vara satt be put (anbragt fixed,
fitted); klänningen *sitter bra* ...fits well (is
a good fit)

□ *~ av* avtjäna t.ex. straff serve; *~ fast* ha
fastnat stick, be stuck; vara fastsatt be fixed;
vara fastklibbad adhere; inte lossna hold; *~ i*
om t.ex. skräck remain; fläcken *sitter i* ...is
still there; *~ ihop* have stuck together; vara
hopsatt be put (fastened) together; *~ inne*
a) inomhus be (hålla sig stay) indoors b) i
fängelse be in prison; vard. do time; *~ kvar*
a) inte resa sig remain sitting (seated); *sitt
kvar!* don't get up! b) vara kvar remain; *~
med i* styrelsen be a member of...; *~ ned
(ner)* sit down; *~ uppe* sit up; om sak: vara
uppsatt be up; *~ åt* be tight; starkare be too
tight
**sittande** *adj* sitting; *den ~ regeringen* the
Government in office; *i ~ ställning* in a
sitting position
**sittplats** *s* seat
**sittstrejk** *s* sit-down strike
**sittvagn** *s* för barn pushchair, amer. stroller
**situation** *s* situation; *vara ~en vuxen* be
equal to (rise to) the occasion
**sjabbig** *adj* shabby
**sjafsig** *adj* hafsig slovenly
**sjakal** *s* jackal
**sjal** *s* shawl; halsduk scarf (pl. äv. scarves)
**sjalett** *s* kerchief

**sjappa** *vb itr* vard. bolt, make off

**sjaskig** *adj* slovenly; sjabbig shabby

**sjok** *s* t.ex. av tyg, snö sheet

**sju** *räkn* seven; jfr *fem* o. sammansättningar

**sjua** *s* seven; jfr *femma*

**sjuda** *vb itr* seethe; småkoka simmer

**sjuk** *adj* ill vanl. predikativt; attributivt o. amer. äv. predikativt sick; *bli ~* fall (be taken) ill [*i influensa* with the flu]; *en ~* el. *en ~ person* a sick person; *han är ~* he is ill (amer. äv. sick); *~ humor* sick humour

**sjuka** *s* illness; svårare disease

**sjukanmäla** *vb tr,* *~ ngn* (*sig*) report a p. (report) sick

**sjukbädd** *s* sjuksäng sickbed; *vid ~en* at the bedside

**sjukdom** *s* illness; svårare, av bestämt slag disease äv. bildl.; *smittsam ~* infectious (epidemic) disease

**sjukdomsfall** *s* case of illness

**sjukersättning** *s* sickness benefit

**sjukfrånvaro** *s* absence due to illness

**sjukförsäkring** *s* health insurance

**sjukgymnast** *s* physiotherapist

**sjukgymnastik** *s* physiotherapy

**sjukhem** *s* nursing home

**sjukhus** *s* hospital; *ligga på ~* be in hospital

**sjukhussjuka** *s* hospital infection; med. nosocomial disease

**sjukintyg** *s* certificate of illness; utfärdat av läkare doctor's certificate

**sjukledig** *adj, vara ~* be on sick-leave; han har varit *~ en vecka* ...absent for a week owing to illness

**sjuklig** *adj* lidande sickly, unhealthy

**sjukling** *s* sick person, invalid

**sjukpenning** *s* sickness benefit

**sjukrum** *s* sickroom

**sjuksal** *s* hospital ward, ward

**sjukskriva** *vb tr,* *jag har blivit sjukskriven* I have got a doctor's certificate, I am on the sick list

**sjukskötare** *s* male nurse

**sjuksköterska** *s* nurse

**sjuksköterskeelev** *s* student nurse

**sjuksyster** *s* nurse

**sjuksäng** *s* sickbed

**sjukvård** *s* skötsel nursing, care of the sick; behandling medical treatment; organisation medical service

**sjukvårdare** *s* male nurse; mil. medical orderly

**sjukvårdsartiklar** *s pl* sanitary (medical) articles

**sjukvårdsbiträde** *s* nurse's assistant

**sjumannalag** *s* seven-a-side team

**sjunde** *räkn* seventh (förk. 7th); jfr *femte*

**sjundedel** *s* seventh [part]; jfr *femtedel*

**sjunga** *vb tr* o. *vb itr* sing; *~ rent* (*falskt*) sing in tune (out of tune); *~ in på band* record a th. on tape
□ *~ med* join in the singing; *~ ut* sing up; bildl. speak one's mind

**sjunka** *vb itr* sink; falla fall, drop; bli lägre subside; minska decrease; priserna *har sjunkit* ...have fallen (gone down, declined); temperat⸱ren *sjunker* ...is going down äv. om feber; ...is falling; *~ i pris* go down in price; *~nde tendens* downward tendency (trend); *~ ihop* falla ihop collapse; *~ ned i* en stol, gyttjan sink into...

**sjunkbomb** *s* depth charge (bomb)

**sjuttio** *räkn* seventy; jfr *femtio* o. sammansättningar

**sjuttionde** *räkn* seventieth

**sjutton** *räkn* **1** seventeen; jfr *femton* o. sammansättningar **2** i svordomar o. vissa uttryck, *fy ~!* Lord!; *ja, för ~!* yes, damn it!; javisst you bet!; *vad ~ skulle jag göra det för?* why on earth should I do that?; *full i ~* full of mischief; *för ~ gubbar* for goodness' sake; *det var dyrt som ~* it cost quite a packet, it cost the earth

**sjuttonde** *räkn* seventeenth (förk. 17th); jfr *femte*

**sjå** *s, ett fasligt ~* a tough job

**sjåpa** *vb rfl,* *~ sig* be namby-pamby; göra sig till be affected, put it on

**sjåpig** *adj* namby-pamby; tillgjord affected

**själ** *s* soul; hjärta heart; sinne mind; ande spirit; *lägga in hela sin ~ i* put one's heart and soul into; *i ~ och hjärta* innerst inne in one's heart of hearts

**själsdödande** *adj* soul-destroying

**själslig** *adj* mental; andlig spiritual

**själv** *pron* **1** *du ~* yourself; *jag ~* myself; *han ~* himself; *hon ~* herself; *den* (*det*) *~* itself; *man ~* oneself, yourself; *vi* (*ni, de*) *~a* ourselves (yourselves, themselves); *mig ~* myself; *hon har pengar ~* egna she has got money of her own; *han kom ~* personligen he came in person; *du ser* (*hör*) *~ hur...* you can see (hear) for yourself how...; *du ~ då!* what about you (yourself)?; *gå ~!* you go!; *säg ~ när!* say when! **2** *~a arbetet* arbetet i sig the work itself; *~a blotta tanken* the very idea; *~a* (*~aste*) *kungen* the king himself; t.o.m. kungen even the king

**självaktning** *s* self-respect, self-esteem
**självbedrägeri** *s* self-deception
**självbehärskning** *s* self-command, self-control
**självbelåten** *adj* self-satisfied
**självbestämmanderätt** *s* right of self-determination
**självbetjäning** *s* self-service
**självbevarelsedrift** *s* instinct of self-preservation
**självbiografi** *s* autobiography
**självbiografisk** *adj* autobiographical
**självdeklaration** *s* income-tax return
**självdisciplin** *s* self-discipline
**självfallen** *adj* obvious, self-evident
**självförebråelse** *s* self-reproach
**självförsvar** *s* self-defence
**självförsörjande** *adj* self-supporting; om land self-sufficient
**självförtroende** *s* self-confidence; *ha ~* be self-confident
**självförverkligande** *s* self-fulfilment
**självförvållad** *adj* self-inflicted
**självgod** *adj* self-righteous
**självhäftande** *adj* self-adhesive
**självinstruerande** *adj*, *~ material* self-instructional material
**självironi** *s* irony directed at oneself, self-irony
**självisk** *adj* selfish, egoistic
**självklar** *adj* uppenbar obvious, self-evident; *ja, det är ~t!* yes, of course!
**självkostnadspris** *s*, *till ~* at cost price
**självkritik** *s* self-criticism
**självkänsla** *s* self-esteem
**självlockig** *adj* om hår naturally curly
**självlysande** *adj* luminous
**självlärd** *adj* self-taught
**självmant** *adv* of one's own accord
**självmedveten** *adj* säker self-assured, self-confident
**självmord** *s* suicide; *begå ~* commit suicide
**självmordsförsök** *s* attempted suicide; *göra ett ~* attempt to commit suicide
**självmål** *s*, *ett ~* an own goal
**självporträtt** *s* self-portrait
**självrannsakan** *s* soul-searching
**självrisk** *s* försäkr. excess
**självservering** *s* lokal self-service restaurant
**självskriven** *adj* självklar natural; *~ till en plats* just the person for the job
**självstudier** *s pl* private (individual) studies
**självständig** *adj* independent

**självständighet** *s* independence
**självsvåldig** *adj* egenmäktig arbitrary, high-handed
**självsvält** *s* med. aneroxia [nervosa]
**självsäker** *adj* self-assured, self-confident
**självuppoffring** *s* self-sacrifice
**självverkande** *adj* automatic, self-acting
**självändamål** *s* end in itself
**sjätte** *räkn* sixth (förk. 6th); *ett ~ sinne* a sixth sense; jfr *femte*
**sjättedel** *s* sixth [part]; jfr *femtedel*
**sjö** *s* insjö lake; hav sea; *jag sitter inte i ~n* har inte bråttom I'm in no hurry; det går ingen nöd på mig I'm all right; *till ~ss* sjöledes by sea; på sjön at sea; *gå till ~ss* om person go to sea; om båt put to sea; *ute till ~ss* on the open sea
**sjöduglig** *adj* seaworthy
**sjöfart** *s* navigation; *handel och ~* trade and shipping
**sjögräs** *s* seaweed
**sjögående** *adj* seagoing
**sjögång** *s* high (rough) sea; *det är svår ~* there is a heavy sea
**sjöjungfru** *s* mermaid
**sjökapten** *s* sea captain
**sjökort** *s* chart
**sjölejon** *s* sea lion
**sjöman** *s* sailor; i mera officiellt språk seaman
**sjömil** *s* nautisk mil nautical mile
**sjömärke** *s* navigation mark, seamark
**sjörapport** *s* väderleksrapport weather forecast for sea areas
**sjöresa** *s* voyage, sea voyage; överresa crossing
**sjörövare** *s* pirate
**sjösjuk** *adj* seasick; *lätt bli ~* be a bad sailor
**sjösjuka** *s* seasickness
**sjöstjärna** *s* zool. starfish
**sjöstrid** *s* naval encounter
**sjöstridskrafter** *s pl* naval forces
**sjösätta** *vb tr* launch
**sjösättning** *s* launching
**sjötomt** *s* site (bebyggd piece of ground) bordering on the sea (vid insjö on a lake)
**sjötunga** *s* sole
**s.k** (förk. för så kallad), *den ~ Pastoralsymfonin* the Pastoral Symphony, as it is called; *denne ~ författare* that so-called author
**ska** se *1 skola*
**skabb** *s* scabies
**skada I** *s* persons injury; saks damage (end. sg.); ont harm; *det är ingen ~ skedd* there

is no harm done; *få svåra skador* be seriously injured (hurt, om sak damaged); *ta ~ av* bli lidande suffer from; om sak be damaged by; *ta ~n igen* make up for it **II** *vb tr* person injure; sak damage; vara skadlig för be bad for, harm; *det ~r inte att försöka* there is no harm in trying

**skadad** *adj* om person o. kroppsdelar injured; om sak damaged; *den ~e* the injured person; *de ~e* the injured

**skadeanmälan** *s* notification of damage (loss)

**skadeglad** *adj* om t.ex. min malicious

**skadeglädje** *s* malicious pleasure (delight)

**skadegörelse** *s* damage [*på* to]

**skadereglerare** *s* claims adjustor

**skadereglering** *s* claims adjustement

**skadestånd** *s* damages pl.

**skadeståndsskyldig** *adj* ...liable to damages

**skadeverkan** *s* o. **skadeverkning** *s* skada damage (end. sg.); skadlig verkan harmful effect

**skadlig** *adj* injurious, harmful; *det är ~t (~t för hälsan) att röka* smoking is bad for the health

**skaffa I** *vb tr* get; få tag på get hold of; inhämta obtain; *~ ngn ngt* a) get (finna find) a p. a th. b) förse ngn med ngt provide a p. with a th.; *~ barn* have children, raise a family **II** *vb rfl*, *~ sig* get oneself; förskaffa sig procure; t.ex. kunskaper acquire; t.ex. vänner make; inhämta obtain; lyckas få secure; tillvinna sig gain; ådraga sig contract; förse sig med provide oneself with

**skafferi** *s* larder; större pantry

**skaft** *s* på t.ex. redskap, bestick handle; bot. stalk, stem

**skaka** *vb tr* o. *vb itr* shake [*av* with]; om åkdon jolt; *han ~de i hela kroppen* he was trembling all over; *~ på* ngt shake...; *~ på huvudet* shake one's head
□ *~ av...från* ngt shake...off a th.; *~ av* mattan shake..., give...a shake; *~ av sig...* shake off... äv. bildl.; *~ fram* shake out [*ur* of]; bildl. produce, find; *~ om* ngt shake up..., shake...well; *~ om ngn* give a p. a shake

**skakad** *adj* upprörd shaken, upset

**skakande** *adj* om t.ex. nyheter upsetting, distressing

**skakel** *s* skalm shaft

**skakig** *adj* shaky; om vagn jolting, jogging

**skakis** *adj* vard. shaky; nervös jittery

**skakning** *s* shaking; enstaka shake; vibration

vibration; med *en ~ på huvudet* ...a shake of the head

**skal** *s* hårt, på t.ex. nötter, skaldjur, ägg shell; mjukt skin; speciellt på citrusfrukter peel; avskalade (t.ex. potatis~) koll. peelings pl.

**1 skala** *s* scale; på radio tuning dial; göra ngt *i stor ~* ...on a large scale

**2 skala** *vb tr* t.ex. frukt, potatis, räkor peel; ägg shell; *~ av* peel

**skalbagge** *s* beetle

**skalbolag** *s* shell company

**skald** *s* poet

**skaldjur** *s* shellfish

**1 skall** *hjälpvb* se *1 skola*

**2 skall** *s* hunds barking; av trumpet blast

**skalla** *vb itr* om sång, musik ring out, peal; eka resound; *ett ~nde skratt* a roar (peal) of laughter

**skalle** *s* skull; huvud head; vard. nut

**skallerorm** *s* rattlesnake

**skallgång** *s* efter bortsprungen etc. search; efter förbrytare chase

**skallig** *adj* flint~ bald, bald-headed

**skallra I** *s* rattle **II** *vb itr* rattle; *tänderna ~de på honom* his teeth chattered

**skalm** *s* **1** skakel shaft **2** på glasögon sidepiece, amer. bow; på sax blade

**skalp** *s* o. **skalpera** *vb tr* scalp

**skalv** *s* quake

**skam** *s* shame; skamfläck disgrace [*för* to]

**skamfilad** *adj*, *ett skamfilat rykte* a tarnished reputation

**skamfläck** *s* stain, blot [*på*, *i* on]; *en ~ för* a disgrace to

**skamkänsla** *s* sense (feeling) of shame

**skamlig** *adj* shameful, disgraceful; friare scandalous

**skamlös** *adj* shameless; fräck impudent

**skamsen** *adj* shamefaced; *vara ~ över* be ashamed of

**skamvrå** *s*, *stå (ställa) i ~n* stand (put) in the corner

**skandal** *s* scandal; *det är en ~ (rena ~en)!* it's a disgrace!

**skandalös** *adj* scandalous; uppträdande outrageous

**skandinav** *s* Scandinavian

**Skandinavien** Scandinavia

**skandinavisk** *adj* Scandinavian

**skapa** *vb tr* create, make; *han är som skapt för det* he is just cut out for it

**skapande** *adj* creative

**skapare** *s* creator; av t.ex. mode el. stil originator

**skapelse** *s* creation

**skaplig** *adj* tolerable, passable, not bad
**skara** *s* troop, band; *i stora skaror* in large crowds
**skare** *s* frozen crust [on the snow]
**skarp I** *adj* sharp; brant steep; om smak o. lukt strong; om ljud piercing; om ljus, färg etc. bright, glaring; om sinnen keen; *~ ammunition* live ammunition; *~ protest* strong protest **II** *s, ta i på ~en med någon* crack down on a p.; *säga till* ngn *på ~en* tell a p. off
**skarpsinne** *s* sharp-wittedness
**skarpsinnig** *adj* acute, sharp-witted
**skarv** *s* fog joint; sömnad. seam; tekn. splice
**skarva** *vb tr* o. *vb itr* lägga till ett stycke add a piece [*ngt* to a th.]; *~ ihop* join; sömnad. piece...together; tekn. splice
**skarvsladd** *s* extension flex (amer. cord)
**skata** *s* magpie
**skateboard** *s* skateboard
**skatt** *s* **1** rikedom treasure; *~er* riches **2** avgift etc.: tax; kommunal~ (koll.) ung. local taxes pl.; i Storbr. ung. rates pl.; på vissa varor (tjänster) duty; *det är ~ på* bensin there is a tax on...
**skatta I** *vb tr* värdera, uppskatta estimate [*till* at]; value; *~ sig lycklig* count oneself fortunate **II** *vb itr* betala skatt pay taxes [*för inkomst* on an income]; *han ~r för...om året* he is assessed at...a year
**skattebetalare** *s* taxpayer
**skatteflykt** *s* undandragande av skatt tax evasion
**skatteflykting** *s* tax exile
**skattefri** *adj* tax-free
**skattefusk** *s* tax evasion
**skattehöjning** *s* increase in taxation
**skattekort** *s* preliminary tax card
**skattekrona** *s, skatten har fastställts till 35 kronor per ~* the rate has been fixed at 35 per cent of the rateable income
**skattekvitto** *s* se bilskattekvitto
**skattelättnad** *s* tax relief
**skattemyndighet** *s, ~er* tax authorities
**skattepaket** *s* taxation package proposals
**skatteparadis** *s* tax haven
**skattepliktig** *adj* om person ...liable to tax; om varor o. inkomst taxable
**skatteskolkare** *s* tax evader (dodger)
**skatteskuld** *s* tax debt
**skattesmitare** *s* tax evader (dodger)
**skattesänkning** *s* tax reduction
**skattetabell** *s* tax table
**skattetryck** *s* pressure (burden) of taxation

**skattkammare** *s* treasury
**skattmas** *s* tax-collector
**skattmästare** *s* treasurer
**skattsedel** *s* ung. income-tax demand note
**skattskyldig** *adj* ...liable to tax
**skava** *vb tr* o. *vb itr* gnida, riva rub, chafe; skrapa scrape; *skorna skaver* my shoes make my feet sore; *~ av (bort)* t.ex. färg scrape, scrape off
**skavank** *s* fel defect, fault
**skavsår** *s* sore, chafe
**ske** *vb itr* hända happen; inträffa äv. occur; äga rum take place; *det kommer att ~* en förbättring there will be...; *vad som ~r (händer och ~r)* what is going on
**sked** *s* spoon; *ta ~en i vacker hand* bildl. make the best of a bad job
**skede** *s* period; fas phase; stadium stage
**skeende** *s* course, course of events
**skela** *vb itr* squint
**skelett** *s* skeleton; stomme framework
**skelögd** *adj* squint-eyed, cross-eyed
**skelögdhet** *s* squint
**sken** *s* **1** ljus etc. light; starkt äv. från eldsvåda glare **2** falskt yttre etc. show, appearance; förevändning pretext, pretence; *~et bedrar* appearances are deceptive; *ge sig ~ av att vara...* pretend to be...
**1 skena** *vb itr* bolt; *~ i väg* run away äv. bildl.; *en ~nde häst* a runaway horse
**2 skena** *s* järnv. o. löpskena rail; på skridsko blade, runner
**skenbar** *adj* apparent
**skenben** *s* shin bone
**skendemokrati** *s* pseudo-democracy
**skenhelig** *adj* hypocritical
**skenhelighet** *s* hypocrisy
**skenmanöver** *s* diversion
**skepnad** *s* figure; *i* en tiggares *~* in the guise of...
**skepp** *s* **1** ship; fartyg vessel **2** arkit. nave; sidoskepp aisle
**skeppa** *vb tr* ship, send...by ship
**skeppare** *s* master; vard. skipper
**skepparhistoria** *s* yarn, sailor's yarn
**skeppsbrott** *s* shipwreck
**skeppsbruten** *adj* shipwrecked; *en ~* a shipwrecked man (woman)
**skeppsredare** *s* shipowner
**skeppsvarv** *s* shipyard
**skepsis** *s* scepticism, amer. vanl. skepticism
**skeptisk** *adj* sceptical, amer. vanl. skeptical
**sketch** *s* sketch
**skev** *adj* vind warped; bildl. äv. distorted, warped

**skick** s **1** tillstånd condition, state; *i dåligt (gott)* ~ in bad (good) order (speciellt om hus repair); *i sitt nuvarande* ~ in its present state (shape) **2** uppförande behaviour; sätt manners pl.

**skicka** *vb tr* sända send [*med, per* by]; expediera forward; vid bordet pass; *vill du* ~ *hit brödet (saltet)?* please pass me the bread (salt)

□ ~ **efter** send for; ~ **i väg** send off; ~ **med** ngt send...along (too); ~ **omkring** send (vid bordet pass) round; ~ **tillbaka** return, send back; ~ **vidare** send (vid bordet pass) on

**skicklig** *adj* duktig clever, skilful; kunnig capable; *vara* ~ *i (i att göra)* ngt be good (clever) at a th. (at doing a th.)

**skicklighet** s cleverness, skill

**1 skida** s slida sheath, scabbard

**2 skida** s sport. ski; *åka skidor* ski; göra en skidtur go skiing

**skidbacke** s ski slope (för skidhopp jump)

**skidbindning** s ski binding

**skidbyxor** s pl skiing trousers

**skidföre** s, *det är bra (dåligt)* ~ ung. the snow is good (bad) for skiing

**skidlift** s ski lift

**skidlöpare** s skier

**skidstav** s ski stick (amer. pole)

**skidtolkare** s ski-jorer

**skidtur** s skiing-tour

**skidvalla** s ski wax

**skidåkare** s skier

**skidåkning** s skiing

**skiffer** s tak~ slate

**skift** s shift; arbetslag äv. gang

**skifta** *vb tr* o. *vb itr* change, alter; omväxla med varandra alternate; ~ *i rött* be tinged with red

**skiftarbete** s shift work

**skifte** s change

**skiftning** s förändring change; rött *med en* ~ *i blått* ...with a tinge of blue

**skiftnyckel** s adjustable spanner (wrench)

**skikt** s layer; av färg äv. coat

**skild** *adj* **1** åtskild separated; frånskild divorced **2** ~*a* olika different, varying; *vitt ~a intressen* widely differing interests

**skildra** *vb tr* describe; depict

**skildring** s description; outline, sketch

**skilja I** *vb tr* o. *vb itr* **1** avskilja, åtskilja separate; med våld sever; en tunn vägg *skilde oss åt* we were separated by... **2** särskilja distinguish [*mellan (på)* between]; ~ *mellan (på)* tell the difference between

**II** *vb rfl*, ~ *sig* **1** part [*från ngn* avlägsna sig från from a p.; *från ngt* sälja etc. with a th.]; vara olik differ, be different **2** jur. ~ *sig* get a divorce; ~ *sig från sin man* divorce one's husband

**skiljas** *vb itr dep* **1** part; ~ *ifrån* lämna *ngn* äv. leave a p.; ~ *åt* part **2** ta ut skilsmässa get a divorce

**skiljetecken** s punctuation mark

**skiljeväg** s crossroad

**skillnad** s olikhet difference; åtskillnad distinction; *till* ~ *från henne* unlike her

**skilsmässa** s äktenskaplig divorce; *begära (söka)* ~ jur. sue for a divorce; *de ligger i* ~ they are seeking a divorce

**skimmer** s shimmer, glimmer; *ett* ~ *av* löje an air of...

**skimra** *vb itr* shimmer, glimmer

**skina** *vb itr* shine; starkare blaze

**skingra I** *vb tr* disperse; t.ex. tvivel dispel; t.ex. mystiken clear up, solve **II** *vb rfl*, ~ *sig* disperse, scatter

**skingras** *vb itr dep* disperse, scatter

**skinka** s **1** kok. ham **2** vard., om kroppsdel buttock

**skinn** s skin; päls fur; beredd hud leather; *hålla sig i* ~*et* behärska sig control oneself

**skinnjacka** s läderjacka leather jacket

**skinntorr** *adj* skinny, scraggy

**skipa** *vb tr*, ~ *rätt* administer justice; ~ *rättvisa* rättvist fördela etc. see that justice is done

**skippa** *vb tr* vard., hoppa över skip

**skiss** s sketch; friare outline [*till* of]

**skissera** *vb tr* sketch; friare outline

**skit** s exkrementer shit äv. om person; smuts filth; skräp damned junk (rubbish); *prata* ~ talk tripe; *prata* ~ *om ngn* run a p. down

**skita** *vb itr* vulg. shit; *det skiter jag i* I don't care a damn about that; ~ *ner* make...dirty; ~ *ner sig* get dirty

**skitig** *adj* vard. filthy

**skitsnack** s vard. crap, bullshit

**skiva** s **1** platta etc. plate; av trä etc. board; tunn sheet; grammofon~ record, disc; bords~ top; lös leaf (pl. leaves) **2** uppskuren slice **3** kalas party

**skivad** *adj* sliced, ...in slices

**skivbroms** s disc (speciellt amer. disk) brake

**skivling** s svamp agaric

**skivpratare** s i radio disc jockey

**skivspelare** s record-player

**skivtallrik** s på grammofon turntable

**skjorta** s shirt

**skjortblus** *s* shirtblouse, shirtwaist

**skjortknapp** *s* påsydd shirt button; lös bröstknapp shirt stud

**skjul** *s* redskaps~ etc. shed; kyffe hovel

**skjuta** *vb tr* o. *vb itr* **1** med skjutvapen shoot; ge eld, avfyra fire **2** flytta push; starkare shove; ~ *på* uppskjuta *ngt* put off (postpone) a th. **3** *katten sköt rygg* the cat arched its back

☐ ~ **av** skjutvapen, skott fire, discharge; ~ **fram a)** ~ *fram stolen till* brasan push the chair up to... **b)** sticka ut jut out, project; ~ **ifrån sig** ngn (ngt) push (starkare shove)...away; ~ **igen** dörr etc. push...to; stänga close, shut; ~ **till** bidra med contribute; ~ *till vad som fattas* make up for the deficiency; ~ **upp a)** t.ex. dörr push...open; rymdraket launch **b)** uppskjuta put off, postpone

**skjutbana** *s* shooting-range; täckt shooting-gallery

**skjutsa** *vb tr* köra drive; ~ *ngn* give a p. a lift

**skjutspets** *s* sport. target player

**skjutvapen** *s* firearm

**sko I** *s* **1** lågsko shoe; känga boot; halvkänga bootee **2** hästsko horse shoe **II** *vb tr* förse med skor shoe äv. häst **III** *vb rfl*, ~ *sig* göra sig oskälig vinst *på ngns bekostnad* line one's pocket at a p.'s expense

**skoblock** *s* shoetree

**skoborste** *s* shoebrush, bootbrush

**skock** *s* oordnad mängd crowd; mindre klunga group; av djur herd, flock

**skocka** *vb rfl*, ~ *sig* o. **skockas** *vb itr dep* crowd (herd, flock) together [*kring* round]

**skodon** *s pl* shoes, boots and shoes; hand. footwear sg.

**skog** *s* större forest; mindre wood; ofta woods pl.; *det går åt ~en* it's all going wrong (to pieces)

**skogbevuxen** *adj* o. **skogig** *adj* forested, wooded

**skogsarbetare** *s* woodman, lumberjack

**skogsbrand** *s* forest fire

**skogsbruk** *s* forestry

**skogsbryn** *s* edge of a wood (större forest)

**skogsdunge** *s* grove

**skogsparti** *s* piece of woodland

**skogstrakt** *s* woodland

**skohorn** *s* shoehorn

**skoj** *s* **1** skämt joke, jest; pojkstreck prank; ofog mischief; drift joking **2** bedrägeri swindle, humbug; vard. racket

**skoja I** *vb itr* skämta joke; ha hyss för sig, bråka etc. lark about, play pranks, be up to mischief; ~ *driva med ngn* kid a p. **II** *vb itr* o. *vb tr* bedraga cheat, swindle [*på* out of]

**skojare** *s* **1** bedragare cheat, swindler; bluffmakare trickster; kanalje blackguard **2** skämtare joker; spjuver rogue

**skojig** *adj* lustig, konstig funny; trevlig nice

**skokräm** *s* shoe polish (cream)

**1 skola** *(skall,* vard. *ska; skulle)* **I** *hjälpvb* **1** uttr. ren framtid *skall* = kommer att: i första person will (shall); i övriga fall will; *skulle* i första person would (should); i övriga fall would; ofta äv. konstruktion med be going to; *jag hoppas ni ska trivas här* I hope you will be happy here; *jag frågade honom om han skulle komma hem till middag* I asked him if he would be home for dinner; *jag ska träffa honom* i morgon I will (I shall, I'll) meet him..., I am going to meet him...; *ingen visste vad som skulle hända* nobody knew what would (was going to) happen **2** konditionalt *skulle*: i första person would (should); i övriga fall would; *det skulle inte förvåna mig om han gifte om sig* I wouldn't (shouldn't) be surprised if he remarried; *det skulle jag tro* I would (should) think so; *om jag varit som du, skulle jag ha vägrat* in your place I would (should) have refused; *utan hans hjälp skulle hon ha drunknat* without his help she would have been drowned **3** om något omedelbart förestående *skall (skulle)* = ämnar (ämnade), tänker (tänkte): *jag ska spela tennis i eftermiddag* I'm going to play tennis this afternoon; *jag ska just (just till att) packa* I'm about (just going) to pack; *det såg ut som om det skulle bli regn* it looked as if it were (was) going to rain; *när ska du resa?* when are you leaving (going)?; *ska du stanna över natten?* are you staying the night? **4** om något på förhand bestämt, enligt avtal el. ödet, konstruktion med be to; inf., *konserten skall äga rum i domkyrkan* the concert is to take place in the cathedral; *om vi skall vara där* klockan tre måste vi if we are to be there...; *föreställningen skulle börja klockan åtta* the performance was to begin at eight; *kriget skulle vara mer än fyra år* the war was to last for more than four years **5** uttr. subjektets egen vilja, avsikt: *skall* will; *skulle* would; *jag ska se vad jag kan göra* I will (I'll) see what I can do; *jag skulle ge vad som helst för att få igen den* I would (I'd) give anything to have it back **6** uttr. annans vilja än subjektets: *skall* shall; *skulle* should; *ska jag öppna fönstret?* shall I open the window?; *jag vet inte vad jag ska säga* I don't know what to say; *jag lovade att han skulle få pengarna* I promised that he would (should) have the money; *vad vill du att jag ska göra?* what do you want me to do?; *hon bad mig att jag skulle komma genast* she asked (told) me to come at once; *jag väntade mig inte att du skulle vara här* I didn't expect you to be here **7** uttr. lämplighet och tvång *skall* el. *skulle* **a)** = bör (borde): should i alla personer ought to **b)** = måste: presens must; imperfekt had to; *han skulle ha varit mer försiktig* he should (ought to) have been more careful; *du skulle ha sett honom* you should have seen him; *varför ska du alltid gräla?* why must you always quarrel? **8** uttr. åsikt, förmodan *skall* (*skulle*) = säges (sades), påstås (påstods): konstruktion med be said (supposed) to; *hon skall vara mycket musikalisk* she is said (supposed) to be (they say that she is) very musical; *hon skulle* enligt vad det påstods *vara omgift med en amerikanare* she was said (supposed) to be remarried to an American **9** i att-satser: *det är synd att han ska vara så lat* it is a pity that he should be so lazy; *det är konstigt att det ska vara så svårt* it's strange that it should be so difficult; *jag längtar efter att skolan ska sluta* I long for school to break up; *han litar på att jag skall hjälpa henne* he relies on me to help her; *han var angelägen om att hon skulle komma tillbaka* he was anxious for her to return **10** i avsikts-, villkors- o. medgivandebisatser: *skulle* should; *han sänkte rösten för att vi inte skulle höra vad han sade* he lowered his voice so (in order) that we might (should, would) not hear what he said; *om han skall räddas, måste något göras genast* if he is to be saved, something must be done at once; *om* om händelsevis *något skulle inträffa, skickar jag ett telegram* if anything should happen, I will (I'll) send a telegram; *om* om mot all förmodan *jag skulle vinna högsta vinsten, skulle jag resa till Japan* if I were to draw the first prize, I would (should) go to Japan

**11** speciella fall: *det ska du säga som aldrig har försökt!* that's easy for you to say who have never tried!; *du skulle bara våga!* you just dare!; *vad ska det här betyda?* what is the meaning of this?; *vad ska det tjäna till?* what is the use (good) of that?; *vad ska det här föreställa?* what is this supposed to be?; *naturligtvis skulle det hända just mig* of course it would happen to me of all people

**II** med utelämnat huvudverb i sv.: *jag ska av* tänker stiga av *här* I'm getting off here; *jag ska* (*skulle*) *bort* (*hem, ut*) I'm (I was) going out (home, out); *jag ska i väg nu* I must be off (be going) now; *vad ska jag med det till?* what am I to do with that?

**2 skola I** *s* school; *sluta* (*lämna*) *~n* leave school **II** *vb tr* utbilda train; *~ om* retrain
**skolbarn** *s* schoolchild (pl. schoolchildren)
**skolbespisning** *s* school meals pl.
**skolexempel** *s*, *ett ~ på...* a typical (classic) example of...
**skolflicka** *s* schoolgirl
**skolgång** *s* schooling; school attendance; *~en börjar tidigt* children begin school early
**skolgård** *s* playground; speciellt mindre school yard
**skolk** *s* truancy
**skolka** *vb itr*, *~* el. *~ från skolan* play truant (amer. hooky); *~ från* t.ex. en lektion shirk; *~ från arbetet* keep away from one's work
**skolkamrat** *s* schoolfellow, schoolmate
**skolkare** *s* truant
**skolklass** *s* school class (form)
**skolkort** *s* biljett schoolchildren's season-ticket
**skollov** *s* ferier holidays pl.,vacation
**skollärare** *s* schoolmaster, schoolteacher
**skollärarinna** *s* schoolmistress, schoolteacher
**skolmogen** *adj* ...ready (sufficiently mature) for school
**skolning** *s* utbildning training
**skolplikt** *s* compulsory school attendance
**skolpojke** *s* schoolboy
**skolradio** *s* broadcasting (program broadcast) for schools
**skolresa** *s* school journey
**skolsal** *s* klassrum classroom
**skolskjuts** *s* bil car (bus) for transporting children to school

**skolstyrelse** *s* ung. local education authority

**skoltandvård** *s* school dental service

**skoltrött** *adj* ...tired of school

**skol-TV** *s* school TV; program TV programme for schools

**Skolverket** *s* the [Swedish] Board of Education

**skolväska** *s* school bag (med axelrem satchel)

**skolålder** *s* school age

**skolår** *s* school year

**skomakare** *s* shoemaker

**skomakeri** *s* shoemaker's

**skona** *vb tr* spare [*ngn från ngt* a p. a th.]

**skonare** *s* o. **skonert** *s* schooner

**skongång** *s* i tvättmaskin delicate programme

**skoningslös** *adj* merciless

**skonsam** *adj* mild lenient; hänsynsfull considerate; barmhärtig merciful; varsam careful; ~ *mot huden* kind to the skin

**skonsamhet** *s* leniency; consideration; care; jfr *skonsam*

**skopa** *s* scoop; för vätska ladle

**skorpa** *s* **1** bakverk rusk **2** hårdnad yta crust

**skorpion** *s* **1** scorpion **2** *Skorpionen* astrol. Scorpio

**skorsten** *s* chimney; på fartyg o. lok funnel

**skosnöre** *s* shoelace, amer. shoestring

**skospänne** *s* shoe buckle

**skosula** *s* sole

**skoter** *s* motorscooter

**skotsk** *adj* Scottish, Scots; speciellt om skotska produkter Scotch

**skotska** *s* **1** kvinna Scotswoman (pl. Scotswomen); i Engl. äv. Scotchwoman (pl. Scotchwomen) **2** språk Scots

**skott** *s* **1** vid skjutning shot äv. i sport.; laddning charge **2** på växt shoot, sprout

**skotta** *vb tr* shovel

**skottavla** *s* target

**skottdag** *s* leap day

**skotte** *s* person Scotsman (pl. Scotsmen), Scot; i Engl. äv. Scotchman (pl. Scotchmen); *skottarna* som nation el. lag etc. the Scots, the Scotch

**skottglugg** *s* loop hole; *komma (hamna, råka) i ~en* bildl. come under fire

**skotthåll** *s, inom (utom)* ~ within (out of) gunshot (range) [*för* of]

**skottkärra** *s* wheelbarrow

**Skottland** Scotland

**skottlinje** *s* line of fire

**skottlossning** *s* skottväxling firing, shooting

**skottsäker** *adj* ogenomtränglig bullet-proof

**skottväxling** *s* exchange of shots

**skottår** *s* leap year

**skraj** *adj, vara* ~ have got the wind up

**skral** *adj* **1** underhaltig poor; illa medfaren rickety **2** krasslig ...out of sorts, ...poorly

**skramla I** *s* rattle **II** *vb itr* rattle; om mynt jingle; om kokkärl etc. clatter

**skrammel** *s* skramlande rattling, jingling, clattering; *ett* ~ a rattle

**skranglig** *adj* gänglig lanky; rankig rickety

**skrank** *s* railing, barrier; vid domstol bar

**skrapa I** *s* **1** redskap scraper **2** skråma scratch **3** tillrättavisning telling-off **II** *vb tr* o. *vb itr* scrape; riva, krafsa scratch

**skrapning** *s* med. dilatation and curettage (förk. *D&C*)

**skratt** *s* laughter; enstaka ~, sätt att skratta laugh; *få sig ett gott* ~ have a good (hearty) laugh; *skaka (tjuta) av* ~ shake (roar) with laughter; *jag försökte hålla mig för* ~ I tried to keep a straight face, I tried not to laugh; *vara full i (av)* ~ be ready to burst with laughter

**skratta** *vb itr* laugh [*åt* at]; ~ *till* give a laugh; ~ *ut ngn* laugh a p. down

**skrattgrop** *s* dimple

**skrattretande** *adj* laughable, ridiculous

**skrattsalva** *s* burst (starkare roar) of laughter

**skrattspegel** *s* distorting mirror

**skrev** *s* crotch, crutch

**skreva** *s* klyfta cleft; spricka crevice

**skri** *s* människas scream, shriek, yell; rop cry

**skriande** *adj, ett* ~ *behov av* a crying need for; *behovet är* ~ there is a crying need; *en* ~ *brist på* an acute shortage of

**skribent** *s* writer; journalist scribe

**skrida** *vb itr* gå långsamt glide; om tid pass on; ~ *fram* om person march (stride) along

**skridsko** *s* skate; *åka* ~*r* skate; göra en skridskotur go skating

**skridskobana** *s* skating-rink

**skridskoåkare** *s* skater

**skridskoåkning** *s* skating

**skrift** *s* **1** motsats tal o. tryck writing; skrivtecken characters pl. **2** handling etc. written (tryckt printed) document; tryckalster publication

**skriftlig** *adj* written

**skriftligt** *adv* in writing

**skriftspråk** *s,* ~*et* the written language

**skrik** *s* cry; rop shout; tjut yell; gällt scream, shriek; *sista* ~*et* modet the latest fashion, all the rage

**skrika** *vb itr* o. *vb tr* utstöta skrik cry, call (cry) out; ropa shout; gällt scream, shriek
**skrikande I** *adj* shouting, screaming; om färg glaring, loud **II** *s* shouting, screaming
**skrikhals** *s* gaphals loudmouth; gnällmåns cry-baby
**skrikig** *adj* **1** om barn screaming attributivt; om röst shrill; *barnet är så ~t* the child screams such a lot **2** om färg glaring, loud
**skrin** *s* box; för smycken äv. case
**skrinlägga** *vb tr* uppge give up; lägga på hyllan shelve
**skriva** *vb itr* o. *vb tr* write; *~ ren (rent)* copy out...; *~ maskin (på maskin)* type; *~ beloppet med bokstäver* set out...in writing
□ *~ av* copy; *~ in* bokföra etc. enter; *~ in sig* register; *~ om* på nytt rewrite; *~ på* t.ex. lista write one's name on; *~ under* sign (put) one's name to...; utan objekt sign, sign one's name; *~ upp* anteckna write (take) down; debitera put...down [*på ngn* to a p.'s account]; *~ ut* write out; på maskin type; *~ ut ngn* från t.ex. sjukhus discharge a p.
**skrivbok** *s* skol. exercise book
**skrivbord** *s* writing-desk, desk; större writing-table
**skrivbordsalmanacka** *s* desk calendar
**skrivbordslåda** *s* desk drawer
**skrivbordsunderlägg** *s* writing-pad
**skrivbyrå** *s* maskinskrivningsbyrå typewriting agency
**skrivelse** *s* official letter, written communication
**skriveri** *s* writing
**skrivfel** *s* slip of the pen; på maskin typing-error
**skrivhjul** *s* på skrivmaskin daisy-wheel
**skrivmaskin** *s* typewriter
**skrivmaskinspapper** *s* typing-paper
**skrivning** *s* skriftligt prov written test (för examen exam)
**skrivstil** *s* handwriting, hand
**skrivunderlägg** *s* writing-pad
**skrivvakt** *s* invigilator
**skrock** *s* superstition
**skrockfull** *adj* superstitious
**skrot** *s* scrap metal; järn~ scrap iron
**skrota** *vb tr*, *~* el. *~ ned* scrap
**skrothandlare** *s* scrap merchant
**skrothög** *s* scrap heap
**skrovlig** *adj* rough; sträv harsh
**skrovmål** *s*, *få sig ett ~* have a good tuck-in (blow-out)

**skrubb** *s* rum cubby-hole
**skrubba** *vb tr* skura scrub; gnida rub
**skrubbflundra** *s* zool. flounder
**skrubbsår** *s* graze
**skrumpen** *adj* shrivelled; hopkrympt shrunken
**skrumpna** *vb itr* shrivel, shrivel up; krympa shrink
**skrupel** *s* scruple
**skrupelfri** *adj* unscrupulous
**skruv** *s* screw; *ha en ~ lös* bildl. have a screw loose; *det tog ~* that did it (did the trick), that went home
**skruva** *vb tr* o. *vb itr* screw; boll spin
□ *~ av* unscrew, screw off; stänga av turn off; *~ fast* screw (fasten)...on (tight); *~ ned* gas, radio etc. turn down, lower; *~ på* gas, radio etc. turn on; *~ upp* gas, radio etc. turn up
**skruvmejsel** *s* screwdriver
**skruvnyckel** *s* spanner, wrench
**skruvstäd** *s* vice
**skrymmande** *adj* bulky
**skrymsle** *s* nook, corner
**skrynkelfri** *adj* creaseproof
**skrynkla I** *s* crease; wrinkle äv. i huden **II** *vb tr* tyg, *~ sig* crease, crumple, wrinkle; *~ ihop* crumple up
**skrynklig** *adj* creased; wrinkled äv. om hud
**skryt** *s* boasting; *tomt ~* an empty boast
**skryta** *vb itr* boast [*över, med* of, about]
**skrythals** *s* o. **skrytmåns** *s* boaster, braggart
**skrytsam** *adj* om person boastful
**skråla** *vb itr* bawl, bellow, roar
**skråma** *s* scratch, slight wound
**skräck** *s* fright, dread [*för* of]; *sätta ~ i ngn* strike a p. with terror
**skräckinjagande** *adj* terrifying
**skräckslagen** *adj* terror-struck, terror-stricken
**skräckvälde** *s* reign of terror
**skräda** *vb tr*, *inte ~ orden* not mince matters (one's words)
**skräddare** *s* tailor
**skräddarsydd** *adj* tailor-made, amer. custom-made
**skräll** *s* crash äv. bildl.; smäll bang; sport. sensation, turn-up
**skrälla** *vb itr* om t.ex. trumpet, högtalare blare; om fönster rattle; om åska crash; sport. cause a sensation (an upset)
**skrälle** *s*, *ett ~ till* bil (hus etc.) a ramshackle old...
**skrällig** *adj* musik etc. blaring

**skrämma** *vb tr* frighten, scare; *låta ~ sig* be intimidated; *~ bort (ihjäl)* frighten el. scare...away (to death); *~ upp* göra rädd frighten

**skrämsel** *s* fright, alarm, jfr *skräck*

**skrämseltaktik** *s* intimidating tactics pl.

**skrän** *s* yell, howl; skränande yelling, howling

**skräna** *vb itr* yell, howl

**skräp** *s* rubbish, trash

**skräpa** *vb itr, ~ ned* make a mess; *~ ned (ned i)* rummet etc. litter up...

**skräpig** *adj* untidy, littered

**skräpmat** *s* junk food

**skrävla** *vb itr* brag, swagger

**skrävlare** *s* braggart, swaggerer

**skröplig** *adj* bräcklig frail; om hälsa weak

**skugga I** *s* motsats ljus shade; av ett föremål shadow; ligga *i ~n av ett träd* ...in the shade of a tree; *inte ~n av en chans* not an earthly (not the ghost of a) chance **II** *vb tr* **1** ge skugga åt shade **2** bevaka shadow, tail

**skuggbild** *s* silhouette

**skuggboxas** *vb itr dep* shadow-box

**skuggboxning** *s* shadow boxing

**skuggig** *adj* shady

**skuggregering** *s* shadow cabinet

**skuggrik** *adj* very shady

**skuggsida** *s* shady side

**skuld** *s* **1** debt **2** fel fault; brottslighet guilt; *~en är min* it's my fault, I'm to blame; *vara ~ till...* be to blame for...; orsak till be the cause of...

**skulderblad** *s* shoulder blade

**skuldfri** *adj* **1** utan skulder ...free from debt (debts) **2** oskyldig guiltless, innocent

**skuldkänsla** *s* sense of guilt

**skuldmedveten** *adj* ...conscious of one's guilt

**skuldra** *s* shoulder

**skuldsatt** *adj* ...in debt

**skull** *s, för min ~* for my sake, just to please me; *för min egen ~* i eget intresse in my own interest

**skulle** *hjälpvb* se *1 skola*

**skulptur** *s* sculpture

**skulptör** *s* sculptor

**1 skum** *adj* **1** mörk dark; obscure **2** suspekt shady, suspicious; illa beryktad disreputable

**2 skum** *s* foam; fradga froth

**skumbad** *s* foam bath

**skumgummi** *s* foam rubber

**skumma I** *vb itr* foam; fradga froth **II** *vb tr* skim

**skummjölk** *s* skim (skimmed) milk

**1 skumpa** *vb itr* jog, bump

**2 skumpa** *s* vard. champagne champers sg., bubbly

**skumplast** *s* foam plastic

**skumsläckare** *s* foam extinguisher

**skunk** *s* skunk

**skur** *s* shower

**skura** *vb tr* o. *vb itr* golv scrub; göra ren clean

**skurborste** *s* scrubbing-brush

**skurk** *s* scoundrel, villain

**skurkaktig** *adj* scoundrelly, villainous

**skurkstreck** *s* rotten (dirty) trick

**skurpulver** *s* scouring-powder

**skurtrasa** *s* scouring-cloth

**skuta** *s* small cargo boat; vard., båt boat

**skutt** *s* hopp leap, bound

**skutta** *vb itr* leap, bound

**skvala** *vb itr* pour; forsa gush, rush

**skvaller** *s* gossip; förtal slander

**skvalleraktig** *adj* gossipy; som förtalar slanderous

**skvallerbytta** *s* gossip, gossipmonger; *~ bingbång!* telltale tit!

**skvallerkärring** *s* old gossip

**skvallertidning** *s* gossip magazine (paper)

**skvallra** *vb itr* gossip; sprida ut rykten tell tales

**skvalmusik** *s* non-stop pop [music]

**skvalp** *s* kluckande splash

**skvalpa** *vb itr* i kärl splash to and fro; *~ ut (över)* spill, splash (slop) over

**skvatt** *s, inte ett ~* not a thing (bit)

**skvätt** *s* drop; som skvätt ut splash; *en ~ vatten* a few drops of water

**skvätta I** *vb tr* o. *vb itr* stänka splash **II** *vb itr* småregna drizzle

**1 sky** *s* **1** moln cloud **2** himmel sky; *skrika i högan ~* cry to the skies

**2 sky** *s* köttsky gravy

**3 sky** *vb tr* shun; *inte ~ någon möda* spare no pains; *inte ~ någonting* stick at nothing

**skydd** *s* protection; mera konkret shelter [*mot* against]; *söka ~* seek protection, seek (take) shelter; *i ~ av mörkret* under cover of darkness

**skydda** *vb tr* protect; mera konkret shelter; försvara defend; skyla, ge betäckning cover; trygga safeguard; bevara preserve; *~ sig* protect (mera konkret shelter) oneself

**skyddsanordning** *s* safety device, guard

**skyddshelgon** *s* patron saint

**skyddshjälm** *s* protective helmet

**skyddskonsulent** *s* probation officer

**skyddsling** *s* ward, protégé; om kvinna protégée
**skyddsombud** *s* representative (ombudsman)
**skyddsområde** *s* mil. prohibited (restricted) area
**skyddsrock** *s* overall; läkares etc. white coat
**skyddsrum** *s* air-raid shelter
**skyddstillsyn** *s* probation
**skyfall** *s* cloudburst
**skyffel** *s* skovel shovel; sop~ dustpan
**skyffla** *vb tr* skotta shovel
**skygg** *adj* shy [*för* of]; blyg timid
**skygghet** *s* shyness; blyghet timidity
**skygglappar** *s pl* blinkers, amer. blinders
**skyhög** *adj* extremely high; om t.ex. priser sky-high
**skyhögt** *adv* sky-high
**skyla** *vb tr* hölja cover; dölja hide; ~ *över* cover up
**skyldig** *adj* **1** som bär skuld guilty [*till* of]; *göra sig* ~ *till* t.ex. ett brott commit...; *den* ~*e* the guilty person, the culprit **2** vara (*bli*) ~ *ngn pengar* (*en förklaring*) owe a p. money (an explanation); *vad är* (*blir*) *jag* ~*?* what do I owe you? **3** förpliktad bound, obliged
**skyldighet** *s* duty, obligation [*mot* towards]
**skylla** *vb tr* o. *vb itr,* ~ *ngt på ngn* blame a p. for a th.; ~ *på ngn* throw the (lay) the blame on a p.; *det får du* ~ *dig själv för* you have yourself to blame for that; *skyll dig själv!* det är ditt eget fel it is your own fault!; ~ *ifrån sig* throw the blame on someone else
**skylt** butiksskylt etc. sign, signboard; dörrskylt, namnskylt plate; vägvisare signpost
**skylta I** *vb itr,* ~ *med ngt* put a th. on show, display a th. **II** *vb tr* väg signpost
**skyltdocka** *s* tailor's dummy, mannequin
**skyltfönster** *s* shopwindow
**skyltning** *s* konkret display, display of goods; i skyltfönster window display
**skymf** *s* förolämpning insult
**skymfa** *vb tr* insult; kränka outrage
**skymma I** *vb tr* block; dölja conceal, hide; *du skymmer mig* you are in my light **II** *vb itr* get dark; *det börjar* ~ it is getting dark
**skymning** *s* twilight, dusk
**skymt** *s* glimpse; spår trace; *se en* ~ *av...* catch a glimpse of...
**skymta I** *vb tr* få en skymt av catch a glimpse

of **II** *vb itr* visa sig, dyka upp appear here and there; ~ *fram* peep out; otydligare loom
**skymundan** *s, hålla sig i* ~ undangömd keep oneself out of the way
**skynda I** *vb itr* ila, hasta hasten; skynda sig, raska på, se *II* **II** *vb rfl,* ~ *sig* hurry, hurry up; hasten; ~ *dig!* el. ~ *dig på!* hurry up!, come on!; *jag måste* ~ *mig* har bråttom I am in a hurry
□ ~ *fram* el. ~ *sig fram till platsen* hurry to the spot; ~ *på* hurry, hurry up; ~ *på ngn* hurry a p.
**skyndsam** *adj* speedy; brådskande quick
**skynke** *s* täckelse cover, covering
**skyskrapa** *s* skyscraper
**skytt** *s* **1** shot, marksman **2** *Skytten* astrol. Sagittarius
**skytte** *s* shooting; med gevär rifle-shooting
**skyttegrav** *s* trench
**skyttel** *s* vävn. shuttle
**skytteltrafik** *s* shuttle service; *gå i* ~ shuttle
**skåda** *vb tr* behold, see
**skådeplats** *s* scene, scene of action
**skådespel** *s* play, drama; bildl. spectacle
**skådespelare** *s* actor
**skådespelerska** *s* actress
**skådespelsförfattare** *s* playwright, dramatist
**skål I** *s* **1** bunke bowl; flatare basin, dish **2** välgångsskål toast; *dricka ngns* ~ (*en* ~ *för ngn*) drink to a p.'s health (to the health of a p.) **II** ~*! interj* your health!, here's to you!; vard. cheers!
**skåla** *vb itr* glas mot glas clink (touch) glasses; ~ dricka *med ngn* drink a p.'s health; ~ *för ngn* drink a p.'s health
**skålla** *vb tr* scald
**skållhet** *adj* scalding hot
**Skåne** Skåne, Scania
**skåning** *s* person from (living in) Skåne, Scanian
**skånsk** *adj* Skåne..., Scanian
**skåp** *s* cupboard, closet
**skåpbil** *s* van, delivery van
**skåpsupa** *vb itr* take (have) a drop on the quiet (sly)
**skåra** *s* hugg, rispa cut; repa scratch
**skägg** *s* beard
**skäggig** *adj* bearded; orakad unshaved
**skäl** *s* **1** reason [*till* for]; orsak cause, grounds pl.; *det vore* ~ *att* it would be advisable to; *av det enkla* ~*et* for that simple reason **2** rätt, *göra* ~ *för sig* göra

nytta do one's share; vara värd sin lön be worth one's salt

**skälig** adj rimlig reasonable; rättvis fair

**skäligen** adv **1** tämligen rather, pretty **2** reasonably

**skäll** s, få ~ get a telling-off

**skälla** vb itr **1** om hund bark [på at] **2** om person, ~ på ngn call a p. names; ~ ut läxa upp scold, tell...off

**skällsord** s insult, word of abuse

**skälm** s spjuver rogue

**skälmaktig** adj o. **skälmsk** adj roguish, mischievous

**skälva** vb itr shake; starkare quake

**skälvning** s darrning tremor

**skämd** adj om frukt rotten; om kött tainted

**skämma** vb tr spoil, mar; ~ bort spoil [med by]; klema bort pamper; ~ ut disgrace, put...to shame; ~ ut sig disgrace oneself

**skämmas** vb itr dep **1** blygas be (feel) ashamed (ashamed of oneself); skäms du inte? el. du borde ~! aren't you ashamed of yourself?, you ought to be ashamed of yourself!; ~ för (över)... be ashamed of... **2** bli skrämd become rotten (tainted)

**skämt** s joke, jest; skämtande joking; ~ åsido! joking apart!; han tål inte ~ he can't take a joke; på ~ for a joke, in jest

**skämta** vb itr joke, jest [med with]; ~ med ngn driva med pull a p.'s leg; göra narr av make fun of a p.

**skämtare** s joker, jester, wag

**skämtartikel** s party novelty, novelty

**skämthistoria** s funny story, joke

**skämtsam** adj joking, jesting

**skämtserie** s comic strip, comic

**skämttecknare** s cartoonist

**skämtteckning** s cartoon

**skämttidning** s comic, comic paper

**skända** vb tr desecrate; våldtaga violate

**1 skänk** s matsalsmöbel sideboard

**2 skänk** s gåva gift; få ngt till ~s som gåva ...as a gift; gratis ...for nothing

**skänka** vb tr give; förära present [ngn ngt a p. with a th.]; ~ bort give away

**1 skär** s liten klippö rocky islet, skerry

**2 skär** adj ljusröd pink; för sammansättningar jfr äv. blå-

**skära I** s redskap sickle **II** vb tr o. vb itr cut; kött carve; ~ tänder grind (gnash) one's teeth **III** vb rfl, ~ sig såra sig cut oneself; ~ sig i fingret cut one's finger

**skärande** adj om ljud piercing, shrill

**skärbräde** s cutting-board

**skärböna** s French (string) bean

**skärgård** s archipelago (pl. -s), islands and skerries pl.; Stockholms ~ the Stockholm archipelago

**skärm** s screen; t.ex. lampskärm shade; brätte peak

**skärma** vb tr, ~ av t.ex. ljus screen

**skärmbild** s X-ray picture

**skärmbildsundersökning** s X-ray examination

**skärmmössa** s peaked cap

**skärp** s belt; långt knytskärp sash

**skärpa I** s sharpness; tydlighet (hos bild) definition; om t.ex. kritik severity; klarhet clarity **II** vb tr sharpen; stegra, öka intensify, increase; t.ex. motsättningar accentuate; t.ex. straff make...severer; det skärpta läget the tense situation **III** vb rfl, ~ sig rycka upp sig pull oneself together, wake up

**skärpt** adj intelligent bright, sharp

**skärrad** adj jittery, nervy

**skärskåda** vb tr undersöka examine, view; syna scrutinize, scan

**skärtorsdag** s Maundy Thursday

**skärva** s broken piece; splitter splinter

**sköld** s shield

**sköldpadda** s land~ tortoise; havs~ turtle

**skölja** vb tr rinse; ~ sig i munnen rinse one's mouth; ~ av t.ex. händer wash; t.ex. tallrik rinse; ~ upp tvätta upp give...a quick wash; ~ ur rinse

**sköljning** s rinsing; en ~ a rinse

**skön** adj **1** vacker beautiful **2** angenäm nice; härlig lovely; bekväm comfortable; ~t! bra fine!; det är ~t att han... it is a good thing he... **3** iron. nice, fine, pretty; en ~ röra a fine (pretty) mess

**skönhet** s beauty äv. om person

**skönhetsdrottning** s beauty queen

**skönhetsfel** s o. **skönhetsfläck** s flaw, blemish

**skönhetsmedel** s cosmetic, beauty preparation

**skönhetssalong** s beauty parlour (amer. parlor)

**skönhetssinne** s sense of beauty

**skönhetstävling** s beauty competition

**skönhetsvård** s beauty care (behandling treatment)

**skönja** vb tr urskilja discern; börja se begin to see

**skönjbar** adj discernible; synbar visible

**skönlitteratur** s imaginative (pure) literature; på prosa fiction

**skör** *adj* brittle; ömtålig fragile
**skörd** *s* harvest, crop
**skörda** *vb tr* reap; säd harvest; frukt gather
**skörta** *vb tr*, ~ *upp* fästa upp tuck up;
bedraga overcharge; *bli uppskörtad* vard.
have to pay through the nose
**sköta I** *vb tr* **1** vårda nurse; behandla treat;
om läkare attend; vara aktsam om be careful
with, look after...well **2** förestå, leda
manage, run; hantera handle; maskin etc.
work, operate; ha hand om (t.ex. ngns affärer)
look after; kunna ~ *ett arbete* ...carry on a
job; ~ *sitt arbete* go about (attend to)
one's work; *sköt du ditt (dina affärer)!*
mind your own business! **3** ~ *om*
ombesörja attend (see) to; ta hand om take
care of; behandla deal with; göra do; ha hand
om be in charge of **II** *vb rfl*, ~ *sig* **1** sköta
om sig look after (take care of) oneself
**2** uppföra sig conduct oneself; *hur sköter*
klarar *han sig?* how is he doing (getting
on)?
**skötbord** *s* nursing table
**sköte** *s* knä lap
**skötebarn** *s* pet; huvudintresse chief concern
**sköterska** *s* nurse
**skötsam** *adj* stadgad steady; plikttrogen
conscientious
**skötsel** *s* vård care; av sjuka nursing; ledning
management, handling; t.ex. av hushåll
running
**skötselanvisning** *s*, ~*ar* på plagg etc. care
instructions; för t.ex. apparat maintenance
sg., operating instructions
**skövla** *vb tr* devastate; förhärja ravage
**sladd** *s* **1** elektr. flex, amer. cord **2** slirning
skid; *jag fick ~ på bilen* my car skidded
**sladda** *vb itr* slira skid
**sladdbarn** *s* skämts. afterthought
**sladder** *s* **1** prat chatter **2** skvaller gossip
**slafsig** *adj* slarvig sloppy; om mat mushy
**1 slag** *s* sort kind, sort; typ type; vi har *ett ~s*
*nya (röda) blommor* ...a new (red) kind
of flower; boken *är i sitt ~ utmärkt* ...is
excellent in its way
**2 slag** *s* **1** stöt, hugg blow; i spel stroke; med
knytnäven punch; *göra ~ i saken* settle the
matter **2** rytmisk rörelse beat; tekn. stroke
**3** klockslag stroke **4** *ett ~* en kort stund for a
moment (a little while); *vänta ett ~!* wait
a moment (bit)! **5** mil. battle; *~et vid* Lund
the battle of... **6** med. apoplexy; *få ~* vanl.
have a stroke; vard. have a fit **7** på kavaj etc.
lapel; på byxor turn-up, amer. cuff

**slaganfall** *s* apoplectic stroke, fit of
apoplexy
**slagen** *adj* besegrad defeated, beaten
**slagfält** *s* battlefield
**slagfärdig** *adj* kvick quick-witted
**slagkraft** *s* effektivitet effectiveness; vapens
striking power
**slagkraftig** *adj* effective
**slagord** *s* slogan, catchword
**slagsida** *s* sjö. list; *få ~* heel over
**slagskepp** *s* battleship
**slagskämpe** *s* fighter
**slagsmål** *s* fight; bråk row; *råka i ~ med...*
get into a fight with...
**slagträ** *s* i bollspel bat
**slagverk** *s* mus., *~et* i orkester the percussion
**slak** *adj* slack; matt feeble, weak
**slaksband** *s* TV. scratch tape
**slakt** *s* slaktande slaughter
**slakta** *vb tr* kill, butcher; i större skala äv.
slaughter samtliga äv. bildl.; ~ *ned* kill,
slaughter
**slaktare** *s* butcher
**slakteri** *s* **1** slaughterhouse **2** slakteriaffär
butcher's
**slakthus** *s* slaughterhouse
**slalom** *s* slalom; *åka ~* slalom
**slalombacke** *s* slalom slope
**slalomåkare** *s* slalom skier, slalomer
**slalomåkning** *s* slalom-skiing, slaloming
**1 slam** *s* kortsp. slam
**2 slam** *s* gyttja mud; kloakslam sludge
**slammer** *s* clatter, rattle [*av, med* of]
**slampa** *s* slut
**slamra** *vb itr* clatter, rattle; ~ *med ngt*
clatter (rattle) a th.
**1 slang** *s* språkv. slang
**2 slang** *s* tube äv. cykelslang; t.ex. vattenslang
hose
**slangbåge** *s* catapult
**slanglös** *adj*, ~*t däck* tubeless tyre
**slank** *adj* slender
**slant** *s* mynt coin; kopparmynt copper; ~*ar*
pengar money sg.; förtjäna *en ~* ...some (a
bit of) money
**slapp** *adj* slak slack, limp; nonchalant
easy-going
**slapphet** *s* slackness, limpness; nonchalans
easy-goingness
**slappna** *vb itr* slacken; ~ *av* relax
**slarv** *s* carelessness; försumlighet negligence
**slarva I** *s* careless woman (girl) **II** *vb itr* be
careless; ~ *bort* förlägga lose; slösa bort
fritter away

**slarver** s careless fellow; odåga good-for-nothing
**slarvfel** s careless mistake
**slarvig** adj careless, negligent
**1 slask** s **1** slush; slaskväder slushy weather **2** slaskvatten slops pl.
**2 slask** s vask sink
**slaska I** vb tr, ~ **ned** splash **II** vb itr **1** blaska dabble (splash) about **2** det ~r it's slushy weather, the weather is slushy
**slaskband** s TV. scratch tape
**slaskhink** s slop pail
**slaskig** adj om väder o. väglag slushy
**slaskvatten** s slops pl.
**slaskväder** s slushy weather
**1 slav** s folk Slav
**2 slav** s slave [under ngt to a th.]
**slava** vb itr slave; friare drudge
**slavdrivare** s slave-driver
**slaveri** s slavery
**slavhandel** s slave trade
**1 slavisk** adj Slavonic
**2 slavisk** adj osjälvständig slavish
**slejf** s på sko strap; ärmslejf tab; ryggslejf half-belt
**slem** s fysiol. mucus; i t.ex. luftrören phlegm
**slemhinna** s mucous membrane
**slemlösande** adj, ~ medel expectorant
**slemmig** adj slimy
**slentrian** s routine
**slev** s soppslev etc. ladle
**sleva** vb tr, ~ i sig ngt shovel down..., put away...
**slicka** vb tr o. vb itr, ~ el. ~ på lick; ~ sig om munnen lick oneś lips; ~ av (ur) ren lick...clean; ~ i sig om katt lap up
**slickepinne** s lolly, lollipop
**slida** s sheath; anat. vagina
**slinga** s t.ex. rör~ coil; av rök etc. wisp; ögla loop; hår~ lock
**slingra I** vb tr o. vb itr wind **II** vb rfl, ~ sig om t.ex. väg, flod wind; om växt trail; om t.ex. rök wreathe; bildl. try to get round things; ~ sig ifrån bildl. dodge, shirk; ~ sig undan get (dodge) out of it (things)
**slingrande** adj o. **slingrig** adj om t.ex. väg, flod winding
**slinka** vb itr kila slip; smyga slink, steal
**slint** s, slå ~ misslyckas fail, backfire
**slipa** vb tr grind, polish; glas o. ädelstenar cut
**slipad** adj knivig, slug smart, shrewd
**slipover** s slipover
**slippa** vb tr o. vb itr **1** ~ el. ~ ifrån (undan): befrias från be excused from; undgå escape; bli kvitt get rid of; inte behöva

not have to, not need to; för att ~ besväret to save (avoid)...; kan jag inte få (låt mig) ~ göra det! I'd rather not do it; do I have to do it?; låt mig ~ höra eländet I don't want to have to listen to...; slipp låt bli då! don't then! **2** släppas, ~ över bron be allowed to pass...
□ ~ fram få passera be allowed to pass; ~ igenom get (släppas be let) through; ~ lös get (break) loose; ~ undan undkomma escape; ~ ut get (släppas be let) out [ur of]; bli frigiven be released
**slips** s tie
**slipsten** s grindstone
**slira** vb itr skid; om hjul spin; om koppling etc. slip
**slirig** adj slippery
**sliskig** adj sweet and sickly; lismande oily
**slit** s arbete toil, drudgery
**slita I** vb tr o. vb itr **1** nöta, ~ [på] t.ex. kläder wear out **2** riva tear; rycka pull **3** knoga work hard, drudge [med ngt at a th.]; ~ ont have a rough time of it **II** vb rfl, ~ sig om t.ex. djur break (get) loose; ~ sig från... om pers. tear oneself away from...
□ ~ av sönder break; bort tear off; ~ loss (lös) tear off (loose); ~ sig lös tear oneself away; ~ sönder riva i bitar tear...up (to pieces); ~ ut nöta ut wear out
**slitage** s wear and tear
**sliten** adj worn; luggsliten shabby
**slit-och-slängsamhälle** s, ~t ung. the consumer society
**slits** s skåra, sprund slit
**slitsad** adj, en ~ kjol a slit skirt
**slitsam** adj toilsome, laborious
**slitstark** adj hard-wearing; hållbar durable
**slockna** vb itr go out
**slogan** s slogan
**sloka** vb itr droop, flag
**slokhatt** s slouch hat
**slopa** vb tr avskaffa abolish; ge upp give up; utelämna leave out; sluta med discontinue
**slott** s palace; borg castle
**slovak** s Slovak
**Slovakien** Slovakia
**slovakisk** adj Slovakian; Slovakiska republiken the Slovak Republic
**sloven** s Slovene
**Slovenien** Slovenia
**slovensk** adj Slovenian
**slow motion** s, i ~ in slow motion
**sluddra** vb itr slur one's words; om berusad talk thickly
**sluddrig** adj slurred; om berusad thick

**slug** *adj* shrewd; listig sly, cunning; klipsk clever

**sluka** *vb tr* swallow; hungrigt devour äv. bildl.

**slum** *s* slumkvarter slum; **~men** the slums pl.

**slummer** *s* slumber; lur doze, nap

**slump** *s* **1** tillfällighet chance; **~en gjorde att** vi träffades it so happened that…; *av en ren* ~ by mere chance (accident); *på en* ~ at random, at haphazard **2** rest remnant

**slumpa I** *vb tr*, ~ *bort* sell off… **II** *vb rfl*, *det ~de sig så att…* it so happened (chanced) that…

**slumpmässig** *adj* random

**slumra** *vb itr* slumber; halvsova doze; ~ *till* doze off

**slumrande** *adj* slumbering

**slunga I** *s* sling **II** *vb tr* sling; häftigt fling, hurl

**slurk** *s* skvätt drop; *en* ~ *kaffe* a few drops of coffee

**sluskig** *adj* shabby

**sluss** *s* passage lock; dammlucka sluice

**slut I** *s* end, ending; **~et gott, allting gott** all's well that ends well; *få (göra)* ~ *på* stoppa put an end to; *göra* ~ *på* konsumera finish; *göra* ~ *med ngn* break off with a p.; *ta* ~ upphöra end; tryta give out; smöret *börjar ta* ~ …is running short; arbetet *tar aldrig* ~ …will never end; smöret *har tagit* ~ *för oss* we have no…left; *den andre (femte) från ~et* the last but one (four); *i (vid) ~et av (på)* at the end of; *på ~et* at (in) the end; *till* ~ till sist finally, in the end; äntligen at last; avslutningsvis lastly **II** *adj* over; avslutad at the end, finished; förbrukad used up, all gone; slutsåld sold out; utmattad done up; utsliten done for; *det är* ~ *med friden* there will be no more peace; *det är* ~ *mellan oss* it is all over between us

**sluta I** *vb tr* o. *vb itr* **1** avslutas end, finish; göra färdig finish, finish off; upphöra med stop, cease; lämna leave; ~ *skolan* leave school; boken *~r sorgligt* …has a sad ending; *vi ~r* kl. 3 we finish (stop)…; *det har ~t regna* it has stopped (left off) raining; ~ *röka* give up smoking; *han har ~t hos oss (på firman)* he has left us (the firm); ~ upphöra *med ngt (med att göra ngt)* stop a th. (stop doing a th.); *det ~de med att han…* the end of it was that…; ~*!* stop it! **2** ~ *till* close, shut **3** uppgöra conclude; ~ *fred* make peace **II** *vb rfl*, ~ *sig* **1** stänga sig: om t.ex. dörr shut; om t.ex. blomma close **2** ansluta sig,

~ *sig till* ngn attach oneself to…, join… **3** dra slutsats, ~ *sig till* conclude [*av* from]

**slutare** *s* foto. shutter

**sluten** *adj* stängd closed; förseglad sealed; privat private

**slutföra** *vb tr* fullfölja complete, finish

**slutgiltig** *adj* final, definitive

**slutkapitel** *s* last (final) chapter

**slutkörd** *adj*, *vara* ~ be done up, be whacked

**slutlig** *adj* final; ytterst ultimate; slutgiltig definite; ~ *skatt* final tax

**slutligen** *adv* finally, in the end, ultimately

**slutlikvid** *s* slutbetalning final settlement, payment of balance

**slutomdöme** *s* final verdict

**slutresultat** *s* final result (outcome)

**slutsats** *s* conclusion; *dra en* ~ *av* ngt draw a conclusion from…; *dra förhastade ~er* jump to conclusions

**slutscen** *s* final (closing) scene

**slutsignal** *s* sport. final whistle

**slutskattesedel** *s* final income tax demand note

**slutskede** *s* final stage (fas phase)

**slutspel** *s* sport. final tournament; i vissa sporter play-off; i schack endgame

**slutstation** *s* terminus

**slutsumma** *s* sum total, total amount

**slutsåld** *adj*, *vara* ~ be sold out, be out of stock

**slutta** *vb itr* slope, slant

**sluttande** *adj* sloping

**sluttning** *s* slope

**slyngel** *s* young rascal; rackarunge scamp

**slå I** *vb tr* o. *vb itr* tilldela slag, besegra beat; träffa med (ge) ett slag strike, hit, smite; stöta, smälla knock, bang; tele., ett nummer dial; *klockan ~r två* the clock is striking two; *det slog mig* frapperade mig it struck me; ~ ngt *i golvet* knock…on to the floor; ~ *en boll i nät* hit (sparka kick)…into the net; ~ *en spik i* ngt drive (hammer, knock) a nail into…; ~ *i dörrarna* slam (bang) the doors; ~ *i lexikon* consult a dictionary **II** *vb itr* **1** vara i rörelse: om t.ex. hjärta beat; om dörr be banging; *regnet ~r mot* fönstret the rain is beating against… **2** bli uppskattad be a hit **III** *vb rfl*, ~ *sig* skada sig hurt oneself; ~ *sig i huvudet (på knät)* hurt el. bump one's head (knee); ~ *sig för sitt bröst* stoltsera thump one's chest

□ ~ **an** ton, tangent strike; vara tilltalande catch on [*på* with]; ~ **av** a) hugga etc. av knock off; bryta itu break…in two b) koppla av switch off c) pruta, **~ av på** t.ex. pris, krav reduce; **~ fast a)** eg. hammer...on [på ngt to...] b) bildl., se *fastslå;* **~ i** t.ex. spik drive...in; **~ i vin** i ett glas pour out wine into...; **~ ifrån** koppla från switch off; **~ igen** a) stänga t.ex. bok, dörr close (shut)...with a bang b) ge igen hit (strike) back; **~ ihjäl** kill; **~ ihop** t.ex. bok, paraply close; slå samman put...together; blanda ihop mix...together; förena join, combine; **~ sig ihop** inbördes join together; **~ in a)** hamra in drive (knock) in b) slå sönder: t.ex. fönster smash; t.ex. dörr batter...down; **~ in ngt** lägga in wrap up a th. [i papper, i ett paket in paper, into a parcel]; **~ ned a)** slå omkull (till marken) knock...down; kuva, t.ex. uppror crush, smash b) komma nedfallande fall, drop; om fågel alight; **~ ned i** om blixten strike; **~ sig ned** sätta sig sit (settle) down; bosätta sig settle, settle down; **~ dig ned!** take a seat!; **~ om** förändras change äv. om väder; **~ om** ett papper **om ngt** put (wrap)...round a th.; **~ omkull** knock...down (over); **~ på** koppla på t.ex. motor switch on; **~ runt** om t.ex. bil overturn; **~ sönder** break...to pieces, smash; **~ till** a) ge...ett slag strike, hit b) koppla på t.ex. motor switch on c) acceptera take the chance d) bestämma sig settle (clinch) the deal; **~ tillbaka** t.ex. anfall beat off, repel; **~ upp e)** sätta upp put up f) fälla upp, t.ex. paraply, sufflett put up; krage turn up g) öppna open; t.ex. dörr throw...open; **~ upp sidan 10 i boken** open the book at page 10; se på turn to page 10 in the book; **~ upp ett ord i** ett lexikon look up a word in...; **~ ut a)** t.ex. fönster smash b) i boxning knock out c) om blomma come out; öppna sig open; om träd burst into leaf; **~ väl ut** turn out well

**slående** adj påfallande, träffande striking

**slån** s o. **slånbär** s sloe

**slåss** vb itr dep fight [om ngt over (for) a th.]

**släcka** vb tr put out; t.ex. törst slake, quench; *ljuset är släckt* the light is out

**släde** s sleigh; mindre t.ex. hund~ sledge; *åka ~* sleigh, go sleighing

**slägga** s **1** sledgehammer **2** sport., redskap hammer; *kasta ~* throw the hammer; släggkastning throwing the hammer

**släggkastning** s throwing the hammer

**släkt I** s **1** ätt family; *det ligger i ~en* it runs in the family **2** släktingar relations pl., relatives pl. **II** adj related [med to]

**släkte** s generation generation; ras race

**släkting** s relation, relative

**släktkär** adj, vara ~ have a strong family feeling

**släktled** s generation generation

**släktmöte** s family gathering

**släktnamn** s family name, surname

**släktskap** s relationship, kinship; bildl. äv. affinity

**slända** s troll~ dragonfly; dag~ mayfly

**släng** s **1** sväng swerve; knyck jerk [med huvudet of one's head] **2** lindrigt anfall touch

**slänga** vb tr vard. chuck, sling; vårdslöst toss; häftigt fling; kasta bort throw (chuck) away, swing

**slängkappa** s cloak

**slängkyss** s, *kasta en ~ åt ngn* blow a p. a kiss

**slänt** s sluttning slope; backsluttning hillside

**släp** s **1** på klänning train **2** släpvagn trailer

**släpa I** vb tr dra drag; med möda haul; längs marken trail; **~ fötterna efter sig** drag one's feet **II** vb itr, **~ på** bära på lug...along; dra på drag...along; *gå med ~nde steg* shuffle along; **~ efter** lag behind; **~ fram ngt ur** källaren drag a th. out of...; **~ med sig** ngt drag...about with one

**släpig** adj om t.ex. gång shuffling; om t.ex. röst drawling

**släplift** s sport. ski-tow, T-bar lift

**släppa I** vb tr ngt leave hold of, let go of; ngn let...go; ~lös let...loose; frige set...free, release; *släpp mig!* let me go!; *släpp min hand!* let go of my hand!; **~ hundarna på...** set the dogs on... **II** vb itr om t.ex. färg come off; om t.ex. värk pass off **III** vb rfl, **~ sig** fjärta let off

□ **~ efter** vara eftergiven give in; **~ fram (förbi)** let...pass; **~ ifrån sig** let...go; avhända sig part with; avstå från give up; **~ igenom** let...through; **~ in ngn i...** let (admit) a p. into...; **~ in** luft let in...; **~ lös** t.ex. fånge set...free, release; djur turn...loose; koppla lös unleash; **~ på** vatten, ström turn on; **~ upp** t.ex. ballong send up; koppling i bil let in; **~ ut** let...out [ur of]; olja, föroreningar discharge; fånge äv. release; djur turn...out; sömnad. let out

**släpphänt** adj easy-going, indulgent [med, mot towards]

**släpvagn** s trailer; för spårväg trailer coach

**slät** adj jämn om t.ex. hy, hår, yta smooth; plan

level, plane; om yta äv. even; om mark äv.
flat; enkel, om t.ex. ring plain

**släta** *vb tr,* ~ *till* smooth down; plana
flatten; ~ *ut* smooth out; ~ *över* t.ex.
problem smooth over...

**släthårig** *adj* om hund smooth-haired

**slätrakad** *adj* clean-shaven, close-shaven

**slätstruken** *adj* bildl. mediocre, indifferent

**1 slätt I** *s* plain; slättland flat land **II** *adv*
jämnt, *ligga* ~ be smooth

**2 slätt** *adv* dåligt, *stå sig* ~ *i* konkurrensen
come off badly in...

**slätvar** *s* fisk brill

**slö** *adj* blunt, dull; trög slow, sluggish;
håglös listless, apathetic

**slöa** *vb itr* idle, laze

**slödder** *s* mob, riff-raff, rabble

**slöfock** *s* lazybones sg.

**slöja** *s* veil äv. bildl.

**slöjd** *s* handicraft; träslöjd woodwork

**slösa I** *vb tr* waste; mera med, t.ex.
beröm lavish [*på* i bägge fallen on]; ~ *bort*
waste **II** *vb itr* be wasteful; ~ *med* slösa bort
waste; vara frikostig med be lavish with (t.ex.
beröm of); t.ex. pengar spend...lavishly

**slösaktig** *adj* wasteful; frikostig lavish

**slöseri** *s* wastefulness, extravagance

**smacka** *vb itr* när man äter eat noisily; ~
*med läpparna* smack one's lips; ~ *med
tungan* click one's tongue

**smak** *s* taste; viss utmärkande flavour; bismak
savour äv. bildl.; *~en är olika* tastes differ;
*få ~ för* acquire a taste for; *det ger ~ åt*
(*sätter ~ på*) soppan it gives a flavour
to...; *falla ngn i ~en* strike (take) a p.'s
fancy

**smaka** *vb tr* o. *vb itr,* ~ el. *~på* taste; ~ *bra*
(*sött, citron*) taste nice (sweet, of
lemon); *det ~r ingenting* (*konstigt*) it
has no (a queer) taste; *det ~r* pedanteri it
smacks of...; *det ska ~ gott med* lite kaffe
...will be very welcome

**smakfull** *adj* tasteful; elegant stylish

**smaklig** *adj* välsmakande savoury, delicate;
aptitlig appetizing; ~ *måltid!* enjoy your
meal!

**smaklös** *adj* tasteless

**smakprov** *s* taste; bildl. sample

**smaksak** *s* matter of taste

**smaksinne** *s* sense of taste

**smaksätta** *vb tr* flavour

**smakämne** *s* flavouring

**smal** *adj* narrow; ej tjock thin; slank slender;
*det är en ~ sak för honom* it's quite easy

for him; *hålla sig* ~ keep slim; *vara ~
om höfterna* have narrow hips

**smalfilm** *s* cinefilm, substandard (movie)
film

**smalfilmskamera** *s* cinecamera, movie
camera

**smalna** *vb itr* become el. get narrow
(tunnare, magrare thinner)

**smaragd** *s* emerald

**smart** *adj* smart; slug sly

**smash** *s* sport. smash

**smasha** *vb tr* o. *vb itr* sport. smash

**smaskens** *adj* o. **smaskig** *adj* vard. yummy

**smatter** *s* skrivmaskins clatter; trumpets blare

**smattra** *vb itr* om skrivmaskin etc. clatter; om
trumpet blare

**smed** *s* smith; grovsmed blacksmith

**smedja** *s* smithy, forge

**smeka** *vb tr* caress; kela med fondle

**smekmånad** *s* honeymoon

**smeknamn** *s* pet name

**smekning** *s* caress, endearment

**smeksam** *adj* caressing, fondling; om tonfall
bland

**smet** *s* blandning, äv. kaksmet mixture;
pannkakssmet etc. batter; grötlik massa sticky
mass

**smeta** *vb tr* o. *vb itr* daub; något kladdigt
smear; ~ *ned sig* get oneself into a mess
(all mucky)

**smetig** *adj* smeary, sticky

**smicker** *s* flattery

**smickra** *vb tr* flatter

**smickrande** *adj* flattering [*för* to]

**smida** *vb tr* forge; hamra ut hammer out;
bildl. (t.ex. planer) devise; ~ *medan järnet
är varmt* strike while the iron is hot

**smide** *s* **1** smidning forging, smithery
**2** föremål wrought-iron goods

**smidig** *adj* böjlig, spänstig flexible; vig, rörlig
lithe; mjuk (om t.ex. ngns sätt) smooth and
easy

**smidighet** *s* böjlighet, spänstighet flexibility;
vighet litheness; mjukhet smoothness

**smil** *s* smile

**smila** *vb itr* smile

**smilfink** *s* vard. smarmy type, toady, fawner

**smilgrop** *s* dimple

**smink** *s* make-up; sminkmedel paint; rött
rouge; teat. greasepaint

**sminka** *vb tr* make...up äv. teat.; ~ *sig* make
up

**sminkning** *s* konkret make-up

**smisk** *s, få* ~ get a smacking (på stjärten
spanking)

**smiska** *vb tr* smack; på stjärten spank

**smita** *vb itr* **1** ge sig i väg run away [*från* from]; försvinna make off; föraren *smet från olycksplatsen* ...left the scene of the accident; ~ *från* t.ex. tillställning slip away from; t.ex. betalning, skatter evade, dodge **2** om kläder, ~ *åt* fit tight

**smitning** *s* trafik. case of hit-and-run

**smitta I** *s* infection; genom beröring contagion **II** *vb tr* o. *vb itr* infect; *han ~de mig* I caught it from him, he gave it to me; *bli ~d av ngn* catch an infection from a p.; sjukdomen *~r* ...is infectious (vid beröring contagious)

**smittbärare** *s* disease carrier, carrier

**smittkoppor** *s pl* smallpox sg.

**smittsam** *adj* infectious; genom beröring contagious, catching

**smittämne** *s* contagion; virus virus; bacill bacteria

**smocka I** *s* wallop, sock, biff **II** *vb tr*, ~ *till ngn* sock (biff) a p.

**smoking** *s* dinner jacket, amer. tuxedo; vard. tux

**smolk** *s* bildl., ~ *i glädjebägaren* a fly in the ointment

**smuggel** *s* smugglande smuggling

**smuggelgods** *s* smuggled goods pl., contraband

**smuggla** *vb tr* o. *vb itr* smuggle

**smugglare** *s* smuggler

**smuggling** *s* smugglande smuggling

**smula I** *s* **1** speciellt bröd~ crumb; allmännare bit, scrap **2** litet, *en* ~ a little, a bit; en aning a trifle **II** *vb tr*, ~ *sönder* crumble

**smultron** *s* wild strawberry

**smussel** *s* hanky-panky, monkey business

**smussla** *vb itr* practise underhand tricks; fiffla cheat

**smuts** *s* dirt, filth

**smutsa** *vb tr*, ~ *ned* make...dirty; ~ *ned sig* get dirty

**smutsig** *adj* dirty, filthy; nedsmutsad, om t.ex. kläder soiled; om t.ex. disk unwashed; *bli* ~ get dirty

**smutskasta** *vb tr* throw (fling) mud at; ~ *ngns person* drag a p.'s name through the mud

**smutskläder** *s pl* dirty linen sg.

**smutta** *vb itr* sip; ~ *på* dryck sip, sip at

**smycka** *vb tr* adorn; pryda ornament; dekorera decorate

**smycke** *s* piece of jewellery; *~n* jewellery sg.

**smyckeskrin** *s* jewel case (box)

**smyg** *s, i* ~ olovandes on the sly (quiet)

**smyga** *vb itr* o. *vb rfl*, ~ *sig* steal; smita slip; gå tyst creep; ~ *på tå* tiptoe; *ett fel har smugit sig in* an error has slipped in

**smygande** *adj* om t.ex. gång stealthy, sneaking; bildl., om t.ex. sjukdom, gift insidious

**små** se *liten*

**småaktig** *adj* futtig mean; petnoga niggling; om t.ex. kritik carping

**småaktighet** *s* meanness; petighet niggling; i t.ex. kritik carping

**småbarn** *s* small (little) child; spädbarn baby, infant

**småbarnsföräldrar** *s pl* the parents of small children

**småbil** *s* small car; mycket liten minicar, mini

**småbildskamera** *s* minicamera

**småbitar** *s pl* small pieces (bits)

**småborgare** *s* member of the lower middle-class

**småborgerlig** *adj* lower middle-class; bourgeois

**småbruk** *s* konkret smallholding

**småbrukare** *s* smallholder

**småbröd** *s* koll. fancy biscuits pl., amer. cookies pl.

**småfolk** *s* koll., enkelt folk humble folk, ordinary people pl.

**småfranska** *s* roll

**småföretag** *s* small-scale business (firm)

**småföretagare** *s* small entrepreneur

**småhus** *s* small [self-contained] house

**småkaka** *s* fancy biscuit, amer. cookie

**småle** *vb itr* smile [*mot*, *åt* at]

**småleende** *s* faint smile

**småningom** *adv, så* ~ gradually, little by little

**småpaket** *s* post. small packet

**småpengar** *s pl* small coins; växel~ small change sg.

**småprat** *s* chat; kallprat small talk

**småprata** *vb itr* chat

**smårätter** *s pl* ung. fancy dishes

**småsak** *s* liten sak little (small) thing; bagatell trifle

**småsparare** *s* small saver (depositor)

**småstad** *s* small town; landsortsstad provincial town

**småstadsaktig** *adj* provincial

**småstadsbo** *s* provincial

**småstuga** *s* cottage

**småsyskon** *s pl* younger (small) sister (el.

sisters) and brother (el. brothers),
younger sisters (brothers)

**småtimmarna** *s pl*, *på* (*fram på*) ~ in the
small hours

**smått I** *adj* small etc., jfr *liten I* **II** *subst adj*, ~
*och gott* all sorts of nice little things; *i* ~ i
liten skala on a small scale **III** *adv* en smula a
little, slightly, somewhat

**småttingar** *s pl* o. **småungar** *s pl* small
children, kids

**småvägar** *s pl* bypaths

**smäcker** *adj* slender

**smäda** *vb tr* abuse

**smädelse** *s*, ~ el. ~*r* abuse sg.

**smädlig** *adj* abusive; om skrift libellous

**smäll I** *s* **1** knall bang; av piska crack; av kork
pop; vid kollision smash; vid explosion
detonation **2** slag med handen smack, slap;
med piska lash; stöt blow **3** smisk smacking,
spanking

**smälla I** *vb tr* **1** slå, dänga bang, knock
**2** smiska smack, spank **II** *vb itr* om dörr etc.
bang, slam; om piska, gevär crack; om kork
pop; om skott go off; ~ *i* dörrarna bang
(slam)...

**smällare** *s* fyrverkeri cracker, banger

**smällkaramell** *s* cracker

**smälta** *vb tr* o. *vb itr* **1** melt; metaller fuse
[*till* i båda fallen into] **2** mat digest; komma
över get over □ ~ **bort** melt away; ~ **ihop**
melt (fuse)...together

**smältpunkt** *s* melting-point

**smärgel** *s* emery

**smärre** *adj* smaller, less; *några ~ fel* a few
minor errors

**smärt** *adj* slender, slim

**smärta** *s* pain; lidande suffering; sorg grief;
*ha svåra smärtor* be in great pain

**smärtfri** *adj* painless

**smärtgräns** *s* pain threshold äv. bildl.

**smärtsam** *adj* painful

**smärtstillande** *adj* pain-relieving;
analgesic; ~ *medel* analgesic

**smör** *s* butter; *bre ~ på*... spread butter
on...; *gå åt som ~* (*som ~ i solsken*) go
like hot cakes

**smörblomma** *s* buttercup

**smördeg** *s* puff pastry

**smörgås** *s* **1** *en ~* utan pålägg a slice (piece)
of bread and butter; med pålägg an open
sandwich **2** *kasta ~* lek play ducks and
drakes, skip stones across the water

**smörgåsbord** *s* smorgasbord, large mixed
hors d'œuvre

**smörgåsmat** *s* skinka, ost etc. ham, cheese
etc.

**smörj** *s* beating (thrashing); *få ~* get a
beating (thrashing)

**smörja I** *s* skräp rubbish; muck äv. 'smuts'
**II** *vb tr* med fett (olja) grease (oil); rund~
lubricate

**smörjmedel** *s* lubricant

**smörjning** *s* lubrication, greasing

**smörjolja** *s* lubricating oil

**smörklick** *s* pat of butter

**smörkniv** *s* butter knife

**smörkräm** *s* buttercream

**smörpapper** *s* grease-proof paper

**smörstekt** *adj* ...fried in butter

**snabb** *adj* rapid, quick, swift; om t.ex. tåg,
löpare fast; om t.ex. affär, hjälp prompt; *i ~
takt* at a rapid (quick) pace

**snabba I** *vb tr*, ~ *på* (*upp*) speed up **II** *vb
itr* o. *vb rfl*, ~ *sig* (~ *på*) hurry up, look
lively (snappy)

**snabbfrysa** *vb tr* quick-freeze

**snabbgående** *adj* fast

**snabbkaffe** *s* instant coffee

**snabbkurs** *s* crash (rapid) course

**snabbköp** *s* o. **snabbköpsaffär** *s* self-service
shop (self-service store); större
supermarket

**snabbmat** *s* fast (convenience) food

**snabbtelefon** *s* intercom system o. telefon

**snabbtänkt** *adj* quick-witted, ready-witted

**snabel** *s* elefants trunk

**snack** *s* o. **snacka** *vb tr* vard., se *prat*, *prata*

**snaggad** *adj*, *vara ~* have one's hair cut
short, have a crew cut

**snappa** *vb tr* o. *vb itr* snatch [*efter* at]; ~ *till*
(*åt*) *sig* snatch; ~ *upp* en nyhet etc. snatch
(pick) up; ett ord etc. catch

**snaps** *s* glas brännvin snaps (pl. lika), dram

**snar** *adj* snabb speedy; omedelbar prompt;
nära förestående near, immediate

**snara** *s* snare; fälla trap

**snarare** *adv* **1** om tid sooner **2** hellre rather;
*det var ~ tjugo* än tio it was nearer
twenty...

**snarast** *adj* o. *adv*, *med det ~e* el. ~
*möjligt* as soon as possible, at the earliest
possible date

**snarka** *vb itr* snore

**snarkning** *s* snarkande snoring; *en ~* a snore,
snoring

**snarlik** *adj* rather like

**snarstucken** *adj* touchy, short-tempered

**snart** *adv* soon; inom kort shortly; *så ~* el.
*så ~ som* konj., så fort as soon as; så ofta

whenever; **så ~ som möjligt** as soon as possible; så har det varit **i ~ tio år** ...for nearly ten years

**snask** s sötsaker sweets pl., amer. candy

**snaska** vb itr o. vb tr **1** äta sötsaker eat sweets; **~ ngt** munch a th. **2** äta snaskigt be messy

**snatta** vb tr o. vb itr pilfer; vard. pinch; i butik shoplift

**snattare** s shoplifter

**snatteri** s pilfering; i butik shoplifting

**snattra** vb itr om anka quack; pladdra chatter, jabber

**snava** vb itr stumble, trip

**sned I** adj lutande slanting; sluttande sloping; krokig, vind crooked; på snedden diagonal **II** s, **på ~** askew; med hatten **på ~** ...on one side

**snedparkering** s angle-parking

**snedrekrytering** s uneven recruitment (representation)

**snedsprång** s bildl. escapade; kärlekshistoria affair

**snedstreck** s slanting line (stroke)

**snedtak** s sloping roof

**snedvriden** adj twisted, distorted

**snedögd** adj slant-eyed

**snegla** vb itr, **~ på...** förstulet glance furtively at...

**snett** adv slantingly; på sned askew; på snedden diagonally; hatten **sitter ~** ...is crooked; tavlan **hänger ~** ...is slanting

**snibb** s hörn corner; spets point

**snickarbyxor** s pl bib-and-brace overalls

**snickare** s speciellt inrednings~ joiner; timmerman carpenter; möbel~ cabinet-maker

**snickeri** s **1** abstrakt o. koll. joinery (carpentry) work, cabinet work **2** snickarverkstad joiner's (cabinet-maker's) workshop

**snickra** vb itr do joinery (carpentry) work

**snida** vb tr carve

**snideri** s carving

**sniffa** vb itr o. vb tr sniff [på at]

**snigel** s slug; med snäcka snail

**snigelfart** s, **med ~** at a snail's pace

**sniken** adj greedy [efter for]; covetous [efter of]

**snille** s genius

**snilleblixt** s brainwave, flash of genius

**snillrik** adj brilliant

**snits** s style, chic

**snitsa** vb tr vard., **~ till (ihop)** a) t.ex. middag knock up, fix; ett tal put together b) piffa upp smarten up

**snitsig** adj stylish, chic

**snitt** s cut; med. incision; tvärsnitt section

**sno I** vb tr **1** hoptvinna twist; vira twine, wind; snurra twirl, turn **2** vard., stjäla pinch **II** vb rfl, **~ sig 1** linda sig twist, twine [om round]; trassla ihop sig get twisted **2** vard., skynda sig get cracking

**snobb** s snob; kläd~ dandy

**snobba** vb itr, **~ med** t.ex. kunskaper show off; t.ex. fina bekantskaper swank (brag) about

**snobberi** s snobbery

**snobbig** adj snobbish

**snobbism** s snobbery

**snodd** s cord; för garnering braid, lace

**snofsig** adj vard. smart, natty

**snok** s zool. grass snake

**snoka** vb itr poke, pry, snoop; **~ upp (reda på)** hunt up

**snopen** adj besviken disappointed; obehagligt överraskad disconcerted

**snopp** s **1** på cigarr tip **2** barnspr. el. vard., penis thing, willie

**snoppa** vb tr ljus snuff; krusbär etc. top and tail; bönor string; **~** el. **~ av** cigarr cut; **~ av ngn** snub a p.

**snor** s vard. snot

**snorig** adj snotty, snotty-nosed

**snorkel** s schnorkel, snorkel

**snorkig** adj vard. snooty, cocky

**snorunge** s o. **snorvalp** s snotty-nosed kid; som är uppkäftig saucy (cheeky) brat

**snubbla** vb itr stumble, trip

**snudd** s, **det är ~ på skandal** it's little short of a scandal

**snudda** vb itr, **~ vid** brush against; skrapa lätt graze

**snurra I** s leksak top; vind~ windmill **II** vb itr o. vb tr spin, twirl; kring axel turn [omkring on]; rotate, revolve; **allting ~r runt för mig** my head is in a whirl

**snurrig** adj vard., yr giddy, dizzy; tokig crazy

**snus** s luktsnus snuff; 'svenskt' ung. moist snuff

**snusa** vb itr tobak take snuff

**snusdosa** s snuffbox

**snusen** s vard., **lite på ~** a bit tipsy

**snusförnuftig** adj would-be wise; platitudinous

**snusk** s dirt, filth

**snuskig** adj dirty, filthy

**snusmalen** adj, **snusmalet kaffe** very fine-grind coffee

**snut** s vard., polis cop; **~en** koll. the cops pl.

**snuva** s, **få (ha) ~** catch (have) a cold

**snuvig** *adj, vara* ~ have a cold
**snyfta** *vb itr* sob
**snyftning** *s* sob
**snygg** *adj* prydlig tidy, neat; ren clean; vacker etc. pretty, nice, fine; om en man handsome, good-looking; *jo, det var just ~t!* iron. this is a fine thing!
**snygga** *vb tr o. vb itr,* ~ *till (upp) sig* make oneself tidy; piffa upp sig smarten oneself up; ~ *upp* städa tidy up
**snyltgäst** *s* person sponger, gatecrasher
**snyta** *vb rfl,* ~ *sig* blow ones nose
**snyting** *s* vard., *ge ngn en* ~ sock (biff) a p.
**snål** *adj* **1** stingy, mean [*mot* towards] **2** om vind biting
**snåla** *vb itr* vara snål be stingy (mean); nödgas leva snålt stint oneself; ~ *in på* spara save on
**snålhet** *s* stinginess, meanness [*mot* towards]; *låta ~en bedra visheten* be penny-wise and pound-foolish
**snåljåp** *s* skinflint, miser, speciellt amer. cheapskate
**snålskjuts** *s, åka* ~ bildl. take advantage [*på* of]
**snår** *s* thicket, brush
**snäcka** *s* snäckdjur mollusc; skal shell
**snäll** *adj* good; vänlig kind; ~ och rar nice [*mot* i samtliga fall to]; väluppfostrad well-behaved; *~a du* gör det, *var* ~ *och* gör det will (would) you...?; *men ~a du, hur....!* but my dear,...!
**snälltåg** *s* fast (express) train, express
**snärja** *vb tr* snare, entangle, trap; ~ *in sig* get entangled
**snärtig** *adj* **1** om slag sharp; om replik cutting **2** klämmig smart, chic
**snäsa** *vb tr,* ~ el. ~ *till ngn* snap at a p.; åthuta tell a p. off; ~ *av ngn* snub a p.
**snäv** *adj* tight, close; om kjol o.d. close-fitting; trång, knapp narrow
**snö** *s* snow
**snöa** *vb itr* snow; *det ~r* it is snowing
**snöblandad** *adj, snöblandat regn* sleet
**snöblind** *adj* snowblind
**snöboll** *s* snowball
**snödjup** *s* depth of snow
**snödriva** *s* snowdrift
**snödroppe** *s* växt snowdrop
**snöfall** *s* snowfall, fall of snow
**snöflinga** *s* snowflake
**snöglopp** *s* sleet
**snögubbe** *s* snowman
**snöig** *adj* snowy
**snökedja** *s* tyre chain

**snöplig** *adj* t.ex. om nederlag ignominious; t.ex. om resultat disappointing; *få (ta) ett ~t slut* come to a sorry end
**snöplog** *s* snowplough, amer. snowplow
**snöra** *vb tr* lace, lace up
**snöre** *s* string; grövre cord; segelgarn twine; för garnering braid; målsnöre tape; *ett* ~ a piece of string etc.
**snöripa** *s* kok. grouse
**snörliv** *s* stays pl.; korsett corset
**snörpa** *vb itr,* ~ *på munnen* purse one's lips
**snöröjning** *s* snow clearance
**snöskoter** *s* snowmobile
**snöskottning** *s* clearing (shovelling) away snow (the snow)
**snöskred** *s* avalanche, snowslide
**snöslask** *s* sleet, wet snow; sörja slush
**snöslunga** *s* snow-blower
**snöstorm** *s* snowstorm; våldsam blizzard
**snösväng** *s* vard., snöröjning snow-clearance; arbetsstyrka snow-clearance force
**snötäcke** *s* covering of snow; *~ts tjocklek* the depth of snow
**snötäckt** *adj* snow-covered
**Snövit** i sagan Snow White
**so** *s* sugga sow
**soaré** *s* soirée
**sobel** *s* djur o. skinn sable
**sober** *adj* sober
**social** *adj* social
**socialarbetare** *s* social (welfare) worker
**socialbidrag** *s* social welfare allowance
**socialbyrå** *s* social welfare office
**socialdemokrat** *s* social democrat; *~erna* the Social Democrats
**socialdemokrati** *s* social democracy
**socialdemokratisk** *adj* social democratic
**socialfall** *s* social case
**socialförsäkring** *s* social (national) insurance
**socialgrupp** *s* social group (class)
**socialisera** *vb tr* socialize; förstatliga nationalize
**socialism** *s,* ~ el. *~en* socialism
**socialist** *s* socialist
**socialistisk** *adj* socialistic
**socialminister** *s* minister of health and social affairs
**socialvård** *s* social welfare
**socialvårdare** *s* social worker
**societet** *s* society; *~en* Society
**sociolog** *s* sociologist
**sociologi** *s* sociology
**socka** *s* sock

**sockel** *s* base; lampfattning socket
**socken** *s* parish
**socker** *s* sugar
**sockerbeta** *s* sugar beet
**sockerbit** *s* lump of sugar
**sockerdricka** *s* lemonade
**sockerfri** *adj* sugarless; t.ex. tuggummi sugar-free
**sockerhalt** *s* sugar content
**sockerkaka** *s* sponge cake
**sockerlag** *s* syrup
**sockerrör** *s* sugar cane
**sockersjuk** *adj* diabetic; **en ~** a diabetic
**sockersjuka** *s* diabetes
**sockerskål** *s* sugar basin (bowl)
**sockervadd** *s* candy floss, amer. cotton candy
**sockerärt** *s* sugar pea
**sockra** *vb tr* o. *vb itr*, **~** el. **~ i (på)** sugar; **~ det beska pillret** sugar the pill
**soda** *s* soda
**sodavatten** *s* soda water, soda
**soffa** *s* sofa; mindre o. pinn~ settee; vil~ couch; t.ex. järnvägsvagn o. park~ seat
**soffbord** *s* coffee table
**soffgrupp** *s* group of sofa and armchairs; möblemang lounge (three-piece) suite
**soffliggare** *s* valskolkare abstainer
**sofistikerad** *adj* sophisticated
**soja** *s* sås soy (soya) sauce
**sojaböna** *s* soya bean, soybean
**sol** *s* sun
**sola** *vb rfl*, **~ sig** sun oneself, bask in the sun (sunshine)
**solarium** *s* solarium
**solbad** *s* sunbath
**solbada** *vb itr* sunbathe, take a sunbath
**solbränd** *adj* brun sunburnt, tanned
**solbränna** *s* sunburn, tan
**soldat** *s* soldier; menig äv. private
**soldäck** *s* sundeck
**soleksem** *s* sun rash
**solenergi** *s* solar energy
**solfjäder** *s* fan
**solförmörkelse** *s* solar eclipse
**solglasögon** *s pl* sunglasses
**solglimt** *s* glimpse of the sun
**solid** *adj* solid; **~ ekonomi** sound economy; **~a kunskaper i...** a sound knowledge of...
**solidarisera** *vb rfl*, **~ sig** fully identify oneself [*med* with]
**solidarisk** *adj*, **vara ~ med ngn** be loyal to a p.
**solidaritet** *s* solidarity

**solig** *adj* sunny
**solist** *s* soloist
**solka** *vb tr*, **~ ned** soil
**solkig** *adj* soiled
**solklar** *adj* uppenbar obvious, clear, self-evident
**solklänning** *s* sun dress
**solkräm** *s* sun (suntan) lotion
**solljus** *s* sunlight
**solnedgång** *s* sunset, sundown; **i (vid) ~en** at sunset
**solo I** *adj* o. *adv* solo; helt ensam alone **II** *s* solo (pl. solos, mus. äv. soli)
**solochvåra** *vb tr*, **~ ngn** play the lonely-hearts racket with a p., trick a p. out of money by false promises of marriage
**solochvårare** *s* lonely-hearts racketeer, confidence trickster who obtains money from a woman by false promises of marriage
**sololja** *s* suntan oil (lotion)
**solros** *s* sunflower
**solsken** *s* sunshine; **det är ~** vanl. the sun is shining
**solskydd** *s* i bil sun shield (visor); skydd mot solen i allm. protection from the sun
**solsting** *s*, **få ~** have (get) a sunstroke
**solstråle** *s* sunbeam, ray of sunshine
**solsystem** *s* solar system
**soltak** *s* på bil sunshine roof, sunroof
**soluppgång** *s* sunrise; **i (vid) ~en** at sunrise
**solur** *s* sundial
**som I** *pron* om person who (objektsform whom); om djur el. sak which; allm. ofta that; **allt (mycket) ~** all (much) that; **han var den förste (ende) ~ kom** he was the first (the only one) to come; **platsen ~ han bor på** ...where (in which) he is living; det var här **~ jag mötte honom** ...that I met him; **det är någon ~ knackar på dörren** there is someone knocking at the door **II** *konj* **1** as; like; varför gör du inte **~ jag?** ...as (vard. like) I do?, ...like me?; **om jag vore ~ du** if I were you; **pojke simmade han ~ en fisk** as a boy he swam like a fish **2** angivande orsak: eftersom as, since **III** *adv* framför superlativ: när vattnet är **~ högst** ...at its highest; **när** festen **pågick ~ bäst** right in the middle of...; när man är **~ mest (minst) förberedd** ...most (least) prepared
**somlig** *pron*, **~t, ~a** some; **~t** självständigt

some things pl.; **~a** självständigt some, some (certain) people

**sommar** s summer; **i somras** last summer, jfr äv. *höst*

**sommardag** s summer day

**sommargäst** s holiday (summer) visitor (guest); om fågel summer visitor

**sommarlik** adj summery, summer-like

**sommarlov** s summer holidays pl., vacation

**sommar-OS** s the summer Olympics pl.

**sommarsolstånd** s summer solstice

**sommarstuga** s summer (weekend) cottage

**sommarställe** s place in the country, summer cottage (större house)

**sommartid** s **1** årstid summer, summertime **2** framflyttad tid summer time

**somna** vb itr fall asleep, go to sleep; **~ om** fall asleep again, go back to sleep again

**son** s son

**sona** vb tr atone for, make amends for

**sonat** s sonata

**sond** s probe äv. rymdsond

**sondera** vb tr probe, sound; **~** möjligheterna explore...; **~ terrängen** see how the land lies

**sondotter** s granddaughter

**sonhustru** s daughter-in-law (pl. daughters-in-law)

**sonson** s grandson

**sopa** vb tr o. vb itr sweep

**sopbil** s refuse collection vehicle, refuse lorry, amer. garbage truck

**sopborste** s dust brush; med längre skaft broom

**sophink** s refuse bucket (bin), amer. garbage can

**sophämtare** s refuse (amer. garbage) collector; vard. dustman

**sophämtning** s refuse (amer. garbage) collection

**sophög** s dustheap, refuse (amer. garbage) heap

**sopkvast** s broom

**sopnedkast** s refuse (amer. garbage) chute

**sopor** s pl avfall refuse sg., amer. garbage sg.; skräp rubbish sg.

**sopp** s svamp bolete

**soppa** s **1** soup **2** vard. mess

**sopptallrik** s soup plate

**soppåse** s bin-liner, amer. trash bag

**sopran** s person o. röst soprano (pl. -s)

**sopskyffel** s dustpan

**sopstation** s central refuse (amer. garbage) disposal plant

**soptipp** s refuse (amer. garbage) dump, refuse tip

**soptunna** s dustbin, refuse bin, amer. trash (garbage) can

**sorbet** s sorbet

**sorg** s **1** bedrövelse sorrow, grief [*över* för]; bekymmer worry; **till min stora ~** måste jag to my great regret... **2** sörjande o. sorgdräkt mourning; förlust genom dödsfall bereavement; **anlägga ~** go into mourning [*efter* for]

**sorgband** s mourning band

**sorgdräkt** s mourning

**sorgebarn** s problem child

**sorgfri** adj bekymmerfri carefree

**sorgklädd** adj ...in (wearing) mourning

**sorglig** adj ledsam, beklaglig sad; bedrövlig deplorable; **ett ~t faktum** a melancholy fact; det är **~t men sant** ...sad but unfortunately true

**sorglös** adj carefree; obekymrad unconcerned; lättsinnig happy-go-lucky

**sorgmarsch** s funeral march

**sorgmusik** s funeral music

**sorgsen** adj sad; sorgmodig melancholy, mournful

**sork** s vole, fieldmouse

**sorl** s murmur

**sorla** vb itr murmur

**sort** s slag sort, kind; typ type; kvalitet quality, grade; hand., märke brand

**sortera I** vb tr sort, assort; efter kvalitet äv. grade, classify [*efter* according to] **II** vb itr, **~ under** a) lyda under be subordinate to b) höra under belong (come) under

**sortering** s **1** sorterande sorting; **av första (andra) ~** graded as firsts (seconds) **2** se *sortiment*

**sorti** s exit [*från, ur* from]

**sortiment** s assortment, range, selection

**SOS** s, **ett ~** an SOS

**sot** s soot; i motor carbon

**1 sota I** vb tr **1** skorsten etc. sweep; motor decarbonize **2 ~** el. **~ ned** smutsa soot, make...sooty **II** vb itr alstra sot smoke, give off soot

**2 sota** vb itr, **få ~ för ngt** smart for a th.

**sotare** s person chimney-sweep

**sotig** adj sooty; smutsig grimy

**souvenir** s souvenir, keepsake

**sova** vb itr sleep, be asleep; **~ gott** djupt be sound (fast) asleep; **sov gott!** sleep well!; **jag skall ~ på saken** I'll have to sleep on it (on the matter)

□ **~ av sig** t.ex. rus, ilska sleep off...; **~ ut**

tillräckligt länge have enough sleep; ~ **över** tiden oversleep; ~ **över** hos ngn stay the night

**Sovjet** s hist. the Soviet Union; *Högsta* ~ the Supreme Soviet

**sovjetisk** adj Soviet

**Sovjetryssland** hist. Soviet Russia

**Sovjetunionen** hist. the Soviet Union, the Union of Soviet Socialist Republics (förk. USSR)

**sovkupé** s sleeping-compartment

**sovmorgon** s, *ha* ~ have a lie-in

**sovplats** s järnv., sjö. sleeping-berth

**sovplatsbiljett** s sleeping-berth ticket

**sovra** vb tr t.ex. material sift, sort out

**sovrum** s bedroom

**sovstad** s dormitory suburb

**sovsäck** s sleeping-bag

**sovvagn** s sleeping-car

**spackel** s **1** verktyg putty knife **2** ~färg putty

**spackla** vb tr putty

**spad** s liquid; för soppor o. såser stock

**spade** s spade

**spader** s **1** kortsp. spades pl.; *en* ~ a spade **2** vard., *få* ~ go mad; *jag tror jag får* ~*!* I'll go mad in a minute!, this is driving me mad!

**spaderdam** s the queen of spades

**spaderfem** s the five of spades

**spagetti** s koll. spaghetti sg.

**1 spak** s lever; flyg. control column (stick)

**2 spak** adj lätthanterlig manageable; foglig docile

**spaljé** s för växt trellis, espalier

**spaljéträd** s espalier, trained fruit-tree

**spalt** s typogr. column

**spalta** vb tr klyva split, split up

**spana** vb itr med blicken look out; intensivt watch; om polis investigate; mil. reconnoitre; ~ *efter* be on the look-out for, search for

**spanare** s spejare scout; flyg. observer; om polis investigator, detective

**Spanien** Spain

**spaning** s search sg.; polis~ investigation; mil., flyg. reconnaissance; *vara på* ~ *efter ngt* bildl. be on the look-out (the search) for a th.

**spaningsplan** s reconnaissance plane

**spanjor** s Spaniard

**spanjorska** s Spanish woman (lady etc.); jfr *svenska 1*

**spann** s brospann span

**spannmål** s corn, speciellt amer. grain; brödsäd cereals pl.

**spansk** adj Spanish; ~ *peppar* se *paprika*

**spanska** s språk Spanish; jfr *svenska 2*

**spanskfödd** adj Spanish-born; för andra sammansättningar, jfr *svensk-*

**spara** vb tr o. vb itr **1** save [*till* for] **2** hushålla med economize [*på* on]; skona, t.ex. sin hälsa spare; ~ *på* sockret! go easy on...!

□ ~ **ihop** save up, lay up [*till* i båda fallen for]; hopa accumulate; ~ **in** dra in **på ngt** economize on a th.

**sparare** s saver

**sparbank** s savings bank

**sparbanksbok** s savings book

**sparbössa** s money box, savings-box

**spargris** s piggy bank

**spark** s kick; *få en* ~ get kicked; *få* ~*en* vard. get the sack, be fired; *ge ngn* ~*en* give a p. the sack, fire a p.

**sparka** vb tr o. vb itr kick; ~ *boll* vanl. play football; *bli* ~*d* från jobbet get the sack, be fired

□ ~ **av sig** täcket kick off one's bedclothes; ~ **igen** dörren kick...shut; ~ **till** ngn, ngt give...a kick; ~ **upp** t.ex. dörr kick...open

**sparkapital** s saved (savings) capital

**sparkbyxor** s pl rompers

**sparkcykel** s scooter

**sparkdräkt** s romper suit, rompers pl.

**sparkstötting** s kick-sled

**sparpaket** s austerity package

**sparra** vb itr o. vb tr, ~ *mot ngn* be a p.'s sparring-partner

**sparringpartner** s sparring-partner

**sparris** s koll. asparagus

**sparsam** adj ekonomisk economical; *vara* ~ *med* bränslet economize on...; *vara* ~ *med* pengar be economical; ~ *med* t.ex. beröm, ord sparing of

**sparsamhet** s economy, thrift

**spartan** s Spartan

**spartansk** adj Spartan

**sparv** s sparrow

**sparvhök** s sparrow hawk

**spasmodisk** adj spasmodic

**spastiker** s spastic

**spastisk** adj spastic

**spatsera** vb itr walk, go for a walk

**spatsertur** s walk

**speceriaffär** s grocer's shop (amer. store)

**specerier** s pl groceries

**specialerbjudande** s special offer

**specialfall** s special case

**specialisera** vb tr, ~ sig specialize [på, i in]
**specialist** s specialist [på in]; expert expert [på on (in)]
**specialitet** s speciality
**specialklass** s remedial class
**specialkunskap** s specialist knowledge
**speciallärare** s remedial teacher
**specialutbildad** adj specially trained
**speciell** adj special, especial, particular
**specificera** vb tr specify
**specifik** adj specific
**specifikation** s specification [över of]; detailed description [över of]
**spedition** s spedierande forwarding, dispatch, shipping
**speditör** s forwarding (shipping) agent (agents pl.)
**speedway** s speedway
**spegel** s mirror, looking-glass
**spegelbild** s reflected image
**spegelblank** adj om t.ex. sjö glassy; om t.ex. golv, metall shiny
**spegelreflexkamera** s reflex camera
**spegelvänd** adj reversed, inverted
**spegla I** vb tr reflect, mirror **II** vb rfl, ~ sig be reflected; om person look in a mirror
**speja** vb itr spy, spy about (round) [efter for]
**spejare** s mil. reconnaissance scout
**spektakulär** adj spectacular
**spektrum** s spectrum (pl. spectra) äv. bildl.
**spekulant** s **1** intending (prospective) buyer **2** börsspelare speculator
**spekulation** s speculation; på ~ on speculation (vard. spec)
**spekulera** vb itr speculate [över about (on)]
**spel** s **1** mus. playing **2** teat., spelsätt acting **3** sällskaps-, kort- o. idrottsspel game; spelande playing; spelsätt vanl. play; hasardspel gambling; stick i kortspel trick; ~ om pengar playing for money; förlora (vinna) på ~ ...by gambling **4** spelrum clearance, play **5** olika uttryck, ~et är förlorat the game is up; ha fritt ~ have free scope; spela ett högt ~ play a dangerous game; ha ett finger (sin hand) med i ~et have a hand in it; stå på ~ be at stake; sätta ngt på ~ risk a th., put a th. at stake; sätta...ur ~ put...out of the running
**spela** vb tr o. vb itr play; visa t.ex. film show; ~ hasard gamble; låtsas vara pretend; ~ fiol (piano) play the violin (the piano, vard. play piano); ~ kort play cards; ~ teater

act; ~ sjuk pretend to be ill; ~ för ngn a) inför ngn play to a p. b) ta lektioner take piano etc. lessons from a p.; ~ på en häst bet on...; ~ på lotteri take part in a lottery (lotteries pl.)
□ ~ in a) ~ in en film make (produce) a film; ~ in ngt på band record a th.
b) inverka come into play; ~ upp spelläxa play [för to]; t.ex. en vals strike up; ljudband play back
**spelare** s player; hasard~ gambler; vadhållare better
**spelautomat** s gambling (slot) machine
**spelbord** s för kortspel card-table; för hasardspel gambling (gaming) table
**speldosa** s musical box
**spelfilm** s feature film
**spelhall** s amusement hall (arcade)
**spelhåla** s gambling-den, gambling-house
**spelkort** s playing-card
**spelman** s folk musician; fiolspelare fiddler
**spelmark** s counter
**spelregel** s rule of the game
**spelrum** s scope, play, margin; fritt ~ free scope
**spelskuld** s gambling debt
**speluppläggare** s sport. playmaker
**spenat** s spinach
**spendera** vb tr spend
**spene** s teat, nipple
**spenslig** adj slender; om figur äv. slight
**sperma** s sperm
**spermie** s sperm
**1 spets** s udd point; på reservoarpenna nib; ände t.ex. på finger, tunga tip; topp top; bergspets äv. peak; stå (resp. ställa sig, sätta sig) i ~en för ngt be (resp. put oneself) at the head of a th.; driva saken till sin ~ carry matters to extremes
**2 spets** s textil., ~ el. ~ar lace (end. sg.)
**spetsa** vb tr göra spetsig, ~ till sharpen, point; ~ öronen prick up one's ears
**spetsig** adj pointed; vass sharp; om vinkel etc. acute
**spetskrage** s lace collar
**spett** s spit
**spetälsk** adj leprous; en ~ a leper
**spetälska** s leprosy
**spex** s farce, burlesque
**spexa** vb itr clown about
**spigg** s fisk stickleback
**spik** s nail; stift nubb, tack; slå (träffa) huvudet på ~en bildl. hit the nail on the head
**spika** vb tr o. vb itr nail; med nubb etc. tack;

~ *fast* nail [*vid* on to]; ~ *en dag* för sammanträdet fix a day...
**spikhuvud** *s* head of a nail
**spikrak** *adj* dead straight
**spiksko** *s* sport. spiked (track) shoe
**spill** *s* waste, wastage, loss
**spilla** *vb tr* o. *vb itr* spill, drop; bildl. waste, lose; ~ *ord* (*tid*) *på ngt* waste words (time) on a th.
**spillo** *s, gå till* ~ go (run) to waste
**spillolja** *s* waste oil
**spillra** *s* skärva splinter; friare remnant, remains pl.; *spillror* av t.ex. flygplan, hus wreckage
**spillvatten** *s* överloppsvatten waste water
**spilta** *s* för häst stall; lös box, loose box
**1 spindel** *s* tekn. spindle
**2 spindel** *s* zool. spider
**spindelnät** *s* o. **spindelväv** *s* cobweb; spider (spider's) web
**spinkig** *adj* very thin, slender
**spinn** *s* flyg. spin, spinning dive
**spinna** *vb tr* o. *vb itr* spin; om katt, motor purr
**spion** *s* spy; hemlig agent secret agent
**spionage** *s* espionage
**spionera** *vb itr* spy [*på* on; *åt* for]
**spioneri** *s* spying; espionage (end. sg.)
**spira I** *s* **1** topp spire **2** härskarstav sceptre **II** *vb itr*, ~ el. ~ *upp* (*fram*) skjuta skott sprout, sprout up (forth); *~nde liv* budding (growing) life
**spiral** *s* spiral; preventivmedel loop, coil
**spiralfjäder** *s* coil (spiral) spring
**spiraltrappa** *s* spiral (winding) staircase
**spiritualism** *s* spiritualism
**spiritualitet** *s* elegans brilliancy; fyndighet wit
**spirituell** *adj* witty
**spis** *s* stove; köksspis kitchen range; elektrisk, gasspis cooker; eldstad open fireplace
**spisa** *vb tr* o. *vb itr* eat
**spisfläkt** *s* cooker hood ventilator (fan)
**spisning** *s* eating; *utan vidare* ~ without further ado
**spjut** *s* spear; kastspjut javelin äv. sport.; kort dart; *kasta* ~ *t* throw the javelin
**spjutkastning** *s* sport. throwing the javelin
**spjäll** *s* i eldstad damper; i maskin throttle valve
**spjälsäng** *s* cot, amer. crib
**spjärna** *vb itr*, ~ *emot* streta emot offer resistance
**splint** *s* flisor splinters pl.
**splitter** *s* splinter
**splitterfri** *adj* shatterproof

**splitterny** *adj* brand-new
**splittra I** *s* splinter **II** *vb tr* shatter, splinter, shiver; klyva split; bildl. divide, divide up; *han är ~d* he lacks inner harmony, he divides his energies **III** *vb rfl*, ~ *sig* splinter; bildl. divide one's energies
**splittring** *s* söndring disruption; oenighet division, split
**1 spola** *vb tr* o. *vb itr* ~ vatten etc. flush; skölja rinse; med. syringe; ~ *på WC* flush the pan; ~ *av* t.ex. bilen wash down; förkasta reject
**2 spola** *vb tr* vinda upp på spole wind, spool; ~ *av* unspool; ~ *om* (*tillbaka*) band, film rewind
**spolarvätska** *s* windscreen (amer. windshield) washer fluid
**spole** *s* **1** för symaskin spool; för film, färgband, band etc.: tom spool; full reel; hårspole curler **2** elektr., radio. coil
**spoliera** *vb tr* spoil, wreck; ödelägga ruin
**spoling** *s* stripling; neds. whipper-snapper
**sponsor** *s* sponsor
**sponsra** *vb tr* sponsor
**spontan** *adj* spontaneous
**spontanitet** *s* spontaneity
**sporadisk** *adj* sporadic; enstaka isolated
**sporra** *vb tr* spur
**sporre** *s* spur
**sport** *s* sport
**sporta** *vb itr* go in for sports (games)
**sportaffär** *s* sports shop
**sportartiklar** *s pl* sports equipment sg. (goods)
**sportbil** *s* sports car
**sportdykare** *s* skindiver
**sportdykning** *s* skindiving
**sportfiskare** *s* angler
**sportfiske** *s* angling
**sportig** *adj* sporty
**sportjacka** *s* blazer sports jacket
**sportkläder** *s pl* sports clothes
**sportlov** *s* winter sports holiday[s pl.]
**sportnyheter** *s pl* sports news sg., sportscast sg.
**sportredaktör** *s* sports editor
**sportsida** *s* sporting page
**sportslig** *adj* sporting
**sportsman** *s* sportsman
**sportsmässig** *adj* sportsmanlike, sporting
**sportstuga** *s* ung. week-end (summer) cottage
**sportvagn** *s* bil sports car
**spott** *s* saliv spittle, saliva
**spotta** *vb itr* o. *vb tr* spit
**spottkopp** *s* spittoon, amer. cuspidor

**spottstyver** *s*, köpa ngt *för en* ~ ...for a song

**spraka** *vb itr* knastra crackle; gnistra sparkle

**sprallig** *adj* jolly, frisky

**spratt** *s* practical joke; *spela ngn ett* ~ play a trick on a p.

**sprattelgubbe** *s* jumping jack; sprallig person jack-in-the-box

**sprattla** *vb itr* flounder; om småbarn kick about; vard., om t.ex. dansös caper about

**sprej** *s* o. **spreja** *vb tr* spray

**sprejburk** *s* spray can

**sprejflaska** *s* atomizer

**spreta** *vb itr* om ben sprawl; ~ el. ~ *ut* stick out; ~ *med* fingrarna spread...

**spretig** *adj* straggly; ~ *handstil* sprawling hand

**spricka I** *s* crack; i hud chap; i t.ex. vänskap breach; t.ex. inom parti split **II** *vb itr* crack; om hud chap; brista break; sprängas sönder burst; rämna split; äta tills man är *nära att* ~ ...ready to burst; förhandlingarna *har spruckit* ...have broken down

**sprida** *vb tr* o. *vb rfl*, ~ *sig* spread; ~ ut sig, skingra sig disperse, scatter; ~ *ljus över ngt* bildl. shed light on a th.; ~ *ett rykte* spread a rumour; ~ *omkring* scatter...about; ~ *ut* spread out; friare spread, circulate

**spridd** *adj* utbredd spread; enstaka isolated, stray; kringspridd scattered, dispersed; ~*a skurar* scattered showers; *på* ~*a ställen* here and there

**spridning** *s* spreading, spreading out, scattering; dispersion, jfr *sprida*; tidningar *med stor* ~ ...with a wide circulation

**spring** *s* springande running about; *det är ett* ~ *av folk* dagen i ända there is a stream of people popping in and out...

**1 springa** *s* narrow opening; t.ex. dörr~ chink; t.ex. i brevlåda slit; för mynt slot

**2 springa** *vb itr* o. *vb tr* **1** löpa run; ~ *sin väg* (*kos*) run away; ~ *benen av sig* run oneself off one's legs; ~ *efter ngn* vara efterhängsen run (be) after a p.; ~ *i affärer* go shopping **2** brista, ~ *i luften* explode, be blown up

□ ~ **bort** run away (off); *en bortsprungen hund* a dog that has run away; ~ *efter* hämta run for, run and fetch; ~ *fatt ngn* catch a p. up; ~ *fram* run forward (up); t.ex. ur gömställe spring out [*ur* from]; ~ *före* framför run in front, run ahead [*ngn* of a p.]; ~ **in** genom dörren run (run in)...; ~ **ned** run down (nedför trappan downstairs); ~ **om** ngn (ngt) overtake...; ~ **upp** a) löpa run up (uppför trappan upstairs) b) resa sig jump (spring) up

**springande** *adj*, *den* ~ *punkten* the vital point

**springare** *s* schack. knight

**springpojke** *s* errand (messenger, delivery) boy

**sprinkler** *s* sprinkler

**sprinter** *s* sprinter

**sprinterlopp** *s* sprint, dash

**sprit** *s* alkohol alcohol; industriell spirit; dryck spirits pl.; stark~ liquor

**sprita** *vb tr* ärter etc. shell, pod

**spritdryck** *s* alcoholic liquor; ~*er* spirits

**spritförbud** *s* prohibition

**spritkök** *s* spirit stove (heater)

**spritlangare** *s* ung. bootlegger

**spritpåverkad** *adj* ...under the influence of drink (liquor, alcohol), intoxicated

**spritrestriktioner** *s pl* spirits restrictions

**spriträttigheter** *s pl*, *ha* ~ be fully licensed

**spritsmugglare** *s* liquor smuggler, bootlegger

**spritt** *adv*, ~ *språngande galen* raving mad; ~ *språngande naken* stark naked

**spritta** *vb itr* t.ex. av glädje jump, bound [*av* for]; ~ *till* (*upp*) give a start, start

**spritärter** *s pl* shelling (kok. green) peas

**sprudla** *vb itr* bubble; ~ *av liv* bubble over with high spirits (with life)

**sprudlande** *adj* exuberant; om kvickhet sparkling

**sprund** *s* på kläder slit, opening

**spruta I** *s* hand~ o. för injektion syringe; för besprutning, målning sprayer; rafräschissör spray, atomizer; brandspruta fire-engine; *få en* ~ get an injection (vard. a shot) **II** *vb tr* o. *vb itr* spurt; med fin stråle squirt; ~ ut med stor kraft spout; bespruta sprinkle; med slang hose; speciellt färg samt mot ohyra spray; ~ *in* inject

**sprutlackering** *s* spraying; färg spray paint

**sprutmåla** *vb tr* spray-paint

**sprutpistol** *s* spray gun

**språk** *s* language; tal~ speech; siffrorna *talar sitt tydliga* ~ ...speak for themselves; *ut med* ~*et!* speak up!, out with it!

**språka** *vb itr* talk, speak [*om* about]

**språkbegåvad** *adj*, *han är mycket* ~ he has a gift for languages

**språkbegåvning** *s* gift for languages

**språkbruk** *s* usage, linguistic usage

**språkfel** *s* linguistic error

**språkkunnig** adj, vara ~ have a good knowledge of languages

**språkkunskaper** s pl knowledge sg. of languages

**språkkurs** s language course

**språkkänsla** s feeling for language

**språklärare** s o. **språklärarinna** s language teacher

**språkrör** s mouthpiece

**språkundervisning** s language teaching

**språng** s jump, leap; **vara på ~** i farten be running about

**språngbräda** s springboard

**språngmarsch** s run; **i ~** at a run

**språngsegel** s brandsegel jumping sheet

**spräcka** vb tr crack äv. röst; plan spoil

**spräcklig** adj speckled, spotted

**spränga** vb tr burst; med sprängämne blast; ~ i luften blow up; slå sönder, t.ex. dörr break (force)...open; ~ **banken** i spel break the bank; ~ **bort** med sprängämne blast away; ~ **sönder** burst, med sprängämne blast (flera delar to pieces)

**sprängbomb** s high-explosive bomb

**sprängladdning** s explosive (bursting) charge

**sprängämne** s explosive

**sprätt** s, **han satte ~ på pengarna** he ran through the money

**sprätta** vb tr, ~ **upp** söm rip up; bok cut; kuvert slit open (up)

**spröd** adj brittle; om t.ex. sallad crisp; ömtålig fragile

**spröt** s 1 zool. antenna, feeler 2 i paraply rib

**spurt** s sport. spurt

**spurta** vb itr sport. spurt

**sputnik** s sputnik

**spy** vb itr o. vb tr vomit; ~ **ut** eld, rök belch forth

**spydig** adj malicious; ironisk sarcastic

**spydighet** s egenskap malice; ~**er** malicious remarks

**spå** vb tr o. vb itr 1 utöva spådom tell fortunes; ~ **ngn i kort** (**i handen**) tell a p. his fortune by the cards (by the lines of the hand) 2 förutsäga predict, foretell

**spådom** s förutsägelse prediction, prophecy

**spågumma** s o. **spåkärring** s [old] fortune-teller

**spån** s flisa chip; koll.: filspån filings pl.; hyvelspån shavings pl.

**spånkorg** s chip basket

**spånskiva** s material particle board, chipboard; **en ~** a sheet of particle board (chipboard)

**spår** s 1 märke mark; friare trace; fotspår footstep; t.ex. efter vagn, djur track; jakt. trail; lukt scent; på grammofonskiva groove; på band track; ledtråd (vid brott) clue; **följa ~et** om hund follow the track; om polisen follow up the clue; **följa ngn i ~en** bildl. follow a p.'s footsteps; allt **gick i de gamla ~en** bildl. ...was in the same old groove; **vara inne på fel ~** bildl. be on the wrong track; **komma...på ~en** get on the track of... 2 järnv. track; skenor rails pl., line

**spåra** vb tr följa spåren av track, trace; ~ **upp** track down; ~ **ur** om tåg etc. leave the rails; bildl. go astray, get off the rails

**spårhund** s sleuth-hound, bloodhound

**spårlöst** adv, **han försvann ~** he disappeared without a trace (into thin air), ...into thin air

**spårvagn** s tram, tramcar; amer. streetcar

**spårvagnsförare** s tram (amer. streetcar) driver

**spårvagnskonduktör** s tram (amer. streetcar) conductor

**spårvagnslinje** s tramline

**spårvidd** s gauge, width of track

**spårväg** s tramway, amer. streetcar line

**spä** vb tr, ~ **ut** dilute; blanda mix

**späck** s lard; valfisk~ blubber

**späcka** vb tr med späck lard; fylla stuff; bildl. interlard, stud

**späckad** adj larded; **en ~ plånbok** a bulging wallet

**späd** adj om t.ex. växt, ålder tender; om gestalt slender; ömtålig delicate

**späda** vb tr, ~ **ut** dilute; blanda mix

**spädbarn** s infant, baby

**spädbarnsdödlighet** s infant mortality

**spädgris** s sucking-pig

**spädning** s dilution; spädande diluting, mixing

**spänd** adj utsträckt stretched; om rep, muskel taut; om person tense; ivrig att få veta anxious to know; **ett spänt förhållande** strained relations pl.; **högt ~ förväntan** eager expectation; **spänt intresse** intense interest

**1 spänn** s, **vara på ~** om person be in suspense

**2 spänn** s vard., krona krona (pl. kronor)

**spänna I** vb tr sträcka ut stretch äv. om muskel; dra åt, t.ex. rep tighten; anstränga, t.ex. krafter, röst strain; ~ **ngns förväntningar** raise a p.'s expectations; ~ **hanen på ett gevär** cock a gun **II** vb rfl, ~ **sig** tense oneself; anstränga sig strain oneself; **spänn dig inte!**

relax!

□ **~ av (av sig)** unfasten; ngt fäst med rem unstrap; med spänne unbuckle; **~ fast** fasten (med rem strap, med spänne buckle)…on [*vid* to]; **~ fast** säkerhetsbältet fasten…; **~ på (på sig)** put on; säkerhetsbälte fasten; **~ åt** tighten

**spännande** *adj* exciting, thrilling; *det skall bli ~ att få se* it will be very interesting to see

**spänne** *s* clasp; på skärp buckle; för håret slide; hårklämma hair clip

**spänning** *s* allm. el. elektr. tension; i volt voltage; tekn. strain, stress; bildl. excitement; oro suspense; *vänta med ~* wait excitedly (eagerly)

**spänst** *s* kroppslig vigour, physical fitness; elasticitet springiness; om t.ex. fjäders elasticity; vitalitet vitality

**spänsta** *vb itr* motionera take exercise to keep fit

**spänstig** *adj* om person fit, vigorous; om gång springy; elastisk elastic; vital vital; *hålla sig ~* keep fit, keep in form (good form)

**spärr** *s* **1** catch, stop, lock; locking device **2** vid in- o. utgång barrier **3** hinder barrier; barrikad barricade; polisspärr på väg road-block

**spärra** *vb tr* block up, bar; stänga för trafik close [*för* to]; **~ en check** stop payment of a cheque; **~ ett konto** block (freeze) an account

□ **~ av** gata (väg) close; med t.ex. bockar block; med rep rope off; med poliskordong cordon off; isolera isolate, shut off; **~ in** shut (låsa lock)…up; **~ upp ögonen** open one's eyes wide

**spärranordning** *s* locking (blocking) device

**spärreld** *s* barrage

**spärrvakt** *s* ticket collector

**spätta** *s* fisk plaice (pl. lika)

**spö** *s* kvist twig; metspö fishing-rod; ridspö horsewhip; smal käpp switch; *regnet står som ~n i backen* it's pouring down; vard. it's raining cats and dogs

**spöka** *vb itr* vard **1** om en avliden haunt a place; *det ~r här (i huset)* this place (house) is haunted **2** vard., *det är nog kabelfelet som ~r igen* ligger bakom it is probably…that is behind it (ställer till trassel is causing trouble) again

**spöke** *s* vålnad ghost, spectre

**spökhistoria** *s* ghost story

**spöklik** *adj* ghostlike, ghostly; kuslig uncanny, weird

**spörsmål** *s* question; *juridiska ~* legal matters

**squash** *s* sport. o. slags pumpa squash

**sraffsparksläggning** *s* fotb. penalty shoot-out

**stab** *s* staff

**stabil** *adj* stable; stadig solid; om person steady

**stabilisator** *s* sjö. el. flyg. stabilizer

**stabilisera** *vb tr* o. *vb rfl*, **~ sig** stabilize

**stabilitet** *s* stability

**stabschef** *s* mil. chief of staff

**stack** *s* höstack stack; hög heap; myrstack ant-hill

**stackare** *s* poor creature (starkare devil)

**stackars** *oböjl adj*, **~ jag (mig)!** poor me!; **~ liten!** poor little thing!

**stackato** *s* o. *adv* staccato

**stad** *s* town; större city; i administrativt avseende borough; *gamla ~en (stan)* the old part of the town

**stadfästa** *vb tr* dom confirm; lag establish; fördrag ratify

**stadga I** *s* **1** stadighet steadiness, stability; stadgad karaktär firmness of character **2** förordning regulations pl.; lag law **II** *vb tr* **1** göra stadig steady **2** förordna direct; påbjuda decree

**stadgad** *adj* **1** om person steady; om rykte settled **2** föreskriven prescribed

**stadig** *adj* steady; stabil stable; om måltid substantial; *ha ~t arbete* have regular work; **~ blick** steady gaze; **~ fast kund** regular client; **~t väder** settled weather

**stadigvarande** *adj* permanent; ständig constant

**stadion** *s* stadium

**stadium** *s* stage; skede phase

**stadsbefolkning** *s* urban (town) population

**stadsbibliotek** *s* town library

**stadsbud** *s* bärare porter

**stadsdel** *s* quarter of a (resp. the) town, district

**stadsfullmäktig** *s* town (i större stad city) councillor

**stadshotell** *s* ung. principal hotel in a (resp. the) town

**stadshus** *s* town (i större stad city) hall

**stadsplanering** *s* town-planning, city-planning

**stafett** *s* sport. **1** pinne baton **2** tävling etc. relay

**stafettlöpare** *s* relay runner

**stafettlöpning** *s* relay race (löpande racing)

**staffli** s easel

**stag** s lina etc.: sjö. stay; till tält guy; stång av trä el. metall strut

**stagnation** s stagnation

**stagnera** vb itr stagnate

**staka** vb tr t.ex. väg mark; ~ **ut** t.ex. tomt stake out (off); gränser mark out

**stake** s **1** stör stake **2** ljusstake candlestick

**staket** s av trä fence; av metall railing

**stall** s **1** byggnad stable; för cykel shed **2** grupp racerförare stable

**stallbroder** s companion; neds. crony

**stam** s **1** bot. stem; trädstam trunk **2** ätt family, lineage; folkstam tribe; djurstam strain; en man **av gamla ~men** ...of the old stock

**stamfader** s progenitor, earliest ancestor

**stamgäst** s regular, regular frequenter

**stamkund** s regular customer

**stamma** vb itr i tal stammer, stutter

**stamning** s stammering, stuttering

**stampa** vb itr o. vb tr med fötterna stamp; ~ **i marken** om häst paw the ground; ~ **takten** beat time with one's foot; **stå och ~ på samma fläck** be getting nowhere

**stamtavla** s genealogical table; pedigree äv. om djur

**standard** s standard; **höja ~en** raise the standard

**standardformat** s standard size

**standardhöjning** s rise in the standard of living

**standardisera** vb tr standardize

**standardmått** s standard size

**standardsänkning** s lowering of the standard of living

**stank** s stench; vard. stink

**stanna I** vb itr **1** bli kvar stay; ~ **över natten** stay (stop) the night; ~ **borta** stay away; ~ **hemma** stay at home **2** bli stående stop; om fordon (avsiktligt) pull up; ~ **tvärt** stop short; klockan **har ~t** ...has stopped; **det ~de vid hotelser** it got no further than threats **II** vb tr hejda stop

□ ~ **av** stop, cease; ~ **kvar** remain

**stanniol** s tinfoil

**stanniolpapper** s tinfoil

**stans** s tekn. punch

**stansa** vb tr punch

**stapel** s hög pile; av ved stack; **gå av ~n** äga rum come off, take place

**stapelvara** s staple, staple commodity

**stapla** vb tr, ~ el. ~ **upp** pile, pile up, stack

**stappla** vb itr gå ostadigt totter, stumble [*fram* along]; vackla stagger

**stare** s starling

**stark** adj strong; kraftig powerful; fast firm; stor great; intensiv intense; om ljud loud; om krydda äv. hot; **~t kaffe** strong coffee; ~ **köld** bitter cold; ~ **trafik** heavy traffic

**starksprit** s spirits pl., amer. hard liquor

**starkström** s power (heavy) current

**starkvin** s fortified wine, dessert wine

**starköl** s strong beer

**starr** s med., **grå ~** cataract; **grön ~** glaucoma

**start** s start; flyg. take-off; **flygande (stående) ~** sport. flying (standing) start

**starta I** vb itr start; flyg. take off; bege sig av set out **II** vb tr start, start up; ~ **eget** start out on one's own

**startbana** s flyg. runway

**startblock** s sport. starting-block

**startfält** s sport. line-up

**startförbud** s flyg., **det råder ~** (~ **har utfärdats**) all planes are grounded

**startgrop** s, **ligga i ~arna** bildl. be ready to start, be waiting for the starting-signal

**startkabel** s bil. jump lead; **starta med startkablar** jump-start

**startkapital** s initial capital

**startklar** adj ...ready to start (flyg. take off)

**startlinje** s starting-line

**startmotor** s starter, self-starter

**startnyckel** s bil. ignition key

**startpistol** s sport. starter's gun

**startraket** s booster rocket

**startskott** s, **~et gick** the pistol went off

**stass** s vard. finery

**stat** s polit. state; **~en** the State; statsmakten the Government

**station** s station; tele. exchange

**stationera** vb tr station

**stationsinspektor** s stationmaster

**stationsvagn** s bil station wagon

**stationär** adj stationary

**statisk** adj static

**statist** s teat. walker-on; speciellt film. extra

**statistik** s statistics som ämne sg., siffror pl.

**statistisk** adj statistical

**stativ** s stand; till kamera etc. äv. tripod

**statlig** adj statens etc. vanl. State...

**statsanslag** s Government (State, public) grant

**statsanställd I** adj ...employed in Government service **II** subst adj Government employee

**statsbesök** s state visit

**statsbidrag** s State subsidy (grant)

**statschef** s head of State

**statsfientlig** *adj* ...hostile to the State
**statsfinanser** *s pl* Government finances, finances of the State
**statsförvaltning** *s* public (State) administration
**statskunskap** *s* political science
**statskupp** *s* coup d'état
**statskyrka** *s* established (State) church
**statsman** *s* statesman; politiker politician
**statsminister** *s* prime minister, premier
**statsobligation** *s* Government bond
**statsråd** *s* **1** minister cabinet minister **2** konselj cabinet council
**statssekreterare** *s* under-secretary of State
**statstjänst** *s* Government (public, civil) service
**statstjänsteman** *s* civil (public) servant
**statsunderstöd** *s* State subsidy (grant)
**statsöverhuvud** *s* head of State
**statuera** *vb tr, för att ~ ett exempel* as a lesson (warning) to others
**status** *s* status; ställning äv. standing
**statussymbol** *s* status symbol
**staty** *s* statue
**stav** *s* **1** käpp etc. staff; vid stavhopp pole; skidstav ski stick **2** sportgren pole-vault
**stava** *vb tr* o. *vb itr* spell; *~ fel* make a spelling mistake
**stavelse** *s* syllable
**stavfel** *s* spelling mistake
**stavhopp** *s* sportgren pole vault; hoppning pole-vaulting
**stavhoppare** *s* pole-vaulter
**stavning** *s* spelling
**stay-up** *adj* o. *s, ~ [strumpa]* stay-up [stocking]
**stearin** *s* candle grease
**stearinljus** *s* candle
**steg** *s* step; kliv stride; raketsteg stage; utvecklingen går framåt *med stora ~* ...with rapid strides; *ta första ~et* take the first step; *ta ~et fullt ut* bildl. go the whole way (hog)
**stega** *vb tr, ~* el. *~ upp* en sträcka pace (step) out...
**stege** *s* ladder äv. bildl.
**steglits** *s* fågel goldfinch
**stegra** *vb tr* t.ex. priser increase, raise; t.ex. oro heighten; förstärka intensify; *de ~de levnadskostnaderna* the increase sg. in the cost of living
**stegring** *s* ökning increase, rise
**stegvis I** *adv* step by step **II** *adj* gradual

**stek** *s* joint; tillagad vanl. roast, joint of roast meat
**steka I** *vb tr* roast; i ugn äv. bake; i stekpanna fry; den är *för litet (mycket) stekt* ...underdone (overdone) **II** *vb itr* om solen be broiling (scorching) **III** *vb rfl, ~ sig i solen* be broiling in the sun
**stekfat** *s* meat dish
**stekos** *s* smell of frying
**stekpanna** *s* frying pan
**stekspade** *s* slice, spatula
**stekspett** *s* spit
**stektermometer** *s* meat thermometer
**stekugn** *s* roasting-oven
**stel** *adj* stiff; styv rigid; om umgänge formal; *~ av fasa* paralysed with fear
**stelbent** *adj* bildl. formal, rigid
**stelhet** *s* stiffness; styvhet rigidity; formalitet formality
**stelkramp** *s* tetanus; vard. lockjaw
**stelna** *vb itr* om kroppsdel etc. stiffen, get stiff; av köld (fasa) be numbed; om vätska solidify
**sten** *s* stone; liten pebble; stor boulder, rock; *en ~ har fallit från mitt bröst* it is a load off my mind
**stena** *vb tr* stone
**stenbock** *s* **1** zool. ibex **2** *Stenbocken* astrol. Capricorn
**stenbrott** *s* quarry
**stencil** *s* stencil
**stencilera** *vb tr* stencil
**stendöd** *adj* stone-dead
**stendöv** *adj* stone-deaf
**stengods** *s* stoneware
**stengolv** *s* stone floor
**stenhus** *s* stone (av tegel brick) house
**stenhög** *s* heap of stones
**stenig** *adj* stony
**stenkast** *s* avstånd stone's throw
**stenograf** *s* shorthand writer
**stenografi** *s* shorthand, stenography
**stenparti** *s* trädg. rock garden, rockery
**stenskott** *s* damage to a car caused by a stone (by stones) flying up from the road
**stensätta** *vb tr* lägga pave
**stenåldern** *s* the Stone Age
**stenöken** *s* stony desert; storstad concrete jungle
**steppdans** *s* dansande tap-dancing; enstaka tap-dance
**stereo** *s* stereo (pl. -s)
**stereoanläggning** *s* stereo equipment, stereo
**stereofonisk** *adj* stereophonic

**stereotyp** *adj* stereotyped
**steril** *adj* sterile; ofruktbar barren
**sterilisera** *vb tr* sterilize
**sterling** *s, pund ~* pound sterling
**steroid** *s* steroid
**stetoskop** *s* stethoscope
**steward** *s* steward
**stia** *s* svinstia sty, pigsty
**stick I** *s* **1** av nål etc. prick; av t.ex. bi sting; av mygga bite; av vapen stab, thrust **2** kortsp. trick; *lämna ngn i ~et* leave a p. in the lurch **II** *adv*, *~ i stäv mot...* directly contrary to...
**sticka I** *s* **1** flisa splinter; pinne stick; *få en ~ i* fingret get a splinter in... **2** textil. knitting-needle **II** *vb tr* **1** prick; stinga: om t.ex. bi sting; mygga bite; köra, stöta stick; *~ hål i (på)* prick (make) a hole (resp. holes) in; t.ex. ballong puncture; *~ en kniv i ngn* stick...into a p.; *~ en nål i (igenom) ngt* run...into (through) a th.; *~ sig i fingret* prick one's finger [*på* with] **2** stoppa put, stick; 'köra' thrust **3** textil. knit **III** *vb itr* **1** röken *sticker i näsan på mig* ...makes my nose smart; *solen sticker i ögonen* the sun blazes into your eyes **2** vard., *stick!* push off!, hop it!, scram!; *jag sticker (måste ~)* I'm (I must be) off; *~ hem* pop (nip) home
    □ *~ emellan* med ett par ord put in...; *~ fram* stick out; *~ ihjäl (ned) ngn* stab a p. to death; *~ upp* a) skjuta upp, synas stick up (out); om växt shoot up b) vara uppnosig be cheeky
**stickande** *adj* smärtande shooting; svagare tingling; om lukt, smak pungent; om sol, hetta blazing, scorching
**stickgarn** *s* knitting-yarn
**stickig** *adj* som sticks prickly
**stickkontakt** *s* elektr.: propp plug; vägguttag point
**stickling** *s* cutting
**stickning** *s* textil. knitting äv. om det som stickas
**stickprov** *s* spot check
**1 stift** *s* kyrkl. diocese
**2 stift** *s* **1** sprint etc. pin; häft~ drawing-pin; amer. thumbtack **2** blyerts~ lead; reserv~ lead refill; på reservoarpenna nib; i tändare flint; tänd~ plug; grammofon~ stylus
**stifta** *vb tr* grunda found
**stiftare** *s* grundare founder
**stiftelse** *s* foundation
**stig** *s* path; upptrampad track
**stiga** *vb itr* **1** gå step, walk **2** höja sig rise; ascend, go up; om flygplan climb **3** öka, växa rise, grow; *brödet har stigit i pris* bread has gone up in price
    □ *~ av* gå av get off; från buss etc. äv. alight; från cykel dismount; *jag vill ~ av* bli avsläppt *vid...* I want to be put down at...; *~ fram* step forward; *~ in* get in; *~ in i bilen* get into the car; *~ in i rummet* enter the room; *stig in!* vid knackning come in!; *~ ned (ner)* step down, descend; *~ på* a) i rummet enter b) gå på: tåg, buss etc. get on..., cykel get on (mount)...; *~ undan* step out of the way; *~ upp* get up; kliva upp get out [*ur* t.ex. badkaret of...]; *~ upp i* en vagn get into...; *~ upp på* en stege get up on (mount)...
**stigande** *adj* rising; om ålder advancing; *~ efterfrågan* growing demand; *med ~ intresse* with increasing interest; *~ skala* ascending scale; *~ tendens* rising (upward) tendency
**stigbygel** *s* stirrup
**stigning** *s* rise; i terräng samt, flyg. ascent, climb; backe rise; ökning increase
**stil** *s* **1** handstil handwriting, writing **2** boktr. type; tryckstil print **3** sätt att utföra ngt style; manner; *i stor ~* i stor skala on a large scale; vräkigt in style, in grand style; något *i den ~en* ...like that; *något i ~ med* something like; *det är ~ på henne* she has style
**stilett** *s* stiletto (pl. -s)
**stilettklack** *s* stiletto (spike) heel
**stilig** *adj* elegant, smart; vacker handsome
**stilistisk** *adj* stylistic
**still** *adv* se *stilla I*
**stilla I** *adj o. adv* ej upprörd calm; stillsam quiet; fridfull peaceful; svag gentle; tyst silent; *S~ havet* the Pacific [Ocean]; *ligga (sitta) ~* lie (sit) still; hålla sig *~* keep still (quiet); inte röra sig not move (stir); *sitta ~* kvar remain seated; *stå ~* a) inte flytta sig stand still b) om t.ex. fabrik, maskin stand (be) idle **II** *vb tr* t.ex. hunger satisfy; lindra, t.ex. lidande alleviate
**stillasittande** *adj* om t.ex. arbete, liv sedentary
**stillastående** *adj* om t.ex. fordon stationary; om maskin idle
**stillatigande** *adv* silently, in silence
**stillbild** *s* film. still
**stilleben** *s* konst. still life (pl. still lifes)
**stillestånd** *s* vapen~ armistice
**stillhet** *s* stillness, calm; quiet; tranquillity;

peace; jfr *stilla;* det skedde *i all* ~ ...quietly; begravningen *sker i* ~ ...will be private

**stillsam** *adj* quiet; rofylld tranquil

**stiltje** *s* vindstilla calm; lugn period period of calm; stillestånd stagnation

**stim** *s* **1** fiskstim shoal, school **2** oväsen noise

**stimfisk** *s* shoaling fish

**stimmig** *adj* noisy

**stimulans** *s* stimulering stimulation

**stimulera** *vb tr* stimulate

**sting** *s* av t.ex. bi sting; av mygga bite; av nål etc. prick; 'snärt' sting, bite, go

**stinka** *vb itr* stink

**stins** *s* stationmaster

**stint** *adv, se* ~ *på ngn* stare hard at a p.; *se ngn* ~ *i ögonen* look a p. straight in the eye

**stipendiat** *s* speciellt studie~ holder of a scholarship

**stipendium** *s* speciellt studie~ scholarship; bidrag grant

**stipulera** *vb tr* stipulate

**stirra I** *vb itr* stare [*på* at] **II** *vb rfl,* ~ *sig blind på ngt* bildl. let oneself be hypnotized by a th.

**stirrande** *adj* staring; ~ *blick* tom vacant eye (look)

**stjäla** *vb tr* o. *vb itr* steal

**stjälk** *s* bot. stem; tjockare stalk

**stjälpa** *vb tr* o. *vb itr* **1** välta omkull overturn, tip over **2** hälla pour, tip; ~ *i sig* gulp down; ~ *ur* (*ut*) innehåll pour out; spilla spill

**stjärna** *s* star

**stjärnbaneret** *s* the star-spangled banner, the stars and stripes

**stjärnbild** *s* constellation

**stjärnfall** *s* shooting star

**stjärngosse** *s* 'star boy', boy in long white shirt and pointed cap [who attends on 'Lucia']

**stjärnhimmel** *s* starry sky

**stjärt** *s* tail äv. bildl.; på människa bottom, behind; på flicka, vard. pussy

**stjärtfena** *s* tail fin; flyg. äv. fin

**sto** *s* mare; ungt filly

**stock** *s* log; *sova som en* ~ sleep like a log

**stocka** *vb rfl,* ~ *sig* stagnate; om trafik be (get) held up

**stockholmare** *s* Stockholmer

**stockholmska** *s* **1** kvinna Stockholm woman (flicka girl) **2** språk Stockholm dialect

**stockning** *s* avbrott stoppage; ~ *i trafiken* traffic jam, hold-up

**stockros** *s* hollyhock

**stoff** *s* material material, stuff; innehåll (i bok etc.) subject-matter

**stofil** *s, gammal* ~ old fogey

**stoft** *s* **1** damm etc. dust **2** avlidens remains, ashes (båda pl.)

**stoj** *s* oljud noise; larm uproar

**stoja** *vb itr* make a noise, be noisy

**stol** *s* chair; utan ryggstöd stool; sittplats seat; *sticka under* ~ *med ngt* conceal a th., keep a th. back

**stollift** *s* sport. chairlift

**stollig** *adj* crazy, cracked

**stolpe** *s* säng~, lykt~, mål~ post; telefon~ etc. pole; *skjuta i* ~*n* hit the post; *det gick* ~ *och in* it went in off the post

**stolpiller** *s* med. suppository

**stolt** *adj* proud [*över* of]

**stolthet** *s* pride [*över* in]

**stoltsera** *vb itr* boast [*med* of]; pride oneself [*med* on]

**stomatolleende** *s* vard. toothy smile

**stomme** *s* frame, framework; utkast skeleton

**stopp** *s* **I** stoppage; *sätta* ~ *för ngt* put a stop to a th.; *säg* ~*!* say when! **II** *interj* stop!, halt!

**1 stoppa I** *vb tr* stop; sätta stopp för put a stop to **II** *vb itr* **1** stop, come to a standstill **2** stå emot stand up [*för* to]; hålla last; *det* ~*r inte med* 100 kr. ...isn't enough

**2 stoppa** *vb tr* **1** strumpor etc. darn, mend **2** fylla fill; ~ full stuff; möbler upholster; ~ fickorna *fulla* fill... **3** instoppa etc. put, thrust
□ ~ **i sig** äta put away; ~ **in** stoppa undan tuck away [*i* in, into]; ~ **ned** put (tuck) down; ~ **om** a) möbler re-upholster b) t.ex. ett barn tuck...up in bed; ~ **till** fylla igen (t.ex. hål) stop up, fill up; täppa till (t.ex. rör) choke, block up; ~ **undan** stow away; ~ **upp** djur etc. stuff

**stoppboll** *s* sport. drop shot

**stoppförbud** *s* trafik., *det är* ~ waiting is prohibited

**stoppgarn** *s* darning-wool

**stoppgräns** *s* stopping limit

**stopplikt** *s* trafik. obligation to stop

**stoppljus** *s* på bil brake (stop) light

**stoppmärke** *s* trafik. stop sign

**stoppning** *s* **1** lagning darning, mending **2** möbel~ upholstery

**stoppnål** *s* darning-needle

**stoppsignal** *s* stop signal

**stoppskylt** *s* trafik. stop sign

**stopptecken** s stop signal
**stoppur** s stop watch
**stor** adj **1** large; i betydelsen rymlig, vidsträckt, i stor skala; vard. big; lång tall; speciellt abstrakt samt i betydelsen framstående etc. great; ~t antal a large (great) number; en ~ del av tiden a good (great) deal of the time; till ~ del largely; till min ~a förvåning much to my surprise; vara till ~ hjälp be a great help; en ~ karl a big (lång tall) man; en verkligt ~ man a truly great man; det är ~a pengar that's a lot of money; ~ publik a large audience; en ~ summa pengar a large (big) sum of money; i ~t sett (i det ~a hela) on the whole; slå på ~t do things in a big way, do the thing in style **2** vuxen grown up; ~a damen vard. quite a little lady; bli ~ grow up **3** ~ bokstav capital letter
**storartad** adj grand, magnificent, splendid
**storasyster** s big sister
**storbelåten** adj highly satisfied
**Storbritannien** Great Britain
**stordator** s mainframe computer
**stordåd** s great achievement (exploit)
**storebror** s big brother
**storfamilj** s extended family
**storfinans** s high finance, big business
**storhet** s **1** egenskap greatness, grandeur **2** person celebrity
**storhetstid** s days pl. of glory
**storhetsvansinne** s megalomania
**stork** s stork
**storkna** vb itr choke, suffocate
**storkovan** s vard., vinna ~ win a fortune, hit the jackpot
**storlek** s size; till ~en in size
**storm** s hård vind gale; speciellt med oväder samt friare storm; en ~ i ett vattenglas a storm in a teacup, amer. a tempest in a teapot
**storma I** vb itr, det ~r a storm is raging; ~ fram rush at **II** vb tr mil. o. friare storm
**stormakt** s great (big) power
**stormande** adj stormy; ~ bifall a storm of applause; göra ~ succé be a tremendous success
**stormarknad** s hypermarket, superstore
**stormförtjust** adj absolutely delighted
**stormig** adj stormy
**stormning** s assault; stormande storming
**stormsteg** s bildl., med ~ by leaps and bounds
**stormvarning** s gale warning
**storrökare** s heavy smoker
**storsint** adj magnanimous

**storsinthet** s magnanimity
**storslagen** adj grand, grandiose, magnificent
**storslalom** s giant slalom
**storspov** s fågel curlew
**storstad** s big city (town); världsstad metropolis
**storstadsdjungel** s vard. asphalt (concrete) jungle
**storstilad** adj grand, grandiose
**Stor-Stockholm** Greater Stockholm
**storstrejk** s general strike
**storstädning** s spring-cleaning
**stort** adv greatly, largely; inte ~ mer än ett barn little (not much) more than...
**stortrivas** vb itr dep get on very well, be very happy
**stortå** s big toe
**storvilt** s big game
**storvuxen** adj o. **storväxt** adj big; om person samt träd äv. tall
**storätare** s big (heavy) eater, gourmand
**storögd** adj large-eyed, big-eyed
**straff** s punishment; speciellt jur. penalty; belägga ngt med ~ impose a penalty on a th.; få sitt ~ be punished; till ~ as a punishment
**straffa** vb tr punish
**straffarbete** s hard labour, imprisonment with hard labour
**straffbar** adj punishable; det är ~t att inf. it is an offence to inf.
**straffregister** s criminal records pl. (register)
**straffränta** s penal interest, interest on arrears
**straffspark** s sport. penalty, penalty kick
**straffsparksläggning** s fotb. penalty shoot-out
**straffånge** s convict
**stram** adj snäv tight; sträng severe; stel stiff
**strama** vb itr om kläder etc. be tight
**strand** s shore; badstrand, sandstrand beach; flodstrand bank
**stranda** vb itr om fartyg run ashore; misslyckas fail, break down
**strandning** s fartygs stranding; misslyckande failure; t.ex. förhandlingars breakdown
**strapats** s, ~er hardships
**strass** s paste, strass
**strategi** s strategy
**strategisk** adj strategic
**strax** adv **1** om tid directly, in a minute (moment); snart presently; genast at once; ~ efter middagen just after...; ~ innan han

for just before…; är du klar? - *Jag kommer*
*~!* …I'm coming in a minute (moment)!;
*jag kommer ~ tillbaka* I'll be back in a
minute (moment); *klockan är ~ 2* it is
close on two o'clock **2** om rum, *~ bredvid*
(*intill*) close by

**streber** s climber, pusher

**streck** s **1** pennstreck, penseldrag etc. stroke;
linje o. skiljelinje line; tvärstreck cross; på skala
mark; *låt oss dra ett ~ över det* glömma
det let's forget it; *ett ~ i räkningen* an
unforeseen obstacle **2** rep cord, line; för
tvätt clothes-line **3** *ett fult ~* a dirty trick
**4** *hålla ~* hold good, be true

**strecka** *vb tr,* *~ för i en bok* mark
passages in a book; *~ under* underline,
score

**streckkod** s på varor bar code

**strejk** s strike; *utlysa ~* call a strike

**strejka** *vb itr* **1** gå i strejk go on strike; vara i
strejk be on strike **2** inte fungera: bilen *~r*
…is out of order; bromsarna *~r* …dont
work

**strejkaktion** s industrial action

**strejkande** *adj* striking; *de ~* the strikers

**strejkbrytare** s strike-breaker; neds. scab,
blackleg

**strejkvakt** s picket

**stress** s stress

**stressad** *adj* …suffering from stress,
…under stress

**stressande** *adj* o. **stressig** *adj* stressful,
…causing stress

**streta** *vb itr* knoga work hard, toil [*med ngt*
at a th.]; mödosamt förflytta sig struggle; *~
emot* resist, struggle

**1 strid** *adj* om ström etc. swift, rapid

**2 strid** s kamp fight, fighting (end. sg.);
speciellt hård struggle; speciellt mellan tävlande
contest; drabbning battle; oenighet
contention, strife (båda end. sg.); konflikt
conflict; dispyt dispute; *en ~ på liv och
död* a life-and-death struggle; *inre ~*
inward struggle; *i ~ mot* regler etc. in
violation of…; *det står i ~ med* (*mot*)
avtalet it goes against…

**strida** *vb itr* **1** kämpa fight, struggle; tvista
dispute **2** *det strider mot…* it is contrary
to (is against)…

**stridbar** *adj* …with plenty of fighting
spirit; aggressiv aggressive

**stridig** *adj* motstridande conflicting,
contending

**stridigheter** s pl conflicts;
meningsskiljaktigheter differences

**stridsanda** s fighting spirit

**stridsberedskap** s readiness for action

**stridslysten** *adj* aggressiv aggressive

**stridsmedel** s pl, *konventionella ~*
conventional weapons

**stridsrop** s war cry

**stridsspets** s warhead

**stridsvagn** s tank

**stridsyxa** s battle-axe; *gräva ned ~n* bury
the hatchet

**stridsåtgärd** s offensive action; facklig strike
action

**stridsövning** s tactical exercise, manœuvre

**strikt** *adj* strict; i klädsel, uppträdande sober

**strila** *vb tr* o. *vb itr* sprinkle; *~nde regn*
steady rain

**strimla I** s strip, shred **II** *vb tr* kok. shred

**strimma** s streak; rand stripe; *en ~ av hopp*
a gleam of hope

**strippa I** *vb itr* do a striptease, striptease
**II** s person stripper

**stropp** s strap; på sko etc. loop

**struken** *adj,* *en ~ tesked* a level
teaspoonful

**struktur** s structure; speciellt textil. texture

**strul** s vard. krångel muddle; besvär trouble,
bother

**strulig** *adj* vard. trying, difficult

**struma** s med. goitre

**strumpa** s stocking; herrstrumpa sock

**strumpbyxor** s pl tights, stretch tights,
pantyhose sg.

**strumpeband** s suspender; ringformigt (utan
hållare) samt, amer. garter

**strumpebandshållare** s suspender (amer.
garter) belt

**strumpläst** s, gå omkring *i ~en* …in one's
stockinged (stocking) feet; *han mäter*
1,80 *i ~en* he stands…in his stockings

**strunt** s skräp rubbish, trash; *~ i det!* never
mind!

**strunta** *vb itr,* *~ i* not bother about; *det ~r
jag blankt i!* I don't care (give) a hang
about that!

**struntprat** s o. *interj* nonsense, rubbish

**struntsak** s bagatell trifle, trifling matter

**struntsumma** s trifle, trifling sum

**strupe** s throat

**struphuvud** s larynx (pl. larynges el. ~es)

**struptag** s, *ta ~ på ngn* seize a p. by the
throat, throttle a p.

**strut** s pappersstrut cornet, screw (twist) of
paper; glasstrut etc. cone

**struts** s ostrich

**stryk** *s, få* ~ get a beating (thrashing); *ful som* ~ as ugly as sin

**stryka** *vb tr* **1** smeka stroke; gnida rub **2** med strykjärn etc. iron **3** bestryka med färg etc. coat, paint; breda på, t.ex. salva spread **4** stryka ut (över) cross (strike) out, cancel
□ ~ **av** torka av wipe; ~ **bort** t.ex. en tår brush away; torka bort wipe off; ta bort remove; ~ **för ngt med rött** mark a th. in red; ~ **med** gå ut be finished off; om pengar be used up; dö die, perish; ~ **ned** förkorta cut down; ~ **omkring på gatorna** t.ex. om ligor roam the streets; ~ **på** t.ex. salva spread; ~ **under** underline, emphasize, stress; ~ **ut** el. ~ **över** t.ex. ett ord cross (strike) out, cancel

**strykande** *adj, ha* ~ **åtgång** have a rapid sale; varorna *hade* ~ *åtgång* ...went like hot cakes

**strykbräde** *s* ironing-board

**strykfri** *adj* non-iron

**strykjärn** *s* iron, flat-iron

**strykklass** *s, sätta...i* ~ discriminate against, victimize

**strykmaskin** *s* ironing machine

**strykning** *s* **1** med handen etc. stroke; gnidning rub **2** med strykjärn ironing **3** med färg coating; konkret coat, coat of paint **4** uteslutning cancellation

**stryktips** *s* results pool

**strypa** *vb tr* strangle

**strå** *s* straw; hårstrå hair; grässtrå blade of grass; *dra det kortaste (längsta)* ~*et* get the worst (best) of it; *dra sitt* ~ *till stacken* do one's bit; *inte lägga två* ~*n i kors* not lift a finger [*för att* to]

**stråke** *s* bow; *stråkar* i orkester strings

**stråkinstrument** *s* stringed instrument

**stråla** *vb itr* beam, shine; om t.ex. ögon sparkle [*av* with]; ~ *av hälsa* be radiant with health

**strålande** *adj* lysande brilliant; ~ *väder* glorious weather

**strålbehandling** *s* radiotherapy

**stråle** *s* ray; av ljus beam; av vätska, gas jet

**strålkastare** *s* rörlig searchlight; för illumination floodlight; teat. spotlight; på bil etc. headlight

**strålning** *s* radiation

**strålskydd** *s* protection against radiation

**strålskyddsinstitut** *s,* ~*et* the National Institute of Radiation Protection

**stråt** *s* väg, kosa way, course

**sträck** *s, i* ~ el. *i ett* ~ at a stretch; without stopping

**sträcka I** *s* stretch; avstånd, väg~ distance; del~ section **II** *vb tr* spänna stretch; försträcka, ~ *en muskel (sena)* pull (stretch) a muscle (tendon); ~ *vapen* lay down one's arms **III** *vb itr,* ~ *på benen* stretch one's legs; ~ *på sig* tänja och sträcka stretch, stretch oneself; räta på sig straighten oneself up; *sträck på dig!* stå rak! stand straight! **IV** *vb rfl,* ~ *sig* **1** tänja och sträcka stretch, stretch oneself; ~ *sig efter ngt* reach (reach out) for a th. **2** ha viss utsträckning stretch, range
□ ~ **fram** t.ex. handen put (hold) out; ~ **ut** put (hold, tänja stretch) out; dra ut, spänna stretch; förlänga extend

**sträckbänk** *s, hålla ngn på* ~*en* i spänning keep a p. on tenterhooks

**sträckning** *s* **1** ut~ extension **2** *få en* ~ muskel~ pull (stretch) a muscle

**1 sträng** *adj* hård omild, severe; bestämd, noga strict; bister, allvarlig stern, austere; *lagens* ~*aste straff* the maximum penalty; *vara* ~ *mot* be severe (mot barn strict) with

**2 sträng** *s* mus. samt racket~ string

**stränga** *vb tr* string; ~ *om* restring

**stränginstrument** *s* string (stringed) instrument

**sträv** *adj* rough; om smak o. bildl. harsh

**sträva** *vb itr* strive; kämpa struggle; ~ *efter att* inf. endeavour (strive) to inf.

**strävan** *s* ambition; mål aim; bemödande effort, efforts pl.

**strävhårig** *adj* om hund wire-haired

**strävsam** *adj* industrious, hard-working

**strö** *vb tr* sprinkle, strew; ~ *omkring* scatter, scatter about; ~ *pengar omkring sig* splash money about

**ströare** *s* castor

**ströbröd** *s* breadcrumbs pl.

**strödd** *adj* utspridd scattered

**ströjobb** *s* odd (casual) job

**strökund** *s* chance (stray) customer

**ström** *s* **1** strömning current; vattendrag, flöde stream; *en* ~ *av tårar* a flood of tears; *i en jämn* ~ in a constant stream **2** elektr. current; elkraft power

**strömavbrott** *s* power failure (cut)

**strömbrytare** *s* switch

**strömförande** *adj* live

**strömlinjeformad** *adj* streamlined

**strömma** *vb itr* stream; flyta, flöda äv. flow, run; starkare pour; ~ *in* om vatten etc. rush in, flow in; om t.ex. folk, brev stream (pour) in; ~ *till* om vatten etc. flow; om folkskaror come flocking; ~ *över* overflow

**strömming** s Baltic (small) herring
**strömning** s current
**strösocker** s granulated sugar; finare castor sugar
**strössel** s koll. hundreds and thousands pl., amer. sprinkles
**ströva** vb itr, ~ el. ~ *omkring* roam, rove, ramble, stroll
**strövtåg** s vandring ramble, excursion äv. bildl.
**stubb** s åkerstubb, skäggstubb stubble
**stubbe** s träd~ stump
**stubben** s, *på* ~ vard. on the spot
**stubin** s fuse; *ha kort* ~ om person be short-tempered
**stucken** adj offended, hurt [*över* at]
**student** s studerande student
**studera** vb tr o. vb itr study
**studerande** s univ. student
**studie** s study [*över* of]
**studiebesök** s visit for purposes of study, study visit
**studiebidrag** s study grant
**studiecirkel** s study circle
**studiehandbok** s students' guide, university handbook
**studiehjälp** s financial aid to those studying at the 'gymnasium' level
**studielån** s study loan
**studiemedel** s ekonomiskt stöd study allowances (bidrag grants)
**studieplan** s syllabus
**studierektor** s director of studies
**studieresa** s study tour
**studierådgivning** s student counselling (guidance)
**studiestöd** s financial aid to students
**studievägledare** s study counsellor (adviser)
**studievägledning** s study counselling (guidance)
**studio** s studio (pl. -s)
**studium** s study [*av, i* of]
**studs** s bounce
**studsa** vb itr om boll bounce; ~ *tillbaka* rebound, bounce back
**studsmatta** s trampoline; till motion rebounder
**stuga** s cottage; koja cabin
**stuka** vb tr **1** skada, ömslå sprain; ~ el. ~ *sig i handleden* sprain one's wrist **2** ~ el. ~ *till* platta till batter, knock...out of shape
**stum** adj **1** dumb [*av* with]; *bli* ~ be struck dumb; *i* ~ *beundran* in mute

admiration **2** om bokstav: ej uttalad mute, silent
**stumfilm** s silent film, silent
**stump** s rest stump
**stund** s kort tidrymd while; tidpunkt moment; *stanna en* ~ stay for a while; *en kort* ~ a short while, a moment; *det dröjer bara en liten* ~ it will only be a moment; *inte en lugn* ~ not a moment's peace; *han trodde att hans sista* ~ *var kommen* he thought that his last hour had come; *för en* ~ *sedan* a little while (a few minutes) ago; *på lediga* ~*er* in one's spare time; *till min sista* ~ to my dying day
**stunda** vb itr approach, draw near
**stundande** adj coming
**stundom** adv o. **stundtals** adv at times, now and then
**1 stup** s brant precipice, steep slope
**2 stup** adv, ~ *i ett* (*kvarten*) non-stop, every five minutes
**stupa** vb itr **1** luta brant descend abruptly, fall steeply **2** *nära att* ~ *av trötthet* ready to drop with fatigue; ~ *i säng* tumble into bed **3** dö i strid be killed in action; *de* ~*de* those killed in action (in the war)
**stupfull** adj vard. dead drunk
**stuprör** s drainpipe, downpipe; amer. downspout
**stursk** adj näsvis cheeky; fräck insolent, impudent; mallig stuck-up
**stut** s oxe bullock
**stuteri** s stud, stud farm
**stuv** s remnant; ~*ar* äv. oddments
**1 stuva** vb tr stow
**2 stuva** vb tr grönsaker etc. cook...in white sauce; ~*d potatis* potatoes in white sauce; ~*d spenat* creamed spinach
**stuvare** s o. **stuveriarbetare** s stevedore, speciellt amer. longshoreman
**stuvning** s vit sås white sauce; kött~ stew
**styck** s, 10 kronor ~ (*per* ~) ...each; *pris per* ~ price each; sälja *per* ~ ...by the piece
**stycka** vb tr **1** kött etc. cut up; ~ *sönder* cut...into pieces **2** jord, mark parcel out
**stycke** s **1** del, avsnitt etc. piece, part, bit; text~ passage; som börjar med ny rad paragraph; vi fick gå *ett* ~ *av vägen* ...part of the way; *ett gott* ~ *härifrån* a fair distance...; *ett gott* ~ *in på* 2000-talet well into...; bilen gick bara *ett litet* ~ ...a little (short) way; *i* ~*n* sönder in pieces, broken; *slå i* ~*n* knock...to pieces **2** *fem* ~*n apelsiner* five oranges; *vi var fem* ~*n*

there were five of us; *några ~n* some, a few; 10 kronor *~t* ...each **3** musik~ piece, piece of music; teater~ play **4** *i många ~n* avseenden in many respects

**styckning** *s* av kött etc. cutting-up; av mark parcelling out

**stygg** *adj* speciellt om barn naughty; elak nasty [*mot* to]; ond wicked

**styggelse** *s* abomination [*för* to]

**stygn** *s* stitch

**stylta** *s* stilt

**stympa** *vb tr* lemlästa mutilate, maim

**stympning** *s* mutilation, maiming

**styr** *s, hålla...i ~* keep...in check; *hålla sig i ~* control oneself

**styra** *vb tr* o. *vb itr* **1** fordon, fartyg etc. steer **2** regera govern, rule; leda direct; *de ~nde i samhället* those in power **3** *~ om* ordna see to, arrange, manage

**styrbord** *s* starboard

**styre** *s* **1** cykelstyre handlebars pl. **2** styrelse rule

**styrelse** *s* förenings etc. committee; bolags~ board of directors; företagsledning management; *sitta med i ~n* be on the board (committee)

**styrelseledamot** *s* o. **styrelsemedlem** *s* member of a (the) board (förenings committee)

**styrka I** *s* **1** strength; kraft power, force; intensitet intensity; *vindens ~* the force of the wind; *andlig ~* strength of mind **2** trupp force; arbetsstyrka working staff; antal, numerär strength **II** *vb tr* **1** göra starkare, befästa strengthen, confirm; ge kraft, mod fortify **2** bevisa prove; med vittnen attest, verify

**styrkedemonstration** *s* show of force

**styrketräning** *s* strength training

**styrketår** *s* vard. bracer, stiffener, pick-me-up

**styrman** *s* sjö. **1** mate; *förste (andre) ~* first (second) mate **2** som styr helmsman

**styrning** *s* styrande steering; *automatisk ~* automatic control

**styrsel** *s* stadga firmness, steadiness; stability; 'ryggrad' backbone

**styrspak** *s* flyg. control column

**styrstång** *s* på cykel handlebars pl.

**styv** *adj* **1** stiff; *~ bris* fresh breeze **2** duktig, skicklig, *~ i* matematik, tennis etc. good at...

**styvbarn** *s* stepchild

**styvbror** *s* stepbrother

**styvfar** *s* stepfather

**styvmoderligt** *adv, vara ~ behandlad* be unfairly treated

**styvmor** *s* stepmother

**styvmorsviol** *s* wild pansy

**styvna** *vb itr* stiffen

**styvsyster** *s* stepsister

**styvt** *adv* **1** stiffly; *hålla ~ på ngt (att* inf.) insist on a th. (on ing-form) **2** duktigt, *det var ~ gjort!* well done!

**stå I** *vb itr* **1** stand; *hur ~r det (spelet)?* what's the score?; *det ~r 2-1* it (the score) is two one; *det ~r en karl där* there is a man standing there; *~ och hänga* hang around; *~ för* ansvara för be responsible for; leda, ha hand om be at the head (in charge) of; *~ för vad man säger* stand by what one has said; *~ i ackusativ* be in the accusative; *~ i affär* work in a shop; *ha mycket att ~ i* have many things to attend to, have plenty to do; *valet ~r mellan...* the choice lies between...; *barometern (visaren) ~r på...* the barometer (hand) points to...; *~ vid* vad man har sagt stand by..., keep (stick) to... **2** ha stannat, om klocka have stopped; hålla, om tåg etc. stop, wait **3** finnas skriven be written; *vad ~r det på skylten?* what does it say on the sign?; *läsa vad som ~r om...* read what is written (i tidning what they say) about...; *det ~r i boken* it is in the book; *det ~r i boken att...* it says in the book that...; *han ~r som konstnär* i passet he is put down as an artist **II** *vb rfl, ~ sig* hävda sig hold one's own; hålla sig, om mat etc. keep; fortfarande gälla, om teori etc. hold good, stand; bestå last

□ *~ bakom* ngt bildl. be behind...; *~ efter* vara underlägsen **ngn** be inferior to a p.; *~ emot* resist, withstand; tåla stand; *~ fast vid* t.ex. anbud stand by; t.ex. åsikt stick to; t.ex. krav insist on; *~ framme* till bruk etc. be ready; skräpa be left about; *~ inne* vara inomhus be indoors; *låta* pengarna *~ inne* leave...on deposit; *~ kvar* stanna kvar remain, stay on; *vad ~r på?* hur är det fatt what's the matter?; vard. what's up?; *~ på sig* stick to one's guns; *~ på dig!* don't give in!, stick up for yourself!; *hur ~r det till?* hur mår du how are you?; *hur ~r det till hemma (med familjen)?* how is your family?; *~ upp* stiga upp, höja sig rise; *~ ut: jag ~r inte ut längre* I can't stand (bear, put up with) it any longer; *~ över* ngt vara höjd över be above...; *jag ~r över till* väntar

**ställe**

I'll wait till; ~ *över sin tur* i spel pass, miss one's turn

**stående** *adj* standing; vertical; stillastående stationary; ~ *fras* set phrase; *bli* ~ a) inte sätta sig remain standing b) stanna stop c) bli kvarlämnad be left

**ståhej** *s* vard. hullabaloo, fuss

**stål** *s* steel

**stålborste** *s* wire brush

**stålindustri** *s* steel industry

**Stålmannen** seriefigur Superman

**stålpenna** *s* nib

**stålull** *s* steel wool

**stålverk** *s* steelworks (pl. lika)

**stånd** *s* **1** salustånd stall; speciellt på marknad booth; på mässa stand **2** civilstånd status **3** samhällsklass social class **4** nivå height **5** fysiol. erection **6** ställning etc., *hålla* ~ hold one's ground (own), hold out [*mot* fienden against…] **7** skick etc. condition, state; *vara i* ~ *att* inf. be able to inf., be capable of ing-form; *få till* ~ bring about; upprätta establish; *komma till* ~ come (be brought) about; äga rum come off, take place; *sätta* ngt *ur* ~ put (throw)…out of gear; *vara ur* ~ *att* inf. be incapable of ing-form, be unable to inf.

**ståndaktig** *adj* firm; orubblig steadfast, constant

**ståndare** *s* bot. stamen

**ståndpunkt** *s* standpoint, point of view

**stång** *s* stake etc. pole; i galler etc. bar; räcke rail; *hålla ngn* ~*en* hold one's own against a p.; flaggan är *på halv* ~ …at half-mast

**stångas** *vb itr dep* butt; med varandra butt each other

**stånka** *vb itr* flåsa puff and blow, breathe heavily; stöna groan [*av* with]

**ståplats** *s, ~er* ~utrymme standing room

**ståt** *s* pomp; prakt splendour

**ståta** *vb itr,* ~ *med* parade, make a display of

**ståtlig** *adj* storslagen grand, magnificent; imponerande: om person imposing; om t.ex. byggnad stately, impressive

**städ** *s* anvil

**städa I** *vb tr* rengöra clean; vard. do; snygga upp i tidy up **II** *vb itr* clean (tidy) up

**städare** *s* cleaner

**städerska** *s* cleaner; städhjälp charwoman; vard. char; på hotell chambermaid; på båt stewardess

**städrock** *s* overall

**städskåp** *s* broom cupboard (amer. closet)

**ställ** *s* ställning stand; för disk, pipor m.m. rack

**ställa I** *vb tr* **1** put, place, stand; ~ en dörr *öppen* lämna öppen leave…open; ~ ngt *i utsikt* hold out the prospect of…; ~ *ngn inför* en svårighet confront a p. with…; ~*s* (~ *ngn*) *inför valet mellan…* have to choose (make a p. choose) between…; ~ *en fråga till ngn* ask a p. a question, put a question to a p.; ~ ngt *till förfogande* make…available; *ha det bra ställt* ekonomiskt be well off **2** ställa in set; ~ *sin klocka* set one's watch [*efter* kyrkklockan by…]; ~ klockan *på ringning kl. 6* set…for six o'clock **3** uppställa, t.ex. villkor make; lämna, t.ex. garanti give **II** *vb rfl,* ~ *sig* placera sig place oneself; *ställ dig här!* stand here!; ~ *sig i kö* (*rad*) queue (line) up; ~ *sig i vägen för ngn* put oneself in a p.'s way; ~ *sig upp* stand up, rise

□ ~ *ifrån sig* put…down; undan put away; lämna, giömma leave…behind; ~ **in** a) put…in; reglera adjust [*efter* to]; ~ *in radion på en station* tune in a station; ~ *in sig på ngt* bereda sig på prepare oneself for a th.; räkna med count on a th. b) ~ *sig in hos* ngn ingratiate oneself with…; vard. cringe (suck up) to… c) inhibera etc., se *inställa;* ~ **om** placera om rearrange; ~ **till med** anordna arrange, organize; sätta i gång med start; t.ex. bråk make; vålla cause; *vad har du nu ställt till med?* What have you been up to now?; ~ **undan** put aside; ~ **upp** a) placera put…up; t.ex. schackpjäser lay out; ordna, t.ex. i grupper place, arrange b) uppbåda: t.ex. en armé raise; ett lag put up c) göra upp: t.ex. program, rapport draw up d) framställa: t.ex. teori put forward, advance; t.ex. villkor make; t.ex. regel lay down e) delta take part, join in; vara villig stand by, show willing; ~ *upp mot…* i tävling meet…; ~ *upp som presidentkandidat* run for the presidency

**ställbar** *adj* adjustable

**ställd** *adj* svarslös nonplussed; bragt ur fattningen put out, embarrassed

**ställe** *s* **1** place; plats, fläck äv. spot; passus i skrift etc. passage; *på ~t* genast on the spot; *göra på ~t marsch* mark time; *på en del* (*sina*) ~*n* in some places, here and there **2** *i ~t* instead; i gengäld in return; *jag skulle inte vilja vara i ditt* ~ I wouldn't be in your shoes; *i ~t för* instead of [*att gå* going]

**ställföreträdare** s deputy; ersättare substitute; representant representative

**ställning** s **1** position; plats place; samhälls~ o. affärs~ standing; poäng~ score; *hur är ~en?* i spel what is the score?; *ta ~* a) ha egen uppfattning take one's stand b) bestämma sig make up one's mind; *en man i hög ~* a man of high (of good social) position; *i sittande ~* in a sitting position; sittande sitting down **2** ställ stand; stomme frame

**ställningstagande** s ståndpunkt standpoint [*i en fråga* on...], attitude [*till* towards]

**stämband** s vocal cord

**stämgaffel** s tuning-fork

**stämjärn** s chisel

**1 stämma I** s röst voice; mus. part; i orgel stop **II** *vb itr* överensstämma correspond, tally; *räkningen stämmer* the account is correct; *det stämmer!* that's right!, quite right!

□ *~ in* falla in, *alla stämde in i sången* everyone joined in the song; *~ ned* göra förstämd depress; *~ ned tonen* come down a peg or two; *~ upp* raise; orkestern *stämde upp* ...struck up; *~ överens* agree, accord

**2 stämma** *vb tr* o. *vb itr* hejda stem, check

**3 stämma I** s sammanträde meeting, assembly **II** *vb tr* jur. summon [*inför domstol* to appear before the court]; *~ ngn för...* sue a p. for...

**1 stämning** s sinnes~ mood, temper; atmosfär atmosphere; *~en var tryckt* there was a feeling of depression; *vara i ~ (den rätta ~en) för...* be in the right mood for...; *i glad (festlig) ~* in high spirits **2 stämning** s jur. summons; *delgiva ngn ~* serve a writ upon a p.

**stämpel** s **1** verktyg stamp; gummi~ rubber stamp **2** avtryck stamp; på guld, silver hallmark; post~ postmark; inbränd brand, mark

**stämpelavgift** s stamp duty

**stämpeldyna** s stamp pad

**stämpelkort** s clocking-in card

**stämpelur** s time clock

**1 stämpla I** *vb tr* med stämpel stamp; märka mark; frimärke cancel; *brevet är ~t den 3 maj* the letter is postmarked...; *~ in (ut)* på stämpelur clock in (out); *~ in* belopp register **II** *vb itr*, *gå och ~* om arbetslös be on the dole **2 stämpla** *vb itr* konspirera plot, conspire

**stämpling** s komplott plot, conspiracy

**ständig** *adj* oavbruten constant, continuous; stadigvarande permanent; oupphörlig continual

**stänga** *vb tr* o. *vb itr* tillsluta shut; slå igen close; med lås lock; med regel bolt; *~ butiken* för dagen shut up shop; posten *är stängd* ...is closed

□ *~ av* shut off; väg close; spärra av block up; vatten, gas shut (vrida av turn) off; elström, radio, TV switch off; huvudledning, telefon cut off; från tjänst etc. suspend; *gatan är avstängd!* street closed to traffic!; *avstängt!* no admission!; *~ igen* shut (lock) up; *~ in* låsa in shut (lock)...up; inhägna hedge...in; *~ in sig* shut (lock) oneself up; *~ till* close, shut; *~ ute* shut (lock)...out; utesluta exclude

**stängningsdags** *adv* closing time

**stängsel** s fence; räcke rail; barrier

**stänk** s splash; droppe tiny drop; från vattenfall etc. spray; *ett ~* regn~ a drop of rain; *ett ~* citronsaft a dash of...; *ett ~ av vemod* a touch of melancholy

**stänka I** *vb tr* splash; svagare sprinkle äv. tvätt; *~ smuts på ngn* spatter a p. with mud; *bli nedstänkt* get splashed all over **II** *vb itr* skvätta splash

**stänkskydd** s på bil mudflap

**stänkskärm** s flygel på bil wing; mudguard äv. på cykel; amer. fender

**stäpp** s steppe

**stärka** *vb tr* **1** styrka strengthen; bekräfta confirm **2** med stärkelse starch

**stärkande** *adj* strengthening; *~ medel* tonic

**stärkelse** s starch

**stärkkrage** s starched collar

**stäv** s sjö. stem

**stäva** *vb itr* head; *~ mot...* bear towards...

**stävja** *vb tr* check; undertrycka suppress

**stöd** s support; stötta prop; hjälp aid; *få ~ ekonomiskt av...* be subsidized by...; *till (som) ~ för* påstående etc. in support (confirmation) of; minnet as an aid to

**stödbehå** s uplift bra

**stöddig** *adj* självsäker self-important, cocksure

**stödja I** *vb tr* support; luta rest, lean; grunda base, found; *~ armbågarna mot bordet* rest one's elbows on the table **II** *vb rfl*, *~ sig* support oneself; luta sig lean, rest; *~ sig på* t.ex. faktum base one's opinion on; *~ sig på ngn* åberopa cite a p. as one's authority

**stödundervisning** s remedial teaching

**stök** s städning cleaning; fläng bustle; före jul etc. preparations pl.

**stöka** vb itr städa clean up; ~ *till* make a mess; ~ *till i rummet* litter up the room

**stökig** adj untidy, messy

**stöld** s theft; thieving (end. sg.); inbrotts~ burglary

**stöldförsäkring** s insurance against theft (inbrott burglary)

**stöldgods** s stolen goods pl.

**stöldsäker** adj thiefproof

**stön** s groan; svagare moan

**stöna** vb itr groan; svagare moan

**stöpa** vb tr gjuta cast, mould; ~ *ljus* make (dip) candles

**stöpslev** s, vara (*ligga*) *i ~en* bildl. be in the melting-pot

**1 stör** s fisk sturgeon

**2 stör** s stång pole, stake

**störa** vb tr o. vb itr disturb; avbryta interrupt; *förlåt att jag stör* excuse my disturbing you; *får jag ~ ett ögonblick?* could you spare me a minute?

**störande I** adj bullersam rowdy; besvärande troublesome, annoying **II** adv, *uppträda ~* create a disturbance

**störning** s disturbance; avbrott interruption; rubbning disorder; radio.: genom annan sändare jamming (end. sg.); *~ar* från motorer etc. interference sg.

**störningsskydd** s radio. noise suppressor

**störningssändare** s radio. jamming station

**större** adj larger, bigger, greater (etc. jfr *stor*); ~ *delen av...* most of...; *till ~ delen* for the most part, mostly; *ett ~ krig* relativt stort a major war; *en ~ summa* relativt stor a big (large) sum

**störst** adj largest, biggest, greatest etc. (jfr *stor*); ~ *i världen* biggest in the world; *~a delen av...* most of...; *till ~a delen* for the most part, mostly

**störta I** vb tr beröva makten overthrow; ~ *ngn i fördärvet* bring about a p.'s ruin **II** vb itr **1** falla fall (tumble, topple) down [*ned i* into]; om flygplan crash; om häst fall **2** rusa rush, dash **III** vb rfl, ~ *sig* kasta sig throw oneself; rusa rush (dash) headlong; ~ *sig i fördärvet* ruin oneself
□ ~ **emot** a) i riktning mot rush etc. towards b) anfalla rush at; ~ **fram** ut rush etc. out; ~ **in** om tak etc. fall in, come down; om vägg fall down; ~ **ned** falla fall (tumble) down; rusa rush down; rasa come down; ~ **samman** collapse

**störtdykning** s nose (vertical) dive

**störthjälm** s crash helmet

**störtlopp** s sport. downhill race (ss. gren racing)

**störtregn** s torrential rain

**störtregna** vb itr, *det ~r* it is pouring down

**stöt** s **1** slag, törn etc. a) thrust; slag blow; knuff push b) shock äv. elektr. o. vid jordbävningen; fys. impact c) skakning hos fordon etc. jolt **2** vard., inbrott job

**stöta I** vb tr **1** thrust; slå knock, bang, bump **2** krossa pound **3** bildl. offend **II** vb itr knock, bump, strike [*mot* against, into]; ~ *på grund* run aground **III** vb rfl, ~ *sig med ngn* get on the wrong side of a p.
□ ~ **emot** ngt knock (bump, strike) against a th.; ~ **ihop** kollidera med knock into each other; råkas run across each other; ~ *ihop med* kollidera med run into, collide with; träffa run across (into); ~ **på** träffa, finna come across; ~ *på* t.ex. svårigheter meet with; ~ **till** knuffa till knock against

**stötande** adj offensive; svagare objectionable

**stötdämpare** s shock-absorber

**stötesten** s stumbling-block [*för* to]

**stötfångare** s bumper

**stötsäker** adj shockproof

**stött** adj **1** om frukt bruised **2** förnärmad offended [*över* at (by); *på* with]

**stötta I** s prop; stöd support, stay **II** vb tr prop, prop up

**stöttepelare** s bildl. mainstay, pillar

**stövel** s high boot; *stövlar* speciellt av gummi wellingtons

**stövelknekt** s bootjack

**subjekt** s subject

**subjektiv** adj subjective

**substans** s substance; ämne matter

**substantiell** adj substantial

**substantiv** s noun

**substantivera** vb tr substantivize; *~t adjektiv* adjective used as a noun

**subtil** adj subtle

**subtilitet** s subtlety

**subtrahera** vb tr subtract

**subtraktion** s subtraction

**subvention** s subsidy

**subventionera** vb tr subsidize

**succé** s success; om bok, pjäs etc. äv. hit; *göra ~* meet with (be a) success

**successiv** adj stegvis gradual

**suck** s sigh; *dra en djup ~* heave a deep sigh; *dra sin sista ~* breathe one's last

**sucka** *vb itr* sigh [*av* with; *efter* for]

**Sudan** the Sudan

**sudd** *s* **1** tuss wad; tavelsudd duster **2** suddighet blur; bläckfläckar etc. smudges pl.

**sudda** *vb itr* o. *vb tr* **1** svärta av sig smudge **2** måla, kludda daub □ ~ **bort (ut)** radera rub out, erase; ~ *ut på* svarta tavlan rub (wipe)...clean, wipe out; med radergummi rub out

**suddgummi** *s* india rubber, eraser

**suddig** *adj* kluddig smudgy; otydlig blurred, indistinct; oredig confused

**sufflé** *s* soufflé

**sufflett** *s* hood, amer. top

**sufflör** *s* teat. prompter

**sug** *s* **1** suction **2** *tappa ~en* lose heart, give up

**suga** *vb tr* o. *vb itr* suck; *sjön suger* the sea air gives you an appetite; ~ *på en pipa* suck at a pipe; ~ *ur* t.ex. apelsin, sår suck; ~ *ut* bildl. suck...dry; t.ex. arbetare sweat; ~ *åt sig* absorb, suck up

**sugande** *adj*, *ha en ~ känsla i magen* have a hollow (sinking) feeling in one's stomach

**sugen** *adj*, *känna sig ~* hungrig feel peckish; *jag är ~ på* en kopp kaffe I feel like...

**sugga** *s* sow

**suggerera** *vb tr* influence [*till* into]

**suggestion** *s* suggestion

**suggestiv** *adj* suggestive

**sugmärke** *s* love-bite, amer. hickey

**sugrör** *s* till saft etc. straw

**sukta** *vb itr*, ~ *efter* long for

**sula** *s* o. *vb tr* sole

**sultan** *s* sultan

**summa** *s* sum

**summarisk** *adj* summary; kortfattad äv. concise

**summer** *s* buzzer

**summera** *vb tr*, ~ el. ~ *ihop* sum up, add up

**sump** *s* kaffesump grounds pl.

**sumpa** *vb tr* missa miss; tappa lose; ~ *chansen* miss (pass up) the opportunity

**sumpgas** *s* marsh gas, methane

**sumpmark** *s* swamp, marsh

**1 sund** *s* sound, strait, straits pl.

**2 sund** *adj* sound, healthy; om föda wholesome

**sup** *s* dram, snifter; glas brännvin snaps (pl. lika)

**supa** *vb tr* o. *vb itr* drink; starkare booze; ~

*ngn full* make a p. drunk; ~ *sig full* get drunk

**supé** *s* supper, evening meal

**supera** *vb itr* have supper

**superlativ I** *s* gram. the superlative; *i ~* in the superlative **II** *adj* superlative

**supermakt** *s* superpower

**suppleant** *s* deputy, substitute

**supplement** *s* supplement [*till* to]

**supporter** *s* supporter

**suput** *s* vard. drunkard, boozer

**sur** *adj* **1** motsats söt sour äv. bildl.; syrlig acid äv. kem.; butter äv. surly; *göra livet ~t för ngn* lead a p. a dog's life; *bita i det ~a äpplet* swallow the bitter pill; *han är ~ på mig* he is cross with me; *vara ~ över ngt* be angry (sore) about a th. **2** blöt wet; om mark waterlogged; om pipa foul

**surdeg** *s* leaven; *jäsa med ~* leaven

**surfa** *vb itr* go surfing (vindsurfa windsurfing)

**surfare** *s* sport. surfer; vindsurfare windsurfer

**surfing** *s* surf-riding

**surfingbräda** *s* surfboard; till windsurfing sailboard

**surkål** *s* sauerkraut

**surmulen** *adj* sullen, surly

**surna** *vb itr* sour, turn sour

**surr** *s* hum, buzz; vinande whir

**surra** *vb itr* hum, buzz; vina whir

**surrealism** *s* surrealism

**surrealistisk** *adj* surrealistic

**surrogat** *s* substitute

**surströmming** *s* fermented Baltic herring

**sus** *s* **1** vindens sigh; *det gick ett ~ genom rummet* a murmur (buzz) went through the room **2** *leva i ~ och dus* lead a wild life

**susa** *vb itr* **1** *det ~r i träden* the wind is sighing in the trees; farten var så hög att *det ~de om öronen på oss* ...the wind whistled about our ears **2** om kula etc. whistle, whiz; ~ *förbi* whistle (rush, tear) by, whiz past; ~ *i väg* rush off

**susen** *s* vard., *göra ~* ge resultat do the trick, settle it; vinet *i såsen gjorde ~* ...gave an extra touch to the sauce

**sushi** *s* kok. sushi

**suspekt** *adj* suspicious; predikativt äv. suspect

**suspendera** *vb tr* suspend

**sussa** *vb itr* vard., sova sleep; barnspr. go to bye-byes

**sutare** *s* fisk tench

**sutenör** *s* pimp, ponce

**suverän I** *s* sovereign **II** *adj* enväldig sovereign, supreme; överlägsen superb, terrific

**suveränitet** *s* sovereignty, supremacy

**svacka** *s* hollow, depression; ekon. decline

**svada** *s* talförhet volubility; ordflöde torrent of words

**svag** *adj* weak; feeble; utmattad faint; lätt, om t.ex. vin, öl light; ringa slight; otydlig, om ljud faint, soft; skral poor; *ett ~t hopp* a faint hope; *det ~a könet* the weaker sex; *~ puls* feeble pulse; *~ vind* light breeze; *~ värme* kok. low heat; *vara ~ för...* have a weakness for (be fond of)...; *vara ~ i armarna* have got weak arms

**svagdricka** *s* small beer

**svaghet** *s* weakness äv. brist, fel; *ha en ~ för* choklad have a weakness for...

**svagsint** *adj* feeble-minded

**svagström** *s* low-voltage current

**sval I** *adj* cool **II** *s* i kök chiller

**svala** *s* swallow; *en ~ gör ingen sommar* ordspråk one swallow does not make a summer

**svalg** *s* anat. throat

**svalka I** *s* coolness; friskhet freshness **II** *vb tr* cool; uppfriska äv. refresh; *~ av* cool off (down)

**svall** *s* av vågor surge, surging

**svalla** *vb itr* om vågor surge, swell; om blod boil; om känslor etc. run high

**svallning** *s, hans känslor var (råkade) i ~* his passions were roused (he flew into a passion)

**svallvåg** *s* brottsjö surge; efter fartyg backwash

**svalna** *vb itr* cool; *~ av* cool down (off)

**svamla** *vb itr* drivel; utan sammanhang ramble

**svammel** *s* drivel; osammanhängande rambling

**svamp** *s* **1** fungus; speciellt ätlig mushroom; *plocka ~* pick (gather) mushrooms **2** tvättsvamp sponge

**svampgummi** *s* sponge rubber

**svampkarta** *s* mushroom chart

**svampplockning** *s* mushrooming, picking mushrooms

**svampstuvning** *s* creamed mushrooms

**svan** *s* swan

**svankrygg** *s* speciellt om häst sway-back; *ha ~* be sway-backed

**svans** *s* tail

**svansa** *vb itr, gå och ~* swagger about

**svar** *s* **1** answer, reply; gensvar response [*på* i samtliga fall to]; *~ betalt* reply paid; *ge* ngn *~ på tal* give a p. tit for tat **2** *stå till ~s för ngt* be held responsible for a th.

**svara** *vb tr* o. *vb itr* **1** answer, reply; reagera respond [*med* with; *på* to]; med motåtgärd counter [*med* with; *med att* inf. by ing-form]; *det är rätt ~t* that's right; *~ i telefon* answer the telephone (phone); *~ inför rätta för ngt* stå till svars answer for a th. in court; *~ på* en fråga, ett brev, en annons answer...; *det kan jag inte ~ på* I can't say **2** *~ för* ansvara för, ordna answer (be responsible) for; *~ för* kostnaderna stand... **3** *~ mot* motsvara correspond to, agree with

**svarande** *s* jur. defendant; i skilsmässomål respondent

**svarslös** *adj, vara (stå) ~* be nonplussed, not know what to reply

**svarsvisit** *s* return visit (call)

**svart I** *adj* black; dyster dark; *~a börsen* the black market; *~ färg* black; *Svarta havet* the Black Sea; *~ hål* astron. black hole; *stå på ~a listan* be on the black list; *~ tavlan* skol. the blackboard; *en ~* a black; *de ~a* the blacks; för sammansättningar jfr äv. *blå-* **II** *adv* olagligt illegally **III** *s* färg black; *ha ~ på vitt på...* have...in black and white; *göra ~ till vitt* prove that black is white; *måla* skildra*...i ~* paint...in black colours; *se allting i ~* look on the dark side of things; jfr *blått*

**svartabörsaffär** *s* black-market transaction

**svartabörshaj** *s* black-marketeer

**svarthårig** *adj* black-haired; *han är ~* he has black hair

**svartlista** *vb tr* blacklist

**svartmes** *s* coal tit

**svartmuskig** *adj* swarthy

**svartmåla** *vb tr* paint...black

**svartna** *vb itr* blacken, become black; *det ~de för ögonen på mig* everything went black before my eyes

**svartpeppar** *s* black pepper

**svartsjuk** *adj* jealous [*på* of]

**svartsjuka** *s* jealousy

**svartsjukedrama** *s* brott crime passionnel

**svartskäggig** *adj* black-bearded

**svartvit** *adj* black and white

**svartögd** *adj* black-eyed; för sammansättningar jfr äv. *blå-*

**svarv** *s* lathe, turning-lathe

**svarva** *vb tr* o. *vb itr* turn

**svarvare** *s* turner

**svarvstol** *s* turning-lathe

**svavel** *s* sulphur, amer. sulfur

**svavelhalt** s sulphur (amer. sulfur) content
**svavelhaltig** adj sulphurous, amer. sulfurous
**svavelsyra** s sulphuric (amer. sulfuric) acid
**sweater** s sweater
**1 sveda** s smarting pain; *ersättning för ~ och värk* compensation for pain and suffering
**2 sveda** vb tr singe; förbränna scorch, burn
**svek** s förräderi treachery [*mot* to]; trolöshet deceit
**svekfull** adj treacherous
**svensexa** s stag party
**svensk I** adj Swedish **II** s Swede
**svenska** s **1** kvinna Swedish woman (dam lady, flicka girl); *hon är ~* she is Swedish (a Swede) **2** språk Swedish; *~n* Swedish; *på ~* in Swedish; *vad heter...på ~?* what is the Swedish for...?
**svensk-engelsk** adj t.ex. ordbok Swedish-English; t.ex. förening Anglo-Swedish, Swedish-British
**svenskfödd** adj Swedish-born
**svenskspråkig** adj **1** Swedish-speaking...; *~ författare* ...who writes in Swedish **2** avfattad på svenska ...in Swedish **3** där svenska talas ...where Swedish is spoken
**svensktalande** adj Swedish-speaking...; *vara ~* speak Swedish
**svenskundervisning** s the teaching of Swedish; ordna, få *~* ...instruction in Swedish
**svep** s sweep; razzia raid; *i ett ~* at one sweep; friare at one go
**svepa** vb tr wrap up; minor sweep □ *~ fram* om t.ex. vind sweep along; snöstormen *svepte fram över landet* ...swept over the country; *~* [**i sig**] vard., dricka, tömma knock back; *~ in* wrap up; *~ in sig* wrap oneself up
**svepskäl** s pretext; *komma med ~* make excuses
**Sverige** Sweden
**svetsa** vb tr, *~* el. *~ ihop (samman)* weld
**svetsare** s welder
**svetsning** adj welding
**svett** s sweat, perspiration
**svettas** vb itr dep sweat, perspire
**svettdroppe** s drop (bead) of perspiration
**svettig** adj sweaty, perspiring; *vara alldeles ~* be all in a sweat; *jag är ~ om händerna* my hands are sweaty
**svida** vb itr smart, sting; *det svider i halsen på mig* av t.ex. peppar my throat is burning; vid förkylning I have a sore throat;

*röken sved i ögonen på mig* the smoke made my eyes smart
**svidande** adj smarting, burning; *ett ~ nederlag* a crushing defeat
**svika I** vb tr överge fail, desert; bedra deceive; förråda betray; *~ sitt löfte* break one's promise; *~ sin plikt* fail in one's duty **II** vb itr fail, fail to come (appear)
**svikande** adj, *med aldrig ~...* with never-failing...
**sviklig** adj fraudulent
**svikt** s fjädring springiness; spänst elasticity; böjlighet flexibility
**svikta** vb itr böja sig bend; vackla totter; gunga shake; om t.ex. tro waver; om t.ex. krafter, motstånd give way, yield
**svikthopp** s sport. springboard diving; *göra ett ~* do a spring-board dive
**svimma** vb itr faint, swoon; *~ av* faint away
**svimning** s faint, swoon
**svin** s pig; *han är ett ~* he is a swine
**svinaktig** adj om t.ex. pris outrageous; oanständig dirty, filthy
**svinaktigt** adv beastly; *det var ~ gjort* that was a dirty rotten trick; *uppföra sig ~* behave like a swine
**svindel** s **1** yrsel dizziness, giddiness, vertigo **2** bedrägeri swindle
**svindla I** vb itr få yrsel, *det ~r för ögonen på mig* I feel dizzy **II** vb tr bedra swindle, cheat
**svindlande** adj om t.ex. höjd dizzy, giddy; om pris, lycka etc. enormous; *i ~ fart* at breakneck speed
**svindlare** s swindler, cheat
**svindyr** adj terribly expensive
**swing** s dans o. musik swing
**svinga** vb tr o. vb itr swing
**svinhus** s pigsty
**svinkall** adj, *det är ~t* it's freezing (beastly cold)
**svinkött** s pork
**svinläder** s pigskin
**svinn** s waste, wastage, loss
**svinstia** s pigsty
**svira** vb itr rumla be on the spree
**svischa** vb itr swish
**sviskon** s prune
**svit** s **1** följe, rad rum o. mus. suite; serie succession; kortsp. sequence **2** *~erna av* t.ex. sjukdom the after-effects of...
**svordom** s svärord swearword; förbannelse curse, oath; *~ar* koll. swearing sg.
**svullen** adj swollen

**svullna** *vb itr* swell; ~ *up* swell, swell up

**svullnad** *s* swelling

**svulst** *s* swelling, tumour

**svulstig** *adj* inflated, turgid

**svulten** *adj* mycket hungrig starving [*på* for]

**svuren** *adj* sworn

**svåger** *s* brother-in-law (pl. brothers-in-law)

**svågerpolitik** *s* nepotism

**svångrem** *s* belt; *dra åt ~men* bildl. tighten one's belt

**svår** *adj* difficult, hard; mödosam heavy, tough; allvarlig grave, serious; severe; *i ~are* allvarligare *fall* in serious (more serious) cases; *ett ~t fel* misstag a serious (grave) error (mistake); *en ~ förkylning* a bad (severe) cold; *ha ~a plågor* be in great pain; *ett ~t prov* a severe test; *en ~ sjukdom (skada)* a serious illness (injury); *ett ~t slag* bildl. a sad blow; *~ värk* severe pain; *göra det ~t för ngn* make things difficult for a p.; *ha det ~t* lida suffer greatly; slita ont have a rough time of it; ekonomiskt be badly off; *ha ~t för ngt* find a th. difficult

**svårartad** *adj* serious, grave; med. malignant

**svårbegriplig** *adj* o. **svårfattlig** *adj* ...difficult (hard) to understand

**svårflörtad** *adj, vara ~* be hard to get round (approach); svår att entusiasmera be hard to please

**svårframkomlig** *adj* om väg almost impassable

**svårhanterlig** *adj* ...difficult (hard) to handle (manage)

**svårighet** *s* difficulty [*att* inf. in ing-form]; möda hardship; besvär trouble; hinder obstacle

**svårlöst** *adj* om problem ...difficult (hard) to solve

**svårmod** *s* melancholy; dysterhet gloom; sorgenhet sadness

**svårsmält** *adj* ...hard to digest, indigestible

**svårstartad** *adj* ...difficult (hard) to start

**svårtillgänglig** *adj* om plats ...difficult of access; om person, reserverad distant, reserved, stand-offish

**svårtolkad** *adj* o. **svårtydd** *adj* ...difficult (hard) to interpret

**svägerska** *s* sister-in-law (pl. sisters-in-law)

**svälja** *vb tr* o. *vb itr* swallow; t.ex. stolthet pocket

**svälla** *vb itr* swell; utvidga sig expand

**svält** *s* starvation; hungersnöd famine

**svälta** *vb itr* starve; ~ *ihjäl* starve to death

**svältgräns** *s* hunger line

**svämma** *vb itr, floden ~de över sina bäddar* the river overflowed its banks

**sväng** *s* krök turn, bend; kurva curve; vägen *gör en tvär ~* ...takes a sharp turn; *vara med i ~en* be out and about a great deal; *ta ut ~arna* vard. go the whole hog; festa live it up

**svänga** *vb tr* o. *vb itr* **1** swing; vifta med wave; vända turn; vibrera vibrate **2** göra en sväng (vändning) turn; om vind change; ~ *om hörnet* turn the corner; ~ *åt höger* turn to the right □ ~ *av åt vänster* turn off to the left; ~ *in på* en gata turn into...; ~ *om* turn around; om vind veer round

**svängdörr** *s* swing (roterande revolving) door

**svänghjul** *s* flywheel

**svängning** *s* rörelse swing; vibration vibration; kringsvängning rotation, revolution; variation fluctuation; friare i t.ex. politik change, shift

**svängrum** *s* space, elbow-room

**svära** *vb tr* o. *vb itr* **1** gå ed swear [*på* to; *vid* by] **2** begagna svordomar swear, curse [*över, åt* at]

**svärd** *s* sword

**svärdfisk** *s* swordfish

**svärdotter** *s* daughter-in-law (pl. daughters-in-law)

**svärdslilja** *s* iris

**svärfar** *s* father-in-law (pl. fathers-in-law)

**svärföräldrar** *s pl* parents-in-law

**svärm** *s* t.ex. av bin, människor swarm; av fåglar flight

**svärma** *vb itr* **1** swarm [*omkring* round] **2** ~ *för ngn (ngt)* have a crush on a p. (a passion for a th.)

**svärmare** *s* drömmare dreamer

**svärmeri** *s* förälskelse infatuation; starkare passion

**svärmor** *s* mother-in-law (pl. mothers-in-law)

**svärord** *s* swearword

**svärson** *s* son-in-law (pl. sons-in-law)

**svärta I** *s* blackness; färgämne blacking **II** *vb tr*, ~ el. ~ *ned* blacken

**sväva** *vb itr* float, be suspended; om fågel soar; kretsa hover; hänga fritt hang; ~ *i fara* be in danger

**svävare** *s* o. **svävfarkost** *s* hovercraft (pl. lika)

**sy** *vb tr* o. *vb itr* sew; kläder vanl. make; ~ *fast (i) en knapp i* rocken sew a button on; ~ *ihop* sew up

**syateljé** *s* dressmaker's [workshop]

**sybehör** s pl sewing-materials
**sybord** s work-table
**syd** s o. adv south; jfr äv. *nord, norr* med ex.
o. sammansättningar
**sydafrikan** s South African
**sydafrikansk** adj South-African
**sydlig** adj southerly; south; southern; jfr
*nordlig*
**sydländsk** adj southern, ...of the South
**sydlänning** s southerner
**sydost** I s väderstreck the south-east; vind
south-easter, south-east wind II adv
south-east [om of]
**sydpol** s, ~en the South Pole
**sydväst** I s väderstreck the south-west; vind
south-wester, south-west wind
2 huvudbonad sou'wester II adv south-west
[om of]
**syfilis** s syphilis
**syfta** vb itr sikta, eftersträva aim [till at]; ~ på
anspela på allude to; mena mean; ~r du på
mig? are you referring to me?; ~ tillbaka
på ngt refer back to a th.
**syfte** s ändamål purpose, end; mål aim; ~t
med hans resa the purpose of...; i (med) ~
att inf. with a view to ing-form
**syjunta** s sewing circle
**syl** s awl; inte få en ~ i vädret not get a
word in edgeways
**sylt** s jam, preserve, preserves pl.
**sylta** I s kok. brawn, amer. headcheese II vb
tr o. vb itr 1 koka sylt preserve 2 bildl., ~ in
sig trassla in sig get involved, get mixed up
[i in]
**syltburk** s jam jar; med innehåll jar of jam
**syltlök** s syltad lök, koll. pickled onions pl.
**symaskin** s sewing-machine
**symbol** s symbol
**symbolisera** vb tr symbolize
**symbolisk** adj symbolic, symbolical
**symfoni** s symphony
**symfoniorkester** s symphony orchestra
**symmetri** s symmetry
**symmetrisk** adj symmetric, symmetrical
**sympati** s medkänsla sympathy [för for];
fatta ~ för ngn take to a p., take a liking
to a p.
**sympatisera** vb itr sympathize [med with]
**sympatisk** adj trevlig nice, pleasant
**sympatistrejk** s sympathetic strike
**sympatisör** s sympathizer
**symtom** s symptom [på of]
**symtomatisk** adj symptomatic [för of]
**syn** s 1 synsinne sight; ha dålig ~ have a
bad eyesight; få ~ på... catch sight of...

2 synsätt view [på of] 3 anblick sight 4 vision
vision; spökbild apparition 5 utseende, sken,
för ~s skull for the sake of appearances;
till ~es som det ser ut apparently; skenbart
seemingly
**syna** vb tr besiktiga inspect; granska examine
**synagoga** s synagogue
**synas** vb itr dep 1 vara synlig be seen; visa sig
appear, show; fläcken syns inte the spot
does not show; det syns tydligt att... it is
obvious (evident) that...; ~ till appear, be
seen 2 framgå, tyckas appear
**synbar** adj synlig visible [för to]
**synbarligen** adv uppenbart obviously
**synd** s 1 sin; ett ~ens näste a hotbed of
sin; envis som ~en as stubborn as a
mule; hata ngn som ~en ...like poison
2 skada, orätt, så ~! what a pity (shame)!;
det är ~ att han inte kommer it is a pity
that...; jag tycker ~ om henne I feel
sorry for her
**synda** vb itr sin; ~ mot en regel offend
against a rule
**syndabock** s scapegoat
**syndaflod** s flood, deluge; ~en bibl. the
Flood
**syndare** s relig. sinner; friare offender
**syndfull** adj sinful
**syndig** adj sinful; starkare wicked
**syndrom** s syndrome
**synfel** s defect of vision, visual defect
**synfält** s field of vision
**synhåll** s, inom ~ within sight [för of];
utom ~ out of sight
**synkronisera** vb tr synchronize
**synlig** adj visible [för to]; bli ~ come into
sight
**synnerhet** s, i ~ particularly (especially)
**synnerlig** adj särskild particular, special;
utpräglad pronounced; märklig singular
**synnerligen** adv ytterst extremely; särskilt
particularly
**synonym** I adj synonymous II s synonym
[till of]
**synorgan** s visual organ
**synpunkt** s ståndpunkt standpoint; åsikt view;
från (ur) juridisk ~ from a legal point of
view
**synskadad** adj visually handicapped
**synskärpa** s acuteness of vision, visual
acuity
**synt** s mus. vard. synth
**syntax** s syntax
**syntes** s synthesis (pl. syntheses)
**syntetfiber** s synthetic fibre

**syntetisk** *adj* synthetic
**synthesizer** *s* mus. synthesizer
**synvidd** *s* range of vision
**synvilla** *s* optical illusion
**synvinkel** *s* aspect; synpunkt point of view
**synål** *s* sewing-needle
**synålsbrev** *s* packet of needles
**syra** *s* **1** kem. acid **2** smak acidity, sourness
**syre** *s* oxygen
**syrebrist** *s* lack of oxygen
**syren** *s* lilac
**syrgas** *s* oxygen
**Syrien** Syria
**syrier** *s* Syrian
**syrisk** *adj* Syrian
**syrlig** *adj* sourish; om t.ex. leende, ton acid; om min sour
**syrra** *s* vard. sister
**syrsa** *s* cricket
**syskon** *s*, **ha ~** bröder och systrar have brothers and sisters; **de är ~** bror och syster they are brother and sister
**syskonbarn** *s* **1** pojke nephew; flicka niece **2** kusin cousin
**syskrin** *s* workbox
**sysselsatt** *adj* upptagen occupied, engaged; strängt upptagen busy; anställd employed
**sysselsätta I** *vb tr* ge arbete åt employ; upptaga occupy, keep...busy **II** *vb rfl*, **~ sig** occupy oneself; busy oneself
**sysselsättning** *s* occupation, employment, work; *full ~* ekon. full employment; *ha full ~ med ngt* have one's hands full with a th.; *sakna ~* have nothing to do; vara arbetslös be unemployed
**syssla I** *s* **1** göromål business, work båda utan pl.; i hushåll etc. duty; sysselsättning occupation **2** tjänst, befattning: högre office; lägre occupation, job **II** *vb itr*, **~ med** vara sysselsatt med busy oneself (be busy) with; *vad ~r du* just nu med? what are you doing?; *vad ~r du med på söndagar?* how do you spend your Sundays?; **~ med trädgårdsarbete** do gardening
**syssling** *s* second cousin
**sysslolös** *adj* idle; arbetslös unemployed
**system** *s* **1** system; vid tippning perm; *sätta ngt i ~* make a system of a th. **2** *~et* vard., se *systembutik*
**systematisera** *vb tr* systematize
**systematisk** *adj* systematic, orderly, methodical
**systembolag** *s* bolag state-controlled company for the sale of wines and spirits
**systembutik** *s* State liquor shop (store)

**systemtips** *s* permutation; vard. perm
**syster** *s* sister äv. nunna; sjuksköterska vanl. nurse; *systrarna Larson* the Larson sisters
**systerdotter** *s* niece
**systerfartyg** *s* sister ship
**systerson** *s* nephew
**sytråd** *s* sewing-thread
**1 så** *vb tr* o. *vb itr*, **~** el. **~ ut** sow äv. bildl.
**2 så I** *adv* **1** uttr. sätt so; sålunda thus; på så sätt like this (that); *hur ~?* varför why?; **~ där (här)** like that (this); **~ går det** när man... that is what happens...; *den är placerad ~ att* man når den it is placed in such a way that...; *han bara säger ~* he only says that; **~ är det** that is how it is; det är rätt that's it; **~ är (var) det med det (den saken)!** well that's that!; *är det bra ~?* is it all right?; tillräckligt is that enough?; **~ kallad** se *s.k.* **2** uttr. grad so; framför attributivt adjektiv such; vid jämförelse as; **~ här varmt är det sällan** i mars it is seldom as warm as this (this warm)...; *jag sjunger inte ~ bra* I don't sing very well; **~ dum är han inte** he is not as stupid as that (that stupid); jag har aldrig sett **~ snälla människor (något ~ vackert)** ...such kind people (anything so beautiful); *han är inte ~ dum att han flyttar* he's not silly enough to move **3** i utrop, **~ roligt!** how nice!; **~ synd!** what a pity!; **~ du ser ut!** what a sight you are!; **~ där ja, nu kan vi gå** well, now we can go; **~ det ~!** so that's that!, so there! **4** sedan, då then; *gå till höger, ~ ser du...* turn to the right and you will see...; *om du inte vill, ~ slipper du* if you don't want to do it, you needn't **II** *konj* **1** uttr. avsikt, **~ [att]** so that, in order that; so as to inf. **2** uttr. följd, **~ att** so that; och därför and so; *det är ~ att* man kan bli tokig it is enough to make one go mad **III** *pron*, *i ~ fall* in that case, if so
**sådan** (vard. *sån*) *pron*, *en ~ bok* (*~ där bok*) a book like that; *en ~ stor bok!* what a big book!; **~ är han** that's how he is; *ser jag ~ ut?* do I look like that?; *arbetet som ~t* the work as such; *en ~ som han* a man like him; *jag har en ~ (några ~a) hemma* I have one (some) at home; papperstallrikar? - *~a använder jag inte* ...I don't use them; *~t händer* these (such) things will happen; *~t gör man inte* it's just not done; karameller *och ~t*

...and suchlike; han sade *ingenting ~t* ...nothing of the kind

**sådd** *s* sående sowing; det sådda seed

**såg** *s* verktyg saw

**såga** *vb tr* o. *vb itr* saw

**sågspån** *s* koll. sawdust

**sågtandad** *adj* serrated

**således** *adv* följaktligen consequently

**såll** *s* sieve

**sålla** *vb tr* sift

**sålunda** *adv* thus, in this manner

**sång** *s* **1** sjungande singing äv. som skolämne; song **2** sångstycke song

**sångare** *s* **1** singer **2** fågel warbler

**sångbok** *s* songbook

**sångerska** *s* female singer, singer

**sångfågel** *s* songbird, songster

**sångkör** *s* choir

**sångröst** *s* singing-voice

**sångstämma** *s* vocal part

**såpa** *s* soft soap

**såpbubbla** *s* soap bubble; blåsa *såpbubblor* blow bubbles

**såphal** *adj* slippery, greasy

**sår** *s* wound; inflammerat sore; brännsår burn

**såra** *vb tr* **1** wound, injure; *den ~de* the wounded person; *de ~de* the wounded **2** kränka hurt; stöta offend

**sårbar** *adj* vulnerable

**sårbarhet** *s* vulnerability

**sårsalva** *s* ointment

**sås** *s* sauce; köttsås gravy; salladssås dressing

**såsom** *konj* as; like; *~ barn* as a child; behandla ngn *~ ett barn* ...like a child

**såsskål** *s* sauce boat, gravy boat

**såtillvida** *adv* i så måtto so (thus) far; *~ som* in so far as

**såvida** *konj* if, in case; förutsatt att provided that; *~ ...inte* unless...

**såvitt** *adv*, *~ jag vet* as far as I know

**såväl** *konj*, *~ A som B* A as well as B, both A and B

**säck** *s* sack; mindre bag

**säcka** *vb itr*, *~ ihop* collapse, break down

**säckig** *adj* baggy

**säckpipa** *s* bagpipes pl.

**säckpipsblåsare** *s* bagpiper

**säckväv** *s* sacking, sackcloth

**säd** *s* corn, speciellt amer. grain; utsäde seed, grain

**sädesax** *s* ear of corn

**sädesfält** *s* med gröda field of corn

**sädesslag** *s* kind of corn, cereal

**sädesvätska** *s* semen

**sädesärla** *s* zool. wagtail

**säga I** *vb tr* say; berätta, tillsäga tell; betyda mean; *säg det!* vem vet? who knows?; *säg inte det!* var inte så säker I wouldn't say that; *var snäll och säg mig...* please tell me...; *så att ~* so to say (speak); *om jag får ~ det själv* though I say it myself; *om, låt oss ~,* tre dagar in, let's say, ...; *det må jag ~!* well, I never!; kom snart, *ska vi ~ i morgon?* ...shall we say tomorrow?; *det vill ~* (förk. *dvs.*) that is, that is to say (förk. i.e.); *vad vill det här ~?* what does this mean?; *~ vad man vill, men hon...* say what you will (like), but she...; *gör som jag säger* do as I say (tell you); *jag säger då det!* well, I never!; *jag bara säger som det är* I am merely stating facts; *var det inte det jag sa?* I told you so!; *då säger vi det!* that's settled, then!; *säger du det?* really?, you don't say?; *det säger du bara!* you're only saying that; *vad säger du om det?* what do you say to that?; *det säger inte så mycket* that is not saying much; *vem har sagt det?* who said that (so)?; *namnet säger mig ingenting* the name conveys nothing to me; *jag har hört ~s att...* I have heard it said that...; *han sägs vara rik* he is said to be rich; *sagt och gjort* no sooner said than done; *det är för mycket sagt* that is saying too much; *det är inte sagt* är inte säkert that's not sure; *som sagt* (*som sagt var*) as I said before; *oss emellan sagt* between ourselves **II** *vb rfl*, *hon säger sig vara lycklig* she says she is happy; *det säger sig självt* that goes without saying □ *~ emot* contradict; *~ ifrån* flatly refuse; *~ om* upprepa say...again, repeat; *~ till* befalla tell, order; *~ till ngn* ge ngn besked tell a p., let a p. know; om ni önskar något, *så säg till!* ..., say so!; *säg till* när det räcker! say when!; *är det tillsagt?* vid expediering are you being attended to?; *han har ingenting att ~ till om* he has no say; *han har en hel del att ~ till om* he has a great deal of say; *~ upp* anställd vanl. give...notice; hyresgäst vanl. ...give notice to quit; *~ upp bekantskapen med ngn* break off relations with a p.; *~ upp sig* (*sin anställning*) give notice; *~ åt ngn att* inf. tell a p. to inf.

**sägen** *s* legend, myth

**säker** *adj* förvissad sure, certain [*på* of (about)]; riskfri safe; trygg secure; stadig steady; betryggad assured; *ett ~t gömställe* a safe hiding-place; *vara på den säkra sidan* be on the safe side; *ett ~t tecken* a sure sign; *det är alldeles ~t* otvivelaktigt it is quite certain; *känna sig ~* feel secure (safe); *kan jag vara ~ på det?* can I be sure of that?; räkna på may I count on that?; *är du ~ på det?* are you sure (certain, positive) about that?; *det kan du vara ~ på (var så ~)* you may be certain (sure), you bet; *han tog det säkra för det osäkra och...* to be on the safe side he...

**säkerhet** *s* **1** visshet certainty; safety; trygghet security; i uppträdande assurance; *den allmänna ~en* public safety; *för ~s skull* to be on the safe side; *vara i ~* be safe, be in safety; *med all ~* säkerligen certainly, without doubt; *veta med ~* know for certain **2** security; *lämna ~ för* ett lån give (leave) security for...; *låna ut pengar mot ~* lend money on security

**säkerhetsbälte** *s* i t.ex. bil, flygplan seat belt; safety belt äv. säkerhetsanordning

**säkerhetskedja** *s* på dörr door-chain; på smycke safety-chain

**säkerhetslina** *s* livlina lifeline

**säkerhetsnål** *s* safety pin

**säkerhetspolis** *s* security police

**säkerhetsskäl** *s, av ~* for security reasons

**säkerhetsåtgärd** *s* precautionary measure

**säkerligen** *adv* certainly, no doubt

**säkerställa** *vb tr* guarantee, secure

**säkert** *adv* med visshet certainly; högst sannolikt very likely, probably; tryggt safely; stadigt securely; *ja ~!* certainly!; *det vet jag alldeles ~* I know that for certain; *jag vet inte ~ om...* I am not quite sure whether...

**säkra** *vb tr* secure; t.ex. freden safeguard; sin ställning äv. consolidate

**säkring** *s* **1** elektr. fuse **2** på vapen safety-catch

**säl** *s* seal

**sälg** *s* sallow, pussy willow

**sälja** *vb tr* o. *vb itr* sell; marknadsföra market

**säljare** *s* seller; försäljare salesman

**sälla** *vb rfl, ~ sig till* join

**sällan** *adv* seldom, rarely, infrequently; *endast ~* only on rare occasions; *inte så ~* rather often

**sällsam** *adj* strange, peculiar, singular

**sällskap** *s* umgänge company, society; samling personer party, company; följeslagare companion; förening society, association; *göra ~ med ngn till stationen* go with

(accompany) a p. to the station; *jag gjorde henne ~* eskorterade henne hem I saw her home; *vi gjorde ~ till teatern* we went together to the theatre; *ha ~ med* en flicka be going out with...; *hålla ngn ~* keep a p. company; *komma (råka) i dåligt ~* get into bad company; *i ~ med* together (in company) with

**sällskaplig** *adj* road av sällskap sociable

**sällskapslek** *s* party (parlour) game

**sällskapsliv** *s* social life; societetsliv society life

**sällskapsmänniska** *s* sociable person

**sällskapsresa** *s* conducted tour

**sällskapssjuk** *adj, han är ~* he needs (loves) company (tillfälligt is longing for company)

**sällskapsspel** *s* party (parlour) game

**sällsynt** *adj* rare, uncommon, unusual

**sälskinn** *s* sealskin

**sämja** *s* harmony, concord, unity

**sämjas** *vb itr dep* enas agree [*om ngt* on (about) a th.]

**sämre** *adj* o. *adv* worse; underlägsen inferior

**sämskskinn** *s* chamois leather

**sämst** *adj* o. *adv* worst; *i ~a fall* if the worst comes to the worst; *de ~ avlönade* the most poorly paid

**sända** *vb tr* send [*med, per* by]; med järnväg, fartyg consign, ship; radio. transmit; program broadcast; *...sänds i radio och TV* ...will be broadcast and televised

**sändare** *s* radio. transmitter

**sändarstation** *s* broadcasting (transmitting) station

**sändebud** *s* ambassador; envoyé envoy

**sänder** *adv, i ~* i taget at a time; en efter en one by one, one at a time

**sändning** *s* **1** sändande sending; varuparti consignment, shipment; leverans delivery **2** i radio o. TV. transmission; program broadcast

**sändningstid** *s* viewing time (hours pl.)

**säng** *s* bed; utan sängkläder bedstead; barnsäng cot; *gå i ~ med ngn* go to bed with a p.; *komma i ~* get to bed; *få kaffe på ~en* have coffee in bed; *ta ngn på ~en* take a p. by surprise; *gå till ~s* go to bed; om sjuk take to one's bed; *ligga till ~s* be (lie) in bed; sitta *vid ngns ~* ...at (by) a p.'s bedside

**sängdags** *adv* time for (to go to) bed, bedtime; *vid ~* at bedtime

**sängfösare** *s* nightcap

**sänggavel** s end of a (the) bed; huvudända headboard; fotända footboard
**sängkammare** s bedroom
**sängkant** s, vid ~en at the bedside
**sängkläder** s pl bedclothes, bedding sg.
**sänglampa** s bedside lamp
**sängliggande** adj på längre tid bedridden; vara ~ be confined to bed (one's bed)
**sänglinne** s bed linen
**sängtäcke** s quilt
**sängvätare** s bed-wetter
**sängöverkast** s bedspread
**sänka I** s **1** fördjupning depression, hollow **2** med. sedimentation rate; ta ~n carry out a sedimentation test [på ngn on a p.] **II** vb tr **1** lower; priser, skatter etc. äv. reduce; ~ farten reduce speed; ~ ned sink **2** ~ ett fartyg sink a ship
**sänkning** s sänkande lowering; t.ex. av priser äv. reduction; av fartyg sinking
**sära** vb tr, ~ el. ~ på skilja från varandra separate, part; ~ på benen part one's legs
**särbehandling** s special treatment
**särbeskattning** s individual (separate) taxation
**särdeles** adv synnerligen extremely, exceedingly, most
**särdrag** s characteristic; egenhet peculiarity
**säregen** adj egendomlig strange, peculiar, odd
**särklass** s, stå i ~ be in a class by oneself
**särprägel** s distinctive stamp (character)
**särskild** adj speciell special, particular; ~ ingång separate entrance; jag märkte ingenting särskilt I did not notice anything particular; jag har inte något särskilt för mig I have nothing particular to do
**särskilja** vb tr separate; åtskilja distinguish between
**särskilt** adv speciellt particularly, specially; i synnerhet äv. in particular; jag brydde mig inte ~ mycket om det I did not bother too much about it
**särskola** s special school [for mentally retarded children]
**särställning** s, inta en ~ hold an exceptional (a unique) position
**särtryck** s offprint
**säsong** s season
**säte** s **1** hemvist, stolsits seat **2** persons bakdel seat
**säteri** s ung. manor [farm]
**sätt** s **1** way, manner, fashion (end. sg.); metod äv. method; medel means (pl. lika);

hans ~ att undervisa his method of teaching; på ~ och vis i viss mån in a way; på alla möjliga ~ (på alla ~ och vis) in every possible way; på annat ~ in another way; på det ~et in that (this) way (manner), like that (this); på det ena eller andra ~et (på ett eller annat ~) somehow or other; på så ~ in that way; jaså I see! **2** uppträdande manner, behaviour; umgängessätt manners pl.
**sätta I** vb tr **1** placera put, place, set; fästa, sticka stick; ordna place, arrange; anbringa fit, fix; ~ ngn till att göra ngt set a p. to do a th.; ~ smak på smaksätta flavour; ge smak åt give a flavour to; ~ barn till världen bring children into the world **2** satsa stake, bet; plantera set; t.ex. potatis plant; typogr. compose, set up **II** vb rfl, ~ sig **1** sitta ned sit down; ta plats take a seat; placera sig place oneself; sätt dig här! come and sit here!; ~ sig upp i sängen sit up in...; ~ sig i bilen (på cykeln) och köra get into the car (on the bicycle) and drive (cykel ride); ~ sig vid ratten take the wheel **2** bildl., om person put oneself [i en situation in...]; ~ sig på ngn spela översittare bully a p. **3** om sak: sjunka settle; fastna stick [i halsen in...]
☐ ~ av a) släppa av put down b) reservera set aside; ~ sig emot ngn, ngt, opponera sig oppose...; fästa fix, fasten; ~ sig fast fastna stick, get stuck; ~ fast ngn fånga, ange put a p. away, run in a p.; ~ fram a) ta fram put out; t.ex. mat put...on the table; t.ex. stolar draw up b) klocka put...forward; ~ för t.ex. en skärm put (place)...in front; ~ för en lucka put up a shutter; ~ i put in; t.ex. knapp sew...on; t.ex. häftstift apply; t.ex. tändstift fit in; installera install; ~ i ett foder i ngt line...; ~ i ngn t.ex. en idé put...into a p.'s head; ~ i sig mat put away...; ~ ihop put...together, join; kombinera combine; författa, komponera compose; t.ex. ett program draw up; ~ in put...in; lämna till förvaring deposit; ~ in pengar på ett konto pay money into...; ~ ngn (sig) in i ngt acquaint a p. (oneself) with..., make a p. (oneself) acquainted with...; ~ i väg set (dash, run) off; ~ ned a) put (set) down b) minska reduce; sänka lower; försvaga, t.ex. krafter weaken; ~ på put on; montera på fit on; ~ på ngt på ngt put a th. on...; montera på fit a th. on to...; ~ på sig ngt put on...; säkerhetsbälte fasten...; ~ på laga lite kaffe make some coffee; ~ på radion

turn on the radio; ~ **upp a)** placera etc. put up; resa, ställa upp set up; uppföra erect; höja, t.ex. pris raise; hänga upp hang; placera högre put...higher up; ~ **upp ngt på** en hylla put a th. up (place a th.) on... **b)** upprätta: t.ex. kontrakt draw up; t.ex. lista make out (up) **c)** teat., iscensätta stage **d)** starta: t.ex. tidning, affär start; ~ **upp** ett fotbollslag get together...; ~ **sig upp mot** ngn set oneself up against...; ~ **ut a)** ställa ut put...out (utomhus outdoors); till beskådande display; plantera ut plant **b)** skriva ut: t.ex. datum put down; t.ex. komma put; ange t.ex. på karta mark, show

**sättare** s typogr. compositor, typesetter

**sätteri** s composing room

**sättsadverb** s adverb of manner

**säv** s rush

**söder I** s väderstreck the south; *Södern* the South **II** adv south, to the south [*om* of]; jfr *norr* m. ex. o. sammansättningar

**Söderhavet** the South Pacific

**söderifrån** adv from the south

**söderut** adv, resa ~ go (travel) south; jfr äv. *norrut*

**södra** adj the south; t.ex. delen the southern; jfr *norra*

**söka I** vb tr o. vb itr **1** leta look; ~ el. ~ *efter* leta efter look (ihärdigt search) for; ~ *läkare för* ngt see (consult) a doctor about...; *sekreterare söks* i annons secretary wanted **2** vilja träffa want to see; försöka träffa try to get hold of; *vem söks (söker ni)?* who do you want to see?; *det är en herre som söker dig* there is a gentleman to see you **3** ansöka om apply for **II** vb rfl, ~ *sig till* uppsöka seek; dras till make for; ta sin tillflykt till resort to; ~ *sig till ngn* seek a p.

□ ~ **in i (vid)** en skola apply for admission in...; ~ **upp** ngn look...up, go to see...; ~ **ut** utvälja choose, pick out

**sökande** s aspirant applicant, candidate [*till* en plats for...]

**sökare** s foto. view-finder

**sökarljus** s searchlight; på t.ex. bil äv. spotlight

**sökt** adj långsökt far-fetched

**söla I** vb itr masa dawdle, loiter; dra ut på tiden waste time **II** vb tr smutsa soil, dirty

**sölig** adj **1** långsam dawdling, slow **2** smutsig soiled, dirty

**söm** s textil. seam; *gå upp i ~marna* come apart at the seams; *utan* ~ seamless

**sömlös** adj seamless

**sömmerska** s dressmaker

**sömn** s sleep; *ha god* ~ sleep well; *falla i* ~ fall asleep; *gå i ~en* walk in one's sleep; vara sömngångare be a sleep-walker; *under ~en* during sleep

**sömnad** s sewing; konkret äv. needlework

**sömngångare** s sleepwalker

**sömnig** adj sleepy

**sömnlös** adj sleepless

**sömnlöshet** s insomnia

**sömnmedel** s med. hypnotic; vard. sleeping-pill

**sömnpiller** s sleeping-pill

**sömnsjuka** s afrikansk sleeping-sickness

**sömntablett** s sleeping-tablet, sleeping-pill

**sömntuta** s vard. great sleeper, sleepyhead

**söndag** s Sunday; *på sön- och helgdagar* on Sundays and holidays; jfr *fredag* med ex.

**söndagsbilaga** s Sunday supplement

**söndagsbilist** s week-end motorist

**söndagskväll** s Sunday evening (senare night); *på ~arna* on Sunday evenings (nights)

**söndagsskola** s Sunday school

**sönder** pred adj o. adv **1** bruten broken; i bitar in pieces; sönderriven torn; söndersliten tattered; *gå* ~ brista etc. break; krossas smash; gå i bitar go (come) to pieces; spricka burst; *ha* ~ slå (bryta etc.) ~ break; i flera delar break to pieces...; riva ~ tear...to pieces; *ta* ~ ta isär take...to pieces (bits) **2** i olag out of order; slut (om t.ex. glödlampa) gone; *gå* ~ go (get) out of order; stanna break down; *ha* ~ damage; starkare ruin

**sönderbombad** adj ...destroyed by bombs, ...wrecked by bombs

**sönderfall** s disintegration

**sönderfalla** vb itr i bitar fall to pieces; disintegrate

**söndersliten** adj tattered, threadbare, ...torn to pieces

**söndra** vb tr dela divide; t.ex. parti disrupt, break up

**söndring** s oenighet dissension, discord

**sörja I** vb tr, ~ ngn avliden mourn (sakna regret the loss of) a p.; bära sorgdräkt efter wear (be in) mourning for a p.; *han sörjes närmast av maka och barn* the chief mourners are his wife and children **II** vb itr **1** mourn, grieve; ~ *över* grieve for (over); sakna beklaga, regret **2** ~ *för* se till see to; sköta om take care of; dra försorg om provide for; ~ *för ngns behov* supply a p.'s wants; ~ *för* framtiden make provision for...; ~ *för att* ngt görs see to it that..., see that...

**sörjande** *adj, de närmast* ~ the chief mourners

**sörpla** *vb tr,* ~ *i sig* ngt drink (soppa etc. guzzle) down...noisily

**söt** *adj* sweet; rar nice; småvacker pretty, amer. äv. cute; färsk (om t.ex. mjölk) fresh; ~*t vatten* i insjö fresh water

**söta** *vb tr* sweeten

**sötma** *s* sweetness

**sötmandel** *s* sweet almond (koll. almonds pl.)

**sötningsmedel** *s* sweetening agent, sweetener

**sötnos** *s* sweetie, sweetie pie, honey, amer. äv. cutie

**sötsaker** *s pl* sweets, amer. candy sg.

**sötsliskig** *adj* sickly-sweet; om t.ex. leende sugary; om t.ex. färg pretty-pretty

**sötsur** *adj* sour-sweet

**sött** *adv* rart etc. sweetly; *det smakar* ~ it tastes sweet

**sötvatten** *s* fresh water

**sötvattensfisk** *s* fresh-water fish

**söva** *vb tr* **1** put (send, vagga lull)...to sleep; suset *är* ~*nde* ...makes you sleepy (drowsy) **2** med., ~ el. ~ *ned* ge narkos administer an anaesthetic to

# T

**ta I** *vb tr* o. *vb itr* take; ta med sig hit, komma med bring; ta fast catch; lägga beslag på seize; ta sig (t.ex. en kopp kaffe, en tupplur) have; ta betalt charge; göra verkan take effect; om kniv etc. bite; *han kan* ~ *folk* he knows how to take people; ~ *ett lån* raise a loan; *han tog det hårt* it affected him deeply; *det tog* gjorde verkan it went home; bromsen ~*r inte* ...doesn't work; *vem* ~*r ni mig för?* who do you think I am?; ~ *i* (*på*) vidröra *ngt* touch a th.; ~ *ngn i armen* take a p. by the arm **II** *vb rfl,* ~ *sig* **1** skaffa sig: t.ex. en ledig dag, en promenad take; t.ex. en bit mat, en cigarett have **2** lyckas komma get; *kan du* ~ *dig* hitta *hit?* can you find your way here? **3** förkovra sig improve; tillfriskna recover [*efter* from]; om planta [begin to] grow

□ ~ **av a)** take off, remove; ~ *av sig* take off **b)** vika av turn off; ~ **bort** avlägsna take away, remove; ~ **efter** imitate, copy; ~ **emot** mottaga receive; ta hand om: t.ex. beställning, avgifter etc. take; t.ex. inackorderingar, tvätt take in; antaga accept; *det är något som* ~ *emot* there's something in the way; *anmälningar* ~*s emot av...* applications may be handed in to...; ~ **fast** fånga catch; få fast get hold of; ~ *fast tjuven!* stop thief!; ~ **fram** ngt take a th. out [*ur* of]; ~ *fram* för att visa upp produce [*ur* out of]; ~ *sig fram* hitta find one's way; ~ *för sig* servera sig help oneself [*av ngt* to a th.]; ~ *sig för* göra do; gripa sig an med set about; ~ **i** hugga i go at it; *det är väl att* ~ *i* överdriva now you're exaggerating (overdoing it); ~ **ifrån ngn ngt** take a th. away from a p.; beröva deprive a p. of a th.; ~ **igen** tillbaka take...back; ~ *igen förlorad tid* make up for lost time; ~ *igen sig* återhämta sig recover; ~ **in** take (bring ) in; station i radio etc. tune in to; ~ *in ngn* ge tillträde admit a p. [*i* t.ex. förening to]; *vara intagen på sjukhus* be in hospital; ~ *in vatten* läcka let in water; ~ *in på hotell* (*hos ngn*) put up at a hotel (at a p.'s house); ~ **itu med** set about; ~ **med** föra hit, ha med sig bring; föra bort take; inbegripa include; ~ **om** upprepa take (say, read etc.)...again (over again); ~ **på** o. ~ **på sig** t.ex. skor put on; ~ *på sig skulden* take

**tala**

the blame; ~ **till** börja använda take to; begagna sig av use; överdriva exaggerate; *vad skall jag ~ mig till?* what am I to do?; ~ **upp** take (bring) up; ur ficka etc. take out [*ur* of]; samla upp gather up; öppna (t.ex. paket) open; *han tog upp sig* mot slutet av matchen he improved...; ~ **ur** take out [*ur* of]; avlägsna (t.ex. kärnor, en fläck) remove; ~ **ut** dra ut take (bring) out; extrahera extract; få ut get out [*ur* of]; hämta ut (t.ex. pengar på bank etc.) draw; ~ *ut en melodi på* ett instrument pick out a tune on...; ~ **vid** börja begin; fortsätta follow on, follow; ~ *illa vid sig* be upset [*av, över* about]; ~ *åt sig* dra till sig: t.ex. smuts attract; fukt absorb; tillskriva sig (t.ex. äran) take, claim

**tabbe** s vard. blunder, bloomer, howler
**tabell** s table [*över* of]
**tablett** s tablet; liten duk table mat
**tabu** s taboo (pl. -s); *belägga med* ~ taboo
**tabulator** s tabulator; ~tangent tabulator key
**taburett** s **1** stol stool **2** statsrådsämbete ministerial post
**tack** s thanks pl.; *ja* ~*!* som svar på: Vill du ha...? yes, please!; *nej* ~*!* no, thank you (thanks)!; *hjärtligt* ~ *för...* many thanks for...; ~ *så mycket!* many thanks!; ~ *för senast!* motsvaras av we had a nice time (had such a nice party) at your place the etc. the other day (evening etc.); ~ *för maten!* motsvaras av I did enjoy the meal!, what a nice meal!; ~ *för att du kom!* thanks for coming!; ~ *vare* hans hjälp thanks to...
**1 tacka** vb tr o. vb itr thank; ~ *ja* (*nej*) *till ngt* accept (decline) a th. with thanks; *ingenting att* ~ *för!* don't mention it!; ~ *för det!* naturligtvis of course!; ~ *vet jag...* give me...any day
**2 tacka** s får ewe
**3 tacka** s av guld, silver bar, ingot
**tackla** vb tr sport. o. bildl. tackle
**tackling** s sport. tackle; tacklande tackling
**tacksam** adj grateful [*mot* to]
**tacksamhet** s gratitude [*mot* to]
**tacksamhetsskuld** s, *stå i* ~ *till ngn* owe a debt of gratitude to a p., be under an obligation to a p.
**tacktal** s speech of thanks
**tafatt** adj awkward
**tafsa** vb itr vard., ~ *på ngt* fiddle with a th.; ~ *på ngn* paw a p. about; ~ *på* en kvinna grope...
**taft** s taffeta
**tag** s **1** grepp grip, grasp, hold; t.ex. simtag,

årtag stroke; *släppa* ~*et* let go; *fatta* (*gripa, hugga*) ~ *i* catch hold of; *få* ~ *i* (*på*) get hold of **2** stund, slag: *försök själv ett* ~ have a go (a try) yourself; *i första* ~*et* i första försöket at the first try (go); med detsamma straight off; *två i* ~*et* two at a time; jag skall resa bort *ett* ~ ...for a while
**taga** se *ta*
**tagel** s horsehair
**tagen** adj medtagen done up; rörd moved
**tagetes** s French (större African) marigold
**tagg** s prickle; törntagg thorn
**taggig** adj prickly; med törntaggar thorny
**taggtråd** s barbed wire
**tajma** vb tr vard. time
**tak** s yttertak roof; innertak ceiling äv. i bet. maximum; på bil äv. top; *ha* ~ *över huvudet* have a roof over one's head; rummet *är högt i* ~ ...has a high ceiling
**takkrona** s chandelier
**taklampa** s ceiling lamp
**taklucka** s roof hatch
**takpanna** s tile, roofing tile
**takräcke** s på bil roof rack
**takränna** s gutter
**takt** s **1** tempo, mus. time; fart pace, rate; *slå* ~*en* beat time; *gå i* ~ keep (walk) in step **2** rytmisk enhet bar **3** finkänslighet tact, discretion
**taktfast** adj om steg measured; rytmisk rhythmic
**taktfull** adj tactful, discreet
**taktik** s tactics (vanl. pl.)
**taktiker** s tactician
**taktisk** adj tactical
**taktlös** adj tactless
**taktpinne** s baton, conductor's baton
**tal** s **1** antal, siffertal number; räkneuppgift sum **2** anförande speech; *det är* ~ *om att* inf. there is some talk of ing-form; *det har aldrig varit* ~ *om det* there has never been any question of that; *hålla* ~ el. *ett* ~ make a speech; *på* ~ *om det* apropå by the way; *föra något på* ~ take (bring) a matter up; *komma på* ~ come up
**tala** vb tr o. vb itr speak; konversera talk; *allvarligt* ~*t* seriously speaking; *det är mycket som* ~*r för* tyder på *att han har...* there is a lot that points towards his having...; ~ *för sig själv* talk to oneself; å egna vägnar speak for oneself; *det är ingenting att* ~ *om!* don't mention it!; *för att inte* ~ *om...* not to mention...; ~ *till* speak (talk) to; högtidl. address
□ ~ **in...** på band record...; ~ **om** tell [*ngt*

*för ngn* a p. a th.]; ~ *inte om det för
någon!* don't tell anybody!; ~ **ut** så att det
hörs speak up; rent ut speak one's mind
**talan** s, *föra ngns* ~ plead a p.'s cause;
*han har ingen* ~ he has no voice in the
matter
**talande** adj uttrycksfull expressive; om blick
significant; *den* ~ talaren the speaker
**talang** s talent; *han är en* ~ he is a
talented (gifted) person
**talangfull** adj talented, gifted
**talare** s speaker; väl~ orator
**talarstol** s rostrum; vid möte platform
**talas** vb itr dep, *vi får* ~ *vid om saken* we
must have a talk about it
**talesman** s spokesman [*för* of, for]
**talesätt** s set phrase, locution
**talfel** s speech defect
**talför** adj talkative, loquacious
**talförmåga** s faculty (power) of speech
**talg** s tallow; njurtalg suet
**talgoxe** s fågel great tit (titmouse)
**talk** s puder talcum powder
**tall** s träd pine, pine tree, Scotch pine (fir);
för sammansättningar jfr äv. *björk*
**tallbarr** s pine needle
**tallkotte** s pine cone
**tallrik** s plate; *en* ~ *soppa* a plate of soup
**talman** s parl. speaker
**talong** s på biljetthäfte etc. counterfoil
**talrik** adj numerous; ~*a* t.ex. vänner äv. many
(a great number of)...
**talspråk** s spoken language
**tam** adj tame; ~*a djur* domestic animals
**tambur** s hall; kapprum cloakroom
**tampong** s tampon
**tand** s tooth (pl. teeth) äv. på kam; såg etc.;
*borsta tänderna* brush (clean, do) one's
teeth; *jag har fått blodad* ~ my appetite
has been whetted; bli ivrig taste blood;
*visa tänderna* bildl. o. om djur bare (show)
one's teeth
**tandborste** s toothbrush
**tandem** s tandem, tandem bicycle
**tandgarnityr** s set of teeth; protes denture
**tandhygien** s dental hygiene
**tandhygienist** s dental hygienist
**tandklinik** s dental clinic
**tandkräm** s toothpaste
**tandkött** s gums pl.
**tandlossning** s loosening of the teeth
**tandläkare** s dentist, dental surgeon
**tandpetare** s toothpick
**tandprotes** s denture, dental plate

**tandreglering** s correction of irregularities
of the teeth; med. orthodontics sg.
**tandskydd** s boxn. gumshield
**tandsköterska** s dental nurse
**tandsten** s tartar
**tandställning** s för tandreglering brace
**tandtråd** s dental floss
**tandvård** s dental service; personlig dental
care
**tandvärk** s, *ha* ~ have toothache el. a
toothache
**tangent** s mus. o. på skrivmaskin key
**tangentbord** s på skrivmaskin keyboard
**tangera** vb tr, ~ *rekordet* equal the record
**tango** s tango; *dansa* ~ do (dance) the
tango
**tank** s **1** behållare tank **2** stridsvagn tank
**tanka** vb tr o. vb itr bil. fill up; vard. tank
up; sjö. el. flyg. refuel
**tankbil** s tank lorry (truck), tanker
**tankbåt** s tanker
**tanke** s thought; idé idea [*om, på* of]; åsikt
opinion [*om* about]; *det är min* ~ avsikt
*att resa* I intend to go; *jag hade inte en*
~ *på att* gå dit it never occurred to me
to...; *det för (leder)* ~*n till...* it makes
one think of...; *ha ngt i tankarna* have
a th. in mind; *komma på andra tankar*
change one's mind; *komma på bättre
tankar* think better of it; *slå det ur
tankarna!* put that out of your head!
**tankegång** s train (line) of thought
**tankeläsare** s thought-reader
**tanker** s tanker
**tankeställare** s, *det gav oss en* ~ that was
an eye-opener, that gave us something to
think about
**tankeväckande** adj thought-provoking
**tankeöverföring** s thought transference
**tankfartyg** s tanker
**tankfull** adj thoughtful, pensive
**tanklös** adj thoughtless
**tankning** s bil. filling-up; sjö. el. flyg.
refuelling
**tankspridd** adj absent-minded
**tankspriddhet** s absent-mindedness
**tankstreck** s dash
**tant** s aunt; friare lady, nice old lady; ~
*Johansson* Mrs. Johansson
**tantig** adj vard. old-maidish, old-womanish
**Tanzania** Tanzania
**tanzanier** s Tanzanian
**tanzanisk** adj Tanzanian
**tapet** s wallpaper; vävd etc. tapestry; *vara
på* ~*en* bildl. be on the carpet

**tapetrulle** *s* roll of wallpaper
**tapetsera** *vb tr* paper; ~ *om* repaper
**tapetserare** *s* upholsterer
**tapetsering** *s* paperhanging
**tapisseri** *s* tapestry
**tapp** *s* **1** i tunna etc. tap **2** till hopfästning peg
**1 tappa** *vb tr*, ~ vin *på buteljer* draw...off into bottles, bottle; ~ *på vattnet i badkaret* run the water into the bath
**2 tappa** *vb tr* **1** låta falla drop, let...fall **2** förlora lose; ~ *huvudet* lose one's head; ~ *bort* lose
**tapper** *adj* brave, courageous
**tapperhet** *s* bravery, courage
**tappt** *adv*, **ge** ~ give in
**tariff** *s* tariff
**tarm** *s* intestine
**tarmvred** *s* ileus
**tarvlig** *adj* simpel vulgar; lumpen shabby
**tarvligt** *adv*, **bära sig** ~ *åt* behave shabbily [*mot* to]
**taskig** *adj* vard. rotten, lousy
**taskspelare** *s* juggler, conjurer
**tass** *s* paw
**tassa** *vb itr* patter, pad
**tatuera** *vb tr* tattoo
**tatuering** *s* tattooing; *en* ~ a tattoo
**tavelgalleri** *s* picture gallery
**tavelutställning** *s* exhibition of paintings
**tavla** *s* **1** målning picture **2** anslagstavla board; skottavla target **3** vard., tabbe blunder
**tax** *s* dachshund
**taxa** *s* rate, charge, tariff; för körning fare; för telefonering fee
**taxameter** *s* meter, taximeter
**taxera** *vb tr* för beskattning assess...for taxes [*till* at]
**taxering** *s* för skatt tax assessment
**taxeringsvärde** *s* ratable value
**taxi** *s* taxi, taxicab, cab
**taxichaufför** *s* taxi (cab) driver
**taxistation** *s* taxi rank, amer. taxistand
**T-bana** se *tunnelbana*
**tbc** *s* tuberkulos TB
**TCO** se ex. under *tjänsteman*
**1 te** *s* tea; *dricka (laga)* ~ have (make) tea
**2 te** *vb rfl*, ~ *sig* förefalla appear, seem; se ut look
**teak** *s* teak
**teater** *s* theatre; *spela* ~ act; *gå på* ~*n* go to the theatre; *gå in vid* ~*n* go on the stage
**teaterbesök** *s, ett* ~ a visit to the theatre
**teaterbesökare** *s* theatregoer

**teaterbiten** *adj* stage-struck
**teaterföreställning** *s* theatrical performance
**teaterkikare** *s* opera glasses pl.
**teaterkritiker** *s* dramatic critic
**teaterpjäs** *s* play, stage play
**teatersalong** *s* auditorium
**teaterscen** *s* stage, theatrical stage
**teatersällskap** *s* theatrical (theatre) company
**teatralisk** *adj* theatrical
**tebjudning** *s* tea party
**teburk** *s* tea caddy
**tecken** *s* sign [*på*, *till* of]; kännetecken, bevis mark; högtidl. token; signal signal [*till* for]; skrivtecken character
**teckenspråk** *s* sign-language
**teckna I** *vb tr* o. *vb itr* **1** avbilda draw; skissera sketch, outline; ~ *efter* modell draw from... **2** skriva sign; ~ *aktier* subscribe for shares **II** *vb rfl*, ~ *sig för*... på en lista put down one's name for...
**tecknare** *s* **1** drawer, draughtsman, amer. draftsman **2** av aktier subscriber
**teckning** *s* **1** avbildning drawing; skiss sketch **2** av aktier etc. subscription
**tedags** *s, vid* ~ at teatime
**teddy** *s* **1** tyg fur fabric **2** damplagg teddy
**teddybjörn** *s* teddy bear
**tefat** *s* saucer; *flygande* ~ flying saucer
**teflon** *s* ® Teflon
**tegel** *s* murtegel brick
**tegelpanna** *s* roofing-tile
**tegelsten** *s* brick
**tegeltak** *s* tiled roof
**tejp** *s* adhesive (sticky) tape
**tejpa** *vb tr* tape; laga med tejp mend (tejpa fast fasten)...with tape
**teka** *vb itr* ishockey face off
**tekanna** *s* teapot
**teknik** *s* metod technique; ingenjörskonst engineering; vetenskap technology
**tekniker** *s* technician; ingenjör engineer
**teknisk** *adj* technical
**teknokrat** *s* technocrat
**teknolog** *s* technologist
**teknologi** *s* technology
**teknologisk** *adj* technological
**tekopp** *s* teacup; kopp te cup of tea
**tekula** *s* tea-maker; speciellt amer. tea ball
**telefon** *s* telephone; vard. phone; *det är* ~ *till dig* you are wanted on the phone; *svara i* ~ answer the phone; *tala i* ~ talk (speak) on the phone
**telefonabonnent** *s* telephone subscriber

**telefonapparat** s telephone
**telefonautomat** s slot (coin-operated) telephone, amer. pay station
**telefonavlyssning** s telephone (wire) tapping
**telefonera** vb tr o. vb itr telephone; vard. phone; ~ **till ngn** telephone (phone) a p.
**telefonhytt** s callbox
**telefonist** s operator, telephone operator
**telefonkatalog** s telephone directory (book)
**telefonkiosk** s public callbox, telephone booth (kiosk), amer. pay station, telephone booth
**telefonkort** s phonecard
**telefonkö** s telephone queue service, telephone queue
**telefonlur** s receiver, telephone receiver
**telefonnummer** s telephone number
**telefonpåringning** s telephone call
**telefonsamtal** s telephone call; **vi hade ett långt ~** we had a long conversation on the phone
**telefonstation** s telephone exchange
**telefonstolpe** s telephone pole
**telefonsvarare** s, **automatisk ~** telephone answering machine, answerphone
**telefontid** s answering hours pl.
**telefonvakt** s telephone answering service
**telefonväckning** s, **beställa ~** order an alarm call
**telefonväxel** s t.ex. på företag, hotell switchboard
**telegraf** s telegraph
**telegrafera** vb tr o. vb itr telegraph
**telegrafiskt** adv telegraphically, by telegram
**telegrafist** s telegraphist, telegraph operator
**telegrafstation** s telegraph office
**telegram** s telegram; vard. wire; via undervattenskabel cable, cablegram; radio~ radiogram, radiotelegram
**telegrambyrå** s news agency
**telekommunikationer** s pl telecommunications
**telemarkare** s skidsport. telemark
**teleobjektiv** s telephoto lens
**telepati** s telepathy
**teleprinter** s teleprinter
**teleskop** s telescope
**telestation** s telephone and telegraph office
**Televerket** the [Swedish] Telecommunications Administration; mera vard. Swedish Telecom
**television** s television; se äv. TV med ex. o. sammansättningar
**telex** s telex
**telexa** vb tr telex
**tema** s **1** theme **2** gram., **ett verbs ~** the principal parts of a verb
**temadag** s skol. day devoted to a particular theme or topic
**temapark** s theme park
**temp** s vard., **ta ~en** take one's (a p.'s) temperature; **ta ~en på ngn** take a p.'s temperature
**tempel** s temple
**temperament** s temperament; **ha ~** be temperamental
**temperamentsfull** adj temperamental
**temperatur** s temperature; **ta ~en** take one's (a p.'s) temperature; **ta ~en på ngn** take a p.'s temperature
**tempererad** adj om klimat, zon temperate
**tempo** s fart pace, speed, rate; takt tempo
**temporär** adj temporary
**tempus** s tense
**tendens** s tendency; om priser etc. trend
**tendera** vb itr tend [**mot, åt, till** towards]
**tenn** s tin; i tennföremål pewter
**tennis** s tennis
**tennisbana** s tennis court
**tennisracket** s tennis racket
**tennsaker** s pl pewter goods, pewter sg.
**tennsoldat** s tin soldier
**tenor** s person o. röst tenor
**tenta** vard. **I** s exam, preliminary exam **II** vb itr be examined [**för ngn** by a p.]
**tentakel** s tentacle, feeler
**tentamen** s examination
**tentera I** vb tr, **~ ngn** examine a p. [**i** in; **på** on] **II** vb itr be examined [**för ngn** by a p.]
**teolog** s theologian
**teologi** s theology
**teoretiker** s theorist
**teoretisk** adj theoretical
**teori** s theory
**tepåse** s tea bag
**terapeut** s therapist
**terapeutisk** adj therapeutic
**terapi** s therapy
**term** s term
**termin** s univ., skol. term, amer. äv. semester
**terminal** s terminal äv. data.
**terminologi** s terminology
**termometer** s thermometer

**termos** s o. **termosflaska** s vacuum (Thermos ®) flask
**termoskanna** s vacuum (Thermos ®) jug
**termostat** s thermostat
**terpentin** s turpentine
**terrakotta** s terracotta
**terrass** s terrace
**terrassera** vb tr terrace
**terrier** s terrier
**territorialvatten** s territorial waters pl.
**territoriell** adj territorial
**territorium** s territory
**terror** s terror
**terrorisera** vb tr terrorize
**terrorism** s terrorism
**terrorist** s terrorist
**terräng** s ground, country; *kuperad* ~ hilly country; *förlora (vinna)* ~ lose (gain) ground
**terrängcykel** s mountainbike
**terränglöpning** s cross-country running (tävling run el. race)
**terylen** s ® Terylene
**tes** s thesis (pl. theses)
**teservis** s tea set
**tesil** s tea-strainer
**tesked** s teaspoon äv. mått
**tesort** s tea, kind of tea
**test** s prov test
**testa** vb tr test
**testamente** s **1** will; formellt last will and testament; *upprätta sitt* ~ make (draw up) one's will **2** *Gamla (Nya) Testamentet* the Old (New) Testament
**testamentera** vb tr, ~ ngt till ngn (ngn ngt) bequeath a th. to a p., leave a p. a th.
**testbild** s i TV test card (pattern), amer. test pattern
**testikel** s testicle
**testning** s testing
**tevagn** s tea trolley, tea waggon
**tevatten** s water for the tea
**teve** se TV med ex. o. sammansättningar
**t.ex.** (förk. för *till exempel*) e.g.
**text** s text; filmtext subtitles pl.; sångtext words pl.
**texta** vb tr o. vb itr med tryckbokstäver write...in block letters
**textil** adj textile
**textilier** s pl textiles
**textilindustri** s textile industry
**textilslöjd** s skol. textile handicraft
**textkritik** s textual criticism
**text-TV** s teletext

**Thailand** Thailand
**thailändsk** adj Thai
**thinner** s thinner
**thriller** s thriller
**tia** s ten; sedel ten-krona note (mynt piece), jfr *femma*
**Tibet** Tibet
**tibetan** s Tibetan
**tibetansk** adj Tibetan
**ticka** vb itr tick
**ticktack** s tick-tack
**tid** s time; period period; intervall interval; ögonblick moment; kontorstid etc. hours pl.; *långa ~er* kunde han... for long periods...; *beställa* ~ *hos* läkare etc. make an appointment with; *ge sig god* ~ allow oneself plenty of time; *har du* ~ *ett slag?* have you a moment to spare?; *ta god* ~ *på sig* take one's time [*med* ngt over...]; *det är inte sådana ~er numera* times are not like that nowadays; jag var sjuk *första ~en* ...during the first few days (weeks etc.); *den gamla goda ~en* the good old times (days) pl.; *den gustavianska ~en* the Gustavian period; *för en* ~ *sedan* some time ago; *vara före sin* ~ be ahead of one's time; *i* ~ *och otid* ideligen at all times; *inom den närmaste ~en* in the immediate future; *med ~en* in time, in course of time; *det är på ~en att jag (vi) går* it is about time to leave; *på min ~...* in my time (day)...; *på senare* ~ el. *på senaste (sista) ~en* recently, lately; *under ~en* meantime, meanwhile; *under ~en* 1-15 maj between...; *gå ur ~en* depart this life; *vid ~en för* t.ex. sammanbrottet at the time of; *vid samma* ~ i morgon at this time...
**tidevarv** s period, epoch, age
**tidig** adj early; *~are* föregående previous, former
**tidigt** adv early; ~ *på morgonen* early in the morning; *tidigare* earlier; förut previously; hon kommer *tidigast i morgon* ...tomorrow at the earliest
**tidning** s newspaper, paper; veckotidning magazine; *det står i ~en* it is in the paper
**tidningsartikel** s newspaper article
**tidningsbilaga** s supplement to a (the) paper
**tidningsförsäljare** s newsvendor
**tidningskiosk** s newsstand; större bookstall
**tidningspapper** s newspaper; hand. newsprint

**tidpunkt** s point of time, moment; *vid ~en för...* at the time of...

**tidrymd** s period, space of time [*av* of]

**tidsadverb** s adverb of time

**tidsbegränsning** s time limit

**tidsbesparande** *adj* time-saving

**tidsbesparing** s, *~en* the saving of time, the time saved

**tidsbrist** s lack of time

**tidsenlig** *adj* nutida up to date; modern modern

**tidsfråga** s, det är bara *en ~* ...a matter of time

**tidsfördriv** s pastime, time-killer

**tidsförlust** s loss of time

**tidsinställd** *adj*, *~ bomb* time bomb

**tidskrift** s periodical; teknisk journal; lättare magazine

**tidskrävande** *adj* time-consuming

**tidsnöd** s, *vara i ~* be short of time

**tidssignal** s i radio time signal

**tidsvinst** s saving of time

**tidsålder** s age, era

**tidsödande** *adj* time-wasting, time-consuming

**tidtabell** s timetable, amer. äv. schedule

**tidtagarur** s stopwatch, timer

**tidtagning** s timekeeping

**tidvatten** s tide

**tidvattensvåg** s tidal wave

**tidvis** *adv* at times

**tiga** *vb itr* be silent [*med* about], keep silent

**tiger** s tiger

**tigerunge** s tiger cub

**tigga** *vb tr* o. *vb itr* beg; *gå och ~* go begging; *~ och be ngn om* ngt beg a p. for...

**tiggare** s beggar

**tiggeri** s begging

**tigrinna** s tigress

**tik** s bitch, she-dog

**till I** *prep* **1** om rum o. friare to; in i into; mot towards; dricka vin *~ middagen* ...with one's dinner; *få soppa ~ middag* have soup for dinner; *färdas ~ fots (lands, sjöss)* travel (go) on foot (by land resp. sea); *resa in ~ staden* travel (go) up to town; *resa ~ utlandet* go abroad; *tåget ~ S.* the train for S. **2** om tid: *från 9 ~ 12* from 9 to 12; har vi mjölk *~ i morgon?* ...for tomorrow?; vigseln är bestämd *~ den 15:e* ...for the 15th; han börjar skolan *~ hösten* ...this autumn; han gav mig presenter *~ jul och ~ födelsedagen* ...at Christmas

and on my birthday; reser du hem *~ jul?* ...for Christmas?; *natten ~ fredagen* som adv. on (during) the night before Friday; det skulle vara färdigt *~ i dag* ...by today **3** avsedd för for; uttr. tillhörighet, förhållande of; *två biljetter ~* Hamlet two tickets for...; här är ett brev *~ dig* ...for you; *hans kärlek ~...* his love of...; *han är son ~* en läkare he is the son of...; författaren *~ boken* ...of the book; *nyckeln ~* skåpet the key to (som tillhör of)...; en vän *~ mig (min bror)* ...of mine (my brother's) **4** andra uttryck: *förvandla ~* transform into; *en förändring ~ det sämre* a change for the worse; *detta gjorde honom ~* en berömd man this made him...; *~ antalet (kvaliteten)* in number (quality); känna ngn *~ namnet (utseendet)* ...by name (sight); *~ yrket* by profession; *köpa ngt ~ ett pris av* buy a th. at the price of **5** i vissa förbindelser **a)** *~* el. *~ att* inf. to inf.; kulor *~ att skjuta med* ...for shooting [with], ...to shoot with **b)** *~ och med (t.o.m.)* up to, up to and including **6** *~ dess (dess att)* till, until **II** *adv* **1** ytterligare, *en dag ~* one day more, another day; *en kopp te ~* another cup of tea; *köp tre* flaskor *~!* buy three more...!; *lika mycket ~* as much again; *litet ~* a little more **2** i vissa förb., *det gör varken ~ eller från* it makes no difference; *~ och från* då och då off and on; *gå ~ och från* come and go; *~ och med* even; *åt byn ~* towards the village; *~ dess* till then, until then; *~ dess att* till, until

**tillagning** s kok. making, cooking; av måltid preparation; *~ av mat* cooking

**tillbaka** *adv* back; bakåt backwards; *sedan lång tid ~ är han...* for a long time past he has been...

**tillbakablick** s retrospect end. sg. [*på* of]; i film etc. flashback [*på* to]

**tillbakadragande** s withdrawal; av t.ex. trupper äv. pull-out

**tillbakadragen** *adj* försynt retiring; reserverad reserved; *ett tillbakadraget liv* a retired life

**tillbakagång** s, *vara på ~* be on the decline, be falling off

**tillbakavisa** *vb tr* förslag reject; beskyllning repudiate

**tillbehör** s *pl* till bil, dammsugare etc. accessories

**tillblivelse** s coming into being

**tillbringa** *vb tr* spend [*med att* inf. in ing-form]

**tillbringare** *s* jug, amer. pitcher

**tillbud** *s* olycks~ near-accident, narrow escape; *det var ett allvarligt* ~ there might have been a serious accident

**tillbörlig** *adj* due; lämplig fitting, proper

**tilldela** *vb tr*, ~ *ngn* ngt allot...to a p.; utmärkelse confer...on a p.; pris award a p....; ~ *ngn ett slag* deal a p. a blow

**tilldelning** *s* ranson allowance, ration; ransonerande allocation

**tilldra** o. **tilldraga** *vb rfl*, ~ *sig* **1** ske happen, occur; utspelas take place **2** attrahera attract

**tilldragande** *adj* attractive

**tilldragelse** *s* occurrence; viktigare event

**tillfalla** *vb itr*, ~ *ngn* go to a p.; oväntat fall to a p.

**tillfart** *s* o. **tillfartsväg** *s* approach (access) road

**tillflykt** *s* refuge [*mot, undan* from]; medel, utväg resort, resource; *ta sin* ~ *till* take refuge in; en person take refuge with, go to...for refuge

**tillflyktsort** *s* place of refuge

**tillfoga** *vb tr* **1** tillägga add **2** vålla, ~ *ngn ngt* t.ex. förlust inflict a th. on a p.

**tillfreds** *adj* satisfied, content [*med* with]

**tillfredsställa** *vb tr* satisfy; göra till lags suit, please; hunger etc. äv. appease

**tillfredsställande** *adj* satisfactory [*för ngn* to a p.]

**tillfredsställelse** *s* satisfaction [*för* to; *över, med* at]

**tillfriskna** *vb itr* recover [*efter, från* from]

**tillfrisknande** *s* recovery

**tillfråga** *vb tr* ask; rådfråga consult [*om* about, as to]

**tillfångata** *vb tr* take...prisoner, capture

**tillfälle** *s* när ngt inträffar occasion; lägligt opportunity; slumpartat chance; *begagna ~t att* inf. take (seize) the opportunity to inf.; *gripa ~t* el. *ta ~et i akt* seize the opportunity; *för ~t* just nu for the time being; för närvarande at present; *vid* ~ ska jag... some time or other...; *vid första bästa* ~ at the first opportunity

**tillfällig** *adj* då och då occasional; händelsevis accidental; om t.ex. bekantskap chance...; kortvarig temporary; övergående momentary; *~t arbete* casual work, odd jobs pl.

**tillfällighet** *s* slump chance; sammanträffande coincidence; *av en ren* ~ by pure chance, by sheer accident

**tillfälligt** *adv* för kort tid temporarily; för närvarande for the time being

**tillföra** *vb tr* bring; ~ skaffa *ngt till...* supply (provide)...with a th.

**tillförlitlig** *adj* reliable, ...to be relied on

**tillförordna** *vb tr* appoint...temporarily

**tillförordnad** *adj*, ~ professor acting...

**tillförsel** *s* supply

**tillförsikt** *s* confidence [*till* in]

**tillgiven** *adj* **1** attached; om nära släkting affectionate; trogen devoted **2** i brev, *Din tillgivne...* Yours sincerely (till nära släkting el. vän affectionately),...

**tillgivenhet** *s* attachment; hängivenhet devotion [*för* to]; kärlek affection [*för* for]

**tillgjord** *adj* affected; konstlad artificial

**tillgodo** *adv* se *till godo* under *godo*

**tillgodogöra** *vb rfl*, ~ *sig* assimilate; t.ex. undervisningen profit by

**tillgodohavande** *s* för sålda varor etc. outstanding account; i bank etc. credit balance [*hos, i* with]

**tillgodokvitto** *s* credit note

**tillgodose** *vb tr* krav etc. meet, satisfy; behov supply

**tillgripa** *vb tr*, ~ *våld* resort to (use) violence

**tillgå** *vb tr*, *det finns att* ~ it is to be had, it is obtainable [*hos* from]

**tillgång** *s* **1** tillträde access [*till* to]; *ha* ~ *till* vatten have... at hand; *med* ~ *till kök* with the use of kitchen **2** förråd supply [*på* of]; ~ *och efterfrågan* supply and demand **3** resurs: person samt, hand. asset; *~ar* penningmedel means

**tillgänglig** *adj* **1** accessible [*för* to]; om t.ex. resurser available [*för ngn* to a p.; *för ngt* for a th.]; öppen open [*för* to]; *med alla ~a medel* by every available means **2** om person ...easy to approach

**tillhandahålla** *vb tr*, ~ *ngn ngt* supply a p. with a th.

**tillhygge** *s* weapon

**tillhåll** *s* tillflyktsort retreat, refuge [*för* for]; haunt äv. om djurs ~

**tillhöra** *vb itr* se *höra II 1*

**tillhörande** *adj* ...belonging to it (them)

**tillhörighet** *s*, *mina (dina* etc.) *~er* my (your etc.) belongings (possessions)

**tillika** *adv* also, ...too; dessutom besides

**tillintetgöra** *vb tr* nedgöra defeat...completely; förstöra destroy, ruin; förinta annihilate

**tillintetgörelse** *s* defeat, destruction, ruin, annihilation

**tillit** s confidence [*till* in], reliance [*till* on]

**tillitsfull** adj confident; ~ mot andra trusting

**tillkalla** vb tr send for; sammankalla summon

**tillknäppt** adj om person reserved

**tillkomma** vb itr **1** tilläggas be added; *dessutom tillkommer* moms in addition there will be... **2** ~ tillhöra *ngn*: vara ngns rättighet be a p.'s due; vara ngns plikt be a p.'s duty; *det tillkommer inte mig att* inf. it is not for me to inf.

**tillkommande** adj future; *hans* ~ his wife to-be

**tillkomst** s uppkomst origin; upprättande establishment; tillblivelse coming into being; om politisk rörelse etc. rise

**tillkännage** vb tr announce; bestämt declare [*för* to]

**tillkännagivande** s announcement, declaration

**tillmäta** vb tr, ~ *ngt stor betydelse* attach great importance to a th.

**tillmötesgå** vb tr person oblige; begäran etc. comply with; önskan äv. meet

**tillmötesgående** I adj obliging II s obligingness

**tillnamn** s surname, family name

**tillnärmelsevis** adv approximately; *inte* ~ så stor som... nothing like (nowhere near)...

**tillreda** vb tr bereda prepare, get...ready

**tillrop** s call, shout

**tillryggalägga** vb tr cover, do [*på* in]

**tillråda** vb tr advise, recommend

**tillrådan** s, *på min* ~ on my advice

**tillrådlig** adj advisable

**tillräcklig** adj sufficient; nog enough; ~ för ändamålet, om t.ex. kunskaper adequate; ~*t med* tid, mat sufficient (enough)...

**tillräknelig** adj ...responsible for one's actions, sane

**tillrätta** adv se *rätta I 1*

**tillrättavisa** vb tr rebuke; starkare reprimand

**tillrättavisning** s rebuke; starkare reprimand

**tills** konj prep till, until

**tillsammans** adv together; inalles altogether, in all; gemensamt jointly; ~ *har vi* 200 kr. we have...between (om fler än två among) us

**tillsats** s tillsättande addition; ngt inblandat added ingredient; liten tillsats av sprit etc. dash; av kryddor seasoning

**tillsatsämne** s additive

**tillskansa** vb rfl, ~ *sig* appropriate; ~ *sig makten* usurp power

**tillskott** s tillskjutet bidrag contribution, additional (extra) contribution; tillökning addition

**tillskriva** vb tr tillerkänna, ~ *ngn ngt* ascribe (attribute) a th. to a p.; ~ *sig äran* take the credit to oneself

**tillskärare** s tailor's cutter, cutter

**tillspetsad** adj, *bli* ~ om läge etc. become critical (acute)

**tillströmning** s av vatten inflow; av människor stream; rusning rush

**tillstymmelse** s suspicion [*till* of]; *inte en* ~ *till sanning* not a vestige of truth

**tillstyrka** vb tr support, recommend

**1 tillstånd** s tillåtelse permission, leave; bifall consent; bemyndigande authorization; tillståndsbevis permit; *med benäget* ~ *av...* by kind permission of..., by courtesy of...

**2 tillstånd** s skick state, condition; *i berusat* ~ in a state of intoxication; *i dåligt* ~ in bad condition

**tillståndsbevis** s licence, permit

**tillställning** s entertainment; fest party

**tillstöta** vb itr tillkomma, hända occur; om sjukdom set in

**tillsyn** s supervision; *ha* ~ *över* supervise; barn look after

**tillsyningsman** s supervisor [*för, över* of]

**tillsynslärare** s ung. assistant (deputy) headmaster (kvinnlig headmistress resp. headmaster's assistant el. deputy)

**tillsägelse** s befallning order, orders pl. [*om* for]; *utan* ~ without being told; *få en* ~ tillrättavisning be given a reprimand

**tillsätta** vb tr utnämna appoint; kommitté äv. set up; besätta (plats) fill

**tilltag** s streck trick

**tilltaga** vb itr increase [*i* in]; om t.ex. inflytande grow; utbreda sig spread

**tilltagande** I adj increasing; om t.ex. inflytande growing II s, *vara i* ~ be on the increase, be increasing

**tilltagen** adj, *vara knappt* ~ om tyg etc. not be quite enough; *vara rikligt* ~ om t.ex. portion be ample in quantity

**tilltal** s address; *svara på* ~ answer when one is spoken to

**tilltala** vb tr **1** vända sig till address, speak to **2** behaga appeal to; om person attract

**tilltalande** adj attractive, pleasing [*för* to]

**tilltalsnamn** s first (given) name; ~*et understrykes* please underline most commonly used first name

**tilltalsord** s form (term) of address

**tilltro** s tro credit; förtroende confidence [*till*

in]; **vinna** ~ om rykte etc. gain credence [*hos* with]

**tillträda** *vb tr* egendom etc. take over, take over possession of; arv, egendom come into, come into possession of; ~ **tjänsten** enter on one's duties

**tillträde** *s* **1** entrance, admission [*till* to]; tillåtelse att gå in admittance; **Tillträde förbjudet!** No Admittance! **2** tillträdande av egendom entry [*av* into possession of]; taking over [*av* of]; **vid ~t av tjänsten** blev han... on taking up his duties...

**tilltugg** *s*, ett glas öl **med** ~ ...with something to eat with it (with snacks)

**tilltvinga** *vb rfl*, ~ **sig ngt** obtain a th. by force

**tilltyga** *vb tr*, ~ **ngn illa** handle a p. roughly, manhandle a p., knock a p. about

**tilltänkt** *adj* proposed; tillämnad intended; planerad projected

**tillvalsämne** *s* skol. optional (elective) subject

**tillvarata** *vb tr* ta hand om take care (charge) of; bevaka safeguard; utnyttja, t.ex. möjligheter take advantage of

**tillvaratagande** *s*, ~*t av*... the taking care (charge) of... etc.; jfr *tillvarata*

**tillvaro** *s* existence; liv life

**tillverka** *vb tr* manufacture, make [*av* out of]; framställa produce [*av* from]

**tillverkare** *s* manufacturer, maker; producer

**tillverkning** *s* fabrikation manufacture, make, production; per år etc. output; **den är av svensk** ~ it is made in Sweden

**tillväga** *adv*, hur ska man **gå** ~ ...set (go) about it

**tillvägagångssätt** *s* procedure, course of action

**tillväxt** *s* growth; ökning increase [*i* in]

**tillåta I** *vb tr* allow, permit; gå med på consent to; **tillåter ni att jag röker?** do you mind if I smoke?; **om vädret tillåter** weather permitting **II** *vb rfl*, ~ **sig** permit (allow) oneself; ~ **sig** ta sig friheten **att** inf. take the liberty to inf. (of ing-form)

**tillåtelse** *s* permission

**tillåten** *adj* allowed, permitted; laglig lawful

**tillägg** *s* addition; pris~ extra (additional) charge; järnv. excess (extra) fare

**tillägga** *vb tr* add [*till* to]

**tilläggspension** *s* supplementary pension

**tillägna I** *vb tr*, ~ **ngn** en bok dedicate...to a p. **II** *vb rfl*, ~ **sig 1** förvärva acquire;

tillgodogöra sig take in **2** lägga sig till med appropriate

**tillämpa** *vb tr* apply [*på* to]; ~*d* **matematik** applied mathematics

**tillämplig** *adj* applicable [*på* to]

**tillämpning** *s* application [*på* to]

**tillökning** *s* tillökande increasing, enlargement; påökning increase [*av* of]; **vänta** ~ *i familjen* be expecting an addition to the family

**tillönska** *vb tr* wish

**timglas** *s* hourglass, sandglass

**timid** *adj* timid

**timjan** *s* thyme

**timlärare** *s* non-permanent teacher paid on an hourly basis

**timlön** *s*, **få** (**ha**) ~ be paid by the hour

**timme** *s* hour; lektion lesson; **en fyra timmars resa** a four-hour journey; **90 km (80 kr) i ~n** 90 kilometres (80 kronor) an hour; **om en** ~ in an hour

**timmer** *s* timber, amer. lumber

**timmerman** *s* carpenter

**timotej** *s* timothy grass, timothy

**timpenning** *s* se *timlön*

**timtals** *adv* for hours

**timvisare** *s* hour (small) hand

**1 tina** *s* **1** laggkärl tub **2** fiske~ pot

**2 tina** *vb tr* o. *vb itr*, ~ el. ~ **upp** thaw; smälta melt

**tindra** *vb itr* twinkle; gnistra sparkle

**ting** *s* sak thing; föremål object

**tingshus** *s* district court-house

**tingsrätt** *s* i stad municipal (på landet district) court

**tinner** *s* thinner

**tinning** *s* temple

**tio** *räkn* ten; jfr *fem* o. sammansättningar

**tiodubbel** *adj* tenfold

**tiokamp** *s* decathlon

**tiokampare** *s* decathlete

**tiokrona** *s* ten-krona piece

**tionde** *räkn* tenth (förk. 10th); jfr *femte*

**tiondel** *s* tenth [part]; jfr *femtedel*

**tiotal** *s* ten; **ett par** ~ some twenty or thirty; jfr *femtiotal*

**tiotusentals** *adv* tens of thousands; ~ **människor** tens of thousands of people

**1 tipp** *s* spets tip [*av*, *på* of]

**2 tipp** *s* **1** avstjälpningsplats refuse (amer. garbage) dump **2** avstjälpningsanordning tipping device

**1 tippa I** *vb tr* stjälpa ut tip, dump **II** *vb itr* tip; ~ **över** tip over

**2 tippa** *vb tr* o. *vb itr* **1** förutsäga tip **2** med tipskupong do the pools (football pools)
**1 tippning** *s* tipping, dumping
**2 tippning** *s* fotbolls~ doing the pools (football pools)
**tips** *s* **1** upplysning tip, tip-off [*om* about; *as* to] **2** *vinna på* ~ el. *~et* win on the pools
**tipskupong** *s* pools coupon, football pools coupon
**tirad** *s* tirade
**tisdag** *s* Tuesday; jfr *fredag* med ex.
**tisdagskväll** *s* Tuesday evening (senare night); *på ~arna* on Tuesday evenings (nights)
**tissel** *s,* ~ *och tassel* viskande whispering; skvaller tittle-tattle
**tissla** *vb itr,* ~ *och tassla* viska whisper
**tistel** *s* bot. thistle
**titel** *s* title; *en bok med ~n...* a book entitled...
**titelhållare** *s* titleholder
**titelroll** *s* title role
**titt** *s* **1** blick look; hastig glance; *ta* (*ta sig*) *en* ~ *på...* have a look (glance) at... **2** kort besök call [*hos ngn* on a p.]; *tack för ~en!* it was kind of you to look me up (to look in)!
**titta** *vb itr* look; ta en titt have a look; flyktigt glance [*på* i samtliga fall at]; ~ *fram* peep out; synas show; ~ *in* komma in och hälsa på look (drop) in [*till* ngn on...]
**tittare** *s* TV~ viewer
**tittarstorm** *s* i TV ung. storm of protest from TV-viewers
**tittartid** *s, på bästa* ~ i TV during peak viewing hours
**titthål** *s* peep-hole
**titulera** *vb tr,* ~ *ngn* professor address a p. as...
**tivoli** *s* amusement park, fun fair
**tjafs** *s* vard., prat drivel; strunt rubbish; fjant fuss
**tjafsa** *vb itr* vard., prata talk drivel (rubbish); fjanta fuss
**tjalla** *vb itr* vard., skvallra, ange squeal
**tjat** *s* nagging [*om* about]
**tjata** *vb itr* gnata nag [*på ngn* [at] a p.; *om ngt* about a th.]
**tjatig** *adj* **1** gnatig nagging **2** långtråkig boring
**tjeck** *s* Czech
**tjeckisk** *adj* Czech; *Tjeckiska republiken* the Czech Republic
**tjeckiska** *s* **1** kvinna Czech woman **2** språk Czech
**Tjeckoslovakien** hist. Czechoslovakia

**tjeckoslovakisk** *adj* Czechoslovak, Czechoslovakian
**tjej** *s* vard. girl
**tjock** *adj* thick ej om person; 'kraftig' stout; fet fat; tät (t.ex. skog, rök) dense
**tjocka** *s* fog
**tjockflytande** *adj* thick, viscous
**tjockis** *s* vard. fatty
**tjocklek** *s* thickness
**tjocktarm** *s* large intestine
**tjog** *s* score; *fem* ~ ägg five score [of]...
**tjugo** *räkn* twenty; jfr *fem, femtio* o. sammansättningar
**tjugokronorssedel** *s* twenty-krona note
**tjugonde** *räkn* twentieth (förk. 20th); jfr *femte*
**tjur** *s* bull
**tjura** *vb itr* sulk, be in a sulk
**tjurfäktare** *s* bullfighter
**tjurfäktning** *s* bullfighting; *en* ~ a bullfight
**tjurig** *adj* sulky
**tjurskalle** *s* vard. obstinate (pig-headed) person
**tjurskallig** *adj* vard. pig-headed
**tjusa** *vb tr* charm, enchant, fascinate
**tjusig** *adj* charming, lovely
**tjusning** *s* charm, enchantment; fascination; *fartens* ~ the fascination of speed
**tjut** *s* howling; *ett* ~ a howl
**tjuta** *vb itr* howl; om mistlur hoot; vard., gråta cry
**tjuv** *s* thief (pl. thieves); inbrottstjuv burglar; på dagen ofta housebreaker
**tjuvaktig** *adj* thievish, thieving
**tjuvgods** *s* stolen property (goods pl.)
**tjuvkoppla** *vb tr* bil. hotwire
**tjuvlarm** *s* burglar alarm
**tjuvlyssna** *vb itr* eavesdrop
**tjuvlyssnare** *s* eavesdropper
**tjuvläsa** *vb itr* o. *vb itr,* ~ en bok read...on the sly
**tjuvnyp** *s, ge ngn ett* ~ make a dig at a p.
**tjuvpojke** *s* young rogue (rascal)
**tjuvskytt** *s* poacher, game poacher
**tjuvskytte** *s* poaching, game poaching
**tjuvstart** *s* false start
**tjuvtitta** *vb itr,* ~ *i* en bok take a look into...on the sly
**tjäder** *s* zool. capercaillie, capercailzie
**tjäle** *s* frozen ground, ground frost
**tjällossning** *s, ~en* the breaking up of the frost in the ground, the thawing of the frozen soil
**tjälskada** *s* frost damage

**tona**

**tjäna** *vb tr* o. *vb itr* **1** göra tjänst (tjänst åt)
serve; ~ *som* (*till*)... serve as...; *det ~r*
*ingenting till att gå dit* (*att du går dit*)
it is no use (no good) going (your going
there); *vad ~r det till?* what is the use
(the good) of that? **2** förtjäna earn, make
**tjänare** *s* servant; ~*!* vard. hallo!, amer. hi
there!
**tjänarinna** *s* maidservant
**tjänst** *s* service; befattning post; speciellt statlig
appointment; ämbete office; *göra ngn en*
~ do a p. a favour (a service); *lämna sin*
~ befattning resign one's appointment;
*vara i* ~ be on duty; *vara i* ~ *hos ngn* be
employed by a p.; *stå till ngns* ~ be at
a p.'s service (disposal); *vad kan jag stå*
*till* ~ *med?* what can I do for you?
**tjänstebil** *s* official car; bolags etc. company
car
**tjänstebostad** *s* flat (apartment, resp.
house) attached to one's post (job); högre
ämbetsmans official residence
**tjänstebrev** *s* post. official matter (mail);
motsats privatbrev official letter
**tjänstefel** *s* breach of duty
**tjänsteflicka** *s* servant, servant girl, maid
**tjänstefolk** *s* servants pl.
**tjänsteman** *s* statlig civil servant, official; i
enskild tjänst salaried employee; kontorist
clerk; *Tjänstemännens*
*Centralorganisation* (förk. *TCO*) The
Swedish Confederation of Professional
Employees
**tjänstepension** *s* occupational (service)
pension
**tjänstepistol** *s* service pistol
**tjänsteplikt** *s* plikt i tjänsten official duty
**tjänsteresa** *s* i statstjänst official journey;
affärsresa business journey
**tjänsterum** *s* office
**tjänstevapen** *s* service pistol
**tjänsteår** *s* year of service
**tjänstgöra** *vb itr* serve, do duty [*som* as];
om person äv. act [*som* as...]
**tjänstgöring** *s* duty; arbete work
**tjänstledig** *adj, vara* ~ be on leave (on
leave of absence)
**tjänstledighet** *s* leave of absence
**tjänstvillig** *adj* obliging, helpful
**tjära** *s* o. *vb tr* tar
**T-korsning** *s* trafik. T-junction
**toa** *s* vard. lav, loo, amer. john; se äv. *toalett*
**toalett** *s* **1** rum lavatory; wc toilet, W.C; på
restaurang etc. men's (ladies') room, amer.
washroom; offentlig public convenience;

*gå på* ~*en* go to the lavatory etc. **2** klädsel
dress, toilet
**toalettartikel** *s* toilet requisite;
*toalettartiklar* äv. toiletry
**toalettbord** *s* toilet table, dressing-table
**toalettpapper** *s* toilet paper; *en rulle* ~ a
toilet roll
**tobak** *s* tobacco
**tobaksaffär** *s* tobacconist's, newsagent
**tobaksvaror** *s pl* tobacco sg.
**toffel** *s* slipper
**tofs** *s* tuft; på djur crest; på kläder etc. tassel
**tok** *s* **1** person fool **2** *gå på* ~ go wrong
**tokig** *adj* mad, crazy; dum silly
**tolerans** *s* tolerance [*mot* towards]
**tolerant** *adj* tolerant [*mot* towards]
**tolerera** *vb tr* tolerate, put up with
**tolfte** *räkn* twelfth (förk. 12th); jfr *femte*
**tolftedel** *s* twelfth [part]; jfr *femtedel*
**tolk** *s* interpreter
**tolka** *vb tr* interpret; handskrift decipher;
återge render; översätta translate; uttrycka
(t.ex. känslor) express
**tolkning** *s* interpretation, rendering,
translation, jfr *tolka;* version version
**tolv** *räkn* twelve; *klockan* ~ *på dagen*
(*natten*) vanl. at noon (midnight); jfr *fem*
o. sammansättningar
**tom** *adj* empty; *~ma sidor* blank pages; *en*
~ *stol* a vacant chair
**t.o.m.** (förk. för *till och med*) up to, up to
and including; som adverb even
**tomat** *s* tomato (pl. -es)
**tomatketchup** *s* tomato ketchup
**tombola** *s* tombola
**tomglas** *s* koll. empty bottles pl.
**tomgång** *s* motor. idling; *gå på* ~ idle
**tomhänt** *adj* empty-handed
**tomrum** *s* ej utfylld plats vacant space; lucka
gap; på blankett blank space; fys. vacuum
**tomt** *s* obebyggd building site, amer. lot; kring
villa garden; större grounds pl.
**tomte** *s* **1** hustomte ung. brownie **2** *~n*
jultomten Father Christmas, Santa Claus
**tomtjobbare** *s* land speculator
**tomträtt** *s* site-leasehold right
**1 ton** *s* vikt metric ton, britt. motsv. (1016 kg)
ton
**2 ton** *s* mus. m.m. tone; om viss ton note;
*använd* (*ta*) *inte den ~en mot mig!*
don't take that tone with me!; *ta sig* ~
*mot ngn* try to domineer a p.; *det hör*
*till god* ~ it is good form
**tona** I *vb itr* ljuda sound, ring II *vb tr* ge

färgton åt tone; håret tint; ~ **bort** ljud, bild (i radio o. TV) fade out

**tonarm** s på grammofon tone arm

**tonart** s mus. key

**tonfall** s intonation

**tonfisk** s tunny [fish], tuna

**tongivande** adj, vara ~ set the tone (fashion)

**tongång** s, kända ~ar familiar strains

**tonhuvud** s på bandspelare tape head

**tonhöjd** s pitch

**tonnage** s tonnage

**tonsill** s tonsil

**tonsätta** vb tr set...to music

**tonsättare** s composer

**tonvikt** s stress; bildl. emphasis; lägga ~ (~en) på stress, put the stress on, emphasize

**tonåren** s pl, en flicka i ~ ...in her teens

**tonåring** s teenager

**topas** s topaz

**topografi** s topography

**topp** s **1** top; krön crest; bergstopp summit; spets pinnacle, peak; hissa flaggan i ~ run up the flag; med flaggan i ~ bildl. with all flags flying **2** blus top

**toppa** vb tr **1** ta av toppen på top **2** stå överst på (t.ex. lista) top, head

**toppen** interj vard. super, great

**toppfart** s top speed

**toppform** s, vara i ~ be in top form

**topphastighet** s top speed

**topplista** s vard., den är etta på ~n it is top of the charts

**topplock** s bil. cylinder head

**topplockspacknnig** s bil. cylinder-head gasket

**toppluva** s knitted (woollen) cap

**topplån** s last mortgage loan

**toppmöte** s summit (top-level) meeting

**toppventil** s motor. overhead valve

**torde** hjälpvb uppmaning, ni ~ observera you will (behagade will please, bör should) observe; förmodan, det ~ finnas många som... there are probably...

**torftig** adj enkel plain; fattig poor; knapp, skral scanty, meagre

**torg** s **1** salutorg market place, market **2** öppen plats square

**tork** s **1** apparat drier **2** hänga ut på ~ hang...out to dry

**torka I** s drought, dry weather **II** vb tr dry; genom t.ex. gnidning wipe; om du diskar så skall jag ~ ...I'll do the drying-up; ~ fötterna på dörrmattan wipe one's feet...; ~

sina tårar wipe away one's tears **III** vb itr bli torr dry, get dry

□ ~ **av** t.ex. skorna wipe; damma av dust; ~ av ansiktet dry one's face; ~ av dammet på ngt wipe the dust off a th.; ~ **upp** a) tr. wipe (mop) up b) itr. dry up, get dry again; ~ **ut** om t.ex. flod dry up, run dry

**torkhuv** s hood (salon) hair-drier

**torkning** s drying

**torkrum** s drying room

**torkskåp** s drying cupboard

**torkställ** s för disk plate rack

**torktumlare** s tumble-drier

**torn** s tower; spetsigt kyrktorn steeple; klocktorn belfry; schack. rook, castle

**tornado** s tornado (pl. -es el. -s)

**tornspira** s spire; kyrktorn steeple

**torp** s crofter's holding (stuga cottage)

**torpare** s crofter

**torped** s torpedo (pl. -es)

**torpedbåt** s torpedo boat

**torpedera** vb tr torpedo äv. bildl.

**torr** adj dry; om jord parched; tråkig dull, boring; han är inte ~ bakom öronen he is very green; ha sitt på det ~a be comfortably off

**torrboll** s vard., om person bore

**torrklosett** s earth closet

**torrmjölk** s powdered (dried) milk

**torrschamponering** s dry shampoo

**torrskodd** adj dry-shod

**torsdag** s Thursday; jfr fredag med ex.

**torsdagskväll** s Thursday evening (senare night); på ~arna on Thursday evenings (nights)

**torsk** s **1** cod (pl. lika), codfish **2** vard. prostituerads kund john

**tortera** vb tr torture

**tortyr** s torture

**torv** s **1** geol. peat **2** grästorv sod, turf

**torva** s **1** grästorva piece of turf **2** den egna ~n one's own plot of land

**total** adj total, entire, complete

**totalisator** s totalizator; vard., toto tote

**totalitär** adj totalitarian

**touche** s anstrykning samt mus. el. konst. touch

**tradition** s tradition

**traditionell** adj traditional

**traditionsbunden** adj tradition-bound

**trafik** s traffic; fartyget går i regelbunden ~ mellan... the vessel runs regularly between...

**trafikant** s väg~ road user; fotgängare pedestrian

**trafikera** vb tr bana, linje etc.: om resande use,

frequent; om trafikföretag work, operate; om
buss etc. run on
**trafikerad** *adj, hårt ~ gata* street full of
traffic, very busy street
**trafikflyg** *s* flygväsen civil aviation; flygtrafik
air services pl.
**trafikflygare** *s* airline pilot
**trafikflygplan** *s* passenger plane; större air
liner
**trafikfälla** *s* road trap
**trafikförordning** *s* traffic regulations pl.
**trafikförseelse** *s* traffic offence
**trafikförsäkring** *s* third party motor
insurance
**trafikhinder** *s* traffic obstacle
**trafikkaos** *s* chaos on the roads; *det var ~*
trafikstockning there was a snarl-up
**trafikkort** *s* heavy-vehicle licence
**trafikledare** *s* air-traffic controller
**trafikljus** *s* traffic light
**trafikmärke** *s* traffic sign
**trafikolycka** *s* traffic (road) accident
**trafikpolis** *s* **1** avdelning traffic police
**2** polisman traffic policeman
**trafiksignal** *s* traffic signal (light)
**trafikskola** *s* driving school
**trafikstockning** *s* traffic jam
**trafiksyndare** *s* traffic offender
**trafikvakt** *s* o. **trafikövervakare** *s* traffic
warden
**trafikövervakning** *s* traffic supervisor
**tragedi** *s* tragedy
**tragik** *s* tragedy
**tragikomisk** *adj* tragi-comic, tragi-comical
**tragisk** *adj* tragic
**trailer** *s* släpvagn o. film trailer
**trakassera** *vb tr* ansätta, plåga pester, harass;
förfölja persecute
**trakasserier** *s pl* pestering, harassment,
persecution (alla endast sg.)
**trakt** *s* område district, area; grannskap
neighbourhood; *här i ~en* äv. in these
parts
**traktamente** *s* allowance for expenses,
subsistence allowance
**traktor** *s* tractor; band~ caterpillar
**1 tralla** *s* trolley
**2 tralla** *vb tr* o. *vb itr* warble; sjunga sing
**trampa** *vb tr* o. *vb itr* kliva omkring tramp;
trycka ned (med foten) tread; upprepat
trample; *~ sin cykel* uppför backen pedal
one's cycle...; *~ vatten* tread water; *~
ngn på tårna* tread on a p.'s toes äv. bildl.
**trampbil** *s* för barn pedal car

**trampolin** *s* simn. highboard, diving-board;
gymn. springboard
**trams** *s* vard. nonsense, rubbish
**trana** *s* crane
**trans** *s* trance; *vara i ~* be in a trance
**transaktion** *s* transaction
**transformator** *s* transformer
**transformera** *vb tr* transform
**transfusion** *s* blod~ blood transfusion
**transistor** *s* transistor
**transistorradio** *s* transistor radio
**transithall** *s* flyg. transit (departure) hall
**transitiv** *adj* transitive
**transpiration** *s* perspiration
**transpirationsmedel** *s* deodorant
**transplantation** *s* transplantation; *en ~* a
transplant
**transplantera** *vb tr* transplant; speciellt hud
graft
**transponder** *s* TV. transponder
**transport** *s* **1** frakt transport, speciellt amer.
transportation; till sjöss freight, shipment
**2** i bokföring amount brought (carried)
forward
**transportabel** *adj* transportable; bärbar
portable
**transportera** *vb tr* frakta transport; till sjöss
freight, ship
**transportmedel** *s* means (pl. lika) of
transport
**transvestism** *s* transvestism
**transvestit** *s* transvestite
**trapets** *s* gymn. trapeze
**trappa I** *s* stairs; speciellt utomhus steps (båda
pl.); inomhus: längre äv. staircase; *en ~* a
flight of stairs (resp. steps); bo *en ~ upp*
...on the first (amer. second) floor; möta
ngn *i ~n* ...on the stairs **II** *vb tr, ~ ned*
de-escalate; *~ upp* escalate
**trappavsats** *s* inomhus landing
**trappräcke** *s* banisters pl.
**trappsteg** *s* step
**trappstege** *s* stepladder
**trappuppgång** *s* staircase, stairs pl.
**trasa I** *s* **1** trasigt tygstycke rag; *gå klädd i
trasor* go about in rags **2** dammtrasa
duster; skurtrasa scouring-cloth **II** *vb tr, ~
sönder* tear...to rags
**trasig** *adj* **1** söndertrasad ragged, tattered;
sönderriven torn; fransig frayed **2** sönder
broken; i olag ...out of order
**traska** *vb itr* trot; mödosamt plod, trudge
**trasmatta** *s* rag mat; större rag rug
**trassel** *s* **1** bomulls~ cotton waste **2** besvär
trouble, bother; komplikationer

complications pl.; *ställa till* ~ cause a lot of trouble; bråka kick up a fuss

**trassla** *vb tr,* ~ *till sina affärer* get one's finances into a muddle; ~ *inte till saker och ting!* don't complicate things!

**trasslig** *adj* entangled; muddled, confused; *han har ~a affärer* his finances are shaky

**trast** *s* thrush

**tratt** *s* funnel

**trav** *s* trot; travsport trotting; rida *i* ~ ...at a trot; *hjälpa ngn på ~en* put a p. on the right track, give a p. a start

**1 trava** *vb tr,* ~ el. ~ *upp* pile (stack) up

**2 trava** *vb itr* trot; *komma ~nde* come trotting along

**travbana** *s* trotting-track, trotting-course

**trave** *s* av böcker, ved etc. pile, stack

**travhäst** *s* trotter, trotting-horse

**travsport** *s* trotting, harness racing

**tre** *räkn* three; jfr *fem* o. sammansättningar

**trea** *s* **1** three; *~ns växel* third gear; jfr *femma* **2** vard. three-room flat (apartment)

**tredimensionell** *adj* three-dimensional

**tredje** *räkn* third (förk. 3rd); *för det* ~ in the third place; vid uppräkning thirdly; jfr *femte* o. *andra*

**tredjedag** *s,* ~ *jul* the day after Boxing Day

**tredjedel** *s* third [part]; jfr *femtedel*

**tredubbel** *adj* tre gånger så stor vanl. treble; i tre skikt etc. vanl. triple; trefaldig threefold; *betala tredubbla priset* pay treble (three times) the price

**tredubbla** *vb tr* multiply...by three, treble

**trefjärdedelstakt** *s* three-four time

**trehjuling** *s* vagn three-wheeler; cykel tricycle

**trehundra** *räkn* three hundred; jfr *femhundra* o. sammansättningar

**trekant** *s* triangle

**trekantig** *adj* triangular

**trekvart** *s* three quarters pl.; *~s timme* three quarters of an hour

**trekvartsstrumpa** *s* knee sock

**trend** *s* trend

**trendig** *adj* vard. trendy

**trerummare** *s* three-room flat (apartment)

**tresteg** *s* o. **trestegshopp** *s* sport. triple jump

**trestegsraket** *s* three-stage rocket

**trestjärnig** *adj* three-star...

**trettio** *räkn* thirty; jfr *femtio* o. sammansättningar

**trettionde** *räkn* thirtieth (förk. 30th); jfr *femte*

**trettioårig** *adj,* *~a kriget* the Thirty Years' War; jfr *femårig*

**tretton** *räkn* thirteen; *det går* ~ *på dussinet* they are ten (two) a penny; jfr *fem* o. sammansättningar

**trettondagen** *s* Epiphany, Twelfth Day

**trettondagsafton** *s* the Eve of Epiphany, Twelfth Night

**trettonde** *räkn* thirteenth (förk. 13th); jfr *femte*

**treva I** *vb itr* grope about [*efter* for] **II** *vb rfl,* ~ *sig fram* grope one's way along

**trevande** *adj,* ~ *försök* fumbling (tentative) effort

**trevare** *s* feeler

**trevlig** *adj* nice; angenäm pleasant; rolig enjoyable; sympatisk attractive; *vi hade mycket ~t* we had a very nice time of it

**trevnad** *s* comfort, comfort and well-being

**trevåningshus** *s* three-storey house

**triangel** *s* triangle

**triangeldrama** *s* domestic triangle; teat. eternal triangle drama

**tribun** *s* estrad platform, tribune

**tribunal** *s* tribunal

**tribut** *s* tribute

**trick** *s* knep trick, stunt; kortsp. odd trick

**tricksa** *vb itr* get up to tricks, monkey about; i fotboll juggle, dribble

**trikå** *s* **1** tyg stockinet **2** *~er* plagg tights

**trikåvaror** *s pl* knitwear sg., hosiery sg.

**trilla** *vb itr* rulla roll; om tårar äv. trickle; ramla tumble; falla fall

**trilling** *s* triplet

**trim** *s* trim; *vara i god* ~ be in good trim

**trimma** *vb tr* trim äv. hund; ~ *en motor* tune (soup) up an engine

**trimning** *s* trim; trimmande trimming

**trind** *adj* knubbig chubby, plump

**trio** *s* trio (pl. -s) äv. mus.

**tripp** *s* short trip; *ta sig (göra) en* ~ *till...* go for a trip to...

**trippa** *vb itr* trip (go tripping) along

**trippelvaccin** *s* triple vaccine, vaccine against diphtheria, tetanus and whooping cough

**trippmätare** *s* bil. trip meter (recorder), trip mileage counter

**trissa** *vb tr,* ~ *upp priset* force up the price

**trist** *adj* dyster gloomy, melancholy; enformig monotonous; tråkig dreary; ledsam sad

**tristess** *s* gloominess, melancholy;

enformighet monotony; leda dreariness;
ledsamhet sadness
**triumf** s triumph
**triumfbåge** s triumphal arch
**triumfera** vb itr triumph; jubla exult
**triumferande** adj triumphant, exultant
**triumftåg** s triumphal procession
**trivas** vb itr dep känna sig lycklig be (feel)
happy; blomstra flourish, prosper; **han
trivs inte i** Sverige he isn't happy in…, he
doesn't like being in…; **vi trivs med
varandra** we get on well with one
another
**trivial** adj trivial
**trivialitet** s triviality
**trivsam** adj pleasant; om plats cosy
**trivsel** s comfort, comfort and well-being
**trivselvikt** s, **min ~ är…** the weight I feel
comfortable with is…
**tro I** s belief [på in]; tilltro, tillit samt relig.
faith [på in]; **sätta ~ till** ngt trust, believe;
**leva i den ~n att** be convinced that;
**handla i god ~** act in good faith **II** vb tr o.
vb itr believe; anse think, suppose; föreställa
sig fancy, imagine; **Ja, jag ~r det** Yes, I
think (believe) so; **jag kan** (**kunde**) **just
~ det!** I dare say!, I'm not surprised!; det
var roligt, **må du ~!** …,I can tell you!; **~
ngn om** ngt believe…of a p.; **det hade jag
inte trott om dig** I had not expected that
from you; **~ på** ngn (ngt) believe in; förlita
sig på trust, have faith (confidence) in;
sätta tro till believe; **jag ~r inte på honom**
vad han säger I don't believe him **III** vb rfl,
**~ sig vara…** think (believe) that one
is…, believe (imagine) oneself to be…
**troende** subst adj believing; **en ~** a believer
**trofast** adj om kärlek faithful; om vänskap
loyal
**trofé** s trophy
**trogen** adj faithful; lojal loyal [mot to]
**trohet** s fidelity; trofasthet faithfulness,
loyalty [mot to]
**trolig** adj sannolik probable, likely; trovärdig
credible, believable; **hålla det för ~t** att…
think it likely…
**troligen** adv o. **troligtvis** adv very (most)
likely, probably
**troll** s troll; elakt hobgoblin, goblin; **när
man talar om ~en, så står de i farstun**
talk of the devil and he's sure to appear
**trolla** vb itr göra trollkonster do conjuring
tricks; **~ bort** spirit (conjure) away; **~
fram** en supé produce…as if by magic
(from nowhere)

**trollbunden** adj spellbound
**trolleri** s magic, enchantment
**trollkarl** s magician, wizard; trollkonstnär
conjurer
**trollkonst** s conjuring trick
**trollkonstnär** s conjurer
**trolovad** adj, **hans** (**hennes**) **~e** his (her)
betrothed
**trolovning** s betrothal
**trolös** adj faithless, disloyal [mot to]
**trolöshet** s faithlessness; breach of faith
**trombon** s trombone
**trombos** s med. thrombosis (pl. thromboses)
**tron** s throne
**trona** vb itr be enthroned
**tronföljare** s successor to the throne
**trontal** s speech from the throne
**tropikerna** s pl the tropics
**tropikhjälm** s sunhelmet
**tropisk** adj tropical
**trosa** s, **trosor** briefs; **en ~** el. **ett par
trosor** a pair of briefs
**trossamfund** s religious community
**trosskydd** s panty liner (shield)
**trotjänare** o. **trotjänarinna** s, **gammal ~**
faithful old servant
**trots I** s motspänstighet obstinacy; motstånd
defiance **II** prep in spite of; **~ att** in spite
of the fact that
**trotsa** vb tr defy; djärvt möta (t.ex. stormen)
brave; **det ~r all beskrivning** it is
beyond description
**trotsig** adj utmanande defiant; motspänstig
obstinate
**trotsålder** s, **vara i ~n** be at a defiant (an
assertive, an obstinate) age
**trottoar** s pavement, amer. sidewalk
**trottoarkant** s kerb, amer. curb
**trottoarservering** s pavement restaurant
(café)
**trovärdig** adj om t.ex. berättelse credible; om
person trustworthy; tillförlitlig reliable
**trovärdighet** s credibility; trustworthiness;
reliability; jfr trovärdig
**trubadur** s troubadour
**trubba** vb tr, ~ av blunt äv. bildl.
**trubbel** s trouble, bother
**trubbig** adj oskarp blunt, blunted
**trubbnäsa** s snub nose
**truck** s truck
**truga** vb tr, ~ **ngn** press a p.; ~ **på ngn ngt**
press (force) a th. on a p.; ~ **sig på ngn**
force oneself on a p.
**trumbroms** s drum brake
**trumf** s trump

**trumfa** *vb itr* kortsp. play a trump (trumps)
**trumfess** *s* ace of trumps
**trumhinna** *s* eardrum
**trumma I** *s* mus. el. tekn. drum; *slå på ~*
(*~n*) beat the drum; *slå på ~ för sig*
*själv* blow one's own trumpet (amer.
one's horn) **II** *vb itr* o. *vb tr* drum
**trumpen** *adj* sullen, sulky; butter morose
**trumpet** *s* trumpet; *spela (blåsa i) ~* play
(som signal sound) the trumpet
**trumpetare** *s* trumpeter
**trumpetstöt** *s* trumpet blast
**trumslagare** *s* drummer
**trupp** *s* troop, body, band; mil.
detachment; sport. squad; teat. troupe; *~er*
styrkor äv. forces
**trust** *s* trust
**1 trut** *s* fågel gull
**2 trut** *s* vard., mun mouth; *håll ~en!* hold
your jaw!, shut up!
**truta** *vb itr*, *~ med munnen* pout one's
lips
**tryck** *s* **1** press pressure äv. bildl.; tonvikt stress
[*på* on]; påfrestning strain; känna liksom *ett ~*
*över bröstet* ...a weight on one's chest;
*utöva ~ på ngn* put pressure on a p.
**2** typogr. samt på tyg etc. print; tryckning
printing; *komma ut i ~* appear (come
out) in print
**trycka I** *vb tr* o. *vb itr* **1** press; klämma
squeeze; tynga weigh...down, oppress; *~*
*ngns hand* shake a p.'s hand; *~ ngn till*
*sitt bröst* press (mera sammanslobetonat clasp)
a p. to one's bosom; *~ på en knapp*
press a button **2** typogr. samt på tyg etc. print
**II** *vb rfl*, *~ sig mot* en vägg press (tätt intill
flatten) oneself against...
□ *~ av* avfyra fire, pull the trigger; *~ ihop*
flera föremål press (klämma
squeeze)...together; *~ in* press (force) in;
*~ ned* press down; friare depress; *~ om* bok
etc. reprint
**tryckalster** *s* publication; se äv. *trycksak*
**tryckbokstav** *s* block letter
**tryckeri** *s* printing works (pl. lika)
**tryckfel** *s* misprint
**tryckfrihet** *s* freedom of the press
**tryckkabin** *s* flyg. pressure cabin
**tryckknapp** *s* **1** i plagg press-stud, snap
fastener **2** strömbrytare pushbutton
**tryckkokare** *s* pressure-cooker
**tryckluft** *s* compressed air
**tryckluftsborr** *s* pneumatic drill
**tryckning** *s* **1** pressure; tryckande äv. pressing
**2** typogr. printing

**tryckpress** *s* printing press
**trycksak** *s* piece of printed matter; *~er*
printed matter sg.
**tryffel** *s* truffle; kok. truffles pl.
**trygg** *adj* secure; utom fara safe [*för* from]
**trygga** *vb tr* make...secure (safe) [*för, emot*
from]
**trygghet** *s* security; utom fara safety
**tryne** *s* snout; vard., ansikte mug
**tryta** *vb itr* give out; om förråd äv. run short
(out)
**tråckla** *vb tr* sömnad. tack; *~ fast* tack on
[*på* to]
**tråd** *s* thread; bomullstråd cotton,
cotton-thread; metalltråd wire; fiber fibre;
*hon har inte en ~ på kroppen* she hasn't
a stitch on her body; *dra i ~arna* dirigera
pull the strings; *tappa ~en* bildl. lose the
thread; *få ngn på ~en* i telefon get a p. on
the line
**trådrulle** *s* med tråd reel of cotton, amer.
spool of thread
**trådsliten** *adj* threadbare
**tråg** *s* trough; flatare tray
**tråka** *vb tr* **1** *~ ihjäl (ut) ngn* bore a p. to
death **2** trakassera pester
**tråkig** *adj* lång~ boring; trist dreary; enformig
dull; obehaglig unpleasant; beklaglig
unfortunate; sorglig sad; *så ~t!* ledsamt
what a pity!
**tråkmåns** *s* vard. bore
**trålare** *s* trawler
**tråna** *vb itr* yearn, pine [*efter* for]
**trång** *adj* narrow; om t.ex. skor tight; *det är*
*~t i rummet* a) föga utrymme there is not
much space in the room b) överfullt the
room is packed (crowded)
**trångbodd** *adj*, *vara ~* ha liten bostad be
cramped for space
**trångsynt** *adj* narrow-minded
**trångt** *adv*, *bo ~* be cramped for space;
*sitta ~* be cramped; om plagg fit too tight
**1 trä** *vb tr* trä på (upp) thread [*på* t.ex.
armen genom rockärmen pass, slip; *~ en tråd*
*på en nål* thread a needle
**2 trä** *s* wood; virke timber; stolar *av ~* äv.
wooden...; *ta i ~!* touch (amer. knock on)
wood!
**träaktig** *adj* träig woody; om person wooden
**träben** *s* wooden leg
**träbit** *s* piece (bit) of wood
**träbock** *s* person bore
**träd** *s* tree
**1 träda** *vb tr* se *1 trä*
**2 träda** *vb itr* stiga step; gå go; trampa tread;

**~ *i dagen*** come to light äv. bildl.; **~ *i*** **förbindelse med ngn** enter into communication with a p.

□ **~ emellan** step (go) between; **~ fram** step (go, komma come) forward; plötsligt emerge [*ur* out of]; **~ in** eg. step (go, komma come) in, enter; **~ *in i*** ett rum enter...; **~ tillbaka** step (go) back; bildl. withdraw, retire

**trädgräns** *s* timberline, treeline
**trädgård** *s* garden, amer. äv. yard
**trädgårdsarkitekt** *s* landscape gardener
**trädgårdsmästare** *s* gardener
**trädstam** *s* tree trunk
**trädstubbe** *s* tree stump
**träff** *s* **1** mål~ hit **2** vard., möte date; sammankomst (för flera) get-together, gathering
**träffa** *vb tr* **1** möta meet; händelsevis run across; jag hoppades **att ~ honom hemma** ...to find him at home; **~s direktör B.?** is Mr. B. in?; i telefon can I speak to Mr. B.?; **~ på** möta, råka på meet with, run (come) across **2** ej missa hit; slå till strike **3** **~ ett avtal** come to an agreement; **~ ett val** make a choice
**träffad** *adj*, **hon kände sig ~ av hans anmärkningar** she took his remarks personally
**träffande** *adj* välfunnen apt; 'på kornet' to the point
**träffas** *vb itr dep* meet; händelsevis chance (happen) to meet
**träffsäker** *adj* om person ...sure of aim
**träfiberplatta** *s* fibreboard
**trägen** *adj* persevering
**trähus** *s* wooden house
**trähäst** *s* wooden horse
**träkarl** *s* kortsp. dummy
**träkol** *s* charcoal
**träldom** *s* bondage, slavery
**trämassa** *s* wood pulp
**träna** *vb tr* o. *vb itr* train; öva sig, öva sig i practise; om instruktör coach
**tränare** *s* trainer; instruktör coach
**tränga** *vb tr* driva drive, press; skjuta push; tvinga force

□ **~ bort** psykol. repress; **~ sig fram** t.ex. genom folkmassan push one's way forward; **~ sig före** i kö jump the queue; **~ igenom** penetrate; **~ ihop** t.ex. en massa människor crowd (pack)...together; **~ ihop sig** crowd together; **~ in** ngn i ett hörn press (force) a p. into a corner; **~ (~ sig) in i...** force one's way into...; **kulan trängde in** *i* kroppen the bullet penetrated into...; **~ undan ngn** push a p. aside; **~ ut ngn** i gatan force a p. out; **gasen trängde ut** genom dörrspringan the gas forced its way out...
**trängande** *adj* urgent, pressing
**trängas** *vb itr dep* crowd; knuffas jostle one another
**trängsel** *s* crowding; människomassa crowd, crush, throng
**träning** *s* training; övning practice; instruktion coaching
**träningsoverall** *s* track (sweat) suit
**träningsskor** *s pl* training shoes, trainers
**träningsvärk** *s, ha ~* be stiff [after training resp. exercise]
**träsk** *s* fen, marsh; bildl. slough, sordidness
**träsked** *s* wooden spoon
**träsko** *s* wooden shoe, clog
**träslöjd** *s* woodwork äv. som skolämne; carpentry
**träsnitt** *s* woodcut
**träta** *vb itr* quarrel [*om* about]
**trävaruhandlare** *s* timber merchant
**trög** *adj* sluggish; långsam slow, slack [*i* at]; flegmatisk phlegmatic; slö dull; **ett ~t lås** a stiff lock; **vara ~ i magen** be constipated
**trögflytande** *adj* tjockflytande viscous; om vattendrag sluggish
**trögtänkt** *adj* slow-witted
**tröja** *s* sweater; sporttröja jersey; undertröja vest, singlet, amer. undershirt
**tröska** *vb tr* thresh
**tröskel** *s* threshold äv. bildl.
**tröst** *s* comfort, consolation
**trösta I** *vb tr* comfort, console; i högre stil solace **II** *vb rfl*, **~ sig** console oneself [*med* by]
**tröstlös** *adj* inconsolable; hopplös hopeless, desperate
**tröstnapp** *s* comforter, dummy, amer. pacifier
**trött** *adj* tired, weary [*på* of]; **arbeta sig ~** work till one is tired out
**trötta** *vb tr* tire, weary
**trötthet** *s* tiredness, weariness, fatigue
**tröttkörd** *adj* utarbetad overworked
**tröttna** *vb itr* become (get, grow) tired [*på* of]
**tröttsam** *adj* tiring; om person tiresome
**tsar** *s* tsar, czar
**T-shirt** *s* o. **T-tröja** *s* T-shirt
**tu** *räkn* two; **ett ~ tre** plötsligt all of a sudden; **det är inte ~ tal om den saken** there is no question about that; **på ~ man hand** in private

**tub** s **1** tube **2** kikare telescope
**tuba** s tuba
**tuberkulos** s tuberculosis [i of]
**tudela** vb tr divide...into two [parts]
**tudelning** s division into two [parts]
**tuff** adj vard. **1** tough **2** elegant smart, with-it
**tuffing** s vard. a tough guy
**tugga I** s munfull bite; vad som tuggas chew
**II** vb tr o. vb itr chew
**tuggbuss** s quid of tobacco
**tuggtobak** s chewing-tobacco
**tuggummi** s chewing-gum
**tukt** s discipline
**tukta** vb tr **1** hålla i tukt o. lydnad chastise,
discipline; bestraffa punish **2** forma (t.ex.
häck) prune
**tull** s **1** avgift customs duty, customs pl.;
brotull etc. toll; **betala ~ på (för) ngt** pay
duty (customs) on (for) a th. **2** myndighet
Customs pl.; tullstation custom house;
**passera genom ~en** get (pass) through
the Customs
**tulla** vb itr betala tull, **~ för ngt** pay duty on
a th.
**tullavgift** s customs duty
**tullbehandla** vb tr clear...through the
Customs
**tullbehandling** s customs examination
**tullbevakning** s customs supervision
**tullfri** adj duty-free, ...free of duty
**tullhus** s custom (customs) house
**tullkontroll** s customs check
**tullpliktig** adj dutiable, ...liable to duty
**tulltjänsteman** s customs officer (official)
**tullvisitation** s av resgods customs
examination
**tulpan** s tulip
**tulpanlök** s tulip bulb
**tum** s inch
**tumla** vb itr **1** falla fall, tumble; vältra sig roll
**2** torka i tumlare tumble-dry
**tumlare** s **1** zool. porpoise **2** glas tumbler
**3** tork~ tumbler
**tumma I** vb tr o. vb itr, **~** el. **~ på** fingra på
finger a th.; nöta på (t.ex. en bok) thumb
a th. **II** vb itr, **~ på ngt** a) överenskomma
agree on a th. b) jämka på make
modifications in a th.
**tumme** s thumb; **hålla tummarna för ngn**
keep one's fingers crossed for a p.; **rulla
tummarna** twiddle one's thumbs
**tummeliten** s, **T~** Tom Thumb
**tumregel** s rule of thumb
**tumskruv** s thumbscrew; **sätta ~ar på ngn**
bildl. put the screws on a p.

**tumstock** s folding rule
**tumult** s tumult; rabalder uproar; upplopp riot
**tumvante** s mitten
**tumör** s tumour
**tung** adj heavy; **jag känner mig (jag är)
~ i huvudet** my head feels heavy
**tunga** s tongue; **jag har det (ordet) på ~n**
I have it (the word) on the tip of my
tongue; på våg äv. needle, pointer; **vara ~n
på vågen** bildl. hold the balance, tip the
scale; **ha en rapp ~** have a quick tongue
**tungomål** s språk language
**tungrodd** adj trög heavy; osmidig (om t.ex.
organisation) unwieldy
**tungsinne** s melancholy, gloom
**tungsint** adj melancholy, gloomy
**tungspets** s tip of the tongue
**tungt** adv heavily; **hans ord väger ~
hos...** his words carry weight with...; **~
vägande** skäl weighty...
**tungvikt** s o. **tungviktare** s heavyweight
**tungvrickare** s tongue-twister
**tunika** s tunic
**Tunisien** Tunisia
**tunisier** s Tunisian
**tunisisk** adj Tunisian
**tunn** adj thin; om dryck weak, watery
**1 tunna** s barrel; mindre cask; **hoppa i
galen ~** do the wrong thing, make a
blunder; **tomma tunnor skramlar mest**
empty vessels make the greatest noise
(sound)
**2 tunna** vb tr, **~** el. **~ ut** göra tunnare
make...thinner; späda dilute
**tunnel** s tunnel; speciellt gång~ äv. subway
**tunnelbana** s underground; vard. tube, amer.
subway
**tunnflytande** adj thin, very liquid
**tunnklädd** adj thinly dressed (clad)
**tunnland** s ung. acre
**tunntarm** s small intestine
**tupera** vb tr hår backcomb
**tupp** s cock, amer. vanl. rooster
**tuppa** vb itr, **~ av** pass (flake) out; slumra
till nod off
**tuppkam** s cockscomb
**tupplur** s little (short) nap
**1 tur** s lycka luck; **ha ~ med sig** lyckas be
lucky; **som ~ var** luckily; **mera ~ än
skicklighet** more good luck than skill
**2 tur** s **1** ordning, omgång turn; **i ~ och
ordning** in turn; **jag står i ~** it's my turn
**2** resa, utflykt trip, tour; utflykt äv. excursion;
på cykel, till häst äv. ride; i bil äv. drive; båten
**gör fyra ~er dagligen** runs four times

daily; 150 kr. ~ **och retur** ...return (there and back); ~ **och retur** Malmö a return ticket (amer. round-trip ticket) to... **3** i dans figure

**turas** *vb itr dep*, ~ **om att** läsa take it in turns to inf., take turns in (at) ing-form; ~ **om med** ngn take turns with...

**turban** *s* turban

**turbin** *s* turbine

**turbinmotor** *s* turbine engine, turbo-motor

**turism** *s* tourism

**turist** *s* tourist

**turista** *vb itr* vard., ~ **i** go touring in, tour

**turistbuss** *s* touring (long-distance) coach

**turistbyrå** *s* travel (tourist) agency

**turistklass** *s* tourist class

**turistort** *s* tourist resort

**turk** *s* Turk

**Turkiet** Turkey

**turkisk** *adj* Turkish

**turkiska** *s* **1** språk Turkish **2** kvinna Turkish woman

**turkos** *s* o. *adj* turquoise

**turlista** *s* tidtabell timetable

**turné** *s* tour; **göra en** ~ go on a tour

**turnera** *vb itr* tour

**turnering** *s* tournament

**tursam** *adj* lucky, fortunate

**turturduva** *s* turtle dove; **turturduvor** älskande par love-birds

**turtäthet** *s*, vissa tider **är tågens** ~ **större** ...the trains run more frequently

**turvis** *adv* by (in) turns, in turn

**tusan** *s* hang it!; **ge** ~ **i allt** not care a damn about anything

**tusch** *s* färg Indian ink

**tuschpenna** *s* felt pen

**tusen** *räkn* **1** thousand; ~ el. **ett** ~ a thousand; jfr *hundra* **2** gilla ngn **till** ~ vard. ...no end, ...a hell of a lot

**tusende I** *s* thousand **II** *räkn* thousandth; jfr *femte*

**tusendel** *s* thousandth [part]; jfr *hundradel*

**tusenfoting** *s* centipede, millipede

**tusenkonstnär** *s* Jack-of-all-trades

**tusenkronorssedel** *s* o. **tusenlapp** *s* one-thousand-krona note

**tusensköna** *s* daisy

**tusental** *s* thousand; jfr *hundratal*

**tusentals** *adv* thousands; ~ **människor** thousands of people

**tuss** *s* av bomull, tråd etc. wad

**tussilago** *s* coltsfoot (pl. -s)

**1 tuta** *s* fingertuta fingerstall

**2 tuta** *vb itr* o. *vb tr* signalera hoot; ~ **i ngn ngt** vard. put a th. into a p.'s head

**tuttar** *s pl* vulg. tits, titties, boobs

**tuva** *s* grästuva tuft

**TV** *s* television, TV; vard. telly, amer. the tube samtliga äv. TV-apparat; **se (titta) på** ~ watch television (TV, vard. the telly); **intern** ~ closed-circuit television

**TV-antenn** *s* television (TV) aerial (amer. äv. antenna)

**TV-apparat** *s* television (TV) set (receiver); vard. telly, amer. tube

**TV-bild** *s* television (TV) picture

**tveeggad** *adj* two-edged; bildl. double-edged

**tvegifte** *s* bigamy

**tveka** *vb itr* hesitate, be doubtful [*om* about]

**tvekamp** *s* duel

**tvekan** *s* hesitation, indecision; tvivel doubt; **utan** ~ without hesitation; utan tvivel without doubt

**tveklöst** *adv* doubtless, without doubt

**tveksam** *adj* tvekande hesitant; osäker doubtful, uncertain

**tveksamhet** *s* hesitation

**tvestjärt** *s* earwig

**tvetydig** *adj* ambiguous, equivocal; oanständig indecent

**tvilling** *s* **1** twin **2** *Tvillingarna* astrol. Gemini

**tving** *s* tekn. clamp, cramp

**tvinga** *vb tr* force, compel □ ~ **fram** en bekännelse *av* ngn extort...from a p.; ~ **i sig** maten force down...; ~ **på** ngn ngt force a th. on a p.; ~ **till** sig ngt obtain a th. by force

**tvinna** *vb tr* twine, twist

**tvist** *s* kontrovers dispute, controversy [*om* about]; **avgöra (bilägga) en** ~ decide (settle) a dispute (controversy)

**tvista** *vb itr* dispute; gräla quarrel [*om* about]

**tvistemål** *s* jur. civil case (suit)

**tvivel** *s* doubt; **utan** ~ no doubt, without any doubt

**tvivelaktig** *adj* doubtful; diskutabel dubious; skum shady, fishy

**tvivelsmål** *s* doubt; **sväva i** ~ have doubts (doubts in one's mind)

**tvivla** *vb itr* doubt; ~ **på** betvivla doubt

**TV-kanal** *s* television (TV) channel

**TV-licens** *s* television (TV) licence

**TV-pjäs** *s* television (TV) play

**TV-reklam** s television advertising (reklaminslag commercial)
**TV-rum** s TV (television) room (större lounge)
**TV-ruta** s [viewing] screen
**TV-spel** s video game
**TV-tittare** s televiewer
**tvungen** adj **1** bli (vara) ~ att... tvingas be forced (compelled); speciellt av inre tvång be obliged to...; få lov att have to...; vara så illa ~ have no other choice **2** stel forced
**1 två** vb tr, jag ~r mina händer I wash my hands of it
**2 två** räkn two; båda ~ both; ~ gånger twice; jfr fem o. sammansättningar
**tvåa** s **1** two; i spel äv. deuce; ~ns växel second gear; jfr femma **2** vard. two-room flat (apartment)
**tvådelad** adj, ~ baddräkt two-piece...
**tvåfilig** adj two-laned, two-lane...
**tvåhjuling** s vagn two-wheeler; cykel bicycle
**tvåhundra** räkn two hundred; jfr femhundra o. sammansättningar
**tvål** s soap; en ~ a piece (bar, tablet) of soap
**tvåla** vb tr, ~ in soap, lather
**tvålask** s soap-container
**tvålfager** adj vard., vara ~ be good-looking in a slick way, be pretty-pretty
**tvålflingor** s pl soapflakes
**tvålkopp** s soapdish
**tvållödder** s soaplather
**tvåmotorig** adj twin-engined, twin-engine...
**tvång** s compulsion; våld force; nödvändighet necessity; genom (med) ~ by compulsion (coercion, force)
**tvångsarbete** s forced labour
**tvångsföreställning** s obsession
**tvångsläge** s, befinna sig (vara) i ~ ...in an emergency situation
**tvångsmata** vb tr force-feed
**tvångsmatning** s force-feeding
**tvångströja** s straitjacket äv. bildl.
**tvåplansvilla** s two-storeyed house
**tvårummare** s two-room flat (apartment)
**tvåsidig** adj two-sided, bilateral
**tvåspråkig** adj bilingual
**tvåspråkighet** s bilingualism
**tvåtaktsmotor** s two-stroke engine
**tvåvåningshus** s two-storey house
**tvåårig** adj om växt biennial; jfr femårig
**tvär I** s, t.ex. ligga på ~en ...crosswise, ...across; sätta sig på ~en om person become obstinate (awkward) **II** adj brant

steep; om t.ex. krök, vändning abrupt, sharp; plötslig sudden; kort, ogin blunt, abrupt
**tvärbromsa** vb itr brake suddenly
**tvärbromsning** s sudden braking
**tvärdrag** s korsdrag draught
**tvärgata** s crossroad; nästa ~ till höger the next turning...
**tvärs** adv, ~ över gatan just across the street; se äv. härs
**tvärsigenom** prep adv right (straight) through (tvärsöver across)
**tvärsnitt** s cross-section äv. bildl.
**tvärstanna** vb itr stop dead
**tvärsäker** adj absolutely sure (certain), positive, dead certain; självsäker cocksure
**tvärsöver** prep adv right (straight) across
**tvärtemot** prep quite contrary to
**tvärtom** adv on the contrary; det förhåller sig ~ it is the other way round; ...och ~ ...and vice versa
**tvärvändning** s, göra en ~ make a sharp turn
**tvätt** s washing, wash; inrättning laundry; kemisk ~ dry cleaning (inrättning cleaner's)
**tvätta I** vb tr wash; kemiskt dry-clean; ~ fönster clean windows **II** vb rfl, ~ sig wash; have a wash; ~ sig om händerna wash one's hands
**tvättbar** adj washable
**tvättbjörn** s raccoon
**tvättbräde** s washboard
**tvätterska** s laundress; 'tvättgumma' washerwoman
**tvättfat** s washbasin, handbasin
**tvättinrättning** s laundry
**tvättkläder** s pl washing sg., laundry sg.
**tvättklämma** s clothes peg, amer. clothespin
**tvättkorg** s clothes basket, laundry basket
**tvättlapp** s face flannel, face cloth
**tvättmaskin** s washing-machine
**tvättmedel** s detergent; i pulverform äv. washing powder
**tvättning** s washing, laundering; cleaning äv. kemisk
**tvättomat** s ® Laundrette
**tvättprogram** s wash (washing) programme
**tvättstuga** s rum laundry room; wash-house äv. uthus
**tvättställ** s väggfast washbasin; kommod washstand
**tvättsvamp** s sponge, bath sponge

**tåg**

**tvättäkta** *adj* sann true; genuin genuine, authentic; inbiten out-and-out

**ty** *konj* for; därför att because

**tycka I** *vb tr* o. *vb itr* anse think; inbilla sig fancy, imagine; *tycker du inte?* don't you think so?; *vad tycker du om* boken? how do you like...? **II** *vb rfl*, ~ *sig höra (se)...* think (fancy, imagine) that one hears (sees)...; ~ *sig vara något* think oneself somebody □ ~ **om** uppskatta like äv. ~ *bra om* vara förtjust i be fond of, care for; ~ *om att* inf. like (be fond of, love) ing-form; *jag tycker illa om* honom I don't like (I dislike)...; *jag tycker illa om att göra det* I don't like (I dislike) doing it

**tyckas** *vb itr dep* seem; *det kan* ~ *så* it may seem so; *vad tycks om* min hatt? how do you like...?

**tycke** *s* **1** åsikt opinion; *i mitt* ~ in my opinion, to my thinking (my mind) **2** smak fancy, liking; *fatta* ~ *för* take a fancy (liking) to; *om* ~ *och smak skall man inte diskutera* there's no accounting for tastes

**tyda I** *vb tr* tolka interpret; dechiffrera decipher; lösa solve **II** *vb itr*, ~ *på* indicate; friare point to

**tydlig** *adj* lätt att se, inse, förstå plain, clear; lätt att urskilja, om t.ex. fotspår, bevis, uttal distinct; markerad marked; läslig legible; uppenbar obvious

**tydligen** *adv* evidently, obviously

**tyfon** *s* typhoon

**tyfus** *s* typhoid fever

**tyg** *s* **1** material [*till* for]; cloth; *~er* textiles **2** *allt vad ~en håller* for all one is worth

**tygel** *s* rein; *ge ngn fria tyglar* give a p. a free hand; *hålla* ngn *i strama tyglar* keep...in check

**tygla** *vb tr* rein in; lidelser etc. bridle, curb; begär restrain, check

**tygstycke** *s* piece (rulle roll) of cloth

**tyll** *s* tulle

**tyna** *vb itr*, ~ *av (bort)* languish (pine) away

**tynga I** *vb itr* vara tung weigh heavily [*på* on]; trycka press [*på* on] **II** *vb tr* belasta, t.ex. minnet burden, load; sorgen *tynger henne* ...weighs her down; *tyngd av* skatter burdened with...; *tyngd av år* weighed down by years

**tyngande** *adj* heavy; tungt vägande weighty; om t.ex. skatt oppressive

**tyngd** *s* weight; tungt föremål etc. load båda äv. bildl.; speciellt fys. gravity; *en* ~ *har fallit*

*från mitt bröst* a load (weight) has been lifted from my mind, that's a weight off my mind

**tyngdkraft** *s*, *~en* gravity, the force of gravity

**tyngdlyftning** *s* weight-lifting

**tyngdlöshet** *s* weightlessness

**tyngdpunkt** *s* centre of gravity; bildl. äv. main point

**typ** *s* type äv. boktr. [*av* of]; sort äv. model

**typexempel** *s* typical example

**typisk** *adj* typical, representative [*för* of]

**typograf** *s* typographer

**typografi** *s* typography

**tyrann** *s* tyrant

**tyranni** *s* tyranny

**tyrannisera** *vb tr* tyrannize

**tyrannisk** *adj* tyrannical; härsklysten domineering

**Tyrolen** the Tyrol

**tyrolerhatt** *s* Tyrolean hat

**tysk I** *adj* German **II** *s* German; för sammansättningar jfr *svensk*

**tyska** *s* **1** kvinna German woman **2** språk German; jfr *svenska*

**Tyskland** Germany

**tyst I** *adj* silent; quiet; ljudlös noiseless; ~ *förbehåll* mental reservation; *var ~!* be quiet!; göra gott *i det ~a* ...on the quiet **II** *adv* silently, quietly; t.ex. gå, tala softly, quietly; *håll ~!* keep quiet!; *hålla* ~ *med ngt* keep a th. quiet (a th. to oneself); *tala* ~ speak low

**tysta** *vb tr* silence; ~ *ned* ngn silence...; ngt suppress..., hush...up

**tystgående** *adj* silent, noiseless

**tysthet** *s* tystnad silence; tystlåtenhet quietness; *i* ~ el. *i all* ~ i hemlighet in secrecy, privately

**tystlåten** *adj* fåordig silent; förtegen reticent

**tystna** *vb itr* become silent; upphöra cease

**tystnad** *s* silence; *förbigå ngt med* ~ pass a th. over in silence

**tystnadsplikt** *s* läkares etc. professional secrecy

**tyvärr** *adv* unfortunately; *~!* alas!, bad luck!; ~ *kan jag inte komma* äv. I'm sorry to say I can't come; ~ *inte* I'm afraid not

**tå** *s* toe; *gå på* ~ walk on tiptoe, tiptoe

**tåflörta** *vb tr* play footsie

**1 tåg** *s* rep rope; grövre cable

**2 tåg** *s* **1** march; tågande marching; festtåg etc. procession **2** järnv. etc. train; *byta* ~ change trains

**tåga** vb itr march; i t.ex. demonstrationståg walk (march) in procession
**tågförare** s train-driver, engine-driver
**tågförbindelse** s train service (connection)
**tågluffa** vb itr go (travel) by Interrail, travel on an Interrail card, interrail
**tågluffare** s train-hiker, person who goes by Interrail
**tågolycka** s railway accident
**tågresa** s train journey
**tågtidtabell** s railway timetable (amer. schedule)
**tåhätta** s på sko toecap
**tåla** vb tr uthärda bear, endure; stå ut med stand; finna sig i suffer, put up with, tolerate; **jag tål** det (honom) **inte** I can't stand (bear, put up with)...; **han tål en hel del [sprit]** he can hold his liquor; **han tål inte skämt** he can't take a joke; **jag tål inte krabba** crab disagrees with me; det **tål att tänka på** ...needs thinking about; sådant **bör inte ~s** ...ought not to be tolerated
**tålamod** s patience; **ha ~** be patient; **förlora ~et** lose one's patience
**tålig** adj o. **tålmodig** adj patient, long-suffering
**tålmodighet** s patience; long-suffering
**tåls** s, **ge sig till ~** have patience, be patient
**tånagel** s toenail
**1 tång** s verktyg tongs pl.; **en ~** (**två tänger**) a pair (two pairs) of tongs
**2 tång** s bot. seaweed
**tår** s **1** tear; **brista i ~ar** burst into tears; **rörd till ~ar** moved to tears **2** skvätt drop; **en ~ kaffe** a few drops of coffee
**tårfylld** adj ...filled with tears; om t.ex. blick, röst tearful
**tårgas** s tear gas
**tårkanal** s tear duct
**tårpil** s träd weeping willow
**tårta** s cake; speciellt med grädde gateau (pl. gateaux); av mör- el. smördeg vanl. tart; **det är ~ på ~** it's saying the same thing twice
**tårtbit** s piece of cake
**tårtbotten** s flan case
**tårtspade** s cake slice
**tårögd** adj, **vara ~** have tears in one's eyes
**täcka** vb tr cover; i form av skyddande lager coat; skydda protect; fylla, t.ex. ett behov äv. supply; speciellt hand. meet
**täcke** s cover, covering; lager äv. coating; sängtäcke quilt, duvet; duntäcke down (continental) quilt

**täckjacka** s quilted jacket
**täckmantel** s, **under vänskapens ~** under the cloak of friendship
**täcknamn** s assumed (cover) name
**täckning** s covering; hand. cover
**täckorganisation** s front organization
**täckt** adj covered; **~ bil** closed car
**tälja** vb tr o. vb itr skära cut; snida carve
**täljare** s mat. numerator
**täljkniv** s sheath knife
**tält** s tent; större, för cirkus etc. marquee
**tälta** vb itr bo i tält camp, camp out
**tältare** s tenter, camper
**tältduk** s canvas
**tältplats** s camping-ground, camping-site
**tältstol** s camp stool
**tältsäng** s camp bed
**tämja** vb tr tame; husdjur domesticate
**tämligen** adv fairly, moderately
**tända** I vb tr light; elljus turn (switch, put) on; **~ eld** (**en brasa**) make a fire; **~ på** (**eld på**)... set fire to... II vb itr fatta eld catch fire; om tändsticka ignite
**tändare** s cigarett- etc. lighter
**tändhatt** s percussion cap, detonator
**tändning** s bil. ignition; tändande lighting
**tändningsnyckel** s motor. ignition key
**tändrör** s mil. fuse
**tändsticka** s match
**tändsticksask** s matchbox; ask tändstickor box of matches
**tändstift** s motor. sparking (spark) plug
**tänja** I vb tr stretch; **~ ut** stretch; draw out, prolong II vb rfl, **~ sig** el. **~ ut sig** stretch
**tänjbar** adj stretchable; elastic äv. bildl.
**tänka** I vb itr think [på of]; förmoda suppose; föreställa sig imagine; tro believe; **tänk att hon är** så rik! to think that she is...!; **tänk bara!** just think (fancy, imagine)!; **tänk om du skulle** träffa honom supposing (what if) you were to...; **~ för sig själv** inom sig think to oneself; **var det inte det jag tänkte!** just as I thought!; **det är** (**vore**) **något att ~ på** that's worth considering (thinking about) II vb tr, **~** el. **~ att** inf.: ämna be going to inf.; fundera på att be thinking of ing-form; **tänker du stanna** hela kvällen? are you going to stay...?, do you intend (mean) to stay...? III vb rfl, **~ sig 1** föreställa sig imagine; **kan ni ~ er** vad som har hänt? can you imagine...?, would you believe...?; **~ sig för** think carefully (twice) **2** ämna bege sig, **vart har du tänkt dig** resa? where have you thought of going to?

□ ~ **efter** think, reflect, consider; *när man tänker efter* äv. when one comes to think of it; ~ **igenom** en sak think...out; ~ **om** do a bit of rethinking, reconsider matters; ~ **ut** fundera ut think (work) out; ~ **över** think over, consider

**tänkande I** *s* thinking, imagining; begrundan meditation, reflection; filosofi thought **II** *adj* thinking; *en ~ människa* äv. a thoughtful (reflecting) man

**tänkare** *s* thinker

**tänkbar** *adj* conceivable, imaginable, thinkable; möjlig possible; *den enda (bästa) ~a* lösningen the only conceivable (the best possible)...

**tänkvärd** *adj* ...worth considering; minnesvärd memorable

**täppa I** *s* trädgårds~ garden patch **II** *vb tr,* ~ *till (igen)* stop up, obstruct; ~ *till munnen på ngn* bildl. shut a p.'s mouth; *jag är täppt i näsan* my nose is stopped up

**tära** *vb tr* o. *vb itr* förtära consume; ~ *på* t.ex. ngns krafter tax...; t.ex. ett kapital break into...; *en tärande sjukdom* a wasting disease

**1 tärna** *s* zool. tern, sea swallow

**2 tärna** *s* brudtärna bridesmaid

**tärning** *s* spel~ dice pl.; kok. cube; *~en är kastad* the die is cast

**tärningsspel** *s* game of dice; spelande dice-playing

**1 tät** *s* head; *gå i ~en för...* head..., walk (march) at the head of...

**2 tät** *adj* **1** t.ex. om rader close; svårgenomtränglig thick; om skog o. dimma samt fys. dense; ej porös massive, compact; om snöfall heavy **2** ofta förekommande frequent; upprepad repeated

**täta** *vb tr* täppa till stop up; göra...vattentät make...watertight

**tätatät** *s* tête-à-tête

**täthet** *s* closeness; density äv. fys.; compactness; frequency; jfr *2 tät*

**tätna** *vb itr* become (get) denser (more compact, thicker)

**tätningslist** *s* för fönster etc. draught (amer. draft) excluder, strip

**tätort** *s* tätbebyggd densely built-up (tätbefolkad populated) area

**tätt** *adv* closely; thickly, tight; *hålla ~* om båt, kärl be watertight; *locket sluter ~* the lid fits tight; *stå ~* stand closely together; *~ efter* close behind; *~ intill (invid)* close up (by); close up to...

**tättbebyggd** *adj* densely built-up

**tättbefolkad** *adj* densely populated

**tättskriven** *adj* closely-written

**tävla** *vb itr* compete [*med* with; *om* for]

**tävlan** *s* competition [*om* for]; tävlande rivalry

**tävlande I** *adj* competing; rivaliserande rival **II** *subst adj, en ~* a competitor, a rival

**tävling** *s* competition äv. pris~; contest äv. sport.; t.ex. i löpning race

**tävlingsbana** *s* löparbana racetrack; hästtävlingsbana racecourse

**tävlingsbidrag** *s* entry, competition entry; lösning av tävlingsuppgift solution

**tävlingsbil** *s* racing car

**tävlingsförare** *s* racing driver (motorist)

**tö** *s* thaw

**töa** *vb itr* thaw

**töcken** *s* dimma mist; dis haze

**töja** *vb rfl,* ~ *sig* stretch

**töjbar** *adj* stretchable, elastic

**tölp** *s* boor; drummel äv. lout

**tölpaktig** *adj* boorish, loutish

**töm** *s* rein

**tömma** *vb tr* **1** göra tom empty; brevlåda clear; sitt glas drain; ~ *ut* empty out, empty; hälla ut pour out **2** tappa, ~ *på flaskor* pour into bottles

**tönt** *s* vard. drip, wet, wimp, jerk

**töntig** *adj* vard. fånig sloppy, silly; ynklig pathetic; om t.ex. underhållning feeble, corny

**töras** *vb tr dep* **1** våga dare, dare to **2** få lov att, hur mycket kostar den *om jag törs fråga?* ...if I may ask?

**törn** *s* stöt blow, bump; bildl. äv. shock

**törna** *vb itr,* ~ *emot* ngt bump (knock) into (against)...; starkare crash into...; ~ *ihop* collide

**törne** *s* tagg thorn; mindre prickle

**Törnrosa** the Sleeping Beauty

**törnrosasömn** *s* bildl. torpor, slumber

**törnrosbuske** *s* vild briar, briar-bush

**törst** *s* thirst [*efter* for]

**törsta** *vb itr* thirst [*efter* for]; ~ *ihjäl* die of thirst

**törstig** *adj* thirsty

**tös** *s* vard. girl, lass; poet. maid

**töväder** *s* thaw äv. bildl.; *det är ~* a thaw has set in

# U

**ubåt** *s* submarine
**UD** se *utrikesdepartement*
**udd** *s* point; på t.ex. gaffel prong; bildl. sting
**udda** *adj* odd, uneven; ~ *eller jämnt* odd or even; *en ~ omaka sko* an odd shoe
**udde** *s* hög cape, promontory, headland; låg el. smal point
**uddlös** *adj* pointless
**Uganda** Uganda
**ugandier** *s* Ugandan
**ugandisk** *adj* Ugandan
**uggla** *s* owl
**ugn** *s* oven; brännugn kiln; smältugn furnace
**ugnseldfast** *adj* oven-proof
**ugnslucka** *s* oven door
**ugnspannkaka** *s* ung. batter pudding
**ugnssteka** *vb tr* roast, roast...in the oven; t.ex. fisk bake
**u-hjälp** *s* u-landshjälp aid to the developing countries
**Ukraina** the Ukraine
**ukrainare** *s* Ukrainian
**ukrainsk** *adj* Ukrainian
**ukulele** *s* ukulele
**u-land** *s* developing country
**ull** *s* wool; *av ~* made of wool, woollen...
**ullgarn** *s* wool (woollen) yarn, wool
**ullig** *adj* woolly, fleecy
**ullsax** *s* sheep shears pl.
**ulster** *s* ulster
**ultimatum** *s* ultimatum
**ultrakonservativ** *adj* ultraconservative
**ultrakortvåg** *s* radio. ultra-short waves pl., very high frequency (förk. VHF)
**ultraljud** *s* ultrasound
**ultramarin** *adj* o. *s* ultramarine
**ultraradikal** *adj* ultraradical
**ultrarapid I** *adj*, ~ *bild* slow-motion picture **II** *s*, *i ~* in slow motion
**ultraviolett** *adj* ultraviolet
**ulv** *s* wolf (pl. wolves)
**umbärande** *s* privation, hardship
**umgås** *vb itr dep* be a frequent visitor [*hos ngn* at a p.'s house (place)]; see each other, be together; *ha lätt att ~ med folk* find it easy to get on with people; *~ i fina kretsar* move (mix) in good society
**umgänge** *s* förbindelse relations pl., dealings pl.; sällskap company, society; *dåligt ~* bad

(low) company; *intimt (sexuellt) ~* sexual intercourse
**umgängeskrets** *s* circle of friends and acquaintances
**umgängesliv** *s* social life
**undan I** *adv* **1** bort away; ur vägen out of the way; åt sidan aside; *gå ~* väja get out of the way **2** fort, raskt, *det går ~ med arbetet* the work is getting on fine; *låt det gå ~!* make haste! **3** ~ *för* ~ little by little; en i taget one by one **II** *prep*; ut ur out of
**undanbe** o. **undanbedja I** *vb rfl*, ~ *sig* t.ex. återval decline... **II** *vb tr*, *blommor undanbedes* no flowers by request; *rökning undanbedes* refrain from smoking, no smoking
**undandra** o. **undandraga** *vb rfl*, ~ *sig* t.ex. sina plikter shirk, evade
**undanflykt** *s*, *komma med ~er* be evasive, make excuses
**undangömd** *adj* ...hidden away (out of sight)
**undanhålla** *vb tr*, ~ *ngn ngt* withhold a th. (keep a th. back) from a p.
**undanröja** *vb tr* t.ex. hinder clear away; person, hinder remove
**undanskymd** *adj* ...hidden away (out of sight)
**undanta** o. **undantaga** *vb tr* except; *ingen undantagen* nobody excepted
**undantag** *s* exception; *ett ~ från regeln* an exception to the rule; *~et bekräftar regeln* the exception proves the rule; *med ~ av (för)* with the exception of
**undantagsfall** *s*, *i ~* in exceptional cases
**undantagslöst** *adv* without exception, invariably
**undantagstillstånd** *s*, *proklamera ~* proclaim a state of emergency
**1 under** *s* wonder, marvel, miracle; *göra ~* work (do) wonders, work miracles; *som genom ett ~* as if by a miracle
**2 under** *prep* **1** i rumsbetydelse under; nedanför below, beneath; *stå ~ ngn* i rang be (rank) below a p.; *ta ngn ~ armen* take a p.'s arm; *ett slag ~ bältet* a blow below the belt; *vara känd ~ namnet...* be known by (go by el. go under) the name of...; *5 grader ~ noll* five degrees below freezing-point (zero) **2** i tidsbetydelse: under loppet av during, in; svarande på frågan 'hur länge' for; *~ dagen* during the day; det regnade oavbrutet *~ fem dagar* ...for five days; *~ en resa* skall man when travelling...; *~ tiden* in the

meantime; ~ *det att han talade* skrev han while he was speaking... **II** *adv* underneath; nedanför below

**underarm** *s* forearm

**underbar** *adj* wonderful, marvellous

**underbarn** *s* infant prodigy

**underbemannad** *adj* undermanned

**underbetala** *vb tr* underpay

**underbyxor** *s pl* herr~ underpants, pants; i trosmodell briefs; dam~ knickers, panties; trosor briefs

**underdel** *s* lower part, bottom

**underdånig** *adj* ödmjuk humble

**underexponera** *vb tr* underexpose

**underfund** *adv,* **komma ~ med** find out, understand

**underförstå** *vb tr,* predikatet *är ~tt* ...is understood; *detta ~s (är ~tt)* i avtalet this is implied...

**undergiven** *adj* submissive

**undergräva** *vb tr* undermine

**undergång** *s* **1** ruin, fall; förstörelse destruction; *världens ~* the end of the world **2** subway, amer. underpass

**underhaltig** *adj* ...below standard, inferior

**underhand** *adv* privately

**underhandla** *vb itr* negotiate [*om* for]

**underhuggare** *s* underling, subordinate

**underhåll** *s* **1** understöd maintenance; t.ex. årligt allowance **2** skötsel maintenance, upkeep

**underhålla** *vb tr* **1** försörja support, maintain **2** hålla i stånd maintain, keep up **3** roa entertain, amuse

**underhållande** *adj* roande entertaining, amusing

**underhållning** *s* entertainment

**underhållningsbranschen** *s* teater m.m. show business; vard. show biz

**underhållningsmusik** *s* light music

**underifrån** *adv* from below (underneath)

**underjordisk** *adj* underground

**underkant** *s, i ~* on the small (kort short, låg low) side

**underkasta I** *vb tr* subject...to **II** *vb rfl, ~ sig* submit to

**underkastelse** *s* submission; kapitulation surrender

**underkjol** *s* underskirt, petticoat

**underkläder** *s pl* underclothes, underwear sg.

**underklänning** *s* slip

**underkropp** *s* lower part of the body

**underkuva** *vb tr* subdue, subjugate

**underkäke** *s* lower jaw

**underkänna** *vb tr* ogilla not approve of; avvisa reject; skol. fail

**underkänt** *s, få ~* fail, be failed [*i* in]

**underlag** *s* foundation, basis (pl. bases)

**underlakan** *s* bottom sheet

**underlig** *adj* strange, curious; konstig odd

**underliv** *s* abdomen; könsdelar genitals pl.

**underlåta** *vb tr, han underlät att* meddela oss he failed to...

**underlåtenhet** *s, ~ att betala* failure to pay

**underläge** *s* weak position; *vara i ~* sport. be doing badly

**underlägg** *s* t.ex. karott~ mat; skriv~ writing pad; för vinglas o.d. coaster; för ölglas beer mat

**underlägsen** *adj* inferior [*ngn* to a p.]

**underläkare** *s* assistant physician (kirurg surgeon); houseman, amer. intern

**underläpp** *s* lower lip, underlip

**underlätta** *vb tr* facilitate, make...easier

**undermedvetande** *s* subconsciousness

**undermedveten** *adj* subconscious; *det undermedvetna* the subconscious (subconscious mind)

**underminera** *vb tr* undermine, sap

**undermålig** *adj* substandard, inferior

**undernärd** *adj* underfed, undernourished

**undernäring** *s* undernourishment, malnutrition

**underordnad I** *adj* subordinate; *~ ngn (ngt)* subordinate to a p. (to a th.) **II** *subst adj* subordinate

**underrede** *s* på fordon undercarriage

**underredsbehandling** *s* undersealing; konkret underseal

**underrubrik** *s* subheading

**underrätta** *vb tr, ~ ngn om ngt* inform a p. of a th.

**underrättelse** *s, ~* el. *~r* information [*om* about, on]; mil. etc. intelligence [*om* of]; nyhet el. nyheter news [*om* of] samtliga sg.

**underrättelsetjänst** *s* intelligence, intelligence service

**underskatta** *vb tr* underrate, underestimate

**underskott** *s* deficit; *~ på* 1000 kr a deficit of...

**underskrida** *vb tr* fall short of, be below

**underskrift** *s* signature; *förse...med sin ~* sign...

**underst** *adv* at the bottom [*i* lådan etc. of...]; lägst lowest

**understa** *adj, den ~* lådan etc. the lowest (av två the lower)..., the bottom...

**understiga** *vb tr* be (fall) below, fall short of; ~*nde* below, under, less than

**understryka** *vb tr* underline, emphasize, stress

**understöd** *s* till behövande relief; periodiskt underhåll allowance; anslag subsidy, grant

**understödja** *vb tr* support; hjälpa assist, aid

**undersåte** *s* subject

**undersöka** *vb tr* examine; investigate; ~*nde journalistik* investigative reporting (journalism)

**undersökning** *s* examination; investigation; prov test, testing; *medicinsk* ~ medical examination; *vid närmare* ~ on closer examination (inspection)

**underteckna** *vb tr* sign; ~*d* (resp. ~*de*) I (resp. we), the undersigned

**undertrycka** *vb tr* suppress; underkuva subdue, oppress

**undertröja** *s* vest, speciellt. amer. undershirt

**underutvecklad** *adj* underdeveloped

**undervattensbåt** *s* submarine

**undervattenskabel** *s* submarine cable

**underverk** *s* miracle, wonder

**undervisa** *vb tr* o. *vb itr* teach; handleda instruct [*i* in]; *han ~r i engelska* he teaches English

**undervisning** *s* teaching; meddelad instruction; handledning tuition; utbildning education; *få ~ i* engelska be taught...

**undervärdera** *vb tr* underestimate, underrate

**underårig** *adj* ...under age; *vara* ~ äv. be a minor

**undgå** *vb tr* slippa undan escape; undvika avoid; *jag kunde inte ~ att höra det* I couldn't avoid (help) hearing it

**undkomma** *vb itr* escape, get away

**undra** *vb itr* wonder [*på (över) ngt* at a th.]

**undran** *s* wonder [*över* at]

**undre** *adj* lower; *den ~ världen* the underworld

**undsätta** *vb tr* mil. relieve; rädda rescue

**undsättning** *s* relief; *komma till ngns ~* come to a p.'s rescue

**undsättningsexpedition** *s* relief expedition

**undulat** *s* budgerigar; vard. budgie

**undvara** *vb tr* do without; avvara spare

**undvika** *vb tr* avoid

**ung** *adj* young; *som* ~ var han as a young man..., when he was young...; *de ~a* the young, young people

**ungdom** *s* **1** abstrakt youth; *i min* ~ in my youth (young days), when I was young **2** ~ el. ~*ar* young people pl., youth; *några*

~*ar* some young people; ~*en av idag* young people today

**ungdomlig** *adj* youthful

**ungdomlighet** *s* youthfulness, youth

**ungdomsbok** *s* book for young people (juveniles)

**ungdomsbrottslighet** *s* juvenile delinquency

**ungdomsår** *s pl* early years; youth sg.

**unge** *s* **1** av djur: t.ex. fågelunge young bird; *ungar* young, young ones **2** vard., barn kid

**ungefär I** *adv* about; ~ *vid min ålder* at about my age; ~ *samma sak* much the same thing; ~ *så här* something like this **II** *s*, *på ett* ~ approximately, roughly

**ungefärlig** *adj* approximate

**Ungern** Hungary

**ungersk** *adj* Hungarian

**ungerska** *s* **1** kvinna Hungarian woman **2** språk Hungarian

**ungkarl** *s* bachelor

**ungkarlshotell** *s* working men's hotel, common lodging-house

**ungkarlsliv** *s* bachelor life

**ungmö** *s* maid, maiden; *gammal* ~ old maid, spinster

**ungrare** *s* Hungarian

**uniform** *s* uniform

**unik** *adj* unique

**union** *s* union

**unison** *adj* unison

**universalmedel** *s* panacea, cure-all

**universaltång** *s* universal pliers pl.

**universell** *adj* universal

**universitet** *s* university; *ligga vid ~et* be at the university

**universum** *s* universe; världsalltet the Universe

**unken** *adj* musty, fusty; avslagen stale

**unna I** *vb tr*, ~ *ngn ngt* not grudge (begrudge) a p. a th.; *det är dig väl unt!* you deserve it!; *inte* ~ *ngn ngt* grudge (begrudge) a p. a th. **II** *vb rfl*, ~ *sig ngt* allow oneself a th.

**uns** *s* vikt ounce; *inte ett* ~ bildl. not a scrap

**upp** *adv* up; uppåt upwards; uppför trappan upstairs; *hit* ~ up here; *högst* ~ at the top; *ända* ~ right up; *gata* ~ *och gata ned* up one street and down another; *vända* ngt ~ *och ned* turn...upside-down; ~ *med händerna* hands up!

**uppassare** *s* servitör waiter; på båt o. flyg steward

**uppasserska** *s* servitris waitress; på båt o. flyg stewardess

**uppassning** s vid bordet waiting; attendance
**uppbjuda** vb tr, ~ alla [sina] krafter
summon all one's strength
**uppblåst** adj **1** luftfylld blown, inflated
**2** högfärdig conceited
**uppbringa** vb tr **1** kapa capture, seize **2** skaffa
procure
**uppbrott** s breaking up; avresa departure
**uppbåd** s skara troop, band; ett stort ~ av
poliser a strong force of policemen
**uppbära** vb tr erhålla, t.ex. lön pension, draw;
inkassera collect
**uppbörd** s inkassering collection; av skatt äv.
levy
**uppdaga** vb tr upptäcka discover, bring...to
light
**uppdatera** vb tr update, bring...up to date
**uppdelning** s division, distribution
**uppdiktad** adj invented
**uppdrag** s commission; uppgift task; enligt
~ av by direction (order) of; få i ~ att inf.
be commissioned (instructed) to inf.; ge
ngn i ~ att inf. commission (instruct) a p.
to inf.; på ~ av styrelsen by order of...
**uppdragsgivare** s **1** arbetsgivare employer
**2** hand. principal; klient client
**uppe** adv up; i övre våningen upstairs; upptill
at the top [på of, above]; vara ~ hela
natten sit (stay) up...; vi var ~ i 120 km we
were doing...
**uppehåll** s **1** avbrott, paus break; järnv., flyg.
etc. stop, halt, wait; göra ~ stop; halt;
järnv. etc. äv. wait; tåget gör 10 minuters
~ i Laxå the train stops for 10 minutes...;
utan ~ without stopping (pausing)
**2** vistelse stay
**uppehålla** I vb tr **1** fördröja detain, delay,
keep **2** underhålla, t.ex. bekantskap keep up,
maintain; ~ livet support (sustain) life
II vb rfl, ~ sig vistas stay, stop [hos with];
ha sin hemvist reside
**uppehållstillstånd** s residence permit
**uppehållsväder** s, mest ~ mainly dry (fair)
**uppehälle** s, fritt ~ free board and lodging;
förtjäna sitt ~ earn one's living
**uppenbar** adj obvious; självklar evident
**uppenbara** vb rfl, ~ sig reveal oneself [för
to]; visa sig appear
**uppenbarelse** s **1** relig. revelation; drömsyn
vision **2** varelse creature
**uppenbarligen** adv obviously, evidently
**uppfartsväg** s drive, approach
**uppfatta** vb tr apprehend; höra catch;
begripa understand
**uppfattning** s apprehension; begripande

understanding; begrepp idea, notion [om,
av of]; bilda (göra) sig en ~ om ngt
form an opinion (idea) of a th.; enligt
min ~ in my opinion
**uppfinna** vb tr invent; t.ex. metod devise
**uppfinnare** s inventor
**uppfinning** s invention
**uppfinningsrik** adj inventive; fyndig
ingenious
**uppfostra** vb tr bring up; amer. äv. raise; illa
~d badly brought up, ill-bred; väl ~d
well brought up, well-bred
**uppfostran** s upbringing
**uppfriskande** adj refreshing
**uppfylla** vb tr **1** fylla, genomtränga fill;
uppfylld av beundran filled with (full of)
admiration **2** fullgöra fulfil; plikt äv.
perform; löfte äv. carry out; ngns önskningar
comply with, meet
**uppfyllelse** s fulfilment; av t.ex. plikt
performance; gå i ~ be fulfilled, come
true
**uppfånga** vb tr catch; signaler pick up; ljus,
ljud intercept
**uppfällbar** adj om t.ex. säng, klaff ...that can
be raised; om sits, stol tip-up
**uppfödning** s av djur breeding, rearing, amer.
raising
**uppföljning** s follow-up
**uppför** I prep up II adv uphill
**uppföra** I vb tr **1** bygga build, erect
**2** framföra: pjäs, opera, musik perform II vb
rfl, ~ sig skicka sig, bära sig åt behave,
behave oneself; ~ sig väl behave
**uppförande** s **1** byggande building, erection,
construction; huset är under ~ ...is under
construction **2** framförande: teat. el. mus.
performance **3** yttre uppträdande behaviour;
moraliskt uppträdande conduct; dåligt ~ el.
ett dåligt ~ bad behaviour, misbehaviour
**uppförsbacke** s uphill slope, ascent, hill
**uppge** vb tr state; ange give; rapportera
report; han uppgav sig vara... he
declared himself to be...; ~ sin ålder
till... state one's age to be...
**uppgift** s **1** information (end. sg.) [om, på
about, on; angående as to]; påstående
statement [över as to]; närmare ~er
further information **2** åliggande task; kall
mission; skol.: skriftligt prov written exercise
(speciellt för examen paper); mat. problem; få
i ~ att göra ngt be given the task of
doing a th.; han har till ~ att it is his
task to; mekanismen har till ~ att the
purpose of...is to

**uppgjord** *adj,* ~ *på förhand* pre-arranged; *matchen var* ~ på förhand the match was fixed

**uppgå** *vb itr,* ~ belöpa sig *till* amount to

**uppgång** *s* **1** väg upp way up; trapp~ staircase **2** om himlakroppar rise, rising; höjning, om pris etc. rise

**uppgörelse** *s* **1** avtal agreement, arrangement; *träffa en* ~ come to (make) an agreement **2** avräkning settlement, settlement of accounts **3** dispute; scen scene

**upphetsad** *adj* excited

**upphetsande** *adj* exciting

**upphetsning** *s* excitement

**upphittad** *adj* found

**upphittare** *s* finder

**upphov** *s* origin; källa source; orsak cause; *ge* ~ *till* give rise to; *vara* ~ *till...* be the cause of...

**upphovsman** *s* originator; anstiftare instigator [*till* i båda fallen of]

**upphällning** *s, vara på ~en* be on the decline

**upphäva** *vb tr* avskaffa abolish, do away with; förklara ogiltig declare...null and void; annullera annul, cancel; avbryta, t.ex. belägring, blockad raise

**upphöja** *vb tr* raise; ~ befordra *ngn till...* promote a p....; *10 upphöjt till 2 (3)* mat. 10 squared (cubed)

**upphöra** *vb itr* sluta cease, stop; ta slut come to an end, be over; *firman har upphört* the firm has closed down (no longer exists)

**uppifrån I** *prep* down from, from **II** *adv* from above; ~ *och ned* from top to bottom

**uppiggande** *adj* stärkande bracing; stimulerande stimulating

**uppkalla** *vb tr* benämna name, call [*ngn (ngt) efter...* a p. (a th.) after...]

**uppkok** *s* bildl. rehash [*på* of]

**uppkomling** *s* upstart

**uppkomma** *vb itr* arise [*av* from]

**uppkomst** *s* ursprung origin

**uppkäftig** *adj* cheeky, saucy

**uppköp** *s* purchase

**uppkörning** *s* körprov driving test

**uppladdning** *s* mil. build-up

**uppladdningsbar** *adj* rechargeable

**upplaga** *s* edition; om tidning etc.: utgåva äv. issue; spridning circulation

**upplagd** *adj, jag känner mig inte* ~ *för*

*att* inf. I'm not in the mood for (I don't feel like) ing-form

**uppleva** *vb tr* erfara experience; bevittna witness

**upplevelse** *s* experience

**upplopp** *s* **1** tumult riot, tumult **2** sport. finish

**upplysa** *vb tr,* ~ *ngn om* underrätta inform a p. of...; ge upplysning give a p. information on (about)...

**upplysande** *adj* informative; lärorik instructive; förklarande explanatory

**upplysning** *s* **1** belysning lighting, illumination **2** underrättelse information (end. sg.); *en* ~ a piece of information; *~ar* information sg.; *närmare ~ar* further particulars (information)

**upplyst** *adj* kunnig, bildad enlightened

**upplåta** *vb tr,* ~ *ngt åt ngn* put a th. at a p.'s disposal

**uppläggning** *s* arrangement äv. kok.

**uppläsning** *s* reading, recitation

**upplösa I** *vb tr* **1** dissolve **2** skingra, t.ex. möte disperse; trupp disband **II** *vb rfl,* ~ *sig* dissolve; sönderfalla decompose; upphöra be dissolved; skingras disperse, disband

**upplösning** *s* dissolution; sönderfall disintegration, break-up; skingring dispersion, disbandment; dramas denouement

**upplösningstillstånd** *s, vara i* ~ bildl. be on the verge of a breakdown (collapse)

**uppmana** *vb tr* enträget urge, request

**uppmaning** *s* urgent request

**uppmjukning** *s* softening, softening up

**uppmuntra** *vb tr* encourage

**uppmuntran** *s* encouragement

**uppmärksam** *adj* attentive [*på, mot* to]; iakttagande observant [*på* of]; *göra ngn* ~ *på...* draw (call) a p.'s attention to...

**uppmärksamhet** *s* attention; artighet attentiveness; iakttagelseförmåga observation; *fästa (rikta) ngns* ~ *på...* draw (call, direct) a p.'s attention to...; *fästa* ~ *vid...* pay attention to...; *väcka* ~ attract attention

**uppmärksamma** *vb tr* lägga märke till notice, observe; *en ~d bok* a book that has (had) attracted much attention

**uppnosig** *adj* cheeky, saucy

**uppnå** *vb tr* reach; ernå attain, achieve

**uppnäsa** *s* snub (turned-up) nose

**uppochnedvänd** *adj* ...upside-down; bildl. äv. topsy-turvy

**uppoffra I** *vb tr* sacrifice [*för* to]; avstå från

give up, forgo II *vb rfl*, ~ *sig* sacrifice
oneself [*för* for]
**uppoffrande** *adj* self-sacrificing
**uppoffring** *s* sacrifice
**upprepa** *vb tr* repeat; förnya renew; ~*de*
*gånger* repeatedly
**upprepning** *s* repetition; förnyande renewal
**uppriktig** *adj* sincere, frank [*mot* with]
**uppriktighet** *s* sincerity, frankness [*mot*
with]
**uppriktigt** *adv* sincerely, frankly; ~ *sagt*
frankly, to be frank (honest)
**upprop** *s* 1 skol., mil. etc. rollcall, calling over
[of names] 2 vädjan appeal
**uppror** *s* 1 resning etc. rebellion; mindre
revolt; *göra* ~ revolt, rebel 2 upphetsning
excitement
**upprorisk** *adj* rebellious
**upprusta** *vb itr* rearm; reparera repair, carry
out repairs; öka kapaciteten hos expand,
improve
**upprustning** *s* rearmament; reparation repair
(end. sg.); ökning av kapacitet expansion,
improvement
**uppryckning** *s* shake-up, shaking-up
**upprymd** *adj* elated; lätt berusad tipsy
**uppräkning** *s* enumeration
**upprätt** *adj* o. *adv* upright, erect
**upprätta** *vb tr* 1 få till stånd establish; grunda
found 2 avfatta draw up 3 rehabilitera
rehabilitate; ~ *ngns rykte* restore a p.'s
reputation
**upprättelse** *s* redress, satisfaction,
rehabilitation
**upprätthålla** *vb tr* vidmakthålla maintain,
keep up, uphold; bevara preserve
**uppröjning** *s* clearing, clearance; bildl.
clean-up
**uppröra** *vb tr* väcka avsky hos revolt; chockera
shock; ~ *sinnena* stir up people's minds
**upprörande** *adj* revolting; shocking
**upprörd** *adj* harmsen indignant; uppskakad
upset; chockerad shocked
**uppsagd** *adj*, *vara* ~ have had notice
(notice to quit); *bli* ~ get notice (notice
to quit)
**uppsats** *s* skol. composition; större, litterär
essay [*om* on]
**uppsatsämne** *s* subject for composition
(essay)
**uppsatt** *adj*, *en högt* ~ *person* a person in
a high position
**uppseende** *s*, *väcka* ~ attract attention;
starkare create a sensation
**uppseendeväckande** *adj* sensational

**uppsikt** *s* supervision, superintendence
[*över* of]; *ha* ~ *över* have charge of,
supervise; *stå under* ~ be under
supervision
**uppskakande** *adj* upsetting; starkare
shocking
**uppskatta** *vb tr* 1 beräkna etc. estimate;
värdera value [*till* i båda fallen at] 2 sätta värde
på appreciate
**uppskattning** *s* estimate; värdering
valuation; värdesättning appreciation
**uppskattningsvis** *adv* approximately
**uppskjuta** *vb tr* put off, postpone; rymdraket
launch
**uppskjutning** *s* rymdraket launching
**uppskov** *s* uppskjutande postponement [*med*
of]; *bevilja ngn en månads* ~ allow a p.
a respite of one month; *utan* ~ without
delay
**uppskärrad** *adj* excited, jumpy, jittery
**uppslag** *s* 1 på byxa turn-up, amer. cuff; på
damplaggs ärm cuff 2 idé idea; förslag
suggestion
**uppslagsbok** *s* reference book; encyklopedi
encyclopedia
**uppslagsord** *s* headword, main entry
**uppsluka** *vb tr* engulf, swallow up
**uppsluppen** *adj* ...in high spirits
**uppslutning** *s* anslutning support; *det var*
*god* ~ *på mötet* many people attended
the meeting
**uppspelt** *adj* in high spirits
**uppstigning** *s* rise; ur sängen getting up; flyg.
o. på berg ascent
**uppstoppad** *adj* om djur stuffed
**uppsträckning** *s* reprimand; vard. telling-off
**uppstå** *vb itr* 1 uppkomma arise [*av* from];
come into existence; om t.ex. mod appear;
plötsligt spring up; result [*av* from] 2 bibl.
rise; ~ *från de döda* rise from the dead
**uppstående** *adj*, ~ *krage* stand-up collar
**uppståndelse** *s* 1 oro excitement, stir, fuss
2 relig. resurrection
**uppställning** *s* 1 anordning arrangement,
disposition 2 mil. formation; sport. line-up
**uppstötning** *s* belch; *få en* ~ (~*ar*) belch
**uppsving** *s* rise; hand. boom
**uppsvullen** *adj* o. **uppsvälld** *adj* swollen
**uppsyn** *s* 1 ansiktsuttryck countenance; min
air; utseende look 2 övervakning supervision,
control
**uppsåt** *s* speciellt jur. intent; avsikt intention
**uppsägning** *s* notice to quit; *med tre*
*månaders* ~ with three months' notice

**uppsägningstid** s period of notice; *med en månads ~* with one month's notice

**uppsättning** s **1** upprättande putting up, jfr *sätta upp* under *sätta* **2** teat. stage-setting **3** sats set

**uppta** o. **upptaga** vb tr **1** antaga, tillägna sig adopt **2** ta i anspråk, fylla take up

**upptagen** adj **1** sysselsatt busy [*med att arbeta* working]; occupied; *jag är ~* i kväll, bortbjuden etc. I am engaged...; av arbete I shall be busy... **2** besatt occupied; sitt-*platsen är ~* the seat is taken; *det är upptaget* tele. the number is engaged

**upptagetton** s tele. engaged tone

**upptakt** s början beginning [*till* of]; prelude

**uppteckna** vb tr skriva ned take (write) down

**upptill** adv at the top [*på* of]; däruppe above

**upptrappning** s escalation

**uppträda** vb itr **1** framträda appear; visa sig make one's appearance; om skådespelare äv. act, perform **2** uppföra sig behave, behave oneself

**uppträdande** s framträdande appearance; uppförande behaviour

**uppträde** s scene; *ställa till ett ~* make a scene

**upptåg** s prank; skälmstycke practical joke

**upptågsmakare** s practical joker

**upptäcka** vb tr discover; komma på, ertappa detect; få reda på find out

**upptäckt** s discovery; detection, jfr *upptäcka*

**upptäcktsfärd** s o. **upptäcktsresa** s expedition; *göra en ~ i...* explore...

**upptäcktsresande** s explorer

**upptänklig** adj imaginable, conceivable

**uppvaknande** s awakening

**uppvakta** vb tr **1** göra...sin kur court; besöka t.ex. myndighet call on; *vi ~de honom på hans födelsedag* we congratulated (came to congratulate) him on his birthday **2** göra hovtjänst hos attend upon

**uppvaktning** s **1** visit; *på hans födelsedag blev det stor ~* many people congratulated (came to congratulate) him on his birthday **2** följe attendants pl.; prins *C. med ~* ...with his suite

**uppvigla** vb tr stir up

**uppviglare** s agitator agitator

**uppvigling** s agitation

**uppvisa** vb tr t.ex. pass produce; påvisa show

**uppvisning** s exhibition, show; mannekäng~ parade; t.ex. gymnastik~ display

**uppväcka** vb tr framkalla awaken; t.ex. vrede provoke

**uppväg** s, *på ~en* on the (one's) way up (norrut up north)

**uppväga** vb tr counterbalance; ersätta compensate (make up) for; *mer än ~* outweigh

**uppvärmning** s heating; *elektrisk ~* electric heating

**uppväxande** adj growing up; *det ~ släktet* the rising generation

**uppväxt** s growth

**uppväxttid** s childhood and adolescence

**uppåt** I prep up to (towards); *~ landet* från havet up country; norrut in the north of the country II adv upwards III adj, *vara ~* glad be in high spirits

**uppåtgående** I s, vara i (*på*) *~* om priser etc. be on the upgrade II adj om pris rising

**1 ur** s fickur, armbandsur watch; väggur etc. clock; *Fröken Ur* the speaking clock

**2 ur** s, *i ~ och skur* in all weathers

**3 ur** prep out of; från from; *~ bruk* out of use

**uran** s uranium

**Uranus** astron. Uranus

**urarta** vb itr degenerate [*till* into]

**urbanisera** vb tr urbanize

**urberg** s primary (primitive) rock (rocks pl.)

**urgammal** adj extremely old; forntida ancient

**urholka** vb tr bildl. undermine

**urholkning** s fördjupning hollow, cavity

**urin** s urine

**urinblåsa** s bladder

**urinera** vb itr urinate, pass urine

**urinprov** s specimen of urine

**urinvånare** s original inhabitant, aboriginal; *urinvånarna* äv. the aborigines

**urklipp** s press cutting, amer. clipping

**urkund** s document, record

**urladdning** s discharge; explosion explosion; bildl. outburst

**urlastning** s unloading

**urmakare** s watchmaker; butik watchmaker's [shop]

**urminnes** adj, *sedan ~ tid (tider)* from time immemorial

**urmodig** adj completely out of date; gammalmodig old-fashioned

**urna** s urn

**urpremiär** s first performance

**urringad** adj low-necked, décolleté

**urringning** *s, djup* ~ plunging neckline, décolletage
**ursinne** *s* fury, frenzy; raseri rage
**ursinnig** *adj* furious
**urskilja** *vb tr* skönja discern; 'kunna urskilja' make out; särskilja distinguish
**urskillning** *s* discernment, discrimination; omdömesförmåga judgement
**urskog** *s* primeval (virgin) forest
**urskulda** I *vb tr* excuse II *vb rfl,* ~ *sig* excuse oneself
**ursprung** *s* origin [*till* of]; *till sitt* ~ in origin
**ursprunglig** *adj* original, primitive
**ursprungligen** *adv* originally
**ursäkt** *s* excuse; *be om* ~ apologize; *be ngn om* ~ apologize to a p.
**ursäkta** I *vb tr* excuse, pardon; ~ *mig!* excuse (pardon) me!; ~ *att jag...* excuse my ing-form II *vb rfl,* ~ *sig* excuse oneself [*med att...* on the grounds that...]
**urtavla** *s* dial, clock face
**urtiden** *s, i* ~ in prehistoric times pl.
**urtråkig** *adj* vard. deadly (dead) dull (boring)
**Uruguay** Uruguay
**uruguayare** *s* Uruguayan
**uruguaysk** *adj* Uruguayan
**urusel** *adj* vard. rotten, lousy, putrid
**urval** *s* choice, selection; dikter i ~ selected...
**urvattnad** *adj* watered-down; fadd wishy-washy; om färg watery
**urverk** *s* works pl. of a watch (resp. clock); *som ett* ~ like clockwork
**uråldrig** *adj* extremely old, ancient
**USA** the US, the USA
**usch** *interj* ooh, ugh; ~ *då!* ugh!
**usel** *adj* wretched, miserable; dålig worthless; gemen vile, mean
**U-sväng** *s* U-turn
**ut** *adv* out; utomlands abroad; *dag* ~ *och dag in* day in day out; *vända* ~ *och in på ngt* turn a th. inside out; *gå* ~ *på gatan (isen)* go out into the street (on to the ice); *gå* ~ *på restaurang* go to a restaurant; ~ *ur* out of
**utagerad** *adj, saken är* ~ the matter is settled (over and done with)
**utan** I *prep adv* without; ~ *arbete* out of work; ~ *honom skulle jag* aldrig klarat det but for him I should...; ~ *att han märker (märkte) det* without his el. him noticing it; *känna ngt* ~ *och innan* know

a th. inside out II *konj* but; *inte blott...* ~ *även* not only...but also
**utanför** I *prep* outside; framför before II *adv* outside; *lämna mig* ~*!* bildl. leave me out of it!
**utanordna** *vb tr,* ~ *ett belopp* order a sum of money to be paid
**utanpå** I *prep* outside, on the outside of; över on the top of, over; *gå* ~ överträffa beat II *adv* outside, on the outside; ovanpå on the top
**utantill** *adv, lära sig ngt* ~ learn a th. by heart
**utarbeta** *vb tr* work out; t.ex. rapport, svar prepare; t.ex. program draw up
**utarbetad** *adj* worn out, overworked
**utbetala** *vb tr* pay out
**utbetalning** *s* payment
**utbetalningskort** *s* post. postal cheque
**utbilda** *vb tr* educate; i visst syfte train; undervisa instruct; ~ *sig för läkaryrket* study for the medical profession; hon är ~*d sjuksköterska* ...a trained (qualified) nurse
**utbildning** *s* education; training; instruction; jfr *utbilda*
**utbildningsanstalt** *s* educational (training) institution
**utbildningsdepartement** *s* ministry of education
**utbildningsminister** *s* minister of education
**utbjuda** *vb tr* offer
**utblottad** *adj* destitute [*på* of]
**utbreda** I *vb tr* spread; utsträcka extend II *vb rfl,* ~ *sig* spread
**utbredd** *adj* spread; *allmänt (vida)* ~ widespread; om t.ex. bruk äv. general
**utbredning** *s* spreading, extension
**utbringa** *vb tr* leve give; föreslå call for; ngns skål drink to a p.'s health
**utbrista** *vb tr* yttra exclaim, burst out
**utbrott** *s* av t.ex. krig, sjukdom outbreak [*av* of]; vulkans eruption; av känslor outburst
**utbryta** *vb itr* break out
**utbränd** *adj* burnt-out
**utbud** *s* erbjudande offer; ~*et av* varor *har ökat* the offering of...for sale has increased
**utbuktning** *s* bulge
**utbyggnad** *s* tillbyggnad extension, annexe
**utbyta** *vb tr* exchange [*mot* for]
**utbyte** *s* **1** exchange; *i* ~ *mot* in exchange for **2** behållning profit, benefit; *ha* ~ *av* get benefit from

**utdela** *vb tr* distribute, deal (give) out
**utdelning** *s* distribution, dealing out; av post delivery; aktie~ dividend
**utdrag** *s* extract, excerpt [*ur* from]
**utdragbar** *adj* extensible; **~t bord** extension table
**utdragen** *adj* lång drawn out; långrandig lengthy
**utdöd** *adj* utslocknad extinct; övergiven dead
**utdöende** *adj*, arten **befinner sig i ~** ...is dying out
**utdöma** *vb tr* **1** straff impose **2** förklara oduglig condemn; förkasta reject
**ute** *adv* **1** rumsbetydelse out; utomhus outdoors, out of doors; utanför outside; **där ~** out there; **vara ~ på havet** (*landet*) be out at sea (in the country); **vara ~ och resa** be out travelling **2** tidsbetydelse, **allt hopp är ~** all hope is at an end; **tiden är ~** time is up; **det är ~ med honom** it is all up with him **3** **vara illa ~** i knipa be in trouble (in a bad fix); **vara för sent** (*tidigt*) **~** be too late (too early); **vara ~ efter** ngn (ngt) be after...
**utebli** o. **utebliva** *vb itr* om person fail to come, stay away, not turn up; om sak not be forthcoming; ej bli av not come off; **~ från** t.ex. möte fail to attend, be absent from
**utefter** *prep* along, all along
**utegrill** *s* barbecue
**utegångsförbud** *s* under viss tid curfew
**uteliv** *s* friluftsliv outdoor life
**utelämna** *vb tr* leave out, omit; förbigå pass over
**uteservering** *s* lokal open-air café (restaurant)
**utesluta** *vb tr* exclude; ur förening etc. äv. expel [*ur* from]; **det är uteslutet** it is out of the question
**uteslutande** *adv* solely, exclusively
**utexaminerad** *adj* trained, certificated; **bli ~ från** t.ex. högskola graduate from...
**utfall** *s* **1** bildl. attack **2** result, outcome
**utfalla** *vb itr* **1** utmynna fall, fall out [*i* into] **2** om vinst go [*på* nummer to...]; om pengar become due
**utfart** *s* way (vattenled passage) out; ur stad exit road, main road out of town
**utfartsväg** *s* exit road, main road out of town
**utflykt** *s* utfärd excursion, outing, trip
**utforma** *vb tr* ge form åt design, model, give final shape to; formulera draw up, formulate

**utformning** *s* design, shaping; formulering drawing up, formulation
**utforska** *vb tr* ta reda på find out; undersöka investigate; speciellt land explore
**utfällbar** *adj* folding, collapsible
**utfärda** *vb tr* issue; t.ex. revers make out
**utfästa** *vb tr*, **~ en belöning** offer a reward
**utfästelse** *s* löfte promise, pledge; åtagande engagement
**utför** **I** *prep* down **II** *adv* down, downhill; **färdas ~** descend; **det går ~ med honom** bildl. he is going downhill
**utföra** *vb tr* perform; **~ ett arbete** do (perform, execute) a piece of work; **~ en beställning** carry out an order
**utförande** *s* verkställande, framförande etc. performance, execution, carrying out; arbete workmanship; modell design
**utförbar** *adj* practicable, workable
**utförlig** *adj* detailed; uttömmande exhaustive
**utförsbacke** *s* downhill slope, descent
**utförsåkning** *s* sport. downhill run (race)
**utförsälja** *vb tr* sell out (off)
**utförsäljning** *s* sale, clearance sale
**utge** **I** *vb tr* bok publish **II** *vb rfl*, **~ sig för att vara...** pretend to be...
**utgift** *s* expense; ~ el. **~er** expenditure sg.
**utgivare** *s* av bok etc. publisher; **vara ansvarig ~** be legally responsible
**utgivning** *s* publication
**utgå** *vb itr* **1** härstamma come, issue [*från, ur* from]; **jag ~r från att du vet...** I assume you know **2** uteslutas be excluded; utelämnas left out (omitted)
**utgående** **I** *adj* outgoing; **~ post** outgoing mail **II** *s*, **vara på ~** om person be about to leave; om fartyg be outward bound
**utgång** *s* **1** väg ut exit, way out **2** slut end, close; slutresultat result, outcome
**utgångspunkt** *s* starting-point
**utgåva** *s* edition
**utgöra** *vb tr* constitute, make up, form; belöpa sig till amount to; **~s** bestå **av** consist (be made up) of
**uthyrning** *s* letting; för lång tid leasing; **till ~** om t.ex. båt for hire; om t.ex. rum to let
**uthållig** *adj* ...with good staying power; ståndaktig persevering
**uthållighet** *s* staying power, perseverance
**uthärda** *vb tr* stand, bear
**utifrån** **I** *prep* from **II** *adv* from outside
**utjämna** *vb tr* skillnad level (even) out
**utjämning** *s* levelling-out, evening-out
**utkant** *s* av stad outskirts pl.

**utkast** s koncept draft, rough draft; skiss sketch [till of]

**utkastare** s vakt chucker-out, amer. bouncer

**utkik** s person o. utkiksplats look-out; **hålla ~** keep a look-out [efter for]

**utklassa** vb tr sport. outclass

**utklädd** adj dressed up

**utkomma** vb itr om bok etc. come out, be published

**utkomst** s, **ha (få) sin ~** earn one's living

**utkämpa** vb tr fight; kämpa till slut fight out

**utkörning** s av varor delivery

**utlandet** s, **från ~** from abroad; **i ~** abroad

**utlandskorrespondent** s utrikeskorrespondent foreign correspondent

**utlandssvensk** s Swede living abroad, expatriate Swede

**utled** adj o. **utledsen** adj thoroughly tired el. fed up [på of]

**utlopp** s utflöde outflow; avlopp outlet äv. bildl.; **ge ~ åt** sin vrede give vent to...

**utlova** vb tr promise; erbjuda offer

**utlysa** vb tr give notice of, announce

**utlåning** s utlånande lending; lån loans pl.

**utlåningsränta** s interest on a loan; räntefot lending rate

**utlåtande** s opinion; sakkunnigas report

**utlägg** s outlay, expenses pl.

**utlämna** vb tr deliver, hand over; överlämna give up, surrender; till annan stat extradite

**utlämnande** s o. **utlämning** s delivering, handing over; överlämnande surrender; till annan stat extradition

**utländsk** adj foreign

**utlänning** s foreigner; speciellt jur. alien

**utlösa** vb tr tekn. release; sätta igång start, trigger, trigger off

**utlösning** s **1** releasing, release **2** sexuell orgasm

**utmana** vb tr challenge; trotsa defy; i t.ex. sport take on

**utmanande** adj challenging, defiant; om t.ex. uppträdande, klädsel provocative

**utmanare** s challenger

**utmaning** s challenge

**utmattad** adj exhausted

**utmattning** s fatigue, exhaustion

**utmed** prep along, all along

**utmynna** vb itr se mynna ut under mynna

**utmåla** vb tr paint, depict [för to; som as]

**utmärglad** adj avtärd emaciated, haggard

**utmärka I** vb tr kännetecka characterize **II** vb rfl, **~ sig** distinguish oneself [genom by]

**utmärkande** adj characteristic, distinguishing quality

**utmärkelse** s distinction; ära honour

**utmärkt** adj excellent; förstklassig first-rate

**utmätning** s jur. distraint, distress; **göra ~** distrain

**utnyttja** vb tr tillgodogöra sig utilize, make use of; exploatera exploit

**utnyttjande** s utilization, exploitation

**utnämna** vb tr appoint; **han har utnämnts till professor** he has been appointed professor

**utnämning** s appointment

**utnött** adj worn out; sliten well-worn

**utochinvänd** adj ...turned inside out

**utom** prep **1** utanför outside; jag har inte **varit ~ dörren** ...been out of doors (out); **~ fara** el. **~ all fara** out of danger; **~ allt tvivel** beyond doubt; **bli ~ sig** be beside oneself [av with] **2** med undantag av except, with the exception of; förutom besides, in addition to; **alla ~ han** all except him, all but he; **ingen ~ jag** no one but (except) me; det var fyra gäster **~ jag** ...besides me; hela landet **~ Stockholm** ...excluding Stockholm

**utombordare** s outboard motorboat

**utombords** adv outboard, outside

**utombordsmotor** s outboard motor

**utomhus** adv outdoors, out of doors

**utomhusantenn** s outdoor aerial

**utomhusbana** s för tennis open-air court; för ishockey outdoor rink

**utomlands** adv abroad

**utomordentlig** adj extraordinary; förträfflig excellent

**utomstående** subst adj, **en ~** an outsider

**utomäktenskaplig** adj om förbindelse extra-marital; om barn illegitimate

**utopi** s utopia; idé, plan utopian scheme (idea)

**utpekad** adj, **känna sig ~** feel accused; **den ~e** mördaren the alleged...

**utplåna** vb tr obliterate [ur, från from]; blot (wipe) out; hela byn **~des** ...was wiped out

**utpost** s outpost; förpost advanced post

**utpressare** s blackmailer

**utpressning** s blackmail

**utprova** vb tr try out, test

**utpräglad** adj marked, pronounced

**utreda** vb tr undersöka investigate

**utredning** s undersökning investigation; betänkande report; kommitté commission, committee

**utrensning** s utrensande weeding out; polit. purge

**utresa** s outward journey; sjö. outward passage (voyage)

**utresetillstånd** s exit permit

**utresevisum** s exit visa

**utrikes I** adj foreign **II** adv abroad; *resa ~* go abroad

**utrikesdepartement** s ministry for foreign affairs; *~et* britt. the Foreign and Commonwealth Office, amer. the State Department

**utrikeskorrespondent** s foreign correspondent

**utrikesminister** s minister for foreign affairs; *~n* britt. the Secretary of State for Foreign and Commonwealth Affairs, amer. the Secretary of State

**utrikespolitik** s foreign politics pl. (handlingssätt policy)

**utrikespolitisk** adj, *en ~ debatt* a debate on foreign policy; *~a frågor* questions relating to foreign policy

**utrop** s cry, exclamation

**utropa** vb tr **1** ropa högt exclaim, cry out **2** offentligt förkunna proclaim

**utropstecken** s exclamation mark

**utrota** vb tr root out, eradicate; t.ex. råttor exterminate

**utrusta** vb tr equip; speciellt fartyg fit out; beväpna arm

**utrustning** s equipment, outfit

**utryckning** s **1** efter alarm turn-out **2** hemförlovning discharge from active service

**utrymma** vb tr **1** lämna evacuate; t.ex. hus vacate **2** röja ur clear out

**utrymme** s plats space, room; spelrum scope; *fordra mycket ~* take up a lot of space

**utrymning** s evacuation; röjning clearing

**uträtta** vb tr do; t.ex. uppdrag perform, carry out; åstadkomma accomplish, achieve

**utröna** vb tr ascertain, find out [*om* whether]

**utsago** s, *enligt ~ är han...* he is said to be...; *enligt hans ~* according to him

**utsatt** adj **1** blottställd exposed [*för* to]; sårbar vulnerable; *vara ~ för...* föremål för be subjected to...; mottaglig för be liable to... **2** *på ~ tid* at the time fixed (appointed time)

**utse** vb tr välja choose [*till* ledare etc. as...; *till* en post for...]; utnämna appoint; *~ ngn till ordförande* appoint a p. chairman

**utseende** s yttre appearance; persons vanl. looks pl.; *känna ngn till ~t* know a p. by sight

**utsida** s outside; yttre exterior

**utsikt** s **1** överblick view; rummet *har ~ mot parken* ...overlooks the park; *hålla ~* keep a look-out **2** prospect; chans chance; *han har goda ~er att* inf. his prospects of ing-form are good; *det finns alla ~er (föga ~) till...* there is every prospect (not much chance) of...

**utsiktstorn** s outlook tower

**utsirad** adj ornamented, decorated

**utsirning** s ornament, ornamentation

**utsjasad** adj dead (dog) tired

**utskjutande** adj projecting

**utskott** s committee

**utskrattad** adj, *bli ~* be laughed down

**utskällning** s telling off, scolding

**utslag** s **1** hud~ rash; *få ~* break out in a rash **2** på våg turn of the scale; av visare etc. deflection **3** avgörande decision; *fälla ~ (ett ~)* give a decision (verdict) **4** yttring manifestation; exempel instance

**utslagen** adj **1** sport. o.d., ur tävling eliminated; boxn. knocked out **2** *en ~ [människa]* a dropout (social casualty); *vara ~ från* arbetsmarknaden be excluded from... **3** *vara ~* om blomma be out (in bloom)

**utslagsgivande** adj decisive

**utslagsröst** s, *ha ~* have the casting vote

**utslagtävling** s sport. elimination (knock-out) competition

**utsliten** adj worn out; *~ fras* hackneyed phrase

**utslocknad** adj om vulkan, ätt extinct

**utsläpp** s avlopp outlet; tömning discharge; dumpning dumping

**utsmyckning** s ornament; utsmyckande ornamentation (end. sg.)

**utspark** s sport. goal kick

**utspel** s **1** åtgärd move, action; initiativ initiative; förslag proposals pl. **2** kortsp. lead

**utspelas** vb itr dep take place

**utspisning** s feeding

**utspridd** adj scattered, spread out

**utspädd** adj diluted

**utspädning** s dilution

**utstakad** adj staked out; bestämd determined

**utstråla I** vb itr radiate, emanate **II** vb tr radiate äv. bildl.; t.ex. ljus emit

**utstrålning** s radiation, emanation; om person personal charm, charisma

**utsträckning** s extension; i tid prolongation; vidd extent; *i stor ~* to a

great extent; *i största möjliga* ~ to the
greatest possible extent
**utsträckt** *adj* outstretched, extended;
*ligga* ~ lie stretched out
**utstuderad** *adj* raffinerad studied; listig artful;
inpiskad out-and-out
**utstyrsel** *s* utrustning outfit
**utstå** *vb tr* stå ut med endure; genomgå suffer,
go through
**utstående** *adj* om t.ex. tänder, öron
protruding; utskjutande projecting
**utställare** *s* **1** på utställning exhibitor **2** av
check drawer
**utställning** *s* exhibition, show; visning
display
**utställningsföremål** *s* exhibit
**utställningslokal** *s* showroom; med flera rum
showrooms
**utstöta** *vb tr* ljud utter
**utstött** *adj*, *en* ~ *människa* an outcast
**utsuga** *vb tr* exploit, bleed...white
**utsugning** *s* bildl. exploitation
**utsvulten** *adj* starved, famished
**utsvävande** *adj* liderlig dissipated
**utsvävningar** *s pl* dissipation sg.; friare
extravagances
**utsåld** *adj* sold out; om vara äv. ...out of
stock; *utsålt* i annons etc. full house
**utsäde** *s* **1** sådd sowing **2** frö, koll. seed,
seed-corn
**utsändning** *s* sending out; radio. el. TV.
broadcast, transmission; TV. äv. telecast
**utsätta** I *vb tr* **1** blottställa expose; underkasta
subject *[för* to] **2** bestämma fix, appoint
II *vb rfl*, ~ *sig för* expose oneself to; ~ *sig*
*för risken att* inf. run the risk of ing-form
**utsökt** *adj* exquisite, choice
**utsövd** *adj* thoroughly rested
**uttag** *s* **1** elektr. socket; vägg~ point, plug
point **2** penning~ withdrawal
**uttagningstävling** *s* trial, trials pl.
**uttal** *s* pronunciation *[av* ord of]; *ha bra*
*engelskt* ~ äv. have a good English accent
**uttala** I *vb tr* **1** ord pronounce; ~ *fel*
mispronounce **2** uttrycka, t.ex. önskan
express **3** t.ex. dom pronounce, pass II *vb*
*rfl*, ~ *sig* express oneself, give (express)
one's opinion *[om* on]; ~ *sig för* (resp.
*mot*) ngt declare oneself in favour of (resp.
against)...
**uttalande** *s* statement, pronouncement
**uttalsbeteckning** *s* phonetic notation
**uttaxera** *vb tr* levy
**uttaxering** *s* levying; *en* ~ a levy
**utter** *s* djur o. skinn otter

**uttjänad** *adj* o. **uttjänt** *adj* om sak ...which
has served its time; utsliten worn out
**uttorkad** *adj* dried up
**uttryck** *s* expression; *stående* ~ set phrase;
*ge* ~ *åt...* give expression (om känsla vent)
to...; *ta sig (komma till)* ~ *i...* find
expression in...; *som ett* ~ *för* min
uppskattning as a mark (token) of...
**uttrycka** I *vb tr* express; jag vet inte *hur jag*
*skall* ~ *det* äv. ...how to put it II *vb rfl*, ~
*sig* express oneself; *för att* ~ *sig kort* to
be brief
**uttrycklig** *adj* express; tydlig explicit
**uttryckligen** *adv* expressly, explicitly
**uttrycksfull** *adj* expressive
**uttryckslös** *adj* expressionless; om blick
vacant
**uttrycksmedel** *s* means (pl. lika) of
expression
**uttryckssätt** *s* mode of expression
**uttråkad** *adj* bored, ...bored to death
**utträda** *vb itr*, ~ *ur* förening leave...,
withdraw (retire) from...
**utträde** *s* withdrawal, retirement
**uttröttad** *adj* weary, ...tired out *[av* with]
**uttåg** *s* march out, departure
**uttömma** *vb tr* bildl. exhaust, spend; ~ *sina*
*krafter* exhaust oneself, spend one's
strength
**uttömmande** I *adj* exhaustive; very
thorough II *adv* exhaustively; thoroughly
**utvald** *adj* chosen, picked; *några få* ~*a* a
select few
**utvandrare** *s* emigrant
**utvandring** *s* emigration
**utveckla** I *vb tr* develop; t.ex. teorier
expound; visa display, show; t.ex. elektricitet,
värme generate II *vb rfl*, ~ *sig* develop; växa
äv. grow
**utvecklas** *vb itr dep* develop, grow
**utveckling** *s* framåtskridande development;
vetensk. evolution; framsteg progress
**utvecklingsland** *s* developing country
**utvecklingsstadium** *s* stage of
development
**utvecklingsstörd** *adj* mentally retarded
**utverka** *vb tr* obtain, procure, secure
**utvidga** I *vb tr* göra bredare widen; t.ex. sitt
inflytande extend; t.ex. marknaden expand;
göra större enlarge II *vb rfl*, ~ *sig* se *utvidgas*
**utvidgas** *vb itr dep* widen, widen out;
expand äv. om metall; enlarge
**utvidgning** *s* widening; extension,
expansion, enlargement; jfr *utvidga*
**utvilad** *adj* thoroughly rested

**utvinna** *vb tr* extract, win [*ur* from]
**utvisa** *vb tr* **1** visa ut order (send)...out;
sport. send (order)...off; order...off; i
ishockey send...to the penalty box; ur landet
banish, expel **2** visa show; utmärka indicate
**utvisning** *s* ordering out (off); sport.
sending off; ur landet expulsion
**utväg** *s* expedient, means (pl. lika), way
out; *jag ser ingen annan ~ än att* inf. I
see no other way out but to inf.
**utvändig** *adj* external, outside
**utvändigt** *adv* externally, outside, on the
outside
**utvärdera** *vb tr* evaluate
**utvärdering** *s* evaluation
**utvärtes** *adj* external, outward; *till ~ bruk*
for external use (application)
**utväxla** *vb tr* exchange
**utväxling** *s* **1** utbyte exchange **2** tekn. gear,
gearing
**utåt I** *prep* uttr. riktning out towards; t.ex.
landet out into **II** *adv* outwards; *längre ~*
further out; dörren *går ~* ...opens
outwards
**utåtriktad** *adj* o. **utåtvänd** *adj* ...turned
(directed) outwards; om person extrovert,
outgoing
**utöka** *vb tr* increase; se äv. *öka*
**utöva** *vb tr* t.ex. makt exercise; inflytande
exert; t.ex. välgörenhet, yrke practise; t.ex.
verksamhet carry on
**utöver** *prep* over and above, beyond
**utövning** *s* t.ex. av makt exercise; t.ex. av yrke
practice; t.ex. inflytande exertion
**uv** *s* great horned owl, eagle owl
**uvertyr** *s* overture [*till* to]

# V

**vaccin** *s* vaccine
**vaccination** *s* vaccination
**vaccinera** *vb tr* vaccinate
**vacker** *adj* **1** beautiful; söt pretty; storslagen
fine; trevlig nice; *en ~ dag*, se *dag* **2** om t.ex.
summa considerable
**vackla** *vb itr* totter; ragla stagger; vara
obestämd vacillate; om t.ex. priser fluctuate
**vacklan** *s* vacillation; obeslutsamhet
indecision
**vacklande** *adj* tottering; raglande staggering;
obestämd vacillating; om t.ex. priser
fluctuating; obeslutsam unsettled; om hälsa
uncertain, failing
**1 vad** *s* på ben calf (pl. calves)
**2 vad** *s* **1** vadhållning bet; *skall vi slå ~ om
det?* shall we bet on it? **2** jur. notice of
appeal
**3 vad I** *pron* frågande what; *~* el. *va?* hur sa
what?; artigare I beg your pardon?,
pardon?; *~ för en (ett, ena, några)*
förenat o. självständigt: what; avseende urval
which, which one (pl. ones); *nej, ~ säger
du!* really!, you don't say!; *vet du ~!* I'll
tell you what!; jag vet inte *~ som hände*
...what happened; *~ värre är* what is
worse; *~ helst* whatever **II** *adv*, *~ du är
lycklig!* how happy you are!; *~ tiden går
fort!* how time flies!
**vada** *vb itr* wade
**vadare** *s* o. **vadarfågel** *s* wading bird,
wader
**vadd** *s* wadding; bomullsvadd cotton wool
**vaddera** *vb tr* pad, pad out, wad
**vaddtäcke** *s* quilt
**vadhållning** *s* betting, making bets
**vag** *adj* vague; dimmig hazy
**vagabond** *s* vagabond, tramp, vagrant
**vagel** *s* med. sty
**vagga I** *s* cradle äv. bildl. **II** *vb tr* rock; *~...i
sömn* rock...to sleep
**vaggvisa** *s* cradle song, lullaby
**vagina** *s* vagina
**vagn** *s* carriage; lastvagn etc. waggon, wagon,
truck; tvåhjulig kärra cart; bil car
**vaja** *vb itr* om t.ex. flagga fly, float
**vajer** *s* cable; tunnare wire
**vak** *s* hole in the ice
**vaka I** *s* vigil, night watch **II** *vb itr* hålla vaka
sit up; ha nattjänst be on night duty; *~ hos*

en patient watch by...; ~ **över** övervaka keep watch over, watch over

**vakande** *adj* watching; *hålla ett ~ öga på* keep a close (sharp) eye on

**vakans** *s* vacancy

**vakant** *adj* vacant

**vaken** *adj* **1** ej sovande awake (end. predikativt); attributivt waking; *i vaket tillstånd* when awake **2** mottaglig för intryck, om t.ex. sinne alert; pigg bright; uppmärksam wide-awake

**vakna** *vb tr,* ~ el. ~ *upp* wake, wake up

**vaksam** *adj* vigilant, watchful

**vaksamhet** *s* vigilance, watchfulness

**vakt** *s* **1** watch äv. sjö.; watching; speciellt mil. guard; tjänstgöring äv. duty; *gå på* ~ mil. be on guard, be on duty; sjö. be on watch; *vara på sin* ~ vara försiktig be on one's guard **2** person guard; vaktpost sentry

**vakta** *vb tr* o. *vb itr* watch; bevaka guard; t.ex. barn look after; hålla vakt keep guard

**vaktare** *s* guardian; fång~ warder

**vaktbolag** *s* security company, Securicor ® [sɪˈkjʊərɪkɔ:]

**vaktel** *s* quail

**vakthavande** *adj,* ~ *officer* the officer on duty

**vaktkur** *s* sentry box

**vaktmästare** *s* uppsyningsman caretaker, speciellt amer. janitor; i museum attendant; i kyrka verger; dörrvakt doorman, porter; på bio etc. commissionaire, attendant; kypare waiter

**vaktparad** *s,* ~*en* styrkan the guard

**vakuum** *s* vacuum

**vakuumförpackad** *adj* vacuum-packed

**vakuumförpackning** *s* vacuum packaging (konkret pack, package)

**vakuumtorka** *vb tr* vacuum-dry

**1 val** *s* zool. whale

**2 val** *s* **1** choice; utväljande äv. selection; *vara i ~et och kvalet* be faced with a difficult choice **2** genom omröstning election; själva röstandet voting; det blir *allmänna ~* ...a general election; *förrätta ~* hold an election (elections); *förrätta ~et* conduct (preside at) the election; *gå till* ~ go to the polls

**valack** *s* häst gelding

**valagitation** *s* electioneering, election campaign

**valbar** *adj* eligible [*till* for]; *icke ~* ineligible

**valbarhet** *s* eligibility

**valberedning** *s* election (nominating) committee

**valberättigad** *adj* ...entitled to vote

**valborg** *s* o. **valborgsmässoafton** *s* the eve of May Day, Walpurgis [vælˈpʊəgɪs] night

**valdag** *s* polling (election) day

**valdistrikt** *s* electoral (voting) area

**Wales** Wales

**walesare** *s* Welshman (pl. Welshmen); *walesarna* som nation the Welsh

**walesisk** *adj* Welsh

**walesiska** *s* **1** kvinna Welshwoman (pl. Welshwomen) **2** språk Welsh

**valfisk** *s* whale

**valfläsk** *s* election promises pl., bid for votes

**valfri** *adj* optional

**valfrihet** *s* freedom of choice

**valfusk** *s* electoral rigging; *bedriva ~* rig an election

**valfångare** *s* whaler

**valförrättare** *s* presider at an (the) election

**valförrättning** *s* omröstning election; själva röstandet voting

**valhänt** *adj* klumpig clumsy, awkward

**valk** *s* **1** i huden callus; av fett roll **2** hårvalk pad

**valkampanj** *s* election campaign

**valkrets** *s* constituency

**1 vall** *s* upphöjning bank, embankment; fästningsvall rampart, earthwork

**2 vall** *s* betesvall grazing-ground, pasture ground

**1 valla** *vb tr* vakta tend, watch; ~ *hunden* walk the dog, take the dog for a walk

**2 valla I** *s* skidvalla wax **II** *vb tr,* ~ *skidor* wax skis

**vallfart** *s* pilgrimage

**vallfärda** *vb itr* go on (make) a pilgrimage

**vallgrav** *s* moat

**vallmo** *s* poppy

**vallmofrö** *s* poppy seed

**vallokal** *s* polling-station

**vallängd** *s* electoral register

**vallöfte** *s* electoral pledge (promise)

**valmanskår** *s* electorate, constituency

**valmöte** *s* election meeting

**valnöt** *s* walnut

**valp** *s* pup, puppy; pojke cub

**valpa** *vb itr* whelp

**valross** *s* walrus

**valrörelse** *s* election campaign

**1 vals** *s* waltz; *dansa ~* dance (do) a waltz

**2 vals** *s* tekn., i kvarn etc. roller; i valsverk roll;
på skrivmaskin cylinder
**1 valsa** *vb itr* waltz
**2 valsa** *vb tr* tekn., ~ el. **~ ut** roll out
**valsedel** *s* voting-paper, ballotpaper
**valskvarn** *s* roller mill
**valstrid** *s* election campaign (contest)
**valthorn** *s* French horn
**valurna** *s* ballot box
**valuta** *s* myntslag currency; utländsk ~ foreign
exchange; *få ~ för pengarna* get value
for one's money
**valutabestämmelser** *s pl* currency (för
utlandsvaluta foreign exchange) regulations
**valutahandel** *s* exchange dealings pl.
**valutakurs** *s* rate of exchange, exchange
rate
**valutamarknad** *s* foreign exchange market
**valv** *s* vault
**valör** *s* value; sedelvalör denomination
**vamp** *s* vamp
**vampyr** *s* vampire
**van** *adj* practised, experienced, trained;
skicklig skilled, expert; förtrogen
accustomed, used [*vid ngt* to a th.; *[vid]
att* inf. to ing-form]
**vana** *s* speciellt omedveten habit; speciellt
medveten practice; sedvana custom; vedertaget
bruk usage; erfarenhet experience; färdighet
practice; *sin ~ trogen* true to one's habit;
*av gammal ~* by force of habit; *ha för ~
att* inf. have a (be in the) habit of ing-form;
medvetet make a practice of ing-form
**vandalisera** *vb tr* vandalize, destroy
**vandalism** *s* vandalism
**vandra** *vb itr* gå till fots walk; gå på vandring,
fotvandra ramble, hike; ströva utan mål
wander, roam, stroll
**vandrande** *adj* **1** walking etc., jfr *vandra* **2** ~
*njure* med. floating kidney
**vandrare** *s* wanderer; fot~ walker, rambler,
hiker; resande traveller
**vandrarhem** *s* youth hostel
**vandring** *s* wandering; utflykt walking-tour;
fotvandring ramble, hike
**vandringspris** *s* challenge trophy
**vanebildande** *adj* habit-forming
**vanföreställning** *s* delusion, fallacy
**vanheder** *s* disgrace, dishonour
**vanhedra** *vb tr* disgrace, dishonour, bring
disgrace (shame) on...
**vanhedrande** *adj* disgraceful,
dishonourable
**vanhelga** *vb tr* profane, desecrate

**vanhelgande** *s* profanation, desecration,
sacrilege
**vanilj** *s* vanilla
**vaniljglass** *s* vanilla ice cream; *en ~* äv. a
vanilla ice
**vaniljsocker** *s* vanilla sugar
**vaniljsås** *s* custard sauce, vanilla custard
**vanka** *vb itr*, ~ el. *gå och ~* saunter,
wander
**vankas** *vb itr dep*, *det vankades* bullar (för
oss) we were treated to...
**vankelmod** *s* vacillation; ombytlighet
inconstancy
**vankelmodig** *adj* vacillating; ombytlig
inconstant
**vanlig** *adj* bruklig usual [*hos* with];
accustomed, habitual; sedvanlig customary
[*hos* with]; vardaglig ordinary; gemensam för
många, motsats sällsynt common; allmän
general; ofta förekommande frequent;
*mindre ~* less (not very) common; *i ~a
fall* in ordinary cases, as a rule; *~a
människor* ordinary people; *på ~t sätt*
in the ordinary (usual) manner (way);
*som ~t* as usual; bättre *än ~t* ...than usual
**vanligen** *adv* generally, usually, ordinarily,
commonly
**vanlottad** *adj* ...badly (unfairly) treated
**vanmakt** *s* maktlöshet powerlessness,
impotence
**vanmäktig** *adj* powerless, impotent
**vanpryda** *vb tr* disfigure, spoil the look of
**vanrykte** *s* disrepute
**vansinne** *s* insanity, madness; dårskap folly;
*det vore rena ~t att* inf. it would be
insane to inf.
**vansinnig** *adj* mad; utom sig frantic [*av*
with]; *har du blivit ~?* are you mad (out
of your mind)?; *han gör mig ~* he drives
me mad (crazy)
**vanskapad** *adj* o. **vanskapt** *adj* deformed,
malformed, misshapen
**vansklig** *adj* svår difficult, hard; riskabel
risky; kinkig awkward
**vansköta** *vb tr* mismanage; försumma
neglect
**vanskötsel** *s* mismanagement; försummelse
neglect
**vante** *s* glove; tumvante mitten; *lägga
vantarna på...* vard. lay hands on...
**vantolka** *vb tr* misinterpret
**vantrivas** *vb itr dep* be (feel)
uncomfortable, not feel at home, get on
badly [*med ngn* with a p.]; om djur, växter

not thrive; *jag vantrivs med* arbetet I am not at all happy in...

**vantrivsel** *s* dissatisfaction, unhappiness (inability to get on) in one's surroundings

**vanvett** *s* insanity; galenskap madness

**vanvettig** *adj* insane; galen mad, crazy

**vanvård** *s* mismanagement, neglect

**vanvårda** *vb tr* mismanage, neglect

**vanvördig** *adj* disrespectful, irreverent [mot to]

**vanvördnad** *s* disrespect, irreverence [mot to]

**vanära** I *s*, dra ~ över sin familj bring disgrace on... II *vb tr* disgrace, dishonour

**vapen** *s* **1** weapon; i pl. vanl. arms; koll. weaponry sg.; *bära (föra)* ~ bear (carry) arms; *nedlägga vapnen (sträcka ~)* lay down one's arms, surrender; *gripa (kalla...) till* ~ take up (call...to) arms **2** vapensköld coat of arms

**vapenbroder** *s* brother-in-arms (pl. brothers-in-arms); comrade-in-arms (pl. comrades-in-arms)

**vapendragare** *s* bildl. supporter, partisan

**vapenfri** *adj*, ~ *tjänst* non-combatant duties pl.

**vapenför** *adj* ...fit for military service

**vapengömma** *s* arms cache

**vapenhandlare** *s* arms dealer

**vapenlicens** *s* licence to carry a gun, firearms permit

**vapenlös** *adj* unarmed; värnlös defenceless

**vapensköld** *s* coat of arms

**vapenstillestånd** *s* armistice; vapenvila truce, cessation of hostilities; tillfälligt cease-fire

**vapenvila** *s* cessation of hostilities; tillfällig cease-fire

**vapenvägrare** *s* conscientious objector (förk. CO)

**1 var** *s* med. pus, matter

**2 var** *pron* **1** varje särskild each; varenda every; ~ *femte dag* every fifth day, every five days; ge dem *ett äpple* ~ ...an apple each **2** ~ *och en* var och en för sig each; alla everyone, everybody; ~ *och en av...* each of (alla every one of)...; *vi betalar* ~ *och en för sig* each of us will pay for himself (resp. herself); han talade med ~ *och en för sig* ...each individually **3** ~ *sin: vi fick* ~ *sitt äpple* we got an apple each; de gick *åt* ~ *sitt håll* ...in different directions

**3 var** *adv* where; ~ *då (någonstans)?* where?; ~ *i all världen är det?* where on

earth is it?; ~ *som helst* anywhere; ~ *än (helst)* wherever

**1 vara** *vb* I *vb itr* be; finnas till äv. exist; *för att* ~ *så ung är du...* considering you are so young you are...; *vi är fem stycken* there are five of us; *det är Eva* sagt i telefon Eva speaking, Eva here; *hur vore det om vi skulle gå på bio* i kväll? what (how) about going to the cinema...?; *får det* ~ en kopp te? would you like...?; *det får (vi låter det)* ~ *som det är* we'll leave it as it is (at that); *var ska (brukar)* knivarna ~? where do...go?; *jag var hos* hälsade på *honom* I went to see him; *hur är det med...?* hur mår how is (resp. are)...?; hur förhåller det sig med hur (what) about...?; *man måste* ~ *två om det (om att göra det)* that's a job for two (it takes two to do it); *vad är den här (ska den här* ~*) till?* what is this for? II *hjälpvb* be; *när (var) är han född?* when (where) was he born?; *bilen är gjord i Sverige* the car was made in Sweden; *bilen är gjord* för export the car is made...; *han är (var) bortrest* he has (had) gone away

☐ ~ *av med* ha förlorat have lost; vara kvitt have got (be) rid of; ~ *kvar* stanna remain, stay on; ~ *med* deltaga take part; närvara be present [*på (vid)* at]; *får jag* ~ *med?* may I join in (göra er sällskap join you)?; *jag var med* när det hände I was there (present)...; ~ *med om (på)* samtycka till agree to; ~ *med om* bevittna see; uppleva experience; *vad är det med henne?* what's the matter with her?, hur mår hon? how is she?; ~ *om sig* look after one's own interests, look after number one; ~ *till* exist, be; *den är till för det* that's what it's there (meant) for

**2 vara** *vb itr* räcka last; pågå go on; fortsätta continue

**3 vara** *s* artikel article; product; *varor* koll. äv. goods

**4 vara** *s*, ta ~ *på* ta hand om take care of, look after; utnyttja make use of

**5 vara** *vb itr* om sår etc. fester

**varaktig** *adj* långvarig lasting; beständig permanent

**varandra** *pron* each other, one another

**varannan** *räkn* every other (second)

**vardag** *s* weekday; arbetsdag äv. workday; *till* ~*s* vardagsbruk for everyday use (om kläder wear)

**vardaglig** *adj* everyday, ordinary; banal

commonplace; om utseende plain; språkv. colloquial

**vardagsklädd** *adj* ...dressed in everyday (ordinary) clothes

**vardagskläder** *s pl* everyday (ordinary) clothes

**vardagslag** *s, i ~* om vardagarna on weekdays; vanligtvis usually; till vardagsbruk for everyday use (om kläder wear)

**vardagsliv** *s* everyday (ordinary) life

**vardagsmat** *s* everyday (ordinary) food

**vardagsrum** *s* living room, sitting room

**vardera** *pron* each

**varefter** *adv* after which

**varelse** *s* being; *levande ~* living creature

**varenda** *pron* every, every single

**vare sig** *konj* **1** either; *jag känner inte ~ honom eller hans bror* I don't know either him or his brother **2** antingen whether; han måste gå *~ han vill eller inte* whether he wants to or not

**vareviga** *adj, ~ en* every single one

**varför** *adv* why; *~ det (då)?* why?; jag var förkyld, *~ jag stannade hemma* ...so (for which reason, and that's why) I stayed at home

**varg** *s* wolf (pl. wolves); *jag är hungrig som en ~* I could eat a horse

**varghona** *s* o. **varginna** *s* she-wolf

**vargunge** *s* wolf cub

**varhelst** *adv* wherever

**variant** *s* variant

**variation** *s* variation äv. mus.

**variera** *vb tr* o. *vb itr* vary; vara ostadig fluctuate

**varieté** *s* **1** föreställning variety show, performance **2** lokal variety theatre

**varifrån** *adv* from where, where...from

**varigenom** *adv* through (by) which

**varje** *pron* varje särskild each; varenda every; vardera av endast två either; vilken som helst any; *i ~ fall* in any case; *lite av ~* a little of everything

**varjämte** *adv* besides which (person whom)

**varken** *konj, ~...eller* neither...nor; den är *~ bättre eller sämre än tidigare* ...no better nor worse than before

**varm** *adj* warm; het hot; bildl. warm; hjärtlig hearty; *tre grader ~t* three degrees above zero; *bli ~ i kläderna* begin to find one's feet; *tala sig ~* warm to one's subject; *vara ~ om fötterna* have warm feet

**varmbad** *s* hot bath

**varmblodig** *adj* warm-blooded; bildl. hot-blooded

**varmfront** *s* meteor. warm front

**varmhjärtad** *adj* warm-hearted, generous

**varmluft** *s* hot air

**varmrätt** *s* huvudrätt main dish (course)

**varmvatten** *s* hot water

**varmvattenberedare** *s* geyser, water-heater

**varmvattenskran** *s* hot-water tap

**varna** *vb tr* warn [*för ngn* against a p.; *för att göra ngt* not to do a th., against doing a th.]; *han ~de oss för det* he warned us against it

**varning** *s* warning, caution; *~ för hunden!* beware of the dog

**varningsblinker** *s* bil. hazard light

**varningslampa** *s* warning lamp

**varningsmärke** *s* o. **varningsskylt** *s* trafik. warning sign

**varningstriangel** *s* warning (reflecting) triangle

**varpå** *adv* on which; tid after (on) which, whereupon

**vars** *pron* relativt whose; om djur o. saker äv. of which

**varsam** *adj* aktsam careful [*med* with]

**varsamhet** *s* care, caution

**varse** *adj, bli ~* märka notice, observe, see

**varseblivning** *s* perception

**varsel** *s* **1** förebud premonition **2** förvarning notice

**varsko** *vb tr* underrätta inform; förvarna warn [*ngn om ngt* a p. of a th.]

**varsla** *vb itr, ~ om strejk* give notice of a strike

**varstans** *adv,* det ligger papper *lite ~* ...here, there, and everywhere, ...all over the place

**Warszawa** Warsaw

**var så god** *interj* se under god I 1

**1 vart** *adv* where; *~ än (helst)* wherever; jag vet inte *~ jag skall gå* ...where to go; *~ som helst* anywhere

**2 vart** *s, jag kommer inte någon (kommer ingen) ~* I'm getting nowhere

**vartill** *adv* to (of) which

**varudeklaration** *s* description of goods (merchandise); förpackningsrubrik: innehåll contents pl.; ingredienser ingredients used

**varuhiss** *s* goods lift (amer. elevator)

**varuhus** *s* department (departmental) store (stores pl. lika)

**varumagasin** *s* lager warehouse

**varumärke** *s* trademark

**varunder** *adv* under which

**varuprov** *s* sample

**1 varv** *s* skeppsvarv shipyard, shipbuilding yard; flottans naval yard (dockyard), naval shipyard

**2 varv** *s* **1** omgång turn, round; tekn. revolution; vid stickning etc. row **2** lager, skikt layer

**varva** *vb tr* **1** lägga i skikt put...in layers **2** sport. lap **3** skol. etc., **~d kurs** sandwich course

**varvid** *adv* at which; han snubblade, **~ han föll...** in doing which he fell

**varvräknare** *s* revolution (vard. rev) counter

**varvsindustri** *s* shipbuilding industry

**varvtal** *s* number of revolutions (vard. revs)

**vas** *s* vase

**vaselin** *s* vaseline

**vask** *s* avlopp sink

**vaska** *vb tr* wash

**1 vass** *adj* sharp; spetsig pointed; om t.ex. blick, ljud piercing

**2 vass** *s* bot. reed; koll. reeds pl.

**Vatikanen** the Vatican

**watt** *s* watt

**vatten** *s* **1** water; *ta in* **~** läcka take in water; *ta sig* **~ över huvudet** take on more than one can manage, bite off more than one can chew; en diamant, en idealist *av renaste* **~** ...of the first (purest) water **2** vätska, **~** *i knät* water on the knee **3** urin, *kasta* **~** pass (make) water

**vattenavhärdare** *s* water softener

**vattenbehållare** *s* water tank; större reservoir; för varmvatten boiler

**vattenbrist** *s* shortage (scarcity) of water

**vattendelare** *s* watershed, divide

**vattendrag** *s* watercourse, stream

**vattenfall** *s* waterfall; större falls pl.

**vattenfast** *adj* waterproof, water-resistant

**vattenfärg** *s* watercolour

**vattenförsörjning** *s* water supply

**vattenhink** *s* water bucket

**vattenkanna** *s* water jug, amer. water pitcher; för vattning watering-can

**vattenkanon** *s* water cannon

**vattenklosett** *s* water closet

**vattenkoppor** *s pl* chicken-pox sg.

**vattenkraft** *s* water power

**vattenkran** *s* water tap, tap, amer. water faucet, faucet

**vattenkrasse** *s* watercress

**vattenkvarn** *s* water mill

**vattenkyld** *adj* water-cooled

**vattenledning** *s* water main

**vattenmätare** *s* water gauge; water meter

**vattenpass** *s* water level

**vattenplaning** *s* bil. aquaplaning

**vattenpolo** *s* water polo

**vattenpuss** *s* o. **vattenpöl** *s* puddle, pool of water

**vattenskida** *s* water-ski; *åka vattenskidor* water-ski

**vattenslang** *s* hose

**vattenspridare** *s* water sprinkler

**vattenstånd** *s* water level

**vattenstämpel** *s* watermark

**vattentillförsel** o. **vattentillgång** *s* water supply

**vattentorn** *s* water tower

**vattentät** *adj* om tyg waterproof; om kärl watertight

**vattenverk** *s* waterworks (pl. lika)

**vattenyta** *s*, *på ~n* on the surface of the water

**vattenånga** *s* steam

**vattenödla** *s* newt

**vattkoppor** *s pl* chickenpox sg.

**vattna** *vb tr* water

**vattnas** *vb itr dep*, *det ~ i munnen på mig* it makes my mouth water

**vattnig** *adj* watery

**Vattumannen** astrol. Aquarius

**vattusot** *s* dropsy

**vax** *s* wax

**vaxa** *vb tr* wax

**vaxartad** *adj* waxlike

**vaxböna** *s* wax bean, butter bean

**vaxdocka** *s* wax doll

**vaxduk** *s* oilcloth

**vaxkabinett** *s* waxworks exhibition (museum)

**vaxkaka** *s* honeycomb

**vaxljus** *s* wax candle; smalare taper

**wc** *s* WC, toilet, lavatory

**ve** *interj*, **~ och fasa!** blast!, damnation!

**veck** *s* fold; i sömnad pleat; byxveck etc. crease; i ansiktet wrinkle; *bilda* **~** fold; *lägga pannan i* **~** pucker one's brow

**1 vecka I** *vb tr* pleat, fold; **~d kjol** pleated skirt **II** *vb rfl*, **~** *sig* fold; skrynkla sig crease; speciellt om papper crumple, crinkle

**2 vecka** *s* week; utkomma *en gång i ~n* ...once a week; *förra ~n* last week; *om en* **~** in a week (week's time); *i dag om en* **~** a week from today, a week today

**veckig** *adj* creased; skrynklig crumpled

**veckla** *vb tr* linda, vira wind; **~** *ihop* fold...up (together); **~** *upp* (*ut*) unfold; t.ex. paket undo

**veckodag** *s* day of the week

**veckohelg** *s* weekend

**veckolön** s weekly wages pl.
**veckopeng** s o. **veckopengar** s pl weekly pocket money sg.
**veckoslut** s weekend
**veckotidning** s weekly publication (magazine), weekly
**ved** s wood; bränsle firewood
**vederbörande I** adj the...concerned; behörig the proper (appropriate)... **II** s the person (jur. party) concerned; pl. those concerned
**vederbörlig** adj due, proper; *på ~t* säkert *avstånd* at a safe distance; *med ~t tillstånd* with due permission
**vedergällning** s retribution; gottgörelse recompense, reward; hämnd retaliation
**vedergällningsaktion** s act of reprisal
**vederhäftig** adj reliable, trustworthy
**vederlag** s compensation
**vedermöda** s, ~ el. *vedermödor* hardship, hardships pl.
**vedertagen** adj erkänd accepted, recognized
**vedervärdig** adj repulsive, repugnant
**vedhuggare** s wood-cutter
**vedträ** s log of wood
**vegetabilier** s pl vegetables
**vegetabilisk** adj vegetable
**vegetarian** s vegetarian
**vegetarisk** adj vegetarian
**vegetation** s vegetation
**vek** adj pliable; svag weak; mjuk soft; känslig gentle, tender; *bli ~* äv. soften, grow soft
**veke** s wick
**vekling** s weakling
**velig** adj obeslutsam vacillating
**wellpapp** s corrugated paper (tjockare cardboard)
**velour** s velour
**weltervikt** s welterweight
**vem** pron who (objektsform who el. whom); vilkendera which, which of them; *~ där?* who is (mil. goes) there?; jag vet inte *~ som kom* ...who came; *~s är det?* whose is it?; *~ det än är* whoever it may be
**vemod** s sadness, melancholy
**vemodig** adj sad, melancholy
**ven** s vein
**Venedig** Venice
**venerisk** adj venereal; *~ sjukdom* venereal disease
**venetianare** s Venetian
**venetiansk** adj Venetian
**Venezuela** Venezuela
**venezuelan** s Venezuelan
**venezuelansk** adj Venezuelan

**ventil** s **1** i rum ventilator, air regulator **2** tekn. valve
**ventilation** s ventilation
**ventilera** vb tr **1** ventilate; vädra air **2** dryfta debate, discuss
**Venus** astron. el. myt. Venus
**veranda** s veranda, amer. äv. porch
**verb** s verb
**verbböjning** s conjugation of a verb (of verbs)
**verifiera** vb tr verify
**verifiering** s o. **verifikation** s verification; kvitto receipt
**veritabel** adj veritable, true
**verk** s **1** arbete work, labour; dåd deed; *samlade ~* collected works; *i själva ~et* in reality, actually; *sätta...i ~et* carry out, put...into effect; förverkliga realize; *gå (skrida) till ~et* go (set) about it **2** ämbetsverk civil service department **3** fabrik works pl. **4** i ur works pl.
**verka** vb itr **1** handla, arbeta work, act; *~ för...* work for... **2** göra verkan work, act; medicinen *~de inte* ...had no effect **3** förefalla seem, appear; *~ barnslig* seem childish
**verkan** s resultat effect, result; följd consequence; kem. action; inflytande influence; intryck impression; *göra ~* have an effect, be effective; *ha ~ på...* have an effect on...
**verklig** adj real; sann, äkta true, genuine; faktisk actual; *ett ~t nöje* a true (real) pleasure
**verkligen** adv really; faktiskt actually, indeed; förvisso certainly; *nej ~?* really?; *jag hoppas ~* att du har rätt I do (betonat) hope...
**verklighet** s reality; faktum fact; sanning truth; *bli ~* become a reality, materialize; *i ~en* i verkliga livet in real life; i själva verket in reality; faktiskt in fact, as a matter of fact
**verklighetsflykt** s escape from reality
**verklighetsfrämmande** adj unrealistic
**verklighetstrogen** adj realistic, ...true to life
**verkmästare** s foreman
**verkningsfull** adj effective, impressive
**verkningsgrad** s efficiency
**verksam** adj active; driftig energetic; arbetsam industrious, busy; verkande effective; *vara ~ som...* work as...
**verksamhet** s activity, activeness; handling, rörelse action; maskins operation; arbete,

sysselsättning work; fabriks~ etc. enterprise;
affärs~ äv. business; *sätta...i ~*
set...working
**verkstad** *s* workshop; bil~ garage
**verkstadsgolv** *s, arbetarna på ~et* the
workers on the shop floor
**verkstadsindustri** *s* engineering industry
**verkställa** *vb tr* carry out, perform; order
execute; utbetalning make
**verkställande I** *adj* executive; *~ direktör*
managing director, amer. president **II** *s*
carrying out, performance; t.ex. av dom
execution
**verkställighet** *s* execution; *gå i ~* be put
into effect, be carried out (into effect)
**verktyg** *s* tool, instrument båda äv. bildl.;
redskap äv. implement, utensil
**verktygslåda** *s* toolbox, toolchest
**vermouth** *s* vermouth
**vernissage** *s* opening of an (the)
exhibition
**vers** *s* verse; dikt poem; *sjunga på sista*
*~en* be on one's (its) last legs, be on the
way out
**version** *s* version
**versmått** *s* metre
**versrad** *s* line of poetry
**vertikal** *adj* o. *s* vertical
**vertikalplan** *s* vertical plane
**vertikalvinkel** *s* vertical angle
**vessla** *s* **1** zool. weasel **2** snöfordon snowcat,
snowmobile, weasel
**vestibul** *s* vestibule, entrance hall; i hotell
lounge, lobby
**veta** *vb tr* know; *såvitt (vad) jag vet* as
far as I know; *det vet jag väl!* irriterat I
know that (all about that)!; *vet du vad,*
*vi* går på bio! I'll tell you what, let's...; *få ~*
få reda på find out, get to know, learn; få
höra hear of, be told; *man kan aldrig ~*
you never know (never can tell)
□ *~ av* ngt know of..., be aware of...;
*vet du av att...* do you know that...;
*honom vill jag inte ~ av* I won't have
(don't want) anything to do with him;
*där vet man inte av någon vinter* they
don't know what winter is there; *~ med*
*sig* be conscious, be aware [*att man är* of
being, that one is]; *~ om* know about, be
aware of; *~ varken ut eller in* be at one's
wits' end, be at a loss what to do
**vetande** *s* knowledge; *mot bättre ~*
against one's better judgement
**vete** *s* wheat

**vetebröd** *s* wheat bread, white bread;
kaffebröd buns pl.
**vetebulle** *s* bun
**vetemjöl** *s* wheat flour
**vetenskap** *s* science
**vetenskaplig** *adj* scientific; humanistisk
scholarly
**vetenskapligt** *adv* scientifically; in a
scholarly manner
**vetenskapsman** *s* naturvetenskapsman
scientist; humanist scholar
**veteran** *s* veteran
**veteranbil** *s* veteran car
**veterinär** *s* veterinary surgeon, amer.
veterinarian; vard. vet
**veterligen** *adv* o. **veterligt** *adv, mig ~* to
my knowledge
**vetgirig** *adj* eager to learn
**vetgirighet** *s, hans ~* his inquiring mind
(kunskapstörst thirst for knowledge)
**veto** *s* veto; *inlägga ~ mot ngt* veto a th.
**vetskap** *s* knowledge
**vett** *s* sense; *ha ~ att* have the sense to...;
*vara från ~et* be out of one's senses
**vetta** *vb itr, ~ mot (åt)* face, face on to
**vettig** *adj* sensible, reasonable
**vettskrämd** *adj* ...frightened (scared) out
of one's senses (wits)
**vev** *s* crank, handle
**veva I** *s, i den ~n* just at that (the same)
moment (time) **II** *vb itr* turn the handle
[*på ngt* of a th.]
**vevaxel** *s* crankshaft
**vevstake** *s* connecting rod
**whisky** *s* whisky, amer. o. irländsk whiskey
**whiskygrogg** *s* whisky and soda
**vi** *pers pron* we; *oss* us; rfl. ourselves
**via** *prep* via, by, by way of
**viadukt** *s* viaduct
**vibration** *s* vibration
**vibrera** *vb itr* vibrate
**vice** *adj* vice-, deputy
**vice versa** *adv* vice versa
**vicevärd** *s* landlord's agent, deputy
landlord
**vichyvatten** *s* soda water, soda
**vicka** *vb itr* vara ostadig wobble, be
unsteady; gunga rock, sway
**vickning** *s* late light supper [after a party]
**1 vid** *adj* wide; vidsträckt extensive, broad
**2 vid** *prep* **1** i rumsbetydelse at; bredvid by; nära
near; *sitta ~ ett bord* sit at (bredvid by) a
table; ställa sin cykel *~ dörren* (*~ mot ett*
*träd*) ...by the door (against a tree);
*staden ligger ~ en flod* the town stands

on a river; *huset ligger ~ en gata* nära centrum the house is in (amer. on) a street...; han stoppades *~ gränsen* ...at the frontier; *sida ~ sida* side by side **2** uttr. verksamhetsområde: *vara anställd ~* en firma be employed in (at)...; *han är ~ marinen (polisen)* he is in the Navy (the police); *vara (gå in) ~ teatern* be (go) on the stage **3** 'över' over; 'fäst vid' to; *sitta och prata ~* ett glas vin sit talking over...; *sitta ~ sina böcker* hela dagen sit over one's books...; *den är fäst (sitter) ~* en stång it is fastened (attached) to... **4** i tidsbetydelse at; sluta skolan *~ arton år* ...at the age of eighteen; *~ avtäckningen* at (under during) the unveiling ceremony; *~ besök i England* bör man... when on (when paying) a visit to England..., when visiting England...; *~ hans död* efter, till följd av on his death; *~ sin död* när han dog when he died; *~ halka* när (om) det är halt when it is slippery; *~ jul (middagen)* at Christmas (dinner); de betalas *~ leverans* ...on delivery; vakna *~ ljudet av musik* ...at (till to) the sound of music; *~ midnatt* at (omkring about, inte senare än by) midnight; *~ dåligt väder* in bad weather; *vara ~ god hälsa* be in good health

**vida** *adv* **1** i vida kretsar widely; *~ omkring* far and wide **2** i hög grad, *~ bättre* far (much, a good deal) better, better by far

**vidare** *adj* o. *adv* ytterligare further; mera more; i rum farther, further; i tid longer; *~ meddelas att...* it is further (furthermore) reported that...; *se ~* sid. 5 see also...; *och så ~* and so on; *tills ~* så länge for the present; tills annat besked ges until further notice; *utan ~* resolut straight off; genast at once; *inte (inget) ~ bra* not very (too, particularly) good; han är *ingen ~ lärare* ...not much of a (not a very good) teacher; *flyga ~* fly on [*till* to]; *läsa ~* read on, go on reading

**vidarebefordra** *vb tr* forward, send on

**vidarebefordran** *s* forwarding; *för ~ till* to be forwarded (sent on) to

**vidareutbildning** *s* further education (training)

**vidbränd** *adj,* gröten *är ~* ...has got burnt

**vidd** *s* **1** omfång width **2** omfattning extent, scope; räckvidd range **3** vidsträckt yta, *~er* wide open spaces

**vide** *s* buske osier; träd willow

**video** *s* apparat o. system video (pl. -s); *spela in på ~* video-record

**videoband** *s* video tape

**videobandspelare** *s* video cassette recorder (förk. VCR)

**videoinspelning** *s* video recording

**videokamera** *s* video camera

**videokassett** *s* video cassette

**videospel** *s* video game

**videotelefon** *s* videophone

**videovåld** *s* video nasties pl.

**videovåldsfilm** *s* video nasty

**vidga I** *vb tr* göra vidare widen; göra större enlarge, expand äv. metall **II** *vb rfl,* *~ sig* bli vidare widen; bli större enlarge; öka, växa expand

**vidgning** *s* widening; enlargement, expansion; jfr *vidga*

**vidgå** *vb tr* own; bekänna confess

**vidhålla** *vb tr* hold (keep, adhere, stick) to

**vidimera** *vb tr* attest

**vidimering** *s* attestation

**vidja** *s* osier

**vidkommande** *s, för mitt ~* tänker jag... as far as I am concerned..., for my part...

**vidkännas** *vb tr dep* **1** bära, lida, *få ~* kostnaderna have to bear...; *få ~* förluster have to suffer **2** erkänna acknowledge

**vidlyftig** *adj* utförlig circumstantial, detailed; mångordig wordy

**vidmakthålla** *vb tr* maintain, keep up

**vidmakthållande** *s* maintenance, keeping up

**vidrig** *adj* disgusting, repulsive

**vidröra** *vb tr* touch; omnämna touch on

**vidskepelse** *s* superstition

**vidskeplig** *adj* superstitious

**vidskeplighet** *s* superstition

**vidsträckt** *adj* extensive, wide, vast

**vidstående** *adj, ~* sida the adjoining...

**vidsynt** *adj* **1** tolerant broad-minded **2** framsynt far-sighted

**vidta** o. **vidtaga** *vb tr* åtgärder take; *~ förändringar* make changes

**vidunder** *s* monster

**vidunderlig** *adj* monstrous

**vidvinkelobjektiv** *s* wide-angle lens

**vidöppen** *adj* wide open

**Wien** Vienna

**wienare** *s* Viennese (pl. lika)

**wienerbröd** *s* Danish pastry, vard. Danish

**wienerkorv** *s* frankfurter, speciellt amer. wienerwurst; vard. wiener, wienie

**wienerlängd** *s* ung. [long] bun plait

**wienerschnitzel** *s* Wiener schnitzel

**wienervals** *s* Viennese waltz
**Vietnam** *s* Vietnam
**vietnames** *s* Vietnamese (pl. lika)
**vietnamesisk** *adj* Vietnamese
**vift** *s*, *vara ute på* ~ be out on the spree
**vifta** *vb itr* o. *vb tr* wave; ~ *på svansen* om hund wag its tail; ~ *bort* flugor whisk away...
**viftning** *s* wave, wave of the hand; på svansen wag, wag of its tail
**vig** *adj* smidig lithe; rörlig agile, nimble
**viga** *vb tr* **1** helga, inviga consecrate **2** sammanviga marry
**vigsel** *s* marriage, wedding
**vigselakt** *s* marriage ceremony
**vigselattest** *s* marriage certificate
**vigselring** *s* wedding ring
**vigör** *s* vigour; *vid full* ~ in full vigour
**vik** *s* bay; större samt havsvik gulf; mindre creek
**vika I** *s*, *ge* ~ give way (in), yield, submit [*för* to]; falla ihop collapse **II** *vb tr* **1** fold **2** reservera, ~ *en kväll* för festen etc. set aside an evening...; ~ *en plats* reserve a seat **III** *vb itr* ge vika yield, give way (in) [*för* to]; ~ *om hörnet* turn (turn round) the corner **IV** *vb rfl*, ~ *sig* böja sig bend; *benen vek sig under henne* her legs gave way under her
□ ~ **av** turn off [*från vägen* from the road], jfr *avvika;* ~ **ihop** fold up; ~ **in på** en sidogata turn into (down)...; ~ **undan** give way [*för* to]
**vikariat** *s* post as a substitute (as a deputy, som lärare äv. as a supply teacher), temporary post
**vikarie** *s* för t.ex. lärare substitute; ställföreträdare äv. deputy; ersättare äv. stand-in; för lärare äv. supply teacher
**vikariera** *vb itr*, ~ *för ngn* substitute (deputize, stand in) for a p., act as a substitute (a deputy) for a p.
**vikarierande** *adj* deputy; om t.ex. rektor acting
**vikbar** *adj* foldable
**viking** *s* Viking
**vikingatiden** *s* the Viking Age
**vikingatåg** *s* Viking raid
**vikt** *s* **1** weight; sälja *efter* ~ ...by weight; *gå ned* (*upp*) *i* ~ lose (put on) weight; *hålla* ~*en* keep one's weight down **2** betydelse importance; *fästa stor* ~ *vid ngt* attach great importance to a th.
**viktig** *adj* **1** important; väsentlig essential; *det* ~*aste* är att... the main (important)

thing... **2** högfärdig self-important; mallig stuck-up; *göra sig* ~ give oneself airs
**viktigpetter** *s* vard. pompous (conceited) ass
**vila I** *s* rest, repose; *en stunds* ~ a little rest; *i* ~ at rest **II** *vb tr* o. *vb itr* rest [*mot* against; *på* on]; *saken får* ~ *tills vidare* the matter must rest there for the moment; *här* ~*r*... here lies...; ~ *ut* have a good rest **III** *vb rfl*, ~ *sig* rest, take a rest
**vild** *adj* wild; ~*a djur* wild animals; ~ *strejk* wildcat strike; *Vilda Västern* the Wild West; *bli* ~ ursinnig become (get) furious (amer. mad)
**vilddjur** *s* wild beast
**vilde** *s* savage
**vildhet** *s* wildness, savagery
**vildmark** *s* wilderness
**vildsint** *adj* fierce, ferocious
**vildsvin** *s* wild boar
**vilja I** *s* will; önskan wish, desire; avsikt intention; *min sista* ~ testamente my last will and testament; *få sin vilja fram* have (get) one's own way; *av egen fri* ~ of one's own free will; *med bästa* ~ *i världen går det inte* with the best will in the world it is not possible **II** *vb tr* o. *vb itr* o. *hjälpvb* önska want, wish, desire; tycka om like; mena, ämna mean; vara villig be willing; ~ *ha* want; *vill du vara snäll och* el. *skulle du* ~ inf. will you please inf., would you mind ing-form; *jag vill att du skall göra* (*gör*) *det* I want you to do it; *vill du ha* lite mera te*? - Ja, det vill jag* would you like...? - Yes, I would; *vad vill du att han skall göra?* what do you want (wish) him to do?; *gör som du vill* do as you like (please, wish); *om Gud vill...* God willing..., ...please God; vet du *vad jag skulle* ~*?* ...what I would like to do?; *jag skulle* ~ *ha...* I want..., I should like (like to have)...; *jag vill hellre ha* te än kaffe I would rather have...; *det vill jag hoppas* I do hope so; *jag vill minnas att...* I seem to remember...; *vad vill du ha att dricka?* what will you have (what do you want) to drink?; arbetet *vill aldrig ta slut* ...seems never to end
**vilje** *s*, *göra ngn till* ~*s* do as a p. wants (wishes)
**viljestark** *adj* strong-willed
**viljestyrka** *s* willpower
**viljesvag** *adj* weak-willed
**vilken** *pron* **1** relativt: om person who (objektsform whom); om djur el. sak which;

allmänt that; ~ *som helst* anyone; ~ *som helst som* whoever, whichever; *dessa pojkar, vilka alla* är bosatta i... these boys, all of whom...; *dessa böcker, vilka alla* är... these books, all of which...; *i vilket fall* han måste in which case...; *i vilket fall som helst* in any case 2 frågande: obegränsat what; självständigt om person who (objektsform who el. whom); urval which, which one (pl. ones); *vilkens, vilkas* whose; *vilka böcker* har du läst? what (av ett begränsat antal which) books...?; ~ *är* vad heter Sveriges största stad? what is...?; *vilka är* de där pojkarna? who are...?; jag vet inte ~ *av dem som kom först* ...which of them came first 3 andra ex., res ~ *dag du vill* ...any day you like; *vilka åtgärder han än må vidta* whatever steps he may take 4 i utrop, ~ *dag!* what a day!; *vilket väder!* what weather!; *vilka höga berg!* what high mountains!

**vilkendera** *pron* which, whichever

**1 villa** *s* illusion, delusion

**2 villa** *s* house; finare, på kontinenten o. ibl. i Storbr. villa; enplans~ ofta bungalow

**villasamhälle** *s* o. **villastad** *s* residential district

**villaägare** *s* house-owner

**villebråd** *s* game; förföljt ~ quarry

**villervalla** *s* confusion, chaos

**villfarelse** *s* error, mistake, delusion

**villig** *adj* willing; beredd äv. ready; *vara ~ att* be willing (prepared) to

**villighet** *s* willingness, readiness

**villkor** *s* condition; köpe~ etc. terms pl.; *ställa som ~ att...* make it a condition that...; *på det ~et att...* on condition that...; *på inga ~* on no condition

**villkorlig** *adj* conditional; *de fick ~ dom* they were given a conditional (suspended) sentence

**villkorsbisats** *s* conditional clause

**villkorslös** *adj* unconditional

**villospår** *s, vara på ~* be on the wrong track

**villoväg** *s, leda (föra) ngn på ~ar* lead a p. astray; *råka (komma) på ~ar* go astray

**villrådig** *adj, vara ~ om vad man skall göra* be at a loss what to do

**vilodag** *s* day of rest

**vilohem** *s* rest home

**vilopaus** *s* o. **vilostund** *s* break, rest

**vilse** *adv, gå ~* lose one's way, get lost

**vilseleda** *vb tr* mislead, lead...astray

**vilseledande** *adj* misleading

**vilsen** *adj* lost

**vilstol** *s* deck chair; av sängtyp folding lounge chair

**vilt I** *adv* **1** wildly, furiously; *växa ~* grow wild **2** ~ *främmande* quite strange **II** *s* game

**vilthandel** *s* butik poulterer's, poultry shop

**vimla** *vb itr* swarm [*av* with]; *det ~r av folk på gatorna* the streets are swarming (teeming) with people

**vimmel** *s* folk~ throng, crowd

**vimmelkantig** *adj* yr giddy, dizzy; förvirrad confused

**vimpel** *s* streamer; mil. pennant

**vimsig** *adj* scatterbrained

**vin** *s* **1** dryck wine **2** växt vine

**vina** *vb itr* whine; om pil etc. whistle

**vinbär** *s, röda ~* redcurrants; *svarta ~* blackcurrants

**1 vind** *s* wind; lätt vind breeze; *driva ~ för våg* drift aimlessly; *låta ngt gå ~ för våg* leave a th. to take care of itself; *få ~ i seglen* catch the wind; bildl. begin (start) to do well; *ha ~ i seglen* sail with a fair wind; bildl. be successful; *borta med ~en* gone with the wind

**2 vind** *s* i hus attic; vindsrum äv. garret

**vindflöjel** *s* weathercock, vane

**vindruta** *s* på bil windscreen

**vindrutespolare** *s* windscreen washer

**vindrutetorkare** *s* windscreen wiper

**vindruva** *s* grape

**vindruvsklase** *s* bunch (cluster) of grapes

**vindskammare** *s* attic, garret

**vindskontor** *s* lumber room

**vindspel** *s* windlass, winch; stående capstan

**vindstilla** *adj* calm, becalmed

**vindsurfa** *vb itr* windsurf

**vindsurfingbräda** *s* sailboard

**vindsvåning** *s* attic, attic storey

**vindtygsjacka** *s* windproof jacket, windcheater

**vindtät** *adj* windproof

**vindögd** *adj* squint-eyed, cross-eyed

**vinfat** *s* wine barrel, wine cask

**vinflaska** *s* wine bottle; med vin bottle of wine

**vinge** *s* wing

**vingla** *vb itr* gå ostadigt stagger; stå ostadigt sway; om möbler wobble

**vinglig** *adj* staggering; om möbler wobbly, rickety

**vingmutter** *s* wing nut

**vingård** *s* vineyard

**vinjett** s vignette

**vink** s med handen wave; tecken sign, motion; antydan hint; *förstå ~en* take the hint

**vinka** vb itr o. vb tr ge tecken beckon, motion [*åt* to]; vifta wave; *~ av ngn* wave a p. off; *han ~de henne till sig* he beckoned to her to come up (over) to him

**vinkel** s angle; hörn corner; vrå nook

**vinkelformig** adj angular

**vinkelhake** s set square, triangle

**vinkeljärn** s angle iron (bar)

**vinkellinjal** s T-square

**vinkelrät** adj perpendicular [*mot* to]; *~ mot...* äv. at right angles to...

**vinkla** vb tr, *~ nyheterna* slant the news

**vinkällare** s wine cellar

**vinlista** s wine list, wine card

**vinna** vb tr o. vb itr i strid, tävlan, spel win; t.ex. tid, terräng gain [*genom, med, på* by]; ha vinst profit [*på* by]; ha nytta benefit [*på* from]; *du vinner ingenting med att hota* threats won't get you anywhere; *~ på* en affär profit (benefit) from el. by...; tjäna pengar make money on...; *~ på* ta in på *ngn* gain on a p.

**vinnande** adj winning; intagande attractive

**vinnare** s winner

**vinning** gain, profit; *för snöd ~s skull* out of sheer greed

**vinningslysten** adj greedy, grasping

**vinodlare** s vine-grower

**vinranka** s grapevine

**vinrättigheter** s pl, *ha ~* be licensed to serve wine; *ha vin- och spriträttigheter* be fully licensed

**vinsch** s winch

**vinscha** vb tr, *~* el. *~ upp* hoist, winch

**vinst** s gain; förtjänst profit, profits pl.; avkastning yield, returns pl.; utdelning dividend; i lotteri lottery prize; *högsta ~en* the first prize; *ren ~* net profits pl.; *ge ~* yield a profit; *sälja...med ~* sell...at a profit; *på ~ och förlust* at a venture, on speculation

**vinstandel** s share of (in) the profits; utdelning dividend

**vinstgivande** adj profitable, remunerative, paying

**vinstlista** s lottery prize list

**vinstlott** s winning ticket

**vinstnummer** s winning number

**vinstock** s grapevine, vine

**vinter** s winter; *i vintras* last winter, jfr äv. *höst*

**vinterbonad** adj ...fit for winter habitation

**vinterdag** s winter (winter's) day

**vinterdvala** s winter sleep, hibernation; *ligga i ~* hibernate

**vinterdäck** s snow (winter) tyre

**vintergata** s, *Vintergatan* the Milky Way

**vinterkörning** s med bil winter driving, driving in the winter

**vinter-OS** s the winter Olympics pl.

**vintersolstånd** s winter solstice

**vintersport** s winter sports pl.

**vintertid** s winter, wintertime

**vinthund** s greyhound

**vinyl** s vinyl

**vinylacetat** s vinyl acetate

**vinäger** s o. **vinättika** s wine-vinegar

**viol** s violet

**violett** s o. adj violet; jfr *blått*

**violin** s violin

**violinist** s violinist

**violoncell** s cello (pl. -s)

**violoncellist** s violoncellist, cellist

**vipp** s, *vara på ~en att* inf. be on the point of (be within an ace of) ing-form

**vippa** vb itr swing (guppa bob) up and down; gunga seesaw; *~ på stjärten* wag one's tail; *~ på stolen* tilt the (one's) chair

**vipport** s garagedörr overhead door, up-and-over

**vira** vb tr wind; för prydnad wreathe

**wire** s cable; tunnare wire

**viril** adj virile, manly

**virka** vb tr o. vb itr crochet

**virke** s wood, timber

**virkning** s crocheting, crochet work

**virknål** s crochet hook (needle)

**virrig** adj muddled, confused

**virrvarr** s förvirring confusion; villervalla muddle; röra jumble; oreda mess, tangle

**virtuos** s virtuoso (pl. -s el. virtuosi)

**virtuositet** s virtuosity

**virus** s virus

**virvel** s whirl, swirl

**virvelvind** s whirlwind

**virvla** vb itr whirl, swirl

**1 vis** s way, manner, fashion

**2 vis** adj wise; starkare sage

**1 visa** s song; folkvisa ballad

**2 visa I** vb tr show [*för* to]; peka point [*på* at (to)]; ådagalägga äv. exhibit, demonstrate, display; *kyrkklockan ~r rätt tid* the church clock tells the right time; *~ ngn aktning* pay respect to a p.; *~ ngn på dörren* show a p. the door **II** vb *rfl,* ~ *sig* show oneself; framträda appear; bli tydlig become apparent; synas äv. be seen; *det kommer att* ~ *sig om...* it will be seen whether...; *detta ~de sig vara ogenomförbart* this proved (proved to be) impracticable

□ ~ **fram** förete show, exhibit, display; ~ **upp** fram, t.ex. pass, ta fram produce; ~ **ut ngn** order (send) a p. out

**visare** *s* på ur hand; på instrument pointer, indicator, needle

**visavi I** *s* man (woman) opposite **II** *prep* mittemot opposite; beträffande regarding

**visdom** *s* wisdom; lärdom learning

**visdomstand** *s* wisdom tooth

**visent** *s* European bison

**vishet** *s* wisdom

**vision** *s* vision

**visionär I** *adj* visionary **II** *s* visionary, dreamer

**visit** *s* call, visit; *avlägga* ~ *hos ngn* pay a p. a visit, call on a p.

**visitation** *s* examination; kropps~ search

**visitera** *vb tr* examine; kropps~ search; inspektera inspect

**visitkort** *s* visiting-card, card; amer. calling card

**viska** *vb tr* o. *vb itr* whisper

**viskning** *s* whisper

**visning** *s* showing; demonstration demonstration; förevisning exhibition, display, show

**visp** *s* whisk; mekanisk äv. beater

**vispa** *vb tr* whip, whisk; ägg etc. beat

**vispgrädde** *s* whipped (till vispning whipping) cream

**viss** *adj* **1** certain [*om, på* of]; sure [*om, på* of, about] **2** särskild certain; bestämd: om tidpunkt äv. given; om summa fixed; *en* ~ herr Andersson a certain...; *i* ~ *mån* to a certain (to some) extent; *i ~a avseenden* in some respects (ways)

**visselpipa** *s* whistle

**vissen** *adj* faded; förtorkad withered; *känna sig* ~ feel off colour, feel rotten

**visserligen** *adv* helt visst certainly; förvisso to be sure; *han är* ~ *duktig, men...* it is true that he is clever, but...

**visshet** *s* certainty; *få* ~ *om...* find out...for certain

**vissla I** *s* whistle **II** *vb tr* o. *vb itr* whistle; ~ *ut* hiss; artist hiss...off the stage

**vissling** *s* whistle

**vissna** *vb itr* fade, wither

**visst** *adv* certainly, to be sure; utan tvivel no

doubt; *ja ~!* certainly!, of course!; ~ *inte!* certainly not!

**vistas** *vb itr dep* stay; bo reside, live

**vistelse** *s* stay

**vistelseort** *s* place of residence, permanent residence

**visuell** *adj* visual

**visum** *s* visa

**vit** *adj* white; *den ~a duken* the screen; *en* ~ a white, a white man; *de ~a* the whites; för sammansättningar jfr äv. *blå-*

**vita** *s* äggvita, ögonvita white

**vital** *adj* vital; livskraftig vigorous

**vitalitet** *s* vitality; livskraft vigour

**vitamin** *s* vitamin

**vitaminbrist** *s* vitamin deficiency

**vitaminisera** *vb tr* vitaminize

**vite** *s* fine, penalty; *vid* ~ *av...* under penalty of a fine of...

**vitglödande** *adj* white-hot

**vithårig** *adj* white-haired

**vitkål** *s* cabbage, white cabbage

**vitlimma** *vb tr* whitewash

**vitling** *s* fisk whiting

**vitlök** *s* garlic

**vitlöksklyfta** *s* clove of garlic

**vitna** *vb itr* whiten, turn (grow, go) white

**vitpeppar** *s* white pepper

**vitriol** *s* vitriol

**vitrysk** *adj* Byelorussian, Belorussian

**vitryss** *s* Byelorussian, Belorussian

**Vitryssland** Byelorussia, Belorussia

**vits** *s* ordlek pun; kvickhet joke, jest

**vitsa** *vb itr* joke, crack jokes

**vitsig** *adj* kvick witty

**vitsippa** *s* wood anemone

**vitsord** *s* skriftligt betyg testimonial; skol. mark, amer. grade

**vitsorda** *vb tr* intyga testify to, certify; ~ *att ngn är...* certify that a p. is...

**1 vitt** *s* white; jfr *blått* o. *svart*

**2 vitt** *adv* widely; ~ *och brett* far and wide; *prata* ~ *och brett om...* talk at great length about...

**vittgående** *adj* far-reaching; ~ *reformer* extensive reforms

**vittna** *vb itr* witness; intyga testify [*om* to]; ~ *mot (för) ngn* give evidence against (in favour of) a p.; ~ *om* visa show

**vittne** *s* witness; *vara* ~ *till ngt* witness a th.

**vittnesbås** *s* witness box

**vittnesbörd** *s* testimony, evidence

**vittnesmål** *s* evidence, testimony; *anlägga* ~ give evidence

**vittomfattande** *adj* far-reaching, extensive
**vittra** *vb itr* falla sönder moulder, crumble, crumble away
**vittvätt** *s* white laundry (linen), whites pl.
**vitvaror** *s pl* white goods
**vivre** *s, fritt* ~ free board and lodging
**VM** se *världsmästerskap*
**vodka** *s* vodka
**wok** *s* kok. wok
**woka** *vb tr* o. *vb itr* kok. wok
**vokabelsamling** *s* vocabulary
**vokabulär** *s* ordförråd vocabulary; ordlista äv. glossary
**vokal** *s* vowel
**vokalist** *s* vocalist
**volang** *s* flounce; smalare frill
**volfram** *s* tungsten
**1 volt** *s* elektr. volt
**2 volt** *s* ridn. el. fäkt. volt; *göra (slå)* ~*er* gymn. turn somersaults
**volym** *s* volume äv. bokband
**votera** *vb itr* o. *vb tr* vote
**votering** *s* voting
**votum** *s* vote
**vov** *interj*, ~ ~*!* bow-wow!
**vovve** *s* barnspråk bow-wow
**vrak** *s* wreck äv. bildl.
**vraka** *vb tr* reject
**vrakgods** *s* wreckage
**vrakpris** *s* bargain price
**vrakspillror** *s pl* wreckage sg.
**vred** *s* handle; runt äv. knob
**vrede** *s* wrath; ursinne fury, rage; *låta sin* ~ *gå ut över ngn* vent one's anger on a p.
**vredesmod** *s, i* ~ in wrath (anger)
**vredesutbrott** *s* fit of rage
**vredgad** *adj* angry, furious
**vresig** *adj* peevish, cross
**vresighet** *s* peevishness, crossness
**vricka** *vb tr* stuka sprain; rycka ur led dislocate
**vrickad** *adj* vard. crazy, cracked
**vrickning** *s* stukning sprain, dislocation
**vrida** *vb tr* o. *vb itr* turn; sno twist, wind; ~ *händerna* wring one's hands; ~ *tvätt* wring out the washing; ~ *och vränga på ngt* twist and turn a th.
  □ ~ *av* twist off; ~ *fram klockan* put the clock forward; ~ *om nyckeln* turn...; ~ *på* t.ex. kranen turn on; ~ *till kranen* turn off the tap; ~ *upp klockan* wind up the clock
**vriden** *adj* **1** snodd twisted, contorted **2** tokig cracked, crazy
**vridmoment** *s* tekn. torque
**vrist** *s* instep; ankel ankle

**vrå** *s* corner, nook
**vråk** *s* fågel buzzard
**vrål** *s* vrålande roaring, bawling; *ett* ~ a roar (bawl)
**vråla** *vb itr* roar, bawl, bellow
**vrång** *adj* ...difficult to deal with, cussed, disobliging
**vrångbild** *s* distorted picture
**vrångstrupe** *s, jag fick den i* ~*n* it went down the wrong way
**vräka I** *vb tr* **1** heave; kasta toss, throw **2** köra ut från en bostad evict, eject **II** *vb itr*, *regnet vräker ned* it's pouring down; *snön vräker ned* the snow is coming down heavily **III** *vb rfl*, *sitta och* ~ *sig* lounge about
  □ ~ *bort* kasta throw away; ~ *omkull* throw...over; ~ *ur sig* blurt out; ~ *ut pengar* spend money like water
**vräkig** *adj* ostentatious; flott flashy, showy; slösaktig extravagant
**vränga** *vb tr* vända ut o. in på turn...inside out; förvränga distort, twist
**vulgaritet** *s* vulgarity
**vulgär** *adj* vulgar, common
**vulkan** *s* volcano (pl. -s)
**vulkanisera** *vb tr* vulcanize
**vulkanisk** *adj* volcanic
**vurm** *s* passion, craze, mania [*för (på)* for]
**vurma** *vb itr*, ~ *för ngt* have a passion for a th.
**vuxen** *adj* fullvuxen adult, grown-up; *de vuxna* adults, grown-ups
**vuxenutbildning** *s* adult education
**vy** *s* view
**vykort** *s* picture postcard
**vyssja** *vb tr* lull [*i sömn* to sleep]
**vådaskott** *s* accidental shot
**vådlig** *adj* farlig dangerous
**våffeljärn** *s* waffle iron
**våffla** *s* waffle
**1 våg** *s* **1** redskap scale, scales pl.; större weighing-machine; med skålar balance **2** *Vågen* astrol. Libra
**2 våg** *s* wave
**våga I** *vb tr* o. *vb itr* dare; riskera äv. risk; ~*r han gå?* dare he go?, does he dare to go?; ~ *livet* venture (risk) one's life; *du skulle bara* ~*!* just you dare!, just you try! **II** *vb rfl*, ~ *sig dit* dare to go there; ~ *sig på ngn (ngt)* angripa dare to tackle a p. (a th.)
**vågad** *adj* djärv daring, bold; riskfylld risky, hazardous; oanständig indecent
**vågarm** *s* arm (lever) of a balance

**vågbrytare** s breakwater
**vågdal** s trough of the sea (the waves); bildl. down period, doldrums pl.; *komma in i en ~* get into a down period
**vågformig** adj, *~ rörelse* wave-like (undulating) movement
**våghals** s daredevil
**våghalsig** adj reckless, rash
**vågig** adj wavy; böljande undulating
**våglängd** s radio. wavelength
**vågrät** adj horizontal; plan level; *~a ord* i korsord clues across
**vågsam** adj risky, hazardous, daring, bold
**vågspel** s o. **vågstycke** s bold (daring) venture; vågsam handling daring act
**våld** s makt power; tvång force, compulsion; våldsamhet violence; *yttre ~* violence; *bruka (öva) ~* use force el. violence [*mot* against]; *vara i ngns ~* be in a p.'s power, be at a p.'s mercy; *med ~* by force
**våldföra** vb rfl, *~ sig på* use violence on
**våldsam** adj violent; vild furious
**våldsamhet** s violence
**våldsdåd** s act of violence
**våldta** vb tr rape
**våldtäkt** s rape
**våldtäktsman** s rapist
**vålla** vb tr förorsaka cause, be the cause of
**vålnad** s ghost, phantom
**vånda** s agony; kval torment
**våndas** vb itr dep suffer agony, be in agony
**våning** s **1** lägenhet flat, amer. apartment **2** etage storey; våningsplan floor; *på (i) andra ~en* en trappa upp on the first (amer. second) floor
**våningsbyte** s exchange of flats (apartments)
**1 vår** poss pron our; självständigt ours; *de ~a* our people; för ex. jfr vidare *1 min*
**2 vår** s spring, springtime; *i våras* last spring, jfr äv. *höst*
**våras** vb itr dep, *det ~* spring is coming
**1 vård** s minnesvård memorial, monument
**2 vård** s care [*om, av* of]; uppsikt äv. charge; jur. custody; *sluten ~* institutional care; på sjukhus hospital treatment; *öppen ~* non-institutional care; *få god ~* be well looked after; *ha ~ om...* have charge (care) of...
**vårda** vb tr take care of; se till look after; bevara preserve; *han ~s på sjukhus* he is (is being treated) in hospital
**vårdad** adj om person o. yttre well-groomed, neat; om t.ex. språk polished

**vårdag** s spring day, day in spring
**vårdagjämning** s vernal (spring) equinox
**vårdare** s keeper; sjuk~ male nurse
**vårdcentral** s health centre
**vårdhem** s nursing home
**vårdnad** s custody [*om* of]
**vårdnadshavare** s målsman guardian
**vårdslös** adj careless [*med* with, about]; försumlig negligent [*med* about], neglectful [*med* of]
**vårdslöshet** s carelessness; negligence; neglect
**vårdtecken** s, *som ett ~* as a token
**vårdyrke** s social service (sjukvårdande nursing) occupation
**vårflod** s spring flood
**vårlik** adj spring-like
**vårstädning** s spring-cleaning
**vårta** s wart
**vårtbitare** s green grasshopper
**vårtecken** s sign of spring
**vårtermin** s spring term (amer. äv. semester)
**vårtrötthet** s spring fatigue
**våt** adj wet; fuktig damp, moist; *bli ~ om fötterna* get one's feet wet
**våtservett** s wet wipe
**väcka** vb tr **1** göra vaken wake, wake...up; på beställning vanl. call; bildl. rycka upp rouse; ljud som kan *~ de döda* ...raise (awaken) the dead; *~ ngn till liv* call a p. back to life; ur svimning revive a p. **2** framkalla arouse; uppväcka, t.ex. känslor, äv. awaken; *~ förvåning* cause astonishment; *~ minnen* el. *~ minnen till liv* awaken (call up) memories **3** framställa, t.ex. fråga raise, bring up
**väckarklocka** s alarm, alarm clock
**väckelse** s relig. revival
**väckelsemöte** s revival meeting
**väckning** s, *beställa ~* book an alarm call; *får jag be om ~ kl. 7?* will you call me at 7, please?
**väder** s weather; *det är dåligt ~* the weather is bad; *vad är det för ~ i dag?* what's the weather like today?
**väderbiten** adj weather-beaten
**väderkorn** s, *ha gott ~* have a keen scent
**väderkvarn** s windmill
**väderlek** s weather
**väderleksrapport** s weather forecast (report)
**väderlekstjänst** s meteorological (weather forecast) service
**väderleksutsikter** s pl rapport weather forecast sg.

**väderprognos** *s* weather forecast
**väderrapport** *s* weather forecast (report)
**vädersatellit** *s* weather satellite
**väderstreck** *s* point of the compass; *de fyra ~en* äv. the [four] cardinal points
**vädja** *vb itr* appeal
**vädjan** *s* appeal
**vädra** *vb tr* o. *vb itr* **1** lufta air **2** få väderkorn på scent; *~ ngt* få nys om get wind of a th.
**vädring** *s* luftning airing; *hänga ut* kläder *till ~* hang...out to air
**vädur** *s* **1** zool. ram **2** *Väduren* astrol. Aries
**väg** *s* road; bildl. way; stig path; *en timmes ~ att gå (att köra) härifrån* one hour's walk (drive, ride) from here; *~en till* lycka och framgång the way (road) to...; *allmän ~* public road; *gå (resa) sin ~* go away, leave; *gå ~en rakt fram* go (walk) right on, follow the road; *resa (ta) ~en över* Paris go via (by way of)...; *vart har hon tagit ~en?* where has she gone?; *stå i ~en för ngn* stand in a p.'s way äv. bildl.; *något i den ~en* something like that; *vara på ~ till...* be on one's way to...; *följa ngn en bit på ~en* accompany a p. part of the way; *stanna på halva ~en* stop half-way; *jag var just på ~ att säga det* I was about to say it; *inte på långa ~ar* not by a long way (vard. chalk); hur ska man *gå till ~a?* ...set (go) about it?; *ur ~en!* get out of the way!; *vid ~en* vägkanten on (by) the roadside
**väga I** *vb tr* weigh äv. bildl.; *~ skälen för och emot* weigh (consider) the pros and cons **II** *vb itr* weigh; *det står och väger* it's in the balance
**vägande** *adj*, *tungt ~ skäl* very weighty (important) reasons
**vägarbetare** *s* road worker (mender)
**vägarbete** *s* roadworks pl., road repairs pl.; på skylt Road Up
**vägbana** *s* roadway
**vägbeläggning** *s* konkret road surface
**vägegenskaper** *s pl* bil. road-holding qualities
**vägg** *s* wall; *bo ~ i ~ med ngn* i rummet intill occupy the room next to a p.; i lägenheten intill live next door to a p.; *köra huvudet i ~en* run one's head against a wall; *ställa ngn mot ~en* bildl. put a p. up against a wall; *det är uppåt ~arna* galet it's all wrong
**väggfast** *adj* ...fixed to the wall; *~a inventarier* fixtures

**väggkontakt** *s* vägguttag point; strömbrytare wall switch
**vägglus** *s* bug
**väggmålning** *s* wall painting, mural
**vägguttag** *s* elektr. point, wall socket
**vägkant** *s* roadside, wayside; vägren verge
**vägkorsning** *s* crossroads (pl. lika), crossing
**väglag** *s* state of the road (resp. roads); *det är dåligt ~* the roads are in a bad state
**vägleda** *vb tr* guide, instruct
**vägledning** *s* guidance, instruction
**väglängd** *s* distance
**vägmärke** *s* road (traffic) sign
**vägnar** *s pl*, *å (på)* ngns *~* on behalf of a p., on a p.'s behalf
**vägnät** *s* road network
**väg- och vattenbyggnad** *s* road and canal construction, civil engineering
**vägra** *vb tr* o. *vb itr* refuse [ngn ngt a p. a th.]; *det ~des honom (han ~des) att resa* he was refused permission to go
**vägran** *s* refusal
**vägren** *s* **1** vägkant verge **2** mittremsa central reserve
**vägskäl** *s* fork, fork in the road; *vid ~et* at the cross-roads
**vägspärr** *s* road block
**vägsträcka** *s* distance
**vägtrafikant** *s* road-user
**vägtrafikförordning** *s* road traffic regulations pl.
**vägvett** *s* road sense
**vägvisare** *s* **1** person guide **2** vägskylt signpost
**vägövergång** *s* över annan led viaduct, amer. overpass
**väja** *vb itr*, *~ undan* make way [för for], give way [för to]; *~ undan för* slag dodge; *~ åt höger* move to the right
**väktare** *s* watchman; nattvakt security officer; *lagens ~* pl. the guardians of the law
**väl I** *s* welfare, well-being **II** *adv* **1** bra well; *hålla sig ~ med ngn* keep in with a p.; *det vore ~ om...* it would be a good thing if... **2** grad, *hon är ~* något för *ung* she is a bit too young **3** förmodligen probably; *du är ~ inte* sjuk? you are not..., are you?; *han får ~ vänta* he will have to wait; *han är ~ framme nu* he must be there by now; *det är ~ inte möjligt!* surely it is not possible!; *det hade ~ varit bättre att...?* wouldn't it have been better to...?; *det vet jag ~!* I know that! **4** andra betydelser, *jag önskar*

*det* ~ bara *vore över* I only wish it were over; *när han* ~ en gång *somnat* var han... once he had fallen asleep...; jag mötte inte henne *men* ~ däremot *hennes bror* ...but her brother; *gott och* ~ *en timme* well over one hour

**välartad** adj well-behaved
**välbefinnande** s well-being; god hälsa health
**välbehag** s pleasure, delight
**välbehållen** adj safe and sound; om sak in good condition
**välbehövlig** adj badly needed
**välbekant** adj well known
**välbelägen** adj well-situated, nicely-situated
**välbeställd** adj well-to-do, wealthy
**välbesökt** adj well-attended
**välbetänkt** adj well-advised, judicious
**välbärgad** adj well-to-do
**välde** s 1 rike empire; *det romerska ~t* the Roman Empire 2 makt domination
**väldig** adj enorm enormous; vard., t.ex. bekymmer awful; t.ex. succé terrific; vidsträckt vast
**väldigt** adv mycket very
**välfärd** s welfare
**välfärdssamhälle** s o. **välfärdsstat** s welfare state
**välförsedd** adj well-stocked; well-supplied
**välförtjänt** adj om t.ex. vila well-earned; om belöning well-merited; om t.ex. popularitet well-deserved
**välgjord** adj well-made
**välgrundad** adj well-founded
**välgång** s prosperity, success
**välgångsönskningar** s pl good wishes; *bästa ~!* best wishes!
**välgärning** s kind (charitable) deed
**välgörande** adj om sak beneficial
**välgörare** s benefactor
**välgörenhet** s charity
**välgörenhetsinrättning** s charitable institution
**välja** vb tr o. vb itr 1 choose [*bland* from among, out of, *mellan, på* between, *till* as, for]; noga select; plocka ut pick out [*bland* from]; yrke adopt, take up; ~ *bort* skolämne drop; ~ *ut* select, pick out 2 genom röstning utse elect; ~ *ngn till* ordförande elect a p....; ~ *om* re-elect
**väljare** s voter
**väljarkår** s electorate
**välklädd** adj well-dressed
**välkommen** adj welcome [*till, i* to]
**välkomna** vb tr welcome

**välkomsthälsning** s welcome
**välkänd** adj 1 well known 2 ansedd ...of good repute
**välla** vb itr, ~ *fram* well forth; strömma stream (pour) forth
**vällevnad** s luxurious (high) living
**välling** s på mjöl gruel
**välluktande** adj sweet-smelling, fragrant
**vällust** s sensual pleasure
**vällustig** adj sensual, voluptuous
**välmenande** adj well-meaning
**välmening** s good intention; *i all* (*bästa*) ~ with the best of intentions
**välment** adj well-meant, well-intentioned
**välmående** adj 1 vid god hälsa healthy; blomstrande flourishing 2 välbärgad prosperous
**välsedd** adj popular; om gäst welcome
**välsigna** vb tr bless
**välsignad** adj blessed
**välsignelse** s blessing; uttalad benediction
**välsituerad** adj well-to-do
**välskapat** adj, *ett ~ barn* a fine, healthy child
**välskött** adj well-managed; om t.ex. hushåll well-run; om t.ex. händer well-kept; om t.ex. tänder well-cared-for; om t.ex. yttre well-groomed
**välsmakande** adj läcker tasty, delicious
**välsorterad** adj well-assorted, well-stocked
**välstekt** adj well-done, well-cooked
**välstånd** s prosperity; rikedom wealth
**vält** s roller
**välta** vb tr o. vb itr overturn, tip over
**vältalare** s orator, good speaker
**vältalig** adj eloquent
**vältalighet** s eloquence
**vältra I** vb tr roll; ~ *skulden på ngn* lay the blame on a p. **II** vb rfl, ~ *sig i* gräset roll over in...; ~ *sig i* lyx be rolling in...; ~ *sig i* smutsen wallow in...
**väluppfostrad** adj well-bred, well-mannered
**välvd** adj arched, vaulted
**välvilja** s benevolence, goodwill; *hysa ~ mot ngn* be well disposed towards a p.
**välvillig** adj benevolent, kind, kindly; *ställa sig ~ till* ett förslag be favourably disposed to...
**välvårdad** adj well-kept; om t.ex. yttre well-groomed
**välväxt** adj shapely; *vara ~* have a fine figure
**vämjas** vb itr dep, ~ *vid ngt* be disgusted (nauseated) by a th.

**vämjelig** *adj* disgusting, nauseating

**vämjelse** *s* disgust, loathing

**vän** *s* friend; *gamle ~!* old chap (fellow)!; *en god* nära ~ a great (close) friend [*till* of]; *en ~* el. *god ~ till min bror* (*till mig*) a friend of my brother's (a friend of mine); *bli ~ ~* el. *god ~ med...* make friends with...; *bli ~ner* el. *goda ~ner* become friends

**vända I** *vb tr* o. *vb itr* turn; vända om (tillbaka) turn back; återvända return; *vänd!* el. *var god vänd* (förk. v.g.v.) please turn over (förk. PTO); ~ el. *~ med* bilen turn...round, reverse...; *~ om hörnet* round (turn) the corner; *~ på* bladet, sidan turn (turn over)...; *~ på sig* turn round; *~ på steken* bildl. look at it (turn it) the other way round **II** *vb rfl*, *~ sig* turn; kring en axel äv. revolve; om vind shift, veer; *lyckan vände sig* the (his etc.) luck changed; *~ sig i sängen* turn over in the (one's) bed; *~ sig till ngn* ~ sig om mot ngn turn to (towards) a p.; rikta sig till ngn address a p.; för att få ngt apply to a p.; *inte veta vart man skall ~ sig* not know where (till vem to whom) to turn

□ *~ om* tillbaka turn back; åter~ return; *~ sig om* turn, turn round; *~ upp och ned på* ngt turn...upside-down; *~ ut och in på* vränga turn...inside out

**vändbar** *adj* reversible

**vändkors** *s* turnstile

**vändkrets** *s* tropic

**vändning** *s* turn; förändring change; uttryckssätt: fras phrase; uttryck expression; *en ~ till det bättre* a change for the better; *ta en ny* (*en allvarlig*) *~* take a new (a serious) turn; *vara kvick* (*rask, snabb*) *i ~arna* be a fast worker, be alert; *vara långsam i ~arna* drag one's feet, be a slowcoach; *i en hastig ~* all of a sudden

**vändpunkt** *s* turning-point

**väninna** *s* girlfriend, woman friend

**vänja I** *vb tr* accustom [*vid* to] **II** *vb rfl*, *~ sig* accustom oneself; bli van grow (get) accustomed, get used [*vid* to]; *~ sig vid att* inf. get into the habit of ing-form; *man vänjer sig snart* you soon get used to it; *~ sig av med att* inf. break oneself of the habit of ing-form

**vänkrets** *s* circle of friends

**vänlig** *adj* kind [*mot* to]; vänskaplig friendly [*mot* to, towards]

**vänlighet** *s* kindness, friendliness; *visa ngn en ~* do a p. a kindness

**vänort** *s* twin town

**vänskap** *s* friendship; *fatta ~ för ngn* become attached to a p.; *för gammal ~s skull* for old friendship's sake, for old times' sake

**vänskaplig** *adj* friendly; om förhållande, sätt äv. amicable; *stå på ~ fot med ngn* be on friendly terms with a p.

**vänskapsband** *s* bond (tie) of friendship

**vänskapsmatch** *s* friendly, friendly match

**vänster I** *adj, subst adj* o. *adv* left; *~ sida* left (left-hand) side; jfr *höger I* ex. **II** *s* polit., *~n* the Left; sport., *en rak ~* a straight left

**vänsteranhängare** *s* leftist, leftwinger

**vänsterback** *s* left back; för andra sammansättningar jfr äv. *höger-*

**vänsterhänt** *adj* left-handed

**vänsterorienterad** *adj, vara ~* be left-wing

**vänsterparti** *s* left-wing party

**vänsterprassel** *s* vard., *ett* (*lite*) *~* an affair on the side

**vänstervriden** *adj* polit., *vara ~* be left-wing; *en ~* a left-winger

**vänstervridning** *s* polit. left-wing views (tendencies) (båda pl.)

**vänta I** *vb itr* o. *vb tr* wait [*på* for]; invänta await; förvänta *~* el. *~ sig* expect [*av* of, from]; *var god och ~* i telefon hold the line, please; inte veta *vad som ~r en* ...what may be in store for one; *jag ~r dem* i morgon I am expecting them...; *det hade jag inte ~t mig av honom* I didn't expect that from (of) him; *det är att ~* it is to be expected; *~ med att göra ngt* put off (postpone) a th. (doing a th.); *~ på att han skall* inf. wait for him to inf.; *få ~* have to wait; *låta ngn ~ på sig* keep a p. waiting; svaret *lät inte ~ på sig* ...was not long in coming **II** *vb rfl*, *~ sig* se ex under *I*

□ *~ in: tåget ~s in* kl. 10 the train is due in (to arrive) at...; *~ ut ngn* tills ngn kommer wait for a p. to come

**väntan** *s* waiting; förväntan expectation

**väntelista** *s* waiting list

**väntetid** *s* wait, waiting time

**väntrum** *s* o. **väntsal** *s* waiting room

**väpnad** *adj* armed

**väppling** *s* bot. trefoil, clover

**1 värd** *s* host; hyresvärd landlord

**2 värd** *adj* worth; värdig worthy of; pjäsen *är ~ att ses* ...is worth seeing; *det är inte mödan värt* it is not worth while

**värde** *s* value; speciellt inre värde worth; *sätta stort ~ på ngt* attach great value (importance) to a th.; *falla (minska, sjunka) i ~* drop (fall, decrease) in value; ekon. äv. depreciate; *stiga (gå upp) i ~* rise in value; ekon. äv. appreciate

**värdebeständig** *adj* stable in value

**värdebrev** *s* rekommenderat registered (assurerat insured) letter

**värdefull** *adj* valuable

**värdeförsändelse** *s* assurerat paket insured (rekommenderat registered) parcel (brev letter)

**värdehandling** *s* valuable document

**värdelös** *adj* worthless, valueless

**värdeminskning** *s* depreciation, decrease in value

**värdepapper** *s* security; obligation bond; aktie share

**värdera** *vb tr* **1** fastställa värdet på value, estimate, estimate the value of **2** uppskatta value; sätta värde på appreciate

**värdering** *s* valuation, estimation

**värderingsman** *s* official valuer

**värdesak** *s* article (object) of value; *~er* äv. valuables

**värdestegring** *s* increase (rise) in value

**värdesätta** *vb tr* se *värdera*

**värdfolk** *s* vid bjudning host and hostess

**värdig** *adj* **1** worthy; förtjänt av worthy of; passande fitting **2** om egenskap dignified

**värdighet** *s* **1** egenskap dignity [*i* of]; *han ansåg det vara under sin ~ att* inf. he considered it beneath him (beneath his dignity) to inf. **2** ämbete etc. office, position; rang rank

**värdigt** *adv* with dignity

**värdinna** *s* hostess; hyresvärdinna, pensionatsvärdinna landlady

**värdland** *s* host country

**värdshus** *s* gästgivargård inn; restaurang restaurant

**värdshusvärd** *s* innkeeper, landlord

**värja I** *vb tr* försvara defend **II** *vb rfl,* *~ sig* defend oneself [*mot* against] **III** *s* rapier

**värk** *s* ache, pain; *~ar* födslovärkar labour pains; *reumatisk ~* rheumatic pains pl.

**värka** *vb itr* ache; *fingret värker* my finger aches

**värktablett** *s* painkiller

**värld** *s* world; jord earth; *jag vill inte såra henne för allt i ~en* ...for the world, ...for anything (anything in the world); *vad i all ~en* har hänt? what on earth...; *vem i all ~en...?* who on earth...?; *i hela ~en*

all over the world, over the whole world; *komma sig upp i ~en* come up in the world; *komma till ~en* come into the world; *vi måste få saken ur ~en* let's have done with it

**världsalltet** *s* the universe

**världsatlas** *s* atlas of the world

**världsbekant** *adj* ...known all over the world

**världsberömd** *adj* world-famous

**världsbild** *s* world picture, conception of the world

**världsdel** *s* part of the world, continent

**världsfrånvarande** *adj* ...who is living in a world of his own

**världshandel** *s* world trade (commerce)

**världshav** *s* ocean

**världsherravälde** *s* world dominion

**världskarta** *s* map of the world

**världskrig** *s* world war; *första (andra) ~et* World War I (World War II), the First (Second) World War

**världskris** *s* world crisis

**världslig** *adj* motsats andlig worldly

**världslighet** *s* worldliness

**världsmakt** *s* world power

**världsmedborgare** *s* citizen of the world

**världsmästare** *s* o. **världsmästarinna** *s* world champion

**världsmästerskap** *s* world championship

**världsomfattande** *adj* world-wide

**världsomsegling** *s* seglats sailing trip round the world

**världsrekord** *s* world record

**världsrykte** *s* world fame (reputation)

**världsrymden** *s* outer space

**världsvan** *adj* urbane

**världsåskådning** *s* outlook on (view of) life

**värma I** *vb tr* warm; göra het heat **II** *vb rfl, ~ sig* warm oneself, get warm

**värme** *s* warmth; fys. el. hög heat; eldning heating; *vid 30 graders ~* at 30 degrees above zero

**värmealstrande** *adj* heat-producing

**värmebehandling** *s* med. heat treatment, thermotherapy

**värmebeständig** *adj* heatproof, heat-resistant

**värmebölja** *s* heatwave

**värmeflaska** *s* hot-water bottle

**värmelampa** *s* infrared lamp

**värmeledande** *adj* heat-conducting

**värmeledning** *s* **1** fys. conduction of heat **2** anläggning heating, central heating

**växelkontor**

**värmeledningselement** s radiator
**värmepanna** s boiler
**värmeplatta** s hotplate
**värmepump** s heat pump
**värmeskåp** s warming cupboard
**värn** s försvar defence; beskydd protection
**värna** vb tr o. vb itr, ~ el. ~ om defend,
protect [mot against]
**värnlös** adj defenceless
**värnplikt** s, allmän ~ compulsory military
sevice; göra ~en (sin ~) do one's
military service
**värnpliktig** adj ...liable for military service;
en ~ a conscript, amer. draftee
**värpa I** vb tr lay **II** vb itr lay, lay eggs
**värphöna** s laying hen, layer
**värpning** s laying
**värre** adj o. adv worse; dess ~ tyvärr
unfortunately; det gör bara saken ~ it
only makes matters worse; det var ~ det
det var tråkigt that's too bad, what a
nuisance
**värst I** adj worst; i ~a fall if the worst
comes to the worst; det är det ~a jag vet
it's a thing I can't stand; det ~a var att...
the worst of it was that... **II** adv worst,
the worst; han blev ~ skadad he got
injured worst (the worst); filmen var inte
så ~ bra ...not all that (not very, not so)
good
**värsting** s vard. bad boy; ungdomsbrottsling
hardened young offender
**värva** vb tr rekrytera recruit, enlist; t.ex.
fotbollspelare sign; ~ ngn för en sak enlist
a p. in a cause; ~ röster solicit votes
**värvning** s recruiting; recruitment,
enlistment; ta ~ enlist [vid in], join the
army
**väsa** vb itr hiss; ~ fram hiss, hiss out
**väsen** s **1** någots innersta natur essence;
beskaffenhet nature; läggning character,
disposition; personlighet samt varelse being
**2** oväsen noise, row; mycket ~ för
ingenting a lot of fuss (much ado) about
nothing
**väsentlig** adj essential; betydande
considerable; i allt ~t in all essentials
**väska** s bag, case; handväska handbag
**väskryckare** s bag-snatcher
**väsnas** vb itr dep make a noise (fuss)
**vässa** vb tr sharpen; bryna whet
**1 väst** s plagg waistcoat, amer. vest
**2 väst** s o. adv west; jfr väster, nord, norr
med ex. o. sammansättningar
**västanvind** s west wind, westerly wind

**väster I** s väderstreck the west; Västern the
West **II** adv west, to the west [om of]; jfr
norr med ex. o. sammansättningar
**västerifrån** adv from the west
**Västerlandet** s the West
**västerländsk** adj western
**västerlänning** s Westerner
**västerut** adv, resa ~ go (travel) west; jfr äv.
norrut
**Västeuropa** Western Europe
**Västindien** the West Indies pl.
**västlig** adj west, western; jfr nordlig
**västra** adj the west; t.ex. delen the western;
jfr norra
**västtysk** adj o. s hist. West German
**Västtyskland** hist. West Germany
**väta** vb tr o. vb itr wet
**väte** s hydrogen
**vätebomb** s hydrogen bomb; vard. H-bomb
**väteklorid** s hydrogen chloride
**vätesuperoxid** s hydrogen peroxide
**vätska** s liquid; kropps~ body fluid
**väv** s web; material fabric, woven fabric;
vävnadssätt weave
**väva** vb tr weave
**vävare** s weaver
**vävd** adj woven
**vävnad** s **1** vävning weaving **2** konkret woven
fabric; tissue äv. biol.
**vävnadsindustri** s textile industry
**vävning** s weaving
**vävstol** s loom
**växa** vb itr grow; öka increase; ~ ngn över
huvudet bildl. get beyond a p.'s control;
vara situationen vuxen be equal to the
occasion
   □ ~ bort: det växer bort it will
disappear; ~ ifrån ngt grow out of...,
outgrow...; ~ igen om sår heal, heal up; om
stig become overgrown with weeds; ~ ihop
grow together; ~ till: flickan har vuxit till
sig she has grown into a fine girl; ~ upp
grow up, grow; ~ ur sina kläder grow out
of...
**växande** adj growing; ökande increasing
**växel** s **1** bankväxel bill of exchange; dra en
~ på ngn draw a bill on a p.; dra växlar
på framtiden count too much on the
future **2** växelpengar change, small change
**3** på bil gear; köra på tvåans ~ drive in
second gear **4** spårväxel switch **5** tele.
exchange; växelbord switchboard
**växelbruk** s lantbr. rotation of crops
**växelkontor** s exchange office

**växelkurs** *s* rate of exchange, exchange rate
**växellåda** *s* gear box
**växelspak** *s* gear lever, gear shift
**växelström** *s* alternating current, AC
**växelvis** *adv* alternately; by turns
**växla I** *vb tr* **1** t.ex. pengar change; utbyta, t.ex. ord, ringar exchange; *kan du* ~ 100 kronor *åt mig?* can you give me change for...?; ~ *en sedel* cash a note **2** järnv. shunt, switch **II** *vb itr* **1** skifta vary; ändra sig change **2** bil. change (speciellt amer. shift) gear (gears); ~ *till lägre växel* change to a lower gear; om tåg shunt **3** ~ *om* alternate
**växlande** *adj* varying, changing; vindar variable; natur varied
**växt** *s* **1** tillväxt growth; ökning increase; kroppsväxt build; längd height, stature; *han är liten (stor) till ~en* he is short (tall) in (of) stature **2** planta plant; ört herb; svulst growth, tumour
**växthus** *s* greenhouse, glasshouse
**växthuseffekt** *s* greenhouse effect
**växtriket** *s* the vegetable kingdom
**växtvärk** *s* growing pains pl.
**vördnad** *s* reverence, veneration; aktning respect; *betyga ngn sin* ~ pay reverence (one's respects) to a p.
**vördnadsbetygelse** *s* token (mark) of respect
**vördnadsbjudande** *adj* venerable; friare imposing
**vördsam** *adj* respectful

# X

**x-krok** *s* x-hook, angle-pin picture hook
**x-kromosom** *s* X-chromosome
**xylofon** *s* mus. xylophone
**xylofonist** *s* mus. xylophonist

# Y

**yacht** *s* yacht
**y-kromosom** *s* Y-chromosome
**yla** *vb itr* howl
**ylle** *s* wool; filt *av* ~ äv. woollen...
**yllefilt** *s* woollen blanket
**yllestrumpa** *s* woollen stocking (kortare sock)
**ylletröja** *s* jersey, sweater
**ylletyg** *s* woollen cloth (fabric)
**yllevaror** *s pl* woollens, woollen goods
**ymnig** *adj* riklig abundant; om regn, snöfall äv. heavy; överflödande profuse
**ymnigt** *adv* abundantly, heavily
**ympa** *vb tr* **1** träd graft **2** med. inoculate
**ympning** *s* **1** av träd graft, grafting **2** med. inoculation
**yngel** *s* koll. fry (vanl. pl.); grodyngel tadpole
**yngla** *vb itr* om t.ex. groda spawn; ~ *av sig* breed
**yngling** *s* youth, young man
**yngre** *adj* younger; nyare more recent; i tjänsten junior; *en* ~ rätt ung *herre* a youngish gentleman
**yngst** *adj* youngest
**ynklig** *adj* ömklig pitiable; eländig, usel miserable, wretched; futtig paltry
**ynkrygg** *s* coward, funk
**ynnest** *s* favour
**ynnestbevis** *s* favour, mark of favour
**yoga** *s* yoga
**yoghurt** *s* yoghurt, yogurt
**yppa I** *vb tr* röja reveal; uppenbara äv. disclose **II** *vb rfl*, ~ *sig* erbjuda sig present itself; om tillfälle etc. äv. arise, turn up; uppstå arise
**ypperlig** *adj* utmärkt excellent, superb; präktig splendid; förstklassig first-rate
**ypperst** *adj* förnämst finest, best
**yppig** *adj* om växtlighet luxuriant; fyllig buxom; om figur full; ~ *barm* ample bosom
**yr** *adj* dizzy, giddy [*av* with]; *bli* ~ (~ *i huvudet*) get dizzy (giddy); ~ *i mössan* flurried, bewildered
**yra I** *s* **1** vild framfart frenzy; glädjeyra delirium of joy; *i segerns* ~ in the flush of victory **2** snöyra snowstorm **II** *vb itr* **1** rave; om febersjuk be delirious; ~ *om ngt* rave about a th. **2** om snö, sand whirl (drift) about
**yrka** *vb tr* o. *vb itr*, ~ el. ~ *på* fordra

demand; resa krav på call for; som rättighet claim; kräva insist
**yrkande** *s* begäran demand; claim äv. jur.
**yrke** *s* lärt, konstnärligt profession; inom hantverk o. handel trade; sysselsättning occupation; arbete job; *utöva ett* ~ practise a profession resp. carry on a trade; *till* ~*t* by profession
**yrkesarbetande** *adj* gainfully employed
**yrkesarbetare** *s* skilled worker
**yrkesinspektion** *s* factory (industrial) inspection
**yrkeskvinna** *s* professional woman
**yrkeslärare** *s* vocational teacher
**yrkesman** *s* fackman professional; hantverkare craftsman
**yrkesmusiker** *s* professional musician
**yrkesmässig** *adj* t.ex. om förfarande professional; t.ex. om trafik commercial
**yrkesorientering** *s*, *praktisk* ~ practical vocational guidance
**yrkessjukdom** *s* occupational disease
**yrkesskada** *s* industrial injury
**yrkesskicklig** *adj* skilled, ...skilled in one's trade
**yrkesskicklighet** *s* skill in one's trade; hantverksskicklighet craftsmanship
**yrkesskola** *s* vocational school
**yrkesutbildad** *adj* skilled, trained
**yrkesutbildning** *s* vocational training
**yrkesutövning** *s* exercise of a profession (inom hantverk el. handel a trade)
**yrkesval** *s* choice of a profession (inom hantverk el. handel a trade)
**yrkesvalslärare** *s* careers teacher
**yrkesvana** *s* professional experience, experience in one's trade; jfr *yrke*
**yrkesvägledare** *s* careers officer, amer. career counselor
**yrkesvägledning** *s* vocational guidance (amer. counseling)
**yrsel** *s* svindel dizziness; feberyra delirium
**yrsnö** *s* drift snow
**yrvaken** *adj* drowsy
**yrväder** *s* snowstorm, blizzard
**ysta** *vb tr* mjölk curdle; ~ *ost* make cheese
**yster** *adj* livlig frisky, boisterous
**yta** *s* surface; areal area
**ytbehandla** *vb tr* finish
**ytbeklädnad** *s* facing
**ytlig** *adj* superficial; om person äv. shallow
**ytlighet** *s* superficiality, shallowness
**ytmått** *s* square measure
**ytter** *s* sport. winger
**ytterbana** *s* outside track

**ytterdörr** s outer door, front door
**ytterficka** s outside pocket
**ytterkant** s outer (outside) edge
**ytterkläder** s pl outdoor clothes
**ytterlig** adj extreme, excessive; fullständig utter
**ytterligare I** adj vidare further; därtill kommande additional; mer more **II** adv vidare further; i ännu högre grad additionally; ännu mera still more; ~ **två månader** another two months
**ytterlighet** s extreme; ytterlighetsåtgärd extremity
**ytterlighetsparti** s extremist party
**ytterlighetsåtgärd** s extreme measure; ~**er** äv. extremities
**ytterområde** s fringe area; förort suburb
**ytterrock** s overcoat
**yttersida** s outer side; utsida outside, exterior
**ytterskär** s sport., **åka** ~ do the outside edge
**ytterst** adv **1** längst ut farthest out **2** i högsta grad extremely, most
**yttersta** adj **1** längst ut belägen outermost; längst bort belägen farthest; friare utmost **2** sist last; om t.ex. orsak ultimate; **ligga på sitt** ~ be at death's door **3** störst, högst utmost, extreme; **göra sitt** ~ do one's utmost; **utnyttja ngt till det** ~ exploit a th. to the utmost
**yttertak** s roof
**yttra I** vb tr uttala utter; säga say; t.ex. sin mening express **II** vb rfl, ~ **sig 1** uttala sig express (give) an (one's) opinion [om about (on)]; ta till orda speak **2** visa sig show (manifest) itself [i in]; **hur** ~**r sig** sjukdomen? what are the symptoms of...?
**yttrande** s uttalande remark, utterance; anförande statement; utlåtande opinion [över, i on]
**yttrandefrihet** s freedom of speech
**yttranderätt** s right of free speech
**yttre I** adj **1** längre ut belägen outer; utanför el. utanpå varande äv. exterior, external, outward, outside; ~ **likhet** outward (external) resemblance; ~ **skada** external injury **2** utifrån kommande external; ~ **våld** physical violence **II** subst adj exterior; ngns äv. external appearance; ngts äv. outside; **till det** ~ outwardly, externally
**yttring** s manifestation [av of]
**yvas** vb itr dep, ~ **över ngt** pride oneself on a th., be proud of a th.
**yvig** adj om hår etc. bushy; tät äv. thick

**yxa I** s axe, speciellt amer. ax; med kort skaft hatchet; **kasta** ~**n i sjön** bildl. throw up the sponge, give up **II** vb tr, ~ **till** rough-hew
**yxskaft** s axe handle

# Z

# Å

**Zaire** Zaire
**zairier** s Zairean, Zairian
**zairisk** adj Zairean, Zairian
**Zambia** Zambia
**zambier** s Zambian
**zambisk** adj Zambian
**zebra** s zebra
**zenit** s zenith
**zigenare** s gipsy, gypsy
**zigenarliv** s gipsy life
**zigenerska** s gipsy [woman]
**Zimbabwe** Zimbabwe
**zimbabwier** s Zimbabwean
**zimbabwisk** adj Zimbabwean
**zink** s zinc
**zinksalva** s zinc ointment
**zodiaken** s the zodiac
**zodiaktecken** s astrol. sign of the zodiac
**zon** s zone; friare area
**zongräns** s zonal boundary; trafik. fare stage
**zontaxa** s zone fare system; avgift zone tariff
**zonterapeut** s zone therapist
**zonterapi** s zone therapy
**zoo** s zoologisk trädgård zoo; zoologisk affär pet shop
**zoolog** s zoologist
**zoologi** s zoology
**zoologisk** adj zoological; ~ *affär* pet shop; ~ *trädgård* zoological gardens pl., zoo
**zoom** s foto. zoom
**zooma** vb itr foto., ~ *in* (*ut*) zoom in (out)
**zoonterapeut** s zone therapist
**zulu** s Zulu

**1 å** s small river, stream, amer. äv. creek; *gå över ~n efter vatten* take a lot of unnecessary trouble
**2 å** prep se *på*
**3 å** interj oh!
**åberopa** vb tr hänvisa till refer to
**åberopande** s, *under ~ av* with reference to
**åbäke** s om sak monstrosity; *ditt ~!* you big lump!
**åbäkig** adj unwieldy, clumsy
**ådagalägga** vb tr lägga i dagen manifest; visa show, display
**åder** s vein
**åderbråck** s varicose veins pl.
**åderförkalkad** adj ...suffering from hardening of the arteries (med. arteriosclerosis); *han börjar bli ~* vard. he's getting senile
**åderförkalkning** s hardening of the arteries; med. arteriosclerosis; friare senility
**åderlåta** vb tr bleed äv. bildl.
**1 ådra** I s vein II vb tr vein; sten, trä grain
**2 ådra** o. **ådraga** I vb tr cause II vb rfl, ~ *sig* sjukdom contract; förkylning catch; utsätta sig för incur; uppmärksamhet attract; ~ *sig skulder* incur debts
**åh** interj oh!
**åhå** interj oh!, oho!, I see!
**åhöra** vb tr listen to, hear; föreläsning attend
**åhörare** s listener; ~ pl. audience
**åhörarplatser** s pl public seats; på teater etc. auditorium sg.
**åhörarskara** s audience
**åka** vb itr o. vb tr **1** fara go; som passagerare äv. ride; köra drive; vara på resa travel; ~ *bil* go by car; ~ *buss* (*tåg*) go (travel) by bus (train); ~ *båt* go by boat; ~ *gratis* travel free (free of charge); ~ *hiss* go by lift; ~ *motorcykel* ride a motor cycle; *jag fick ~ med honom till* stationen he gave me a lift to... **2** glida, halka slip, glide
☐ ~ **av** halka av slip off; ~ **bort** resa go away; ~ **dit** vard., bli fast be (get) caught; ~ **fast** be (get) caught; ~ **förbi** go (köra drive) past (by); passera pass; *låta ngn ~* **med** give a p. a lift; *får jag ~ med?* may I have a lift?; ~ **om** ngn overtake..., pass...; ~ **på** a) kollidera med run into b) vard. råka ut för: ~

*på en förkylning* (*smäll*) catch a cold (a packet)

**åker** *s* åkerjord arable land; åkerfält field

**åkerbruk** *s* agriculture, farming

**åkeri** *s* [firm of] haulage contractors, road carriers pl.

**åklagare** *s* prosecutor; *allmän* ~ public prosecutor, amer. prosecuting (district) attorney

**åkomma** *s* complaint

**åkpåse** *s* i barnvagn toes muff

**åksjuk** *adj* travel-sick

**åksjuka** *s* travel sickness

**åktur** *s* drive, ride; *göra en* ~ go for a drive (ride)

**ål** *s* eel; havsål conger eel

**åla** *vb itr* o. *vb rfl,* ~ *sig* crawl on one's knees and elbows

**ålder** *s* age; *i en* ~ *av 70 år* (*vid 70 års* ~) at the age of 70; *han är i min* ~ he is my age; *barn i* ~*n 10-15* children between 10 and 15 years of age

**ålderdom** *s* old age

**ålderdomlig** *adj* gammal old; gammaldags old-fashioned; om t.ex. språk archaic

**ålderdomshem** *s* home for aged (old) people

**åldersdiskriminering** *s* ageism

**åldersgräns** *s* age limit

**ålderspension** *s* retirement pension

**åldersskillnad** *s* difference in age

**ålderstigen** *adj* aged, advanced in years

**ålderstillägg** *s* ung. seniority allowance

**åldrad** *adj* aged

**åldras** *vb itr dep* age, grow old (older)

**åldrig** *adj* aged

**åldring** *s* old man (woman)

**åldringsvård** *s* geriatric care

**åligga** *vb itr,* ~ *ngn* be incumbent on a p., be a p.'s duty

**åliggande** *s* plikt duty; skyldighet obligation; uppgift task

**ålägga** *vb tr* beordra order, instruct

**åläggande** *s* injunction, order

**åminnelse** *s, till* ~ *av* in commemoration of

**ånga I** *s* steam; dunst vapour (båda end. sg.)
**II** *vb itr* o. *vb tr* steam

**ångare** *s* o. **ångbåt** *s* steamboat; större steamer

**ånger** *s* regret; samvetskval remorse; ledsnad regret [*över* at]

**ångerfull** *adj* regretful, repentant [*över* of]; remorseful

**ångervecka** *s* week after date of purchase

in which one has the right to cancel a hire-purchase agreement, coding-off period

**ångest** *s* anxiety, anguish

**ångestfylld** *adj* anxiety-ridden, ...filled with anguish, agonized, anguished

**ångfartyg** *s* steamship (förk. S/S, SS)

**ångkoka** *vb tr* steam

**ångmaskin** *s* steam-engine

**ångpanna** *s* boiler

**ångra I** *vb tr* regret, be sorry for; *jag* ~*r att jag gjorde det* I regret doing it **II** *vb rfl,* ~ *sig* a) känna ånger regret it, be sorry b) ändra sig change one's mind

**ångvält** *s* steam-roller

**ånyo** *adv* anew, again

**år** *s* year; hon dog ~ *1986* ...in (in the year) 1986; *förra* ~*et* last year; *hon fyller* ~ *i morgon* tomorrow is her birthday; *han är tjugo* ~ (*tjugo* ~ *gammal*) he is twenty (twenty years old el. years of age); ~*et om* (*runt*) all the year round; *så här* ~*s* at this time of the year; *ett två* ~*s* (*två* ~ *gammalt*) *barn* a two-year-old child, a child of two; ~ *från* (*för*) ~ year by year; *i* ~ this year; *i många* ~ for many years; om framtid for many years to come; han är *en man i sina bästa* ~ ...a man in his prime, ...in the prime of his life; *med* ~*en* over the years; *om två* ~ in two years (years' time); *två gånger om* ~*et* twice a year; *under* ~*ens lopp* in the course of time; *vid mina* ~ at my age

**åra** *s* oar; mindre scull; paddelåra paddle

**åratal** *s, i* (*på*) ~ for years (years and years)

**årgång** *s* **1** av tidning etc. year's issue; speciellt bunden annual volume **2** av vin vintage

**århundrade** *s* century

**årklyka** *s* rowlock, amer. oarlock

**årlig** *adj* annual, yearly

**årligen** *adv* annually, yearly, every year

**årsavgift** *s* annual charge; i förening etc. annual subscription

**årsberättelse** *s* annual report

**årsbok** *s* yearbook, annual

**årsdag** *s* anniversary [*av* of]

**årsinkomst** *s* annual (yearly) income

**årsklass** *s* age class (group)

**årskontrakt** *s* contract by the year

**årskort** *s* annual (yearly) season ticket

**årskull** *s* age group; t.ex. studenter batch

**årskurs** *s* skol. form, amer. grade; läroplan curriculum (pl. äv. curricula)

**årslön** s annual (yearly) salary; *ha…i ~* have an annual income of…

**årsmodell** s, *av senaste* ~ of the latest model

**årsmöte** s annual meeting

**årsskifte** s turn of the year

**årstid** s season, time of the year

**årtal** s date, year

**årtionde** s decade

**årtull** s rowlock, amer. oarlock

**årtusende** s millennium (pl. äv. millennia); *ett* ~ vanl. a thousand years

**ås** s geol. el. byggn. ridge

**åsamka** se *ådraga*

**åse** *vb tr* betrakta watch; bevittna witness

**åsido** *adv* aside; *skämt* ~ joking apart

**åsidosätta** *vb tr* inte beakta disregard, set aside

**åsikt** s view, opinion [*om* of, about]

**åska I** s thunder; *~n har slagit ned i trädet* the lightning has struck the tree **II** *vb itr, det ~r* it is thundering

**åskledare** s lightning-conductor

**åskmoln** s thundercloud

**åsknedslag** s stroke of lightning

**åskvigg** s thunderbolt

**åskväder** s thunderstorm

**åskådare** s spectator; mera passiv onlooker; mera tillfällig bystander; *åskådarna* publiken, på teater etc. the audience; vid idrottstävling the crowd båda sg.

**åskådarläktare** s på t.ex. idrottsplats stand

**åskådlig** *adj* klar clear

**åskådning** s outlook, way of thinking

**åsna** s donkey, ass båda äv. om person

**åstadkomma** *vb tr* få till stånd bring about; förorsaka cause, make; frambringa produce; prestera achieve

**åsyfta** *vb tr* aim at; avse, mena intend, mean; hänsyfta på refer to

**åsyn** s sight; *i ngns* ~ in a p.'s presence

**åt I** *prep* till to; i riktning mot towards, in the direction of; ~ *höger* to the right; *nicka ~ ngn* nod at a p.; *ropa ~ ngn* call out to a p.; *skratta* ~ laugh at; *ge ngt ~ ngn* give a th. to a p.; *köpa ngt ~ ngn* buy a th. for a p.; *två ~ gången* two at a time **II** *adv, skruva* ~ screw…tight, tighten

**åtaga** *vb rfl, ~ sig* ta på sig undertake, take upon oneself; ansvar etc. äv. take on, assume

**åtagande** s undertaking, engagement

**åtal** s av åklagare prosecution; av målsägare legal action; *allmänt* ~ public

prosecution; *väcka ~ mot* take legal proceedings against

**åtala** *vb tr* om åklagare prosecute; om målsägare bring an action against; *bli (stå) ~d för stöld* be prosecuted for theft; *den ~de* the defendant

**åtalbar** *adj* indictable

**åtanke** s, *ha ngn (ngt) i* ~ remember a p. (a th.), bear a p. (a th.) in mind

**åtbörd** s gesture

**åter** *adv* **1** tillbaka back, back again **2** ånyo, igen again, once more; *öppnas* ~ äv. reopen **3** å andra sidan on the other hand

**återanpassa** *vb tr* rehabilitera rehabilitate

**återanpassning** s rehabilitation

**återanskaffningsvärde** s replacement value

**återanvända** *vb tr* re-use; tekn. recycle

**återanvändning** s re-use; tekn. recycling

**återberätta** *vb tr* retell; i ord återge relate

**återbesök** s hos t.ex. läkare next visit (appointment)

**återbetala** *vb tr* repay, pay back

**återbetalning** s repayment

**återblick** s retrospect (end. sg.) [*på* of]; i bok, film etc. flashback [*på* to]

**återbud** s, *ge (skicka)* ~ om inbjuden send word to say (ringa phone to say) that one cannot come

**återbäring** s refund; hand. rebate; försäkr. dividend

**återerövra** *vb tr* recapture, reconquer

**återerövring** s recapture, reconquest

**återfall** s relapse [*i* into]; *få* ~ have a relapse

**återfinna** *vb tr* find…again; citatet *återfinns på sid. 27* …is to be found on page 27

**återfå** *vb tr* get…back, recover; ~ *hälsan* recover one's health, recover

**återförena** *vb tr* reunite

**återförening** s reunion

**återförsäljare** s detaljist retailer, distributor

**återge** *vb tr* **1** tolka render; reproduce [*i tryck* in print]; framställa represent **2** ge tillbaka, ~ *ngn hälsan* restore a p.'s health

**återgivande** s o. **återgivning** s reproduction, rendering

**återgå** *vb itr* **1** återvända go back; gå tillbaka be returned **2** upphävas be cancelled

**återgälda** *vb tr* repay; gengälda return, reciprocate

**återhållsam** *adj* måttfull temperate, moderate

**återhållsamhet** s temperance, moderation

**återhämta I** *vb tr* recover **II** *vb rfl*, **~ sig** recover [*efter, från* from]

**återigen** *adv* again

**återinföra** *vb tr* reintroduce; varor reimport

**återinträde** *s* re-entry [*i* into]

**återkalla** *vb tr* **1** kalla tillbaka call...back; t.ex. ett sändebud recall **2** annullera cancel

**återkomma** *vb itr* return, come back; i tanke recur

**återkommande** *adj* regelbundet recurrent; *ofta* ~ frequent

**återkomst** *s* return

**återlämna** *vb tr* give back, return

**återresa** *s* journey back; *på ~n* on one's (the) way back

**återse** *vb tr* see (meet)...again

**återseende** *s* reunion; *på ~!* be seeing you!

**återspegla** *vb tr* reflect, mirror

**återspegling** *s* reflection

**återstod** *s* rest, remainder; lämning remains pl.

**återstå** *vb itr* remain; vara kvar äv. be left (left over); *det ~r att bevisa* it remains to be proved

**återstående** *adj* remaining; *hans ~ dagar* the rest of his days

**återställa** *vb tr* restore; lämna replace, return

**återställare** *s* pick-me-up, bracer; *han tog en ~* äv. he took a hair of the dog that bit him

**återställd** *adj, han är alldeles ~* he has quite recovered

**återsända** *vb tr* send back, return

**återta** o. **återtaga** *vb tr* **1** take back; återerövra recapture; återvinna recover **2** återkalla withdraw; upphäva cancel

**återtåg** *s* retreat

**återuppliva** *vb tr* revive

**återupplivningsförsök** *s* attempt at resuscitation; *göra ~ på ngn* make an attempt to bring a p. back to life

**återupprätta** *vb tr* re-establish; ge upprättelse åt rehabilitate

**återuppstå** *vb itr* rise again; friare be revived

**återuppta** o. **återupptaga** *vb tr* resume, take up...again

**återupptäcka** *vb tr* rediscover

**återval** *s* re-election

**återverka** *vb itr* react, have repercussions [*på* on]

**återvinna** *vb tr* win back; återfå regain; avfall, mark reclaim; t.ex. aluminium från ölburkar recycle

**återvinning** *s* av avfall, mark reclamation; t.ex. aluminium från ölburkar recycling

**återväg** *s* way back

**återvälja** *vb tr* re-elect

**återvända** *vb itr* return, turn (go, come) back

**återvändo** *s, det finns ingen ~* there is no turning (going) back

**återvändsgata** *s* cul-de-sac

**återvändsgränd** *s* blind alley, cul-de-sac; *råka in i en ~* bildl. reach a deadlock

**åtfölja** *vb tr* gå med accompany; bildl. attend; följa efter follow

**åtgång** *s* förbrukning consumption; avsättning sale

**åtgången** *adj, illa ~* ...that has been roughly treated (handled)

**åtgärd** *s* measure; mått o. steg step, move; *vidta ~er* take measures (steps)

**åtgärda** *vb tr, det måste vi ~* göra något åt we must do something about it

**åtkomlig** *adj* som kan nås within reach [*för* of]

**åtlyda** *vb tr* obey

**åtlydnad** *s* obedience

**åtlöje** *s* ridicule; *göra sig till ett ~* make a laughing-stock of oneself

**åtminstone** *adv* at least; minst ...at the least; i varje fall at any rate

**åtnjuta** *vb tr* enjoy; erhålla receive

**åtnjutande** *s* enjoyment; *komma i ~ av* benefit by

**åtrå I** *s* desire; speciellt sexuellt lust [*efter* for] **II** *vb tr* desire

**åtråvärd** *adj* desirable

**åtsittande** *adj* tight, tight-fitting

**åtskild** *adj* separate; *ligga ~a* lie apart

**åtskilja** *vb tr* separate

**åtskiljas** *vb itr dep* part

**åtskillig** *adj* **1** a great (good) deal [före substantiv of] **2** ~a flera several

**åtskilligt** *adv* a good deal, considerably

**åtskillnad** *s, göra ~ mellan* make a distinction between

**åtstramning** *s* av kredit squeeze; av ekonomin tightening-up end. sg.

**åtstramningspaket** *s* austerity package

**åtta I** *räkn* eight; *~ dagar* vanl. a week; *~ dagar i dag* this day week; jfr *fem* o. sammansättningar **II** *s* eight; jfr *femma*

**åttahörning** *s* octagon

**åttio** *räkn* eighty; jfr *femtio* o. sammansättningar

**åttionde** *räkn* eightieth
**åttonde** *räkn* eighth (förk. 8th); *var* ~ *dag*
  every (once a) week; jfr *femte*
**åttondel** *s* eighth [part]; jfr *femtedel*
**åverkan** *s*, *göra* ~ *på ngt* cause damage to
  a th.

# Ä

**äckel** *s* **1** nausea; bildl. disgust; *känna* ~
  *för* feel sick (nauseated) at **2** äcklig person
  creep, disgusting creature, horror
**äckelpotta** *s* vard. pig
**äckla** *vb tr* nauseate, sicken; friare disgust
**äcklig** *adj* nauseating, sickening; vard.
  yucky; friare disgusting
**ädel** *adj* noble; av ädel ras thoroughbred; *av*
  ~ *börd* of noble birth
**ädelmetall** *s* precious metal
**ädelost** *s* blue-veined cheese, blue cheese
**ädelsten** *s* precious stone; juvel gem, jewel
**äga** *vb tr* ha i sin ägo, besitta possess; ha have;
  vara personlig ägare till, rå om own; ~ *rum*
  take place
**äganderätt** *s* ownership, proprietorship
  [*till* of]; besittningsrätt right of possession
**ägare** *s* owner; till restaurang, firma etc.
  proprietor
**ägg** *s* egg
**äggformig** *adj* egg-shaped
**äggkopp** *s* egg cup
**äggledare** *s* anat. Fallopian tube, oviduct
**äggröra** *s* scrambled eggs pl.
**äggskal** *s* egg shell
**äggstanning** *s* baked egg
**äggstock** *s* ovary
**äggtoddy** *s* egg nog, egg flip
**äggula** *s* yolk, egg yolk; *en* ~ the yolk of
  an egg; *två äggulor* the yolks of two eggs
**äggvita** *s* **1** egg white; *en* ~ the white of an
  egg; *två äggvitor* the whites of two eggs
  **2** ämnet albumin
**äggviteämne** *s* protein; enkelt albumin
**ägna I** *vb tr* devote [*åt* to]; ~ *sin tid åt...*
  devote one's time to... **II** *vb rfl*, ~ *sig åt*
  devote oneself to; utöva ~ *sig åt ett yrke*
  follow a profession
**ägnad** *adj* suited, fitted [*för* for]; ~ *att*
  *väcka oro* calculated to cause alarm
**ägo** *s*, *komma i ngns* ~ come into a p.'s
  hands; *vara i ngns* ~ be in a p.'s
  possession
**ägodelar** *s pl* property sg., possessions
**äkta** *adj* **1** motsats: falsk genuine; autentisk
  authentic; om silver etc. real; uppriktig
  sincere; sann, verklig true **2** ~ *hälft* better
  half; ~ *makar* husband (man) and wife;
  ~ *par* married couple, husband and wife;
  *det* ~ *ståndet* the married state

**äktenskap** s marriage; ~*et* jur. äv.
matrimony, wedlock; *efter tio års* ~ after
ten years of married life; *ingå* ~ *med*
marry; *född inom (utom)* ~*et* born in
(out of) wedlock
**äktenskaplig** adj matrimonial
**äktenskapsannons** s matrimonial
advertisement
**äktenskapsbrott** s adultery
**äktenskapsförord** s premarital settlement
**äktenskapslöfte** s promise of marriage
**äktenskapsskillnad** s divorce
**äkthet** s genuineness; autenticitet
authenticity
**äldre** adj older [*än* than]; framför
släktskapsord elder, amer. vanl. older; i tjänst
etc. senior [*än* to]; tidigare earlier; Sten Sture
*den* ~ ...the Elder; *av* ~ *datum* of an
earlier date; *en* ~ rätt gammal *herre* an
elderly gentleman
**äldst** adj oldest; framför släktskapsord eldest,
amer. vanl. oldest; av två äv. older resp. elder;
i tjänst etc. senior; tidigast earliest
**älg** s elk, amer. moose
**älska** vb tr o. vb itr love; tycka om like, be
fond of; ha samlag make love
**älskad** adj beloved; predikativt vanl. loved; ~*e*
*Kerstin!* Kerstin darling!; i brev my dear
Kerstin,...
**älskare** s lover
**älskarinna** s mistress
**älskling** s darling; som tilltal äv. love,
sweetheart, sweetie, speciellt amer. honey;
käresta sweetheart; favorit pet
**älsklingsbarn** s favourite child; *familjens*
~ the pet of the family
**älsklingsrätt** s favourite dish
**älskog** s love-making
**älskvärd** adj amiable, charming
**älskvärdhet** s amiability, charm
**älta** vb tr bildl. go over...again, dwell on
**älv** s river
**älva** s fairy, elf (pl. elves)
**ämbete** s office
**ämbetsman** s public (Government)
official, official
**ämbetsrum** s office
**ämbetsverk** s civil service department
**ämna** vb tr intend (mean) to
**ämne** s **1** material material **2** stoff, materia
matter **3** samtalsämne, skolämne etc. subject;
*hålla sig till* ~*t* keep to the subject
(point)
**ämneslärare** s specialist (subject) teacher
**ämnesomsättning** s metabolism

**än I** adv **1** se *ännu* **2** också, *om* ~ even if,
even though; ett rum *om* ~ *aldrig så litet*
...however small (small it may be); *hur*
*mycket jag* ~ *tycker om honom*
however much I like him, much as I; *när*
(*var*) *jag* ~... whenever (wherever) I...;
*vad* (*vem*) *som* ~... whatever
(whoever)..., no matter what (who)...
**3** ~ *sen då?* well, what of it?, so what?
**4** ~...~... sometimes..., sometimes...; *bli*
~ *varm* ~ *kall* go hot and cold by turns
**II** konj efter komparativ than; *äldre* ~ older
than
**ända I** s **1** end; spetsig tip; stump bit, piece;
sjö., tågända rope, bit of rope; *nedre*
(*övre*) ~*n av* (*på*) ngt the bottom (top)
of...; *gå till* ~ come to an end; *vara till* ~
be at an end **2** vard., persons behind,
bottom **II** adv, *han bor* ~ *borta* i... he
lives as far away as...; ~ *från början*
from the very beginning; ~ *in i minsta*
*detalj* down to the very last detail; ~
*sedan dess* ever since then; ~ *till* jul
until...; fram till right up to...; resa ~ *till*
*London* ...as far as (all the way to)
London
**ändamål** s purpose; avsikt aim; ~*et med* the
purpose (object, aim) of; ~*et helgar*
*medlen* the end justifies the means; *för*
*detta* ~ for this purpose, to this end
**ändamålsenlig** adj ...adapted (suited,
fitted) to its purpose, suitable
**ände** se *ända I*
**ändelse** s ending, suffix
**ändhållplats** s terminus
**ändra I** vb tr alter; byta change; ~ *en*
*klänning* alter a dress; ~ el. ~ *på* alter;
mera genomgripande change **II** vb rfl, ~ *sig*
förändras alter, change; ändra beslut change
one's mind; komma på bättre tankar think
better of it
**ändring** s alteration, change; rättning
correction; *en* ~ *till det bättre* a change
for the better
**ändstation** s för tåg, buss etc. terminus
**ändtarm** s rectum
**ändå** adv **1** likväl yet, still; inte desto mindre
nevertheless; trots allt all the same; i vilket
fall som helst anyway **2** vid komparativ still,
even; ~ *bättre* still (even) better **3** *om du*
~ *vore här!* if only you were here!
**äng** s meadow
**ängel** s angel
**änglalik** adj angelic
**ängslan** s anxiety; oro alarm, uneasiness

**ängslas** *vb itr dep* be (feel) anxious (alarmed) [*för, över* about]; oroa sig worry [*för, över* about]

**ängslig** *adj* rädd, orolig anxious, uneasy [*för, över* about]

**änka** *s* widow

**änkedrottning** *s* queen dowager (regents moder mother)

**änkeman** *s* widower

**änkepension** *s* widow's pension

**änkling** *s* widower

**ännu** *adv* **1** om tid: speciellt om ngt ej inträffat yet; fortfarande still; hittills as yet, yet, so far; så sent som only, as late as; *är han här ~?* har han kommit is he here yet?; är han kvar is he still here?; *det har ~ aldrig hänt* it has never happened so far (as yet); *~ i denna dag* to this very day; *~* så sent som *i går* only yesterday; *~ så länge* hittills so far, up to now **2** ytterligare more; *~ en* one more, yet another; *~ en gång* once more **3** framför komparativ still, even; *~ bättre* still (even) better

**äntligen** *adv* till slut at last, finally; sent omsider at length

**äppelmos** *s* mashed apples pl., apple sauce

**äppelträd** *s* apple tree

**äppelvin** *s* cider

**äpple** *s* apple

**äppleskrott** *s* apple core

**ära I** *s* honour; beröm credit; berömmelse glory, renown; *ge (tillskriva) ngn ~n för* ngt give a p. the credit for...; *det gick hans ~ för när* that wounded his pride; *ha ~n att* inf. have the honour (pleasure) of ing-form; *jag har den ~n, jag har den ~n att gratulera!* allow me to congratulate you!; *har den ~n!* på födelsedag many happy returns!, many happy returns of the day!, happy birthday!; *sätta en (sin) ~ i att* inf. make a point of ing-form; *dagen till ~* in honour of the day; en fest *till ngns ~* ...in a p.'s honour **II** *vb tr* honour

**ärad** *adj* honoured; aktad esteemed

**äregirig** *adj* ambitious

**ärekränkande** *adj* defamatory; i skrift libellous

**ärekränkning** *s* defamation; i skrift libel

**ärelysten** *adj* ambitious

**ärende** *s* **1** uträttning errand; *gå ~n* om bud go on errands; *ha ett ~ till stan* have business (something to do) in town; *skicka ngn i ett ~* send a p. on an errand **2** fråga matter; *offentliga ~n* public affairs

**ärevarv** *s* sport. lap of honour

**ärftlig** *adj* hereditary

**ärftlighet** *s* biol. heredity; om sjukdom hereditariness

**ärftlighetslära** *s* theory of heredity, genetics

**ärg** *s* verdigris

**ärkebiskop** *s* archbishop

**ärkefiende** *s* arch-enemy

**ärkehertig** *s* archduke

**ärkeängel** *s* archangel

**ärla** *s* wagtail

**ärlig** *adj* honest; hederlig honourable; rättvis fair; *med ~a eller oärliga medel* by fair means or foul

**ärlighet** *s* honesty; *~ varar längst* honesty is the best policy

**ärligt** *adv*, *~ talat* to be honest

**ärm** *s* sleeve

**ärmhål** *s* armhole

**ärmlinning** *s* wristband

**ärmlös** *adj* sleeveless

**ärr** *s* scar äv. bildl.

**ärrig** *adj* scarred; koppärrig pockmarked

**ärt** *s* o. **ärta** *s* pea

**ärtbalja** *s* o. **ärtskida** *s* pod, pea pod

**ärtsoppa** *s* pea soup

**ärva** *vb tr* o. *vb itr* inherit [*av, efter* from]; ärva pengar come into money; *~ ngn* be a p.'s heir

**ärvd** *adj* inherited; medfödd hereditary

**äsch** *interj* oh!, pooh!

**äska** *vb tr* anslag etc. ask for, demand; *~ tystnad* call for silence

**äss** *s* ace

**äta** *vb tr* o. *vb itr* eat; *~ upp* eat up; *vad skall vi ~ till* middag? what shall we have for...?

**ätbar** *adj* eatable

**ätbarhet** *s* edibility

**ätlig** *adj* edible

**ätt** *s* family; kunglig dynasty

**ättika** *s* vinegar; *lägga in i ~* pickle

**ättiksgurka** *s* sour pickled gherkin

**ättiksprit** *s* vinegar essence

**ättiksyra** *s* acetic acid

**ättling** *s* descendant, offspring (pl. lika)

**även** *adv* också also,...too; likaledes ...as well as; till och med even; *~ om* even if, even though; *inte blott...utan ~* not only...but also...

**ävensom** *konj* as well as

**ävenså** *adv* also,...likewise

**äventyr** *s* **1** adventure **2** flirt, romans affair

**äventyra** *vb tr* risk, hazard, jeopardize

**äventyrare** *s* adventurer
**äventyrlig** *adj* adventurous; riskabel risky
**äventyrslust** *s* love of adventure
**äventyrslysten** *adj* adventure-loving

# Ö

**ö** *s* island; i vissa önamn el., poet. isle; *på en* ~ in (liten on) an island
**öbo** *s* islander
**1 öde** *s* fate; bestämmelse destiny; ~*t* Fate, Destiny; lyckan Fortune; *ett grymt* ~ a cruel fate
**2 öde** *adj* waste; ödslig desolate, deserted
**ödelägga** *vb tr* lägga öde lay...waste; förhärja ravage, devastate
**ödeläggelse** *s* devastation, ruin, destruction
**ödemark** *s* waste, desert; vildmark wilderness
**ödesdiger** *adj* fatal; olycksbringande disastrous
**ödesmättad** *adj* fateful, fatal
**ödla** *s* lizard
**ödmjuk** *adj* humble; undergiven meek
**ödmjuka** *vb rfl,* ~ *sig* humble oneself [*inför* before]
**ödmjukhet** *s* humility, humbleness
**ödsla** *vb tr* o. *vb itr,* ~ *med* be wasteful with; ~ el. ~ *bort* waste, squander
**ödslig** *adj* desolate; dyster dreary
**öga** *s* eye; *få upp ögonen för* become alive to; inse realize; *få ögonen på* catch sight of; *ha* ~ *för* have an eye for; *han har ögonen med sig* he keeps his eyes open; *ha ett gott* ~ *till ngt* have one's eye on a th.; *hålla ett* ~ *på* keep an eye on; *kasta ett* ~ *på* have a look at; ~ *för* ~ an eye for an eye; *med blotta* ~*t* with the naked eye; *mellan fyra ögon* in private, privately; *stå* ~ *mot* ~ *med* stand face to face with; *det var nära* ~*t!* that was a narrow escape (close shave)!
**ögla** *s* loop, eye
**ögna** *vb itr,* ~ *i ngt* have a glance (look) at a th.; ~ *igenom* glance through
**ögonblick** *s* moment; *ett* ~*!* one moment please!; *vilket* ~ *som helst* at any moment; *för* ~*et* för tillfället for the moment, just now; *i samma* ~ at that very moment; *om ett* ~ el. *på* ~*et* in a moment, in an instant; *på ett* ~ in the twinkling of an eye
**ögonblicklig** *adj* instantaneous; omedelbar immediate
**ögonblickligen** *adv* omedelbart instantly, immediately

**ögonbryn** s eyebrow
**ögonfrans** s eyelash, lash
**ögonglob** s eyeball
**ögonhåla** s eye socket
**ögonkast** s glance; *kärlek vid första ~et* love at first sight
**ögonlock** s eyelid
**ögonläkare** s eye specialist, oculist
**ögonskugga** s eyeshadow
**ögonsten** s, *ngns* ~ the apple of a p.'s eye
**ögontjänare** s time-server
**ögonvatten** s eye lotion, eyewash
**ögonvittne** s eyewitness
**ögonvrå** s corner of the (one's) eye
**ögrupp** s group of islands
**öka I** *vb tr* increase [*med* by]; bidra till add to; utvidga enlarge; förhöja t.ex. nöjet, värdet av enhance **II** *vb itr* increase; ~ *i vikt* put on weight
**ökas** *vb itr dep* increase
**öken** s desert; bibl. wilderness
**öknamn** s nickname
**ökning** s increase [*i* of]; addition [*till* to]; enlargement, enhancement; jfr *öka*
**ökänd** *adj* notorious
**öl** s beer; *ljust* ~ pale ale; *mörkt* ~ stout
**ölburk** s tom beer can; full can of beer
**ölflaska** s tom beer bottle; full bottle of beer
**ölglas** s beer glass; glas öl glass of beer
**öm** *adj* **1** ömtålig tender; känslig sensitive; som vållar smärta sore, aching; *en ~ punkt* a sore point **2** kärleksfull tender, loving
**ömhet** s **1** tenderness, soreness **2** tillgivenhet tenderness, affection
**ömklig** *adj* ynklig pitiful, pitiable; eländig wretched
**ömma** *vb itr* **1** göra ont be (feel) tender (sore) **2** ~ *för* feel compassion for, feel for
**ömmande** *adj* behjärtansvärd, *ett ~ fall* a deserving case
**ömse** *adj*, *på ~ håll* (*sidor*) on both sides
**ömsesidig** *adj* mutual, reciprocal
**ömsesidighet** s reciprocity
**ömsom** *adv*, ~...~... sometimes..., sometimes...
**ömtålig** *adj* som lätt tar skada easily damaged; om matvara perishable; skör frail; klen (om hälsa), kinkig (om t.ex. fråga) delicate
**ömtålighet** s liability to damage; fragility; delicacy, jfr *ömtålig*
**önska** *vb tr* wish; ~ sig wish for; åstunda desire; gärna vilja, vilja ha want; ~ el. ~ *sig ngt till födelsedagen* want (wish for) a th. for one's birthday

**önskan** s wish, desire; *mot min* ~ against my wishes
**önskedröm** s dream; *det är bara en* ~ it's just a pipedream
**önskelista** s, *det står överst på min* ~ it is at the top of the list of presents I would like
**önskemål** s wish, desire
**önskeprogram** s i radio o. TV request programme
**önsketänkande** s wishful thinking
**önskvärd** *adj* desirable; *icke* ~ undesirable
**önskvärdhet** s desirability
**öppen** *adj* open; offentlig, om t.ex. plats public; uppriktig frank, candid; ~ *tävlan* public (open) competition; *ligga ~ för alla vindar* be exposed to the winds; *vara ~ mot ngn* be open (frank) with a p.
**öppenhet** s openness; uppriktighet frankness, candour
**öppenhjärtig** *adj* frank, outspoken
**öppenhjärtighet** s open-heartedness; uppriktighet frankness
**öppethållande** s opening-hours pl.
**öppna I** *vb tr* open; låsa upp unlock; ~ *för ngn* open the door for a p., let a p. in; varuhuset *~s* (*~r*) *klockan 9* ...opens at nine o'clock **II** *vb rfl*, ~ *sig* open; vidga sig open out
**öppning** s opening; springa crack; för mynt slot
**öra** s **1** ear; *dra öronen åt sig* get cold feet, become wary; *ha ~ för musik* have an ear for music; *höra dåligt* (*vara döv*) *på det högra örat* hear badly with (be deaf in) one's right ear; *vara förälskad* (*skuldsatt*) *upp över öronen* be head over heels (be over head and ears) in love (in debt) **2** handtag handle; på tillbringare ear
**öre** s öre; *utan ett ~ på fickan* without a penny (a bean); *inte värd ett rött* ~ not worth a brass farthing (amer. a cent)
**Öresund** the Sound
**örfil** s box on the ear (ears)
**örfila** *vb tr*, ~ el. ~ *upp ngn* box a p.'s ears
**örhänge** s **1** smycke earring; långt eardrop; örclips earclip **2** schlager hit
**örlogsfartyg** s warship
**örlogsflotta** s navy
**örn** s eagle
**örngott** s pillow case (slip)
**öronbedövande** *adj* deafening
**öroninflammation** s inflammation of the ear

**öronläkare** s ear specialist
**öronpropp** s **1** mot buller earplug **2** vaxpropp plug of wax **3** radio, hörpropp earphone
**öronsjukdom** s disease of the ear
**öronvärk** s earache
**örring** s earring
**örsnibb** s ear lobe, lobe
**örsprång** s earache
**ört** s herb, plant
**ösa I** vb tr scoop; sleva ladle; hälla pour; ~ *en båt* bale out a boat; ~ *presenter över ngn* shower a p. with presents **II** vb itr, *det öser ned* it's pouring down; vard. it's raining cats and dogs
**ösregn** s pouring rain, downpour
**ösregna** vb itr pour; *det ~r* it's pouring down
**öst** s o. adv east; jfr *öster, nord, norr* med ex. o. sammansättningar
**östan** s o. **östanvind** s east wind, easterly wind
**östasiatisk** adj East Asiatic
**Östasien** Eastern Asia
**östblocket** s hist. the Eastern bloc
**öster I** s väderstreck the east; *östern* the East, the Orient **II** adv east, to the east [*om* of]; jfr *norr* med ex. o. sammansättningar
**österifrån** adv from the east
**Österlandet** the East, the Orient
**österländsk** adj oriental, eastern
**österlänning** s Oriental
**österrikare** s Austrian
**Österrike** Austria
**österrikisk** adj Austrian
**Östersjön** the Baltic [Sea]
**österut** adv, *resa* ~ go (travel) east; jfr äv. *norrut*
**Östeuropa** Eastern Europe
**östlig** adj easterly; east; eastern; jfr *nordlig*
**östra** adj the east; t.ex. delen the eastern; jfr *norra*
**östtysk** adj o. s hist. East German
**Östtyskland** hist. East Germany
**öva I** vb tr **1** träna train [*ngn i ngt* a p. in a th., *ngn i att* inf. a p. to inf.]; ~ *in* lära in practise; roll, pjäs rehearse; ~ *upp* train; exercise **2** utöva exercise **II** vb rfl, ~ *sig i att* inf. practise ing-form; ~ *sig i engelska* practise English
**över I** prep **1** i rumsbetydelse o. friare over; högre än above; tvärsöver across; ned över, ned på on, upon; ~ *hela* jorden, kroppen all over...; *gå* ~ *gatan* walk across the street, cross the street; *kasta sig* ~ ngn fall on...; *leva* ~ *sina tillgångar* live

beyond one's means; via via, by way of **2** i tidsbetydelse over; resa bort ~ *julen* ...over Christmas; *klockan är* ~ *fem* it is past (speciellt amer. äv. after) five **3** mer än over, more than, above; ~ *hälften av* over (more than) half of; ~ *medellängd* over (above) average height **4** om, angående, *en biografi* ~ Strindberg a biography of...; *en karta* ~ *Sverige* a map of Sweden; *en essä (föreläsning)* ~ an essay (a lecture) on **II** adv **1** over; ovanför above; tvärsöver across **2** slut over, at an end; förbi äv. past **3** kvar left, left over; *det som blev* ~ what was left (left over), the remainder
**överallt** adv everywhere; ~ *där* det finns, vanl. wherever...
**överanstränga I** vb tr overstrain, overexert **II** vb rfl, ~ *sig* overstrain (overexert) oneself
**överansträngd** adj overstrained; utarbetad overworked
**överansträngning** s overstrain, over-exertion, overwork
**överarm** s upper arm
**överbefolkad** adj overpopulated
**överbefolkning** s overpopulation
**överbefälhavare** s supreme commander, commander-in-chief
**överbelasta** vb tr overload; äv. elektr.; bildl. overtax
**överbetala** vb tr overpay
**överbevisa** vb tr jur. convict [*ngn om ett brott* a p. of a crime]; friare convince [*ngn om* a p. of]
**överblick** s survey, general view [*över* of]
**överblicka** vb tr survey
**överbliven** adj remaining, left
**överbord** adv, *falla* ~ fall overboard
**överbrygga** vb tr bridge
**överdel** s top (upper) part; av plagg äv. top
**överdos** s overdose
**överdosera** vb tr overdose
**överdrag** s **1** t.ex. skynke cover, covering; på möbel loose cover; lager av färg coat, coating **2** på konto overdraft
**överdragskläder** s pl overalls
**överdrift** s exaggeration; om påstående äv. overstatement; *gå till* ~ go too far, go to extremes
**överdriva** vb tr o. vb itr exaggerate; *du överdriver* går för långt you're overdoing it
**överdriven** adj exaggerated, excessive
**överdrivet** adv exaggeratedly; ~ noga, artig etc. too...
**överdåd** s slöseri extravagance; lyx luxury

**överdäck** s upper deck
**överens** adj, adv, vara ~ ense be agreed (in agreement, in accord), agree [om on]; **komma** ~ **om ngt** agree (come to an agreement) on (about) a th.; **komma bra** ~ **med ngn** get on well with a p.; **stämma** ~ agree; passa ihop äv. correspond [med with]
**överenskommelse** s agreement; arrangement; **enligt** ~ as agreed (arranged)
**överensstämma** vb itr agree; passa ihop äv. correspond [med with]
**överensstämmelse** s agreement; motsvarighet correspondence; **i** ~ **med** enligt in accordance with
**överexponera** vb tr overexpose
**överexponering** s overexposure
**överfall** s assault, attack
**överfalla** vb tr assault, attack
**överfart** s crossing; överresa äv. voyage, passage
**överflyga** vb tr overfly
**överflygning** s overflight
**överflöd** s ymnighet abundance, profusion; rikedom affluence; övermått superabundance [på, av i samtliga fall of]; **finnas i** ~ be abundant; **leva i** ~ live in luxury
**överflöda** vb itr abound [av, på in, with]
**överflödig** adj superfluous, redundant; **känna sig** ~ feel unwanted
**överflödssamhälle** s, ~t the Affluent Society
**överfull** adj overfull; packad crammed
**överföra** vb tr överflytta, sprida transfer, transmit; ~ **en sjukdom** transmit a disease
**överföring** s av pengar transfer; av varor conveyance, transport, transportation; av elkraft, radio. transmission
**överförtjust** adj delighted, overjoyed
**överge** vb tr abandon; svika desert; lämna leave, forsake; ge upp give up
**övergiven** adj abandoned, deserted
**överglänsa** vb tr outshine, eclipse
**övergrepp** s övervåld outrage; intrång encroachment
**övergå** vb tr o. vb itr, **det ~r mitt förstånd** it passes (is above) my comprehension
**övergående** adj passing; tillfällig temporary; kortvarig transitory
**övergång** s **1** omställning change-over; från ett tillstånd till ett annat transition; förändring change **2** för fotgängare crossing, pedestrian crossing **3** övergångsbiljett transfer ticket

**övergångsbestämmelse** s provisional (temporary) regulation
**övergångsbiljett** s transfer ticket
**övergångsstadium** s transition stage
**övergångsställe** s för fotgängare crossing, pedestrian crossing
**övergångstid** s transition period, period (time) of transition
**övergångsålder** s klimakterium change of life, climacteric
**övergöda** vb tr overfeed
**övergödd** adj overfed
**överhand** s, **få (ta) ~en** få övertaget get the upper hand [över of]; sprida sig spread; **få (ta) ~en över ngn** om känsla get the better of a p.; elden **tog** ~ ...got out of control
**överhet** s, ~en the authorities pl.
**överhetta** vb tr overheat
**överhopa** vb tr load; ~**d med arbete** overburdened with (vard. up to the eyes in) work
**överhuvud** s head; ledare chief
**överhuvudtaget** adv on the whole; alls at all
**överhängande** adj hotande impending, imminent; brådskande urgent
**överilad** adj rash, hasty
**överinseende** s supervision, superintendence
**överkant** s upper edge (side); **i** ~ för stor, lång, hög etc. rather on the large (long, high etc.) side
**överkast** s säng- bedspread, coverlet
**överklaga** vb tr appeal against
**överklagande** s appeal [av against]
**överklass** s upper class; ~**en** the upper classes pl.
**överklassig** adj upper-class...
**överkomlig** adj om hinder surmountable; om pris reasonable, moderate
**överkropp** s upper part of the body
**överkäke** s upper jaw
**överkänslig** adj hypersensitive, oversensitive; allergisk allergic [för to]
**överkörd** adj, **bli** ~ i trafiken etc. be (get) run over; bildl., i diskussion etc. be steamrollered
**överlagd** adj uppsåtlig premeditated; **noga** ~ övertänkt well considered
**överlakan** s top sheet
**överlasta** vb tr overload, overburden
**överleva** vb tr o. vb itr survive; ~ **ngn (ngt)** äv. outlive a p. (a th.); ~ **sig själv** om företeelse outlive its day, become out of date

**överlevande** *adj* surviving; *de ~* the survivors

**överlista** *vb tr* outwit, dupe

**överljudshastighet** *s* supersonic speed

**överljudsplan** *s* supersonic aircraft

**överlupen** *adj* **1** *~ av* besökare overrun with...; *~ med arbete* overburdened with work **2** övervuxen, *~ av (med)* mossa overgrown (covered) with...

**överlycklig** *adj* overjoyed

**överlåta** *vb tr* **1** överföra transfer, make over [*ngt till (åt, på) ngn* a th. to a p.]; *biljetten får ej ~s* the ticket is not transferable **2** hänskjuta leave; *jag överlåter åt dig att* inf. I leave it to you to inf.

**överlåtelse** *s* transfer [*på, till* to]

**överläge** *s* advantage; *vara i ~* be in a superior (an advantageous) position, have the upper hand; sport. be doing well

**överlägga** *vb itr* confer [*med ngn om ngt* with a p. about a th.]; deliberate

**överläggning** *s* deliberation, discussion; *~ar* samtal talks

**överlägsen** *adj* superior [*ngn* to a p.]; högdragen supercilious

**överlägsenhet** *s* superiority [*över* to]; högdragenhet superciliousness

**överläkare** *s* avdelningschef chief (senior) physician (kirurg surgeon); sjukhuschef medical superintendent

**överlämna** *vb tr* avlämna deliver, deliver up (over); framlämna hand...over; räcka pass, pass...over; skänka present, give; ge upp, t.ex. ett fort deliver up, surrender; give...up; överlåta leave; *den saken ~r jag åt dig* I leave that to you

**överlämnande** *s* delivery; av t.ex. gåva presentation

**överläpp** *s* upper lip

**övermakt** *s* i antal superior numbers pl.; i stridskrafter superiority in forces; *kämpa mot ~en* fight against heavy odds

**överman** *s* superior; *finna sin ~* meet one's match

**övermanna** *vb tr* overpower

**övermod** *s* förmätenhet presumption, arrogance

**övermogen** *adj* overripe

**övermorgon** *s, i ~* the day after tomorrow

**övermått** *s* excess; överflöd superfluity

**övermäktig** *adj* superior; *smärtan blev henne ~* the pain became too much for her

**övermänniska** *s* superman

**övermänsklig** *adj* superhuman

**övernatta** *vb itr* stay overnight, stay (spend) the night

**övernaturlig** *adj* supernatural; *i ~ storlek* larger than life

**överord** *s pl* överdrift exaggeration sg.

**överordnad I** *adj* superior; *kapten är ~ löjtnant* a captain is a lieutenant's superior; *i ~ ställning* in a superior (responsible) position **II** *subst adj* superior; *han är min ~e* äv. he is above me

**överplagg** *s* outer garment

**överpris** *s* excessive price; *betala ~ för* be overcharged for

**överraska** *vb tr* surprise, take...by surprise

**överraskande I** *adj* surprising **II** *adv* surprisingly; *det kom fullständigt ~* it came as a complete surprise

**överraskning** *s* surprise

**överreagera** *vb itr* overreact

**överreklamerad** *adj* overrated

**överresa** *s* crossing; längre voyage, passage

**överrock** *s* overcoat

**överrumpla** *vb tr* surprise, take...by surprise

**överrumpling** *s* surprise

**överräcka** *vb tr* hand over; skänka present

**överrösta** *vb tr,* oväsendet *~de honom* ...drowned his voice; *~ ngn* skrika högre än shout a p. down, shout louder than a p.

**övers** *s, ha tid till ~* have spare time; *jag har ingenting till ~ för sådana människor* I've no time for such people

**överse** *vb itr, ~ med* ngt overlook...

**överseende I** *adj* indulgent [*mot* towards] **II** *s* indulgence [*med* with]; *ha ~ med ngn* be indulgent towards a p.; *ha ~ med ngt* overlook a th.

**översikt** *s* survey; sammanfattning outline, summary [*över, av* i samtliga fall of]

**översiktskarta** *s* key map, general map

**översittare** *s* bully; *spela ~* bully, play the bully; *spela ~ mot ngn* bully a p.

**översitteri** *s* bullying

**överskatta** *vb tr* overrate, overestimate

**överskattning** *s* overrating, overestimation

**överskjutande** *adj* t.ex. belopp surplus..., excess...

**överskott** *s* surplus; vinst profit

**överskrida** *vb tr* t.ex. gräns cross; t.ex. sina befogenheter exceed, overstep, go beyond

**överskrift** *s* till artikel etc. heading, caption; till dikt etc. title; i brev form of address

**överskugga** *vb tr* overshadow

**överskåda** *vb tr* survey, take in
**överskådlig** *adj* klar och redig clear, lucid; lättfattlig... easy to grasp
**överskådlighet** *s* clearness, lucidity
**överslag** *s* förhandsberäkning rough estimate (calculation) [*över* of]
**översnöad** *adj* ...covered with snow, snowy
**överspänd** *adj* overstrung, highly-strung
**överst** *adv* uppermost, on top; ~ *på sidan* at the top of the page
**översta** *adj, den* ~ lådan etc. the top (av två the upper)...; *den allra* ~ grenen, hyllan the topmost (uppermost)...
**överste** *s* colonel
**överstelöjtnant** *s* lieutenant-colonel; inom flygvapnet ung. wing commander
**överstepräst** *s* high priest
**överstiga** *vb tr* exceed, go (be) beyond (above)
**överstycke** *s* top, top (upper) piece
**överstånden** *adj, det värsta är överståndet* the worst is over; *få det överståndet* get it over (over with)
**översvallande** *adj* om person effusive, gushing; ~ *entusiasm* unbounded enthusiasm; ~ *glädje* transports of joy, rapturous delight; ~ *vänlighet* overflowing kindness
**översvämma** *vb tr* flood äv. bildl.
**översvämning** *s* flood
**översyn** *s* overhaul; *ge* bilen *en* ~ äv. overhaul...
**översållad** *adj* strewn, covered [*med* with]
**översätta** *vb tr* translate [*till* into]
**översättare** *s* translator
**översättning** *s* translation [*till* into]
**överta** *vb tr* take over; t.ex. ansvaret, befälet äv. take; t.ex. praktik, affär succeed to
**övertag** *s* överläge advantage [*över* over]
**övertala** *vb tr* persuade; *låta* ~ *sig att* inf. be persuaded (talked) into ing-form
**övertalig** *adj* ...too many in number; överflödig redundant
**övertalning** *s* persuasion
**övertalningsförmåga** *s* persuasive powers pl.
**övertid** *s* overtime; *arbeta på* ~ work overtime
**övertidsarbete** *s* overtime work
**övertidsersättning** *s* overtime pay (compensation)
**övertramp** *s* sport. o. bildl., *göra* ~ overstep the mark
**överträda** *vb tr* infringe, trespass against

**överträdelse** *s* infringement, trespass; ~ *beivras* offenders (vid förbjudet område trespassers) will be prosecuted
**överträffa** *vb tr* surpass, exceed; överglänsa outdo; ~ *sig själv* surpass (excel) oneself
**övertyga** *vb tr* convince [*om* of]; *ni kan vara ~d om att...* you may rest assured that...; ~ *sig om* make sure of
**övertygande** *adj* convincing
**övertygelse** *s* conviction; *handla efter sin* ~ act up to one's convictions
**övervaka** *vb tr* supervise, superintend; hålla ett öga på keep an eye on, watch over
**övervakare 1** jur. probation officer **2** som håller uppsikt över supervisor
**övervakning** *s* **1** jur. probation; *stå under* ~ be on probation **2** uppsikt supervision, superintendence
**övervara** *vb tr* attend, be present at
**övervikt** *s* overweight; bagage~ excess luggage (baggage); *med tio rösters* ~ with (by) a majority of ten
**övervinna** *vb tr* overcome; besegra conquer
**övervintra** *vb itr* pass the winter; ligga i ide hibernate
**övervintring** *s* wintering; i ide hibernation
**övervuxen** *adj* overgrown, overrun
**övervåning** *s* upper floor (storey)
**1 överväga** *vb tr* ta i betraktande consider
**2 överväga** *vb tr* o. *vb itr* uppväga outweigh; ja-röster *överväger* ...are in the majority
**1 övervägande** *s* consideration, deliberation; *ta ngt i* ~ take a th. into consideration
**2 övervägande** *adj* förhärskande predominant; *den* ~ *delen av* the great majority of
**överväldiga** *vb tr* overwhelm, overpower
**överväldigande** *adj* overwhelming
**övervärdera** *vb tr* overestimate, overrate
**överväxel** *s* bil. overdrive
**överårig** *adj* över pensionsålder superannuated; friare, för gammal ...too old; över viss maximiålder ...over age
**överösa** *vb tr,* ~ *ngn med* t.ex. gåvor, ovett shower...on a p.
**övning** *s* **1** end. sg.: praktik, vana practice; träning training; ~ *i att* dansa practice in ing-form **2** med pl. exercise; t.ex. brandövning, strukturövning drill; *gymnastiska ~ar* gymnastic exercises
**övningsbil** *s* driving-school car, britt. motsv. äv. learner's (learner) car
**övningsexempel** *s* uppgift exercise; mat. etc. problem

**övningsförare** *s* learner-driver
**övningskörning** *s* med bil driving practice
**övningslärare** *s* teacher in a practical
subject
**övningsuppgift** *s* skol. exercise
**övningsämne** *s* skol. practical subject
**övre** *adj* upper; översta äv. top; ~ *däck*
upper deck
**övrig** *adj* återstående remaining; annan other;
*det* (*de*) ~*a* the rest; *det* ~*a Europa* the
rest of Europe; *det lämnar mycket*
(*intet*) ~*t att önska* it leaves a great deal
(nothing) to be desired; *för* ~*t* a) dessutom
besides, moreover b) i förbigående sagt
incidentally, by the way c) annars
otherwise d) vidare further
**övärld** *s* skärgård archipelago (pl. -s); poet.
island world

# Ordbokstecken

~     betecknar hela uppslagsordet

[ ]     används kring ord och uttryck som kan uteslutas samt kring uttalsbeteckning

( )     används kring ord eller ordgrupper som kan ersätta närmast föregående ord (synonym eller alternativ)

       används också kring uppgift om böjning eller annan grammatisk upplysning

⟦ ⟧     används kring konstruktionsmönster eller belysande exempel

       används i engelsk-svenska delen också kring del av engelsk fras som inte översätts. Motsvaras i översättningen av tre punkter
Exempel: **fright:** ⟦*her new hat*⟧ *is a* ~ ... är förskräcklig

□     används för att markera avdelning med ledord (i fet stil) i alfabetisk ordning

# Uttal

Uttalsmarkeringen i **engelsk-svenska** delen följer huvudsakligen senaste upplagan av Jones/Gimson: *English Pronouncing Dictionary.*

## Vokaler

| Långa | | Korta | |
|---|---|---|---|
| [i:] steel | | [ɪ] | ring |
| | | [e] | pen |
| | | [æ] | back |
| [ɑ:] father | | [ʌ] | run |
| [ɔ:] call | | [ɒ] | top |
| [u:] too | | [ʊ] | put |
| [ɜ:] girl | | [ə] | about |

## Konsonanter

| Tonande | | Tonlösa | |
|---|---|---|---|
| [b] | back | [p] | people |
| [d] | drink | [t] | too |
| [g] | go | [k] | call |
| [v] | very | [f] | fish |
| [ð] | there | [θ] | think |
| [z] | freeze | [s] | strike |
| [ʒ] | usual | [ʃ] | shop |
| [dʒ] | job | [tʃ] | check |
| [j] | you | | |
| | | [h] | here |

## Diftonger

| | | | |
|---|---|---|---|
| [eɪ] name | | [m] | my |
| [aɪ] line | | [n] | next |
| [ɔɪ] boy | | [ŋ] | ring |
| [əʊ] phone | | [l] | long |
| [aʊ] now | | [r] | red |
| [ɪə] here | | [w] | win |
| [eə] there | | | |
| [ʊə] tour | | | |

*Huvudtryck* markeras med lodrätt accenttecken *i överkant,* som placeras *före* den stavelse som uppbär huvudtrycket: **about** [əˈbaʊt]

*Bitryck* markeras med lodrätt accenttecken *i nederkant,* som placeras *före* den stavelse som uppbär bitrycket: **academic** [ˌækəˈdemɪk]

*Ljud som kan utelämnas* i uttalet omges av rund parentes: **cushion** [ˈkʊʃ(ə)n]

# Aktuella ordböcker från Sveriges äldsta förlag

**Stora ordböcker**
*För avancerade användare (översätt-ning, universitetsstudier, arbete etc)*

**Mellanstora ordböcker**
*För arbete, privatbruk, gymnasie-studier etc*

**Små ordböcker**
*För arbete, resor, högstadium etc*

## DANSKA

Norstedts dansk-svenska ordbok
50 000 ord och fraser

## ENGELSKA

Norstedts stora engelsk-svenska
ordbok. Andra upplagan      1993
129 000 ord och fraser

Norstedts stora svensk-engelska
ordbok. Andra upplagan      1993
129 000 ord och fraser

Norstedts stora engelska ordbok
En-sv/Sv-en (box). Andra upplagan
258 000 ord och fraser

Norstedts engelsk-svenska ordbok
60 000 ord och fraser

Norstedts svensk-engelska ordbok
82 000 ord och fraser      1992

Norstedts engelska ordbok
En-sv/Sv-en (box)
142 000 ord och fraser

Norstedts lilla engelska ordbok
En-sv/Sv-en Andra upplagan      1993
70 000 ord och fraser

## FINSKA

Norstedts finska ordbok
Fi-sv/Sv-fi
60 000 ord och fraser      1991

## FRANSKA

Fransk-svensk ordbok (Vising)
73 000 ord och fraser

Svensk-fransk ordbok (Hammar)
106 000 ord och fraser

Norstedts fransk-svenska ordbok
38 000 ord och fraser      1989

Norstedts svensk-franska ordbok
43 000 ord och fraser      1989

Norstedts franska ordbok
Fr-sv/Sv-fr (box)
81 000 ord och fraser

Norstedts lilla franska ordbok
Fr-sv/Sv-fr
63 000 ord och fraser      1993

## ITALIENSKA

Norstedts italiensk-svenska ordbok
55 000 ord och fraser      1994

Norstedts svensk-italienska ordbok
50 000 ord och fraser      1994

Norstedts italienska ordbok
It-sv/Sv-it (box)
105 000 ord och fraser